CORNEILLE

l'Intégrale

Collection dirigée par Luc Estang, assisté de Françoise Billotey

BALZAC
Préface de Pierre-Georges Castex
Présentation de Pierre Citron
LA COMÉDIE HUMAINE
1. Études de mœurs, Scènes de la vie privée (I). -
2. Scènes de la vie privée (II), Scènes de
la vie de province (I). - 3. Scènes de la vie
de province (II). - 4. Scènes de la vie parisienne (I). - 5. Scènes de la vie parisienne (II),
Scènes de la vie politique, Scènes de la vie
militaire. - 6. Scènes de la vie de campagne.
Études philosophiques (I). - 7. Études philosophiques (II), Études analytiques.

BAUDELAIRE
Préface et présentation
de Marcel Ruff

CORNEILLE
Préface de Raymond Lebègue
Présentation d'André Stegmann

FLAUBERT
Préface de Jean Bruneau
Présentation de Bernard Masson
1. Écrits de jeunesse, Premiers romans, La
tentation de saint Antoine, Madame Bovary,
Salammbô. - 2. L'éducation sentimentale,
Trois contes, Bouvard et Pécuchet, Théâtre,
Voyages.

VICTOR HUGO
Présentation d'Henri Guillemin
1. Han d'Islande, Bug-Jargal, Le dernier jour
d'un condamné, Notre-Dame de Paris, Claude
Gueux. - 2. Les misérables. - 3. Les travail-
leurs de la mer, L'homme qui rit, Quatrevingt-
Treize.

LA FONTAINE
Préface de Pierre Clarac
Présentation de Jean Marmier

MARIVAUX
Préface de Jacques Schérer
Présentation de Bernard Dort
THÉÂTRE COMPLET

MÉMORIAL DE
SAINTE-HÉLÈNE
PAR LAS CASES
Préface de Jean Tulard
Présentation de Joël Schmidt

MOLIÈRE
Préface de Pierre-Aimé Touchard

MONTAIGNE
Préface d'André Maurois
Présentation de Robert Barral
en collaboration avec Pierre Michel

MONTESQUIEU
Préface de Georges Vedel
Présentation de Daniel Oster

MUSSET
Texte établi et présenté par
Philippe van Tieghem

PASCAL
Préface d'Henri Gouhier
Présentation de Louis Lafuma

RACINE
Préface de Pierre Clarac

ROUSSEAU
Préface de Jean Fabre
Présentation de Michel Launay
1. Œuvres autobiographiques.

STENDHAL
Préface et présentation
de Samuel S. de Sacy
ROMANS
1. Armance, Le rouge et le noir, Lucien Leu-
wen. - 2. La chartreuse de Parme, Chroniques
italiennes, Romans et Nouvelles, Lamiel.

VIGNY
Préface et présentation
de Paul Viallaneix

ZOLA
Préface de Jean-Claude Le Blond-Zola
Présentation de Pierre Cogny
LES ROUGON-MACQUART
1. La fortune des Rougon, La curée, Le ventre
de Paris, La conquête de Plassans. - 2. La faute
de l'abbé Mouret, Son Excellence Eugène Rou-
gon, L'Assommoir. - 3. Une page d'amour,
Nana, Pot-Bouille. - 4. Au Bonheur des Dames,
La joie de vivre, Germinal. - 5. L'œuvre, La
terre, Le rêve, La bête humaine. - 6. L'argent,
La débâcle, Le docteur Pascal.

CORNEILLE

ŒUVRES COMPLÈTES

PRÉFACE DE RAYMOND LEBÈGUE
DE L'INSTITUT

PRÉSENTATION ET NOTES DE
ANDRÉ STEGMANN

AUX ÉDITIONS DU SEUIL
27, rue Jacob, Paris-VIe

CORNEILLE

Pour son malheur, Corneille est un auteur scolaire, dont les millions de petits Français doivent lire quelques pièces (toujours les mêmes) et apprendre par cœur des tirades. Par suite, son image s'est simplifiée à l'excès. C'est le Corneille bourgeois et grave de Caffiéri, auquel fait pendant un Rotrou tumultueux et baroque. A l'origine du conformisme universitaire qui a régné jusqu'au début du xxᵉ siècle, on trouve deux grands écrivains contemporains de Louis XIV : Racine, qui, après la mort de Corneille, l'a présenté comme le fondateur du théâtre classique ; La Bruyère, qui exécuta en deux phrases ses premières et ses dernières pièces et qui lança la si contestable formule : il « peint les hommes comme ils devraient être ».

De nos jours, on nettoie enfin ce buste solennel, et l'on voit apparaître une personnalité bien vivante, un auteur étonnamment divers.

Malgré les recherches les plus diligentes, le détail de la vie de Pierre Corneille reste, pour une large part, inconnu. Certains en prennent leur parti, et même s'en réjouissent. Cependant il n'est pas indifférent de savoir qu'il est né à Rouen à une époque où cette ville était, en France, la métropole de l'édition théâtrale, et où les gens de robe y consacraient volontiers leurs loisirs à la composition dramatique. Et qu'il a passé son adolescence dans un collège de Jésuites, qui lui ont donné une culture latine et un certain enseignement religieux et moral : la doctrine de la Grâce si nettement définie dans *Polyeucte* est celle des Jésuites. Il s'y est familiarisé avec l'art oratoire étudié dans Cicéron et avec des exercices qui l'ont préparé au dialogue de théâtre. Avocat, il a appris à bâtir un plaidoyer.

Il y avait à Rouen une colonie espagnole et une colonie anglaise. Corneille y a lu les *Rodomontades* pseudo-*espagnoles* et s'y est initié à la *comedia* du Siècle d'or. Et les ressemblances que l'on constate entre *Clitandre* et l'*Illusion comique*, et certaines œuvres anglaises du début du xviiᵉ siècle s'expliquent-elles par le passage de comédiens anglais, ou même par la lecture de drames élisabéthains[1]? C'est peu probable.

L'amitié qui l'unit à son jeune frère Thomas

trouve un écho dans l'amour fraternel d'Antiochus et de Séleucus, de Palmis et de Suréna.

Nous connaissons trop mal les expériences amoureuses de sa jeunesse pour en découvrir le reflet dans ses premières comédies. Mais, à trente-quatre ans, il fait — nous dit son neveu Fontenelle — un mariage d'amour. C'est alors qu'il écrit *Polyeucte*, tragédie d'un saint martyr, mais aussi d'un couple de jeunes mariés ; le quatrième acte contient les plus profondes, les plus émouvantes paroles que notre littérature du xviiᵉ siècle ait consacrées à un sentiment qu'elle n'a guère célébré : l'amour conjugal. Quand la troupe de Molière s'installe à Rouen, Corneille a dépassé la cinquantaine ; la meilleure actrice est la jeune et belle Marquise Du Parc. On discute sur la nature du sentiment qu'expriment les fameuses Stances ; mais c'est après ce jeu galant que Corneille introduisit dans la tragédie un personnage nouveau : l'amoureux d'âge mûr qui ne peut réussir en amour, et qui le sait, mais qui — à la différence des barbons amoureux de la comédie — loin d'être grotesque, mérite l'estime et le respect, tels Sertorius, le Martian de *Pulchérie*, et aussi Syphax.

Marguillier de sa paroisse, il conserve des relations amicales avec les Jésuites du collège de Rouen, compose deux tragédies de saints, et traduit en vers l'*Imitation* et l'Office de la Sainte Vierge. Aucune faille, aucune déviation dans la piété que lui ont inculquée les Jésuites. Sauf dans des vers sur la grâce suffisante, il s'abstient de prendre part aux querelles religieuses du temps : si, dans la préface d'*Attila*, il fait une allusion cinglante à la traduction de Térence par les Jansénistes, si, dans les mois qui suivent, il proclame sa reconnaissance à l'égard des Jésuites en accord avec leur doctrine, c'est que son théâtre a été attaqué par Nicole.

Les contemporains l'ont taxé d'avarice. Il proclamait trop franchement son désir d'être bien payé par les comédiens et par les libraires, et il a flatté de nobles protecteurs, le financier Montoron, et Louis XIV, qui, en échange de la pension royale, exigeait des éloges. Mais il avait six enfants à nourrir et à établir. Toutefois n'allons pas jusqu'à reprendre une légende niaisement touchante, et à plonger le vieux Corneille dans la misère : il a toujours connu une bourgeoisie aisance.

---

1. Chose curieuse : dans tout le théâtre de Corneille, le personnage le plus dévoré par la passion amoureuse est une " princesse d'Angleterre " (1ʳᵉˢ éditions de l'*Illusion comique*).

Si Corneille pratique, non sans lourdeur, la flatterie, son naturel est fier. Il s'enorgueillit du succès grandissant du théâtre, auquel il contribue plus que tout autre, et il défend contre les rigoristes ce divertissement. Conscient de son génie, il est fier de sa prééminence; l'orgueil qui pointe dans l'*Excusatio* et s'étale dans l'*Excuse à Ariste*, est le même que celui d'un de ses jeunes héros :

Est-il quelque ennemi qu'à présent je ne dompte ?

Aux approches de la vieillesse et de la mort, attristé par ses échecs, jaloux du succès des jeunes auteurs, il mettra sur la scène des hommes d'âge mûr, qui échouent, mais dont la « générosité » est incontestable :

Que tout meure avec moi, Madame...

Sur sa méthode de travail, on a récemment découvert un texte curieux : en 1665, un voyageur anglais rapporte, d'après un ami de Corneille, que celui-ci, avant de travailler à une pièce, se mettait au lit, couvert d'épaisses couvertures, et n'en sortait qu'après avoir sué à grosses gouttes.

Mais notre curiosité reste insatisfaite. Selon l'habitude de l'époque, les manuscrits de ses ouvrages ont été détruits. Nous ignorons comment il bâtissait une pièce, imaginait un personnage, forgeait ses alexandrins.

Déjà les contemporains s'étonnaient de la dissemblance entre l'homme Corneille, tel qu'il leur apparaissait, et son œuvre. Lui-même, il avouait de bonne grâce cette disparate :

J'ai la plume féconde, et la bouche stérile...

Quel rapport entre la volonté tendue à l'extrême, l'inflexible « générosité » de ses héros, et sa vie simple, régulière, bourgeoise? En créant les personnages de Félix, de Valens, de Prusias, se rappelait-il l'attitude peureuse et servile de fonctionnaires rouennais au cours de la répression de 1640, ou se libérait-il de sentiments trop prudents dont il avait honte :

J'en ai même de bas et qui me font rougir ?

Enviait-il à ses héros la gloire de l'homme de guerre, — cette gloire qu'un gendre et deux fils chercheront, au péril de leur vie, sur les champs de bataille? Pour exprimer sa pensée, un auteur de tragédie ne dispose pas d'un Ariste, d'un Olivier de Jalin. Aussi est-il hasardeux de prêter à Corneille les sentiments d'un Alidor, d'un jeune Horace, — ou d'un Curiace.

Il reste qu'il croyait fermement et à la Grâce divine, et à la liberté de l'homme, cette liberté dont ses personnages usent, dans leurs passions ou dans leur volonté raisonnable, pour le mal ou pour le bien. Et que, sur le plan politique, il a toujours combattu le « machiavélisme ».

Tout au moins, nous possédons l'œuvre complète (sauf la traduction de *la Thébaïde*) : une des plus riches, une des plus variées qui aient été jouées sur la scène française.

Cette œuvre a été l'objet d'innombrables commentaires qui l'ont éclairée, et parfois déformée et obscurcie. De nos jours, un savant scandinave a posé une question qui eût étonné et scandalisé ses devanciers : Corneille est-il un Classique, n'est-il pas plutôt un Baroque? Il faut y regarder de près.

Dans ses premières pièces, il parle sur un ton désinvolte des règles classiques; quand il les applique, c'est avec condescendance. Tout comme un Rotrou, il insère dans ses comédies des situations tragiques et des tirades véhémentes. Il cultive les pointes : dans *Mélite* le « cœur mis à la fenêtre », dans *Clitandre* l'apostrophe de Pymante au poinçon qui l'a éborgné sont du style baroque le plus alambiqué. Le goût baroque du bizarre se satisfait dans l'*Illusion comique*. La violence baroque se donne carrière dans *Clitandre*, *Médée*, l'*Illusion comique*; dans la tragi-comédie, deux meurtres ont lieu sur la scène, et une jeune fille n'échappe au viol qu'en crevant un œil au galant; dans *Médée*, l'auteur a multiplié les spectacles étranges ou macabres. Avant 1660, la pièce intérieure de l'*Illusion comique* se terminait par le meurtre de Clindor et de son amante Rosine et par la prémices du viol d'Isabelle. Encore dans *Rodogune*, le suicide de Cléopâtre aura lieu sur la scène, et sera décrit avec un réalisme repoussant.

Mais ce qui, dans plusieurs des premières pièces de Corneille, caractérise le mieux l'esprit baroque, c'est la démesure des passions et des volontés. Alidor pousse l'amour de la liberté jusqu'à l'extravagance. La Médée cornélienne ne connaît pas le repentir. En s'apprêtant à « immoler ce qu'il aime », le jeune Horace est fier d'accomplir un acte extraordinaire. Pour satisfaire son ambition, la Cléopâtre de *Rodogune* commet un crime monstrueux.

Mais, peu à peu, Corneille se soumettra aux règles classiques. Il liera les scènes entre elles, justifiera les entrées et les sorties des personnages. Il renoncera aux pointes. En rééditant ses premières œuvres, il les soumettra aux bienséances, remplaçant le mot *baiser* par un terme anodin, affadissant une scène scabreuse du cinquième acte de *Clitandre*, supprimant ce personnage qu'on croirait échappé du théâtre d'Henry Bataille : la princesse Rosine (cependant, il ose conserver le lupanar de Sainte Théodore, la bigamie de Sophonisbe, et le saignement de nez d'Attila). Et les personnages exceptionnels deviendront plus rares.

Corneille a souvent suivi la mode de son temps; aussi bien a-t-il répété que le seul but du théâtre était de plaire, de divertir. Mairet remet en faveur le genre tragique : il se hâte d'écrire une tragédie. On aimait voir sur la scène un magicien, un fanfaron, un prisonnier : il nous montre Médée, Alcandre, le Matamore, le condamné Clindor. L'histoire romaine faisait les délices des gens cultivés : il l'utilise depuis les rois de Rome jusqu'aux temps d'Attila. Son *Clitandre* est un pastiche, presque une parodie des tragi-comédies de l'époque.

Mais, même lorsqu'il suit la tradition, il s'efforce de faire mieux ou autrement. Son Matamore, ce virtuose du verbe, a plongé dans l'oubli tous les soldats fanfarons qui encombraient la scène française. Son Alcandre raille les simagrées que les magiciens de théâtre exécutaient devant le public. Il reprend à Gougenot et à Scudéry le thème de la pièce dans la pièce, mais il en tire des jeux d'illusion qui font penser à Pirandello. Pour le cinquième acte de *l'Illusion comique*, il emprunte à Hardy la situation d'un homme entre sa femme et sa maîtresse; mais il parvient à nous attendrir d'abord sur l'une, ensuite sur l'autre.

Il a inventé à toutes les étapes de sa longue carrière: la comédie de bon ton et de marivaudage avec *Mélite*, la tragédie en vers libres (*Agésilas*), un « étrange monstre » (*l'Illusion comique*), etc. Dans *Andromède* et *la Toison d'Or*, il prépare les voies à l'opéra français. Avec une étonnante virtuosité, il passe de *Mélite* à *Clitandre*, de *l'Illusion comique* au *Cid*, du style moyen de *Polyeucte* à la grandiloquence de *la Mort de Pompée*, de *Don Sanche d'Aragon* à *Nicomède*, d'*Agésilas* à *Attila*. Au cours de la pièce il ose changer de héros (*Cinna, Polyeucte*). Quand il remet à la mode la tragédie de saint, il réussit un tour de force qu'aucun de ses imitateurs (qu'on pense au très estimable *Saint-Genest* de Rotrou) ne saura recommencer : plaire aux doctes en observant rigoureusement les trois unités; plaire aux dévots en montrant les effets de la Grâce et en exposant les dogmes essentiels; plaire au grand public en faisant de ces dogmes des motifs d'action tragique et en liant étroitement au drame sacré une pathétique (et double) histoire d'amour. Un protestant américain, H. C. Lancaster, a appelé *Polyeucte* la plus belle tragédie chrétienne qui ait jamais été écrite.

Dans cette nombreuse et brillante génération d'auteurs dramatiques qui est née avec le XVIIᵉ siècle, Corneille dépasse tous ses rivaux par la technique de la composition, par la richesse psychologique des personnages, par la perfection du style. L'homme qui a combiné le cinquième acte de *Cinna* et de *Rodogune* et tant de scènes de choc, avait un sens extraordinaire de l'effet dramatique; à la fin des actes, il savait tenir l'intérêt en suspens. Les personnages de ses émules ont moins d'épaisseur humaine que les siens. Son Félix est de tous les temps. Son Attila est une création singulière et de valeur durable : le XXᵉ siècle a connu plus d'un de ces despotes barbares, sans frein moral, cruels, mais séduits par la civilisation occidentale.

Il est superflu de parler du grand style tragique de Corneille; que Sénèque et Robert Garnier lui aient enseigné cette condensation, cette énergie et cet éclat, cela n'enlève rien à un mérite que ses rivaux n'ont su égaler. Mais il pratique avec maîtrise des styles très différents : celui de la conversation mondaine et de l'escrime amoureuse, celui de l'ironie

badine ou cinglante, et même celui du lyrisme et de l'élégie. Il a accepté de faire des vers destinés à être chantés[2], et il a cultivé non seulement le rythme, mais parfois aussi la mélodie : lisez maint passage d'*Agésilas* et de *Suréna*, les exquis dialogues de l'Amour et de Psyché, ou les stances tendrement émouvantes que la veuve soupire, la nuit, dans un parc de Watteau :

> Chers confidents de mes désirs,
> Beaux lieux secrets témoins de mon inquiétude...

Depuis un siècle, notre pays a connu trois terribles épreuves. Chaque fois, les Français se sont tournés vers Corneille et lui ont demandé un tonique moral. Rien de plus justifié : quel dramaturge peut mieux que lui enseigner le pouvoir d'une volonté tendue vers un noble but, le dépassement de soi-même, le suprême sacrifice à la patrie? Pendant la bataille de Verdun, ses tragédies se trouvaient sur la table du général Pétain. En 1943, quand un résistant franc-comtois écrivait à sa femme, la veille de son exécution : « Tu es jeune... Tu as encore droit au bonheur; prends un autre compagnon », il imitait sans le savoir Polyeucte.

Mais cette optique toute morale risque de mutiler et déformer l'œuvre de Corneille. Son éthique de la grandeur admet aussi les ambitieux scélérats, tels que Cléopâtre (dans *Rodogune*) ou Phocas; et, à son sujet, on a pu prononcer le mot *nietzschéisme*. D'autre part, la plupart de ses héros connaissent, avant de se décider, des hésitations, des troubles; ils savent la puissance du *je ne sais quoi*, du *je ne sais quel charme*. Rosine n'est pas le seul de ses personnages qui cède à des emportements. Au sujet de Pauline, Taine formule ce jugement surprenant : « Impossible de rencontrer une femme plus raisonnable et plus raisonneuse »; en réalité, si elle se targue de sa « raison souveraine », c'est pour cacher à Sévère son émotion :

> Le dedans n'est que trouble et que sédition.

Aujourd'hui la variété du répertoire cornélien n'apparaît pas seulement dans les représentations du festival normand de Barentin. Sans doute les pièces où le vieux Corneille sacrifie aux intrigues de palais, et la pitié, et la crainte, et l'admiration, ne peuvent plus exciter l'intérêt. Mais les représentations de *Psyché* révèlent une grâce et une poésie insoupçonnées. *Suréna* a été joué à nouveau, et dans les mêmes costumes qu'au XVIIᵉ siècle, qu'à l'époque de Wallenstein et de Condé; si l'action y est lente, si l'héroïne ne nous émeut qu'à la fin de la pièce, cette pureté, cette pudique tendresse ont plu aux *happy few*. Le public goûte la verve du *Menteur*, comme celle de *l'Étourdi*. Et les œuvres antérieures au *Cid* reviennent peu à peu à la vie. La récente vogue du baroque a permis la reprise de cette tragi-

---

2. De son côté, Marc-Antoine Charpentier a mis en musique les stances du *Cid*.

comédie échevelée, *Clitandre*, que joua une troupe universitaire; ceux qui aiment les violences et la démesure du théâtre élisabéthain, les retrouveront non seulement dans *Rodogune*, mais aussi dans *Médée* et à la fin de *l'Illusion comique*. Si l'on représentait à nouveau les premières comédies, le public découvrirait dans ces essais un premier crayon des pièces de Marivaux, et dans *la Place royale* (que Gérard Philipe avait pensé monter) une toute moderne exigence de liberté.

A l'époque où Péguy faisait une incomparable exégèse de *Polyeucte*, Pierre Louÿs — dont l'œuvre n'a rien de cornélien — poussait l'admiration pour l'auteur du *Cid* jusqu'à lui attribuer les comédies en vers de Molière. Bien qu'il ait écrit contre *Polyeucte* et son auteur une lettre-pamphlet, Claudel est de la lignée de Corneille. Et Bernanos. Et Saint-Exupéry. Et André Malraux, qui se rattache lui-même à la tradition cornélienne. Et Montherlant, dont on aimerait lire une préface à *la Place royale*. Sartre a rendu hommage à Corneille : c'est dans ses personnages qu'il trouve la complexité de la vie, et il préfère son théâtre de situations au théâtre de caractères. Ainsi des écrivains très divers, les uns chrétiens, les autres incroyants, sont, consciemment ou non, fidèles à l'esprit cornélien; car ils ont en commun une même aspiration vers les plus hauts problèmes de l'homme.

RAYMOND LEBÈGUE
de l'Institut

CHRONOLOGIE

1606. LE 6 JUIN, naissance à Rouen, rue de la Pie, de Pierre Corneille, l'aîné de six enfants. Son père, Pierre Corneille, avait épousé en 1602 Marthe Le Pesant, fille d'un avocat rouennais.

1608. Pierre Corneille achète à l'oncle de sa femme la propriété de Petit-Couronne (25 hectares), à quelques kilomètres de la ville, avec maison bourgeoise, « maison manante, grange, étable et fournil ». Les deux biens fonciers seront la part d'héritage du poète en 1639.

1615. Entrée au collège des jésuites de la ville, fondé à la fin du siècle précédent. Il compte plus de 1 500 élèves. On a peu de témoignages précis sur ses activités particulières, mais les échanges de professeurs y furent nombreux avec le collège de La Flèche, plus important encore. On en conserve au moins cinq tragédies latines du Père Mousson, parmi lesquelles un *Pompée*, dont Corneille s'est sans doute inspiré.

1618. Corneille, élève de troisième, reçoit pour prix de vers latins, un gros livre d'histoire grec et latin (*Hérodien*, l'éd. H. Estienne, Lyon, 1611) magnifiquement relié selon l'usage, grâce à la libéralité du gouverneur de la province, le duc de Longueville.

1620. Prix de vers latins en rhétorique, remis solennellement « pour la félicité et la prospérité de la République des Lettres et de tous les élèves de notre collège ». Le gros volume latin contient entre autres un traité des *Dignités d'Orient et d'Occident*.

1624. LE 18 JUIN, réception de Corneille, « licencié ès-lois », avocat.

1625. Baptême de Thomas, sixième enfant de la famille. Corneille se chargera de son éducation. Thomas fera, de 1649 à 1674, une brillante carrière d'auteur dramatique, parallèle à celle de son aîné. Sans être aussi étroites et aussi tendres que le veut la légende, leurs relations furent toujours excellentes - Mondory fait partie des comédiens du Prince d'Orange - La troupe espagnole de Fr. Lopez s'installe à Paris.

1628. Installation de Corneille dans sa double charge à la Table de marbre du Palais de Justice de Rouen (Eaux et forêts, Amirauté), qu'il conservera jusqu'en 1648.

1629. Naissance de Magdelaine, septième enfant de la famille. Elle mourra en bas âge (1635) - Formation de la troupe du Marais dirigée par Mondory. C'est très probablement cette année-là que Corneille fait jouer sa première œuvre, *Mélite*, imprimée en 1633.

1631. Premier texte imprimé de Corneille : des vers pour *Lygdamon et Lydias* de Scudéry[1], qui lui rendra la politesse pour *la Veuve* deux ans plus tard. La rupture à l'occasion du *Cid* n'en sera que plus éclatante - *Clitandre* joué au Marais (Jeu de paume de Berthauld).

1632. Édition de *Clitandre*, tragi-comédie et des *Mélanges poétiques. Récit pour le ballet du château de Bicêtre - Épigramme pour Monsieur L.C.D.F. La Veuve* jouée au Marais (tripot de la Sphère) - Scudéry : *le Trompeur puni*, tragi-comédie avec des vers liminaires de divers auteurs, parmi lesquels Mondory, Mairet, Du Ryer et Corneille. La pièce est dédiée à Mme de Combalet, nièce de Richelieu.

1633. Édition de *Mélite* (A M. de Liancour). *La Galerie du Palais*, au Marais (Jeu de paume de La Fontaine) - Louis XIII vient prendre les eaux à Forges. La troupe de Mondory y donne divers spectacles. - Invité par Mgr de Harlay à célébrer Richelieu, Corneille s'en excuse dans un poème latin, dans lequel il fait un premier bilan de ses succès scéniques et en attribue la gloire à Mondory, « Roscius moderne »! - *Excuse à Ariste* (éditée en 1637) : sous les orgueilleuses affirmations de l'auteur, affleure la blessure secrète d'un amour déçu, mais toujours vivace, et la solitude d'un auteur fier qui refuse de se compromettre pour réussir.

1634. PRINTEMPS, *La Suivante*, jouée au Marais (Jeu de paume de La Fontaine). LE 13 MARS, édition de *la Veuve* (A Mme de La Maisonfort) précédée de

---

1. L'affiche de cette pièce est la plus ancienne connue.

vingt-six poèmes liminaires, record sans précédent - Corneille n'imprime plus rien jusqu'en 1637. Le vif mécontentement qu'il avait contre Targa, qui avait fait une édition très fautive de *la Veuve*, ne suffit pas à expliquer ce silence. Il semble qu'immédiatement après les hommages de ses plus proches rivaux, Scudéry, Du Ryer, Rotrou, Mairet, Boisrobert, qui reconnaissent sa primauté, le vide se soit fait autour de lui, bien avant donc la querelle du *Cid*. Corneille d'ailleurs se met de lui-même en dehors du mouvement littéraire et de ses servitudes sociales et politiques. - *l'Excuse à Ariste* qui a dû circuler avant l'impression de 1637, en témoigne - Mareschal : *la Sœur valeureuse*, tragi-comédie, avec des vers liminaires de Corneille, Scudéry, Mairet, Rotrou, Du Ryer. - LE 14 AOUT, édition de l'*Excusatio*, dans l'*Epinicia Musarum Em° cardinali Duci de Richelieu*. - Marie, sœur cadette de Corneille, épouse le sieur Ballan. - LE 15 DÉCEMBRE, un ordre royal fait passer du Marais à l'Hôtel de Bourgogne six acteurs : Le Noir et sa femme, l'Espy, Jodelet, Alizon et la France. La nouvelle troupe compte quatorze hommes et quatre femmes. Beauchâteau en échange passe de l'Hôtel au Marais. HIVER, *la Place royale*, au théâtre du Marais, rue Vieille-du-Temple.

1635. FÉVRIER, *la Comédie des Tuileries* (pièce des cinq auteurs protégés de Richelieu : Rotrou, Boisrobert, l'Estoile, Colletet et Corneille). Corneille est très probablement l'auteur du troisième acte. - Derniers vers de Corneille en faveur d'un confrère : l'*Hippolyte* de La Pinelière (N.B. Aucun de Mairet, Du Ryer, Scudéry...) - Par un mouvement qui semble concerté, Corneille, Rotrou et La Pinelière font jouer simultanément trois pièces adaptées de Sénèque, renouant ainsi avec la tradition du siècle précédent. A l'exception de ses trois pièces inspirées de l'Espagne, Corneille ne composera plus désormais que des tragédies inspirées de l'Antiquité. - AVRIL (?), *Médée*, jouée au théâtre du Marais - Floridor, en Angleterre, joue *Mélite* à Whitehall, devant leurs Majestés.

1636. *L'Illusion comique*, « étrange monstre » (publiée en 1639). - Antoine Corneille, chanoine régulier, oncle du poète, est couronné, cette année et les suivantes, à l'Académie des Palinods.

1637. 4 OU 5 JANVIER, *le Cid*. - LE 8 JANVIER, *la Grande Pastorale*, par les cinq auteurs (texte perdu). - LE 18 JANVIER, Mondory invite Balzac à voir « un Cid qui a charmé tout Paris ». - EN JANVIER, Lettres de noblesse accordées par le roi au père de Corneille (enregistrées le 24 MARS). - LE 21 JANVIER, privilège collectif à l'éditeur Courbé des quatre pièces de Corneille publiées cette année-là. LE 20 FÉVRIER, édition tardive de *la Galerie du Palais* (à Mme de Liancour) et de *la Place royale* (à Monsieur ***). LE 24 MARS, édition hâtive du *Cid* (à Mme de Combalet, nièce de Richelieu). - LE 1er AVRIL, Chapelain annonce à Balzac que Corneille va lui soumettre

le Cid. LE 13 JUIN, Balzac répond à Chapelain qu'il a lu *le Cid* et qu'il l'admire. - *Excuse à Ariste* (réponse au Père André, feuillant) : Corneille déclare ne pouvoir se soumettre à une composition musicale préalable. Cette apologie railleuse et fière envers ses rivaux, publiée par un ennemi en pleine querelle du *Cid*, déclenche un tollé général. - *Lettre apologétique*, en réponse aux *Observations sur le Cid* de Scudéry : vigoureuse réplique, suivie d'une ironique contre-attaque, l'un des plus beaux morceaux d'éloquence satirique du siècle. - EN JUILLET, Chevreau : *la Suite et le Mariage du Cid*, tragi-comédie. - Desfontaines : *la Vraie Suite du Cid* - EN AOUT, la paralysie de Mondory compromet les succès du Marais. Il exprime son désir d'être attaché personnellement désormais au théâtre du Cardinal. Au Carnaval de 1638, on espère que l'acteur pourra jouer de nouveau. Des difficultés de renouvellement du bail, l'année suivante, compliquent la tâche de la troupe, qui ne survit que grâce à quelques pièces de Chevreau et de Tristan. LE 1er AVRIL 1639, la mauvaise période s'achève. Mais Corneille vient de perdre son père en février. C'est ainsi que s'explique aisément le silence du poète de 1637 à 1640. Les représentations très rapprochées d'*Horace*, *Cinna* et *Polyeucte* prouvent qu'il n'a cessé de composer pour le théâtre durant cette période. - LE 9 SEPTEMBRE, édition tardive de *la Suivante* (à Monsieur ***) - EN OCTOBRE, Richelieu ordonne de ne plus écrire contre *le Cid*. - Le Cid traduit en anglais par J. Rutter est joué à Londres, à Drury-Lane par la troupe royale. - En DÉCEMBRE, *Sentiments de l'Académie sur le Cid*.

1638. En FÉVRIER, représentation du *Cid*, en français, en Hollande. Sir Kenelm Digby, ambassadeur d'Angleterre, reçoit la dédicace de *la Comédie des Tuileries* (jouée en 1635), par les cinq auteurs. Ce grand amateur de théâtre, qui va rééditer Ben Jonson en 1640, témoigne que, si l'on était incapable alors de goûter les élizabéthains en France, on ne les ignora pas. - Le 18 JUIN, la dédicace de *l'Aveugle de Smyrne* nous apprend que les cinq auteurs ne sont plus que quatre. - En OCTOBRE, démêlés administratifs pour empêcher la création d'un second avocat à la Table de Marbre (terminés seulement en 1640). - Richelieu songe à profiter de l'aphasie de Mondory pour réunir les deux troupes en une seule, sous sa coupe.

1639. Le 15 JANVIER, visite grondeuse de Corneille à Chapelain, à propos des *Sentiments de l'Académie sur le Cid*. - Le 12 FÉVRIER, mort du père de Corneille, à soixante-sept ans environ. Héritage : 1 660 livres de rentes annuelles et un capital de plus de 23 000 livres, à partager, il est vrai, entre la mère et les six enfants. - Le 16 MARS, éditions tardives de *Médée* (à M. P.T. N.G., qu'on n'a su jusqu'ici identifier) et de *l'Illusion* (à une mystérieuse Mlle M.F.D.R.). Plutôt que d'obscurs personnages, ces lettres doivent masquer des noms assez connus alors, mais politiquement suspects, du milieu Vendôme ou Rohan, hostiles à Richelieu. - En JUILLET, révolte des nu-pieds, en Normandie. En NOVEMBRE OU DÉCEMBRE, lecture d'*Horace* chez Boisrobert, en présence de Chapelain et d'Aubignac (d'après la lettre de Balzac, du 11 novembre 1640). On espère encore que Mondory pourra remonter sur la scène. - Installation de Rotrou à Dreux, loin de la Cour et des clans littéraires parisiens. Comme son voisin et ami Corneille, il poursuit sa carrière littéraire, partageant son temps entre une activité administrative et la création dramatique, entre la province et Paris. - Chillac : l'*Ombre du comte de Gormas et la mort du Cid* (médiocre « suite » d'un méridional ignoré de Corneille).

1640. Le 2 JANVIER, le chancelier Séguier à Rouen pour liquider la révolte des Nu-pieds. Justice rapide (six pendaisons). Retour à l'ordre général. - En FÉVRIER, première représentation privée d'*Horace* chez Richelieu (lettre du 9 mars de Chapelain). Début de MARS, *Horace* au Marais (date confirmée par une lettre de Chapelain du 9 mars 1640). - Le 12 MARS, *le Cid* est discuté dans une des conférences publiques organisées par Renaudot. (Compte rendu dans le *Recueil général des questions traitées ès conférences au Bureau d'adresse*, en 1646). - Le 17 NOVEMBRE, Corneille rend visite à Balzac, qui songe à publier ses *Lettres*, pour lui faire retirer une formule employée dans l'une d'elles, par laquelle il aurait accepté le jugement de l'Académie. - En DÉCEMBRE, Jacqueline Pascal (quinze ans) est couronnée aux Palinods. Corneille remercie les juges « au nom de la jeune muse absente ». - Édition bénédictine de *l'Imitation*, sans nom d'auteur, Naudé, de Rome, ayant décelé les falsifications de Caietan en faveur de Jean Gersen. - *Cinna* (date confirmée par les vers de Ménage, composés en 1642) joué au Marais.

1641. En JANVIER, édition d'*Horace* (dédicace à Richelieu). (?) Mariage avec Marie de Lampérière, de bourgeoisie de robe, de onze ans sa cadette. Pneumonie le soir même des noces : le bruit de la mort du poète circule. Ménage compose une épitaphe latine prématurée qu'il est heureux de démentir. - Le 1er JUILLET, *Lettre* à Jacques Goujon, avocat de Rouen : il lui annonce que, comme lui, il a « des espérances ». J. Goujon venait d'épouser Madeleine Prudhomme de Rouen (autographe Arch. Rouen). - Les Palinods couronnent une ode de Thomas. - Représentation privée de *Médée* à Rhenen, en Hollande. Première traduction néerlandaise du *Cid*, par Van Heemskerck, souvent réimprimée durant tout le XVIIe siècle. - Saison 1641-1642 (?), représentation de *Polyeucte* au Marais.

1642. Le 10 JANVIER, baptême de Marie, premier enfant du poète. - Le 11 JANVIER, un ordre royal décapite pour la deuxième fois le Marais : six acteurs passent à l'Hôtel de Bourgogne (Baron, Villiers, Beauchâteau et leurs femmes). L'acte prend effet à la fin de la saison, à Pâques. Le Marais compte encore cinq acteurs et deux actrices. Floridor devient chef de la troupe. - Installation d'un Parlement extraordinaire à Rouen. Malgré des mesures d'apaisement, la jeunesse manifeste. Le frère de l'avocat Jacques Goujon, ami de Corneille, s'enfuit pour cinq ans au Portugal, afin d'éviter les poursuites engagées contre lui. - *Épitaphe latine* de dom Jean Goulu cistercien († 1629) pour un monument érigé par la famille de Vendôme. Balzac, qui en ignore l'auteur, écrit contre cette épitaphe. Chapelain invite Corneille à ne pas répondre. - Le 1er AOUT, privilège pour *Cinna*, non plus au nom d'un éditeur, mais au nom de l'auteur (la pièce ne sortit des presses qu'en janvier de l'année suivante). - Le 4 DÉCEMBRE, mort de Richelieu. Sonnet aigre-doux de Corneille (authentifié par Pellisson en 1653). Un quatrain plus incisif circule, dont Corneille a pris copie ou dont il est l'auteur (autographe Arch. Rouen). - Le 12 DÉCEMBRE, *lettre latine* de Cl. Sarrau, invitant Corneille à écrire sur la mort de Richelieu. Corneille n'obéit pas. C'est l'unique fait connu des rapports éventuels entre ce conseiller parisien protestant et Corneille.

1643. Le 17 JANVIER, lettre de Balzac à Corneille : « Votre *Cinna* guérit les malades. » - Le 18 JANVIER, édition tardive de *Cinna* : privilège du 1er août 1642, (dédié au financier Montauron). Le 10 FÉVRIER, lettre de Balzac à Corneille, en réponse à une lettre perdue : « Vous serez Aristophane quand il vous plaira. » - Le 14 MAI, mort de Louis XIII. Sonnet féroce de Corneille contre Richelieu, inédit de son vivant (1re éd. 1715). Bouleversement considérable dans le monde de la politique et des lettres. Mazarin se montre tout de suite favorable à l'écrivain, qui lui rendra fidèlement un appui sans défaillance. - Le 7 SEPTEMBRE, naissance de Pierre, deuxième enfant, baptisé à Saint-Sauveur de Rouen. - Le 12 SEPTEMBRE, Madeleine Béjart et J.-B. Poquelin louent le jeu de Paume des Métayers et tentent d'installer à Paris une troisième troupe. L'Illustre Théâtre s'adjoint de bons auteurs : Tristan, Magnon, Du Ryer, Desfontaines et obtient la protection de Gaston d'Orléans. - En OCTOBRE, édition de *Polyeucte* (privilège du 30 janvier) : Dédicace reportée du roi à la reine-régente. En NOVEMBRE, remerciements à Mazarin pour l'octroi d'une pension de 1 000 livres. *Projet de lettres patentes*, proposé par Corneille pour réserver les droits de représentation, après l'impression d'une pièce : refus officiel. - HIVER (?), représentations du *Menteur* et de *la Mort de Pompée* : la date se trouverait confirmée par le privilège pris pour l'impression de ces deux pièces, le 22 janvier 1644, une semaine après l'incendie du Marais. Mais les frères Parfaict, Marty-Laveaux et Mme Deierkauf les placent un an plus tôt. *La Mort de Pompée* comporte encore douze acteurs, *le Menteur* dix. *La Suite* et *Rodogune* n'en ont que sept, ce qui suggérerait que *Pompée* et *le Menteur* furent jouées avant le démembrement du Marais, donc avant Pâques

1642, ce qui ramène *Polyeucte* à la saison précédente 1640-1641, en même temps que *Cinna*.

1644. Le 9 JANVIER, Marie de Lampérière, femme de Corneille, marraine d'un fils de Floridor. - Le 15 JANVIER, incendie au théâtre du Marais. - Le 16 FÉVRIER, édition de *la Mort de Pompée* (privilège du 22 janvier) dédié à Monseigneur l'Eminentissime Cardinal Mazarin. Le 1er MARS, début de la reconstruction du Marais, aux frais de la troupe. - L'Illustre Théâtre, mal en point, disparaît après deux saisons. - Le 25 MAI, Me Adam Billault, menuisier de Nevers, qui s'est découvert poète, publie ses *Chevilles*. Elles sont précédées de vers ironiquement louangeurs d'une foule d'écrivains connus, parmi lesquels Corneille, Rotrou, Scarron... - Le 12 AOUT, première candidature à l'Académie. M. de Salomon, avocat, lui est préféré, Corneille ne résidant pas. - En OCTOBRE, réouverture du Marais (près de 1 500 places) avec *la Suite du Menteur*? Le 31 OCTOBRE, édition du *Menteur* (le privilège du 22 janvier est accordé à l'auteur, non à l'éditeur). Dédicace à Monsieur ***. Première édition collective : *Œuvres* de Pierre Corneille : elle contient les huit pièces antérieures au *Cid*, corrigées, avec un portrait gravé en 1643 par Michel Lasne. - Vers latins et français de Constantin Huygens à la gloire du *Menteur*, auxquels fait allusion l'épître *Au Lecteur* de l'édition de 1648. - HIVER (?), représentations de *Rodogune* et de *la Suite du Menteur*. Gilbert fait jouer avant lui une *Rodogune* rivale, sur la donnée même de celle de Corneille, mais il la comprend mal et donne une pièce toute différente. - Traduction anglaise d'*Héraclius* par Ludowick Carlell.

1645. Naissance d'un second fils, dont on ignore le prénom : c'est pour lui que Corneille sollicite une place de page chez la duchesse de Nemours en 1661. - Édition du *Menteur* en Hollande, avec les vers de Huygens. - Le 30 SEPTEMBRE, édition de *la Suite du Menteur* (privilège du 5 août). - Le 14 OCTOBRE, Louis XIV, âgé de sept ans, écrit à Corneille « par avis de la Reine-régente, Madame ma Mère » pour lui demander un texte qui accompagnât les dessins de Valdor pour *les Triomphes de Louis le Juste* (imprimés seulement en 1649). - Le Marais joue *Jodelet ou le Valet-Maître*, écrit par Scarron pour le célèbre comique. Grand succès : Corneille s'incline devant l'accord de la troupe du Marais et de ce nouvel auteur. Il donnera jusqu'en 1649 (1648 excepté : les théâtres sont quasi fermés) une nouvelle pièce chaque année, mais n'écrira plus de comédies. - HIVER 1645-1646 (?), représentation de *Théodore*.

1646. En AVRIL, les Béjart et Molière deviennent troupe du duc d'Épernon. - Le 18 MAI, *Remerciement* à Voyer d'Argenson, alors à Saintes, pour l'envoi d'un poème sacré (autographe B.N.). - Le 21 JUILLET, Boisrobert publie un recueil de ses *Épîtres* (préface de Scarron). Vers de Corneille, Maynard, Ménage

et Sarrazin). - Le 31 OCTOBRE, édition de *Théodore*, privilège du 17 avril (à M. L.P.C.B., non identifié [2]). La préface ironise sur les dévots aux oreilles plus délicates que celles de saint Augustin et de saint Ambroise. - Le 21 NOVEMBRE, deuxième candidature à l'Académie. Deuxième échec pour les mêmes raisons qu'en 1644 (non résidence). Du Ryer est élu. - Le 31 DÉCEMBRE, comptes de tutelle rendus à son frère Thomas, à l'occasion de sa majorité.

1647. En JANVIER, *Héraclius*, dernière pièce de Corneille jouée au Marais. - Édition de *Rodogune*, (privilège du 17 avril 1646), dédié à Condé, avec un frontispice dessiné par Le Brun. Le 22 JANVIER, Corneille, ayant promis de résider, entre à l'Académie (fauteuil Maynard). Son discours de réception fut plat et alambiqué, à moins qu'il n'y eut aussi une certaine dose d'ironie. - Le Brun, rentré d'Italie depuis 1646, exécute un portrait de Corneille. - Rotrou : *Saint Genest*. L'auteur glisse, au premier acte de la pièce, un éloge de Corneille. - *Andromède* en chantier par ordre de Mazarin, après le succès d'*Orfeo* de L. Rossi (lettre de Conrart, 20 décembre), en collaboration avec d'Assouci pour la musique. La maladie du roi et l'action de Monsieur Vincent contre les spectacles en retardent de deux ans la représentation. - Le 28 JUIN, édition hâtive d'*Héraclius*, malgré un grand succès à la scène (dédié à Séguier). Calderon compose sur le même sujet : *En esta vida todo es verdad, y todo mentira* (En cette vie, tout est vérité, tout est mensonge) imprimé en 1664. Naissance de Pierre Le Pesant de Boisguilbert, cousin germain de Corneille, qui deviendra lieutenant général au baillage de Rouen, écrira des nouvelles historiques et des traités d'économie politique, hostiles aux vues de Colbert.

1648. En JANVIER, mort de l'oncle Antoine, curé de Sainte-Marie, près d'Yvetot. - Le 1er FÉVRIER, première réunion des futurs membres de l'Académie de Peinture, sous la direction de Le Brun. Long poème allégorique de Corneille qui souhaite des mécènes suffisants pour soutenir Poésie et Peinture... (publié en 1653 dans un recueil anthologique par l'éditeur Sercy). Le Brun, comme Corneille, est un protégé du chancelier Séguier. - A Pâques, Floridor (« las d'être avec de méchants comédiens » devient le chef de la troupe rivale, l'Hôtel de Bourgogne. Corneille l'y suit, après plus de quinze ans de fidélité au Marais dont ce sera le déclin. - Traduction néerlandaise d'*Horace* par Jean de Witt. - *Œuvres*, édition in-12, tome II (du *Cid* à *Théodore*) et en deux volumes in-12 : les seize premières pièces. Corneille y ajoute entre autres un substantiel *Avertissement au Cid* qui fait état des traductions déjà faites « en toutes les langues qui servent aujourd'hui à la scène... je veux dire en italien, flamand et anglais... ».

---

2. Probablement Monsieur le Prince César de *Bourbon* (Vendôme). C'est ainsi que l'appelle Corneille dans l'épitaphe à Jean Goulu.

1649. Le 6 MARS, *Remerciement* à Huygens pour son envoi d'un recueil de vers latins : Corneille signale que les désordres de la Fronde l'ont empêché de faire jouer quoi que ce soit. Il lui envoie en échange les deux tomes de l'édition de 1648 (autographe British Museum). Le 31 MARS, lettre de remerciement de Huygens : Floridor joue à La Haye, peut-être avec toute la troupe royale. - Corneille compose trois poèmes ironiques pour arbitrer la querelle des Sonnets, qui divise l'Hôtel de Rambouillet entre « Jobelins » et « Uranistes » (publiés en 1653 dans le Recueil Sercy). - Le 22 MAI, *les Triomphes de Louis Le Juste* : œuvre gravée de Jean Valdor, avec devises d'Henry Estienne, biographie de Louis XIII par René Bary et vers de Ch. Beys et Corneille : vingt épisodes militaires du règne, rien pour Richelieu. Éloge du rôle de Mazarin au siège de Casal (1639). - Le 23 AOUT, Dom G. de Saint-Gemme (cistercien) : *Lettres de saint Bernard*. Sonnet de Corneille à la gloire de saint Bernard, conseiller politique, accordant « la sagesse du monde avec celle de Dieu » - LE 25 AOUT, bref billet, écrit de Nemours, sur la page de garde d'un livre d'un M. Dubé, médecin à Montargis, « parent et ami » de Corneille. Le billet et l'ouvrage sont adressés à un M. Du Buisson : nous ignorons tout de ces personnages. (Autographe Bibliothèque Sainte-Geneviève.) - Première pièce de Thomas Corneille : *les Engagements du hasard*. - LE 11 OCTOBRE, Corneille parrain d'un autre fils de Floridor. Sa commère, Louise de Soulas, est la sœur de l'acteur. - LE 12 OCTOBRE, privilège pour *le Dessein d'Andromède*. - EN HIVER (?), représentation de *Don Sanche d'Aragon*.

1650. LE 25 JANVIER, 3 000 livres d'acompte pour la vente de ses charges. - LE 26 JANVIER, *Andromède*, jouée au Petit-Bourbon par la Troupe royale. Musique de d'Assouci. Décors et machines de Torelli, Vénitien. - DU 1er AU 3 FÉVRIER, le roi et Mazarin à Rouen, contre l'action frondeuse de Longueville. - LE 19 FÉVRIER, Corneille nommé « procureur des États de Normandie » en remplacement du sieur Baudry (selon la *Gazette* du 26). - LE 25 FÉVRIER, d'Assouci : *Ovide en belle humeur*. Sonnet amical de Corneille pour son collaborateur dans *Andromède*. Le sonnet témoigne d'un étonnement humoristique devant l'œuvre burlesque de d'Assouci. - EN MARS, vente de ses charges. 14 MAI, *Don Sanche d'Aragon* (dédié à Huygens). - LE 28 MAI, longue lettre à Huygens, pour accompagner la dédicace de *Don Sanche* (autographe British Museum). - LE 27 JUIN, mort de Rotrou à Dreux. - LE 5 JUILLET, Thomas épouse Marguerite de Lampérière. - Vers de Corneille pour *les Chastes martyrs* de Mlle Cosnard, de Séez. Cette tragédie est tirée d'un roman de J.-P. Camus, ancien évêque de Belley, alors vicaire général du diocèse de Rouen. - Thomas Corneille reprend Jodelet à Scarron : l'acteur joue *Don Bertrand de Cigaral*, au Marais. - Traduction néerlandaise d'*Héraclius* par Cl. de Griek, présentée comme une œuvre originale par le traducteur.

1651. LE 25 FÉVRIER, l'avocat qui succède à Corneille dans ses charges s'installe seulement à Rouen. LE 23 MARS, Baudry rétabli au Parlement de Rouen dans son poste de procureur, occupé onze mois par Corneille. - PAQUES 1651-1652, Corneille trésorier de sa paroisse, Saint-Sauveur à Rouen. (33 pages manuscrites au Registre de cette paroisse.) - Molière reprend *Andromède*. - LE 7 SEPTEMBRE, Anne d'Autriche fait proclamer Louis XIV majeur et abandonne la Régence. - EN NOVEMBRE, édition de *l'Imitation* (livre I, chap. 1-20).

1652. LE 8 FÉVRIER, exil de Mazarin. LE 13 FÉVRIER, les Princes (Monsieur, frère du roi, Condé), arrêtés en 1650, sont libérés. Représentation de *Pertharite*, peut-être avant le 24 décembre 1651. *Œuvres* : in-12 imprimées à Rouen, vente à Paris, chez le libraire Sommaville : vingt pièces. - LE 30 MARS, *Lettre au P. Boulart*, abbé coadjuteur génovéfain, qui fut sans doute plus tard à l'origine de la traduction par Corneille des *Hymnes de sainte Geneviève* : Corneille le prend pour censeur de sa traduction de *l'Imitation*, annonce qu'il a fait graver onze tailles-douces, et demande des sujets : « pas une simple image de saint, mais une action qui parle et qui soit belle à peindre ». - éloge des vers du P. Souply. LE 12 AVRIL, autre lettre au même : analyse critique du livre d'Heserus sur la paternité de *l'Imitation* attribuée à Thomas a Kempis. LE 23 AVRIL, troisième lettre au même : nouvelle analyse serrée des auteurs pour et contre Thomas a Kempis. LE 10 JUIN, quatrième lettre au P. Boulart : neutralité maintenue. « J'ai des parents et des amis parmi eux » (les bénédictins). Éloge du panégyrique de M. Molé par le Père Fronteau. (Ces quatre lettres : autographes Bibliothèque Sainte-Geneviève.)

1653. EN FÉVRIER, rappel de Mazarin. - Naissance du quatrième enfant de Corneille, Charles, mort à douze ans. - Paiement de la seconde moitié (3 000 livres) de la vente de ses charges. - LE 30 AVRIL, *Pertharite*, tardive impression (le privilège est du 24 décembre 1651). - Court poème en l'honneur de M. De Loy, qui vient de faire le panégyrique de Pomponne de Bellièvre, nommé premier président du Parlement de Paris (la signature *De Corneille*, inhabituelle, semble plutôt désigner Thomas). - Deuxième poème amical à d'Assouci à l'occasion de la publication de ses *Airs à 4 parties*. - Mondory meurt obscurément à Thiers. On perd sa trace dès 1643. - DE JANVIER A AOUT, recueils collectifs de poésies chez l'éditeur Sercy (tomes I et II) : Corneille est cité en tête, devant Bensserade, Scudéry et Boisrobert... - Pellisson, dans son *Histoire de l'Académie*, reproduit divers extraits de lettres de Corneille à Boisrobert (juin-décembre 1637). Corneille mécontent désavoue au moins une lettre (selon Guy Patin, 21 octobre). -

15

Brébeuf, dans l'Avertissement de sa traduction de *la Pharsale* de Lucain, rend hommage à Corneille. « Dans ce poème inimitable qu'il a fait de la mort de Pompée, il a traduit avec tant de succès... ce qu'il a emprunté de Lucain... qu'il est sans doute un peu malaisé de le suivre. »

1654. Mort de Balzac, enterré aux Capucins d'Orléans, dont le Père André est supérieur. Avec lui disparaît un des principaux défenseurs de Corneille. - *Œuvres* in-12 (Rouen; Paris : Courbé) : vingt-deux pièces : *Nicomède* et *Pertharite* ajoutées à la dernière édition collective de 1652.

1655. Saint-Amant : *Stances à Monsieur Corneille sur son Imitation de Jésus-Christ.* - Quinault adresse à Corneille un exemplaire dédicacé de sa première pièce, *les Coups de l'amour et de la fortune.* - LE 10 MAI, une *Vie de M*^{lle} *Elisabeth Ranquet* (1618-1654), de piété exemplaire, paraît par ordre de la famille de Vendôme. Une *Épitaphe*, deux fois rééditée du vivant de Corneille, paraît sous sa signature, en tête de cette biographie. - *Œuvres* : in-12 : les vingt-deux pièces de l'édition de l'année précédente. Trad. allemande du *Cid* par Claussen.

1656. EN FÉVRIER, recueil Sercy (tome III) : aucune pièce signée de Corneille. - EN MARS, *l'Imitation* complète : quatre éditions la même année (Rouen, L. Maurry - Paris, Ballard). - Projet de traduction du *Combat spirituel* de Scupoli. - *Œuvres* : in-12 : réimpression de l'édition de 1654, avec de nouvelles corrections. - EN JUILLET, commande, par le marquis de Sourdéac, de *la Toison d'Or.* - Thomas Corneille : *Timocrate*, le plus grand succès dramatique du siècle. - André Valfrè : traduction italienne du *Cid.* - Traduction anglaise d'*Horace* par Sir William Lower.

1657. LE 15 JANVIER, Al. de Campion, dans *les Hommes illustres*, avait fait un éloge sans réserve de son compatriote. Celui-ci lui retourne un sonnet complimenteur. - *Œuvres* : Paris (Courbé), sixième édition collective. - LE 10 AVRIL, lettre de Gilles Boileau : Pomponne de Bellièvre admirait Corneille. Que celui-ci compose une pièce funèbre à joindre à celles de Godeau, Gombaut, Boisrobert. - LE 29 AVRIL, deuxième lettre du même : Corneille a répondu par un refus. Gilles Boileau le lui reproche sur un ton de persiflage à peine poli. - D'Aubignac : *Pratique du théâtre* (refonte d'un ouvrage écrit vers 1640). Pour illustrer sa théorie, il se fonde presque uniquement sur les pièces de Corneille. L'accord ne durera guère. Déjà se forme la coterie anticornélienne : d'Aubignac, G. Boileau, Furetière. D'Aubignac biffe de son édition tous les éloges décernés à Corneille, ajoute des critiques et un chapitre entier pour condamner *Polyeucte.* Mais l'ouvrage ne fut pas réédité. - LE 20 MAI, mort d'Antoine Corneille, curé de Fréville, près de Rouen, depuis 1642.

1658. Mort de la mère de Corneille. - Billet à Pellisson : Fouquet a désiré avoir six vers d'autoportrait écrits par lui vers 1637. Discrète demande d'appui. - Recueil Sercy (tome IV) : aucune pièce de Corneille. DE PAQUES A OCTOBRE, Molière et sa troupe, qui compte la Du Parc, s'installent à Rouen pour la saison d'été. - LE 19 MAI, une lettre de Thomas à de Pure donne le jugement très favorable de Pierre sur *la Précieuse*, que vient de publier « l'abbé des ruelles ». LE 9 JUILLET (Rouen), *Lettre à l'abbé de Pure* : demande d'accommodement en faveur d'un sien cousin, outragé par un voisin, protégé du maréchal de Grammont. Allusion à un capucin, frère de sa femme. Boisrobert sollicité aussi. *Œdipe* n'est pas encore en chantier (autographe : British Museum). - *Sonnet* du même jour, perdu au jeu contre la Du Parc (Marquise de Gorla, femme de l'acteur Du Parc depuis 1653). Un long poème la célèbre encore à l'occasion de son départ de Rouen (imprimé avec *Œdipe* en 1659). - Traduction néerlandaise du *Menteur* par Louis Meyer. - LE 24 OCTOBRE, Molière joue *Nicomède* devant le roi, au Louvre. Il s'installe définitivement à Paris, dans la salle du Petit Bourbon, le 2 NOVEMBRE et ouvre la saison avec *Héraclius.* - J.-B. Diamante adapte librement *le Cid* en espagnol, sous le titre *El Honrador de su Padre.* (Le champion de son père.)

1659. LE 24 JANVIER, représentation d'*Œdipe*, « ouvrage de deux mois » à l'Hôtel de Bourgogne. LE 26 MARS, édition hâtive d'*Œdipe*, malgré un succès considérable. LE 12 MARS, *Lettre à l'abbé de Pure* : Succès d'*Œdipe*, grâce à la Beauchasteau dans Jocaste. Allusion à une lettre de Floridor. Allusion à une querelle de Boisrobert contre X... (autographe, Bibl. Nat.) - LE 4 AVRIL, lettre de Thomas Corneille à l'abbé de Pure : il lui envoie deux pièces auxquelles Pierre joint son *Œdipe.* Mentions de Brébeuf, Lucas. - Mlle des Urlis, actrice chez Molière. - EN MAI, Boisrobert, dans son deuxième volume de *Lettres* (cf. 1645) plaide, à propos de nouvelles taxes proposées pour les anoblis de fraîche date, en faveur des écrivains et cite en tête « l'illustre Corneille » qui ne saurait devenir « un gibier à collecteurs ». - LE 18 NOVEMBRE, Molière joue, après *Cinna*, *les Précieuses ridicules.* Entre deux séries de représentations, la *Zénobie* de Magnon est un four. - LE 1er DÉCEMBRE, lettre de Thomas Corneille à de Pure : inquiétude sur un *Stilicon* rival du sien, dont Magnon serait l'auteur. Jugement sévère sur le jeu de Molière et de sa troupe et méprisant sur *les Précieuses* « et de pareilles bagatelles ».

1660. *Œuvres*, Rouen-Paris (Luyne-Courbé) : septième édition collective en trois volumes in-8° : vingt-trois pièces, entièrement refondue par Corneille, à laquelle il a joint, outre un *Examen* en tête de chaque pièce, qui remplace les *Avis au lecteur*, les trois *Discours* sur le poème dramatique. - LE 26 MARS, mort de Jodelet, après sa fameuse création du vicomte dans *les Précieuses ridicules*. - LE 9 JUIN, pour le mariage de Louis XIV et de Marie-Thérèse, Corneille compose un court poème sur un air de Lambert (imprimé en 1661). - LE 25 JUIN, dans *les Amours de Diane et d'Endymion*, de Gilbert, la Du Parc jouait la Nuit. Corneille compose un madrigal sur ce thème. - LE 18 JUILLET, lettre à l'abbé de Pure de De Lacoste, rouennais, lié aux Corneille et à Brébeuf. - LE 18 AOUT, recueil Sercy (tome V) : dix-neuf pièces signées de Corneille sans le prénom : certaines sont peut-être de Thomas. - LE 25 AOUT, *lettre* à de Pure. Remaniement et critique d'un ouvrage de vers latins envoyés par lui. Allusion aux trois *Discours* : la querelle du *Cid* est toujours présente à sa mémoire et le désaccord avec d'Aubignac (autographe Bibl. Nat.). - EN NOVEMBRE (?), *la Toison d'Or* est jouée au château de Neubourg, en Normandie. L'acteur Villiers dédie à Corneille son *Festin de Pierre* (Amsterdam), avec une admiration émue et une louable modestie. - Molière s'installe jusqu'en 1673 au Palais-Royal. - Retraite de la Bellerose, actrice de Corneille depuis 1648, « la meilleure comédienne de tout Paris », selon Tallemant des Réaux. - Installation définitive d'une troupe italienne, en alternance avec Molière au Palais-Royal. Elle compte, de 1660 à 1667, l'acteur G. Andrea Zanotti, qui adapte en italien *le Cid* et *Héraclius*, en trois actes. Ses préfaces font allusion à des rencontres personnelles avec Corneille.

1661. LE 31 JANVIER, impression des *Desseins de la Toison d'Or*. - LE 15 FÉVRIER, Somaize dans son *Dictionnaire des Précieuses* relève des traits de langage à la mode dans *Œdipe*. - EN FÉVRIER, reprise de *la Toison d'Or* au Marais. - LE 6 MARS, mort de Mazarin. LE 30 MARS, lettre de Chapelain : promesse de la duchesse de Nemours de prendre pour page le deuxième fils du poète. - LE 10 MAI, impression de *la Toison d'Or* (privilège du 27 janvier). - LE 30 SEPTEMBRE, une lettre à Monsieur de Clairefontaine, père du chevalier de Boisleconte, fiancé à Marie Corneille, règle avec une précision toute juridique le contrat de mariage. La cérémonie a lieu à Alençon, où vivent les nouveaux mariés. (Acte : signature autographe de Corneille, Arch. Alençon.) - LE 3 NOVEMBRE, *lettre* à l'abbé de Pure : l'abbé écrit pour le théâtre. Deux actes de *Sertorius* terminés (autographe Bibl. Nat.).

1662. EN FÉVRIER, représentation de *Sertorius* au Marais. - LE 25 AVRIL, lettre à de Pure : projet d'installation à Paris. Mlle Marotte a joué *Amalasonte* de Quinault, à Rouen. Corneille l'a recommandée à Monsieur de Guise pour qu'elle entre au Marais. Allusion au déclin de la tragédie à machines et à la déconfiture du Marais. Il invite Boyer et Quinault à l'aider à le sauver. Allusion aux trois théâtres vivants : Hôtel, Marais, Palais-Royal. Un mot de regret pour « le pauvre Magnon », historiographe et auteur dramatique, assassiné par des voleurs sur le Pont-Neuf. (Autographe Bibl. Nat.). - EN MAI, Mlle Desjardins : *Manlius*, tragédie. Épigramme de Corneille contre elle (citée par Tallemant). - Molière, dès JUIN, joue *Sertorius*. LE 28 JUILLET, édition de *Sertorius* (privilège du 11 mai). - Représentations en Hollande de *la Toison d'Or* et d'*Andromède*. - Mlle Marotte entre au Marais. - LE 4 OCTOBRE, lettre de Chapelain : éloge de *Sertorius*, approuvé aussi de Conrart. - EN OCTOBRE, installation à Paris des deux frères. Pierre loge à l'hôtel de Guise, rue de Chaune, avec sa femme et un fils, sans doute Charles, qui a neuf ans. On ignore où s'installe Thomas. Les Guises protégeaient Tristan qui vient de mourir et Quinault, depuis 1656. - Colbert invite Costar et Chapelain à dresser la liste des gens de lettres dignes de pension : Corneille figure dans les deux mémoires, après beaucoup d'autres... - Traduction allemande d'*Horace* par Heidenreich.

1663. EN JANVIER, représentation de *Sophonisbe*. Donneau de Visé en fait un compte rendu mitigé. D'Aubignac : deux *Dissertations en forme de remarques sur* Sophonisbe *et* Sertorius. LE 10 AVRIL, édition de *Sophonisbe* (privilège du 4 mars). EN JUIN, Donneau de Visé prend la défense de Corneille. - D'Aubignac : troisième *Dissertation concernant le poème dramatique en forme de remarques sur l'Œdipe* (1659). *Théâtre* : vingt-quatre pièces, réédition de 1660 (Th. Jolly), en 2 vol. in-folio, avec une pièce de plus (*la Toison d'Or*). Frontispice gravé par Vallet : on prétendait que l'Envie, sur lequel la Renommée pose le pied, avait le visage de d'Aubignac... - Reprise de *Pompée* par la troupe de Molière qui y tient le rôle de César. - *Remerciement au Roi*, pour la pension octroyée... mais Corneille oublie d'aller remercier Colbert. - Traduction anglaise de *Pompée* par Mrs. Kath. Phillips, à la demande du comte d'Orrery. Une autre traduction anonyme paraît la même année, après avoir été jouée à Londres et Dublin.

1664. LE 2 JUIN, Henri II, duc de Guise, meurt sans enfants. Son neveu, (quatorze ans), hérite le titre et Corneille lui adresse un sonnet l'encourageant à imiter ses aïeux. C'est sans doute à ce moment que Corneille quitte l'hôtel de Guise et s'installe sur la paroisse Saint-Denis, rue des Deux-Portes. Il y demeurera onze ans. - *Théâtre* (G. de Luyne), vingt-quatre pièces, neuvième édition collective en trois vol. in-8°, qui ne concurrence pas l'in-folio de 1663. - Robinet, dans son *Panégyrique de l'École des Femmes*, défend en même temps Corneille contre les attaques dont il a été l'objet. - D'Aubignac : *Macarise*... (Histoire allégorique contenant la philosophie des Stoïques) avec vers liminaires de Giry, Ogier, Guéret, Blondeau, Patru, Du Pelletier, etc. Épigramme de Corneille contre ce livre. - LE 20 JUIN, Racine : *la Thébaïde*, jouée par Molière et sa troupe. - L. Carlell : traduction anglaise d'*Héraclius* (1647). Troisième traduction de *Pompée* par Ed. Waller, l'un des plus fervents admirateurs de Corneille en Angleterre, au témoignage de Saint-Evremond (lettre de 1666). - LE 3 AOUT, *Othon* est jouée pour la première fois à Fontainebleau. L'Hôtel de Bourgogne le monte à la saison suivante.

1665. Mort de Charles, quatrième enfant de Corneille. Le Père de la Rue prononce son éloge funèbre. - *Chapelain décoiffé :* satire de Furetière, sur la base de scènes parodiques du *Cid.* - Petit *poème au Roi,* pour le retardement du paiement de sa pension. - *Perseo* (texte d'Aurelio Aureli, musique d'Andrea Mattioli) opéra joué à Venise : sujet d'*Andromède.* - LE 4 DÉCEMBRE, Racine : *Alexandre.*

1666. Éloge du cardinal Mazarin, recueil réuni par Ménage : six cents pages de poèmes latins, italiens et français. Vers français signés de trente et un auteurs, dont Corneille et Racine. 20 FÉVRIER : Création d'*Agésilas* à l'Hôtel de Bourgogne. - LE 3 AVRIL, édition d'*Agésilas* (privilège du 24 mars). Lettre à Saint-Evremond : reconnaissance émue pour le soutien apporté par la critique à *Sophonisbe.* Critique de la nouvelle mode de « nos doucereux et nos enjoués ». Réponse de Saint-Evremond, remise à Corneille par M. de Lionne, ambassadeur français en Angleterre : Succès constant de Corneille en Angleterre et en Hollande. Waller, Vossius sont les plus chauds admirateurs du poète. - Recueil de tragédies allemandes de Tobias Fleischer, qui contient des traductions de *Cinna* et *Polyeucte.*

1667. La troupe de Molière peut s'intituler « Troupe du roi ». La Du Parc quitte la troupe pour l'Hôtel de Bourgogne. - LE 4 MARS, représentation d'*Attila,* tragédie, par la Troupe royale (registre de La Grange). - Deuxième traduction d'*Horace* en anglais par Mrs. Kath. Phillips. - FIN AOUT, *Poème au roi* sur son retour de Flandre. - LE 18 NOVEMBRE, Racine : *Andromaque,* enlevée à Molière avec la Du Parc, et jouée à l'Hôtel de Bourgogne. - LE 20 NOVEMBRE, édition d'*Attila* (privilège du 25 novembre 1666). - LE 15 DÉCEMBRE, poème *Sur les victoires du Roi,* traduction d'un poème latin du Père de La Rue, jésuite, édité avec deux autres poèmes *Au Roi, Sur son retour de Flandre* et le *Remerciement* de 1663, avec quatre traductions de la même *épigramme* latine de M. de Montmaur, célébrant aussi les victoires royales en Flandre.

1668. LE 16 JANVIER, le Père Delidel, jésuite, ancien maître de Corneille, publie sa *Théologie des saints,* avec une longue ode de Corneille. - *Théâtre* (Rouen et Paris, L. Billaine), dixième édition collective : en 3 vol. in-12. - Long poème de Corneille *Au Roi,* sur sa conquête de la Franche-Comté, avec des vers latins du Père de La Rue, du Père Robert Riguez, de Santeuil et Ch. Du Périer et une traduction par Corneille de vers latins de J. Parisot sur l'ouverture du canal des Deux-Mers. - De Pure : *Idée des spectacles anciens et nouveaux.* - LE 5 JUIN, petit poème

(à la Du Parc ?) *Sur un air de M. Blondel.* - Le gendre de Corneille, M. de Boislesconte, est tué au siège de Candie. Marie reste veuve avec un garçon. - Un sieur d'Aigue d'Iffremont publie *Rodogune ou l'histoire du grand Antiochus* (roman). Évoquant la tragédie de Corneille, il l'appelle « la plus achevée de toutes les pièces que nous avons de lui ». EN NOVEMBRE, Racine fait jouer *les Plaideurs* à l'Hôtel de Bourgogne. - LE 13 DÉCEMBRE, mort de la Du Parc, à trente-cinq ans.

1669. Fondation de l'Académie royale de Musique (Opéra). - EN MAI, Louis XIV renouvelle les lettres de noblesse accordées aux Corneille en 1637. - Le Père de La Rue, jésuite, dédie à Corneille son volume de poésies latines *Idyllia,* imprimées à Rouen. Corneille traduit en vers français un *poème latin* de J. B. Santeul pour défendre les fables dans la poésie, ainsi que des *inscriptions* du même auteur *Sur la pompe du Pont Notre-Dame et la fontaine des Quatre-Nations,* face au Louvre. - LE 13 DÉCEMBRE, Racine : *Britannicus* (acerbe préface contre le clan cornélien qui avait dénigré la pièce et, sans le nommer, contre Corneille lui-même).

1670. LE 22 MARS, retraite des Villiers, acteurs de l'Hôtel de Bourgogne. La Champmeslé, née à Rouen en 1642, et son mari leur succèdent. Racine s'empresse de composer pour elle *Bérénice.* LE 21 NOVEMBRE, Racine : *Bérénice.* Trente représentations consécutives à l'Hôtel de Bourgogne. - LE 28 NOVEMBRE, Corneille : *Tite et Bérénice,* montée chez Molière, en alternance avec *le Bourgeois gentilhomme.* Corneille rejette l'échec sur les acteurs. - LE 6 DÉCEMBRE, mort de la Villiers. - John Dancer traduit en anglais *Nicomède.* - *Office de la sainte Vierge* dédié à la Reine (Approbation d'octobre 1669).

1671. LE 16 JANVIER, représentation de *Psyché* devant la Cour, aux Tuileries : texte de Molière, Quinault et Corneille, musique de Lulli. - LE 3 FÉVRIER, édition de *Tite et Bérénice* (privilège du 31 décembre 1670, un mois après « la première ». - LE 24 JUILLET, *Psyché* reprise au théâtre du Palais-Royal. Corneille ne l'a jamais réunie à ses œuvres. - Adaptation d'*Héraclius* pour l'opéra de Venise (paroles de Niccolo Beregani, musique d'Andrea Ziani). - EN AOUT, mort de Floridor, l'acteur préféré de Corneille. - Abbé de Villars : Critique de la *Bérénice* de Racine. - Critique de la *Bérénice* de Corneille « N'en déplaise à la vieille Cour, Corneille a oublié son métier ».

1672. LE 5 JANVIER, Racine : *Bajazet.* Mme de Sévigné, tout en louant la pièce, écrit : « Rien n'approchera des divins endroits de Corneille. » - LE 15 JANVIER, lecture par Corneille, chez M. de La Rochefoucauld, de *Pulchérie.* - Thomas Corneille dirige, avec Donneau de Visé, *le Mercure Galant,* où se font les réputations. La publication ne devint toutefois régulière qu'en 1677. - LE 2 AOUT, poème latin et français (24 vers) :

Sur le rétablissement de la foi catholique en Hollande. *Victoires du roi sur les États de Hollande* (poème de 444 vers) traduit du Père de La Rue. - Louis XIV succède à Séguier comme président de l'Académie. Celle-ci siège désormais au Louvre. Lulli reçoit le privilège exclusif des spectacles d'opéra. Il occupera, l'année suivante, à la mort de Molière, la salle du Palais-Royal. - *La Thébaïde* de Stace (deux premiers chants) : traduction de Corneille (perdue) - NOVEMBRE *Pulchérie*, comédie héroïque, jouée au Marais. - *Attila*, drame musical représenté à Venise (texte de Matteo Noris, musique d'Andrea Ziani). - Thomas Corneille : *Ariane, Théodat.*

1673. Fermeture définitive du Marais. Les débris de la troupe et ceux de la Troupe royale se regroupent sous la direction de Guénégaud. - LE 13 JANVIER, Racine : *Mithridate.* Mlle Marotte quitte le Marais. - 17 FÉVRIER : mort de Molière. Quatre acteurs de la troupe passent à l'Hôtel de Bourgogne. - Corneille songe à composer une pièce sur Usanguey, prince chinois « pacificateur de l'Occident », pour avoir voulu libérer son pays du joug tartare. Le sujet, avec beaucoup d'autres inspirés des martyrs chinois et japonais, vient des histoires et du théâtre scolaire des jésuites. - Traduction allemande de *Polyeucte*, par C.K.L. Holl.

1674. *Le Mercure galant* imprime le *sonnet* de Corneille sur la prise de Maëstricht. - Mort de son second fils, tué au siège de Grave, à vingt-neuf ans. - La Beauchâteau quitte la troupe de l'Hôtel de Bourgogne. - Poème latin de Santeul, à la demande des merciers de Paris, que le roi avait gratifiés, avec *traduction en vers français* de Corneille. Le graveur Chauveau et le peintre Le Brun collaborent aussi aux manifestations reconnaissantes de la corporation. - LE 18 AOUT, Racine : *Iphigénie*, créée à Versailles. Échec de la tragédie rivale de Leclerc et Coras - Boileau : *Art poétique* : vers élogieux à Corneille. - DÉCEMBRE (?), *Suréna* jouée à l'Hôtel de Bourgogne. La pièce « fait du bruit, mais pas eu égard au renom de l'auteur » (Bayle). Corneille abandonne définitivement la scène. Sa pension lui est supprimée sans explication jusqu'en 1683. Corneille n'élève une respectueuse protestation qu'en 1678.

1675. LE 2 JANVIER, édition de *Suréna* (privilège non daté). Une pièce notariée nous apprend que Corneille demeurait à cette date rue de Cléry, sur la paroisse Saint-Eustache. - Abbé de Villiers : *Entretiens sur les tragédies de ce temps* (jugement qui annonce le fameux parallèle entre Corneille et Racine de Longepierre, 1686). - Libre adaptation italienne du *Cid* en trois actes par Férécida Elbene sous le titre *Amore et Honore.* - Entrée de Louis XIV à Maëstricht. On joue *Cinna* sans que le roi daigne y assister.

1676. LE 16 AVRIL, départ du roi pour l'armée : à cette occasion, *Poème latin* du Père Lucas, jésuite,

avec traduction en vers français de Corneille. - Traduction en vers français d'une *Ode latine* anonyme à Pellisson, alors historiographe de France. LE 8 JUILLET, retour du roi : *Poème* de Corneille célébrant ses victoires. - EN OCTOBRE, représentations à Versailles de *Rodogune, Sertorius, Œdipe.*

1677. LE 1er JANVIER, *Phèdre*, jouée à l'Hôtel de Bourgogne. Racine renonce au théâtre. Échec de la *Phèdre* rivale de Pradon. - Bref placet de Corneille *Au Roi*, mettant en cause la négligence du Père de La Chaise, chargé de distribuer les bénéfices royaux. - Vers *Sur les victoires du Roi* en 1677. - Traduction néerlandaise de *Cinna* par André Pels. - *Nicomeda in Bitinia*, drame musical joué à Venise (paroles de G. M. Giannini, musique de Carlo Grossi).

1678. Émouvante *lettre à Colbert* : sa pension lui est supprimée depuis quatre ans. Or, elle servait à l'entretien de deux fils militaires. Corneille ne dit pas que l'un fut tué en 1674 (autographe Bibl. Nat.). - *La Conquête de la Toison d'Or*, opéra joué à Vienne (texte de Niccolo Minato, musique d'Ant. Draghi). - EN OCTOBRE, *vers sur la paix* de Nimègue, lus par Corneille à l'Académie.

1679. Adaptation en prose allemande de *Polyeucte* par Chr. Kormart. - LE 6 SEPTEMBRE, traduction en vers français de l'inscription latine de Santeul *Pour l'arsenal de Brest.*

1680. De 1680 à 1684, 176 représentations des pièces de Corneille. - LE 7 MARS, poème de Corneille pour le mariage du dauphin. - LE 20 AVRIL, les maîtres du collège d'Harcourt donnent un abrégé de *Polyeucte* sous forme de ballet. - Le quatrième fils de Corneille, Thomas, est pourvu de l'abbaye d'Aiguevive en Touraine. - LE 22 AOUT, fusion de la troupe de Guénégaud et de l'Hôtel de Bourgogne par ordre royal : acte de naissance de la Comédie-Française.

1681. Corneille quitte la rue de Cléry, que conserve Thomas, et s'installe rue d'Argenteuil (maison démolie en 1877). Il est voisin de ce M. Du Buisson, conseiller à la Monnaie, à qui Corneille écrivait en 1649. Grave maladie, de nature incertaine. Elle n'est connue que par un billet de La Monnoye qui dit : « Corneille se meurt... ».

1682. *Théâtre* : onzième et dernière édition collective, en 4 vol. in-12, la seule complète. - LE 18 AVRIL, *Persée*, livret de Quinault sur *Andromède*, musique de Lulli. - LE 19 JUILLET, reprise d'*Andromède* à la Comédie-Française. - La pension de Corneille est rétablie grâce à Nicolas Boileau.

1683. Corneille fréquente encore l'Académie en août. LE 10 NOVEMBRE, vente de la maison de la rue de la Pie (4 300 livres) dont les trois quarts servent à la pension de Marguerite, dominicaine à Rouen, puis il rédige son testament.

1684. LE 1ᵉʳ OCTOBRE, Corneille meurt à soixante-dix-huit ans, après un an de gâtisme. - LE 5 OCTOBRE, *poème latin* de Léonard Matthieu sur la mort de Corneille. Thomas lui succède à l'Académie. Racine, dans le *discours de réponse*, fait un remarquable éloge du disparu. - LE 6 DÉCEMBRE, traduction néerlandaise de *Pompée* par Bidloo. Traduction néerlandaise de *Nicomède* par Catherine Lescaille.

VIE DE CORNEILLE
PAR FONTENELLE

Cette biographie tardive (1702) par le neveu du grand poète n'a cessé de nuire à la mémoire de Corneille. On y a cru pendant deux siècles, bien que, dès 1738, Granet, éditeur déjà scrupuleux de Corneille, ait porté Fontenelle à mieux vérifier sa mémoire. Le texte de 1767 (tome III des Œuvres de Fontenelle) diffère de celui de 1730, qui recueillait le texte proposé en 1702 pour l'Histoire de l'Académie. Cette biographie est vague, incomplète, inexacte sur les rares dates qu'elle propose.

Avec un goût hypercritique qui annonce celui de Voltaire, elle porte des jugements peu pertinents sur les premières comédies, sur Médée, sur l'Illusion comique, sur la traduction de l'Imitation. Fontenelle colporte les douteuses rumeurs sur la « persécution » de Richelieu après le Cid. Il méconnaît complètement l'histoire du théâtre au cours du siècle.

Les rares jugements intéressants qu'il propose sont extraits des Dédicaces et Examens que Corneille joint à la publication de ses ouvrages et qui nous en apprennent beaucoup plus.

Fontenelle, fils de Marthe, cinquième enfant de la famille dont Pierre était l'aîné, est né en 1657. Il ne vint à Paris qu'occasionnellement en 1674 et 1679, puis collabora avec son oncle Thomas à deux opéras et à l'Aspar, qu'immortalisa une épigramme cruelle de Racine.

Des relations avec son oncle Pierre, qui durent se ramener à quelques visites polies, on n'a que le témoignage, suspect sans doute mais vraisemblable, du Chevroeana (1700) : « Le bon oncle radote. » Rien en tout cas dans ses écrits ne témoigne qu'il se soit inspiré un instant de l'œuvre et de l'esprit de l'oncle illustre.

Pierre Corneille naquit à Rouen, en 1606, de Pierre Corneille, maître des eaux et forêts en la vicomté de Rouen, et de Marthe le Pesant. Il fit ses études aux jésuites de Rouen, et il en a toujours conservé une extrême reconnaissance pour toute la société. Il se mit d'abord au barreau, sans goût et sans succès. Mais une petite occasion fit éclater en lui un génie tout différent; et ce fut l'amour qui la fit naître. Un jeune homme de ses amis, amoureux d'une demoiselle de la même ville, le mena chez elle. Le nouveau venu se rendit plus agréable que l'introducteur. Le plaisir de cette aventure excita dans Corneille un talent qu'il ne connaissait pas; et sur ce léger sujet il fit la comédie de *Mélite*, qui parut en 1625. On y découvrit un caractère original, on conçut que la comédie allait se perfectionner; et sur la confiance qu'on eut au nouvel auteur qui paraissait, il se forma une nouvelle troupe de comédiens.

Je ne doute pas que ceci ne surprenne la plupart des gens qui trouvent les six ou sept premières pièces de Corneille si indignes de lui, qu'ils les voudraient retrancher de son recueil, et les faire oublier à jamais. Il est certain que ces pièces ne sont pas belles; mais outre qu'elles servent à l'histoire du théâtre, elles servent beaucoup aussi à la gloire de Corneille.

Il y a une grande différence entre la beauté de l'ouvrage et le mérite de l'auteur. Tel ouvrage qui est fort médiocre n'a pu partir que d'un génie sublime; et tel autre ouvrage qui est assez beau a pu partir d'un génie assez médiocre. Chaque siècle a un certain degré de lumières qui lui est propre : les esprits médiocres demeurent au-dessous de ce degré; les bons esprits y atteignent, les excellents le passent, si on le peut passer. Un homme né avec des talents est naturellement porté par son siècle au point de perfection où ce siècle est arrivé; l'éducation qu'il a reçue, les exemples qu'il a devant les yeux, tout le conduit jusque-là : mais s'il va plus loin, il n'a plus rien d'étranger qui le soutienne; il ne s'appuie que sur ses propres forces, il devient supérieur aux secours dont il s'est servi. Ainsi, deux auteurs, dont l'un surpasse extrêmement l'autre par la beauté de ses ouvrages, sont néanmoins égaux en mérite, s'ils se sont également élevés chacun au-dessus de son siècle. Il est vrai qu'il a été bien plus haut que l'autre; mais ce n'est pas qu'il ait eu plus de force, c'est seulement qu'il a pris son vol d'un lieu plus élevé. Par la même raison, de deux auteurs dont les ouvrages sont d'une égale beauté, l'un peut être un homme fort médiocre, et l'autre un génie sublime.

Pour juger de la beauté d'un ouvrage, il suffit donc de le considérer en lui-même; mais pour juger du mérite de l'auteur, il faut le comparer à son siècle. Les premières pièces de Corneille, comme nous avons déjà dit, ne sont pas belles; mais tout autre qu'un génie extraordinaire ne les eût pas faites. *Mélite* est divine si vous la lisez après les pièces de Hardy, qui l'ont immédiatement précédée. Le théâtre y est sans comparaison mieux entendu, le dialogue mieux tourné, les mouvements mieux conduits, les scènes plus agréables surtout; et, c'est que Hardy n'avait jamais attrapé, il y règne un air assez noble, et la conversation des honnêtes gens n'y est pas mal représentée. Jusque-là on n'avait guère connu que le comique le plus bas, ou un tragique assez plat; on fut étonné d'entendre une nouvelle langue.

Le jugement que l'on porta de *Mélite* fut que cette pièce était trop simple, et avait trop peu d'événements. Corneille, piqué de cette critique, fit *Clitandre*, et y sema les incidents et les aventures avec une très vicieuse profusion, plus pour censurer le goût du public que pour s'y accommoder. Il paraît qu'après cela il lui fut permis de revenir à son naturel. La *Galerie du Palais*, la *Veuve*, la *Suivante*, la *Place royale*, sont plus raisonnables.

Nous voici dans le temps où le théâtre devint florissant par la faveur du cardinal de Richelieu. Les princes et les ministres n'ont qu'à commander qu'il se forme des poètes, des peintres, tout ce qu'ils voudront, et il s'en forme. Il y a une infinité de génies de différentes espèces qui n'attendent pour se déclarer que leurs ordres, ou plutôt leurs grâces. La nature est toujours prête à servir leurs goûts.

On recommença alors à étudier le théâtre des anciens, et à soupçonner qu'il pouvait avoir des règles. Celle des vingt-quatre heures fut une des premières dont on s'avisa : mais on n'en faisait pas encore trop grand cas; témoin la manière dont Corneille lui-même en parle dans la préface de *Clitandre*, imprimée en 1632. « Que si j'ai renfermé cette pièce, dit-il, dans la règle d'un jour, ce n'est pas que je me repente d'y avoir point mis *Mélite*, ou que je me sois résolu à m'y attacher dorénavant. Aujourd'hui quelques-uns adorent cette règle, beaucoup la méprisent; pour moi, j'ai voulu seulement montrer que si je m'en éloigne, ce n'est pas faute de la connaître. »

Ne nous imaginons pas que le vrai soit victorieux dès qu'il se montre; il l'est à la fin, mais il lui faut du temps pour soumettre les esprits. Les règles du poème dramatique, inconnues d'abord ou méprisées, quelque temps après combattues, ensuite reçues à demi, et sous des conditions, demeurent enfin maîtresses du théâtre. Mais l'époque de l'établissement de leur empire n'est proprement qu'au temps de *Cinna*.

Une des plus grandes obligations que l'on ait à Corneille est d'avoir purifié le théâtre. Il fut d'abord entraîné par l'usage établi, mais il y résista aussitôt après; et depuis *Clitandre*, sa seconde pièce, on ne trouve plus rien de licencieux dans ses ouvrages.

Corneille, après avoir fait un essai de ses forces dans ses six premières pièces, où il s'éleva déjà au-dessus de son siècle, prit tout à coup l'essor dans *Médée*, et monta jusqu'au tragique le plus sublime. A la vérité il fut secouru par Sénèque; mais il ne laissa pas de faire voir ce qu'il pouvait par lui-même.

Ensuite il retomba dans la comédie : et si j'ose dire ce que j'en pense, la chute fut grande. *L'Illusion comique*, dont je parle ici, est une pièce irrégulière et bizarre, et qui n'excuse point par ses agréments, sa bizarrerie et son irrégularité. Il y domine un personnage de capitan, qui abat d'un souffle le grand Sophi de Perse et le grand Mogol, et qui une fois en sa vie avait empêché le soleil de se lever à son heure prescrite, parce qu'on ne trouvait point l'Aurore, qui était couchée avec ce merveilleux brave. Ces caractères ont été autrefois fort à la mode : mais qui représentaient-ils? à qui en voulait-on? Est-ce qu'il faut outrer nos folies jusqu'à ce point-là pour les rendre plaisantes? En vérité, ce serait nous faire trop d'honneur.

Après *l'Illusion comique*, Corneille se releva plus grand et plus fort que jamais, et fit *le Cid*. Jamais pièce de théâtre n'eut un si grand succès. Je me souviens d'avoir vu en ma vie un homme de guerre et un mathématicien qui, de toutes les comédies du monde, ne connaissaient que *le Cid*. L'horrible barbarie où ils vivaient n'avait pu empêcher le nom du *Cid* d'aller jusqu'à eux. Corneille avait dans son cabinet cette pièce traduite en toutes les langues de l'Europe, hors l'esclavone et la turque : elle était en allemand, en anglais, en flamand; et par une exactitude flamande, on l'avait rendue vers pour vers. Elle était en italien, et ce qui est plus étonnant, en espagnol : les Espagnols avaient bien voulu copier eux-mêmes une pièce dont l'original leur appartenait. M. Pellisson, dans son *Histoire de l'Académie*, dit qu'en plusieurs provinces de France il était passé en proverbe de dire : *Cela est beau comme le Cid*. Si ce proverbe a péri, il faut s'en prendre aux auteurs qui ne le goûtaient pas, et à la cour, où c'eût été très mal parler que de s'en servir sous le ministère du cardinal de Richelieu.

Ce grand homme avait la plus vaste ambition qui ait jamais été. La gloire de gouverner la France presque absolument, d'abaisser la redoutable maison d'Autriche, de remuer toute l'Europe à son gré, ne lui suffisait point; il y voulait joindre encore celle de faire des comédies. Quand *le Cid* parut, il en fut aussi alarmé que s'il avait vu les Espagnols devant Paris. Il souleva les auteurs contre cet ouvrage, ce qui ne dut pas être fort difficile, et il se mit à leur tête. Scudéri publia ses *Observations sur le Cid*, adressées à l'Académie française, qu'il en faisait juge, et que le cardinal, son fondateur, sollicitait puissamment contre la pièce accusée. Mais afin que l'Académie pût juger, ses statuts voulaient que l'autre partie, c'est-à-dire Corneille, y consentît. On tira donc de lui une espèce de consentement, qu'il ne donna qu'à la crainte de déplaire au cardinal, et qu'il donna pourtant avec assez de fierté. Le moyen de ne pas ménager un pareil ministre, et qui était son bienfaiteur? car il récompensait comme ministre ce même mérite dont il était jaloux comme poète; et il semble que cette grande âme ne pouvait pas avoir des faiblesses qu'elle ne réparât en même temps par quelque chose de noble.

L'Académie française donna ses sentiments sur *le Cid*, et cet ouvrage fut digne de la grande réputation de cette compagnie naissante. Elle sut conserver tous les égards qu'elle devait et à la passion du cardinal et à l'estime prodigieuse que le public avait conçue du *Cid*. Elle satisfit le cardinal en reprenant exactement tous les défauts de cette pièce, et le public en les reprenant avec modération, et même souvent avec des louanges.

Quand Corneille eut une fois pour ainsi dire atteint jusqu'au *Cid*, il s'éleva encore dans les *Horaces*; enfin il alla jusqu'à *Cinna* et à *Polyeucte*, au-dessus desquels il n'y a rien.

Ces pièces-là étaient d'une espèce inconnue, et l'on vit un nouveau théâtre. Alors Corneille, par l'étude d'Aristote et d'Horace, par son expérience, par ses réflexions, et plus encore par son génie, trouva les sources du beau, qu'il a depuis ouvertes à tout le monde dans les discours qui sont à la tête de ses comédies. De là vient qu'il est regardé comme le père du théâtre français. Il lui a donné le premier une forme raisonnable; il l'a porté à son plus haut point de perfection, et a laissé son secret à qui s'en pourra servir.

Avant que l'on jouât *Polyeucte*, Corneille le lut à l'hôtel de Rambouillet, souverain tribunal des affaires d'esprit en ce temps-là. La pièce y fut applaudie autant que le demandaient la bienséance et la grande réputation que l'auteur avait déjà. Mais, quelques jours après, Voiture vint trouver Corneille, et prit des tours fort délicats pour lui dire que *Polyeucte* n'avait pas réussi comme il pensait, que surtout le christianisme avait extrêmement déplu. Corneille, alarmé, voulut retirer la pièce d'entre les mains des comédiens qui l'apprenaient; mais enfin il la leur laissa sur la parole d'un d'entre eux qui n'y jouait point, parce qu'il était trop mauvais acteur. Était-ce donc à ce comédien à juger mieux que tout l'hôtel de Rambouillet?

Pompée suivit *Polyeucte*. Ensuite vint *le Menteur*, pièce comique, et presque entièrement prise de l'espagnol, selon la coutume de ce temps-là.

Quoique *le Menteur* soit très agréable, et qu'on l'applaudisse encore aujourd'hui sur le théâtre, j'avoue que la comédie n'était point encore arrivée à sa perfection. Ce qui dominait dans les pièces, c'était l'intrigue et les incidents, erreurs de nom, déguisements, lettres interceptées, aventures nocturnes; et c'est pourquoi on prenait presque tous les sujets chez les Espagnols, qui triomphent sur ces matières. Ces pièces ne laissaient pas d'être fort plaisantes et pleines d'esprit: témoin *le Menteur* dont nous parlons, *Don Bertrand de Cigaral*, *le Geôlier de soi-même*. Mais enfin la plus grande beauté de la comédie était

inconnue; on ne songeait point aux mœurs et aux caractères; on allait chercher bien loin le ridicule dans des événements imaginés avec beaucoup de peine, et on ne s'avisait point de l'aller prendre dans le cœur humain, où est sa principale habitation. Molière est le premier qui l'ait été chercher là, et celui qui l'a le mieux mis en œuvre: homme inimitable, et à qui la comédie doit autant que la tragédie à Corneille.

Comme *le Menteur* eut beaucoup de succès, Corneille lui donna une *suite*, mais qui ne réussit guère. Il en découvre lui-même la raison dans les examens qu'il a faits de ses pièces. Là il s'établit juge de ses propres ouvrages, et en parle avec un noble désintéressement, dont il tire en même temps le double fruit, et de prévenir l'envie sur le mal qu'elle en pourrait dire, et de se rendre lui-même croyable sur le bien qu'il en dit.

A la *Suite du Menteur* succéda *Rodogune*. Il a écrit quelque part que pour trouver la plus belle de ses pièces, il fallait choisir entre *Rodogune* et *Cinna*; et ceux à qui il en a parlé ont démêlé sans beaucoup de peine qu'il était pour *Rodogune*. Il ne m'appartient nullement de prononcer sur cela; mais peut-être préférait-il *Rodogune*, parce qu'elle lui avait extrêmement coûté: il fut plus d'un an à disposer le sujet. Peut-être voulait-il, en mettant son affection de ce côté-là, balancer celle du public, qui paraît être de l'autre. Pour moi, si j'ose le dire, je ne mettrais point le différend entre *Rodogune* et *Cinna* : il me paraît aisé de choisir entre elles, et je connais quelque pièce de Corneille que je ferais passer encore avant la plus belle des deux.

On apprendra dans les examens de P. Corneille, mieux que l'on ne ferait ici, l'histoire de *Théodore*, d'*Héraclius*, de *Don Sanche d'Aragon*, d'*Andromède*, de *Nicomède* et de *Pertharite*. On y verra pourquoi *Théodore* et *Don Sanche d'Aragon* réussirent fort peu, et pourquoi *Pertharite* tomba absolument. On ne put souffrir dans *Théodore* la seule idée du péril de la prostitution; et si le public était devenu si délicat, à qui Corneille devait-il s'en prendre qu'à lui-même? Avant lui, le viol réussissait dans les pièces de Hardy. Il manqua à *Don Sanche* « un suffrage illustre », qui lui fit manquer tous ceux de la cour, exemple assez commun de la soumission des Français à de certaines autorités. Enfin un mari qui veut racheter sa femme en cédant un royaume fut encore sans comparaison plus insupportable que *Pertharite*, que la prostitution ne l'avait été dans *Théodore*. Le bon mari n'osa se montrer au public que deux fois. Cette chute du grand Corneille peut être mise parmi les exemples les plus remarquables des vicissitudes du monde : et Bélisaire demandant l'aumône n'est pas plus étonnant.

Il se dégoûta du théâtre, et déclara qu'il y renonçait dans une petite préface assez chagrine qu'il mit au-devant de *Pertharite*. Il dit pour raison qu'il commence à vieillir; et cette raison n'est que trop bonne, surtout quand il s'agit de poésie et des autres talents de l'imagination. L'espèce d'esprit qui dépend de l'imagination, et c'est ce qu'on appelle communément *esprit* dans le monde, ressemble à la beauté, et ne subsiste qu'avec la jeunesse. Il est vrai que la vieillesse vient plus tard pour l'esprit; mais elle vient. Les plus dangereuses qualités qu'elle lui apporte sont la sécheresse et la dureté; et il y a des esprits qui en sont naturellement plus susceptibles que d'autres, et qui donnent plus de prise aux ravages du temps : ce sont ceux qui avaient de la noblesse, de la grandeur, quelque chose de fier et d'austère. Cette sorte de caractère contracte aisément par les années je ne sais quoi de sec et de dur. C'est à peu près ce qui arriva à Corneille : il ne perdit pas en vieillissant l'inimitable noblesse de son génie; mais il s'y mêla quelquefois un peu de dureté. Il avait poussé les grands sentiments aussi loin que la nature pouvait souffrir qu'ils allassent; il commença de temps en temps à les pousser un peu plus loin. Ainsi dans *Pertharite*, une reine consent à épouser un tyran qu'elle déteste, pourvu qu'il égorge un fils unique qu'elle a, et que par cette action elle le rende aussi odieux qu'elle souhaite qu'il le soit. Il est aisé de voir que ce sentiment, au lieu d'être noble, n'est que dur; et il ne faut pas trouver mauvais que le public ne l'ait pas goûté.

Après *Pertharite*, Corneille, rebuté du théâtre, entreprit la traduction en vers de *l'Imitation de Jésus-Christ*. Il y fut porté par des pères jésuites de ses amis, par des sentiments de piété qu'il eut toute sa vie, et peut-être aussi par l'activité de son génie, qui ne pouvait demeurer oisif. Cet ouvrage eut un succès prodigieux, et le dédommagea en toutes manières d'avoir quitté le théâtre. Cependant si j'ose en parler avec une liberté que je ne devrais peut-être pas me permettre, je ne trouve point dans la traduction de Corneille le plus grand charme de *l'Imitation de Jésus-Christ*, je veux dire sa simplicité et sa naïveté. Elle se perd dans la pompe des vers qui était naturelle à Corneille, et je crois même qu'absolument la forme de vers lui est contraire. Ce livre, si beau qui soit parti de la main d'un homme, puisque l'Évangile n'en vient pas, n'irait pas droit au cœur comme il fait, et ne s'en saisirait pas avec tant de force, s'il n'avait un air naturel et tendre, à quoi la négligence même du style aide beaucoup.

Il se passa six ans pendant lesquels il ne parut de Corneille que *l'Imitation* en vers. Mais enfin, sollicité par M. Fouquet, et peut-être encore plus poussé par son penchant naturel, il se rengagea au théâtre. M. le surintendant, pour lui faciliter ce retour et lui ôter toutes les excuses que lui aurait pu fournir la difficulté de trouver des sujets, lui en proposa trois. Celui qu'il prit fut *Œdipe;* Thomas Corneille, son frère, prit *Camma*, qui était le second. Je ne sais quel fut le troisième.

La réconciliation de Corneille et du théâtre fut heureuse : *Œdipe* réussit fort bien.

La Toison d'Or fut faite ensuite à l'occasion du mariage du roi; et c'est la plus belle pièce à machines que nous ayons. Les machines, qui sont ordinaire-

ment étrangères à la pièce, deviennent par l'art du poète nécessaires à celle-là; et surtout le prologue doit servir de modèle aux prologues à la moderne, qui sont faits pour exposer, non pas le sujet de la pièce, mais l'occasion pour laquelle elle a été faite.

Ensuite parurent *Sertorius* et *Sophonisbe*. Dans la première de ces deux pièces, la grandeur romaine éclate avec toute sa pompe; et l'idée qu'on pourrait se former de la conversation de deux grands hommes qui ont de grands intérêts à démêler est encore surpassée par la scène de Pompée et de Sertorius. Il semble que Corneille ait eu des mémoires particuliers sur les Romains. *Sophonisbe* avait déjà été traitée par Mairet avec beaucoup de succès; et Corneille avoue qu'il se trouvait bien hardi d'oser la traiter de nouveau. Si Mairet avait joui de cet aveu, il en aurait été fort glorieux, même étant vaincu.

Il faut croire qu'*Agésilas* est de P. Corneille, puisque son nom y est, et qu'il y a une scène d'Agésilas et de Lysander qui ne pourrait pas facilement être d'un autre.

Après *Agésilas* vint *Othon*, ouvrage où Tacite est mis en œuvre par le grand Corneille, et où se sont unis deux génies si sublimes. Corneille y a peint la corruption de la cour des empereurs du même pinceau dont il avait peint les vertus de la république.

En ce temps-là des pièces d'un caractère fort différent des siennes parurent avec éclat sur le théâtre : elles étaient pleines de tendresse et de sentiments aimables. Si elles n'allaient pas jusqu'aux beautés sublimes, elles étaient bien éloignées de tomber dans des défauts choquants. Une élévation qui n'était pas du premier degré, beaucoup d'amour, un style très agréable et d'une élégance qui ne se démentait point, une infinité de traits vifs et naturels, un jeune auteur : voilà ce qu'il fallait aux femmes, dont le jugement a tant d'autorité au théâtre français. Aussi furent-elles charmées, et Corneille ne fut plus chez elles que le vieux Corneille. J'en excepte quelques femmes qui valaient les hommes.

Le goût du siècle se tourna donc entièrement du côté d'un genre de tendresse moins noble, et dont le modèle se retrouvait plus aisément dans la plupart des cœurs. Mais Corneille dédaigna fièrement d'avoir de la complaisance pour ce nouveau goût. Peut-être croira-t-on que son âge ne lui permettait pas d'en avoir : ce soupçon serait très légitime, si l'on ne voyait ce qu'il a fait dans la *Psyché* de Molière, où, étant à l'ombre du nom d'autrui, il s'est abandonné à un excès de tendresse dont il n'aurait pas voulu déshonorer son nom.

Il ne pouvait mieux braver son siècle qu'en lui donnant *Attila*, digne roi des Huns. Il règne dans cette pièce une férocité noble que lui seul pouvait attraper. La scène où Attila délibère s'il se doit allier à l'empire qui tombe, ou à la France qui s'élève, est une des belles choses qu'il ait faites.

Bérénice fut un duel dont tout le monde sait l'histoire. Une princesse, fort touchée des choses d'esprit, et qui eût pu les mettre à la mode dans un pays barbare, eut besoin de beaucoup d'adresse pour faire trouver les deux combattants sur le champ de bataille sans qu'ils sussent où on les menait. Mais à qui demeura la victoire ? au plus jeune.

Il ne reste plus que *Pulchérie* et *Suréna*, tous deux sans comparaison meilleurs que *Bérénice*, tous deux dignes de la vieillesse d'un grand homme. Le caractère de Pulchérie est de ceux que lui seul savait faire, et il s'est dépeint lui-même avec bien de la force dans Martian, qui est un vieillard amoureux. Le cinquième acte de cette pièce est tout à fait beau. On voit dans *Suréna* une belle peinture d'un homme que son trop de mérite et de trop grands services rendent criminel auprès de son maître ; et ce fut par ce dernier effort que Corneille termina sa carrière.

La suite de ses pièces représente ce qui doit naturellement arriver à un grand homme qui pousse le travail jusqu'à la fin de sa vie. Ses commencements sont faibles et imparfaits, mais déjà dignes d'admiration par rapport à son siècle ; ensuite il va aussi haut que son art peut atteindre ; à la fin il s'affaiblit, s'éteint peu à peu, et n'est plus semblable à lui-même que par intervalles.

Après *Suréna*, qui fut joué en 1675, Corneille renonça tout de bon au théâtre, et ne pensa plus qu'à mourir chrétiennement. Il ne fut pas même en état d'y penser beaucoup la dernière année de sa vie.

Je n'ai pas cru devoir interrompre la suite de ses grands ouvrages pour parler de quelques autres beaucoup moins considérables qu'il a donnés de temps en temps. Il a fait, étant jeune, quelques petites pièces de galanterie, qui sont répandues dans des recueils. On a encore de lui quelques petites pièces de cent ou de deux cents vers au roi, soit pour le féliciter de ses victoires, soit pour lui demander des grâces, soit pour le remercier de celles qu'il en avait reçues. Il a traduit deux ouvrages latins du père de la Rue, tous deux d'assez longue haleine, et plusieurs autres petites pièces de M. de Santeul. Il estimait extrêmement ces deux poètes. Lui-même faisait fort bien des vers latins ; et il en fit sur la campagne de Flandre en 1667, qui parurent si beaux, que non seulement plusieurs personnes les mirent en français, mais que les meilleurs poètes latins en prirent l'idée, et les mirent encore en latin. Il avait traduit sa première scène de *Pompée* en vers du style de Sénèque le tragique, pour lequel il n'avait pas d'aversion, non plus que pour Lucain. Il fallait aussi qu'il n'en eût pas pour Stace, fort inférieur à Lucain, puisqu'il en a traduit en vers et publié les deux premiers livres de *la Thébaïde*. Ils ont échappé à toutes les recherches qu'on a faites depuis un temps pour en retrouver quelques exemplaires.

Corneille était assez grand et assez plein, l'air fort simple et fort commun, toujours négligé, et peu curieux de son extérieur. Il avait le visage assez agréable, un grand nez, la bouche belle, les yeux pleins de feu, la physionomie vive, des traits fort marqués, et propres à être transmis à la postérité dans une médaille ou dans un buste. Sa prononciation n'était pas tout à fait nette ; il lisait ses vers avec force, mais sans grâce.

Il savait les belles-lettres, l'histoire, la politique ; mais il les prenait principalement du côté qu'elles ont rapport au théâtre. Il n'avait pour toutes les autres connaissances ni loisir, ni curiosité, ni beaucoup d'estime. Il parlait peu, même sur la matière qu'il entendait si parfaitement. Il n'ornait pas ce qu'il disait ; et pour trouver le grand Corneille, il le fallait lire.

Il était mélancolique ; il lui fallait des sujets plus solides pour espérer et pour se réjouir que pour se chagriner ou pour craindre. Il avait l'humeur brusque, et quelquefois rude en apparence ; au fond, il était très aisé à vivre, bon mari, bon parent, tendre et plein d'amitié. Son tempérament le portait assez à l'amour, mais jamais au libertinage, et rarement aux grands attachements. Il avait l'âme fière et indépendante ; nulle souplesse, nul manège : ce qui l'a rendu très propre à peindre la vertu romaine, et très peu propre à faire sa fortune. Il n'aimait point la cour ; il y apportait un visage presque inconnu, un grand nom qui ne s'attirait que des louanges, et un mérite qui n'était point de ce pays-là. Rien n'était égal à son incapacité pour ses affaires que son aversion ; les plus légères lui causaient de l'effroi et de la terreur. Quoique son talent lui eût beaucoup rapporté, il n'en était guère plus riche. Ce n'est pas qu'il eût été fâché de l'être ; mais il eût fallu le devenir par une habileté qu'il n'avait pas, et par des soins qu'il ne pouvait prendre. Il ne s'était point trop endurci aux louanges à force d'en recevoir : mais, s'il était sensible à la gloire, il était fort éloigné de la vanité. Quelquefois il se confiait trop peu à son rare mérite, et croyait trop facilement qu'il pût avoir des rivaux.

A beaucoup de probité naturelle, il a joint, dans tous les temps de sa vie, beaucoup de religion, et plus de piété que le commerce du monde n'en permet ordinairement. Il a eu souvent besoin d'être rassuré par des casuistes sur ses pièces de théâtre, et ils lui ont toujours fait grâce en faveur de la pureté qu'il avait établie sur la scène, des nobles sentiments qui règnent dans ses ouvrages, et de la vertu qu'il a mise jusque dans l'amour.

AVERTISSEMENT POUR LA PRÉSENTE ÉDITION

Conformément à l'usage, le texte que nous suivons est celui de la dernière édition parue du vivant de Corneille, en 1682 (4 vol. in-12). Il y a à cette règle deux inconvénients :

1. Le texte ne semble pas avoir été revu personnellement par Corneille : non seulement les erreurs typographiques abondent, mais des vers entiers sont parfois omis.

2. Le texte de l'édition *princeps* de chaque pièce diffère sensiblement de la dernière édition. Si Corneille n'a fait subir que peu de changements aux recueils de 1644, 1648, 1657, il refond complètement son texte pour l'édition de 1660 : scènes entières supprimées, édulcorations de tous genres atténuent la verdeur du premier jet. Mais on ne saurait reproduire pour chaque pièce le texte de l'édition première, les intentions de Corneille s'en trouveraient trahies, bien qu'il ait apporté peu de corrections au texte de 1660.

Malgré son travail scrupuleux, Marty-Laveaux (Hachette, 1862) a laissé subsister des erreurs : certaines ne sont que des erreurs typographiques qui ne lui sont pas imputables; quelquefois il considère comme variante ce qui est une faute évidente de l'édition qu'il suit; enfin et surtout, sa ponctuation moderne surchargée trahit souvent la valeur rythmique et le mouvement général des vers de Corneille. Nous nous rapprochons au plus près de la ponctuation d'origine qui, cependant, reproduite telle quelle, serait déroutante pour le lecteur d'aujourd'hui.

Doivent figurer à ces *Œuvres intégrales* : le troisième acte de *la Comédie des Tuileries*, par les cinq auteurs; le premier acte de *l'Aveugle de Smyrne*, par les cinq auteurs (non reproduit par Marty-Laveaux); la presque totalité de *Psyché*, que Corneille n'a pas fait figurer dans ses œuvres complètes.

Trois poèmes retenus par Marty-Laveaux ont été retranchés : les trois pièces de *la Guirlande de Julie*, que déjà Nodier avait restituées à Conrart.

Trois ont été ajoutés : un sonnet sur la mort de Richelieu, paru dès 1647; une lettre autographe, publiée par A. Pascal en 1929; une épigramme contre d'Aubignac dont l'authenticité nous paraît suffisamment probable.

L'orthographe a été modernisée, à l'exception de quelques cas :

1. Corneille emploie *aye* pour *ait* à la troisième personne du subjonctif du verbe avoir. L'orthographe moderne eût rendu les vers faux. Il en va de même pour *die* (subjonctif de dire) et *fast* (faste).

2. Lorsque des mots en *oi (connoi, voi...)* ou en *eur : meur* (mûr), *seur* (sûr) se trouvent à la rime, ils ont été maintenus; partout ailleurs le même mot a reçu l'orthographe moderne.

3. *Abjet* (pour abject), souvent à la rime, a partout été maintenu. De même *coral* (corail) et *conte* (compte). Mais il n'y avait aucun intérêt à maintenir, comme le fait Marty-Laveaux, *foibles*, *falloit*, *vivroit...* ou, comme l'édition de la Pléïade, après Marty-Laveaux, *revoira*, *envoirez*.

4. Dans l'*Avis au lecteur* de 1662, Corneille s'explique sur la réforme de l'orthographe qu'il propose. Nous en avons reproduit un fragment avec les deux signes *s* qu'il maintient, sans lequel le texte eût été inintelligible et nous avons maintenu, à titre d'exemple, tout au long de ce fragment l'orthographe d'origine.

Les notes sont réduites au minimum nécessaire. Nous espérons toutefois n'avoir rien omis d'essentiel pour une compréhension exacte du texte.

Les notes de Voltaire forment à elles seules un volume : elles intéressent plus l'histoire du goût au XVIIIᵉ siècle que Corneille. Souvent rééditées, elles sont d'un accès facile : aussi avons-nous évité de les reproduire, à quelques exceptions près.

Pour la langue, nous nous sommes contentés d'éclairer les termes obscurs ou ambigus, à l'aide des grammairiens contemporains, Vaugelas, Richelet, Ménage, Furetière, et pour les termes techniques (marine, fauconnerie, vénerie) Nicot, dont Corneille dut connaître *le Trésor de la langue française*, réédité à Rouen en 1618.

MÉLITE [1]

COMÉDIE

C'est l'amour qui fit de Corneille un auteur dramatique. Lui-même l'avoue dans une pièce de vers, l'Excuse à Ariste publiée en 1637.

J'ai brûlé fort longtemps d'une amour assez grande
Et que jusqu'au tombeau je dois bien estimer
Puisque ce fut par là que j'appris à rimer.

On a tenté de découvrir la dame. Une demoiselle Milet, dont Mélite serait l'anagramme approximatif, semble imaginaire. Une Mme Du Pont, femme d'un maître des comptes, semble avoir plus de réalité. Elle se laissa courtiser en vers, corrigea le goût de Corneille. Autour d'un sonnet, qu'il mit dans sa pièce (IV, 2), il construisit une intrigue simple, guidé, selon le témoignage de l'Examen de 1660, par le seul bon sens et le souci d'être moderne.

Chose surprenante, la comédie était complètement abandonnée en France depuis au moins dix ans. Corneille ressuscite le genre mort et lui donne d'emblée une forme vivante et ennoblie, contre la tradition grasse de la farce et des schémas burlesques de la commedia dell'arte.

La pièce fut jouée probablement en 1629[2], avec un succès d'abord lent, qui tourna en triomphe.

Mondory, membre depuis longtemps de troupes ambulantes qui jouaient même à l'étranger, venait de former une nouvelle troupe et de transformer un ancien Jeu de paume en salle de spectacle, dans l'actuelle impasse Beaubourg, qui lui donnera son nom de Troupe du Marais.

Le succès « établit une nouvelle troupe de comédiens à Paris, malgré le mérite de celle qui était en possession de s'y voir l'unique (l'Hôtel de Bourgogne) » (Examen, 1660). Corneille nous apprend, dans le même texte, qu'il fit le voyage de Paris pour voir le succès de sa pièce, imprimée seulement en 1633, après Clitandre.

La pièce fut reprise entre autres le 28 novembre 1634 à l'Arsenal à l'occasion du triple mariage de personnages fort en vue à la Cour : La Valette, Puylaurens, Guiche... Le premier d'entre eux pensionnait la troupe du Marais.

A MONSIEUR DE LIANCOUR [3] (1633)

MONSIEUR,

Mélite serait trop ingrate de rechercher une autre protection que la vôtre ; elle vous doit cet hommage et cette légère reconnaissance de tant d'obligations qu'elle vous a : non qu'elle présume par là s'en acquitter en quelque sorte, mais seulement pour les publier et toute la France. Quand je considère le peu de bruit qu'elle fit à son arrivée à Paris, venant d'un homme qui ne pouvait sentir que la rudesse de son pays, et tellement inconnu qu'il était avantageux d'en taire le nom ; quand je me souviens, dis-je, que ses trois premières représentations ensemble n'eurent point tant d'affluence que la moindre de celles qui les suivirent dans le même hiver, je ne puis rapporter de si faibles commencements qu'au loisir qu'il fallait au monde pour apprendre que vous en faisiez état, ni des progrès si peu attendus qu'à votre approbation, que chacun se croyait obligé de suivre après l'avoir sue. C'est de là, MONSIEUR, qu'est venu tout le bonheur de *Mélite* ; et quelques hauts effets qu'elle ait produits depuis, celui dont je me tiens le plus glorieux, c'est l'honneur d'être connu de vous, et de vous pouvoir souvent assurer de bouche que je serai toute ma vie, MONSIEUR, votre très humble et très obéissant serviteur,

CORNEILLE.

AU LECTEUR [4] (1633)

Je sais bien que l'impression d'une pièce en affaiblit la réputation : la publier, c'est l'avilir ; et même il s'y rencontre un particulier désavantage pour moi, vu que ma façon d'écrire étant simple et familière, la lecture fera prendre mes naïvetés pour des bassesses. Aussi beaucoup de mes amis m'ont toujours conseillé de ne

---

1. Titre primitif : *Mélite ou les fausses lettres*, le sous-titre disparaît dès la première édition collective de 1644.
2. La date se déduit d'un factum de la querelle du *Cid*. Elle « terrasse dès sa première représentation » la *Silvanire* de Mairet, jouée dans l'hiver 1629-1630.
3. Roger du Plessis, seigneur de Liancour (près Clermonten-Beauvaisis). Il possédait un hôtel rue de Seine et sa propriété en Ile-de-France, où sa femme dépensa une fortune à l'embellir. Corneille entre dans la carrière littéraire avec de puissants protecteurs, les grandes familles de sa province : Longueville, Vendôme, Liancour.

4. *Mélite* est publiée après *Clitandre*.

rien mettre sous la presse, et ont raison, comme je crois; mais, par je ne sais quel malheur, c'est un conseil que reçoivent de tout le monde ceux qui écrivent, et pas un d'eux ne s'en sert. Ronsard, Malherbe et Théophile l'ont méprisé; et si je ne les puis imiter en leurs grâces, je les veux du moins imiter en leurs fautes, si c'en est une que de faire imprimer. Je contenterai par là deux sortes de personnes, mes amis et mes envieux, donnant aux uns de quoi se divertir, aux autres de quoi censurer : et j'espère que les premiers me conserveront encore la même affection qu'ils m'ont témoignée par le passé; que des derniers, si beaucoup font mieux, peu réussiront plus heureusement et que le reste fera encore quelque sorte d'estime de cette pièce, soit par coutume de l'approuver, soit par honte de se dédire. En tout cas, elle est mon coup d'essai; et d'autres que moi ont intérêt à la défendre, puisque, si elle n'est pas bonne, celles qui sont demeurées au-dessous doivent être fort mauvaises.

ARGUMENT [5] (1633)

Éraste, amoureux de Mélite, l'a fait connaître à son ami Tircis, et, devenu peu après jaloux de leur hantise, fait rendre des lettres d'amour supposées, de la part de Mélite, à Philandre, accordé de Cloris, sœur de Tircis. Philandre s'étant résolu, par l'artifice et les suasions d'Éraste, de quitter Cloris pour Mélite, montre ces lettres à Tircis. Ce pauvre amant en tombe en désespoir, et se retire chez Lisis, qui vient donner à Mélite de fausses alarmes de sa mort. Elle se pâme à cette nouvelle, et témoignant par là son affection, Lisis la désabuse, et fait revenir Tircis, qui l'épouse. Cependant Cliton ayant vu Mélite pâmée, la croit morte, et en porte la nouvelle à Éraste, aussi bien que de la mort de Tircis. Éraste, saisi de remords, entre en folie; et remis en son bon sens par la nourrice de Mélite, dont il apprend qu'elle et Tircis sont vivants, il lui va demander pardon de sa fourbe et obtient de ces deux amants Cloris, qui ne voulait plus de Philandre après sa légèreté [6].

EXAMEN (1660)

Cette pièce fut mon coup d'essai, et elle n'a garde d'être dans les règles, puisque je ne savais pas alors qu'il y en eût. Je n'avais pour guide qu'un peu de sens commun, avec les exemples de feu Hardy[7], dont la veine était plus féconde que polie, et de quelques modernes[8] qui commençaient à se produire, et qui n'étaient pas plus réguliers que lui. Le succès en fut

5. C'était l'habitude à la publication de donner un résumé de la pièce. Corneille suit l'usage et l'abandonne quand il se perd, dix ans après.
6. On n'a jamais trouvé de modèle littéraire à *Mélite*. La question a d'ailleurs peu d'importance. La donnée est celle de plusieurs pièces italiennes, et plus particulièrement de *la Pazzia* de G.D. Ciacchetti (1563) réimprimée à Venise en 1602 et 1623.
7. Alexandre Hardy venait de mourir, entre 1630 et 1632. C'est le seul auteur dramatique du début du siècle. Il a composé trente-quatre pièces. Corneille, auteur comique, a raison de dire qu'il ne lui doit rien. Il n'en va pas de même de son œuvre tragique. L'influence de Hardy sur lui n'a pas été étudiée.
8. Outre Mairet, Scudéry et Rotrou, Baro, Du Ryer, sont les plus notables.

surprenant : il établit une nouvelle troupe de comédiens à Paris, malgré le mérite de celle[9] qui était en possession de s'y voir l'unique; il égala tout ce qui s'était fait de plus beau jusqu'alors, et me fit connaître à la cour. Ce sens commun, qui était toute ma règle, m'avait fait trouver l'unité d'action pour brouiller quatre amants par un seul intrique[10], et m'avait donné assez d'aversion de cet horrible dérèglement qui mettait Paris, Rome et Constantinople sur le même théâtre, pour réduire le mien dans une seule ville[11].

La nouveauté de ce genre de comédie, dont il n'y a point d'exemple en aucune langue, et le style naïf qui faisait une peinture de la conversation des honnêtes gens, furent sans doute cause de ce bonheur surprenant qui fit alors tant de bruit. On n'avait jamais vu jusque-là que la comédie fît rire sans personnages ridicules, tels que les valets bouffons, les parasites, les capitans, les docteurs[12], etc. Celle-ci faisait son effet par l'humeur enjouée de gens d'une condition au-dessus de ceux qu'on voit dans les comédies de Plaute et de Térence, qui n'étaient que des marchands. Avec tout cela, j'avoue que l'auditeur fut bien facile à donner son approbation à une pièce, dont le nœud n'avait aucune justesse. Éraste y fait contrefaire des lettres de Mélite, et les porter à Philandre. Ce Philandre est bien crédule de se persuader d'être aimé d'une personne qu'il n'a jamais entretenue, dont il ne connaît point l'écriture, et qui lui défend de l'aller voir, cependant qu'elle reçoit les visites d'un autre avec qui il doit avoir une amitié assez étroite, puisqu'il est accordé de sa sœur. Il fait plus : sur la légèreté d'une croyance si peu raisonnable, il renonce à une affection dont il était assuré, et qui était prête d'avoir son effet. Éraste n'est pas moins ridicule que lui, de s'imaginer que sa fourbe causera cette rupture, qui serait toutefois inutile à son dessein, s'il ne savait de certitude que Philandre, malgré le secret qu'il lui fait demander par Mélite dans ces fausses lettres, ne manquera pas à les montrer à Tircis; que cet amant favorisé croira plutôt un caractère qu'il n'a jamais vu, que les assurances d'amour qu'il reçoit tous les jours de sa maîtresse; et qu'il rompra avec elle sans lui parler, de peur de s'en éclaircir. Cette prétention d'Éraste ne pouvait être supportable à moins d'une révélation, et Tircis, qui est l'honnête homme de la pièce, n'a pas l'esprit moins léger que les deux autres, de s'abandonner au désespoir par une même facilité de croyance, à la vue de ce caractère inconnu. Les sentiments de douleur qu'il en peut légitimement concevoir devraient du moins l'emporter à faire quelques reproches à celle dont il se croit trahi, et lui donner par là l'occasion de le désabuser. La folie d'Éraste n'est pas de meilleure trempe. Je la condamnais dès lors en mon âme; mais comme c'était un ornement de théâtre qui ne manquait jamais de plaire, et se faisait souvent admirer, j'affectai volontiers ces grands égarements, et en tirai un effet que je tiendrais encore admirable en ce temps : c'est la manière dont Éraste fait connaître à Philandre, en le prenant pour Minos, la

9. L'Hôtel de Bourgogne.
10. *Intrique*, masculin, forme normale du mot intrigue à l'époque.
11. On voit que Corneille, loin de répugner à l'unité de lieu, la pratique d'instinct. Mais le principe n'en sera formulé que quelques années après *Mélite*.
12. Sur le modèle italien, les farces de Turlupin, Gaultier-Garguille (†1632) et Gros-Guillaume (†1633) : coup fourré contre la troupe rivale, l'Hôtel de Bourgogne, dont les trois comiques avaient fait le succès.

fourbe qu'il lui a faite, et l'erreur où il l'a jeté. Dans tout ce que j'ai fait depuis, je ne pense pas qu'il se rencontre rien de plus adroit pour un dénoûment.

Tout le cinquième acte peut passer pour inutile. Tircis et Mélite se sont raccommodés avant qu'il commence, et par conséquent l'action est terminée. Il n'est plus question que de savoir qui a fait la supposition des lettres, et ils ne pouvaient l'avoir su de Cloris à qui Philandre l'avait dit pour se justifier. Il est vrai que cet acte retire Éraste de folie, qu'il le réconcilie avec les deux amants, et fait son mariage avec Cloris; mais tout cela ne regarde plus qu'une action épisodique, qui ne doit pas amuser le théâtre quand la principale est finie; et surtout ce mariage a si peu d'apparence, qu'il est aisé de voir qu'on ne le propose que pour satisfaire à la coutume de ce temps-là, qui était de marier tout ce qu'on introduisait sur la scène. Il semble même que le personnage de Philandre, qui part avec un ressentiment ridicule, dont on ne craint pas l'effet, ne soit point achevé, et qu'il fallait quelque cousine de Mélite, ou quelque sœur d'Éraste, pour le réunir avec les autres. Mais dès lors je ne m'assujettissais pas tout à fait à cette mode, et je me contentai de faire voir l'assiette de son esprit sans prendre soin de le pourvoir d'une autre femme.

Quant à la durée de l'action, il est assez visible qu'elle passe l'unité de jour, mais ce n'en est pas le seul défaut; il y a de plus une inégalité d'intervalle entre les actes, qu'il faut éviter. Il doit s'être passé huit ou quinze jours entre le premier et le second, et autant entre le second et le troisième; mais du troisième au quatrième il n'est pas besoin de plus d'une heure, et il en faut encore moins entre les deux derniers, de peur de donner le temps de se ralentir à cette chaleur qui jette Éraste dans l'égarement d'esprit. Je ne sais même si les personnages qui paraissent deux fois dans un même acte (posé que cela soit permis, ce que j'examinerai ailleurs), je ne sais, dis-je, s'ils ont le loisir d'aller d'un quartier de la ville à l'autre, puisque ces quartiers doivent être si éloignés l'un de l'autre, que les acteurs aient lieu de ne pas s'entre-connaître. Au premier acte, Tircis, après avoir quitté Mélite chez lui, n'a le temps d'environ soixante vers pour aller chez lui, où il rencontre Philandre avec sa sœur, et n'en a guère davantage au second à refaire le même chemin. Je sais bien que la représentation raccourcit la durée de l'action, et qu'elle fait voir en deux heures, sans sortir de la règle, ce qui souvent a besoin d'un jour entier pour s'effectuer; mais je voudrais que pour mettre les choses dans leur justesse, ce raccourcissement se ménageât dans les intervalles des actes, et que le temps qu'il faut perdre s'y perdît, en sorte que chaque acte n'en eût, pour la partie de l'action qu'il représente, que ce qu'il en faut pour sa représentation.

Ce coup d'essai a sans doute encore d'autres irrégularités, mais je ne m'attache pas à les examiner si ponctuellement que je m'obstine à n'en vouloir oublier aucune : je pense avoir marqué les plus notables, et pour peu que le lecteur aye d'indulgence pour moi, j'espère qu'il ne s'offensera pas d'un peu de négligence pour le reste[13].

ACTEURS

ÉRASTE, *amoureux de Mélite.*
TIRCIS, *ami d'Éraste et son rival.*
PHILANDRE, *amant de Cloris.*
MÉLITE, *maîtresse d'Éraste et de Tircis.*
CLORIS, *sœur de Tircis.*
LISIS, *ami de Tircis.*
CLITON, *voisin de Mélite.*
LA NOURRICE *de Mélite.*

La scène est à Paris [14].

ACTE PREMIER

Scène I : Éraste, Tircis.

ÉRASTE

Je te l'avoue, ami, mon mal est incurable,
Je n'y sais qu'un remède et j'en suis incapable :

Le change serait juste, après tant de rigueur,
Mais malgré ses dédains Mélite a tout mon cœur.
Elle a sur tous mes sens une entière puissance;   5
Si j'ose en murmurer, je n'en suis son absence
Et je ménage en vain dans un éloignement
Un peu de liberté pour mon ressentiment :
D'un seul de ses regards l'adorable contrainte
Me rend tous mes liens, en resserre l'étreinte,   10
Et par un si doux charme aveugle ma raison
Que je cherche mon mal et fuis ma guérison.
Son œil agit sur moi d'une vertu si forte,
Qu'il ranime soudain mon espérance morte,
Combat les déplaisirs de mon cœur irrité,   15
Et soutient mon amour contre sa cruauté :
Mais ce flatteur espoir qu'il rejette en mon âme,
N'est qu'un doux imposteur qu'autorise ma flamme,
Et qui, sans m'assurer ce qu'il semble m'offrir,
Me fait plaire en ma peine et m'obstine à souffrir.   20

TIRCIS

Que je te trouve, ami, d'une humeur admirable!
Pour paraître éloquent tu te feins misérable :
Est-ce à dessein de voir avec quelles couleurs
Je saurais adoucir les traits de tes malheurs?
Ne t'imagine pas qu'ainsi sur ta parole   25
D'une fausse douleur un ami te console :
Ce que chacun en dit ne m'a que trop appris
Que Mélite pour toi n'eut jamais de mépris.

ÉRASTE

Son gracieux accueil et ma persévérance

---

13. A travers cette sévère auto-critique, Corneille vise le genre même dont il s'est inspiré, la pastorale. C'était depuis cinq ans le genre à la mode à l'époque où Corneille écrivit sa comédie. Il en conserve néanmoins le dispositif facile de l'intrigue.
14. Une place. Les deux logis de Mélite et de Cliton : décor traditionnel à compartiments des spectacles contemporains, tels que nous les précise le *mémoire de Mahelot.*

30 Font naître ce faux bruit d'une vaine apparence :
Ses mépris sont cachés, et s'en font mieux sentir,
Et n'étant point connus, on n'y peut compatir.

TIRCIS

En étant bien reçu, du reste que t'importe ?
C'est tout ce que tu veux des filles de sa sorte.

ÉRASTE

35 Cet accès favorable, ouvert et libre à tous,
Ne me fait pas trouver mon martyre plus doux.
Elle souffre aisément mes soins et mon service;
Mais loin de se résoudre à leur rendre justice,
Parler de l'hyménée à ce cœur de rocher,
40 C'est l'unique moyen de n'en plus approcher.

TIRCIS

Ne dissimulons point, tu règles mieux ta flamme,
Et tu n'es pas si fou que d'en faire ta femme.

ÉRASTE

Quoi! tu sembles douter de mes intentions ?

TIRCIS

Je crois malaisément que tes affections
45 Sur l'éclat d'un beau teint, qu'on voit si périssable,
Règlent d'une moitié le choix invariable.
Tu serais incivil de la voir chaque jour
Et ne lui pas tenir quelque propos d'amour;
Mais d'un vain compliment ta passion bornée
50 Laisse aller tes desseins ailleurs pour l'hyménée.
Tu sais qu'on te souhaite aux plus riches maisons,
Que les meilleurs partis...

ÉRASTE

                                    Trêve de ces raisons;
Mon amour s'en offense, et tiendrait pour supplice
De recevoir des lois d'une sale avarice;
55 Il me rend insensible aux faux attraits de l'or,
Et trouve en sa personne un assez grand trésor.

TIRCIS

Si c'est là le chemin qu'en aimant tu veux suivre,
Tu ne sais guère encor ce que c'est que de vivre.
Ces visages d'éclat sont bons à cajoler,
60 C'est qu'un apprentif doit s'instruire à parler :
J'aime à remplir de feux ma bouche en leur présence,
La mode nous oblige à cette complaisance,
Tous ces discours de livre alors sont de saison,
Il faut feindre des maux, demander guérison,
65 Donner sur le phébus, promettre des miracles,
Jurer qu'on brisera toute sorte d'obstacles [15]
Mais du vent et cela doivent être tout un.

ÉRASTE

Passe pour des beautés qui sont dans le commun :
C'est ainsi qu'autrefois j'amusai Crisolite.
70 Mais c'est d'autre façon qu'on doit servir Mélite.
Malgré tes sentiments, il me faut accorder
Que le souverain bien n'est qu'à la posséder.
Le jour qu'elle naquit, Vénus, bien qu'immortelle,
Pensa mourir de honte en la voyant si belle,

Les Grâces, à l'envi, descendirent des cieux,   75
Pour se donner l'honneur d'accompagner ses yeux,
Et l'Amour, qui ne put entrer dans son courage,
Voulut obstinément loger sur son visage.

TIRCIS

Tu le prends d'un haut ton, et je crois qu'au besoin
Ce discours emphatique irait encor bien loin.   80
Pauvre amant, je te plains, qui ne sais pas encore
Que bien qu'une beauté mérite qu'on l'adore,
Pour en perdre le goût, on n'a qu'à l'épouser.
Un bien qui nous est dû se fait si peu priser,
Qu'une femme fût-elle entre toutes choisie,   85
On en voit en six mois passer la fantaisie.
Tel au bout de ce temps n'en voit plus la beauté
Qu'avec un esprit sombre, inquiet, agité;
Au premier qui lui parle ou jette l'œil sur elle,
Mille sottes frayeurs lui brouillent la cervelle,   90
Ce n'est plus lors qu'une aide à faire un favori,
Un charme pour tout autre, et non pour un mari.

ÉRASTE

Ces caprices honteux et ces chimères vaines
Ne sauraient ébranler des cervelles bien saines,
Et quiconque a su prendre une fille d'honneur   95
N'a point à redouter l'appas d'un suborneur.

TIRCIS

Peut-être dis-tu vrai, mais ce choix difficile
Assez et trop souvent trompe le plus habile,
Et l'hymen de soi-même est un si lourd fardeau
Qu'il faut l'appréhender à l'égal du tombeau.   100
S'attacher pour jamais aux côtés d'une femme!
Perdre pour des enfants le repos de son âme!
Voir leur nombre importun remplir une maison!
Ah! qu'on aime ce joug avec peu de raison!

ÉRASTE

Mais il y faut venir, c'est en vain qu'on recule,   105
C'est en vain qu'on refuit, tôt ou tard on s'y brûle,
Pour libertin qu'on soit, on s'y trouve attrapé :
Toi-même, qui fais tant le cheval échappé,
Nous te verrons un jour songer au mariage.

TIRCIS

Alors ne pense pas que j'épouse un visage.   110
Je règle mes désirs suivant mon intérêt.
Si Doris me voulait, toute laide qu'elle est,
Je l'estimerais plus qu'Aminte et qu'Hippolyte,
Son revenu chez moi tiendrait lieu de mérite :
C'est comme il faut aimer. L'abondance des biens   115
Pour l'amour conjugal a de puissants liens,
La beauté, les attraits, l'esprit, la bonne mine,
Échauffent bien le cœur, mais non pas la cuisine,
Et l'hymen qui succède à ces folles amours,
Après quelques douceurs, a bien de mauvais jours.   120
Une amitié si longue est fort mal assurée
Dessus des fondements de si peu de durée.
L'argent dans le ménage a certaine splendeur
Qui donne un teint d'éclat à la même laideur [16],
Et tu ne peux trouver de si douces caresses   125
Dont le goût dure autant que celui des richesses.

---

15. Critique de la mode littéraire contemporaine, en particulier dans les romans, et du style « Nervèze », auteur de romans
au style alambiqué. Ceci ressemble à de la préciosité, mais n'a
rien à voir avec la doctrine des véritables Précieuses, après 1650.
Éraste d'ailleurs ne tient pas compte de la remarque et répond
dans ce style.

16. *A la laideur elle-même.* Nous ne reviendrons plus sur
cet emploi constant de *même* chez Corneille, conforme à l'usage.

ÉRASTE

Auprès de ce bel œil qui tient mes sens ravis,
A peine pourrais-tu conserver ton avis.

TIRCIS

La raison en tous lieux est également forte.

ÉRASTE

130 L'essai n'en coûte rien, Mélite est à sa porte;
Allons, et tu verras dans ses aimables traits
Tant de charmants appas, tant de brillants attraits,
Que tu seras forcé toi-même à reconnaître
Que si je suis un fou, j'ai bien raison de l'être.

TIRCIS

135 Allons, et tu verras que toute sa beauté
Ne saura me tourner contre la vérité.

Scène II : Mélite, Éraste, Tircis.

ÉRASTE

De deux amis, Madame, apaisez la querelle.
Un esclave d'Amour le défend d'un rebelle,
Si toutefois un cœur qui n'a jamais aimé,
140 Fier et vain qu'il en est, peut être ainsi nommé.
Comme dès le moment que je vous ai servie
J'ai cru qu'il était seul la véritable vie,
Il n'est pas merveilleux que ce peu de rapport
Entre nos deux esprits sème quelque discord.
145 Je me suis donc piqué contre sa médisance,
Avec tant de malheur ou tant d'insuffisance,
Que des droits si sacrés et si pleins d'équité
N'ont pu se garantir de sa subtilité,
Et je l'amène ici, n'ayant plus que répondre,
150 Assuré que vos yeux le sauront mieux confondre.

MÉLITE

Vous deviez l'assurer plutôt qu'il trouverait
En ce mépris d'Amour qui le seconderait.

TIRCIS

Si le cœur ne dédit ce que la bouche exprime
Et ne fait de l'amour une plus haute estime,
155 Je plains les malheureux à qui vous en donnez,
Comme à d'étranges maux par leur sort destinés.

MÉLITE

Ce reproche sans cause avec raison m'étonne :
Je ne reçois d'amour et n'en donne à personne.
Les moyens de donner ce que je n'eus jamais?

ÉRASTE

160 Ils vous sont trop aisés et par vous désormais
La nature pour moi montre son injustice
A pervertir son cours pour me faire un supplice.

MÉLITE

Supplice imaginaire, et qui sent son moqueur.

ÉRASTE

Supplice qui déchire et mon âme et mon cœur.

MÉLITE

165 Il est rare qu'on porte avec si bon visage
L'âme et le cœur ensemble en si triste équipage.

ÉRASTE

Votre charmant aspect suspendant mes douleurs,
Mon visage du vôtre emprunte les couleurs.

MÉLITE

Faites mieux : pour finir vos maux et votre flamme,

Empruntez tout d'un temps les froideurs de mon âme. 170

ÉRASTE

Vous voyant, les froideurs perdent tout leur pouvoir,
Et vous n'en conservez que faute de vous voir.

MÉLITE

Eh quoi! tous les miroirs ont-ils de fausses glaces?

ÉRASTE

Penseriez-vous y voir la moindre de vos grâces?
De si frêles sujets ne sauraient exprimer   175
Ce que l'amour aux cœurs peut lui seul imprimer,
Et quand vous en voudrez croire leur impuissance,
Cette légère idée et faible connaissance
Que vous aurez par eux de tant de raretés
Vous mettra hors du pair de toutes les beautés.   180

MÉLITE

Voilà trop vous tenir dans une complaisance
Que vous dussiez quitter, du moins en ma présence,
Et ne démentir pas le rapport de vos yeux,
Afin d'avoir sujet de m'entreprendre mieux.

ÉRASTE

Le rapport de mes yeux, aux dépens de mes larmes, 185
Ne m'a que trop appris le pouvoir de vos charmes.

TIRCIS

Sur peine d'être ingrate, il faut de votre part
Reconnaître les dons que le ciel vous départ.

ÉRASTE

Voyez que d'un second mon droit se fortifie.

MÉLITE

Voyez que son secours montre qu'il s'en défie.   190

TIRCIS

Je me range toujours avec la vérité.

MÉLITE

Si vous la voulez suivre, elle est de mon côté.

TIRCIS

Oui, sur votre visage, et non en vos paroles.
Mais cessez de chercher ces refuites [17] frivoles,
Et prenant désormais des sentiments plus doux,   195
Ne soyez plus de glace à qui brûle pour vous.

MÉLITE

Un ennemi d'Amour me tenir ce langage!
Accordez votre bouche avec votre courage,
Pratiquez vos conseils, ou ne m'en donnez pas.

TIRCIS

J'ai connu mon erreur auprès de vos appas :   200
Il vous l'avait bien dit.

ÉRASTE

                            Ainsi donc par l'issue
Mon âme sur ce point n'a point été déçue?

TIRCIS

Si tes feux en son cœur produisaient même effet,
Crois-moi que ton bonheur serait bientôt parfait.

MÉLITE

Pour voir si peu de chose aussitôt vous dédire   205
Me donne à vos dépens de beaux sujets de rire,
Mais je pourrais bientôt, à m'entendre flatter,
Concevoir quelque orgueil qu'il vaut mieux éviter.
Excusez ma retraite.

17. *Refuites* : échappatoires. Unique emploi de ce mot, forgé
sur le verbe *refuir* dont Corneille continuera à user toute sa
vie.

ÉRASTE

Adieu, belle inhumaine,
210 De qui seule dépend et ma joie et ma peine.

MÉLITE

Plus sage à l'avenir, quittez ces vains propos,
Et laissez votre esprit et le mien en repos.

Scène III : Éraste, Tircis.

ÉRASTE

Maintenant suis-je un fou ? mérité-je du blâme ?
Que dis-tu de l'objet, que dis-tu de ma flamme ?

TIRCIS

215 Que veux-tu que j'en die ? elle a je ne sais quoi
Qui ne peut consentir que l'on demeure à soi,
Mon cœur, jusqu'à présent à l'amour invincible,
Ne se maintient qu'à force aux termes d'insensible ;
Tout autre que Tircis mourrait pour la servir.

ÉRASTE

220 Confesse franchement qu'elle a sû te ravir,
Mais que tu ne veux pas prendre pour cette belle
Avec le nom d'amant le titre d'infidèle.
Rien que notre amitié ne t'en peut détourner
Mais ta muse du moins, facile à suborner,
225 Avec plaisir déjà prépare quelques veilles
A de puissants efforts pour de telles merveilles.

TIRCIS

En effet, ayant vu tant et de tels appas
Que je ne rime point, je ne le promets pas.

ÉRASTE

Tes feux n'iront-ils point plus avant que la rime ?

TIRCIS

230 Si je brûle jamais, je veux brûler sans crime.

ÉRASTE

Mais si sans y penser tu te trouvais surpris ?

TIRCIS

Quitte pour décharger mon cœur dans mes écrits.
J'aime bien ces discours de plaintes et d'alarmes,
De soupirs, de sanglots, de tourments et de larmes :
235 C'est de quoi fort souvent je bâtis ma chanson,
Mais j'en connais, sans plus, la cadence et le son.
Souffre qu'en un sonnet je m'efforce à dépeindre
Cet agréable feu que tu ne peux éteindre,
Tu le pourras donner comme venant de toi.

ÉRASTE

240 Ainsi ce cœur d'acier qui me tient sous sa loi
Verra ma passion pour le moins en peinture.
Je doute néanmoins qu'en cette portraiture
Tu ne suives plutôt tes propres sentiments.

TIRCIS

Me prépare le ciel de nouveaux châtiments,
245 Si jamais un tel crime entre dans mon courage !

ÉRASTE

Adieu, je suis content, j'ai ta parole en gage,
Et sais trop que l'honneur t'en fera souvenir.

TIRCIS, *seul.*

En matière d'amour rien n'oblige à tenir,
Et les meilleurs amis, lorsque son feu les presse,
250 Font bientôt vanité d'oublier leur promesse.

Scène IV : Philandre, Cloris.

PHILANDRE

Je meure [18], mon souci, et tu dois me haïr :
Tous mes soins depuis peu ne vont qu'à te trahir.

CLORIS

Ne m'épouvante point : à ta mine, je pense
Que le pardon suivra de fort près cette offense,
Sitôt que j'aurai su quel est ce mauvais tour. 255

PHILANDRE

Sache donc qu'il ne vient sinon de trop d'amour.

CLORIS

J'eusse osé le gager qu'ainsi par quelque ruse
Ton crime officieux porterait son excuse.

PHILANDRE

Ton adorable objet, mon unique vainqueur,
Fait naître chaque jour tant de feux en mon cœur, 260
Que leur excès m'accable, et que pour m'en défaire
J'y cherche des défauts qui puissent me déplaire :
J'examine ton teint dont l'éclat me surprit,
Les traits de ton visage, et ceux de ton esprit,
Mais je n'en puis trouver un seul qui ne me charme. 265

CLORIS

Et moi, je suis ravie, après ce peu d'alarme,
Qu'ainsi tes sens trompés te puissent obliger
A chérir ta Cloris et jamais ne changer.

PHILANDRE

Ta beauté te répond de ma persévérance,
Et ma foi qui t'en donne une entière assurance. 270

CLORIS

Voilà fort doucement dire que sans ta foi
Ma beauté ne pourrait te conserver à moi.

PHILANDRE

Je traiterais trop mal une telle maîtresse
De l'aimer seulement pour tenir ma promesse :
Ma passion en est la cause, et non l'effet ; 275
Outre que tu n'as rien qui ne soit si parfait,
Qu'on ne peut te servir sans voir sur ton visage
De quoi rendre constant l'esprit le plus volage.

CLORIS

Ne m'en conte point tant de ma perfection,
Tu dois être assuré de mon affection, 280
Et tu perds tout l'effort de ta galanterie,
Si tu crois m'augmenter par une flatterie.
Une fausse louange est un blâme secret :
Je suis belle à tes yeux ; il suffit, sois discret ;
C'est mon plus grand bonheur et le seul où j'aspire. 285

PHILANDRE

Tu sais adroitement adoucir mon martyre :
Mais parmi les plaisirs qu'avec toi je ressens,
A peine mon esprit ose croire mes sens,
Toujours entre la crainte et l'espoir en balance
Car s'il faut que l'amour naisse de ressemblance, 290
Mes imperfections nous éloignant si fort,
Qu'oserais-je prétendre en ce peu de rapport ?

CLORIS

Du moins ne prétends pas qu'à présent je te loue,

18. *Que je meure :* puissé-je mourir ! Subjonctif de souhait,
à valeur d'exclamation.

Et qu'un mépris rusé que ton cœur désavoue
295 Me mette sur la langue un babil affété,
Pour te rendre à mon tour ce que tu m'as prêté :
Au contraire, je veux que tout le monde sache
Que je connais en toi des défauts que je cache.
Quiconque avec raison peut être négligé
300 A qui le veut aimer est bien plus obligé.
                    PHILANDRE
Quant à toi, tu te crois de beaucoup plus aimable ?
                    CLORIS
Sans doute, et qu'aurais-tu qui me fût comparable ?
                    PHILANDRE
Regarde dans mes yeux, et reconnais qu'en moi
On peut voir quelque chose aussi parfait que toi.
                    CLORIS
305 C'est sans difficulté, m'y voyant exprimée [19].
                    PHILANDRE
Quitte ce vain orgueil dont ta vue est charmée.
Tu n'y vois que mon cœur, qui n'a plus un seul trait
Que ceux qu'il a reçus de ton charmant portrait,
Et qui tout aussitôt que t'es fait paraître,
310 Afin de te mieux voir s'est mis à la fenêtre [20].
                    CLORIS
Le trait n'est pas mauvais, mais puisqu'il te plaît tant,
Regarde dans mes yeux, ils t'en montrent autant,
Et nos feux tous pareils ont mêmes étincelles.
                    PHILANDRE
Ainsi, chère Cloris, nos ardeurs mutuelles,
315 Dedans cette union prenant un même cours,
Nous préparent un heur qui durera toujours.
Cependant, en faveur de ma longue souffrance... [21]
                    CLORIS
Tais-toi, mon frère vient.

                    Scène V : Tircis, Philandre, Cloris.

                    TIRCIS
                              Si j'en crois l'apparence,
Mon arrivée ici fait quelque contre-temps.
                    PHILANDRE
320 Que t'en semble, Tircis ?
                    TIRCIS
                              Je vous vois si contents
Qu'à ne vous rien celer touchant ce qu'il me semble
Du divertissement que vous preniez ensemble,
De moins sorciers que moi pourraient bien deviner
Qu'un troisième ne fait que vous importuner.
                    CLORIS
325 Dis ce que tu voudras, nos feux n'ont point de crimes,
Et pour t'appréhender ils sont trop légitimes,
Puisqu'un hymen sacré, promis ces jours passés,
Sous ton consentement les autorise assez.

                    TIRCIS
Ou je te connais mal, ou son heure tardive
Te désoblige fort de ce qu'elle n'arrive.   330
                    CLORIS
Ta belle humeur te tient, mon frère.
                    TIRCIS
                              Assurément.
                    CLORIS
Le sujet ?
                    TIRCIS
                    J'en ai trop dans ton contentement.
Le cœur t'en dit d'ailleurs.
                    TIRCIS
                              Il est vrai, je te jure ;
J'ai vu je ne sais quoi...
                    CLORIS
                              Dis tout, je t'en conjure.
                    TIRCIS
Ma foi, si ton Philandre avait vu de mes yeux,   335
Tes affaires, ma sœur, n'en iraient guère mieux.
                    CLORIS
J'ai trop de vanité pour croire que Philandre
Trouve encore après moi qui puisse le surprendre.
                    TIRCIS
Tes vanités à part, repose-t'en sur moi
Que celle que j'ai vue est bien autre que toi.   340
                    PHILANDRE
Parle mieux de l'objet dont mon âme est ravie,
Ce blasphème à tout autre aurait coûté la vie.
                    TIRCIS
Nous tomberons d'accord sans nous mettre en
                    [pourpoint [22].
Encor, cette beauté, ne la nomme-t-on point ?
                    TIRCIS
Non pas si tôt. Adieu, ma présence importune   345
Te laisse à la merci d'Amour et de la brune [23].
Continuez les jeux que vous avez quittés.
                    CLORIS
Ne crois pas éviter mes importunités :
Ou tu diras le nom de cette incomparable,
Ou je vais de tes pas me rendre inséparable.   350
                    TIRCIS
Il n'est pas fort aisé d'arracher ce secret.
Adieu, ne perds point temps.
                    CLORIS
                              O l'amoureux discret !
Eh bien ! nous allons voir si tu sauras te taire.
                    PHILANDRE, *il retient Cloris,*
                              qui suit son frère.
C'est donc ainsi qu'on quitte un amant pour un frère !
                    CLORIS
Philandre, avoir un peu de curiosité,   355
Ce n'est pas envers toi grande infidélité :
Souffre que je dérobe un moment à ma flamme,
Pour lire malgré lui jusqu'au fond de son âme.

---

19. *Exprimée* : réfléchie, dans le miroir de l'œil.
20. « Le cœur... mis à la fenêtre de l'œil », ironise, dans une
image baroque, sur la théorie platonicienne de l'amour, reprise
par Pétrarque : le regard est la « fenêtre » du cœur.
21. Dans le texte original, Philandre prend un baiser et Tircis
les surprenant ainsi, les deux hommes échangent quelques plaisanteries gaillardes. Corneille les retranche plus tard, se confor-
mant aux chatouilleuses bienséances nées vers 1640.

22. Les duellistes quittaient cape et autres vêtements, pour
se battre plus à l'aise, en pourpoint.
23. *La brune* : crépuscule. Le vers suivant est peu compréhensible, si l'on ignore la première version, voir la note 21.

Nous en rirons après ensemble, si tu veux.
PHILANDRE
360 Quoi! c'est là tout l'état que tu fais de mes feux?
CLORIS
Je ne t'aime pas moins pour être curieuse,
Et ta flamme à mon cœur n'est pas moins précieuse.
Conserve-moi le tien, et sois sûr de ma foi.
PHILANDRE
Ah, folle! qu'en t'aimant il faut souffrir de toi!

ACTE SECOND

Scène I : Éraste.

365 Je l'avais bien prévu que ce cœur infidèle
Ne se défendrait point des yeux de ma cruelle,
Qui traite mille amants avec mille mépris
Et n'a point de faveurs que pour le dernier pris.
Sitôt qu'il l'aborda, je lus sur son visage
370 De sa déloyauté l'infaillible présage;
Un inconnu frisson dans mon corps épandu
Me donna les avis de ce que j'ai perdu.
Depuis, cette volage évite ma rencontre,
Ou si malgré ses soins le hasard me la montre,
375 Si je puis l'aborder, son discours se confond,
Son esprit en désordre à peine me répond;
Une réflexion vers le traître qu'elle aime
Presque à tous les moments le ramène en lui-même;
Et tout rêveur qu'il est, il n'a point de soucis
380 Qu'un soupir ne trahisse au seul nom de Tircis.
Lors, par le prompt effet d'un changement étrange,
Son silence rompu se déborde en louange.
Elle remarque en lui tant de perfections
Que les moins éclairés verraient ses passions.
385 Sa bouche ne se plaît qu'en cette flatterie
Et tout autre propos lui rend sa rêverie.
Cependant chaque jour aux discours attachés,
Ils ne retiennent plus leurs sentiments cachés,
Ils ont des rendez-vous où l'amour les assemble,
390 Encore hier sur le soir je les surpris ensemble,
Encor tout de nouveau je la vois qui l'attend.
Que cet œil assuré marque un esprit content!
Perds tout respect, Éraste, et tout soin de lui plaire,
Rends, sans plus différer, ta vengeance exemplaire,
395 Mais il vaut mieux t'en rire, et pour dernier effort
Lui montrer en raillant combien elle a de tort.

Scène II : Éraste, Mélite.

ÉRASTE
Quoi, seule et sans Tircis! vraiment c'est un prodige,
Et ce nouvel amant déjà trop vous néglige,
Laissant ainsi couler la belle occasion
400 De vous conter l'excès de son affection.
MÉLITE
Vous savez que son âme en est fort dépourvue.
ÉRASTE
Toutefois, ce dit-on, depuis qu'il vous a vue,
Il en porte dans l'âme un si doux souvenir

Qu'il n'a plus de plaisirs qu'à vous entretenir.
MÉLITE
Il a lieu de s'y plaire avec quelque justice,   405
L'amour ainsi qu'à lui me paraît un supplice,
Et sa froideur, qu'augmente un si lourd entretien,
Le résout d'autant mieux à n'aimer jamais rien.
ÉRASTE
Dites : à n'aimer rien que la belle Mélite.
MÉLITE
Pour tant de vanité j'ai trop peu de mérite.   410
ÉRASTE
En faut-il tant avoir pour ce nouveau venu?
MÉLITE
Un peu plus que pour vous.
ÉRASTE
                          De vrai, j'ai reconnu,
Vous ayant pu servir deux ans, et davantage,
Qu'il faut si peu que rien à toucher mon courage.
MÉLITE
Encor si peu que c'est vous étant refusé [24],   415
Présumez comme ailleurs vous serez méprisé.
ÉRASTE
Vos mépris ne sont pas de grande conséquence,
Et ne vaudront jamais la peine que j'y pense;
Sachant qu'il vous voyait, je m'étais bien douté
Que je ne serais plus que fort mal écouté.   420
MÉLITE
Sans que mes actions de plus près j'examine,
A la meilleure humeur je fais meilleure mine,
Et s'il m'osait tenir de semblables discours,
Nous romprions ensemble avant qu'il fût deux jours.
ÉRASTE
Si chaque objet nouveau de même vous engage,   425
Il changera bientôt d'humeur et de langage.
Caressé maintenant aussitôt qu'aperçu,
Qu'aurait-il à se plaindre, étant si bien reçu?
MÉLITE
Éraste, voyez-vous, trêve de jalousie,
Purgez votre cerveau de cette frénésie,   430
Laissez en liberté mes inclinations.
Qui vous a fait censeur de mes affections?
Est-ce à votre chagrin que j'en dois rendre conte?
ÉRASTE
Non, mais j'ai malgré moi pour vous un peu de honte
De ce qu'on dit partout du trop de privauté   435
Que déjà vous souffrez à sa témérité.
MÉLITE
Ne soyez en souci que de ce qui vous touche.
ÉRASTE
Le moyen, sans regret, de vous voir si farouche
Aux légitimes vœux de tant de gens d'honneur,
Et d'ailleurs si facile à ceux d'un suborneur?   440
MÉLITE
Ce n'est pas contre lui qu'il vaut en ma présence
Lâcher les traits jaloux de votre médisance.
Adieu : souvenez-vous que ces mots insensés
L'avanceront chez moi plus que vous ne pensez.

---

24. Le vers signifie : Et encore, puisque si peu que ce soit
vous est refusé...

Scène III : Éraste.

445 C'est là donc ce qu'enfin me gardait ton caprice?
C'est ce que j'ai gagné par deux ans de service?
C'est ainsi que mon feu s'étant trop abaissé
D'un outrageux mépris se voit récompensé?
Tu m'oses préférer un traître qui te flatte;
450 Mais dans ta lâcheté ne crois pas que j'éclate,
Et que par la grandeur de mes ressentiments
Je laisse aller au jour celle de mes tourments.
Un aveu si public qu'en ferait ma colère
Enflerait trop l'orgueil de ton âme légère,
455 Et me convaincrait trop de ce désir abjet
Qui m'a fait soupirer pour un indigne objet.
Je saurai me venger, mais avec l'apparence
De n'avoir pour tous deux que de l'indifférence :
Il fut toujours permis de tirer sa raison
460 D'une infidélité par une trahison.
Tiens, déloyal ami, tiens ton âme assurée
Que ton heur surprenant aura peu de durée,
Et que par une adresse égale à tes forfaits
Je mettrai le désordre où tu crois voir la paix.
465 L'esprit fourbe et vénal d'un voisin de Mélite
Donnera prompte issue à ce que je médite.
A servir qui l'achète il est toujours tout prêt,
Et ne voit rien d'injuste où brille l'intérêt.
Allons sans perdre temps lui payer ma vengeance,
470 Et la pistole en main presser sa diligence.

Scène IV : Tircis, Cloris.

TIRCIS
Ma sœur, un mot d'avis sur un méchant sonnet
Que je viens de brouiller dedans mon cabinet.
CLORIS
C'est à quelque beauté que ta muse l'adresse?
TIRCIS
En faveur d'un ami je flatte sa maîtresse,
475 Vois si tu le connais et si parlant pour lui
J'ai su m'accommoder aux passions d'autrui.
SONNET
Après l'œil de Mélite il n'est rien d'admirable...
CLORIS
Ah! frère, il n'en faut plus.
TIRCIS
                              Tu n'es pas supportable
De me rompre sitôt.
CLORIS
                    C'était sans y penser;
480 Achève.
TIRCIS
         Tais-toi donc, je vais recommencer.
SONNET [25]
Après l'œil de Mélite il n'est rien d'admirable;
Il n'est rien de solide après ma loyauté.
Mon feu, comme son teint, se rend incomparable,
Et je suis en amour ce qu'elle est en beauté.

25. C'est le fameux sonnet composé avant la pièce elle-même,
qui fit de Corneille un auteur. Il fut publié à part, en 1632,
donc avant *Mélite*, dans les *Mélanges poétiques*.

Quoi que puisse à mes sens offrir la nouveauté,   485
Mon cœur à tous ses traits demeure invulnérable,
Et bien qu'elle ait au sien la même cruauté,
Ma foi pour ses rigueurs n'en est pas moins durable.

C'est donc avec raison que mon extrême ardeur
Trouve chez cette belle une extrême froideur,   490
Et que sans être aimé je brûle pour Mélite,

Car de ce que les Dieux nous envoyant au jour
Donnèrent pour nous deux d'amour et de mérite,
Elle a tout le mérite, et moi j'ai tout l'amour.
CLORIS
Tu l'as fait pour Éraste?
TIRCIS
                          Oui, j'ai dépeint sa flamme. 495
CLORIS
Comme tu la ressens peut-être dans ton âme?
TIRCIS
Tu sais mieux qui je suis, et que ma libre humeur
N'a de part en mes vers que celle de rimeur.
CLORIS
Pauvre frère, vois-tu, ton silence t'abuse,
De la langue ou des yeux, n'importe qui t'accuse :   500
Les tiens m'avaient bien dit malgré toi que ton cœur
Soupirait sous les lois de quelque objet vainqueur,
Mais j'ignorais encor qui tenait ta franchise,
Et le nom de Mélite a causé ma surprise,
Sitôt qu'au premier vers ton sonnet m'a fait voir   505
Ce que depuis huit jours je brûlais de savoir.
TIRCIS
Tu crois donc que j'en tiens?
CLORIS
                              Fort avant.
TIRCIS
                                          Pour Mélite?
CLORIS
Pour Mélite, et de plus que ta flamme n'excite
Au cœur de cette belle aucun embrasement.
TIRCIS
Qui t'en a tant appris? mon sonnet?
CLORIS
                                     Justement.   510
TIRCIS
Et c'est ce qui te trompe avec tes conjectures,
Et par où la finesse a mal pris ses mesures.
Un visage jamais ne m'aurait arrêté,
S'il fallait que l'amour fût tout de mon côté.
Ma rime seulement est un portrait fidèle   515
De ce qu'Éraste souffre en servant cette belle;
Mais quand je l'entretiens de mon affection,
J'en ai toujours assez de satisfaction.
CLORIS
Montre, si tu dis vrai, quelque peu plus de joie,
Et rends-toi moins rêveur, afin que je te croie.   520
TIRCIS
Je rêve, et mon esprit ne s'en peut exempter,
Car sitôt que je viens à me représenter
Qu'une vieille amitié de mon amour s'irrite,
Qu'Éraste s'en offense et s'oppose à Mélite,
Tantôt je suis ami, tantôt je suis rival,   525

Et toujours balancé d'un contre-poids égal,
J'ai honte de me voir insensible ou perfide.
Si l'amour m'enhardit, l'amitié m'intimide.
Entre ces mouvements mon esprit partagé
530 Ne sait duquel des deux il doit prendre congé.
                    CLORIS
Voilà bien des détours pour dire, au bout du conte,
Que c'est contre ton gré que l'amour te surmonte;
Tu présumes par là me le persuader,
Mais ce n'est pas ainsi qu'on m'en donne à garder.
535 A la mode du temps, quand nous servons quelque autre
C'est seulement alors qu'il n'y va rien du nôtre,
Chacun en son affaire est son meilleur ami,
Et tout autre intérêt ne touche qu'à demi.
                    TIRCIS
Que du foudre à tes yeux j'éprouve la furie,
540 Si rien que ce rival cause ma rêverie!
                    CLORIS
C'est donc assurément son bien qui t'est suspect,
Son bien te fait rêver, et non pas son respect,
Et toute amitié bas, tu crains que sa richesse
En dépit de tes feux n'obtienne ta maîtresse.
                    TIRCIS
545 Tu devines, ma sœur; cela me fait mourir.
                    CLORIS
Ce sont vaines frayeurs dont je veux te guérir.
Depuis quand ton Éraste en tient-il pour Mélite?
                    TIRCIS
Il rend depuis deux ans hommage à son mérite.
                    CLORIS
Mais dit-il les grands mots? parle-t-il d'épouser?
                    TIRCIS
550 Presque à chaque moment.
                    CLORIS
                            Laisse-le donc jaser.
Ce malheureux amant ne vaut pas qu'on le craigne;
Quelque riche qu'il soit, Mélite le dédaigne :
Puisqu'on voit sans effet deux ans d'affection,
Tu ne dois plus douter de son aversion.
555 Le temps ne la rendra que plus grande et plus forte,
On prend soudain au mot les hommes de sa sorte,
Et sans rien hasarder à la moindre longueur,
On leur donne la main dès qu'ils offrent le cœur.
                    TIRCIS
Sa mère peut agir de puissance absolue.
                    CLORIS
560 Crois que déjà l'affaire en serait résolue,
Et qu'il aurait déjà de quoi se contenter,
Si sa mère était femme à la violenter.
                    TIRCIS
Ma crainte diminue et ma douleur s'apaise,
Mais si je t'abandonne, excuse mon trop d'aise.
565 Avec cette lumière et ma dextérité, ·
J'en veux aller savoir toute la vérité.
Adieu.
                    CLORIS
        Moi, je m'en vais paisiblement attendre
Le retour désiré du paresseux Philandre.
Un moment de froideur lui fera souvenir
570 Qu'il faut une autre fois tarder moins à venir.

Scène V : Éraste, Cliton.

                    ÉRASTE, lui donnant une lettre.
Va-t'en chercher Philandre, et dis-lui que Mélite
A dedans ce billet sa passion décrite,
Dis-lui que sa pudeur ne saurait plus cacher
Un feu qui la consume et qu'elle tient si cher.
Mais prends garde surtout à bien jouer ton rôle,   575
Remarque sa couleur, son maintien, sa parole,
Vois si dans la lecture un peu d'émotion
Ne te montrera rien de son intention.
                    CLITON
Cela vaut fait, Monsieur.
                    ÉRASTE
                        Mais après ce message
Sache avec tant d'adresse ébranler son courage,   580
Que tu viennes à bout de sa fidélité.
                    CLITON
Monsieur, reposez-vous sur ma subtilité;
Il faudra malgré lui qu'il donne dans le piège,
Ma tête sur ce point vous servira de plège [26],
Mais aussi vous savez...
                    ÉRASTE
                        Oui, va, sois diligent.   585
Ces âmes du commun n'ont pour but que l'argent,
Et je n'ai que trop vu par mon expérience...
Mais tu reviens bientôt?
                    CLITON
                        Donnez-vous patience,
Monsieur, il ne nous faut qu'un moment de loisir,
Et vous pourrez vous-même en avoir le plaisir.   590
                    ÉRASTE
Comment?
                    CLITON
        De ce carfour j'ai vu venir Philandre.
Cachez-vous en ce coin, et de là sachez prendre
L'occasion commode à seconder mes coups.
Par là nous le tenons. Le voici, sauvez-vous.

Scène VI : Philandre, Éraste, Cliton.

                    PHILANDRE
                    (Éraste est caché et les écoute.)
Quelle réception me fera ma maîtresse?   595
Le moyen d'excuser une telle paresse?
                    CLITON
Monsieur, tout à propos je vous rencontre ici,
Expressément chargé de vous rendre ceci.
                    PHILANDRE
Qu'est-ce?
                    CLITON
        Vous allez voir, en lisant cette lettre,
Ce qu'un homme jamais n'oserait se promettre;   600
Ouvrez-la seulement.
                    PHILANDRE
                    Va, tu n'es qu'un conteur.
                    CLITON
Je veux mourir au cas qu'on me trouve menteur.

26. Plège : garant, caution. Ce mot juridique, d'origine
germanique, est déjà dans la Chanson de Roland.

LETTRE SUPPOSÉE DE MÉLITE A PHILANDRE
Malgré le devoir et la bienséance du sexe, celle-ci
m'échappe en faveur de vos mérites, pour vous appren-
dre que c'est Mélite qui vous écrit, et qui vous aime.
Si elle est assez heureuse pour recevoir de vous une
réciproque affection, contentez-vous de cet entretien
par lettres, jusques à ce qu'elle ait ôté de l'esprit de sa
mère quelques personnes qui n'y sont que trop bien
pour son contentement.

ÉRASTE, *feignant d'avoir lu par-dessus son épaule.*
C'est donc la vérité que la belle Mélite
Fait du brave Philandre une louable élite [27],
605 Et qu'il obtient ainsi de sa seule vertu
Ce qu'Éraste et Tircis ont en vain débattu!
Vraiment dans un tel choix mon regret diminue,
Outre qu'une froideur depuis peu survenue,
De tant de vœux perdus ayant su me lasser,
610 N'attendait qu'un prétexte à m'en débarrasser.

PHILANDRE
Me dis-tu que Tircis brûle pour cette belle?

ÉRASTE
Il en meurt.

PHILANDRE
                    Ce courage à l'amour si rebelle?

ÉRASTE
Lui-même.

PHILANDRE
                    Si ton cœur ne tient plus qu'à demi,
Tu peux le retirer en faveur d'un ami,
615 Sinon, pour mon regard ne cesse de prétendre :
Étant pris une fois, je ne suis plus à prendre.
Tout ce que je puis faire à ce beau feu naissant,
C'est de m'en revancher par un zèle impuissant,
Et ma Cloris la prie, afin de s'en distraire,
620 De tourner, s'il se peut, sa flamme vers son frère.

ÉRASTE
Auprès de sa beauté qu'est-ce que ta Cloris?

PHILANDRE
Un peu plus de respect pour ce que je chéris.

ÉRASTE
Je veux qu'elle ait en soi quelque chose d'aimable,
Mais enfin à Mélite est-elle comparable?

PHILANDRE
625 Qu'elle le soit ou non, je n'examine pas
Si ces deux l'une ou l'autre a plus ou moins d'appas.
J'aime l'une, et mon cœur pour toute autre insensible...

ÉRASTE
Avise toutefois, le prétexte est plausible.

PHILANDRE
J'en serais mal voulu des hommes et des Dieux.

ÉRASTE
630 On pardonne aisément à qui trouve son mieux.

PHILANDRE
Mais en quoi gît ce mieux?

ÉRASTE
                                        En esprit, en richesse.

PHILANDRE
O le honteux motif de changer de maîtresse!

27. Sens primitif : choix.

ÉRASTE
En amour.

PHILANDRE
Cloris m'aime, et si je m'y connoi,
Rien ne peut égaler celui qu'elle a pour moi.

ÉRASTE
Tu te détromperas, si tu veux prendre garde   635
A ce qu'à ton sujet l'une et l'autre hasarde.
L'une en t'aimant s'expose au péril d'un mépris,
L'autre ne t'aime point que tu n'en sois épris;
L'une t'aime engagé vers une autre moins belle,
L'autre se rend sensible à qui n'aime rien qu'elle; 640
L'une au desçu des siens te montre son ardeur
Et l'autre après leur choix quitte un peu sa froideur;
L'une...

PHILANDRE
Adieu, des raisons de si peu d'importance
Ne pourraient en un siècle ébranler ma constance.
Il dit ce vers à Cliton tout bas :
Dans deux heures d'ici tu viendras me revoir.   645

CLITON
Disposez librement de mon petit pouvoir.

ÉRASTE, *seul.*
Il a beau déguiser, il a goûté l'amorce,
Cloris déjà sur lui n'a presque plus de force,
Ainsi je suis deux fois vengé du ravisseur,
Ruinant tout ensemble et le frère et la sœur.   650

Scène VII : Tircis, Éraste, Mélite.

TIRCIS
Éraste, arrête un peu.

ÉRASTE
                                Que me veux-tu?

TIRCIS
                                                        Te rendre
Ce sonnet que pour toi j'ai promis d'entreprendre.

MÉLITE, *au travers d'une jalousie,*
cependant qu'Éraste lit le sonnet.
Que font-ils là tous deux? qu'ont-ils à démêler?
Ce jaloux à la fin le pourra quereller :
Du moins les compliments, dont peut-être ils se jouent, 655
Sont des civilités qu'en l'âme ils désavouent.

TIRCIS
J'y donne une raison de ton sort inhumain.
Allons, je le veux voir présenter de ta main
A ce charmant objet dont ton âme est blessée.

ÉRASTE, *lui rendant son sonnet.*
Une autre fois, Tircis, quelque affaire pressée   660
Fait que je ne saurais pour l'heure m'en charger.
Tu trouveras ailleurs un meilleur messager.

TIRCIS, *seul.*
La belle humeur de l'homme! O dieux, quel personnage!
Quel ami j'avais fait de ce plaisant visage!
Une mine froncée, un regard de travers,   665
C'est le remercîment que j'aurai de mes vers.
Je manque, à son avis, d'assurance ou d'adresse,
Pour les donner moi-même à sa jeune maîtresse,
Et prendre ainsi le temps de dire à sa beauté
L'empire que ses yeux ont sur ma liberté.   670

Je pense l'entrevoir par cette jalousie :
Oui, mon âme de joie en est toute saisie.
Hélas! et le moyen de pouvoir lui parler,
Si mon premier aspect l'oblige à s'en aller?
675 Que cette joie est courte, et qu'elle est cher vendue!
Toutefois tout va bien, la voilà descendue.
Ses regards pleins de feu s'entendent avec moi;
Que dis-je? en s'avançant elle m'appelle à soi.

Scène VIII : Mélite, Tircis.

MÉLITE

Eh bien! qu'avez-vous fait de votre compagnie?

TIRCIS

680 Je ne puis rien juger de ce qui l'a bannie :
A peine ai-je eu loisir de lui dire deux mots
Qu'aussitôt le fantasque, en me tournant le dos,
S'est échappé de moi.

MÉLITE

                      Sans doute il m'aura vue,
Et c'est de là que vient cette fuite imprévue.

TIRCIS

685 Vous aimant comme il fait, qui l'eût jamais pensé?

MÉLITE

Vous ne savez donc rien de ce qui s'est passé?

TIRCIS

J'aimerais beaucoup mieux savoir ce qui se passe,
Et la part qu'a Tircis en votre bonne grâce.

MÉLITE

Meilleure aucunement qu'Éraste ne voudroit.
690 Je n'ai jamais connu d'amant si maladroit;
Il ne sauroit souffrir qu'autre que lui m'approche.
Dieux! qu'à votre sujet il m'a fait de reproche!
Vous ne sauriez me voir sans le désobliger.

TIRCIS

Et de tous mes soucis c'est là le plus léger.
695 Toute une légion de rivaux de sa sorte
Ne divertirait pas l'amour que je vous porte,
Qui ne craindra jamais les humeurs d'un jaloux.

MÉLITE

Aussi le croit-il bien, ou je me trompe.

TIRCIS

                                        Et vous?

MÉLITE

Bien que cette croyance à quelque erreur m'expose,
700 Pour lui faire dépit, j'en croirai quelque chose.

TIRCIS

Mais afin qu'il reçut un entier déplaisir,
Il faudrait que nos cœurs n'eussent plus qu'un désir,
Et quitter ces discours de volontés sujettes,
Qui ne sont point de mise en l'état où vous êtes.
705 Vous-même consultez un moment vos appas,
Songez à leurs effets, et ne présumez pas
Avoir sur tous les cœurs un pouvoir si suprême,
Sans qu'il vous soit permis d'en user sur vous-même.
Un si digne sujet ne reçoit point de loi,
710 De règle ni d'avis d'un autre que de soi.

MÉLITE

Ton mérite, plus fort que ta raison flatteuse,
Me rend, je le confesse, un peu moins scrupuleuse.

Je dois tout à ma mère et pour tout autre amant
Je voudrais tout remettre à son commandement;
Mais attendre pour toi l'effet de sa puissance,   715
Sans te rien témoigner que par obéissance,
Tircis, ce serait trop : tes rares qualités
Dispensent mon devoir de ces formalités.

TIRCIS

Que d'amour et de joie un tel aveu me donne!

MÉLITE

C'est peut-être en trop dire et me montrer trop bonne; 720
Mais par là tu peux voir que mon affection
Prend confiance entière en ta discrétion.

TIRCIS

Vous la verrez toujours, dans un respect sincère,
Attacher mon bonheur à celui de vous plaire,
N'avoir point d'autre soin, n'avoir point d'autre esprit, 725
Et si vous en voulez un serment par écrit,
Ce sonnet que pour vous vient de tracer ma flamme,
Vous fera voir à nu jusqu'au fond de mon âme.

MÉLITE

Garde bien ton sonnet, et pense qu'aujourd'hui
Mélite veut te croire autant et plus que lui.   730
Je le prends toutefois comme un précieux gage
Du pouvoir que mes yeux ont pris sur ton courage.
Adieu : sois-moi fidèle en dépit du jaloux.

TIRCIS

O ciel! jamais amant eut-il un sort plus doux?

ACTE TROISIÈME

Scène I : Philandre.

Tu l'as gagné, Mélite, il ne m'est pas possible   735
D'être à tant de faveurs plus longtemps insensible :
Tes lettres où sans fard tu dépeins ton esprit,
Tes lettres où ton cœur est si bien par écrit,
Ont charmé tous mes sens par leurs douces promesses,
Leur attente vaut mieux, Cloris, que tes caresses.   740
Ah! Mélite, pardon! je t'offense à nommer
Celle qui m'empêcha si longtemps de t'aimer.
Souvenirs importuns d'une amante laissée,
Qui venez malgré moi remettre en ma pensée
Un portrait que j'en veux tellement effacer   745
Que le sommeil ait peine à me le retracer,
Hâtez-vous de sortir sans plus troubler ma joie,
Et retournant trouver celle qui vous envoie,
Dites-lui de ma part pour la dernière fois
Qu'elle est en liberté de faire un autre choix,   750
Que ma fidélité n'entretient plus ma flamme,
Ou que s'il m'en demeure encore un peu dans l'âme,
Je souhaite en faveur de ce reste de foi
Qu'elle puisse gagner au change autant que moi.
Dites-lui que Mélite, ainsi qu'une Déesse,   755
Est de tous nos désirs souveraine maîtresse,
Dispose de nos cœurs, force nos volontés,
Et que par son pouvoir nos destins surmontés
Se tiennent trop heureux de prendre l'ordre d'elle,
Enfin que tous mes vœux...   760

Scène II : *Tircis, Philandre.*

TIRCIS

Philandre!

PHILANDRE

Qui m'appelle?

TIRCIS

Tircis, dont le bonheur au plus haut point monté
Ne peut être parfait sans te l'avoir conté.

PHILANDRE

Tu me fais trop d'honneur par cette confidence.

TIRCIS

765 J'userais envers toi d'une sotte prudence,
Si je faisais semblant de te dissimuler
Ce qu'aussi bien mes yeux ne sauraient te celer.

PHILANDRE

En effet, si l'on peut te juger au visage,
Si l'on peut par tes yeux lire dans ton courage,
770 Ce qu'ils montrent de joie à tel point me surprend,
Que je n'en puis trouver de sujet assez grand :
Rien n'atteint, ce me semble, aux signes qu'ils en
[donnent.

TIRCIS

Que fera le sujet, si les signes t'étonnent?
Mon bonheur est plus grand qu'on ne peut soupçonner;
C'est quand tu l'auras su qu'il faudra t'étonner.

PHILANDRE

775 Je ne le saurai pas sans marque plus expresse.

TIRCIS

Possesseur, autant vaut...

PHILANDRE

De quoi?

TIRCIS

D'une maîtresse,
Belle, honnête, jolie, et dont l'esprit charmant
De son seul entretien peut ravir un amant :
En un mot, de Mélite.

PHILANDRE

Il est vrai qu'elle est belle;
780 Tu n'as pas mal choisi, mais...

TIRCIS

Quoi, mais?

PHILANDRE

T'aime-t-elle?

TIRCIS

Cela n'est plus en doute.

PHILANDRE

Et de cœur?

TIRCIS

Et de cœur,
Je t'en réponds.

PHILANDRE

Souvent un visage moqueur
N'a que le beau semblant d'une mine hypocrite.

TIRCIS

Je ne crains rien de tel du côté de Mélite.

PHILANDRE

785 Écoute, j'en ai vu de toutes les façons.
J'en ai vu qui semblaient n'être que des glaçons,
Dont le feu, retenu par une adroite feinte,
S'allumait d'autant plus qu'il souffrait de contrainte;

J'en ai vu, mais beaucoup, qui sous le faux appas
Des preuves d'un amour qui ne les touchait pas,   790
Prenaient du passe-temps d'une folle jeunesse
Qui se laisse affiner [28] à ces traits de souplesse,
Et pratiquaient sous main d'autres affections :
Mais j'en ai vu fort peu de qui les passions
Fussent d'intelligence avec tout le visage.   795

TIRCIS

Et de ce petit nombre est celle qui m'engage.
De sa possession je me tiens aussi seur
Que tu te peux tenir de celle de ma sœur.

PHILANDRE

Donc si ton espérance à la fin n'est déçue,
Ces deux amours auront une pareille issue?   800

TIRCIS

Si cela n'arrivait, je me tromperais fort.

PHILANDRE

Pour te faire plaisir j'en veux être d'accord.
Cependant apprends-moi comment elle te traite,
Et qui te fait juger son ardeur si parfaite.

TIRCIS

Une parfaite ardeur a trop de truchements   805
Par qui se faire entendre aux esprits des amants :
Un coup d'œil, un soupir...

PHILANDRE

Ces faveurs ridicules
Ne servent qu'à duper des âmes trop crédules.
N'as-tu rien que cela?

TIRCIS

Sa parole et sa foi.

PHILANDRE

Encor c'est quelque chose. Achève, et conte-moi   810
Les petites douceurs, les aimables tendresses
Qu'elle se plaît à joindre à de telles promesses.
Quelques lettres du moins te daignent confirmer
Ce vœu qu'entre tes mains elle a fait de t'aimer?

TIRCIS

Recherche qui voudra ces menus badinages,   815
Qui n'en sont pas toujours de fort sûrs témoignages;
Je n'ai que sa parole, et ne veux que sa foi.

PHILANDRE

Je connais donc quelqu'un plus avancé que toi.

TIRCIS

J'entends qui tu veux dire, et pour ne te rien feindre,
Ce rival est bien moins à redouter qu'à plaindre.   820
Éraste, qu'ont banni ses dédains rigoureux...

PHILANDRE

Je parle de quelque autre un peu moins malheureux.

TIRCIS

Je ne connais que lui qui soupire pour elle.

PHILANDRE

Je ne te tiendrai point plus longtemps en cervelle :
Pendant qu'elle t'amuse avec ses beaux discours,   825
Un rival inconnu possède ses amours
Et la dissimulée, au mépris de ta flamme,
Par lettres chaque jour lui fait don de son âme.

TIRCIS

De telles trahisons lui sont trop en horreur.

---

28. *Affiner* : toucher par voisinage, d'où duper, tromper.

PHILANDRE

830 Je te veux par pitié tirer de cette erreur.
Tantôt, sans y penser, j'ai trouvé cette lettre;
Tiens, vois ce que tu peux désormais t'en promettre.

LETTRE SUPPOSÉE DE MÉLITE A PHILANDRE

Je commence à m'estimer quelque chose, puisque je
vous plais, et mon miroir m'offense tous les jours,
ne me représentant pas assez belle, comme je m'ima-
gine qu'il faut être pour mériter votre affection. Aussi
je veux bien que vous sachiez que Mélite ne croit
la posséder que par faveur, ou comme une récompense
extraordinaire d'un excès d'amour, dont elle tâche
de suppléer au défaut des grâces que le ciel lui a refusées.

PHILANDRE

Maintenant qu'en dis-tu? n'est-ce pas t'affronter?

TIRCIS

Cette lettre en tes mains ne peut m'épouvanter.

PHILANDRE

835 La raison?

TIRCIS

Le porteur a su combien je t'aime,
Et par galanterie il t'a pris pour moi-même,
Comme aussi ce n'est qu'un de deux parfaits amis.

PHILANDRE

Voilà bien te flatter plus qu'il ne t'est permis,
Et pour ton intérêt aimer à te méprendre.

TIRCIS

840 On t'en aura donné quelque autre pour me rendre,
Afin qu'encore un coup je sois ainsi déçu.

PHILANDRE

Oui, j'ai quelque billet que tantôt j'ai reçu,
Et puisqu'il est pour toi...

TIRCIS

Que ta longueur me tue!
Dépêche.

PHILANDRE

Le voilà que je te restitue.

AUTRE LETTRE SUPPOSÉE DE MÉLITE A PHILANDRE

Vous n'avez plus affaire qu'à Tircis, je le souffre
encore, afin que par sa hantise [29] *je remarque plus*
exactement ses défauts et les fasse mieux goûter à ma
mère. Après cela Philandre et Mélite auront tout loisir
de rire ensemble des belles imaginations dont le frère
et la sœur ont repu leurs espérances.

PHILANDRE

845 Te voilà tout rêveur, cher ami; par ta foi,
Crois-tu que ce billet s'adresse encore à toi?

TIRCIS

Traître! c'est donc ainsi que ma sœur méprisée
Sert à ton changement d'un sujet de risée?
C'est ainsi qu'à sa foi Mélite osant manquer,
850 D'un parjure si noir ne fait que se moquer?
C'est ainsi que sans honte à mes yeux tu subornes
Un amour qui pour moi devait être sans bornes?
Suis-moi tout de ce pas, que l'épée à la main
Un si cruel affront se répare soudain;
855 Il faut que pour tous deux ta tête me réponde.

29. *Hantise* : au sens propre, fréquentation.

PHILANDRE

Si pour te voir trompé tu te déplais au monde,
Cherche en ce désespoir qui t'en veuille arracher :
Quant à moi, ton trépas me coûterait trop cher.

TIRCIS

Quoi! tu crains le duel?

PHILANDRE

Non, mais j'en crains la suite,
Où la mort du vaincu met le vainqueur en fuite,   860
Et du plus beau succès le dangereux éclat
Nous fait perdre l'objet et le prix du combat.

TIRCIS

Tant de raisonnement et si peu de courage
Sont le digne témoignage de tes lâchetés.
Viens, ou dis que ton sang n'oserait s'exposer.   865

PHILANDRE

Mon sang n'est plus à moi, je n'en puis disposer.
Mais puisque ta douleur de mes raisons s'irrite,
J'en prendrai dès ce soir le congé [30] de Mélite.
Adieu.

Scène III : Tircis.

Tu fuis, perfide, et ta légèreté,
T'ayant fait criminel, te met en sûreté!   870
Reviens, reviens défendre une place usurpée :
Celle qui te chérit vaut bien un coup d'épée.
Fais voir que l'infidèle, en se donnant à toi,
A fait choix d'un amant qui valait mieux que moi;
Soutiens son jugement et sauve ainsi de blâme   875
Celle qui pour la tienne a négligé ma flamme.
Crois-tu qu'on la mérite à force de courir?
Peux-tu m'abandonner ses faveurs sans mourir?
O lettres, ô faveurs indignement placées,
A ma discrétion honteusement laissées!   880
O gages qu'il néglige ainsi que superflus!
Je ne sais qui de nous vous diffamez le plus,
Je ne sais qui des trois doit rougir davantage,
Car vous nous apprenez qu'elle est une volage,
Son amant un parjure, et moi sans jugement,   885
De n'avoir rien prévu de leur déguisement.
Mais il le fallait bien que cette âme infidèle,
Changeant d'affection, prît un traître comme elle,
Et que le digne amant qu'elle a su rechercher
A sa déloyauté n'eût rien à reprocher.   890
Cependant j'en croyais cette fausse apparence
Dont elle repaissait ma frivole espérance,
J'en croyais ses regards, qui tous remplis d'amour,
Étaient de la partie en un si lâche tour.
O ciel! vit-on jamais tant de supercherie,   895
Que tout l'extérieur ne fût que tromperie?
Non, non, il n'en est rien : une telle beauté
Ne fut jamais sujette à la déloyauté.
Faibles et seuls témoins du malheur qui me touche,
Vous êtes trop hardis de démentir sa bouche.   900
Mélite me chérit, elle me l'a juré;
Son oracle reçu, je m'en tiens assuré.

30. Je demanderai à Mélite l'autorisation (de disposer)
de mon sang.

Que dites-vous là contre? êtes-vous plus croyables?
Caractères trompeurs, vous me contez des fables,
905 Vous voulez me trahir; mais vos efforts sont vains :
Sa parole a laissé son cœur entre mes mains.
A ce doux souvenir ma flamme se rallume,
Je ne sais plus qui croire ou d'elle ou de sa plume :
L'un et l'autre en effet n'ont rien que de léger;
910 Mais du plus ou du moins je n'en puis que juger.
Loin, loin, doutes flatteurs que mon feu me suggère!
Je vois trop clairement qu'elle est la plus légère;
La foi que j'en reçus s'en est allée en l'air,
Et ces traits de sa plume osent encor parler,
915 Et laissent en mes mains une honteuse image,
Où son cœur peint au vif remplit le mien de rage.
Oui, j'enrage, je meurs, et tous mes sens troublés
D'un excès de douleur se trouvent accablés;
Un si cruel tourment me gêne et me déchire,
920 Que je ne puis plus vivre avec un tel martyre :
Mais cachons-en la honte, et nous donnons du moins
Ce faux soulagement, en mourant sans témoins,
Que mon trépas secret empêche l'infidèle
D'avoir la vanité que je sois mort pour elle.

Scène IV : Tircis, Cloris.

CLORIS
925 Mon frère, en ma faveur retourne sur tes pas.
Dis-moi la vérité : tu ne me cherchais pas?
Eh quoi! tu fais semblant de ne me pas connaître?
O dieux! en quel état te vois-je ici paraître!
Tu pâlis tout à coup et tes louches regards
930 S'élancent incertains presque de toutes parts!
Tu manques à la fois de couleur et d'haleine!
Ton pied mal affermi ne te soutient qu'à peine!
Quel accident nouveau te trouble ainsi les sens?
TIRCIS
Puisque tu veux savoir le mal que je ressens,
935 Avant que d'assouvir l'inexorable envie
De mon sort rigoureux qui demande ma vie,
Je vais t'assassiner d'un fatal entretien
Et te dire en deux mots mon malheur et le tien.
En nos chastes amours de tous deux on se moque :
940 Philandre... Ah! la douleur m'étouffe et me suffoque.
Adieu, ma sœur, adieu, je ne puis plus parler,
Lis, et si tu le peux, tâche à te consoler.
CLORIS
Ne m'échappe donc pas.
TIRCIS
                    Ma sœur, je te supplie...
CLORIS
Quoi! que je t'abandonne à ta mélancolie?
945 Voyons auparavant ce qui te fait mourir,
Et nous aviserons à te laisser courir.
TIRCIS
Hélas! quelle injustice!
CLORIS, *après avoir lu les lettres qu'il lui a données.*
                    Est-ce là tout, fantasque?
Quoi! si la déloyale enfin lève le masque,
Oses-tu te fâcher d'être désabusé?
950 Apprends qu'il te faut être en amour plus rusé,

Apprends que les discours des filles bien sensées
Découvrent rarement le fond de leurs pensées,
Et que, les yeux aidant à ce déguisement,
Notre sexe a le don de tromper finement.
Apprends aussi de moi que ta raison s'égare,   955
Que Mélite n'est pas une pièce si rare,
Qu'elle soit seule ici qui vaille la servir [31] :
Assez d'autres objets y sauront te ravir.
Ne t'inquiète point pour une écervelée
Qui n'a d'ambition que d'être cajolée,   960
Et rend à plaindre ceux qui flattant ses beautés,
Ont assez de malheur pour en être écoutés.
Damon lui plut jadis, Aristandre et Géronte,
Éraste après deux ans n'y voit pas mieux son conte,
Elle t'a trouvé bon seulement pour huit jours,   965
Philandre est aujourd'hui l'objet de ses amours,
Et peut-être déjà (tant elle aime le change!)
Quelque autre nouveauté le supplante et nous venge.
Ce n'est qu'une coquette avec tous ses attraits,
Sa langue avec son cœur ne s'accorde jamais,   970
Les infidélités font ses jeux ordinaires,
Et ses plus doux appas sont tellement vulgaires,
Qu'en elle homme d'esprit n'admira jamais rien
Que le sujet pourquoi tu lui voulais du bien.
TIRCIS
Penses-tu m'arrêter par ce torrent d'injures?   975
Que ce soient vérités, que ce soient impostures,
Tu redoubles mes maux, au lieu de les guérir :
Adieu : rien que la mort ne peut me secourir.

Scène V : Cloris.

Mon frère... Il s'est sauvé, son désespoir l'emporte,
Me préserve le ciel d'en user de la sorte!   980
Un volage me quitte, et je le quitte aussi,
Je l'obligerais trop de m'en mettre en souci.
Pour perdre des amants, celles qui s'en affligent
Donnent trop d'avantage à ceux qui les négligent,
Il n'est lors que la joie : elle nous venge mieux   985
Et la fît-on à faux éclater par les yeux,
C'est montrer par bravade à leur vaine inconstance
Qu'elle est pour nous toucher de trop peu d'importance.
Que Philandre à son gré rende ses vœux contents;
S'il attend que j'en pleure, il attendra longtemps. 990
Son cœur est un trésor dont j'aime qu'il dispose,
Le larcin qu'il m'en fait me vole peu de chose,
Et l'amour qui pour lui m'éprit si follement
M'avait fait bonne part de son aveuglement.
On enchérit pourtant sur ma faute passée :   995
Dans la même folie une autre embarrassée
Le rend encor parjure, et sans âme, et sans foi,
Pour se donner l'honneur de faillir après moi.
Je meure, s'il n'est vrai que la moitié du monde
Sur l'exemple d'autrui se conduit et se fonde.   1000
A cause qu'il parut quelque temps m'enflammer,
La pauvre fille a cru qu'il valait bien l'aimer,
Et sur cette croyance elle en a pris envie,
Lui pût-elle durer jusqu'au bout de sa vie!

31. Qui vaille d'être servie.

41

1005 Si Mélite a failli me l'ayant débauché,
Dieux, par là seulement punissez son péché!
Elle verra bientôt que sa digne conquête
N'est pas une aventure à me rompre la tête :
Un si plaisant malheur m'en console à l'instant.
1010 Ah! si mon fou de frère en pouvait faire autant,
Que j'en aurais de joie, et que j'en ferais gloire!
Si je puis le rejoindre et qu'il me veuille croire,
Nous leur ferons bien voir que leur change indiscret
Ne vaut pas un soupir, ne vaut pas un regret.
1015 Je me veux toutefois en venger par malice,
Me divertir une heure à m'en faire justice;
Ces lettres fourniront assez d'occasion
D'un peu de défiance et de division.
Si je prends bien mon temps, j'aurai pleine matière
1020 A les jouer tous deux d'une belle manière.
En voici déjà l'un qui craint de m'aborder.

Scène VI : Philandre, Cloris.

CLORIS
Quoi! tu passes, Philandre, et sans me regarder?
PHILANDRE
Pardonne-moi, de grâce : une affaire importune
M'empêche de jouir de ma bonne fortune,
1025 Et son empressement qui porte ailleurs mes pas
Me remplissait l'esprit jusqu'à ne te voir pas.
CLORIS
J'ai donc souvent le don d'aimer plus qu'on ne m'aime :
Je ne pense qu'à toi, j'en parlais en moi-même.
PHILANDRE
Me veux-tu quelque chose?
CLORIS
                          Il t'ennuie avec moi,
1030 Mais comme de tes feux j'ai pour garant ta foi,
Je ne m'alarme point. N'était ce qui te presse,
Ta flamme un peu plus loin eût porté la tendresse
Et je t'aurais fait voir quelques vers de Tircis
Pour le charmant objet de ses nouveaux soucis.
1035 Je viens de les surprendre et j'y pourrais encore
Joindre quelques billets de l'objet qu'il adore;
Mais tu n'as pas le temps. Toutefois, si tu veux
Perdre un demi-quart d'heure à les lire nous deux...
PHILANDRE
Voyons donc ce que c'est, sans plus longue demeure;
1040 Ma curiosité pour ce demi-quart d'heure
S'osera dispenser.
CLORIS
                   Aussi tu me promets,
Quand tu les auras lus, de n'en parler jamais;
Autrement, ne crois pas...
PHILANDRE, *reconnaissant les lettres.*
                            Cela s'en va sans dire :
Donne, donne-les-moi, tu ne les saurais lire,
1045 Et nous aurions ainsi besoin de trop de temps.
CLORIS, *les resserrant.*
Philandre, tu n'es pas encore où tu prétends;
Quelques hautes faveurs que ton mérite obtienne,
Elles sont aussi bien en ma main qu'en la tienne;
Je les garderai mieux, tu peux en assurer

La belle qui pour toi daigne se parjurer.   1050
PHILANDRE
Un homme doit souffrir d'une fille en colère,
Mais je sais comme il faut les ravoir de ton frère :
Tout exprès je le cherche, et son sang ou le mien...
CLORIS
Quoi! Philandre est vaillant, et je n'en savais rien!
Tes coups sont dangereux quand tu ne veux pas feindre; 1055
Mais ils ont le bonheur de se faire peu craindre
Et mon frère, qui sait comme il s'en faut guérir,
Quand tu l'aurais tué, pourrait n'en pas mourir.
PHILANDRE
L'effet en fera foi, s'il en a le courage.
Adieu. J'en perds le temps à parler davantage   1060
Tremble.
CLORIS
         J'en ai grand lieu, connaissant ta vertu :
Pourvu qu'il y consente, il sera bien battu.

ACTE QUATRIÈME

Scène I : Mélite, la nourrice.

LA NOURRICE
Cette obstination à faire la secrète
M'accuse injustement d'être trop peu discrète.
MÉLITE
Ton importunité n'est pas à supporter :   1065
Ce que je ne sais point, te le puis-je conter?
LA NOURRICE
Les visites d'Éraste un peu moins assidues
Témoignent quelque ennui de ses peines perdues,
Et ce qu'on voit par là de refroidissement
Ne fait que trop juger son mécontentement.   1070
Tu m'en veux cependant cacher tout le mystère;
Mais je pourrais enfin en croire ma colère,
Et pour punition te priver des avis
Qu'a jusqu'ici ton cœur si doucement suivis.
MÉLITE
C'est à moi de trembler après cette menace,   1075
Et toute autre du moins tremblerait en ma place.
LA NOURRICE
Ne raillons point : le fruit qui t'en est demeuré
(Je parle sans reproche, et tout considéré)
Vaut bien... Mais revenons à notre humeur chagrine :
Apprends-moi ce que c'est.
MÉLITE
                          Veux-tu que je devine?   1080
Dégoûté d'un esprit si grossier que le mien,
Il cherche ailleurs peut-être un meilleur entretien.
LA NOURRICE
Ce n'est pas bien ainsi qu'un amant perd l'envie
D'une chose deux ans ardemment poursuivie;
D'assurance un mépris l'oblige à se piquer,   1085
Mais ce n'est pas un trait qu'elle faille pratiquer.
Une fille qui voit et que voit la jeunesse
Ne s'y doit gouverner qu'avec beaucoup d'adresse;
Le dédain lui messied, ou quand elle s'en sert,
Que ce soit pour reprendre un amant qu'elle perd. 1090

Une heure de froideur, à propos ménagée,
Peut rembraser une âme à demi dégagée,
Qu'un traitement trop doux dispense à des mépris
D'un bien dont cet orgueil fait mieux savoir le prix.
1095 Hors ce cas, il lui faut complaire à tout le monde,
Faire qu'aux vœux de tous l'apparence réponde,
Et sans embarrasser son cœur de leurs amours,
Leur faire bonne mine et souffrir leurs discours,
Qu'à part ils pensent tous avoir la préférence;
1100 Et paraissent ensemble entrer en concurrence,
Que tout l'extérieur de son visage égal
Ne rende aucun jaloux du bonheur d'un rival,
Que ses yeux partagés leur donnent de quoi craindre,
Sans donner à pas un aucun lieu de se plaindre,
1105 Qu'ils vivent tous d'espoir jusqu'au choix d'un mari,
Mais qu'aucun cependant ne soit le plus chéri,
Et qu'elle cède enfin, puisqu'il faut qu'elle cède,
A qui paiera le mieux le bien qu'elle possède.
Si tu n'eusses jamais quitté cette leçon,
1110 Ton Éraste avec toi vivrait d'autre façon.

MÉLITE

Ce n'est pas son humeur de souffrir ce partage :
Il croit que mes regards soient son propre héritage
Et prend ceux que je donne à tout autre qu'à lui
Pour autant de larcins faits sur le bien d'autrui.

LA NOURRICE

1115 J'entends à demi-mot, achève et m'expédie
Promptement le motif de cette maladie.

MÉLITE

Si tu m'avais, Nourrice, entendue à demi,
Tu saurais que Tircis...

LA NOURRICE

        Quoi, son meilleur ami!
N'a-ce pas été lui qui te l'a fait connaître?

MÉLITE

1120 Il voudrait que le jour en fût encore à naître,
Et si d'auprès de moi je l'avais écarté,
Tu verrais tout à l'heure Éraste à mon côté.

LA NOURRICE

J'ai regret que tu sois leur pomme de discorde;
Mais puisque leur humeur ensemble ne s'accorde,
1125 Éraste n'est pas homme à laisser échapper,
Un semblable pigeon ne se peut rattraper :
Il a deux fois le bien de l'autre, et davantage.

MÉLITE

Le bien ne touche point un généreux courage.

LA NOURRICE

Tout le monde l'adore et tâche d'en jouir.

MÉLITE

1130 Il suit un faux éclat qui ne peut m'éblouir.

LA NOURRICE

Auprès de sa splendeur toute autre est fort petite.

MÉLITE

Tu le places au rang qui n'est dû qu'au mérite.

LA NOURRICE

On a trop de mérite, étant riche à ce point.

MÉLITE

Les biens en donnent-ils à ceux qui n'en ont point?

LA NOURRICE

1135 Oui, ce n'est que par là qu'on est considérable.

MÉLITE

Mais ce n'est que par là qu'on devient méprisable.
Un homme dont les biens font toutes les vertus
Ne peut être estimé que des cœurs abattus.

LA NOURRICE

Est-il quelques défauts que les biens ne réparent?

MÉLITE

Mais plutôt en est-il où les biens ne préparent? 1140
Étant riche, on méprise assez communément
Des belles qualités le solide ornement,
Et d'un luxe honteux la richesse suivie
Souvent par l'abondance aux vices nous convie.

LA NOURRICE

Enfin je reconnais...

MÉLITE

        Qu'avec tout ce grand bien 1145
Un jaloux sur mon cœur n'obtiendra jamais rien.

LA NOURRICE

Et que d'un cajoleur la nouvelle conquête
T'imprime à mon regret ces erreurs dans la tête.
Si ta mère le sait...

MÉLITE

        Laisse-moi ces soucis,
Et rentre, que je parle à la sœur de Tircis. 1150

LA NOURRICE

Peut-être elle t'en veut dire quelque nouvelle.

MÉLITE

Ta curiosité te met trop en cervelle,
Rentre sans t'informer de ce qu'elle prétend;
Un meilleur entretien avec elle m'attend.

Scène II : Cloris, Mélite.

CLORIS

Je chéris tellement celles de votre sorte, 1155
Et prends tant d'intérêt en ce qui leur importe,
Qu'aux pièces [32] qu'on leur fait je ne puis consentir,
Ni même en rien savoir sans les en avertir.
Ainsi donc, au hasard d'être la mal venue,
Encor que je vous sois, peu s'en faut, inconnue, 1160
Je viens vous faire voir que votre affection
N'a pas été fort juste en son élection.

MÉLITE

Vous pourriez, sous couleur de rendre un bon office,
Mettre quelque autre en peine avec cet artifice,
Mais pour m'en repentir j'ai fait un trop bon choix : 1165
Je renonce à choisir une seconde fois,
Et mon affection ne s'est point arrêtée
Que chez un cavalier qui l'a trop méritée.

CLORIS

Vous me pardonnerez, j'en ai de bons témoins,
C'est l'homme qui de tous la mérite le moins. 1170

MÉLITE

Si je n'avais de lui qu'une faible assurance,
Vous me feriez entrer en quelque défiance,
Mais je m'étonne fort que vous l'osiez blâmer,
Ayant quelque intérêt vous-même à l'estimer.

32. *Aux pièces* : aux bons tours qu'on leur fait.

CLORIS

1175 Je l'estimai jadis et je l'aime et l'estime
Plus que je ne faisais auparavant son crime.
Ce n'est qu'en ma faveur qu'il ose vous trahir,
Et vous pouvez juger si je le puis haïr,
Lorsque sa trahison m'est un clair témoignage
1180 Du pouvoir absolu que j'ai sur son courage.

MÉLITE

Le pousser à me faire une infidélité,
C'est assez mal user de cette autorité.

CLORIS

Me le faut-il pousser où son devoir l'oblige?
C'est son devoir qu'il suit alors qu'il vous néglige.

MÉLITE

1185 Quoi! le devoir chez vous oblige aux trahisons!

CLORIS

Quand il n'en aurait point de plus justes raisons,
La parole donnée, il faut que l'on la tienne.

MÉLITE

Cela fait contre vous : il m'a donné la sienne.

CLORIS

Oui, mais ayant déjà reçu mon amitié
1190 Sur un vœu solennel d'être un jour sa moitié,
Peut-il s'en départir pour accepter la vôtre?
De grâce, excusez-moi, je vous prends pour une autre,
Et c'était à Cloris que je croyais parler.

CLORIS

Vous ne vous trompez pas.

MÉLITE

Donc, pour mieux me railler,
1195 La sœur de mon amant contrefait ma rivale?

CLORIS

Donc, pour mieux m'éblouir, une âme déloyale
Contrefait la fidèle? Ah! Mélite, sachez
Que je ne sais que trop ce que vous me cachez.
Philandre m'a tout dit; vous pensez qu'il vous aime,
1200 Mais sortant d'avec vous, il me conte lui-même
Jusqu'aux moindres discours dont votre passion
Tâche de suborner son inclination.

MÉLITE

Moi, suborner Philandre! ah! que m'osez-vous dire!

CLORIS

La pure vérité.

MÉLITE

Vraiment, en voulant rire,
1205 Vous passez trop avant, brisons là, s'il vous plaît,
Je ne vois point Philandre et ne sais quel il est.

CLORIS

Vous en croirez du moins votre propre écriture.
Tenez, voyez, lisez.

MÉLITE

Ah, Dieux, quelle imposture!
Jamais un de ces traits ne partit de ma main.

CLORIS

1210 Nous pourrions demeurer ici jusqu'à demain
Que vous persisteriez dans la méconnaissance :
Je les vous laisse. Adieu.

MÉLITE

Tout beau, mon innocence

Veut apprendre de vous le nom de l'imposteur
Pour faire retomber l'affront sur son auteur.

CLORIS

Vous pensez me duper et perdez votre peine.   1215
Que sert le désaveu quand la preuve est certaine?
A quoi bon démentir, à quoi bon dénier...?

MÉLITE

Ne vous obstinez point à me calomnier;
Je veux que, si jamais j'ai dit mot à Philandre...

CLORIS

Remettons ce discours, quelqu'un vient nous sur- 1220
C'est le brave Lisis, qui semble sur le front [prendre :
Porter empreints les traits d'un déplaisir profond.

Scène III : Lisis, Mélite, Cloris.

LISIS, *à Cloris.*

Préparez vos soupirs à la triste nouvelle
Du malheur où nous plonge un esprit infidèle,
Quittez son entretien, et venez avec moi   1225
Plaindre un frère au cercueil par son manque de foi.

MÉLITE

Quoi, son frère au cercueil!

LISIS

Oui, Tircis, plein de rage
De voir que votre change indignement l'outrage,
Maudissant mille fois le détestable jour
Que votre bon accueil lui donna de l'amour,   1230
Dedans ce désespoir a chez moi rendu l'âme,
Et mes yeux désolés...

MÉLITE

Je n'en puis plus, je pâme.

CLORIS

Au secours! au secours!

Scène IV : Cliton, la nourrice,
Mélite, Lisis, Cloris.

CLITON

D'où provient cette voix?

LA NOURRICE

Qu'avez-vous, mes enfants?

CLORIS

Mélite que tu vois...

LA NOURRICE

Hélas! elle se meurt, son teint vermeil s'efface,   1235
Sa chaleur se dissipe, elle n'est plus que glace.

LISIS, *à Cliton.*

Va quérir un peu d'eau, mais il faut te hâter.

CLITON, *à Lisis.*

Si proches du logis, il vaut mieux l'y porter.

CLORIS

Aidez mes faibles pas, les forces me défaillent,
Et je vais succomber aux douleurs qui m'assaillent. 1240

Scène V : Éraste.

A la fin je triomphe, et les destins amis
M'ont donné le succès que je m'étais promis.
Me voilà trop heureux, puisque par mon adresse

Mélite est sans amant et Tircis sans maîtresse,
1245 Et comme si c'était trop peu pour me venger,
Philandre et sa Cloris courent même danger.
Mais par quelle raison leurs âmes désunies
Pour les crimes d'autrui seront-elles punies?
Que m'ont-ils fait tous deux pour troubler leurs
1250 Fuyez de ma pensée, inutiles remords;   [accords?
La joie y veut régner, cessez de m'en distraire.
Cloris m'offense trop d'être sœur d'un tel frère
Et Philandre, si prompt à l'infidélité,
N'a que la peine due à sa crédulité.
1255 Mais que me veut Cliton qui sort de chez Mélite?

Scène VI : Éraste, Cliton.

CLITON

Monsieur, tout est perdu : votre fourbe maudite,
Dont je fus à regret le damnable instrument,
A couché de douleur Tircis au monument.

ÉRASTE

Courage! tout va bien, le traître m'a fait place;
1260 Le seul qui me rendait son courage de glace,
D'un favorable coup la mort me l'a ravi.

CLITON

Monsieur, ce n'est pas tout, Mélite l'a suivi.

ÉRASTE

Mélite l'a suivi! Que dis-tu, misérable?

CLITON

Monsieur, il est trop vrai : le moment déplorable
1265 Qu'elle a su son trépas a terminé ses jours.

ÉRASTE

Ah ciel! s'il est ainsi...

CLITON

Laissez là ces discours,
Et vantez-vous plutôt que par votre imposture
Ces malheureux amants trouvent la sépulture,
Et que votre artifice a mis dans le tombeau
1270 Ce que le monde avait de parfait et de beau.

ÉRASTE

Tu m'oses donc flatter, infâme, et tu supprimes
Par ce reproche obscur la moitié de mes crimes?
Est-ce ainsi qu'il te faut n'en parler qu'à demi?
Achève tout d'un coup : dis que maîtresse, ami,
1275 Tout ce que je chéris, tout ce qui dans mon âme
Sut jamais allumer une pudique flamme,
Tout ce que l'amitié me rendit précieux,
Par ma fourbe a perdu la lumière des cieux,
Dis que j'ai violé leurs lois les plus saintes,
1280 Qui nous rendent heureux par leurs douces contraintes,
Dis que j'ai corrompu, dis que j'ai suborné,
Falsifié, trahi, séduit, assassiné :
Tu n'en diras encor que la moindre partie.
Quoi, Tircis est donc mort, et Mélite est sans vie!
1285 Je ne l'avais pas su, Parques, jusqu'à ce jour,
Que vous relevassiez de l'empire d'Amour,
J'ignorais qu'aussitôt qu'il assemble deux âmes,
Il vous pût commander d'unir aussi leurs trames.
Vous en relevez [33] donc, et montrez aujourd'hui

33. Vous (les Parques) êtes dépendantes de l'Amour.

Que vous êtes pour nous aveugles comme lui!   1290
Vous en relevez donc, et vos ciseaux barbares
Tranchent comme il lui plaît les destins les plus rares!
Mais je m'en prends à vous, moi qui suis l'imposteur,
Moi qui suis de leurs maux le détestable auteur.
Hélas! et fallait-il que ma supercherie   1295
Tournât si lâchement tant d'amour en furie?
Inutiles regrets, repentirs superflus,
Vous ne me rendez pas Mélite qui n'est plus,
Vos mouvements tardifs ne la font pas revivre,
Elle a suivi Tircis, et moi je la veux suivre.   1300
Il faut que de mon sang je lui fasse raison,
Et de ma jalousie, et de ma trahison,
Et que de ma main propre une âme si fidèle [chancelle?
Reçoive... Mais d'où vient que tout mon corps
Quel murmure confus! et qu'entends-je hurler?   1305
Que de pointes de feux se perdent parmi l'air!
Les dieux à mes forfaits ont dénoncé la guerre,
Leur foudre décoché vient de fendre la terre,
Et pour leur obéir mon sein me recevant
M'engloutit, et me plonge aux enfers tout vivant.   1310
Je vous entends, grands Dieux : c'est là-bas que leurs
Aux champs Élyziens éternisent leurs flammes,   [âmes
C'est là-bas qu'à leurs pieds il faut verser mon sang,
La terre à ce dessein m'ouvre son large flanc,
Et jusqu'aux bords du Styx me fait libre passage.   1315
Je l'aperçois déjà, je suis sur son rivage.
Fleuve, dont le saint nom est redoutable aux Dieux,
Et dont les neuf replis ceignent ces tristes lieux,
N'entre point en courroux contre mon insolence,
Si j'ose avec mes cris violer ton silence;   1320
Je ne te veux qu'un mot : Tircis est-il passé?
Mélite est-elle ici? Mais qu'attends-je, insensé!
Ils sont tous deux si chers à ton funeste empire,
Que tu crains de les perdre, et n'oses m'en rien dire.
Vous donc, esprits légers, qui, manque de tombeaux, 1325
Tournoyez vagabonds à l'entour de ces eaux,
A qui Charon cent ans refuse sa nacelle,
Ne m'en pourriez-vous point donner quelque nouvelle?
Parlez, et je promets d'employer mon crédit
A vous faciliter ce passage interdit.   1330

CLITON

Monsieur, que faites-vous? Votre raison troublée
Par l'effort des douleurs dont elle est accablée
Figure à votre vue...

ÉRASTE

Ah! te voilà, Charon;
Dépêche promptement, et d'un coup d'aviron
Passe-moi, si tu peux, jusqu'à l'autre rivage.   1335

CLITON

Monsieur, rentrez en vous, regardez mon visage,
Reconnaissez Cliton.

ÉRASTE

Dépêche, vieux nocher,
Avant que ces esprits nous puissent approcher.
Ton bateau de leur poids fondrait dans les abîmes,
Il n'en aura que trop d'Éraste et de ses crimes.   1340
Quoi! tu veux te sauver à l'autre bord sans moi?
Si faut-il qu'à ton cou je passe malgré toi.

*Il se jette sur les épaules de Cliton, qui l'emporte
derrière le théâtre.*

Scène VII : Philandre.

Présomptueux rival, dont l'absence importune
Retarde le succès de ma bonne fortune,
1345 As-tu si tôt perdu cette ombre de valeur
Que te prêtait tantôt l'effort de ta douleur ?
Que devient à présent cette bouillante envie
De punir ta volage aux dépens de ma vie ?
Il ne tient plus qu'à toi que tu ne sois content :
1350 Ton ennemi t'appelle, et ton rival t'attend.
Je te cherche en tous lieux, et cependant ta fuite
Se rit impunément de ma vaine poursuite.
Crois-tu, laissant mon bien dans les mains de ta sœur,
En demeurer toujours l'injuste possesseur,
1355 Ou que ma patience à la fin échappée
(Puisque tu ne veux pas le débattre à l'épée),
Oubliant le respect du sexe et tout devoir,
Ne laisse point sur elle agir mon désespoir ?

Scène VIII : Éraste, Philandre.

ÉRASTE
Détacher Ixion pour me mettre en sa place !
1360 Mégères, c'est à vous une indiscrète audace.
Ai-je avec même front que cet ambitieux,
Attenté sur le lit du monarque des cieux ?
Vous travaillez en vain, barbares Euménides ;
Non, ce n'est pas ainsi qu'on punit les perfides.
1365 Quoi ! me presser encor ? Sus, de pieds et de mains
Essayons d'écarter ces monstres inhumains.
A mon secours, esprits ! vengez-vous de vos peines,
Écrasons leurs serpents, chargeons-les de vos chaînes,
Pour ces filles d'enfer nous sommes trop puissants.
PHILANDRE
1370 Il semble à ce discours qu'il ait perdu le sens.
Éraste, cher ami, quelle mélancolie
Te met dans le cerveau cet excès de folie ?
ÉRASTE
Équitable Minos, grand juge des enfers,
Voyez qu'injustement on m'apprête des fers.
1375 Faire un tour d'amoureux, supposer une lettre,
Ce n'est pas un forfait qu'on ne puisse remettre.
Il est vrai que Tircis en est mort de douleur,
Que Mélite lui redouble ce malheur,
Que Cloris sans amant ne sait à qui s'en prendre ;
1380 Mais la faute n'en est qu'au crédule Philandre ;
Lui seul en est la cause et son esprit léger,
Qui trop facilement résolut de changer,
Car ces lettres, qu'il croit l'effet de ses mérites,
La main que vous voyez les a toutes écrites.
PHILANDRE
1385 Je te laisse impuni, traître : de tels remords
Te donnent des tourments pires que mille morts ;
Je t'obligerais trop de t'arracher la vie,
Et ma juste vengeance est bien mieux assouvie
Par les folles horreurs de cette illusion.
1390 Ah ! grands Dieux, que je suis plein de confusion !

Scène IX : Éraste.

Tu t'enfuis donc, barbare, et me laissant en proie
A ces cruelles sœurs, tu les combles de joie ?
Non, non, retirez-vous, Tisiphone, Alecton,
Et tout ce que je vois d'officiers de Pluton :
Vous me connaissez mal ; dans le corps d'un perfide 1395
Je porte le courage et les forces d'Alcide.
Je vais tout renverser dans ces royaumes noirs,
Et saccager moi seul ces ténébreux manoirs.
Une seconde fois le triple chien Cerbère
Vomira l'aconit en voyant la lumière ;   1400
J'irai du fond d'enfer dégager les Titans,
Et si Pluton s'oppose à ce que je prétends,
Passant dessus le ventre à sa troupe mutine,
J'irai d'entre ses bras enlever Proserpine.

Scène X : Lisis, Cloris.

LISIS
N'en doute plus, Cloris, ton frère n'est point mort,   1405
Mais ayant su de lui son déplorable sort,
Je voulais éprouver par cette triste feinte
Si celle qu'il adore, aucunement atteinte,
Deviendrait plus sensible aux traits de la pitié
Qu'aux sincères ardeurs d'une sainte amitié.   1410
Maintenant que je vois qu'il faut qu'on nous abuse,
Afin que nous puissions découvrir cette ruse,
Et que Tircis en soit de tout point éclairci,
Sois sûre que dans peu je te le rends ici.
Ma parole sera d'un prompt effet suivie,   1415
Tu reverras bientôt ce frère plein de vie,
C'est assez que je passe une fois pour trompeur.
CLORIS
Si bien qu'au lieu du mal nous n'aurons que la peur ?
Le cœur me le disait : je sentais que mes larmes
Refusaient de couler pour de fausses alarmes,   1420
Dont les plus dangereux et plus rudes assauts
Avaient beaucoup de peine à m'émouvoir à faux ;
Et je n'étudiai cette douleur menteuse
Qu'à cause qu'en effet j'étais un peu honteuse
Qu'une autre en témoignât plus de ressentiment.   1425
LISIS
Après tout, entre nous, confesse franchement
Qu'une fille en ces lieux, qui perd un frère unique,
Jusques au désespoir fort rarement se pique :
Ce beau nom d'héritière a de telles douceurs,
Qu'il devient souverain à consoler des sœurs.   1430
CLORIS
Adieu, railleur, adieu : son intérêt me presse
D'aller rendre d'un mot la vie à sa maîtresse ;
Autrement je saurais t'apprendre à discourir.
LISIS
Et moi, de ces frayeurs de nouveau te guérir.

ACTE CINQUIÈME

Scène I : Cliton, la nourrice.

CLITON

435 Je ne t'ai rien celé, tu sais toute l'affaire.

LA NOURRICE

Tu m'en as bien conté, mais se pourrait-il faire
Qu'Éraste eût des remords si vifs et si pressants
Que de violenter sa raison et ses sens ?

CLITON

Eût-il pu, sans en perdre entièrement l'usage,
440 Se figurer Charon des traits de mon visage,
Et de plus, me prenant pour ce vieux nautonier,
Me payer à bons coups des droits de son denier ?

LA NOURRICE

Plaisante illusion !

CLITON

Mais funeste à ma tête,
Sur qui se déchargeait une telle tempête,
445 Que je tiens maintenant à miracle évident
Qu'il me soit demeuré dans la bouche une dent.

LA NOURRICE

C'était mal reconnaître un si rare service.

ÉRASTE, *derrière le théâtre.*

Arrêtez, arrêtez, poltrons !

CLITON

Adieu, Nourrice :
Voici ce fou qui vient, je l'entends à la voix,
450 Crois que ce n'est pas moi qu'il attrape deux fois.

LA NOURRICE

Pour moi, quand je devrais passer pour Proserpine,
Je veux voir à quel point sa fureur le domine.

CLITON

Contente à tes périls ton curieux désir.

LA NOURRICE

Quoi qu'il puisse arriver, j'en aurai le plaisir.

Scène II : Éraste, la nourrice.

ÉRASTE

455 En vain je les rappelle, en vain pour se défendre
La honte et le devoir leur parlent de m'attendre,
Ces lâches escadrons de fantômes affreux
Cherchent leur assurance aux cachots les plus creux,
Et se fiant à peine à la nuit qui les couvre,
460 Souhaitent sous l'enfer qu'un autre enfer s'entr'ouvre.
Ma voix met tout en fuite, et dans ce vaste effroi,
La peur saisit si bien les Ombres et leur Roi,
Que se précipitant à de promptes retraites,
Tous leurs soucis ne vont qu'à les rendre secrètes.
465 Le bouillant Phlégéthon, parmi ses flots pierreux,
Pour le favoriser ne roule plus de feux ;
Tisiphone tremblante, Alecton et Mégère,
Ont de leurs flambeaux noirs étouffé la lumière :
Les Parques même en hâte emportent leurs fuseaux
470 Et dans ce grand désordre oubliant leurs ciseaux,
Charon, les bras croisés, dans sa barque s'étonne
De ce qu'après Éraste il n'a passé personne.
Trop heureux accident, s'il avait prévenu

Le déplorable coup du malheur avenu !
Trop heureux accident, si la terre entr'ouverte   1475
Avant ce jour fatal eût consenti ma perte
Et si ce que le ciel me donne ici d'accès
Eût de ma trahison devancé le succès !
Dieux, que vous savez mal gouverner votre foudre !
N'était-ce pas assez pour me réduire en poudre   1480
Que le simple dessein d'un si lâche forfait ?
Injustes, deviez-vous en attendre l'effet ?
Ah Mélite ! ah Tircis ! leur cruelle justice
Aux dépens de vos jours me choisit un supplice.
Ils doutaient que l'enfer eût de quoi me punir   1485
Sans le triste secours de ce dur souvenir.
Tout ce qu'ont les enfers de feux, de fouets, de chaînes,
Ne sont auprès de lui que de légères peines,
On reçoit d'Alecton un plus doux traitement :
Souvenir rigoureux, trêve, trêve un moment !   1490
Qu'au moins avant ma mort, dans ces demeures sombres
Je puisse rencontrer ces bienheureuses Ombres !
Use après, si tu veux, de toute ta rigueur,
Et si pour m'achever tu manques de vigueur,
Il met la main sur son épée.
Voici qui t'aidera : mais derechef, de grâce,   1495
Cesse de me gêner durant ce peu d'espace.
Je vois déjà Mélite. Ah ! belle Ombre, voici
L'ennemi de votre heur qui vous cherchait ici :
C'est Éraste, c'est lui qui n'a plus d'autre envie
Que d'épandre à vos pieds son sang avec sa vie :   1500
Ainsi le veut le Sort, et tout exprès les Dieux
L'ont abîmé vivant en ces funestes lieux.

LA NOURRICE

Pourquoi permettez-vous que cette frénésie
Règne si puissamment sur votre fantaisie ?
L'enfer voit-il jamais une telle clarté ?   1505

ÉRASTE

Aussi ne la tient-il que de votre beauté,
Ce n'est que de vos yeux que part cette lumière.

LA NOURRICE

Ce n'est que de mes yeux ! Dessillez la paupière,
Et d'un sens plus rassis jugez de leur éclat.

ÉRASTE

Ils ont, de vérité, je ne sais quoi de plat,   1510
Et plus je vous contemple, et plus sur ce visage
Je m'étonne de voir un autre air, un autre âge :
Je ne reconnais plus aucun de vos attraits.
Jadis votre Nourrice avait ainsi les traits,
Le front ainsi ridé, la couleur ainsi blême,   1515
Le poil ainsi grison. O Dieux ! c'est elle-même.
Nourrice, qui t'amène en ces lieux pleins d'effroi ?
Y viens-tu rechercher Mélite comme moi ?

LA NOURRICE

Cliton la vit pâmer et se brouilla de sorte
Que la voyant si pâle il la crut être morte,   1520
Cet étourdi trompé vous trompa comme lui.
Au reste, elle est vivante et peut-être aujourd'hui
Tircis, de qui la mort n'était qu'imaginaire,
De sa fidélité recevra le salaire.

ÉRASTE

Désormais donc en vain je les cherche ici-bas,   1525
En vain pour les trouver je rends tant de combats.

LA NOURRICE

Votre douleur vous trouble, et forme des nuages
Qui séduisent vos sens par de fausses images;
Cet enfer, ces combats, ne sont qu'illusions.

ÉRASTE

1530 Je ne m'abuse point de fausses visions;
Mes propres yeux ont vu tous ces monstres en fuite,
Et Pluton de frayeur en quitter la conduite.

LA NOURRICE

Peut-être que chacun s'enfuyait devant vous,
Craignant votre fureur et le poids de vos coups.
1535 Mais voyez si l'Enfer ressemble à cette place;
Ces murs, ces bâtiments, ont-ils la même face?
Le logis de Mélite et celui de Cliton
Ont-ils quelque rapport à celui de Pluton?
Quoi, n'y remarquez-vous aucune différence?

ÉRASTE

1540 De vrai, ce que tu dis a beaucoup d'apparence.
Nourrice, prends pitié d'un esprit égaré
Qu'ont mes vives douleurs d'avec moi séparé :
Ma guérison dépend de parler à Mélite.

LA NOURRICE

Différez pour le mieux un peu cette visite,
1545 Tant que, maître absolu de votre jugement,
Vous soyez en état de faire un compliment.
Votre teint et vos yeux n'ont rien d'un homme sage,
Donnez-vous le loisir de changer de visage,
Un moment de repos que vous prendrez chez vous...

ÉRASTE

1550 Ne peut, si tu n'y viens, rendre mon sort plus doux,
Et ma faible raison, de guide dépourvue,
Va de nouveau se perdre en te perdant de vue.

LA NOURRICE

Si je vous suis utile, allons, je n'en veux pas
Pour un si bon sujet vous épargner mes pas.

Scène III : Cloris, Philandre.

CLORIS

1555 Ne m'importune plus, Philandre, je t'en prie,
Me rapaiser jamais passe ton industrie.
Ton meilleur, je t'assure, est de n'y plus penser,
Tes protestations ne font que m'offenser :
Savante à mes dépens de leur peu de durée,
1560 Je ne veux point en gage une foi parjurée,
Un cœur que d'autres yeux peuvent si tôt brûler,
Qu'un billet supposé peut si tôt ébranler.

PHILANDRE

Ah! ne remettez plus dedans votre mémoire
L'indigne souvenir d'une action si noire
1565 Et pour rendre à jamais nos premiers vœux contents,
Étouffez l'ennemi du pardon que j'attends.
Mon crime est sans égal, mais enfin, ma chère âme...

CLORIS

Laisse là désormais ces petits mots de flamme,
Et par ces faux témoins d'un feu mal allumé
1570 Ne me reproche plus que je t'ai trop aimé.

PHILANDRE

De grâce, redonnez à l'amitié passée
Le rang que je tenais dedans votre pensée.

Derechef, ma Cloris, par ces doux entretiens,
Par ces feux qui volaient de vos yeux dans les miens,
Par ce que votre foi me permettait d'attendre...   1575

CLORIS

C'est où dorénavant tu ne dois plus prétendre.
Ta sottise m'instruit, et par là je vois bien
Qu'un visage commun, et fait comme le mien,
N'a point assez d'appas, ni de chaîne assez forte,
Pour tenir en devoir un homme de ta sorte.   1580
Mélite a des attraits qui savent tout dompter,
Mais elle ne pourrait qu'à peine t'arrêter :
Il te faut un sujet qui la passe ou l'égale.
C'est en vain que vers moi ton amour se ravale,
Fais-lui, si tu m'en crois, agréer tes ardeurs :   1585
Je ne veux point devoir mon bien à ses froideurs.

PHILANDRE

Ne me déguisez rien, un autre a pris ma place,
Une autre affection vous rend pour moi de glace.

CLORIS

Aucun jusqu'à ce point n'est encor arrivé,
Mais je te changerai pour le premier trouvé.   1590

PHILANDRE

C'en est trop, tes dédains épuisent ma souffrance.
Adieu, je ne veux plus avoir d'autre espérance,
Sinon qu'un jour le ciel te fera ressentir
De tant de cruautés le juste repentir.

CLORIS

Adieu, Mélite et moi nous aurons de quoi rire   1595
De tous les beaux discours que tu me viens de dire.
Que lui veux-tu mander?

PHILANDRE

Va, dis-lui de ma part
Qu'elle, ton frère et toi, reconnaîtrez trop tard
Ce que c'est que d'aigrir un homme de ma sorte.

CLORIS

Ne crois pas la chaleur du courroux qui t'emporte :   1600
Tu nous ferais trembler plus d'un quart d'heure ou

PHILANDRE   [deux.

Tu railles, mais bientôt nous verrons d'autres jeux :
Je sais trop comme on venge une flamme outragée.

CLORIS

Le sais-tu mieux que moi, qui suis déjà vengée?
Par où t'y prendras-tu? de quel air?

PHILANDRE

Il suffit :   1605
Je sais comme on se venge.

CLORIS

Et moi comme on s'en rit.

Scène IV : Tircis, Mélite.

TIRCIS

Maintenant que le sort, attendri par nos plaintes,
Comble notre espérance et dissipe nos craintes,
Que nos contentements ne sont plus traversés
Que par le souvenir de nos malheurs passés,   1610
Ouvrons toute notre âme à ces douces tendresses
Qu'inspirent aux amants les pleines allégresses,
Et d'un commun accord chérissons nos ennuis,
Dont nous voyons sortir de si précieux fruits.

1615 Adorables regards, fidèles interprètes
Par qui nous expliquions nos passions secrètes,
Doux truchements du cœur, qui déjà tant de fois
M'avez si bien appris ce que n'osait la voix,
Nous n'avons plus besoin de votre confidence :
1620 L'amour en liberté peut dire ce qu'il pense,
Et dédaigne un secours qu'en sa naissante ardeur
Lui faisaient mendier la crainte et la pudeur.
Beaux yeux, à mon transport pardonnez ce blasphème,
La bouche est impuissante où l'amour est extrême :
1625 Quand l'espoir est permis, elle a droit de parler;
Mais vous allez plus loin qu'elle ne peut aller.
Ne vous lassez donc point d'en usurper l'usage,
Et quoi qu'elle m'ait dit, dites-moi davantage.
Mais tu ne me dis mot, ma vie, et quels soucis
1630 T'obligent à te taire auprès de ton Tircis?

MÉLITE

Tu parles à mes yeux, et mes yeux te répondent.

TIRCIS

Ah! mon heur, il est vrai, si tes désirs secondent
Cet amour qui paraît et brille dans tes yeux,
Je n'ai rien désormais à demander aux Dieux.

MÉLITE

1635 Tu t'en peux assurer : mes yeux si pleins de flamme
Suivent l'instruction des mouvements de l'âme.
On en a vu l'effet, lorsque ta fausse mort
A fait sur tous mes sens un véritable effort;
On en a vu l'effet, quand, te sachant en vie,
1640 De revivre avec toi j'ai pris aussi l'envie;
On en a vu l'effet, lorsqu'à force de pleurs
Mon amour et mes soins, aidés de mes douleurs,
Ont fléchi la rigueur d'une mère obstinée,
Et gagné cet aveu qui fait notre hyménée,
1645 Si bien qu'à ton retour ta chaste affection
Ne trouve plus d'obstacle à sa prétention.
Cependant l'aspect seul des lettres d'un faussaire
Te sut persuader tellement le contraire,
Que sans vouloir m'entendre, et sans me dire adieu,
1650 Jaloux et furieux tu partis de ce lieu.

TIRCIS

J'en rougis, mais apprends qu'il n'était pas possible
D'aimer comme j'aimais et d'être moins sensible;
Qu'un juste déplaisir ne saurait écouter
La raison qui s'efforce à le violenter,
1655 Et qu'après des transports de telle promptitude,
Ma flamme ne te laisse aucune incertitude.

MÉLITE

Tout cela serait peu, n'était que ma bonté
T'en accorde un oubli sans l'avoir mérité,
Et que, tout criminel, tu m'es encore aimable.

TIRCIS

1660 Je me tiens donc heureux d'avoir été coupable,
Puisque l'on me rappelle au lieu de me bannir,
Et qu'on me récompense au lieu de me punir.
J'en aimerai l'auteur de cette perfidie,
Et si jamais je sais quelle main si hardie...

Scène V : Cloris, Tircis, Mélite.

CLORIS

Il vous fait fort bon voir, mon frère, à cajoler [34],   1665
Cependant qu'une sœur ne se peut consoler,
Et que le triste ennui d'une attente incertaine
Touchant votre retour la tient encore en peine.

TIRCIS

L'amour a fait au sang un peu de trahison,
Mais Philandre pour moi t'en aura fait raison.   1670
Dis-nous, auprès de lui retrouves-tu ton conte?
Et te peut-il revoir sans montrer quelque honte?

CLORIS

L'infidèle m'a fait tant de nouveaux serments,
Tant d'offres, tant de vœux, et tant de compliments
Mêlés de repentirs...

MÉLITE

                Qu'à la fin exorable,   1675
Vous l'avez regardé d'un œil plus favorable.

CLORIS

Vous devinez fort mal.

TIRCIS

                Quoi! tu l'as dédaigné?

CLORIS

Du moins, tous ses discours n'ont encor rien gagné.

MÉLITE

Si bien qu'à n'aimer plus votre dépit s'obstine?

CLORIS

Non pas cela du tout, mais je suis assez fine :   1680
Pour la première fois, il me dupe qui veut;
Mais pour une seconde, il m'attrape qui peut.

MÉLITE

C'est-à-dire, en un mot...

CLORIS

                Que son humeur volage
Ne me tient pas deux fois en un même passage.
En vain dessous mes lois il revient se ranger,   1685
Il m'est avantageux de l'avoir vu changer,
Avant que de l'hymen le joug impitoyable,
M'attachant avec lui, me rendît misérable :
Qu'il cherche femme ailleurs, tandis que de ma part
J'attendrai du destin quelque meilleur hasard.   1690

MÉLITE

Mais le peu qu'il voulut me rendre de service [35]
Ne lui doit pas porter un si grand préjudice.

CLORIS

Après un tel faux bond, un change si soudain,
A volage, volage, et dédain pour dédain [36].

MÉLITE

Ma sœur, ce fut pour moi qu'il osa s'en dédire.   1695

CLORIS

Et pour l'amour de vous, je n'en ferai que rire.

MÉLITE

Et pour l'amour de moi vous lui pardonnerez.

34. Il fait fort bon vous voir en train de cajoler.
35. D'hommages amoureux.
36. C'est le titre d'une comédie célèbre de Moreto (1618-
1669) bien postérieure à *Mélite*, sur un proverbe commun
outre-Pyrénées qui se pouvait connaître par un célèbre
Recueil de César Oudin, édité, entre autres, à Rouen.

CLORIS

Et pour l'amour de moi vous m'en dispenserez.

MÉLITE

Que vous êtes mauvaise !

CLORIS

Un peu plus qu'il ne semble.

MÉLITE

1700 Je vous veux toutefois remettre bien ensemble.

CLORIS

Ne l'entreprenez pas, peut-être qu'après tout
Votre dextérité n'en viendrait pas à bout.

*Scène VI : Tircis, la nourrice, Éraste,
Mélite, Cloris.*

TIRCIS

De grâce, mon souci, laissons cette causeuse :
Qu'elle soit à son choix facile ou rigoureuse,
1705 L'excès de mon ardeur ne saurait consentir
Que ces frivoles soins te viennent divertir :
Tous nos pensers sont dus, en l'état où nous sommes,
A ce nœud qui me rend le plus heureux des hommes,
Et ma fidélité qu'il va récompenser...

LA NOURRICE

1710 Vous donnera bientôt autre chose à penser.
Votre rival vous cherche, et la main à l'épée
Vient demander raison de sa place usurpée.

ÉRASTE, *à Mélite.*

Non, non, vous ne voyez en moi qu'un criminel,
A qui l'âpre rigueur d'un remords éternel
1715 Rend le jour odieux et fait naître l'envie
De sortir de sa gêne en sortant de la vie.
Il vient mettre à vos pieds sa tête à l'abandon ;
La mort lui sera douce à l'égal du pardon.
Vengez donc vos malheurs ; jugez ce que mérite
1720 La main qui sépara Tircis d'avec Mélite
Et de qui l'imposture avec de faux écrits
A dérobé Philandre aux vœux de sa Cloris.

MÉLITE

Éclaircis du seul point qui nous tenait en doute,
Que serais-tu d'avis de lui répondre ?

TIRCIS

Écoute

1725 Quatre mots à quartier [37].

ÉRASTE

Que vous avez de tort
De prolonger ma peine en différant ma mort !
De grâce, hâtez-vous d'abréger mon supplice,
Ou ma main préviendra votre lente justice.

MÉLITE

Voyez comme le ciel a de secrets ressorts
1730 Pour se faire obéir malgré nos vains efforts.
Votre fourbe, inventée à dessein de nous nuire,
Avance nos amours au lieu de les détruire ;
De son fâcheux succès, dont nous devions périr,
Le sort tire un remède afin de nous guérir.
1735 Donc, pour nous revancher de la faveur reçue,
Nous en aimons l'auteur à cause de l'issue,

Obligés désormais de ce que tour à tour
Nous nous sommes rendu tant de preuves d'amour,
Et de ce que l'excès de ma douleur sincère
A mis tant de pitié dans le cœur de ma mère,   1740
Que cette occasion prise comme aux cheveux,
Tircis n'a rien trouvé de contraire à ses vœux ;
Outre qu'en fait d'amour la fraude est légitime,
Mais puisque vous voulez la prendre pour un crime,
Regardez, acceptant le pardon ou l'oubli,   1745
Par où votre repos sera mieux établi.

ÉRASTE

Tout confus et honteux de tant de courtoisie,
Je veux dorénavant chérir ma jalousie,
Et puisque c'est de là que vos félicités...

LA NOURRICE, *à Éraste.*

Quittez ces compliments qu'ils n'ont pas mérités :   1750
Ils ont tous deux leur compte, et sur cette assurance
Ils tiennent le passé dans quelque indifférence,
N'osant se hasarder à des ressentiments
Qui donneraient du trouble à leurs contentements.
Mais Cloris, qui s'en tait, vous la gardera bonne [38], 1755
Et seule intéressée, à ce que je soupçonne,
Saura bien se venger sur vous à l'avenir
D'un amant échappé qu'elle pensait tenir.

ÉRASTE, *à Cloris.*

Si vous pouviez souffrir qu'en votre bonne grâce
Celui qui l'en tira pût occuper sa place,   1760
Éraste, qu'un pardon purge de son forfait,
Est prêt de réparer le tort qu'il vous a fait.
Mélite répondra de ma persévérance :
Je n'ai pu la quitter qu'en perdant l'espérance,
Encore avez-vous vu mon amour irrité   1765
Mettre tout en usage en cette extrémité,
Et c'est avec raison que ma flamme contrainte
De réduire ses feux dans une amitié sainte,
Mes amoureux désirs, vers elle superflus,
Tournent vers la beauté qu'elle chérit le plus.   1770

TIRCIS

Que t'en semble, ma sœur ?

CLORIS

Mais toi-même, mon frère ?

TIRCIS

Tu sais bien que jamais je ne te fus contraire.

CLORIS

Tu sais qu'en tel sujet ce fut toujours de toi
Que mon affection voulut prendre la loi.

TIRCIS

Encor que dans tes yeux tes sentiments se lisent,   1775
Tu veux qu'auparavant les miens les autorisent.
Parlons donc pour la forme. Oui, ma sœur, j'y consens,
Bien sûr que mon avis s'accommode à ton sens.
Fassent les puissants Dieux que par cette alliance
Il ne reste entre nous aucune défiance   1780
Et que m'aimant en frère et ma maîtresse en sœur,
Nos ans puissent couler avec plus de douceur !

ÉRASTE

Heureux dans mon malheur, c'est dont je les supplie ;
Mais ma félicité ne peut être accomplie

---

37. A l'écart.

38. *La garder bonne* : garder rancune.

1785 Jusqu'à ce qu'après vous son aveu m'ait permis
D'aspirer à ce bien que vous m'avez promis.
CLORIS
Aimez-moi seulement, et pour la récompense
On me donnera bien le loisir que j'y pense.
TIRCIS
Oui, sous condition qu'avant la fin du jour
1790 Vous vous rendrez sensible à ce naissant amour.
CLORIS
Vous prodiguez en vain vos faibles artifices :
Je n'ai reçu de lui ni devoirs ni services.
MÉLITE
C'est bien quelque raison, mais ceux qu'il m'a rendus,
Il ne les faut pas mettre au rang des pas perdus.
1795 Ma sœur, acquitte-moi d'une reconnaissance
Dont un autre destin m'a mise en impuissance,
Accorde cette grâce à nos justes désirs.
TIRCIS
Ne nous refuse pas ce comble à nos plaisirs.
ÉRASTE
Donnez à leurs souhaits, donnez à leurs prières,
1800 Donnez à leurs raisons ces faveurs singulières,
Et pour faire aujourd'hui le bonheur d'un amant,
Laissez-les disposer de votre sentiment.

CLORIS
En vain en ta faveur chacun me sollicite,
J'en croirai seulement la mère de Mélite;
Son avis m'ôtera la peur du repentir,   1805
Et ton mérite alors m'y fera consentir.
TIRCIS
Entrons donc, et tandis que nous irons le prendre,
Nourrice, va t'offrir pour maîtresse à Philandre.
LA NOURRICE
Tous rentrent, et elle demeure seule.
Là, là, n'en riez point : autrefois en mon temps
D'aussi beaux fils que vous étaient assez contents,   1810
Et croyaient de leur peine avoir trop de salaire
Quand je quittais un peu mon dédain ordinaire.
A leur compte, mes yeux étaient de vrais soleils
Qui répandaient partout des rayons non pareils,
Je n'avais rien en moi qui ne fût un miracle,   1815
Un seul mot de ma part leur était un oracle...
Mais je parle à moi seule. Amoureux, qu'est-ceci?
Vous êtes bien hâtés de me laisser ainsi!
Allez, quelle que soit l'ardeur qui vous emporte,
On ne se moque point des femmes de ma sorte,   1820
Et je ferai bien voir à vos feux empressés
Que vous n'en êtes pas encor où vous pensez.

CLITANDRE
TRAGÉDIE

On devine par l'ironie teintée d'humour féroce de l'Examen de Clitandre[1] en 1660 — Corneille avait la mémoire rancunière — les discussions, les moues des envieux et déjà l'arbitrage étroit de « ceux du métier » que suscita Mélite.

Par bravade, c'est un trait constant du caractère de Corneille, il fit une pièce régulière, en jouant la difficulté, c'est-à-dire en la chargeant du maximum de péripéties capables de tenir en une journée de vingt-quatre heures.

Elle fut représentée sans doute l'hiver 1631-1632. Le privilège du 8 mars, l'achevé du 20 mars 1632 laissent supposer que Corneille avait cette fois hâte de publier[2].

Cette pièce reste la plus mystérieuse de Corneille, qui déclare dans sa préface : « Si mon sujet est véritable, j'ai raison de le taire; si c'est une fiction, quelle apparence, pour suivre je ne sais quelle chorographie, de donner un soufflet à l'histoire... »

Il y a tout lieu de penser que c'est une pièce à clef. Corneille a compliqué l'énigme, en désignant les protagonistes sous les simples mentions : le Roi, le Prince. En 1644, ils devinrent le Roi d'Écosse, le Prince; en 1663, Alcandre et Floridan, pseudonymes clairs peut-être encore à cette date pour les contemporains ou bien fausse piste?... Le mystère demeure entier, malgré deux tentatives d'interprétation récentes, l'une autour du procès de Marillac, l'autre du côté du poète anglais J. Donne... On aimerait savoir la vérité, pour vérifier si Corneille était alors anti-Richelieu.

Ce fut encore Mondory et sa troupe qui jouèrent la pièce, vraisemblablement dans leur nouvelle salle du Jeu de paume de La Fontaine.

A MONSEIGNEUR
LE DUC DE LONGUEVILLE[3]

MONSEIGNEUR,

Je prends avantage de ma témérité, et quelque défiance que j'aye de Clitandre, je ne puis croire qu'on s'en promette rien de mauvais, après avoir vu la hardiesse que j'ai de vous l'offrir. Il est impossible qu'on s'imagine qu'à des personnes de votre rang, et à des esprits de l'excellence du vôtre, on présente rien qui ne soit de mise, puisqu'il est tout vrai que vous avez un tel dégoût des mauvaises choses et les savez si nettement démêler d'avec les bonnes, qu'on fait paraître plus de manque de jugement à vous les présenter qu'à les concevoir. Cette vérité est si généralement reconnue qu'il faudrait n'être pas du monde pour ignorer que votre condition vous relève encore moins par-dessus le reste des hommes que votre esprit, et que les belles parties qui ont accompagné la splendeur de votre naissance n'ont reçu d'elle que ce qui leur était dû : c'est ce qui fait dire aux plus honnêtes gens de notre siècle qu'il semble que le ciel ne vous a fait naître prince qu'afin d'ôter au Roi la gloire de choisir votre personne et d'établir votre grandeur sur la seule reconnaissance de vos vertus. Aussi, MONSEIGNEUR, ces considérations m'auraient intimidé et ce cavalier n'eût jamais osé vous aller entretenir de ma part, si votre permission ne l'en eût autorisé et comme assuré que vous l'aviez en quelque sorte d'estime, vu qu'il ne vous était pas tout à fait inconnu. C'est le même qui par vos commandements vous fut conter, il y a quelque temps, une partie de ses aventures, autant qu'en pouvaient contenir deux actes de ce poème encore tous informes et qui n'étaient qu'à peine ébauchés. Le malheur ne persécutait point encore son innocence et ses contentements devaient être en un haut degré, puisque l'affection, sa promesse et l'autorité de son prince lui rendaient la possession de sa maîtresse presque infaillible : ses faveurs toutefois ne lui étaient point si chères que celles qu'il recevait de vous; et jamais il ne se fût plaint de sa prison, s'il y eût trouvé autant de douceur qu'en votre cabinet. Il a couru de grands périls durant sa vie et n'en court pas de moindres à présent que je tâche à le faire revivre. Son prince le préserva des premiers, il espère de vous le garantirez des autres et que comme il l'arracha du supplice qui l'allait perdre, vous le défendrez de l'envie, qui a déjà fait une partie de ses efforts à l'étouffer. C'est, MONSEIGNEUR, dont vous supplie très humblement celui qui

---

1. *Clitandre ou l'Innocence délivrée*, tragi-comédie. Le sous-titre disparaît en 1644 et la pièce est rebaptisée tragédie.
2. C'est la première pièce publiée de Corneille, en 1632. *Mélite* suivra en février 1633.
3. Le duc était gouverneur de la province. Il avait alors trente-sept ans. En 1642, il épousera la sœur du grand Condé. Quoiqu'il fût compromis dans la Fronde, Corneille lui gardera assez de fidélité pour l'évoquer en 1651 dans sa dédicace de l'*Imitation* au pape Alexandre VII. Le duc mourut à Rouen en 1663, pieusement.

n'est pas moins par la force de son inclination que par les obligations de son devoir, MONSEIGNEUR, votre très humble et très obéissant serviteur,

CORNEILLE.

PRÉFACE

Pour peu de souvenir qu'on ait de *Mélite*[4], il sera fort aisé de juger, après la lecture de ce poème, que peut-être jamais deux pièces ne partirent d'une même main, plus différentes et d'invention et de style. Il ne faut pas moins d'adresse à réduire un grand sujet qu'à en déduire un petit, et si je m'étais aussi dignement acquitté de celui-ci qu'heureusement de l'autre, j'estimerais avoir en quelque façon approché de ce que demande Horace au poète qu'il instruit, quand il veut qu'il possède tellement ses sujets, qu'il en demeure toujours le maître, et les asservisse à soi-même, sans se laisser emporter par eux[5]. Ceux qui ont blâmé l'autre de peu d'effets auront ici de quoi se satisfaire, si toutefois ils ont l'esprit assez tendu pour me suivre au théâtre, et si la quantité d'intrigues[6] et de rencontres n'accable et ne confond leur mémoire. Que si cela leur arrive, je les supplie de prendre ma justification chez le libraire, et de reconnaître par la lecture que ce n'est pas ma faute. Il faut néanmoins que j'avoue que ceux qui n'ayant vu représenter *Clitandre* qu'une fois ne le comprendront pas nettement, seront fort excusables, vu que les narrations qui doivent donner le jour au reste y sont si courtes que le moindre défaut, ou d'attention du spectateur, ou de mémoire de l'acteur, laisse une obscurité perpétuelle à la suite, et ôte presque l'entière intelligence de ces grands mouvements dont les pensées ne s'égarent point du fait, et ne sont que des raisonnements continus sur ce qui s'est passé. Que si j'ai renfermé cette pièce dans la règle d'un jour, ce n'est pas que je me repente de n'y avoir point mis *Mélite*, ou que je me sois résolu à m'y attacher dorénavant. Aujourd'hui quelques-uns adorent cette règle, beaucoup la méprisent : pour moi, j'ai voulu seulement montrer que si je m'en éloigne, ce n'est pas faute de la connaître. Il est vrai qu'on pourra m'imputer que m'étant proposé de suivre la règle des anciens, j'ai renversé leur ordre, vu qu'au lieu des messagers qu'ils introduisent à chaque bout de champ pour raconter les choses merveilleuses qui arrivent à leurs personnages, j'ai mis les accidents mêmes sur la scène. Cette nouveauté pourra plaire à quelques-uns, et quiconque voudra bien peser l'avantage que l'action a sur ces longs et ennuyeux récits ne trouvera pas étrange que j'aye mieux aimé divertir les yeux qu'importuner les oreilles, et que me tenant dans la contrainte de cette méthode, j'en aye pris la beauté, sans tomber dans les incommodités que les Grecs et les Latins qui l'ont suivie n'ont su d'ordinaire ou du moins n'ont osé éviter. Je me donne ici quelque sorte de liberté de choquer les anciens, d'autant qu'ils ne sont plus en état de me répondre, et que je ne veux engager personne en la recherche de mes défauts. Puisque les sciences et les arts ne sont jamais à leur période, il m'est permis de croire qu'ils n'ont pas tout su, et que de leurs instructions on peut tirer des lumières qu'ils

n'ont pas eues. Je leur porte du respect comme à des gens qui nous ont frayé le chemin, et qui après avoir défriché un pays fort rude, nous ont laissé à le cultiver. J'honore les modernes sans les envier, et n'attribuerai jamais au hasard ce qu'ils auront fait par science, ou par des règles particulières qu'ils se seront eux-mêmes prescrites; outre que c'est ce qui ne me tombera jamais en la pensée, qu'une pièce de si longue haleine, où il faut coucher[7] l'esprit à tant de reprises, et s'imprimer tant de contraires mouvements, se puisse faire par aventure. Il n'en va pas de la comédie comme d'un songe qui saisit notre imagination tumultuairement et sans notre aveu, ou comme d'un sonnet ou d'une ode, qu'une chaleur extraordinaire[8] peut pousser par boutade, et sans laisser un de ses guets. Aussi l'antiquité nous parle bien de l'écume d'un cheval qu'une éponge jetée par dépit sur un tableau exprima parfaitement, après que l'industrie du peintre n'en avait su venir à bout[9]; mais il ne se lit point que jamais un tableau tout entier ait été produit de cette sorte. Au reste, je laisse le lieu de ma scène au choix du lecteur, bien qu'il ne me coûtât ici qu'à nommer[10]. Si mon sujet est véritable, j'ai raison de le taire; si c'est une fiction, quelle apparence, pour suivre je ne sais quelle chorographie[11], de donner un soufflet à l'histoire, d'attribuer à un pays des princes imaginaires, et d'en rapporter des aventures qui ne se lisent point dans les chroniques de leur royaume? Ma scène est donc en un château d'un roi, proche d'une forêt; je n'en détermine ni la province ni le royaume : où vous l'aurez une fois placée, elle s'y tiendra. Que si l'on remarque des concurrences dans mes vers, qu'on ne les prenne par pour des larcins. Je n'y en ai point laissé que j'aye connues, et j'ai toujours cru que, pour belle que fût une pensée, tomber en soupçon de la tenir d'un autre, c'est l'acheter plus qu'elle ne vaut; de sorte qu'en l'état que je donne cette pièce au public, je pense n'avoir rien de commun avec la plupart des écrivains modernes, qu'un peu de vanité qu'en témoigne ici.

ARGUMENT

Rosidor, favori du Roi, était si passionnément aimé de deux des filles de la Reine, Caliste et Dorise, que celle-ci en dédaignait Pymante, et celle-là, Clitandre. Ses affections toutefois n'étaient que pour la première, de sorte que cette amour mutuelle n'eût point eu d'obstacle sans Clitandre. Ce cavalier était le mignon du Prince, fils unique du Roi, qui pouvait tout sur la Reine sa mère, dont cette fille dépendait; et de là procédaient les refus de la Reine toutes les fois que Rosidor la suppliait d'agréer leur mariage. Ces deux demoiselles, bien que rivales, ne laissaient pas d'être amies, d'autant que Dorise feignait que son amour n'était que par

---

4. *Mélite* : la pièce alors est vieille de trois ans, et n'est pas encore publiée.

5. Corneille ne cessera d'affirmer ce principe tout classique.

6. Première affirmation par Corneille de la loi fondamentale de l'émotion tragique. Il ne variera jamais et traitera indifféremment toute sa vie des sujets d'une matière simple ou difficile à suivre à l'audition, comme *Héraclius* ou *Pertharite*.

7. *Maintenir l'esprit appliqué.* Corneille préfère toujours le terme propre et imagé au mot plus moderne, mais plus abstrait.

8. Allusion à la fameuse théorie platonicienne de la fureur poétique, sur laquelle ironise ce tenant de la raison créatrice.

9. Anecdote connue, dont Corneille, bon humaniste, ne nomme pas l'auteur. En effet les historiens sont en désaccord sur le nom du peintre : Néalcès, Apelle ou tout autre...

10. C'est vous laisse supposer une « clé » à l'histoire de Clitandre. En 1644, ce lieu est donné : l'Écosse.

11. *Chorographie* : description générale d'un pays. Mais l'allusion ne se comprend qu'à travers une réminiscence de Strabon, à propos d'un auteur et d'un texte non identifiables. Corneille veut donc dire : pour suivre une description qui n'aurait de la vérité historique ou géographique que l'apparence.

galanterie, et comme pour avoir de quoi répliquer aux importunités de Pymante. De cette façon elle entrait dans la confidence de Caliste, et se tenant toujours assidue auprès d'elle, elle se donnait plus de moyen de voir Rosidor, qui ne s'en éloignait que le moins qu'il lui était possible. Cependant la jalousie la rongeait au-dedans, et excitait en son âme autant de véritables mouvements de haine pour sa compagne qu'elle lui rendait de feints témoignages d'amitié. Un jour que le Roi, avec toute sa cour, s'était retiré en un château de plaisance proche d'une forêt, cette fille, entretenant en ces bois ses pensées mélancoliques, rencontra par hasard une épée; c'était celle d'un chevalier nommé Arimant, demeurée là par mégarde depuis deux jours qu'il avait été tué dans un duel, disputant sa maîtresse Daphné contre Éraste. Cette jalouse, dans sa profonde rêverie, devenue furieuse, jugea cette occasion propre à perdre sa rivale. Elle la cache donc au même endroit, et à son retour conte à Caliste que Rosidor la trompe, qu'elle a découvert une secrète affection entre Hippolyte et lui, et enfin qu'ils avaient rendez-vous dans le bois le lendemain au lever du soleil pour en venir aux dernières faveurs : une offre en outre de les lui faire surprendre éveille la curiosité de cet esprit facile, qui lui promet de se dérober, et se dérobe en effet le lendemain avec elle pour faire ses yeux témoins de cette perfidie. D'autre côté, Pymante, résolu de se défaire de Rosidor, comme du seul qui l'empêchait d'être aimé de Dorise, et ne l'osant attaquer ouvertement, à cause de sa faveur auprès du Roi, dont il n'eût pu rapprocher, suborne Géronte, écuyer de Clitandre, et Lycaste, page du même. Cet écuyer écrit un cartel à Rosidor au nom de son maître, prend pour prétexte l'affection qu'ils avaient tous deux pour Caliste, contrefait au bas son seing, le fait rendre par ce page, et eux trois le vont attendre masqués et déguisés en paysans. L'heure était la même que Dorise avait donnée à Caliste, à cause que l'un et l'autre voulaient être assez tôt de retour pour se rendre au lever du Roi et de la Reine après le coup exécuté. Les lieux mêmes n'étaient pas fort éloignés, de sorte que Rosidor, poursuivi par ces trois assassins, arrive auprès de ces deux filles comme Dorise avait l'épée à la main, prête de l'enfoncer dans l'estomac de Caliste. Il pare, et blesse toujours en reculant, et tue enfin ce page, mais si malheureusement que, retirant son épée, elle se rompt contre la branche d'un arbre. En cette extrémité, il voit celle que tient Dorise, et sans la reconnaître il la lui arrache, passe tout d'un temps le tronçon de la sienne en la main gauche, à guise d'un poignard, se défend ainsi contre Pymante et Géronte, tue encore ce dernier, et met l'autre en fuite. Dorise fuit aussi, et se voyant désarmée par Rosidor, et Caliste, sitôt qu'elle l'a reconnu, se pâme d'appréhension de son péril. Rosidor démasque les morts et fulmine contre Clitandre, qu'il prend pour l'auteur de cette perfidie, attendu qu'ils sont ses domestiques et qu'il était venu dans ce bois sur un cartel reçu de sa part. Dans ce mouvement, il voit Caliste pâmée, et la croit morte; ses regrets avec ses plaies le font tomber en faiblesse. Caliste revient de pâmoison, et s'entr'aidant l'un à l'autre à marcher, ils gagnent la maison d'un paysan, où elle lui bande ses blessures. Dorise désespérée, et n'osant retourner à la cour, trouve les vrais habits de ses assassins et s'accommode de celui de Géronte pour se mieux cacher. Pymante, qui allait rechercher les siens et cependant, afin de mieux passer pour villageois, avait jeté son masque et son épée dans une caverne, la voit en cet état. Après quelque mécompte, Dorise

se feint être un jeune gentilhomme, contraint pour quelque occasion de se retirer de la cour, et le prie de le tenir là quelque temps caché. Pymante lui baille quelque échappatoire, mais s'étant aperçu à ses discours qu'elle avait vu son crime, et d'ailleurs entré en quelque soupçon que ce fût Dorise, il accorde sa demande, et la mène en cette caverne, résolu, si c'était elle, de se servir de l'occasion, sinon d'ôter du monde un témoin de son forfait, en ce lieu où il était assuré de retrouver son épée. Sur le chemin, au moyen d'un poinçon qui lui était demeuré dans les cheveux, il la reconnaît, et se fait connaître à elle. Ses offres de services aussi mal reçues que par le passé, elle persiste toujours à ne vouloir chérir que Rosidor. Pymante l'assure qu'il l'a tué, elle entre en furie, qui n'empêche pas ce paysan déguisé de l'enlever dans cette caverne, où, tâchant d'user de force, cette courageuse fille lui crève un œil de son poinçon, et comme la douleur lui fait y porter les deux mains, elle s'échappe de lui, dont l'amour tournée en rage le fait sortir l'épée à la main de cette caverne, à dessein de venger cette injure par sa mort et d'étouffer ensemble l'indice de son crime. Rosidor cependant n'avait pu se dérober si secrètement qu'il ne fût suivi de son écuyer Lysarque, à qui par importunité il conte le sujet de sa sortie. Ce généreux serviteur, ne pouvant endurer que la partie s'achevât sans lui, le quitte pour aller engager l'écuyer de Clitandre à servir de second à son maître, il rencontre un gentilhomme, son particulier ami, nommé Cléon, dont il apprend que Clitandre venait de monter à cheval avec le Prince pour aller à la chasse. Cette nouvelle le met en inquiétude, et ne sachant tous deux que juger de ce mécompte, ils vont de compagnie en avertir le Roi. Le Roi, qui ne voulait pas perdre ses cavaliers, envoie en même temps Cléon rappeler Clitandre de la chasse, et Lysarque avec une troupe d'archers au lieu de l'assignation, afin que si Clitandre s'était échappé d'auprès du Prince pour aller joindre son rival, il fût assez fort pour les séparer. Lysarque ne trouve que les deux corps des gens de Clitandre, qu'il renvoie au Roi par la moitié de ses archers, cependant qu'avec l'autre il suit une trace de sang qui le mène jusques au lieu où Rosidor et Caliste s'étaient retirés. La vue de ces corps fait soupçonner au Roi quelque supercherie de la part de Clitandre, et l'aigrit tellement contre lui qu'à son retour de la chasse il le fait mettre en prison, sans qu'on lui en dît même le sujet. Cette colère s'augmente par l'arrivée de Rosidor tout blessé, qui, après le récit de ses aventures, présente au Roi le cartel de Clitandre, signé de sa main (contrefaite toutefois) et rendu par son page : si bien que le Roi ne doutant plus de son crime le fait venir en son conseil où, quelque protestation que pût faire son innocence, il le condamne à perdre la tête dans le jour même, de peur de se voir comme forcé de le donner aux prières de son fils, s'il attendait son retour de la chasse. Cléon en apprend la nouvelle, et redoutant que le Prince ne se prît à lui de la perte de ce cavalier qu'il affectionnait, il le va chercher encore une fois à la chasse pour l'en avertir. Tandis que tout ceci se passe, une tempête surprend le Prince à la chasse; ses gens, effrayés de la violence des foudres et des orages, qui çà qui là cherchent où se cacher, si bien que, demeuré seul, un coup de tonnerre lui tue son cheval sous lui. La tempête finie, il voit un jeune gentilhomme qu'un paysan poursuivait l'épée à la main (c'était Pymante et Dorise). Il était déjà terrassé, et près de recevoir le coup de la mort, mais le Prince ne pouvant souffrir une action si méchante, tâche d'empêcher cet assassinat. Pymante, tenant Dorise d'une main le combat de l'autre, ne croyant pas de sûreté pour soi, après avoir été vu en cet équipage, que par sa mort. Dorise reconnaît le Prince, et s'entrelace tellement dans les jambes de son ravisseur qu'elle le fait trébucher. Le Prince saute aussitôt sur lui et le désarme ; l'ayant désarmé, il crie ses gens et enfin deux veneurs chargés des vrais habits de Pymante, Dorise et Lycaste. Ils les lui présentent comme un effet extraordinaire du foudre, qui avait consommé trois corps, à ce qu'ils s'imaginaient, sans toucher à leurs habits. C'est de là que Dorise prend occasion de se faire connaître au Prince et de lui déclarer tout ce qui s'est passé dans ce bois. Le Prince étonné commande à ses veneurs de garrotter Pymante avec les couples de leurs chiens : en même temps Cléon arrive, qui fait le récit au Prince du péril de Clitandre, et du sujet qui l'avait réduit à l'extrémité où il était. Cela lui fait reconnaître Pymante pour l'auteur de ces perfidies, et l'ayant baillé à ses veneurs à ramener, il pique à toute bride vers le château, arrache Clitandre aux bourreaux, et le va présenter au Roi avec les criminels, Pymante et Dorise, arrivés quelque temps après lui. Le Roi venait de conclure avec la Reine le mariage de Rosidor et de Caliste, sitôt qu'il serait guéri, dont Caliste était allée porter la nouvelle au blessé ; et après que le Prince lui eut fait connaître l'innocence de Clitandre, il le reçoit à bras ouverts, et lui promet toute sorte de faveurs pour récompense du tort qu'il lui avait pensé faire. De là, il envoie Pymante au conseil pour être puni, voulant voir par là de quelle façon ses sujets vengeraient un attentat fait sur le prince. Le Prince obtient un pardon pour Dorise, qui lui avait assuré la vie, et la voulant désormais favoriser en propose le mariage à Clitandre, qui s'en excuse modestement. Rosidor et Caliste viennent remercier le Roi, qui les réconcilie avec Clitandre et Dorise, et invite ces derniers, voire même leur commande de s'entr'aimer, puisque lui et le Prince le désirent, leur donnant jusques à la guérison de Rosidor pour allumer cette flamme,

Afin de voir alors cueillir en même jour
A deux couples d'amants les fruits de leur amour.

EXAMEN (1660)

Un voyage que je fis à Paris pour voir le succès de *Mélite* m'apprit qu'elle n'était pas dans les vingt et quatre heures : c'était l'unique règle que l'on connût en ce temps-là. J'entendis que ceux du métier[12] la blâmaient de peu d'effets, et de ce que le style en était trop familier. Pour le justifier contre cette censure par une espèce de bravade, et montrer que ce genre de pièces avait les vraies beautés du théâtre, j'entrepris d'en faire une régulière (c'est-à-dire dans ces vingt et quatre heures), pleine d'incidents, et d'un style plus élevé, mais qui ne vaudrait rien du tout : en quoi je réussis parfaitement. Le style en est véritablement plus fort que celui de l'autre ; mais c'est tout ce qu'on y peut trouver de supportable. Il est mêlé de pointes comme dans cette première, mais ce n'était pas alors un si grand vice dans le choix des pensées, que la scène en dût être entièrement purgée. Pour la constitution, elle est si désordonnée, que vous avez de la peine à deviner qui sont les premiers acteurs. Rosidor et Caliste

sont ceux qui le paraissent le plus par l'avantage de leur caractère et de leur amour mutuel : mais leur action finit dès le premier acte avec leur péril, et ce qu'ils disent au troisième et au cinquième ne fait que montrer leurs visages, attendant que les autres achèvent. Pymante et Dorise y ont le plus grand emploi, mais ce ne sont que deux criminels qui cherchent à éviter la punition de leurs crimes, et dont même le premier en attente de plus grands pour mettre à couvert les autres. Clitandre, autour de qui semble tourner le nœud de la pièce, puisque les premières actions vont à le faire coupable, et les dernières à le justifier, n'en peut être qu'un héros bien ennuyeux, qui n'est introduit que pour déclamer en prison, et ne parle pas même à cette maîtresse dont les dédains servent de couleur à le faire passer pour criminel. Tout le cinquième acte languit comme celui de *Mélite* après la conclusion des épisodes, et n'a rien de surprenant, puisque, dès le quatrième, on devine tout ce qui doit arriver, hormis le mariage de Clitandre avec Dorise, qui est encore plus étrange que celui d'Éraste, et dont on n'a garde de se défier.

Le Roi et le Prince son fils y paraissent dans un emploi fort au-dessous de leur dignité : l'un n'y est que comme juge, et l'autre comme confident de son favori[13]. Ce défaut n'a pas accoutumé de passer pour défaut : aussi n'est-ce qu'un sentiment particulier dont je me suis fait une règle, qui, peut-être ne semblera pas déraisonnable, bien que nouvelle.

Pour m'expliquer, je dis qu'un Roi, un héritier de la couronne, un gouverneur de province et généralement un homme d'autorité peut paraître sur le théâtre en trois façons : comme Roi, comme homme et comme juge ; quelquefois avec deux de ces qualités, quelquefois avec toutes les trois ensemble. Il paraît comme Roi seulement quand il n'a d'intérêt qu'à la conservation de son trône ou de sa vie, qu'on attaque ou change l'État, sans avoir l'esprit agité d'aucune passion particulière : et c'est ainsi qu'Auguste agit dans *Cinna* et Phocas dans *Héraclius*. Il paraît comme homme seulement quand il n'a que l'intérêt d'une passion à suivre ou à vaincre, sans aucun péril pour son État ; et tel est Grimoald dans les trois premiers actes de *Pertharite* et les deux Reines dans *Don Sanche*. Il ne paraît enfin que comme juge quand il est introduit sans aucun intérêt pour son État ni pour sa personne ni pour ses affections, mais seulement pour régler celui des autres, comme dans ce poème et dans *le Cid ;* et on ne peut désavouer qu'en cette dernière posture il remplit assez mal la dignité d'un si grand titre, n'ayant aucune part en l'action que celle qu'il y veut prendre pour d'autres, et demeurant bien éloigné de l'éclat des deux autres manières. Aussi on ne le donne jamais à représenter aux meilleurs acteurs, mais il faut qu'il se contente de passer par la bouche de ceux du second ou du troisième ordre. Il peut paraître comme Roi et comme homme tout à la fois quand il a un grand intérêt d'État et une forte passion tout ensemble à soutenir, comme Antiochus dans *Rodogune* et Nicomède dans la tragédie qui porte son nom, et c'est à mon avis la plus digne manière et la plus avantageuse de mettre sur la scène des gens de cette condition, parce qu'ils attirent alors toute l'action à eux et ne manquent jamais d'être représentés par les premiers acteurs. Il ne me vient point

---

12. *Ceux du métier* : plutôt ici les acteurs, soucieux de beaux « morceaux de bravoure » où ils pouvaient briller, que les théoriciens ou les auteurs.

13. En 1660, Corneille qui a compris la puissance de la tragédie politique, juge sévèrement à posteriori ses personnages. La page de critique littéraire qui suit est l'une des plus précises et des plus importantes de sa dramaturgie.

d'exemple en la mémoire où un roi paraisse comme homme et comme juge, avec un intérêt de passion pour lui, et un soin de régler ceux des autres sans aucun péril pour son État; mais pour voir les trois manières ensemble, on les peut aucunement remarquer dans les deux gouverneurs d'Arménie et de Syrie, que j'ai introduits, l'un dans *Polyeucte* et l'autre dans *Théodore*. Je dis aucunement, parce que la tendresse que l'un a pour son gendre et l'autre pour son fils, qui est ce qui les fait paraître comme hommes, agit si faiblement qu'elle semble étouffée sous le soin qu'a l'un et l'autre de conserver sa dignité, dont ils font tous deux leur capital [11], et qu'ainsi on peut dire en rigueur qu'ils ne paraissent que comme gouverneurs qui craignent de se perdre et comme juges qui par cette crainte dominante condamnent ou plutôt s'immolent ce qu'ils voudraient conserver.

Les monologues sont trop longs et trop fréquents en cette pièce; c'était une beauté en ce temps-là : les comédiens les souhaitaient et croyaient y paraître avec plus d'avantage. La mode a si bien changé que la plupart de mes derniers ouvrages n'en ont aucun, et vous n'en trouverez point dans *Pompée, la Suite du Menteur, Théodore* [15] et *Pertharite*, ni dans *Héraclius, Andromède, Œdipe* et *la Toison d'or*, à la réserve des stances.

Pour le lieu, il a encore plus d'étendue, ou, si vous voulez souffrir ce mot, plus de libertinage ici que dans *Mélite* : il comprend un château d'un Roi avec une forêt voisine, comme pourrait être celui de Saint-Germain, et est bien éloigné de l'exactitude que les sévères critiques y demandent.

ACTEURS

ALCANDRE [16]. *roi d'Écosse* [17].
FLORIDAN, *fils du Roi.*
ROSIDOR, *favori du roi et amant de Caliste.*
CLITANDRE, *favori du prince Floridan et amoureux aussi de Caliste, mais dédaigné.*
PYMANTE, *amoureux de Dorise, et dédaigné.*
CALISTE, *maîtresse de Rosidor et de Clitandre.*
DORISE, *maîtresse de Pymante.*
LYSARQUE, *écuyer de Rosidor.*
GÉRONTE, *écuyer de Clitandre.*
CLÉON, *gentilhomme suivant la cour.*
LYCASTE, *page de Clitandre.*
LE GEOLIER.
TROIS ARCHERS. TROIS VENEURS.

La scène est en un château du Roi, proche d'une forêt [18].

ACTE PREMIER

Scène I : *Caliste* [19].

N'en doute plus, mon cœur, un amant hypocrite
Feignant de m'adorer brûle pour Hippolyte :
Dorise m'en a dit le secret rendez-vous
Où leur naissante ardeur se cache aux yeux de tous,
5 Et pour les y surprendre elle m'y doit conduire,

Sitôt que le soleil commencera de luire.
Mais qu'elle est paresseuse à me venir trouver!
La dormeuse m'oublie, et ne se peut lever;
Toutefois sans raison j'accuse sa paresse,
La nuit, qui dure encor, fait que rien ne la presse,   10
Ma jalouse fureur, mon dépit, mon amour,
Ont troublé mon repos avant le point du jour,
Mais elle, qui n'en fait aucune expérience,
Étant sans intérêt, est sans impatience.
Toi qui fais ma douleur et qui fis mon souci,   15
Ne tarde plus, volage, à te montrer ici,
Viens en hâte affermir ton indigne victoire,
Viens t'assurer l'éclat de cette infâme gloire,
Viens signaler ton nom par ton manque de foi,
Le jour s'en va paraître, affronteur, hâte-toi.   20
Mais, hélas! cher ingrat, adorable parjure,
Ma timide voix tremble à dire une injure;
Si j'écoute l'amour, il devient si puissant
Qu'en dépit de Dorise il te fait innocent :
Je ne sais lequel croire et j'aime tant ce doute,   25
Que j'ai peur d'en sortir entrant dans cette route;
Je crains ce que je cherche, et je ne connais pas
De plus grand heur pour moi que d'y perdre mes pas.
Ah, mes yeux! si jamais vos fonctions propices
A mon cœur amoureux firent de bons services,   30
Apprenez aujourd'hui quel est votre devoir :
Le moyen de me plaire est de me décevoir.
Si vous ne m'abusez, si vous n'êtes faussaires,
Vous êtes de mon heur les cruels adversaires.
Et toi, soleil, qui vas en ramenant le jour   35
Dissiper une erreur si chère à mon amour,
Puisqu'il faut qu'avec toi ce que je crains éclate,
Souffre qu'encore un peu l'ignorance me flatte.
Mais je te parle en vain et l'aube de ses rais
A déjà reblanchi le haut de ces forêts.   40
Si je puis me fier à sa lumière sombre
Dont l'éclat brille à peine et dispute avec l'ombre,
J'entrevois le sujet de mon jaloux ennui
Et quelqu'un de ses gens qui conteste avec lui.
Rentre, pauvre abusée, et cache-toi de sorte   45
Que tu puisses l'entendre à travers cette porte.

---

14. Sens figuré : fonction essentielle.
15. Enumération scrupuleuse. Corneille avait d'abord écrit : *Théodore, Nicomède* et *Pertharite*. Il retranche *Nicomède*, à cause d'un monologue de douze vers à la fin de l'acte IV.
16. Le Roi, en 1632, était anonyme. En 1644, il s'appelle Alcandre. C'est d'ordinaire un nom de magicien.
17. Précision (?) ajoutée aussi en 1644.
18. Lieu vague ajouté en 1644, mais Corneille précise en 1660, dans l'*Examen*, « comme pourrait être celui de Saint-Germain ».
19. Scène d'exposition volontairement imprécise. Le sens est plus clair, si l'on sait qu'il s'agit d'une fille d'honneur de la Reine, amoureuse de Rosidor, favori du Roi.

Scène II : Rosidor, Lysarque

ROSIDOR

Ce devoir ou plutôt cette importunité,
Au lieu de m'assurer de ta fidélité,
Marque trop clairement ton peu d'obéissance.
50 Laisse-moi seul, Lysarque, une heure en ma puissance,
Que retiré du monde et du bruit de la cour,
Je puisse dans ces bois consulter mon amour,
Que là Caliste seule occupe mes pensées,
Et par le souvenir de ses faveurs passées,
55 Assure mon espoir de celles que j'attends,
Qu'un entretien rêveur durant ce peu de temps
M'instruise des moyens de plaire à cette belle,
Allume dans mon cœur de nouveaux feux pour elle.
Enfin, sans persister dans l'obstination,
60 Laisse-moi suivre ici mon inclination.

LYSARQUE

Cette inclination, qui jusqu'ici vous mène,
A me la déguiser vous donne trop de peine.
Il ne faut point, Monsieur, beaucoup l'examiner.
L'heure et le lieu suspects font assez deviner
65 Qu'en même temps que vous s'échappe quelque dame..
Vous m'entendez assez.

ROSIDOR

Juge mieux de ma flamme,
Et ne présume point que je manque de foi
A celle que j'adore et qui brûle pour moi.
J'aime mieux contenter ton humeur curieuse,
70 Qui par ces faux soupçons m'est trop injurieuse.
Tant s'en faut que le change ait pour moi des appas,
Tant s'en faut qu'en ces bois il attire mes pas,
J'y vais... Mais pourrais-tu le savoir et le taire ?

LYSARQUE

Qu'ai-je fait qui vous porte à craindre le contraire ?

ROSIDOR

75 Tu vas apprendre tout, mais aussi l'ayant su,
Avise à ta retraite. Hier un cartel reçu
De la part d'un rival...

LYSARQUE

Vous le nommez ?

ROSIDOR

Clitandre.
Au pied du grand rocher il me doit seul attendre
Et là, l'épée au poing, nous verrons qui des deux
80 Mérite d'embraser Caliste de ses feux.

LYSARQUE

De sorte qu'un second...

ROSIDOR

Sans me faire une offense,
Ne peut se présenter à prendre ma défense :
Nous devons seul à seul vider notre débat.

LYSARQUE

Ne pensez pas sans moi terminer ce combat,
85 L'écuyer de Clitandre est homme de courage,
Il sera trop heureux que mon défi l'engage
A s'acquitter vers lui d'un semblable devoir,
Et je vais de ce pas y faire mon pouvoir.

ROSIDOR

Ta volonté suffit; va-t'en donc et désiste

De plus m'offrir une aide à mériter Caliste.   90

LYSARQUE *est seul.*

Vous obéir ici me coûterait trop cher,
Et je serais honteux qu'on me pût reprocher
D'avoir su le sujet d'une telle sortie,
Sans trouver les moyens d'être de la partie.

Scène III : Caliste.

Qu'il s'en est bien défait ! qu'avec dextérité   95
Le fourbe se prévaut de son autorité !
Qu'il trouve un beau prétexte en ses flammes éteintes,
Et que mon nom lui sert à colorer ses feintes !
Il y va cependant, le perfide qu'il est,
Hippolyte le charme, Hippolyte lui plaît,   100
Et ses lâches désirs l'emportent où l'appelle
Le cartel amoureux de sa flamme nouvelle.

Scène IV : Caliste, Dorise.

CALISTE

Je n'en puis plus douter, mon feu désabusé
Ne tient plus le parti de ce cœur déguisé.
Allons, ma chère sœur, allons à la vengeance,   105
Allons de ses douceurs tirer quelque allégeance,
Allons, et sans te mettre en peine de m'aider,
Ne prends aucun souci que de me regarder.
Pour en venir à bout, il suffit de ma rage,
D'elle j'aurai la force ainsi que le courage,   110
Et déjà dépouillant naturel humain,
Je laisse à ses transports à gouverner ma main.
Vois-tu comme suivant de si furieux guides
Elle cherche déjà les yeux de ces perfides,
Et comme de fureur tous mes sens animés   115
Menacent les appas qui les avaient charmés ?

DORISE

Modère ces bouillons d'une âme colérée,
Ils sont trop violents pour être de durée;
Pour faire quelque mal, c'est frapper de trop loin.
Réserve ton courroux tout entier au besoin [20],   120
Sa plus forte chaleur se dissipe en paroles,
Ses résolutions en deviennent plus molles,
En lui donnant de l'air, son ardeur s'alentit.

CALISTE

Ce n'est que faute d'air que le feu s'amortit.
Allons, et tu verras qu'ainsi le mien s'allume,   125
Que ma douleur aigrie en a plus d'amertume,
Et qu'ainsi mon esprit ne fait que s'exciter
A ce que ma colère a droit d'exécuter.

DORISE, *seule.*

Si ma ruse est enfin de son effet suivie,
Cette aveugle chaleur te va coûter la vie;   130
Un fer caché me donne en ces lieux écartés
La vengeance des maux que me font tes beautés.
Tu m'ôtes Rosidor, tu possèdes son âme,
Il n'a d'yeux que pour toi, que mépris pour ma flamme,

---

20. Pour les cas nécessaires.

135 Mais puisque tous mes soins ne le peuvent gagner,
    J'en punirai l'objet qui m'en fait dédaigner [21].

> *Scène V : Pymante, Géronte,*
> *sortants d'une grotte [22], déguisés en paysans.*

GÉRONTE

En ce déguisement on ne peut nous connaître,
Et sans doute bientôt le jour qui vient de naître
Conduira Rosidor, séduit d'un faux cartel,
140 Aux lieux où cette main lui garde un coup mortel.
Vos vœux si mal reçus de l'ingrate Dorise,
Qui l'idolâtre autant comme elle vous méprise,
Ne rencontreront plus aucun empêchement.
Mais je m'étonne fort de son aveuglement,
145 Et je ne comprends point cet orgueilleux caprice
Qui fait qu'elle vous traite avec tant d'injustice.
Vos rares qualités...

PYMANTE
                            Au lieu de me flatter,
Voyons si le projet ne saurait avorter,
Si la supercherie...

GÉRONTE
                        Elle est si bien tissue
150 Qu'il faut manquer de sens pour douter de l'issue.
Clitandre aime Caliste, et comme son rival
Il a trop de sujet de lui vouloir du mal :
Moi que depuis dix ans il tient à son service,
D'écrire comme lui j'ai trouvé l'artifice,
155 Si bien que ce cartel, quoique tout de ma main,
A son dépit jaloux s'imputera soudain.

PYMANTE
Que ton subtil esprit a de grands avantages!
Mais le nom du porteur?

GÉRONTE
                            Lycaste, un de ses pages.

PYMANTE
Celui qui fait le guet auprès du rendez-vous?

GÉRONTE
160 Lui-même, et le voici qui s'avance vers nous.
A force de courir il s'est mis hors d'haleine.

> *Scène VI : Pymante, Géronte, Lycaste,*
> *aussi déguisé en paysan.*

PYMANTE
Eh bien, est-il venu?

LYCASTE
                        N'en soyez plus en peine;
Il est où vous savez, et tout bouffi d'orgueil
Il n'y pense à rien moins qu'à son propre cercueil.

PYMANTE
165 Ne perdons point de temps. Nos masques, nos épées...
> *Lycaste les va quérir dans la grotte d'où ils sont*
> *sortis.*

---

21. L'indication scénique manque. Elle disparaît à la suite
de Caliste, qui a quitté la scène huit vers plus tôt.
22. La grotte est un des éléments traditionnels du décor des
pastorales. Il semble que Corneille ait conçu sa pièce en fonction des décors, encore peu nombreux, que possédait le Marais.

Qu'il me tarde déjà que, dans son sang trempées,
Elles ne me font voir à mes pieds étendu
Le seul qui sert d'obstacle au bonheur qui m'est dû!
Ah! qu'il va bien trouver d'autres gens que Clitandre!
Mais pourquoi ces habits? qui te les fait reprendre? 170
> *LYCASTE leur présente à chacun un masque*
> *et une épée, et porte leurs habits.*
Pour notre sûreté, portons-les avec nous,
De peur que cependant que nous serons aux coups
Quelque maraud, conduit par sa bonne aventure,
Ne nous laisse tous trois en mauvaise posture.
Quand il faudra donner [23], sans les perdre des yeux, 175
Au pied du premier arbre ils seront beaucoup mieux.

PYMANTE
Prends-en donc même soin après la chose faite.

LYCASTE
Ne craignez pas sans eux que je fasse retraite.

PYMANTE
Sus donc! chacun déjà devrait être masqué.
Allons, qu'il tombe mort aussitôt qu'attaqué. 180

> *Scène VII : Cléon, Lysarque.*

CLÉON
Réserve à d'autres temps cette ardeur de courage
Qui rend de ta valeur un si grand témoignage.
Ce duel que tu dis ne se peut concevoir.
Tu parles de Clitandre et je viens de le voir
Que notre jeune Prince enlevait à la chasse. 185

LYSARQUE
Tu les as vus passer?

CLÉON
                        Par cette même place.
Sans doute que ton maître a quelque occasion
Qui le fait t'éblouir par cette illusion.

LYSARQUE
Non, il parlait du cœur, je connais sa franchise.

CLÉON
S'il est ainsi, je crains que par quelque surprise 190
Ce généreux guerrier, sous le nombre abattu,
Ne cède aux envieux que lui fait sa vertu.

LYSARQUE
A présent il n'a point d'ennemi que je sache.
Mais quelque événement que le destin nous cache,
Si tu veux m'obliger, viens de grâce avec moi, 195
Que nous donnions ensemble avis de tout au Roi.

> *Scène VIII : Caliste, Dorise.*

CALISTE, *cependant que Dorise s'arrête à chercher*
> *derrière un buisson.*
Ma sœur, l'heure s'avance et nous serons à peine,
Si nous ne retournons, au lever de la Reine.
Je ne vois point mon traître, Hippolyte non plus.
DORISE, *tirant une épée de derrière ce buisson,*
> *et saisissant Caliste par le bras.*
Voici qui va trancher tes soucis superflus, 200
Voici dont je vais rendre, aux dépens de ta vie,

---

23. Donner, intransitivement, terme technique de stratégie
ou de la chasse : donner l'assaut.

Et ma flamme vengée, et ma haine assouvie.

CALISTE

Tout beau, tout beau, ma sœur, tu veux m'épouvanter,
Mais je te connais trop pour m'en inquiéter.
205 Laisse la feinte à part et mettons, je te prie,
A les trouver bientôt toute notre industrie.

DORISE

Va, va, ne songe plus à leurs fausses amours,
Dont le récit n'était qu'une embûche à tes jours :
Rosidor t'est fidèle et, cette femme amante
210 Brûle aussi peu pour lui que je fais pour Pymante.

CALISTE

Déloyale, ainsi donc ton courage inhumain...

DORISE

Ces injures en l'air n'arrêtent point ma main.

CALISTE

Le reproche honteux d'une action si noire...

DORISE

Qui se venge en secret, en secret en fait gloire.

215 T'ai-je donc pu, ma sœur, déplaire en quelque point ?

DORISE

Oui, puisque Rosidor t'aime et ne m'aime point :
C'est assez m'offenser que d'être ma rivale.

Scène IX : Rosidor, Pymante, Géronte,
Lycaste, Caliste, Dorise.

Comme Dorise est prête de tuer Caliste, un bruit
entendu lui fait relever son épée et Rosidor paraît
tout en sang, poursuivi par ses trois assassins masqués.
En entrant, il tue Lycaste, et retirant son épée, elle se
rompt contre la branche d'un arbre. En cette extrémité,
il voit celle que tient Dorise; et sans la reconnaître, il
s'en saisit, et passe tout d'un temps le tronçon qui lui restait
de la sienne en la main gauche, et se défend ainsi contre
Pymante et Géronte, dont il tue le dernier et met l'autre
en fuite.

ROSIDOR

Meurs, brigand. Ah, malheur! cette branche fatale
A rompu mon épée. Assassins... Toutefois,
220 J'ai de quoi me défendre une seconde fois.

DORISE, *s'enfuyant.*

N'est-ce pas Rosidor qui m'arrache les armes?
Ah! qu'il me va causer de périls et de larmes!
Fuis, Dorise, et fuyant laisse-toi reprocher
Que tu fuis aujourd'hui ce qui t'est le plus cher.

CALISTE

225 C'est lui-même de vrai. Rosidor, ah! je pâme!
Et la peur de sa mort ne me laisse point d'âme.
Adieu, mon cher espoir.

ROSIDOR, *après avoir tué Géronte.*

Cettui-ci dépêché,
C'est de toi maintenant que j'aurai bon marché
Nous sommes seul à seul. Quoi! ton peu d'assurance
230 Ne met plus qu'en tes pieds sa dernière espérance?
Marche, sans emprunter d'ailes de ton effroi :
Je ne cours point après des lâches comme toi.
Il suffit de ces deux. Mais qui pourraient-ils être?
Ah ciel! le masque ôté me les fait trop connaître.

Le seul Clitandre arma contre moi ces voleurs.   235
Cettui-ci fut toujours vêtu de ses couleurs,
Voilà son écuyer, dont la pâleur exprime
Moins de traits de la mort que d'horreur de son crime,
Et ces deux reconnus, je douterais en vain
De celui que sa fuite a sauvé de ma main.   240
Trop indigne rival, crois-tu que ton absence
Donne à tes lâchetés quelque ombre d'innocence,
Et qu'après avoir pu renverser ton dessein,
Un désaveu démente et tes gens et ton seing?
Ne le présume pas, sans autre conjecture,   245
Je te rends convaincu de ta seule écriture,
Sitôt que j'aurai pu faire ma plainte au Roi.
Mais quel piteux objet se vient offrir à moi?
Traîtres, auriez-vous fait sur un si beau visage,
Attendant Rosidor, l'essai de votre rage?   250
C'est Caliste elle-même! Ah, Dieux, injustes Dieux!
Ainsi donc, pour montrer ce spectacle à mes yeux,
Votre faveur barbare a conservé ma vie!
Je n'en veux point chercher d'auteurs que votre envie :
La nature, qui perd ce qu'elle a de parfait,   255
Sur tout autre que vous eût vengé ce forfait,
Et vous eût accablés, si vous n'étiez ses maîtres.
Vous m'envoyez en vain ce fer contre des traîtres,
Je ne veux point devoir mes déplorables jours
A l'affreuse rigueur d'un si fatal secours.   260
O vous, qui me restez d'une troupe ennemie
Pour marques de ma gloire et de son infamie,
Blessures, hâtez-vous d'élargir vos canaux,
Par où mon sang emporte et ma vie et mes maux!
Ah! pour l'être trop peu, blessures trop cruelles,   265
De peur de m'obliger vous n'êtes pas mortelles.
Eh quoi, ce bel objet, mon aimable vainqueur,
Avait-il seul le droit de me blesser au cœur?
Et d'où vient que la mort, à qui tout fait hommage,
L'ayant si mal traité, respecte son image?   270
Noires divinités, qui tournez mon fuseau,
Vous faut-il tant prier pour un coup de ciseau? [24]
Insensé que je suis! en ce malheur extrême,
Je demande la mort à d'autres qu'à moi-même;
Aveugle, je m'arrête à supplier en vain   275
Et pour me contenter j'ai de quoi dans la main.
Il faut rendre ma vie au fer qui l'a sauvée,
C'est à lui qu'elle est due, il se l'est réservée
Et l'honneur, quel qu'il soit, de finir mes malheurs,
C'est pour me le donner qu'il l'ôte à des voleurs;   280
Poussons donc hardiment. Mais, hélas! cette épée,
Coulant entre mes doigts, laisse ma main trompée
Et sa lame, timide à procurer mon bien,
Au sang des assassins n'ose mêler le mien.
Ma faiblesse importune à mon trépas s'oppose,   285
En vain je m'y résous, en vain je m'y dispose.
Mon reste de vigueur ne peut l'effectuer;
J'en ai trop pour mourir, trop peu pour me tuer :
L'un me manque au besoin et l'autre me résiste.
Mais je vois s'entr'ouvrir les beaux yeux de Caliste,   290
Les roses de son teint n'ont plus tant de pâleur,
Et j'entends un soupir qui flatte ma douleur.

24. Celui qui trancherait le fil de la vie de Rosidor.

Voyez, Dieux inhumains, que malgré votre envie
L'amour lui sait donner la moitié de ma vie,
295 Qu'une âme désormais suffit à deux amants.

CALISTE
Hélas! qui me rappelle à de nouveaux tourments?
Si Rosidor n'est plus, pourquoi reviens-je au monde?

ROSIDOR
O merveilleux effet d'une amour sans seconde!

CALISTE
Exécrable assassin, qui rougis de son sang,
300 Dépêche comme à lui de me percer le flanc,
Prends de lui ce qui reste.

ROSIDOR
          Adorable cruelle,
Est-ce ainsi qu'on reçoit un amant si fidèle?

CALISTE
Ne m'en fais point un crime : encor pleine d'effroi,
Je ne t'ai méconnu qu'en songeant trop à toi.
305 J'avais si bien gravé là dedans ton image,
Qu'elle ne voulait pas céder à ton visage.
Mon esprit, glorieux et jaloux de l'avoir,
Enviait à mes yeux le bonheur de te voir.
Mais quel secours propice a trompé mes alarmes?
310 Contre tant d'assassins qui t'a prêté des armes?

ROSIDOR
Toi-même, qui t'a mise à telle heure en ces lieux,
Où je te vois mourir et revivre à mes yeux?

CALISTE
Quand l'amour une fois règne sur un courage...
Mais tâchons de gagner jusqu'au premier village,
315 Où ces bouillons de sang se puissent arrêter;
Là j'aurai tout loisir de te le raconter,
Aux charges qu'à mon tour aussi l'on m'entretienne.

ROSIDOR
Allons, ma volonté n'a de loi que la tienne,
Et l'amour, par tes yeux devenu tout-puissant,
320 Rend déjà la vigueur à mon corps languissant.

CALISTE
Il donne en même temps une aide à ta faiblesse,
Puisqu'il fait que la mienne auprès de toi me laisse,
Et qu'en dépit du sort ta Caliste aujourd'hui
A tes pas chancelants pourra servir d'appui.

ACTE SECOND

Scène I : Pymante, masqué.

325 Destins, qui réglez tout au gré de vos caprices,
Sur moi donc tout à coup fondent vos injustices
Et trouvent à leurs traits si longtemps retenus,
Afin de mieux frapper, des chemins inconnus!
Dites, que vous ont fait Rosidor ou Pymante?
330 Fournissez de raison, destins, qui me démente;
Dites ce qu'ils ont fait qui vous puisse émouvoir
A partager si mal entre eux votre pouvoir.
Lui rendre contre moi l'impossible possible
Pour rompre le succès d'un dessein infaillible,
335 C'est prêter un miracle à son bras sans secours,
Pour conserver son sang au péril de mes jours.

Trois ont fondu sur lui sans le jeter en fuite;
A peine en m'y jetant moi-même je l'évite;
Loin de laisser la vie, il a su l'arracher;
Loin de céder au nombre, il l'a su trancher :   340
Toute votre faveur, à son aide occupée,
Trouve à le mieux armer en rompant son épée,
Et ressaisit ses mains, par celles du hasard,
L'une d'une autre épée, et l'autre d'un poignard.
O honte! ô déplaisirs! ô désespoir! ô rage!   345
Ainsi donc un rival pris à mon avantage
Ne tombe dans mes rets que pour les déchirer!
Son bonheur qui me brave ose l'en retirer,
Lui donne sur mes gens une prompte victoire
Et fait de son péril un sujet de sa gloire!   350
Retournons animés d'un courage plus fort,
Retournons, et du moins perdons-nous dans sa mort.
   Sortez de vos cachots, infernales Furies;
Apportez à m'aider toutes vos barbaries;
Qu'avec vous tout l'enfer m'aide en ce noir dessein,   355
Qu'un sanglant désespoir me verse dans le sein.
J'avais de point en point l'entreprise tramée,
Comme mon esprit vous me l'aviez formée;
Mais contre Rosidor tout le pouvoir humain
N'a que de la fꞏiblesse : il y faut votre main.   360
En vain, cruelles sœurs, ma fureur vous appelle,
En vain vous armeriez l'enfer pour ma querelle,
La terre vous refuse un passage à sortir.
Ouvre du moins ton sein, terre, pour m'engloutir,
N'attends pas que Mercure avec son caducée   365
M'en fasse après ma mort l'ouverture forcée,
N'attends pas qu'un supplice, hélas! trop mérité,
Ajoute l'infamie à tant de lâcheté,
Préviens-en la rigueur, rends toi-même justice,
Aux projets avortés d'un si noir artifice.   370
Mes cris s'en vont en l'air et s'y perdent sans fruit,
Dedans mon désespoir, tout me fuit ou me nuit,
La terre n'entend point la douleur qui me presse,
Le ciel me persécute, et l'enfer me délaisse.
Affronte-les, Pymante, et sauve en dépit d'eux   375
Ta vie et ton honneur d'un pas si dangereux.
Si quelque espoir te reste, il n'est plus qu'en toi-même,
Et si tu veux t'aider, ton mal n'est pas extrême.
Passe pour villageois dans un lieu si fatal,
Et réservant ailleurs la mort de ton rival,   380
Fais que d'un même habit la trompeuse apparence,
Qui le mit en péril, te mette en assurance.
   Mais ce masque l'empêche, et me vient reprocher
Un crime qu'il découvre au lieu de me cacher.
Ce damnable instrument de mon traître artifice,   385
Après mon coup manqué, n'en est plus que l'indice,
Et ce fer, qui tantôt, inutile en ma main
Que ma fureur jalouse avait armée en vain,
Sut si mal attaquer et plus mal me défendre,
N'est propre désormais qu'à me faire surprendre.   390
   Il jette son masque et son épée dans la grotte.
Allez, témoins honteux de mes lâches forfaits,
N'en produisez non plus de soupçons que d'effets.
Ainsi n'ayant plus rien qui démente ma feinte,
Dedans cette forêt, je marcherai sans crainte,
Tant que...   395

Scène II : *Lysarque, Pymante, archers.*

LYSARQUE
Mon grand ami ?

PYMANTE
Monsieur ?

LYSARQUE
Viens çà, dis-nous,
N'as-tu point ici vu deux cavaliers aux coups ?

PYMANTE
Non, Monsieur.

LYSARQUE
Ou l'un d'eux se sauver à la fuite ?

PYMANTE
Non, Monsieur.

LYSARQUE
Ni passer dedans ces bois sans suite ?

PYMANTE
Attendez, il y peut avoir quelques huit jours...

LYSARQUE
400 Je parle d'aujourd'hui : laisse là ces discours ;
Réponds précisément.

PYMANTE
Pour aujourd'hui, je pense...
Toutefois, si la chose était de conséquence,
Dans le prochain village on saurait aisément...

LYSARQUE
Donnons jusques au lieu ; c'est trop d'amusement.

PYMANTE, *seul.*
405 Ce départ favorable enfin me rend la vie,
Que tant de questions m'avaient presque ravie.
Cette troupe d'archers, aveugles en ce point,
Trouve ce qu'elle cherche et ne s'en saisit point.
Bien que leur conducteur donne assez à connaître
410 Qu'ils vont pour arrêter l'ennemi de son maître,
J'échappe néanmoins en ce pas hasardeux
D'aussi près de la mort que je me voyais d'eux.
Que j'aime ce péril, dont la vaine menace
Promettait un orage et se tourne en bonace,
415 Ce péril qui ne veut que me faire trembler,
Ou plutôt qui se montre, et n'ose m'accabler !
Qu'à bonne heure défait d'un masque et d'une épée,
J'ai leur crédulité sous ces habits trompée,
De sorte qu'à présent deux corps désanimés
420 Termineront l'exploit de tant de gens armés,
Corps qui gardent tous deux un naturel si traître,
Qu'encore après leur mort, ils vont trahir leur maître,
Et le faire l'auteur de cette lâcheté,
Pour mettre à ses dépens Pymante en sûreté !
425 Mes habits, rencontrés sous les yeux de Lysarque,
Peuvent de mes forfaits donner seuls quelque marque ;
Mais s'il ne les voit pas, lors sans aucun effroi
Je n'ai qu'à me ranger en hâte auprès du Roi,
Où je verrai tantôt avec effronterie
430 Clitandre convaincu de ma supercherie.

Scène III : *Lysarque, archers.*

LYSARQUE *regarde les corps de Géronte et de Lycaste.*
Cela ne suffit pas, il faut chercher encor
Et trouver, s'il se peut, Clitandre ou Rosidor.
Amis, Sa Majesté, par ma bouche avertie
Des soupçons que j'avais touchant cette partie,
Voudra savoir au vrai ce qu'ils sont devenus.   435

PREMIER ARCHER
Pourrait-elle en douter ? Ces deux corps reconnus
Font trop voir le succès de toute l'entreprise.

LYSARQUE
Et qu'en présumes-tu ?

PREMIER ARCHER
Que malgré leur surprise,
Leur nombre avantageux et leur déguisement,
Rosidor de leurs mains se tire heureusement.   440

LYSARQUE
Ce n'est qu'en me flattant que tu te le figures ;
Pour moi, je n'en conçois que de mauvais augures
Et présume plutôt que son bras valeureux
Avant que de mourir s'est immolé ces deux.

PREMIER ARCHER
Mais où serait son corps ?   445

LYSARQUE
Au creux de quelque roche,
Où les traîtres, voyant notre troupe si proche,
N'auront pas eu loisir de mettre encor ceux-ci,
De qui le seul aspect rend le crime éclairci.

SECOND ARCHER, *lui présentant les deux pièces
rompues de l'épée de Rosidor.*
Monsieur, connaissez-vous ce fer et cette garde ?

LYSARQUE
Donne-moi, que je voie. Oui, plus je les regarde, 450
Plus j'ai par eux d'avis du déplorable sort
D'un maître qui n'a pu s'en dessaisir que mort.

SECOND ARCHER
Monsieur, avec cela j'ai vu dans cette route
Des pas mêlés de sang distillé goutte à goutte.

LYSARQUE
Suivons-les au hasard. Vous autres, enlevez   455
Promptement ces deux corps que nous avons trouvés.

*Lysarque et cet archer rentrent dans le bois, et le
reste des archers reportent à la cour les corps de
Géronte et de Lycaste.*

Scène IV : *Floridan, Clitandre, page.*

FLORIDAN, *parlant à son page.*
Ce cheval trop fougueux m'incommode à la chasse,
Tiens-m'en un autre prêt, tandis qu'en cette place,
A l'ombre des ormeaux l'un dans l'autre enlacés,
Clitandre m'entretient de ses travaux passés.   460
Qu'au reste les veneurs, allant sur leurs brisées,
Ne forcent pas le cerf, s'il est aux reposées [25],
Qu'ils prennent connaissance, et pressent mollement,
Sans le donner aux chiens qu'à mon commandement.

Le page rentre.
Achève maintenant l'histoire commencée   465
De ton affection si mal récompensée.

___
25. « Reposées du cerf, c'est le gist et lit où il se repose au
matin en son retour du viandis » (Nicot, *Trésor de la langue
française*).

CLITANDRE

Ce récit ennuyeux de ma triste langueur,
Mon prince, ne vaut pas le tirer en longueur.
J'ai tout dit en un mot : cette fière Caliste
470 Dans ses cruels mépris incessamment persiste,
C'est toujours elle-même et sous sa dure loi
Tout ce qu'elle a d'orgueil se réserve pour moi,
Cependant qu'un rival, ses plus chères délices,
Redouble ses plaisirs en voyant mes supplices.

FLORIDAN

475 Ou tu te plains à faux ou puissamment épris,
Ton courage demeure insensible aux mépris,
Et je m'étonne fort comme ils n'ont dans ton âme
Rétabli ta raison ou dissipé ta flamme.

CLITANDRE

Quelques charmes secrets mêlés dans ses rigueurs
480 Étouffent en naissant la révolte des cœurs,
Et le mien auprès d'elle, à quoi qu'il se dispose,
Murmurant de son mal, en adore la cause.

FLORIDAN

Mais puisque son dédain, au lieu de te guérir,
Ranime ton amour, qu'il dût faire mourir,
485 Sers-toi de mon pouvoir; en ma faveur, la Reine
Tient et tiendra toujours Rosidor en haleine.
Mais son commandement dans peu, si tu le veux,
Te met à ma prière au comble de tes vœux.
Avise donc : tu sais qu'un fils peut tout sur elle.

CLITANDRE

490 Malgré tous les mépris de cette âme cruelle,
Dont un autre a charmé les inclinations,
J'ai toujours du respect pour ses perfections,
Et je serais marri qu'aucune violence...

FLORIDAN

L'amour sur le respect emporte la balance.

CLITANDRE

495 Je brûle, et le bonheur de vaincre ses froideurs,
Je ne le veux devoir qu'à mes vives ardeurs,
Je ne la veux gagner qu'à force de services.

FLORIDAN

Tandis tu veux donc vivre en d'éternels supplices?

CLITANDRE

Tandis ce m'est assez qu'un rival préféré
500 N'obtient, non plus que moi, le succès espéré.
A la longue ennuyés, la moindre négligence
Pourra de leurs esprits rompre l'intelligence;
Un temps bien pris alors me donne en un moment
Ce que depuis trois ans je poursuis vainement.
505 Mon prince, trouvez bon...

FLORIDAN

N'en dis pas davantage;
Cettui-ci qui me vient faire quelque message,
Apprendrait malgré toi l'état de tes amours.

Scène V : Floridan, Clitandre, Cléon.

CLÉON

Pardonnez-moi, seigneur, si je romps vos discours;
C'est en obéissant au Roi qui me l'ordonne,
510 Et rappelle Clitandre auprès de sa personne.

FLORIDAN

Qui ?

CLÉON

Clitandre, seigneur.

FLORIDAN

Et que lui veut le Roi ?

CLÉON

De semblables secrets ne s'ouvrent pas à moi.

FLORIDAN

Je n'en sais que penser, et la cause incertaine
De ce commandement tient mon esprit en peine.
Pourrais-je me résoudre à te laisser aller   515
Sans savoir les motifs qui te font rappeler ?

CLITANDRE

C'est, à mon jugement, quelque prompte entreprise,
Dont l'exécution à moi seul est remise,
Mais quoi que là-dessus j'ose m'imaginer,
C'est à moi d'obéir sans rien examiner.   520

FLORIDAN

J'y consens à regret : va, mais qu'il te souvienne
Que je chéris ta vie à l'égal de la mienne,
Et si tu veux m'ôter de cette anxiété,
Que j'en sache au plus tôt toute la vérité.
Ce cor m'appelle, adieu. Toute la chasse prête   525
N'attend que ma présence à relancer la bête.

*Scène VI : Dorise, achevant de vêtir l'habit de
Géronte, qu'elle avait trouvé dans le bois.*

Achève, malheureuse, achève de vêtir
Ce que ton mauvais sort laisse à te garantir.
Si de tes trahisons la jalouse impuissance
Sut donner un faux crime à la même innocence,   530
Recherche maintenant, par un plus juste effet,
Une fausse innocence à cacher ton forfait.
Quelle honte importune au visage te monte
Pour un sexe quitté dont tu n'es que la honte ?
Il t'abhorre lui-même, et ce déguisement,   535
En le désavouant, l'oblige pleinement.
Après avoir perdu sa douceur naturelle,
Dépouille sa pudeur, qui te messied sans elle,
Dérobe tout d'un temps par ce crime nouveau
Et l'autre aux yeux du monde et ta tête au bourreau.   540
Si tu veux empêcher ta perte inévitable,
Deviens plus criminelle et parais moins coupable.
Par une fausseté tu tombes en danger,
Par une fausseté sache t'en dégager.
Fausseté détestable, où me viens-tu réduire ?   545
Honteux déguisement, où me vas-tu conduire ?
Ici de tous côtés l'effroi suit mon erreur
Et j'y suis à moi-même une nouvelle horreur :
L'image de Caliste à ma fureur soustraite
Y brave fièrement ma timide retraite.   550
Encor si son trépas secondant mon désir
Mêlait à mes douleurs l'ombre d'un faux plaisir !
Mais tels sont les excès du malheur qui m'opprime
Qu'il ne m'est pas permis de jouir de mon crime.
Dans l'état pitoyable où le sort me réduit,   555
J'en mérite la peine, et n'en ai pas le fruit,
Et tout ce que j'ai fait contre mon ennemie

Sert à croître sa gloire avec mon infamie.
N'importe, Rosidor de mes cruels destins
560 Tient de quoi repousser ses lâches assassins.
Sa valeur, inutile en sa main désarmée,
Sans moi ne vivrait plus que chez la renommée.
Ainsi rien désormais ne pourrait m'enflammer;
N'ayant plus que haïr, je n'aurais plus qu'aimer.
565 Fâcheuse loi du sort qui s'obstine à ma peine.
Je sauve mon amour et je manque à ma haine.
Ces contraires succès, demeurant sans effet,
Font naître mon malheur de mon heur imparfait.
Toutefois l'orgueilleux pour qui mon cœur soupire
570 De moi seule aujourd'hui tient le jour qu'il respire,
Il m'en est redevable et peut-être à son tour
Cette obligation produira quelque amour.
Dorise, à quels pensers ton espoir se ravale!
S'il vit par ton moyen, c'est pour une rivale.
575 N'attends plus, n'attends plus que haine de sa part,
L'offense vint de toi, le secours du hasard.
Malgré les vains efforts de ta ruse traîtresse,
Le hasard par tes mains le rend à sa maîtresse,
Ce péril mutuel qui conserve leurs jours
580 D'un contre-coup égal va croître leurs amours.
Heureux couple d'amants que le destin assemble,
Qu'il expose en péril, qu'il en retire ensemble!

Scène VII : Pymante, Dorise.

PYMANTE, *la prenant pour Géronte,*
et l'embrassant.
O Dieux! voici Géronte, et je le croyais mort.
Malheureux compagnon de mon funeste sort...
DORISE, *croyant qu'il la prend pour Rosidor*
et qu'en l'embrassant il la poignarde.
585 Ton œil t'abuse. Hélas! misérable, regarde
Qu'au lieu de Rosidor ton erreur me poignarde!
PYMANTE
Ne crains pas, cher ami, ce funeste accident,
Je te connais assez, je suis... Mais, imprudent,
Où m'allait engager mon erreur indiscrète?
590 Monsieur, pardonnez-moi la faute que j'ai faite.
Un berger d'ici près a quitté ses brebis
Pour s'en aller au camp presque en pareils habits,
Et d'abord vous prenant pour ce mien camarade,
Mes sens, d'aise aveuglés, ont fait cette escapade.
595 Ne craignez point au reste un pauvre villageois
Qui seul et désarmé court à travers ces bois.
D'un ordre assez précis l'heure presque expirée
Me défend des discours de plus longue durée.
A mon empressement pardonnez cet adieu;
600 Je perdrais trop, Monsieur, à tarder en ce lieu.
DORISE
Ami, qui que tu sois, si ton âme sensible
A la compassion peut se rendre accessible,
Un jeune gentilhomme implore ton secours :
Prends pitié de mes maux pour trois ou quatre jours,
605 Durant ce peu de temps, accorde une retraite
Sous ton chaume rustique à ma fuite secrète :
D'un ennemi puissant la haine me poursuit,
Et n'ayant pu qu'à peine éviter cette nuit...

PYMANTE
L'affaire qui me presse est assez importante
Pour ne pouvoir, Monsieur, répondre à votre attente, 610
Mais si vous me donniez le loisir d'un moment,
Je vous assurerais d'être ici promptement,
Et j'estime qu'alors il me serait facile
Contre cet ennemi de vous faire un asile.
DORISE
Mais, avant ton retour, si quelque instant fatal 615
M'exposait par malheur aux yeux de ce brutal,
Et que l'emportement de son humeur altière...
PYMANTE
Pour ne rien hasarder, cachez-vous là derrière.
DORISE
Souffre que je te suive, et que mes tristes pas...
PYMANTE
J'ai des secrets, Monsieur, qui ne le souffrent pas, 620
Et ne puis rien pour vous, à moins que de m'attendre :
Avisez au parti que vous avez à prendre.
DORISE
Va, donc, je t'attendrai.
PYMANTE
          Cette touffe d'ormeaux
Vous pourra cependant couvrir de ses rameaux.

Scène VIII : Pymante.

Enfin, grâces au ciel, ayant su m'en défaire, 625
Je puis seul aviser à ce que je dois faire.
Qui qu'il soit, il a vu Rosidor attaqué,
Et sait assurément que nous l'avons manqué :
N'en étant point connu, je n'en ai rien à craindre,
Puisque ainsi déguisé tout ce que je veux feindre 630
Sur son esprit crédule obtient un tel pouvoir.
Toutefois plus j'y songe et plus je pense voir,
Par quelque grand effet de vengeance divine,
En ce faible témoin l'auteur de ma ruine :
Son indice douteux, pour peu qu'il ait de jour, 635
N'éclaircira que trop mon forfait à la cour.
Simple! j'ai peur encor que ce malheur m'avienne,
Et je puis éviter ma perte par la sienne,
Et même l'on dirait qu'un antre tout exprès
Me garde mon épée au fond de ces forêts! 640
C'est en ce lieu fatal qu'il me le faut conduire,
C'est là qu'un heureux coup l'empêche de me nuire.
Je ne m'y puis résoudre, un reste de pitié
Violente mon cœur à des traits d'amitié,
En vain je lui résiste, et tâche à me défendre 645
D'un secret mouvement que je ne puis comprendre :
Son âge, sa beauté, sa grâce, son maintien,
Forcent mes sentiments à lui vouloir du bien,
Et l'air de son visage a quelque mignardise
Qui ne tire pas mal à celle de Dorise. 650
Ah! que tant de malheurs m'auraient favorisé,
Si c'était elle-même en habit déguisé!
J'en meurs déjà de joie, et mon âme ravie
Abandonne le soin du reste de ma vie.
Je ne suis plus à moi, quand je viens à penser 655
A quoi l'occasion me pourrait dispenser.
Quoi qu'il en soit, voyant tant de ses traits ensemble,

Je porte du respect à ce qui lui ressemble.
Misérable Pymante, ainsi donc tu te perds!
660 Encor qu'il tienne un peu de celle que tu sers,
Étouffe ce témoin pour assurer ta tête :
S'il est, comme il le dit, battu d'une tempête,
Au lieu qu'en ta cabane il cherche quelque port,
Fais que dans cette grotte il rencontre sa mort.
665 Modère-toi, cruel, et plutôt examine
Sa parole, son teint, et sa taille, et sa mine :
Si c'est Dorise, alors révoque cet arrêt,
Sinon, que la pitié cède à ton intérêt.

ACTE TROISIÈME

Scène I : Alcandre, Rosidor, Caliste, un prévôt.

ALCANDRE

L'admirable rencontre à mon âme ravie,
670 De voir que deux amants s'entre-doivent la vie,
De voir que ton péril la tire de danger,
Que le sien te fournit de quoi t'en dégager,
Qu'à deux desseins divers la même heure choisie
Assemble en même lieu pareille jalousie,
675 Et que l'heureux malheur qui vous a menacés
Avec tant de justesse a ses temps compassés!

ROSIDOR

Sire, ajoutez du ciel l'occulte providence :
Sur deux amants il verse une même influence,
Et comme l'un par l'autre il a su nous sauver,
680 Il semble l'un pour l'autre exprès nous conserver.

ALCANDRE

Je t'entends, Rosidor : par là tu me veux dire
Qu'il faut qu'avec le ciel ma volonté conspire,
Et ne s'oppose pas à ses justes décrets,
Qu'il vient de témoigner par tant d'avis secrets.
685 Eh bien! je veux moi-même en parler à la Reine;
Elle se fléchira, ne t'en mets pas en peine.
Achève seulement de me rendre raison
De ce qui t'arriva depuis sa pâmoison [26].

ROSIDOR

Sire, un mot désormais suffit pour ce qui reste.
690   Lysarque et vos archers depuis ce lieu funeste
Se laissèrent conduire aux traces de mon sang,
Qui durant le chemin me dégouttait du flanc,
Et me trouvant enfin dessous un toit rustique,
Ranimé par les soins de son amour pudique,
695 Leurs bras officieux m'ont ici rapporté,
Pour en faire ma plainte à Votre Majesté.
Non pas que je soupire après une vengeance,
Qui ne peut me donner qu'une fausse allégeance :
Le Prince aime Clitandre et mon respect consent
700 Que son affection le déclare innocent.
Mais si quelque pitié d'une telle infortune
Peut souffrir aujourd'hui que je vous importune,
Otant par un hymen l'espoir à mes rivaux,
Sire, vous taririez la source de nos maux.

26. La pâmoison de Caliste (acte I, scène 9).

ALCANDRE

Tu fuis à te venger : l'objet de ta maîtresse   705
Fait qu'un tel désir cède à l'amour qui te presse;
Aussi n'est-ce qu'à moi de punir ces forfaits
Et de montrer à tous par de puissants effets
Qu'attaquer Rosidor, c'est se prendre à moi-même,
Tant je veux que chacun respecte ce que j'aime!   710
Je le ferai bien voir. Quand ce perfide tour
Aurait eu pour objet le moindre de ma cour,
Je devrais au public, par un honteux supplice,
De telles trahisons l'exemplaire justice.
Mais Rosidor, surpris et blessé comme il l'est,   715
Au devoir d'un vrai roi joint mon propre intérêt.
Je lui ferai sentir, à ce traître Clitandre,
Quelque part que le Prince y puisse ou veuille prendre,
Combien mal à propos sa folle vanité
Croyait dans sa faveur trouver l'impunité.   720
Je tiens cet assassin : un soupçon véritable,
Que m'ont donné les corps d'un couple détestable,
De son lâche attentat m'avait si bien instruit
Que déjà dans les fers il en reçoit le fruit.
Toi, qu'avec Rosidor le bonheur a sauvée,   725
Tu te peux assurer que Dorise trouvée,
Comme ils avaient choisi même heure à votre mort,
En même heure tous deux auront un même sort.

CALISTE

Sire, ne songez pas à cette misérable;
Rosidor garanti me rend sa redevable,   730
Et je me sens forcée à lui vouloir du bien
D'avoir à votre État conservé ce soutien.

ALCANDRE

Le généreux orgueil des âmes magnanimes
Par un noble dédain sait pardonner les crimes,
Mais votre aspect m'emporte à d'autres sentiments, 735
Dont je ne puis cacher les secrets mouvements :
Ce teint pâle à tous deux me rougit de colère,
Et vouloir m'adoucir, c'est vouloir me déplaire.

ROSIDOR

Mais, Sire, que sait-on? peut-être ce rival,
Qui m'a fait après tout plus de bien que de mal, 740
Sitôt qu'il vous plaira d'écouter sa défense,
Saura de ce forfait purger son innocence.

ALCANDRE

Et par où la purger? Sa main d'un trait mortel
A signé son arrêt en signant ce cartel.
Peut-il désavouer ce qu'assure un tel gage,   745
Envoyé de sa part, et rendu par son page?
Peut-il désavouer que ses gens déguisés
De son commandement ne soient autorisés?
Les deux, tout morts qu'ils sont, qu'on les traîne à la
L'autre, aussitôt que pris, se verra sur la roue, [boue, 750
Et pour le scélérat que je tiens prisonnier,
Ce jour que nous voyons lui sera le dernier.
Qu'on l'amène au conseil; par forme il faut l'entendre,
Et voir par quelle adresse il pourra se défendre.
Toi, pense à te guérir, et crois que pour le mieux 755
Je ne veux pas montrer ce perfide à tes yeux.
Sans doute qu'aussitôt qu'il se ferait paraître,
Ton sang rejaillirait au visage du traître.

ROSIDOR

L'apparence déçoit, et souvent on a vu
760 Sortir la vérité d'un moyen imprévu,
Bien que la conjecture y fût encor plus forte.
Du moins, Sire, apaisez l'ardeur qui vous transporte,
Que l'âme plus tranquille et l'esprit plus remis,
Le seul pouvoir des lois perde nos ennemis.

ALCANDRE

765 Sans plus m'importuner, ne songe qu'à tes plaies.
Non, il ne fut jamais d'apparences si vraies,
Douter de ce forfait, c'est manquer de raison.
Derechef, ne prends soin que de ta guérison.

Scène II : Rosidor, Caliste.

ROSIDOR

Ah! que ce grand courroux sensiblement m'afflige!

CALISTE

770 C'est ainsi que le Roi, te refusant, t'oblige :
Il te donne beaucoup en ce qu'il t'interdit
Et tu gagnes beaucoup d'y perdre ton crédit.
On voit dans ces refus une marque certaine
Que contre Rosidor toute prière est vaine.
775 Ses violents transports sont d'assurés témoins
Qu'il t'écouterait mieux s'il te chérissait moins.
Mais un plus long séjour pourrait ici te nuire :
Ne perdons plus de temps; laisse-moi te conduire
Jusque dans l'antichambre où Lysarque t'attend,
780 Et montre désormais un esprit plus content.

ROSIDOR

Si près de te quitter...

CALISTE

N'achève pas ta plainte.
Tous deux nous ressentons cette commune atteinte;
Mais d'un fâcheux respect la tyrannique loi
M'appelle chez la Reine et m'éloigne de toi.
785 Il me lui faut conter comme l'on m'a surprise,
Excuser mon absence en accusant Dorise
Et lui dire comment, par un cruel destin,
Mon devoir auprès d'elle a manqué ce matin.

ROSIDOR

790 Va donc, et quand son âme après la chose sue
Fera voir la pitié qu'elle en aura conçue,
Figure-lui si bien Clitandre tel qu'il est
Qu'elle n'ose en ses feux prendre plus d'intérêt.

CALISTE

Ne crains pas désormais que mon amour s'oublie,
795 Répare seulement ta vigueur affaiblie,
Sache bien te servir de la faveur du Roi
Et pour tout le surplus repose-t'en sur moi.

Scène III : Clitandre, en prison.

Je ne sais si je veille ou si ma rêverie
A mes sens endormis fait quelque tromperie;
Peu s'en faut, dans l'excès de ma confusion,
800 Que je ne prenne tout pour une illusion.
Clitandre prisonnier! je n'en fais pas croyable
Ni l'air sale et puant d'un cachot effroyable,
Ni de ce faible jour l'incertaine clarté,
Ni le poids de ces fers dont je suis arrêté;
Je les sens, je les vois, mais mon âme innocente   805
Dément tous les objets que mon œil lui présente,
Et le désavouant, défend à ma raison
De me persuader que je sois en prison.
Jamais aucun forfait, aucun dessein infâme
N'a pu souiller ma main ni glisser dans mon âme,   810
Et je suis retenu dans ces funestes lieux!
Non, cela ne se peut : vous vous trompez, mes yeux;
J'aime mieux rejeter vos plus clairs témoignages,
J'aime mieux démentir ce qu'on me fait d'outrages
Que de m'imaginer, sous un si juste roi,   815
Qu'on peuple les prisons d'innocents comme moi.
Cependant je m'y trouve, et bien que ma pensée
Recherche à la rigueur ma conduite passée,
Mon exacte censure a beau l'examiner,
Le crime qui me perd ne se peut deviner,   820
Et quelque grand effort que fasse ma mémoire,
Elle ne me fournit que des sujets de gloire.
Ah! Prince, c'est quelqu'un de vos faveurs jaloux
Qui m'impute à forfait d'être chéri de vous.
Le temps qu'on m'en sépare, on le donne à l'envie,   825
Comme une liberté d'attenter sur ma vie.
Le cœur vous le disait et je ne sais comment
Mon destin me poussa dans cet aveuglement,
De rejeter l'avis de mon Dieu tutélaire :
C'est là ma seule faute et c'en est le salaire,   830
C'en est le châtiment que je reçois ici.
On vous venge, mon Prince, en me traitant ainsi,
Mais vous saurez montrer, embrassant ma défense,
Que qui vous venge ainsi puissamment vous offense.
Les perfides auteurs de ce complot maudit,   835
Qu'à me persécuter votre absence enhardit,
A votre heureux retour verront que ces tempêtes,
Clitandre préservé, n'abattront que leurs têtes.
Mais on ouvre et quelqu'un, dans cette sombre horreur
Par son visage affreux redouble ma terreur.   840

Scène IV : Clitandre, le Geôlier.

LE GEOLIER

Permettez que ma main de ces fers vous détache.

CLITANDRE

Suis-je libre déjà?

LE GEOLIER

Non encor, que je sache.

CLITANDRE

Quoi! ta seule pitié s'y hasarde pour moi?

LE GEOLIER

Non, c'est un ordre exprès de vous conduire au Roi.

CLITANDRE

Ne m'apprendras-tu point le crime qu'on m'impute,   845
Et quel lâche imposteur ainsi me persécute?

LE GEOLIER

Descendons : un prévôt, qui vous attend là-bas,
Vous pourra mieux que moi contenter sur ce cas.

65

Scène V : *Pymante, Dorise.*

PYMANTE, *regardant une aiguille qu'elle avait
laissée par mégarde dans ses cheveux
en se déguisant.*

En vain pour m'éblouir vous usez de la ruse,
850 Mon esprit, quoique lourd, aisément ne s'abuse,
Ce que vous me cachez, je le lis dans vos yeux,
Quelque revers d'amour vous conduit en ces lieux.
N'est-il pas vrai, Monsieur? et même cette aiguille
Sent assez les faveurs de quelque belle fille :
855 Elle est, ou je me trompe, un gage de sa foi.

DORISE

O malheureuse aiguille! Hélas, c'est fait de moi!

PYMANTE

Sans doute votre plaie à ce mot s'est rouverte.
Monsieur, regrettez-vous son absence ou sa perte?
Vous aurait-elle bien pour un autre quitté
860 Et payé vos ardeurs d'une infidélité?
Vous ne répondez point; cette rougeur confuse,
Quoique vous vous taisiez, clairement vous accuse.
Brisons là : ce discours vous fâcherait enfin,
Et c'était bien pour tromper la longueur du chemin,
865 Qu'après plusieurs discours, ne sachant que vous dire,
J'ai touché sur un point dont votre cœur soupire,
Et de quoi fort souvent on aime mieux parler
Que de perdre son temps à des propos en l'air.

DORISE

Ami, ne porte plus la sonde en mon courage :
870 Ton entretien commun me charme davantage;
Il ne peut me lasser, indifférent qu'il est
Et ce n'est pas aussi sans sujet qu'il me plaît.
Ta conversation est tellement civile
Que pour un tel esprit ta naissance est trop vile.
875 Tu n'as de villageois que l'habit et le rang;
Tes rares qualités te font d'un autre sang;
Même, plus je te vois, plus en toi je remarque
Des traits pareils à ceux d'un cavalier de marque :
Il s'appelle Pymante et ton air et ton port
880 Ont avec tous les siens un merveilleux rapport.

PYMANTE

J'en suis tout glorieux et de ma part je prise
Votre rencontre autant que celle de Dorise,
Autant que si le ciel, apaisant sa rigueur,
Me faisait maintenant un présent de son cœur.

DORISE

885 Qui nommes-tu Dorise?

PYMANTE

Une jeune cruelle
Qui me fuit pour un autre.

DORISE

Et ce rival s'appelle?

PYMANTE

Le berger [27] Rosidor.

DORISE

Ami, ce nom si beau
Chez vous donc se profane à garder un troupeau?

PYMANTE

Madame, il ne faut plus que mon feu vous déguise
890 Que sous ces faux habits il reconnaît Dorise.
Je ne suis point surpris de me voir dans ces bois
Ne passer à vos yeux que pour un villageois;
Votre haine pour moi fut toujours assez forte
Pour déférer sans peine à l'habit que je porte.
895 Cette fausse apparence aide et suit vos mépris,
Mais cette erreur vers vous ne m'a jamais surpris,
Je sais trop que le ciel n'a donné l'avantage
De tant de raretés qu'à votre seul visage.
Sitôt que je l'ai vu, j'ai cru voir en ces lieux
900 Dorise déguisée, ou quelqu'un de nos Dieux,
Et si j'ai quelque temps feint de vous méconnaître
En vous prenant pour tel que vous vouliez paraître,
Admirez mon amour, dont la discrétion
Rendait à vos désirs cette submission,
905 Et disposez de moi, qui borne mon envie
A prodiguer pour vous tout ce que j'ai de vie.

DORISE

Pymante, eh quoi! faut-il qu'en l'état où je suis
Tes importunités augmentent mes ennuis?
Faut-il que dans ce bois ta rencontre funeste
910 Vienne encor m'arracher le seul bien qui me reste,
Et qu'ainsi mon malheur au dernier point venu
N'ose plus espérer de n'être pas connu?

PYMANTE

Voyez comme le ciel égale nos fortunes,
Et comme, pour les faire entre nous deux communes,
915 Nous réduisant ensemble à ces déguisements,
Il montre avoir pour nous de pareils mouvements.

DORISE

Nous changeons bien d'habits, mais non pas de visages,
Nous changeons bien d'habits, mais non pas de cou-
Et ces masques trompeurs de nos conditions   [rages,
Cachent, sans les changer, nos inclinations.   920

PYMANTE

Me négliger toujours, et pour qui vous néglige!

DORISE

Que veux-tu! son mépris plus que ton feu m'oblige,
J'y trouve malgré moi, je ne sais quel appas,
Par où l'ingrat me tue, et ne m'offense pas.

PYMANTE

Qu'espérez-vous enfin d'un amour si frivole   925
Pour cet ingrat amant qui n'est plus qu'une idole [28]?

DORISE

Qu'une idole! Ah! ce mot me donne de l'effroi.
Rosidor une idole! ah! perfide, c'est toi,
Ce sont tes trahisons qui m'empêchent de vivre.
Je t'ai vu dans ce bois moi-même le poursuivre,   930
Avantagé du nombre et vêtu de façon
Que ce rustique habit effaçait tout soupçon :
Ton embûche a surpris une valeur si rare.

PYMANTE

Il est vrai, j'ai puni l'orgueil de ce barbare,
De cet heureux ingrat, si cruel envers vous,   935
Qui maintenant par terre et percé de mes coups,
Éprouve par sa mort comme un amant fidèle

---

27. *Le berger* est presque un lapsus, qui dénote l'origine
pastorale du sujet. Rosidor est favori du Roi et, s'il chasse, il
ne joue jamais au berger autrement que dans *l'Astrée*.

28. Au sens propre : une image, c'est-à-dire une ombre.

Venge votre beauté du mépris qu'on fait d'elle.
DORISE
Monstre de la nature, exécrable bourreau,
940 Après ce lâche coup qui creuse mon tombeau,
D'un compliment railleur ta malice me flatte!
Fuis, fuis, que dessus toi ma vengeance n'éclate.
Ces mains, ces faibles mains que vont armer les Dieux,
N'auront que trop de force à t'arracher les yeux,
945 Que trop à t'imprimer sur ce hideux visage
En mille traits de sang les marques de ma rage.
PYMANTE
Le courroux d'une femme, impétueux d'abord,
Promet tout ce qu'il ose à son premier transport,
Mais comme il n'a pour lui que sa seule impuissance,
950 A force de grossir il meurt en sa naissance,
Ou s'étouffant soi-même, à la fin ne produit
Que point ou peu d'effet après beaucoup de bruit.
DORISE
Va, va, ne prétends pas que le mien s'adoucisse :
Il faut que ma fureur ou l'enfer te punisse.
955 Le reste des humains ne saurait inventer
De gêne [29] qui te puisse à mon gré tourmenter.
Si tu ne crains mes bras, crains de meilleures armes,
Crains tout ce que le ciel m'a départi de charmes,
Tu sais quelle est leur force, et ton cœur la ressent,
960 Crains qu'elle ne m'assure un vengeur plus puissant.
Ce courroux, dont tu ris, en fera la conquête
De quiconque à ma haine exposera ta tête,
De quiconque mettra ma vengeance en mon choix.
Adieu, j'en perds le temps à crier dans ce bois,
965 Mais tu verras bientôt si je vaux quelque chose,
Et si ma rage en vain se promet ce qu'elle ose.
PYMANTE
J'aime tant cette ardeur à me faire périr,
Que je veux bien moi-même avec vous y courir.
DORISE
Traître, ne me suis point.
PYMANTE
                    Prendre seule la fuite!
970 Vous vous égareriez à marcher sans conduite,
Et d'ailleurs votre habit, où je ne comprends rien,
Peut avoir du mystère aussi bien que le mien.
L'asile dont tantôt vous faisiez la demande
Montre quelque besoin d'un bras qui vous défende,
975 Et mon devoir vers vous serait mal acquitté,
S'il ne vous avait mise en lieu de sûreté.
Vous pensez m'échapper quand je vous le témoigne,
Mais vous n'irez pas loin que je ne vous rejoigne.
L'amour que j'ai pour vous, malgré vos dures lois,
980 Sait trop ce qu'il vous doit, et ce que je me dois.

ACTE QUATRIÈME

Scène I : Pymante, Dorise.

DORISE
Je te le dis encor, tu perds temps à me suivre,

29. *Gêne* : géhenne, c'est-à-dire de tourment digne de l'enfer.

Souffre que de tes yeux ta pitié me délivre,
Tu redoubles mes maux par de tels entretiens.
PYMANTE
Prenez à votre tour quelque pitié des miens,
Madame, et tarissez ce déluge de larmes :   985
Pour rappeler un mort ce sont de faibles armes,
Et quoi que vous conseille un inutile ennui,
Vos cris et vos sanglots ne vont point jusqu'à lui.
DORISE
Si mes sanglots ne vont où mon cœur les envoie,
Du moins par eux mon âme y trouvera la voie;   990
S'il lui faut un passage afin de s'envoler,
Ils le lui vont ouvrir en le fermant à l'air.
Sus donc, sus, mes sanglots! redoublez vos secousses,
Pour un tel désespoir vous les avez trop douces,
Faites pour m'étouffer de plus puissants efforts. 995
PYMANTE
Ne songez plus, Madame, à rejoindre les morts,
Pensez plutôt à ceux qui n'ont point d'autre envie
Que d'employer pour vous le reste de leur vie,
Pensez plutôt à ceux dont le service offert,
Accepté vous conserve, et refusé vous perd.   1000
DORISE
Crois-tu donc, assassin, m'acquérir par ton crime?
Qu'innocent méprisé, coupable je t'estime?
A ce compte, tes feux n'ayant pu m'émouvoir,
Ta noire perfidie obtiendrait ce pouvoir?
Je chérirais en toi la qualité de traître,   1005
Et mon affection commencerait à naître
Lorsque tout l'univers a droit de te haïr?
PYMANTE
Si j'oubliai l'honneur jusques à le trahir,
Si pour vous posséder mon esprit, tout de flamme,
N'a rien cru de honteux, n'a rien trouvé d'infâme, 1010
Voyez par là, voyez l'excès de mon ardeur :
Par cet aveuglement jugez de sa grandeur.
DORISE
Non, non, ta lâcheté, que j'y vois trop certaine,
N'a servi qu'à donner des raisons à ma haine.
Ainsi ce que j'avais pour toi d'aversion :   1015
Vient maintenant d'ailleurs que d'inclination :
C'est la raison, c'est elle à présent qui me guide
Aux mépris que je fais des flammes d'un perfide.
PYMANTE
Je ne sache raison qui s'oppose à mes vœux,
Puisqu'ici la raison n'est que ce que je veux,   1020
Et ployant dessous moi permet à mon envie
De recueillir les fruits de vous avoir servie.
Il me faut des faveurs malgré vos cruautés.
DORISE
Exécrable! ainsi donc tes désirs effrontés
Voudraient sur ma faiblesse user de violence?   1025
PYMANTE
Je ris de vos refus, et sais trop la licence
Que me donne l'amour en cette occasion.
DORISE, *lui crevant l'œil de son aiguille.*
Traître, ce ne sera qu'à ta confusion.
PYMANTE, *portant les mains à son œil crevé.*
Ah, cruelle!

DORISE, *en s'échappant de lui.*
Ah, brigand!

PYMANTE
Ah! que viens-tu de faire?

DORISE
1030 De punir l'attentat d'un infâme corsaire.

PYMANTE, *prenant son épée dans la caverne*
où il l'avait jetée au second acte.
Ton sang m'en répondra; tu m'auras beau prier,
Tu mourras.

DORISE, *à part.*
Fuis, Dorise, et laisse-le crier.

Scène II : Pymante.

Où s'est-elle cachée? où l'emporte sa fuite?
Où faut-il que ma rage adresse ma poursuite?
1035 La tigresse m'échappe et telle qu'un éclair
En me frappant les yeux, elle se perd en l'air;
Ou plutôt, l'un perdu, l'autre m'est inutile;
L'un s'offusque du sang qui de l'autre distile.
Coule, coule, mon sang : en de si grands malheurs,
1040 Tu dois avec raison me tenir lieu de pleurs :
Ne verser désormais que des larmes communes,
C'est pleurer lâchement de telles infortunes.
Je vois de tous côtés mon supplice approcher;
N'osant me découvrir, je ne me puis cacher.
1045 Mon forfait avorté se lit dans ma disgrâce,
Et ces gouttes de sang me font suivre à la trace.
Miraculeux effet! Pour traître que je sois,
Mon sang me l'est encor plus et sert tout à la fois
De pleurs à ma douleur, d'indices à ma prise,
1050 De peine à mon forfait, de vengeance à Dorise.
Il tient à la main le poinçon que Dorise lui avait
laissé dans l'œil.
O toi qui, secondant son courage inhumain,
Loin d'orner ses cheveux, déshonores sa main,
Exécrable instrument de sa brutale rage,
Tu devais pour le moins respecter son image :
1055 Ce portrait accompli d'un chef-d'œuvre des cieux,
Imprimé dans mon cœur, exprimé dans mes yeux,
Quoi que te commandât une âme si cruelle,
Devait être adoré de ta pointe rebelle.
Honteux restes d'amour qui brouillez mon cerveau!
1060 Quoi! puis-je en ma maîtresse adorer mon bourreau?
Remettez-vous, mes sens, rassure-toi, ma rage,
Reviens, mais reviens seule animer mon courage :
Tu n'as plus à débattre avec mes passions
L'empire souverain dessus mes actions;
1065 L'amour vient d'expirer, et ses flammes éteintes
Ne t'imposeront plus leurs infâmes contraintes.
Dorise ne tient plus dedans mon souvenir
Que ce qu'il faut de place à l'ardeur de punir.
Je n'ai plus rien en moi qui n'en veuille à sa vie,
1070 Sus donc, qui me la rend? Destins, si votre envie,
Si votre haine encor s'obstine à mes tourments,
Jusqu'à me réserver à d'autres châtiments,
Faites que je mérite, en trouvant l'inhumaine,
Par un nouveau forfait, une nouvelle peine,
1075 Et ne me traitez pas avec tant de rigueur

Que mon feu ni mon fer ne touchent point son cœur.
Mais ma fureur se joue et demi-languissante
S'amuse au vain éclat d'une voix impuissante.
Recourons aux effets, cherchons de toutes parts,
Prenons dorénavant pour guides les hasards.   108
Quiconque ne pourra me montrer la cruelle,
Que son sang aussitôt me réponde pour elle,
Et ne suivant ainsi qu'une incertaine erreur,
Remplissons tous ces lieux de carnage et d'horreur.
Une tempête survient.
Mes menaces déjà font trembler tout le monde :   108
Le vent fuit d'épouvante, et le tonnerre en gronde,
L'œil du ciel s'en retire, et par un voile noir,
N'y pouvant résister, se défend d'en rien voir;
Cent nuages épais se distillant en larmes,
A force de pitié, veulent m'ôter les armes;   190
La nature étonnée embrasse mon courroux,
Et veut m'offrir Dorise, ou devancer mes coups.
Tout est de mon parti : le ciel même n'envoie
Tant d'éclairs redoublés qu'afin que je la voie.
Quelques lieux où l'effroi porte ses pas errants,   109
Ils sont entrecoupés de mille gros torrents,
Que je serais heureux, si cet éclat de foudre,
Pour m'en faire raison, l'avait réduite en poudre!
Allons voir ce miracle et désarmer nos mains,
Si le ciel a daigné prévenir mes desseins.   110
Destins, soyez enfin de mon intelligence
Et vengez mon affront, ou souffrez ma vengeance!

Scène III : Floridan.

Quel bonheur m'accompagne en ce moment fatal!
Le tonnerre a sous moi foudroyé mon cheval
Et consumant sur lui toute sa violence,   110
Il m'a porté respect parmi son insolence.
Tous mes gens, écartés par un subit effroi,
Loin d'être à mon secours, ont fui d'autour de moi,
Ou, déjà dispersés par l'ardeur de la chasse,
Ont dérobé leur tête à sa fière menace.   111
Cependant seul, à pied, je pense à tous moments
Voir le dernier débris de tous les éléments,
Dont l'obstination à se faire la guerre
Met toute la nature au pouvoir du tonnerre.
Dieux, si vous témoignez par là votre courroux,   111
De Clitandre ou de moi lequel menacez-vous?
La perte m'est égale et la même tempête
Qui l'aurait accablé tomberait sur ma tête.
Pour le moins, justes Dieux, s'il court quelque danger,
Souffrez que je le puisse avec lui partager.   112
J'en découvre à la fin quelque meilleur présage;
L'haleine manque aux vents, et la force à l'orage;
Les éclairs, indignés d'être éteints par les eaux,
En ont tari la source et séché les ruisseaux
Et déjà le soleil de ses rayons essuie   112
Sur ces moites rameaux le reste de la pluie.
Au lieu du bruit affreux des foudres décochés,
Les petits oisillons, encor demi-cachés...
Mais je verrai bientôt quelques-uns de ma suite :
Je le juge à ce bruit.   113

Scène IV : *Floridan, Pymante, Dorise.*

PYMANTE, *saisit Dorise qui le fuyait.*
          Enfin, malgré ta fuite,
Je te retiens, barbare.
                    DORISE
                              Hélas!
                    PYMANTE
                              Songe à mourir :
Tout l'univers ici ne te peut secourir.
                    FLORIDAN
L'égorger à ma vue! ô l'indigne spectacle!
Sus, sus, à ce brigand opposons un obstacle.
1135 Arrête, scélérat!
                    PYMANTE
                    Téméraire, où vas-tu?
                    FLORIDAN
Sauver ce gentilhomme à tes pieds abattu.
                    DORISE
Traître, n'avance pas, c'est le Prince.
          PYMANTE, *tenant Dorise d'une main,*
                    et se battant de l'autre.
                              N'importe,
Il m'oblige à sa mort, m'ayant vu de la sorte.
                    FLORIDAN
Est-ce là le respect que tu dois à mon rang?
                    PYMANTE
1140 Je ne connais ici ni qualités ni sang :
Quelque respect ailleurs que ta naissance obtienne,
Pour assurer ma vie, il faut perdre la tienne.
                    DORISE
S'il me demeure encor quelque peu de vigueur,
Si mon débile bras ne dédit point mon cœur,
1145 J'arrêterai le tien.
                    PYMANTE
                    Que fais-tu, misérable?
                    DORISE
Je détourne le coup d'un forfait exécrable.
                    PYMANTE
Avec ces vains efforts crois-tu m'en empêcher?
                    FLORIDAN
Par une heureuse adresse elle l'a fait trébucher.
Assassin, rends l'épée.

Scène V : *Floridan, Pymante.*
Dorise, trois veneurs, portant en leurs mains les
vrais habits de Pymante, Lycaste et Dorise.

                    PREMIER VENEUR
                    Écoute, il est fort proche;
1150 C'est sa voix qui résonne au creux de cette roche,
Et c'est lui que tantôt nous avions entendu.
          FLORIDAN *désarme Pymante, et en donne*
                    l'épée à garder à Dorise.
Prends ce fer en ta main.
                    PYMANTE
                    Ah cieux! je suis perdu.
                    SECOND VENEUR
Oui, je le vois. Seigneur, quelle aventure étrange,
Quel malheureux destin en cet état vous range?

                    FLORIDAN
Garrottez ce maraud; les couples de vos chiens   1155
Vous y pourront servir, faute d'autres liens.
Je veux qu'à mon retour une prompte justice
Lui fasse ressentir par l'éclat d'un supplice,
Sans armer contre lui que les lois de l'État,
Que m'attaquer n'est pas un léger attentat.   1160
Sachez que s'il échappe il y va de vos têtes.
                    PREMIER VENEUR
Si nous manquons, Seigneur, les voilà toutes prêtes.
Admirez cependant le foudre et ses efforts,
Qui dans cette forêt ont consumé trois corps :
En voici les habits, qui sans aucun dommage   1165
Semblent avoir bravé la fureur de l'orage.
                    FLORIDAN
Tu montres à mes yeux de merveilleux effets.
                    DORISE
Mais des marques plutôt de merveilleux forfaits.
Ces habits, dont n'a point approché le tonnerre,
Sont aux plus criminels qui vivent sur la terre : 1170
Connaissez-les, grand Prince, et voyez devant vous
Pymante prisonnier, et Dorise à genoux.
                    FLORIDAN
Que ce soit là Pymante, et que tu sois Dorise!
                    DORISE
Quelques étonnements qu'une telle surprise
Jette dans votre esprit, que vos yeux ont déçu,   1175
D'autres le saisiront quand vous aurez tout su.
La honte de paraître en un tel équipage
Coupe ici ma parole et l'étouffe au passage.
Souffrez que je reprenne en un coin de ce bois
Avec mes vêtements l'usage de la voix   1180
Pour vous conter le reste en habit plus sortable.
                    FLORIDAN
Cette honte me plaît : ta prière équitable,
En faveur de ton sexe et du secours prêté,
Suspendra jusqu'alors ma curiosité.
Tandis, sans m'éloigner beaucoup de cette place,   1185
Je vais sur ce coteau pour découvrir la chasse;
Tu l'y ramèneras. Vous, s'il ne veut marcher,
Gardez-le cependant au pied de ce rocher.
     Le prince sort, et un des veneurs s'en va avec Dorise,
et les autres mènent Pymante d'un autre côté.

Scène VI [30] : *Clitandre, le geôlier.*

                    CLITANDRE, *en prison.*
Dans ces funestes lieux, où la seule inclémence
D'un rigoureux destin réduit mon innocence,   1190
Je n'attends désormais du reste des humains
Ni faveurs ni secours, si ce n'est par tes mains.
                    LE GEÔLIER
Je ne connais que trop où tend ce préambule.
Vous n'avez pas affaire à quelque homme crédule :
Tous, dans cette prison, dont je porte les clés,   1195
Se disent comme vous du malheur accablés,

---

30. Le changement à vue est assuré par un rideau que l'on
tire au fond de la scène à compartiments multiples. Ce dispositif est conforme à celui de la scène antique.

Et la justice à tous est injuste de sorte
Que la pitié me doit leur faire ouvrir la porte;
Mais je me tiens toujours ferme dans mon devoir :
1200 Soyez coupable ou non, je n'en veux rien savoir;
Le Roi, quoi qu'il en soit, vous a mis en ma garde.
Il me suffit : le reste en rien ne me regarde.

CLITANDRE

Tu juges mes desseins autres qu'ils ne sont pas.
Je tiens l'éloignement pire que le trépas
1205 Et la terre n'a point de si douce province
Où le jour m'agréât loin des yeux de mon Prince.
Hélas! si tu voulais l'envoyer avertir
Du péril dont sans lui je ne saurais sortir,
Ou qu'il lui fût porté de ma part une lettre,
1210 De la sienne en ce cas je t'ose bien promettre
Que son retour soudain des plus riches te rend :
Que cet anneau t'en serve et d'arrhe et de garant,
Tends la main et l'esprit vers un bonheur si proche.

LE GEÔLIER

Monsieur, jusqu'à présent j'ai vécu sans reproche,
1215 Et pour me suborner promesses ni présents
N'ont et n'auront jamais de charmes suffisants.
C'est de quoi je vous donne une entière assurance :
Perdez-en le dessein avecque l'espérance
Et puisque vous dressez des pièges à ma foi,
1220 Adieu, ce lieu devient trop dangereux pour moi.

Scène VII : Clitandre.

Va, tigre! va, cruel, barbare, impitoyable!
Ce noir cachot n'a rien tant que toi d'effroyable.
Va, porte aux criminels tes regards, dont l'horreur
Peut seule aux innocents imprimer la terreur.
1225 Ton visage déjà commençait mon supplice,
Et mon injuste sort, dont tu te fais complice,
Ne t'envoyait ici que pour m'épouvanter,
Ne t'envoyait ici que pour me tourmenter.
Cependant, malheureux, à qui me dois-je prendre
1230 D'une accusation que je ne puis comprendre?
A-t-on rien vu jamais, a-t-on rien vu de tel?
Mes gens assassinés me rendent criminel,
L'auteur du coup s'en vante, et l'on m'en calomnie,
On le comble d'honneur et moi d'ignominie,
1235 L'échafaud qu'on m'apprête au sortir de prison,
C'est par où de ce meurtre on me fait la raison.
Mais leur déguisement d'autre côté m'étonne;
Jamais un bon dessein ne déguisa personne,
Leur masque les condamne, et mon seing contrefait,
1240 M'imputant un cartel, me charge d'un forfait.
Mon jugement s'aveugle, et ce je déplore,
Je me sens bien trahi, mais par qui? je l'ignore,
Et mon esprit troublé, dans ce confus rapport,
Ne voit rien de certain que ma honteuse mort.
1245 　Traître, qui que tu sois, rival, ou domestique,
Le ciel te garde encore un destin plus tragique.
N'importe, vif ou mort, les gouffres des enfers
Auront pour ton supplice encor de pires fers.
Là, mille affreux bourreaux t'attendent dans les
　　　　　　　　　　　　　　　　　　[flammes;
1250 Moins les corps sont punis, plus ils gênent les âmes

Et par des cruautés qu'on ne peut concevoir,
Ils vengent l'innocence au delà de l'espoir.
Et vous, que désormais je n'ose plus attendre,
Prince, qui m'honoriez d'une amitié si tendre,
Et dont l'éloignement fait mon plus grand malheur, 1255
Bien qu'un crime imputé noircisse ma valeur,
Que le prétexte faux d'une action si noire
Ne laisse plus de moi qu'une sale mémoire,
Permettez que mon nom, qu'un bourreau va ternir,
Dure sans infamie en votre souvenir. 1260
Ne vous repentez point de vos faveurs passées,
Comme chez un perfide indignement placées :
J'ose, j'ose espérer qu'un jour la vérité
Paraîtra toute nue à la postérité,
Et je tiens d'un tel heur l'attente si certaine, 1265
Qu'elle adoucit déjà la rigueur de ma peine.
Mon âme s'en chatouille et ce plaisir secret
La prépare à sortir avec moins de regret.

Scène VIII : Floridan, Pymante, Cléon, Dorise, en habit de femme; trois veneurs.

FLORIDAN, à Dorise et à Cléon.

Vous m'avez dit tous deux d'étranges aventures.
Ah, Clitandre! ainsi donc de fausses conjectures 1270
T'accablent, malheureux, sous le courroux du Roi!
Ce funeste récit me met tout hors de moi.

CLÉON

Hâtant un peu le pas, quelque espoir me demeure
Que vous arriverez auparavant qu'il meure.

FLORIDAN

Si je n'y viens à temps, ce perfide en ce cas 1275
A son ombre immolé ne me suffira pas.
C'est trop peu de l'auteur de tant d'énormes crimes;
Innocent, il aura d'innocentes victimes.
Où que soit Rosidor, je le suivra de près,
Et je saurai changer ses myrtes en cyprès. 1280

DORISE

Souiller ainsi vos mains du sang de l'innocence!

FLORIDAN

Mon déplaisir m'en donne une entière licence.
J'en veux, comme le Roi, faire autant à mon tour,
Et puisqu'en sa faveur on prévient mon retour,
Il est trop criminel. Mais que viens-je d'entendre? 1285
Je me tiens presque sûr de sauver mon Clitandre.
La chasse n'est pas loin, où prenant un cheval,
Je préviendrai le coup de son malheur fatal;
Il suffit de Cléon pour ramener Dorise.
Vous autres, gardez bien de lâcher votre prise; 1290
Un supplice l'attend, qui doit faire trembler
Quiconque désormais voudrait lui ressembler.

ACTE CINQUIÈME

Scène I : Floridan, Clitandre, un prévôt, Cléon.

FLORIDAN, parlant au prévôt.

Dites vous-même au Roi qu'une telle innocence
Légitime en ce point ma désobéissance,

1295 Et qu'un homme sans crime avait bien mérité
Que j'usasse pour lui de quelque autorité.
Je vous suis. Cependant, que mon heur est extrême,
Ami, que je chéris à l'égal de moi-même,
D'avoir su justement venir à ton secours
1300 Lorsqu'un infâme glaive allait trancher tes jours,
Et qu'un injuste sort, ne trouvant point d'obstacle,
Apprêtait de ta tête un indigne spectacle!

CLITANDRE

Ainsi qu'un autre Alcide, en m'arrachant des fers,
Vous m'avez aujourd'hui retiré des enfers
1305 Et moi dorénavant j'arrête mon envie
A ne servir qu'un prince à qui je dois la vie.

FLORIDAN

Réserve pour Caliste une part de tes soins.

CLITANDRE

C'est à quoi désormais je veux penser le moins.

FLORIDAN

Le moins! Quoi! désormais Caliste en ta pensée
1310 N'aurait plus que le rang d'une image effacée?

CLITANDRE

J'ai honte que mon cœur auprès d'elle attaché
De son ardeur pour vous ait souvent relâché,
Ait souvent pour le sien quitté votre service :
C'est par là que j'avais mérité mon supplice,
1315 Et pour m'en faire naître un juste repentir,
Il semble que les Dieux y voulaient consentir.
Mais votre heureux retour a calmé cet orage.

FLORIDAN

Tu me fais assez lire au fond de ton courage :
La crainte de la mort en chasse des appas
1320 Qui t'ont mis au péril d'un si honteux trépas,
Puisque sans cet amour, la fourbe mal conçue
Eût manqué contre toi de prétexte et d'issue;
Ou peut-être à présent tes désirs amoureux
Tournent vers des objets un peu moins rigoureux.

CLITANDRE

1325 Doux ou cruels, aucun désormais ne me touche.

FLORIDAN

L'amour dompte aisément l'esprit le plus farouche,
C'est à ceux de notre âge un puissant ennemi,
Tu ne connais encor ses forces qu'à demi.
Ta résolution, un peu trop violente,
1330 N'a pas bien consulté ta jeunesse bouillante.
Mais que veux-tu, Cléon, et qu'est-il arrivé?
Pymante de vos mains se serait-il sauvé?

CLÉON

Non, Seigneur; acquittés de la charge commise,
Nos veneurs ont conduit Pymante, et moi Dorise.
1335 Et je viens seulement prendre un ordre nouveau.

FLORIDAN

Qu'on m'attende avec eux aux portes du château.
Allons, allons au Roi montrer ton innocence.
Les auteurs des forfaits sont en notre puissance,
Et l'un d'eux, convaincu dès le premier aspect,
1340 Ne te laissera plus aucunement suspect.

Scène II [31] *: Rosidor, sur son lit.*

Amants les mieux payés de votre longue peine,
Vous de qui l'espérance est la moins incertaine
Et qui vous figurez, après tant de longueurs,
Avoir droit sur les corps dont vous tenez les cœurs,
En est-il parmi vous de qui l'âme contente   1345
Goûte plus de plaisir que moi dans son attente?
En est-il parmi vous de qui l'heur à venir
D'un espoir mieux fondé se puisse entretenir?
Mon esprit, que captive un objet adorable,
Ne l'éprouva jamais autre que favorable.   1350
J'ignorerais encor ce que c'est que mépris,
Si le sort d'un rival ne me l'avait appris.
Je te plains toutefois, Clitandre, et la colère
D'un grand roi qui te perd me semble trop sévère.
Tes desseins par l'effet n'étaient que trop punis; 1355
Nous voulant séparer, tu nous a réunis
Il ne te fallait point de plus cruels supplices
Que de te voir toi-même auteur de nos délices,
Puisqu'il n'est pas à croire, après ce lâche tour,
Que le Prince ose plus traverser notre amour.   1360
Ton crime t'a rendu désormais trop infâme
Pour tenir ton parti sans s'exposer au blâme :
On devient ton complice à te favoriser.
Mais, hélas! mes pensers, qui vous vient diviser?
Quel plaisir de vengeance à présent vous engage?   1365
Faut-il qu'avec Caliste un rival vous partage?
Retournez, retournez vers mon unique bien,
Que seul dorénavant il soit votre entretien.
Ne vous repaissez plus que de sa seule idée,
Faites-moi voir la mienne en son âme gardée.   1370
Ne vous arrêtez pas à peindre sa beauté,
C'est par où mon esprit est le moins enchanté :
Elle servit d'amorce à mes désirs avides,
Mais ils ont su trouver des objets plus solides,
Mon feu qu'elle alluma fût mort au premier jour,   1375
S'il n'eût été nourri d'un réciproque amour.
Oui, Caliste, et je veux toujours qu'il m'en souvienne,
J'aperçus aussitôt ta flamme que la mienne.
L'amour apprit ensemble à nos cœurs à brûler,
L'amour apprit ensemble à nos yeux à parler,   1380
Et sa timidité lui donna la prudence
De n'admettre que nous en notre confidence.
Ainsi nos passions se dérobaient à tous,
Ainsi nos feux secrets n'ayant point de jaloux...
Mais qui vient jusqu'ici troubler mes rêveries?   1385

Scène III : Rosidor, Caliste.

CALISTE

Celle qui voudrait voir tes blessures guéries,
Celle...

ROSIDOR

Ah! mon heur, jamais je n'obtiendrais sur moi
De pardonner ce crime à tout autre qu'à toi.

---

31. Le lieu de la scène est le même que la prison. Entre
1630 et 1635, et même au-delà, dans les tragi-comédies sou-
cieuses de spectacle, une scène sur un lit était presque de tradition. Mairet dans *les Galanteries du duc d'Ossone*, en use
même assez gaillardement.

De notre amour naissant la douceur et la gloire
1390 De leur charmante idée occupaient ma mémoire.
Je flattais ton image, elle me reflattait,
Je lui faisais des vœux, elle les acceptait,
Je formais des désirs, elle en aimait l'hommage.
La désavoueras-tu, cette flatteuse image?
1395 Voudras-tu démentir notre entretien secret?
Seras-tu plus mauvaise enfin que ton portrait?

CALISTE

Tu pourrais de sa part te faire tant promettre
Que je ne voudrais pas tout à fait m'y remettre,
Quoiqu'à dire le vrai je ne sais pas trop bien
1400 En quoi je dédirais ce secret entretien,
Si ta pleine santé me donnait lieu de dire
Quelle borne à tes vœux je puis et dois prescrire.
Prends soin de te guérir, et les miens plus contents...
Mais je te le dirai quand il en sera temps.

ROSIDOR

1405 Cet énigme enjoué n'a point d'incertitude
Qui soit propre à donner beaucoup d'inquiétude
Et si j'ose entrevoir dans son obscurité,
Ma guérison importe à plus qu'à ma santé.
Mais dis tout, ou du moins souffre que je devine
1410 Et te die à mon tour ce que je m'imagine.

CALISTE

Tu dois, par complaisance au peu que j'ai d'appas,
Feindre d'entendre mal ce que je ne dis pas
Et ne point m'envier un moment de délices
Que fait goûter l'amour en ces petits supplices.
1415 Doute donc, sois en peine, et montre un cœur gêné
D'une amoureuse peur d'avoir mal deviné;
Tremble sans craindre trop; hésite, mais aspire :
Attends de ma bonté qu'il me plaise tout dire
Et sans en concevoir d'espoir trop affermi,
1420 N'espère qu'à demi, quand je parle à demi.

ROSIDOR

Tu parles à demi, mais un secret langage
Qui va jusques au cœur m'en dit bien davantage
Et tes yeux sont du tien de mauvais truchements,
Ou rien plus ne s'oppose à nos contentements.

CALISTE

1425 Je l'avais bien prévu, que ton impatience
Porterait ton espoir à trop de confiance,
Que, pour craindre trop peu, tu devinerais mal.

ROSIDOR

Quoi! la Reine ose encor soutenir mon rival?
Et sans avoir d'horreur d'une action si noire...

CALISTE

1430 Elle a l'âme trop haute et chérit trop la gloire
Pour ne pas s'accorder aux volontés du Roi,
Qui d'un heureux hymen récompense ta foi...

ROSIDOR

Si notre heureux malheur a produit ce miracle,
Qui peut à nos désirs mettre encor quelque obstacle?

CALISTE

1435 Tes blessures.

ROSIDOR

Allons, je suis déjà guéri.

CALISTE

Ce n'est pas pour un jour que je veux un mari,

Et je ne puis souffrir que ton ardeur hasarde
Un bien que de ton Roi la prudence retarde.
Prends soin de te guérir, mais guérir tout à fait,
Et crois que tes désirs...   1440

ROSIDOR

                        N'auront aucun effet.

CALISTE

N'auront aucun effet! qui te le persuade?

ROSIDOR

Un corps peut-il guérir, dont le cœur est malade?

CALISTE

Tu m'as rendu mon change, et m'as fait quelque peur,
Mais je sais le remède aux blessures du cœur.
Les tiennes, attendant le jour que tu souhaites,   1445
Auront pour médecins mes yeux qui les ont faites :
Je me rends désormais assidue à te voir.

ROSIDOR

Cependant, ma chère âme, il est de mon devoir
Que sans perdre de temps j'aille rendre en personne
D'humbles grâces au Roi du bonheur qu'il nous   1450

CALISTE   [donne.

Je me charge pour toi de ce remercîment.
Toutefois qui saurait [32] que pour ce compliment
Une heure hors d'ici ne pût beaucoup te nuire,
Je voudrais en ce cas moi-même t'y conduire,
Et j'aimerais mieux être un peu plus tard à toi   1455
Que tes justes devoirs manquassent vers ton roi.

ROSIDOR

Mes blessures n'ont point, dans leurs faibles atteintes,
Sur quoi ton amitié puisse fonder ses craintes.

CALISTE

Viens donc, et puisqu'enfin nous faisons mêmes vœux,
En le remerciant parle au nom de tous deux.   1460

Scène IV : Alcandre, Floridan, Clitandre,
Pymante, Dorise, Cléon, prévôt,
trois veneurs.

ALCANDRE

Que souvent notre esprit, trompé par l'apparence,
Règle ses mouvements avec peu d'assurance!
Qu'il est peu de lumière en nos entendements
Et que d'incertitude en nos raisonnements!
Qui voudra désormais se fie [33] aux impostures   1465
Qu'en notre jugement forment les conjectures,
Tu suffis pour apprendre à la postérité
Combien la vraisemblance a peu de vérité.
Jamais jusqu'à ce jour la raison en déroute
N'a conçu tant d'erreur avec si peu de doute,   1470
Jamais, par des soupçons si faux et si pressants,
On n'a jusqu'à ce jour convaincu d'innocents.
J'en suis honteux, Clitandre, et mon âme confuse
De trop de promptitude en soi-même s'accuse.
Un roi doit se donner, quand il est irrité,   1475
Ou plus de retenue ou moins d'autorité.
Perds-en le souvenir et pour moi, je te jure
Qu'à force de bienfaits j'en répare l'injure.

32. Si quelqu'un apprenait...
33. Que n'importe qui désormais se fie aux impostures,
ton exemple suffit...

CLITANDRE
Que Votre Majesté, Sire, n'estime pas
1480 Qu'il faille m'attirer par de nouveaux appas.
L'honneur de vous servir m'apporte assez de gloire
Et je perdrais le mien, si quelqu'un pouvait croire
Que mon devoir penchât au refroidissement,
Sans le flatteur espoir d'un agrandissement.
1485 Vous n'avez exercé qu'une juste colère :
On est trop criminel quand on peut vous déplaire,
Et, tout chargé de fers, ma plus forte douleur
Ne s'en osa jamais prendre qu'à mon malheur.

FLORIDAN
Seigneur, moi qui connais le fond de son courage,
1490 Et qui n'ai jamais vu de fard en son langage,
Je tiendrais à bonheur que Votre Majesté
M'acceptât pour garant de sa fidélité.

ALCANDRE
Ne nous arrêtons plus sur la reconnaissance
Et de mon injustice, et de son innocence :
1495 Passons aux criminels. Toi dont la trahison
A fait si lourdement trébucher ma raison,
Approche, scélérat ! Un homme de courage
Se met avec honneur en un tel équipage,
Attaque, le plus fort, un rival plus heureux ?
1500 Et présumant encor cet exploit dangereux,
A force de présents et d'infâmes pratiques,
D'un autre cavalier corrompt les domestiques,
Prend d'un autre le nom, et contrefait son seing,
Afin qu'exécutant son perfide dessein,
1505 Sur un homme innocent tombent les conjectures ?
Parle, parle, confesse, et préviens les tortures.

PYMANTE
Sire, écoutez-en donc la pure vérité.
Votre seule faveur a fait ma lâcheté,
Vous dis-je, et cet objet dont l'amour me transporte.
1510 L'honneur doit pouvoir tout sur les gens de ma sorte,
Mais recherchant la mort de qui vous est si cher,
Pour en avoir le fruit il me fallait cacher.
Reconnu pour l'auteur d'une telle surprise,
Le moyen d'approcher de vous ou de Dorise ?

ALCANDRE
1515 Tu dois aller plus outre, et m'imputer encor
L'attentat sur mon fils comme sur Rosidor;
Car je ne touche point à Dorise outragée,
Chacun, en te voyant, la voit assez vengée
Et coupable elle-même, elle a bien mérité
1520 L'affront qu'elle a reçu de ta témérité.

PYMANTE
Un crime attire l'autre et, de peur d'un supplice,
On tâche, en étouffant ce qu'on en voit d'indice,
De paraître innocent à force de forfaits.
Je ne suis criminel sinon manque d'effets
1525 Et sans l'âpre rigueur du sort qui me tourmente,
Vous pleureriez le Prince et souffririez Pymante.
Mais que tardez-vous plus ? j'ai tout dit : punissez.

ALCANDRE
Est-ce là le regret de tes crimes passés ?
Otez-le-moi d'ici : je ne puis voir sans honte
1530 Que de tant de forfaits il tient si peu de conte.
Dites à mon conseil que pour le châtiment

J'en laisse à ses avis le libre jugement;
Mais qu'après son arrêt je saurai reconnaître
L'amour que vers son prince il aura fait paraître.
      Viens çà, toi, maintenant, monstre de cruauté,   1535
Qui joins l'assassinat à la déloyauté,
Détestable Alecton, que la Reine déçue
Avait naguère au rang de ses filles reçue ?
Quel barbare ou plutôt quelle peste d'enfer
Se rendit ton complice et te donna ce fer ?   1540

DORISE
L'autre jour, dans ce bois trouvé par aventure,
Sire, il donna sujet à toute l'imposture;
Mille jaloux serpents qui me rongeaient le sein
Sur cette occasion formèrent mon dessein :
Je le cachai dès lors.

FLORIDAN
                        Il est tout manifeste   1545
Que ce fer n'est enfin qu'un misérable reste
Du malheureux duel où le triste Arimant
Laissa son corps sans âme et Daphné sans amant.
Mais quant au sort, un ver de jalousie
Jette souvent notre âme en telle frénésie   1550
Que la raison, qu'aveugle un plein emportement,
Laisse notre conduite à son dérèglement;
Lors tout ce qu'il produit mérite qu'on l'excuse.

ALCANDRE
De si faibles raisons mon esprit ne s'abuse.

FLORIDAN
Seigneur, quoi qu'il en soit, un fils qu'elle vous rend 1555
Sous votre bon plaisir sa défense entreprend :
Innocente ou coupable, elle assura ma vie.

ALCANDRE
Ma justice en ce cas la donne à ton envie;
Ta prière obtient même avant que demander
Ce qu'aucune raison ne pouvait t'accorder.   1560
Le pardon t'est acquis, relève-toi, Dorise,
Et va dire partout, en liberté remise,
Que le Prince aujourd'hui te préserve à la fois
Des fureurs de Pymante et des rigueurs des lois.

DORISE
Après une bonté tellement excessive,   1565
Puisque votre clémence ordonne que je vive,
Permettez désormais, Sire, que mes desseins
Prennent des mouvements plus réglés et plus sains.
Souffrez que pour pleurer mes actions brutales,
Je fasse ma retraite avecque les Vestales,   1570
Et qu'une criminelle indigne d'être au jour
Se puisse renfermer en leur sacré séjour.

FLORIDAN
Te bannir de la cour après m'être obligée,
Ce serait trop montrer ma faveur négligée.

DORISE
N'arrêtez point au monde un objet odieux,   1575
De qui chacun d'horreur détournerait les yeux.

FLORIDAN
Fusses-tu mille fois encor plus méprisable,
Ma faveur te va rendre assez considérable
Pour t'acquérir ici mille inclinations.
Outre l'attrait puissant de tes perfections,   1580
Mon respect à l'amour tout le monde convie

Vers celle à qui je dois et qui me doit la vie.
Fais-le voir, cher Clitandre, et tourne ton désir
Du côté que ton prince a voulu te choisir :
1585 Réunis mes faveurs t'unissant à Dorise.

CLITANDRE

Mais par cette union mon esprit se divise,
Puisqu'il faut que je donne aux devoirs d'un époux
La moitié des pensers qui ne sont dus qu'à vous.

FLORIDAN

Ce partage m'oblige et je tiens tes pensées
1590 Vers un si beau sujet d'autant mieux adressées
Que je lui veux céder ce qui m'en appartient.

ALCANDRE

Taisez-vous, j'aperçois notre blessé qui vient.

Scène V : Alcandre, Floridan, Cléon,
Clitandre, Rosidor, Caliste, Dorise.

ALCANDRE, à Rosidor.

Au comble de tes vœux, sûr de ton mariage,
N'es-tu point satisfait ? que veux-tu davantage ?

ROSIDOR

1595 L'apprendre de vous, Sire, et pour remercîments
Nous offrir l'un et l'autre à vos commandements.

ALCANDRE

Si mon commandement peut sur toi quelque chose,
Et si ma volonté de la tienne dispose,
Embrasse un cavalier indigne des liens
1600 Où l'a mis aujourd'hui la trahison des siens.
Le Prince heureusement l'a sauvé du supplice

Et ces deux que ton bras dérobe à ma justice,
Corrompus par Pymante, avaient juré ta mort.
Le suborneur depuis n'a pas eu meilleur sort,
Et ce traître à présent tombé sous ma puissance,   1605
Clitandre, fait trop voir quelle est son innocence.

ROSIDOR

Sire, vous le savez, le cœur me l'avait dit,
Et si peu que j'avais près de vous de crédit,
Je l'employai dès lors contre votre colère.

A Clitandre.

En moi dorénavant faites état d'un frère.   1610

CLITANDRE, à Rosidor.

En moi, d'un serviteur dont l'amour éperdu
Ne vous conteste plus un prix qui vous est dû.

DORISE, à Caliste.

Si le pardon du Roi me peut donner le vôtre,
Si mon crime...

CALISTE

                Ah ! ma sœur, tu me prends pour une autre,
Si tu crois que je puisse encor m'en souvenir.   1615

ALCANDRE

Tu ne veux plus songer qu'à ce jour à venir
Où Rosidor guéri termine une hyménée.
Clitandre, en attendant cette heureuse journée,
Tâchera d'allumer en son âme des feux
Pour celle que mon fils désire, et que je veux ;   1620
A qui, pour réparer sa faute criminelle,
Je défends désormais de se montrer cruelle,
Et nous verrons alors cueillir en même jour
A deux couples d'amants les fruits de leur amour.

LA VEUVE

COMÉDIE

La Veuve[1] *a dû être jouée par Mondory probablement dès 1631 ou 1632. Corneille écrit en effet dans la Dédicace de mars 1634 : « Le bon accueil qu'autrefois cette Veuve a reçu de vous. »*

Comme il était de tradition que les vieilles femmes fussent jouées en travesti par des hommes et qu'un acteur, Alizon, s'était fait une spécialité de ces rôles, c'est vraisemblablement lui qui joua la nourrice. La Le Noir, la plus ancienne de la troupe, beauté que courtisa longtemps le comte de Belin, dut jouer Clarice. La Villiers, seconde femme connue de la troupe, fut sans doute Doris. Il est difficile de présumer quel rôle tint Mondory.

Clarice, la veuve, a sans doute un modèle vivant, celle à qui Corneille dédia la pièce : Mme de La Maisonfort, veuve en 1630 qui épousait en 1634 un Anglais, le comte de Southampton[2].

L'agencement des personnages, le double couple d'amoureux, les ressorts de l'intrigue, le ton de la conversation des honnêtes gens rappellent Mélite. Mais certains thèmes s'accusent : cette jeune veuve, plus consciente de la vie, est loin de la coquette Mélite. Les rapports masculins apparaissent mieux et le thème de l'amitié, si cher à Corneille, s'y développe. Le problème social du mariage est au centre du sujet. Devant l'inégalité des fortunes et des conditions et les combinaisons intéressées des parents, les amants véritables n'ont que la ressource dangereuse de l'enlèvement, qui est aussi l'arme des séducteurs. Corneille d'autre part en souligne dans son Examen de 1660 les innovations techniques.

La Veuve connut un succès sans précédent, comme en témoignent les vingt-six pièces liminaires de la première édition. Dès 1634, ses rivaux ont placé Corneille au premier rang. Celui-ci n'en tira d'autre vanité que de se placer en dehors des coteries littéraires et politiques, par lesquelles on faisait carrière.

MADAME,

Le bon accueil qu'*autrefois*[4] cette *Veuve* a reçu de vous l'oblige à vous en remercier, et l'enhardit à vous demander la faveur de votre protection. Étant exposée aux coups de l'envie et de la médisance, elle n'en peut trouver de plus assurée que celle d'une personne sur qui ces deux monstres n'ont jamais eu de prise. Elle espère que vous ne la méconnaîtrez pas, pour être dépouillée de tous autres ornements que les siens, et que vous la traiterez aussi bien qu'alors que la grâce de la représentation la mettait en son jour. Pourvu qu'elle vous puisse divertir encore une heure, elle est trop contente, et se bannira sans regret du théâtre pour avoir une place dans votre cabinet. Elle est honteuse de vous ressembler si peu, et a de grands sujets d'appréhender qu'on ne l'accuse de peu de jugement de se présenter devant vous, dont les perfections la feront paraître d'autant plus imparfaite ; mais quand elle considère qu'elles sont en un si haut point, qu'on n'en peut avoir de légères teintures sans des privilèges tous particuliers du ciel, elle se rassure entièrement, et n'ose plus craindre qu'il se rencontre des esprits assez injustes pour lui imputer à défaut le manque des choses qui sont au-dessus des forces de la nature : en effet, MADAME, quelque difficulté que vous fassiez de croire aux miracles, il faut que vous en reconnaissiez en vous-même, ou que vous ne vous connaissiez pas, puisqu'il est tout vrai que des vertus et des qualités si peu communes que les vôtres ne sauraient avoir d'autre nom. Ce n'est pas mon dessein d'en faire ici les éloges : outre qu'il serait superflu de particulariser ce que tout le monde sait, la bassesse de mon discours profanerait des choses si relevées. Ma plume est trop faible pour entreprendre de voler si haut ; c'est assez pour elle de vous rendre mes devoirs, et de vous protester, avec plus de vérité que d'éloquence, que je serai toute ma vie, MADAME, votre très humble et très obéissant serviteur.

CORNEILLE.

1. Titre primitif : *La Veuve ou le Traître trahi*, sous-titre supprimé en 1644. Publiée en 1634 par l'imprimeur Targa, avec nombreux ornements typographiques (bandeaux, fleurons, culs-de-lampe).
2. Cf. Tallemant, *Historiettes*, éd. Mongrédien, III, p. 257. Celui-ci le qualifie de « coquette prude ». Elle fut peinte par Van Dyck, vers cette date.
3. Il s'agit de Rachel de Massué de Ruvigny (1582-1654), veuve en 1630 d'Elysée de Beaujeu. On voit que l'anecdote de Corneille a peu à voir avec la vie de celle à qui il adresse sa pièce.
4. Ce qui date la pièce, imprimée en 1634 de plusieurs années auparavant, mais postérieurement à 1630.

AU LECTEUR (1634)

Si tu n'es homme à te contenter de la naïveté du style et de la subtilité de l'intrique, je ne t'invite point à la lecture de cette pièce : son ornement n'est pas dans l'éclat des vers. C'est une belle chose que de les faire puissants et majestueux : cette pompe ravit d'ordinaire les esprits, et pour le moins les éblouit ; mais il faut que les sujets en fassent naître les occasions : autrement c'est en faire parade mal à propos, et pour gagner le nom de poète, perdre celui de judicieux. La comédie n'est qu'un portrait de nos actions et de nos discours, et la perfection des portraits consiste en la ressemblance. Sur cette maxime je tâche de ne mettre en la bouche de mes acteurs que ce que diraient vraisemblablement en leur place ceux qu'ils représentent, et de les faire discourir en honnêtes gens, et non pas en auteurs. Ce n'est qu'aux ouvrages où le poète parle qu'il faut parler en poète : Plaute n'a pas écrit comme Virgile, et ne laisse pas d'avoir bien écrit. Ici donc tu ne trouveras en beaucoup d'endroits qu'une prose rimée, peu de scènes toutefois sans quelque raisonnement assez véritable, et partout une conduite assez industrieuse. Tu y reconnaîtras trois sortes d'amours aussi extraordinaires au théâtre qu'ordinaires dans le monde : celle de Philiste et Clarice, d'Alcidon et Doris, et celle de la même Doris avec Florange, qui ne parut point. Le plus beau de leurs entretiens est en équivoques, et en propositions dont ils te laissent les conséquences à tirer. Si tu en pénètres bien le sens, l'artifice ne t'en déplaira point. Pour l'ordre de la pièce, je ne l'ai mis ni dans la sévérité des règles, ni dans la liberté qui n'est que trop ordinaire sur le théâtre français : l'une est trop rarement capable de beaux effets, et on la trouve à trop bon marché dans l'autre, qui prend quelquefois tout un siècle pour la durée de son action, et toute la terre habitable pour le lieu de sa scène. Cela sent un peu trop son abandon, messéant à toute sorte de poème, et particulièrement aux dramatiques, qui ont toujours été les plus réglés. J'ai donc cherché quelque milieu pour la règle du temps, et me suis persuadé que la comédie étant disposée en cinq actes, cinq jours consécutifs n'y seraient point mal employés. Ce n'est pas que je méprise l'antiquité ; mais comme on épouse malaisément des beautés si vieilles, j'ai cru lui rendre assez de respect de lui partager mes ouvrages ; et de six pièces de théâtre qui me sont échappées, en ayant réduit trois dans la contrainte qu'elle nous a prescrite, e n'ai point fait de conscience d'allonger un peu les vingt et quatre heures aux trois autres. Pour l'unité de lieu et d'action, ce sont deux règles que j'observe inviolablement ; mais j'interprète la dernière à ma mode ; et la première, tantôt je la resserre à la seule grandeur du théâtre, et tantôt je l'étends jusqu'à toute une ville, comme en cette pièce. Je l'ai poussée dans le *Clitandre* jusques aux lieux où l'on peut aller dans les vingt et quatre heures ; mais bien que j'en pusse trouver de bons garants et de grands exemples dans les vieux et nouveaux siècles, j'estime qu'il n'est que meilleur de se passer de leur imitation en ce point. Quelque jour je m'expliquerai davantage sur ces matières ; mais il faut attendre l'occasion d'un plus grand volume[5] : cette préface n'est déjà que trop longue pour une comédie.

5. Dès cette date, il semble donc que Corneille médite les *Discours* théoriques qui ne seront rédigés qu'en 1660.

ARGUMENT[6]

Alcidon, amoureux de Clarice, veuve d'Alcandre et maîtresse de Philiste, son particulier ami, de peur qu'il ne s'en aperçût, feint d'aimer sa sœur Doris, qui ne s'abusant point par ses caresses, consent au mariage de Florange, que sa mère lui propose. Ce faux ami, sous un prétexte de se venger de l'affront que lui faisait ce mariage, fait consentir Célidan à enlever Clarice en sa faveur, et ils la mènent ensemble à un château de Célidan. Philiste, abusé des faux ressentiments de son ami, fait rompre le mariage de Florange : sur quoi Célidan conjure Alcidon de reprendre Doris et rendre Clarice à son amant. Ne l'y pouvant résoudre, il soupçonne quelque fourbe de sa part, et fait si bien qu'il tire les vers du nez à la nourrice de Clarice, qui avait toujours eu une intelligence avec Alcidon, et lui avait même facilité l'enlèvement de sa maîtresse ; ce qui le porte à quitter le parti de ce perfide : de sorte que ramenant Clarice à Philiste, il obtient de lui en récompense sa sœur Doris.

EXAMEN (1660)

Cette comédie n'est pas plus régulière que *Mélite* en ce qui regarde l'unité de lieu, et a le même défaut au cinquième acte, qui se passe en compliments pour venir à la conclusion d'un amour épisodique, avec cette différence toutefois que le mariage de Célidan avec Doris a plus de justesse dans celle-ci que celui d'Éraste avec Cloris dans l'autre. Elle a quelque chose de mieux ordonné pour le temps en général, qui n'est pas si vague que dans *Mélite*, et a ses intervalles mieux proportionnés par cinq jours consécutifs. C'était un tempérament que je croyais lors fort raisonnable entre la rigueur des vingt et quatre heures et cette étendue libertine qui n'avait aucunes bornes. Mais elle a ce même défaut dans le particulier de la durée de chaque acte, que souvent celle de l'action y excède de beaucoup celle de la représentation. Dans le commencement du premier, Philiste quitte Alcidon pour aller faire des visites avec Clarice, et paraît à la dernière scène avec elle au sortir de ces visites, qui doivent avoir consumé toute l'après-dînée, ou du moins la meilleure partie. La même chose se trouve au cinquième : Alcidon y fait partie avec Célidan d'aller voir Clarice sur le soir dans son château, où il la croit encore prisonnière, et se résout de faire part de sa joie à la nourrice, qu'il n'oserait voir de jour, de peur de faire soupçonner l'intelligence secrète et criminelle qu'ils ont ensemble ; et environ cent vers après, il vient chercher cette confidente chez Clarice, dont il ignore le retour. Il ne pouvait être qu'environ midi quand il en a formé le dessein, puisque Célidan venait de ramener Clarice (ce que vraisemblablement il a fait le plus tôt qu'il a pu, ayant un intérêt d'amour qui le pressait de lui rendre ce service en faveur de son amant) ; et quand il vient pour exécuter cette résolution, la nuit doit avoir déjà assez d'obscurité pour cacher cette visite qu'il lui va rendre. L'excuse qu'on pourrait y donner, aussi bien qu'à ce que j'ai remarqué de Tircis dans *Mélite*, c'est qu'il n'y a point de liaisons de scènes, et par conséquent point de continuité d'action. Aussi, on pourrait dire que ces scènes détachées qui sont placées l'une après l'autre ne s'entre-suivent pas immédiatement, et qu'il se consume un temps notable

6. Cet *Argument* disparaît en 1644.

entre la fin de l'une et le commencement de l'autre; ce qui n'arrive point quand elles sont liées ensemble, cette liaison étant cause que l'une commence nécessairement au même instant que l'autre finit.

Cette comédie peut faire connaître l'aversion naturelle que j'ai toujours eue pour les *a parte*. Elle m'en donnait de belles occasions, m'étant proposé d'y peindre un amour réciproque qui parût dans les entretiens de deux personnes qui ne parlent point d'amour ensemble, et de mettre des compliments d'amour suivis entre deux gens qui n'en ont point du tout l'un pour l'autre, et qui sont toutefois obligés par des considérations particulières, de s'en rendre des témoignages mutuels. C'était un beau jeu pour ces discours à part, si fréquents chez les anciens et chez les modernes de toutes les langues; cependant j'ai si bien fait, par le moyen des confidences qui ont précédé des scènes artificieuses, et des réflexions qui les ont suivies, que sans emprunter ce secours, l'amour a paru entre ceux qui n'en parlent point, et le mépris a été visible entre ceux qui se font des protestations d'amour. La sixième scène du quatrième acte semble commencer par ces *a parte*, et n'en a toutefois aucun, Célidan et la nourrice y parlent véritablement chacun à part, mais en sorte que chacun des deux veut bien que l'autre entende ce qu'il dit. La nourrice cherche à donner à Célidan des marques d'une douleur très-vive, qu'elle n'a point, et en affecte d'au-

tant plus les dehors pour l'éblouir; et Célidan, de son côté, veut qu'elle aye lieu de croire qu'il la cherche pour la tirer du péril où il feint qu'elle est, et qu'ainsi il la rencontre fort à propos. Le reste de cette scène est fort adroit, par la manière dont il dupe cette vieille, et lui arrache l'aveu d'une fourbe où on le voulait prendre lui-même pour dupe. Il l'enferme, de peur qu'elle ne fasse encore quelque pièce qui trouble son dessein; et quelques-uns ont trouvé à dire qu'on ne parle point d'elle au cinquième; mais ces sortes de personnages qui n'agissent que pour l'intérêt des autres, ne sont pas assez d'importance pour faire naître une curiosité légitime de savoir leurs sentiments sur l'événement de la comédie, où ils n'ont plus que faire quand on n'y a plus affaire d'eux; et d'ailleurs Clarice y a trop de satisfaction de se voir hors du pouvoir de ses ravisseurs et rendue à son amant, pour penser en sa présence à cette nourrice, et prendre garde si elle est en sa maison, ou si elle n'y est pas.

Le style n'est pas plus élevé ici que dans *Mélite*, mais il est plus net et plus dégagé des pointes dont l'autre est semée, qui ne sont, à en bien parler, que de fausses lumières, dont le brillant marque bien quelque vivacité d'esprit, mais sans aucune solidité de raisonnement. L'intrigue y est aussi beaucoup plus raisonnable que dans l'autre; et Alcidon a lieu d'espérer un bien plus heureux succès de sa fourbe qu'Éraste de la sienne.

ACTEURS [7]

PHILISTE, *amant de Clarice.*
ALCIDON, *ami de Philiste et amant de Doris.*
CÉLIDAN, *ami d'Alcidon et amoureux de Doris.*
CLARICE, *veuve d'Alcandre et maîtresse de Philiste.*
CHRYSANTE, *mère de Doris.*
DORIS, *sœur de Philiste.*
LA NOURRICE *de Clarice.*
GÉRON, *agent de Florange, amoureux de Doris.*
LYCAS, *domestique de Philiste.*
POLIMAS, DORASTE, LISTOR, *domestiques de Clarice.*

La scène est à Paris [8].

ACTE PREMIER

Scène I : Philiste, Alcidon.

ALCIDON

J'en demeure d'accord, chacun a sa méthode;
Mais la tienne pour moi serait trop incommode :
Mon cœur ne pourrait pas conserver tant de feu,
S'il fallait que ma bouche en témoignât si peu.
5 Depuis près de deux ans tu brûles pour Clarice,

Et plus ton amour croît, moins elle en a d'indice.
Il semble qu'à languir tes désirs sont contents,
Et que tu n'as pour but que de perdre ton temps.
Quel fruit espères-tu de ta persévérance
A la traiter toujours avec indifférence?   10
Auprès d'elle assidu, sans lui parler d'amour,
Veux-tu qu'elle commence à te faire la cour?

PHILISTE

Non; mais, à dire vrai, je veux qu'elle devine.

ALCIDON

Ton espoir, qui te flatte, en vain se l'imagine :
Clarice avec raison prend pour stupidité   15
Ce ridicule effet de ta timidité.

PHILISTE

Peut-être. Mais enfin vois-tu qu'elle me fuie,
Qu'indifférent qu'il est mon entretien l'ennuie,
Que je lui sois à charge, et lorsque je la voi,
Qu'elle use d'artifice à s'échapper de moi?   20
Sans te mettre en souci quelle en sera la suite,
Apprends comme l'amour doit régler sa conduite.
Aussitôt qu'une dame a charmé nos esprits,
Offrir notre service au hasard d'un mépris,
Et nous abandonnant à nos brusques saillies,   25
Au lieu de notre ardeur lui montrer nos folies,
Nous attirer sur l'heure un dédain éclatant :
Il n'est si maladroit qui n'en fît bien autant.
Il faut s'en faire aimer avant qu'on se déclare.
Notre submission à l'orgueil la prépare.   30
Lui dire incontinent son pouvoir souverain,
C'est mettre à sa rigueur les armes à la main.
Usons pour être aimés d'un meilleur artifice,
Et sans lui rien offrir, rendons-lui du service;

7. C'est vraisemblablement les mêmes que ceux qui jouèrent *Mélite*.
8. L'évocation de Paris est si discrète que cette indication n'est donnée qu'en 1644. La scène comporte une rue, les deux maisons de Clarice et de Chrysante et, au dernier acte, un jardin ou plutôt un coin de jardin, qui se situe dans la niche, fermée par le rideau, au fond de la scène.

35 Réglons sur son humeur toutes nos actions,
   Réglons tous nos desseins sur ses intentions,
   Tant que par la douceur d'une longue hantise
   Comme insensiblement elle se trouve prise.
   C'est par là que l'on sème aux dames des appas,
40 Qu'elles n'évitent point, ne les prévoyant pas.
   Leur haine envers l'amour pourrait être un prodige
   Que le seul nom les choque et l'effet les oblige.

ALCIDON
   Suive qui le voudra ce procédé nouveau :
   Mon feu me déplairait caché sous ce rideau.
45 Ne parler point d'amour ! Pour moi, je me défie
   Des fantasques raisons de ta philosophie :
   Ce n'est pas là mon jeu. Le joli passe-temps,
   D'être auprès d'une dame, et causer du beau temps,
   Lui jurer que Paris est toujours plein de fange,
50 Qu'un certain parfumeur vend de fort bonne eau
   Qu'un cavalier regarde un autre de travers, [d'ange [9],
   Que dans la comédie on dit d'assez bons vers,
   Qu'Aglante avec Philis dans un mois se marie !
   Change, pauvre abusé, change de batterie,
55 Conte ce qui te mène, et ne t'amuse pas
   A perdre innocemment tes discours et tes pas.

PHILISTE
   Je les aurais perdus auprès de ma maîtresse,
   Si je n'eusse employé que la commune adresse,
   Puisque inégal de biens et de condition,
60 Je ne pouvais prétendre à son affection.

ALCIDON
   Mais si tu ne les perds je le tiens à miracle,
   Puisqu'ainsi ton amour rencontre un double obstacle,
   Et que ton froid silence et l'inégalité
   S'opposent tout ensemble à ta témérité.

PHILISTE
65 Crois que de la façon dont j'ai su me conduire
   Mon silence n'est pas en état de me nuire :
   Mille petits devoirs ont tant parlé pour moi,
   Qu'il ne m'est plus permis de douter de sa foi.
   Mes soupirs et les siens font un secret langage
70 Par où son cœur au mien à tous moments s'engage :
   Des coups d'œil languissants, des souris ajustés,
   Des penchements de tête à demi concertés,
   Et mille autres douceurs aux seuls amants connues
   Nous font voir chaque jour nos âmes toutes nues,
75 Nous sont de bons garants d'un feu qui chaque jour...

ALCIDON
   Tout cela cependant sans lui parler d'amour ?

PHILISTE
   Sans lui parler d'amour.

ALCIDON
                         J'estime ta science;
   Mais j'aurais à l'épreuve un peu d'impatience.

PHILISTE
   Le ciel, qui nous choisit lui-même des partis
80 A tes feux et les miens prudemment assortis;
   Et comme à ces longueurs t'ayant fait indocile,
   Il te donne en ma sœur un naturel facile,

Ainsi pour cette veuve il a su m'enflammer,
Après m'avoir donné par où m'en faire aimer.

ALCIDON
Mais il lui faut enfin découvrir ton courage.   85

PHILISTE
C'est ce qu'en ma faveur sa nourrice ménage :
Cette vieille subtile a mille inventions
Pour m'avancer au but de mes intentions;
Elle m'avertira du temps que je dois prendre;
Le reste une autre fois se pourra mieux apprendre,   90
Adieu.

ALCIDON
        La confidence avec un bon ami
Jamais sans l'offenser ne s'exerce à demi [10].

PHILISTE
Un intérêt d'amour me prescrit ces limites :
Ma maîtresse m'attend pour faire des visites
Où je lui promis hier de lui prêter la main.   95

ALCIDON
Adieu donc, cher Philiste.

PHILISTE
                          Adieu jusqu'à demain.

Scène II : Alcidon, la nourrice.

ALCIDON, seul.
Vit-on jamais amant de pareille imprudence
Faire avec son rival entière confidence?
Simple, apprends que ta sœur n'aura jamais de quoi
Asservir sous ses lois des gens faits comme moi,   100
Qu'Alcidon feint pour elle, et brûle pour Clarice.
Ton agente est à moi. N'est-il pas vrai, Nourrice?

LA NOURRICE
Tu le peux bien jurer.

ALCIDON
                       Et notre ami rival?

LA NOURRICE
Si jamais on m'en croit, son affaire ira mal.

ALCIDON
Tu lui promets pourtant?

LA NOURRICE
                         C'est par où je l'amuse,   105
Jusqu'à ce que l'effet lui découvre ma ruse.

ALCIDON
Je viens de le quitter.

LA NOURRICE
                        Eh bien! que t'a-t-il dit?

ALCIDON
Que tu veux employer pour lui tout ton crédit,
Et que rendant toujours quelque petit service,
Il s'est fait une entrée en l'âme de Clarice.   110

LA NOURRICE
Moindre qu'il ne présume. Et toi?

ALCIDON
                                   Je l'ai poussé
A s'enhardir un peu plus que par le passé,
Et découvrir son mal à celle qui le cause.

---

9. « Faite en fleurs d'orange, musc, cannelle et autres choses
odoriférantes » (*Dictionnaire de l'Académie*, 1694).

10. Des demi-confidences sont offensantes envers un véritable ami.

LA NOURRICE

Pourquoi?

ALCIDON

              Pour deux raisons : l'une, qu'il me propose
115 Ce qu'il a dans le cœur beaucoup plus librement;
L'autre, que ta maîtresse après le compliment
Le chassera peut-être ainsi qu'un téméraire.

LA NOURRICE

Ne l'enhardis pas tant : j'aurais peur au contraire
Que malgré tes raisons quelque mal ne t'en prît;
120 Car enfin ce rival est bien dans son esprit,
Mais non pas tellement qu'avant que le mois passe
Notre adresse sous main ne le mette en disgrâce.

ALCIDON

Et lors?

LA NOURRICE

              Je te réponds de ce que tu chéris.
Cependant continue à caresser Doris;
125 Que son frère, ébloui par cette accorte feinte,
De nos prétentions n'ait ni soupçon ni crainte.

ALCIDON

A m'en ouïr conter, l'amour de Céladon [11]
N'eut jamais rien d'égal à celui d'Alcidon :
Tu rirais trop de voir comme je la cajole.

LA NOURRICE

130 Et la dupe qu'elle est croit tout sur ta parole?

ALCIDON

Cette jeune étourdie est si folle de moi
Qu'elle prend chaque mot pour article de foi,
Et son frère, pipé du fard de mon langage,
Qui croit que je soupire après son mariage,
135 Pensant bien m'obliger, m'en parle tous les jours;
Mais quand il en vient là, je sais bien mes détours;
Tantôt, vu l'amitié qui tous deux nous assemble,
J'attendrai son hymen pour être heureux ensemble;
Tantôt il faut du temps pour le consentement
140 D'un oncle dont j'espère un haut avancement;
Tantôt je sais trouver quelque autre bagatelle.

LA NOURRICE

Séparons-nous, de peur qu'il entrât en cervelle [12],
S'il avait découvert un si long entretien.
Joue aussi bien ton jeu que je jouerai le mien.

ALCIDON

145 Nourrice, ce n'est pas ainsi qu'on se sépare.

LA NOURRICE

Monsieur, vous me jugez d'un naturel avare.

ALCIDON

Tu veilleras pour moi d'un soin plus diligent.

LA NOURRICE

Ce sera donc pour vous plus que pour votre argent.

Scène III : Chrysante, Doris.

CHRYSANTE

C'est trop désavouer une si belle flamme,
150 Qui n'a rien de honteux, rien de sujet au blâme :
Confesse-le, ma fille, Alcidon a ton cœur;

---

11. Réminiscence directe de l'*Astrée.*
12. Expression familière pour se mettre en peine, éprouver de l'inquiétude.

Ses rares qualités l'en ont rendu vainqueur.
Ne vous entr'appeler que « mon âme » et « ma vie »,
C'est montrer que tous deux vous n'avez qu'une envie,
Et que d'un même trait vos esprits sont blessés.   155

DORIS

Madame, il n'en va pas ainsi que vous pensez.
Mon frère aime Alcidon, et sa prière expresse
M'oblige à lui répondre en termes de maîtresse.
Je me fais, comme lui, souvent toute de feux;
Mais mon cœur se conserve au point où je le veux,   160
Toujours libre, et qui garde une amitié sincère
A celui que voudra me prescrire une mère.

CHRYSANTE

Oui, pourvu qu'Alcidon te soit ainsi prescrit.

DORIS

Madame, puissiez-vous lire dans mon esprit!
Vous verriez jusqu'où va ma pure obéissance.   165

CHRYSANTE

Ne crains pas que je veuille user de ma puissance :
Je croirais en produire un trop cruel effet,
Si je te séparais d'un amant si parfait.

DORIS

Vous le connaissez mal; son âme a deux visages,
Et ce dissimulé n'est qu'un conteur à gages.   170
Il a beau m'accabler de protestations,
Je démêle aisément toutes ses fictions;
Il ne me prête rien que je ne lui renvoie :
Nous nous entre-payons d'une même monnoie;
Et malgré nos discours, mon vertueux désir   175
Attend toujours celui que vous voudrez choisir :
Votre vouloir du mien absolument dispose.

CHRYSANTE

L'épreuve en fera foi; mais parlons d'autre chose.
Nous vîmes hier au bal, entre autres nouveautés,
Tout plein d'honnêtes gens caresser les beautés.   180

DORIS

Oui, Madame : Alindor en voulait à Célie,
Lysandre à Célidée, Oronte à Rosélie.

CHRYSANTE

Et nommant celles-ci, tu caches finement
Qu'un certain t'entretint assez paisiblement.

DORIS

Ce visage inconnu qu'on appelait Florange?   185

CHRYSANTE

Lui-même.

DORIS

             Ah! Dieu, que c'est un cajoleur étrange!
Ce fut paisiblement de vrai qu'il m'entretint,
Soit que quelque raison en secret le retînt,
Soit que son bel esprit me jugeât incapable
De lui pouvoir fournir un entretien sortable,   190
Il m'épargna si bien que ses plus longs propos
A peine en plus d'une heure étaient de quatre mots;
Il me mena danser deux fois sans me rien dire.

CHRYSANTE

Mais ensuite?

DORIS

             La suite est digne qu'on l'admire.
Mon baladin muet se retranche en un coin,   195
Pour faire mieux jouer la prunelle de loin;

Après m'avoir de là longtemps considérée,
Après m'avoir des yeux mille fois mesurée,
Il m'aborde en tremblant, avec ce compliment :
200 « Vous m'attirez à vous ainsi que fait l'aimant. »
(Il pensait m'avoir dit le meilleur mot du monde [13].)
Entendant ce haut style, aussitôt je seconde,
Et réponds brusquement, sans beaucoup m'émouvoir :
« Vous êtes donc de fer, à ce que je puis voir. »
205 Ce grand mot étouffa tout ce qu'il voulait dire,
Et pour toute réplique il se mit à sourire.
Depuis il s'avisa de me serrer les doigts,
Et retrouvant un peu l'usage de la voix,
Il prit un de mes gants : « La mode en est nouvelle,
210 Me dit-il, et jamais je n'en vis de si belle;
Vous portez sur la gorge un mouchoir fort carré,
Votre éventail me plaît d'être ainsi bigarré;
L'amour, je vous assure, est une belle chose;
Vraiment vous aimez fort cette couleur de rose;
215 La ville est en hiver toute autre que les champs;
Les charges à présent n'ont que trop de marchands;
On n'en peut approcher. »
                                    CHRYSANTE
                              Mais enfin que t'en semble ?
Je n'ai jamais connu d'homme qui lui ressemble,
Ni qui mêle en discours tant de diversités.
                              CHRYSANTE
220 Il est nouveau venu des universités [14],
Mais après tout fort riche, et que la mort d'un père,
Sans deux successions que de plus il espère,
Comble de tant de biens, qu'il n'est fille aujourd'hui
Qui ne lui rie au nez et n'ait dessein sur lui.
                              DORIS
225 Aussi me contez-vous de beaux traits de visage.
                              CHRYSANTE
Eh bien ! avec ces traits est-il à ton usage ?
                              DORIS
Je douterais plutôt si je serais au sien.
                              CHRYSANTE
Je sais qu'assurément il te veut force bien;
Mais il te le faudrait, en fille plus accorte,
230 Recevoir désormais un peu d'une autre sorte.
                              DORIS
Commandez seulement, Madame, et mon devoir
Ne négligera rien qui soit en mon pouvoir.
                              CHRYSANTE
Ma fille, te voilà telle que je souhaite.
Pour ne te rien celer, c'est chose qui vaut faite.
235 Géron, qui depuis peu fait ici tant de tours,
Au desçu d'un chacun [15] a traité ces amours;
Et puisqu'à mes désirs je te vois résolue,
Je veux qu'avant deux jours l'affaire soit conclue.
Au regard d'Alcidon tu dois continuer,
240 Et de ton beau semblant ne rien diminuer :

Il faut jouer au fin contre un esprit si double.
                              DORIS
Mon frère en sa faveur vous donnera du trouble.
                              CHRYSANTE
Il n'est pas si mauvais que l'on n'en vienne à bout.
                              DORIS
Madame, avisez-y : je vous remets le tout.
                              CHRYSANTE
Rentre : voici Géron de qui la conférence   245
Doit rompre ou nous donner une entière assurance.

                    Scène IV : Chrysante, Géron.

                              CHRYSANTE
Ils se sont vus enfin ?
                              GÉRON
                              Je l'avais déjà su,
Madame, et les effets ne m'en ont point déçu,
Du moins quant à Florange.
                              CHRYSANTE
                              Eh bien ! mais qu'est-ce encore ?
Que dit-il de ma fille ?
                              GÉRON
                              Ah ! Madame, il l'adore !   250
Il n'a point encor vu de miracles pareils :
Ses yeux, à son avis, sont autant de soleils;
L'enflure de son sein, un double petit monde;
C'est le seul ornement de la machine ronde.
L'Amour à ses regards allume son flambeau,   255
Et souvent pour la voir il ôte son bandeau;
Diane n'eut jamais une si belle taille;
Auprès d'elle Vénus ne serait rien qui vaille;
Ce ne sont rien que lis et roses que son teint [16];
Enfin de ses beautés il est si fort atteint...   260
                              CHRYSANTE
Atteint ! Ah ! mon ami, tant de badinerie
Ne témoigne que trop qu'il en fait raillerie.
                              GÉRON
Madame, je vous jure, il pèche innocemment,
Et s'il savait mieux dire, il dirait autrement.
C'est un homme tout neuf : que voulez-vous qu'il   265
Il dit ce qu'il a lu. Daignez juger, de grâce, [fasse?
Plus favorablement de son intention;
Et pour mieux vous montrer où va sa passion,
Vous savez les deux points (mais aussi, je vous prie,
Vous ne lui direz pas cette supercherie)...   270
                              CHRYSANTE
Non, non.
                              GÉRON
              Vous savez donc les deux difficultés
Qui jusqu'à maintenant vous tiennent arrêtés ?
                              CHRYSANTE
Il veut son avantage, et nous cherchons le nôtre.
                              GÉRON
« Va, Géron, m'a-t-il dit; et pour l'une et pour l'autre
Si par dextérité tu n'en peux rien tirer,   275
Accorde tout plutôt que de plus différer.

---

13. Autocritique de Corneille : lui-même a employé l'image dans une pièce des *Mélanges* publiée en 1632. Molière reprendra le procédé, avec Thomas Diafoirus (*le Malade imaginaire*).
14. Ce trait annonce *le Menteur*, frais émoulu de la Faculté de Poitiers.
15. A l'insu de chacun.

16. Amusante parodie des procédés poétiques en vogue, qui débordent dans le roman et dans la pastorale.

Doris est à mes yeux de tant d'attraits pourvue,
Qu'il faut bien qu'il m'en coûte un peu pour l'avoir
Mais qu'en dit votre fille ?   [vue. »

CHRYSANTE

                     Elle suivra mon choix
280 Et montre une âme prête à recevoir mes lois ;
Non qu'elle en fasse état plus que de bonne sorte :
Il suffit qu'elle voit ce que le bien apporte
Et qu'elle s'accommode aux solides raisons
Qui forment à présent les meilleures maisons.

GÉRON

285 A ce compte, c'est fait. Quand vous plaît-il qu'il vienne
Dégager ma parole et vous donner la sienne ?

CHRYSANTE

Deux jours me suffiront, ménagés dextrement,
Pour disposer mon fils à son consentement.
Durant ce peu de temps, si son ardeur le presse,
290 Il peut hors du logis rencontrer sa maîtresse :
Assez d'occasions s'offrent aux amoureux.

GÉRON

Madame, que d'un mot je vais le rendre heureux !

Scène V : Philiste, Clarice.

PHILISTE

Le bonheur aujourd'hui conduisait vos visites
Et semblait rendre hommage à vos rares mérites :
295 Vous avez rencontré tout ce que vous cherchiez.

CLARICE

Oui ; mais n'estimez pas qu'ainsi vous m'empêchiez
De vous dire, à présent que nous faisons retraite,
Combien de chez Daphnis je sors mal satisfaite.

PHILISTE

Madame, toutefois elle a fait son pouvoir,
300 Du moins en apparence, à vous bien recevoir.

CLARICE

Ne pensez pas aussi que je me plaigne d'elle.

PHILISTE

Sa compagnie était, ce me semble, assez belle.

CLARICE

Que trop belle à mon goût, et, que je pense, au tien !
Deux filles possédaient seules ton entretien ;
05 Et leur orgueil, enflé par cette préférence,
De ce qu'elles valaient tirait pleine assurance.

PHILISTE

Ce reproche obligeant me laisse tout surpris :
Avec tant de beautés, et tant de bons esprits,
Je ne valus jamais qu'on me trouvât à dire.

CLARICE

10 Avec ces bons esprits je n'étais qu'en martyre :
Leur discours m'assassine. et n'a qu'un certain jeu
Qui m'étourdit beaucoup, et qui me plaît fort peu.

PHILISTE

Celui que nous tenions me plaisait à merveilles.

CLARICE

Tes yeux s'y plaisaient bien autant que tes oreilles.

PHILISTE

15 Je ne le puis nier, puisqu'en parlant de vous,
Sur les vôtres mes yeux se portaient à tous coups,
Et s'en allaient chercher sur un si beau visage

Mille et mille raisons d'un éternel hommage.

CLARICE

O la subtile ruse ! et l'excellent détour !
Sans doute une des deux te donne de l'amour ;   320
Mais tu le veux cacher.

PHILISTE

                 Que dites-vous, Madame ?
Un de ces deux objets captiverait mon âme !
Jugez-en mieux de grâce, et croyez que mon cœur
Choisirait pour se rendre un plus puissant vainqueur.

CLARICE

Tu tranches du fâcheux. Bélinde et Chrysolite   325
Manquent donc à ton gré d'attraits et de mérite,
Elles dont les beautés captivent mille amants ?

PHILISTE

Tout autre trouverait leurs visages charmants,
Et j'en ferais état si le ciel m'eût fait naître
D'un malheur assez grand pour ne vous pas connaître ;   330
Mais l'honneur de vous voir, que vous me permettez,
Fait que je n'y remarque aucunes raretés,
Et plein de votre idée, il ne m'est pas possible
Ni d'admirer ailleurs, ni d'être ailleurs sensible.

CLARICE

On ne m'éblouit pas à force de flatter :   335
Revenons au propos que tu veux éviter.
Je veux savoir des deux laquelle est ta maîtresse ;
Ne dissimule plus, Philiste, et me confesse...

PHILISTE

Que Chrysolite et l'autre, égales toutes deux,
N'ont rien d'assez puissant pour attirer mes vœux.   340
Si blessé des regards de quelque beau visage,
Mon cœur de sa franchise avait perdu l'usage...

CLARICE

Tu serais assez fin pour bien cacher ton jeu.

PHILISTE

C'est ce qui ne se peut : l'amour est tout de feu,
Il éclaire en brûlant et se trahit soi-même.   345
Un esprit amoureux, absent de ce qu'il aime,
Par sa mauvaise humeur fait trop voir ce qu'il est :
Toujours morne, rêveur, triste, tout lui déplaît ;
A tout autre propos qu'à celui de sa flamme,
Le silence à la bouche, et le chagrin en l'âme,   350
Son œil semble à regret nous donner ses regards,
Et les jette à la fois souvent de toutes parts,
Qu'ainsi sa fonction confuse ou mal guidée
Se ramène en soi-même, et ne voit qu'une idée ;
Mais auprès de l'objet qui possède son cœur,   355
Ses esprits ranimés reprennent leur vigueur :
Gai, complaisant, actif...

CLARICE

               Enfin que veux-tu dire ?

PHILISTE

Que par ces actions que je viens de décrire,
Vous, de qui j'ai l'honneur chaque jour d'approcher,
Jugiez pour quel objet l'amour m'a su toucher.   360

CLARICE

Pour faire un jugement d'une telle importance,
Il faudrait plus de temps. Adieu : la nuit s'avance.
Te verra-t-on demain ?

PHILISTE

Madame, en doutez-vous?

Jamais commandements ne me furent si doux :
365 Loin de vous je n'ai rien qu'avec plaisir je voie;
Tout me devient fâcheux, tout s'oppose à ma joie :
Un chagrin invincible accable tous mes sens.

CLARICE

Si, comme tu le dis, dans le cœur des absents
C'est l'amour qui fait naître une telle tristesse,
370 Ce compliment n'est bon qu'auprès d'une maîtresse.

PHILISTE

Souffrez-le d'un respect qui produit chaque jour
Pour un sujet si haut les effets de l'amour.

Scène VI : Clarice.

Las! il m'en dit assez, si je l'osais entendre
Et ses désirs aux miens se font assez comprendre;
375 Mais pour nous déclarer une si belle ardeur
L'un est muet de crainte, et l'autre de pudeur.
Que mon rang me déplaît! que mon trop de fortune,
Au lieu de m'obliger, me choque et m'importune!
Égale à mon Philiste, il m'offrirait ses vœux,
380 Je m'entendrais nommer le sujet de ses feux,
Et ses discours pourraient forcer ma modestie
A l'assurer bientôt de notre sympathie;
Mais le peu de rapport de nos conditions
Ote le nom d'amour à ses submissions,
385 Et sous l'injuste loi de cette retenue,
Le remède me manque et mon mal continue.
Il me sert en esclave, et non pas en amant,
Tant son respect s'oppose à mon contentement!
Ah! que ne devient-il un peu plus téméraire!
390 Que ne s'expose-t-il au hasard de me plaire!
Amour, gagne à la fin ce respect ennuyeux,
Et rends-le moins timide, ou l'ôte de mes yeux.

ACTE SECOND

Scène I : Philiste [17].

Secrets tyrans de ma pensée,
Respect, amour, de qui les lois
395 D'un juste et fâcheux contre-poids
La tiennent toujours balancée,
Que vos mouvements opposés,
Vos traits, l'un par l'autre brisés,
Sont puissants à s'entre-détruire!
400 Que l'un m'offre d'espoir! que l'autre a de rigueur!
Et tandis que tous deux tâchent à me séduire
Que leur combat est rude au milieu de mon cœur!

Moi-même je fais mon supplice
A force de leur obéir;
405 Mais le moyen de les haïr?
Ils viennent tous deux de Clarice;

17. Premières « stances » de Corneille. Elles ont la structure
traditionnelle du débat intérieur et le mouvement antithétique
de celles du *Cid*.

Ils m'en entretiennent tous deux,
Et forment ma crainte et mes vœux
Pour ce bel œil qui les fait naître;
410 Et de deux flots divers mon esprit agité,
Plein de glace, et d'un feu qui n'oserait paraître,
Blâme sa retenue et sa témérité.

Mon âme, dans cet esclavage,
Fait des vœux qu'elle n'ose offrir;
415 J'aime seulement pour souffrir;
J'ai trop et trop peu de courage :
Je vois bien que je suis aimé,
Et que l'objet qui m'a charmé
Vit en de pareilles contraintes.
420 Mon silence à ses feux fait tant de trahison,
Qu'impertinent captif de mes frivoles craintes,
Pour accroître son mal, je fuis ma guérison.

Elle brûle et par quelque signe
Que son cœur s'explique avec moi,
425 Je doute de ce que je vois,
Parce que je m'en trouve indigne.
Espoir, adieu; c'est trop flatté :
Ne crois pas que cette beauté
Daigne avouer de telles flammes;
430 Et dans le juste soin qu'elle a de les cacher,
Vois que si même ardeur embrase nos deux âmes,
Sa bouche à son esprit n'ose le reprocher.

Pauvre amant, vois par son silence
Qu'elle t'en commande un égal,
435 Et que le récit de ton mal
Te convaincrait d'une insolence.
Quel fantasque raisonnement!
Et qu'au milieu de mon tourment
Je deviens subtil à ma peine!
440 Pourquoi m'imaginer qu'un discours amoureux
Par un contraire effet change l'amour en haine,
Et malgré mon bonheur me rende malheureux?

Mais j'aperçois Clarice. O Dieux! si cette belle
Parlait autant de moi que je m'entretiens d'elle!
445 Du moins si sa nourrice a soin de nos amours,
C'est de moi qu'à présent doit être leur discours.
Une humeur curieuse avec chaleur m'emporte
A me couler sans bruit derrière cette porte,
Pour écouter de là, sans en être aperçu,
450 En quoi mon fol espoir me peut avoir déçu.
Allons. Souvent l'amour ne veut qu'une bonne heure :
Jamais l'occasion ne s'offrira meilleure,
Et peut-être qu'enfin nous en pourrons tirer
Celle que nous cherchons pour nous mieux déclarer.

Scène II : Clarice, la nourrice.

CLARICE

Tu me veux détourner d'une seconde flamme,
Dont je ne pense pas qu'autre que toi me blâme.
Être veuve à mon âge, et toujours déplorer
La perte d'un mari que je puis réparer!

Refuser d'un amant ce doux nom de maîtresse !
460 N'avoir que des mépris pour les vœux qu'il m'adresse !
Le voir toujours languir dessous ma dure loi !
Cette vertu, Nourrice, est trop haute pour moi.
                    LA NOURRICE
Madame, mon avis au vôtre ne résiste
Qu'alors que votre ardeur se porte vers Philiste.
465 Aimez, aimez quelqu'un ; mais comme à l'autre fois,
Qu'un lieu digne de vous arrête votre choix.
                    CLARICE
Brise là ce discours dont mon amour s'irrite :
Philiste n'en voit point qui le passe en mérite.
                    LA NOURRICE
Je ne remarque en lui rien que de fort commun,
470 Sinon que plus qu'un autre il se rend importun.
                    CLARICE
Que ton aveuglement en ce point est extrême !
Et que tu connais mal et Philiste et moi-même,
Si tu crois que l'excès de sa civilité
Passa jamais chez moi pour importunité !
                    LA NOURRICE
475 Ce cajoleur rusé, qui toujours vous assiège,
A tant fait qu'à la fin vous tombez dans son piège.
                    CLARICE
Ce cavalier parfait, de qui je tiens le cœur,
A tant fait que du mien il s'est rendu vainqueur.
                    LA NOURRICE
Il aime votre bien, et non votre personne.
                    CLARICE
480 Son vertueux amour l'un et l'autre lui donne ;
Ce m'est trop d'heur encor, dans le peu que je vaux,
Qu'un peu de bien que j'ai supplée à mes défauts.
                    LA NOURRICE
La mémoire d'Alcandre, et le rang qu'il vous laisse,
Voudraient un successeur de plus haute noblesse.
                    CLARICE
485 S'il précéda Philiste en vaines dignités,
Philiste le devance en rares qualités ;
Il est né gentilhomme, et sa vertu répare
Tout ce dont la fortune envers lui fut avare :
Nous avons, elle et moi, trop de quoi l'agrandir.
                    LA NOURRICE
490 Si vous pouviez, Madame, un peu vous refroidir
Pour le considérer avec indifférence,
Sans prendre pour mérite une fausse apparence,
La raison ferait voir à vos yeux insensés
Que Philiste n'est pas tout ce que vous pensez.
495 Croyez-m'en plus que vous ; j'ai vieilli dans le monde,
J'ai de l'expérience, et c'est où je me fonde :
Éloignez quelque temps ce dangereux charmeur,
Faites en son absence essai d'une autre humeur ;
Pratiquez-en quelque autre, et désintéressée
500 Comparez-lui l'objet dont vous êtes blessée ;
Comparez-en l'esprit, la façon, l'entretien,
Et lors vous trouverez qu'un autre le vaut bien.
                    CLARICE
Exercer contre moi de si noirs artifices !
Donner à mon amour de si cruels supplices !
505 Trahir tous mes désirs ! éteindre un feu si beau !
Qu'on m'enferme plutôt toute vive au tombeau.

Fais venir cet amant : dussé-je la première
Lui faire de mon cœur une ouverture entière,
Je ne permettrai point qu'il sorte d'avec moi
Sans avoir l'un à l'autre engagé notre foi.   510
                    LA NOURRICE
Ne précipitez point ce que le temps ménage ;
Vous pourrez à loisir éprouver son courage.
                    CLARICE
Ne m'importune plus de tes conseils maudits,
Et sans me répliquer fais ce que je te dis.

Scène III : Philiste, la nourrice.

                    PHILISTE
Je te ferai cracher cette langue traîtresse.   515
Est-ce ainsi qu'on me sert auprès de ma maîtresse,
Détestable sorcière ?
                    LA NOURRICE
                    Eh bien, quoi ? qu'ai-je fait ?
                    PHILISTE
Et tu doutes encor si j'ai vu ton forfait ?
                    LA NOURRICE
Quel forfait ?
                    PHILISTE
                    Peut-on voir lâcheté plus hardie ?
Joindre encor l'impudence à tant de perfidie !   520
                    LA NOURRICE
Tenir ce qu'on promet, est-ce une trahison ?
                    PHILISTE
Est-ce ainsi qu'on le tient ?
                    LA NOURRICE
                    Parlons avec raison :
Que t'avais-je promis ?
                    PHILISTE
                    Que de tout ton possible
Tu rendrais ta maîtresse à mes désirs sensible,
Et la disposerais à recevoir mes vœux.   525
                    LA NOURRICE
Et ne la vois-tu pas au point où tu la veux ?
                    PHILISTE
Malgré toi mon bonheur à ce point l'a réduite.
                    LA NOURRICE
Mais tu dois ce bonheur à ma sage conduite,
Jeune et simple novice en matière d'amour,
Qui ne saurais comprendre encore un si bon tour.   530
    Flatter de nos discours les passions des dames,
C'est aider lâchement à leurs naissantes flammes,
C'est traiter lourdement un délicat effet,
C'est n'y savoir enfin que ce que chacun sait.
Moi, qui de ce métier ai la haute science,   535
Et qui pour te servir brûle d'impatience,
Par un chemin plus court qu'un propos complaisant
J'ai su croître sa flamme en la contredisant ;
J'ai su faire éclater, mais avec violence,
Un amour étouffé sous un honteux silence,   540
Et n'ai pas tant choqué que piqué ses désirs,
Dont la soif irritée avance tes plaisirs.
                    PHILISTE
A croire ton babil, la ruse est merveilleuse ;
Mais l'épreuve, à mon goût, en est fort périlleuse.

LA NOURRICE

545 Jamais il ne s'est vu de tours plus assurés.
La raison et l'amour sont ennemis jurés;
Et lorsque ce dernier dans un esprit commande,
Il ne peut endurer que l'autre le gourmande :
Plus la raison l'attaque, et plus il se roidit,
550 Plus elle l'intimide, et plus il s'enhardit.
Je le dis sans besoin, vos yeux et vos oreilles
Sont de trop bons témoins de toutes ces merveilles :
Vous-même avez tout vu, que voulez-vous de plus?
Entrez, on vous attend; ces discours superflus
555 Reculent votre bien, et font languir Clarice.
Allez, allez cueillir les fruits de mon service :
Usez bien de votre heur et de l'occasion.

PHILISTE

Soit une vérité, soit une illusion
Que ton esprit adroit emploie à ta défense.
560 Le mien de tes discours plus outre ne s'offense :
Et j'en estimerai mon bonheur plus parfait,
Si d'un mauvais dessein je tire un bon effet.

LA NOURRICE

Que de propos perdus! Voyez l'impatiente
Qui ne peut plus souffrir une si longue attente.

Scène IV : Clarice, Philiste, la nourrice.

CLARICE

565 Paresseux, qui tardez si longtemps à venir,
Devinez la façon dont je veux vous punir.

PHILISTE

M'interdiriez-vous bien l'honneur de votre vue?

CLARICE

Vraiment, vous me jugez de sens fort dépourvue :
Vous bannir de mes yeux! une si dure loi
570 Ferait trop retomber le châtiment sur moi,
Et je n'ai pas failli, pour me punir moi-même.

PHILISTE

L'absence ne fait mal que de ceux que l'on aime.

CLARICE

Aussi, que savez-vous si vos perfections
Ne vous ont rien acquis sur mes affections?

PHILISTE

575 Madame, excusez-moi, je sais mieux reconnaître
Mes défauts, et le peu que le ciel m'a fait naître.

CLARICE

N'oublierez-vous jamais ces termes ravalés,
Pour vous priser de bouche autant que vous valez?
Seriez-vous bien content qu'on crût ce que vous dites?
580 Demeurez au moins d'accord de vos mérites;
Laissez-moi me flatter de cette vanité,
Que j'ai quelque pouvoir sur votre liberté,
Et qu'une humeur si froide, à toute autre invincible,
Ne perd qu'auprès de moi le titre d'insensible :
585 Une si douce erreur tâche à s'autoriser;
Quel plaisir prenez-vous à m'en désabuser?

PHILISTE

Ce n'est point une erreur : pardonnez-moi, Madame,
Ce sont les mouvements les plus sains de mon âme,
Il est vrai, je vous aime, et mes feux indiscrets
590 Se donnent leur supplice en demeurant secrets.

Je reçois sans contrainte une ardeur téméraire;
Mais si j'ose brûler, je sais aussi me taire;
Et près de votre objet, mon unique vainqueur,
Je puis tout sur ma langue, et rien dessus mon cœur.
En vain j'avais appris que la seule espérance   595
Entretenait l'amour dans la persévérance :
J'aime sans espérer, et mon cœur enflammé
A pour but de vous plaire, et non pas d'être aimé.
L'amour devient servile, alors qu'il se dispense
A n'allumer ses feux que pour la récompense.   600
Ma flamme est toute pure, et sans rien présumer,
Je ne cherche en aimant que le seul bien d'aimer.

CLARICE

Et celui d'être aimé, sans que tu le prétendes,
Préviendra tes désirs et tes justes demandes.
Ne déguisons plus rien, cher Philiste : il est temps   605
Qu'un aveu mutuel rende nos vœux contents.
Donnons-leur, je te prie, une entière assurance;
Vengeons-nous à loisir de notre indifférence,
Vengeons-nous à loisir de toutes ces langueurs
Où sa fausse couleur avait réduit nos cœurs.   610

PHILISTE

Vous me jouez, Madame, et cette accorte feinte
Ne donne à mon amour qu'une railleuse atteinte.

CLARICE

Quelle façon étrange! En me voyant brûler,
Tu t'obstines encore à le dissimuler;
Tu veux qu'encore un coup je me donne la honte   615
De te dire à quel point l'amour pour toi me dompte :
Tu le vois cependant avec pleine clarté,
Et veux douter encor de cette vérité?

PHILISTE

Oui, j'en doute, et l'excès du bonheur qui m'accable
Me surprend, me confond, me paraît incroyable.   620
Madame, est-il possible? et me puis-je assurer
D'un bien à quoi mes vœux n'oseraient aspirer?

CLARICE

Cesse de me tuer par cette défiance.
Qui pourrait des mortels troubler notre alliance?
Quelqu'un a-t-il à voir dessus mes actions,   625
Dont j'aye à prendre l'ordre en mes affections?
Veuve, et qui ne dois plus de respect à personne,
Ne puis-je disposer de ce que je te donne?

PHILISTE

N'ayant jamais été digne d'un tel honneur,
J'ai de la peine encore à croire mon bonheur.   630

CLARICE

Pour t'obliger enfin à changer de langage,
Si ma foi ne suffit, que je te donne en gage,
Un bracelet, exprès tissu de mes cheveux,
T'attend pour enchaîner et ton bras et tes vœux;
Viens le querir, et prendre avec moi la journée   635
Qui termine bientôt notre heureux hyménée.

PHILISTE

C'est dont vos seuls avis se doivent consulter
Trop heureux, quant à moi, de les exécuter!

LA NOURRICE, *seule.*   [prendre

Vous comptez sans votre hôte, et vous pourrez ap-
Que ce n'est pas sans moi que ce jour se doit prendre.   640
De vos prétentions Alcidon averti

Vous fera, s'il m'en croit, un dangereux parti.
Je lui vais bien donner de plus sûres adresses
Que d'amuser Doris par de fausses caresses;
645 Aussi bien, m'a-t-on dit, à beau jeu beau retour :
Au lieu de la duper avec ce feint amour,
Elle-même le dupe, et lui rendant son change,
Lui promet un amour qu'elle garde à Florange :
Ainsi, de tous côtés primé par un rival,
650 Ses affaires sans moi se porteraient fort mal.

Scène V : Alcidon, Doris.

ALCIDON
Adieu, mon cher souci, sois sûre que mon âme
Jusqu'au dernier soupir conservera sa flamme.
DORIS
Alcidon, cet adieu me prend au dépourvu.
Tu ne fais que d'entrer, à peine t'ai-je vu;
655 C'est m'envier trop tôt le bien de ta présence.
De grâce, oblige-moi d'un peu de complaisance,
Et puisque je te tiens, souffre qu'avec loisir
Je puisse m'en donner un peu plus de plaisir.
ALCIDON
Je t'explique si mal le feu qui me consume,
660 Qu'il me force à rougir d'autant plus qu'il s'allume.
Mon discours s'en confond, j'en demeure interdit;
Ce que je ne puis dire est plus que je n'ai dit :
J'en hais les vains efforts de ma langue grossière,
Qui manquent de justesse en si belle matière
665 Et ne répondant point aux mouvements du cœur,
Te découvrent si peu le fond de ma langueur.
Doris, si tu pouvais lire dans ma pensée,
Et voir jusqu'au milieu de mon âme blessée,
Tu verrais un brasier bien autre et bien plus grand
670 Qu'en ces faibles devoirs que ma bouche te rend.
DORIS
Si tu pouvais aussi pénétrer mon courage,
Et voir jusqu'à quel point ma passion m'engage,
Ce que dans mes discours tu prends pour ardeurs
Ne te semblerait plus que de tristes froideurs.
675 Ton amour et le mien ont faute de paroles.
Par un malheur égal ainsi tu me consoles;
Et de mille défauts me sentant accabler,
Ce m'est trop d'heur qu'un d'eux me fait te ressembler.
ALCIDON
Mais quelque ressemblance entre nous qui survienne,
680 Ta passion n'a rien qui ressemble à la mienne,
Et tu ne m'aimes pas de la même façon.
DORIS
Si tu m'aimes encor, quitte un si faux soupçon;
Tu douterais à tort d'une chose trop claire;
L'épreuve fera foi comme j'aime à te plaire.
685 Je meurs d'impatience, attendant l'heureux jour
Qui te montre quel est envers toi mon amour;
Ma mère en ma faveur brûle de même envie.
ALCIDON
Hélas! ma volonté sous une autre asservie,
Dont je ne puis encore à mon gré disposer,
690 Fait que d'un tel bonheur je ne saurais user.
Je dépends d'un vieil oncle, et s'il ne m'autorise,

Je ne te fais qu'en vain le don de ma franchise;
Tu sais que tout son bien ne regarde que moi,
Et qu'attendant sa mort, je vis dessous sa loi.
695 Mais nous le gagnerons, et mon humeur accorte
Sait comme il faut avoir les hommes de sa sorte :
Un peu de temps fait tout.
DORIS
                                       Ne précipite rien.
Je connais ce qu'au monde aujourd'hui vaut le bien.
Conserve ce vieillard; pourquoi te mettre en peine,
700 A force de m'aimer, de t'acquérir sa haine?
Ce qui te plaît m'agrée, et ce retardement,
Parce qu'il vient de toi, m'oblige infiniment.
ALCIDON
De moi! C'est offenser une pure innocence.
Si l'effet de mes vœux n'est pas en ma puissance,
705 Leur obstacle me gêne autant ou plus que toi.
DORIS
C'est prendre mal mon sens, je sais quelle est ta foi.
ALCIDON
En veux-tu par écrit une entière assurance?
DORIS
Elle m'assure assez de ta persévérance
Et je lui ferais tort d'en recevoir d'ailleurs
710 Une preuve plus ample ou des garants meilleurs.
ALCIDON
Je l'apporte demain, pour mieux faire connaître...
DORIS
J'en crois si fortement ce que j'en vois paraître
Que c'est perdre du temps que de plus en parler.
Adieu, va désormais où tu voulais aller.
715 Si pour te retenir j'ai trop peu de mérite,
Souviens-toi pour le moins que c'est moi qui te quitte.
ALCIDON
Ce brusque adieu m'étonne, et je n'entends pas bien...

Scène VI : Alcidon, la nourrice.

LA NOURRICE
Je te prends au sortir d'un plaisant entretien.
ALCIDON
Plaisant, de vérité, vu que mon artifice
720 Lui raconte les vœux que j'envoie à Clarice;
Et de tous mes soupirs, qui se portent plus loin,
Elle se croit l'objet, et n'en est que témoin.
LA NOURRICE
Ainsi ton feu se joue?
ALCIDON
                                     Ainsi quand je soupire,
Je la prends pour une autre, et lui dis mon martyre;
725 Et sa réponse, au point que je puis souhaiter,
Dans cette illusion a droit de me flatter.
LA NOURRICE
Elle t'aime?
ALCIDON
                      Et de plus, un discours équivoque
Lui fait aisément croire un amour réciproque.
Elle se pense belle, et cette vanité
730 L'assure imprudemment de ma captivité;
Et comme si j'étais des amants ordinaires,

Elle prend sur mon cœur des droits imaginaires,
Cependant que le sien sent tout ce que je feins,
Et vit dans les langueurs dont à faux je me plains.

LA NOURRICE

735 Je te réponds que non. Si tu n'y mets remède,
Avant qu'il soit trois jours Florange la possède.

ALCIDON

Et qui t'en a tant dit ?

LA NOURRICE

Géron m'a tout conté ;
C'est lui qui sourdement a conduit ce traité.

ALCIDON

C'est ce qu'en mots obscurs son adieu voulait dire.
740 Elle a cru me braver, mais je n'en fais que rire ;
Et comme j'étais las de me contraindre tant,
La coquette qu'elle est m'oblige en me quittant.
Ne m'apprendras-tu point ce que fait ta maîtresse ?

LA NOURRICE

Elle met ton agente au bout de sa finesse.
745 Philiste assurément tient son esprit charmé :
Je n'aurais jamais cru qu'elle l'eût tant aimé.

ALCIDON

C'est à faire à du temps.

LA NOURRICE

Quitte cette espérance :
Ils ont pris l'un et l'autre une entière assurance,
Jusqu'à s'entre-donner la parole et la foi.

ALCIDON

750 Que tu demeures froide en te moquant de moi !

LA NOURRICE

Il n'est rien de si vrai, ce n'est point raillerie.

ALCIDON

C'est donc fait d'Alcidon ! Nourrice, je te prie...

LA NOURRICE

Rien ne sert de prier, mon esprit épuisé
Pour divertir ce coup n'est point assez rusé.
755 Je n'en sais qu'un moyen, mais je ne l'ose dire.

ALCIDON

Dépêche, ta longueur m'est un second martyre.

LA NOURRICE

Clarice, tous les soirs, rêvant à ses amours,
Seule dans son jardin fait trois ou quatre tours.

ALCIDON

Et qu'a cela de propre à reculer ma perte ?

LA NOURRICE

760 Je te puis en tenir la fausse porte ouverte.
Aurais-tu du courage assez pour l'enlever ?

ALCIDON

Oui, mais il faut retraite après où me sauver
Et je n'ai point d'ami si peu jaloux de gloire
Que d'être partisan d'une action si noire.
765 Si j'avais un prétexte, alors je ne dis pas
Que quelqu'un abusé n'accompagnât mes pas.

LA NOURRICE

On te vole Doris, et ta feinte colère
Manquerait de prétexte à quereller son frère !
Fais-en sonner partout un faux ressentiment :
770 Tu verras trop d'amis s'offrir aveuglément,
Se prendre à ces dehors, et sans voir dans ton âme,
Vouloir venger l'affront qu'aura reçu ta flamme.

Sers-toi de leur erreur, et dupe-les si bien...

ALCIDON

Ce prétexte est si beau que je ne crains plus rien.

LA NOURRICE

Pour ôter tout soupçon de notre intelligence, 77
Ne faisons plus ensemble aucune conférence,
Et viens quand tu pourras : je t'attends dès demain.

ALCIDON

Adieu ; je tiens le coup, autant vaut, dans ma main.

ACTE TROISIÈME

Scène I : Célidan, Alcidon.

CÉLIDAN

Ce n'est pas que j'excuse ou la sœur ou le frère,
Dont l'infidélité fait naître ta colère ; 78
Mais, à ne point mentir, ton dessein à l'abord
N'a gagné mon esprit qu'avec un peu d'effort.
Lorsque tu m'as parlé d'enlever sa maîtresse,
L'honneur a quelque temps combattu ma promesse :
Ce mot d'enlèvement me faisait de l'horreur ; 78
Mes sens, embarrassés dans cette vaine erreur,
N'avaient plus la raison de leur intelligence.
En plaignant ton malheur, je blâmais ta vengeance
Et l'ombre d'un forfait, amusant ma pitié,
Retardait les effets dus à notre amitié. 79
Pardonne un vain scrupule à mon âme inquiète ;
Prends mon bras pour second, mon château pour
    [retraite.
Le déloyal Philiste, en te volant ton bien,
N'a que trop mérité qu'on le prive du sien :
Après son action la tienne est légitime 79
Et l'on venge sans honte un crime par un crime.

ALCIDON

Tu vois comme il me trompe, et me promet sa sœur
Pour en faire sous main Florange possesseur.
Ah ciel ! fut-il jamais un si noir artifice ?
Il lui fait recevoir mes offres de service ; 80
Cette belle m'accepte, et fier de son aveu,
Je me vante partout du bonheur de mon feu,
Cependant il me l'ôte, et par cette pratique,
Plus mon amour est su, plus ma honte est publique.

CÉLIDAN

Après sa trahison, vois ma fidélité : 805
Il t'enlève un objet que je t'avais quitté.
Ta Doris fut toujours la reine de mon âme ;
J'ai toujours eu pour elle une secrète flamme,
Sans jamais témoigner que j'en étais épris,
Tant que tes feux ont pu te promettre ce prix ; 81
Mais je te l'ai quitté, et non pas à Florange.
Quand je t'aurai vengé, contre lui je me venge,
Et je lui fais savoir que jusqu'à mon trépas,
Tout autre qu'Alcidon ne l'emportera pas.

ALCIDON

Pour moi donc à ce point ta contrainte est venue ! 815
Que je te veux de mal de cette retenue !
Est-ce ainsi qu'entre amis on vit à cœur ouvert ?

CÉLIDAN

Mon feu, qui t'offensait, est demeuré couvert ;

Et si cette beauté malgré moi l'a fait naître,
820 J'ai su pour ton respect l'empêcher de paraître.
ALCIDON
Hélas! tu m'as perdu, me voulant obliger;
Notre vieille amitié m'en eût fait dégager.
Je souffre maintenant la honte de sa perte,
Et j'aurais eu l'honneur de te l'avoir offerte,
825 De te l'avoir cédée, et réduit mes désirs
Au glorieux dessein d'avancer tes plaisirs.
Faites, Dieux tout-puissants, que Philiste se change,
Et l'inspirant bientôt de rompre avec Florange,
Donnez-moi le moyen de montrer qu'à mon tour
830 Je sais pour un ami contraindre mon amour.
CÉLIDAN
Tes souhaits arrivés, nous t'en verrions dédire;
Doris sur ton esprit reprendrait son empire :
Nous donnons aisément ce qui n'est plus à nous.
ALCIDON
Si j'y manquais, grands Dieux! je vous conjure tous
835 D'armer contre Alcidon vos dextres vengeresses.
CÉLIDAN
Un ami tel que toi m'est plus que cent maîtresses;
Il n'y va pas de tant; résolvons seulement
Du jour et des moyens de cet enlèvement.
ALCIDON
Mon secret n'a besoin que de ton assistance.
840 Je n'ai point lieu de craindre aucune résistance :
La beauté dont mon traître adore les attraits
Chaque soir au jardin va prendre un peu de frais;
J'en ai su de lui-même ouvrir la fausse porte;
Étant seule, et de nuit, le moindre effort l'emporte.
845 Allons-y dès ce soir, le plus tôt vaut le mieux,
Et surtout déguisés, dérobons à ses yeux,
Et de nous, et du coup, l'entière connaissance.
CÉLIDAN
Si Clarice une fois est en notre puissance,
Crois que c'est un bon gage à moyenner l'accord,
850 Et rendre, en le faisant, ton parti le plus fort.
Mais pour la sûreté d'une telle surprise,
Aussitôt que chez moi nous pourrons l'avoir mise,
Retournons sur nos pas, et soudain effaçons
Ce que pourrait l'absence engendrer de soupçons.
ALCIDON
855 Ton salutaire avis est la même prudence,
Et déjà je prépare une froide impudence
A m'informer demain, avec étonnement,
De l'heure et de l'auteur de cet enlèvement.
CÉLIDAN
Adieu, j'y vais mettre ordre.
ALCIDON
                                              Estime qu'en revanche
860 Je n'ai goutte de sang que pour toi je n'épanche.

Scène II : Alcidon.

Bons Dieux! que d'innocence et de simplicité!
Ou pour le mieux nommer, que de stupidité,
Dont le manque de sens se cache et se déguise
Sous le front spécieux d'une sotte franchise!
865 Que Célidan est bon! que j'aime sa candeur!

Et que son peu d'adresse oblige mon ardeur!
Oh! qu'il n'est pas de ceux dont l'esprit à la mode
A l'humeur d'un ami jamais ne s'accommode,
Et qui nous font souvent cent protestations,
Et contre les effets ont mille inventions!   870
Lui, quand il a promis, il meurt qu'il n'effectue,
Et l'attente déjà de me servir le tue.
J'admire cependant par quel secret ressort
Sa fortune et la mienne ont cela de rapport,
Que celle qu'un ami nomme ou tient sa maîtresse   875
Est l'objet qui tous deux au fond du cœur nous blesse,
Et qu'ayant comme moi caché sa passion,
Nous n'avons différé que de l'intention,
Puisqu'il met pour autrui son bonheur en arrière.
Et pour moi...

Scène III : Philiste, Alcidon.

PHILISTE
Je t'y prends, rêveur.
ALCIDON
                                        Oui, par derrière.   880
C'est d'ordinaire ainsi que les traîtres en font.
PHILISTE
Je te vois accablé d'un chagrin si profond,
Que j'excuse aisément ta réponse un peu crue.
Mais que fais-tu si triste au milieu d'une rue?
Quelque penser fâcheux te servait d'entretien?   885
ALCIDON
Je rêvais que le monde en l'âme ne vaut rien,
Du moins pour la plupart, que le siècle où nous
A bien dissimuler met la vertu des hommes, [sommes,
Qu'à peine quatre mots se peuvent échapper
Sans quelque double sens afin de nous tromper,   890
Et que souvent de bouche un dessein se propose,
Cependant que l'esprit songe à toute autre chose.
PHILISTE
Et cela t'affligeait? Laissons courir le temps
Et malgré ses abus, vivons toujours contents.
Le monde est un chaos, et son désordre excède   895
Tout ce qu'on y voudrait apporter de remède.
N'ayons l'œil, cher ami, que sur nos actions;
Aussi bien, s'offenser de ses corruptions,
A des gens comme nous ce n'est qu'une folie.
Mais pour te retirer de ta mélancolie,   900
Je te veux faire part de mes contentements.
Si l'on peut en amour s'assurer aux serments,
Dans trois jours au plus tard, par un bonheur étrange,
Clarice est à Philiste.
ALCIDON
                                  Et Doris à Florange.
PHILISTE
Quelque soupçon frivole en ce point te déçoit,   905
J'aurai perdu la vie avant que cela soit.
ALCIDON
Voilà faire le fin de fort mauvaise grâce :
Philiste, vois-tu bien, je sais ce qui se passe.
PHILISTE
Ma mère en a reçu, de vrai, quelque propos
Et voulut hier au soir m'en toucher quelques mots.   910

Les femmes de son âge ont ce mal ordinaire
De régler sur les biens une pareille affaire :
Un si honteux motif leur fait tout décider,
Et l'or qui les aveugle a droit de les guider :
915 Mais comme son éclat n'éblouit point mon âme,
Que je vois d'un autre œil ton mérite et ta flamme,
Je lui fis bien savoir que mon consentement
Ne dépendrait jamais de son aveuglement,
Et que jusqu'au tombeau, quant à cet hyménée,
920 Je maintiendrais la foi que je t'avais donnée.
Ma sœur accortement feignait de l'écouter ;
Non pas que son amour n'osât lui résister,
Mais elle voulait bien qu'un peu de jalousie
Sur quelque bruit léger piquât ta fantaisie :
925 Ce petit aiguillon quelquefois, en passant,
Réveille puissamment un amour languissant.

ALCIDON

Fais à qui tu voudras ce conte ridicule.
Soit que ta sœur l'accepte, ou qu'elle dissimule,
Le peu que j'y perdrai ne vaut pas m'en fâcher.
930 Rien de mes sentiments ne saurait approcher
Comme alors qu'au théâtre on nous fait voir *Mélite* [18],
Le discours de Cloris, quand Philandre la quitte :
Ce qu'elle dit de lui, je le dis de ta sœur,
Et je la veux traiter avec même douceur.
935 Pourquoi m'aigrir contre elle ? En cet indigne change,
Le beau choix qu'elle fait la punit et me venge ;
Et ce sexe imparfait, de soi-même ennemi,
Ne posséda jamais la raison qu'à demi.
J'aurais tort de vouloir qu'elle en eût davantage ;
940 Sa faiblesse la force à devenir volage.
Je n'ai que pitié d'elle en ce manque de foi ;
Et mon courroux entier se réserve pour toi,
Toi qui trahis ma flamme, après l'avoir fait naître,
Toi qui ne m'es ami qu'afin d'être plus traître,
945 Et que tes lâchetés tirent de leur excès,
Par ce damnable appas, un facile succès.
Déloyal ! ainsi donc de ta vaine promesse
Je reçois mille affronts au lieu d'une maîtresse ;
Et ton perfide cœur, masqué jusqu'à ce jour,
950 Pour assouvir ta haine alluma mon amour !

PHILISTE

Ces soupçons dissipés par des effets contraires,
Nous renouerons bientôt une amitié de frères.
Puisse dessus ma tête éclater à tes yeux
Ce qu'a de plus mortel la colère des cieux,
955 Si jamais ton rival a ma sœur sans ma vie !
A cause de son bien ma mère en meurt d'envie,
Mais malgré...

ALCIDON

Laisse là ces propos superflus :
Ces protestations ne m'éblouissent plus,
Et ma simplicité, lasse d'être dupée,
960 N'admet plus de raisons qu'au bout de mon épée.

PHILISTE

Étrange impression d'une jalouse erreur,
Dont ton esprit atteint ne suit que sa fureur !

---

18. Corneille ne répugne pas, en se citant lui-même, à sa propre publicité. C'était d'ailleurs alors un usage courant (cf. *Mélite*, III, 2). Molière en use encore trente ans plus tard.

Eh bien ! tu veux ma vie, et je te l'abandonne ;
Ce courroux insensé qui dans ton cœur bouillonne,
Contente-le par là, pousse, mais n'attends pas   90
Que par le tien je veuille éviter mon trépas.
Trop heureux que mon sang puisse te satisfaire,
Je le veux tout donner au seul bien de te plaire.
Toujours à ces défis j'ai couru sans effroi,
Mais je n'ai point d'épée à tirer contre toi.   97

ALCIDON

Voilà bien déguiser un manque de courage.

PHILISTE

C'est presser un peu trop qu'aller jusqu'à l'outrage.
On n'a point encor vu que ce manque d'honneur
M'ait rendu le dernier où vont les gens d'honneur.
Je te veux bien ôter tout sujet de colère,   97
Et quoi que de ma sœur ait résolu ma mère,
Dût mon peu de respect irriter tous les Dieux,
J'affronterai Géron et Florange à ses yeux.
Mais après les efforts de cette déférence,
Si tu gardes encor la même violence,   98
Peut-être saurons-nous apaiser autrement
Les obstinations de ton emportement.

ALCIDON, seul.

Je crains son amitié plus que cette menace :
Sans doute il va chasser Florange de ma place.
Mon prétexte est perdu, s'il ne quitte ces soins :   98
Dieux ! qu'il m'obligerait de m'aimer un peu moins !

Scène IV : *Chrysante, Doris.*

CHRYSANTE

Je meure, mon enfant, si tu n'es admirable !
Et ta dextérité me semble incomparable :
Tu mérites de vivre après un si beau tour.

DORIS

Croyez-moi qu'Alcidon n'en sait guère en amour ;   99
Vous n'eussiez pu m'entendre, et vous garder de rire.
Je me tuais moi-même à tous coups de lui dire
Que mon âme pour lui n'a que de la froideur,
Et que je lui ressemble en ce que notre ardeur
Ne s'explique à tous deux point du tout par la bouche ;   99
Enfin que je le quitte.

CHRYSANTE

Il est donc une souche,
S'il ne peut rien comprendre à ces naïvetés.
Peut-être y mêlais-tu quelques obscurités ?

DORIS

Pas une ; en mots exprès je lui rendais son change,
Et n'ai couvert mon jeu qu'au regard de Florange.   100

CHRYSANTE

De Florange ! et comment en osais-tu parler ?

DORIS

Je ne me trouvais pas d'humeur à rien celer ;
Mais nous nous sûmes lors jeter sur l'équivoque.

CHRYSANTE

Tu vaux trop. C'est ainsi qu'il faut, quand on se
Que le moqué toujours sorte fort satisfait ;   [moque, 100
Ce n'est plus autrement qu'un plaisir imparfait,
Qui souvent malgré nous se termine en querelle.

DORIS

Je lui prépare encore une ruse nouvelle
Pour la première fois qu'il m'en viendra conter.

CHRYSANTE

010 Mais pour en dire trop tu pourras tout gâter.

DORIS

N'en ayez pas de peur.

CHRYSANTE

Quoi que l'on se propose,
Assez souvent l'issue...

DORIS

On vous veut quelque chose,
Madame, je vous laisse.

CHRYSANTE

Oui, va-t'en; il vaut mieux
Que l'on ne traite point cette affaire à tes yeux.

Scène V : Chrysante, Géron.

CHRYSANTE

015 Je devine à peu près le sujet qui t'amène;
Mais, sans mentir, mon fils me donne un peu de peine
Et s'emporte si fort en faveur d'un ami,
Que je n'ai su gagner son esprit qu'à demi.
Encore une remise; et que tandis [19] Florange
020 Ne craigne aucunement qu'on lui donne le change;
Moi-même j'ai tant fait que ma fille aujourd'hui
(Le croirais-tu, Géron?) a de l'amour pour lui.

GÉRON

Florange, impatient de n'avoir pas encore
L'entier et libre accès vers l'objet qu'il adore,
025 Ne pourra consentir à ce retardement.

CHRYSANTE

Le tout en ira mieux pour ton contentement.
Quel plaisir aura-t-il auprès de sa maîtresse,
Si mon fils ne l'y voit que d'un œil de rudesse,
Si sa mauvaise humeur ne daigne lui parler,
030 Ou ne lui parle enfin que pour le quereller?

GÉRON

Madame, il ne faut point tant de discours frivoles;
Je ne fus jamais homme à porter des paroles,
Depuis que j'ai connu qu'on ne les peut tenir;
Si monsieur votre fils...

CHRYSANTE

Je l'aperçois venir.

GÉRON

035 Tant mieux. Nous allons voir s'il dédira sa mère.

CHRYSANTE

Sauve-toi; ses regards ne sont que de colère.

Scène VI : Chrysante, Philiste, Géron, Lycas.

PHILISTE

Te voilà donc ici, peste du bien public,
Qui réduis les amours en un sale trafic!
Va pratiquer ailleurs tes commerces infâmes;
040 Ce n'est pas où je suis que l'on surprend des femmes.

GÉRON

Vous me prenez à tort pour quelque suborneur?

19. *Tandis*, adverbe : en attendant.

Je ne sortis jamais des termes de l'honneur;
Et Madame elle-même a choisi cette voie.

PHILISTE, *lui donnant des coups
de plat d'épée.*

Tiens, porte ce revers à celui qui t'envoie;
Ceux-ci seront pour toi.

Scène VII : Chrysante, Philiste, Lycas.

CHRYSANTE

Mon fils, qu'avez-vous fait? 1045

PHILISTE

J'ai mis, grâces aux Dieux, ma promesse en effet.

CHRYSANTE

Ainsi vous m'empêchez d'exécuter la mienne.

PHILISTE

Je ne puis empêcher que la vôtre ne tienne;
Mais si jamais je trouve ici ce courratier [20],
Je lui saurai, Madame, apprendre son métier.   1050

CHRYSANTE

Il vient sous mon aveu.

PHILISTE

Votre aveu ne m'importe,
C'est un fou s'il me voit sans regagner la porte,
Autrement il saura ce que pèsent mes coups.

CHRYSANTE

Est-ce là le respect que j'attendais de vous?

PHILISTE

Commandez que le cœur à vos yeux je m'arrache,   1055
Pourvu que mon honneur ne souffre aucune tache;
Je suis prêt d'expier avec mille tourments
Ce que je mets d'obstacle à vos contentements.

CHRYSANTE

Souffrez que la raison règle votre courage;
Considérez, mon fils, quel heur, quel avantage,   1060
L'affaire qui se traite apporte à votre sœur.
Le bien est en ce siècle une grande douceur :
Étant riche, on est tout; ajoutez qu'elle-même
N'aime point Alcidon, et ne croit pas qu'il l'aime.
Quoi! voulez-vous forcer son inclination?   1065

PHILISTE

Vous la forcez vous-même à cette élection :
Je suis de ses amours le témoin oculaire.

CHRYSANTE

Elle se contraignait seulement pour vous plaire.

PHILISTE

Elle doit donc encor se contraindre pour moi.

CHRYSANTE

Et pourquoi lui prescrire une si dure loi?   1070

PHILISTE

Puisqu'elle m'a trompé, qu'elle en porte la peine.

CHRYSANTE

Voulez-vous l'attacher à l'objet de sa haine?

PHILISTE

Je veux tenir parole à mes meilleurs amis,
Et qu'elle tienne aussi ce qu'elle m'a promis.

CHRYSANTE

Mais elle ne vous doit aucune obéissance.   1075

20. Courtier.

PHILISTE

Sa promesse me donne une entière puissance.

CHRYSANTE

Sa promesse, sans moi, ne la peut obliger.

PHILISTE

Que deviendra ma foi, qu'elle a fait engager ?

CHRYSANTE

Il la faut révoquer, comme elle sa promesse.

PHILISTE

1080 Il faudrait donc, comme elle, avoir l'âme traîtresse.
Lycas, cours chez Florange, et dis-lui de ma part...

CHRYSANTE

Quel violent esprit !

PHILISTE

Que s'il ne se départ
D'une place chez nous par surprise occupée,
Je ne le trouve point sans une bonne épée.

CHRYSANTE

1085 Attends un peu. Mon fils...

PHILISTE, *à Lycas.*

Marche, mais promptement.

CHRYSANTE, *seule.*

Dieux ! que cet emporté me donne de tourment !
Que je te plains, ma fille ! Hélas ! pour ta misère
Les destins ennemis t'ont fait naître ce frère.
Déplorable ! le ciel te veut favoriser
1090 D'une bonne fortune, et tu n'en peux user.
Rejoignons toutes deux ce naturel sauvage,
Et tâchons par nos pleurs d'amollir son courage.

Scène VIII : Clarice, dans son jardin.

Chers confidents de mes désirs,
Beaux lieux, secrets témoins de mon inquiétude,
1095 Ce n'est plus avec des soupirs
Que je viens abuser de votre solitude ;
Mes tourments sont passés,
Mes vœux sont exaucés,
La joie aux maux succède :
1100 Mon sort en ma faveur change sa dure loi,
Et pour dire en un mot le bien que je possède,
Mon Philiste est à moi.

En vain nos inégalités
M'avaient avantagée à mon désavantage.
1105 L'amour confond nos qualités,
Et nous réduit tous deux sous un même esclavage.
L'aveugle outrecuidé
Se croirait mal guidé
Par l'aveugle fortune ;
1110 Et son aveuglement par miracle fait voir
Que quand il nous saisit, l'autre nous importune,
Et n'a plus de pouvoir.

Chez Philiste, à présent tes yeux
Que j'entendais si bien sans les vouloir entendre,
1115 Et tes propos mystérieux,
Par leurs rusés détours n'ont plus rien à m'apprendre.
Notre libre entretien
Ne dissimule rien ;
Et ces respects farouches

N'exerçant plus sur nous de secrètes rigueurs, 11
L'amour est maintenant le maître de nos bouches
Ainsi que de nos cœurs.

Qu'il fait bon avoir enduré.
Que le plaisir se goûte au sortir des supplices !
Et qu'après avoir tant duré, 11
La peine qui n'est plus augmente nos délices !
Qu'un si doux souvenir
M'apprête à l'avenir
D'amoureuses tendresses !
Que mes malheurs finis auront de volupté ! 11
Et que j'estimerai chèrement ces caresses
Qui m'auront tant coûté !

Mon heur me semble sans pareil ;
Depuis qu'en liberté notre amour m'en assure,
Je ne crois pas que le soleil... 11

Scène IX : Célidan, Alcidon, Clarice, la nourrice.

CÉLIDAN, *dit ces mots derrière le théâtre.*

Cocher, attends-nous là.

CLARICE

D'où provient ce murmure ?

ALCIDON

Il est temps d'avancer ; baissons le tapabord [21],
Moins nous ferons de bruit, moins il faudra d'effort.

CLARICE

Aux voleurs ! au secours !

LA NOURRICE

Quoi ! des voleurs, Madame ?

CLARICE

Oui, des voleurs, Nourrice.

LA NOURRICE *embrasse les genoux de
Clarice et l'empêche de fuir.*

Ah ! de frayeur je pâme. 11

CLARICE

Laisse-moi, misérable.

CÉLIDAN

Allons, il faut marcher,

Madame, vous viendrez.

CLARICE. (*Célidan lui met la main sur la bouche.*)

Aux vo...

CÉLIDAN. (*Il dit ces mots derrière le théâtre.*)

Touche, cocher.

*Scène X : La nourrice, Doraste,
Polymas, Listor.*

LA NOURRICE, *seule.*

Sortons de pâmoison, reprenons la parole ;
Il nous faut à grands cris jouer un autre rôle.
Ou je n'y connais rien, ou j'ai bien pris mon temps : 11
Ils n'en seront pas tous également contents ;
Et Philiste demain, cette nouvelle sue,
Sera de belle humeur, ou je suis fort déçue.

21. Bonnet anglais, qui se rabat jusqu'aux épaules. La gravure de Chauveau, dans l'édition de 1660, le reproduit assez exactement.

Mais par où vont nos gens? Voyons, qu'en sûreté
50 Je fasse aller après par un autre côté.
A présent il est temps que ma voix s'évertue.
Aux armes! aux voleurs! on m'égorge, on me tue,
On enlève Madame! Amis, secourez-nous!
A la force! aux brigands! au meurtre! Accourez tous,
55 Doraste, Polymas, Listor.

POLYMAS
                    Qu'as-tu, Nourrice?
LA NOURRICE
Des voleurs...
POLYMAS
Qu'ont-ils fait?
LA NOURRICE
                              Ils ont ravi Clarice.
POLYMAS
Comment! ravi Clarice?
LA NOURRICE
                    Oui; suivez promptement.
Bons Dieux! que j'ai reçu de coups en un moment!
DORASTE
Suivons-les; mais dis-nous la route qu'ils ont prise.
LA NOURRICE
60 Ils vont tout droit par là. Le ciel vous favorise!
Elle est seule.
Oh! qu'ils en vont abattre! ils sont morts, c'en est fait;
Et leur sang, autant vaut, a lavé leur forfait.
Pourvu que le bonheur à leurs souhaits réponde,
Ils les rencontreront s'ils font le tour du monde.
65 Quant à nous cependant subornons quelques pleurs
Qui servent de témoins à nos fausses douleurs.

ACTE QUATRIÈME

Scène I : Philiste, Lycas.

PHILISTE
Des voleurs cette nuit ont enlevé Clarice!
Quelle preuve en as-tu? quel témoin? quel indice?
Ton rapport n'est fondé que sur quelque faux bruit.
LYCAS
70 Je n'en suis par les yeux, hélas! que trop instruit;
Les cris de sa nourrice en sa maison déserte
M'ont trop suffisamment assuré de sa perte;
Seule en ce grand logis, elle court haut et bas,
Elle renverse tout ce qui s'offre à ses pas,
75 Et sur ceux qu'elle voit frappe sans reconnaître;
A peine devant elle oserait-on paraître :
De furie elle écume, et fait sans cesse un bruit
Que le désespoir forme, et que la rage suit;
Et parmi ses transports, son hurlement farouche
80 Ne laisse distinguer que Clarice en sa bouche.
PHILISTE
Ne t'a-t-elle rien dit?
LYCAS
                    Soudain qu'elle m'a vu,
Ces mots ont éclaté d'un transport imprévu :
« Va lui dire qu'il perd sa maîtresse et la nôtre »;
Et puis incontinent, me prenant pour un autre,

Elle m'allait traiter en auteur du forfait,   1185
Mais ma fuite a rendu sa fureur sans effet.
PHILISTE
Elle nomme du moins celui qu'elle en soupçonne?
LYCAS
Ses confuses clameurs n'en accusent personne,
Et même les voisins n'en savent que juger.
PHILISTE
Tu m'apprends seulement ce qui peut m'affliger,   1190
Traître, sans que je sache où pour mon allégeance
Adresser ma poursuite et porter ma vengeance.
Tu fais bien d'échapper; dessus toi ma douleur,
Faute d'un autre objet, eût vengé ce malheur,
Malheur d'autant plus grand que sa source ignorée   1195
Ne laisse aucun espoir à mon âme éplorée,
Ne laisse à ma douleur, qui va finir mes jours,
Qu'une plainte inutile, au lieu d'un prompt secours :
Faible soulagement en un coup si funeste;
Mais il s'en faut servir, puisque seul il nous reste.   1200
Plains, Philiste, plains-toi, mais avec des accents
Plus remplis de fureur qu'ils ne sont impuissants;
Fais qu'à force de cris poussés jusqu'en la nue,
Ton mal soit plus connu que sa cause inconnue;
Fais que chacun le sache, et que par tes clameurs   1205
Clarice, où qu'elle soit, apprenne que tu meurs.
     Clarice, unique objet qui me tiens en servage,
Reçois de mon ardeur ce dernier témoignage :
Vois comme en te perdant je vais perdre le jour,
Et par mon désespoir juge de mon amour.   1210
Hélas! pour en juger, peut-être est-ce ta feinte
Qui me porte à dessein cette cruelle atteinte;
Et ton amour, qui doute encor de mes serments,
Cherche à m'en assurer par mes ressentiments.
Soupçonneuse beauté, contente ton envie,   1215
Et prends cette assurance aux dépens de ma vie.
Si ton feu dure encor, par mes dernier soupirs
Reçois ensemble et perds l'effet de tes désirs.
Alors ta flamme en vain pour Philiste allumée,
Tu lui voudras du mal de t'avoir trop aimée;   1220
Et sûre d'une foi que tu crains d'accepter,
Tu pleureras en vain le bonheur d'en douter.
Que ce penser flatteur me dérobe à moi-même!
Quel charme à mon trépas de penser qu'elle m'aime!
Et dans mon désespoir qu'il m'est doux d'espérer   1225
Que ma mort, à son tour, la fera soupirer!
     Simple, qu'espères-tu? Sa perte volontaire
Ne veut que te punir d'un amour téméraire;
Ton déplaisir lui plaît, et tous autres tourments
Lui sembleraient pour toi de légers châtiments.   1230
Elle en rit maintenant, cette belle inhumaine,
Elle pâme de joie au récit de ta peine
Et choisit pour objet de son affection
Un amant plus sortable à sa condition.
     Pauvre désespéré, que ta raison s'égare!   1235
Et que tu traites mal une amitié si rare!
Après tant de serments de n'aimer rien que toi,
Tu la veux faire heureuse aux dépens de sa foi,
Tu veux seul avoir part à la douleur commune,
Tu veux seul te charger de toute l'infortune,   1240
Comme si tu pouvais en croissant tes malheurs

Diminuer les siens et l'ôter aux voleurs.
N'en doute plus, Philiste, un ravisseur infâme
A mis en son pouvoir la reine de ton âme,
1245 Et peut-être déjà ce corsaire effronté
Triomphe insolemment de sa fidélité.
Qu'à ce triste penser ma vigueur diminue!

Scène II : Philiste, Doraste, Polymas, Listor.

PHILISTE
Mais voici de ses gens. Qu'est-elle devenue?
Amis, le savez-vous? N'avez-vous rien trouvé
1250 Qui vous puisse éclaircir du malheur arrivé?
DORASTE
Nous avons fait, Monsieur, une vaine poursuite.
PHILISTE
Du moins vous avez vu des marques de leur fuite.
DORASTE
Si nous avions pu voir les traces de leurs pas,
Des brigands ou de nous vous sauriez le trépas;
1255 Mais, hélas! quelque soin et quelque diligence...
PHILISTE
Ce sont là des effets de votre intelligence,
Traîtres : ces feints hélas ne sauraient m'abuser.
POLYMAS
Vous n'avez point, Monsieur, de quoi nous accuser.
PHILISTE
Perfides, vous prêtez épaule à leur retraite.
1260 Et c'est ce qui vous fait me la tenir secrète.
Mais voici... Vous fuyez! vous avez beau courir.
Il faut me ramener ma maîtresse, ou mourir.
DORASTE, *rentrant avec ses compagnons, cependant*
que Philiste les cherche derrière le théâtre.
Cédons à sa fureur, évitons-en l'orage.
POLYMAS
Ne nous présentons plus au transport de sa rage;
1265 Mais plutôt derechef allons si bien chercher,
Qu'il n'ait plus au retour sujet de se fâcher.
LISTOR, *voyant revenir Philiste, et s'enfuyant*
avec ses compagnons.
Le voilà.
PHILISTE, *l'épée à la main et seul.*
Qui les ôte à ma juste colère?
Venez de vos forfaits recevoir le salaire,
Infâmes scélérats, venez, qu'espérez-vous?
1270 Votre fuite ne peut vous sauver de mes coups.

Scène III : Alcidon, Célidan, Philiste.

ALCIDON *met l'épée à la main.*
Philiste, à la bonne heure, un miracle visible
T'a rendu maintenant à l'honneur plus sensible,
Puisque ainsi tu m'attends les armes à la main.
J'admire avec plaisir ce changement soudain,
1275 Et vais...
CÉLIDAN
Ne pense pas ainsi...
ALCIDON
Laisse-nous faire;
C'est en homme de cœur qu'il me va satisfaire

Crains-tu d'être témoin d'une bonne action?
PHILISTE
Dieux! ce comble manquait à mon affliction.
Que j'éprouve en mon sort une rigueur cruelle!
Ma maîtresse perdue, un ami me querelle. 12
ALCIDON
Ta maîtresse perdue!
PHILISTE
Hélas! hier, des voleurs...
ALCIDON
Je n'en veux rien savoir, va le conter ailleurs;
Je ne prends point de part aux intérêts d'un traître,
Et puisqu'il est ainsi, le ciel fait bien connaître 12
Que son juste courroux a soin de me venger.
PHILISTE
Quel plaisir, Alcidon, prends-tu de m'outrager?
Mon amitié se lasse, et ma fureur m'emporte;
Mon âme pour sortir ne cherche qu'une porte.
Ne me presse donc plus dans un tel désespoir : 12
J'ai déjà fait pour toi par delà mon devoir.
Te peux-tu plaindre encor de ta place usurpée?
J'ai renvoyé Géron à coups de plat d'épée;
J'ai menacé Florange et rompu les accords
Qui t'avaient su causer ces violents transports.
ALCIDON
Entre des cavaliers une offense reçue 12
Ne se contente point d'une si lâche issue;
Va m'attendre...
CÉLIDAN, *à Alcidon.*
Arrêtez, je ne permettrai pas
Qu'un si funeste mot termine vos débats.
PHILISTE
Faire ici du fendant [22] tandis qu'on nous sépare,
C'est montrer un esprit lâche autant que barbare. 130
Adieu, mauvais, adieu : nous nous pourrons trouver;
Et si le cœur t'en dit, au lieu de tant braver,
J'apprendrai seul à seul, dans peu, de tes nouvelles.
Mon honneur souffrirait des taches éternelles
A craindre encor de perdre une telle amitié. 130

Scène IV : Célidan, Alcidon.

CÉLIDAN
Mon cœur à ses douleurs s'attendrit de pitié;
Il montre une franchise ici trop naturelle,
Pour ne te pas ôter tout sujet de querelle.
L'affaire se traitait sans doute à son desçu.
Et quelque faux soupçon en ce point t'a déçu. 13
Va retrouver Doris, et rendons-lui Clarice.
ALCIDON
Tu te laisses donc prendre à ce lourd artifice,
A ce piège, qu'il dresse afin de me duper?
CÉLIDAN
Romprait-il ces accords à dessein de tromper?
Que vois-tu là qui sente une supercherie? 13
ALCIDON
Je n'y vois qu'un effet de sa poltronnerie,
Qu'un lâche désaveu de cette trahison,

22. Jouer ici les pourfendeurs...

De peur d'être obligé de m'en faire raison.
Je l'en pressai dès hier; mais son peu de courage
320 Aima mieux pratiquer ce rusé témoignage,
Par où m'éblouissant il pût un de ces jours
Renouer sourdement ces muettes amours.
Il en donne en secret des avis à Florange :
Tu ne le connais pas, c'est un esprit étrange.

CÉLIDAN

325 Quelque étrange qu'il soit, si tu prends bien ton temps,
Malgré lui tes désirs se trouveront contents.
Ses offres acceptés, que rien ne se diffère;
Après un prompt hymen, tu le mets à pis faire.

ALCIDON

Cet ordre est infaillible à procurer mon bien,
330 Mais ton contentement m'est plus cher que le mien.
Longtemps à mon sujet les passions contraintes
Ont souffert et caché leurs plus vives atteintes;
Il me faut à mon tour en faire autant pour toi :
Hier devant tous les Dieux je t'en donnai ma foi,
335 Et pour la maintenir tout me sera possible.

CÉLIDAN

Ta perte en mon bonheur me serait trop sensible,
Et je m'en haïrais, si j'avais consenti
Que mon hymen laissât Alcidon sans parti.

ALCIDON

Eh bien, pour t'arracher ce scrupule de l'âme,
340 (Quoique je n'eus jamais pour elle aucune flamme)
J'épouserai Clarice. Ainsi, puisque mon sort
Veut qu'à mes amitiés je fasse un tel effort,
Que d'un de mes amis j'épouse la maîtresse,
C'est là que par devoir il faut que je m'adresse.
345 Philiste est un parjure, et moi ton obligé;
Il m'a fait un affront, et tu m'en as vengé.
Balancer un tel choix avec inquiétude,
Ce serait me noircir de trop d'ingratitude.

CÉLIDAN

Mais te priver pour moi de ce que tu chéris!

ALCIDON

350 C'est faire mon devoir, te quittant ma Doris,
Et me venger d'un traître, épousant sa Clarice.
Mes discours ni mon cœur n'ont aucun artifice.
Je vais, pour confirmer tout ce que je t'ai dit,
Employer vers Doris mon reste de crédit;
355 Si je la puis gagner, je te réponds du frère,
Trop heureux à ce prix d'apaiser ma colère!

CÉLIDAN

C'est ainsi que tu veux m'obliger doublement;
Vois ce que je pourrai pour ton contentement.

ALCIDON

L'affaire, à mon avis, deviendrait plus aisée,
360 Si Clarice apprenait une mort supposée...

CÉLIDAN

De qui? de son amant? Va, tiens pour assuré
Qu'elle croira dans peu ce perfide expiré.

ALCIDON

Quand elle en aura su la nouvelle funeste,
Nous aurons moins de peine à la résoudre au reste.
365 On a beau nous aimer, des pleurs sont tôt séchés,
Et les morts soudain mis au rang des vieux péchés.

Scène V : Célidan.

Il me cède à mon gré Doris de bon courage;
Et ce nouveau dessein d'un autre mariage,
Pour être fait sur l'heure, et tout nonchalamment,
Est conduit, ce me semble, assez accortement.   1370
Qu'il en sait les moyens! qu'il a ses raisons prêtes!
Et qu'il trouve à l'instant de prétextes honnêtes
Pour ne point rapprocher de son premier amour!
Plus j'y porte la vue, et moins j'y vois de jour.
M'aurait-il bien caché le fond de sa pensée?   1375
Oui, sans doute, Clarice a son âme blessée;
Il se venge en parole, et s'oblige en effet.
On ne le voit que trop, rien ne le satisfait :
Quand on lui rend Doris, il s'aigrit davantage.
Je jouerais, à ce compte, un joli personnage.   1380
Il s'en faut éclaircir. Alcidon ruse en vain,
Tandis que le succès est encore en ma main.
Si mon soupçon est vrai, je lui ferai connaître
Que je ne suis pas homme à seconder un traître.
Ce n'est point avec moi qu'il faut faire le fin,   1385
Et qui me veut duper en doit craindre la fin.
Il ne voulait que moi pour lui servir d'escorte,
Et si je ne me trompe, il n'ouvrit point la porte;
Nous étions attendus, on secondait nos coups :
La nourrice parut en même temps que nous,   1390
Et se pâma soudain avec tant de justesse
Que cette pâmoison nous livra sa maîtresse.
Qui lui pourrait un peu tirer les vers du nez,
Que nous verrions demain des gens bien étonnés!

Scène VI : Célidan, la nourrice.

LA NOURRICE

Ah!

CÉLIDAN

J'entends des soupirs.

LA NOURRICE

Destins!

CÉLIDAN

C'est la nourrice;   1395
Qu'elle vient à propos!

LA NOURRICE

Ou rendez-moi Clarice...

CÉLIDAN

Il la faut aborder.

LA NOURRICE

Ou me donnez la mort.

CÉLIDAN

Qu'est-ce? qu'as-tu, Nourrice, à t'affliger si fort?
Quel funeste accident? quelle perte arrivée?

LA NOURRICE

Perfide! c'est donc toi qui me l'as enlevée?   1400
En quel lieu la tiens-tu? dis-moi, qu'en as-tu fait?

CÉLIDAN

Ta douleur sans raison m'impute ce forfait;
Car enfin je t'entends, tu cherches ta maîtresse?

LA NOURRICE

Oui, je te la demande, âme double et traîtresse.

CÉLIDAN

Je n'ai point eu de part en cet enlèvement;   1405

Mais je t'en dirai bien l'heureux événement.
Il ne faut plus avoir un visage si triste,
Elle est en bonne main.

LA NOURRICE

De qui?

CÉLIDAN

De son Philiste.

LA NOURRICE

Le cœur me le disait, que ce rusé flatteur
1410 Devait être du coup le véritable auteur.

CÉLIDAN

Je ne dis pas cela, Nourrice; du contraire,
Sa rencontre à Clarice était fort nécessaire.

LA NOURRICE

Quoi! l'a-t-il délivrée?

CÉLIDAN

Oui.

LA NOURRICE

Bons Dieux!

CÉLIDAN

Sa valeur
Ote ensemble la vie et Clarice au voleur.

LA NOURRICE

1415 Vous ne parlez que d'un.

CÉLIDAN

L'autre ayant pris la fuite,
Philiste a négligé d'en faire la poursuite.

LA NOURRICE

Leur carrosse roulant, comme est-il avenu...

CÉLIDAN

Tu m'en veux informer en vain par le menu.
Peut-être un mauvais pas, une branche, une pierre,
1420 Fit verser leur carrosse, et les jeta par terre,
Et Philiste eut tant d'heur que de les rencontrer,
Comme eux et ta maîtresse étaient prêts d'y rentrer.

LA NOURRICE

Cette heureuse nouvelle a mon âme ravie.
Mais le nom de celui qu'il a privé de vie?

CÉLIDAN

1425 C'est... je l'aurais nommé mille fois en un jour :
Que ma mémoire ici me fait un mauvais tour!
C'est un des bons amis que Philiste eût au monde.
Rêve un peu comme moi, Nourrice, et me seconde.

LA NOURRICE

Donnez-m'en quelque adresse.

CÉLIDAN

Il se termine en don.
1430 C'est... j'y suis; peu s'en faut; attends, c'est...

LA NOURRICE

Alcidon?

CÉLIDAN

T'y voilà justement.

LA NOURRICE

Est-ce lui? Quel dommage
Quel brave gentilhomme à la fleur de son âge...
Toutefois il n'a rien qu'il n'ait bien mérité,
Et grâces aux bons Dieux, son dessein avorté...
1435 Mais du moins, en mourant, il nomma son complice?

CÉLIDAN

C'est là le pis pour toi.

LA NOURRICE

Pour moi!

CÉLIDAN

Pour toi, Nourrice.

LA NOURRICE

Ah, le traître!

CÉLIDAN

Sans doute il te voulait du mal.

LA NOURRICE

Et m'en pourrait-il faire?

CÉLIDAN

Oui, son rapport fatal...

LA NOURRICE

Ne peut rien contenir que je ne le dénie.

CÉLIDAN

En effet, ce rapport n'est qu'une calomnie.   144.
Écoute cependant : il a dit qu'à ton su
Ce malheureux dessein avait été conçu;
Et que pour empêcher la fuite de Clarice
Ta feinte pâmoison lui fit un bon office;
Qu'il trouva le jardin par ton moyen ouvert.   144

LA NOURRICE

De quels damnables tours cet imposteur se sert!
Non, Monsieur, à présent il faut que je le die,
Le ciel ne vit jamais de telle perfidie.
Ce traître aimait Clarice, et brûlant de ce feu,
Il n'amusait Doris que pour couvrir son jeu;   145
Depuis près de six mois il a tâché sans cesse
D'acheter ma faveur auprès de ma maîtresse;
Il n'a rien épargné qui fût en son pouvoir,
Mais me voyant toujours ferme dans le devoir,
Et que pour moi ses dons n'avaient aucune amorce,   145
Enfin il a voulu recourir à la force.
Vous savez le surplus, vous voyez son effort
A se venger de moi pour le moins en sa mort :
Piqué de mes refus, il me fait criminelle,
Et mon crime ne vient que d'être trop fidèle.   146
Mais, Monsieur, le croit-on?

CÉLIDAN

N'en doute aucunement.
Le bruit est qu'on t'apprête un rude châtiment.

LA NOURRICE

Las! que me dites-vous?

CÉLIDAN

Ta maîtresse en colère
Jure que tes forfaits recevront leur salaire;
Surtout elle s'aigrit contre ta pâmoison.   144
Si tu veux éviter une infâme prison,
N'attends pas son retour.

LA NOURRICE

Où me vois-je réduite,
Si mon salut dépend d'une soudaine fuite,
Et mon esprit confus ne sait où l'adresser?

CÉLIDAN

J'ai pitié des malheurs qui te viennent presser;   147
Nourrice, fais chez moi, si tu veux, ta retraite;
Autant qu'en lieu du monde elle y sera secrète.

LA NOURRICE

Oserais-je espérer que la compassion...

CÉLIDAN

Je prends ton innocence en ma protection.
475 Va, ne perds point de temps : être ici davantage
Ne pourrait à la fin tourner qu'à ton dommage.
Je te suivrai de l'œil, et ne dis encor rien,
Comme après je saurai m'employer pour ton bien :
Durant l'éloignement ta paix se pourra faire.

LA NOURRICE

480 Vous me serez, Monsieur, comme un Dieu tutélaire.

CÉLIDAN

Trêve, pour le présent, de ces remercîments ;
Va, tu n'as pas loisir de tant de compliments.

Scène VII : Célidan.

Voilà mon homme pris, et ma vieille attrapée.
Vraiment un mauvais conte aisément l'a dupée :
485 Je la croyais plus fine, et n'eusse pas pensé
Qu'un discours sur-le-champ par hasard commencé,
Dont la suite non plus n'allait qu'à l'aventure,
Pût donner à son âme une telle torture,
La jeter en désordre, et brouiller ses ressorts ;
490 Mais la raison le veut, c'est l'effet des remords.
Le cuisant souvenir d'une action méchante
Soudain au moindre mot nous donne l'épouvante.
Mettons-la cependant en lieu de sûreté,
D'où nous ne craignions rien de sa subtilité ;
495 Après, nous ferons voir qu'il me faut d'une affaire
Ou du tout ne rien dire, ou du tout ne rien taire,
Et que depuis qu'on joue à surprendre un ami,
Un trompeur en moi trouve un trompeur et demi.

Scène VIII : Alcidon, Doris.

DORIS

C'est donc pour un ami que tu veux que mon âme
500 Allume à ta prière une nouvelle flamme ?

ALCIDON

Oui, de tout mon pouvoir je t'en viens conjurer.

DORIS

A ce coup, Alcidon, voilà te déclarer ;
Ce compliment, fort beau pour des âmes glacées,
M'est un aveu bien clair de tes feintes passées.

ALCIDON

505 Ne parle point de feinte ; il n'appartient qu'à toi
D'être dissimulée et de manquer de foi ;
L'effet l'a trop montré.

DORIS

L'effet a dû t'apprendre,
Quand on feint avec moi, que je sais bien le rendre.
Mais je reviens à toi. Tu fais donc tant de bruit
510 Afin qu'après un autre en recueille le fruit,
Et c'est à ce dessein que ta fausse colère
Abuse insolemment de l'esprit de mon frère ?

ALCIDON

Ce qu'il a pris de part en mes ressentiments
Apporte seul du trouble à tes contentements ;
515 Et pour moi, qui vois trop ta haine par ce change
Qui t'a fait sans raison me préférer Florange,
Je n'ose plus t'offrir un service odieux.

DORIS

Tu ne fais pas tant mal. Mais pour faire encor mieux,
Puisque tu reconnais ma véritable haine,
De moi ni de mon choix ne te mets point en peine. 1520
C'est trop manquer de sens ; je te prie, est-ce à toi,
A l'objet de ma haine, à disposer de moi ?

ALCIDON

Non, mais puisque je vois à mon peu de mérite
De ta possession l'espérance interdite,
Je sentirais mon mal puissamment soulagé, 1525
Si du moins un ami m'en était obligé.
Ce cavalier, au reste, a tous les avantages
Que l'on peut remarquer aux plus braves courages,
Beau de corps et d'esprit, riche, adroit, valeureux,
Et surtout de Doris à l'extrême amoureux. 1530

DORIS

Toutes ces qualités n'ont rien qui me déplaise,
Mais il en a de plus une autre fort mauvaise,
C'est qu'il est ton ami : cette seule raison
Me le ferait haïr, si j'en savais le nom.

ALCIDON

Donc pour le bien servir il faut ici le taire ? 1535

DORIS

Et de plus lui donner cet avis salutaire,
Que s'il est vrai qu'il m'aime et qu'il veuille être aimé,
Quand il m'entretiendra, tu ne sois point nommé ;
Qu'il n'espère autrement de réponse que triste.
J'ai dépit que le sang me lie avec Philiste, 1540
Et qu'ainsi malgré moi, j'aime un de tes amis.

ALCIDON

Tu seras quelque jour d'un esprit plus remis.
Adieu : quoi qu'il en soit, souviens-toi, dédaigneuse,
Que tu hais Alcidon qui te veut rendre heureuse.

DORIS

Va, je ne veux point d'heur qui parte de ta main. 1545

Scène IX : Doris.

Qu'aux filles comme moi le sort est inhumain !
Que leur condition se trouve déplorable !
Une mère aveuglée, un frère inexorable,
Chacun de son côté, prennent sur mon devoir
Et sur mes volontés un absolu pouvoir. 1550
Chacun me veut forcer à suivre son caprice :
L'un a ses amitiés, l'autre a son avarice.
Ma mère veut Florange, et mon frère Alcidon ;
Dans leurs divisions mon cœur à l'abandon
N'attend que leur accord pour souffrir et pour feindre. 1555
Je n'ose qu'espérer et je ne sais que craindre,
Ou plutôt je crains tout et je n'espère rien ;
Je n'ose fuir mon mal ni rechercher mon bien.
Dure sujétion ! étrange tyrannie !
Toute liberté donc à mon choix se dénie ! 1560
On ne laisse à mes yeux rien à dire à mon cœur,
Et par force un amant n'a de moi que rigueur.
Cependant il y va du reste de ma vie
Et je n'ose écouter tant soit peu mon envie ;
Il faut que mes désirs, toujours indifférents, 1565
Aillent sans résistance au gré de mes parents,
Qui m'apprêtent peut-être un brutal, un sauvage :

Et puis cela s'appelle une fille bien sage!
Ciel, qui vois ma misère et qui fais les heureux,
1570 Prends pitié d'un devoir qui m'est si rigoureux!

ACTE CINQUIÈME

Scène I : Célidan, Clarice.

CÉLIDAN

N'espérez pas, Madame, avec cet artifice,
Apprendre du forfait l'auteur ni le complice :
Je chéris l'un et l'autre, et crois qu'il m'est permis
De conserver l'honneur de mes plus chers amis.
1575 L'un, aveuglé d'amour, ne jugea point de blâme
A ravir la beauté qui lui ravissait l'âme;
Et l'autre l'assista par importunité :
C'est ce que vous saurez de leur témérité.

CLARICE

Puisque vous le voulez, Monsieur, je suis contente
1580 De voir qu'un bon succès a trompé leur attente;
Et me résolvant même à perdre à l'avenir
De toute ma douleur l'odieux souvenir,
J'estime que la perte en sera plus aisée,
Si j'ignore les noms de ceux qui l'ont causée.
1585 C'est assez que je sais qu'à votre heureux secours
Je dois tout le bonheur du reste de mes jours.
Philiste autant que moi vous en est redevable;
S'il a su mon malheur, il est inconsolable;
Et dans son désespoir sans doute qu'aujourd'hui
1590 Vous lui rendrez la vie en me rendant à lui.
Disposez du pouvoir et de l'un et de l'autre;
Ce que vous y verrez, tenez-le comme au vôtre;
Et souffrez cependant qu'on le puisse avertir
Que nos maux en plaisirs se doivent convertir.
1595 La douleur trop longtemps règne sur son courage.

CÉLIDAN

C'est à moi qu'appartient l'honneur de ce message;
Mon secours, sans cela, comme de nul effet,
Ne vous aurait rendu qu'un service imparfait.

CLARICE

Après avoir rompu les fers d'une captive,
1600 C'est tout de nouveau prendre une peine excessive,
Et l'obligation que j'en vais vous avoir
Met la revanche hors de mon peu de pouvoir.
Ainsi dorénavant, quelque espoir qui me flatte,
Il faudra malgré moi que j'en demeure ingrate.

CÉLIDAN

1605 En quoi que mon service oblige votre amour,
Vos seuls remercîments me mettent à retour [23].

Scène II : Célidan.

Qu'Alcidon maintenant soit de feu pour Clarice,
Qu'il ait de son parti sa traîtresse nourrice,
Que d'un ami trop simple il fasse un ravisseur,
1610 Qu'il querelle Philiste et néglige sa sœur,
Enfin qu'il aime, dupe, enlève, feigne, abuse,
Je trouve mieux que lui mon compte dans sa ruse :

23. Font que je reste votre débiteur.

Son artifice m'aide, et succède si bien
Qu'il me donne Doris, et ne lui laisse rien.
Il semble n'enlever qu'à dessein que je rende   16
Et que Philiste après une faveur si grande
N'ose me refuser celle dont ses transports
Et ses faux mouvements font rompre les accords.
Ne m'offre plus Doris, elle m'est toute acquise;
Je ne la veux devoir, traître, qu'à ma franchise;   16
Il suffit que ta ruse ait dégagé sa foi :
Cesse tes compliments, je l'aurai bien sans toi.
Mais pour voir ces effets allons trouver le frère :
Notre heur s'accorde mal avecque sa misère   16
Et ne peut s'avancer qu'en lui disant le sien.

Scène III : Alcidon, Célidan.

CÉLIDAN

Ah! je cherchais une heure avec toi d'entretien;
Ta rencontre jamais ne fut plus opportune.

ALCIDON

En quel point as-tu mis l'état de ma fortune?

CÉLIDAN

Tout va le mieux du monde. Il ne se pouvait pas
Avec plus de succès supposer un trépas;   16
Clarice au désespoir croit Philiste sans vie.

ALCIDON

Et l'auteur de ce coup?

CÉLIDAN

　　　　Celui qui l'a ravie,
Un amant inconnu dont je lui fais parler.

ALCIDON

Elle a donc bien jeté des injures en l'air?

CÉLIDAN

Cela s'en va sans dire.

ALCIDON

　　　　Ainsi rien ne l'apaise?   16

CÉLIDAN

Si je te disais tout, tu mourrais de trop d'aise.

ALCIDON

Je n'en veux point qui porte une si dure loi.

CÉLIDAN

Dans ce grand désespoir elle parle de toi.

ALCIDON

Elle parle de moi!

CÉLIDAN

　　　　« J'ai perdu ce que j'aime,
Dit-elle; mais du moins si cet autre lui-même,   16
Son fidèle Alcidon, m'en consolait ici! »

ALCIDON

Tout de bon?

CÉLIDAN

　　　　Son esprit en paraît adouci.

ALCIDON

Je ne me pensais pas si fort dans sa mémoire.
Mais non, cela n'est point, tu m'en donnes à croire.

CÉLIDAN

Tu peux, dans ce jour même, en voir la vérité.   16

ALCIDON

J'accepte le parti par curiosité :
Dérobons-nous ce soir pour lui rendre visite.

CÉLIDAN
Tu verras à quel point elle met ton mérite.

ALCIDON
Si l'occasion s'offre, on peut la disposer.
50 Mais comme sans dessein...

CÉLIDAN
J'entends, à t'épouser.

ALCIDON
Nous pourrons feindre alors que par ma diligence
Le concierge, rendu de mon intelligence,
Me donne un accès libre aux lieux de sa prison,
Que déjà quelque argent m'en a fait la raison,
55 Et que, s'il en faut croire une juste espérance,
Les pistoles dans peu feront sa délivrance,
Pourvu qu'un prompt hymen succède à mes désirs.

CÉLIDAN
Que cette invention t'assure de plaisirs!
Une subtilité si dextrement tissue
60 Ne peut jamais avoir qu'une admirable issue.

ALCIDON
Mais l'exécution ne s'en doit pas surseoir.

CÉLIDAN
Ne diffère donc point. Je t'attends vers le soir;
N'y manque pas. Adieu, j'ai quelque affaire en ville.

ALCIDON, seul.
O l'excellent ami! qu'il a l'esprit docile!
65 Pouvais-je faire un choix plus commode pour moi?
Je trompe tout le monde avec sa bonne foi;
Et quant à sa Doris, si sa poursuite est vaine,
C'est de quoi maintenant je ne suis guère en peine :
Puisque j'aurai mon compte, il m'importe fort peu
70 Si la coquette agrée ou néglige son feu.
Mais je ne songe pas que ma joie imprudente
Laisse en perplexité ma chère confidente;
Avant que de partir, il faudra sur le tard
De nos heureux succès lui faire quelque part.

Scène IV : Chrysante, Philiste, Doris.

CHRYSANTE
5 Je ne le puis celer : bien que j'y compatisse,
Je trouve en ton malheur quelque peu de justice :
Le ciel venge ta sœur; ton fol emportement
A rompu sa fortune, et chassé son amant,
Et tu vois aussitôt la tienne renversée,
10 Ta maîtresse par force en d'autres mains passée.
Cependant Alcidon, que tu crois rappeler,
Toujours de plus en plus s'obstine à quereller.

PHILISTE
Madame, c'est à vous que nous devons nous prendre
De tous les déplaisirs qu'il nous en faut attendre.
15 D'un si honteux affront le cuisant souvenir
Éteint toute autre ardeur que celle de punir.
Ainsi mon sort mauvais m'a bien ôté Clarice,
Mais du reste accusez votre seule avarice.
Madame, nous perdons par votre aveuglement,
20 Votre fils un ami, votre fille un amant.

DORIS
Otez ce nom d'amant : le fard de son langage
Ne m'empêcha jamais de voir dans son courage,

Et nous étions tous deux semblables en ce point,
Que nous feignions d'aimer ce que nous n'aimions

PHILISTE   [point.
Ce que vous n'aimiez point! Jeune dissimulée,   1695
Fallait-il donc souffrir d'en être cajolée?

DORIS
Il le fallait souffrir, ou vous désobliger.

PHILISTE
Dites qu'il vous fallait un esprit moins léger.

CHRYSANTE
Célidan vient d'entrer : fais un peu de silence,
Et du moins à ses yeux cache ta violence.   1700

Scène V : Philiste, Chrysante, Célidan, Doris.

PHILISTE, à Célidan.
Eh bien! que dit, que fait notre amant irrité?
Persiste-t-il encor dans sa brutalité?

CÉLIDAN
Quitte pour aujourd'hui le soin de tes querelles;
J'ai bien à te conter de meilleures nouvelles :
Les ravisseurs n'ont plus Clarice en leur pouvoir. 1705

PHILISTE
Ami, que me dis-tu?

CÉLIDAN
Ce que je viens de voir.

PHILISTE
Et, de grâce, où voit-on le sujet que j'adore?
Dis-moi le lieu.

CÉLIDAN
Le lieu ne se dit pas encore.
Celui qui te la rend te veut faire une loi...

PHILISTE
Après cette faveur, qu'il dispose de moi;   1710
Mon possible est à lui.

CÉLIDAN
Donc, sous cette promesse,
Tu peux dans son logis aller voir ta maîtresse :
Ambassadeur exprès...

Scène VI : Chrysante, Célidan, Doris.

CHRYSANTE
Son feu précipité
Lui fait faire envers vous une incivilité;
Vous la pardonnerez à cette ardeur trop forte   1715
Qui sans vous dire adieu, vers son objet l'emporte.

CÉLIDAN
C'est comme doit agir un véritable amour :
Un feu moindre eût souffert quelque plus long séjour;
Et nous voyons assez par cette expérience
Que le sien est égal à son impatience.   1720
Mais puisque ainsi le ciel rejoint ces deux amants,
Et que tout se dispose à vos contentements,
Pour m'avancer aux miens, oserais-je, Madame,
Offrir à tant d'appas un cœur qui n'est que flamme,
Un cœur sur qui ses yeux de tout temps absolus   1725
Ont imprimé des traits qui ne s'effacent plus?
J'ai cru par le passé qu'une ardeur mutuelle
Unissait les esprits et d'Alcidon et d'elle,

97

Et qu'en ce cavalier son désir arrêté
1730 Prendrait tous autres vœux pour importunité.
Cette seule raison m'obligeant à me taire,
Je trahissais mon feu de peur de lui déplaire;
Mais aujourd'hui qu'un autre en sa place reçu
Me fait voir clairement combien j'étais déçu,
1735 Je ne condamne plus mon amour au silence,
Et viens faire éclater toute sa violence.
Souffrez que mes désirs, si longtemps retenus,
Rendent à sa beauté des vœux qui lui sont dus;
Et du moins par pitié d'un si cruel martyre
1740 Permettez quelque espoir à ce cœur qui soupire.

CHRYSANTE

Votre amour pour Doris est un si grand bonheur
Que je voudrais sur l'heure en accepter l'honneur;
Mais vous voyez le point où me réduit Philiste,
Et comme son caprice à mes souhaits résiste.
1745 Trop chaud ami qu'il est, il s'emporte à tous coups
Pour un fourbe insolent qui se moque de nous.
Honteuse qu'il me force à manquer de promesse,
Je n'ose vous donner une réponse expresse.
Tant je crains de sa part un désordre nouveau.

CÉLIDAN

1750 Vous me tuez, Madame, et cachez le couteau :
Sous ce détour discret un refus se colore.

CHRYSANTE

Non, Monsieur, croyez-moi, votre offre nous honore,
Aussi dans le refus j'aurais peu de raison :
Je connais votre bien, je sais votre maison.
1755 Votre père jadis (hélas! que cette histoire
Encor sur mes vieux ans m'est douce en la mémoire!),
Votre feu père, dis-je, eut de l'amour pour moi :
J'étais son cher objet; et maintenant je voi
Que comme par un droit successif de famille
1760 L'amour qu'il eut pour moi, vous l'avez pour ma fille.
S'il m'aimait, je l'aimais; et les seules rigueurs
De ses cruels parents divisèrent nos cœurs :
On l'éloigna de moi par ce maudit usage
Qui n'a d'égard qu'aux biens pour faire un mariage;
1765 Et son père jamais ne souffrit son retour
Que ma foi n'eût ailleurs engagé mon amour.
En vain à cet hymen il m'opposa ma constance;
La volonté des miens vainquit ma résistance.
Mais je reviens à vous, en qui je vois portraits
1770 De ses perfections les plus aimables traits.
Afin de vous ôter désormais toute crainte
Que dessous mes discours se cache aucune feinte,
Allons trouver Philiste, et vous verrez alors
Comme en votre faveur je ferai mes efforts.

CÉLIDAN

1775 Si de ce cher objet j'avais même assurance,
Rien ne pourrait jamais troubler mon espérance.

DORIS

Je ne sais qu'obéir, et n'ai point de vouloir.

CÉLIDAN

Employer contre vous un absolu pouvoir!
Ma flamme d'y penser se tiendrait criminelle.

CHRYSANTE

1780 Je connais bien ma fille, et je vous réponds d'elle.
Dépêchons seulement d'aller vers ces amants.

CÉLIDAN

Allons : mon heur dépend de vos commandements.

Scène VII : Philiste, Clarice.

PHILISTE

Ma douleur, qui s'obstine à combattre ma joie,
Pousse encor des soupirs, bien que je vous revoie,
Et l'excès des plaisirs qui me viennent charmer
Mêle dans ces douceurs je ne sais quoi d'amer.
Mon âme en est ensemble et ravie et confuse,
D'un peu de lâcheté votre retour m'accuse,
Et votre liberté me reproche aujourd'hui
Que mon amour la doit à la pitié d'autrui.
Elle me comble d'aise et m'accable de honte;
Celui qui vous la rend en m'obligeant m'affronte;
Un coup si glorieux n'appartenait qu'à moi.

CLARICE

Vois-tu dans mon esprit des doutes de ta foi?
Y vois-tu des soupçons qui blessent ton courage
Et disposent ta bouche à ce fâcheux langage?
Ton amour et tes soins trompés par mon malheur,
Ma prison inconnue a bravé ta valeur,
Que t'importe à présent qu'un autre m'en délivre,
Puisque c'est pour toi seul que Clarice veut vivre,
Et que d'un tel orage en bonace réduit
Célidan a la peine, et Philiste le fruit?

PHILISTE

Mais vous ne dites pas que le point qui m'afflige
C'est la reconnaissance où l'honneur vous oblige :
Il vous faut être ingrate, ou bien à l'avenir
Lui garder en votre âme un peu de souvenir.
La mienne en est jalouse, et trouve ce partage,
Quelque inégal qu'il soit, à son désavantage :
Je ne puis le souffrir. Nos pensers à tous deux
Ne devraient, à mon gré, parler que de nos feux;
Tout autre objet que moi dans votre esprit me pique.

CLARICE

Ton humeur, à ce compte, est un peu tyrannique :
Penses-tu que je veuille un amant si jaloux?

PHILISTE

Je tâche d'imiter ce que je vois en vous :
Mon esprit amoureux, qui vous tient pour sa reine,
Fait de vos actions sa règle souveraine.

CLARICE

Je ne puis endurer ces propos outrageux :
Où me vois-tu jalouse, afin d'être ombrageux?

PHILISTE

Quoi! ne l'étiez-vous point l'autre jour qu'en visite
J'entretins quelque temps Bélinde et Chrysolite?

CLARICE

Ne me reproche point l'excès de mon amour.

PHILISTE

Mais permettez-moi donc cet excès à mon tour :
Est-il rien de plus juste, ou de plus équitable?

CLARICE

Encor pour un jaloux tu seras fort traitable,
Et n'es pas maladroit en ces doux entretiens,
D'accuser mes défauts pour excuser les tiens;
Par cette liberté tu me fais bien paraître

Que tu crois que l'hymen t'ait déjà rendu maître,
Puisque laissant les vœux et les submissions,
830 Tu me dis seulement mes imperfections.
Philiste, c'est douter trop peu de ta puissance,
Et prendre avant le temps un peu trop de licence.
Nous avions notre hymen à demain arrêté;
Mais pour te bien punir de cette liberté,
835 De plus de quatre jours ne crois pas qu'il s'achève.

PHILISTE

Mais si durant ce temps quelque autre vous enlève,
Avez-vous sûreté que pour votre secours
Le même Célidan se rencontre toujours?

CLARICE

Il faut savoir de lui s'il prendrait cette peine.
840 Vois ta mère et ta sœur que vers nous il amène.
Sa réponse rendra nos débats terminés.

PHILISTE

Ah! mère, sœur, ami, que vous m'importunez!

Scène VIII : Chrysante, Doris, Célidan,
Clarice, Philiste.

CHRYSANTE, *à Clarice.*

Je viens après mon fils vous rendre une assurance
De la part que je prends en votre délivrance
845 Et mon cœur tout à vous ne saurait endurer
Que mes humbles devoirs osent se différer.

CLARICE, *à Chrysante.*

N'usez point de ce mot vers celle dont l'envie
Est de vous obéir le reste de sa vie,
Que son retour rend moins à soi-même qu'à vous.
850 Ce brave cavalier accepté pour époux,
C'est à moi désormais, entrant dans sa famille,
A vous rendre un devoir de servante et de fille;
Heureuse mille fois, si le peu que je vaux
Ne vous empêche point d'excuser mes défauts,
855 Et si votre bonté d'un tel choix se contente!

CHRYSANTE, *à Clarice.*

Dans ce bien excessif qui passe mon attente,
Je soupçonne mes sens d'une infidélité,
Tant ma raison s'oppose à ma crédulité.
Surprise que je suis d'une telle merveille,
860 Mon esprit tout confus doute encor si je veille;
Mon âme en est ravie, et ces ravissements
M'ôtent la liberté de tous remercîments.

DORIS, *à Clarice.*

Souffrez qu'en ce bonheur mon zèle m'enhardisse
A vous offrir, Madame, un fidèle service.

CLARICE, *à Doris.*

865 Et moi, sans compliment qui vous farde mon cœur,
Je vous offre et demande une amitié de sœur.

PHILISTE, *à Célidan.*

Toi, sans qui mon malheur était inconsolable,
Ma douleur sans espoir, ma perte irréparable,
Qui m'as seul obligé plus que tous mes amis,
870 Puisque je te dois tout, que je t'ai tout promis,
Cesse de me tenir dedans l'incertitude;
Dis-moi par où je puis sortir d'ingratitude;
Donne-moi le moyen, après un tel bienfait,
De réduire pour toi ma parole en effet.

CÉLIDAN, *à Philiste.*

S'il est vrai que ta flamme et celle de Clarice   1875
Doivent leur bonne issue à mon peu de service,
Qu'un bon succès par moi réponde à tous vos vœux,
J'ose t'en demander un pareil à mes feux.
J'ose te demander, sous l'aveu de Madame,
Ce digne et seul objet de ma secrète flamme,   1880
Cette sœur que j'adore, et qui pour faire un choix
Attend de ton vouloir les favorables lois.

PHILISTE, *à Célidan.*

Ta demande m'étonne ensemble et m'embarrasse.
Sur ton meilleur ami tu brigues cette place,
Et tu sais que ma foi la réserve pour lui.   1885

CHRYSANTE, *à Philiste.*

Si tu n'as entrepris de m'accabler d'ennui,
Ne te fais point ingrat pour une âme si double.

PHILISTE, *à Célidan.*

Mon esprit divisé de plus en plus se trouble;
Dispense-moi, de grâce, et songe qu'avant toi
Ce bizarre Alcidon tient en gage ma foi;   1890
Si ton amour est grand, l'excuse t'est sensible;
Mais je ne t'ai promis que ce qui m'est possible;
Et cette foi donnée ôte de mon pouvoir
Ce qu'à notre amitié je me sais trop devoir.

CHRYSANTE, *à Philiste.*

Ne te ressouviens plus d'une vieille promesse,   1895
Et juge, en regardant cette belle maîtresse,
Si celui qui pour toi l'ôte à son ravisseur
N'a pas bien mérité l'échange de ta sœur.

CLARICE, *à Chrysante.*

Je ne saurais souffrir qu'en ma présence on die
Qu'il doive m'acquérir par une perfidie,   1900
Et pour un tel ami lui voir si peu de foi
Me ferait redouter qu'il en eût moins pour moi.
Mais Alcidon survient; nous l'allons voir lui-même
Contre un rival et vous disputer ce qu'il aime.

Scène IX : Clarice, Alcidon, Philiste,
Chrysante, Célidan, Doris.

CLARICE, *à Alcidon.*

Mon abord t'a surpris, tu changes de couleur;   1905
Tu me croyais sans doute encor dans le malheur :
Voici qui m'en délivre, et n'était que Philiste
A ces nouveaux desseins en ta faveur résiste,
Cet ami si parfait qu'entre nous tu chéris
T'aurait pour récompense enlevé ta Doris.   1910

ALCIDON

Le désordre éclatant qu'on voit sur mon visage
N'est que l'effet trop prompt d'une soudaine rage.
Je forcène de voir que sur votre retour
Ce traître assure ainsi ma perte et son amour.
Perfide! à mes dépens tu veux donc des maîtresses?   1915
Et mon honneur perdu te gagne leurs caresses?

CÉLIDAN, *à Alcidon.*

Quoi! j'ai su jusqu'ici cacher tes lâchetés,
Et tu m'oses couvrir de ces indignités!
Cesse de m'outrager, ou le respect des dames
N'est plus pour contenir celui que tu diffames.   1920

PHILISTE, *à Alcidon.*

Cher ami, ne crains rien et demeure assuré
Que je sais maintenir ce que je t'ai juré :
Pour t'enlever ma sœur, il faut m'arracher l'âme.

ALCIDON, *à Philiste.*

Non, non, il n'est plus temps de déguiser ma flamme.
1925 Il te faut, malgré moi, faire un honteux aveu
Que si mon cœur brûlait, c'était d'un autre feu.
Ami, ne cherche plus qui t'a ravi Clarice :
Voici l'auteur du coup, et voilà le complice.
Adieu : ce mot lâché, je te suis en horreur.

*Scène X : Chrysante, Clarice, Philiste,
Célidan, Doris.*

CHRYSANTE, *à Philiste.*

1930 Eh bien! rebelle, enfin sortiras-tu d'erreur?

CÉLIDAN, *à Philiste.*

Puisque son désespoir vous découvre un mystère
Que ma discrétion vous avait voulu taire,
C'est à moi de montrer quel était mon dessein.
Il est vrai qu'en ce coup je lui prêtai la main :
1935 La peur que j'eus alors qu'après ma résistance
Il ne trouvât ailleurs trop fidèle assistance...

PHILISTE, *à Célidan.*

Quittons là ce discours, puisqu'en cette action
La fin m'éclaircit trop de ton intention,
Et ta sincérité se fait assez connaître.
1940 Je m'obstinais tantôt dans le parti d'un traître;
Mais au lieu d'affaiblir vers toi mon amitié,
Un tel aveuglement te doit faire pitié.
Plains-moi, plains mon malheur, plains mon trop de
Qu'un ami déloyal a tellement surprise;   [franchise,
1945 Vois par là comme j'aime, et ne te souviens plus
Que j'ai voulu te faire un injuste refus.
Fais, malgré mon erreur, que ton feu persévère,
Ne punis point la sœur de la faute du frère,
Et reçois de ma main celle que ton désir,
1950 Avant mon imprudence, avait daigné choisir.

CLARICE, *à Célidan.*

Une pareille erreur me rend toute confuse;
Mais ici mon amour me servira d'excuse :
Il serre nos esprits d'un trop étroit lien
Pour permettre à mon sens de s'éloigner du sien.

CÉLIDAN

Si vous croyez encor que cette erreur me touche,   19
Un mot me satisfait de cette belle bouche,
Mais, hélas! quel espoir ose rien présumer,
Quand on n'a pu servir et qu'on n'a fait qu'aimer?

DORIS

Réunir les esprits d'une mère et d'un frère,
Du choix qu'ils m'avaient fait avoir su me défaire,   19
M'arracher à Florange et m'ôter Alcidon
Et d'un cœur généreux me faire l'heureux don,
C'est avoir su me rendre un assez grand service
Pour espérer beaucoup avec quelque justice.
Et puisqu'on me l'ordonne, on peut vous assurer   19
Qu'alors que j'obéis, c'est sans en murmurer.

CÉLIDAN

A ces mots enchanteurs tout mon cœur se déploie
Et s'ouvre tout entier à l'excès de ma joie.

CHRYSANTE

Que la mienne est extrême, et que sur mes vieux ans
Le favorable ciel me fait de doux présents!   19
Qu'il conduit mon bonheur par un ressort étrange!
Qu'à propos sa faveur m'a fait perdre Florange!
Puisse-t-elle, pour comble, accorder à mes vœux
Qu'une éternelle paix suive de si beaux nœuds,
Et rendre par les fruits de ce double hyménée   1
Ma dernière vieillesse à jamais fortunée!

CLARICE, *à Chrysante.*

Cependant pour ce soir ne me refusez pas
L'heur de vous voir ici prendre un mauvais repas.
Afin qu'à ce qui reste ensemble on se prépare,
Tant qu'un mystère saint deux à deux nous sépare.   19

CHRYSANTE, *à Clarice.*

Nous éloigner de vous avant ce doux moment,
Ce serait me priver de tout contentement.

LA GALERIE DU PALAIS
COMÉDIE

Comme pour les précédentes comédies, on ignore quand fut composée et jouée la pièce. Il est sûr qu'elle fut représentée par Mondory en 1632 ou 1633. Il faut croire que sa troupe s'était étoffée, car la pièce comporte douze acteurs dont quatre rôles de femmes. On ne peut supposer qu'une même actrice tenait deux rôles, car dès l'acte I, trois d'entre elles paraissent simultanément, la quatrième venant juste de sortir de scène.

Dans une intrigue très voisine de Mélite *et de la* Veuve, *Corneille glisse deux scènes tirées de la vie parisienne, suivant l'exemple de quelques comédies des années précédentes. Ainsi les comédies de mœurs, dont il avait créé le genre, prenaient plus de réalité encore, en dépit de l'entorse évidente faite à l'unité d'action.*

*Un subtil jeu amoureux, traversé de conversations entre hommes qui rappellent l'*Astrée, *des piques féminines (le sous-titre est l'*Amie rivale*), une suivante accorte qui remplace la traditionnelle nourrice, un ton soutenu qui côtoie à chaque instant le tragique, composent des éléments suffisants pour une analyse, la plus complète peut-être de Corneille, de l'unique sujet, l'Amour.*

Une plus forte unité, surtout psychologique, l'absence de scènes de farce, une intrigue dépouillée des procédés encore romanesques de Mélite *et de la* Veuve *expliquent le succès de la pièce, la mieux reçue des comédies de Corneille.*

Mais le comique s'envole : les demi-teintes et l'humour grinçant mènent au tragique. Ce glissement s'accusera encore dans les deux comédies suivantes.

*La pièce n'est imprimée qu'en 1637, avec une dédicace à M*me *de Liancour, grande dame qui, quoique d'illustre origine, belle et spirituelle, vivait loin de la Cour, tantôt rue de Seine, tantôt dans une riche propriété près de Clermont-en-Beauvaisis, où elle reçoit beaucoup, et entre autres la duchesse d'Aiguillon, nièce de Richelieu, à qui Corneille dédie presque en même temps le* Cid.

On ne voit pas que Corneille ait conservé par la suite des relations avec les Liancour, ses premiers protecteurs, morts tous deux en 1674, qui tournèrent au jansénisme. Leur fils unique, tué en 1646, s'était jeté « dans cette cabale garcière et libertine de Monsieur le Prince » (Tallemant) et sa femme, libertine, devint l'amie de la Grande Mademoiselle et du milieu frondeur.

A MADAME DE LIANCOUR[2] (1637)

MADAME,

Je vous demande pardon si je vous fais un mauvais présent; non pas que j'aie si mauvaise opinion de cette pièce, que je veuille condamner les applaudissements qu'elle a reçus, mais parce que je ne croirai jamais qu'un ouvrage de cette nature soit digne de vous être présenté. Aussi vous supplierai-je très humblement de ne prendre pas tant garde à la qualité de chose, qu'au pouvoir de celui dont elle part : c'est tout ce que peut offrir un homme de ma sorte, et Dieu ne m'ayant pas fait naître assez considérable pour être utile à votre service, je me tiendrai trop récompensé d'ailleurs si je puis contribuer en quelque façon à vos divertissements. De six comédies[3] qui me sont échappées,

si celle-ci n'est la meilleure, c'est la plus heureuse, et toutefois la plus malheureuse en ce point que n'ayant pas eu l'honneur d'être vue de vous, il lui manque votre approbation, sans laquelle sa gloire est encore douteuse, et n'ose s'assurer sur les acclamations publiques. Elle vous la vient demander, MADAME, avec cette protection qu'autrefois *Mélite* a trouvée si favorable. J'espère que votre bonté ne lui refusera pas l'une et l'autre, ou que si vous désapprouvez sa conduite, du moins vous agréerez mon zèle, et me permettrez de me dire toute ma vie, MADAME, votre très humble, très obéissant, et très obligé serviteur,

CORNEILLE.

1. Sous-titre primitif : *ou l'Amie rivale*, supprimé en 1644.
2. La duchesse de Liancour, femme du dédicataire de *Mélite* (cf. page 27, note 3).
3. Au moment où la pièce est publiée, en 1637, Corneille a déjà fait jouer neuf pièces : les six comédies, la tragédie de *Médée* et les deux tragi-comédies : *l'Illusion comique* et *le Cid*.

EXAMEN (1660)

Ce titre serait tout à fait irrégulier, puisqu'il n'est fondé que sur le spectacle du premier acte, où commence l'amour de Dorimant pour Hippolyte, s'il n'était autorisé par l'exemple des anciens, qui étaient sans

doute encore bien plus licencieux, quand ils ne donnaient à leurs tragédies que le nom des chœurs, qui
n'étaient que témoins de l'action, comme les *Trachiniennes*
et les *Phéniciennes*. L'*Ajax* même de Sophocle ne porte
pas pour titre *la Mort d'Ajax*, qui est sa principale
action, mais *Ajax porte-fouet*, qui n'est que l'action
du premier acte. Je ne parle point des *Nues*[4], des *Guêpes*
et des *Grenouilles* d'Aristophane; ceci doit suffire pour
montrer que les Grecs, nos premiers maîtres, ne
s'attachaient point à la principale action pour en faire
porter le nom à leurs ouvrages, et qu'ils ne gardaient
aucune règle sur cet article. J'ai donc pris ce titre de
la Galerie du Palais, parce que la promesse de ce spectacle
extraordinaire et agréable pour sa naïveté, devait exciter
vraisemblablement la curiosité des auditeurs; et ç'a été
pour leur plaire plus d'une fois, que j'ai fait paraître
ce même spectacle à la fin du quatrième acte, où il est
entièrement inutile, et n'est renoué avec celui du premier
que par des valets qui viennent prendre dans les boutiques ce que leurs maîtres y avaient acheté, ou voir
si les marchands ont reçu les nippes qu'ils attendaient.
Cette espèce de renouement lui était nécessaire, afin
qu'il eût quelque liaison qui lui fît trouver sa place,
et qu'il ne fût pas tout à fait hors d'œuvre. La rencontre que j'y fais faire d'Aronte et de Florice est ce
qui le fixe particulièrement à la fin de celui-là; mais cet
incident, il eût été aussi propre à la fin du second et
du troisième, qu'en la place qu'il occupe. Sans cet
agrément la pièce aurait été très irrégulière pour l'unité
du lieu et la liaison des scènes, qui n'est interrompue
que par là. Célidée et Hippolyte sont deux voisines
dont les demeures ne sont séparées que par le travers
d'une rue, et ne sont pas d'une condition trop élevée
pour souffrir que leurs amants les entretiennent à leur
porte. Il est vrai que ce qu'elles y disent serait mieux
dit dans une chambre ou dans une salle, et même ce
n'est que pour se faire voir aux spectateurs qu'elles
quittent cette porte où elles devraient être retranchées,
et viennent parler au milieu de la scène; mais c'est
un accommodement de théâtre qu'il faut souffrir pour
trouver cette rigoureuse unité de lieu qu'exigent les
grands ordres réguliers. Il sort un peu de l'exacte vraisemblance
et de la bienséance même; mais il est presque impossible
d'en user autrement; et les spectateurs y sont si accoutumés qu'ils n'y trouvent rien qui les blesse. Les anciens,
sur les exemples desquels on a formé les règles, se
donnaient cette liberté. Ils choisissaient pour le lieu
de leurs comédies et même de leurs tragédies, une place
publique; mais je m'assure qu'à les bien examiner, il
y a plus de la moitié de ce qu'ils font dire qui serait
mieux dit dans la maison qu'en cette place. Je n'en
produirai qu'un exemple, sur qui le lecteur en pourra
trouver d'autres.

L'*Andrienne* de Térence commence par le vieillard
Simon, qui revient du marché avec des valets chargés
de ce qu'il vient d'acheter pour les noces de son fils;

---

4. Notre époque traduit plutôt *les Nuées*.

il leur commande d'entrer dans sa maison avec leur
charge, et retient avec lui Sosie, pour lui apprendre
que ces noces ne sont que des noces feintes, à dessein
de voir ce qu'en dira son fils, qu'il croit engagé dans
une autre affection, dont il lui conte l'histoire. Je ne
pense pas qu'aucun me dénie qu'il serait mieux dans
sa salle à lui faire confidence de ce secret que dans une
rue. Dans la seconde scène, il menace Davus de le
maltraiter, s'il fait aucune fourbe pour troubler ces
noces : il le menacerait plus à propos dans sa maison
qu'en public; et la seule raison qui le fait parler devant
son logis, c'est afin que ce Davus, demeuré seul, puisse
voir Mysis sortir de chez Glycère, et qu'il se fasse une
liaison d'œil entre ces deux scènes; ce qui ne regarde
pas l'action présente de cette première, qui se passerait
mieux dans la maison, mais une action future qu'ils
ne prévoient point et qui est plutôt du dessein du poète,
qui force un peu la vraisemblance pour observer les
règles de son art, que du choix des acteurs qui ont
à parler, qui ne seraient pas où les met le poète, s'il
n'était question que de dire ce qu'il leur fait dire. Je
laisse aux curieux à examiner le reste de cette comédie
de Térence, et je veux croire qu'à moins que d'avoir
l'esprit fort préoccupé d'un sentiment contraire, ils
demeureront d'accord de ce que je dis.

Quant à la durée de cette pièce, elle est dans le même
ordre que la précédente, c'est-à-dire dans cinq jours
consécutifs. Le style en est plus fort et plus dégagé
des pointes dont j'ai parlé, qui s'y trouveront assez
rares. Le personnage de nourrice, qui est de la vieille
comédie, et que le manque d'actrices sur nos théâtres
y avait conservé jusqu'alors, afin qu'un homme le pût
représenter sous le masque, se trouve ici métamorphosé
en celui de suivante[5], qu'une femme représente sur son
visage. Le caractère des deux amantes a quelque chose
de choquant, en ce qu'elles sont toutes deux amoureuses d'hommes qui ne le sont point d'elles, et Célidée
particulièrement s'emporte jusqu'à s'offrir elle-même.
On la pourrait excuser sur le violent dépit qu'elle a
de s'être vue méprisée par son amant, qui en sa présence même a conté des fleurettes à une autre et j'aurai
de plus à dire que nous ne mettons pas sur la scène
des personnages si parfaits, qu'ils ne soient sujets à
des défauts et aux faiblesses qu'impriment les passions; mais je veux bien avouer que cela va trop avant
et passe trop la bienséance et la modestie du sexe,
bien qu'absolument il ne soit pas condamnable. En
récompense, le cinquième acte est moins traînant que
celui des précédentes et conclut deux mariages sans
laisser aucun mécontent; ce qui n'arrive pas dans
celles-là.

---

5. La suivante n'est pas la soubrette de comédie, dont Corneille donnera le prototype dans l'*Illusion comique*. C'est une
demoiselle de compagnie, en général bien née, mais pauvre.
Corneille, l'ayant expérimentée ici, en sentira la condition
pathétique et en exprimera tout le caractère dans la comédie
qui suivra.

ACTEURS

PLEIRANTE, *père de Célidée.*
LYSANDRE, *amant de Célidée.*
DORIMANT, *amoureux d'Hippolyte.*
CHRYSANTE, *mère d'Hippolyte.*
CÉLIDÉE, *fille de Pleirante.*
HIPPOLYTE, *fille de Chrysante.*
ARONTE, *écuyer de Lysandre.*
CLÉANTE, *écuyer de Dorimant.*
FLORICE, *suivante d'Hippolyte.*
LE LIBRAIRE DU PALAIS.
LE MERCIER DU PALAIS.
LA LINGÈRE DU PALAIS.

La scène est à Paris [6].

ACTE PREMIER

Scène I : *Aronte, Florice.*

ARONTE

Enfin je ne le puis : que veux-tu que j'y fasse ?
Pour tout autre sujet mon maître n'est que glace ;
Elle est trop dans son cœur, on ne l'en peut chasser,
Et c'est folie à nous que de plus y penser.
5　J'ai beau devant les yeux lui remettre Hippolyte,
Parler de ses attraits, élever son mérite,
Sa grâce, son esprit, sa naissance, son bien,
Je n'avance non plus qu'à ne lui dire rien :
L'amour, dont malgré moi mon âme est possédée,
10　Fait qu'il en voit autant, ou plus, en Célidée.

FLORICE

Ne quittons pas pourtant : à la longue on fait tout.
La gloire suit la peine, espérons jusqu'au bout.
Je veux que Célidée ait charmé son courage,
L'amour le plus parfait n'est pas un mariage ;
15　Fort souvent moins que rien cause un grand change-
Et les occasions naissent en ce moment.　　[ment,

ARONTE

Je les prendrai toujours quand je les verrai naître.

FLORICE

Hippolyte, en ce cas, saura le reconnaître.

ARONTE

Tout ce que j'en prétends, c'est un entier secret.
20　Adieu, je vais trouver Célidée à regret.

FLORICE

De la part de ton maître ?

ARONTE

　　　　　　Oui.

FLORICE

　　　　　　　　Si j'ai bonne vue,
La voilà que son père amène vers la rue.
Tirons-nous à quartier ; nous jouerons mieux nos jeux,
S'ils n'aperçoivent point que nous parlions tous deux.

6. Une rue, la maison d'Hippolyte, celle de Célidée, celle
de Lysandre.

Scène II : *Pleirante, Célidée.*

PLEIRANTE

Ne pense plus, ma fille, à me cacher ta flamme,　25
N'en conçois point de honte, et n'en crains pas de
Le sujet qui l'allume a des perfections　　　[blâme :
Dignes de posséder tes inclinations,
Et pour mieux te montrer le fond de mon courage,
J'aime autant son esprit que tu fais son visage.　30
Confesse donc, ma fille, et crois qu'un si beau feu
Veut être mieux traité que par un désaveu.

CÉLIDÉE

Monsieur, il est tout vrai, son ardeur légitime
A tant gagné sur moi que j'en fais de l'estime :
J'honore son mérite, et n'ai pu m'empêcher　　35
De prendre du plaisir à m'en voir rechercher ;
J'aime son entretien, je chéris sa présence,
Mais cela n'est enfin qu'un peu de complaisance,
Qu'un mouvement léger qui passe en moins d'un jour.
Vos seuls commandements produiront mon amour,　40
Et votre volonté, de la mienne suivie...

PLEIRANTE

Favorisant ses vœux, seconde ton envie.
Aime, aime ton Lysandre ; et puisque je consens
Et que je t'autorise à ces feux innocents,
Donne-lui hardiment une entière assurance·　　45
Qu'un mariage heureux suivra son espérance :
Engage-lui ta foi. Mais j'aperçois venir
Quelqu'un qui de sa part te vient entretenir.
Ma fille, adieu : les yeux d'un homme de mon âge
Peut-être empêcheraient la moitié du message.　50

CÉLIDÉE

Il ne vient rien de lui qu'il faille vous celer.

PLEIRANTE

Mais tu seras sans moi plus libre à lui parler,
Et ta civilité, sans doute un peu forcée,
Me fait un compliment qui trahit ta pensée.

Scène III : *Célidée, Aronte.*

CÉLIDÉE

Que fait ton maître, Aronte ?

ARONTE

　　　　　　Il m'envoie aujourd'hui　55
Voir ce que sa maîtresse a résolu de lui,
Et comment vous voulez qu'il passe la journée.

CÉLIDÉE

Je serai chez Daphnis toute l'après-dînée ;
Et s'il m'aime, je crois que nous l'y pourrons voir.
Autrement...

ARONTE

　　　　Ne pensez qu'à l'y bien recevoir.　60

CÉLIDÉE

S'il y manque, il verra sa paresse punie.
Nous y devons dîner en bonne compagnie :
J'y mène, du quartier, Hippolyte et Cloris.

ARONTE

Après elles et vous il n'est rien dans Paris,
Et je n'en sache point, pour belles qu'on les nomme,　65
Qui puissent attirer les yeux d'un honnête homme.

CÉLIDÉE

Je ne suis pas d'humeur bien propre à t'écouter
Et ne prends pas plaisir à m'entendre flatter.
Sans que ton bel esprit tâche plus d'y paraître,
70 Mêle-toi de porter ma réponse à ton maître.

ARONTE, seul.

Quelle superbe humeur! quel arrogant maintien!
Si mon maître me croit, vous ne tenez plus rien;
Il changera d'objet, ou j'y perdrai ma peine :
Aussi bien son amour ne vous rend que trop vaine.

Scène IV : La lingère, le libraire.

On tire un rideau [7], et l'on voit le libraire, la lingère
et le mercier chacun dans sa boutique.

LA LINGÈRE

75 Vous avez fort la presse à ce livre nouveau;
C'est pour vous faire riche.

LE LIBRAIRE

On le trouve si beau,
Que c'est pour mon profit le meilleur qui se voie.
Mais vous, que vous vendez de ces toiles de soie!

LA LINGÈRE

De vrai, bien que d'abord on en vendît fort peu,
80 A présent Dieu nous aime, on y court comme au feu;
Je n'en saurais fournir autant qu'on m'en demande :
Elle sied mieux aussi que celle de Hollande,
Découvre moins le fard dont un visage est peint,
Et donne, ce me semble, un plus grand lustre au teint.
85 Je perds bien à gagner, de ce que ma boutique,
Pour être trop étroite, empêche ma pratique,
A peine y puis-je avoir deux chalands à la fois :
Je veux changer de place avant qu'il soit un mois;
J'aime mieux en payer le double et davantage,
90 Et voir ma marchandise en un bel étalage.

LE LIBRAIRE

Vous avez bien raison mais à ce que j'entends...
Monsieur, vous plaît-il voir quelques livres du temps?

Scène V : Dorimant, Cléante, le libraire.

DORIMANT

Montrez-m'en quelques-uns.

LE LIBRAIRE

Voici ceux de la mode.

DORIMANT

Otez-moi cet auteur, son nom seul m'incommode;
95 C'est un impertinent, ou je n'y connais rien.

LE LIBRAIRE

Ses œuvres toutefois se vendent assez bien.

DORIMANT

Quantité d'ignorants ne songent qu'à la rime.

LE LIBRAIRE

Monsieur, en voici deux dont on fait grande estime :
Considérez ce trait, on le trouve divin.

DORIMANT

Il n'est que mal traduit du cavalier Marin [8];   10
Sa veine, au demeurant, me semble assez hardie.

LE LIBRAIRE

Ce fut son coup d'essai que cette comédie.

DORIMANT

Cela n'est pas tant mal pour un commencement;
La plupart de ses vers coulent fort doucement :
Qu'il a de mignardise à décrire un visage!   10

Scène VI : Hippolyte, Florice, Dorimant, Cléante,
le libraire, la lingère.

HIPPOLYTE

Madame, montrez-nous quelques collets d'ouvrage [9].

LA LINGÈRE

Je vous en vais montrer de toutes les façons.

DORIMANT, au libraire.

Ce visage vaut mieux que toutes vos chansons.

LA LINGÈRE, à Hippolyte.

Voilà du point d'esprit [10], de Gênes, et d'Espagne.

HIPPOLYTE

Ceci n'est guère bon qu'à des gens de campagne.   1

LA LINGÈRE

Voyez bien : s'il en est deux pareils dans Paris...

HIPPOLYTE

Ne les vantez point tant et dites-nous le prix.

LA LINGÈRE

Quand vous aurez choisi.

HIPPOLYTE

Que t'en semble, Florice?

FLORICE

Ceux-là sont assez beaux, mais de mauvais service;
En moins de trois savons on ne les connaît plus.   1

HIPPOLYTE

Celui-ci, qu'en dis-tu?

FLORICE

L'ouvrage en est confus,
Bien que l'invention de près soit assez belle.
Voici bien votre fait, n'était que la dentelle
Est fort mal assortie avec le passement;
Cet autre n'a de beau que le couronnement.   12

LA LINGÈRE

Si vous pouviez avoir deux jours de patience,
Il m'en vient, mais qui sont dans la même excellence.
Dorimant parle au libraire à l'oreille.

FLORICE

Il vaudrait mieux attendre.

HIPPOLYTE

Eh bien! nous attendrons;
Dites-nous au plus tard quel jour nous reviendrons.

LA LINGÈRE

Mercredi j'en attends de certaines nouvelles.   1

8. G.B. Marini (1569-1625), Italien expatrié, jouit d'un grand
succès dans certains milieux parisiens. On attendait son Adone
comme un prodige. La publication déçut.
9. Collets d'ouvrage : ouvrés à la main.
10. « Le point d'esprit se monte sur cinq fils de long et cinq
de travers, en laissant à chaque fois deux fils qui font une croix.
Les cinq fils en tous sens sont embrassés d'un point noué »
(Encyclopédie).

7. Précieuse indication scénique très rare au XVIIe siècle. On
croit savoir qu'il n'y avait pas de rideau entre la scène et les
spectateurs. Sur la scène, un rideau se tirait sur les côtés pour
découvrir un compartiment du fond de la scène, au centre.

Cependant vous faut-il quelques autres dentelles?
HIPPOLYTE
J'en ai ce qu'il m'en faut pour ma provision.
LE LIBRAIRE, à Dorimant.
J'en vais subtilement prendre l'occasion.
La connais-tu, voisine?
LA LINGÈRE
              Oui, quelque peu de vue:
130 Quant au reste, elle m'est tout à fait inconnue.
Dorimant tire Cléante au milieu du théâtre, il lui
parle à l'oreille.
Ce cavalier sans doute y trouve plus d'appas
Que dans tous vos auteurs?
CLÉANTE
              Je n'y manquerai pas.
DORIMANT
Si tu ne me vois là, je serai dans la salle [11].
Il prend un livre sur la boutique du libraire.
Je connais celui-ci, sa veine est fort égale;
135 Il ne fait point de vers qu'on ne trouve charmants.
Mais on ne parle plus qu'on fasse de romans,
J'ai vu que notre peuple en était idolâtre.
LE LIBRAIRE
La mode est à présent des pièces de théâtre.
DORIMANT
De vrai, chacun s'en pique et tel y met la main,
140 Qui n'eut jamais l'esprit d'ajuster un quatrain.

Scène VII : Lysandre, Dorimant, le libraire,
le mercier.

LYSANDRE
Je te prends sur le livre.
DORIMANT
           Eh bien! qu'en veux-tu dire?
Tant d'excellents esprits qui se mêlent d'écrire
Valent bien qu'on leur donne une heure de loisir.
LYSANDRE
Y trouves-tu toujours une heure de plaisir?
145 Beaucoup font bien des vers et peu la comédie.
DORIMANT
Ton goût, je m'en assure, est pour la Normandie [12].
LYSANDRE
Sans rien spécifier, peu méritent le voir [13],
Souvent leur entreprise excède leur pouvoir,
Et tel parle d'amour sans aucune pratique.
DORIMANT
150 On n'y sait guère alors que la vieille rubrique,
Faute de le connaître, on l'habille en fureur
Et loin d'en faire envie, on nous en fait horreur.
Lui seul de ses effets a droit de nous instruire;
Notre plume à lui seul doit se laisser conduire :
155 Pour en bien discourir, il faut l'avoir bien fait;
Un bon poète ne vient que d'un amant parfait.

11. La Salle des Pas-Perdus, dite aussi la Grand'Salle.
12. Scudéry, né au Havre, Rotrou à Dreux, Corneille parmi
les auteurs dramatiques; Malherbe, Saint-Amant pour les poètes
sont normands.
13. Qu'on aille au spectacle les voir.

LYSANDRE
Il n'en faut point douter, l'amour a des tendresses
Que nous n'apprenons point qu'auprès de nos
                     [maîtresses.
Tant de sorte d'appas, de doux saisissements,
D'agréables langueurs et de ravissements,   160
Jusques où d'un bel œil peut s'étendre l'empire
Et mille autres secrets que l'on ne saurait dire,
Quoi que tous nos rimeurs en mettent par écrit,
Ne se surent jamais par un effort d'esprit
Et je n'ai jamais vu de cervelles bien faites   165
Qui traitassent l'amour à la façon des poètes.
C'est tout un autre jeu. Le style d'un sonnet
Est fort extravagant dedans un cabinet;
Il y faut bien louer la beauté qu'on adore,
Sans mépriser Vénus, sans médire de Flore,   170
Sans que l'éclat des lis, des roses, d'un beau jour,
Ait rien à démêler avecque notre amour.
O pauvre comédie, objet de tant de veines,
Si tu n'es qu'un portrait des actions humaines,
On te tire souvent sur un original   175
A qui, pour dire vrai, tu ressembles fort mal!
DORIMANT
Laissons la muse en paix, de grâce, à la pareille [14].
Chacun fait ce qu'il peut et ce n'est pas merveille
Si, comme avec bon droit on perd bien un procès,
Souvent un bon ouvrage a de faibles succès.   180
Le jugement de l'homme ou plutôt son caprice
Pour quantité d'esprits n'a que de l'injustice.
J'en admire beaucoup dont on fait peu d'état;
Leurs fautes, tout au pis, ne sont pas coups d'État :
La plus grande est toujours de peu de conséquence. 185
LE LIBRAIRE
Vous plairait-il de voir des pièces d'éloquence?
LYSANDRE, *ayant regardé le titre d'un livre*
que le libraire lui présente.
J'en lus hier la moitié; mais son vol est si haut,
Que presque à tous moments je me trouve en défaut [15].
DORIMANT
Voici quelques auteurs dont j'aime l'industrie.
Mettez ces trois à part, mon maître, je vous prie;   190
Tantôt un de mes gens vous les viendra payer.
LYSANDRE, *se retirant d'auprès*
les boutiques.
Le reste du matin, où veux-tu l'employer?
LE MERCIER
Voyez deçà, messieurs; vous plaît-il rien du nôtre?
Voyez, je vous ferai meilleur marché qu'un autre,
Des gants, des baudriers, des rubans, des castors.   195

Scène VIII : Dorimant, Lysandre.

DORIMANT
Je ne saurais encor te suivre, si tu sors :
Faisons un tour de salle, attendant mon Cléante.
LYSANDRE
Qui te retient ici?

14. A charge de revanche.
15. Je ne parviens pas à la suivre.

DORIMANT

L'histoire en est plaisante :
Tantôt, comme j'étais sur le livre occupé,
200 Tout proche on est venu choisir du point-coupé.

LYSANDRE

Qui ?

DORIMANT

C'est la question ; mais il faut s'en remettre
A ce qu'à mes regards sa coiffe a pu permettre.
Je n'ai rien vu d'égal : mon Cléante la suit
Et ne reviendra point qu'il n'en soit bien instruit,
205 Qu'il n'en sache le nom, le rang et la demeure.

LYSANDRE

Ami, le cœur t'en dit.

DORIMANT

Nullement, ou je meure ;
Voyant je ne sais quoi de rare en sa beauté,
J'ai voulu contenter ma curiosité.

LYSANDRE

Ta curiosité deviendra bientôt flamme,
210 C'est par là que l'amour se glisse dans une âme.
    A la première vue, un objet qui nous plaît
N'inspire qu'un désir de savoir quel il est ;
On en veut aussitôt apprendre davantage,
Voir si son entretien répond à son visage,
215 S'il est civil ou rude, importun ou charmeur,
Éprouver son esprit, connaître son humeur :
De là cet examen se tourne en complaisance ;
On cherche si souvent le bien de sa présence
Qu'on en fait habitude et qu'au point d'en sortir
220 Quelque regret commence à se faire sentir :
On revient tout rêveur et notre âme blessée,
Sans prendre garde à rien, cajole sa pensée.
Ayant rêvé le jour, la nuit à tout propos
On sent je ne sais quoi qui trouble le repos ;
225 Un sommeil inquiet, sur de confus nuages
Élève incessamment de flatteuses images
Et sur leur vain rapport fait naître des souhaits
Que le réveil admire et ne dédit jamais ;
Tout le cœur court en hâte après de si doux guides
230 Et le moindre larcin que font ses vœux timides
Arrête le larron et le met dans les fers.

DORIMANT

Ainsi tu fus épris de celle que tu sers ?

LYSANDRE

C'est un autre discours ; à présent je ne touche
Qu'aux ruses de l'amour contre un esprit farouche,
235 Qu'il faut apprivoiser presque insensiblement
Et contre ses froideurs combattre finement.
Des naturels plus doux...

Scène IX : *Dorimant, Lysandre, Cléante.*

DORIMANT

Eh bien ! elle s'appelle ?

CLÉANTE

Ne m'informez de rien qui touche cette belle.
Trois filous rencontrés vers le milieu du pont
240 Chacun l'épée au poing, m'ont voulu faire affront
Et sans quelques amis qui m'ont tiré de peine

Contre eux ma résistance eût peut-être été vaine.
Ils ont tourné le dos, me voyant secouru ;
Mais ce que je suivais tandis est disparu.

DORIMANT

Les traîtres ! trois contre un ! t'attaquer ! te surprendre ! 245
Quels insolents vers moi s'osent ainsi méprendre ?

CLÉANTE

Je ne connais qu'un d'eux et c'est là le retour
De quelques tours de main qu'il reçut l'autre jour,
Lorsque, m'ayant tenu quelques propos d'ivrogne,
Nous eûmes prise ensemble à l'hôtel de Bourgogne. 250

DORIMANT

Qu'on le trouve où qu'il soit ; qu'une grêle de bois [16]
Assemble sur lui seul le châtiment des trois
Et que sous l'étrivière il puisse tôt connaître,
Quand on se prend aux miens, qu'on s'attaque à leur [maître !

LYSANDRE

J'aime à te voir ainsi décharger ton courroux ; 255
Mais voudrais-tu parler franchement entre nous ?

DORIMANT

Quoi ! tu doutes encor de ma juste colère ?

LYSANDRE

En ce qui le regarde, elle n'est que légère ;
En vain pour son sujet tu fais l'intéressé,
Il a paré des coups dont ton cœur est blessé. 260
Cet accident fâcheux te vole une maîtresse :
Confesse ingénument, c'est là ce qui te presse.

DORIMANT

Pourquoi te confesser ce que tu vois assez ?
Au point de se former, mes desseins renversés
Et mon désir trompé, poussent dans ces contraintes, 265
Sous de faux mouvements, de véritables plaintes.

LYSANDRE

Ce désir, à vrai dire, est un amour naissant
Qui ne sait où se prendre et demeure impuissant ;
Il s'égare et se perd dans cette incertitude
Et renaissant toujours de ton inquiétude, 270
Il te montre un objet d'autant plus souhaité,
Que plus sa connaissance a de difficulté.
C'est par là que ton feu davantage s'allume :
Moins on l'a pu connaître, et plus on en présume ;
Notre ardeur curieuse en augmente le prix. 275

DORIMANT

Que tu sais, cher ami, lire dans les esprits,
Et que pour bien juger d'une secrète flamme,
Tu pénètres avant dans les ressorts d'une âme !

LYSANDRE

Ce n'est pas encor tout, je veux te secourir.

DORIMANT

Oh ! que je ne suis pas en état de guérir ! 280
L'amour use sur moi de trop de tyrannie.

LYSANDRE

Souffre que je te mène en une compagnie
Où l'objet de mes vœux m'a donné rendez-vous ;
Les divertissements t'y sembleront si doux,
Ton âme en un moment en sera si charmée 285
Que, tous ses déplaisirs dissipés en fumée,

---

16. Habitude constante du siècle : un acteur du Marais
en demeura estropié en 1641 et dut abandonner son métier.
Le poète Sarrasin en mourut.

On gagnera sur toi fort aisément ce point
D'oublier un objet que tu ne connais point.
Mais garde-toi surtout d'une jeune voisine
290 Que ma maîtresse y mène; elle est et belle et fine,
Et sait si dextrement ménager ses attraits
Qu'il n'est pas bien aisé d'en éviter les traits.

DORIMANT

Au hasard, fais de moi tout ce que bon te semble.

LYSANDRE

Donc, en attendant l'heure, allons dîner ensemble.

Scène X : Hippolyte, Florice.

HIPPOLYTE

295 Tu me railles toujours.

FLORICE

S'il ne vous veut du bien,
Dites assurément que je n'y connais rien.
Je le considérais tantôt chez ce libraire;
Ses regards de sur vous ne pouvaient se distraire
Et son maintien était dans une émotion
300 Qui m'instruisait assez de son affection.
Il voulait vous parler, et n'osait l'entreprendre.

HIPPOLYTE

Toi, ne me parle point, ou parle de Lysandre.
C'est le seul dont la vue excita mon ardeur.

FLORICE

Et le seul qui pour vous n'a que de la froideur.
305 Célidée est son âme, et tout autre visage   [rage]
N'a point d'assez beaux traits pour toucher son cou-
Son brasier est trop grand, rien ne peut l'amortir.
En vain son écuyer tâche à l'en divertir,
En vain, jusques aux cieux portant votre louange,
310 Il tâche à lui jeter quelque amorce du change
Et lui dit jusque-là que dans votre entretien
Vous témoignez souvent de lui vouloir du bien :
Tout cela n'est qu'autant de paroles perdues.

HIPPOLYTE

Faute d'être sans doute assez bien entendues!

FLORICE

315 Ne le présumez pas, il faut avoir recours
A de plus hauts secrets qu'à ces faibles discours.
Je fus fine autrefois et depuis mon veuvage
Ma ruse chaque jour s'est accrue avec l'âge;
Je me connais en monde, et sais mille ressorts
320 Pour débaucher une âme et brouiller des accords.

HIPPOLYTE

Dis promptement, de grâce.

FLORICE

A présent l'heure presse
Et je ne vous saurais donner qu'un mot d'adresse :
Cette voisine et vous... Mais déjà la voici.

Scène XI : Célidée, Hippolyte, Florice.

CÉLIDÉE

A force de tarder, tu m'as mise en souci :
325 Il est temps, et Daphnis par un page me mande
Que pour faire servir on n'attend que ma bande;
Le carrosse est tout prêt : allons, veux-tu venir?

HIPPOLYTE

Lysandre après dîner t'y vient entretenir?

CÉLIDÉE

S'il osait y manquer, je te donne promesse
Qu'il pourrait bien ailleurs chercher une maîtresse.   330

ACTE SECOND

Scène I : Hippolyte, Dorimant.

HIPPOLYTE

Ne me contez point tant que mon visage est beau :
Ces discours n'ont pour moi rien du tout de nouveau;
Je le sais bien sans vous et j'ai cet avantage,
Quelques perfections qui soient sur mon visage,
Que je suis la première à m'en apercevoir :   335
Pour me les bien apprendre, il ne faut qu'un miroir;
J'y vois en un moment tout ce que vous me dites.

DORIMANT

Mais vous n'y voyez pas tous vos rares mérites :
Cet esprit tout divin et ce doux entretien
Ont des charmes puissants dont il ne montre rien.   340

HIPPOLYTE

Vous les montrez assez par cette après-dînée
Qu'à causer avec moi vous vous êtes donnée;
Si mon discours n'avait quelque charme caché,
Il ne vous tiendrait pas si longtemps attaché.
Je vous juge plus sage, et plus aimer votre aise [17],   345
Que d'y tarder ainsi sans que rien vous y plaise,
Et si je présumais qu'il vous plût sans raison,
Je me ferais moi-même un peu de trahison;
Et par ce trait badin qui sentirait l'enfance
Votre beau jugement recevrait trop d'offense.   350
Je suis un peu timide et dût-on me jouer
Je n'ose démentir ceux qui m'osent louer.

DORIMANT

Aussi vous n'avez pas le moindre lieu de craindre
Qu'on puisse en vous louant ni vous flatter ni feindre :
On voit un tel éclat en vos brillants appas   355
Qu'on ne peut l'exprimer ni ne l'adorer pas.

HIPPOLYTE

Ni ne l'adorer pas! Par là vous voulez dire...

DORIMANT

Que mon cœur désormais vit dessous votre empire
Et que tous mes desseins de vivre en liberté
N'ont rien eu d'assez fort contre votre beauté.   360

HIPPOLYTE

Quoi! mes perfections vous donnent dans la vue?

DORIMANT

Les rares qualités dont vous êtes pourvue
Vous ôtent tout sujet de vous en étonner.

HIPPOLYTE

Cessez aussi, Monsieur, de vous l'imaginer.
Si vous brûlez pour moi, ce ne sont pas merveilles :   365
J'ai de pareils discours chaque jour aux oreilles
Et tous les gens d'esprit en font autant que vous.

17. Construction audacieuse : Je juge que vous êtes plus
sage et que vous aimez mieux votre aise...

DORIMANT

En amour toutefois je les surpasse tous.
Je n'ai point consulté pour vous donner mon âme,
370 Votre premier aspect sut allumer ma flamme
Et je sentis mon cœur, par un secret pouvoir,
Aussi prompt à brûler que mes yeux à vous voir.

HIPPOLYTE

Avoir connu d'abord combien je suis aimable,
Encor qu'à votre avis il soit inexprimable,
375 Ce grand et prompt effet m'assure puissamment
De la vivacité de votre jugement.
Pour moi, que la nature a faite un peu grossière,
Mon esprit, qui n'a pas cette vive lumière,
Conduit trop pesamment toutes ses fonctions
380 Pour m'avertir sitôt de vos perfections.
Je vois bien que vos feux méritent récompense,
Mais de les seconder ce défaut me dispense.

DORIMANT

Railleuse!

HIPPOLYTE

Excusez-moi, je parle tout de bon.

DORIMANT

Le temps de cet orgueil me fera la raison
385 Et nous verrons un jour, à force de services,
Adoucir vos rigueurs et finir mes supplices.

Scène II : Dorimant, Lysandre, Hippolyte,
Florice.

Lysandre sort de chez Célidée, et passe sans s'arrêter,
leur donnant seulement un coup de chapeau.

HIPPOLYTE

Peut-être l'avenir... Tout beau, coureur, tout beau!
On n'est pas quitte ainsi pour un coup de chapeau :
Vous aimez l'entretien de votre fantaisie;
390 Mais pour un cavalier c'est peu de courtoisie
Et cela messied fort à des hommes de cour
De n'accompagner pas leur salut d'un bonjour.

LYSANDRE

Puisque auprès d'un sujet capable de nous plaire
La présence d'un tiers n'est jamais nécessaire,
395 De peur qu'il en reçût quelque importunité,
J'ai mieux aimé manquer à la civilité.

HIPPOLYTE

Voilà parer mon coup d'un galant artifice,
Comme si je pouvais... Que me veux-tu, Florice?

Florice sort et parle à Hippolyte à l'oreille.

Dis-lui que je m'en vais. Messieurs, pardonnez-moi :
400 On me vient d'apporter une fâcheuse loi;
Incivile à mon tour, il faut que je vous quitte.
Une mère m'appelle.

DORIMANT

Adieu, belle Hippolyte,
Adieu, souvenez-vous...

HIPPOLYTE

Mais vous, n'y songez plus.

Scène III : Lysandre, Dorimant.

LYSANDRE

Quoi, Dorimant, ce mot t'a rendu tout confus!

DORIMANT

Ce mot à mes désirs laisse peu d'espérance.   40

LYSANDRE

Tu ne la vois encor qu'avec indifférence?

DORIMANT

Comme toi Célidée.

LYSANDRE

Elle eut donc chez Daphnis
Hier dans son entretien des charmes infinis?
Je te l'avais bien dit que ton âme à sa vue
Demeurerait ou prise ou puissamment émue;   41(
Mais tu n'as pas sitôt oublié la beauté
Qui fit naître au Palais ta curiosité?
Du moins ces deux objets balancent ton courage?

DORIMANT

Sais-tu bien que c'est là justement mon visage,
Celui que j'avais vu le matin au Palais?   41

LYSANDRE

A ce compte...

DORIMANT

J'en tiens, ou l'on n'en tint jamais.

LYSANDRE

C'est consentir bientôt à perdre ta franchise.

DORIMANT

C'est rendre un prompt hommage aux yeux qui me

LYSANDRE   [l'ont prise.

Puisque tu les connais, je ne plains plus ton mal.

DORIMANT

Leur coup, pour les connaître, en est-il moins fatal? 420

LYSANDRE

Non, mais du moins ton cœur n'est plus à la torture
De voir tes vœux forcés d'aller à l'aventure,
Et cette belle humeur de l'objet qui t'a pris...

DORIMANT

Sous un accueil riant cache un subtil mépris.
Ah! que tu ne sais pas de quel air on me traite!   42!

LYSANDRE

Je t'en avais jugé l'âme fort satisfaite;
Et cette gaie humeur, qui brillait dans ses yeux,
M'en promettait pour toi quelque chose de mieux.

DORIMANT

Cette belle, de vrai, quoique toute de glace,
Mêle dans ses froideurs je ne sais quelle grâce, 430
Par où tout de nouveau je me laisse gagner
Et consens, peu s'en faut, à m'en voir dédaigner.
Loin de s'en affaiblir, mon amour s'en augmente;
Je demeure charmé de ce qui me tourmente.
Je pourrais de toute autre être le possesseur, 435
Que sa possession aurait moins de douceur.
Je ne suis plus à moi quand je vois Hippolyte
Rejeter ma louange et vanter son mérite,
Négliger mon amour ensemble et l'approuver,
Me remplir tout d'un temps d'espoir et m'en priver. 440
Me refuser son cœur en acceptant mon âme,
Faire état de mon choix en méprisant ma flamme.
Hélas! en voilà trop : le moindre de ces traits

A pour me retenir de trop puissants attraits :
45 Trop heureux d'avoir vu sa froideur enjouée
Ne se point offenser d'une ardeur avouée!

LYSANDRE

Son adieu toutefois te défend d'y songer,
Et ce commandement t'en devrait dégager.

DORIMANT

Qu'un plus capricieux d'un tel adieu s'offense;
50 Il me donne un conseil plutôt qu'une défense
Et par ce mot d'avis, son cœur sans amitié
Du temps que j'y perdrai montre quelque pitié.

LYSANDRE

Soit défense ou conseil, de rien ne désespère;
Je te réponds déjà de l'esprit de sa mère.
55 Pleirante son voisin lui parlera pour toi;
Il peut beaucoup sur elle, et fera tout pour moi.
Tu sais qu'il m'a donné sa fille pour maîtresse.
Tâche à vaincre Hippolyte avec un peu d'adresse
Et n'appréhende pas qu'en elle il en faille beaucoup :
60 Tu verras sa froideur se perdre tout d'un coup.
Elle ne se contraint à cette indifférence
Que pour rendre une entière et pleine déférence,
Et cherche, en déguisant son propre sentiment,
La gloire de n'aimer que par commandement.

DORIMANT

65 Tu me flattes, ami, d'une attente frivole.

LYSANDRE

L'effet suivra de près.

DORIMANT

Mon cœur, sur ta parole,
Ne se résout qu'à peine à vivre plus content.

LYSANDRE

Il se peut assurer du bonheur qu'il prétend :
J'y donnerai bon ordre. Adieu, le temps me presse
70 Et je viens de sortir d'auprès de ma maîtresse;
Quelques commissions dont elle m'a chargé
M'obligent maintenant à prendre ce congé.

Scène IV : Dorimant, Florice.

DORIMANT, seul.

Dieux! qu'il est malaisé qu'une âme bien atteinte
Conçoive de l'espoir qu'avec un peu de crainte!
75 Je dois toute croyance à la foi d'un ami
Et n'ose cependant m'y fier qu'à demi.
Hippolyte, d'un mot, chasserait ce caprice.
Est-elle encore en haut?

FLORICE

Encore.

DORIMANT

Adieu, Florice.
Nous la verrons demain.

Scène V : Hippolyte, Florice.

FLORICE

Il vient de s'en aller.
80 Sortez.

HIPPOLYTE

Mais fallait-il ainsi me rappeler,

Me supposer ainsi des ordres d'une mère?
Sans mentir, contre toi j'en suis toute en colère :
A peine ai-je attiré Lysandre en nos discours,
Que tu viens par plaisir en arrêter le cours.

FLORICE

Eh bien! prenez-vous-en à mon impatience   485
De vous communiquer un trait de ma science :
Cet avis important, tombé dans mon esprit,
Méritait qu'aussitôt Hippolyte l'apprît;
Je vais sans perdre temps y disposer Aronte.

HIPPOLYTE

J'ai la mine après tout d'y trouver mal mon conte.   490

FLORICE

Je sais ce que je fais, et ne perds point mes pas;
Mais de votre côté ne vous épargnez pas;
Mettez tout votre esprit à bien mener la ruse.

HIPPOLYTE

Il ne faut point par là te préparer d'excuse.
Va, suivant le succès, je veux à l'avenir   495
Du mal que tu m'as fait perdre le souvenir.

Scène VI : Hippolyte, Célidée.

HIPPOLYTE, frappant à la porte de Célidée.

Célidée, es-tu là?

CÉLIDÉE

Que me veut Hippolyte?

HIPPOLYTE

Délasser mon esprit une heure en ta visite.
Que j'ai depuis un jour un importun amant,
Et que, pour mon malheur, je plais à Dorimant!   500

CÉLIDÉE

Ma sœur, que me dis-tu? Dorimant t'importune!
Quoi! j'enviais déjà ton heureuse fortune,
Et déjà dans l'esprit je sentais quelque ennui
D'avoir connu Lysandre auparavant que lui.

HIPPOLYTE

Ah! ne me raille point : Lysandre, qui t'engage,   505
Est le plus accompli des hommes de son âge.

CÉLIDÉE

Je te jure, à mes yeux l'autre l'est bien autant.
Mon cœur a de la peine à demeurer constant;
Et pour te découvrir jusqu'au fond de mon âme,
Ce n'est plus que ma foi qui conserve ma flamme : 510
Lysandre me déplaît de me vouloir du bien.
Plût aux Dieux que son change autorisât le mien,
Ou qu'il usât vers moi de tant de négligence,
Que ma légèreté se pût nommer vengeance!
Si j'avais un prétexte à me mécontenter,   515
Tu me verrais bientôt résoudre à le quitter.

HIPPOLYTE

Simple, présumes-tu qu'il devienne volage
Tant qu'il verra l'amour régner sur ton visage?
Ta flamme trop visible entretient ses ferveurs
Et ses feux dureront autant que tes faveurs.   520

CÉLIDÉE

Il semble, à t'écouter, que rien ne le retienne
Que parce que sa flamme a l'aveu de la mienne.

HIPPOLYTE

Que sais-je? Il n'a jamais éprouvé tes rigueurs;

L'amour en même temps sut embraser vos cœurs
525 Et même j'ose dire, après beaucoup de monde,
Que sa flamme vers toi ne fut que la seconde.
Il se vit accepter avant que de s'offrir,
Il ne vit rien à craindre, il n'eut rien à souffrir,
Il vit sa récompense acquise avant la peine,
530 Et devant le combat sa victoire certaine.
Un homme est bien cruel quand il ne donne pas
Un cœur qu'on lui demande avecque tant d'appas.
Qu'à ce prix la constance est une chose aisée
Et qu'autrefois par là je me vis abusée!
535 Alcidor, que mes yeux avaient si fort épris,
Courut au changement dès le premier mépris.
La force de l'amour paraît dans la souffrance.
Je le tiens fort douteux, s'il a tant d'assurance.
Qu'on en voit s'affaiblir pour un peu de longueur,
540 Et qu'on en voit céder à la moindre rigueur!

CÉLIDÉE

Je connais mon Lysandre, et sa flamme est trop forte
Pour tomber en soupçon qu'il m'aime de la sorte.
Toutefois un dédain éprouvera ses feux :
Ainsi, quoi qu'il en soit, j'aurai ce que je veux;
545 Il me rendra constante, ou me fera volage :
S'il m'aime, il me retient; s'il change, il me dégage.
Suivant ce qu'il aura d'amour ou de froideur,
Je suivrai ma nouvelle ou ma première ardeur.

HIPPOLYTE

En vain tu t'y résous : ton âme un peu contrainte
550 Au travers de tes yeux lui trahira ta feinte.
L'un d'eux dédira l'autre, et toujours un souris
Lui fera voir assez combien tu le chéris.

CÉLIDÉE

Ce n'est qu'un faux soupçon qui te le persuade;
J'armerai de rigueurs jusqu'à la moindre œillade
555 Et réglerai si bien toutes mes actions,
Qu'il ne pourra juger de mes intentions.

HIPPOLYTE

Pour le moins, aussitôt que par cette conduite
Tu seras de son cœur suffisamment instruite,
S'il demeure constant, l'amour et la pitié,
560 Avant que dire adieu, renoueront l'amitié.

CÉLIDÉE

Il va bientôt venir : va-t'en, et sois certaine
De ne voir d'aujourd'hui Lysandre hors de peine.

HIPPOLYTE

Et demain?

CÉLIDÉE

Je t'irai conter ses mouvements,
Et touchant l'avenir prendre tes sentiments.
565 O Dieux! si je pouvais changer sans infamie!

HIPPOLYTE

Adieu. N'épargne en rien ta plus fidèle amie.

Scène VII : Célidée.

Quel étrange combat! Je meurs de le quitter,
Et mon reste d'amour ne le peut maltraiter.
Mon âme veut et n'ose, et bien que refroidie,
570 N'aura trait de mépris si je ne l'étudie.
Tout ce que mon Lysandre a de perfections

Se vient offrir en foule à mes affections.
Je vois mieux ce qu'il vaut lorsque je l'abandonne
Et déjà la grandeur de ma perte m'étonne.
Pour régler sur ce point mon esprit balancé,   575
J'attends ses mouvements sur mon dédain forcé;
Ma feinte éprouvera si son amour est vraie.
Hélas! ses yeux me font une nouvelle plaie.
Prépare-toi, mon cœur, et laisse à mes discours
Assez de liberté pour trahir mes amours.   580

Scène VIII : Lysandre, Célidée.

CÉLIDÉE

Quoi! j'aurai donc de vous encore une visite?
Vraiment, pour aujourd'hui je m'en estimais quitte.

LYSANDRE

Une par jour suffit, si tu veux endurer
Qu'autant comme le jour je la fasse durer.

CÉLIDÉE

Pour douce que nous soit l'ardeur qui nous consume,   585
Tant d'importunité n'est point sans amertume.

LYSANDRE

Au lieu de me donner ces appréhensions,
Apprends ce que j'ai fait sur tes commissions.

CÉLIDÉE

Je ne vous en chargeai qu'afin de me défaire
D'un entretien chargeant et qui m'allait déplaire.   590

LYSANDRE

Depuis quand donnez-vous ces qualités aux miens?

CÉLIDÉE

Depuis que mon esprit n'est plus dans vos liens.

LYSANDRE

Est-ce donc par gageure ou par galanterie?

CÉLIDÉE

Ne vous flattez point tant que ce soit raillerie.
Ce que j'ai dans l'esprit, je ne le puis celer,   595
Et ne suis pas d'humeur à rien dissimuler.

LYSANDRE

Quoi? que vous ai-je fait? d'où provient ma disgrâce?
Quel sujet avez-vous d'être pour moi de glace?
Ai-je manqué de soins? ai-je manqué de feux?
Vous ai-je dérobé le moindre de mes vœux?   600
Ai-je trop peu cherché l'heur de votre présence?
Ai-je eu pour d'autres yeux la moindre complaisance?

CÉLIDÉE

Tout cela n'est qu'autant de propos superflus.
Je voulus vous aimer, et je ne le veux plus,
Mon feu fut sans raison, ma glace l'est de même,   605
Si l'un eut quelque excès, je rendrai l'autre extrême.

LYSANDRE

Par cette extrémité vous avancez ma mort.

CÉLIDÉE

Il m'importe fort peu quel sera votre sort.

LYSANDRE

Quelle nouvelle amour ou plutôt quel caprice
Vous porte à me traiter avec cette injustice,   610
Vous de qui le serment m'a reçu pour époux?

CÉLIDÉE

J'en perds le souvenir aussi bien que de vous.

LYSANDRE
Évitez-en la honte et fuyez-en le blâme.

CÉLIDÉE
Je les veux accepter pour peines de ma flamme.

615 LYSANDRE
Un reproche éternel suit ce tour inconstant.

CÉLIDÉE
Si vous me voulez plaire, il en faut faire autant.

LYSANDRE
Est-ce là donc le prix de vous avoir servie?
Ah! cessez vos mépris, ou me privez de vie.

CÉLIDÉE
Eh bien! soit, un adieu les va faire cesser;
620 Aussi bien ce discours ne fait que me lasser.

LYSANDRE
Ah! redouble plutôt ce dédain qui me tue,
Et laisse-moi le bien d'expirer à ta vue,
Que j'adore tes yeux, tout cruels qu'ils me sont,
Qu'ils reçoivent mes vœux pour le mal qu'ils me font.
625 Invente à me gêner quelque rigueur nouvelle,
Traite, si tu le veux, mon âme en criminelle,
Dis que je suis ingrat, appelle-moi léger,
Impute à mes amours la honte de changer,
Dedans mon désespoir fais éclater ta joie,
630 Et tout me sera doux, pourvu que je te voie.
Tu verras tes mépris n'ébranler point ma foi,
Et mes derniers soupirs ne voler qu'après toi.
Ne crains point de ma part de reproche ou d'injure :
Je ne t'appellerai ni lâche, ni parjure,
635 Mon feu supprimera ces titres odieux,
Mes douleurs cèderont au pouvoir de tes yeux,
Et mon fidèle amour, malgré leur vive atteinte,
Pour t'adorer encore étouffera ma plainte.

CÉLIDÉE
Adieu : quelques encens que tu veuilles m'offrir,
540 Je ne me saurais plus résoudre à les souffrir.

Scène IX : Lysandre.

Célidée, ah! tu fuis! tu fuis donc, et tu n'oses
Faire tes yeux témoins d'un trépas que tu causes!
Ton esprit, insensible à mes feux innocents,
545 Craint de ne l'être pas aux douleurs que je sens,
Tu crains que la pitié qui se glisse en ton âme
N'y rejette un rayon de ta première flamme
Et qu'elle ne t'arrache un soudain repentir,
Malgré tout cet orgueil qui n'y peut consentir.
550 Tu vois qu'un désespoir dessus mon front exprime
En mille traits de feu mon ardeur et ton crime;
Mon visage t'accuse, et vis dans mes yeux
Un portrait que mon cœur conserve beaucoup mieux.
Tous mes soins, tu le sais, furent pour Célidée;
La nuit ne m'a jamais retracé d'autre idée,
555 Et tout ce que Paris a d'objets ravissants
N'a jamais ébranlé le moindre de mes sens.
Ton exemple à changer en vain me sollicite,
Dans ta volage humeur j'adore ton mérite
Et mon amour, plus fort que mes ressentiments,
560 Conserve sa vigueur au milieu des tourments.
Reviens, mon cher souci, puisque après tes défenses

Mes plus vives ardeurs sont pour toi des offenses.
Vois comme je persiste à te désobéir
Et par là, si tu peux, prends droit de me haïr.
665 Fol, je présume ainsi rappeler l'inhumaine,
Qui ne veut pas avoir de raisons à sa haine.
Puisqu'elle a sur mon cœur un pouvoir absolu,
Il lui suffit de dire : « Ainsi je l'ai voulu. »
Cruelle, tu le veux! C'est donc ainsi qu'on traite
670 Les sincères ardeurs d'une amour si parfaite?
Tu me veux donc trahir? Tu le veux, et ta foi
N'est qu'un gage frivole à qui vit sous ta loi?
Mais je veux l'endurer sans bruit, sans résistance;
Tu verras ma langueur, et non mon inconstance;
675 Et de peur de t'ôter un captif par ma mort,
J'attendrai ce bonheur de mon funeste sort.
Jusque-là mes douleurs, publiant ta victoire,
Sur mon front pâlissant élèveront ta gloire,
Et sauront en tous lieux hautement témoigner
680 Que sans me refroidir tu m'as pu dédaigner.

ACTE TROISIÈME

Scène I : Lysandre, Aronte.

LYSANDRE
Tu me donnes, Aronte, un étrange remède.

ARONTE
Souverain toutefois au mal qui vous possède.
Croyez-moi, j'en ai vu des succès merveilleux
A remettre au devoir ces esprits orgueilleux :
685 Quand on leur sait donner un peu de jalousie,
Ils ont bientôt quitté ces traits de fantaisie,
Car enfin tout l'éclat de ces emportements
Ne peut avoir pour but de perdre leurs amants.

LYSANDRE
Que voudrait donc par là mon ingrate maîtresse?

ARONTE
690 Elle vous joue un tour de la plus haute adresse.
Avez-vous bien pris garde au temps de ses mépris?
Tant qu'elle vous a cru légèrement épris,
Que votre chaîne encor n'était pas assez forte,
Vous a-t-elle jamais gouverné de la sorte?
695 Vous ignoriez alors l'usage des soupirs;
Ce n'étaient que douceurs, ce n'étaient que plaisirs.
Son esprit avisé voulait par cette ruse
Établir un pouvoir dont maintenant elle use.
Remarquez-en l'adresse : elle fait vanité
700 De voir dans ses dédains votre fidélité.
Votre humeur endurante à ces rigueurs l'invite,
On voit par là vos feux, par vos feux son mérite,
Et cette fermeté de vos affections
Montre un effet puissant de ses perfections.
705 Osez-vous espérer qu'elle soit plus humaine,
Puisque sa gloire augmente, augmentant votre peine?
Rabattez cet orgueil, faites-lui soupçonner
Que vous vous en piquez jusqu'à l'abandonner.
La crainte d'en voir naître une si juste suite
710 A vivre comme il faut l'aura bientôt réduite;
Elle en fuira la honte, et ne souffrira pas

Que ce change s'impute à son manque d'appas.
Il est de son honneur d'empêcher qu'on présume
Qu'on éteigne aisément les flammes qu'elle allume.
715 Feignez d'aimer quelque autre, et vous verrez alors
Combien à vous reprendre elle fera d'efforts.

LYSANDRE

Mais peux-tu me juger capable d'une feinte?

ARONTE

Pouvez-vous trouver rude un moment de contrainte?

LYSANDRE

Je trouve ses mépris plus doux à supporter.

ARONTE

720 Pour les faire finir, il faut les imiter.

LYSANDRE

Faut-il être inconstant pour la rendre fidèle?

ARONTE

Il faut souffrir toujours, ou déguiser comme elle.

LYSANDRE

Que de raisons, Aronte, à combattre mon cœur,
Qui ne peut adorer que son premier vainqueur!
725 Du moins auparavant que l'effet en éclate,
Fais un effort pour moi, va trouver mon ingrate :
Mets-lui devant les yeux mes services passés,
Mes feux si bien reçus, si mal récompensés,
L'excès de mes tourments et de ses injustices,
730 Emploie à la gagner tes meilleurs artifices;
Que n'obtiendras-tu point par ta dextérité,
Puisque tu viens à bout de ma fidélité!

ARONTE

Mais, mon possible fait, si cela ne succède?

LYSANDRE

Je feindrai dès demain qu'Aminte me possède.

ARONTE

735 Aminte? Ah! commencez la feinte dès demain,
Mais n'allez point courir au faubourg Saint-Germain.
Et quand penseriez-vous que cette âme cruelle
Dans le fond du Marais en reçut la nouvelle?
Vous seriez tout un siècle à lui vouloir du bien,
740 Sans que votre arrogante en apprît jamais rien.
Puisque vous voulez feindre, il faut feindre à sa vue,
Qu'aussitôt votre feinte en puisse être aperçue,
Qu'elle blesse les yeux de son esprit jaloux
Et porte jusqu'au cœur d'inévitables coups.
745 Ce sera faire au vôtre un peu de violence :
Mais tout le fruit consiste à feindre en sa présence.

LYSANDRE

Hippolyte en ce cas serait fort à propos,
Mais je crains qu'un ami n'en perdît le repos.
Dorimant, dont ses yeux ont charmé le courage,
750 Autant que Célidée en aurait de l'ombrage.

ARONTE

Vous verrez si soudain rallumer son amour
Que la feinte n'est pas pour durer plus d'un jour
Et vous aurez après un sujet de risée
Des soupçons mal fondés de son âme abusée.

LYSANDRE

755 Va trouver Célidée, et puis nous résoudrons
En ces extrémités quel avis nous prendrons.

Scène II : Aronte, Florice.

ARONTE, seul.

Sans que pour l'apaiser je me rompe la tête,
Mon message est tout fait, et sa réponse prête.
Bien loin que mon discours pût la persuader,
Elle n'aura jamais voulu me regarder.   760
Une prompte retraite au seul nom de Lysandre,
C'est par où ses dédains se seront fait entendre.
Mes amours du passé ne m'ont que trop appris
Avec quelles couleurs il faut peindre un mépris.
A peine faisait-on semblant de me connaître,   765
De sorte...

FLORICE

            Aronte, eh bien! qu'as-tu fait vers ton
Le verrons-nous bientôt?   [maître?

ARONTE

                    N'en sois plus en souci;
Dans une heure au plus tard je te le rends ici.

FLORICE

Prêt à lui témoigner...

ARONTE

                    Tout prêt. Adieu : je tremble
Que de chez Célidée on ne nous voie ensemble.   770

Scène III : Hippolyte, Florice.

HIPPOLYTE

D'où vient que mon abord l'oblige à te quitter?

FLORICE

Tant s'en faut qu'il vous fuie, il vient de me conter...
Toutefois je ne sais si je vous le dois dire.

HIPPOLYTE

Que tu te plais, Florice, à me mettre en martyre!

FLORICE

Il faut vous préparer à des ravissements...   775

HIPPOLYTE

Ta longueur m'y prépare avec bien des tourments.
Dépêche, ces discours font mourir Hippolyte.

FLORICE

Mourez donc promptement, que je vous ressuscite.

HIPPOLYTE

L'insupportable femme! Enfin diras-tu rien?

FLORICE

L'impatiente fille! Enfin tout ira bien.   780

HIPPOLYTE

Enfin tout ira bien? Ne saurai-je autre chose?

FLORICE

Il faut que votre esprit là-dessus se repose.
Vous ne pouviez tantôt souffrir de longs propos
Et pour vous obliger, j'ai tout dit en trois mots;
Mais ce que maintenant vous n'en pouvez apprendre,   785
Vous l'apprendrez bientôt plus au long de Lysandre.

HIPPOLYTE

Tu ne flattes mon cœur que d'un espoir confus.

FLORICE

Parlez à votre amie, et ne vous fâchez plus.

Scène IV : *Célidée, Hippolyte, Florice.*

CÉLIDÉE

Mon abord importun rompt votre conférence :
90 Tu m'en voudras du mal.

HIPPOLYTE

Du mal ? et l'apparence ?
Je ne sais pas aimer de si mauvaise foi
Et tout à l'heure encor je lui parlais de toi.

CÉLIDÉE

Je me retire donc, afin que sans contrainte...

HIPPOLYTE

Quitte cette grimace, et mets à part la feinte.
95 Tu fais la réservée en ces occasions,
Mais tu meurs de savoir que nous en disions.

CÉLIDÉE

Tu meurs de le conter plus que moi de l'apprendre
Et tu prendrais pour crime un refus de l'entendre.
Puis donc que tu le veux, ma curiosité...

HIPPOLYTE

00 Vraiment, tu me confonds de ta civilité.

CÉLIDÉE

Voilà de tes détours, et comme tu diffères
A me dire en quel point vous teniez mes affaires.

HIPPOLYTE

Nous parlions du dessein d'éprouver ton amant :
Tu l'as vu réussir à ton contentement ?

CÉLIDÉE

05 Je viens te voir exprès pour t'en dire l'issue :
Que je m'en suis trouvée heureusement déçue !
Je présumais beaucoup de ses affections,
Mais je n'attendais pas tant de submissions.
Jamais le désespoir qui saisit son courage
10 N'en put tirer un mot à mon désavantage ;
Il tenait mes dédains encor trop précieux,
Et ses reproches même étaient officieux [18]
Aussi ce grand amour a rallumé ma flamme,
Le change n'a plus rien qui chatouille mon âme,
15 Il n'a plus de douceur pour mon esprit flottant,
Aussi ferme à présent qu'il le croit inconstant.

FLORICE

Quoi que vous ayez vu de sa persévérance,
N'en prenez pas encore une entière assurance.
L'espoir de vous fléchir a pu, le premier jour,
20 Jeter sur son dépit ces beaux dehors d'amour ;
Mais vous verrez bientôt que pour qui le méprise
Toute légèreté lui semblera permise.
J'ai vu des amoureux de toutes les façons.

HIPPOLYTE

Cette bizarre humeur n'est jamais sans soupçons !
25 L'avantage qu'elle a d'un peu d'expérience
Tient éternellement son âme en défiance ;
Mais ce qu'elle te dit ne vaut pas l'écouter.

CÉLIDÉE

Et je ne suis pas fille à m'en épouvanter.
Je veux que ma rigueur à tes yeux continue,
30 Et lors sa fermeté se tera mieux connue ;
Tu ne verras des traits que d'un amour si fort

18. Des témoignages de respect.

Que Florice elle-même avouera qu'elle a tort.

HIPPOLYTE

Ce sera trop longtemps lui paraître cruelle.

CÉLIDÉE

Tu connaîtras par là combien il m'est fidèle.
Le ciel à ce dessein nous l'envoie à propos.   835

HIPPOLYTE

Et quand te résous-tu de le mettre en repos ?

CÉLIDÉE

Trouve bon, je te prie, après un peu de feinte,
Que mes feux violents s'expliquent sans contrainte
Et pour le rappeler des portes du trépas,
Si j'en dis un peu trop, ne t'en offense pas.   840

Scène V : *Lysandre, Célidée,*
Hippolyte, Florice.

LYSANDRE

Merveille des beautés, seul objet qui m'engage...

CÉLIDÉE

N'oublierez-vous jamais cet importun langage ?
Vous obstiner encore à me persécuter,
C'est prendre du plaisir à vous voir maltraiter.
Perdez mon souvenir avec votre espérance   845
Et ne m'accablez plus de cette déférence.
Il faut, pour m'arrêter, des entretiens meilleurs.

LYSANDRE

Quoi ? vous prenez pour vous ce que j'adresse ailleurs ?
Adore qui voudra votre rare mérite,
Un change heureux me donne à la belle Hippolyte : 850
Mon sort en cela seul a voulu me trahir,
Qu'en ce change mon cœur semble vous obéir
Et que mon feu passé vous va rendre si vaine
Que vous imputerez ma flamme à votre haine,
A votre orgueil nouveau mes nouveaux sentiments, 855
L'effet de ma raison à vos commandements.

CÉLIDÉE

Tant s'en faut que je prenne une si triste gloire,
Je chasse mes dédains même de ma mémoire
Et dans leur souvenir rien ne me semble doux,
Puisqu'en le conservant je penserais à vous.   860

LYSANDRE, *à Hippolyte.*

Beauté de qui les yeux, nouveaux rois de mon âme,
Me font être léger sans en craindre le blâme...

HIPPOLYTE

Ne vous emportez point à ces propos perdus
Et cessez de m'offrir des vœux qui lui sont dus ;
Je pense mieux valoir que le refus d'une autre.   865
Si vous voulez venger son mépris par le vôtre,
Ne venez point du moins m'enrichir de son bien.
Elle vous traite mal, mais elle n'aime rien.
Vous, faites-en autant, sans chercher de retraite
Aux importunités dont elle s'est défaite.   870

LYSANDRE

Que son exemple encor réglât mes actions !
Cela fut bon du temps de mes affections :
A présent que mon cœur adore une autre reine,
A présent qu'Hippolyte en est la souveraine...

HIPPOLYTE

C'est elle seulement que vous voulez flatter.   875

LYSANDRE

C'est elle seulement que je dois imiter.

HIPPOLYTE

Savez-vous donc à quoi la raison vous oblige ?
C'est à me négliger, comme je vous néglige.

LYSANDRE

Je ne puis imiter ce mépris de mes feux,
880 A moins qu'à votre tour vous m'offriez des vœux ;
Donnez-m'en les moyens, vous en verrez l'issue.

HIPPOLYTE

J'appréhenderais fort d'être trop bien reçue
Et qu'au lieu du plaisir de me voir imiter,
Je n'eusse que l'honneur de me faire écouter,
885 Pour n'avoir que la honte après de me dédire.

LYSANDRE

Souffrez donc que mon cœur sans exemple soupire,
Qu'il aime sans exemple et que mes passions
S'égalent seulement à vos perfections.
Je vaincrai vos rigueurs par mon humble service
890 Et ma fidélité...

CÉLIDÉE

Viens avec moi, Florice :
J'ai des nippes en haut que je veux te montrer.

Scène VI : Hippolyte, Lysandre.

HIPPOLYTE

Quoi ? sans la retenir, vous la laissez rentrer ?
Allez, Lysandre, allez : c'est assez de contraintes ;
J'ai pitié du tourment que vous donnent ces feintes.
895 Suivez ce bel objet dont les charmes puissants
Sont et seront toujours absolus sur vos sens.
Quoi qu'après ses dédains un peu d'orgueil publie,
Son mérite est trop grand pour souffrir qu'on l'oublie ;
Elle a des qualités et de corps et d'esprit
900 Dont pas un cœur donné jamais ne se reprit.

LYSANDRE

Mon change fera voir l'avantage des vôtres,
Qu'en la comparaison des unes et des autres
Les siennes désormais n'ont qu'un éclat terni,
Que son mérite est grand, et le vôtre infini.

HIPPOLYTE

905 Que j'emporte sur elle aucune préférence !
Vous tenez des discours qui sont hors d'apparence ;
Elle me passe en tout, et dans ce changement
Chacun vous blâmerait de peu de jugement.

LYSANDRE

M'en blâmer en ce cas, c'est en manquer soi-même
910 Et choquer la raison qui veut que je vous aime.
Nous sommes hors du temps de cette vieille erreur
Qui faisait de l'amour une aveugle fureur,
Et l'ayant aveuglé, lui donnait pour conduite
Le mouvement d'une âme et surprise et séduite.
915 Ceux qui l'ont peint sans yeux ne le connaissaient pas,
C'est par les yeux qu'il entre et nous dit vos appas,
Lors notre esprit en juge et suivant le mérite,
Il fait croître une ardeur que cette vue excite.
Si la mienne pour vous se relâche un moment,
920 C'est lors que je croirai manquer de jugement
Et la même raison qui vous rend admirable

Doit rendre comme vous ma flamme incomparable.

HIPPOLYTE

Épargnez avec moi ces propos affétés.
Encor hier Célidée avait ces qualités, 92
Encor hier en mérite elle était sans pareille.
Si je suis aujourd'hui cette unique merveille,
Demain quelque autre objet, dont vous suivrez la loi,
Gagnera votre cœur et ce titre sur moi.
Un esprit inconstant a toujours cette adresse.

Scène VII : Chrysante, Pleirante,
Hippolyte, Lysandre.

CHRYSANTE

Monsieur, j'aime ma fille avec trop de tendresse 93
Pour la vouloir contraindre en ses affections.

PLEIRANTE

Madame, vous saurez ses inclinations ;
Elle voudra vous plaire, et je l'en vois sourire.
Allons, mon cavalier, j'ai deux mots à vous dire.

CHRYSANTE

Vous en aurez réponse avant qu'il soit trois jours. 93

Scène VIII : Chrysante, Hippolyte.

CHRYSANTE

Devinerais-tu bien quels étaient nos discours ?

HIPPOLYTE

Il vous parlait d'amour peut-être ?

CHRYSANTE

Oui, que t'en semble ?

HIPPOLYTE

D'âge presque pareils, vous seriez bien ensemble.

CHRYSANTE

Tu me donnes vraiment un gracieux détour ;
C'était pour ton sujet qu'il me parlait d'amour. 94

HIPPOLYTE

Pour moi ? Ces jours passés, un poète qui m'adore
(Du moins à ce qu'il dit) m'égalait à l'Aurore,
Je me raillais alors de sa comparaison :
Mais si cela se fait, il avait bien raison.

CHRYSANTE

Avec tout ce babil, tu n'es qu'une étourdie. 94
Le bonhomme est bien loin de cette maladie ;
Il veut te marier, mais c'est à Dorimant :
Vois si tu te résous d'accepter cet amant.

HIPPOLYTE

Dessus tous mes désirs vous êtes absolue
Et si vous le voulez, m'y voilà résolue. 95
Dorimant vaut beaucoup, je vous le dis sans fard ;
Mais remarquez un peu le trait de ce vieillard :
Lysandre si longtemps a brûlé pour sa fille
Qu'il en faisait déjà l'appui de sa famille ;
A présent que ses feux ne sont plus que pour moi, 95
Il voudrait bien qu'un autre eût engagé ma foi,
Afin que sans espoir dans cette amour nouvelle,
Un nouveau changement le ramenât vers elle.
N'avez-vous point pris garde, en vous disant adieu,
Qu'il a presque arraché Lysandre de ce lieu ? 96

CHRYSANTE

Simple, ce qu'il en fait, ce n'est qu'à sa prière,
Et Lysandre tient même à faveur singulière...

HIPPOLYTE

Je sais que Dorimant est un de ses amis,
Mais vous voyez d'ailleurs que le ciel a permis
65 Que pour mieux vous montrer que tout n'est qu'artifice
Lysandre me faisait ses offres de service.

CHRYSANTE

Aucun des deux n'est homme à se jouer de nous :
Quelque secret mystère est caché là-dessous.
Allons, pour en tirer la vérité plus claire,
70 Seules dedans ma chambre examiner l'affaire;
Ici quelque importun pourrait nous aborder.

Scène IX : Hippolyte, Florice.

HIPPOLYTE

J'aurais bien de la peine à la persuader :
Ah! Florice, en quel point laisses-tu Célidée?

FLORICE

De honte et de dépit tout à fait possédée.

HIPPOLYTE

75 Que t'a-t-elle montré?

FLORICE

Cent choses à la fois,
Selon que le hasard les mettait sous ses doigts :
Ce n'était qu'un prétexte à faire sa retraite.

HIPPOLYTE

Elle t'a témoigné d'être fort satisfaite?

FLORICE

Sans que je vous amuse en discours superflus,
80 Son visage suffit pour juger du surplus.

HIPPOLYTE *regarde Célidée.*

Ses pleurs ne se sauraient empêcher de descendre,
Et j'en aurais pitié si je n'aimais Lysandre.

Scène X : Célidée.

Infidèles témoins d'un feu mal allumé,
Soyez-les de ma honte et vous fondant en larmes,
85 Punissez-vous, mes yeux, d'avoir trop présumé
Du pouvoir de vos charmes.

De quoi vous a servi d'avoir su me flatter,
D'avoir pris le parti d'un ingrat qui me trompe.
S'il ne fit le constant qu'afin de me quitter
90 Avecque plus de pompe?

Quand je m'en veux défaire, il est parfait amant,
Quand je veux le garder, il n'en fait plus de conte,
Et n'ayant pu le perdre avec contentement,
Je le perds avec honte.

95 Ce que j'eus lors de joie augmente mon regret,
Par là mon désespoir davantage se pique,
Quand je le crus constant, mon plaisir fut secret
Et ma honte est publique.

Le traître avait senti qu'alors me négliger,
00 C'était à Dorimant livrer toute mon âme,
Et la constance plut à cet esprit léger
Pour amortir ma flamme.

Autant que j'eus de peine à l'éteindre en naissant,
Autant m'en faudra-t-il à le faire renaître :
De peur qu'à cet amour d'être encore impuissant,   1005
Il n'ose plus paraître;

Outre que, de mon cœur pleinement exilé
Et n'y conservant plus aucune intelligence,
Il est trop glorieux pour n'être rappelé
Qu'à servir ma vengeance.   1010

Mais j'aperçois celui qui le porte en ses yeux.
Courage donc, mon cœur; espérons un peu mieux.
Je sens bien que déjà devers lui tu t'envoles;
Mais pour t'accompagner je n'ai point de paroles :
Ma honte et ma douleur surmontant mes désirs   1015
N'en laissent le passage ouvert qu'à mes soupirs.

Scène XI : Dorimant, Célidée, Cléante.

DORIMANT

Dans ce profond penser, pâle, triste, abattue,
Ou quelque grand malheur de Lysandre vous tue,
Ou bientôt vos douleurs l'accableront d'ennuis.

CÉLIDÉE

Il est cause en effet de l'état où je suis,   1020
Non pas en la façon qu'un ami s'imagine,
Mais...

DORIMANT

Vous n'achevez point, faut-il que je devine?

CÉLIDÉE

Permettez que je cède à la confusion,
Qui m'étouffe la voix en cette occasion.
J'ai d'incroyables traits de Lysandre à vous dire;   1025
Mais ce reste du jour souffrez que je respire
Et m'obligez demain que je vous puisse voir.

DORIMANT

De sorte qu'à présent on n'en peut rien savoir?
Dieux! elle se dérobe, et me laisse en un doute...
Poursuivons toutefois notre première route;   1030
Peut-être ces beaux yeux, dont l'éclat me surprit,
De ce fâcheux soupçon purgeront mon esprit.
Frappe.

Scène XII : Dorimant, Florice, Cléante.

FLORICE

Que vous plaît-il?

DORIMANT

Peut-on voir Hippolyte?

FLORICE

Elle vient de sortir pour faire une visite.

DORIMANT

Ainsi tout aujourd'hui mes pas ont été vains.   1035
Florice, à ce défaut, fais-lui mes baisemains.

FLORICE, *seule.*

Ce sont des compliments qu'il fait mauvais lui faire.
Depuis que ce Lysandre a tâché de lui plaire,
Elle ne veut plus être au logis que pour lui,
Et tous autres devoirs lui donnent de l'ennui.   1040

ACTE QUATRIÈME

Scène I : Hippolyte, Aronte.

HIPPOLYTE

A cet excès d'amour qu'il me faisait paraître,
Je me croyais déjà maîtresse de ton maître;
Tu m'as fait grand dépit de me désabuser.
Qu'il a l'esprit adroit quand il veut déguiser
1045 Et que pour mettre en jour ces compliments frivoles,
Il sait bien ajuster ses yeux à ses paroles!
Mais je me promets tant de ta dextérité
Qu'il tournera bientôt la feinte en vérité.

ARONTE

Je n'ose l'espérer : sa passion trop forte
1050 Déjà vers son objet malgré moi le remporte
Et comme s'il avait reconnu son erreur,
Vos yeux lui sont à charge, et sa feinte en horreur :
Même il m'a commandé d'aller vers sa cruelle
Lui jurer que son cœur n'a brûlé que pour elle,
1055 Attaquer son orgueil par des submissions...

HIPPOLYTE

J'entends assez le but de tes commissions.
Tu vas tâcher pour lui d'amollir son courage?

ARONTE

J'emploie auprès de vous le temps de ce message
Et la ferai parler tantôt à mon retour
1060 D'une façon mal propre à donner de l'amour;
Mais après mon rapport, si son ardeur extrême
Le résout à porter son message lui-même,
Je ne réponds de rien. L'amour qu'ils ont tous deux
Vaincra notre artifice et parlera pour eux.

HIPPOLYTE

1065 Sa maîtresse éblouie ignore encor ma flamme
Et laisse à mes conseils tout pouvoir sur son âme.
Ainsi tout est à nous, s'il ne faut qu'empêcher
Qu'un si fidèle amant n'en puisse rapprocher.

ARONTE

Qui pourrait toutefois en détourner Lysandre,
1070 Ce serait le plus sûr.

HIPPOLYTE

N'oses-tu l'entreprendre?

ARONTE

Donnez-moi les moyens de le rendre jaloux,
Et vous verrez après frapper d'étranges coups.

HIPPOLYTE

L'autre jour Dorimant toucha fort ma rivale,
Jusque-là qu'entre eux deux son âme était égale;
1075 Mais Lysandre depuis, endurant sa rigueur,
Lui montra tant d'amour qu'il regagna son cœur.

ARONTE

Donc à voir Célidée et Dorimant ensemble,
Quelque dieu qui vous aime aujourd'hui les assemble.

HIPPOLYTE

Fais-les voir à ton maître et ne perds point ce temps,
1080 Puisque de là dépend le bonheur que j'attends.

Scène II : Dorimant, Célidée, Aronte.

DORIMANT

Aronte, un mot. Tu fuis? Crains-tu que je te voie?

ARONTE

Non, mais pressé d'aller où mon maître m'envoie,
J'avais doublé le pas sans vous apercevoir.

DORIMANT

D'où viens-tu?

ARONTE

D'un logis vers la Croix-du-Tiroir [19].

DORIMANT

C'est donc en ce Marais que finit ton voyage?   10

ARONTE

Non, je cours au Palais faire encore un message.

DORIMANT

Et c'en est le chemin de passer par ici?

ARONTE

Souffrez que j'aille ôter mon maître de souci :
Il meurt d'impatience à force de m'attendre.

DORIMANT

Et touchant mes amours ne peux-tu rien m'apprendre?   10
As-tu vu depuis peu l'objet que je chéris?

ARONTE

Oui, tantôt en passant j'ai rencontré Cloris.

DORIMANT

Tu cherches des détours : je parle d'Hippolyte.

CÉLIDÉE

Et c'est là seulement le discours qu'il évite.
Tu t'enferres, Aronte, et, pris au dépourvu,   10
En vain tu veux cacher ce que nous avons vu.
Va, ne sois point honteux des crimes de ton maître :
Pourquoi désavouer ce qu'il fait trop paraître?
Il la sert à mes yeux, cet infidèle amant,
Et te vient d'envoyer lui faire un compliment.   11

Aronte rentre.

Scène III : Dorimant, Célidée.

CÉLIDÉE

Après cette retraite et ce morne silence,
Pouvez-vous bien encor demeurer en balance?

DORIMANT

Je n'en ai que trop vu, mes yeux m'en ont trop dit :
Aronte en me parlant était tout interdit
Et sa confusion portait sur son visage   11
Assez et trop de jour pour lire son message.
Traître, traître Lysandre, est-ce là donc le fruit
Qu'en faveur de mes feux ton amitié produit?

CÉLIDÉE

Connaissez tout à fait l'humeur de l'infidèle :
Votre amour seulement la lui fait trouver belle.   11
Cet objet, tout aimable et tout parfait qu'il est,
N'a de charmes pour lui que depuis qu'il vous plaît,
Et votre aflection, de la sienne suivie,
Montre que c'est par là qu'il en a pris envie,
Qu'il veut moins l'acquérir que vous le dérober.   11

19. Originellement Croix-du-Trahoir. Au carrefour de la
rue de l'Arbre-sec et de la rue Saint-Honoré, il y avait une
fontaine surmontée d'une croix qui donna le nom à la place.

DORIMANT

Voici, dans ce larcin, qui le fait succomber.
En ce dessein commun de servir Hippolyte,
Il faut voir seul à seul qui des deux la mérite :
Son sang me répondra de son manque de foi
20 Et me fera raison et pour vous et pour moi.
Notre vieille union ne fait qu'aigrir mon âme
Et mon amitié meurt voyant naître sa flamme.

CÉLIDÉE

Vouloir quelque mesure entre un perfide et vous,
Est-ce faire justice à un juste courroux ?
25 Pouvez-vous présumer, après sa tromperie,
Qu'il ait dans les combats moins de supercherie ?
Certes pour le punir c'est trop vous négliger,
Et chercher à vous perdre au lieu de vous venger.

DORIMANT

Pourriez-vous approuver que je prisse avantage
30 Pour immoler ce traître à mon peu de courage ?
J'achèterais trop cher la mort du suborneur,
Si pour avoir sa vie il m'en coûtait l'honneur,
Et montrerais une âme et trop basse et trop noire
De ménager mon sang aux dépens de ma gloire.

CÉLIDÉE

35 Sans les voir l'un ni l'autre en péril exposés,
Il est pour vous venger des moyens plus aisés.
Pour peu que vous fussiez de mon intelligence,
Vous auriez bientôt pris une juste vengeance
Et vous pourriez sans bruit ôter à l'inconstant...

DORIMANT

40 Quoi ? Ce qu'il m'a volé ?

CÉLIDÉE

                         Non, mais du moins autant.

DORIMANT

La faiblesse du sexe en ce point vous conseille :
Il se croit trop vengé, quand il rend la pareille ;
Mais suivre le chemin que vous voulez tenir,
C'est imiter son crime au lieu de le punir ;
45 Au lieu de lui ravir une belle maîtresse,
C'est prendre à son refus une beauté qu'il laisse.
    Lysandre vient avec Aronte, qui lui fait voir Dori-
mant avec Célidée.
C'est lui faire plaisir, au lieu de l'affliger ;
C'est souffrir un affront, et non pas se venger.
J'en perds ici le temps. Adieu, je me retire ;
50 Mais, avant qu'il soit peu, si vous entendez dire
Qu'un coup fatal et juste ait puni l'imposteur,
Vous pourrez aisément en deviner l'auteur.

CÉLIDÉE

De grâce, encore un mot. Hélas ! il m'abandonne
Aux cuisants déplaisirs que ma douleur me donne.
55 Rentre, pauvre abusée, et dedans tes malheurs,
Si tu ne les retiens, cache du moins tes pleurs !

Scène IV : Lysandre, Aronte.

ARONTE

Eh bien ! qu'en dites-vous ? et que vous semble d'elle ?

LYSANDRE

Hélas ! pour mon malheur, tu n'es que trop fidèle.
N'exerce plus tes soins à me faire endurer ;

Ma plus douce fortune est de tout ignorer :   1160
Je serais trop heureux sans le rapport d'Aronte.

ARONTE

Encor pour Dorimant, il en a quelque honte :
Vous voyant, il a fui.

LYSANDRE

                      Mais mon ingrate alors
Pour empêcher sa fuite a fait tous ses efforts,
Aronte, et tu prenais ses dédains pour des feintes !   1165
Tu croyais que son cœur n'eût point d'autres atteintes,
Que son esprit entier se conservait à moi
Et parmi ses rigueurs n'oubliait point sa foi !

ARONTE

A vous dire le vrai, j'en suis trompé moi-même.
Après deux ans passés dans un amour extrême,   1170
Que sans occasion elle vînt à changer ;
Je me fusse tenu coupable d'y songer ;
Mais puisque sans raison la volage vous change,
Faites qu'avec raison un changement vous venge.
Pour punir comme il faut son infidélité,   1175
Vous n'avez qu'à tourner la feinte en vérité.

LYSANDRE

Misérable ! est-ce ainsi qu'il faut qu'on me soulage ?
Ai-je trop peu souffert sous cette humeur volage ?
Et veux-tu désormais que par un second choix
Je m'engage à souffrir encore une autre fois ?   1180
Qui t'a dit qu'Hippolyte à cette amour nouvelle
Se rendrait plus sensible ou serait plus fidèle ?

ARONTE

Vous en devez, Monsieur, présumer beaucoup mieux.

LYSANDRE

Conseiller importun, ôte-toi de mes yeux.

ARONTE

Son âme...

LYSANDRE

          Ote-toi, dis-je, et dérobe ta tête   1185
Aux violents effets que ma colère apprête :
Ma bouillante fureur ne cherche qu'un objet ;
Va, tu l'attirerais sur un sang trop abjet.

Scène V : Lysandre.

Il faut à mon courroux de plus nobles victimes,
Il faut qu'un même coup me venge de deux crimes ;   1190
Qu'après les trahisons de ce couple indiscret,
L'un meure de ma main, et l'autre de regret.
Oui, la mort de l'amant punira la maîtresse
Et mes plaisirs alors naîtront de sa tristesse.
Mon cœur, à qui mes yeux apprendront ses tourments,   1195
Permettra le retour à mes contentements ;
Ce visage si beau, si bien pourvu de charmes,
N'en aura plus pour moi, s'il n'est couvert de larmes.
Ses douleurs seulement ont droit de me guérir,
Pour me résoudre à vivre il faut la voir mourir.   1200
Frénétiques transports, avec quelle insolence
Portez-vous mon esprit à tant de violence !
Allez, vous avez pris trop d'empire sur moi ;
Dois-je être sans raison, parce qu'ils sont sans foi ?
Dorimant, Célidée, ami, chère maîtresse,   1205
Suivrais-je contre vous la fureur qui me presse ?

Quoi! vous ayant aimés, pourrais-je vous haïr?
Mais vous pourrais-je aimer, quand vous m'osez trahir.
Qu'un rigoureux combat déchire mon courage!
1210 Ma jalousie augmente et redouble ma rage;
Mais quelques fiers projets qu'elle jette en mon cœur,
L'amour... ah! ce mot seul me range à la douceur.
Celle que nous aimons jamais ne nous offense;
Un mouvement secret prend toujours sa défense :
1215 L'amant souffre tout d'elle, et dans son changement,
Quelque irrité qu'il soit, il est toujours amant.
Toutefois, si l'amour contre elle m'intimide,
Revenez, mes fureurs, pour punir la perfide;
Arrachez-lui mon bien : une telle beauté
1220 N'est pas le juste prix d'une déloyauté.
Souffrirais-je, à mes yeux, que par ses artifices
Il recueillît les fruits dus à mes longs services?
S'il vous faut épargner le sujet de mes feux,
Que ce traître du moins réponde pour tous deux.
1225 Vous me devez son sang pour expier son crime :
Contre sa lâcheté tout vous est légitime
Et quelques châtiments... Mais, Dieux! que vois-je ici?

Scène VI : Hippolyte, Lysandre.

HIPPOLYTE
Vous avez dans l'esprit quelque pesant souci;
Ce visage enflammé, ces yeux pleins de colère,
1230 En font voir au dehors une marque trop claire.
Je prends assez de part en tous vos intérêts
Pour vouloir en aveugle y mêler mes regrets;
Mais si vous me disiez ce qui cause vos peines...
LYSANDRE
Ah! ne m'imposez point de si cruelles gênes,
1235 C'est irriter mes maux que de me secourir,
La mort, la seule mort a droit de me guérir.
HIPPOLYTE
Si vous vous obstinez à m'en taire la cause,
Tout mon pouvoir sur vous n'est que fort peu de chose.
LYSANDRE
Vous l'avez souverain, hormis en ce seul point.
HIPPOLYTE
1240 Laissez-le-moi partout, ou ne m'en laissez point.
C'est n'aimer qu'à demi qu'aimer avec réserve.
Et ce n'est pas ainsi que je veux qu'on me serve :
Il faut m'apprendre tout, et lorsque je vous voi,
Être de belle humeur, ou n'être plus à moi.
LYSANDRE
1245 Ne perdez point d'efforts à vaincre mon silence,
Vous useriez sur moi de trop de violence.
Adieu : je vous ennuie, et les grands déplaisirs
Veulent en liberté s'exhaler en soupirs.

Scène VII : Hippolyte.

C'est donc là tout l'état que tu fais d'Hippolyte?
1250 Après les vœux offerts, c'est ainsi qu'on me quitte!
Qu'Aronte jugeait bien que ses feintes amours,
Avant qu'il fût longtemps, interrompraient leur cours!
Dans ce peu de succès des ruses de Florice,
J'ai manqué de bonheur, mais non pas de malice;

Et si j'en puis jamais trouver l'occasion, 12
J'y mettrai bien encor de la division.
Si notre pauvre amant est plein de jalousie,
Ma rivale, qui sort, n'en est pas moins saisie.

Scène VIII : Hippolyte, Célidée.

CÉLIDÉE
N'ai-je pas tantôt vu mon perfide avec vous?
Il a bientôt quitté des entretiens si doux. 12
HIPPOLYTE
Qu'y ferait-il, ma sœur? Ta fidèle Hippolyte
Traite cet inconstant ainsi qu'il le mérite.
Il a beau m'en conter de toutes les façons.
Je le renvoie ailleurs pratiquer ses leçons.
CÉLIDÉE
Le parjure à présent est fort sur ta louange? 12
HIPPOLYTE
Il ne tient pas à lui que je ne sois un ange;
Et quand il vient ensuite à parler de ses feux,
Aucune passion jamais n'approcha d'eux.
Par tous ces vains discours il croit fort qu'il m'oblige,
Mais non la moitié tant qu'alors qu'il te néglige : 12
C'est par là qu'il me pense acquérir puissamment;
Et moi, qui t'ai toujours chérie uniquement,
Je te laisse à juger alors si je l'endure.
CÉLIDÉE
C'est trop prendre, ma sœur, de part en mon injure :
Laisse-le mépriser celle dont les mépris 12
Sont cause maintenant que d'autres yeux l'ont pris.
Si Lysandre te plaît, possède le volage,
Mais ne me traite point avec désavantage
Et si tu te résous d'accepter mon amant,
Relâche-moi du moins le cœur de Dorimant. 12
HIPPOLYTE
Pourvu que leur vouloir se range sous le nôtre,
Je te donne le choix et de l'un et de l'autre;
Ou si l'un ne suffit à ton jeune désir,
Défais-moi de tous deux, tu me feras plaisir.
J'estimai fort Lysandre avant que le connaître; 12
Mais depuis cet amour que mes yeux ont fait naître,
Je te répute heureuse après l'avoir perdu.
Que son humeur est vaine et qu'il fait l'entendu!
Que son discours est fade avec ses flatteries!
Qu'on est importuné de ses afféteries! 12
Vraiment, si tout le monde était fait comme lui,
Je crois qu'avant deux jours je sécherais d'ennui.
CÉLIDÉE
Qu'en cela du destin l'ordonnance fatale
A pris pour nos malheurs une route inégale!
L'un et l'autre me fuit, et je brûle pour eux; 12
L'un et l'autre t'adore, et tu les fuis tous deux.
HIPPOLYTE
Si nous changions de sort, que nous serions contentes!
CÉLIDÉE
Outre, hélas! que le ciel s'oppose à nos attentes,
Lysandre n'a plus rien à rengager ma foi.
HIPPOLYTE
Mais l'autre, tu voudrais... 1[3]

Scène IX : Pleirante, Hippolyte, Célidée.

PLEIRANTE

Ne rompez pas pour moi;
Craignez-vous qu'un ami sache de vos nouvelles?

HIPPOLYTE

Nous causions de mouchoirs, de rabats, de dentelles,
De ménages de fille.

PLEIRANTE

Et parmi ces discours,
Vous confériez ensemble un peu de vos amours :
Eh bien, ce serviteur, l'aura-t-on agréable?

HIPPOLYTE

Vous m'attaquez toujours par quelque trait semblable.
Des hommes comme vous ne sont que des conteurs.
Vraiment c'est bien à moi d'avoir des serviteurs!

PLEIRANTE

Parlons, parlons français. Enfin, pour cette affaire,
Nous en remettrons-nous à l'avis d'une mère?

HIPPOLYTE

J'obéirai toujours à son commandement;
Mais de grâce, Monsieur, parlez plus clairement :
Je ne puis deviner ce que vous voulez dire.

PLEIRANTE

Un certain cavalier pour vos beaux yeux soupire.

HIPPOLYTE

Vous en voulez par là...

PLEIRANTE

Ce n'est point fiction
Que ce que je vous dis de son affection.
Votre mère sut hier à quel point il vous aime,
Et veut que ce soit vous qui vous donniez vous-même.

HIPPOLYTE

Et c'est ce que ma mère, afin de m'expliquer,
Ne m'a point fait l'honneur de me communiquer;
Mais pour l'amour de vous, je vais le savoir d'elle.

Scène X : Pleirante, Célidée.

PLEIRANTE

Ta compagne est du moins aussi fine que belle.

CÉLIDÉE

Elle a bien su, de vrai, se défaire de vous.

PLEIRANTE

Et fort habilement se parer de mes coups.

CÉLIDÉE

Peut-être innocemment, faute d'y rien comprendre.

PLEIRANTE

Mais faute, bien plutôt, d'y vouloir rien entendre.
Je suis des plus trompés si Dorimant lui plaît.

CÉLIDÉE

Y prenez-vous, Monsieur, pour lui quelque intérêt?

PLEIRANTE

Lysandre m'a prié d'en porter la parole.

CÉLIDÉE

Lysandre!

PLEIRANTE

Oui, ton Lysandre.

CÉLIDÉE

Et lui-même cajole...

PLEIRANTE

Quoi? que cajole-t-il?

CÉLIDÉE

Hippolyte, à mes yeux.

PLEIRANTE

Folle, il n'aima jamais que toi dessous les cieux;
Et nous sommes tous prêts de choisir la journée
Qui bientôt de vous deux termine l'hyménée.
Il se plaint toutefois un peu de ta froideur;   1335
Mais pour l'amour de moi, montre-lui plus d'ardeur.
Parle, ma volonté sera-t-elle obéie?

CÉLIDÉE

Hélas! qu'on vous abuse après m'avoir trahie!
Il vous fait, cet ingrat, parler pour Dorimant,
Tandis qu'au même objet il s'offre pour amant,   1340
Et traverse par là tout ce qu'à sa prière
Votre vaine entremise avance vers la mère.
Cela qu'est-ce, Monsieur, que se jouer de vous?

PLEIRANTE

Qu'il est peu de raison dans ces esprits jaloux!
Et quoi? pour un ami s'il rend une visite,   1345
Faut-il s'imaginer qu'il cajole Hippolyte?

CÉLIDÉE

Je sais ce que j'ai vu.

PLEIRANTE

Je sais ce qu'il m'a dit
Et ne veux plus du tout souffrir de contredit.
Mon choix de votre hymen en sa faveur dispose.

CÉLIDÉE

Commandez-moi plutôt, Monsieur, toute autre chose. 1350

PLEIRANTE

Quelle bizarre humeur! quelle inégalité
De rejeter un bien qu'on a tant souhaité!
La belle, voyez-vous? qu'on perde ces caprices :
Il faut pour m'éblouir de meilleurs artifices.
Quelque nouveau venu vous donne dans les yeux,   1355
Quelque jeune étourdi qui vous flatte un peu mieux
Et parce qu'il vous fait quelque feinte caresse,
Il faut que nous manquions, vous et moi, de promesse?
Quittez, pour votre bien, ces fantasques refus.

CÉLIDÉE

Monsieur...

PLEIRANTE

Quittez-les, dis-je, et ne contestez plus.   1360

Scène XI : Célidée.

Fâcheux commandement d'un incrédule père!
Qu'il me fut doux jadis, et qu'il me désespère!
J'avais, auparavant qu'on m'eût manqué de foi,
Le devoir et l'amour tout d'un parti chez moi,
Et ma flamme, d'accord avecque sa puissance,   1365
Unissait mes désirs à mon obéissance;
Mais, hélas! que depuis cette infidélité
Je trouve d'injustice en son autorité!
Mon esprit s'en révolte, et ma flamme bannie
Fait qu'un pouvoir si saint m'est une tyrannie.   1370
Dures extrémités où mon sort est réduit!
On donne mes faveurs à celui qui les fuit;
Nous avons l'un pour l'autre une pareille haine,

Et l'on m'attache à lui d'une éternelle chaîne.
1375 Mais s'il ne m'aimait plus, parlerait-il d'amour
A celui dont je tiens la lumière du jour ?
Mais s'il m'aimait encor, verrait-il Hippolyte ?
Mon cœur en même temps se retient et s'excite.
Je ne sais quoi me flatte, et je sens déjà bien
1380 Que mon feu ne dépend que de croire le sien.
Tout beau, ma passion, c'est déjà trop paraître :
Attends, attends du moins la sienne pour renaître.
A quelle folle erreur me laissé-je emporter !
Il fait tout à dessein de me persécuter.
1385 L'ingrat cherche ma peine, et veut par sa malice
Que l'ordre qu'on me donne augmente mon supplice.
Rentrons, que son objet présenté par hasard
De mon cœur ébranlé ne reprenne une part :
C'est bien assez qu'un père à souffrir me destine,
1390 Sans que mes yeux encore aident à ma ruine.

Scène XII : La lingère, le mercier.

LA LINGÈRE, *après qu'ils se sont entre-poussé*
une boîte qui est entre leurs boutiques.
J'enverrai tout à bas, puis après on verra.
Ardez [20], vraiment c'est-mon, on vous l'endurera !
Vous êtes un bel homme, et je dois fort vous craindre !

LE MERCIER
Tout est sur mon tapis : qu'avez-vous à vous plaindre ?

LA LINGÈRE
1395 Aussi votre tapis est tout sur mon battant [21],
Je ne m'étonne plus de quoi je gagne tant.

LE MERCIER
Là, là, criez bien haut, faites bien l'étourdie,
Et puis on vous jouera dedans la comédie [22].

LA LINGÈRE
Je voudrais l'avoir vu que quelqu'un s'y fût mis ;
1400 Pour en avoir raison nous manquerions d'amis !
On joue ainsi le monde.

LE MERCIER
                        Après tout ce langage,
Ne me repoussez pas mes boîtes davantage.
Votre caquet m'enlève à tous coups mes chalands ;
Vous vendez dix rabats contre moi deux galands.
1405 Pour conserver la paix, depuis six mois j'endure,
Sans vous en dire mot, sans le moindre murmure
Et vous me harcelez et sans cause et sans fin.
Qu'une femme hargneuse est un mauvais voisin !
Nous n'apaiserons point cette humeur qui vous pique
1410 Que par un entre-deux mis à votre boutique ;
Alors, n'ayant plus rien ensemble à démêler,
Vous n'aurez plus aussi sur quoi me quereller.

LA LINGÈRE
Justement.

20. *Ardez* : regardez. *C'est-mon* : exclamation, dans laquelle
mon est adverbe. L'origine de cette expression est obscure. La
lingère en colère parle la langue populaire.
21. Volet d'un comptoir, qui se lève et se baisse (Furetière).
22. Avant Corneille, diverses comédies avaient mis des
marchands sur la scène : *Célinde*, de Baro ; *Lisandre et Caliste*,
de Du Ryer ; *le Mercier inventif*, de Lizimène.

Scène XIII : La lingère, Florice, le mercier, le libraire, Cléante.

LA LINGÈRE
De tout loin je vous ai reconnue.

FLORICE
Vouz vous doutez donc bien pourquoi je suis venue ?
Les avez-vous reçus, ces points-coupés nouveaux ?   14

LA LINGÈRE
Ils viennent d'arriver

FLORICE
                        Voyons donc les plus beaux.

LE MERCIER, *à Cléante qui passe.*
Ne vous vendrai-je rien, Monsieur ? des bas de soie,
Des gants en broderie, ou quelque petite oie [23] ?

CLÉANTE, *au libraire.*
Ces livres que mon maître avait fait mettre à part,
Les avez-vous encore ?

LE LIBRAIRE, *empaquetant ses livres.*
                        Ah ! que vous venez tard !   14
Encore un peu, ma foi, je m'en allais les vendre.
Trois jours sans revenir ! je m'ennuyais d'attendre.

CLÉANTE
Je l'avais oublié. Le prix ?

LE LIBRAIRE
                        Chacun le sait :
Autant de quarts d'écu, c'est un marché tout fait.

LA LINGÈRE, *à Florice.*
Eh bien, qu'en dites-vous ?

FLORICE
                        J'en suis toute ravie,   14
Et n'ai rien encor vu de pareil en ma vie.
Vous aurez notre argent, si l'on croit mon rapport.
Que celui-ci me semble et délicat et fort !
Que cet autre me plaît ! que j'en aime l'ouvrage !
Montrez-m'en cependant quelqu'un à mon usage.   14

LA LINGÈRE
Voici de quoi vous faire un assez beau collet.

FLORICE
Je pense, en vérité, qu'il ne serait pas laid ;
Que me coûtera-t-il ?

LA LINGÈRE
                        Allez, faites-moi vendre,
Et pour l'amour de vous, je n'en voudrai rien prendre.
Mais avisez alors à me récompenser.   14

FLORICE
L'offre n'est pas mauvaise et vaut bien y penser :
Vous me verrez demain avecque ma maîtresse.

Scène XIV : Florice, Aronte, le mercier, la lingère.

FLORICE
Aronte, eh bien ! quels fruits produira notre adresse ?

ARONTE
De fort mauvais pour moi. Mon maître, au désespoir,
Fuit les yeux d'Hippolyte, et ne veut plus me voir.   14

23. Une oie désigne toutes sortes d'ornements (ruban,
plume, etc.) pour les vêtements masculins. On en met aussi
aux pommeaux des épées.

FLORICE
Nous sommes donc ainsi bien loin de notre conte?

ARONTE
Oui, mais tout le malheur en tombe sur Aronte.

FLORICE
Ne te débauche point, je veux faire ta paix.

ARONTE
Son courroux est trop grand pour s'apaiser jamais.

FLORICE
445 S'il vient encor chez nous ou chez sa Célidée,
Je te rends aussitôt l'affaire accommodée.

ARONTE
Si tu fais ce coup-là, que ton pouvoir est grand!
Viens, je te veux donner tout à l'heure un galand.

LE MERCIER
Voyez, Monsieur; j'en ai des plus beaux de la terre:
450 En voilà de Paris, d'Avignon, d'Angleterre.

ARONTE, *après avoir regardé une boîte de galands.*
Tous vos rubans n'ont point d'assez vives couleurs.
Allons, Florice, allons, il en faut voir ailleurs.

LA LINGÈRE
Ainsi, faute d'avoir de bonne marchandise,
Des hommes comme vous perdent leur chalandise.

LE MERCIER
455 Vous ne la perdez pas, vous, mais Dieu sait comment;
Du moins, si je vends peu, je vends loyalement,
Et je n'attire point avec une promesse
De suivante qui m'aide à tromper sa maîtresse.

LA LINGÈRE
Quand il faut dire tout, on s'entre-connaît bien;
460 Chacun sait son métier, et... Mais je ne dis rien.

LE MERCIER
Vous ferez un grand coup si vous pouvez vous taire.

LA LINGÈRE
Je ne réplique point à des gens en colère.

ACTE CINQUIÈME

Scène I[24] : Lysandre.

Indiscrète vengeance, imprudentes chaleurs,
Dont l'impuissance ajoute un comble à mes malheurs,
465 Ne me conseillez plus la mort de ce faussaire.
J'aime encor Célidée, et n'ose lui déplaire;
Priver de la clarté ce qu'elle aime le mieux,
Ce n'est pas le moyen d'agréer à ses yeux.
L'amour, en la perdant, me retient en balance;
470 Il produit ma fureur et rompt sa violence,
Et me laissant trahi, confus et méprisé,
Ne veut que triompher de mon cœur divisé.
Amour, cruel auteur de ma longue misère,
Ou permets à la fin d'agir à ma colère,
475 Ou sans m'embarrasser d'inutiles transports,
Auprès de ce bel œil fais tes derniers efforts.
Viens, accompagne-moi chez ma belle inhumaine,
Et comme de mon cœur triomphe de sa haine,
Contre toi ma vengeance a mis les armes bas,

24. Cette scène est la suite directe de la scène 5 de l'acte IV

Contre ses cruautés rends les mêmes combats;   1480
Exerce ta puissance à fléchir la farouche,
Montre-toi dans mes yeux, et parle par ma bouche:
Si tu te sens trop faible, appelle à ton secours
Le souvenir de mille et de mille heureux jours,
Où ses désirs, d'accord avec mon espérance,   1485
Ne laissaient à nos vœux aucune différence.
Je pense avoir encor ce qui la sut charmer,
Les mêmes qualités qu'elle voulut aimer.
Peut-être mes douleurs ont changé mon visage;
Mais en revanche aussi je l'aime davantage;   1490
Mon respect s'est accru pour un objet si cher;
Je ne me venge point, de peur de la fâcher.
Un infidèle ami tient son âme captive,
Je le sais, je le vois, et je souffre qu'il vive.
Je tarde trop: allons ou vaincre ses refus,   1495
Ou me venger sur moi de ne lui plaire plus,
Et tirons de son cœur, malgré sa flamme éteinte,
La pitié par ma mort, ou l'amour par ma plainte:
Ses rigueurs par ce fer me perceront le sein.

Scène II : Dorimant, Lysandre.

DORIMANT
Eh quoi? pour m'avoir vu, vous changez de dessein! 1500
Ne craignez point pour moi d'entrer chez Hippolyte;
Vous ne m'apprendrez rien en lui faisant visite:
Mes yeux, mes propres yeux n'ont que trop découvert
Comme un ami si rare auprès d'elle me sert.

LYSANDRE
Parlez plus franchement: ma rencontre importune   1505
Auprès d'un autre objet trouble votre fortune,
Et vous montrez assez, par ces faibles détours,
Qu'un témoin comme moi déplaît à vos amours.
Vous voulez seul à seul cajoler Célidée;
La querelle entre nous sera bientôt vidée: 1510
Ma mort vous donnera chez elle un libre accès,
Ou ma juste vengeance un funeste succès.

DORIMANT
Qu'est-ce-ci, déloyal? quelle fourbe est la vôtre?
Vous m'en disputez une, afin d'acquérir l'autre!
Après ce que chacun a vu de votre feu,   1515
C'est une lâcheté de faire un désaveu.

LYSANDRE
Je ne me connais point à combattre d'injures.

DORIMANT
Aussi veux-je punir autrement tes parjures:
Le ciel, le juste ciel, ennemi des ingrats,
Qui pour ton châtiment a destiné mon bras,   1520
T'apprendra qu'à moi seul Hippolyte est gardée.

LYSANDRE
Garde ton Hippolyte.

DORIMANT
                    Et toi, ta Célidée.

LYSANDRE
Voilà faire le fin, de crainte d'un combat.

DORIMANT
Tu m'imputes la crainte, et ton cœur s'en abat.

LYSANDRE
Laissons à part les noms; disputons la maîtresse   1525

Et pour qui que ce soit montre ici ton adresse.

DORIMANT

C'est comme je l'entends.

Scène III : Célidée, Lysandre, Dorimant.

CÉLIDÉE

O dieux! ils sont aux coups!
Ah! perfide, sur moi détourne ton courroux :
La mort de Dorimant me serait trop funeste.

DORIMANT

1530 Lysandre, une autre fois nous viderons le reste.

CÉLIDÉE, *à Dorimant.*

Arrête, cher ingrat!

LYSANDRE

Tu recules, voleur!

DORIMANT

Je fuis cette importune, et non pas ta valeur.

Scène IV : Lysandre, Célidée.

LYSANDRE

Ne suivez pas du moins ce perfide à ma vue :
Avez-vous résolu que sa fuite me tue,
1535 Et qu'ayant su braver son plus vaillant effort,
Par sa retraite infâme il me donne la mort?
Pour en frapper le coup, vous n'avez qu'à le suivre.

CÉLIDÉE

Je tiens des gens sans foi si peu dignes de vivre
Qu'on ne verra jamais que je recule un pas
1540 De crainte de causer un si juste trépas.

LYSANDRE

Eh bien, voyez-le donc : ma lame toute prête
N'attendait que vos yeux pour immoler ma tête.
Vous lirez dans mon sang à vos pieds répandu
Ce que valait l'amant que vous aurez perdu;
1545 Et sans vous reprocher un si cruel outrage,
Ma main de vos rigueurs achèvera l'ouvrage :
Trop heureux mille fois si je plais en mourant
A celle à qui j'ai pu déplaire en l'adorant
Et si ma prompte mort, secondant son envie,
1550 L'assure du pouvoir qu'elle avait sur ma vie!

CÉLIDÉE

Moi, du pouvoir sur vous! vos yeux se sont mépris
Et quelque illusion qui trouble vos esprits
Vous fait imaginer d'être auprès d'Hippolyte.
Allez, volage, allez où l'amour vous invite :
1555 Dans ses doux entretiens recherchez vos plaisirs,
Et ne m'empêchez plus de suivre mes désirs.

LYSANDRE

Ce n'est pas sans raison que ma feinte passée
A jeté cette erreur dedans votre pensée.
Il est vrai, devant vous forçant mes sentiments,
1560 J'ai présenté des vœux, j'ai fait des compliments;
Mais c'étaient compliments qui partaient d'une souche :
Mon cœur, que vous teniez, désavouait ma bouche.
Pleirante, qui rompit ces ennuyeux discours,
Sait bien que mon amour n'en changea point de cours :
1565 Contre votre froideur une modeste plainte
Fut tout notre entretien au sortir de la feinte

Et je le priai lors...

CÉLIDÉE

D'user de son pouvoir?
Ce n'était pas par là qu'il me fallait avoir.
Les mauvais traitements ne font qu'aigrir les âmes.

LYSANDRE

Confus, désespéré du mépris de mes flammes,   157
Sans conseil, sans raison, pareil aux matelots
Qu'un naufrage abandonne à la merci des flots,
Je me suis pris à tout, ne sachant où me prendre.
Ma douleur par mes cris d'abord s'est fait entendre,
J'ai cru que vous seriez d'un naturel plus doux,   157
Pourvu que votre esprit devînt un peu jaloux;
J'ai fait agir pour moi l'autorité d'un père,
J'ai fait venir aux mains celui qu'on me préfère
Et puisque ces efforts n'ont réussi qu'en vain,
J'aurai de vous ma grâce, ou la mort de ma main.   158
Choisissez, l'une ou l'autre achèvera mes peines;
Mon sang brûle déjà de sortir de mes veines,
Il faut pour l'arrêter me rendre votre amour,
Je n'ai plus rien sans lui qui me retienne au jour.

CÉLIDÉE

Volage, fallait-il, pour un peu de rudesse,   158
Vous porter si soudain à changer de maîtresse?
Que je vous croyais bien un jugement plus meur!
Ne pouviez-vous souffrir de ma mauvaise humeur?
Ne pouviez-vous juger que c'était une feinte
A dessein d'éprouver quelle était votre atteinte?   159
Les Dieux m'en soient témoins, et ce nouveau sujet
Que vos feux inconstants ont choisi pour objet,
Si jamais j'eus pour vous de dédain véritable,
Avant que votre amour parût si peu durable!
Qu'Hippolyte vous die avec quels sentiments   159
Je lui fus raconter mes premiers mouvements,
Avec quelles douceurs je m'étais préparée
A redonner la joie à votre âme éplorée!
Dieux! que je fus surprise et mes sens éperdus,
Quand je vis vos devoirs à sa beauté rendus!   160
Votre légèreté fut soudain imitée :
Non pas que Dorimant m'en eût sollicitée :
Au contraire, il me fuit, et l'ingrat ne veut pas
Que sa franchise cède au peu que j'ai d'appas;
Mais, hélas! plus il fuit, plus son portrait s'efface,   160
Je vous sens, malgré moi, reprendre votre place,
L'aveu de votre erreur désarme mon courroux :
Ne redoutez plus rien, l'amour combat pour vous.
Si nous avons failli de feindre l'un et l'autre,
Pardonnez à ma feinte, et j'oublierai la vôtre.   161
Moi-même je l'avoue à ma confusion,
Mon imprudence a fait notre division.
Tu ne méritais pas de si rudes alarmes :
Accepte un repentir accompagné de larmes.
Et souffre que le tien nous fasse tour à tour   161
Par ce petit divorce augmenter notre amour.

LYSANDRE

Que vous me surprenez! O ciel! est-il possible
Que je vous trouve encore à mes désirs sensible?
Que j'aime ces dédains qui finissent ainsi!

CÉLIDÉE

Et pour l'amour de toi, que je les aime aussi!   161

LYSANDRE

Que ce soit toutefois sans qu'il vous prenne envie
De les plus essayer au péril de ma vie.

CÉLIDÉE

J'aime trop désormais ton repos et le mien :
Tous mes soins n'iront plus qu'à notre commun bien.
625 Voudrais-je, après ma faute, une plus douce amende
Que l'effet d'un hymen qu'un père me commande ?
Je t'accusais en vain d'une infidélité :
Il agissait pour toi de pleine autorité,
Me traitait de parjure et de fille rebelle.
630 Mais allons lui porter cette heureuse nouvelle;
Ce que pour mes froideurs il témoigne d'horreur
Mérite bien qu'en hâte on le tire d'erreur.

LYSANDRE

Vous craignez qu'à vos yeux cette belle Hippolyte
N'ait encor de ma bouche un hommage hypocrite ?

CÉLIDÉE

635 Non, je fuis Dorimant qu'ensemble j'aperçoi;
Je ne veux plus le voir, puisque je suis à toi.

Scène V : Dorimant, Hippolyte.

DORIMANT

Autant que mon esprit adore vos mérites,
Autant veux-je de mal à vos longues visites.

HIPPOLYTE

Que vous ont-elles fait, pour vous mettre en courroux ?

DORIMANT

640 Elles m'ôtent le bien de vous trouver chez vous.
J'y fais à tous moments une course inutile,
J'apprends cent fois le jour que vous êtes en ville.
En voici presque trois que je n'ai pu vous voir,
Pour rendre à vos beautés ce que je sais devoir,
645 Et n'était qu'aujourd'hui cette heureuse rencontre,
Sur le point de rentrer, par hasard me les montre,
Je crois que ce jour même aurait encor passé
Sans moyen de m'en plaindre aux yeux qui m'ont
HIPPOLYTE   [blessé.
Ma libre et gaie humeur hait le ton de la plainte;
650 Je n'en puis écouter qu'avec de la contrainte :
Si vous prenez plaisir dedans mon entretien,
Pour le faire durer ne vous plaignez de rien.

DORIMANT

Vous me pouvez ôter tout sujet de me plaindre.

HIPPOLYTE

Et vous pouvez aussi vous empêcher d'en feindre.

DORIMANT

655 Est-ce en feindre un sujet qu'accuser vos rigueurs ?

HIPPOLYTE

Pour vous en plaindre à faux, vous feignez des lan-
DORIMANT   [gueurs.
Verrais-je sans languir ma flamme qu'on néglige ? ·

HIPPOLYTE

Éteignez cette flamme où rien ne vous oblige.

DORIMANT

Vos charmes trop puissants me forcent à ces feux.

HIPPOLYTE

660 Oui, mais rien ne vous force à vous approcher d'eux.

DORIMANT

Ma présence vous fâche et vous est odieuse.

HIPPOLYTE

Non, mais tout ce discours la peut rendre ennuyeuse.

DORIMANT

Je vois bien ce que c'est, je lis dans votre cœur :
Il a reçu les traits d'un plus heureux vainqueur;
Un autre regardé d'un œil plus favorable   1665
A mes submissions vous fait inexorable :
C'est pour lui seulement que vous voulez brûler.

HIPPOLYTE

Il est vrai, je ne puis vous le dissimuler;
Il faut que je vous traite avec toute franchise.
Alors que je vous pris, un autre m'avait prise,   1670
Un autre captivait mes inclinations.
Vous devez présumer de vos perfections
Que si vous attaquiez un cœur qui fût à prendre,
Il serait malaisé qu'il s'en pût bien défendre.
Vous auriez eu le mien, s'il n'eût été donné;   1675
Mais puisque les destins ainsi l'ont ordonné,
Tant que ma passion aura quelque espérance,
N'attendez rien de moi que de l'indifférence.

DORIMANT

Vous ne m'apprenez point le nom de cet amant :
Sans doute que Lysandre est cet objet charmant   1680
Dont les discours flatteurs vous ont préoccupée.

HIPPOLYTE

Cela ne se dit point à des hommes d'épée :
Vous exposer aux coups d'un duel hasardeux,
Ce serait le moyen de vous perdre tous deux.
Je vous veux, si je puis, conserver l'un et l'autre; 1685
Je chéris sa personne et hais si peu la vôtre
Qu'ayant perdu l'espoir de le voir mon époux,
Si ma mère y consent, Hippolyte est à vous;
Mais aussi jusque-là plaignez votre infortune.

DORIMANT

Permettez pour ce nom que je vous importune,   1690
Ne me refusez plus de me le déclarer,
Que je sache en quel temps j'aurai droit d'espérer.
Un mot me suffira pour me tirer de peine
Et lors j'étoufferai si bien toute ma haine,
Que vous me trouverez vous-même trop remis.   1695

*Scène VI : Pleirante, Lysandre, Célidée,
Dorimant, Hippolyte.*

PLEIRANTE

Souffrez, mon cavalier, que je vous rende amis.
Vous ne lui voulez pas quereller Célidée ?

DORIMANT

L'affaire à cela près peut être décidée.
Voici le seul objet de nos affections
Et l'unique motif de nos dissensions.   1700

LYSANDRE

Dissipe, cher ami, cette jalouse atteinte :
C'est l'objet de tes feux, et celui de ma feinte.
Mon cœur fut toujours ferme et moi je me dédis
Des vœux que de ma bouche elle reçut jadis.
Piqué d'un faux dédain, j'avais pris fantaisie   1705
De mettre Célidée en quelque jalousie;

Mais au lieu d'un esprit, j'en ai fait deux jaloux.

PLEIRANTE
Vous pouvez désormais achever entre vous :
Je vais dans ce logis dire un mot à Madame.

Scène VII : Dorimant, Lysandre,
Célidée, Hippolyte.

DORIMANT
1710 Ainsi, loin de m'aider, tu traversais ma flamme!

LYSANDRE
Les efforts que Pleirante à ma prière a faits
T'auraient acquis déjà le but de tes souhaits;
Mais tu dois accuser les glaces d'Hippolyte,
Si ton bonheur n'est pas égal à ton mérite.

HIPPOLYTE
1715 Qu'aurai-je cependant pour satisfaction
D'avoir servi d'objet à votre fiction?
Dans votre différend je suis la plus blessée
Et me trouve, à l'accord, entièrement laissée.

CÉLIDÉE
N'y songe plus, de grâce, et, pour l'amour de moi,
1720 Trouve bon qu'il ait feint de vivre sous ta loi.
Veux-tu le quereller lorsque je lui pardonne?
Le droit de l'amitié tout autrement ordonne.
Tout prêts d'être assemblés d'un lien conjugal,
Tu ne peux le haïr sans me vouloir du mal.
1725 J'ai feint par ton conseil, lui, par celui d'un autre;
Et bien qu'amour jamais ne fût égal au nôtre,
Je m'étonne comment cette confusion
Laisse finir si tôt notre division.

HIPPOLYTE
De sorte qu'à présent le ciel y remédie?

CÉLIDÉE
1730 Tu vois; mais après tout, s'il faut que je le die,
Ton conseil est fort bon, mais un peu dangereux.

HIPPOLYTE
Excuse, chère amie, un esprit amoureux :
Lysandre me plaisait, et tout mon artifice
N'allait qu'à détourner son cœur de ton service.
1735 J'ai fait ce que j'ai pu pour brouiller vos esprits,
J'ai, pour me l'attirer, pratiqué tes mépris;
Mais puisque ainsi le ciel rejoint votre hyménée...

DORIMANT
Votre rigueur vers moi doit être terminée.
Sans chercher de raisons pour vous persuader,
1740 Votre amour hors d'espoir fait qu'il me faut céder;
Vous savez trop à quoi la parole vous lie.

HIPPOLYTE
A vous dire le vrai, j'ai fait une folie :
Je les croyais encor loin de se réunir,
Et moi, par conséquent, loin de vous la tenir.
1745 Auriez-vous pour la rompre une âme assez légère?

HIPPOLYTE
Puisque je l'ai promis, vous pouvez voir ma mère.

LYSANDRE
Si tu juges Pleirante à cela suffisant,
Je crois qu'eux deux ensemble en parlent à présent.

DORIMANT
Après cette faveur qu'on me vient de promettre,
Je crois que mes devoirs ne se peuvent remettre :   1
J'espère tout de lui, mais pour un bien si doux
Je ne saurais...

LYSANDRE
Arrête, ils s'avancent vers nous.

Scène VIII : Pleirante, Chrysante, Lysandre,
Dorimant, Célidée, Hippolyte, Florice.

DORIMANT, *à Chrysante.*
Madame, un pauvre amant, captif de cette belle,
Implore le pouvoir que vous avez sur elle :
Tenant ses volontés, vous gouvernez mon sort;   17
J'attends de votre bouche ou la vie ou la mort.

CHRYSANTE, *à Dorimant.*
Un homme tel que vous et de votre naissance
Ne peut avoir besoin d'implorer ma puissance.
Si vous avez gagné ses inclinations,
Soyez sûr du succès de vos affections;   17
Mais je ne suis pas femme à forcer son courage,
Je sais ce que la force est en un mariage.
Il me souvient encor de tous mes déplaisirs
Lorsqu'un premier hymen contraignit mes désirs
Et sage à mes dépens, je veux bien qu'Hippolyte   17
Prenne ou laisse, à son choix, un homme de mérite.
Ainsi présumez tout de mon consentement,
Mais ne prétendez rien de mon commandement.

DORIMANT, *à Hippolyte.*
Après un tel aveu serez-vous inhumaine?

HIPPOLYTE, *à Chrysante.*
Madame, un mot de vous me mettrait hors de peine. 17
Ce que vous remettez à mon choix d'accorder,
Vous feriez beaucoup mieux de me le commander.

PLEIRANTE, *à Chrysante.*
Elle vous montre assez où son désir se porte.

CHRYSANTE
Puisqu'elle s'y résout, le reste ne m'importe.

DORIMANT
Ce favorable mot me rend le plus heureux   17
De tout ce que jamais on a vu d'amoureux.

LYSANDRE
Je sens croître la joie au milieu de mon âme,
Comme si de nouveau l'on acceptait ma flamme.

HIPPOLYTE, *à Lysandre.*
Ferez-vous donc enfin quelque chose pour moi?

LYSANDRE
Tout, hormis ce seul point, de lui manquer de foi. 178

HIPPOLYTE
Pardonnez donc à ceux qui, gagnés par Florice,
Lorsque je vous aimais, m'ont fait quelque service.

LYSANDRE
Je vous entends assez : soit, Aronte impuni
Pour ses mauvais conseils ne sera point banni;
Tu le souffriras bien, puisqu'elle m'en supplie.   178

CÉLIDÉE
Il n'est rien que pour elle et pour toi je n'oublie.

PLEIRANTE
Attendant que demain ces deux couples d'amants
Soient mis au plus haut point de leurs contentements,
Allons chez moi, Madame, achever la journée.

CHRYSANTE
90 Mon cœur est tout ravi de ce double hyménée.

FLORICE
Mais afin que la joie en soit égale à tous,
Faites encor celui de Monsieur et de vous.

CHRYSANTE
Outre l'âge en tous deux un peu trop refroidie,
Cela sentirait trop sa fin de comédie.

LA SUIVANTE

COMÉDIE

La Suivante, qui avait dès la Galerie du Palais remplacé la nourrice des précédentes comédies, devient ici le personnage principal : grande nouveauté et grande audace. Cette fille bien née, belle, intelligente mais pauvre, sert de jouet aux courtisans de sa maîtresse. C'est déjà la donnée de On ne badine pas avec l'amour.

Laissée pour compte, elle dégage amèrement la morale de l'histoire, c'est-à-dire le triomphe cyniquement tranquille de l'ambition et de l'argent.

Pour sentir combien Corneille y a mis d'observation et peut-être d'expérience personnelle, il faut se reporter à l'Excuse à Ariste (1634), à la blessure d'amour mal fermée :

Et bien que maintenant cette belle inhumaine
Traite mon souvenir avec un peu de haine
Je me trouve toujours en état de l'aimer
Je me sens tout ému quand je l'entends nommer.

La pièce satisfait pleinement aux unités, dont Corneille n'avait cessé de reconnaître le bien-fondé et qu'il continuera à respecter plus ou moins étroitement, selon les sujets. Elle fut représentée par Mondory soit dans la salle du Jeu de paume de la Fontaine si, comme il est vraisemblable, ce fut à la saison 1633-1634, soit, s'il faut la reporter un peu plus tard, dans la nouvelle salle, rue Vieille-du-Temple que la troupe conservera jusqu'à l'incendie de 1642.

Achevé d'imprimer : 9 Septembre 1637.

A MONSIEUR *** [1]

Monsieur,

Je vous présente une comédie qui n'a pas été également aimée de toutes sortes d'esprits : beaucoup, et de fort bons, n'en ont pas fait grand état, et beaucoup d'autres l'ont mise au-dessus du reste des miennes. Pour moi, je laisse dire tout le monde, et je fais mon profit des bons avis, de quelque part que je les reçoive. Je traite toujours mon sujet le moins mal qu'il m'est possible, et après y avoir corrigé ce qu'on m'y fait connaître d'inexcusable, je l'abandonne au public. Si je ne fais bien, qu'un autre fasse mieux [2] : je ferai des vers à sa louange, au lieu de le censurer. Chacun a sa méthode : je ne blâme point celle des autres et me tiens à la mienne : jusques à présent je m'en suis trouvé

fort bien ; j'en chercherai une meilleure quand je commencerai à m'en trouver mal. Ceux qui se font presser à la représentation de mes ouvrages m'obligent infiniment ; ceux qui ne les approuvent pas peuvent se dispenser d'y venir gagner la migraine ; ils épargneront de l'argent et me feront plaisir. Les goûts sont libres en ces matières, et les goûts divers. J'ai vu des personnes de fort bon sens admirer des endroits sur qui j'aurais passé l'éponge et j'en connais [3] qui des poèmes réussissent au théâtre avec éclat et qui pour principaux ornements y emploient des choses que j'évite dans les miens. Ils pensent avoir raison, et moi aussi : qui d'eux ou de moi se trompe, c'est ce qui n'est pas aisé à juger. Chez les philosophes, tout ce qui n'est point de la foi ni des principes n'est disputable et souvent ils soutiendront, à votre choix, le pour et le contre d'une même proposition : marques certaines de l'excellence de l'esprit humain, qui trouve des raisons à défendre tout, ou plutôt de sa faiblesse, qui n'en peut trouver de convaincantes ni qui ne puissent être combattues et détruites par de contraires. Ainsi ce n'est pas merveille si les critiques donnent de mauvaises interprétations à nos vers et de mauvaises faces à nos personnages. « Qu'on me donne, dit M. de Montagne [4], au chapitre XXXVI du premier livre, l'action la plus excellente et pure, je m'en vais y fournir vraisemblablement cinquante vicieuses intentions. » C'est au lecteur désintéressé à prendre la médaille par le beau revers. Comme il nous

---

1. *A Monsieur ***.* La dédicace, imprimée en pleine querelle du *Cid*, témoigne de la prudence et de la mauvaise humeur de Corneille. Penser que le dédicataire est imaginaire est improbable : Corneille eût pu tout aussi bien, comme il le fait d'ordinaire, adresser sa préface *Au lecteur*. Il y aura par la suite quatre autres dédicaces semi-anonymes : les deux pièces publiées en 1639, *Théodore* en 1644, *Andromède* en 1650. A partir de *Nicomède* (1651), Corneille renonce au bénéfice matériel et moral des dédicaces. Aucune allusion particulière ne nous guide pour lever l'anonymat de Monsieur***. Le ton de docte critique littéraire de cette dédicace laisserait supposer qu'il s'agit d'un homme versé en ces matières, dont Corneille voulut emporter définitivement le suffrage. Or à cette date, on ne voit guère d'autre nom à mettre que celui de Balzac, qui venait de rendre un arbitrage favorable dans la querelle du *Cid*, ou à la rigueur Boisrobert.
2. Cette phrase de défi rappelle presque textuellement un vers de la *Réplique au Besançonnais Mairet*, pamphlet de la querelle attribué à Corneille.

3. Nouvelle attaque qui vise probablement au moins Scudéry et Mairet.
4. C'est là l'une des trois références de Corneille à Montaigne. Le chapitre en question a pour titre : *De l'éducation des enfants.*

a quelque obligation d'avoir travaillé à le divertir, j'ose dire que pour reconnaissance il nous doit un peu de faveur et qu'il commet une espèce d'ingratitude, s'il ne se montre plus ingénieux à nous défendre qu'à nous condamner, et s'il n'applique la subtilité de son esprit plutôt à colorer et justifier en quelque sorte nos véritables défauts qu'à en trouver où il n'y en a point. Nous pardonnons beaucoup de choses aux anciens; nous admirons quelquefois dans leurs écrits ce que nous ne souffririons pas dans les nôtres; nous faisons des mystères de leurs imperfections, et couvrons leurs fautes du nom de licences poétiques. Le docte Scaliger[5] a remarqué des taches dans tous les Latins, et de moins savants que lui en remarqueraient bien dans les Grecs, et dans son Virgile même, à qui il dresse des autels sur le mépris des autres. Je vous laisse donc à penser si cette présomption ne serait pas ridicule, de prétendre qu'une exacte censure ne pût mordre sur nos ouvrages, puisque ceux de ces grands génies de l'antiquité ne se peuvent pas soutenir contre un rigoureux examen. Je ne me suis jamais imaginé avoir rien au jour de parfait, je n'espère pas même y pouvoir jamais arriver; je fais néanmoins mon possible pour en approcher et les plus beaux succès des autres ne produisent en moi qu'une vertueuse émulation, qui me fait redoubler mes efforts afin d'en avoir de pareils :

> *Je vois d'un œil égal croître le nom d'autrui,*
> *Et tâche à m'élever aussi haut comme lui,*
> *Sans hasarder ma peine à le faire descendre.*
> *La gloire a des trésors qu'on ne peut épuiser,*
> *Et plus elle en prodigue à nous favoriser,*
> *Plus elle en garde encore où chacun peut prétendre.*

Pour venir à cette *Suivante* que je vous dédie, elle est d'un genre qui demande plutôt un style naïf que pompeux. Les fourbes et les intrigues sont principalement du jeu de la comédie; les passions n'y entrent que par accident. Les règles des anciens sont assez religieusement observées en celle-ci. Il n'y a qu'une action principale à qui toutes les autres aboutissent; son lieu n'a point plus d'étendue que celle du théâtre, et le temps n'en est point plus long que celui de la représentation, si vous en exceptez l'heure du dîner, qui se passe entre le premier et le second acte. La liaison même des scènes, qui n'est qu'un embellissement, et non pas un précepte, y est gardée, et si vous prenez la peine de compter les vers, vous n'en trouverez pas en un acte plus qu'en l'autre. Ce n'est pas que je me sois assujetti depuis[6] aux mêmes rigueurs. J'aime à suivre les règles, mais loin de me rendre leur esclave, je les élargis et resserre selon le besoin qu'on a mon sujet et je romps même sans scrupule celle qui regarde la durée de l'action, quand sa sévérité me semble absolument incompatible avec les beautés des événements que je décris. Savoir les règles et entendre le secret de les apprivoiser adroitement avec notre théâtre, ce sont deux sciences bien différentes; et peut-être que pour faire maintenant réussir une pièce, ce n'est pas assez d'avoir étudié dans les livres d'Aristote et d'Horace. J'espère un jour traiter ces matières plus à fond[7], et montrer de quelle espèce est la vraisemblance qu'ont suivie ces grands maîtres des autres siècles, en faisant

parler des bêtes et des choses qui n'ont point de corps. Cependant mon avis est celui de Térence : puisque nous faisons des poèmes pour être représentés, notre premier but doit être de plaire à la Cour et au peuple et d'attirer un grand monde à leurs représentations[8]. Il faut, s'il se peut, y ajouter les règles, afin de ne déplaire pas aux savants et recevoir un applaudissement universel; mais surtout gagnons la voix publique; autrement notre pièce aura beau être régulière, si elle est sifflée au théâtre, les savants n'oseront se déclarer en notre faveur et aimeront mieux dire que nous aurons mal entendu les règles que de nous donner des louanges quand nous serons décriés par le consentement général de ceux qui ne voient la comédie que pour se divertir.

Je suis, MONSIEUR, votre très humble serviteur,

CORNEILLE.

EXAMEN (1660)

Je ne dirai pas grand mal de celle-ci, que je tiens assez régulière, bien qu'elle ne soit pas sans taches. Le style en est plus faible que celui des autres. L'amour de Géraste pour Florise n'est point marqué dans le premier acte, et ainsi la protase comprend la première scène du second, où il se présente avec sa confidente Célie, sans qu'on le connaisse ni l'un ni l'autre. Cela ne serait pas vicieux s'il ne s'y présentait que comme père de Daphnis et qu'il ne s'expliquât que sur les intérêts de sa fille; mais il en a de si notables pour lui, qu'ils font le nœud et le dénouement. Ainsi c'est un défaut, selon moi, qu'on ne le connaisse pas dès ce premier acte. Il pourrait être encore souffert, comme Célidan dans *la Veuve*, si Florame l'allait voir pour le faire consentir à son mariage avec sa fille et que par occasion il lui proposât celui de sa sœur pour lui-même; car alors ce serait Florame qui l'introduirait dans la pièce, et il y serait appelé par un acteur agissant dès le commencement. Clarimond, qui ne paraît qu'au troisième, est insinué dès le premier, où Daphnis parle de l'amour qu'il a pour elle et avoue qu'elle ne le dédaignerait pas s'il ressemblait à Florame. Ce même Clarimond fait venir son oncle Polémon au cinquième, et ces deux acteurs ainsi sont exempts du défaut que je remarque en Géraste. L'entretien de Daphnis, au troisième, avec cet amant dédaigné, a une affectation assez dangereuse, de ne dire que chacun un vers à la fois[9] cela sort tout à fait du vraisemblable, puisque naturellement on ne peut être si mesuré ni ce qu'on s'entredit. Les exemples d'Euripide et de Sénèque pourraient autoriser cette affectation qu'ils pratiquent si souvent, et même par discours généraux, qu'il semble que leurs acteurs ne viennent quelquefois sur la scène que pour s'y battre à coups de sentences; mais c'est une beauté qu'il ne leur faut pas envier. Elle est trop fardée pour donner un amour raisonnable à ceux qui ont de bons yeux et ne prendre pas assez de soin de cacher l'artifice de ses parures, comme l'ordonne Aristote.

Géraste n'agit pas mal en vieillard amoureux, puisqu'il ne traite l'amour que par tierce personne, qu'il ne prétend être considérable que par son bien et qu'il

---

5. J.-C. Scaliger (1484-1558), Italien, installé en France en 1525, qui laissa une copieuse et minutieuse œuvre philologique sur les textes anciens.

6. Dans l'intervalle Corneille a publié trois pièces.

7. Il faudra attendre les trois *Discours* de 1660.

8. Ce sera encore la doctrine de Molière, qui ne dit pas autre chose.

9. Nouvelle attaque larvée contre les Anciens. La réplique vers à vers ou *stichomythie* était un des ornements de règle, dans la tragédie et la comédie, aux moments pathétiques. A toutes ces habitudes passées en règles, Corneille oppose toujours le même principe : la vraisemblance.

ne se produit point aux yeux de sa maîtresse, de peur de lui donner du dégoût par sa présence[10]. On peut douter s'il ne sort point du caractère des vieillards, en ce qu'étant naturellement avares, ils considèrent le bien plus que toute autre chose dans les mariages de leurs enfants, et que celui-ci donne assez libéralement sa fille à Florame, malgré son peu de fortune, pourvu qu'il en obtienne sa sœur. En cela, j'ai suivi la peinture que fait Quintilien d'un vieux mari qui a épousé une jeune femme et n'ai point fait de scrupule de l'appliquer à un vieillard qui se veut marier. Les termes en sont si beaux, que je n'ose les gâter par ma traduction : *Genus infirmissimæ servitutis est senex maritus, et flagrantius uxoriæ charitatis ardorem frigidis concipimus affectibus*[11]. C'est ces deux lignes que je me suis cru bien fondé à faire dire de ce bon homme :

Que s'il pouvait donner trois Daphnis pour Florise,
Il la tiendrait encore heureusement acquise.

Il peut naître encore une autre difficulté sur ce que Théante et Amarante forment chacun un dessein pour traverser les amours de Florame et Daphnis, et qu'ainsi ce sont deux intrigues qui rompent l'unité d'action. A quoi je réponds, premièrement, que ces deux desseins formés en même temps et continués tous deux jusqu'au bout, font une concurrence qui n'empêche pas cette unité : ce qui ne serait pas si, après celui de Théante avorté, Amarante en formait un nouveau de sa part; en second lieu, que ces deux desseins ont une espèce d'unité entre eux, en ce que tous deux sont fondés sur l'amour que Clarimond a pour Daphnis, qui sert de prétexte à l'un et à l'autre; et enfin, que de ces deux desseins il n'y en a qu'un qui fasse effet, l'autre se détruisant de soi-même, si qu'ainsi la fourbe d'Amarante est le seul véritable nœud de cette comédie, où le dessein de Théante ne sert qu'à un agréable épisode de deux honnêtes gens qui jouent tour à tour un poltron et le tournent en ridicule.

Il y avait ici un aussi beau jeu pour les *a parte* qu'en *la Veuve*; mais j'y en fais voir la même aversion, avec cet avantage qu'une seule scène qui ouvre le théâtre donne ici l'intelligence du sens caché de ce que disent mes acteurs, et qu'en l'autre j'en emploie quatre ou cinq pour l'éclaircir.

L'unité de lieu est assez exactement gardée en cette comédie, avec ce passe-droit toutefois dont j'ai déjà parlé[12], que tout ce que dit Daphnis à sa porte ou en

la rue serait mieux dit dans sa chambre, où les scènes qui se font sans elle et sans Amarante ne peuvent se placer. C'est ce qui m'oblige à la faire sortir au dehors, afin qu'il y puisse avoir et unité de lieu entière et liaison de scène perpétuelle dans la pièce; ce qui ne pourrait être, si elle parlait dans sa chambre, et les autres dans la rue.

J'ai déjà dit que je tiens impossible de choisir une place publique pour le lieu de la scène que cet inconvénient n'arrive, j'en parlerai encore plus au long, quand je m'expliquerai sur l'unité de lieu. J'ai dit que la liaison de scènes est ici perpétuelle, et j'y ai mis de deux sortes, de présence et de vue. Quelques-uns ne veulent pas que quand un acteur sort du théâtre pour n'être point vu de celui qui vient, cela fasse une liaison : mais je ne puis être de leur avis sur ce point, et tiens que c'en est une suffisante quand l'acteur qui entre sur le théâtre voit celui qui en sort[13], ou que celui qui sort voit celui qui entre; soit qu'il le cherche, soit qu'il le fuie, soit qu'il le voie simplement sans avoir intérêt à le chercher ni à le fuir. Aussi j'appelle en général une liaison de vue ce qu'ils nomment une liaison de recherche. J'avoue que cette liaison est beaucoup plus imparfaite que celle de présence et de discours, qui se fait lorsqu'un acteur ne sort point du théâtre qu'il ne y laisser un autre à qui il aye parlé, et dans mes derniers ouvrages je me suis arrêté à celle-ci sans me servir de l'autre; mais enfin je crois qu'on s'en peut contenter et je la préférerais de beaucoup à celle qu'on appelle liaison de bruit, qui ne me semble pas supportable, s'il n'y a de très justes et de très importantes occasions qui obligent un acteur à sortir du théâtre quand il en entend; car d'y venir simplement par curiosité, pour savoir ce que veut dire ce bruit, c'est une si faible liaison que je ne conseillerais jamais personne de s'en servir.

La durée de l'action ne passerait point en cette comédie celle de la représentation, si l'heure du dîner n'y séparait point les deux premiers actes. Le reste n'emporte que ce temps-là et je n'aurais pu lui en donner davantage que mes acteurs n'eussent le loisir de s'éclaircir; ce qui les brouille n'étant qu'un malentendu qui ne peut subsister qu'autant que Géraste, Florame et Daphnis ne se trouvent point tous trois ensemble. Je n'ose dire que je m'y suis asservi les actes si égaux, qu'aucun n'a pas un vers plus que l'autre : c'est une affectation qui ne fait aucune beauté. Il faut à la vérité les rendre les plus égaux qu'il se peut, mais il n'est pas besoin de cette exactitude : il suffit qu'il n'y aye point d'inégalité notable qui fatigue l'attention de l'auditeur en quelques-uns et ne la remplisse pas dans les autres.

---

10. Molière utilisera plusieurs fois le même procédé.

11. « C'est une sorte d'esclave impuissant qu'un vieux mari; et son tempérament refroidi lui fait ressentir plus vivement l'ardeur qui le brûle pour sa femme » (Quintilien, 2e *déclamation*, chap. 14).

12. Dans la préface de *la Galerie du Palais*.

13. Telle est la légitime interprétation, qui sera encore constante chez Racine.

ACTEURS

GÉRASTE [14], *père de Daphnis.*
POLÉMON, *oncle de Clarimond.*
CLARIMOND, *amoureux de Daphnis.*
FLORAME, *amant de Daphnis.*
THÉANTE, *aussi amoureux de Daphnis.*
DAMON, *ami de Florame et de Théante.*
DAPHNIS [15], *maîtresse de Florame, aimée de Clarimond et de Théante.*
AMARANTE, *suivante de Daphnis.*
CÉLIE, *voisine de Géraste et sa confidente.*
CLÉON, *domestique de Damon.*

La scène est à Paris.

ACTE PREMIER

Scène I : Damon, Théante.

DAMON
Ami, j'ai beau rêver, toute ma rêverie
Ne me fait rien comprendre en ta galanterie.
Auprès de ta maîtresse engager un ami,
C'est à mon jugement ne l'aimer qu'à demi.
Ton humeur qui s'en lasse au changement l'invite
Et n'osant la quitter, tu veux qu'elle te quitte.
THÉANTE
Ami, n'y rêve plus ; c'est en juger trop bien
Pour t'oser plaindre encor de n'y comprendre rien.
Quelques puissants appas que possède Amarante,
Je trouve qu'après tout ce n'est qu'une suivante
Et je ne puis songer à sa condition
Que mon amour ne cède à mon ambition.
Ainsi, malgré l'ardeur qui pour elle me presse,
A la fin j'ai levé les yeux sur sa maîtresse,
Où mon dessein, plus haut et plus laborieux,
Se promet des succès beaucoup plus glorieux.
Mais lors, soit qu'Amarante eût pour moi quelque
[flamme,
Soit qu'elle pénétrât jusqu'au fond de mon âme,
Et que malicieuse elle prît du plaisir
A rompre les effets de mon nouveau désir,
Elle savait toujours m'arrêter auprès d'elle
A tenir des propos d'une suite éternelle.
L'ardeur qui me brûlait de parler à Daphnis
Me fournissait en vain des détours infinis ;
Elle usait de ses droits, et toute impérieuse,
D'une voix demi-gaie et demi-sérieuse :
« Quand j'ai des serviteurs, c'est pour m'entretenir,
Disait-elle ; autrement, je les sais bien punir ;

14. Géraste, nom conventionnel des vieillards de comédies, qui alterne chez Corneille avec Géron (*la Veuve*), Géronte (*Mélite, Clitandre, l'Illusion, le Menteur*). Ce sera encore celui des vieillards de Molière.

15. Daphnis est déjà un personnage évoqué dans *la Veuve* et *la Galerie du Palais*. Elle pourrait fort bien, comme beaucoup d'autres pseudonymes conventionnels de la pastorale, évoquer des personnages réels : avant les cercles précieux, on prenait dans les milieux mondains des pseudonymes de ce genre.

Leurs devoirs près de moi n'ont rien qui les excuse. »
DAMON
Maintenant je devine à peu près une ruse   30
Que tout autre en ta place à peine entreprendroit.
THÉANTE
Écoute, et tu verras si je suis maladroit.
Tu sais comme Florame à tous les beaux visages
Fait par civilité toujours de feints hommages
Et sans avoir d'amour offrant partout des vœux,   35
Traite de peu d'esprit les véritables feux.
Un jour qu'il se vantait de cette humeur étrange,
A qui chaque objet plaît et que pas un ne range
Et reprochait à tous que leur peu de beauté
Lui laissait si longtemps garder sa liberté :   40
« Florame, dis-je alors, ton âme indifférente
Ne tiendrait que fort peu contre mon Amarante. »
« Théante, me dit-il, il faudrait l'éprouver ;
Mais l'éprouvant peut-être on te ferait rêver :
Mon feu, qui ne serait que pure courtoisie,   45
La remplirait d'amour, et toi de jalousie. »
Je réplique, il repart, et nous tombons d'accord
Qu'au hasard du succès il y ferait effort.
Ainsi je l'introduis et par ce tour d'adresse,
Qui me fait pour un temps lui céder ma maîtresse,   50
Engageant Amarante et Florame au discours,
J'entretiens à loisir mes nouvelles amours.
DAMON
Fut-elle sur ce point ou fâcheuse ou facile ?
THÉANTE
Plus je ne l'espérais je l'y trouvai docile.
Soit que je lui donnasse une fort douce loi,   55
Et qu'il fût à ses yeux plus aimable que moi,
Soit qu'elle fît dessein sur ce fameux rebelle
Qu'une simple gageure attachait auprès d'elle.
Elle perdit pour moi son importunité
Et n'en demanda plus tant d'assiduité.   60
La douceur d'être seule à gouverner Florame
Ne souffrit plus chez elle aucun soin de ma flamme
Et ce qu'elle goûtait avec lui de plaisirs
Lui fit abandonner mon âme à mes désirs.
DAMON
On t'abuse, Théante ; il faut que je te die   65
Que Florame est atteint de même maladie,
Qu'il roule en son esprit mêmes desseins que toi
Et que c'est à Daphnis qu'il veut donner sa foi.
A servir Amarante il met beaucoup d'étude,
Mais ce n'est qu'un prétexte à faire une habitude :   70
Il accoutume ainsi ta Daphnis à le voir
Et ménage un accès qu'il ne pouvait avoir.
Sa richesse l'attire et sa beauté le blesse ;
Elle le passe en biens, il l'égale en noblesse
Et cherche ambitieux par sa possession   75
A relever l'éclat de son extraction.
Il a peu de fortune et beaucoup de courage,
Et hors cette espérance, il hait le mariage.
C'est ce que l'autre jour en secret il m'apprit ;
Tu peux, sur cet avis, lire dans son esprit.   80
THÉANTE
Parmi ses hauts projets il manque de prudence,
Puisqu'il traite avec toi de telle confidence.

DAMON

Crois qu'il m'éprouvera fidèle au dernier point,
Lorsque ton intérêt ne s'y mêlera point.

THÉANTE

85 Je dois l'attendre ici. Quitte-moi, je te prie,
De peur qu'il n'ait soupçon de ta supercherie.

DAMON

Adieu. Je suis à toi.

Scène II : Théante.

Par quel malheur fatal
Ai-je donné moi-même entrée à mon rival ?
De quelque trait rusé que mon esprit se vante,
90 Je me trompe moi-même en trompant Amarante
Et choisis un ami qui ne veut que m'ôter
Ce que par lui je tâche à me faciliter.
Qu'importe toutefois qu'il brûle et qu'il soupire ?
Je sais trop comme il faut l'empêcher d'en rien dire.
95 Amarante l'arrête, et j'arrête Daphnis :
Ainsi tous entretiens d'entre eux deux sont bannis
Et tant d'heur se rencontre en ma sage conduite
Qu'au langage des yeux son amour est réduite.
Mais n'est-ce pas assez pour se communiquer ?
100 Que faut-il aux amants de plus pour s'expliquer ?
Même ceux de Daphnis à tous coups lui répondent :
L'un dans l'autre à tous coups leurs regards se confon-
Et d'un commun aveu ces muets truchements [dent
Ne se disent que trop leurs amoureux tourments.
105 Quelles vaines frayeurs troublent ma fantaisie !
Que l'amour aisément penche à la jalousie !
Qu'on croit tôt ce qu'on craint en ces perplexités
Où les moindres soupçons passent pour vérités !
Daphnis est toute aimable et si Florame l'aime,
110 Dois-je m'imaginer qu'il soit aimé de même ?
Florame avec raison adore tant d'appas
Et Daphnis sans raison s'abaisserait trop bas.
Ce feu, si juste en l'un, en l'autre inexcusable,
Rendrait l'un glorieux et l'autre méprisable.
115 Simple ! l'amour peut-il écouter la raison ?
Et même ces raisons sont-elles de saison ?
Si Daphnis doit rougir en brûlant pour Florame,
Qui l'en affranchirait en secondant ma flamme ?
Étant tous deux égaux, il faut bien que nos feux
120 Lui fassent même honte ou même honneur tous deux :
Ou tous deux nous formons un dessein téméraire,
Ou nous avons tous deux même droit de lui plaire.
Si l'espoir m'est permis, il peut y aspirer
Et s'il prétend trop haut, je dois désespérer.
125 Mais le voici venir.

Scène III : Théante, Florame.

THÉANTE

Tu me fais bien attendre.

FLORAME

Encore est-ce à regret qu'ici je viens me rendre
Et comme un criminel qu'on traîne à sa prison.

THÉANTE

Tu ne fais qu'en raillant cette comparaison.

FLORAME

Elle n'est que trop vraie.

THÉANTE

Et ton indifférence ?

FLORAME

La conserver encor ! le moyen ? l'apparence ?
Je m'étais plu toujours d'aimer en mille lieux :
Voyant une beauté, mon cœur suivait mes yeux ;
Mais de quelques attraits que le ciel l'eût pourvue,
J'en perdais la mémoire aussitôt que la vue [16] ;
Et bien que mes discours lui donnassent ma foi,
De retour au logis, je me trouvais à moi.
Cette façon d'aimer me semblait fort commode
Et maintenant encor je vivrais à ma mode ;
Mais l'objet d'Amarante est trop embarrassant :
Ce n'est point un visage à ne voir qu'en passant,
Un je ne sais quel charme auprès d'elle m'attache,
Je ne la puis quitter que le jour ne se cache ;
Même alors, malgré moi, son image me suit [17] ;
Et me vient, au lieu d'elle, entretenir la nuit.
Le sommeil n'oserait me peindre une autre idée,
J'en ai l'esprit rempli, j'en ai l'âme obsédée.
Théante, ou permets-moi de n'en plus approcher,
Ou songe que mon cœur n'est pas fait d'un rocher ;
Tant de charmes enfin me rendraient infidèle.

THÉANTE

Deviens-le si tu veux, je suis assuré d'elle ;
Et quand il te faudra tout de bon l'adorer,
Je prendrai du plaisir à te voir soupirer,
Tandis que pour tout fruit tu porteras la peine
D'avoir tant persisté dans une humeur si vaine.
Quand tu ne pourras plus te priver de la voir,
C'est alors que je veux t'en ôter le pouvoir
Et j'attends de pied ferme à reprendre ma place
Qu'il ne soit plus en toi de retrouver ta glace.
Tu te défends encore et n'en tiens qu'à demi.

FLORAME

Cruel, est-ce là donc me traiter en ami ?
Garde, pour châtiment de cet injuste outrage,
Qu'Amarante pour toi ne change de courage
Et se rendant sensible à l'ardeur de mes vœux...

THÉANTE

A cela près, poursuis ; gagne-la, si tu peux :
Je ne m'en prendrai lors qu'à ma seule imprudence
Et demeurant ensemble en bonne intelligence,
En dépit du malheur que j'aurai mérité,
J'aimerai le rival qui m'aura supplanté.

FLORAME

Ami, qu'il vaut bien mieux ne tomber point en peine
De faire à tes dépens cette épreuve incertaine !
Je me confesse pris, je quitte, j'ai perdu :
Que veux-tu plus de moi ? Reprends ce qui t'est dû.
Séparer plus longtemps une amour si parfaite !
Continuer encor la faute que j'ai faite !
Elle n'est que trop grande et pour la réparer
J'empêcherai Daphnis de vous plus séparer.

---

16. Florame est une nouvelle version de l'amoureux volage de *l'Astrée*, Hylas.
17. C'est presque textuellement l'évocation de Junie par Néron, dans *Britannicus*.

Pour peu qu'à mes discours je la trouve accessible,
Vous jouirez vous deux d'un entretien paisible;
Je saurai l'amuser et vos feux redoublés
80 Par son fâcheux abord ne seront plus troublés.

THÉANTE

Ce serait prendre un soin qui n'est pas nécessaire :
Daphnis sait d'elle-même assez bien se distraire
Et jamais son abord ne trouble nos plaisirs,
Tant elle est complaisante à nos chastes désirs.

Scène IV : Florame, Théante, Amarante.

THÉANTE

85 Déploie, il en est temps, tes meilleurs artifices
(Sans mettre toutefois en oubli mes services) :
Je t'amène un captif qui te veut échapper.

AMARANTE

J'en ai vu d'échappés que j'ai su rattraper.

THÉANTE

Vois qu'en sa liberté ta gloire se hasarde.

AMARANTE

90 Allez, laissez-le moi, j'en ferai bonne garde.
Daphnis est au jardin.

FLORAME

                        Sans plus vous désunir
Souffre qu'au lieu de toi je l'aille entretenir.

Scène V : Amarante, Florame.

AMARANTE

Laissez, mon cavalier, laissez aller Théante :
Il porte assez au cœur le portrait d'Amarante,
95 Je n'appréhende point qu'on l'en puisse effacer :
C'est au vôtre à présent que je le veux tracer
Et la difficulté d'une telle victoire
M'en augmente l'ardeur comme elle en croît la gloire.

FLORAME

Aurez-vous quelque gloire à me faire souffrir?

AMARANTE

100 Plus que de tous les vœux qu'on me pourrait offrir.

FLORAME

Vous plaisez-vous à ceux d'une âme si contrainte
Qu'une vieille amitié retient toujours en crainte?

AMARANTE

Vous n'êtes pas encore au point où je vous veux
Et toute amitié meurt où naissent de vrais feux.

FLORAME

105 De vrai, contre ses droits mon esprit se rebelle;
Mais feriez-vous état d'un amant infidèle?

AMARANTE

Je ne prendrai jamais pour un manque de foi
D'oublier un ami pour se donner à moi.

FLORAME

Encor si je pouvais former quelque espérance
110 De vous voir favorable à ma persévérance,
Que vous puissiez m'aimer après tant de tourment
Et d'un mauvais ami faire un heureux amant!
Mais hélas! je vous sers, je vis sous votre empire,
Et je ne puis prétendre où mon désir aspire.
115 Théante! (ah! nom fatal pour me combler d'ennui!)

Vous demandez mon cœur, et le vôtre est à lui!
Souffrez qu'en autre lieu j'adresse mes services,
Que du manque d'espoir j'évite les supplices :
Qui ne peut rien prétendre a droit d'abandonner.

AMARANTE

S'il ne tient qu'à l'espoir, je vous en veux donner.   220
Apprenez que chez moi c'est un faible avantage
De m'avoir de ses vœux le premier fait hommage :
Le mérite y fait tout et tel plaît à mes yeux
Que je négligerais près de qui vaudrait mieux.
Lui seul de mes amants règle la différence,   225
Sans que le temps leur donne aucune préférence.

FLORAME

Vous ne flattez mes sens que pour m'embarrasser.

AMARANTE

Peut-être, mais enfin il faut le confesser,
Vous vous trouveriez mieux auprès de ma maîtresse.

FLORAME

Ne pensez pas...

AMARANTE

                Non, non, c'est là ce qui vous presse. 230
Allons dans le jardin ensemble la chercher.
Que j'ai su dextrement à ses yeux la cacher!

Scène VI : Daphnis, Théante.

DAPHNIS

Voyez comme tous deux ont fui notre rencontre!
Je vous l'ai déjà dit, et l'effet vous le montre :
Vous perdez Amarante et cet ami fardé   235
Se saisit finement d'un bien si mal gardé;
Vous devez vous lasser de tant de patience
Et votre sûreté n'est qu'en la défiance.

THÉANTE

Je connais Amarante et ma facilité
Établit mon repos sur sa fidélité :   240
Elle rit de Florame et de ses flatteries,
Qui ne sont après tout que des galanteries.

DAPHNIS

Amarante, de vrai, n'aime pas à changer,
Mais votre peu de soin l'y pourrait engager.
On néglige aisément un homme qui néglige.   245
Son naturel est vain et qui la sert l'oblige :
D'ailleurs les nouveautés ont de puissants appas.
Théante, croyez-moi, ne vous y fiez pas.
J'ai su me faire jour jusqu'au fond de son âme,
Où j'ai peu remarqué de sa première flamme   250
Et s'il tournait la feinte en véritable amour,
Elle serait bien fille à vous jouer d'un tour;
Mais afin que l'issue en soit pour vous meilleure,
Laissez-moi ce causeur à gouverner une heure :
J'ai tant de passion pour tous vos intérêts,   255
Que j'en saurai bientôt pénétrer les secrets.

THÉANTE

C'est un trop bas emploi pour de si hauts mérites
Et quand elle aimerait à souffrir ses visites,
Quand elle aurait pour lui quelque inclination,
Vous m'en verriez toujours sans appréhension.   260
Qu'il se mette à loisir, s'il peut, dans son courage :
Un moment de ma vue en efface l'image.

Nous nous ressemblons mal et pour ce changement
Elle a de trop bons yeux et trop de jugement.

DAPHNIS

265 Vous le méprisez trop : je trouve en lui des charmes
Qui vous devraient du moins donner quelques alarmes,
Clarimond n'a de moi que haine et que rigueur,
Mais s'il lui ressemblait, il gagnerait mon cœur.

THÉANTE

Vous en parlez ainsi, faute de le connaître.

DAPHNIS

270 J'en parle et juge ainsi sur ce qu'on voit paraître.

THÉANTE

Quoi qu'il en soit, l'honneur de vous entretenir...

DAPHNIS

Brisons là ce discours : je l'aperçois venir.
Amarante, ce semble, en est fort satisfaite.

Scène VII : Daphnis, Florame,
Théante, Amarante.

THÉANTE

Je t'attendais, ami, pour faire la retraite :
275 L'heure du dîner presse et nous incommodons
Celles qu'en nos discours ici nous retardons.

DAPHNIS

Il n'est pas encor tard.

THÉANTE

Nous ferions conscience
D'abuser plus longtemps de votre patience.

FLORAME

Madame, excusez donc cette incivilité
280 Dont l'heure nous impose une nécessité.

DAPHNIS

Sa force vous excuse et je lis dans votre âme
Qu'à regret vous quittez l'objet de votre flamme.

Scène VIII : Daphnis, Amarante.

DAPHNIS

Cette assiduité de Florame avec vous
A la fin a rendu Théante un peu jaloux.
285 Aussi de vous y voir tous les jours attachée,
Quelle puissante amour n'en serait point touchée ?
Je viens d'examiner son esprit en passant ;
Mais vous ne croiriez pas l'ennui qu'il en ressent.
Vous y devez pourvoir et si vous êtes sage
290 Il faut à cet ami faire mauvais visage,
Lui fausser compagnie, éviter ses discours.
Ce sont pour l'apaiser les chemins les plus courts :
Sinon, faites état qu'il va courir au change.

AMARANTE

Il serait en ce cas d'une humeur bien étrange.
295 A sa prière seule et pour le contenter,
J'écoute cet ami quand il m'en vient conter
Et pour vous dire tout, cet amant infidèle
Ne n'aime pas assez pour en être en cervelle[18].
Il forme des desseins beaucoup plus relevés
300 Et de plus beaux portraits en son cœur sont gravés.

Mes yeux pour l'asservir ont de trop faibles armes,
Il voudrait pour m'aimer que j'eusse d'autres charmes,
Que l'éclat de mon sang, mieux soutenu de biens,
Ne fût point ravalé par le rang que je tiens,
Enfin (que servirait aussi bien de le taire ?)   3
Sa vanité le porte au souci de vous plaire.

DAPHNIS

En ce cas, il verra que je sais comme il faut
Punir des insolents qui prétendent trop haut.

AMARANTE

Je lui veux quelque bien, puisque, changeant de flamme,
Vous voyez par pitié qu'il me laisse Florame,   3
Qui n'étant pas si vain, a plus de fermeté.

DAPHNIS

Amarante, après tout disons la vérité :
Théante n'est si vain qu'en votre fantaisie
Et sa froideur pour vous naît de sa jalousie ;
Mais soit qu'il change ou non, il ne m'importe rien   3
Et ce que je vous dis n'est que pour votre bien[19].

Scène IX : Amarante.

Pour peu savant qu'on soit aux mouvements de l'âme,
On devine aisément qu'elle en veut à Florame.
Sa fermeté pour moi, que je vantais à faux,
Lui portait dans l'esprit de terribles assauts.   3
Sa surprise à ce mot a paru manifeste,
Son teint en a changé, sa parole, son geste.
L'entretien que j'en ai lui semblerait bien doux
Et je crois que Théante en est le moins jaloux.
Ce n'est pas d'aujourd'hui que je m'en suis doutée.   3
Être toujours des yeux sur un homme arrêtée,
Dans son manque de biens déplorer son malheur,
Juger à sa façon qu'il a de la valeur,
Demander si l'esprit en répond à la mine,
Tout cela de ses feux eût instruit la moins fine.   3
Florame en est de même, il meurt de lui parler
Et s'il peut d'avec moi jamais se démêler,
C'en est fait, je le perds. L'impertinente crainte !
Que m'importe de perdre une amitié si feinte ?
Et que me peut servir un ridicule feu,   3
Où jamais de son cœur sa bouche n'a l'aveu ?
Je m'en veux mal en vain ; l'amour a tant de force
Qu'il attache mes sens à cette fausse amorce
Et fera son possible à toujours conserver
Ce doux extérieur dont on me veut priver.   3

ACTE SECOND

Scène I : Géraste, Célie.

CÉLIE

Eh bien ! j'en parlerai ; mais songez qu'à votre âge
Mille accidents fâcheux suivent le mariage :
On aime rarement de si sages époux
Et leur moindre malheur, c'est d'être un peu jaloux.
Convaincus au dedans de leur propre faiblesse,   3

---

18. Éprouver de l'inquiétude ou de l'ennui.

19. Conversation aigre-douce qui s'achève comme la fameuse
entrevue entre Célimène et Arsinoé dans le Misanthrope.

Une ombre leur fait peur, une mouche les blesse
Et cet heureux hymen, qui les charmait si fort,
Devient souvent pour eux un fourrier [20] de la mort.

GÉRASTE

Excuse, ou pour le moins pardonne à ma folie;
Le sort en est jeté : va, ma chère Célie,
Va trouver la beauté qui me tient sous sa loi,
Flatte-la de ma part, promets-lui tout de moi,
Dis-lui que si l'amour d'un vieillard l'importune,
Elle fait une planche [21] à sa bonne fortune,
Que l'excès de mes biens, à force de présents,
Répare la vigueur qui manque à mes vieux ans,
Qu'il ne lui peut échoir de meilleure aventure.

CÉLIE

Ne m'importunez point de votre tablature [22] :
Sans vos instructions je sais bien mon métier
Et je n'en laisserai pas un trait à quartier.

GÉRASTE

Je ne suis point ingrat quand on me rend office.
Peins-lui bien mon amour, offre bien mon service,
Dis bien que mes beaux jours ne sont pas si passés
Qu'il ne me reste encor...

CÉLIE

              Que vous m'étourdissez!
N'est-ce point assez dit que votre âme est éprise,
Que vous allez mourir si vous n'avez Florise?
Reposez-vous sur moi.

GÉRASTE

              Que voilà froidement
Me promettre ton aide à finir mon tourment!

CÉLIE

S'il faut aller plus vite, allons, je vois son frère
Et vais tout devant vous lui proposer l'affaire.

GÉRASTE

Ce serait tout gâter; arrête et par douceur
Essaie auparavant d'y résoudre la sœur.

Scène II : Florame.

      Jamais ne verrai-je finie
      Cette incommode affection
      Dont l'impitoyable manie
      Tyrannise ma passion?
Je feins et je fais naître un feu si véritable
Qu'à force d'être aimé je deviens misérable.

      Toi qui m'assièges tout le jour,
      Fâcheuse cause de ma peine,
      Amarante, de qui l'amour
      Commence à mériter ma haine,
Cesse de te donner tant de soins superflus :
Je te voudrai du bien de ne m'en vouloir plus.

      Dans une ardeur si violente,
      Près de l'objet de mes désirs,

---

20. « Celui qui marque à la craie blanche les logis où chacun de ceux qui suivent la Cour... doivent loger » (Nicot).
21. Elle sert de tremplin, ou simplement de pont sur une rivière.
22. Notation conventionnelle d'une partition musicale. Ici simplement : explications minutieuses, et oiseuses.

      Penses-tu que je me contente
      D'un regard ou de deux soupirs?
Et que je souffre encor cet injuste partage
Où tu tiens mes discours et Daphnis mon courage?   390

      Si j'ai feint pour toi quelques feux,
      C'est à quoi plus rien ne m'oblige :
      Quand on a l'effet de ses vœux,
      Ce qu'on adorait se néglige.
Je ne voulais de toi qu'un accès chez Daphnis :   395
Amarante, je l'ai; mes amours sont finis.

      Théante, reprends ta maîtresse,
      N'ôte plus à mes entretiens
      L'unique sujet qui me blesse
      Et qui peut-être est las des tiens.   400
Et toi, puissant Amour, fais enfin que j'obtienne
Un peu de liberté pour lui donner la mienne!

Scène III : Amarante, Florame.

AMARANTE

Que vous voilà soudain de retour en ces lieux!

FLORAME

Vous jugerez par là du pouvoir de vos yeux.

AMARANTE

Autre objet que mes yeux devers nous vous attire.   405

FLORAME

Autre objet que vos yeux ne cause mon martyre.

AMARANTE

Votre martyre donc est de perdre avec moi
Un temps dont vous voulez faire un meilleur emploi.

Scène IV : Daphnis, Amarante, Florame.

DAPHNIS

Amarante, allez voir si dans la galerie
Ils ont bientôt tendu cette tapisserie :   410
Ces gens-là ne font rien, si l'on n'a l'œil sur eux!
   Amarante rentre, et Daphnis continue.
Je romps pour quelque temps le discours de vos feux.

FLORAME

N'appelez point des feux un peu de complaisance
Que détruit votre abord, qu'éteint votre présence.

DAPHNIS

Votre amour est trop forte et vos cœurs trop unis   415
Pour l'oublier soudain à l'abord de Daphnis
Et vos civilités étant dans l'impossible
Vous rendent bien flatteur, mais non pas insensible.

FLORAME

Quoi que vous estimiez de ma civilité,
Je ne me pique point d'insensibilité.   420
J'aime, il n'est que trop vrai, je brûle, je soupire,
Mais un plus haut sujet me tient sous son empire.

DAPHNIS

Le nom ne s'en dit point?

FLORAME

              Je ris de ces amants
Dont le trop de respect redouble les tourments
Et qui, pour les cacher se faisant violence,   425
Se promettent beaucoup d'un timide silence.

Pour moi, j'ai toujours cru qu'un amour vertueux
N'avait point à rougir d'être présomptueux.
Je veux bien vous nommer le bel œil qui me dompte
430 Et ma témérité ne me fait point de honte.
Ce rare et haut sujet...

AMARANTE, *revenant brusquement.*
              Tout est presque tendu.

DAPHNIS
Vous n'avez auprès d'eux guère de temps perdu.

AMARANTE
J'ai vu qu'ils l'employaient et je suis revenue.

DAPHNIS
J'ai peur de m'enrhumer au froid qui continue,
435 Allez au cabinet me querir un mouchoir :
J'en ai laissé les clefs autour de mon miroir,
Vous les trouverez là.

Amarante rentre, et Daphnis continue.
            J'ai cru que cette belle
Ne pouvait à propos se nommer devant elle,
Qui recevant par là quelque espèce d'affront,
440 En aurait eu soudain la rougeur sur le front.

FLORAME
Sans affront je la quitte et lui préfère une autre
Dont le mérite égal, le rang pareil au vôtre,
L'esprit et les attraits également puissants,
Ne devraient de ma part avoir que de l'encens.
445 Oui, sa perfection, comme la vôtre extrême,
N'a que vous de pareille : en un mot, c'est...

DAPHNIS
                      Moi-même :
Je vois bien que c'est là que vous voulez venir,
Non tant pour m'obliger, comme pour me punir.
Ma curiosité, devenue indiscrète,
450 A voulu trop savoir d'une flamme secrète,
Mais bien qu'elle en reçoive un juste châtiment,
Vous pouviez me traiter un peu plus doucement.
Sans me faire rougir, il vous devait suffire
De me taire l'objet dont vous aimez l'empire :
455 Mettre en sa place un nom qui ne vous touche pas,
C'est un cruel reproche au peu que j'ai d'appas.

FLORAME
Vu le peu que je suis, vous dédaignez de croire
Une si malheureuse et si basse victoire.
Mon cœur est un captif si peu digne de foi
460 Que vos yeux en voudraient désavouer leurs coups,
Ou peut-être mon sort me rend si méprisable
Que ma témérité vous devient incroyable.
Mais quoi que désormais il m'en puisse arriver,
Je fais serment...

AMARANTE
          Vos clefs ne sauraient se trouver.

DAPHNIS
465 Faute d'un plus exquis, et comme par bravade,
Ceci servira donc de mouchoir de parade.
Enfin, ce cavalier que nous vîmes au bal,
Vous trouvez comme moi qu'il ne danse pas mal ?

FLORAME
Je ne le vis jamais mieux sur sa bonne mine.

DAPHNIS
470 Il s'était si bien mis pour l'amour de Clarine.

A Amarante.
A propos de Clarine, il m'était échappé
Qu'elle en a deux à moi d'un nouveau point-coupé :
Allez, et dites-lui qu'elle me les renvoie.

AMARANTE
Il est hors d'apparence aujourd'hui qu'on la voie :
Dès une heure au plus tard elle devait sortir.

DAPHNIS
Son cocher n'est jamais si tôt prêt à partir
Et d'ailleurs son logis n'est pas au bout du monde;
Vous perdrez peu de pas. Quoi qu'elle vous réponde,
Dites-lui nettement que je les veux avoir.

AMARANTE
A vous les rapporter je ferai mon pouvoir.

Scène V : Florame, Daphnis.

FLORAME
C'est à vous maintenant d'ordonner mon supplice,
Sûre que sa rigueur n'aura point d'injustice.

DAPHNIS
Vous voyez qu'Amarante a pour vous de l'amour
Et ne manquera pas d'être tôt de retour.
Bien que je puisse encore user de ma puissance,
Il vaut mieux ménager le temps de son absence.
Donc, pour n'en perdre point en discours superflus,
Je crois que vous m'aimez, n'attendez rien de plus :
Florame, je suis fille, et je dépends d'un père.

FLORAME
Mais de votre côté que faut-il que j'espère ?

DAPHNIS
Si ma jalouse encor vous rencontrait ici,
Ce qu'elle a de soupçons serait trop éclairci :
Laissez-moi seule, allez.

FLORAME
          Se peut-il que Florame
Souffre d'être si tôt séparé de son âme?
Oui, l'honneur d'obéir à vos commandements
Lui doit être plus cher que ses contentements.

Scène VI : Daphnis.

Mon amour, par ses yeux plus forte devenue,
L'eût bientôt emporté dessus ma retenue
Et je sentais mon feu tellement s'augmenter
Qu'il n'était plus en moi de le pouvoir dompter.
J'avais peur d'en trop dire et cruelle à moi-même,
Parce que j'aime trop, j'ai banni ce que j'aime.
Je me trouve captive en de si beaux liens
Que je meurs qu'il le sache, et j'en fuis les moyens.
Quelle importune loi que cette modestie,
Par qui notre apparence en glace convertie
Étouffe dans la bouche et nourrit dans le cœur
Un feu dont la contrainte augmente la vigueur!
Que ce penser m'est doux! que je t'aime, Florame!
Et que je songe peu, dans l'excès de ma flamme,
A ce qu'en nos destins contre nous irrités
Le mérite et les biens font d'inégalités!

Aussi par celle-là de bien loin tu me passes
Et l'autre seulement est pour les âmes basses;
515 Et ce penser flatteur me fait croire aisément
Que mon père sera de même sentiment.
Hélas! c'est en effet bien flatter mon courage,
D'accommoder son sens aux désirs de mon âge;
Il voit par d'autres yeux et veut d'autres appas.

Scène VII : Daphnis, Amarante.

AMARANTE

520 Je vous l'avais bien dit qu'elle n'y serait pas.

DAPHNIS

Que vous avez tardé pour ne trouver personne!

AMARANTE

Ce reproche vraiment ne peut qu'il ne m'étonne :
Pour revenir plus vite, il eût fallu voler.

DAPHNIS

Florame cependant, qui vient de s'en aller,
525 A la fin, malgré moi, s'est ennuyé d'attendre.

AMARANTE

C'est chose toutefois que je ne puis comprendre.
Des hommes de mérite et d'esprit comme lui
N'ont jamais avec vous aucun sujet d'ennui :
Votre âme généreuse a trop de courtoisie.

DAPHNIS

530 Et la vôtre amoureuse un peu de jalousie.

AMARANTE

De vrai, je goûtais mal de faire tant de tours
Et perdais à regret ma part de ses discours.

DAPHNIS

Aussi je me trouvais si promptement servie
Que je me doutais bien qu'on me portait envie.
535 En un mot, l'aimez-vous?

AMARANTE

Je l'aime aucunement,
Non pas jusqu'à troubler votre contentement,
Mais si son entretien n'a pas de quoi vous plaire,
Vous m'obligerez fort de ne m'en plus distraire.

DAPHNIS

Mais au cas qu'il me plût?

AMARANTE

Il faudrait vous céder.
540 C'est ainsi qu'avec vous je ne puis rien garder.
Au moindre feu pour moi qu'un amant fait paraître,
Par curiosité vous le voulez connaître
Et quand il a goûté d'un si doux entretien,
Je puis dire dès lors que je ne tiens plus rien.
545 C'est ainsi que Théante a négligé ma flamme;
Encor tout de nouveau vous m'enlevez Florame :
Si vous continuez à rompre ainsi mes coups,
Je ne sais tantôt plus comment vivre avec vous.

DAPHNIS

Sans colère, Amarante, il semble, à vous entendre,
550 Qu'en même lieu que vous je voulusse prétendre.
Allez, assurez-vous que mes contentements
Ne vous déroberont aucun de vos amants
Et pour vous en donner la preuve plus expresse,
Voilà votre Théante, avec qui je vous laisse.

Scène VIII : Théante, Amarante.

THÉANTE

Tu me vois sans Florame : un amoureux ennui   555
Assez adroitement m'a dérobé de lui.
Las de céder ma place à son discours frivole
Et n'osant toutefois lui manquer de parole,
Je pratique un quart d'heure à mes affections.

AMARANTE

Ma maîtresse lisait dans tes intentions :   560
Tu vois à ton abord comme elle a fait retraite,
De peur d'incommoder une amour si parfaite.

THÉANTE

Je ne la saurais croire obligeante à ce point.
Ce qui la fait partir ne se dira-t-il point?

AMARANTE

Veux-tu que je t'en parle avec toute franchise?   565
C'est la mauvaise humeur où Florame l'a mise.

THÉANTE

Florame?

AMARANTE

Oui : ce causeur voulait l'entretenir;
Mais il aura perdu le goût d'y revenir :
Elle n'a que trop peu souffert sa compagnie,
Et l'en a chassé presque avec ignominie.   570
De dépit cependant ses mouvements aigris
Ne veulent aujourd'hui traiter que de mépris;
Et l'unique raison qui fait qu'elle me quitte,
C'est l'estime où te met près d'elle ton mérite :
Elle ne voudrait pas te voir mal satisfait   575
Ni rompre sur-le-champ le dessein qu'elle a fait.

THÉANTE

J'ai regret que Florame ait reçu cette honte;
Mais enfin auprès d'elle il trouve mal son conte?

AMARANTE

Aussi c'est un discours ennuyeux que le sien :
Il parle incessamment sans dire jamais rien   580
Et n'était que pour toi je me fais ces contraintes,
Je l'enverrais bientôt porter ailleurs ses feintes.

THÉANTE

Et je m'assure aussi tellement en ta foi
Que bien que tout le jour il te cajole avec toi,
Mon esprit te conserve une amitié si pure   585
Que sans être jaloux je le vois et l'endure.

AMARANTE

Comment le serais-tu pour un si triste objet?
Ses imperfections t'en ôtent tout sujet.
C'est à toi d'admirer qu'encor qu'un beau visage
Dedans ses entretiens à toute heure t'engage,   590
J'ai pour toi tant d'amour et si peu de soupçon
Que je n'en suis jalouse en aucune façon.
C'est aimer puissamment que d'aimer de la sorte;
Mais mon affection est bien encor plus forte.
Tu sais (et je le dis sans te mésestimer)   595
Que quand notre Daphnis aurait su te charmer,
Ce qu'elle est plus que toi mettrait hors d'espérance
Les fruits qui seraient dus à ta persévérance.
Plût à Dieu que le ciel te donnât assez d'heur
Pour faire naître en elle autant que j'ai d'ardeur!   600
Voyant ainsi la porte à ta fortune ouverte,

Je pourrais librement consentir à ma perte.

THÉANTE

Je te souhaite un change autant avantageux.
Plût à Dieu que le sort te fût moins outrageux
605 Ou que jusqu'à ce point il t'eût favorisée,
Que Florame fût prince et qu'il t'eût épousée!
Je prise auprès des tiens si peu mes intérêts
Que bien que j'en sentisse au cœur mille regrets
Et que de déplaisir il m'en coûtât la vie,
610 Je me la tiendrais lors heureusement ravie.

AMARANTE

Je ne voudrais point d'heur qui vînt avec ta mort
Et Damon que voilà n'en serait pas d'accord.

THÉANTE

Il a mine d'avoir quelque chose à me dire.

AMARANTE

Ma présence y nuirait : adieu, je me retire.

THÉANTE

615 Arrête, nous pourrons nous voir tout à loisir;
Rien ne le presse.

Scène IX : Théante, Damon.

THÉANTE

Ami, que tu m'as fait plaisir!
J'étais fort à la gêne avec cette suivante.

DAMON

Celle qui te charmait te devient bien pesante.

THÉANTE

Je l'aime encor pourtant, mais mon ambition
620 Ne laisse point agir mon inclination.
Ma flamme sur mon cœur en vain est la plus forte,
Tous mes désirs ne vont qu'où mon dessein les porte.
Au reste j'ai sondé l'esprit de mon rival.

DAMON

Et connu...

THÉANTE

Qu'il n'est pas pour me faire grand mal.
625 Amarante m'en vient d'apprendre une nouvelle
Qui ne me permet plus que j'en sois en cervelle.
Il a vu...

DAMON

Qui?

THÉANTE

Daphnis, et n'en a remporté
Que ce qu'elle devait à sa témérité.

DAMON

Comme quoi?

THÉANTE

Des mépris, des rigueurs sans pareilles.

DAMON

630 As-tu beaucoup de foi pour de telles merveilles?

THÉANTE

Celle dont je les tiens en parle assurément.

DAMON

Pour un homme si fin, on te dupe aisément,
Amarante elle-même en est mal satisfaite
Et ne t'a rien conté que ce qu'elle souhaite :
635 Pour seconder Florame en ses intentions,

On l'avait écartée à des commissions.
Je viens de le trouver, tout ravi dans son âme
D'avoir eu les moyens de déclarer sa flamme
Et qui présume tant de ses prospérités
640 Qu'il croit ses vœux reçus, puisqu'ils sont écoutés,
Et certes son espoir n'est pas hors d'apparence.
Après ce bon accueil et cette conférence
Dont Daphnis elle-même a fait l'occasion,
J'en crains fort un succès à ta confusion.
645 Tâchons d'y donner ordre et sans plus de langage
Avise en quoi tu veux employer mon courage.

THÉANTE

Lui disputer un bien où j'ai si peu de part,
Ce serait m'exposer pour quelque autre au hasard.
Le duel est fâcheux, et quoi qu'il en arrive,
650 De sa possession l'un et l'autre nous prive,
Puisque de deux rivaux, l'un mort, l'autre s'enfuit,
Tandis que de sa peine un troisième a le fruit.
A croire son courage, en amour on s'abuse :
La valeur ordinaire y sert moins que la ruse.

DAMON

655 Avant que passer outre, un peu d'attention.

THÉANTE

Te viens-tu d'aviser de quelque invention?

DAMON

Oui, ta seule maxime en fonde l'entreprise.
Clarimond voit Daphnis, il l'aime, il la courtise,
Et quoiqu'il n'en reçoive encor que des mépris,
660 Un moment de bonheur lui peut gagner ce prix.

THÉANTE

Ce rival est bien moins à redouter qu'à plaindre.

DAMON

Je veux que de sa part tu ne doives rien craindre,
N'est-ce pas le plus sûr qu'un duel hasardeux
Entre Florame et lui les en prive tous deux?

THÉANTE

665 Crois-tu qu'avec Florame aisément on l'engage?

DAMON

Je l'y résoudrai trop avec un peu d'ombrage.
Un amant dédaigné ne voit pas de bon œil
Ceux qui du même objet ont un plus doux accueil :
Des faveurs qu'on leur fait il forme ses offenses
670 Et pour peu qu'on le pousse, il court aux violences.
Nous les verrions par là, l'un et l'autre écartés,
Laisser la place libre à tes félicités.

THÉANTE

Oui, mais s'il t'obligeait d'en porter la parole?

DAMON

Tu te mets en l'esprit une crainte frivole,
675 Mon péril de ces lieux ne te bannira pas
Et moi, pour te servir je courrais au trépas.

THÉANTE

En même occasion dispose de ma vie,
Et sois sûr que pour toi j'aurai la même envie.

DAMON

Allons, ces compliments en retardent l'effet.

THÉANTE

680 Le ciel ne vit jamais un ami si parfait.

ACTE TROISIÈME

Scène I : *Florame, Célie.*

FLORAME

Enfin, quelque froideur qui paraisse en Florise,
Aux volontés d'un frère elle s'en est remise.

CÉLIE

Quoiqu'elle s'en rapporte à vous entièrement,
Vous lui feriez plaisir d'en user autrement.
Les amours d'un vieillard sont d'une faible amorce.

FLORAME

Que veux-tu? son esprit se fait un peu de force :
Elle se sacrifie à mes contentements
Et pour mes intérêts contraint ses sentiments.
Assure donc Géraste, en me donnant sa fille,
Qu'il gagne en un moment toute notre famille
Et que, tout vieil qu'il est, cette condition
Ne laisse aucune obstacle à son affection.
Mais aussi de Florise il ne doit rien prétendre,
A moins que se résoudre à m'accepter pour gendre.

CÉLIE

Plaisez-vous à Daphnis? c'est là le principal.

FLORAME

Elle a trop de bonté pour me vouloir du mal,
D'ailleurs sa résistance obscurcirait sa gloire,
Je la mériterais si je la pouvais croire.
La voilà qu'un rival m'empêche d'aborder;
Le rang qu'il tient sur moi m'oblige à lui céder
Et la pitié que j'ai d'un amant si fidèle
Lui veut donner loisir d'être dédaigné d'elle.

Scène II : *Clarimond, Daphnis.*

CLARIMOND

Ces dédains rigoureux dureront-ils toujours?

DAPHNIS

Non, ils ne dureront qu'autant que vos amours.

CLARIMOND

C'est prescrire à mes feux des lois bien inhumaines.

DAPHNIS

Faites finir vos feux, je finirai leurs peines.

CLARIMOND

Le moyen de forcer mon inclination?

DAPHNIS

Le moyen de souffrir votre obstination?

CLARIMOND

Qui ne s'obstinerait en vous voyant si belle?

DAPHNIS

Qui vous pourrait aimer, vous voyant si rebelle?

CLARIMOND

Est-ce rébellion que d'avoir trop de feu?

DAPHNIS

C'est avoir trop d'amour, et m'obéir trop peu.

CLARIMOND

La puissance sur moi que je vous ai donnée...

DAPHNIS

D'aucune exception ne doit être bornée.

CLARIMOND

Essayez autrement ce pouvoir souverain.

DAPHNIS

Cet essai me fait voir que je commande en vain.

CLARIMOND

C'est un injuste essai qui ferait ma ruine.

DAPHNIS

Ce n'est plus obéir depuis qu'on examine.

CLARIMOND

Mais l'amour vous défend un tel commandement.

DAPHNIS

Et moi, je me défends un plus doux traitement.   720

CLARIMOND

Avec ce beau visage avoir le cœur de roche!

DAPHNIS

Si le mien s'endurcit, ce n'est qu'à votre approche.

CLARIMOND

Que je sache du moins d'où naissent vos froideurs.

DAPHNIS

Peut-être du sujet qui produit vos ardeurs.

CLARIMOND

Si je brûle, Daphnis, c'est de nous voir ensemble.   725

DAPHNIS

Et c'est de nous y voir, Clarimond, que je tremble.

CLARIMOND

Votre contentement n'est qu'à me maltraiter.

DAPHNIS

Comme le vôtre n'est qu'à me persécuter.

CLARIMOND

Quoi! l'on vous persécute à force de services?

DAPHNIS

Non, mais de votre part ce me sont des supplices.   730

CLARIMOND

Hélas! et quand pourra venir ma guérison?

DAPHNIS

Lorsque le temps chez vous remettra la raison.

CLARIMOND

Ce n'est pas sans raison que mon âme est éprise.

DAPHNIS

Ce n'est pas sans raison aussi qu'on vous méprise.

CLARIMOND

Juste ciel! et que dois-je espérer désormais?   735

DAPHNIS

Que je ne suis pas fille à vous aimer jamais.

CLARIMOND

C'est donc perdre mon temps que de plus y prétendre?

DAPHNIS

Comme je perds ici le mien à vous entendre.

CLARIMOND

Me quittez-vous si tôt sans me vouloir guérir?

DAPHNIS

Clarimond sans Daphnis peut et vivre et mourir.   740

CLARIMOND

Je mourrai toutefois, si je ne vous possède.

DAPHNIS

Tenez-vous donc pour mort, s'il vous faut ce remède.

Scène III : *Clarimond.*

Tout dédaigné, je l'aime, et malgré sa rigueur,
Ses charmes plus puissants lui conservent mon cœur.
Par un contraire effet dont mes maux s'entretiennent, 745

Sa bouche le refuse et ses yeux le retiennent.
Je ne puis, tant elle a de mépris et d'appas,
Ni le faire accepter ni ne le donner pas;
Et comme si l'amour faisait naître sa haine,
750 Ou qu'elle mesurât ses plaisirs à ma peine,
On voit paraître ensemble et croître également,
Ma flamme et ses froideurs, sa joie et mon tourment.
Je tâche à m'affranchir de ce malheur extrême
Et je ne saurais plus disposer de moi-même.
755 Mon désespoir trop lâche obéit à mon sort
Et mes ressentiments n'ont qu'un débile effort.
Mais pour faibles qu'ils soient, aidons leur impuissance,
Donnons-leur le secours d'une éternelle absence.
Adieu, cruelle ingrate, adieu : je fuis ces lieux,
760 Pour dérober mon âme au pouvoir de tes yeux.

Scène IV : Clarimond, Amarante.

AMARANTE

Monsieur, monsieur, un mot. L'air de votre visage
Témoigne un déplaisir caché dans le courage.
Vous quittez ma maîtresse un peu mal satisfait.

CLARIMOND

Ce que voit Amarante en est le moindre effet :
765 Je porte, malheureux, après de tels outrages,
Des douleurs sur le front et dans le cœur des rages.

AMARANTE

Pour un peu de froideur, c'est trop désespérer.

CLARIMOND

Que ne dis-tu plutôt que c'est trop endurer ?
Je devrais être las d'un si cruel martyre,
770 Briser les fers honteux où me tient son empire,
Sans irriter mes maux avec un vain regret.

AMARANTE

Si je vous croyais homme à garder un secret,
Vous pourriez sur ce point apprendre quelque chose
Que je meurs de vous dire, et toutefois je n'ose;
775 L'erreur où je vous vois me fait compassion.
Mais pourriez-vous avoir de la discrétion ?

CLARIMOND

Prends-en ma foi de gage, avec... Laisse-moi faire.
  *Il veut tirer un diamant de son doigt pour le lui
  donner, et elle l'en empêche.*

AMARANTE

Vous voulez justement m'obliger à me taire,
Aux filles de ma sorte il suffit de la foi :
780 Réservez vos présents pour quelque autre que moi.

CLARIMOND

Souffre...

AMARANTE

         Gardez-les, dis-je, ou je vous abandonne.
Daphnis a des rigueurs dont l'excès vous étonne,
Mais vous aurez bien plus de quoi vous étonner,
Quand vous saurez comment il faut la gouverner.
785 A force de douceurs vous la rendez cruelle,
Et vos submissions vous perdent auprès d'elle :
Épargnez désormais tous ces pas superflus;
Parlez-en au bonhomme et ne la voyez plus.
Toutes ces cruautés ne sont qu'en apparence.
790 Du côté du vieillard tournez votre espérance;

Quand il aura pour elle accepté quelque amant,
Un prompt amour naîtra de son commandement.
Elle vous fait tandis cette galanterie,
Pour s'acquérir le bruit de fille bien nourrie
Et gagner d'autant plus de réputation   7
Qu'on la croira forcer son inclination.
Nommez cette maxime ou prudence ou sottise,
C'est la seule raison qui fait qu'on vous méprise.

CLARIMOND

Hélas ! Et le moyen de croire tes discours ?

AMARANTE

De grâce, n'usez point si mal de mon secours :   8
Croyez les bons avis d'une bouche fidèle
Et songeant seulement que je viens d'avec elle,
Derechef épargnez tous ces pas superflus;
Parlez-en au bonhomme, et ne la voyez plus.

CLARIMOND

Tu ne flattes mon cœur que d'un espoir frivole.   8

AMARANTE

Hasardez seulement deux mots sur ma parole
Et n'appréhendez point la honte d'un refus.

CLARIMOND

Mais si j'en recevais, je serais bien confus.
Un oncle pourra mieux concerter cette affaire.

AMARANTE

Ou par vous, ou par lui, ménagez bien le père.   8

Scène V : Amarante.

Qu'aisément un esprit qui se laisse flatter
S'imagine un bonheur qu'il pense mériter !
Clarimond est bien vain ensemble et bien crédule
De se persuader que Daphnis dissimule
Et que ce grand dédain déguise un grand amour,   8
Que le seul choix d'un père a droit de mettre au jour.
Il s'en pâme de joie et dessus ma parole
De tant d'affronts reçus son âme se console.
Il les chérit peut-être et les tient à faveurs :
Tant ce trompeur espoir redouble ses ferveurs !   8
S'il rencontrait le père et que mon entreprise...

Scène VI : Géraste, Amarante.

GÉRASTE

Amarante !

AMARANTE

     Monsieur !

GÉRASTE

              Vous faites la surprise,
Encor que de si loin vous m'ayez vu venir,
Que Clarimond n'est plus à vous entretenir !
Je donne ainsi la chasse à ceux qui vous en content !   8

AMARANTE

A moi ? mes vanités jusque-là ne se montent.

GÉRASTE

Il semblait toutefois parler d'affection.

AMARANTE

Oui, mais qu'estimez-vous de son intention ?

GÉRASTE

Je crois que ses desseins tendent au mariage.

AMARANTE

0 Il est vrai.

GÉRASTE

Quelque foi qu'il vous donne pour gage,
Il cherche à vous surprendre et sous ce faux appas
Il cache des projets que vous n'entendez pas.

AMARANTE

Votre âge soupçonneux a toujours des chimères
Qui le font mal juger des cœurs les plus sincères.

GÉRASTE

5 Où les conditions n'ont point d'égalité,
L'amour ne se fait guère avec sincérité.

AMARANTE

Posé que cela soit : Clarimond me caresse,
Mais si je vous disais que c'est pour ma maîtresse
Et que le seul besoin qu'il a de mon secours,
0 Sortant d'avec Daphnis, l'arrête en mes discours ?

GÉRASTE

S'il a besoin de toi pour avoir bonne issue,
C'est signe que sa flamme est assez mal reçue.

AMARANTE

Pas tant qu'elle paraît et que vous présumez.
D'un mutuel amour leurs cœurs sont enflammés;
5 Mais Daphnis se contraint, de peur de vous déplaire,
Et sa bouche est toujours à ses désirs contraire,
Hormis lorsque avec moi s'ouvrant confidemment,
Elle trouve à ses maux quelque soulagement.
Clarimond cependant, pour fondre tant de glaces,
0 Tâche par tous moyens d'avoir mes bonnes grâces,
Et moi je l'entretiens toujours d'un peu d'espoir.

GÉRASTE

A ce compte, Daphnis est fort dans le devoir :
Je n'en puis souhaiter un meilleur témoignage
Et ce respect m'oblige à l'aimer davantage.
5 Je lui serai bon père, et puisque ce parti
A sa condition se rencontre assorti,
Bien qu'elle pût encore un peu plus haut atteindre,
Je la veux enhardir à ne se plus contraindre.

AMARANTE

Vous n'en pourrez jamais tirer la vérité :
0 Honteuse de l'aimer sans votre autorité,
Elle s'en défendra de toute sa puissance;
N'en cherchez point d'aveu que dans l'obéissance.
Quand vous aurez fait choix de cet heureux amant,
Vos ordres produiront un prompt consentement.
5 Mais on ouvre la porte. Hélas! je suis perdue,
Si j'ai tant de malheur qu'elle m'ait entendue.

Elle rentre dans le jardin.

GÉRASTE

Lui procurant du bien, elle croit la fâcher
Et cette vaine peur la fait ainsi cacher.
Que ces jeunes cerveaux ont de traits de folie!
0 Mais il faut aller voir ce qu'aura fait Célie.
Toutefois disons-lui quelque mot en passant,
Qui la puisse guérir du mal qu'elle ressent.

Scène VII : Daphnis, Géraste.

GÉRASTE

Ma fille, c'est en vain que tu fais la discrète,

J'ai découvert enfin ta passion secrète :
Je ne t'en parle point sur des avis douteux.   875
N'en rougis point, Daphnis, ton choix n'est pas hon-
Moi-même je l'agrée, et veux bien que ton âme   [teux;
A cet amant si cher ne cache plus sa flamme.
Tu pouvais en effet prétendre un peu plus haut;
Mais on ne peut assez estimer ce qu'il vaut :   880
Ses belles qualités, son crédit et sa race
Auprès des gens d'honneur sont trop dignes de grâce.
Adieu, si tu le vois, tu peux lui témoigner
Que sans beaucoup de peine on me pourra gagner.

Scène VIII : Daphnis.

D'aise et d'étonnement je demeure immobile.   885
D'où lui vient cette humeur de m'être si facile?
D'où me vient ce bonheur où je n'osais penser?
Florame, il m'est permis de te récompenser
Et sans plus déguiser ce qu'un père autorise,
Je puis me revancher du don de ta franchise;   890
Ton mérite le rend, malgré ton peu de biens,
Indulgent à mes feux et favorable aux tiens :
Il trouve en tes vertus des richesses plus belles.
Mais est-il vrai, mes sens? m'êtes-vous si fidèles?
Mon heur me rend confuse et ma confusion   895
Me fait tout soupçonner de quelque illusion.
Je ne me trompe point, ton mérite et ta race
Auprès des gens d'honneur sont trop dignes de grâce.
Florame, il est tout vrai, dès lors que je te vis,
Un battement de cœur me fit de cet avis   900
Et mon père aujourd'hui souffre que dans son âme
Les mêmes sentiments...

Scène IX : Florame, Daphnis.

DAPHNIS

Quoi! vous voilà, Florame?
Je vous avais prié tantôt de me quitter.

FLORAME

Et je vous ai quittée aussi sans contester.

DAPHNIS

Mais revenir si tôt, c'est me faire une offense.   905

FLORAME

Quand j'aurais sur ce point reçu quelque défense,
Si vous saviez quels feux ont pressé mon retour,
Vous en pardonneriez le crime à mon amour.

DAPHNIS

Ne vous préparez point à dire des merveilles,
Pour me persuader des flammes sans pareilles.   910
Je crois que vous m'aimez, et c'est en croire plus
Que n'en exprimeraient vos discours superflus.

FLORAME

Mes feux, qu'ont redoublés ces propos adorables,
A force d'être crus deviennent incroyables
Et vous n'en croyez rien qui ne soit au-dessous :   915
Que ne m'est-il permis d'en croire autant de vous!

DAPHNIS

Votre croyance est libre.

FLORAME

Il me la faudrait vraie.

DAPHNIS

Mon cœur par mes regards vous fait trop voir sa plaie.
Un homme si savant au langage des yeux
920 Ne doit pas demander que je m'explique mieux.
Mais puisqu'il vous en faut un aveu de ma bouche,
Allez, assurez-vous que votre amour me touche.
    Depuis tantôt je parle un peu plus librement
Ou, si vous le voulez, un peu plus hardiment
925 Aussi j'ai vu mon père, et s'il vous faut tout dire,
Avec tous nos désirs sa volonté conspire.

FLORAME

Surpris, ravis, confus, je n'ai que repartir.
Être aimé de Daphnis! un père y consentir!
Dans mon affection ne trouver plus d'obstacles!
930 Mon espoir n'eût osé concevoir ces miracles.

DAPHNIS

Miracles toutefois qu'Amarante a produits :
De sa jalouse humeur nous tirons ces doux fruits.
Au récit de nos feux, malgré son artifice,
La bonté de mon père a trompé sa malice;
935 Du moins je le présume, et ne puis soupçonner
Que mon père sans elle ait pu rien deviner.

FLORAME

Les avis d'Amarante, en trahissant ma flamme,
N'ont point gagné Géraste en faveur de Florame.
Les ressorts d'un miracle ont un plus haut moteur
940 Et tout autre qu'un dieu n'en peut être l'auteur.

DAPHNIS

C'en est un que l'Amour.

FLORAME

              Et vous verrez peut-être
Que son pouvoir divin se fait ici paraître,
Dont quelques grands effets, avant qu'il soit longtemps,
Vous rendront étonnée, et nos désirs contents.

DAPHNIS

945 Florame, après vos feux et l'aveu de mon père,
L'amour n'a point d'effets capables de me plaire.

FLORAME

Aimez-en le premier, et recevez la foi
D'un bienheureux amant qu'il met sous votre loi.

DAPHNIS

Vous, prisez le dernier qui vous donne la mienne.

FLORAME

950 Quoique dorénavant Amarante survienne,
Je crois que nos discours iront d'un pas égal
Sans donner sur le rhume, ou gauchir sur le bal [23].

DAPHNIS

Si je puis tant soit peu dissimuler ma joie
Et que dessus mon front son excès ne se voie,
955 Je me jouerai bien d'elle et des empêchements
Que son adresse apporte à nos contentements.

FLORAME

J'en apprendrai de vous l'agréable nouvelle.
Un ordre nécessaire au logis me rappelle
Et doit fort avancer le succès de nos vœux.

DAPHNIS   [deux.

960 Nous n'avons plus qu'une âme et qu'un vouloir nous

---

23. Expressions proverbiales : orienter la conversation sur
la santé, ou se tourner vers les événements du jour, c'est-à-dire
tenir la conversation sur les lieux communs de politesse.

Bien que vous éloigner ce me soit un martyre,
Puisque vous le voulez, je n'y puis contredire.
Mais quand dois-je espérer de vous revoir ici?

FLORAME

Dans une heure au plus tard.

DAPHNIS

              Allez donc, la voici.

Scène X : Amarante, Daphnis.

DAPHNIS

Amarante, vraiment vous êtes fort jolie,
Vous n'égayez pas mal votre mélancolie,
Votre jaloux chagrin a de beaux agréments,
Et choisit assez bien ses divertissements :
Votre esprit pour vous-même a force complaisance
De me faire l'objet de votre médisance
Et pour donner couleur à vos détractions,
Vous lisez fort avant dans mes intentions.

AMARANTE

Moi! que de vous j'osasse aucunement médire!

DAPHNIS

Voyez-vous, Amarante, il n'est plus temps de rire.
Vous avez vu mon père, avec qui vos discours
M'ont fait à votre gré de frivoles amours.
Quoi! souffrir un moment l'entretien de Florame,
Vous le nommez bientôt une secrète flamme?
Cette jalouse humeur dont vous suivez la loi
Vous fait en mes secrets plus savante que moi.
Mais passe pour le croire; il fallait que mon père
De votre confidence apprît cette chimère?

AMARANTE

S'il croit que vous l'aimez, c'est sur quelque soupçon
Où je ne contribue en aucune façon.
Je sais trop que le ciel, avec de telles grâces,
Vous donne trop de cœur pour des flammes si basses,
Et quand je vous croirais dans cet indigne choix,
Je sais ce que je suis et ce que je vous dois.

DAPHNIS

Ne tranchez point ainsi de la respectueuse,
Votre peine après tout vous est bien fructueuse;
Vous la devez chérir et son heureux succès
Qui chez vous à Florame interdit tout accès.
Mon père le bannit et de l'une et de l'autre :
Pensant nuire à mon feu, vous ruinez le vôtre.
Je lui viens de parler, mais c'était seulement
Pour lui dire l'arrêt de son bannissement.
Vous devez cependant être fort satisfaite
Qu'à votre occasion un père me maltraite;
Pour fruits de vos labeurs si cela vous suffit,
C'est acquérir ma haine avec peu de profit.

AMARANTE

Si touchant vos amours on sait rien de ma bouche,
Que je puisse à vos yeux devenir une souche!
Que le ciel...

DAPHNIS

          Finissez vos imprécations.
J'aime votre malice et vos délations.
    Ma mignonne, apprenez que vous êtes déçue :
C'est par votre rapport que mon ardeur est sue

Mais mon père y consent et vos avis jaloux
N'ont fait que me donner Florame pour époux.

Scène XI : Amarante.

Ai-je bien entendu? Sa belle humeur se joue
Et par plaisir soi-même elle se désavoue.
Son père la maltraite et consent à ses vœux!
Ai-je nommé Florame en parlant de ses feux?
Florame, Clarimond, ces deux noms, ce me semble,
Pour être confondus, n'ont rien qui se ressemble.
Le moyen que jamais on entendît si mal,
Que l'un de ces amants fût pris pour son rival?
Je ne sais où j'en suis et toutefois j'espère;
Sous ces obscurités je soupçonne un mystère
Et mon esprit confus, à force de douter,
Bien qu'il n'ose rien croire, ose encore se flatter.

ACTE QUATRIÈME

Scène I : Daphnis.

Qu'en l'attente de ce qu'on aime
Une heure est fâcheuse à passer!
Qu'elle ennuie un amour extrême
Dont la joie est réduite aux douceurs d'y penser!

Le mien, qui fuit la défiance,
La trouve trop longue à venir
Et s'accuse d'impatience,
Plutôt que mon amant de peu de souvenir.

Ainsi moi-même je m'abuse,
De crainte d'un plus grand ennui
Et je ne cherche plus de ruse
Qu'à m'ôter tout sujet de me plaindre de lui.

Aussi bien, malgré ma colère,
Je brûlerais de m'apaiser
Et sa peine la plus sévère
Ne serait tout au plus qu'un mot pour l'excuser.

Je dois rougir de ma faiblesse,
C'est être trop bonne en effet.
Daphnis, fais un peu la maîtresse
Et souviens-toi du moins...

Scène II : Géraste, Célie, Daphnis.

GÉRASTE, *à Célie.*
                    Adieu, cela vaut fait,
Tu l'en peux assurer.
Célie rentre, et Géraste continue à parler à Daphnis.
                    Ma fille, je présume,
Quelques feux dans ton cœur que ton amant allume,
Que tu ne voudrais pas sortir de ton devoir.
DAPHNIS
C'est ce que le passé vous a pu faire voir.

GÉRASTE
Mais si pour en tirer une preuve plus claire,   1045
Je disais qu'il faut prendre un sentiment contraire,
Qu'une autre occasion te donne un autre amant?
DAPHNIS
Il serait un peu tard pour un tel changement :
Sous votre autorité j'ai dévoilé mon âme,
J'ai découvert mon cœur à l'objet de ma flamme   1050
Et c'est sous votre aveu qu'il a reçu ma foi.
GÉRASTE
Oui, mais je viens de faire un autre choix pour toi.
DAPHNIS
Ma foi ne permet plus une telle inconstance.
GÉRASTE
Et moi, je ne saurais souffrir de résistance.
Si ce gage est donné par mon consentement,   1055
Il faut le retirer par mon commandement.
Vous soupirez en vain : vos soupirs et vos larmes
Contre ma volonté sont d'impuissantes armes.
Rentrez : je ne puis voir qu'avec mille douleurs
Votre rébellion s'exprimer par vos pleurs.   1060
Daphnis rentre, et Géraste continue.
La pitié me gagnait : il était impossible
De voir encor ses pleurs, et n'être pas sensible :
Mon injuste rigueur ne pouvait plus tenir
Et de peur de me rendre il la fallait bannir.
N'importe toutefois, la parole me lie   1065
Et mon amour ainsi l'a promis à Célie :
Florise ne se peut acquérir qu'à ce prix.
Si Florame...

Scène III : Géraste, Amarante.

AMARANTE
              Monsieur, vous vous êtes mépris :
C'est Clarimond qu'elle aime.
GÉRASTE
                            Et ma plus grande peine
N'est que d'en avoir eu la preuve trop certaine.   1070
Dans sa rébellion à mon autorité,
L'amour qu'elle a pour lui n'a que trop éclaté.
Si pour ce cavalier elle avait moins de flamme,
Elle agréerait le choix que je fais de Florame
Et prenant désormais un mouvement plus sain,   1075
Ne s'obstinerait pas à rompre mon dessein.
AMARANTE
C'est ce choix inégal qui vous la fait rebelle,
Mais pour tout autre amant n'appréhendez rien d'elle.
GÉRASTE
Florame a peu de bien, mais pour quelque raison,
C'est lui seul dont je fais l'appui de ma maison.   1080
Examiner mon choix, c'est un trait d'imprudence.
Toi qu'à présent Daphnis traite de confidence
Et dont le seul avis gouverne ses secrets,
Je te prie, Amarante, adoucis ses regrets,
Résous-la, si tu peux, à contenter un père,   1085
Fais qu'elle aime Florame ou craigne ma colère.
AMARANTE
Puisque vous le voulez, j'y ferai mon pouvoir :
C'est chose toutefois dont j'ai si peu d'espoir

Que je craindrais plutôt de l'aigrir davantage.

GÉRASTE

1090 Il est tant de moyens de fléchir un courage !
Trouve pour la gagner quelque subtil appas,
La récompense après ne te manquera pas.

Scène IV : Amarante.

Accorde qui pourra le père avec la fille !
L'égarement d'esprit règne sur la famille.
1095 Daphnis aime Florame, et son père y consent :
D'elle-même j'ai su l'aise qu'elle en ressent
Et si j'en crois ce père, elle ne porte en l'âme
Que révolte, qu'orgueil, que mépris pour Florame.
Peut-elle s'opposer à ses propres désirs,
1100 Démentir tout son cœur, détruire ses plaisirs ?
S'ils sont sages tous deux, il faut que je sois folle.
Leur mécompte pourtant, quel qu'il soit, me console
Et bien qu'il me réduise au bout de mon latin,
Un peu plus en repos j'en attendrai la fin.

Scène V : Florame, Damon.

FLORAME

1105 Sans me voir elle rentre, et, quelque bon génie
Me sauve de ses yeux et de sa tyrannie.
Je ne me croyais pas quitte de ses discours,
A moins que sa maîtresse en vînt rompre le cours.

DAMON

Je voudrais t'avoir vu dedans cette contrainte.

FLORAME

1110 Peut-être voudrais-tu qu'elle empêchât ma plainte ?

DAMON

Si Théante sait tout, sans raison tu t'en plains :
Je t'ai dit ses secrets, comme à lui tes desseins ;
Il voit dedans ton cœur, tu lis dans son courage
Et je vous fait combattre ainsi sans avantage.

FLORAME

1115 Toutefois au combat tu n'as pu l'engager.

DAMON

Sa générosité n'en craint pas le danger,
Mais cela choque un peu sa prudence amoureuse,
Vu que la fuite en est la fin la plus heureuse,
Et qu'il faut que, l'un mort, l'autre tire pays [24].

FLORAME

1120 Malgré le déplaisir de mes secrets trahis,
Je ne puis, cher ami, qu'avec toi je ne rie
Des subtiles raisons de sa poltronnerie.
Nous faire ce duel sans s'exposer aux coups,
C'est véritablement en savoir plus que nous
1125 Et te mettre en sa place avec assez d'adresse.

DAMON

Qu'importe à quels périls il gagne une maîtresse,
Que ses rivaux entre eux fassent mille combats,
Que j'en porte parole, ou ne la porte pas,
Tout lui semblera bon, pourvu que sans en être,
1130 Il puisse de ces lieux les faire disparaître.

---

24. Expression de vénerie devenue populaire. « Les veneurs disent qu'une bête tire pays quand elle ne s'amuse pas à ruser et à tournoyer, mais suit les droites voies » (Nicot).

FLORAME

Mais ton service offert hasardait bien ta foi
Et s'il eût eu du cœur, t'engageait contre moi.

DAMON

Je savais trop que l'offre en serait rejetée :
Depuis plus de dix ans je connais sa portée.
Il ne devient mutin que fort malaisément
Et préfère la ruse à l'éclaircissement.

FLORAME

Les maximes qu'il tient pour conserver sa vie
T'ont donné des plaisirs où je te porte envie.

DAMON

Tu peux incontinent les goûter si tu veux.
Lui, qui doute fort peu du succès de ses vœux
Et qui croit que déjà Clarimond et Florame
Disputent loin d'ici le sujet de leur flamme,
Serait-il homme à perdre un temps si précieux,
Sans aller chez Daphnis faire le gracieux
Et seul, à la faveur de quelque mot pour rire,
Prendre l'occasion de conter son martyre ?

FLORAME

Mais s'il nous trouve ensemble, il pourra soupçonner
Que nous prenons plaisir tous deux à le berner.

DAMON

De peur que nous voyant il conçût quelque ombrage,
J'avais mis tout exprès Cléon sur le passage.
Théante approche-t-il ?

CLÉON

                    Il est en ce carfour.

DAMON

Adieu donc : nous pourrons le jouer tour à tour.

FLORAME, seul

Je m'étonne comment tant de belles parties
En cet illustre amant sont si mal assorties,
Qu'il a si mauvais cœur avec de si bons yeux
Et fait un si beau choix sans le défendre mieux.
Pour tant d'ambition, c'est bien peu de courage.

Scène VI : Théante, Florame.

FLORAME

Quelle surprise, ami, paraît sur ton visage ?

THÉANTE

T'ayant cherché longtemps, je demeure confus
De t'avoir rencontré quand je n'y pensais plus.

FLORAME

Parle plus franchement : fâché de ta promesse,
Tu veux et n'oserais reprendre ta maîtresse ?
Ta passion, qui souffre une trop dure loi,
Pour la gouverner seul te dérobait de moi ?

THÉANTE

De peur que ton esprit formât cette croyance,
De l'aborder sans toi je faisais conscience [25].

FLORAME

C'est ce qui t'obligeait sans doute à me chercher ?
Mais ne te prive plus d'un entretien si cher.
Je te cède Amarante et te rends ta parole.
J'aime ailleurs ; et lassé d'un compliment frivole

---

25. Je me faisais scrupule.

Et de feindre une ardeur qui blesse mes amis,
Ma flamme est véritable et son effet permis.
J'adore une beauté qui peut disposer d'elle
Et seconder mes feux sans se rendre infidèle.

THÉANTE

Tu veux dire Daphnis?

FLORAME

Je ne puis te celer
Qu'elle est l'unique objet pour qui je veux brûler.

THÉANTE

Le bruit vole déjà qu'elle est pour toi sans glace
Et déjà d'un cartel Clarimond te menace.

FLORAME

Qu'il vienne, ce rival, apprendre, à son malheur,
Que s'il me passe en biens, il me cède en valeur,
Que sa vaine arrogance, en ce duel trompée,
Me fasse mériter Daphnis à coups d'épée :
Par là je gagne tout; ma générosité
Suppléera ce qui fait notre inégalité
Et son père, amoureux du bruit de ma vaillance,
La fera sur ses biens emporter la balance.

THÉANTE

Tu n'en peux espérer un moindre événement :
L'heur suit dans les duels le plus heureux amant.
Le glorieux succès d'une action si belle,
Ton sang mis au hasard ou répandu pour elle
Ne peut laisser au père aucun lieu de refus.
Tiens ta maîtresse acquise et ton rival confus
Et sans t'épouvanter d'une vaine fortune
Qu'il soutient lâchement d'une valeur commune,
Ne fais de son orgueil qu'un sujet de mépris
Et pense que Daphnis ne s'acquiert qu'à ce prix.
Adieu : puisse le ciel à ton amour parfaite
Accorder un succès tel que je le souhaite!

FLORAME

Ce cartel, ce me semble, est trop long à venir :
Mon courage bouillant ne se peut contenir;
Enflé par tes discours, il ne saurait attendre
Qu'un insolent défi l'oblige à se défendre.
Va donc et de ma part appelle Clarimond,
Dis-lui que pour demain il choisisse un second
Et que nous l'attendrons au château de Bissêtre.

THÉANTE

J'adore ce grand cœur qu'ici tu fais paraître
Et demeure ravi du trop d'affection
Que tu m'as témoigné par cette élection.
Prends-y garde pourtant : pense à quoi tu t'engages.
Si Clarimond, lassé de souffrir tant d'outrages,
Éteignant son amour, te cédait ce bonheur,
Quel besoin serait-il de le piquer d'honneur?
Peut-être qu'un faux bruit nous apprend sa menace :
C'est à toi seulement de défendre ta place.
Ces coups du désespoir des amants méprisés
N'ont rien d'avantageux pour les favorisés.
Qu'il recoure, s'il veut, à ces fâcheux remèdes;
Ne lui querelle point un bien que tu possèdes;
Ton amour, que Daphnis ne saurait dédaigner,
Court risque d'y tout perdre et n'y peut rien gagner.
Avise encore un coup : ta valeur inquiète
En d'extrêmes périls un peu trop tôt te jette.

FLORAME

Quels périls? L'heur y suit le plus heureux amant.

THÉANTE

Quelquefois le hasard en dispose autrement.

FLORAME

Clarimond n'eut jamais qu'une valeur commune.   1225

THÉANTE

La valeur aux duels fait moins que la fortune.

FLORAME

C'est par là seulement qu'on mérite Daphnis.

THÉANTE

Mais plutôt de ses yeux par là tu te bannis.

FLORAME

Cette belle action pourra gagner son père.

THÉANTE

Je le souhaite ainsi plus que je ne l'espère.   1230

FLORAME

Acceptant un cartel, suis-je plus assuré?

THÉANTE

Où l'honneur souffrirait rien n'est considéré.

FLORAME

Je ne puis résister à des raisons si fortes,
Sur ma bouillante ardeur malgré moi tu l'emportes,
J'attendrai qu'on m'attaque.

THÉANTE

Adieu donc.

FLORAME

En ce cas,   1235
Souviens-t'en, cher ami, tu me promets ton bras?

THÉANTE

Dispose de ma vie.

FLORAME, *seul.*

Elle est fort assurée,
Si rien que ce duel n'empêche sa durée,
Il en parle des mieux, c'est un jeu qui lui plaît;
Mais il devient fort sage aussitôt qu'il en est   1240
Et montre cependant des grâces peu vulgaires
A battre ses raisons par des raisons contraires.

Scène VII : Daphnis, Florame.

DAPHNIS

Je n'osais t'aborder les yeux baignés de pleurs
Et devant ce rival t'apprendre nos malheurs.

FLORAME

Vous me jetez, Madame, en d'étranges alarmes.   1245
Dieux! et d'où peut venir ce déluge de larmes?
Le bonhomme est-il mort?

DAPHNIS

Non, mais il se dédit;
Tout amour désormais pour toi m'est interdit,
Si bien qu'il me faut être ou rebelle ou parjure,
Forcer les droits d'Amour ou ceux de la nature,   1250
Mettre un autre en ta place ou lui désobéir,
L'irriter ou moi-même avec toi me trahir.
A moins que de changer, sa haine inévitable
Me rend de tous côtés ma perte indubitable :
Je ne puis conserver mon devoir et ma foi   1255
Ni sans crime brûler pour d'autres ni pour toi.

FLORAME

Le nom de cet amant, dont l'indiscrète envie
A mes ressentiments vient apporter sa vie!
Le nom de cet amant, qui par sa prompte mort
1260 Doit, au lieu du vieillard, me réparer ce tort
Et qui, sur quelque orgueil que son amour se fonde,
N'a que jusqu'à ma vue à demeurer au monde!

DAPHNIS

Je n'aime pas si mal que de m'en informer :
Je t'aurais fait trop voir que j'eusse pu l'aimer.
1265 Si j'en savais le nom, ta juste défiance,
Pourrait à ses défauts imputer ma constance,
A son peu de mérite attacher mon dédain
Et croire qu'un plus digne aurait reçu ma main.
J'atteste ici le bras qui lance le tonnerre,
1270 Que tout ce que le ciel a fait paraître en terre
De mérites, de biens, de grandeurs et d'appas,
En même objet uni, ne m'ébranlerait pas :
Florame a droit lui seul de captiver mon âme,
Florame vaut lui seul à ma pudique flamme
1275 Tout ce que peut le monde offrir à mes ardeurs
De mérites, d'appas, de biens et de grandeurs.

FLORAME

Qu'avec des mots si doux vous m'êtes inhumaine!
Vous me comblez de joie et redoublez ma peine.
L'effet d'un tel amour, hors de votre pouvoir,
1280 Irrite d'autant plus mon sanglant désespoir,
L'excès de votre ardeur ne sert qu'à mon supplice.
Devenez-moi cruelle afin que je guérisse.
Guérir! ah! qu'ai-je dit? ce mot me fait horreur :
Pardonnez aux transports d'une aveugle fureur.
1285 Aimez toujours Florame, et quoi qu'il ait pu dire,
Croissez de jour en jour vos feux et son martyre.
Peut-il rendre sa vie à de plus heureux coups
Ou mourir plus content que pour vous et par vous?

DAPHNIS

Puisque de nos destins la rigueur trop sévère
1290 Oppose à nos désirs l'autorité d'un père.
Que veux-tu que je fasse? En l'état où je suis,
Être à toi malgré lui, c'est ce que je ne puis.
Mais je puis empêcher qu'un autre me possède
Et qu'un indigne amant à Florame succède :
1295 Le cœur me manque; adieu, je sens faillir ma voix.
Florame, souviens-toi de ce que tu me dois :
Si nos feux sont égaux, mon exemple t'ordonne
Ou d'être à ta Daphnis ou de n'être à personne.

Scène VIII : Florame.

Dépourvu de conseil comme de sentiment,
1300 L'excès de ma douleur m'ôte le jugement.
De tant de biens promis je n'ai plus que sa vue
Et mes bras impuissants ne l'ont pas retenue
Et même je lui laisse abandonner ce lieu,
Sans trouver de parole à lui dire un adieu.
1305 Ma fureur pour Daphnis a de la complaisance,
Mon désespoir n'osait agir en sa présence
De peur que mon tourment aigrît ses déplaisirs;
Une pitié secrète étouffait mes soupirs,
Sa douleur par respect faisait taire la mienne,

Mais ma rage à présent n'a rien qui la retienne.   13
Sors, infâme vieillard, dont le consentement
Nous a vendu si cher le bonheur d'un moment,
Sors, que tu sois puni de cette humeur brutale
Qui rend ta volonté pour nos feux inégale.
A nos chastes amours qui t'a fait consentir,   13
Barbare? mais plutôt qui t'en fait repentir?
Crois-tu qu'aimant Daphnis, le titre de son père
Débilite ma force ou rompe ma colère?
Un nom si glorieux, lâche, ne t'est plus dû :   13
En lui manquant de foi, ton crime l'a perdu.
Plus j'ai d'amour pour elle, et plus pour toi de haine
Enhardit ma vengeance et redouble ta peine :
Tu mourras; et je veux, pour finir mes ennuis,
Mériter par ta mort celle où tu me réduis.

Daphnis, à ma fureur ma bouche abandonnée   13
Parle d'ôter la vie à qui te l'a donnée!
Je t'aime, et je t'oblige à m'avoir en horreur,
Et ne connais encor qu'à peine mon erreur!
Si je suis sans respect pour ce que tu respectes,
Que mes affections ne t'en soient pas suspectes.   13
De plus réglés transports me feraient trahison,
Si j'avais moins d'amour, j'aurais de la raison,
C'est peu que de la perdre, après t'avoir perdue :
Rien ne sert plus de guide à mon âme éperdue,
Je condamne à l'instant ce que j'ai résolu;   13
Je veux et ne veux plus, sitôt que j'ai voulu;
Je menace Géraste et pardonne à ton père :
Ainsi rien ne me venge, et tout me désespère.

Scène IX : Florame, Célie.

FLORAME, *en soupirant.*

Célie...

CÉLIE

Eh bien, Célie? Enfin elle a tant fait
Qu'à vos désirs Géraste accorde leur effet.   13
Quel visage avez-vous? Votre aise vous transporte.

FLORAME

Cesse d'aigrir ma flamme en raillant de la sorte,
Organe d'un vieillard qui croit faire un bon tour
De se jouer de moi par une feinte amour.
Si tu te veux du bien, fais-lui tenir promesse :   13
Vous me rendrez tous deux la vie ou ma maîtresse
Et ce jour expiré, je vous ferai sentir
Que rien de ma fureur ne vous peut garantir.

CÉLIE

Florame!

FLORAME

Je ne puis parler à des perfides.

CÉLIE

Il veut donner l'alarme à mes esprits timides   13
Et prend plaisir lui-même à se jouer de moi.
Géraste a trop d'amour pour n'avoir point de foi
Et s'il pouvait donner trois Daphnis pour Florise,
Il la tiendrait encor heureusement acquise.
D'ailleurs ce grand courroux pourrait-il être feint?   13
Aurait-il pu si tôt falsifier son teint
Et si bien ajuster ses yeux et son langage
A ce que sa fureur marquait sur son visage?

Quelqu'un des deux me joue : épions tous les deux
Et nous éclaircissons sur un point si douteux.

ACTE CINQUIÈME

Scène I : Théante, Damon.

THÉANTE

Croirais-tu qu'un moment m'ait pu changer de sorte
Que je passe à regret par devant cette porte ?

DAMON

Que ton humeur n'a-t-elle un peu plus tôt changé ?
Nous aurions vu l'effet où tu m'as engagé.
Tantôt quelque démon ennemi de ta flamme
Te faisait en ces lieux accompagner Florame :
Sans la crainte qu'alors il te prît pour second,
Je l'allais appeler au nom de Clarimond
Et comme si depuis il était invisible,
Sa rencontre pour moi s'est rendue impossible.

THÉANTE

Ne le cherche donc plus. A bien considérer,
Qu'ils se battent ou non, je n'en puis qu'espérer.
Daphnis, que son adresse a malgré moi séduite,
Ne pourrait l'oublier, quand il serait en fuite :
Leur amour est trop forte et d'ailleurs son trépas,
Le privant d'un tel bien, ne me le donne pas.
Inégal en fortune à ce qu'est cette belle,
Et déjà par malheur assez mal voulu d'elle,
Que pourrais-je après tout prétendre de ses pleurs
Et quel espoir pour moi naîtrait de ses douleurs ?
Deviendrais-je par là plus riche ou plus aimable ?
Que si de l'obtenir je me trouve incapable,
Mon amitié pour lui, qui ne peut expirer,
A tout autre qu'à moi me le fait préférer,
Et j'aurai peine à voir un troisième en sa place.

DAMON

Tu t'avises trop tard : que veux-tu que je fasse ?
J'ai poussé Clarimond à lui faire un appel.
J'ai charge de sa part de lui rendre un cartel :
Le puis-je supprimer ?

THÉANTE

Non, mais tu pourrais faire...

DAMON

Quoi ?

THÉANTE

Que Clarimond prît un sentiment contraire.

DAMON

Le détourner d'un coup où seul je l'ai porté !
Mon courage est mal propre à cette lâcheté.

THÉANTE

A de telles raisons je n'ai de repartie,
Sinon que c'est à moi de rompre la partie.
J'en vais semer le bruit.

DAMON

Et sur ce bruit tu veux...

THÉANTE

Qu'on leur donne dans peu des gardes à tous deux
Et qu'une main puissante arrête leur querelle.
Qu'en dis-tu, cher ami ?

DAMON

L'invention est belle
Et le chemin bien court à les mettre d'accord ;
Mais souffre auparavant que j'y fasse un effort.   1400
Peut-être mon esprit trouvera quelque ruse
Par où, sans en rougir, du cartel je m'excuse.
Ne donnons point sujet de tant parler de nous
Et sachons seulement à quoi tu te résous.

THÉANTE

A les laisser en paix et courir l'Italie   1405
Pour divertir le cours de ma mélancolie,
Et ne voir point Florame emporter à mes yeux
Le prix où prétendait mon cœur ambitieux.

DAMON

Amarante, à ce compte, est hors de ta pensée ?

THÉANTE

Son image du tout n'en est pas effacée,   1410
Mais...

DAMON

Tu crains que pour elle on te fasse un duel.

THÉANTE

Railler un malheureux, c'est être trop cruel.
Bien que ses yeux encor règnent sur mon courage,
Le bonheur de Florame à la quitter m'engage :
Le ciel ne nous fit point ni pareils ni rivaux,   1415
Pour avoir des succès tellement inégaux,
C'est me perdre d'honneur et par cette poursuite,
D'égal que je lui suis, me ranger à sa suite.
Je donne désormais des règles à mes feux,
De moindres que Daphnis sont incapables d'eux   1420
Et rien dorénavant n'asservira mon âme
Qui ne me puisse mettre au-dessus de Florame.
Allons : je ne puis voir sans mille déplaisirs
Ce possesseur du bien où tendaient mes désirs.

DAMON

Arrête : cette fuite est hors de bienséance   1425
Et je n'ai point d'appel à faire en ta présence.
Théante le retire du théâtre comme par force.

Scène II : Florame.

Jetterai-je toujours des menaces en l'air,
Sans que je sache enfin à qui je dois parler ?
Aurait-on jamais cru qu'elle me fût ravie
Et qu'on me pût ôter Daphnis avant la vie ?   1430
Le possesseur du prix de ma fidélité,
Bien que je sois vivant, demeure en sûreté,
Tout inconnu qu'il m'est, il produit ma misère,
Tout mon rival qu'il est, il rit de ma colère.
Rival ! ah, quel malheur ! j'en ai pour me bannir   1435
Et cesse d'en avoir quand je le veux punir.
Grands Dieux, qui m'enviez cette juste allégeance
Qu'un amant supplanté tire de la vengeance
Et me cachez le bras dont je reçois les coups,
Est-ce votre dessein que je m'en prenne à vous ?   1440
Est-ce votre dessein d'attirer mes blasphèmes
Et qu'ainsi que mes maux mes crimes soient extrêmes,
Qu'à mille impiétés osant me dispenser,
A votre foudre oisif je donne où se lancer ?
Ah ! souffrez qu'en l'état de mon sort déplorable   1445

Je demeure innocent, encor que misérable;
Destinez à vos feux d'autres objets que moi :
Vous n'en sauriez manquer, quand on manque de foi.
Employez le tonnerre à punir les parjures
1450 Et prenez intérêt vous-mêmes à mes injures,
Montrez, en me vengeant, que vous êtes des Dieux,
Ou conduisez mon bras, puisque je n'ai point d'yeux
Et qu'on sait dérober d'un rival qui me tue
Le nom à mon oreille, et l'objet à ma vue.
1455   Rival, qui que tu sois, dont l'insolent amour
Idolâtre un soleil et n'ose voir le jour,
N'oppose plus ta crainte à l'ardeur qui te presse,
Fais-toi, fais-toi connaître allant voir ta maîtresse.

Scène III : Florame, Amarante.

FLORAME

Amarante (aussi bien te faut-il confesser
1460 Que la seule Daphnis avait su me blesser),
Dis-moi qui me l'enlève : apprends-moi quel mystère
Me cache le rival qui possède mon père,
A quel heureux amant Géraste a destiné
Ce beau prix que l'amour m'avait si bien donné.

AMARANTE

1465 Ce dut vous être assez de m'avoir abusée,
Sans faire encor de moi vos sujets de risée.
Je sais que le vieillard favorise vos feux
Et que rien que Daphnis n'est contraire à vos vœux.

FLORAME

Que me dis-tu, lui seul et sa rigueur nouvelle
1470 Empêchant les effets d'une ardeur mutuelle?

AMARANTE

Pensez-vous me duper avec ce feint courroux?
Lui-même il m'a prié de lui parler pour vous.

FLORAME

Vois-tu, ne t'en ris plus; ta seule jalousie
A mis à ce vieillard ce change en fantaisie.
1475 Ce n'est pas avec moi que tu te dois jouer
Et ton crime redouble à le désavouer;
Mais sache qu'aujourd'hui, si tu ne fais en sorte
Que mon fidèle amour sur ce rival l'emporte,
J'aurai trop de moyens à te faire sentir
1480 Qu'on ne m'offense point sans un prompt repentir.

Scène IV : Amarante.

Voilà de quoi tomber en un nouveau dédale.
O ciel! qui vit jamais confusion égale?
Si j'écoute Daphnis, j'apprends qu'un feu puissant
La brûle pour Florame, et qu'un père y consent;
1485 Si j'écoute Géraste, il lui donne Florame
Et se plaint que Daphnis en rejette la flamme;
Et si Florame est cru, ce vieillard aujourd'hui
Dispose de Daphnis pour un autre que lui.
Sous un tel embarras je me trouve accablée;
1490 Eux ou moi, nous avons la cervelle troublée,
Si ce n'est qu'à dessein ils se soient concertés
Pour me faire enrager par ces diversités.
Mon faible esprit s'y perd et n'y peut rien comprendre :
Pour en venir à bout, il me les faut surprendre

Et quand ils se verront, écouter leurs discours,   14
Pour apprendre par là le fond de ces détours.
  Voici mon vieux rêveur; fuyons de sa présence,
Qu'il ne m'embrouille encor de quelque confidence :
De crainte que j'en ai, d'ici je me bannis   15
Tant qu'avec lui je voie ou Florame ou Daphnis [26].

Scène V : Géraste, Polémon.

POLÉMON

J'ai grand regret, Monsieur, que la foi qui vous lie
Empêche que chez vous mon neveu ne s'allie
Et que son feu m'emploie aux offres qu'il vous fait,
Lorsqu'il n'est plus en vous d'en accepter l'effet.

GÉRASTE

C'est un rare trésor que mon malheur me vole   15
Et si l'honneur souffrait un manque de parole,
L'avantageux parti que vous me présentez
Me verrait aussitôt prêt à ses volontés.

POLÉMON

Mais si quelque hasard rompait cette alliance?

GÉRASTE

N'ayez lors, je vous prie, aucune défiance :   15
Je m'en tiendrais heureux, et ma foi vous répond
Que Daphnis sans tarder épouse Clarimond.

POLÉMON

Adieu, faites état de mon humble service.

GÉRASTE

Et vous pareillement d'un cœur sans artifice.

Scène VI : Célie, Géraste.

CÉLIE

De sorte qu'à mes yeux votre foi lui répond   15
Que Daphnis sans tarder épouse Clarimond?

GÉRASTE

Cette vaine promesse en un cas impossible
Adoucit un refus et le rend moins sensible :
C'est ainsi qu'on oblige un homme à peu de frais.

CÉLIE

Ajouter l'impudence à vos perfides traits!   15
Il vous faudrait du charme au lieu de cette ruse,
Pour me persuader que qui promet refuse.

GÉRASTE

J'ai promis, et tiendrais ce que j'ai protesté,
Si Florame rompait le concert arrêté.
Pour Daphnis, c'est en vain qu'elle fait la rebelle : 15
J'en viendrai trop à bout.

CÉLIE

                Impudence nouvelle!
Florame, que Daphnis fait maître de son cœur,
De votre seul caprice accuse la rigueur
Et je sais que sans vous leur mutuelle flamme
Unirait deux amants qui n'ont déjà qu'une âme.   15
Vous m'osez cependant effrontément conter
Que Daphnis sur ce point aime à vous résister!
Vous m'en aviez promis une tout autre issue :
J'en ai porté parole après l'avoir reçue.

26. *Tant que* : jusqu'à ce que.

Qu'avais-je contre vous ou fait ou projeté,
Pour me faire tremper en votre lâcheté ?
Ne pouviez-vous trahir que par mon entremise ?
Avisez, il y va de plus que de Florise.
Ne vous estimez pas quitte pour la quitter,
Ni que de cette sorte on se laisse affronter.

GÉRASTE

Me prends-tu donc pour homme à manquer de parole
En faveur d'un caprice où s'obstine une folle ?
Va, fais venir Florame : à ses yeux tu verras
Que pour lui mon pouvoir ne s'épargnera pas,
Que je maltraiterai Daphnis en sa présence
D'avoir pour son amour si peu de complaisance.
Qu'il vienne seulement voir un père irrité
Et joindre sa prière à mon autorité,
Et lors, soit que Daphnis y résiste ou consente,
Crois que ma volonté sera la plus puissante.

CÉLIE

Croyez que nous tromper ce n'est pas votre mieux.

GÉRASTE

Me foudroie en ce cas la colère des cieux !

Scène VII : Géraste, Daphnis.

GÉRASTE, *seul.*

Géraste, sur-le-champ il te fallait contraindre
Celle que ta pitié ne pouvait ouïr plaindre.
Tu n'as pu refuser du temps à ses douleurs,
Ton cœur s'attendrissait de voir couler ses pleurs
Et pour avoir usé trop peu de ta puissance,
On t'impute à forfait sa désobéissance.
    Daphnis vient.
Un traitement trop doux te fait croire sans foi.
Faudra-t-il que de vous je reçoive la loi
Et que l'aveuglement d'une amour obstinée
Contre ma volonté règle votre hyménée ?
Mon extrême indulgence a donné par malheur
A vos rébellions quelque faible couleur
Et pour quelque moment que vos feux m'ont su plaire,
Vous pensez avoir droit de braver ma colère :
Mais sachez qu'il fallait, ingrate, en vos amours,
Ou ne m'obéir point, ou m'obéir toujours.

DAPHNIS

Si dans mes premiers feux je vous semble obstinée,
C'est l'effet de ma foi sous votre aveu donnée.
Quoi que mette en avant votre injuste courroux,
Je ne veux opposer à vous-même que vous.
Votre permission doit être irrévocable,
Devenez seulement à vous-même semblable.
Il vous fallait, Monsieur, vous-même à mes amours
Ou ne consentir point ou consentir toujours.
Je choisirai la mort plutôt que le parjure :
M'y voulant obliger, vous vous faites injure.
Ne veuillez point combattre ainsi hors de saison
Votre vouloir, ma foi, mes pleurs, et la raison.
Que vous a fait Daphnis ? que vous a fait Florame,
Que pour lui vous vouliez que j'éteigne ma flamme ?

GÉRASTE

Mais que vous a-t-il fait, que pour lui seulement
Vous vous rendiez rebelle à mon commandement ?

Ma foi n'est-elle rien au-dessus de la vôtre ? 1585
Vous vous donnez à l'un ; ma foi vous donne à l'autre.
Qui le doit emporter ou de vous ou de moi ?
Et qui doit de nous deux plutôt manquer de foi ?
Quand vous en manquerez, mon vouloir vous excuse.
Mais à trop raisonner moi-même je m'abuse : 1590
Il n'est point de raison valable entre nous deux
Et pour toute raison il suffit que je veux.

DAPHNIS

Un parjure jamais ne devient légitime,
Une excuse ne peut justifier un crime.
Malgré vos changements, mon esprit résolu 1595
Croit suffire à mes feux que vous ayez voulu.

Scène VIII : Géraste, Daphnis, Florame,
Célie, Amarante.

DAPHNIS

Voici ce cher amant qui me tient engagée,
A qui sous votre aveu ma foi s'est obligée :
Changez de volonté pour un objet nouveau,
Daphnis épousera Florame, ou le tombeau. 1600

GÉRASTE

Que vois-je ici, bons Dieux ?

DAPHNIS

                        Mon amour, ma constance.

GÉRASTE

Et sur quoi donc fonder ta désobéissance ?
Quel envieux démon et quel charme assez fort
Faisait entre-choquer deux volontés d'accord ?
C'est lui que tu chéris et que je te destine 1605
Et ta rébellion dans un refus s'obstine !

FLORAME

Appelez-vous refus de me donner sa foi
Quand votre volonté se déclara pour moi ?
Et cette volonté, pour un autre tournée,
Vous peut-elle obéir après la foi donnée ? 1610

GÉRASTE

C'est pour vous que je change, et pour vous seulement
Je veux qu'elle renonce à son premier amant.
Lorsque je consentis à sa secrète flamme,
C'était pour Clarimond qui possédait son âme :
Amarante du moins me l'avait dit ainsi. 1615

DAPHNIS

Amarante, approchez : que tout soit éclairci.
Une telle imposture est-elle pardonnable ?

AMARANTE

Mon amour pour Florame en est le seul coupable.
Mon esprit l'adorait et vous étonnez-vous
S'il devint inventif, puisqu'il était jaloux ? 1620

GÉRASTE

Et par là tu voulais...

AMARANTE

                        Que votre âme déçue
Donnât à Clarimond une si bonne issue
Que Florame, frustré de l'objet de ses vœux,
Fût réduit désormais à seconder mes feux.

FLORAME

Pardonnez-lui, Monsieur ; et vous, daignez, Madame, 1625
Justifier son feu par votre propre flamme :

Si vous m'aimez encor, vous devez estimer
Qu'on ne peut faire un crime à force de m'aimer.
>   DAPHNIS
> Si je t'aime, Florame? Ah! ce doute m'offense.
1630 D'Amarante avec toi je prendrai la défense.
>   GÉRASTE
> Et moi, dans ce pardon je vous veux prévenir,
> Votre hymen aussi bien saura trop la punir.
>   DAPHNIS
> Qu'un nom tu par hasard nous a donné de peine!
>   CÉLIE
> Mais que su maintenant il rend sa ruse vaine,
1635 Et donne un prompt succès à vos contentements!
>   FLORAME, à Géraste.
> Vous, de qui je les tiens...
>   GÉRASTE
>   Trêve de compliments :
> Ils nous empêcheraient de parler de Florise.
>   FLORAME
> Il n'en faut point parler, elle vous est acquise.
>   GÉRASTE
> Allons donc la trouver : que cet échange heureux
1640 Comble d'aise à son tour un vieillard amoureux!
>   DAPHNIS
> Quoi! je ne savais rien d'une telle partie!
>   FLORAME
> Je pense toutefois vous avoir avertie
> Qu'un grand effet d'amour, avant qu'il fût longtemps,
> Vous rendrait étonnée et nos désirs contents.
1645   Mais différez, Monsieur, une telle visite :
> Mon feu ne souffre point que si tôt je la quitte
> Et d'ailleurs je sais trop que la loi du devoir
> Veut que je sois chez nous pour vous y recevoir.
>   GÉRASTE, à Célie.
> Va donc lui témoigner le désir qui me presse.
>   FLORAME
1650 Plutôt fais-la venir saluer ma maîtresse :
> Ainsi tout à la fois nous verrons satisfaits
> Vos feux et mon devoir, ma flamme et vos souhaits.
>   GÉRASTE
> Je dois être honteux d'attendre qu'elle vienne.
>   CÉLIE
> Attendez-la, Monsieur, et qu'à cela ne tienne :
1655 Je cours exécuter cette commission.
>   GÉRASTE
> Le temps en sera long à mon affection.
>   FLORAME
> Toujours l'impatience à l'amour est mêlée.
>   GÉRASTE
> Allons dans le jardin faire deux tours d'allée,
> Afin que cet ennui que j'en pourrai sentir
1660 Parmi votre entretien trouve à se divertir.

> *Scène IX : Amarante.*

Je le perds donc, l'ingrat, sans que mon artifice
Ait tiré de ses maux aucun soulagement,
Sans que pas un effet ait suivi ma malice,
Où ma confusion n'égalât son tourment.

Pour agréer ailleurs il tâchait à me plaire,
Un amour dans la bouche, un autre dans le sein :
J'ai servi de prétexte à son feu téméraire
Et je n'ai pu servir d'obstacle à son dessein.

Daphnis me le ravit, non par son beau visage,
Non par son bel esprit ou ses doux entretiens,
Non que sur moi sa race ait aucun avantage,
Mais par le seul éclat qui sort d'un peu de biens.

Filles que la nature a si bien partagées,
Vous devez présumer fort peu de vos attraits :
Quelque charmants qu'ils soient, vous êtes négligées,
A moins que la fortune en rehausse les traits.

Mais encor que Daphnis eût captivé Florame,
Le moyen qu'inégal il en fût possesseur?
Destin, pour rendre aisé le succès de sa flamme,
Fallait-il qu'un vieux fou fût épris de sa sœur?

Pour tromper mon attente et me faire un supplice,
Deux fois l'ordre commun se renverse en un jour :
Un jeune amant s'attache aux lois de l'avarice
Et ce vieillard pour lui suit celles de l'amour.

Un discours amoureux n'est qu'une fausse amorce
Et Théante et Florame ont feint pour moi des feux :
L'un m'échappe de gré, comme l'autre de force;
J'ai quitté l'un pour l'autre, et je les perds tous deux.

Mon cœur n'a point d'espoir dont je ne sois séduite :
Si je prends quelque peine, une autre en a les fruits;
Et dans le triste état où le ciel m'a réduite,
Je ne sens que douleurs et ne prévois qu'ennuis.

Vieillard, qui de ta fille achètes une femme
Dont peut-être aussitôt tu seras mécontent,
Puisse le ciel, aux soins qui te vont ronger l'âme,
Dénier le repos du tombeau qui t'attend!

Puisse le noir chagrin de ton humeur jalouse
Me contraindre moi-même à déplorer ton sort,
Te faire un long trépas, et cette jeune épouse
User toute sa vie à souhaiter ta mort!

LA PLACE ROYALE
COMÉDIE

La Place royale [1] *est la place des Vosges actuelle. A son extrémité s'élevait, au XVIe siècle, l'hôtel des Tournelles qui, outre un large espace vert, comprenait sept jardins, douze galeries et offrait même, selon la mode alors nouvelle, un labyrinthe et une « ménagerie ». C'est Henri IV qui lui donna son nom de Place royale, son allure monumentale et spécifia qu'elle servirait de « promenoir aux habitants ». Comme au Palais de Justice, les galeries se garnirent de boutiques, dont le graveur Jacques Callot nous a laissé des images parlantes. La Place servit encore à de nombreuses réjouissances publiques : « entrées », où les longs cortèges officiels, chargés d'accueillir le roi, s'arrêtaient devant des décors symboliques, carrousels, feux d'artifice. Elle devint assez vite le repaire des filous, des joueurs et des filles, et diverses ordonnances de police durant le règne de Louis XIV tentèrent d'y maintenir la décence extérieure.*

Le titre rend mal compte du sujet et, comme pour la Galerie du Palais, n'est qu'un « panneau publicitaire ». On en railla Corneille, dans un pamphlet hostile au Cid : « Il a fait voir une Mélite, une Galerie du Palais et la Place royale, ce qui nous faisait espérer qu'il annoncerait bientôt le Cimetière Saint-Jean, la Samaritaine et la Place aux veaux. »

On voit donc que c'est encore Mondory qui monta la pièce, soit, selon la date que l'on adopte, dans la salle de la rue Michel-le-Comte, soit plutôt dans la nouvelle salle de la rue Vieille-du-Temple, ouverte le 1er avril 1634.

Si d'autre part l'on remarque que la Galerie du Palais comporte douze personnages, la Suivante dix et que la Place royale n'en a que huit, dont seulement deux femmes, il est permis de supposer que Corneille, fidèle à Mondory, tint compte du malheur survenu au Marais en décembre 1634 : un ordre royal décapite la troupe, sans doute pour rétablir une concurrence plus égale entre les deux troupes officielles, le Marais et l'Hôtel [2]. Mondory, privé de quatre comédiens, « ne désespérant pas du salut de sa petite république, tâche à réparer son débris ». La nouvelle troupe comprend neuf membres, sept hommes et deux femmes et Mondory reprend des représentations dès le 31 décembre 1634 : la Place royale n'aurait donc pas été représentée avant janvier 1635. Or on sait par Corneille lui-même, qui la cite dans son Excusatio, que la pièce était composée dès 1634, peut-être même un an plus tôt. Selon le témoignage de Claveret, adversaire du poète dans la querelle du Cid, une pièce portant le même titre, dont Claveret était l'auteur, fut proposée à Mondory durant le séjour de la cour à Forges-les-Eaux en juin 1633. Ce serait alors une version remaniée, en fonction d'une troupe réduite, que Corneille eût fait jouer : il semble donc plus naturel de reporter la représentation soit à l'automne de 1633, soit en avril 1634. La pièce ne fut imprimée qu'en 1637.

A MONSIEUR*** [3] (1637)

MONSIEUR,

J'observe religieusement la loi que vous m'avez prescrite et me rends mes devoirs avec le même secret que je traiterais un amour, si j'étais homme à bonne fortune. Il me suffit que vous sachiez que je m'acquitte, sans le faire connaître à tout le monde et sans que par cette publication je vous mette en mauvaise odeur auprès d'un sexe dont vous conservez les bonnes grâces avec tant de soin. Le héros de cette pièce ne traite pas bien les dames et tâche d'établir des maximes qui leur sont trop désavantageuses, pour nommer son protecteur : elles s'imagineraient que vous ne pourriez l'approuver sans avoir grande part à ses sentiments, et toute sa morale serait plutôt un portrait de votre conduite qu'un effort de mon imagination; et véritablement, MONSIEUR, cette possession de vous-même, que vous conservez si parfaite parmi tant d'intrigues où vous

---

1. Titre primitif : *la Place royale ou l'Amoureux extravagant.*
2. Une troisième troupe établie au Faubourg Saint-Germain n'a qu'une vie éphémère.
3. Le dédicataire anonyme peut s'identifier avec quelque vraisemblance. Corneille était lié avec une famille rouennaise, les Campion, qui tenait un cercle, dont l'existence fut révélée à la fin du siècle par le P. Garimbourg. Alidor eut pour modèle Henri de Campion, mais, phénomène étrange, l'histoire réelle de cet amoureux extravagant est postérieure à la composition de la pièce : Henri de Campion, sans amour en 1634, projette en 1637 son mariage avec Mlle Fontaine, qu'il donnera en 1641 à son ami Des Resvintes... Les dates sont là, indubitables, confirmées par d'autres témoignages! Mais Henri de Campion avait peut-être eu auparavant une aventure du même genre.

semblez embarrassé, en approche beaucoup. C'est de vous que j'ai appris que l'amour d'un honnête homme doit être toujours volontaire, qu'on ne doit jamais aimer en un point qu'on ne puisse n'aimer pas; que si on en vient jusque-là, c'est une tyrannie dont il faut secouer le joug; et qu'enfin la personne aimée nous a beaucoup plus d'obligation de notre amour, alors qu'elle est toujours l'effet de notre choix et de son mérite, que quand elle vient d'une inclination aveugle et forcée par quelque ascendant de naissance à qui nous ne pouvons résister. Nous ne sommes point redevables à celui de qui nous recevons un bienfait par contrainte, et on ne nous donne point ce qu'on ne saurait nous refuser. Mais je vais trop avant pour une épître : il semblerait que j'entreprendrais la justification de mon Alidor; et ce n'est pas mon dessein de mériter par cette défense la haine de la plus belle moitié du monde et qui domine si puissamment sur les volontés de l'autre. Un poète n'est jamais garant des fantaisies qu'il donne à ses acteurs; et si les dames trouvent ici quelques discours qui les blessent, je les supplie de se souvenir que j'appelle extravagant celui dont ils partent, et que par d'autres poèmes j'ai assez relevé leur gloire et soutenu leur pouvoir, pour effacer les mauvaises idées que celui-ci leur pourra faire concevoir de mon esprit. Trouvez bon que j'achève par là, et que je n'ajoute à cette prière que je leur fais que la protestation d'être éternellement, MONSIEUR, votre très humble et très obéissant serviteur,

CORNEILLE.

EXAMEN (1660)

Je ne puis dire tant de bien de celle-ci que de la précédente. Les vers en sont plus forts; mais il y a manifestement une duplicité d'action. Alidor, dont l'esprit extravagant se trouve incommodé d'un amour qui l'attache trop, veut faire en sorte qu'Angélique sa maîtresse se donne à son ami Cléandre; et c'est pour cela qu'il lui fait rendre une fausse lettre qui le convainc de légèreté et qu'il joint à cette supposition des mépris assez piquants pour l'obliger dans sa colère à accepter les affections d'un autre. Ce dessein avorte et la donne à Doraste contre son intention; et cela l'oblige à en faire un nouveau pour la porter à un enlèvement. Ces deux desseins, formés ainsi l'un après l'autre, font deux actions et donnent deux âmes au poème, qui d'ailleurs finit assez mal par un mariage de deux personnes épisodiques, qui ne tiennent que le second rang dans la pièce. Les premiers acteurs y achèvent bizarrement, et tout ce qui les regarde fait languir le cinquième acte, où ils ne paraissent plus, à le bien prendre, que comme seconds acteurs. L'épilogue d'Alidor n'a pas la grâce de celui de la Suivante, qui ayant été très intéressée dans l'action principale, et demeurant enfin sans amant, n'ose expli-

quer ses sentiments en la présence de sa maîtresse et de son père, qui ont tous deux leur compte, et les laisse rentrer pour pester en liberté contre eux et contre sa mauvaise fortune, dont elle se plaint elle-même et fait par là connaître au spectateur l'assiette de son esprit après un effet si contraire à ses souhaits.

Alidor est sans doute trop bon ami pour être si mauvais amant. Puisque sa passion l'importune tellement qu'il veut bien outrager sa maîtresse pour s'en défaire, il devrait se contenter de ce premier effort, qui la fait obtenir à Doraste, sans s'embarrasser de nouveau pour l'intérêt d'un ami et hasarder en sa considération un repos qui lui est si précieux. Cet amour de son repos n'empêche point qu'au cinquième acte, il ne se montre encore passionné pour cette maîtresse, malgré la résolution qu'il avait prise de s'en défaire, et les trahisons qu'il lui a faites : de sorte qu'il semble ne commencer à l'aimer véritablement que quand il lui a donné sujet de le haïr. Cela fait une inégalité de mœurs qui est vicieuse.

Le caractère d'Angélique sort de la bienséance, en ce qu'elle est trop amoureuse et se résout trop tôt à se faire enlever par un homme qui lui doit être suspect; cet enlèvement lui réussit mal; et il a été bon de lui donner un mauvais succès, bien qu'il ne soit pas besoin que les grands crimes soient punis dans la tragédie, parce que leur peinture imprime assez d'horreur pour en détourner les spectateurs. Il n'en est pas de même des fautes de cette nature, et elles pourraient engager un esprit jeune et amoureux à les imiter, si l'on voyait que ceux qui les commettent vinssent à bout, par ce mauvais moyen, de ce qu'ils désirent.

Malgré cet abus, introduit par la nécessité et légitimé par l'usage de faire dire dans la rue à nos amantes de comédie ce que vraisemblablement elles diraient dans leur chambre, je n'ai osé y placer Angélique durant la réflexion douloureuse qu'elle fait sur la promptitude et l'imprudence de ses ressentiments, qui la font consentir à épouser l'objet de sa haine : j'ai mieux aimé rompre la liaison des scènes, et l'unité de lieu, qui se trouve assez exacte en ce poème à cela près, afin de la faire soupirer dans son cabinet avec plus de bienséance pour elle et plus de sûreté pour l'entretien d'Alidor. Phylis, qui le voit sortir de chez elle, en aurait trop vu si elle les avait aperçus tous deux sur le théâtre; et au lieu du soupçon de quelque intelligence renouée entre eux qui la porte à l'observer durant le bal, elle aurait eu sujet d'en prendre une entière certitude et d'y donner un ordre qui eût rompu tout le nouveau dessein d'Alidor et l'intrique de la pièce.

En voilà assez sur celle-ci; je passe aux deux qui restent dans ce volume[4].

4. Le premier volume de l'édition de 1660 contenait encore Médée et l'Illusion comique.

ACTEURS

ALIDOR, *amant d'Angélique.*
CLÉANDRE, *ami d'Alidor.*
DORASTE, *amoureux d'Angélique.*
LYSIS, *amoureux de Phylis.*
ANGÉLIQUE, *maîtresse d'Alidor et de Doraste.*
PHYLIS, *sœur de Doraste.*
POLYMAS, *domestique d'Alidor.*
LYCANTE, *domestique de Doraste.*

La scène est à Paris, dans la Place Royale.

ACTE PREMIER

Scène I : Angélique, Phylis.

ANGÉLIQUE

Ton frère, je l'avoue, a beaucoup de mérite,
Mais souffre qu'envers lui cet éloge m'acquitte
Et ne m'entretiens plus des feux qu'il a pour moi.

PHYLIS

C'est me vouloir prescrire une trop dure loi.
5 Puis-je, sans étouffer la voix de la nature,
Dénier mon secours aux tourments qu'il endure?
Quoi! tu m'aimes, il meurt, et tu peux le guérir
Et sans t'importuner je le verrais périr!
Ne me diras-tu point que j'ai tort de le plaindre?

ANGÉLIQUE

10 C'est un mal bien léger qu'un feu qu'on peut éteindre.

PHYLIS

Je sais qu'il le devrait, mais avec tant d'appas,
Les moyens qu'il te voie et ne t'adore pas?
Ses yeux ne souffrent point que son cœur soit de glace,
On ne pourrait aussi m'y résoudre en sa place,
15 Et tes regards, sur moi plus forts que tes mépris,
Te sauraient conserver ce que tu m'aurais pris.

ANGÉLIQUE

S'il veut garder encor cette humeur obstinée,
Je puis bien m'empêcher d'en être importunée,
Feindre un peu de migraine, ou me faire celer :
20 C'est un moyen bien court de ne lui plus parler;
Mais ce qui m'en déplaît et qui me désespère,
C'est de perdre la sœur pour éviter le frère
Et me violenter à fuir ton entretien,
Puisque te voir encor c'est m'exposer au sien.
25 Du moins, s'il faut quitter cette douce pratique,
Ne mets point en oubli l'amitié d'Angélique,
Et crois que ses effets auront leur premier cours
Aussitôt que ton frère aura d'autres amours.

PHYLIS

Tu vis d'un air étrange et presque insupportable.

ANGÉLIQUE

30 Que toi-même pourtant dois trouver équitable;
Mais la raison sur toi ne saurait l'emporter,
Dans l'intérêt d'un frère on ne peut l'écouter.

PHYLIS

Et par quelle raison négliger son martyre?

ANGÉLIQUE

Vois-tu, j'aime Alidor, et c'est assez te dire.
Le reste des mortels pourrait m'offrir des vœux, 35
Je suis aveugle, sourde, insensible pour eux;
La pitié de leurs maux ne peut toucher mon âme
Que par des sentiments dérobés à ma flamme.
On ne doit point avoir des amants par quartier,
Alidor a mon cœur et l'aura tout entier; 40
En aimer deux, c'est être à tous deux infidèle.

PHYLIS

Qu'Alidor seul te rende à tout autre cruelle,
C'est avoir pour le reste un cœur trop endurci.

ANGÉLIQUE

Pour aimer comme il faut, il faut aimer ainsi.

PHYLIS

Dans l'obstination où je te vois réduite, 45
J'admire ton amour et ris de ta conduite.
Fasse état qui voudra de ta fidélité,
Je ne me pique point de cette vanité
Et l'exemple d'autrui m'a trop fait reconnaître
Qu'au lieu d'un serviteur c'est accepter un maître. 50
Quand on n'en souffre qu'un, qu'on ne pense qu'à lui,
Tous autres entretiens nous donnent de l'ennui,
Il nous faut de tout point vivre à sa fantaisie,
Souffrir de son humeur, craindre sa jalousie
Et de peur que le temps n'emporte ses ferveurs 55
Le combler chaque jour de nouvelles faveurs;
Notre âme, s'il s'éloigne, est chagrine, abattue;
Sa mort nous désespère et son change nous tue
Et de quelque douceur que nos feux soient suivis
On dispose de nous sans prendre notre avis, 60
C'est rarement qu'un père à nos goûts s'accommode,
Et lors juge quels fruits on a de ta méthode.
Pour moi, j'aime un chacun et sans rien négliger
Le premier qui m'en conte a de quoi m'engager :
Ainsi tout contribue à ma bonne fortune, 65
Tout le monde me plaît et rien ne m'importune.
De mille que je rends l'un de l'autre jaloux,
Mon cœur n'est à pas un, et se promet à tous :
Ainsi tous à l'envi s'efforcent à me plaire;
Tous vivent d'espérance et briguent leur salaire; 70
L'éloignement d'aucun ne saurait m'affliger,
Mille encore présents m'empêchent d'y songer.
Je n'en crains point la mort, je n'en crains point le change
Un monde m'en console aussitôt ou m'en venge.
Le moyen que de tant et de si différents 75
Quelqu'un n'ait assez d'heur pour plaire à mes parents?
Et si quelque inconnu m'obtient d'eux pour maîtresse,
Ne crois pas que j'en tombe en profonde tristesse :
Il aura quelques traits de tant que je chéris
Et je puis avec joie accepter tous maris. 80

ANGÉLIQUE

Voilà fort plaisamment tailler cette matière
Et donner à ta langue une libre carrière.
Ce grand flux de raisons dont tu viens m'attaquer
Est bon à faire rire, et non à pratiquer.
Simple, tu ne sais pas ce que c'est que tu blâmes 85
Et ce qu'a de douceur l'union de deux âmes;
Tu n'éprouvas jamais de quels contentements
Se nourrissent les feux des fidèles amants.

Qui peut en avoir mille en est plus estimée,
90 Mais qui les aime tous de pas un n'est aimée;
Elle voit leur amour soudain se dissiper :
Qui veut tout retenir laisse tout échapper!

PHYLIS

Défais-toi, défais-toi de tes fausses maximes;
Ou si ces vieux abus te semblent légitimes,
95 Si le seul Alidor te plaît dessous les cieux,
Conserve-lui ton cœur, mais partage tes yeux :
De mon frère par là soulage un peu les plaies,
Accorde un faux remède à des douleurs si vraies,
Feins, déguise avec lui, trompe-le par pitié,
100 Ou du moins par vengeance et par inimitié.

ANGÉLIQUE

Le beau prix qu'il aurait de m'avoir tant chérie,
Si je ne le payais que d'une tromperie!
Pour salaire des maux qu'il endure en m'aimant
Il aura qu'avec lui je vivrai franchement.

PHYLIS

105 Franchement, c'est-à-dire avec mille rudesses
Le mépriser, le fuir, et par quelques adresses
Qu'il tâche d'adoucir... Quoi! me quitter ainsi!
Et sans me dire adieu! le sujet?

Scène II : Doraste, Phylis.

DORASTE

Le voici.
Ma sœur, ne cherche plus une chose trouvée :
110 Sa fuite n'est l'effet que de mon arrivée,
Ma présence la chasse et son muet départ
A presque devancé son dédaigneux regard.

PHYLIS

Juge par là quels fruits produit mon entreprise.
Je m'acquitte des mieux de la charge commise,
115 Je te fais plus parfait mille fois que tu n'es :
Ton feu ne peut aller au point où je le mets;
J'invente des raisons à combattre sa haine,
Je blâme, flatte, prie, et perds toujours ma peine,
En grand péril d'y perdre encor son amitié
120 Et d'être en tes malheurs avec toi de moitié.

DORASTE

Ah! tu ris de mes maux.

PHYLIS

Que veux-tu que je fasse?
Ris des miens, si jamais tu me vois en ta place.
Que serviraient mes pleurs? Veux-tu qu'à tes tourments
J'ajoute la pitié de mes ressentiments?
125 Après mille mépris qu'a reçus ta folie,
Tu n'es que trop chargé de ta mélancolie;
Si j'y joignais la mienne, elle t'accablerait
Et de mon déplaisir le tien redoublerait;
Contraindre mon humeur me serait un supplice
130 Qui me rendrait moins propre à te faire service.
Vois-tu? par tous moyens je te veux soulager,
Mais j'ai bien plus d'esprit que de m'en affliger.
Il n'est point de douleur si forte en un courage
Qui ne perde sa force auprès de mon visage.
135 C'est toujours de tes maux autant de rabattu :
Confesse, ont-ils encor le pouvoir qu'ils ont eu?

Ne sens-tu point déjà ton âme un peu plus gaie?

DORASTE

Tu me forces à rire en dépit que j'en aie,
Je souffre tout de toi, mais à condition
D'employer tous tes soins à mon affection.   14[0]
Dis-moi par quelle ruse il faut...

PHYLIS

Rentrons, mon frère :
Un de mes amants vient, qui pourrait nous distraire.

Scène III : Cléandre.

CLÉANDRE

Que je dois bien faire pitié
De souffrir les rigueurs d'un sort si tyrannique!
J'aime Alidor, j'aime Angélique;   14[5]
Mais l'amour cède à l'amitié
Et jamais on n'a vu sous les lois d'une belle
D'amant si malheureux, ni d'ami si fidèle.

Ma bouche ignore mes désirs
Et de peur de se voir trahi par imprudence,   15[0]
Mon cœur n'a point de confidence.
Avec mes yeux ni mes soupirs :
Tous mes vœux sont muets et l'ardeur de ma flamme
S'enferme tout entière au dedans de mon âme.

Je feins d'aimer en d'autres lieux   15[5]
Et pour en quelque sorte alléger mon supplice,
Je porte du moins mon service
A celle qu'elle aime le mieux.
Phylis, à qui j'en conte, a beau faire la fine,
Son plus charmant appas, c'est d'être sa voisine.   16[0]

Esclave d'un œil si puissant,
Jusque-là seulement me laisse aller ma chaîne,
Trop récompensé, dans ma peine,
D'un de ses regards en passant.
Je n'en veux à Phylis que pour voir Angélique   16[5]
Et mon feu, qui vient d'elle, auprès d'elle s'explique.

Ami, mieux aimé mille fois,
Faut-il, pour m'accabler de douleurs infinies,
Que nos volontés soient unies
Jusqu'à faire le même choix?   17[0]
Viens quereller mon cœur d'avoir tant de faiblesse
Que de se laisser prendre au même œil qui te blesse.

Mais plutôt vois te préférer
A celle que le tien préfère à tout le monde
Et ton amitié sans seconde   17[5]
N'aura plus de quoi murmurer.
Ainsi je veux punir ma flamme déloyale;
Ainsi...

Scène IV : Alidor, Cléandre.

ALIDOR

Te rencontrer dans la place Royale,
Solitaire, et si près de ta douce prison,
Montre bien que Phylis n'est pas à la maison.   18[0]

CLÉANDRE

Mais voir de ce côté ta démarche avancée

Montre bien qu'Angélique est fort dans ta pensée.
ALIDOR
Hélas! c'est mon malheur : son objet trop charmant,
Quoi que je puisse faire, y règne absolument.
CLÉANDRE
De ce pouvoir peut-être elle use en inhumaine?
ALIDOR
Rien moins, et c'est par là que redouble ma peine,
Ce n'est qu'en m'aimant trop qu'elle me fait mourir,
Un moment de froideur, et je pourrais guérir;
Une mauvaise œillade, un peu de jalousie,
Et j'en aurais soudain passé ma fantaisie;
Mais las! elle est parfaite, et sa perfection
N'approche point encor de son affection;
Point de refus pour moi, point d'heures inégales,
Accablé de faveurs à mon repos fatales,
Sitôt qu'elle voit jour à d'innocents plaisirs,
Je vois qu'elle devine et prévient mes désirs
Et si j'ai des rivaux, sa dédaigneuse vue
Les désespère autant que son ardeur me tue.
CLÉANDRE
Vit-on jamais amant de la sorte enflammé,
Qui se tînt malheureux pour être trop aimé?
ALIDOR
Comptes-tu mon esprit entre les ordinaires?
Penses-tu qu'il s'arrête aux sentiments vulgaires?
Les règles que je suis ont un air tout divers :
Je veux la liberté dans le milieu des fers.
Il ne faut point servir d'objet qui nous possède,
Il ne faut point nourrir d'amour qui ne nous cède :
Je le hais, s'il me force et quand j'aime je veux
Que de ma volonté dépendent tous mes vœux,
Que mon feu m'obéisse au lieu de me contraindre,
Que je puisse à mon gré l'enflammer et l'éteindre,
Et toujours en état de disposer de moi,
Donner quand il me plaît et retirer ma foi.
Pour vivre de la sorte Angélique est trop belle,
Mes pensers ne sauraient m'entretenir que d'elle,
Je sens de ses regards mes plaisirs se borner;
Mes pas d'autre côté n'oseraient se tourner,
Et de tous mes soucis la liberté bannie
Me soumet en esclave à trop de tyrannie.
J'ai honte de souffrir les maux dont je me plains
Et d'éprouver ses yeux plus forts que mes desseins.
Je n'ai que trop langui sous de si rudes gênes :
A tel prix que ce soit, il faut rompre mes chaînes,
De crainte qu'un hymen, m'en ôtant le pouvoir,
Fît d'un amour par force un amour par devoir.
CLÉANDRE
Crains-tu de posséder un objet qui te charme?
ALIDOR
Ne parle point d'un nœud dont le seul nom m'alarme.
J'idolâtre Angélique : elle est belle aujourd'hui,
Mais sa beauté peut-elle autant durer que lui?
Et pour peu qu'elle dure, aucun me peut-il dire
Si je pourrai l'aimer jusqu'à ce qu'elle expire?
Du temps, qui change tout, les révolutions
Ne changent-elles pas nos résolutions?
Est-ce une humeur égale et ferme que la nôtre?
N'a-t-on point d'autres goûts en un âge qu'en l'autre?

Juge alors le tourment que c'est d'être attaché   235
Et de ne pouvoir rompre un si fâcheux marché.
Cependant Angélique, à force de me plaire,
Me flatte doucement de l'espoir du contraire
Et si d'autre façon je ne me sais garder
Je sens que ses attraits m'en vont persuader.   240
Mais puisque son amour me donne tant de peine,
Je la veux offenser pour acquérir sa haine
Et mériter enfin un doux commandement
Qui prononce l'arrêt de mon bannissement.
Ce remède est cruel, mais pourtant nécessaire :   245
Puisqu'elle me plaît trop, il me faut lui déplaire.
Tant que j'aurai chez elle encor le moindre accès,
Mes desseins de guérir n'auront point de succès.
CLÉANDRE
Étrange humeur d'amant!
ALIDOR
                    Étrange, mais utile.
Je me procure un mal pour en éviter mille.   250
CLÉANDRE
Tu ne prévois donc pas ce qui t'attend de maux,
Quand un rival aura le fruit de tes travaux?
Pour se venger de toi, cette belle offensée
Sous les lois d'un mari sera bientôt passée
Et lors, que de soupirs et de pleurs répandus!   255
Ne te rendront aucun de tant de biens perdus!
ALIDOR
Dis mieux, que pour rentrer dans mon indifférence,
Je perdrai mon amour avec mon espérance
Et qu'y trouvant alors sujet d'aversion,
Ma liberté naîtra de ma punition.   260
CLÉANDRE
Après cette assurance, ami, je me déclare.
Amoureux dès longtemps d'une beauté si rare,
Toi seul de la servir me pouvais empêcher
Et je n'aimais Phylis que pour m'en approcher.
Souffre donc maintenant que pour mon allégeance   265
Je prenne, si je puis, le temps de sa vengeance;
Que de ressentiments qu'elle aura contre toi
Je tire un avantage en lui portant ma foi
Et que cette colère en son âme conçue
Puisse de mes désirs faciliter l'issue.   270
ALIDOR
Si ce joug inhumain, ce passage trompeur,
Ce supplice éternel, ne te fait point de peur,
A moi ne tiendra pas que la beauté que j'aime
Ne me quitte bientôt pour un autre moi-même.
Tu portes en bon lieu tes désirs amoureux,   275
Mais songe que l'hymen fait bien des malheureux.
CLÉANDRE
J'en veux bien faire essai, mais d'ailleurs, quand j'y
Peut-être seulement le nom d'époux t'offense [pense,
Et tu voudrais qu'un autre...
ALIDOR
                    Ami, que me dis-tu?
Connais mieux Angélique et sa haute vertu   280
Et sache qu'une fille a beau toucher mon âme,
Je ne la connais plus dès l'heure qu'elle est femme.
De mille qu'autrefois tu m'as vu caresser,
En pas une un mari pouvait-il s'offenser?

285 J'évite l'apparence autant comme le crime,
    Je fuis un compliment qui semble illégitime,
    Et le jeu m'en déplaît, quand on fait à tous coups
    Causer un médisant et rêver un jaloux.
    Encor que dans mon feu mon cœur ne s'intéresse,
290 Je veux pouvoir prétendre où ma bouche l'adresse
    Et garder, si je puis, parmi ces fictions,
    Un renom aussi pur que mes intentions,
    Ami, soupçon à part, et sans plus de réplique,
    Si tu veux en ma place être aimé d'Angélique,
295 Allons tout de ce pas ensemble imaginer
    Les moyens de la perdre et de te la donner
    Et quelle invention sera la plus aisée.

CLÉANDRE

Allons, ce que j'ai dit n'était que par risée.

ACTE SECOND

Scène I : Angélique, Polymas.

ANGÉLIQUE, *tenant une lettre ouverte.*
    De cette trahison ton maître est donc l'auteur?
POLYMAS
300 Assez imprudemment il m'en fait le porteur.
    Comme il se rend par là digne qu'on le prévienne,
    Je veux bien en faire une en haine de la sienne
    Et mon devoir, mal propre à de si lâches coups,
    Manque aussitôt vers lui que son amour vers vous.
ANGÉLIQUE
305 Contre ce que je vois le mien encor s'obstine.
    Qu'Alidor ait écrit cette lettre à Clarine[5]
    Et qu'ainsi d'Angélique il se voulût jouer!
POLYMAS
    Il n'aura pas le front de le désavouer.
    Opposez-lui ces traits, battez-le de ses armes :
310 Pour s'en pouvoir défendre il lui faudrait des charmes[6]
    Mais surtout cachez-lui ce que je fais pour vous
    Et ne m'exposez point aux traits de son courroux;
    Que je vous puisse encor trahir son artifice
    Et pour mieux vous servir, rester à son service.
ANGÉLIQUE
315 Rien ne m'échappera qui te puisse toucher :
    Je sais ce qu'il faut dire, et ce qu'il faut cacher.
POLYMAS
    Feignez d'avoir reçu ce billet de Clarine
    Et que...
ANGÉLIQUE
        Ne m'instruis point et va, qu'il ne devine.
POLYMAS
    Mais...
ANGÉLIQUE
        Ne réplique plus, et va-t'en.
POLYMAS
                J'obéis.
ANGÉLIQUE, *seule.*
320 Mes feux, il est donc vrai que l'on vous a trahis?

5. Personnage invisible, le même que dans *la Veuve*, la *Suivante* et *l'Illusion comique.*
6. Des philtres magiques.

Et ceux dont Alidor montrait son âme atteinte
Ne sont plus que fumée, ou n'étaient qu'une feinte?
Que la foi des amants est un gage pipeur!
Que leurs serments sont vains et notre espoir trompeur!
Qu'on est peu dans leur cœur pour être dans leur bou- 3
Et que malaisément on sait ce qui les touche! [che]
Mais voici l'infidèle. Ah! qu'il se contraint bien!

Scène II : Alidor, Angélique.

ALIDOR
Puis-je avoir un moment de ton cher entretien?
Mais j'appelle un moment, de même qu'une année
Passe entre deux amants pour moins qu'une journée. 3
ANGÉLIQUE
Avec de tels discours oses-tu m'aborder,
Perfide, et sans rougir peux-tu me regarder?
As-tu cru que le ciel consentît à ma perte,
Jusqu'à souffrir encor ta lâcheté couverte?
Apprends, perfide, apprends que je suis hors d'erreur, 3
Tes yeux ne me sont plus que des objets d'horreur,
Je ne suis plus charmée et mon âme plus saine,
N'eut jamais tant d'amour qu'elle a pour toi de haine.
ALIDOR
Voilà me recevoir avec des compliments
Qui seraient pour tout autre un peu moins que   3
Quel est en le sujet?   [charmants.
ANGÉLIQUE
            Le sujet? lis, parjure
Et puis accuse-moi de te faire une injure!
ALIDOR *lit la lettre entre les mains d'Angélique.*
    LETTRE SUPPOSÉE D'ALIDOR A CLARINE
        Clarine, je suis tout à vous,
        Ma liberté vous rend les armes,
        Angélique n'a point de charmes   3
        Pour me défendre de vos coups;
        Ce n'est qu'une idole mouvante,
    Ses yeux sont sans vigueur, sa bouche sans appas :
    Alors que je l'aimais, je ne la connus pas
    Et de quelques attraits que ce monde vous vante,   3
        Vous devez mes affections
    Autant à ses défauts qu'à vos perfections.
ANGÉLIQUE
Eh bien! ta perfidie est-elle en évidence?
ALIDOR
Est-ce là tant de quoi?
ANGÉLIQUE
            Tant de quoi? l'impudence!
Après mille serments il me manque de foi   3
Et me demande encor si c'est là tant de quoi!
Change si tu le veux ! je n'y perds qu'un volage,
Mais en m'abandonnant laisse en paix mon visage,
Oublie avec ta foi ce que j'ai de défauts,
N'établis point tes feux sur le peu que je vaux,   3
Fais que, sans m'y mêler, ton compliment s'explique
Et ne le grossis point du mépris d'Angélique.
ALIDOR
Deux mots de vérité vous mettent bien aux champs!
ANGÉLIQUE
Ciel, tu ne punis point des hommes si méchants!

Ce traître vit encore, il me voit, il respire;
Il l'affronte, il l'avoue, il rit quand je soupire.
                    ALIDOR
Vraiment le ciel a tort de ne vous pas donner
Lorsque vous tempêtez, sa foudre à gouverner;
Il devrait avec vous être d'intelligence.
    *Angélique déchire la lettre et en jette les morceaux
et Alidor continue.*
Le digne et grand objet d'une haute vengeance!
Vous traitez du papier avec trop de rigueur.
                    ANGÉLIQUE
Que n'en puis-je autant faire à ton perfide cœur!
                    ALIDOR
Qui ne vous flatte point puissamment vous irrite.
Pour dire franchement votre peu de mérite,
Commet-on des forfaits si grands et si nouveaux
Qu'on doive tout à l'heure être mis en morceaux?
Si ce crime autrement ne saurait se remettre,
    *Il lui présente aux yeux un miroir qu'elle porte à sa
ceinture.*
Cassez : ceci vous dit encor pis que ma lettre,
                    ANGÉLIQUE
S'il me dit mes défauts autant ou plus que toi,
Déloyal, pour le moins il n'en dit rien qu'à moi:
C'est dedans son cristal que je les étudie,
Mais, après il s'en tait, et moi j'y remédie;
Il m'en donne un avis sans me les reprocher
Et me les découvrant, il m'aide à les cacher.
                    ALIDOR
Vous êtes en colère et vous dites des pointes,
Ne présumiez-vous point que j'irais, à mains jointes,
Les yeux enflés de pleurs et le cœur de soupirs,
Vous faire offre à genoux de mille repentirs?
Que vous êtes à plaindre étant si fort déçue!
                    ANGÉLIQUE
Insolent! ôte-toi pour jamais de ma vue.
                    ALIDOR
Me défendre vos yeux après mon changement,
Appelez-vous cela du nom de châtiment?
Ce n'est que me bannir du lieu de mon supplice
Et ce commandement est si plein de justice
Que bien que je renonce à vivre sous vos lois,
Je vais vous obéir pour la dernière fois.

          Scène III : Angélique.

Commandement honteux, où ton obéissance
N'est qu'un signe trop clair de mon peu de puissance,
Où ton bannissement a pour toi des appas
Et me devient cruel de ne te l'être pas!
A quoi se résoudra désormais ma colère,
Si ta punition te tient lieu de salaire?
Que mon pouvoir me nuit! et qu'il m'est cher vendu!
Voilà ce que me vaut d'avoir trop attendu;
Je devais prévenir ton outrageux caprice;
Mon bonheur dépendait de te faire injustice.
Je chasse un fugitif avec trop de raison
Et lui donne les champs quand il rompt sa prison.
Ah! que n'ai-je eu des bras à suivre mon courage?
Qu'il m'eût bien autrement réparé cet outrage!

Que j'eusse retranché de ses propos railleurs!
Le traître n'eût jamais porté son cœur ailleurs :
Puisqu'il m'était donné, je m'en fusse saisie
Et sans prendre conseil que de ma jalousie,
Puisqu'un autre portrait en efface le mien,   415
Cent coups auraient chassé ce voleur de mon bien.
Vains projets, vains discours, vaine et fausse allégeance
Et mes bras et son cœur manquent à ma vengeance!
    Ciel, qui m'en vois donner de si justes sujets,
Donne-m'en des moyens, donne-m'en des objets.   420
Où me dois-je adresser? Qui doit porter sa peine?
Qui doit à son défaut m'éprouver inhumaine?
De mille désespoirs mon cœur est assailli,
Je suis seule punie, et je n'ai point failli.
Mais j'ose faire au ciel une injuste querelle,   425
Je n'ai que trop failli d'aimer un infidèle,
De recevoir un traître, un ingrat, sous ma loi
Et trouver du mérite en qui manquait de foi.
Ciel, encore une fois, écoute mon envie :
Ote-m'en la mémoire ou le prive de vie;   430
Fais que de mon esprit je puisse le bannir,
Ou ne l'avoir que mort dedans mon souvenir.
Que je m'anime en vain contre un objet aimable!
Tout criminel qu'il est, il me semble adorable
Et mes souhaits, qu'étouffe un soudain repentir,   435
En demandant sa mort n'y sauraient consentir.
Restes impertinents d'une flamme insensée,
Ennemis de mon heur, sortez de ma pensée
Ou si vous m'en peignez encore quelques traits,
Laissez là ses vertus, peignez-moi ses forfaits.   440

          Scène IV : Angélique, Phylis.

                    ANGÉLIQUE
Le croirais-tu, Phylis? Alidor m'abandonne.
                    PHYLIS
Pourquoi non? Je n'y vois rien du tout qui m'étonne,
Rien qui ne soit possible, et de plus fort commun.
La constance est un bien qu'on ne voit en pas un,
Tout change sous les cieux, mais partout bon remède. 445
                    ANGÉLIQUE
Le ciel n'en a point fait au mal qui me possède.
                    PHYLIS
Choisis de mes amants, sans t'affliger si fort
Et n'appréhende pas de me faire grand tort :
J'en pourrais, au besoin, fournir toute la ville,
Qu'il m'en demeurerait encor plus de deux mille.   450
                    ANGÉLIQUE
Tu me ferais mourir de tels propos;
Ah! laisse-moi plutôt soupirer en repos,
Ma sœur.
                    PHYLIS
          Plût au bon Dieu que tu voulusses l'être!
                    ANGÉLIQUE
Eh quoi, tu ris encor! C'est bien faire paraître...
                    PHYLIS
Que je ne saurais voir d'un visage affligé   455
Ta cruauté punie, et mon frère vengé.
Après tout, je connais quelle est ta maladie :
Tu vois comme Alidor est plein de perfidie,

Mais je mets dans deux jours ma tête à l'abandon[7],
460 Au cas qu'un repentir n'obtienne son pardon.
ANGÉLIQUE
Après que cet ingrat me quitte pour Clarine?
PHYLIS
De le garder longtemps elle n'a pas la mine
Et j'estime si peu ces nouvelles amours,
Que je te plège encor son retour dans deux jours [8];
465 Et lors ne pense pas, quoi que tu te proposes,
Que de tes volontés devant lui tu disposes.
Prépare tes dédains, arme-toi de rigueur,
Une larme, un soupir te percera le cœur
Et je serai ravie alors de voir vos flammes
470 Brûler mieux que devant, et rejoindre vos âmes.
Mais j'en crains un succès à ta confusion :
Qui change une fois change à toute occasion
Et nous verrons toujours, si Dieu le laisse vivre,
Un change, un repentir, un pardon, s'entre-suivre.
475 Ce dernier est souvent l'amorce d'un forfait
Et l'on cesse de craindre un courroux sans effet.
ANGÉLIQUE
Sa faute a trop d'excès pour être rémissible,
Ma sœur ; je ne suis pas de la sorte insensible
Et si je présumais que mon trop de bonté
480 Pût jamais se résoudre à cette lâcheté,
Qu'un si honteux pardon pût suivre cette offense,
J'en préviendrais le coup, m'en ôtant la puissance,
Adieu : dans la colère où je suis aujourd'hui,
J'accepterais plutôt un barbare que lui.

Scène V : Phylis, Doraste.

PHYLIS
485 Il faut donc se hâter, qu'elle ne refroidisse.
*Elle frappe du pied à la porte de son logis et fait
sortir son frère.*
Frère, quelque inconnu t'a fait un bon office :
Il ne tiendra qu'à toi d'être un second Médor [9],
On a fait qu'Angélique...
DORASTE
Eh bien?
PHYLIS
Hait Alidor.
DORASTE
Elle hait Alidor! Angélique!
PHYLIS
Angélique.
DORASTE
D'où lui vient cette humeur? qui les a mis en pique?
490 PHYLIS
Si tu prends bien ton temps, il y fait bon pour toi.
Va, ne t'amuse point à savoir le pourquoi,

---

7. Le proverbe disait déjà aussi : « J'en donne ma tête à
couper. »
8. *Plèger* : terme juridique, garantir en versant une caution.
La Fontaine emploie encore ce terme, déjà archaïque au temps
de Corneille.
9. Les amours de Médor et d'Angélique, épisode fameux du
Roland furieux de l'Arioste, dont un obscur Poitevin, Le Riche,
allait tirer trois ans plus tard une tragi-comédie, son unique
essai au théâtre.

Parle au père d'abord : tu sais qu'il te souhaite
Et s'il ne s'en dédit, tiens l'affaire pour faite.
DORASTE
Bien qu'un si bon avis ne soit à mépriser, 49
Je crains...
PHYLIS
Lysis m'aborde, et tu me veux causer!
Entre chez Angélique et pousse ta fortune :
Quand je vois un amant, un frère m'importune.

Scène VI : Lysis, Phylis.

LYSIS
Comme vous le chassez!
PHYLIS
Qu'eût-il fait avec nous?
Mon entretien sans lui te semblera plus doux : 50
Tu pourras t'expliquer avec moins de contrainte,
Me conter de quels feux tu te sens l'âme atteinte
Et ce que tu croiras propre à te soulager.
Regarde maintenant si je sais t'obliger.
LYSIS
Cette obligation serait bien plus extrême, 50
Si vous vouliez traiter tous mes rivaux de même [10]
Et vous feriez bien plus pour mon contentement,
De souffrir avec vous vingt frères qu'un amant.
PHYLIS   [contraire :
Nous sommes donc, Lysis, d'une humeur bien
J'y souffrirais plutôt cinquante amants qu'un frère 51
Et puisque nos esprits ont si peu de rapport,
Je m'étonne comment nous nous aimons si fort.
LYSIS
Vous êtes ma maîtresse et mes flammes discrètes
Doivent un tel respect aux lois que vous me faites
Que pour leur obéir mes sentiments domptés 51
N'osent plus se régler que sur vos volontés.
PHYLIS
J'aime des serviteurs qui pour une maîtresse
Souffrent ce qui leur nuit, aiment ce qui les blesse.
Si tu vois quelque jour tes feux récompensés,
Souviens-toi... Qu'est-ce-ci? Cléandre, vous passez? 52
*Cléandre va pour entrer chez Angélique, et Phylis
l'arrête.*

Scène VII : Cléandre, Phylis, Lysis.

CLÉANDRE
Il me faut bien passer, puisque la place est prise.
PHYLIS
Venez, cette raison est de mauvaise mise.
D'un million d'amants je puis flatter les vœux
Et n'aurais pas l'esprit d'en entretenir deux?
Sortez de cette erreur, et souffrant ce partage 52
Ne faites pas ici l'entendu davantage.
CLÉANDRE
Le moyen que je sois insensible à ce point?

---

10. Molière se souviendra de la situation dans *le Misanthrope*. C'est textuellement qu'il reprendra le vers 530.

PHYLIS

Quoi! pour l'entretenir, ne vous aimé-je point?

CLÉANDRE

Encor que votre ardeur à la mienne réponde,
Je ne veux plus d'un bien commun à tout le monde.

PHYLIS

Si vous nommez ma flamme un bien commun à tous,
Je n'aime, pour le moins, personne plus que vous :
Cela doit vous suffire.

CLÉANDRE

           Oui bien, à des volages
Qui peuvent en un jour adorer cent visages;
Mais ceux dont un objet possède tous les soins,
Se donnant tout entiers, n'en méritent pas moins.

PHYLIS

De vrai, si vous valiez beaucoup plus que les autres,
Je devrais dédaigner leurs vœux auprès des vôtres;
Mais mille aussi bien faits ne sont pas mieux traités
Et ne murmurent point contre mes volontés.
Est-ce à moi, s'il vous plaît, de vivre à votre mode?
Votre amour, en ce cas, serait fort incommode;
Loin de la recevoir, vous me feriez la loi :
Qui m'aime de la sorte, il s'aime, et non pas moi.

LYSIS, à Cléandre.

Persiste en ton humeur, je te prie, et conseille
A tous nos concurrents d'en prendre une pareille.

CLÉANDRE

Tu seras bientôt seul, s'ils veulent m'imiter.

PHYLIS

Quoi donc! c'est tout de bon que tu me veux quitter?
Tu ne dis mot, rêveur, et pour toute réplique
Tu tournes tes regards du côté d'Angélique :
Est-elle donc l'objet de tes légèretés?
Veux-tu faire d'un coup deux infidélités
Et que dans mon offense Alidor s'intéresse?
Cléandre, c'est assez de trahir ta maîtresse,
Dans ta nouvelle flamme épargne tes amis
Et ne l'adresse point en lieu qui soit promis.

CLÉANDRE

De la part d'Alidor je vais voir cette belle :
Laisse-m'en avec lui démêler la querelle
Et ne t'informe point de mes intentions.

PHYLIS

Puisqu'il me faut résoudre en mes afflictions
Et que pour te garder j'ai trop peu de mérite,
Du moins, avant l'adieu, demeurons quitte à quitte;
Que ce que j'ai du tien je te le rende ici :
Tu m'as offert des vœux, que je t'en offre aussi
Et faisons entre nous toutes choses égales.

LYSIS

Et moi, durant ce temps, je garderai les balles [11]?

PHYLIS

Je te donne congé d'une heure, si tu veux.

LYSIS

Je l'accepte, au hasard de le prendre pour deux.

PHYLIS

Pour deux, pour quatre, soit : ne crains pas qu'il
[m'ennuie.

11. Locution tirée du jeu de paume et passée en proverbe.
On dit encore, plus vulgairement, « tenir la chandelle ».

Scène VIII : Cléandre, Phylis.

PHYLIS, arrête Cléandre qui tâche de s'échapper
pour entrer chez Angélique.

Mais je ne consens pas cependant qu'on me fuie;   570
Tu perds temps d'y tâcher, si tu n'as mon congé.
Inhumain! est-ce ainsi que je t'ai négligé?
Quand tu m'offrais des vœux prenais-je ainsi la fuite
Et rends-tu la pareille à ma juste poursuite?
Avec tant de douceur tu te vis écouter   575
Et tu tournes le dos quand je t'en veux conter!

CLÉANDRE

Va te jouer d'un autre avec tes railleries,
J'ai l'oreille mal faite à ces galanteries :
Ou cesse de m'aimer, ou n'aime plus que moi.

PHYLIS

Je ne t'impose pas une si dure loi :   580
Avec moi, si tu veux, aime toute la terre,
Sans craindre que jamais je t'en fasse la guerre.
Je reconnais assez mes imperfections;
Et quelque part que j'aye en tes affections,
C'est encor trop pour moi; seulement ne rejette   585
La parfaite amitié d'une fille imparfaite.

CLÉANDRE

Qui te rend obstinée à me persécuter?

PHYLIS

Qui te rend si cruel que de me rebuter?

CLÉANDRE

Il faut que de tes mains un adieu me délivre.

PHYLIS

Si tu sais t'en aller, je saurai bien te suivre;   590
Et quelque occasion qui t'amène en ces lieux,
Tu ne lui diras pas grand secret à mes yeux.
Je suis plus incommode encor qu'il ne te semble.
Parlons plutôt d'accord, et composons ensemble.
Hier un peintre excellent m'apporta mon portrait :   595
Tandis qu'il t'en demeure encore quelque trait,
Qu'encor tu me connais, et que de ta pensée
Mon image n'est pas tout à fait effacée,
Ne m'en refuse point ton petit jugement.

CLÉANDRE

Je le tiens pour bien fait.

PHYLIS

          Plains-tu tant un moment?   600
Et m'attachant à toi, si je te désespère,
A ce prix trouves-tu ta liberté trop chère?

CLÉANDRE

Allons, puisque autrement je ne te puis quitter,
A tel prix que ce soit il me faut racheter.

ACTE TROISIÈME

Scène I : Phylis, Cléandre.

CLÉANDRE

En ce point il ressemble à ton humeur volage,   605
Qu'il reçoit tout le monde avec même visage;
Mais d'ailleurs ce portrait ne te ressemble pas,
En ce qu'il ne dit mot et ne suit point mes pas.

PHYLIS
En quoi que désormais ma présence te nuise,
610 La civilité veut que je te reconduise.

CLÉANDRE
Mets enfin quelque borne à ta civilité
Et suivant notre accord me laisse en liberté.

Scène II : Doraste, Phylis, Cléandre.

DORASTE, *sort de chez Angélique.*
Tout est gagné, ma sœur : la belle m'est acquise,
Jamais occasion ne se trouva mieux prise,
615 Je possède Angélique.

CLÉANDRE
Angélique?

DORASTE
Oui, tu peux
Avertir Alidor du succès de mes vœux
Et qu'au sortir du bal, que je donne chez elle,
Demain un sacré nœud m'unit à cette belle;
Dis-lui qu'il s'en console. Adieu, je vais pourvoir
620 A tout ce qu'il me faut préparer pour ce soir.

PHYLIS
Ce soir j'ai bien la mine, en dépit de ta glace,
D'en trouver là cinquante à qui donner ta place.
Va-t'en, si bon te semble, ou demeure en ces lieux :
Je ne t'arrêtais pas ici pour tes beaux yeux;
625 Mais jusqu'à maintenant j'ai voulu te distraire,
De peur que ton abord interrompît mon frère.
Quelque fin que tu sois, tiens-toi pour affiné [12].

Scène III : Cléandre.

Ciel! à tant de malheurs m'aviez-vous destiné?
Faut-il qu'un dessein si juste que le nôtre
630 La peine soit pour nous et les fruits pour un autre?
Et que notre artifice ait si mal succédé,
Qu'il me dérobe un bien qu'Alidor m'a cédé?
Officieux ami d'un amant déplorable,
Que tu m'offres en vain cet objet adorable!
635 Qu'en vain de m'en saisir ton adresse entreprend!
Ce que tu m'as donné, Doraste le surprend.
Tandis qu'il me supplante, une sœur me cajole;
Elle me tient les mains cependant qu'il me vole,
On me joue, on me brave, on me tue, on s'en rit;
640 L'un me vante son heur, l'autre son trait d'esprit,
L'un et l'autre à la fois me perd, me désespère
Et je puis épargner ou la sœur ou le frère!
Etre sans Angélique, et sans ressentiment!
Avec si peu de cœur aimer si puissamment!
645 Cléandre, est-ce un forfait que l'ardeur qui te presse?
Craignais-tu d'avouer une telle maîtresse?
Et cachais-tu l'excès de ton affection
Par honte, par dépit, ou par discrétion?
Pouvais-tu désirer occasion plus belle
650 Que le nom d'Alidor à venger ta querelle?
Si pour tes feux cachés tu n'oses t'émouvoir,
Laisse leurs intérêts, suis ceux de ton devoir.

12. Trompé, dupé. Elle joue sur le mot fin.

On supplante Alidor, du moins en apparence,
Et sans ressentiment tu souffres cette offense!
Ton courage est muet, et ton bras endormi!
Pour être amant discret, tu parais lâche ami!
C'est trop abandonner ta renommée au blâme :
Il faut sauver d'un coup ton honneur et ta flamme
Et l'un et l'autre ici marchent d'un pas égal;
Soutenant un ami, tu t'ôtes un rival.
Ne diffère donc plus ce que l'honneur commande
Et lui gagne Angélique, afin qu'il te la rende.
Il faut...

Scène IV : Alidor, Cléandre.

ALIDOR
Eh bien! Cléandre, ai-je su t'obliger?

CLÉANDRE
Pour m'avoir obligé, que je vais t'affliger!
Doraste a pris le temps des dépits d'Angélique.

ALIDOR
Après?

CLÉANDRE
Après cela tu veux que je m'explique?

ALIDOR
Qu'en a-t-il obtenu?

CLÉANDRE
Par delà son espoir :
Il l'épouse demain, lui donne bal ce soir;
Juge, juge par là si mon mal est extrême.

ALIDOR
En es-tu bien certain?

CLÉANDRE
J'ai tout su de lui-même.

ALIDOR
Que je serais heureux si je ne t'aimais point!
Ton malheur aurait mis mon bonheur à son point;
La prison d'Angélique aurait rompu la mienne.
Quelque empire sur moi que son visage obtienne,
Ma passion fût morte avec sa liberté
Et trop vain pour souffrir qu'en sa captivité
Les restes d'un rival m'eussent enchaîné l'âme,
Les feux de son hymen auraient éteint ma flamme.
Pour forcer sa colère à de si doux effets,
Quels efforts, cher ami, ne me suis-je point faits!
Malgré tout mon amour, prendre un orgueil farouche,
L'adorer dans le cœur, et l'outrager de bouche,
J'ai souffert ce supplice et me suis feint léger,
De honte et de dépit de ne pouvoir changer.
Et je vois, près du but où je voulais prétendre,
Les fruits de mon travail n'être pas pour Cléandre!
A ces conditions mon bonheur me déplaît :
Je ne puis être heureux, si Cléandre ne l'est.
Ce que je t'ai promis ne peut être à personne,
Il faut que je périsse ou que je te le donne.
J'aurai trop de moyens de te garder ma foi
Et malgré les destins Angélique est à toi.

CLÉANDRE
Ne trouble point pour moi le repos de ton âme :
Il t'en coûterait trop pour avancer ma flamme.
Sans que ton amitié fasse un second effort,
Voici de qui j'aurai ma maîtresse ou la mort;

Si Doraste a du cœur, il faut qu'il la défende
Et que l'épée au poing il la gagne ou la rende.

ALIDOR

Simple, par le chemin que tu penses tenir,
700 Tu la lui peux ôter, mais non pas l'obtenir.
La suite des duels ne fut jamais plaisante :
C'était ces jours passés ce que disait Théante [13]
Je veux prendre un moyen et plus court et plus seur
Et sans aucun péril t'en rendre possesseur.
705 Va-t'en donc et me laisse auprès de ta maîtresse
De mon reste d'amour faire jouer l'adresse.

CLÉANDRE

Cher ami...

ALIDOR

Va-t'en, dis-je, et par tes compliments
Cesse de t'opposer à tes contentements :
Désormais en ces lieux tu ne fais que me nuire.

CLÉANDRE

710 Je vais donc te laisser ma fortune à conduire.
Adieu : puissé-je avoir les moyens à mon tour
De faire autant pour toi que toi pour mon amour!

ALIDOR, seul.

Que pour ton amitié je vais souffrir de peine!
Déjà presque échappé, je rentre dans ma chaîne.
15 Il faut encore un coup, m'exposant à ses yeux,
Reprendre de l'amour, afin d'en donner mieux.
Mais reprendre un amour dont je veux me défaire,
Qu'est-ce qu'à mes desseins un chemin tout contraire?
Allons-y toutefois, puisque je l'ai promis
20 Et que la peine est douce à qui sert ses amis.

Scène V: Angélique, dans son cabinet.

Quel malheur partout m'accompagne!
Qu'un indiscret hymen me venge à mes dépens!
Que de pleurs en vain je répands,
Moins pour ce que je perds que pour ce que je gagne!
25 L'un m'est plus doux que l'autre, et j'ai moins de
Du crime d'Alidor que de son châtiment.   [tourment
Ce traître alluma donc ma flamme.
Je puis donc consentir à ces tristes accords!
Hélas! par quelques vains efforts
30 Que je me fasse jour jusqu'au fond de mon âme,
J'y trouve seulement, afin de me punir,
Le dépit du passé, l'horreur de l'avenir.

Scène VI : Angélique, Alidor.

ANGÉLIQUE

Où viens-tu, déloyal? avec quelle impudence
Oses-tu redoubler mes maux par ta présence,
35 Qui te donne le front de surprendre mes pleurs,
Cherches-tu de la joie à même mes douleurs
Et peux-tu conserver une âme assez hardie
Pour voir ce qu'à mon cœur coûte ta perfidie?
Après que tu m'as fait un insolent aveu
40 De n'avoir plus pour moi ni de foi ni de feu,
Tu te mets à genoux et tu veux, misérable,

13. Allusion aux vers 649-653 de *la Suivante.*

Que ton feint repentir m'en donne un véritable?
Va, va, n'espère rien de tes submissions,
Porte-les à l'objet de tes affections,
Ne me présente plus les traits qui m'ont déçue, 745
N'attaque point mon cœur en me blessant la vue.
Penses-tu que je sois, après ton changement,
Ou sans ressouvenir, ou sans ressentiment?
S'il te souvient encor de ton brutal caprice,
Dis-moi, que viens-tu faire au lieu de ton supplice? 750
Garde un exil si cher à tes légèretés :
Je ne veux plus savoir de toi mes vérités.
Quoi! tu ne me dis mot! Crois-tu que ton silence
Puisse de tes discours réparer l'insolence
Des pleurs effacent-ils un mépris si cuisant 755
Et ne t'en dédis-tu, traître, qu'en te taisant?
Pour triompher de moi veux-tu, pour toutes armes,
Employer des soupirs et de muettes larmes?
Sur notre amour passé c'est trop te confier,
Du moins dis quelque chose à te justifier, 760
Demande le pardon que tes regards m'arrachent,
Explique leurs discours, dis-moi ce qu'ils me cachent.
Que mon courroux est faible et que leurs traits puis-
Rendent des criminels aisément innocents!   [sants
Je n'y puis résister, quelque effort que je fasse 765
Et de peur de me rendre, il faut quitter la place.

ALIDOR, *la retient, comme elle veut s'en aller.*

Quoi! votre amour renaît, et vous m'abandonnez!
C'est bien là me punir quand vous me pardonnez.
Je sais ce que j'ai fait et qu'après tant d'audace
Je ne mérite pas de jouir de ma grâce; 770
Mais demeurez du moins, tant que vous ayez su
Que par un feint mépris votre amour fut déçu,
Que je vous fus fidèle en dépit de ma lettre,
Qu'en vos mains seulement on la devait remettre,
Que mon dessein n'allait qu'à voir vos mouvements 775
Et juger de vos feux par vos ressentiments.
Dites, quand je la vis entre vos mains remise,
Changeai-je de couleur! eus-je quelque surprise?
Ma parole plus ferme et mon port assuré
Ne vous montraient-ils pas un esprit préparé? 780
Que Clarine vous die, à la première vue,
Si jamais de mon change elle s'est aperçue,
Ce mauvais compliment flattait mal ses appas :
Il vous faisait outrage et ne l'obligeait pas
Et ses termes piquants, mal conçus pour lui plaire, 785
Au lieu de son amour, cherchaient votre colère.

ANGÉLIQUE

Cesse de m'éclaircir sur ce triste secret,
En te montrant fidèle, il accroît mon regret :
Je perds moins, si je crois ne perdre qu'un volage
Et je ne puis sortir d'erreur qu'à mon dommage. 790
Que me sert de savoir que tes vœux sont constants?
Que te sert d'être aimé, quand il n'en est plus temps?

ALIDOR

Aussi je ne viens pas pour regagner votre âme :
Préférez-moi Doraste, et devenez sa femme.
Je vous viens, par ma mort, en donner le pouvoir : 795
Moi vivant, votre foi ne le peut recevoir;
Elle m'est engagée et quoi que l'on vous die
Sans crime elle ne peut durer moins que ma vie.

Mais voici qui vous rend l'une et l'autre à la fois.

ANGÉLIQUE

800 Ah! ce cruel discours me réduit aux abois.
Ma colère a rendu ma perte inévitable
Et je déteste en vain ma faute irréparable.

ALIDOR

Si vous avez du cœur, on la peut réparer.

ANGÉLIQUE

On nous doit dès demain pour jamais séparer :
805 Que puis-je à de tels maux appliquer pour remède?

ALIDOR

Ce qu'ordonne l'amour aux âmes qu'il possède.
Si vous m'aimez encor, vous saurez dès ce soir
Rompre les noirs effets d'un juste désespoir.
Quittez avec ce bal vos malheurs pour me suivre
810 Ou soudain à vos yeux je vais cesser de vivre.
Mettez-vous en ma mort votre contentement?

ANGÉLIQUE

Non, mais que dira-t-on d'un tel emportement?

ALIDOR

Est-ce là donc le prix de vous avoir servie?
Il y va de votre heur, il y va de ma vie,
815 Et vous vous arrêtez à ce qu'on en dira!
Mais faites désormais tout ce qu'il vous plaira,
Puisque vous consentez plutôt à vos supplices
Qu'à l'unique moyen de payer mes services,
Ma mort va me venger de votre peu d'amour;
820 Si vous n'êtes à moi, je ne veux plus du jour.

ANGÉLIQUE

Retiens ce coup fatal, me voilà résolue;
Use sur tout mon cœur de puissance absolue :
Puisqu'il est tout à toi, tu peux tout commander
Et contre nos malheurs j'ose tout hasarder.
825 Cet éclat du dehors [14] n'a rien qui m'embarrasse,
Mon honneur seulement te demande une grâce :
Accorde à ma pudeur que deux mots de ta main
Puissent justifier ma fuite et ton dessein;
Que mes parents surpris trouvent ici ce gage,
830 Qui les rende assurés d'un heureux mariage
Et que je sauve ainsi ma réputation
Par la sincérité de ton intention.
Ma faute en sera moindre, et mon trop de constance
Paraîtra seulement fuir une violence.

ALIDOR

835 Enfin par ce dessein vous me ressuscitez :
Agissez pleinement dessus mes volontés.
J'avais pour votre honneur la même inquiétude
Et ne pourrais d'ailleurs qu'avec ingratitude,
Voyant ce que pour moi votre flamme résout,
840 Dénier quelque chose à qui m'accorde tout.
Donnez-moi : sur-le-champ je vous veux satisfaire.

ANGÉLIQUE

Il vaut mieux que l'effet à tantôt se diffère.
Je manque ici de tout et j'ai le cœur transi
De crainte que quelqu'un ne te découvre ici.
845 Mon dessein généreux fait naître cette crainte;
Depuis qu'il est formé, j'en ai senti l'atteinte.
Quitte-moi, je te prie, et coule-toi sans bruit.

____

14. C'est-à-dire l'opinion publique.

ALIDOR

Puisque vous le voulez, adieu, jusqu'à minuit.
Alidor s'en va et Angélique continue.

ANGÉLIQUE

Que promets-tu, pauvre aveuglée?
A quoi t'engage ici ta folle passion   850
Et de quelle indiscrétion
Ne s'accompagne point ton ardeur déréglée?
Tu cours à ta ruine et vas tout hasarder
Sur la foi d'un amant qui n'en saurait garder.
Je me trompe, il n'est point volage;   855
J'ai vu sa fermeté, j'en ai cru ses soupirs
Et si je flatte mes désirs,
Une si douce erreur n'est qu'à mon avantage.
Me manquât-il de foi, je la lui dois garder
Et pour perdre Doraste il faut tout hasarder.   860

ALIDOR, *sortant de la porte d'Angélique,*
et repassant sur le théâtre.

Cléandre, elle est à toi; j'ai fléchi son courage.
Que ne peut l'artifice et le fard du langage
Et si pour un ami ces effets je produis,
Lorsque j'agis pour moi, qu'est-ce que je ne puis?

Scène VII : Phylis.

Alidor à mes yeux sort de chez Angélique,   865
Comme s'il y gardait encor quelque pratique
Et même, à son visage, il semble assez content.
Aurait-il regagné cet esprit inconstant?
Oh! qu'il ferait bon voir que cette humeur volage
Deux fois en moins d'une heure eût changé de courage! 870
Que mon frère en tiendrait, s'ils s'étaient mis d'accord!
Il faut qu'à le savoir je fasse mon effort.
Ce soir, je sonderai les secrets de son âme
Et si son entretien ne me trahit sa flamme,
J'aurai l'œil de si près dessus ses actions,   875
Que je m'éclaircirai de ses intentions.

Scène VIII : Phylis, Lysis.

PHYLIS

Quoi? Lysis, ta retraite est de peu de durée!

LYSIS

L'heure de mon congé n'est qu'à peine expirée;
Mais vous voyant ici sans frère et sans amant...

PHYLIS

N'en présume pas mieux pour ton contentement.   880

LYSIS

Et d'où vient à Phylis une humeur si nouvelle?

PHYLIS

Vois-tu, je ne sais quoi me brouille la cervelle.
Va, ne me conte rien de ton affection :
Elle en aurait fort peu de satisfaction.

LYSIS

Cependant sans parler il faut que je soupire?   885

PHYLIS

Réserve pour le bal ce que tu veux me dire.

LYSIS

Le bal, où le tient-on?

PHYLIS

Là-dedans.

LYSIS

Il suffit;
De votre bon avis je ferai mon profit.

ACTE QUATRIÈME

Scène I : Alidor, Cléandre,
troupe d'armés

L'acte est dans la nuit, et Alidor dit ce premier vers
à Cléandre; et l'ayant fait retirer avec sa troupe, il
continue seul.

ALIDOR

Attends, sans faire bruit, que je t'en avertisse.
Enfin la nuit s'avance, et son voile propice
Me va faciliter le succès que j'attends
Pour rendre heureux Cléandre, et mes désirs contents.
Mon cœur, las de porter un joug si tyrannique,
Ne sera plus qu'une heure esclave d'Angélique.
Je vais faire un ami possesseur de mon bien :
Aussi dans son bonheur je rencontre le mien.
C'est moins pour l'obliger que pour me satisfaire,
Moins pour le lui donner qu'afin de m'en défaire.
Ce trait paraîtra lâche et plein de trahison,
Mais cette lâcheté m'ouvrira ma prison.
Je veux bien à ce prix avoir l'âme traîtresse
Et que ma liberté me coûte une maîtresse.
Que lui fais-je, après tout, qu'elle n'ait mérité,
Pour avoir malgré moi fait ma captivité?
Qu'on ne m'accuse point d'aucune ingratitude :
Ce n'est que me venger d'un an de servitude,
Que rompre son dessein, comme elle fait le mien,
Qu'user de mon pouvoir, comme elle fait du sien,
Et ne lui pas laisser un si grand avantage
De suivre son humeur, et forcer mon courage.
Le forcer! mais, hélas! que mon consentement
Par un si doux effort fut surpris aisément!
Quel excès de plaisir goûta mon imprudence
Avant que réfléchir sur cette violence!
Examinant mon feu, qu'est-ce que je ne perds?
Et qu'il m'est cher vendu de connaître mes fers!
Je soupçonne déjà mon dessein d'injustice
Et je doute s'il est ou raison ou caprice.
Je crains un pire mal après ma guérison
Et d'aller au supplice en rompant ma prison.
Alidor, tu consens qu'un autre la possède!
Tu t'exposes sans crainte à des maux sans remède!
Ne romps point les effets de son intention
Et laisse un libre cours à ton affection :
Fais ce beau coup pour toi : suis l'ardeur qui te presse,
Mais trahir ton ami! mais trahir ta maîtresse!
Je n'en veux obliger pas un à me haïr
Et ne sais qui des deux, ou servir, ou trahir.
Quoi! je balance encor, je m'arrête, je doute!
Mes résolutions, qui vous met en déroute?
Revenez, mes desseins, et ne permettez pas
Qu'on triomphe de vous avec un peu d'appas.
En vain pour Angélique ils prennent la querelle;
Cléandre, elle est à toi, nous sommes deux contre elle.

Ma liberté conspire avecque tes ardeurs,   935
Les miennes désormais vont tourner en froideurs
Et lassé de souffrir un si rude servage,
J'ai l'esprit assez fort pour combattre un visage.
Ce coup n'est qu'un effet de générosité
Et je ne suis honteux que d'en avoir douté.   940
Amour, que ton pouvoir tâche en vain de paraître!
Fuis, petit insolent, je veux être le maître;
Il ne sera pas dit qu'un homme tel que moi,
En dépit qu'il en ait, obéisse à ta loi.
Je ne me résoudrai jamais à l'hyménée   945
Que d'une volonté franche et déterminée
Et celle à qui ses nœuds m'uniront pour jamais
M'en sera redevable, et non à ses attraits;
Et ma flamme...

Scène II : Alidor, Cléandre.

CLÉANDRE
Alidor!
ALIDOR
Qui m'appelle?
CLÉANDRE
Cléandre.
ALIDOR
Tu t'avances trop tôt.
CLÉANDRE
Je me lasse d'attendre.   950
ALIDOR
Laisse-moi, cher ami, le soin de t'avertir
En quel temps de ce coin il te faudra sortir.
CLÉANDRE
Minuit vient de sonner, et par expérience
Tu sais comme l'amour est plein d'impatience.
ALIDOR
Va donc tenir tout prêt à faire un si beau coup :   955
Ce que nous attendons ne peut tarder beaucoup.
Je livre entre tes mains cette belle maîtresse,
Sitôt que j'aurai pu lui rendre ta promesse;
Sans lumière, et d'ailleurs s'assurant en ma foi,
Rien ne l'empêchera de la croire de moi.   960
Après, achève seul; je ne puis sans supplice
Forcer ici mon bras à te faire service
Et mon reste d'amour, en cet enlèvement,
Ne peut contribuer que mon consentement.
CLÉANDRE
Ami, ce m'est assez.
ALIDOR
Va donc là-bas attendre   965
Que je te donne avis du temps qu'il faudra prendre.
Cléandre, encore un mot : pour de pareils exploits
Nous nous ressemblons mal et de taille et de voix,
Angélique soudain pourra te reconnaître,
Regarde après ses cris si tu serais le maître.   970
CLÉANDRE
Ma main dessus sa bouche y saura trop pourvoir.
ALIDOR
Ami, séparons-nous, je pense l'entrevoir.
CLÉANDRE
Adieu. Fais promptement.

Scène III : Alidor, Angélique.

ANGÉLIQUE

Que la nuit est obscure!
Alidor n'est pas loin, j'entends quelque murmure.

ALIDOR

975 De peur d'être connu, je défends à mes gens
De paraître en ces lieux avant qu'il en soit temps.
Tenez.

Il lui donne la promesse de Cléandre.

ANGÉLIQUE

Je prends sans lire et ta foi m'est si claire [père
Que je la prends bien moins pour moi que pour mon
Je la porte à ma chambre, épargnons les discours,
980 Fais avancer tes gens, et dépêche.

ALIDOR

J'y cours.
Lorsque de son honneur je lui rends l'assurance,
C'est quand je trompe mieux sa crédule espérance;
Mais puisqu'au lieu de moi je lui donne un ami,
A tout prendre, ce n'est la tromper qu'à demi.

Scène IV : Phylis.

985 Angélique! C'est fait, mon frère en a dans l'aile.
La voyant échapper, je courais après elle;
Mais un maudit galant m'est venu brusquement
Servir à la traverse un mauvais compliment
Et par ses vains discours m'embarrasser de sorte
990 Qu'Angélique à son aise a su gagner la porte.
Sa perte est assurée et le traître Alidor
La posséda jadis, et la possède encor.
Mais jusques à ce point serait-elle imprudente?
Il n'en faut point douter, sa perte est évidente;
995 Le cœur me le disait, le voyant en sortir
Et mon frère dès lors se devait avertir.
Je te trahis, mon frère, et par ma négligence,
Etant sans y penser de leur intelligence...

*Alidor paraît avec Cléandre accompagné d'une
troupe, et après lui avoir montré Phylis, qu'il croit
être Angélique, il se retire en un coin du théâtre, et
Cléandre enlève Phylis, et lui met d'abord la main
sur la bouche.*

Scène V : Alidor.

On l'enlève, et mon cœur, surpris d'un vain regret,
1000 Fait à ma perfidie un reproche secret;
Il tient pour Angélique, il la suit, le rebelle!
Parmi mes trahisons il veut être fidèle;
Je le sens, malgré moi de nouveaux feux épris,
Refuser de ma main sa franchise à ce prix,
1005 Désavouer mon crime, et pour mieux s'en défendre,
Me demander son bien, que je cède à Cléandre.
Hélas! qui me prescrit cette brutale loi
De payer tant d'amour avec si peu de foi?
Qu'envers cette beauté ma flamme est inhumaine!
1010 Si mon feu la trahit, que lui ferait ma haine?
Juge, juge, Alidor, en quelle extrémité
La va précipiter ton infidélité.

Ecoute ses soupirs, considère ses larmes,
Laisse-toi vaincre enfin à de si fortes armes
Et va voir si Cléandre, à qui tu sers d'appui,
Pourra faire pour toi ce que tu fais pour lui.
Mais mon esprit s'égare, et quoi qu'il se figure,
Faut-il que je me rende à des pleurs en peinture
Et qu'Alidor, de nuit plus faible que le jour,
Redonne à la pitié ce qu'il ôte à l'amour?
Ainsi donc mes desseins se tournent en fumée,
J'ai d'autres repentirs que de l'avoir aimée!
Suis-je encor Alidor après ces sentiments
Et ne pourrai-je enfin régler mes mouvements?
Vaine compassion des douleurs d'Angélique,
Qui penses triompher d'un cœur mélancolique,
Téméraire avorton d'un impuissant remords,
Va, va porter ailleurs tes débiles efforts,
Après de tels appas, qui ne m'ont pu séduire,
Qui te fait espérer ce qu'ils n'ont su produire?
Pour un méchant soupir que tu m'as dérobé,
Ne me présume pas tout à fait succombé;
Je sais trop maintenir ce que je me propose,
Et souverain sur moi, rien que moi n'en dispose.
En vain un peu d'amour me déguise en forfait
Du bien que je veux le généreux effet;
De nouveau j'y consens et prêt à l'entreprendre...

Scène VI : Angélique, Alidor.

ANGÉLIQUE

Je demande pardon de t'avoir fait attendre,
D'autant qu'en l'escalier on faisait quelque bruit
Et qu'un peu de lumière en effaçait la nuit :
Je n'osais avancer, de peur d'être aperçue.
Allons, tout est-il prêt? Personne ne m'a vue :
De grâce, dépêchons, c'est trop perdre de temps
Et les moments ici nous sont trop importants;
Fuyons vite, et craignons les yeux d'un domestique.
Quoi! tu ne réponds point à la voix d'Angélique?

ALIDOR

Angélique? mes gens vous viennent d'enlever!
Qui vous a fait si tôt de leurs mains vous sauver?
Quel soudain repentir, quelle crainte de blâme
Et quelle ruse enfin vous dérobe à ma flamme?
Ne vous suffit-il point de me manquer de foi,
Sans prendre encor plaisir à vous jouer de moi?

ANGÉLIQUE

Que tes gens cette nuit m'ayent vue ou saisie,
N'ouvre point ton esprit à cette fantaisie.

ALIDOR

Autant que l'ont permis les ombres de la nuit,
Je l'ai vu de mes yeux.

ANGÉLIQUE

Tes yeux t'ont donc séduit
Et quelque autre sans doute, après moi descendue,
Se trouve entre les mains dont j'étais attendue.
Mais, ingrat, pour toi seul j'abandonnais ces lieux
Et tu n'accompagnais ma fuite que des yeux!
Pour marque d'un amour que je croyais extrême,
Tu remets ma conduite à d'autres qu'à toi-même!
Je suis donc un larcin indigne de tes mains!

ALIDOR

Quand vous aurez appris le fond de mes desseins,
55 Vous n'attribuerez plus, voyant mon innocence,
A peu d'affection l'effet de ma prudence.

ANGÉLIQUE

Pour ôter tout soupçon et tromper ton rival,
Tu diras qu'il fallait te montrer dans le bal.
Faible ruse!

ALIDOR

Ajoutez, et vaine, et sans adresse,
'0 Puisque je ne pouvais démentir ma promesse.

ANGÉLIQUE

Quel était donc ton but?

ALIDOR

D'attendre ici le bruit
Que les premiers soupçons auront bientôt produit
Et d'un autre côté me jetant à la fuite,
Divertir de vos pas leur plus chaude poursuite.

ANGÉLIQUE, *en pleurant.*

5 Mais enfin, Alidor, tes gens se sont mépris?

ALIDOR

Dans ce coup de malheur, et confus, et surpris,
Je vois tous mes desseins succéder à ma honte;
Mais il me faut donner quelque ordre à ce méconte :
Permettez...

ANGÉLIQUE

Cependant, à qui me laisses-tu?
'0 Tu frustres donc mes vœux de l'espoir qu'ils ont eu
Et ton manque d'amour, de mes malheurs complice,
M'abandonnant ici, me livre à mon supplice!
L'hymen (ah! ce mot seul me réduit aux abois!)
D'un amant odieux me va soumettre aux lois
5 Et tu peux m'exposer à cette tyrannie!
De l'erreur de tes gens je me verrai punie!

ALIDOR

Nous préserve le ciel d'un pareil désespoir!
Mais votre éloignement n'est plus en mon pouvoir.
J'en ai manqué le coup et, ce que je regrette,
'0 Mon carrosse est parti, mes gens ont fait retraite.
A Paris, et de nuit, une telle beauté,
Suivant un homme seul, est mal en sûreté :
Doraste, ou par malheur quelque rencontre pire,
Me pourrait arracher le trésor où j'aspire :
5 Evitons ces périls en différant d'un jour.

ANGÉLIQUE

Tu manques de courage aussi bien que d'amour
Et tu me fais trop voir par ta bizarrerie,
Le chimérique effet de ta poltronnerie.
Alidor (quel amant!) n'ose me posséder.

ALIDOR

'0 Un bien si précieux se doit-il hasarder
Et ne pouvez-vous point d'une seule journée
Retarder le malheur de ce triste hyménée?
Peut-être le désordre et la confusion
Qui naîtront dans le bal de cette occasion
5 Le remettront pour vous; et l'autre nuit, je jure...

ANGÉLIQUE

Que tu seras encore ou timide ou parjure.
Quand tu m'as résolue à tes intentions,
Lâche, t'ai-je opposé tant de précautions?

Tu m'adores, dis-tu? tu le fais bien paraître,
Rejetant mon bonheur ainsi sur un peut-être.   1110

ALIDOR

Quoi qu'ose mon amour appréhender pour vous,
Puisque vous le voulez, fuyons, je m'y résous;
Et malgré ces périls... Mais on ouvre la porte :
C'est Doraste qui sort, et nous suit à main-forte.

*Alidor s'échappe, et Angélique le veut suivre, mais
Doraste l'arrête.*

*Scène VII : Angélique, Doraste, Lycante,
troupe d'amis.*

DORASTE

Quoi! ne m'attendre pas? c'est trop me dédaigner;   1115
Je ne viens qu'à dessein de vous accompagner;
Car vous n'entreprenez si matin ce voyage
Que pour vous préparer à notre mariage.
Encor que vous partiez beaucoup devant le jour,
Vous ne serez jamais assez tôt de retour;   1120
Vous vous éloignez trop, vu que l'heure nous presse.
Infidèle! est-ce là me tenir ta promesse?

ANGÉLIQUE

Eh bien! c'est te trahir. Penses-tu que mon feu
D'un généreux dessein te fasse un désaveu?
Je t'acquis par dépit et perdrais avec joie.   1125
Mon désespoir à tous m'abandonnait en proie
Et lorsque d'Alidor je me vis outrager,
Je fis armes de tout afin de me venger.
Tu t'offris par hasard, je t'acceptai de rage,
Je te donnai son bien, et non pas mon courage.   1130
Ce change à mon courroux jetait un faux appas,
Je le nommais sa peine, et c'était mon trépas :
Je prenais pour vengeance une telle injustice
Et dessous ces couleurs j'adorais mon supplice.
Aveugle que j'étais! mon peu de jugement   1135
Ne se laissait guider qu'à mon ressentiment.
Mais depuis, Alidor m'a fait voir que son âme,
En feignant un mépris, n'avait pas moins de flamme.
Il a repris mon cœur en me rendant les yeux
Et soudain mon amour m'a fait haïr ces lieux.   1140

DORASTE

Tu suivais Alidor!

ANGÉLIQUE

Ta funeste arrivée,
En arrêtant mes pas, de ce bien m'a privée;
Mais si...

DORASTE

Tu le suivais!

ANGÉLIQUE

Oui, fais tous tes efforts,
Lui seul aura mon cœur, tu n'auras que le corps.

DORASTE

Impudente, effrontée autant comme traîtresse,   1145
De ce cher Alidor tiens-tu cette promesse?
Est-elle de sa main, parjure? De bon cœur
J'aurai cédé ma place à ce premier vainqueur;
Mais suivre un inconnu! me quitter pour Cléandre!

ANGÉLIQUE

Pour Cléandre!   1150

DORASTE

J'ai tort, je tâche à te surprendre.
Vois ce qu'en te cherchant m'a donné le hasard ;
C'est ce que dans ta chambre a laissé ton départ :
C'est là qu'au lieu de toi j'ai trouvé sur ta table
De ta fidélité la preuve indubitable.
1155 Lis, mais ne rougis point, et me soutiens encor
Que tu ne fuis ces lieux que pour suivre Alidor.

BILLET DE CLÉANDRE A ANGÉLIQUE

Angélique, reçois ce gage
De la foi que je te promets,
Qu'un prompt et sacré mariage
1160 *Unira nos jours désormais.*
Quittons ces lieux, chère maîtresse ;
Rien ne peut que ta fuite assurer mon bonheur ;
Mais laisse aux tiens cette promesse
Pour sûreté de ton honneur,
1165 *Afin qu'ils en puissent apprendre*
Que tu suis ton mari lorsque tu suis Cléandre.

CLÉANDRE.

ANGÉLIQUE

Que je suis mon mari lorsque je suis Cléandre ?
Alidor est perfide, ou Doraste imposteur.
Je vois la trahison, et doute de l'auteur.
1170 Mais, pour m'en éclaircir, ce billet doit suffire ;
Je le pris d'Alidor et le pris sans le lire ;
Et puisqu'à m'enlever son bras se refusait,
Il ne prétendait rien au larcin qu'il faisait.
Le traître ! J'étais donc destinée à Cléandre !
1175 Hélas ! Mais qu'à propos le ciel l'a fait méprendre
Et ne consentant point à ses lâches desseins,
Met au lieu d'Angélique une autre entre ses mains !

DORASTE

Que parles-tu d'une autre en ta place ravie ?

ANGÉLIQUE

J'en ignore le nom, mais elle m'a suivie
1180 Et ceux qui m'attendaient dans l'ombre de la nuit...

DORASTE

C'en est assez, mes yeux du reste m'ont instruit :
Autre n'est que Phylis entre leurs mains tombée ;
Après toi de la salle elle s'est dérobée.
J'arrête une maîtresse, et je perds une sœur ;
1185 Mais allons promptement après le ravisseur.

Scène VIII : Angélique.

Dure condition de mon malheur extrême !
Si j'aime, on me trahit ; je trahis, si l'on m'aime.
Qu'accuserai-je ici d'Alidor ou de moi ?
Nous manquons l'un et l'autre également de foi.
1190 Si j'ose l'appeler lâche, traître, parjure,
Ma rougeur aussitôt prendra part à l'injure,
Et les mêmes couleurs qui peindront ses forfaits
Des miens en même temps exprimeront les traits.
Mais quel aveuglement nos deux crimes égale,
1195 Puisque c'est pour lui seul que je suis déloyale ?
L'amour m'a fait trahir (qui n'en trahirait pas ?)
Et la trahison seule a pour lui des appas.
Son crime est sans excuse, et le mien pardonnable :
Il est deux fois, que dis-je ? il est le seul coupable,

Il m'a prescrit la loi, je n'ai fait qu'obéir ;
Il me trahit lui-même, et me force à trahir.
Déplorable Angélique, en malheurs sans seconde,
Que veux-tu désormais, que peux-tu faire au monde,
Si ton ardeur sincère et ton peu de beauté
N'ont pu te garantir d'une déloyauté ?
Doraste tient ta foi, mais si ta perfidie
A jusqu'à te quitter son âme refroidie,
Suis, suis dorénavant de plus saines raisons
Et sans plus t'exposer à tant de trahisons,
Puisque de ton amour on fait si peu de conte,
Va cacher dans un cloître et tes pleurs et ta honte.

ACTE CINQUIÈME

Scène I : Cléandre, Phylis.

CLÉANDRE

Accordez-moi ma grâce avant qu'entrer chez vous.

PHYLIS

Vous voulez donc enfin d'un bien commun à tous ?
Craignez-vous qu'à vos feux ma flamme ne réponde ?
Et puis-je vous haïr, si j'aime tout le monde ?

CLÉANDRE

Votre bel esprit raille, et pour moi seul cruel,
Du rang de vos amants sépare un criminel :
Toutefois mon amour n'est pas moins légitime
Et mon erreur du moins me rend vers vous sans crime.
Soyez, quoi qu'il en soit, d'un naturel plus doux :
L'amour a pris le soin de me punir pour vous ;
Les traits que cette nuit il trempait de vos larmes
Ont triomphé d'un cœur invincible à vos charmes.

PHYLIS

Puisque vous ne m'aimez que par punition,
Vous m'obligez fort peu de cette affection.

CLÉANDRE

Après votre beauté sans raison négligée,
Il me punit bien moins qu'il ne vous a vengée.
Avez-vous jamais vu dessein plus renversé ?
Quand j'ai la force en main, je me trouve forcé ;
Je crois prendre une fille, et suis pris par une autre ;
J'ai tout pouvoir sur vous et me remets au vôtre ;
Angélique me perd, quand je crois l'acquérir ;
Je gagne un nouveau mal, quand je pense guérir.
Dans un enlèvement je hais la violence,
Je suis respectueux après cette insolence,
Je commets un forfait, et n'en saurais user,
Je ne suis criminel que pour m'en accuser.
Je m'expose à ma peine et négligeant ma fuite,
Aux vôtres offensés j'épargne la poursuite.
Ce que j'ai pu ravir, je viens le demander
Et pour vous devoir tout, je veux tout hasarder.

PHYLIS

Vous ne me devrez rien, du moins si j'en suis crue
Et si mes propres yeux vous donnent dans la vue,
Si votre propre cœur soupire après ma main,
Vous courez grand hasard de soupirer en vain.
Toutefois après tout, mon humeur est si bonne
Que je ne puis jamais désespérer personne.
Sachez que mes désirs, toujours indifférents,

Iront sans résistance au gré de mes parents;
Leur choix sera le mien : c'est vous parler sans feinte.

CLÉANDRE
Je vois de leur côté mêmes sujets de crainte :
Si vous me refusez, m'écouteront-ils mieux?

PHYLIS
Le monde vous croit riche, et mes parents sont vieux.

CLÉANDRE
Puis-je sur cet espoir...

PHYLIS
C'est assez vous en dire.

Scène II : Alidor, Cléandre, Phylis.

ALIDOR
Cléandre a-t-il enfin ce que son cœur désire
Et ses amours, changés par un heureux hasard,
De celui de Phylis ont-ils pris quelque part?

CLÉANDRE
Cette nuit tu l'as vue en un mépris extrême,
Et maintenant, ami, c'est encore elle-même :
Son orgueil se redouble étant en liberté
En devient plus hardi d'agir en sûreté.
J'espère toutefois, à quelque point qu'il monte,
Qu'à la fin...

PHYLIS
Cependant que vous lui rendrez conte,
Je vais voir mes parents, que ce coup de malheur
A mon occasion accable de douleur.
Je n'ai tardé que trop à les tirer de peine.

ALIDOR, retenant Cléandre qui la veut suivre.
Est-ce donc tout de bon qu'elle t'est inhumaine?

CLÉANDRE
Il la faut suivre. Adieu. Je te puis assurer
Que je n'ai pas sujet de me désespérer.
Va voir ton Angélique et la compte pour tienne,
Si tu la vois d'humeur qui ressemble à la sienne.

ALIDOR
Tu me la rends enfin?

CLÉANDRE
Doraste tient sa foi;
Tu possèdes son cœur : qu'aurait-elle pour moi?
Quelques charmants appas qui soient sur son visage,
Je n'y saurais avoir qu'un fort mauvais partage :
Peut-être elle croirait qu'il lui serait permis
De ne me rien garder, ne m'ayant rien promis;
Il vaut mieux que ma flamme à son tour te la cède.
Mais derechef, adieu.

Scène III : Alidor.

Ainsi tout me succède;
Ses plus ardents désirs se règlent sur mes vœux :
Il accepte Angélique, et la rend quand je veux;
Quand je tâche à la perdre, il meurt de m'en défaire;
Quand je l'aime, elle cesse aussitôt de lui plaire.
Mon cœur prêt à guérir, le sien se trouve atteint
Et mon feu rallumé, le sien se trouve éteint :
Il aime quand je quitte, il quitte alors que j'aime
Et sans être rivaux, nous aimons en lieu même.

C'en est fait, Angélique, et je ne saurais plus
Rendre contre tes yeux des combats superflus.
De ton affection cette preuve dernière   1290
Reprend sur tous mes sens une puissance entière.
Les ombres de la nuit m'ont redonné le jour :
Que j'eus de perfidie, et que je vis d'amour!
Quand je sus que Cléandre avait manqué sa proie,
Que j'en eus de regret, et que j'en ai de joie!   1295
Plus je t'étais ingrat, plus tu me chérissais
Et ton ardeur croissait plus je te trahissais.
Aussi j'en fus honteux, et confus dans mon âme,
La honte et le remords rallumèrent ma flamme,
Que l'amour pour nous vaincre a de chemins divers   1300
Et que malaisément on rompt de si beaux fers!
C'est en vain qu'on résiste aux traits d'un beau visage,
En vain, à son pouvoir refusant son courage,
On veut éteindre un feu par ses yeux allumé   1305
Et ne le point aimer quand on s'en voit aimé :
Sous ce dernier appas l'amour a trop de force,
Il jette nos cœurs une trop douce amorce
Et ce tyran secret de nos affections
Saisit trop puissamment nos inclinations.
Aussi ma liberté n'a plus rien qui me flatte,   1310
Le grand soin que j'en eus partait d'une âme ingrate
Et mes desseins, d'accord avecque mes désirs,
A servir Angélique ont mis tous mes plaisirs,
Mais, hélas! ma raison est-elle assez hardie
Pour croire qu'on me souffre après ma perfidie?   1315
Quelque secret instinct, à mon bonheur fatal,
Ne la porte-t-il point à me vouloir du mal,
Que de mes trahisons elle serait vengée,
Si, comme mon humeur, la sienne était changée!
Mais qui la changerait, puisqu'elle ignore encor   1320
Tous les lâches complots du rebelle Alidor?
Que dis-je, malheureux? ah! c'est trop me méprendre,
Elle en a trop appris du billet de Cléandre,
Son nom au lieu du mien en ce papier souscrit
Ne lui montre que trop le fond de mon esprit.   1325
Sur ma foi toutefois elle le prit sans lire
Et si le ciel vengeur contre moi ne conspire,
Elle s'y fie assez pour n'en avoir rien lu.
Entrons, quoi qu'il en soit, d'un esprit résolu
Dérobons à ses yeux le témoin de mon crime   1330
Et si pour l'avoir lu sa colère s'anime
Et qu'elle veuille user d'une juste rigueur,
Nous savons les moyens de regagner son cœur.

Scène IV : Doraste, Lycante.

DORASTE
Ne sollicite plus mon âme refroidie :
Je méprise Angélique après sa perfidie.   1335
Mon cœur s'est révolté contre ses lâches traits
Et qui n'a point de foi n'a point pour moi d'attraits.
Veux-tu qu'on me trahisse, et que mon amour dure?
J'ai souffert sa rigueur, mais je hais son parjure
Et tiens sa trahison indigne à l'avenir   1340
D'occuper aucun lieu dedans mon souvenir.
Qu'Alidor la possède, il est traître comme elle :
Jamais pour ce sujet nous n'aurons de querelle.

Pourrais-je avec raison lui vouloir quelque mal
1345 De m'avoir délivré d'un esprit déloyal?
Ma colère l'épargne et n'en veut qu'à Cléandre :
Il verra que son pire était de se méprendre
Et si je puis jamais trouver ce ravisseur,
Il me rendra soudain et la vie et ma sœur.

LYCANTE

1350 Faites mieux : puisqu'à peine elle pourrait prétendre
Une fortune égale à celle de Cléandre,
En faveur de ses biens calmez votre courroux
Et de son ravisseur faites-en son époux.
Bien qu'il eût fait dessein sur une autre personne,
1355 Faites-lui retenir ce qu'un hasard lui donne;
Je crois que cet hymen pour satisfaction
Plaira mieux à Phylis que sa punition.

DORASTE

Nous consultons en vain, ma poursuite étant vaine.

LYCANTE

Nous le rencontrerons, n'en soyez point en peine :
1360 Où que soit sa retraite, il n'est pas toujours nuit
Et ce qu'un jour nous cache, un autre le produit.
Mais, Dieux! voilà Phylis qu'il a déjà rendue.

Scène V : Doraste, Phylis, Lycante.

DORASTE

Ma sœur, je te retrouve après t'avoir perdue!
Et de grâce, quel lieu me cache le voleur
1365 Qui, pour s'être mépris, a causé ton malheur?
Que son trépas...

PHYLIS

Tout beau; peut-être ta colère,
Au lieu de ton rival, en veut à ton beau-frère.
En un mot, tu sauras qu'en cet enlèvement
Mes larmes m'ont acquis Cléandre pour amant :
1370 Son cœur m'est demeuré pour peine de son crime
Et veut changer un rapt en amour légitime.
Il fait tous ses efforts pour gagner mes parents
Et s'il les peut fléchir, quant à moi je me rends :
Non, à dire le vrai, que son objet me tente,
1375 Mais mon père content, je dois être contente.
Tandis, par la fenêtre ayant vu ton retour,
Je t'ai voulu sur l'heure apprendre cet amour,
Pour te tirer de peine et rompre ta colère.

DORASTE

Crois-tu que cet hymen puisse me satisfaire?

PHYLIS

1380 Si tu n'es ennemi de mes contentements,
Ne prends mes intérêts que dans mes sentiments.
Ne fais point le mauvais, si je ne suis mauvaise,
Et ne condamne rien à moins qu'il me déplaise.
En cette occasion, si tu me veux du bien,
1385 C'est à toi de régler ton esprit sur le mien.
Je respecte mon père et le tiens assez sage
Pour ne résoudre rien à mon désavantage.
Si Cléandre le gagne et m'en peut obtenir,
Je crois de mon devoir...

LYCANTE

Je l'aperçois venir.
1390 Résolvez-vous, Monsieur, à ce qu'elle désire.

Scène VI : Doraste, Cléandre, Phylis, Lycante.

CLÉANDRE

Si vous n'êtes d'humeur, Madame, à vous dédire,
Tout me rit désormais, j'ai leur consentement.
Mais excusez, Monsieur, le transport d'un amant
Et souffrez qu'un rival, confus de son offense,
Pour en perdre le nom entre en votre alliance.
Ne me refusez point un oubli du passé
Et son ressouvenir à jamais effacé,
Bannissant toute aigreur, recevez un beau-frère
Que votre sœur accepte après l'aveu d'un père.

DORASTE

Quand j'aurais sur ce point des avis différents,
Je ne puis contredire au choix de mes parents;
Mais outre leur pouvoir, votre âme généreuse
Et ce franc procédé qui rend ma sœur heureuse
Vous acquièrent les biens qu'ils vous ont accordés
Et me font souhaiter ce que vous demandez.
Vous m'avez obligé de m'ôter Angélique,
Rien de ce qui la touche à présent ne me pique,
Je n'y prends plus de part, après sa trahison.
Je l'aimai par malheur et la hais par raison.
Mais la voici qui vient, de son amant suivie.

Scène VII : Alidor, Angélique, Doraste,
Cléandre, Phylis, Lycante.

ALIDOR

Finissez vos mépris, ou m'arrachez la vie.

ANGÉLIQUE

Ne m'importune plus, infidèle. Ah! ma sœur!
Comme as-tu pu si tôt tromper ton ravisseur?

PHYLIS, à Angélique.

Il n'en a plus le nom et son feu légitime,
Autorisé des miens, en efface le crime;
Le hasard me le donne, et changeant ses desseins,
Il m'a mise en son cœur aussi bien qu'en ses mains,
Son erreur fut soudain son amour suivie
Et je ne l'ai ravi qu'après qu'il m'a ravie.
Jusque-là tes beautés ont possédé ses vœux,
Mais l'amour d'Alidor faisait taire ses feux.
De peur de l'offenser te cachant son martyre,
Il me venait conter ce qu'il ne t'osait dire;
Mais nous changeons de sort par cet enlèvement :
Tu perds un serviteur, et j'y gagne un amant.

DORASTE, à Phylis.

Dis-lui qu'elle en perd deux; mais qu'elle s'en console,
Puisque avec Alidor je lui rends sa parole.

A Angélique.

Satisfaites sans crainte à vos intentions :
Je ne mets plus d'obstacle à vos affections.
Si vous faussez déjà la parole donnée,
Que ne feriez-vous point après notre hyménée?
Pour moi, malaisément on me trompe deux fois :
Vous l'aimez, j'y consens, et lui cède mes droits.

ALIDOR

Puisque vous me pouvez accepter sans parjure,
Pouvez-vous consentir que votre rigueur dure?
Vos yeux sont-ils changés, vos feux sont-ils éteints

Et quand mon amour croît, produit-il vos dédains?
Voulez-vous...

ANGÉLIQUE

Déloyal, cesse de me poursuivre :
Si je t'aime jamais, je veux cesser de vivre.
Quel espoir mal conçu te rapproche de moi?
Aurai-je de l'amour pour qui n'a point de foi?

DORASTE

Quoi! le bannissez-vous parce qu'il vous ressemble?
Cette union d'humeurs vous doit unir ensemble.
Pour ce manque de foi c'est trop le rejeter :
Il ne l'a pratiqué que pour vous imiter.

ANGÉLIQUE

Cessez de reprocher à mon âme troublée
La faute où la porta son ardeur aveuglée.
Vous seul avez ma foi, vous seul à l'avenir
Pouvez à votre gré me la faire tenir :
Si toutefois, après ce que j'ai pu commettre,
Vous me pouvez haïr jusqu'à me la remettre,
Un cloître désormais bornera mes desseins;
C'est là que je prendrai des mouvements plus sains,
C'est là que, loin du monde et de sa vaine pompe,
Je n'aurai, qui tromper non plus que qui me trompe.

ALIDOR

Mon souci!

ANGÉLIQUE

Tes soucis doivent tourner ailleurs.

PHYLIS, à Angélique.

De grâce, prends pour lui des sentiments meilleurs.

DORASTE, à Phylis.

Nous leur nuisons, ma sœur; hors de notre présence
Elle se porterait à plus de complaisance :
L'amour seul, assez fort pour la persuader,
Ne veut point d'autres tiers à les racommoder.

CLÉANDRE, à Doraste.

Mon amour, ennuyé des yeux de tant de monde,
Adore la raison où votre avis se fonde.
Adieu, belle Angélique, adieu : c'est justement
Que votre ravisseur vous cède à votre amant.

DORASTE, à Angélique.

Je vous eus par dépit, lui seul il vous mérite :
Ne lui refusez point ma part que je lui quitte.

PHYLIS

Si tu m'aimes, ma sœur, fais-en autant que moi
Et laisse à tes parents à disposer de toi.
Ce sont des jugements imparfaits que les nôtres :
Le cloître a ses douceurs, mais le monde en a d'autres,
Qui pour avoir un peu moins de solidité
N'accommodent que mieux notre instabilité.
Je crois qu'un bon dessein dans le cloître te porte,
Mais un dépit d'amour n'en est pas bien la porte
Et l'on court grand hasard d'un cuisant repentir
De se voir en prison sans espoir d'en sortir.

CLÉANDRE, à Phylis.

N'achèverez-vous point?

PHYLIS

J'ai fait, et vous vais suivre.
Adieu, par mon exemple apprends comme il faut vivre
Et prends pour Alidor un naturel plus doux.

Cléandre, Doraste, Phylis et Lycante rentrent.

ANGÉLIQUE

Rien ne rompra le coup à quoi je me résous :
Je me veux exempter de ce honteux commerce
Où la déloyauté si pleinement s'exerce;
Un cloître est désormais l'objet de mes désirs :
L'âme ne goûte point ailleurs de vrais plaisirs.   1485
Ma foi qu'avait Doraste engageait ma franchise
Et je ne vois plus rien, puisqu'il me l'a remise,
Qui me retienne au monde, ou m'arrête en ce lieu :
Cherche une autre à trahir, et pour jamais, adieu.

Scène VIII : Alidor.

Que par cette retraite elle me favorise!   1490
Alors que mes desseins cèdent à mes amours
Et qu'ils ne sauraient plus défendre ma franchise,
Sa haine et ses refus viennent à leur secours.

J'avais beau la trahir, une secrète amorce
Rallumait dans mon cœur l'amour par la pitié :   1495
Mes feux en recevaient une nouvelle force
Et toujours leur ardeur en croissait de moitié.

Ce que cherchait par là mon âme peu rusée,
De contraires moyens me l'ont fait obtenir :
Je suis libre à présent qu'elle est désabusée   1500
Et je ne l'abusais que pour le devenir.

Impuissant ennemi de mon indifférence,
Je brave, vain Amour, ton débile pouvoir :
Ta force ne venait que de mon espérance
Et c'est ce qu'aujourd'hui m'ôte son désespoir.   1505

Je cesse d'espérer et commence de vivre;
Je vis dorénavant, puisque je vis à moi;
Et quelques doux assauts qu'un autre objet me livre,
C'est de moi seulement que je prendrai la loi.

Beautés, ne pensez point à rallumer ma flamme :   1510
Vos regards ne sauraient asservir ma raison
Et ce sera beaucoup emporté sur mon âme,
S'ils me font curieux d'apprendre votre nom.

Nous feindrons toutefois, pour nous donner carrière,
Et pour mieux déguiser nous en prendrons un peu,   1515
Mais nous saurons toujours rebrousser en arrière
Et quand il nous plaira nous retirer du jeu.

Cependant Angélique enfermant dans un cloître
Ses yeux dont nous craignons la fatale clarté,
Les murs qui garderont ces tyrans de paroître   1520
Serviront de remparts à notre liberté.

Je suis hors de péril qu'après son mariage
Le bonheur d'un jaloux augmente mon ennui
Et ne serai jamais sujet à cette rage
Qui naît de voir son bien entre les mains d'autrui.   1525

Ravi qu'aucun n'en ait ce que j'ai pu prétendre,
Puisqu'elle dit au monde un éternel adieu,
Comme je la donnais sans regret à Cléandre,
Je verrai sans regret qu'elle se donne à Dieu.

LA COMÉDIE DES TUILERIES

En 1635, Richelieu a chargé Boisrobert de la composition d'une comédie pour le divertir. Rotrou, Corneille, Colletet et L'Estoile rédigent chacun un acte sur le canevas proposé. La tradition et l'analyse interne semblent assigner à Corneille l'exécution de l'acte III.

La pièce, écrite en un mois, fut jouée fin février devant Richelieu. Diverses représentations suivirent, devant la reine, le roi, la Cour... Elle se ressent fortement de la vieille tradition pastorale, défunte depuis dix ans.

Ni Richelieu ni les cinq auteurs ne mirent beaucoup de zèle à poursuivre l'expérience et dès l'année suivante, le fécond Desmarets de Saint-Sorlin, au service de Richelieu depuis 1626, devint l'auteur attitré du cardinal, pour six ans.

Le texte ne fut imprimé qu'en 1638, avec une dédicace d'un des hommes de main de Richelieu, Baudoin, sans doute parce qu'il connaissait le mieux l'ambassadeur anglais Sir Kenelm Digby, à qui la pièce est dédiée.

ARGUMENT

AGLANTE, promis à Cléonice, se rend à Paris pour son mariage. A son arrivée, il entre dans une église ou, pour parler son langage, dans un temple où il invoque les Dieux. Là il rencontre sa future, dont il devient tout à coup amoureux sans la connaître. Il fait prendre quelques renseignements à son sujet, et on lui rapporte faussement qu'elle se nomme Mégate. La jeune fille veut à son tour savoir le nom de celui qui s'est si subitement épris d'elle; mais Aglante, déguisant aussi le sien, fait dire qu'il s'appelle Philène. Trompés par ces faux noms, ils veulent tous deux éviter l'hymen auquel on les destine. Cléonice fuit la maison paternelle sous le costume d'une jardinière, et va se précipiter dans le carré d'eau, d'où elle est aussitôt retirée; Aglante, désespéré, se jette dans la fosse des lions des Tuileries qui, par bonheur, ne lui font aucun mal. A la fin tout s'explique, et les amants se reconnaissent et s'épousent.

ACTEURS (du IIIe acte).

AGLANTE, *gentilhomme français.*
ARBAZE, *oncle d'Aglante.*
ASPHALTE, *confident d'Aglante,*
    amoureux de Florine.
CLÉONICE, *suivante, sous le nom de Mégate.*
ORPHISE, *voisine de Cléonice,*
FLORINE, *voisine d'Arbaze,*
    amoureuse d'Asphalte.

La scène est aux Tuileries.

ACTE TROISIÈME

Scène I : Arbaze.

C'est doncques dans ces lieux qu'Aglante se promène :
Asphalte me l'a dit, je n'en suis plus en peine,
Mais j'ai mal pénétré le sens de ses discours,
Ou ce jeune insolent a fait d'autres amours.
Aglante, pris ailleurs, rejette Cléonice,
Le choix que j'en ai fait lui tient lieu de supplice,
Un autre objet le charme, il me craint, il me fuit,
Et se laisse emporter au feu qui le séduit;
Mais j'en sais le remède : une jeune voisine,
Admirable en adresse et belle autant que fine,
Que son père, en mourant, laissa dessous ma loi,
Dans ces beaux promenoirs se doit rendre après moi,
Ses yeux vont faire essai de leur plus douce force
A lui jeter du change une insensible amorce,
Solliciter ses vœux, et partager son cœur
Avecques les attraits de ce premier vainqueur
Entre deux passions son âme balancée
Ne suivra plus ainsi son ardeur insensée,
Et la raison alors, reprenant son pouvoir,
Le rangera peut-être aux termes du devoir.
Rends inutile, Aglante, un si long artifice,
Ne me résiste point, viens voir ta Cléonice.

Tout est prêt chez sa mère, et l'on n'attend que toi,
Pour lui donner ta main et recevoir sa foi.
Songe avec quel amour, avec quelle tendresse,
De tes plus jeunes ans j'élevai la faiblesse.
Verrai-je tant de soins payés par un mépris,
Et ta rébellion en devenir le prix ?
Souffre que la raison soit enfin la plus forte,
Tâche de mériter l'amour que je te porte.
Mais le voici qui vient : son visage étonné
M'est un signe bien clair d'un esprit mutiné,
Et je n'apprends que trop d'une telle surprise
Qu'une ardeur aveuglée engage sa franchise.

Scène II : Arbaze, Aglante.

ARBAZE

Aglante, quel dessein vous fait ainsi cacher ?
Prenez-vous du plaisir à vous faire chercher ?
D'où venez-vous enfin ?

AGLANTE

       De ce proche ermitage.

ARBAZE

Et qui vous y menait ?

AGLANTE

       Ce fatal mariage.
Prêt d'en subir le joug sur la foi de vos yeux,
J'ai voulu consulter ces truchements des Dieux.
J'ai voulu m'informer de l'apprêt nécessaire
A finir dignement une si grande affaire,
Me résoudre avec eux de la difficulté
Qui me tient, malgré moi, l'esprit inquiété,
Et soulevant mes sens contre votre puissance,
Mêle un peu d'amertume à mon obéissance,
Promettre à Cléonice un amour éternel
Sous la sainte rigueur d'un serment solennel,
Avant que de la voir, avant que de connaître
Si ses attraits auront de quoi le faire naître :
Certes, quoi qu'il m'en vienne et de biens et d'honneur,
C'est bien mettre au hasard mon repos et mon heur.

ARBAZE

Quel avis sur ce point vous donnent vos ermites ?

AGLANTE

Un d'eux tout chargé d'ans et comblé de mérites
(Plût aux Dieux qu'avec moi vous l'eussiez entendu !
Sans doute à ses raisons vous vous seriez rendu) :
« Mon enfant, m'a-t-il dit, en l'état où vous êtes,
Ne précipitez rien, voyez ce que vous faites :
L'hymen n'est pas un nœud qui se rompe en un jour,
C'est un lien sacré, mais un lien d'amour;
Et qu'est-ce que l'amour, qu'une secrète flamme
Qui pénètre les sens pour entrer dans une âme ?
Nos sens ouvrent la porte à ce maître des Dieux,
Et cet aveugle enfant a besoin de nos yeux.
D'ailleurs, où prenez-vous l'indiscrète assurance
D'approcher ses autels avec irrévérence,
Sans qu'aucune étincelle ait pu vous enflammer,
Sans savoir seulement si vous pourrez aimer ?
Faire de votre foi les Dieux dépositaires,
Est-ce avoir du respect pour leurs sacrés mystères ?

Et n'est-ce pas assez pour attirer sur vous
L'implacable rigueur de leur juste courroux ? »

ARBAZE

Enfin vous en croyez ce vénérable père.

AGLANTE

Je respecte les Dieux et je crains leur colère.

ARBAZE

O l'excellent prétexte, et qu'il est merveilleux !   75
Au retour d'Italie être encor scrupuleux !
Les Dieux, s'ils n'étaient bons, puniraient cette feinte :
C'est ne les craindre pas qu'abuser de leur crainte.
Offrez-leur seulement, avec un peu d'encens,
Une âme pure et nette et des vœux innocents,   80
Et ne présumez pas qu'aucun d'eux s'intéresse
Par quels yeux un amant choisisse une maîtresse.
Ceux qu'un autre vous-même employés à ce choix
De votre vieil rêveur ne faussent point les lois,
Les vôtres et les miens ne sont que même chose,   85
Que sur mon amitié votre esprit se repose.
Vous savez que mon cœur est à vous tout entier,
Que je vous tiens pour fils et pour seul héritier,
Que pour vous assurer d'un amour plus sincère
Je quitte le nom d'oncle et prends celui de père,   90
Qu'en vos prospérités j'arrête mes désirs,
Qu'à vos contentements j'attache mes plaisirs,
Et que mon sort du vôtre étant inséparable,
Je ne puis être heureux et vous voir misérable.
Puisque de vos malheurs je sentirais les coups   95
Craignez-vous que je fasse un mauvais choix pour vous ?
Celle à qui ma prudence aujourd'hui vous engage
Rangerait sous ses lois l'homme le plus sauvage,
Sa beauté ravissante et son esprit charmant
Malgré vous, dès l'abord, vous feront son amant :   100
Elle est sage, elle est riche.

AGLANTE

      Elle est inestimable,
Mais donnez-moi loisir de la trouver aimable :
Un regard y suffit, et rien ne fait aimer
Qu'un certain mouvement qu'on ne peut exprimer,
Un prompt saisissement, une atteinte impourvue   105
Qui nous blesse le cœur en nous frappant la vue.
Le coup en vient du ciel, qui verse en nos esprits
Les principes secrets de prendre et d'être pris.
Tel objet perce un cœur qui ne touche pas l'autre,
Et mon œil voit peut-être autrement que le vôtre.   110
Encor si mon malheur vous pouvait rendre heureux,
Je courrais au-devant de mon sort rigoureux;
Mais puisque mon destin, du vôtre inséparable,
Vous ferait malheureux si j'étais misérable,
Pour vous rendre content, souffrez que je le sois,   115
Et que mes yeux au moins examinent le choix.

ARBAZE

Pensez à l'accepter sans me faire paraître
Que quand je suis content vous avez peine à l'être,
Tandis entretenez cette jeune beauté :
C'est un soin que lui doit votre civilité,   120
Nous sommes ses voisins.

Scène III : Arbaze, Florine, Aglante.

FLORINE

Quoi, Monsieur, ma présence
De l'oncle et du neveu trouble la conférence?

ARBAZE, *en s'en allant.*

Avant que de vous voir j'étais sur le départ,
Et vous n'aimez pas tant l'entretien d'un vieillard;
125 Je crois que mon adieu vous plaira davantage,
Puisqu'il vous abandonne un galant de votre âge.

FLORINE

Il a toujours le mot, et sous ses cheveux gris
Sa belle humeur fait honte aux plus jeunes esprits.

AGLANTE

Son bonheur, à mon gré, passe bien l'ordinaire,
130 Puisque, tout vieux qu'il est, il a de quoi vous plaire.

FLORINE

A qui ne plairait pas un vieillard si discret?
Je ne puis le celer, je n'en vois qu'à regret :
J'aime bien leur adieu, mais non pas leur présence.
Lui qui s'en doute assez, me fuit par complaisance,
135 Et m'avoir en partant laissé votre entretien,
C'est un nouveau sujet de lui vouloir du bien.

AGLANTE

Son adieu va produire un effet tout contraire.
J'ai l'esprit tout confus, pour ne vous pas déplaire,
Et le pesant chagrin qui m'accable aujourd'hui
140 Vous donnerait sujet de vous plaindre de lui.
Dans le secret désordre où mon âme est réduite,
Mon humeur est sans grâce et mes propos sans suite,
Je ne suis bon enfin qu'à vous importuner.

FLORINE

Bien moins que votre esprit ne veut s'imaginer.
145 Mon naturel est vain, je me flatte moi-même :
Quand on m'entretient mal, je présume qu'on m'aime.
Je crois voir aussitôt un effet de mes yeux,
Et l'on me plairait moins de m'entretenir mieux.
Un discours ajusté ne sent point l'âme atteinte,
150 Plus il a de conduite et plus il a de feinte,
Le désordre sied bien à celui d'un amant,
Quelque confus qu'il soit, il parle clairement.
Or moi qui ne suis pas de ces capricieuses
Qui donnent à l'amour des lois injurieuses,

Orphise et Cléonice sortent et écoutent leur discours.

155 En mettent le haut point à se taire et souffrir,
Et s'offensent des vœux qu'on ose leur offrir,
Je vous estimerais envieux de ma gloire
Si vaincu par mes yeux, vous cachiez ma victoire.
Parlez donc hardiment du feu que vous sentez.
160 Ne soyez point honteux des fers que vous portez.
Sitôt qu'on est blessé, j'aime à voir qu'on se rende,
Et mon cœur pour le moins vaut bien qu'on le
[demande.
Je ne suis pas d'humeur à vous laisser périr,
Mais sans savoir vos maux, les pourrai-je guérir?
165 Le silence en amour est un lâche remède.
Tâchant à vous aider, méritez qu'on vous aide :
Laissez à votre bouche expliquer les discours
Que vos yeux languissants me font de vos amours.

Scène IV : Aglante, Cléonice, Orphise, Florine.

Orphise et Cléonice sont encore cachées, en sorte qu'on les voit.

CLÉONICE

Orphise, entendez-vous cette jeune éventée?

ORPHISE

Ne craignez rien, ma sœur : elle s'est mécontée.   1
Attaque qui voudra le cœur de votre amant.
Ce n'est pas un butin qu'on enlève aisément.
Oyez-le repartir à cette effronterie.

FLORINE

Quoi, Monsieur, vous voilà dedans la rêverie?
Vous consultez encore, et votre bouche a peur   1
De confirmer un don que me fait votre cœur!

AGLANTE

Il serait trop heureux d'un si digne servage
S'il pouvait être à vous sans devenir volage;
Un autre objet possède et mes vœux et ma foi,
Ne me demandez point ce qui n'est plus à moi.   1
Quand même je pourrais disposer de mon âme,
Pourriez-vous accepter une si prompte flamme?
Pourriez-vous faire état d'un cœur sitôt en feu?
Prise-t-on un captif, quand il coûte si peu?
L'ennemi qui combat signale sa défaite,   1
Et couronne bien mieux le guerrier qui l'a faite;
Mais celui qui se rend perd beaucoup de son prix,
Et fait si peu d'honneur qu'il reçoit du mépris.
Vous triompheriez mieux si j'osais me défendre :
La gloire est à forcer et non pas à surprendre.   1

ORPHISE, *à Cléonice.*

Après cette réponse elle doit bien rougir.

FLORINE

Je sais comme mes yeux ont coutume d'agir,
Si vous êtes honteux d'une flamme si prompte,
Il faut que mon exemple emporte cette honte.
Il est vrai, je vous aime autant que vous m'aimez,   1
Un moment à nos cœurs l'un à l'autre enflammés,
Soyez vain comme moi de ma flamme naissante :
Plus un effet est prompt, plus sa cause est puissante.

AGLANTE, *apercevant Cléonice et allant à elle.*

Il ne faut pas que Cléonice paraisse sur le théâtre, en sorte qu'elle puisse être connue de Florine; elle doit être cachée à demi derrière un arbre, couvrant sa face de son mouchoir.

Voici mon cher amour, adorable beauté.

FLORINE, *l'interrompant.*

Cherchez-vous un asile à votre liberté?   2
Vraiment vous choisissez un fort mauvais refuge :
Vous courez vers Orphise, et je la prends pour juge.
Faites-moi la raison d'un voleur de mon bien :
Qu'il me rende mon cœur, ou me donne le sien.

AGLANTE

Contez-lui vos raisons, je vous laisse avec elle.   2

FLORINE

Quoi, vous continuez à faire le rebelle?

AGLANTE

Dérobons-nous, mon âme, à l'importunité
Dont nous menace encor son babil affété.

CLÉONICE

Mon amour est ravi d'une telle retraite.

Scène V : Orphise, Florine.

ORPHISE

Comment vous trouvez-vous d'avoir fait la coquette?
Vous avez tant de grâce à souffrir un refus,
Que personne après vous ne s'en mêlera plus.
Les filles donc ainsi perdent la retenue!
Et depuis quand la mode en est-elle venue?
Vous vous offrez vous-même; ah! j'en rougis pour

FLORINE   [vous.

Mille s'offrent à moi, que je dédaigne tous.
Si je fuis tant d'amants dont je suis recherchée,
J'en puis rechercher un, quand mon âme est touchée:
Un peu d'amour sied bien après tant de mépris.

ORPHISE

Un cœur se défend mal quand il est sitôt pris,
Et pour dire en un mot tout ce que je soupçonne,
Qui peut en prier un n'en refuse personne.

FLORINE

Orphise, quelle humeur est la vôtre aujourd'hui,
Que par vos sentiments vous jugez ceux d'autrui?

ORPHISE

On vous connaît assez, et vous êtes de celles
Que mille fois le plâtre a fait passer pour belles,
Dont la vertu consiste en de vains ornements,
Qui changent tous les jours de rabats et d'amants,
Leurs inclinations ne tendent qu'à la bourse,
C'est là de leurs désirs et le but et la source.
Voyez-les dans un temple importuner les Dieux,
Les prières en main, la modestie aux yeux :
Il n'est trait de pudeur qu'elles ne contrefassent,
Et Dieu sait comme alors les dupes s'embarrassent.
Elles savent souvent jeter mille hameçons
Et se rendre au besoin en diverses façons.
Après tout, je vous plains; ce courage farouche
Ne vous est échappé qu'à faute d'une mouche :
Encore un assassin, vous lui perciez le cœur;
Le fard déplaît sans doute à ce fâcheux vainqueur,
Et rend votre beauté tellement éclatante
Que son esprit bizarre en a pris l'épouvante.

FLORINE

Je ne connus jamais ce que vous m'imputez,
Et ne veux point répondre à tant de faussetés.
Ma vie est innocente, et ma beauté naïve
Ne doit qu'à ses attraits les cœurs qu'elle captive.
Si j'ai quelques défauts, ils ne sont point cachés
Sous le fard éclatant que vous me reprochez :
Et quand bien le reproche en serait légitime,
Orphise, d'un nom d'art feriez-vous un grand crime ?
Jamais une beauté ne se doit négliger :
Quand la nature manque, il la faut corriger.
Est-ce honte d'aller par ces métamorphoses
A la perfection où tendent toutes choses ?
La raison, la nature et l'art en font leur but,
L'amour, roi de nos cœurs, veut ces soins pour tribut,
Et tient pour bon sujet un esprit qui n'aspire
Qu'à trouver les moyens d'agrandir son empire.

C'est gloire de mourir pour ce maître des Dieux
Qui s'est privé pour vous de l'usage des yeux.   260
Si pour lui se défaire est un vrai sacrifice,
Se refaire pour lui, le nommez-vous un vice?
Ce qu'on fait pour lui plaire, osez-vous le blâmer?
Orphise, quand on aime, il se faut faire aimer.
L'amour seul de l'amour est le prix véritable,   265
Et pour se faire aimer, il faut se faire aimable.
Cette belle en effet de qui l'on parle tant
Tient du secours de l'art ce qu'elle a d'éclatant,
Cependant sa beauté, pour être déguisée,
A-t-elle moins d'amants, est-elle moins prisée?   270

ORPHISE

Celle qu'en ces discours vous venez d'attaquer,
Quand elle l'aura su, pourra vous répliquer :
Pour moi, sans intérêts dedans cette mêlée,
Je vais chercher Mégate au bout de cette allée.

FLORINE, seule.

Arbaze, c'est pour toi que j'en ai tant souffert,   275
Pour toi j'ai feint d'aimer et mon cœur s'est offert,
Pour t'avoir obéi l'on m'a persécutée,
Aglante ne me prend que pour une affétée,
Et consommé d'un feu contraire à son devoir,
Néglige également ma feinte et ton pouvoir.   280
Orphise cependant, sans pénétrer mon âme,
Juge par mes discours de l'objet de ma flamme :
Simple, qui ne sait pas que mon esprit discret
Rarement à ma bouche expose un tel secret,
Que jamais mon ardeur n'est aisément connue,   285
Et que plus j'ai d'amour, plus j'ai de retenue!
Aux filles c'est vertu de bien dissimuler :
Plus nos cœurs sont blessés, moins il en faut parler.
Si j'ose toutefois me le dire à moi-même,
A travers ces rameaux j'aperçois ce que j'aime :   290
C'est mon Asphalte, ô Dieux! il vient, dissimulons,
Et ne découvrons rien du feu dont nous brûlons.

Scène VI : Asphalte, Florine.

ASPHALTE

Trouver Florine seule et dans les Tuileries
Sans avoir d'entretien que de ses rêveries?
Quoi, tant de solitude auprès de tant d'appas?   295
Certes c'est un bonheur que je n'attendais pas.
Je n'osais espérer d'occasion si belle
A lui conter l'ardeur qui me brûle pour elle.

FLORINE

Que votre esprit est rare et sait adrettement
Faire une raillerie avec un compliment!   300
Afin qu'à votre amour je sois plus obligée,
Vous me traitez d'abord en fille négligée,
Qui tient si peu de cœurs asservis sous sa loi,
Que mêmes en ces lieux elle manque d'emploi.
Est-ce ainsi qu'un amant cajole ce qu'il aime?   305

ASPHALTE

Ah! ne m'imputez pas cet indigne blasphème :
Je sais trop que vos yeux règnent en toutes parts
Et que chacun se rend à leurs moindres regards.

FLORINE

Exceptez-en Aglante, il m'a bien fait paraître

310 Que Florine n'est pas ce qu'elle pensait être.

ASPHALTE

Il est vrai qu'il adore un autre objet que vous,
Et votre esprit peut-être en est un peu jaloux,
Mais si vous aviez vu l'excès de sa tristesse,
Et combien de soupirs lui coûte sa maîtresse,
315 Vous seriez la première à plaindre ses malheurs.

FLORINE

Quelque orgueilleux mépris fait naître ses douleurs.

ASPHALTE

La beauté dont Aglante idolâtre les charmes
D'un déluge de pleurs accompagne ses larmes,
Arbaze, unique auteur de tous leurs déplaisirs,
320 Oppose sa puissance à leurs chastes désirs;
Son esprit irrité court à la violence :
La prière l'aigrit et la raison l'offense.
Il vient, la force en main, et l'ayant vu partir,
J'ai cru de mon devoir de les en avertir.
325 Les voilà tout en pleurs.

*Il faut toujours remarquer que Cléonice ne doit pas
paraître le visage découvert devant Florine.*

FLORINE

Évitons leur présence;
Mes larmes ne sauraient couler par complaisance :
Mon humeur est trop gaie, et, pour ne rien celer,
J'aime mieux rire ailleurs que de les consoler.

Scène VII : *Cléonice, Aglante.*

CLÉONICE

Mon Philène, as-tu donc un père si barbare
330 Qu'il veuille séparer une amitié si rare?

AGLANTE

Vous l'avez entendu : ce vieillard inhumain,
Pour en rompre les nœuds, vient la force à la main,
Et dès le soir me livre à cette autre maîtresse,
Résolu que ma foi dégage sa promesse.

CLÉONICE

335 Ah, dure tyrannie! ah, rigoureux destin!
Donc un si triste soir suit un si beau matin?
Le même jour propice et contraire à nos flammes
Va désunir deux corps dont il unit les âmes,
Fait nos biens et nos maux, et du matin au soir,
340 Voit naître nos désirs et mourir notre espoir.

AGLANTE

L'amour, ce doux vainqueur, ce père des délices,
Ainsi n'a pour nous deux que de cruels supplices,
Et ce tyran fait naître, aux dépens de nos pleurs,
D'un moment de plaisirs un siècle de douleurs.

CLÉONICE

345 Hélas! que de tourments accompagnent ces charmes,
Et qu'un peu de douceur nous va coûter de larmes!
Il me faut donc te perdre, et, dans le même lieu
Où j'ai reçu ton cœur, recevoir ton adieu!
Sanglots, qui de la voix me fermiez le passage,
350 Jusques à cet adieu permettez-m'en l'usage,
Et lorsque, le soleil ayant fini son tour,
Les flambeaux d'Hyménée éteindront ceux d'Amour,
Étouffez, j'y consens, cet objet déplorable

Des plus âpres rigueurs d'un sort impitoyable.
Philène, ainsi ma mort dégagera ta foi :
Ton cœur pourra brûler pour un autre que moi,
Tu pourras obéir sans me faire d'injure :
Aime sans inconstance et change sans parjure.

AGLANTE

Un père veut forcer un cœur à vous trahir,
Et vous croyez ce cœur capable d'obéir!
Ah! que vous jugez mal d'une amitié si forte!
Si notre espoir est mort, ma flamme n'est pas morte :
La naissance n'a point d'assez puissantes lois
Pour me faire manquer à ce que je vous dois,
Recevez de nouveau la foi que je vous donne,
D'être à jamais à vous, ou de n'être à personne.

CLÉONICE

Hélas! en quel état le malheur nous réduit!
Faut-il d'un tel amour n'espérer point de fruit!

AGLANTE

Aimons-nous et souffrons : aimé de ce qu'on aime,
On trouve des plaisirs dans la souffrance même.

CLÉONICE

Aimons-nous et souffrons : deux cœurs si bien d'accord
Trouveraient des plaisirs dans les coups de la mort.

AGLANTE

Résolus à mourir, qu'avons-nous plus à craindre?

CLÉONICE

Mourant avec plaisir, qu'avons-nous plus à plaindre?

AGLANTE

Plaignons-nous, mais du ciel, qui fait que le trépas
Au plus beau de notre âge a pour nous tant d'appas.

CLÉONICE

N'accuse point le ciel de ce que fait ton père.

AGLANTE

Mon âme, c'est de là que part notre misère,
C'est lui qui nous traverse, et les Dieux sont jaloux
Qu'en leur temple mes vœux ne s'adressaient qu'à vous.
Au pied de leurs autels j'adorais leur image :
Était-ce donc vous rendre un trop léger hommage?
O Dieux! d'un feu si pur faites-vous un forfait?
Vous pouvais-je adorer en un plus beau portrait?
Que votre jalousie ou votre haine éclate,
Jusque dans le tombeau j'adorerai Mégate.
Inventez des tourments à me priver du jour :
Ma vie est en vos mains, mais non pas mon amour.

CLÉONICE

N'irrite point les Dieux et retiens ces blasphèmes,
Je te jure, mon cœur, les puissances suprêmes,
Dont la seule bonté nous pourra secourir,
Que si tu n'es à moi, je saurai bien mourir.

AGLANTE

Parmi tant de malheurs quel bonheur est le nôtre,
Puisqu'en dépit du sort nous vivons l'un en l'autre,
Et s'il nous faut mourir, nous finirons ainsi.

CLÉONICE

Adieu, ma chère vie, éloigne-toi d'ici,
Fuis ce fatal hymen qu'un père te prépare.

AGLANTE

Oui, je vais vous quitter, de peur qu'il nous sépare,
Mais avec un serment, que malgré son effort,
Nous aurons pour nous joindre, ou l'hymen ou la mort.

MÉDÉE
TRAGÉDIE

Pour Médée, la troupe du Marais est solidement reconstituée et Mondory, excellent acteur, mais « ni grand ni bien fait », « plus propre à faire un héros qu'un amoureux » (Tallemant), a dû inviter lui-même les auteurs à revenir à la tragédie. Un curieux phénomène se produit en 1635, qui n'est pas dû au hasard : trois auteurs, qui se connaissaient, Rotrou, La Pinelière et Corneille, donnent la même année trois tragédies tirées de Sénèque. Néanmoins c'était Mairet qui avait donné l'exemple de ce retour à la tragédie avec Sophonisbe, dont le succès se prolongeait au Marais lorsque le 15 décembre l'ordre royal démantelait la troupe.

On a trop insisté, et Corneille lui-même, sur la dette de sa Médée envers celle de Sénèque. En fait, Cor-neille ne prend que le meilleur et atténue l'horreur et l'emphase de son modèle. Il réduit à quatre vers la scène horrible et grandiose de l'infanticide de Médée, épouse et princesse bafouée par un mari volage et machiavélique, dont le rôle est considérablement développé. La rivale, Créuse, est une coquette caricaturale, son père, Créon, un odieux tyran.

Mondory triompha dans Jason, la Villiers dans Créuse. Il allait pourtant obtenir deux succès plus grands dans le rôle de Rodrigue et dans celui d'Hérode, protagoniste de la Marianne de Tristan.

Malgré le succès, Corneille ne refit que deux fois, vingt-cinq ans plus tard, avec Œdipe et Sophonisbe, des sujets tirés des grands classiques de l'Antiquité.

A MONSIEUR P.T.N.G. [1] (1639)

MONSIEUR,

Je vous donne Médée, toute méchante qu'elle est, et ne vous dirai rien pour sa justification. Je vous la donne pour telle que vous la voulez prendre, sans tâcher à pré-venir ou violenter vos sentiments par un étalage des préceptes de l'art, qui doivent être fort mal entendus et fort mal pratiqués quand ils ne nous font pas arriver au but que l'art se propose. Celui de la poésie drama-tique est de plaire, et les règles qu'elle nous prescrit ne sont que des adresses pour en faciliter les moyens au poète, et non pas des raisons qui puissent persuader aux spectateurs qu'une chose soit agréable quand elle leur déplaît. Ici vous trouverez le crime en son char de triomphe, et peu de personnages sur la scène dont les mœurs ne soient plus mauvaises que bonnes ; mais la peinture et la poésie ont cela de commun, entre beau-coup d'autre choses, que l'une fait souvent de beaux portraits d'une femme laide, et l'autre de belles imitations d'une action qu'il ne faut pas imiter. Dans la portrai-ture, il n'est pas question si un visage est beau, mais s'il ressemble ; et dans la poésie, il ne faut pas considérer si les mœurs sont vertueuses, mais si elles sont pareilles à celles de la personne qu'elle introduit. Aussi nous décrit-elle indifféremment les bonnes et mauvaises actions, sans nous proposer les dernières pour exemple ; et si elle nous en veut faire quelque horreur ce n'est point par leur punition, qu'elle n'affecte pas de nous faire voir, mais par leur laideur, qu'elle s'efforce de nous représenter au naturel. Il n'est pas question d'avertir ici le public que celles de cette tragédie ne sont pas à imiter : elles paraissent assez à découvert pour n'en faire envie à personne. Je n'examine point si elles sont vraisem-blables ou non ; cette difficulté, qui est la plus délicate de la poésie, et peut-être la moins entendue, deman-derait un discours trop long pour une vérité qui me suffit qu'elles sont autorisées ou par la vérité de l'his-toire ou par l'opinion commune des anciens. Elles vous ont agréé autrefois sur le théâtre [2], j'espère qu'elles vous satisferont encore aucunement sur le papier, et demeure, MONSIEUR, votre très humble serviteur,

CORNEILLE.

EXAMEN (1660)

Cette tragédie a été traitée en grec par Euripide, et en latin par Sénèque ; et c'est sur leur exemple que je me suis autorisé à en mettre le lieu dans une place publique, quelque peu de vraisemblance qu'il y aye à y faire par-ler des rois, et à y voir Médée prendre des desseins de sa vengeance. Elle en fait confidence, chez Euripide, à tout le chœur, composé de Corinthiennes sujettes de Créon, et qui devaient être du moins au nombre de quinze, à qui elle dit hautement qu'elle fera périr leur roi, leur princesse et son mari, sans qu'aucune d'elles ait la moindre pensée d'en donner avis à ce prince.

Pour Sénèque, il y a quelque apparence qu'il ne lui

---

1. Rien dans le texte de cette dédicace ne nous guide pour identifier ce P.T.N.G., qui appartient vraisemblablement au même milieu que Mlle M.F.D.R. (cf. l'*Illusion*, p. 193, note 2).

2. *Médée* paraît en librairie quatre ans après la représen-tation. Achevé d'imprimer : 16 mars 1639.

fait pas prendre ces résolutions violentes en présence du chœur, qui n'est pas toujours sur le théâtre, et n'y parle jamais aux autres acteurs; mais je ne puis comprendre comme, dans son quatrième acte, il lui fait achever ses enchantements en place publique et j'ai mieux aimé rompre l'unité exacte du lieu, pour faire voir Médée dans le même cabinet où elle a fait ses charmes, que de l'imiter en ce point.

Tous les deux m'ont semblé donner trop peu de défiance à Créon des présents de cette magicienne, offensée au dernier point, qu'il témoigne craindre chez l'un et chez l'autre et dont il a d'autant plus de lieu de se défier qu'elle lui demande instamment un jour de délai pour se préparer à partir, et qu'il croit qu'elle ne le demande que pour machiner quelque chose contre lui et troubler les noces de sa fille.

J'ai cru mettre la chose dans un peu plus de justesse, par quelques précautions que j'y ai apportées: la première, en ce que Créuse souhaite avec passion cette robe que Médée empoisonne et qu'elle oblige Jason à la tirer d'elle par adresse; ainsi, bien que les présents des ennemis doivent être suspects, celui-ci ne le doit pas être, parce que ce n'est pas tant un don qu'elle fait qu'un payement qu'on lui arrache de la grâce que ses enfants reçoivent; la seconde, en ce que ce n'est pas Médée qui demande ce jour de délai qu'elle emploie à sa vengeance, mais Créon qui le lui donne de son mouvement, comme pour diminuer quelque chose de l'injuste violence qu'il lui fait, dont il semble avoir honte en lui-même; et la troisième enfin, en ce qu'après les défiances que Pollux lui en fait prendre presque par force, il en fait faire l'épreuve sur une autre, avant que de permettre à sa fille de s'en parer.

L'épisode d'Ægée n'est pas tout à fait de mon invention: Euripide l'introduit en son troisième acte, mais seulement comme un passant à qui Médée fait ses plaintes, et qui l'assure d'une retraite chez lui à Athènes, en considération d'un service qu'elle promet de lui rendre. En quoi je trouve deux choses à dire: l'une, qu'Ægée étant dans la cour de Créon, ne parle point du tout de le voir; l'autre, que bien qu'il promette à Médée de la recevoir et protéger à Athènes après qu'elle se sera vengée, qu'elle fait dès ce jour-là même, il lui témoigne toutefois qu'au sortir de Corinthe il va trouver Pitthéus à Trézène, pour consulter avec lui sur le sens de l'oracle qu'on venait de lui rendre à Delphes, et qu'ainsi Médée serait demeurée en assez mauvaise posture dans Athènes en l'attendant, puisqu'il tarda manifestement quelque temps chez Pitthéus, où il fit l'amour à sa fille Æthra, qu'il laissa grosse de Thésée et n'en partit point que sa grossesse ne fût constante. Pour donner un peu plus d'intérêt à ce monarque dans l'action de cette tragédie, je le fais amoureux de Créuse, qui lui préfère Jason, et je porte ses ressentiments à l'enlever, afin qu'en cette entreprise, demeurant prisonnier de ceux qui la sauvent de ses mains, il aye obligation à Médée de sa délivrance et que la reconnaissance qu'il lui en doit l'engage plus fortement à sa protection et même à l'épouser, comme l'histoire le marque.

Pollux est de ces personnages protatiques [3] qui ne sont introduits que pour écouter la narration du sujet. Je pense l'avoir déjà dit et j'ajoute que ces personnages sont d'ordinaire assez difficiles à imaginer dans la tragédie, parce que les événements publics et éclatants

3. La protase est l'exposé de l'intrigue. On choisissait d'ordinaire pour la faire un personnage qui ne fût pas directement mêlé au drame, sans y être étranger.

dont elle est composée sont connus de tout le monde et que, s'il est aisé de trouver des gens qui les sachent pour les raconter, il n'est pas aisé d'en trouver qui les ignorent pour les entendre: c'est ce qui m'a fait avoir recours à cette fiction que Pollux, depuis son retour de Colchos, avait toujours été en Asie, où il n'avait rien appris de ce qui s'était passé dans la Grèce, que la mer en sépare. Le contraire arrive en la comédie: comme elle n'est que d'intrigues particuliers, il n'est rien si facile que de trouver des gens qui les ignorent, mais souvent il n'y a qu'une seule personne qui la puisse expliquer: ainsi l'on n'y manque jamais de confident quand il y a matière de confidence.

Dans la narration que fait Nérine au quatrième acte, on peut considérer que quand ceux qui écoutent ont quelque chose d'important dans l'esprit, ils n'ont pas assez de patience pour écouter le détail de ce qu'on leur vient raconter et que c'est assez pour eux d'en apprendre l'événement en un mot: c'est ce que fait voir ici Médée, qui, ayant su que Jason a arraché Créuse à ses ravisseurs et pris Ægée prisonnier, ne veut point qu'on lui explique comment cela s'est fait. Lorsqu'on a affaire à un esprit tranquille, comme Achorée à Cléopâtre dans la *Mort de Pompée*, pour qui elle ne s'intéresse que par un sentiment d'honneur, on prend le loisir d'exprimer toutes les particularités, mais avant que d'y descendre, j'estime qu'il est bon, même alors, d'en dire tout l'effet en deux mots dès l'abord.

Surtout, dans les narrations ornées et pathétiques, il faut très soigneusement prendre garde en quelle assiette est l'âme de celui qui parle et de celui qui écoute et se passer de cet ornement, qui ne va guère sans quelque étalage ambitieux, s'il y a la moindre apparence que l'un des deux soit trop en péril ou dans une passion trop violente, pour avoir toute la patience nécessaire au récit qu'on se propose.

J'oubliais à remarquer que la prison où je mets Ægée est un spectacle désagréable, que je conseillerais d'éviter: ces grilles qui éloignent l'acteur du spectateur et lui cachent toujours plus de la moitié de sa personne, ne manquent jamais à rendre son action fort languissante. Il arrive quelquefois des occasions indispensables de faire arrêter prisonniers sur nos théâtres quelques-uns de nos principaux acteurs, mais alors il vaut mieux se contenter de leur donner des gardes qui les suivent et n'affaiblissent ni le spectacle ni l'action, comme dans *Polyeucte* et dans *Héraclius*. J'ai voulu rendre visible ici l'obligation qu'Ægée avait à Médée, mais cela se fût mieux fait par un récit.

Je serai bien aise encore qu'on remarque la civilité de Jason envers Pollux à son départ: il l'accompagne jusque hors de la ville; et c'est une adresse de théâtre assez heureusement pratiquée pour l'éloigner de Créon et de Créuse mourants et n'en avoir que deux à la fois à faire parler. Un auteur est bien embarrassé quand il en a trois et qu'ils ont tous trois une assez forte passion dans l'âme pour leur donner une juste impatience de la pousser au dehors: c'est ce qui m'a obligé à faire mourir ce roi malheureux avant l'arrivée de Jason, afin qu'il n'eût à parler qu'à Créuse et à faire mourir cette princesse avant que Médée se montre sur le balcon, afin que cet amant en colère n'aye plus à qui s'adresser qu'à elle; mais on aurait eu lieu de trouver à dire qu'il ne fût pas auprès de sa maîtresse dans un si grand malheur, si je n'eusse rendu raison de son éloignement.

J'ai feint que les feux que produit la robe de Médée et qui font périr Créon et Créuse étaient invisibles, parce que j'ai mis leurs personnes sur la scène dans la catastrophe. Ce spectacle de mourants m'était nécessaire pour remplir mon cinquième acte, qui sans cela n'eût pu atteindre à la longueur ordinaire des nôtres; mais à dire le vrai, il n'a pas l'effet que demande la tragédie et ces deux mourants importunent plus par leurs cris et par leurs gémissements, qu'ils ne font pitié par leur malheur. La raison en est qu'ils semblent l'avoir mérité par l'injustice qu'ils ont faite à Médée, qui attire si bien de son côté toute la faveur de l'auditoire qu'on excuse sa vengeance après l'indigne traitement qu'elle a reçu de Créon et de son mari et qu'on a plus de compas-sion du désespoir où ils l'ont réduite que de tout ce qu'elle leur fait souffrir.

Quant au style, il est fort inégal en ce poème; et ce que j'y ai mêlé du mien approche si peu de ce que j'ai traduit de Sénèque, qu'il n'est point besoin d'en mettre le texte en marge pour faire discerner au lecteur ce qui est de lui ou de moi. Le temps m'a donné le moyen d'amasser assez de force pour ne laisser pas cette différence si visible dans le *Pompée*, où j'ai beaucoup pris de Lucain et ne crois pas être demeuré fort au-dessous de lui quand il a fallu me passer de son secours.

ACTEURS [4]

    CRÉON, *roi de Corinthe.*
    ÆGÉE, *roi d'Athènes.*
    JASON, *mari de Médée.*
    POLLUX, *argonaute, ami de Jason.*
    CRÉUSE, *fille de Créon.*
    MÉDÉE, *femme de Jason.*
    CLÉONE, *gouvernante de Créuse.*
    NÉRINE, *suivante de Médée.*
    THEUDAS, *domestique de Créon.*
    TROUPE DES GARDES DE CRÉON.

    La scène est à Corinthe [5].

ACTE PREMIER

Scène I : Pollux, Jason.

POLLUX

Que je sens à la fois de surprise et de joie!
Se peut-il qu'en ces lieux enfin je vous revoie,
Que Pollux dans Corinthe ait rencontré Jason?

JASON

Vous n'y pouviez venir en meilleure saison
5 Et pour vous rendre encor l'âme plus étonnée,
Préparez-vous à voir mon second hyménée.

POLLUX

Quoi! Médée est donc morte, ami?

JASON

              Non, elle vit,
Mais un objet plus beau la chasse de mon lit.

POLLUX

Dieux! et que fera-t-elle?

JASON

           Et que fit Hypsipyle,

Que pousser les éclats d'un courroux inutile?   10
Elle jeta des cris, elle versa des pleurs,
Elle me souhaita mille et mille malheurs,
Dit que j'étais sans foi, sans cœur, sans conscience
Et lasse de le dire, elle prit patience.
Médée en son malheur en pourra faire autant :   15
Qu'elle soupire, pleure et me nomme inconstant;
Je la quitte à regret, mais je n'ai point d'excuse
Contre un pouvoir plus fort qui me donne à Créuse.

POLLUX

Créuse est donc l'objet qui vous vient d'enflammer?
Je l'aurais deviné sans l'entendre nommer.   20
Jason ne fit jamais de communes maîtresses;
Il est né seulement pour charmer les princesses
Et haïrait l'amour, s'il avait sous sa loi
Rangé de moindres cœurs que des filles de roi.
Hypsipyle à Lemnos, sur le Phase Médée   25
Et Créuse à Corinthe, autant vaut, possédée, [Mars,
Font bien voir qu'en tous lieux, sans le secours de
Les sceptres sont acquis à ses moindres regards.

JASON

Aussi je ne suis pas de ces amants vulgaires :
J'accommode ma flamme au bien de mes affaires [6];   30
Et sous quelque climat que me jette le sort,
Par maxime d'État je me fais cet effort.
    Nous voulant à Lemnos rafraîchir dans la ville,
Qu'eussions-nous fait, Pollux, sans l'amour d'Hyp-
Et depuis à Colchos, que fit votre Jason [sipyle 35
Que cajoler Médée et gagner la Toison?
Alors, sans mon amour, qu'eût fait votre vaillance?
Eût-elle du dragon trompé la vigilance?
Ce peuple que la terre enfantait tout armé,
Qui de vous l'eût défait, si Jason n'eût aimé?   40
Maintenant qu'un exil m'interdit ma patrie,
Créuse est le sujet de mon idolâtrie
Et j'ai trouvé l'adresse, en lui faisant la cour,
De relever mon sort sur les ailes d'Amour.

POLLUX

Que parlez-vous d'exil? La haine de Pélie...   45

JASON

Me fait, tout mort qu'il est, fuir de sa Thessalie.

---

4. Tous les personnages, sauf les trois derniers, appartiennent à la mythologie. Nérine correspond au rôle de la nourrice dans la tragédie antique, Theudas au messager. Ils existent, anonymes, dans la tragédie italienne de Maffeo Galladei (1558), adaptée d'Euripide.

5. Trois lieux : la place, une grotte (IV, 1), la prison (IV, 4). Après l'unité parfaite mais artificielle de *la Galerie du Palais*, Corneille revient délibérément à l'unité au sens large, telle que l'entend Aristote.

6. Pour atténuer l'horreur du sujet, Corneille développe et noircit considérablement Jason. Cynisme candide et intérêt sont les seuls mobiles de ce personnage machiavélique, le premier du théâtre cornélien.

POLLUX

Il est mort!

JASON

Ecoutez, et vous saurez comment
Son trépas seul m'oblige à cet éloignement.
    Après six ans passés, depuis notre voyage,
50 Dans les plus grands plaisirs qu'on goûte au mariage,
Mon père, tout caduc, émouvant ma pitié,
Je conjurai Médée, au nom de l'amitié...

POLLUX

J'ai su comme son art, forçant les destinées,
Lui rendit la vigueur de ses jeunes années :
55 Ce fut, s'il m'en souvient, ici que je l'appris,
D'où soudain un voyage en Asie entrepris
Fait que, nos deux séjours divisés par Neptune,
Je n'ai point su depuis quelle est votre fortune;
Je n'en fais qu'arriver.

JASON

                    Apprenez donc de moi
60 Le sujet qui m'oblige à lui manquer de foi.
Malgré l'aversion d'entre nos deux familles,
De mon tyran Pélie elle gagne les filles
Et leur feint de ma part tant d'outrages reçus
Que ces faibles esprits sont aisément déçus.
65 Elle fait amitié, leur promet des merveilles,
Du pouvoir de son art leur remplit les oreilles
Et·pour mieux leur montrer comme il est infini,
Leur étale surtout mon père rajeuni.
Pour épreuve elle égorge un bélier à leurs vues,
70 Le plonge en un bain d'eaux et d'herbes inconnues,
Lui forme un nouveau sang avec cette liqueur
Et lui rend d'un agneau la taille et la vigueur.
Les sœurs crient miracle et chacune ravie
Conçoit pour son vieux père une pareille envie,
75 Veut un effet pareil, le demande et l'obtient;
Mais chacune a son but. Cependant la nuit vient :
Médée, après le coup d'une si belle amorce,
Prépare de l'eau pure et des herbes sans force,
Redouble le sommeil des gardes et du Roi :
80 La suite au seul récit me fait trembler d'effroi.
A force de pitié ces filles inhumaines
De leur père endormi vont épuiser les veines [7] :
Leur tendresse crédule, à grands coups de couteau,
Prodigue ce vieux sang, et fait place au nouveau;
85 Le coup le plus mortel s'impute à grand service :
On nomme piété ce cruel sacrifice
Et l'amour paternel qui fait agir leurs bras
Croirait commettre un crime à n'en commettre pas.
Médée est éloquente à leur donner courage :
90 Chacune toutefois tourne ailleurs son visage,
Une secrète horreur condamne leur dessein
Et refuse leurs yeux à conduire leur main.

POLLUX

A me représenter ce tragique spectacle,
Qui fait un parricide et promet un miracle,
95 J'ai de l'horreur moi-même, et ne puis concevoir
Qu'un esprit jusque-là se laisse décevoir.

7. Cet épisode fameux a suggéré à Ovide une de ses *Méta-morphoses*. Corneille connaissait bien le livre de Noël Conti (1555), véritable petite encyclopédie mythologique.

JASON

Ainsi mon père Æson recouvra sa jeunesse.
Mais oyez le surplus. Ce grand courage cesse,
L'épouvante les prend, Médée en raille, et fuit.
Le jour découvre à tous les crimes de la nuit
Et pour vous épargner un discours inutile,
Acaste, nouveau roi, fait mutiner la ville,
Nomme Jason l'auteur de cette trahison
Et pour venger son père, assiège ma maison.
Mais j'étais déjà loin, aussi bien que Médée
Et ma famille enfin à Corinthe abordée,
Nous saluons Créon, dont la bénignité
Nous promet contre Acaste un lieu de sûreté.
Que vous dirai-je plus? mon bonheur ordinaire
M'acquiert les volontés de la fille et du père,
Si bien que de tous deux également chéri,
L'un me veut pour son gendre, et l'autre pour mari.
D'un rival couronné les grandeurs souveraines,
La majesté d'Ægée, et le sceptre d'Athènes,
N'ont rien, à leur avis, de comparable à moi
Et banni que je suis, je leur suis plus qu'un roi.
Je vois trop ce bonheur, mais je le dissimule
Et bien que pour Créuse un pareil feu me brûle,
Du devoir conjugal je combats mon amour
Et je ne l'entretiens que pour faire ma cour.
    Acaste cependant menace d'une guerre
Qui doit perdre Créon et dépeupler sa terre,
Puis, changeant tout à coup ses résolutions,
Il propose la paix sous ces conditions.
Il demande d'abord et Jason et Médée :
On lui refuse l'un, et l'autre est accordée;
Je l'empêche, on débat, et je fais tellement
Qu'enfin il se réduit à son bannissement.
De nouveau je l'empêche, et Créon me refuse
Et pour m'en consoler, il m'offre sa Créuse.
Qu'eussé-je fait, Pollux, en cette extrémité
Qui commettait ma vie avec ma loyauté?
Car sans doute, à quitter l'utile pour l'honnête,
La paix allait se faire aux dépens de ma tête;
Le mépris insolent des offres d'un grand roi
Aux mains d'un ennemi livrait Médée et moi.
Je l'eusse fait pourtant, si je n'eusse été père :
L'amour de mes enfants m'a fait l'âme légère,
Ma perte était la leur et cet hymen nouveau
Avec Médée et moi les tire du tombeau :
Eux seuls m'ont fait résoudre, et la paix s'est conclue.

POLLUX

Bien que de tous côtés l'affaire résolue
Ne laisse aucune place aux conseils d'un ami,
Je ne puis toutefois l'approuver qu'à demi.
Sur quoi que vous fondiez un traitement si rude,
C'est montrer pour Médée un peu d'ingratitude :
Ce qu'elle a fait pour vous est mal récompensé.
Il faut craindre après tout son courage offensé;
Vous savez mieux que moi ce que peuvent ses charmes.

JASON

Ce sont à sa fureur d'épouvantables armes,
Mais son bannissement nous en va garantir.

POLLUX

Gardez d'avoir sujet de vous en repentir.

JASON

Quoi qu'il puisse arriver, ami, c'est chose faite.

POLLUX

La termine le ciel comme je le souhaite!
5 Permettez cependant qu'afin de m'acquitter
J'aille trouver le Roi pour l'en féliciter.

JASON

Je vous y conduirais, mais j'attends ma princesse,
Qui va sortir du temple.

POLLUX

Adieu : l'amour vous presse
Et je serais marri qu'un soin officieux
10 Vous fît perdre pour moi des temps si précieux.

Scène II : Jason.

Depuis que mon esprit est capable de flamme,
Jamais un trouble égal n'a confondu mon âme :
Mon cœur qui se partage en deux affections
Se laisse déchirer à mille passions.
15 Je dois tout à Médée et je ne puis sans honte
Et d'elle et de ma foi tenir si peu de conte;
Je dois tout à Créon, et d'un si puissant roi
Je fais un ennemi, si je garde ma foi;
Je regrette Médée, et j'adore Créuse,
20 Je vois mon crime en l'une, en l'autre mon excuse
Et dessus mon regret mes désirs triomphants
Ont encor le secours du soin de mes enfants.
Mais la princesse vient : l'éclat d'un tel visage
Du plus constant du monde attirerait l'hommage
25 Et semble reprocher à ma fidélité
D'avoir osé tenir contre tant de beauté.

Scène III : Jason, Créuse, Cléone.

JASON

Que votre zèle est long et que d'impatience
Il donne à votre amant, qui meurt en votre absence!

CRÉUSE

Je n'ai pas fait pourtant au ciel beaucoup de vœux :
30 Ayant Jason à moi, j'ai tout ce que je veux.

JASON

Et moi, puis-je espérer l'effet d'une prière
Que ma flamme tiendrait à faveur singulière?
Au nom de notre amour, sauvez deux jeunes fruits
Que d'un premier hymen la couche m'a produits,
35 Employez-vous pour eux, faites auprès d'un père
Qu'ils ne soient point compris en l'exil de leur mère :
C'est lui seul qui bannit ces petits malheureux,
Puisque dans les traités il n'est point parlé d'eux [8].

CRÉUSE

J'avais déjà pitié de leur tendre innocence
40 Et vous y servirai de toute ma puissance,
Pourvu qu'à votre tour vous m'accordiez un point
Que jusques à tantôt je ne vous dirai point.

JASON

Dites, et quel qu'il soit, que ma reine en dispose.

CRÉUSE

Si je puis sur mon père obtenir quelque chose,
Vous le saurez après; je ne veux rien pour rien.   195

CLÉONE

Vous pourrez au palais suivre cet entretien.
On ouvre chez Médée, ôtez-vous de sa vue :
Vos présences rendraient sa douleur plus émue
Et vous seriez marris que cet esprit jaloux
Mêlât son amertume à des plaisirs si doux.   200

Scène IV [9] : Médée.

Souverains protecteurs des lois de l'hyménée,
Dieux garants de la foi que Jason m'a donnée,
Vous qu'il prit à témoin d'une immortelle ardeur
Quand par un faux serment il vainquit ma pudeur,
Voyez de quel mépris vous traite son parjure   205
Et m'aidez à venger cette commune injure :
S'il me peut aujourd'hui chasser impunément,
Vous êtes sans pouvoir ou sans ressentiment.
Et vous, troupe savante en noires barbaries,
Filles de l'Achéron, pestes, larves, furies,   210
Fières sœurs, si jamais notre commerce étroit
Sur vous et vos serpents me donna quelque droit,
Sortez de vos cachots avec les mêmes flammes
Et les mêmes tourments dont vous gênez les âmes;
Laissez-les quelque temps reposer dans leurs fers,   215
Pour mieux agir pour moi faites trêve aux enfers,
Apportez-moi du fond des antres de Mégère
La mort de ma rivale et celle de son père
Et si vous ne voulez mal servir mon courroux,
Quelque chose de pis pour mon perfide époux :   220
Qu'il coure vagabond de province en province,
Qu'il fasse lâchement la cour à chaque prince,
Banni de tous côtés, sans bien et sans appui,
Accablé de frayeur, de misère, d'ennui,
Qu'à ses plus grands malheurs aucun ne compatisse,   225
Qu'il ait regret à moi pour son dernier supplice
Et que mon souvenir jusque dans le tombeau
Attache à son esprit un éternel bourreau.
Jason me répudie! et qui l'aurait pu croire?
S'il a manqué d'amour, manque-t-il de mémoire?   230
Me peut-il bien quitter après tant de bienfaits?
M'ose-t-il bien quitter après tant de forfaits?
Sachant ce que je puis, ayant vu ce que j'ose,
Croit-il que m'offenser ce soit si peu de chose?
Quoi! mon père trahi, les éléments forcés,   235
D'un frère dans la mer les membres dispersés,
Lui font-ils présumer mon audace épuisée?
Lui font-ils présumer qu'à mon tour méprisée,
Ma rage contre lui n'ait par où s'assouvir
Et que tout mon pouvoir se borne à le servir?   240
Tu t'abuses, Jason, je suis encor moi-même.
Tout ce qu'en ta faveur fit mon amour extrême,
Je le ferai par haine et je veux pour le moins
Qu'un forfait nous sépare, ainsi qu'il nous a joints,
Que mon sanglant divorce, en meurtres, en carnage,   245

---

8. Point important qui n'est pas, chez les modèles de Corneille, dans la bouche de Jason.

9. Cette scène, l'une des plus belles de l'œuvre de Corneille, commence la pièce dans Sénèque, Galladei (1558) et La Péruse (1558).

S'égale aux premiers jours de notre mariage
Et que notre union, que rompt ton changement,
Trouve une fin pareille à son commencement.
Déchirer par morceaux l'enfant aux yeux du père
250 N'est que le moindre effet qui suivra ma colère,
Des crimes si légers furent mes coups d'essai :
Il faut bien autrement montrer ce que je sai,
Il faut faire un chef-d'œuvre et qu'un dernier ouvrage
Surpasse de bien loin ce faible apprentissage.
255   Mais pour exécuter tout ce que j'entreprends,
Quels Dieux me fourniront des secours assez grands ?
Ce n'est plus vous, enfers, qu'ici je sollicite :
Vos feux sont impuissants pour ce que je médite.
Auteur de ma naissance, aussi bien que du jour,
260 Qu'à regret tu dépars à ce fatal séjour,
Soleil, qui vois l'affront qu'on va faire à ta race [10],
Donne-moi tes chevaux à conduire en ta place,
Accorde cette grâce à mon désir bouillant ;
Je veux choir sur Corinthe avec ton char brûlant,
265 Mais ne crains pas de chute à l'univers funeste,
Corinthe consumé garantira le reste,
De mon juste courroux les implacables vœux
Dans ses odieux murs arrêteront tes feux.
Créon en est le prince, et prend Jason pour gendre :
270 C'est assez mériter d'être réduit en cendre,
D'y voir réduit tout l'isthme, afin de l'en punir
Et qu'il n'empêche plus les deux mers de s'unir.

Scène V : Médée, Nérine.

MÉDÉE
Eh bien ! Nérine, à quand, à quand cet hyménée ?
En ont-ils choisi l'heure, en sais-tu la journée ?
275 N'en as-tu rien appris, n'as-tu point vu Jason ?
N'appréhende-t-il rien après sa trahison ?
Croit-il qu'en cet affront je m'amuse à me plaindre ?
S'il cesse de m'aimer, qu'il commence à me craindre :
Il verra, le perfide, à quel comble d'horreur
280 De mes ressentiments peut monter la fureur.

NÉRINE
Modérez les bouillons de cette violence
Et laissez déguiser vos douleurs au silence.
Quoi ! Madame, est-ce ainsi qu'il faut dissimuler
Et faut-il perdre ainsi des menaces en l'air ?
285 Les plus ardents transports d'une haine connue
Ne sont qu'autant d'éclairs avortés dans la nue,
Qu'autant d'avis à ceux que vous voulez punir,
Pour repousser vos coups ou pour les prévenir.
Qui peut sans s'émouvoir supporter une offense,
290 Peut mieux prendre à son point le temps de sa ven-
Et sa feinte douceur, sous un appas mortel, [geance,
Mène insensiblement sa victime à l'autel.

MÉDÉE
Tu veux que je me taise et que je dissimule !
Nérine, porte ailleurs ce conseil ridicule :
295 L'âme en est incapable en de moindres malheurs
Et n'a point où cacher de pareilles douleurs.
Jason m'a fait trahir mon pays et mon père,

10. Médée est fille du Soleil, comme Phèdre.

Et me laisse au milieu d'une terre étrangère,
Sans support, sans amis, sans retraite, sans bien,
La fable de son peuple et la haine du mien :
Nérine, après cela tu veux que je me taise !
Ne dois-je point encore en témoigner de l'aise,
De ce royal hymen souhaiter l'heureux jour,
Et forcer tous mes soins à servir son amour ?

NÉRINE
Madame, pensez mieux à l'éclat que vous faites :
Quelque juste qu'il soit, regardez où vous êtes,
Considérez qu'à peine un esprit plus remis
Vous tient en sûreté parmi vos ennemis.

MÉDÉE
L'âme doit se roidir plus elle est menacée
Et contre la fortune aller tête baissée,
La choquer hardiment et sans craindre la mort
Se présenter de front à son plus rude effort.
Cette lâche ennemie a peur des grands courages
Et sur ceux qu'elle abat redouble ses outrages.

NÉRINE
Que sert ce grand courage où l'on est sans pouvoir ?

MÉDÉE
Il trouve toujours lieu de se faire valoir.

NÉRINE
Forcez l'aveuglement dont vous êtes séduite,
Pour voir en quel état le sort vous a réduite.
Votre pays vous hait, votre époux est sans foi :
Dans un si grand revers que vous reste-t-il ?

MÉDÉE
                      Moi,
Moi, dis-je, et c'est assez.

NÉRINE
            Quoi ! vous seule, Madame ?

MÉDÉE
Oui, tu vois en moi seule et le fer et la flamme,
Et la terre et la mer, et l'enfer et les cieux,
Et le sceptre des rois, et la foudre des Dieux.

NÉRINE
L'impétueuse ardeur d'un courage sensible
A vos ressentiments figure tout possible :
Mais il faut craindre un roi fort de tant de sujets.

MÉDÉE
Mon père, qui l'était, rompit-il mes projets ?

NÉRINE
Non, mais il fut surpris, et Créon se défie :
Fuyez, qu'à ses soupçons il ne vous sacrifie.

MÉDÉE
Las ! je n'ai que trop fui : cette infidélité
D'un juste châtiment punit ma lâcheté.
Si je n'eusse point fui pour la mort de Pélie,
Si j'eusse tenu bon dedans la Thessalie,
Il n'eût point vu Créuse, et cet objet nouveau
N'eût point de notre hymen étouffé le flambeau.

NÉRINE
Fuyez encor, de grâce.

MÉDÉE
           Oui, je fuirai, Nérine,
Mais avant de Créon on verra la ruine.
Je brave la fortune et toute sa rigueur,
En m'ôtant un mari, ne m'ôte pas le cœur ;

Sois seulement fidèle, et sans te mettre en peine
Laisse agir pleinement mon savoir et ma haine.

NÉRINE, *seule.*

Madame... Elle me quitte au lieu de m'écouter.
Ces violents transports la vont précipiter :
D'une trop juste ardeur l'inexorable envie
Lui fait abandonner le souci de sa vie.
Tâchons, encore un coup, d'en divertir le cours.
Apaiser sa fureur, c'est conserver ses jours.

ACTE SECOND

Scène I : *Médée, Nérine.*

NÉRINE

Bien qu'un péril certain suive votre entreprise,
Assurez-vous sur moi, je vous suis toute acquise :
Employez mon service aux flammes, au poison,
Je ne refuse rien; mais épargnez Jason.
Votre aveugle vengeance une fois assouvie,
Le regret de sa mort vous coûterait la vie
Et les coups violents d'un rigoureux ennui...

MÉDÉE

Cesse de m'en parler, et ne crains rien pour lui :
Ma fureur jusque-là n'oserait me séduire,
Jason m'a trop coûté pour le vouloir détruire,
Mon courroux lui fait grâce et ma première ardeur
Soutient son intérêt au milieu de mon cœur.
Je crois qu'il m'aime encore et qu'il nourrit en l'âme
Quelques restes secrets d'une si belle flamme,
Qu'il ne fait qu'obéir aux volontés d'un roi,
Qui l'arrache à Médée en dépit de sa foi.
Qu'il vive, et s'il se peut, que l'ingrat me demeure;
Sinon, ce m'est assez que sa Créuse meure :
Qu'il vive cependant et jouisse du jour
Que lui conserve encor mon immuable amour.
Créon seul et sa fille ont fait la perfidie,
Eux seuls termineront toute la tragédie.
Leur perte achèvera cette fatale paix.

NÉRINE

Contenez-vous, Madame, il sort de son palais.

Scène II : *Créon, Médée, Nérine, soldats.*

CRÉON

Quoi? je te vois encore! Avec quelle impudence
Peux-tu, sans t'effrayer, soutenir ma présence,
Ignores-tu l'arrêt de ton bannissement,
Fais-tu si peu de cas de mon commandement?
Voyez comme elle s'enfle et d'orgueil et d'audace!
Ses yeux ne sont que feu, ses regards que menace.
Gardes, empêchez-la de s'approcher de moi.
Va, purge mes États d'un monstre tel que toi :
Délivre mes sujets et moi-même de crainte.

MÉDÉE

De quoi m'accuse-t-on? quel crime, quelle plainte
Pour mon bannissement vous donne tant d'ardeur?

CRÉON

Ah! l'innocence même, et la même candeur!
Médée est un miroir de vertu signalée :   385
Quelle inhumanité de l'avoir exilée [11]!
Barbare, as-tu si tôt oublié tant d'horreurs?
Repasse tes forfaits, repasse tes erreurs
Et de tant de pays nomme quelque contrée
Dont tes méchancetés te permettent l'entrée.   390
Toute la Thessalie en armes te poursuit,
Ton père te déteste et l'univers te fuit :
Me dois-je en ta faveur charger de tant de haines
Et sur mon peuple et moi faire tomber tes peines?
Va pratiquer ailleurs tes noires actions,   395
J'ai racheté la paix à ces conditions.

MÉDÉE

Lâche paix, qu'entre vous, sans m'avoir écoutée,
Pour m'arracher mon bien vous avez complotée!
Paix dont le déshonneur vous demeure éternel!
Quiconque sans l'ouïr condamne un criminel,   400
Son crime eût-il cent fois mérité le supplice,
D'un juste châtiment il fait une injustice.

CRÉON

Au regard de Pélie, il fut bien mieux traité :
Avant que l'égorger tu l'avais écouté?

MÉDÉE

Ecouta-t-il Jason, quand sa haine couverte   405
L'envoya sur nos bords se livrer à sa perte?
Car comment voulez-vous que je nomme un dessein
Au-dessus de sa force et du pouvoir humain?
Apprenez quelle était cette illustre conquête
Et de combien de morts j'ai garanti sa tête.   410
  Il fallait mettre au joug deux taureaux furieux,
Des tourbillons de feux s'élançaient de leurs yeux
Et leur maître Vulcain poussait par leur haleine
Un long embrasement dessus toute la plaine.
Eux domptés, on entrait en de nouveaux hasards :   415
Il fallait labourer les tristes champs de Mars
Et des dents d'un serpent ensemencer leur terre,
Dont la stérilité, fertile pour la guerre,
Produisait à l'instant des escadrons armés
Contre la même main qui les avait semés.   420
Mais quoi qu'eût fait contre eux une valeur parfaite,
La Toison n'était pas au bout de leur défaite :
Un dragon, enivré des plus mortels poisons
Qu'enfantent les péchés de toutes les saisons,
Vomissant mille traits de sa gorge enflammée,   425
La gardait beaucoup mieux que toute cette armée;
Jamais étoile, lune, aurore, ni soleil,
Ne virent abaisser sa paupière au sommeil :
Je l'ai seule assoupi; seule, j'ai par mes charmes
Mis au joug les taureaux et défait les gens d'armes.   430
Si lors à mon devoir mon désir limité
Eût conservé ma gloire et ma fidélité,
Si j'eusse eu de l'horreur de tant d'énormes fautes,
Que devenaient Jason, et tous vos Argonautes?
Sans moi, ce vaillant chef, que vous m'avez ravi,   435
Fût péri le premier, et tous l'auraient suivi.
Je ne me repens point d'avoir par mon adresse
Sauvé le sang des Dieux et la fleur de la Grèce :

11. Corneille découvre dans Sénèque l'ironie, qui restera
dans tout son théâtre l'un des plus puissants moteurs des
passions tragiques.

Zéthès, et Calaïs, et Pollux, et Castor,
440 Et le charmant Orphée, et le sage Nestor,
Tous vos héros enfin tiennent de moi la vie;
Je vous les verrai tous posséder sans envie,
Je vous les ai sauvés, je vous les cède tous,
Je n'en veux qu'un pour moi, n'en soyez point jaloux.
445 Pour de si bons effets laissez-moi l'infidèle :
Il est mon crime seul, si je suis criminelle;
Aimer cet inconstant, c'est tout ce que j'ai fait :
Si vous me punissez, rendez-moi mon forfait.
Est-ce user comme il faut d'un pouvoir légitime,
450 Que me faire coupable et jouir de mon crime?

CRÉON

Va te plaindre à Colchos.

MÉDÉE

            Le retour m'y plaira.
Que Jason m'y remette ainsi qu'il m'en tira :
Je suis prête à partir sous la même conduite
Qui de ces lieux aimés précipita ma fuite.
455 O d'un injuste affront les coups les plus cruels!
Vous faites différence entre deux criminels!
Vous voulez qu'on l'honore et que de deux complices
L'un ait votre couronne et l'autre des supplices!

CRÉON

Cesse de plus mêler ton intérêt au sien.
460 Ton Jason, pris à part, est trop homme de bien :
Le séparant de toi, sa défense est facile;
Jamais il n'a trahi son père ni sa ville,
Jamais sang innocent n'a fait rougir ses mains,
Jamais il n'a prêté son bras à tes desseins,
465 Son crime, s'il en a, c'est de t'avoir pour femme.
Laisse-le s'affranchir d'une honteuse flamme,
Rends-lui son innocence en t'éloignant de nous,
Porte en d'autres climats ton insolent courroux,
Tes herbes, tes poisons, ton cœur impitoyable
470 Et tout ce qui jamais a fait Jason coupable.

MÉDÉE

Peignez mes actions plus noires que la nuit,
Je n'en ai que la honte, il en a tout le fruit :
Ce fut en sa faveur que ma savante audace
Immola son tyran par les mains de sa race;
475 Joignez-y mon pays et mon frère : il suffit
Qu'aucun de tant de maux ne va qu'à son profit [12].
Mais vous les saviez tous quand vous m'avez reçue,
Votre simplicité n'a point été déçue,
En ignoriez-vous un, quand vous m'avez promis
480 Un rempart assuré contre mes ennemis?
Ma main, saignante encor du meurtre de Pélie,
Soulevait contre moi toute la Thessalie,
Quand votre cœur, sensible à la compassion,
Malgré tous mes forfaits, prit ma protection.
485 Si l'on me peut depuis imputer quelque crime,
C'est trop peu que l'exil, ma mort est légitime :
Sinon, à quel propos me traitez-vous ainsi?
Je suis coupable ailleurs, mais innocente ici.

CRÉON

Je ne veux plus ici d'une telle innocence,

---

12. C'est-à-dire : Tous ces maux sans exception profitent
à lui seul.

Ni souffrir en ma cour ta fatale présence. 490
Va...

MÉDÉE

Dieux justes, vengeurs...

CRÉON

          Va, dis-je, en d'autres
Par tes cris importuns solliciter les Dieux.   [lieux
   Laisse-nous tes enfants : je serais trop sévère,
Si je les punissais des crimes de leur mère
Et bien que je le pusse avec juste raison, 495
Ma fille les demande en faveur de Jason.

MÉDÉE

Barbare humanité, qui m'arrache à moi-même,
Et feint de la douceur pour m'ôter ce que j'aime!
Si Jason et Créuse ainsi l'ont ordonné,
Qu'ils me rendent le sang que je leur ai donné. 500

CRÉON

Ne me réplique plus, suis la loi qui t'est faite,
Prépare ton départ et pense à ta retraite.
Pour en délibérer, et choisir le quartier,
De grâce ma bonté te donne un jour entier.

MÉDÉE

Quelle grâce!

CRÉON

         Soldats, remettez-la chez elle; 505
Sa contestation deviendrait éternelle.

Médée rentre et Créon continue.

Quel indomptable esprit! quel arrogant maintien
Accompagnait l'orgueil d'un si long entretien!
A-t-elle rien fléchi de son humeur altière,
A-t-elle pu descendre à la moindre prière, 510
Et le sacré respect de ma condition
En a-t-il arraché quelque soumission?

Scène III : Créon, Jason, Créuse, Cléone, soldats.

CRÉON

Te voilà sans rivale et mon pays sans guerres,
Ma fille : c'est demain qu'elle sort de nos terres.
Nous n'avons désormais que craindre de sa part : 515
Acaste est satisfait d'un si proche départ
Et si tu peux calmer le courage d'Ægée,
Qui voit par notre choix son ardeur négligée,
Fais état que demain nous assure à jamais
Et dedans et dehors une profonde paix. 520

CRÉUSE

Je ne crois pas, Seigneur, que ce vieux roi d'Athènes [13],
Voyant aux mains d'autrui le fruit de tant de peines,
Mêle tant de faiblesse à son ressentiment,
Que son premier courroux se dissipe aisément.
J'espère toutefois qu'avec un peu d'adresse 525
Je pourrai le résoudre à perdre une maîtresse
Dont l'âge peu sortable et l'inclination
Répondaient assez mal à son affection.

JASON

Il doit vous témoigner par son obéissance
Combien sur son esprit vous avez de puissance
Et s'il s'obstine à suivre un injuste courroux, 530

---

13. Il s'agit d'Ægée qui n'a pas encore été nommé.

Nous saurons, ma princesse, en rabattre les coups
Et nos préparatifs contre la Thessalie
Ont trop de quoi punir sa flamme et sa folie.

CRÉON

535 Nous n'en viendrons pas là : regarde seulement
A le payer d'estime et de remercîment.
Je voudrais pour tout autre un peu de raillerie :
Un vieillard amoureux mérite qu'on en rie,
Mais le trône soutient la majesté des rois
540 Au-dessus du mépris, comme au-dessus des lois.
On doit toujours respect au sceptre, à la couronne.
Remets tout, si tu veux, aux ordres que je donne;
Je saurai l'apaiser avec facilité,
Si tu ne te défends qu'avec civilité.

Scène IV : Jason, Créuse, Cléone.

JASON

545 Que ne vous dois-je point pour cette préférence,
Où mes désirs n'osaient porter mon espérance!
C'est bien me témoigner un amour infini,
De mépriser un roi pour un pauvre banni!
A toutes ses grandeurs préférer ma misère,
550 Tourner en ma faveur les volontés d'un père,
Garantir mes enfants d'un exil rigoureux!

CRÉUSE

Qu'a pu faire de moindre un courage amoureux?
La fortune a montré dedans votre naissance
Un trait de son envie ou de son impuissance;
555 Elle devait un sceptre au sang dont vous naissez
Et sans lui vos vertus le méritaient assez.
L'amour, qui n'a pu voir une telle injustice,
Supplée à son défaut ou punit sa malice
Et vous donne, au plus fort de vos adversités,
560 Le sceptre que j'attends et que vous méritez.
La gloire m'en demeure; et les races futures,
Comptant notre hyménée entre vos aventures,
Vanteront à jamais mon amour généreux,
Qui d'un si grand héros rompt le sort malheureux.
565 Après tout, cependant, riez de ma faiblesse :
Prête de posséder le phénix de la Grèce,
La fleur de nos guerriers, le sang de tant de Dieux,
La robe de Médée a donné dans mes yeux.
Mon caprice, à son lustre attachant mon envie,
570 Sans elle trouve à dire au bonheur de ma vie :
C'est ce qu'ont prétendu mes desseins relevés,
Pour le prix des enfants que je vous ai sauvés.

JASON

Que ce prix est léger pour un si bon office!
Il y faut toutefois employer l'artifice :
575 Ma jalouse en fureur n'est pas femme à souffrir
Que ma main l'en dépouille, afin de vous l'offrir;
Des trésors dont son père épuise la Scythie,
C'est tout ce qu'elle a pris quand elle en est sortie.

CRÉUSE

Qu'elle a fait un beau choix! jamais éclat pareil
580 Ne sema dans la nuit les clartés du soleil,
Les perles avec l'or confusément mêlées,
Mille pierres de prix sur ses bords étalées,
D'un mélange divin éblouissent les yeux;

Jamais rien d'approchant ne se fit en ces lieux.
Pour moi, tout aussitôt que je l'en vis parée,   585
Je ne fis plus d'état de la Toison dorée
Et dussiez-vous vous-même en être un peu jaloux,
J'en eus presques envie aussitôt que de vous.
Pour apaiser Médée et réparer sa perte,
L'épargne de mon père entièrement ouverte   590
Lui met à l'abandon tous les trésors du Roi,
Pourvu que cette robe et Jason soient à moi.

JASON

N'en doutez point, ma reine, elle vous est acquise.
Je vais chercher Nérine, et par son entremise
Obtenir de Médée avec dextérité   595
Ce que refuserait son courage irrité.
Pour elle, vous savez que j'en fuis les approches,
J'aurais peine à souffrir l'orgueil de ses reproches
Et je me connais mal, ou dans notre entretien
Son courroux s'allumant allumerait le mien.   600
Je n'ai point un esprit complaisant à sa rage,
Jusques à supporter sans réplique un outrage
Et ce seraient pour moi d'éternels déplaisirs
De reculer par là l'effet de vos désirs.
Mais, sans plus de discours, d'une maison voisine   605
Je vais prendre le temps que sortira Nérine.
Souffrez, pour avancer votre contentement,
Que malgré mon amour je vous quitte un moment.

CLÉONE

Madame, j'aperçois venir le roi d'Athènes.

CRÉUSE

Allez donc, votre vue augmenterait ses peines.   610

CLÉONE

Souvenez-vous de l'air dont il le faut traiter.

CRÉUSE

Ma bouche accortement saura s'en acquitter.

Scène V : Ægée, Créuse, Cléone.

ÆGÉE

Sur un bruit qui m'étonne et que je ne puis croire,
Madame, mon amour, jaloux de votre gloire,
Vient savoir s'il est vrai que vous soyez d'accord,   615
Par un honteux hymen, de l'arrêt de ma mort.
Votre peuple en frémit, votre cour en murmure
Et tout Corinthe enfin s'impute à grande injure
Qu'un fugitif, un traître, un meurtrier de rois,
Lui donne à l'avenir des princes et des lois;   620
Il ne peut endurer que l'horreur de la Grèce
Pour prix de ses forfaits épouse sa princesse
Et qu'il faille ajouter à vos titres d'honneur :
« Femme d'un assassin et d'un empoisonneur. »

CRÉUSE

Laissez agir, grand roi, la raison sur votre âme   625
Et ne le chargez point des crimes de sa femme.
J'épouse un malheureux et mon père y consent,
Mais prince, mais vaillant, et surtout innocent :
Non pas que je ne faille en cette préférence,
De votre rang au sien je sais la différence.   630
Mais si vous connaissez l'amour et ses ardeurs,
Jamais pour son objet il ne prend les grandeurs :
Avouez que son feu n'en veut qu'à la personne

Et qu'en moi vous n'aimiez rien moins que ma cou-
[ronne.

635   Souvent je ne sais quoi qu'on ne peut exprimer
Nous surprend, nous emporte, et nous force d'aimer
Et souvent, sans raison, les objets de nos flammes
Frappent nos yeux ensemble et saisissent nos âmes.
640 Ainsi nous avons vu le souverain des Dieux,
Au mépris de Junon, aimer en ces bas lieux,
Vénus quitter son Mars et négliger sa prise,
Tantôt pour Adonis, et tantôt pour Anchise
Et c'est peut-être encore avec moins de raison
Que bien que vous m'aimiez, je me donne à Jason.
645 D'abord dans mon esprit vous eûtes ce partage :
Je vous estimai plus, et l'aimai davantage.

ÆGÉE

Gardez ces compliments pour de moins enflammés
Et ne m'estimez point qu'autant que vous m'aimez.
Que me sert cet aveu d'une erreur volontaire?
650 Si vous croyez faillir, qui vous force à le faire?
N'accusez point l'amour ni son aveuglement :
Quant on connaît sa faute, on manque doublement.

CRÉUSE

Puis donc que vous trouvez la mienne inexcusable,
Je ne veux plus, Seigneur, me confesser coupable.
655   L'amour de mon pays et le bien de l'État
Me défendaient l'hymen d'un si grand potentat.
Il m'eût fallu soudain vous suivre en vos provinces
Et priver mes sujets de l'aspect de leurs princes.
Votre sceptre pour moi n'est qu'un pompeux exil :
660 Que me sert son éclat et que me donne-t-il?
M'élève-t-il d'un rang plus haut que souveraine
Et sans le posséder ne me vois-je pas reine?
Grâces aux immortels, dans ma condition
J'ai de quoi m'assouvir de cette ambition :
665 Je ne veux point changer mon sceptre contre un autre,
Je perdrais ma couronne en acceptant la vôtre.
Corinthe est bon sujet, mais il veut voir son roi
Et d'un prince éloigné rejetterait la loi.
Joignez à ces raisons qu'un père un peu sur l'âge,
670 Dont ma seule présence adoucit le veuvage,
Ne saurait se résoudre à séparer de lui
De ses débiles ans l'espérance et l'appui
Et vous reconnaîtrez que je ne vous préfère
Que le bien de l'État, mon pays et mon père.
675 Voilà ce qui m'oblige au choix d'un autre époux;
Mais comme ces raisons font peu d'effet sur vous,
Afin de redonner le repos à votre âme,
Souffrez que je vous quitte.

ÆGÉE, seul.

Allez, allez, Madame,
Étaler vos appas et vanter vos mépris
680 A l'infâme sorcier qui charme vos esprits,
De cette indignité faites un mauvais conte,
Riez de mon ardeur, riez de votre honte,
Favorisez celui de tous vos courtisans
Qui raillera le mieux le déclin de mes ans,
685 Vous jouirez fort peu d'une telle insolence :
Mon amour outragé court à la violence;
Mes vaisseaux à la rade, assez proches du port,
N'ont que trop de soldats à faire un coup d'effort.

La jeunesse me manque, et non pas le courage.
Les rois ne perdent point les forces avec l'âge; 69
Et l'on verra, peut-être avant ce jour fini,
Ma passion vengée et votre orgueil puni.

ACTE TROISIÈME

Scène I : Nérine.

Malheureux instrument du malheur qui nous presse,
Que j'ai pitié de toi, déplorable princesse!
Avant que le soleil ait fait encore un tour, 69
Ta perte inévitable achève ton amour.
Ton destin te trahit et ta beauté fatale
Sous l'appas d'un hymen t'expose à ta rivale;
Ton sceptre est impuissant à vaincre son effort
Et le jour de sa fuite est celui de ta mort. 70
Sa vengeance à la main, elle n'a qu'à résoudre :
Un mot du haut des cieux fait descendre le foudre,
Les mers, pour noyer tout, n'attendent que sa loi,
La terre offre à s'ouvrir sous le palais du Roi;
L'air tient les vents tout prêts à suivre sa colère, 70
Tant la nature esclave a peur de lui déplaire,
Et si ce n'est assez de tous les éléments,
Les enfers vont sortir à ses commandements.
Moi, bien que mon devoir m'attache à son service,
Je lui prête à regret un silence complice : 71
D'un louable désir mon cœur sollicité
Lui ferait avec joie une infidélité;
Mais loin de s'arrêter, sa rage découverte
A celle de Créuse ajouterait ma perte
Et mon funeste avis ne servirait de rien 71
Qu'à confondre mon sang dans les bouillons du sien.
D'un mouvement contraire à celui de mon âme,
La crainte de la mort m'ôte celle du blâme
Et ma timidité s'efforce d'avancer
Ce que hors du péril je voudrais traverser. 72

Scène II : Jason, Nérine.

JASON

Nérine, eh bien! que dit, que fait notre exilée,
Dans ton cher entretien s'est-elle consolée?
Veut-elle bien céder à la nécessité?

NÉRINE

Je trouve en son chagrin moins d'animosité;
De moment en moment son âme plus humaine 72
Abaisse sa colère et rabat de sa haine :
Déjà son déplaisir ne vous veut plus de mal.

JASON

Fais-lui prendre pour tous un sentiment égal.
Toi, qui de mon amour connaissais la tendresse,
Tu peux connaître aussi quelle douleur me presse. 73
Je me sens déchirer le cœur à son départ :
Créuse en ses malheurs prend même quelque part,
Ses pleurs en ont coulé, Créon même en soupire,
Lui préfère à regret le bien de son empire
Et si dans son adieu son cœur moins irrité 73
En voulait mériter la libéralité,

Si jusque-là Médée apaisait ses menaces,
Qu'elle eût soin de partir avec ses bonnes grâces,
Je sais (comme il est bon) que ses trésors ouverts
0 Lui seraient, sans réserve, entièrement offerts
Et malgré les malheurs où le sort l'a réduite,
Soulageraient sa peine et soutiendraient sa fuite.

NÉRINE

Puisqu'il faut se résoudre à ce bannissement,
Il faut en adoucir le mécontentement.
5 Cette offre y peut servir et par elle j'espère
Avec un peu d'adresse, apaiser sa colère,
Mais d'ailleurs toutefois n'attendez rien de moi,
S'il faut prendre congé de Créuse et du Roi :
L'objet de votre amour et de sa jalousie
0 De toutes ses fureurs l'aurait tôt ressaisie.

JASON

Pour montrer sans les voir son courage apaisé,
Je te dirai, Nérine, un moyen fort aisé
Et si longue main je connais ta prudence
Que j'en fais sans peine entière confidence.
5   Créon bannit Médée et ses ordres précis
Dans son bannissement enveloppaient ses fils :
La pitié de Créuse a tant fait vers son père
Qu'ils n'auront point de part au malheur de leur [mère.
0 Elle lui doit par eux quelque remercîment ;
Qu'un présent de sa part suive leur compliment :
Sa robe, dont l'éclat sied mal à sa fortune
Et n'est à son exil qu'une charge importune,
Lui gagnerait le cœur d'un prince libéral
5 Et de tous ses trésors l'abandon général.
D'une vaine parure, inutile à sa peine,
Elle peut acquérir de quoi faire la Reine ;
Créuse, ou je me trompe, en a quelque désir
Et je ne pense pas qu'elle pût mieux choisir.
0 Mais la voici qui sort ; souffre que je l'évite :
Ma rencontre la trouble et mon aspect l'irrite.

Scène III : Médée, Jason, Nérine.

MÉDÉE

Ne fuyez pas, Jason, de ces funestes lieux.
C'est à moi d'en partir : recevez mes adieux.
Accoutumée à fuir, l'exil m'est peu de chose,
Sa rigueur n'a pour moi de nouveau que sa cause.
5 C'est pour vous que j'ai fui, c'est vous qui me chassez.
Où me renvoyez-vous, si vous me bannissez ?
Irai-je sur le Phase, où j'ai trahi mon père,
Apaiser de mon sang les mânes de mon frère ?
Irai-je en Thessalie, où le meurtre d'un roi
0 Pour victime aujourd'hui ne demande que moi ?
Il n'est point de climat dont mon amour fatale
N'ait acquis à mon nom la haine générale ;
Et ce qu'ont fait pour vous mon savoir et ma main
M'a fait un ennemi de tout le genre humain.
5 Ressouviens-t'en, ingrat, remets-toi dans la plaine
Que ces taureaux affreux brûlaient de leur haleine,
Revois ce champ guerrier dont les sacrés sillons
Élevaient contre toi de soudains bataillons,
Ce dragon qui jamais n'eut les paupières closes
0 Et lors préfère-moi Créuse, si tu l'oses.

Qu'ai-je épargné depuis qui fût en mon pouvoir ?
Ai-je auprès de l'amour écouté mon devoir ?
Pour jeter un obstacle à l'ardente poursuite
Dont mon père en fureur touchait déjà ta fuite,
Semai-je avec regret mon frère par morceaux ?   795
A ce funeste objet épandu sur les eaux,
Mon père, trop sensible aux droits de la nature,
Quitta tous autres soins que de sa sépulture
Et par ce nouveau crime émouvant sa pitié,
J'arrêtai les effets de son inimitié.   800
Prodigue de mon sang, honte de ma famille,
Aussi cruelle sœur que déloyale fille,
Ces titres glorieux plaisaient à mes amours ;
Je les pris sans horreur pour conserver tes jours.
Alors, certes, alors mon mérite était rare ;   805
Tu n'étais point honteux d'une femme barbare.
Quand à ton père usé je rendis la vigueur,
J'avais encor tes vœux, j'étais encor ton cœur ;
Mais cette affection, mourant avec Pélie,
Dans le même tombeau se vit ensevelie ;   810
L'ingratitude en l'âme et l'impudence au front,
Une Scythe en ton lit te fut lors un affront ;
Et moi, que tes désirs avaient tant souhaitée,
Le dragon assoupi, la Toison emportée,
Ton tyran massacré, ton père rajeuni,   815
Je devins un objet digne d'être banni.
Tes desseins achevés, j'ai mérité ta haine :
Il t'a fallu sortir d'une honteuse chaîne
Et prendre une moitié qui n'a rien plus que moi
Que le bandeau royal, que j'ai quitté pour toi.   820

JASON

Ah ! que n'as-tu des yeux à lire dans mon âme
Et voir les purs motifs de ma nouvelle flamme !
Les tendres sentiments d'un amour paternel
Pour sauver mes enfants me rendent criminel,
Si l'on peut nommer crime un malheureux divorce   825
Où le soin que j'ai d'eux me réduit et me force.
Toi-même, furieuse, ai-je peu fait pour toi
D'arracher ton trépas aux vengeances d'un roi ?
Sans moi ton insolence allait être punie,
A ma seule prière on ne t'a que bannie.   830
C'est rendre la pareille à tes grands coups d'effort :
Tu m'as sauvé la vie et j'empêche ta mort.

MÉDÉE

On ne m'a que bannie ! ô bonté souveraine !
C'est donc une faveur, et non pas une peine !
Je reçois une grâce au lieu d'un châtiment   835
Et mon exil encor doit un remercîment !
Ainsi l'avare soif du brigand assouvie,
Il s'impute à pitié de nous laisser la vie ;
Quand il n'égorge point, il croit nous pardonner
Et ce qu'il n'ôte pas, il pense le donner.   840

JASON

Tes discours, dont Créon de plus en plus s'offense,
Le forceraient enfin à quelque violence.
Éloigne-toi d'ici tandis qu'il t'est permis :
Les rois ne sont jamais de faibles ennemis.

MÉDÉE

A travers tes conseils je vois assez ta ruse :   845
Ce n'est là m'en donner qu'en faveur de Créuse.

Ton amour, déguisé d'un soin officieux,
D'un objet importun veut délivrer ses yeux.

JASON

N'appelle point amour un change inévitable,
850 Où Créuse fait moins que le sort qui m'accable.

MÉDÉE

Peux-tu bien, sans rougir, désavouer tes feux?

JASON

Eh bien, soit; ses attraits captivent tous mes vœux :
Toi qu'un amour furtif souilla de tant de crimes,
M'oses-tu reprocher des ardeurs légitimes?

MÉDÉE

855 Oui, je te les reproche, et de plus...

JASON

Quels forfaits?

MÉDÉE

La trahison, le meurtre, et tous ceux que j'ai faits.

JASON

Il manque encor ce point à mon sort déplorable,
Que de tes cruautés on me fasse coupable.

MÉDÉE

Tu présumes en vain de t'en mettre à couvert :
860 Celui-là fait le crime à qui le crime sert.
Que chacun, indigné contre ceux de ta femme,
La traite en ses discours de méchante et d'infâme :
Toi seul, dont ses forfaits ont fait tout le bonheur,
Tiens-la pour innocente, et défends son honneur.

JASON

865 J'ai honte de ma vie, et je hais son usage,
Depuis que je la dois aux effets de ta rage.

MÉDÉE

La honte généreuse, et la haute vertu!
Puisque tu la hais tant, pourquoi la gardes-tu?

JASON

Au bien de nos enfants, dont l'âge faible et tendre
870 Contre tant de malheurs ne saurait se défendre :
Deviens en leur faveur d'un naturel plus doux.

MÉDÉE

Mon âme à leur sujet redouble son courroux.
Faut-il ce déshonneur pour comble à mes misères,
Qu'à mes enfants Créuse enfin donne des frères!
875 Tu vas mêler, impie, et mettre en rang pareil
Des neveux de Sisyphe avec ceux du Soleil [14]!

JASON

Leur grandeur soutiendra la fortune des autres;
Créuse et ses enfants conserveront les nôtres

MÉDÉE

Je l'empêcherai bien ce mélange odieux,
880 Qui déshonore ensemble et ma race et les Dieux.

JASON

Lassés de tant de maux, cédons à la fortune.

MÉDÉE

Ce corps n'enferme pas une âme si commune,
Je n'ai jamais souffert qu'elle me fît la loi
Et toujours ma fortune a dépendu de moi.

JASON

885 La peur que j'ai d'un sceptre...

14. Ce n'est que dans ce passage et dans cette seule scène
que Corneille suit de près son modèle, Sénèque.

MÉDÉE

Ah! cœur rempli de
[feinte,
Tu masques tes désirs d'un faux titre de crainte :
Un sceptre est l'objet seul qui fait ton nouveau choix.

JASON

Veux-tu que je m'expose aux haines de deux rois
Et que mon imprudence attire sur nos têtes,
D'un et d'autre côté, de nouvelles tempêtes?   89

MÉDÉE

Fuis-les, fuis-les tous deux; suis Médée à ton tour
Et garde au moins ta foi, si tu n'as plus d'amour.

JASON

Il est aisé de fuir, mais il n'est pas facile
Contre deux rois aigris de trouver un asile.
Qui leur résistera, s'ils viennent à s'unir?   8

MÉDÉE

Qui me résistera, si je te veux punir?
Déloyal, auprès d'eux crains-tu si peu Médée?
Que toute leur puissance, en armes débordée,
Dispute contre moi ton cœur qu'ils m'ont surpris,
Et ne sois du combat que le juge et le prix!   90
Joins-leur, si tu le veux, mon père et la Scythie,
En moi seule ils n'auront que trop forte partie.
Bornes-tu mon pouvoir à celui des humains?
Contre eux, quand il me plaît, j'arme leurs propres
[mains;   90
Tu le sais, tu l'as vu, quand ces fils de la Terre
Par leurs coups mutuels terminèrent leur guerre.
Misérable! je puis adoucir des taureaux,
La flamme m'obéit, et je commande aux eaux,
L'enfer tremble, et les cieux, sitôt que je les nomme,
Et je ne puis toucher les volontés d'un homme!   91
Je t'aime encor, Jason, malgré ta lâcheté,
Je ne m'offense plus de ta légèreté,
Je sens à tes regards décroître ma colère,
De moment en moment ma fureur se modère,
Et je cours sans regret à mon bannissement,   91
Puisque j'en vois sortir ton établissement.
Je n'ai plus qu'une grâce à demander ensuite :
Souffre que mes enfants accompagnent ma fuite,
Que je t'admire encore en chacun de leurs traits,
Que je t'aime et te baise en ces petits portraits   92
Et que leur cher objet, entretenant ma flamme,
Te présente à mes yeux aussi bien qu'à mon âme.

JASON

Ah! reprends ta colère, elle a moins de rigueur.
M'enlever mes enfants, c'est m'arracher le cœur
Et Jupiter tout prêt à m'écraser du foudre,   92
Mon trépas à la main, ne pourrait m'y résoudre.
C'est pour eux que je change et la Parque, sans eux,
Seule de notre hymen pourrait rompre les nœuds.

MÉDÉE

Cet amour paternel, qui te fournit d'excuses,
Me fait souffrir aussi que tu me les refuses :   93
Je ne t'en presse plus, et prête à me bannir,
Je ne veux plus de toi qu'un léger souvenir!

JASON

Ton amour vertueux fait ma plus grande gloire :
Ce serait me trahir qu'en perdre la mémoire

5 Et le mien envers toi, qui demeure éternel,
T'en laisse en cet adieu le serment solennel.
  Puissent briser mon chef les traits les plus sévères
Que lancent des grands Dieux les plus âpres colères,
Qu'ils s'unissent ensemble afin de me punir,
) Si je ne perds la vie avant ton souvenir!

Scène IV : Médée, Nérine.

MÉDÉE

J'y donnerai bon ordre : il est en ta puissance
D'oublier mon amour, mais non pas ma vengeance;
Je la saurai graver en tes esprits glacés
Par des coups trop profonds pour en être effacés.
5 Il aime ses enfants, ce courage inflexible :
Son faible est découvert, par eux il est sensible,
Par eux mon bras, armé d'une juste rigueur,
Va trouver des chemins à lui percer le cœur.

NÉRINE

Madame, épargnez-les, épargnez vos entrailles,
) N'avancez point par là vos propres funérailles :
Contre un sang innocent pourquoi vous irriter,
Si Créuse en vos lacs se vient précipiter?
Elle-même s'y jette, et Jason vous la livre.

MÉDÉE

Tu flattes mes désirs.

NÉRINE

              Que je cesse de vivre,
5 Si ce que je vous dis n'est pure vérité!

MÉDÉE

Ah! ne me tiens donc plus l'âme en perplexité!

NÉRINE

Madame, il faut garder que quelqu'un ne nous voie
Et du palais du Roi découvre notre joie :
Un succès éventé succède rarement.

MÉDÉE

) Rentrons donc et mettons nos secrets sûrement.

ACTE QUATRIÈME

Scène I : Médée, Nérine.

MÉDÉE, *seule dans sa grotte magique.*

C'est trop peu de Jason, que ton œil me dérobe,
C'est trop peu de mon lit : tu veux encor ma robe,
Rivale insatiable, et c'est encore trop peu
Si, la force à la main, tu l'as sans mon aveu :
5 Il faut que par moi-même elle te soit offerte,
Que perdant mes enfants, j'achète encor leur perte,
Il en faut un hommage à tes divins attraits
Et des remercîments au vol que tu me fais.
Tu l'auras : mon refus serait un nouveau crime;
) Mais je t'en veux parer pour être ma victime
Et sous un faux semblant de libéralité,
Soûler et ma vengeance et ton avidité.
Le charme est achevé, tu peux entrer, Nérine.
  Nérine sort, et Médée continue.
5 Mes maux dans ces poisons trouvent leur médecine :
Vois combien de serpents, à mon commandement,

D'Afrique jusqu'ici n'ont tardé qu'un moment
Et contraints d'obéir à mes charmes funestes
Ont sur ce don fatal vomi toutes leurs pestes.
L'amour à tous mes sens ne fut jamais si doux
Que ce triste appareil à mon esprit jaloux.   980
Ces herbes ne sont pas d'une vertu commune :
Moi-même en les cueillant je fis pâlir la lune,
Quand, les cheveux flottants, le bras et le pied nu,
J'en dépouillai jadis un climat inconnu [15].
Vois mille autres venins : cette liqueur épaisse   985
Mêle du sang de l'hydre avec celui de Nesse,
Python eut cette langue et ce plumage noir
Est celui qu'une harpie en fuyant laissa choir,
Par ce tison Althée assouvit sa colère,
Trop pitoyable sœur et trop cruelle mère;   990
Ce feu tomba du ciel avecque Phaéton,
Cet autre vient des flots du pierreux Phlégéthon
Et celui-ci jadis remplit en nos contrées
Des taureaux de Vulcain les gorges ensoufrées.
Enfin, tu ne vois là poudres, racines, eaux,   995
Dont le pouvoir mortel n'ouvrît mille tombeaux :
Ce présent déceptif [16] a bu toute leur force
Et bien mieux que mon bras vengera mon divorce.
Mes tyrans par leur perte apprendront que jamais...
Mais d'où vient ce grand bruit que j'entends au [palais?   1000

NÉRINE

Du bonheur de Jason et du malheur d'Ægée :
Madame, peu s'en faut qu'il ne vous ait vengée.
  Ce généreux vieillard, ne pouvant supporter
Qu'on lui vole à ses yeux ce qu'il croit mériter
Et que sur sa couronne et sa persévérance   1005
L'exil de votre époux ait eu la préférence
A tâché par la force à repousser l'affront
Que ce nouvel hymen lui porte sur le front.
Comme cette beauté, pour lui toute de glace,
Sur les bords de la mer contemplait la bonace,   1010
Il la voit mal suivie et prend un si beau temps [17]
A rendre ses désirs et les vôtres contents.
De ses meilleurs soldats une troupe choisie
Enferme la princesse et sert sa jalousie;
L'effroi qui la surprend la jette en pâmoison   1015
Et tout ce qu'elle peut, c'est de nommer Jason.
Ses gardes à l'abord font quelque résistance
Et le peuple leur prête une faible assistance;
Mais l'obstacle léger de ces débiles cœurs
Laissait honteusement Créuse à leurs vainqueurs :   1020
Déjà presque en leur bord elle était enlevée...

MÉDÉE

Je devine la fin, mon traître l'a sauvée [18].

NÉRINE

Oui, Madame, et de plus Ægée est prisonnier :
Votre époux à son myrte ajoute ce laurier,
Mais apprenez comment.   1025

---

15. Ces vers étonnants ont leur source directe dans Sénèque
(v.751-752) et son commentateur jésuite Del Rio (1602) que
Corneille lisait sûrement.
16. Trompeur.
17. Latinisme : une si belle occasion.
18. Cet épisode n'est pas dans Sénèque. C'est pour Jason
une circonstance aggravante.

MÉDÉE

                   N'en dis pas davantage,
Je ne veux point savoir ce qu'a fait son courage :
Il suffit que son bras a travaillé pour nous
Et rend une victime à mon juste courroux.
Nérine, mes douleurs auraient peu d'allégeance,
1030 Si cet enlèvement l'ôtait à ma vengeance;
Pour quitter son pays en est-on malheureux?
Ce n'est pas son exil, c'est sa mort que je veux.
Elle aurait trop d'honneur de n'avoir que ma peine
Et de verser des pleurs pour être deux fois reine.
1035 Tant d'invisibles feux enfermés dans ce don,
Que d'un titre plus vrai j'appelle ma rançon,
Produiront des effets bien plus doux à ma haine.

NÉRINE

Par là vous vous vengez, et sa perte est certaine :
Mais contre la fureur de son père irrité
1040 Où pensez-vous trouver un lieu de sûreté?

MÉDÉE

Si la prison d'Ægée a suivi sa défaite,
Tu peux voir qu'en l'ouvrant je m'ouvre une retraite
Et que ses fers brisés, malgré leurs attentats,
A ma protection engagent ses États.
1045 Dépêche seulement et cours vers ma rivale
Lui porter de ma part cette robe fatale :
Mène-lui mes enfants et fais-les, si tu peux,
Présenter par leur père à l'objet de ses vœux.

NÉRINE

Mais, Madame, porter cette robe empestée,
1050 Que de tant de poisons vous avez infectée,
C'est pour votre Nérine un trop funeste emploi :
Avant que sur Créuse ils agiraient sur moi.

MÉDÉE

Ne crains pas leur vertu, mon charme la modère
Et lui défend d'agir que sur elle et son père.
1055 Pour un si grand effet prends un cœur plus hardi
Et sans me répliquer, fais ce que je te di.

Scène II : Créon, Pollux, soldats.

CRÉON

Nous devons bien chérir cette valeur parfaite
Qui de nos ravisseurs nous donne la défaite.
Invincible héros, c'est à votre secours
1060 Que je dois désormais le bonheur de mes jours;
C'est vous seul aujourd'hui dont la main vengeresse
Rend à Créon sa fille, à Jason sa maîtresse,
Met Ægée en prison et son orgueil à bas
Et fait mordre la terre à ses meilleurs soldats.

POLLUX

1065 Grand Roi, l'heureux succès de cette délivrance
Vous est beaucoup mieux dû qu'à mon peu de vaillance.
C'est vous seul et Jason, dont les bras indomptés
Portaient avec effroi la mort de tous côtés;
Pareils à deux lions dont l'ardente furie
1070 Dépeuple en un moment toute une bergerie [19].
L'exemple glorieux de vos faits plus qu'humains
Echauffait mon courage et conduisait mes mains,

19. Image homérique, rarissime chez Corneille.

J'ai suivi, mais de loin, des actions si belles,
Qui laissaient à mon bras tant d'illustres modèles.
Pourrait-on reculer en combattant sous vous
Et n'avoir point de cœur à seconder vos coups?

CRÉON

Votre valeur, qui souffre en cette repartie,
Ote toute croyance à votre modestie :
Mais puisque le refus d'un honneur mérité
N'est pas un petit trait de générosité,
Je vous laisse en jouir. Auteur de la victoire,
Ainsi qu'il vous plaira, départez-en la gloire :
Comme elle est votre bien, vous pouvez la donner.
Que prudemment les Dieux savent tout ordonner!
Voyez, brave guerrier, comme votre arrivée
Au jour de nos malheurs se trouve réservée
Et qu'au point que le sort osait nous menacer,
Ils nous ont envoyé de quoi le terrasser.
    Digne sang de leur roi, demi-dieu magnanime,
Dont la vertu ne peut recevoir trop d'estime,
Qu'avons-nous plus à craindre et quel destin jaloux,
Tant que nous vous aurons, s'osera prendre à nous?

POLLUX

Appréhendez pourtant, grand prince.

CRÉON

                     Et quoi?

POLLUX

                             Médée,
Qui par vous de son lit se voit dépossédée.
Je crains qu'il ne vous soit malaisé d'empêcher
Qu'un gendre valeureux ne vous coûte bien cher.
Après l'assassinat d'un monarque et d'un frère,
Peut-il être de sang qu'elle épargne ou révère?
Accoutumée au meurtre et savante en poison,
Voyez ce qu'elle a fait pour acquérir Jason
Et ne présumez pas, quoi que Jason vous die,
Que pour le conserver elle soit moins hardie.

CRÉON

C'est de quoi mon esprit n'est plus inquiété,
Par son bannissement j'ai fait ma sûreté,
Elle n'a que fureur et vengeance en l'âme :
Mais en si peu de temps que peut faire une femme?
Je n'ai prescrit qu'un jour de terme à son départ.

POLLUX

C'est peu pour une femme, et beaucoup pour son art :
Sur le pouvoir humain ne réglez pas les charmes.

CRÉON

Quelque puissants qu'ils soient, je n'en ai point d'alar-
Et quand bien ce délai devrait tout hasarder,   [mes
Ma parole est donnée, et je la veux garder.

Scène III : Créon, Pollux, Cléone.

CRÉON

Que font nos deux amants, Cléone?

CLÉONE

                        La princesse,
Seigneur, près de Jason reprend son allégresse
Et ce qui sert beaucoup à son contentement,
C'est de voir que Médée est sans ressentiment.

CRÉON
Et quel Dieu si propice a calmé son courage?
CLÉONE
Jason et ses enfants, qu'elle vous laisse en gage.
La grâce que pour eux Madame obtient de vous
A calmé les transports de son esprit jaloux.
Le plus riche présent qui fût en sa puissance
A ses remercîments joint sa reconnaissance.
Sa robe sans pareille et sur qui nous voyons
Du Soleil son aïeul briller mille rayons,
Que la princesse même avait tant souhaitée,
Par ces petits héros lui vient d'être apportée
Et fait voir clairement les merveilleux effets
Qu'en un cœur irrité produisent les bienfaits.
CRÉON
Eh bien, qu'en dites-vous? Qu'avons-nous plus à
POLLUX   [craindre?
Si vous ne craignez rien, que je vous trouve à plaindre!
CRÉON
Un si rare présent montre un esprit remis.
POLLUX
J'eus toujours pour suspects les dons des ennemis :
Ils font assez souvent ce que n'ont pu leurs armes.
Je connais de Médée et l'esprit et les charmes,
Et veux bien m'exposer au plus cruel trépas
Si ce rare présent n'est un mortel appas.
CRÉON
Ses enfants si chéris, qui nous servent d'otages,
Nous peuvent-ils laisser quelque sorte d'ombrages?
POLLUX
Peut-être que contre eux s'étend sa trahison,
Qu'elle ne les prend plus que pour ceux de Jason
Et qu'elle s'imagine, en haine de leur père,
Que n'étant plus sa femme, elle n'est plus leur mère [20].
Renvoyez-lui, Seigneur, ce don pernicieux
Et ne vous chargez point d'un poison précieux.
CLÉONE
Madame cependant en est toute ravie
Et de s'en voir parée elle brûle d'envie.
POLLUX
Où le péril égale et passe le plaisir,
Il faut se faire force et vaincre son désir,
Jason, dans son amour, a trop de complaisance
De souffrir qu'un tel don s'accepte en sa présence.
CRÉON
Sans rien mettre au hasard, je saurai dextrement
Accorder vos soupçons et son contentement.
Nous verrons, dès ce soir, sur une criminelle,
Si ce présent nous cache une embûche mortelle.
Nise, pour ses forfaits destinée à mourir,
Ne peut par cette épreuve injustement périr :
Heureuse si sa mort nous rendait ce service,
De nous en découvrir le funeste artifice!
Allons-y de ce pas et ne consumons plus
De temps ni de discours en débats superflus.

Scène IV : Ægée, en prison.

Demeure affreuse des coupables,
   Lieux maudits, funeste séjour,
   Dont jamais avant mon amour
Les sceptres n'ont été capables,
Redoublez puissamment votre mortel effroi   1165
Et joignez à mes maux une si vive atteinte
Que mon âme chassée ou s'enfuyant de crainte
Dérobe à mes vainqueurs le supplice d'un roi.

      Le triste bonheur où j'aspire!
   Je ne veux que hâter ma mort   1170
   Et n'accuse mon mauvais sort
      Que de souffrir que je respire.
Puisqu'il me faut mourir, que je meure à mon choix,
Le coup m'en sera doux, s'il est sans infamie :
Prendre l'ordre à mourir d'une main ennemie,   1175
C'est mourir, pour un roi, beaucoup plus d'une fois.

      Malheureux prince, on te méprise
   Quand tu t'arrêtes à servir :
   Si tu t'efforces de ravir,
      Ta prison suit ton entreprise.   1180
Ton amour qu'on dédaigne et ton vain attentat
D'un éternel affront vont souiller ta mémoire :
L'un t'a déjà coûté ton repos et ta gloire,
L'autre va te coûter ta vie et ton État.

      Destin qui punis mon audace,   1185
   Tu n'as que de justes rigueurs
   Et s'il est d'assez tendres cœurs
      Pour compatir à ma disgrâce,
Mon feu de leur tendresse étouffe la moitié,
Puisqu'à bien comparer mes fers avec ma flamme,   1190
Un vieillard amoureux mérite plus de blâme
Qu'un monarque en prison n'est digne de pitié.

      Cruel auteur de ma misère,
   Peste des cœurs, tyran des rois,
   Dont les impérieuses lois   1195
      N'épargnent pas même ta mère [21],
Amour, contre Jason tourne ton trait fatal,
Au pouvoir de tes dards je remets ma vengeance,
Atterre son orgueil et montre ta puissance
A perdre également l'un et l'autre rival.   1200

      Qu'une implacable jalousie
   Suive son nuptial flambeau,
   Que sans cesse un objet nouveau
      S'empare de sa fantaisie,
Que Corinthe à sa vue accepte un autre roi,   1205
Qu'il puisse voir sa race à ses yeux égorgée
Et, pour dernier malheur, qu'il ait le sort d'Ægée
Et devienne à mon âge amoureux comme moi!

---

20. Ces vers préparent effectivement le raisonnement de
Médée à l'acte V, scène 2.   21. Vénus.

Scène V : Ægée, Médée.

ÆGÉE

Mais d'où vient ce bruit sourd? quelle pâle lumière
1210 Dissipe ces horreurs et frappe ma paupière?
Mortel, qui que tu sois, détourne ici tes pas
Et de grâce m'apprends l'arrêt de mon trépas,
L'heure, le lieu, le genre; et si ton cœur sensible
A la compassion peut se rendre accessible,
1215 Donne-moi les moyens d'un généreux effort
Qui des mains des bourreaux affranchisse ma mort.

MÉDÉE

Je viens l'en affranchir : ne craignez plus, grand prince,
Ne pensez qu'à revoir votre chère province.

*Elle donne un coup de baguette sur la porte de la
prison, qui s'ouvre aussitôt, et ayant tiré Ægée, elle en
donne encore un sur ses fers, qui tombent.*
Ni grilles ni verrous ne tiennent contre moi.
1220 Cessez, indignes fers, de captiver un roi :
Est-ce à vous de presser les bras d'un tel monarque?
Et vous, reconnaissez Médée à cette marque
Et fuyez un tyran dont le forcènement
Joindrait votre supplice à mon bannissement :
1225 Avec la liberté reprenez le courage.

ÆGÉE

Je les reprends tous deux pour vous en faire hommage.
Princesse, de qui l'art propice aux malheureux
Oppose un tel miracle à mon sort rigoureux,
Disposez de ma vie et du sceptre d'Athènes :
1230 Je dois et l'une et l'autre à qui brise mes chaînes.
Si votre heureux secours me tire de danger,
Je ne veux en sortir qu'afin de vous venger
Et si je puis jamais avec votre assistance
Arriver jusqu'aux lieux de mon obéissance,
1235 Vous me verrez, suivi de mille bataillons,
Sur ces murs renversés planter mes pavillons,
Punir leur traître roi de vous avoir bannie,
Dedans le sang des siens noyer sa tyrannie
Et remettre en vos mains et Créuse et Jason,
1240 Pour venger votre exil plutôt que ma prison.

MÉDÉE

Je veux une vengeance et plus haute et plus prompte;
Ne l'entreprenez pas, votre offre me fait honte :
Emprunter le secours d'aucun pouvoir humain,
D'un reproche éternel diffamerait ma main.
1245 En est-il, après tout, aucun qui ne me cède?
Qui force la nature a-t-il besoin qu'on l'aide?
Laissez-moi le souci de venger mes ennuis
Et par ce que j'ai fait jugez ce que je puis;
L'ordre en est tout donné, n'en soyez point en peine;
1250 C'est demain que mon art fait triompher ma haine,
Demain je suis Médée et je tire raison
De mon bannissement et de votre prison.

ÆGÉE

Quoi! Madame, faut-il que mon peu de puissance
Empêche les devoirs de ma reconnaissance?
1255 Mon sceptre ne peut-il être employé pour vous
Et vous serai-je ingrat autant que votre époux?

MÉDÉE

Si je vous ai servi, tout ce que j'en souhaite,

C'est de trouver chez vous une sûre retraite,
Où de mes ennemis menaces ni présents
Ne puissent plus troubler le repos de mes ans;   12
Non pas que je les craigne : eux et toute la terre
A leur confusion me livreraient la guerre;
Mais je hais ce désordre [22] et n'aime pas à voir
Qu'il me faille pour vivre user de mon savoir.

ÆGÉE

L'honneur de recevoir une si grande hôtesse   12
De mes malheurs passés efface la tristesse.
Disposez d'un pays qui vivra sous vos lois,
Si vous l'aimez assez pour lui donner des rois :
Si mes ans ne vous font mépriser ma personne,
Vous y partagerez mon lit et ma couronne;   12
Sinon, sur mes sujets faites état d'avoir,
Ainsi que sur moi-même, un absolu pouvoir.
Allons, Madame, allons, et par votre conduite
Faites la sûreté que demande ma fuite.

MÉDÉE

Ma vengeance n'aurait qu'un succès imparfait :   12
Je ne me venge pas, si je n'en vois l'effet;
Je dois à mon courroux l'heur d'un si doux spectacle.
Allez, prince, et sans moi ne craignez point d'obstacle;
Je vous suivrai demain par un chemin nouveau.
Pour votre sûreté conservez cet anneau :   12
Sa secrète vertu, qui vous fait invisible,
Rendra votre départ de tous côtés paisible.
Ici, pour empêcher l'alarme que le bruit
De votre délivrance aurait bientôt produit,
Un fantôme pareil et de taille et de face,   12
Tandis que vous fuirez, remplira votre place.
Partez sans plus tarder, prince chéri des Dieux
Et quittez pour jamais ces détestables lieux.

ÆGÉE

J'obéis sans réplique, et je pars sans remise.
Puisse d'un prompt succès votre grande entreprise   1?
Combler nos ennemis d'un mortel désespoir
Et me donner bientôt le bien de vous revoir.

ACTE CINQUIÈME

Scène I : Médée, Theudas.

THEUDAS

Ah! déplorable prince! ah! fortune cruelle!
Que je porte à Jason une triste nouvelle!
MÉDÉE, *lui donnant un coup de baguette
qui le fait demeurer immobile.*
Arrête, misérable, et m'apprends quel effet   1?
A produit chez le Roi le présent que j'ai fait.

THEUDAS

Dieux! je suis dans les fers d'une invisible chaîne!

MÉDÉE

Dépêche, ou ces longueurs attireront ma haine.

THEUDAS

Apprenez donc l'effet le plus prodigieux

---

22. Affirmation propre à Corneille. Aucune Médée n'a
jamais tenu de tels propos. La magie, le miracle, sont des
manquements à l'ordre universel.

Que jamais la vengeance ait offert à nos yeux.

Votre robe a fait peur, et sur Nise éprouvée,
En dépit des soupçons, sans péril s'est trouvée;
Et cette épreuve a su si bien les assurer
Qu'incontinent Créuse a voulu s'en parer;
Mais cette infortunée à peine l'a vêtue
Qu'elle sent aussitôt une ardeur qui la tue :
Un feu subtil s'allume, et ses brandons épars
Sur votre don fatal courent de toutes parts
Et Cléone et le Roi s'y jettent pour l'éteindre;
Mais (ô nouveau sujet de pleurer et de plaindre!)
Ce feu saisit le Roi : ce prince en un moment
Se trouve enveloppé du même embrasement.

MÉDÉE

Courage! enfin il faut que l'un et l'autre meure.

THEUDAS

La flamme disparaît, mais l'ardeur leur demeure
Et leurs habits charmés, malgré nos vains efforts,
Sont des brasiers secrets attachés à leurs corps :
Qui veut les dépouiller lui-même les déchire
Et ce nouveau secours est un nouveau martyre.

MÉDÉE

Que dit mon déloyal? que fait-il là dedans?

THEUDAS

Jason, sans rien savoir de tous ces accidents,
S'acquitte des devoirs d'une amitié civile
A conduire Pollux hors des murs de la ville,
Qui va se rendre en hâte aux noces de sa sœur,
Dont bientôt Ménélas doit être possesseur
Et j'allais lui porter ce funeste message.

MÉDÉE, *lui donnant un autre coup de baguette.*

Va, tu peux maintenant achever ton voyage.

Scène II [23] : Médée.

Est-ce assez, ma vengeance, est-ce assez de deux morts?
Consulte avec loisir tes plus ardents transports.
Des bras de mon perfide arracher une femme,
Est-ce pour [24] assouvir les fureurs de mon âme?
Que n'a-t-elle déjà des enfants de Jason,
Sur qui plus pleinement venger sa trahison!
Suppléons-y des miens, immolons avec joie
Ceux qu'à me dire adieu Créuse me renvoie.
Nature, je le puis sans violer ta loi :
Ils viennent de sa part et ne sont plus à moi.
Mais ils sont innocents? aussi l'était mon frère :
Ils sont trop criminels d'avoir Jason pour père,
Il faut que leur trépas redouble son tourment,
Il faut qu'il souffre en père aussi bien qu'en amant.

23. Scène importante pour la compréhension de l'héroïsme cornélien. Corneille apparemment suit Sénèque (vers 1331, 1337-38, 1341-42, 1353-54), mais transforme complètement les sentiments et les intentions. Le monologue de Sénèque ne traduit que la terrible joie de Médée. Avec Corneille, il s'agit d'un sacrifice aussi nécessaire que douloureux : c'est un arrachement inhumain; la mort de ses enfants est la seule punition possible de Jason, pire qu'une mort qu'il ne redoute pas. C'est en outre le salut moral des enfants. Conscients du déshonneur de leur père, ils seraient malheureux ou accusateurs (cf. vers 1546); inconscients, ils participeraient de sa culpabilité.

24. Latinisme : cela suffit-il pour.

Mais quoi! j'ai beau contre eux animer mon audace,
La pitié la combat et se met en sa place,
Puis, cédant tout à coup la place à ma fureur,
J'adore les projets qui me faisaient horreur :
De l'amour aussitôt je passe à la colère,   1345
Des sentiments de femme aux tendresses de mère.
Cessez dorénavant, pensers irrésolus,
D'épargner des enfants que je ne verrai plus.
Chers fruits de mon amour, si je vous ai fait naître,
Ce n'est pas seulement pour caresser un traître :   1350
Il me prive de vous et je l'en vais priver.
Mais ma pitié renaît et revient me braver;
Je n'exécute rien, et mon âme éperdue
Entre deux passions demeure suspendue.
N'en délibérons plus, mon bras en résoudra.   1355
Je vous perds, mes enfants, mais Jason vous perdra :
Il ne vous verra plus... Créon sort tout en rage :
Allons à son trépas joindre ce triste ouvrage.

Scène III : Créon, domestiques.

CRÉON

Loin de me soulager, vous croissez mes tourments :
Le poison à mon corps unit mes vêtements   1360
Et ma peau, qu'avec eux votre secours m'arrache,
Pour suivre votre main de mes os se détache :
Voyez comme mon sang en coule à gros ruisseaux [25].
Ne me déchirez plus, officieux bourreaux :
Votre pitié pour moi s'est assez hasardée;   1365
Fuyez, ou ma fureur vous prendra pour Médée.
C'est avancer ma mort que de me secourir,
Je ne veux que moi-même à m'aider à mourir.
Quoi! vous continuez, canailles infidèles!
Plus je vous le défends, plus vous m'êtes rebelles!   1370
Traîtres, vous sentirez encor ce que je puis :
Je serai votre roi, tout mourant que je suis;
Si mes commandements ont trop peu d'efficace,
Ma rage pour le moins me fera faire place :
Il faut ainsi payer votre cruel secours.   1375

Il se défait d'eux et les chasse à coups d'épée.

Scène IV : Créon, Créuse, Cléone.

CRÉUSE

Où fuyez-vous de moi, cher auteur de mes jours?
Fuyez-vous l'innocente et malheureuse source
D'où prennent tant de maux leur effroyable course?
Ce feu qui me consume et dehors et dedans
Vous venge-t-il trop peu de mes vœux imprudents?   1380
Je ne puis excuser mon indiscrète envie,
Qui donne le trépas à qui je dois la vie;
Mais soyez satisfait des rigueurs de mon sort
Et cessez d'ajouter votre haine à ma mort.
L'ardeur qui me dévore et que j'ai méritée   1385
Surpasse en cruauté l'aigle de Prométhée

25. Plus tard, pour *Attila*, on reprochera à Corneille ce réalisme mélodramatique, tout à fait conforme pourtant à l'esthétique des Anciens (cf. Sophocle : Œdipe, Ajax, Philoctète...) C'est la seule fois pourtant où Corneille usera de cette série de morts, soigneusement orchestrée.

CRÉON

Et je crois qu'Ixion [26], au choix des châtiments,
Préférerait sa roue à mes embrasements.

Si ton jeune désir eut beaucoup d'imprudence,
1390 Ma fille, j'y devais opposer ma défense.
Je n'impute qu'à moi l'excès de mes malheurs
Et j'ai part en ta faute ainsi qu'en tes douleurs.
Si j'ai quelque regret, ce n'est pas à ma vie
Que le déclin des ans m'aurait bientôt ravie :
1395 La jeunesse des tiens, si beaux, si florissants,
Me porte au fond du cœur des coups bien plus pres-
Ma fille, c'est donc là ce royal hyménée   [sants.
Dont nous pensions toucher la pompeuse journée!
La Parque impitoyable en éteint le flambeau
1400 Et pour lit nuptial il te faut un tombeau!
Ah! rage, désespoir, destins, feux, poisons, charmes,
Tournez tous contre moi vos plus cruelles armes :
S'il faut vous assouvir par la mort de deux rois,
Faites en ma faveur que je meure deux fois,
1405 Pourvu que mes deux morts emportent cette grâce
De laisser ma couronne à mon unique race
Et cet espoir si doux, qui m'a toujours flatté
De revivre à jamais en sa postérité.

CRÉUSE

Cléone, soutenez, je chancelle, je tombe,
1410 Mon reste de vigueur sous mes douleurs succombe,
Je sens que je n'ai plus à souffrir qu'un moment.
Ne me refusez pas ce triste allégement,
Seigneur, et si pour moi quelque amour vous demeure,
Entre vos bras mourants permettez que je meure.
1415 Mes pleurs arroseront vos mortels déplaisirs,
Je mêlerai leurs eaux à vos brûlants soupirs.
Ah! je brûle, je meurs, je ne suis plus que flamme;
De grâce, hâtez-vous de recevoir mon âme.
Quoi! vous vous éloignez?

CRÉON

Oui, je ne verrai pas,
1420 Comme un lâche témoin, ton indigne trépas :
Il faut, ma fille, il faut que ma main me délivre
De l'infâme regret de t'avoir pu survivre.
Invisible ennemi, sors avecque mon sang.

Il se tue d'un poignard.

CRÉUSE

Courez à lui, Cléone : il se perce le flanc.

CRÉON

1425 Retourne, c'en est fait. Ma fille, adieu : j'expire
Et ce dernier soupir met fin à mon martyre :
Je laisse à ton Jason le soin de nous venger.

CRÉUSE

Vain et triste confort! soulagement léger!
Mon père...

CLÉONE

Il ne vit plus, sa grande âme est partie.

CRÉUSE

1430 Donnez donc à la mienne une même sortie :
Apportez-moi ce fer qui, de ses maux vainqueur,

26. Prométhée (dont les vautours dévoraient le foie sans
cesse reformé), Ixion (tournant sans cesse sur sa roue couverte de serpents) : les deux souvenirs les plus frappants
des supplices infernaux.

Est déjà si savant à traverser le cœur.
Ah! je sens fers et feux et poison, tout ensemble :
Ce que souffrait mon père à mes peines s'assemble.
Hélas! que de douceur aurait un prompt trépas!
Dépêchez-vous, Cléone, aidez mon faible bras.

CLÉONE

Ne désespérez point : les Dieux plus pitoyables
A nos justes clameurs se rendront exorables
Et vous conserveront, en dépit du poison,
Et pour reine à Corinthe et pour femme à Jason.
Il arrive et surpris il change de visage :
Je lis dans sa pâleur une secrète rage
Et son étonnement va passer en fureur.

Scène V : Jason, Créuse, Cléone, Theudas.

JASON

Que vois-je ici, grands Dieux! quel spectacle d'horreur!
Où que puissent mes yeux porter ma vue errante,
Je vois ou Créon mort, ou Créuse mourante.
Ne t'en va pas, belle âme; attends encore un peu
Et le sang de Médée éteindra tout ce feu;
Prends le triste plaisir de voir punir son crime,
De te voir immoler cette infâme victime
Et que ce scorpion, sur la plaie écrasé,
Fournisse le remède au mal qu'il a causé.

CRÉUSE

Il n'en faut point chercher au poison qui me tue,
Laisse-moi le bonheur d'expirer à ta vue,
Souffre que j'en jouisse en ce dernier moment,
Mon trépas fera place à ton ressentiment.
Le mien cède à l'ardeur dont je suis possédée,
J'aime mieux voir Jason que la mort de Médée.
Approche, cher amant, et retiens ces transports :
Mais garde de toucher ce misérable corps;
Ce brasier, que le charme ou répand ou modère,
A négligé Cléone, et dévoré mon père :
Au gré de ma rivale il est contagieux.
Jason, ce m'est assez de mourir à tes yeux;
Empêche les plaisirs qu'elle attend de ta peine,
N'attire point ces feux esclaves de sa haine.
Ah! quel âpre tourment! quels douloureux abois
Et que je sens de morts sans mourir une fois!

JASON

Quoi! vous m'estimez donc si lâche que de vivre
Et de si beaux chemins sont ouverts pour vous suivre!
Ma reine, si l'hymen n'a pu joindre nos corps,
Nous joindrons nos esprits, nous joindrons nos deux
Et l'on verra Charon passer chez Rhadamante,   [morts
Dans une même barque, et l'amant et l'amante.
Hélas! vous recevez, par ce présent charmé,
Le déplorable prix de m'avoir trop aimé,
Et puisque cette robe a causé votre perte,
Je dois être puni de vous l'avoir offerte.
Quoi! ce poison m'épargne, et ces feux impuissants
Refusent de finir les douleurs que je sens!
Il faut donc que je vive, et vous m'êtes ravie!
Justes Dieux! quel forfait me condamne à la vie?
Est-il quelque tourment plus grand pour mon amour

Que de la voir mourir et de souffrir le jour?
Non, non, si par ces feux mon attente est trompée,
J'ai de quoi m'affranchir au bout de mon épée
Et l'exemple du Roi, de sa main transpercé,
Qui nage dans les flots du sang qu'il a versé,
Instruit suffisamment un généreux courage
Des moyens de braver le destin qui l'outrage.

CRÉUSE

Si Créuse eut jamais sur toi quelque pouvoir,
Ne t'abandonne point aux coups du désespoir :
Vis pour sauver ton nom de cette ignominie,
Que Créuse soit morte et Médée impunie,
Vis pour garder le mien en ton cœur affligé
Et du moins ne meurs point que tu ne sois vengé.
    Adieu, donne la main, que malgré ta jalouse,
J'emporte chez Pluton le nom de ton épouse.
Ah! douleurs! C'en est fait, je meurs à cette fois
Et perds en ce moment la vie avec la voix.
Si tu m'aimes...

JASON

                Ce mot lui coupe la parole
Et je ne suivrai pas son âme qui s'envole?
Mon esprit, retenu par ses commandements,
Réserve encor ma vie à de pires tourments!
Pardonne, chère épouse, à mon obéissance,
Mon déplaisir mortel défère à ta puissance
Et de mes jours maudits tout prêt de triompher,
De peur de te déplaire, il n'ose m'étouffer.
    Ne perdons point de temps, courons chez la sor-
Délivrer par sa mort mon âme prisonnière. [cière,
Vous autres, cependant, enlevez ces deux corps.
Contre tous ses démons mes bras sont assez forts
Et la part que votre aide aurait en ma vengeance
Ne m'en permettrait pas une entière allégeance.
Préparez seulement des gênes, des bourreaux,
Devenez inventifs en supplices nouveaux,
Qui la fassent mourir tant de fois sur leur tombe,
Que son coupable sang leur vaille une hécatombe
Et si cette victime, en mourant mille fois,
N'apaise point encor les mânes de deux rois,
Je serai la seconde et mon esprit fidèle
Ira gêner là-bas son âme criminelle,
Ira faire assembler pour sa punition
Les peines de Titye [27] à celles d'Ixion.
    *Cléone et le reste emportent les corps de Créon et de
Créuse, et Jason continue seul.*
Mais leur puis-je imputer ma mort en sacrifice?
Elle m'est un plaisir et non pas un supplice.
Mourir, c'est seulement auprès d'eux me ranger,
C'est rejoindre Créuse et non pas la venger.
Instruments des fureurs d'une mère insensée,
Indignes rejetons de mon amour passée,
Quel malheureux destin vous avait réservés
A porter le trépas à qui vous a sauvés?
C'est vous, petits ingrats, que malgré la nature
Il me faut immoler dessus leur sépulture.
Que la sorcière en vous commence de souffrir,

Que son premier tourment soit de vous voir mourir.
Toutefois qu'ont-ils fait qu'obéir à leur mère?

Scène VI : Médée, Jason.

MÉDÉE, *en haut sur un balcon.*

Lâche, ton désespoir encore en délibère?
Lève les yeux, perfide, et reconnais ce bras
Qui t'a déjà vengé de ces petits ingrats [28] :   1540
Ce poignard que tu vois vient de chasser leurs âmes
Et noyer dans leur sang les restes de nos flammes.
Heureux père et mari, ma fuite et leur tombeau
Laissent la place vide à ton hymen nouveau.
Réjouis-t'en, Jason, va posséder Créuse :   1545
Tu n'auras plus ici personne qui t'accuse
Ces gages de nos feux ne feront plus pour moi
De reproches secrets à ton manque de foi.

JASON

Horreur de la nature, exécrable tigresse!

MÉDÉE

Va, bienheureux amant, cajoler ta maîtresse :   1550
A cet objet si cher tu dois tous tes discours.
Parler encore à moi, c'est trahir tes amours.
Va lui [29], va lui conter tes rares aventures
Et contre mes effets ne combats point d'injures.

JASON

Quoi! tu m'oses braver et ta brutalité   1555
Pense encore échapper à mon bras irrité?
Tu redoubles ta peine avec cette insolence.

MÉDÉE

Et que peut contre moi ta débile vaillance?
Mon art faisait ta force et tes exploits guerriers
Tiennent de mon secours ce qu'ils ont de lauriers.   1560

JASON

Ah! c'est trop en souffrir : il faut qu'un prompt sup-
De tant de cruautés à la fin te punisse.   [plice
Sus, sus, brisons la porte, enfonçons la maison,
Que des bourreaux soudain m'en fassent la raison,
Ta tête répondra de tant de barbaries.   1565

MÉDÉE, *en l'air dans un char
tiré par deux dragons.*

Que sert de t'emporter à ces vaines furies?
Epargne, cher époux, des efforts que tu perds,
Vois les chemins de l'air qui me sont tous ouverts,
C'est par là que je fuis et que je t'abandonne
Pour courir à l'exil que ton change m'ordonne.   1570
Suis-moi, Jason, et trouve en ces lieux désolés
Des postillons pareils à mes dragons ailés.
    Enfin je n'ai pas mal employé la journée
Que la bonté du Roi, de grâce, m'a donnée;
Mes désirs sont contents. Mon père et mon pays,   1575
Je ne me repens plus de vous avoir trahis;
Avec cette douceur j'en accepte le blâme.
Adieu, parjure : apprends à connaître ta femme,
Souviens-toi de sa fuite et songe une autre fois
Lequel est plus à craindre ou d'elle ou de deux rois.   1580

27. Tityos : ce Géant, quoique fils de Jupiter, fut foudroyé pour avoir attenté à l'honneur de Latone. Il subissait le même supplice que Prométhée.

28. Corneille ne recherche pas le pathétique d'horreur de Sénèque. Contrairement à son modèle, il esquive le meurtre des enfants sur la scène, et tout commentaire déplacé.

29. Répétition pathétique, grammaticalement incorrecte.

Scène VII : Jason.

O Dieux! ce char volant, disparu dans la nue,
La dérobe à sa peine, aussi bien qu'à ma vue
Et son impunité triomphe arrogamment
Des projets avortés de mon ressentiment.
1585 Créuse, enfants, Médée, amour, haine, vengeance,
Où dois-je désormais chercher quelque allégeance?
Où suivre l'inhumaine, et dessous quels climats
Porter les châtiments de tant d'assassinats?
Va, furie exécrable, en quelque coin de terre
1590 Que t'emporte ton char, j'y porterai la guerre :
J'apprendrai ton séjour de tes sanglants effets
Et te suivrai partout au bruit de tes forfaits.
Mais que me servira cette vaine poursuite,
Si l'air est un chemin toujours libre à ta fuite,
1595 Si toujours tes dragons sont prêts à t'enlever,
Si toujours tes forfaits ont de quoi me braver?
Malheureux, ne perds point contre une telle audace
De ta juste fureur l'impuissante menace,
Ne cours point à ta honte et fuis l'occasion
1600 D'accroître sa victoire et ta confusion.
Misérable, perfide! ainsi donc ta faiblesse
Epargne la sorcière et trahit ta princesse!
Est-ce là le pouvoir qu'ont sur toi ses désirs
Et ton obéissance à ses derniers soupirs?

Venge-toi, pauvre amant, Créuse le commande :
Ne lui refuse point un sang qu'elle demande,
Ecoute les accents de sa mourante voix
Et vole sans rien craindre à ce que tu lui dois.
A qui sait bien aimer il n'est rien d'impossible.
Eusses-tu pour retraite un roc inaccessible,
Tigresse, tu mourras, et malgré ton savoir
Mon amour te verra soumise à son pouvoir;
Mes yeux se repaîtront des horreurs de ta peine :
Ainsi le veut Créuse, ainsi le veut ma haine.
Mais quoi! je vous écoute, impuissantes chaleurs!
Allez, n'ajoutez plus de comble à mes malheurs.
Entreprendre une mort que le ciel s'est gardée,
C'est préparer encore un triomphe à Médée.
Tourne avec plus d'effet sur toi-même ton bras
Et punis-toi, Jason, de ne la punir pas.
Vains transports, où sans fruit mon désespoir s'amuse,
Cessez de m'empêcher de rejoindre Créuse.
Ma reine, ta belle âme, en partant de ces lieux,
M'a laissé la vengeance et je la laisse aux Dieux :
Eux seuls, dont le pouvoir égale la justice,
Peuvent de la sorcière achever le supplice.
Trouve-le bon, chère ombre, et pardonne à mes feux
Si je vais te revoir plus tôt que tu ne veux.

Il se tue.

L'ILLUSION COMIQUE [1]
COMÉDIE

C'est, avec Clitandre, la seconde pièce mystérieuse de Corneille. Il n'a jamais composé d'autres tragi-comédies que ces deux-là. Il appelle certes d'abord le Cid tragi-comédie, mais c'est une tragédie qui finit bien (ce que les Italiens nomment depuis longtemps tragedia a lieto fine), comme Cinna ou Pertharite que Corneille appelle bien tragédies. L'appellation exacte, il la trouve pour Don Sanche, pour laquelle il crée le terme de comédie héroïque. L'étrange sujet n'a que de lointains rapports avec deux Comédies des comédies jouées peu auparavant. La pièce, jouée en 1636, n'est imprimée qu'en 1639, dédiée à une mystérieuse Mlle M.F.D.R. non identifiée encore de nos jours, qui n'est pas un personnage imaginaire : il suffit de lire la dédicace. Corneille n'ajoute qu'en 1644 le lieu de la scène : la Touraine. Il doit s'agir ici, comme dans Clitandre, d'une pièce à clef. Mais les pistes s'égarent dans trois directions au moins : le roman pastoral, l'Angleterre, l'Espagne. Le roman pastoral fournit le personnage d'Alcandre, le sage magicien, et diverses scènes. L'Espagne est pour la première fois évoquée dans l'œuvre de Corneille qui cite au vers 185 Buscon, le Lazarillo de Tormès, Sayavedra et Gusman d'Alfarache, héros de romans picaresques, et l'on a rapproché la donnée initiale de la pièce, un père en quête de son enfant conseillé par un sage, de l'Armelina de Lope

de Rueda; c'est en outre l'époque où Corneille lit pour le Cid Guilhem de Castro. Quant à l'Angleterre, il n'y a pas de raison pour que Corneille ait fait gratuitement de Théagène un seigneur anglais...

« Étrange monstre » comme l'appelle l'auteur, l'Illusion comique n'a pas livré son secret. Peut-être après tout n'est-elle qu'une vie romancée d'un acteur, qui ne saurait être Mondory. Floridor répond tout à fait au modèle de Clindor. D'origine noble, militaire avant de suivre diverses troupes ambulantes, il jouait à Londres en 1635. Mais ce n'est qu'en 1641 qu'il prend la direction du Marais. Corneille lui sera si attaché que lui et sa femme seront les parrain et marraine de deux de ses enfants. Le poète abandonnera le Marais en 1648, après dix-huit ans de fidélité, quand Floridor deviendra chef de troupe à l'Hôtel de Bourgogne. Des relations entre le poète et l'acteur dès 1635 sont possibles, sinon probables : ce que monte Floridor à Londres en 1635, c'est Mélite.

L'acteur Bellemore, spécialisé dans les rôles de soldats fanfarons, entra au Marais en 1635. C'est lui qui joua — et c'est peut-être pour lui que fut écrit — le rôle de Matamore, où Corneille semble pasticher d'avance le Cid.

La pièce connut un succès considérable, sans que Corneille revînt jamais à ce genre d'inspiration.

A MADEMOISELLE M.F.D.R. [2] (1639)

MADEMOISELLE,

Voici un étrange monstre que je vous dédie. Le premier acte n'est qu'un prologue, les trois suivants font une comédie imparfaite, le dernier est une tragédie, et tout cela cousu ensemble fait une comédie. Qu'on en nomme l'invention bizarre et extravagante tant qu'on voudra, elle est nouvelle; et souvent la grâce de la nouveauté parmi nos Français n'est pas un petit degré de bonté.

Son succès ne m'a point fait de honte sur le théâtre, et j'ose dire que la représentation de cette pièce capricieuse ne vous a point déplu, puisque vous m'avez commandé de vous en adresser l'épître quand elle irait sous la presse. Je suis au désespoir de vous la présenter en si mauvais état qu'elle en est méconnaissable : la quantité de fautes que l'imprimeur a ajoutées aux miennes la déguise ou, pour mieux dire, la change entièrement. C'est l'effet de mon absence de Paris, d'où mes affaires m'ont rappelé sur le point qu'il l'imprimait, et m'ont obligé d'en abandon-

---

1. Le titre signifie : le théâtre, cette illusion (de la vie). L'intention de la pièce et l'originalité de Corneille consistent à faire douter le spectateur des frontières de la réalité et de la fiction dramatique, et par-delà la fiction dramatique de la réalité tout court. Quelques années plus tard, Calderon compose sur ce thème la Vie est un songe. Sur une gravure en tête des Méditations métaphysiques, Descartes est représenté un livre à la main, sur lequel on lit : Vita somnium.

2. On n'a pas encore identifié ces initiales. Ce n'est sûrement pas Mlle Milet, qu'on a proposée pour l'inspiratrice de Mélite. A cette date, si elle a jamais existé, elle était mariée, selon le témoignage de l'Excuse à Ariste (1634-1637). Il pourrait bien s'agir d'une demoiselle du cercle des Campion et en tout cas d'une famille ou d'un milieu suspect au pouvoir officiel, sans lequel on n'expliquerait pas le demi-anonymat de la dédicace.

ner les épreuves à sa discrétion. Je vous conjure de ne la lire point que vous n'ayez pris la peine de corriger ce que vous trouverez marqué en suite de cet épître. Ce n'est pas que j'y aye employé toutes les fautes qui s'y sont coulées; le nombre en est si grand qu'il eût épouvanté le lecteur : j'ai seulement choisi celles qui peuvent apporter quelque corruption notable au sens, et qu'on ne peut pas deviner aisément. Pour les autres, qui ne sont que contre la rime, ou l'orthographe, ou la ponctuation, j'ai cru que le lecteur judicieux y suppléerait sans beaucoup de difficulté, et qu'ainsi il n'était pas besoin d'en charger cette première feuille. Cela m'apprendra à ne hasarder plus de pièces à l'impression durant mon absence. Ayez assez de bonté pour ne dédaigner pas celle-ci, toute déchirée qu'elle est; et vous m'obligerez d'autant plus à demeurer toute ma vie, MADEMOISELLE, le plus fidèle et le plus passionné de vos serviteurs,

CORNEILLE.

EXAMEN (1660)

Je dirai peu de chose de cette pièce : c'est une galanterie extravagante, qui a tant d'irrégularités qu'elle ne vaut pas la peine de la considérer, bien que la nouveauté de ce caprice en aye rendu le succès assez favorable pour ne me repentir pas d'y avoir perdu quelque temps. Le premier acte ne semble qu'un prologue, les trois suivants forment une pièce, que je ne sais comment nommer : le succès en est tragique; Adraste y est tué, et Clindor en péril de mort, mais le style et les personnages sont entièrement de la comédie. Il y en a même un qui n'a d'être que dans l'imagination, inventé exprès pour faire rire et dont il ne se trouve point d'original parmi les hommes; c'est un capitan³ qui soutient assez son caractère de fanfaron, pour me permettre de croire qu'on en trouvera peu, dans quelque langue que ce soit,

qui s'en acquittent mieux. L'action n'y est pas complète, puisqu'on ne sait, à la fin du quatrième acte qui la termine, ce que deviennent les principaux acteurs et qu'ils se dérobent plutôt au péril qu'ils n'en triomphent. Le lieu y est assez régulier, mais l'unité de jour n'y est pas observée. Le cinquième est une tragédie assez courte pour n'avoir pas la juste grandeur que demande Aristote et que j'ai tâché d'expliquer. Clindor et Isabelle, étant devenus comédiens sans qu'on le sache, y représentent une histoire qui a du rapport avec la leur et semble en être la suite. Quelques-uns ont attribué cette conformité à un manque d'invention, mais c'est un trait d'art pour mieux abuser par une fausse mort le père de Clindor qui les regarde, et rendre son retour de la douleur à la joie plus surprenant et plus agréable.

Tout cela cousu ensemble fait une comédie dont l'action n'a pour durée que celle de sa représentation, mais sur quoi il ne serait pas sûr de prendre exemple. Les caprices de cette nature ne se hasardent qu'une fois; et quand l'original aurait passé pour merveilleux, la copie n'en peut jamais rien valoir. Le style semble assez proportionné aux matières, si ce n'est que Lyse, en la sixième scène du troisième acte, semble s'élever un peu trop au-dessus du caractère de servante. Ces deux vers d'Horace lui serviront d'excuse, aussi bien qu'au père du Menteur, quand il se met en colère contre son fils au cinquième :

Interdum tamen et vocem comœdia tollit,
Iratusque Chremes tumido delitigat ore ⁴.

Je ne m'étendrai pas davantage sur ce poème : tout irrégulier qu'il est, il faut qu'il aye quelque mérite, puisqu'il a surmonté l'injure des temps et qu'il paraît encore sur nos théâtres, après plus de trente années qu'il est au monde ⁵, et qu'une si longue révolution en aye enseveli beaucoup sous la poussière, qui semblaient avoir plus de droit que lui de prétendre à une si heureuse durée.

ACTEURS

ALCANDRE, *magicien.*
PRIDAMANT, *père de Clindor.*
DORANTE, *ami de Pridamant.*
MATAMORE, *capitan gascon, amoureux d'Isabelle.*
CLINDOR, *suivant du Capitan, et amant d'Isabelle.*
ADRASTE, *gentilhomme, amoureux d'Isabelle.*
GÉRONTE, *père d'Isabelle.*
ISABELLE, *fille de Géronte.*
LYSE, *servante d'Isabelle.*
GEOLIER, *de Bordeaux.*
Page du Capitan.
CLINDOR, *représentant Théagène, seigneur anglais* ⁶
ISABELLE, *représentant Hippolyte,*
femme de Théagène.
LYSE, *représentant Clarine, suivante d'Hippolyte.*
ÉRASTE, *écuyer de Florilame.*
TROUPE *de domestiques d'Adraste.*
TROUPE *de domestiques de Florilame.*

La scène est en Touraine, en une campagne proche ⁶ *de la grotte de magicien.*

ACTE PREMIER

Scène I : Pridamant, Dorante.

DORANTE

Ce mage, qui d'un mot renverse la nature,
N'a choisi pour palais que cette grotte obscure.
La nuit qu'il entretient sur cet affreux séjour, [jour,
N'ouvrant son voile épais qu'aux rayons d'un faux
De leur éclat douteux n'admet en ces lieux sombres
Que ce qu'en peut souffrir le commerce des ombres.

---

3. Type traditionnel de la *Commedia dell'arte*, hérité du soldat fanfaron de la comédie latine. La pièce d'ailleurs a sans doute un modèle italien qui a jusqu'ici échappé aux recherches.

4. *Parfois cependant la comédie hausse le ton*
Et Chremès en colère dispute, bouche gonflée.
(Horace, *Art poétique*, 94-95.)

5. En 1660, Corneille avait écrit *Vingt-cinq années*. Trente années est le texte des éditions postérieures à 1668.

6. Ces trois noms, qui représentent les rôles joués au cinquième acte, sont ajoutés en 1644, avec la curieuse précision (?) sur le lieu de la pièce qui déroute tous les commentateurs.

N'avancez pas : son art au pied de ce rocher
A mis de quoi punir qui s'en ose approcher
Et cette large bouche est un mur invisible,
Où l'air en sa faveur devient inaccessible,
Et lui fait un rempart, dont les funestes bords
Sur un peu de poussière étalent mille morts.
Jaloux de son repos plus que de sa défense,
Il perd qui l'importune, ainsi que qui l'offense;
Malgré l'empressement d'un curieux désir,
Il faut, pour lui parler, attendre son loisir.
Chaque jour il se montre, et nous touchons à l'heure
Où pour se divertir, il sort de sa demeure.

PRIDAMANT

J'en attends peu de chose et brûle de le voir,
J'ai de l'impatience et je manque d'espoir.
Ce fils, ce cher objet de mes inquiétudes,
Qu'ont éloigné de moi des traitements trop rudes,
Et que depuis dix ans je cherche en tant de lieux,
A caché pour jamais sa présence à mes yeux.
    Sous ombre qu'il prenait un peu trop de licence,
Contre ses libertés je roidis ma puissance;
Je croyais le dompter à force de punir,
Et ma sévérité ne fit que le bannir.
Mon âme vit l'erreur dont elle était séduite :
Je l'outrageais présent et je pleurai sa fuite,
Et l'amour paternel me fit bientôt sentir
D'une injuste rigueur un juste repentir.
Il l'a fallu chercher : j'ai vu dans mon voyage
Le Pô, le Rhin, la Meuse, et la Seine, et le Tage :
Toujours le même soin travaille mes esprits
Et ces longues erreurs ne m'en ont rien appris.
Enfin, au désespoir de perdre tant de peine,
Et n'attendant plus rien de la prudence humaine,
Pour trouver quelque borne à tant de maux soufferts,
J'ai déjà sur ce point consulté les enfers;
J'ai vu les plus fameux en la haute science
Dont vous dites qu'Alcandre a tant d'expérience :
On m'en faisait l'état que vous faites de lui,
Et pas un d'eux n'a pu soulager mon ennui.
L'enfer devient muet quand il me faut répondre,
Ou ne me répond rien qu'afin de me confondre.

DORANTE

Ne traitez pas Alcandre en homme du commun;
Ce qu'il sait en son art n'est connu de pas un.
Je ne vous dirai point qu'il commande au tonnerre,
Qu'il fait enfler les mers, qu'il fait trembler la terre,
Que de l'air, qu'il mutine en mille tourbillons,
Contre ses ennemis il fait des bataillons,
Que de ses mots savants les forces inconnues
Transportent les rochers, font descendre les nues,
Et briller dans la nuit l'éclat de deux soleils;
Vous n'avez pas besoin de miracles pareils :
Il suffira pour vous qu'il lit dans les pensées,
Qu'il connaît l'avenir et les choses passées;
Rien n'est secret pour lui dans tout cet univers,
Et pour lui nos destins sont des livres ouverts.
Moi-même, ainsi que vous, je ne pouvais le croire :
Mais sitôt qu'il me vit, il me dit mon histoire;
Et je fus étonné d'entendre le discours
Des traits les plus cachés de toutes mes amours.

PRIDAMANT

Vous m'en dites beaucoup.

DORANTE

                                    J'en ai vu davantage. 65

PRIDAMANT

Vous essayez en vain de me donner courage;
Mes soins et mes travaux verront, sans aucun fruit,
Clore mes tristes jours d'une éternelle nuit.

DORANTE

Depuis que j'ai quitté le séjour de Bretagne
Pour venir faire ici le noble de campagne, 70
Et que deux ans d'amour, par une heureuse fin,
M'ont acquis Sylvérie et ce château voisin,
De pas un, que je sache, il n'a déçu l'attente :
Quiconque le consulte en sort l'âme contente.
Croyez-moi, son secours n'est pas à négliger : 75
D'ailleurs il est ravi quand il peut m'obliger,
Et j'ose me vanter qu'un peu de mes prières
Vous obtiendra de lui des faveurs singulières.

PRIDAMANT

Le sort m'est trop cruel pour devenir si doux.

DORANTE

Espérez mieux : il sort, et s'avance vers nous. 80
Regardez-le marcher; ce visage si grave,
Dont le rare savoir tient la nature esclave,
N'a sauvé toutefois des ravages du temps
Qu'un peu d'os et de nerfs qu'ont décharnés cent ans;
Son corps, malgré son âge, a les forces robustes, 85
Le mouvement facile, et les démarches justes :
Des ressorts inconnus agitent le vieillard,
Et font de tous ses pas des miracles de l'art.

Scène II : Alcandre, Pridamant, Dorante.

DORANTE

Grand démon du savoir, de qui les doctes veilles
Produisent chaque jour de nouvelles merveilles, 90
A qui rien n'est secret dans nos intentions,
Et qui vois, sans nous voir, toutes nos actions,
Si de ton art divin le pouvoir admirable
Jamais en ma faveur se rendit secourable,
De ce père affligé soulage les douleurs. 95
Une vieille amitié prend part en ses malheurs.
Rennes ainsi qu'à moi lui donna la naissance,
Et presque entre ses bras j'ai passé mon enfance;
Là son fils, pareil d'âge et de condition,
S'unissant avec moi d'étroite affection... 100

ALCANDRE

Dorante, c'est assez, je sais ce qui l'amène
Ce fils est aujourd'hui le sujet de sa peine.
    Vieillard, n'est-il pas vrai que son éloignement
Par un juste remords te gêne incessamment,
Qu'une obstination à te montrer sévère 105
L'a banni de ta vue, et cause ta misère,
Qu'en vain, au repentir de ta sévérité,
Tu cherches en tous lieux ce fils si maltraité?

PRIDAMANT

Oracle de nos jours qui connais toutes choses,
En vain de ma douleur je cacherais les causes; 110
Tu sais trop quelle fut mon injuste rigueur,

195

Et vois trop clairement les secrets de mon cœur.
Il est vrai, j'ai failli, mais pour mes injustices
Tant de travaux en vain sont d'assez grands supplices.
115 Donne enfin quelque borne à mes regrets cuisants,
Rends-moi l'unique appui de mes débiles ans.
Je le tiendrai rendu si j'en ai des nouvelles,
L'amour pour le trouver me fournira des ailes.
Où fait-il sa retraite? en quels lieux dois-je aller?
120 Fût-il au bout du monde, on m'y verra voler.

ALCANDRE
Commencez d'espérer : vous saurez par mes charmes
Ce que le ciel vengeur refusait à vos larmes.
Vous reverrez ce fils plein de vie et d'honneur :
De son bannissement il tire son bonheur.
125 C'est peu de vous le dire : en faveur de Dorante
Je veux vous faire voir sa fortune éclatante.
Les novices de l'art, avec tous leurs encens
Et leurs mots inconnus, qu'ils feignent tout-puissants,
Leurs herbes, leurs parfums et leurs cérémonies,
130 Apportent au métier des longueurs infinies,
Qui ne sont, après tout, qu'un mystère pipeur
Pour se faire valoir et pour vous faire peur :
Ma baguette à la main, j'en ferai davantage[7].

*Il donne un coup de baguette, et on tire un rideau
derrière lequel sont en parade les plus beaux habits des
comédiens.*

Jugez de votre fils par un tel équipage[8].
135   Eh bien! celui d'un prince a-t-il plus de splendeur?
Et pouvez-vous encor douter de sa grandeur?

PRIDAMANT
D'un amour paternel vous flattez les tendresses,
Mon fils n'est point de rang à porter ces richesses,
Et sa condition ne saurait consentir
140 Que d'une telle pompe il s'ose revêtir.

ALCANDRE
Sous un meilleur destin sa fortune rangée,
Et sa condition avec le temps changée,
Personne maintenant n'a de quoi murmurer
Qu'en public de la sorte il aime à se parer.

PRIDAMANT
145 A cet espoir si doux j'abandonne mon âme;
Mais parmi ces habits je vois ceux d'une femme :
Serait-il marié?

ALCANDRE
Je vais de ses amours
Et de tous ses hasards vous faire le discours.
Toutefois, si votre âme était assez hardie,
150 Sous une illusion vous pourriez voir sa vie,
Et tous ses accidents devant vous exprimés
Par des spectres pareils à des corps animés :
Il ne leur manquera ni geste ni parole.

PRIDAMANT
Ne me soupçonnez point d'une crainte frivole :
Le portrait de celui que je cherche en tous lieux
Pourrait-il par sa vue épouvanter mes yeux?

ALCANDRE
Mon cavalier, de grâce, il faut faire retraite,
Et souffrir qu'entre nous l'histoire en soit secrète.

PRIDAMANT
Pour un si bon ami je n'ai point de secrets.

DORANTE
Il nous faut sans réplique accepter ses arrêts;
Je vous attends chez moi.

ALCANDRE
Ce soir, si bon lui semble,
Il vous apprendra tout quand vous serez ensemble.

Scène III : Alcandre, Pridamant.

ALCANDRE
Votre fils tout d'un coup ne fut pas grand seigneur;
Toutes ses actions ne vous font pas honneur,
Et je serais marri d'exposer sa misère
En spectacle à des yeux autres que ceux d'un père.
Il vous prit quelque argent, mais ce petit butin
A peine lui dura du soir jusqu'au matin;
Et pour gagner Paris, il vendit par la plaine
Des brevets à chasser la fièvre et la migraine,
Dit la bonne aventure, et s'y rendit ainsi.
Là, comme on vit d'esprit, il en vécut aussi.
Dedans Saint-Innocent il se fit secrétaire[9];
Après, montant d'état, il fut clerc d'un notaire.
Ennuyé de la plume, il la quitta soudain,
Et fit danser un singe au faubourg Saint-Germain.
Il se mit sur la rime, et l'essai de sa veine
Enrichit les chanteurs de la Samaritaine.
Son style prit après de plus beaux ornements;
Il se hasarda même à faire des romans,
Des chansons pour Gautier, des pointes pour
                                            [Guillaume[10].
Depuis, il trafiqua de chapelets de baume[11],
Vendit du mithridate en maître opérateur,
Revint dans le Palais, et fut solliciteur.
Enfin, jamais Buscon, Lazarille de Tormes[12],
Sayavèdre, et Gusman, ne prirent tant de formes;
C'était là pour Dorante un honnête entretien!

PRIDAMANT
Que je vous suis tenu de ce qu'il n'en sait rien!

ALCANDRE
Sans vous faire rien voir, je vous en fais un conte,
Dont le peu de longueur épargne votre honte.
   Las de tant de métiers sans honneur et sans fruit,

---

7. Les ressemblances avec *the White devil* de Webster (1611) sont trop troublantes pour ne pas penser que Corneille a connu cette pièce, ainsi probablement qu'une partie du théâtre élizabéthain.

8. C'est la première défense des comédiens par Corneille. En théorie, le métier d'acteur reste frappé d'excommunication. En fait, beaucoup de grands acteurs sont des gens honorables; les plus grands noms du royaume n'hésitent pas à tenir leurs enfants sur les fonts baptismaux.

9. Écrivain public au cloître Saint-Innocent, près des Halles.

10. Gaultier-Garguille et Gros-Guillaume, bateleurs fameux qui venaient de mourir.

11. Remèdes de foire, parmi les nombreux que proposaient les « vendeurs de mithridate » déjà satirisés par Rabelais un siècle plus tôt.

12. Le *Lazarillo* est le premier roman picaresque espagnol (1554); *Guzman de Alfarache* (1599) met en scène, à côté de Guzman, Sayavèdre; *Buscon*, de Quevedo était le plus récent (1626). Tous trois avaient été traduits en français. Corneille d'ailleurs lisait l'espagnol.

Quelque meilleur destin à Bordeaux l'a conduit;
Et là, comme il pensait au choix d'un exercice,
Un brave du pays l'a pris à son service.
Ce guerrier amoureux en a fait son agent :
Cette commission l'a remeublé d'argent;
Il sait avec adresse, en portant les paroles,
De la vaillante dupe attraper les pistoles;
Même de son agent il s'est fait son rival,
Et la beauté qu'il sert ne lui veut point de mal.
Lorsque de ses amours vous aurez vu l'histoire,
Je vous le veux montrer plein d'éclat et de gloire,
Et la même action qu'il pratique aujourd'hui.

PRIDAMANT

Que déjà cet espoir soulage mon ennui!

ALCANDRE

Il a caché son nom en battant la campagne,
Et s'est fait de Clindor le sieur de la Montagne [13].
C'est ainsi que tantôt vous l'entendrez nommer.
Voyez tout sans rien dire et sans vous alarmer.
　Je tarde un peu beaucoup pour votre impatience;
N'en concevez pourtant aucune défiance :
C'est qu'un charme ordinaire a trop peu de pouvoir
Sur les spectres parlants qu'il faut vous faire voir.
Entrons dedans ma grotte, afin que j'y prépare
Quelques charmes nouveaux pour un effet si rare.

ACTE SECOND

Scène I : Alcandre, Pridamant.

ALCANDRE

Quoi qui s'offre à nos yeux, n'en ayez point d'effroi;
De ma grotte surtout ne sortez qu'après moi :
Sinon, vous êtes mort. Voyez déjà paraître
Sous deux fantômes vains votre fils et son maître.

PRIDAMANT

O Dieux! je sens mon âme après lui s'envoler.

ALCANDRE

Faites-lui du silence, et l'écoutez parler.

Scène II : Matamore, Clindor.

CLINDOR

Quoi! Monsieur, vous rêvez! et cette âme hautaine,
Après tant de beaux faits, semble être encore en peine!
N'êtes-vous point lassé d'abattre des guerriers,
Et vous faut-il encor quelques nouveaux lauriers?

MATAMORE

Il est vrai que je rêve, et ne saurais résoudre
Lequel je dois des deux le premier mettre en poudre,
Du grand Sophi de Perse, ou bien du grand Mogor.

CLINDOR

Eh! de grâce, Monsieur, laissez-les vivre encor :
Qu'ajouterait leur perte à votre renommée?
D'ailleurs quand auriez-vous rassemblé votre armée!

MATAMORE

Mon armée? Ah, poltron! ah, traître! pour leur mort
Tu crois donc que ce bras ne soit pas assez fort?
Le seul bruit de mon nom renverse les murailles,
Défait les escadrons, et gagne les batailles,
Mon courage invaincu contre les empereurs　　　　235
N'arme que la moitié de ses moindres fureurs;
D'un seul commandement que je fais aux trois Parques,
Je dépeuple l'État des plus heureux monarques,
La foudre est mon canon, les Destins mes soldats :
Je couche d'un revers mille ennemis à bas.　　　　240
D'un souffle je réduis leurs projets en fumée,
Et tu m'oses parler cependant d'une armée!
Tu n'auras plus l'honneur de voir un second Mars :
Je vais t'assassiner d'un seul de mes regards,
Veillaque [14]. Toutefois je songe à ma maîtresse :　　245
Ce penser m'adoucit : va, ma colère cesse,
Et ce petit archer qui dompte tous les Dieux
Vient de chasser la mort qui logeait dans mes yeux.
Regarde, j'ai quitté cette effroyable mine
Qui massacre, détruit, brise, brûle, extermine　　　250
Et, pensant au bel œil qui tient ma liberté,
Je ne suis plus qu'amour, que grâce, que beauté.

CLINDOR

O Dieux! en un moment que tout vous est possible!
Je vous vois aussi beau que vous étiez terrible,
Et ne crois point d'objet si ferme en sa rigueur　　255
Qu'il puisse constamment vous refuser son cœur.

MATAMORE

Je te le dis encor, ne sois plus en alarme :
Quand je veux, j'épouvante, et quand je veux je charme;
Et selon qu'il me plaît, je remplis tour à tour
Les hommes de terreur, et les femmes d'amour.　　　260
　Du temps que ma beauté m'était inséparable,
Leurs persécutions me rendaient misérable :
Je ne pouvais sortir sans les faire pâmer,
Mille mouraient par jour à force de m'aimer,
J'avais des rendez-vous de toutes les princesses,　　265
Les reines à l'envi mendiaient mes caresses;
Celle d'Ethiopie, et celle du Japon,
Dans leurs soupirs d'amour ne mêlaient que mon nom.
　De passion pour moi deux sultanes tremblèrent,
Deux autres, pour me voir, du sérail s'échappèrent :　270
J'en fus mal quelque temps avec le Grand Seigneur.

CLINDOR

Son mécontentement n'allait qu'à votre honneur.

MATAMORE

Ces pratiques nuisaient à mes desseins de guerre
Et pouvaient m'empêcher de conquérir la terre.
D'ailleurs, j'en devins las, et pour les arrêter,　　　275
J'envoyai le Destin dire à son Jupiter
Qu'il trouvât un moyen qui fît cesser les flammes
Et l'importunité dont m'accablaient les dames :
Qu'autrement ma colère irait dedans les cieux
Le dégrader soudain de l'empire des Dieux　　　　280
Et donnerait à Mars à gouverner sa foudre.
La frayeur qu'il en eut le fit bientôt résoudre :
Ce que je demandais fut prêt en un moment

---

13. Pseudonyme de comédien, qu'on retrouvera dans *le Roman comique* de Scarron et *le Capitaine Fracasse* de Théophile Gautier.

14. Déformation gasconne de l'espagnol *vellaco* : coquin.

Et depuis, je suis beau quand je veux seulement.

CLINDOR

285 Que j'aurais, sans cela, de poulets [15] à vous rendre !

MATAMORE

De quelle que ce soit, garde-toi bien d'en prendre,
Sinon de... Tu m'entends ? Que dit-elle de moi ?

CLINDOR

Que vous êtes des cœurs et le charme et l'effroi
Et que, si quelque effet peut suivre vos promesses,
290 Son sort est plus heureux que celui des Déesses.

MATAMORE

Écoute : en ce temps-là, dont tantôt je parlois,
Les Déesses aussi se rangeaient sous mes lois
Et je te veux conter une étrange aventure
Qui jeta du désordre en toute la nature,
295 Mais désordre aussi grand qu'on en voie arriver.
Le Soleil fut un jour sans se pouvoir lever
Et ce visible Dieu que tant de monde adore
Pour marcher devant lui ne trouvait point d'Aurore :
On la cherchait partout, au lit du vieux Tithon,
300 Dans les bois de Céphale [16], au palais de Memnon ;
Et faute de trouver cette belle fourrière,
Le jour jusqu'à midi se passa sans lumière.

CLINDOR

Où pouvait être alors la reine des clartés ?

MATAMORE

Au milieu de ma chambre, à m'offrir ses beautés.
305 Elle y perdit son temps, elle y perdit ses larmes,
Mon cœur fut insensible à ses plus puissants charmes
Et tout ce qu'elle obtint pour son frivole amour
Fut un ordre précis d'aller rendre le jour.

CLINDOR

Cet étrange accident me revient en mémoire ;
310 J'étais lors en Mexique, où j'en appris l'histoire,
Et j'entendis conter que la Perse en courroux
De l'affront de son Dieu murmurait contre vous.

MATAMORE

J'en ouïs quelque chose, et je l'eusse punie,
Mais j'étais engagé dans la Transylvanie,
315 Où ses ambassadeurs, qui vinrent l'excuser,
A force de présents me surent apaiser.

CLINDOR

Que la clémence est belle en un si grand courage !

MATAMORE

Contemple, mon ami, contemple ce visage :
Tu vois un abrégé de toutes les vertus.
320 D'un monde d'ennemis sous mes pieds abattus,
Dont la race est périe et la terre déserte,
Pas un qu'à son orgueil n'a jamais dû sa perte,
Tous ceux qui font hommage à mes perfections
Conservent leurs États par leurs submissions.
325   En Europe, où les rois sont d'une humeur civile,
Je ne leur rase point de château ni de ville :
Je les souffre régner, mais chez les Africains,

Partout où j'ai trouvé des rois un peu trop vains,
J'ai détruit les pays pour punir leurs monarques,
Et leurs vastes déserts en sont de bonnes marques :
Ces grands sables qu'à peine on passe sans horreur
Sont d'assez beaux effets de ma juste fureur.

CLINDOR

Revenons à l'amour, voici votre maîtresse.

MATAMORE

Ce diable de rival l'accompagne sans cesse.

CLINDOR

Où vous retirez-vous ?

MATAMORE

                    Ce fat n'est pas vaillant,
Mais il a quelque humeur qui le rend insolent.
Peut-être qu'orgueilleux d'être avec cette belle,
Il serait assez vain pour me faire querelle.

CLINDOR

Ce serait bien courir lui-même à son malheur.

MATAMORE

Lorsque j'ai ma beauté, je n'ai point de valeur.

CLINDOR

Cessez d'être charmant, et faites-vous terrible.

MATAMORE

Mais tu n'en prévois pas l'accident infaillible :
Je ne saurais me faire effroyable à demi,
Je tuerais ma maîtresse avec mon ennemi.
Attendons en ce coin l'heure qui les sépare.

CLINDOR

Comme votre valeur, votre prudence est rare [17].

Scène III : Adraste, Isabelle.

ADRASTE

Hélas ! s'il est ainsi, quel malheur est le mien !
Je soupire, j'endure, et je n'avance rien
Et malgré les transports de mon amour extrême,
Vous ne voulez pas croire encor que je vous aime.

ISABELLE

Je ne sais pas, Monsieur, de quoi vous me blâmez.
Je me connais aimable, et crois que vous m'aimez ;
Dans vos soupirs ardents j'en vois trop d'apparence ;
Et quand bien de leur part j'aurais moins d'assurance,
Pour peu qu'un honnête homme ait vers moi de crédit,
Je lui fais la faveur de croire ce qu'il dit.
Rendez-moi la pareille ; et puisqu'à votre flamme
Je ne déguise rien de ce que j'ai dans l'âme,
Faites-moi la faveur de croire sur ce point
Que bien que vous m'aimiez, je ne vous aime point.

ADRASTE

Cruelle, est-ce là donc ce que vos injustices
Ont réservé de prix à de si longs services
Et mon fidèle amour est-il si criminel
Qu'il doive être puni d'un mépris éternel ?

ISABELLE   [choses :
Nous donnons bien souvent de divers noms aux
Des épines pour moi, vous les nommez des roses ;

---

15. Poulets : billets doux.

16. La déesse Aurore eut des bontés pour Céphale qui, chasseur enragé, la rencontrait aux bois. Le sujet fut maintes fois traité par la pastorale, puis par l'opéra. Ce fut un des bons succès d'Alexandre Hardy, qui en avait pris le sujet à Rinuccini (1608).

17. Corneille a rendu Matamore beaucoup moins excessif et savant que tous ses devanciers. Le ton, les images qu'il emploie sont d'ailleurs une incessante critique humoristique de l'esprit baroque.

Ce que vous appelez service, affection,
Je l'appelle supplice et persécution.
Chacun dans sa croyance également s'obstine,
Vous pensez m'obliger d'un feu qui m'assassine
Et ce que vous jugez digne du plus haut prix
Ne mérite à mon gré que haine et que mépris.

ADRASTE

N'avoir que du mépris pour des flammes si saintes
Dont j'ai reçu du ciel les premières atteintes !
Oui, le ciel, au moment qu'il me fit respirer,
Ne me donna de cœur que pour vous adorer,
Mon âme vint au jour pleine de votre idée,
Avant que de vous voir vous l'avez possédée
Et quand je me rendis à des regards si doux,
Je ne vous donnai rien qui ne fût tout à vous,
Rien que l'ordre du ciel n'eût déjà fait tout vôtre.

ISABELLE

Le ciel m'eût fait plaisir d'en enrichir une autre ;
Il vous fit pour m'aimer, et moi pour vous haïr :
Gardons-nous bien tous deux de lui désobéir.
Vous avez, après tout, bonne part à sa haine,
Ou d'un crime secret il vous livre à la peine,
Car je ne pense pas qu'il soit tourment égal
Au supplice d'aimer qui vous traite si mal.

ADRASTE

La grandeur de mes maux vous étant si connue,
Me refuserez-vous la pitié qui m'est due ?

ISABELLE

Certes j'en ai beaucoup et vous plains d'autant plus
Que je vois ces tourments tout à fait superflus,
Et n'avoir pour tout fruit d'une longue souffrance
Que l'incommode honneur d'une triste constance.

ADRASTE

Un père l'autorise et mon feu maltraité
Enfin aura recours à son autorité.

ISABELLE

Ce n'est pas le moyen de trouver votre conte
Et d'un si beau dessein vous n'aurez que la honte.

ADRASTE

J'espère voir pourtant, avant la fin du jour,
Ce que peut son vouloir au défaut de l'amour.

ISABELLE

Et moi, j'espère voir, avant que le jour passe,
Un amant accablé de nouvelle disgrâce.

ADRASTE

Eh quoi ! cette rigueur ne cessera jamais ?

ISABELLE

Allez trouver mon père, et me laissez en paix.

ADRASTE

Votre âme, au repentir de sa froideur passée,
Ne la veut point quitter sans être un peu forcée :
J'y vais tout de ce pas, mais avec des serments
Que c'est pour obéir à vos commandements.

ISABELLE

Allez continuer une vaine poursuite.

Scène IV : Matamore, Isabelle, Clindor.

MATAMORE

Eh bien ! dès qu'il m'a vu, comme a-t-il pris la fuite !

M'a-t-il bien su quitter la place au même instant ?

ISABELLE

Ce n'est pas honte à lui, les rois en font autant,
Du moins si ce grand bruit qui court de vos merveilles
N'a trompé mon esprit en frappant mes oreilles.

MATAMORE

Vous le pouvez bien croire, et pour le témoigner,   415
Choisissez en quels lieux il vous plaît de régner :
Ce bras tout aussitôt vous conquête un empire ;
J'en jure par lui-même, et cela c'est tout dire.

ISABELLE

Ne prodiguez pas tant ce bras toujours vainqueur,
Je ne veux point régner que dessus votre cœur :   420
Toute l'ambition que me donne ma flamme,
C'est d'avoir pour sujets les désirs de votre âme.

MATAMORE

Ils vous sont tous acquis, et pour vous faire voir
Que vous avez sur eux un absolu pouvoir,
Je n'écouterai plus cette humeur de conquête   425
Et laissant tous les rois leurs couronnes en tête,
J'en prendrai seulement deux ou trois pour valets,
Qui viendront à genoux vous rendre mes poulets.

ISABELLE

L'éclat de tels suivants attirerait l'envie
Sur le rare bonheur où je coule ma vie ;   430
Le commerce discret de nos affections
N'a besoin que de lui pour ces commissions.

MATAMORE

Vous avez, Dieu me sauve ! un esprit à ma mode ;
Vous trouvez, comme moi, la grandeur incommode.
Les sceptres les plus beaux n'ont rien pour moi 435
Je les rends aussitôt que je les ai conquis   [d'exquis,
Et me suis vu charmer quantité de princesses,
Sans que jamais mon cœur les voulût pour maîtresses.

ISABELLE

Certes en ce point seul je manque un peu de foi.
Que vous ayez quitté des princesses pour moi,   440
Que vous leur refusiez un cœur dont je dispose !

MATAMORE

Je crois que la Montagne en saura quelque chose.
Viens çà. Lorsqu'en la Chine, en ce fameux tournoi,
Je donnai dans la vue aux deux filles du Roi,
Que te dit-on en cour de cette jalousie   445
Dont pour moi toutes deux eurent l'âme saisie ?

CLINDOR

Par vos mépris enfin l'une et l'autre mourut.
J'étais lors en Egypte, où le bruit en courut
Et ce fut en ce temps que la peur de vos armes
Fit nager le grand Caire en un fleuve de larmes.   450
Vous veniez d'assommer dix géants en un jour,
Vous aviez désolé les pays d'alentour,
Rasé quinze châteaux, aplani deux montagnes,
Fait passer par le feu villes, bourgs et campagnes
Et défait vers Damas cent mille combattants.   455

MATAMORE

Que tu remarques bien et les lieux et les temps !
Je l'avais oublié.

ISABELLE

                    Des faits si pleins de gloire
Vous peuvent-ils ainsi sortir de la mémoire ?

MATAMORE

Trop pleine de lauriers remportés sur les rois,
460 Je ne la charge point de ces menus exploits.

Scène V : Matamore, Isabelle, Clindor, Page.

PAGE

Monsieur.

MATAMORE

Que veux-tu, page?

PAGE

Un courrier vous demande.

MATAMORE

D'où vient-il?

PAGE

De la part de la reine d'Islande.

MATAMORE

Ciel! qui sais comme quoi j'en suis persécuté,
Un peu plus de repos avec moins de beauté!
465 Fais qu'un si long mépris enfin la désabuse.

CLINDOR

Voyez ce que pour vous ce grand guerrier refuse.

ISABELLE

Je n'en puis plus douter.

CLINDOR

Il vous le disait bien.

MATAMORE

Elle m'a beau prier : non, je n'en ferai rien
Et quoi qu'un fol espoir ose encor lui promettre,
470 Je lui vais envoyer sa mort dans une lettre.
Trouvez-le bon, ma reine, et souffrez cependant
Une heure d'entretien de ce cher confident,
Qui, comme de ma vie il sait toute l'histoire,
Vous fera voir sur qui vous avez la victoire.

ISABELLE

475 Tardez encore moins, et par ce prompt retour
Je jugerai quel est envers moi votre amour.

Scène VI: Clindor, Isabelle.

CLINDOR

Jugez plutôt par là l'humeur du personnage :
Ce page n'est chez lui que pour ce badinage
Et venir d'heure en heure avertir Sa Grandeur
480 D'un courrier, d'un agent, ou d'un ambassadeur.

ISABELLE

Ce message me plaît bien plus qu'il ne lui semble :
Il me défait d'un fou pour nous laisser ensemble.

CLINDOR

Ce discours favorable enhardira mes feux
A bien user d'un temps si propice à mes vœux.

ISABELLE

485 Que m'allez-vous conter?

CLINDOR

Que j'adore Isabelle,
Que je n'ai plus de cœur ni d'âme que pour elle,
Que ma vie...

ISABELLE

Épargnez ces propos superflus;

Je les sais, je les crois, que voulez-vous de plus?
Je néglige à vos yeux l'offre d'un diadème,
Je dédaigne un rival, en un mot, je vous aime.
C'est aux commencements des faibles passions
A s'amuser encore aux protestations :
Il suffit de nous voir au point où sont les nôtres,
Un coup d'œil vaut pour nous tous les discours des
                        [autres.

CLINDOR

Dieu, qui l'eût jamais cru, que mon sort rigoureux
Se rendit si facile à mon cœur amoureux!
Banni de mon pays par la rigueur d'un père,
Sans support, sans amis, accablé de misère
Et réduit à flatter le caprice arrogant
Et les vaines humeurs d'un maître extravagant :
Ce pitoyable état de ma triste fortune
N'a rien qui vous déplaise ou qui vous importune,
Et d'un rival puissant les biens et la grandeur
Obtiennent moins sur vous que ma sincère ardeur.

ISABELLE

C'est comme il faut choisir. Un amour véritable
S'attache seulement à ce qu'il voit aimable.
Qui regarde les biens ou la condition
N'a qu'un amour avare ou plein d'ambition,
Et souille lâchement par ce mélange infâme
Les plus nobles désirs qu'enfante une belle âme.
Je sais bien que mon père a d'autres sentiments
Et mettra de l'obstacle à nos contentements;
Mais l'amour sur mon cœur a pris trop de puissance
Pour écouter encor les lois de la naissance.
Mon père peut beaucoup, mais bien moins que ma foi :
Il a choisi pour lui, je veux choisir pour moi.

CLINDOR

Confus de voir donner à mon peu de mérite...

ISABELLE

Voici mon importun, souffrez que je l'évite.

Scène VII : Adraste, Clindor.

ADRASTE

Que vous êtes heureux, et quel malheur me suit!
Ma maîtresse vous souffre, et l'ingrate me fuit.
Quelque goût qu'elle prenne en votre compagnie,
Sitôt que j'ai paru, mon abord l'a bannie.

CLINDOR

Sans avoir vu vos pas s'adresser en ce lieu,
Lasse de mes discours, elle m'a dit adieu.

ADRASTE

Lasse de vos discours! votre humeur est trop bonne
Et votre esprit trop beau pour ennuyer personne.
Mais que lui contiez-vous qui pût l'importuner?

CLINDOR

Des choses qu'aisément vous pouvez deviner :
Les amours de mon maître ou plutôt ses sottises,
Ses conquêtes en l'air, ses hautes entreprises.

ADRASTE

Voulez-vous m'obliger? votre maître ni vous,
N'êtes pas gens tous deux à me rendre jaloux;
Mais si vous ne pouvez arrêter ses saillies,
Divertissez ailleurs le cours de ses folies.

CLINDOR

Que craignez-vous de lui, dont tous les compliments
Ne parlent que de morts et de saccagements,
Qu'il bat, terrasse, brise, étrangle, brûle, assomme?

ADRASTE

Pour être son valet, je vous trouve honnête homme :
Vous n'êtes point de taille à servir sans dessein
Un fanfaron plus fou que son discours n'est vain.
Quoi qu'il en soit, depuis que je vous vois chez elle,
Toujours de plus en plus je l'éprouve cruelle :
Ou vous servez quelque autre, ou votre qualité
Laisse dans vos projets trop de témérité.
Je vous tiens fort suspect de quelque haute adresse.
Que votre maître enfin fasse une autre maîtresse;
Ou s'il ne peut quitter un entretien si doux,
Qu'il se serve au moins d'un autre que de vous.
Ce n'est pas qu'après tout les volontés d'un père,
Qui sait ce que je suis, ne terminent l'affaire;
Mais purgez-moi l'esprit de ce petit souci,
Et si vous vous aimez, bannissez-vous d'ici;
Car si je vous vois plus regarder cette porte,
Je sais comme traiter les gens de votre sorte.

CLINDOR

Me prenez-vous pour homme à nuire à votre feu?

ADRASTE

Sans réplique, de grâce, ou nous verrons beau jeu.
Allez : c'est assez dit.

CLINDOR

Pour un léger ombrage,
C'est trop indignement traiter un bon courage.
Si le ciel en naissant ne m'a fait grand seigneur,
Il m'a fait le cœur ferme et sensible à l'honneur;
Et je pourrais bien rendre un jour ce qu'on me prête.

ADRASTE

Quoi! vous me menacez!

CLINDOR

Non, non, je fais retraite.
D'un si cruel affront vous aurez peu de fruit;
Mais ce n'est pas ici qu'il faut faire du bruit.

Scène VIII : Adraste, Lyse.

ADRASTE

Ce bélître insolent me fait encor bravade.

LYSE

A ce compte, Monsieur, votre esprit est malade?

ADRASTE

Malade, mon esprit!

LYSE

Oui, puisqu'il est jaloux
Du malheureux agent de ce prince des fous.

ADRASTE

Je sais ce que je suis et ce qu'est Isabelle,
Et crains peu qu'un valet me supplante auprès d'elle.
Je ne puis toutefois souffrir sans quelque ennui
Le plaisir qu'elle prend à causer avec lui.

LYSE

C'est dénier ensemble et confesser la dette.

ADRASTE

Nomme, si tu le veux, ma boutade indiscrète

Et trouve mes soupçons bien ou mal à propos :   575
Je l'ai chassé d'ici pour me mettre en repos.
En effet, qu'en est-il?

LYSE

Si j'ose vous le dire,
Ce n'est plus que pour lui qu'Isabelle soupire.

ADRASTE

Lyse, que me dis-tu!

LYSE

Qu'il possède son cœur,
Que jamais feux naissants n'eurent tant de vigueur,   580
Qu'ils meurent l'un pour l'autre et n'ont qu'une
                                          [pensée.
ADRASTE

Trop ingrate beauté, déloyale, insensée,
Tu m'oses donc ainsi préférer un maraud?

LYSE

Ce rival orgueilleux le porte bien plus haut
Et je vous en veux faire entière confidence :   585
Il se dit gentilhomme, et riche.

ADRASTE

Ah! l'impudence!

LYSE

D'un père rigoureux fuyant l'autorité,
Il a couru longtemps d'un et d'autre côté;
Enfin, manque d'argent peut-être, ou par caprice,
De notre Fiérabras il s'est mis au service   590
Et sous ombre d'agir pour ses folles amours,
Il a su pratiquer de si rusés détours
Et charmer tellement cette pauvre abusée
Que vous en avez vu votre ardeur méprisée;
Mais parlez à son père, et bientôt son pouvoir   595
Remettra son esprit aux termes du devoir.

ADRASTE

Je viens tout maintenant d'en tirer assurance
De recevoir les fruits de ma persévérance
Et devant qu'il soit peu nous en verrons l'effet;
Mais, écoute, il me faut obliger tout à fait.   600

LYSE

Où je vous puis servir j'ose tout entreprendre.

ADRASTE

Peux-tu dans leurs amours me les faire surprendre?

LYSE

Il n'est rien plus aisé : peut-être dès ce soir.

ADRASTE

Adieu donc. Souviens-toi de me les faire voir.
Cependant prends ceci seulement par avance.   605

LYSE

Que le galant alors soit frotté d'importance!

ADRASTE

Crois-moi qu'il se verra, pour te mieux contenter,
Chargé d'autant de bois qu'il en pourra porter.

Scène IX : Lyse.

L'arrogant croit déjà tenir ville gagnée,
Mais il sera puni de m'avoir dédaignée.   610
Parce qu'il est aimable, il fait le petit dieu
Et ne veut s'adresser qu'aux filles de bon lieu.
Je ne mérite pas l'honneur de ses caresses :
Vraiment c'est pour son nez, il lui faut des maîtresses;

615 Je ne suis que servante : et qu'est-il que valet ?
     Si son visage est beau, le mien n'est pas trop laid :
     Il se dit riche et noble, et cela me fait rire ;
     Si loin de son pays, qui n'en peut autant dire ?
     Qu'il le soit : nous verrons ce soir, si je le tiens,
620 Danser sous le cotret sa noblesse et ses biens.

Scène X : Alcandre, Pridamant.

ALCANDRE
Le cœur vous bat un peu.
        PRIDAMANT
            Je crains cette menace.
        ALCANDRE
Lyse aime trop Clindor pour causer sa disgrâce.
        PRIDAMANT
Elle en est méprisée, et cherche à se venger.
        ALCANDRE
Ne craignez point : l'amour la fera bien changer.

ACTE TROISIÈME

Scène I : Géronte, Isabelle.

GÉRONTE
625 Apaisez vos soupirs et tarissez vos larmes,
     Contre ma volonté ce sont de faibles armes ;
     Mon cœur, quoique sensible à toutes vos douleurs,
     Ecoute la raison et néglige vos pleurs.
     Je sais ce qu'il vous faut beaucoup mieux que vous.
630 Vous dédaignez Adraste à cause que je l'aime [même,
     Et parce qu'il me plaît d'en faire votre époux,
     Votre orgueil n'y voit rien qui soit digne de vous.
     Quoi ! manque-t-il de bien, de cœur ou de noblesse ?
     En est-ce le visage ou l'esprit qui vous blesse ?
635 Il vous fait trop d'honneur ?
        ISABELLE
                Je sais qu'il est parfait
     Et que je réponds mal à l'honneur qu'il me fait ;
     Mais si votre bonté me permet en ma cause,
     Pour me justifier, de dire quelque chose,
     Par un secret instinct, que je ne puis nommer,
640 J'en fais beaucoup d'état et ne le puis aimer.
     Souvent je ne sais quoi que le ciel nous inspire
     Soulève tout le cœur contre ce qu'on désire
     Et ne nous laisse pas en état d'obéir,
     Quand on choisit pour nous ce qu'il nous faut haïr.
645 Il attache ici-bas avec des sympathies
     Les âmes que son ordre a là-haut assorties :
     On n'en saurait unir sans ses avis secrets
     Et cette chaîne manque où manque ses décrets.
     Aller contre les lois de cette providence,
650 C'est le prendre à partie, et blâmer sa prudence,
     L'attaquer en rebelle et s'exposer aux coups
     Des plus âpres malheurs qui suivent son courroux.
        GÉRONTE
Insolente, est-ce ainsi que l'on se justifie,
     Quel maître vous apprend cette philosophie ?
655 Vous en savez beaucoup, mais tout votre savoir

Ne m'empêchera pas d'user de mon pouvoir.
Si le ciel pour mon choix vous donne tant de haine,
Vous a-t-il mise en feu pour ce grand capitaine ?
Ce guerrier valeureux vous tient-il dans ses fers
Et vous a-t-il domptée avec tout l'univers ?
Ce fanfaron doit-il relever ma famille ?
        ISABELLE
Eh ! de grâce, Monsieur, traitez mieux votre fille !
        GÉRONTE
Quel sujet donc vous porte à me désobéir ?
        ISABELLE
Mon heur et mon repos, que je ne puis trahir.
Ce que vous appelez un heureux hyménée
N'est pour moi qu'un enfer si j'y suis condamnée.
        GÉRONTE
Ah ! qu'il en est encor de mieux faites que vous
Qui se voudraient bien voir dans un enfer si doux !
Après tout, je le veux, cédez à ma puissance.
        ISABELLE
Faites un autre essai de mon obéissance.
        GÉRONTE
Ne me répliquez plus quand j'ai dit : « Je le veux. »
Rentrez, c'est désormais trop contesté nous deux.

Scène II : Géronte.

Qu'à présent la jeunesse a d'étranges manies !
Les règles du devoir lui sont des tyrannies
Et les droits les plus saints deviennent impuissants
Contre cette fierté qui l'attache à son sens.
Telle est l'humeur du sexe : il aime à contredire,
Rejette obstinément le joug de notre empire,
Ne suit que son caprice en ses affections
Et n'est jamais d'accord de nos décisions.
N'espère pas pourtant, aveugle et sans cervelle,
Que ma prudence cède à ton esprit rebelle.
Mais ce fou viendra-t-il toujours m'embarrasser ?
Par force ou par adresse il me le faut chasser.

Scène III : Géronte, Matamore, Clindor.

MATAMORE, *à Clindor.*
Ne doit-on pas avoir pitié de ma fortune ?
Le grand vizir encor de nouveau m'importune,
Le Tartare, d'ailleurs, m'appelle à son secours,
Narsingue et Calicut [18] m'en pressent tous les jours :
Si je ne les refuse, il me faut mettre en quatre.
        CLINDOR
Pour moi, je suis d'avis que vous les laissiez battre :
Vous emploieriez trop mal vos invincibles coups,
Si pour en servir un vous faisiez trois jaloux.
        MATAMORE
Tu dis bien, c'est assez de telles courtoisies ;
Je ne veux qu'en amour donner des jalousies.
    Ah ! Monsieur, excusez, si, faute de vous voir,
Bien que si près de vous, je manquais au devoir.
Mais quelle émotion paraît sur ce visage ?
Où sont vos ennemis, que j'en fasse carnage ?

18. Royaumes de l'ancienne Inde, déjà connus au XVe siècle,
par l'impression du *Journal de voyage* de Marco Polo (1254-1324).

GÉRONTE

Monsieur, grâces aux Dieux, je n'ai point d'ennemis.

MATAMORE

Mais grâces à ce bras qui vous les a soumis.

GÉRONTE

C'est une grâce encor que j'avais ignorée.

MATAMORE

Depuis que ma faveur pour vous s'est déclarée,
Ils sont tous morts de peur ou n'ont osé branler.

GÉRONTE

C'est ailleurs maintenant qu'il vous faut signaler :
Il fait beau voir ce bras, plus craint que le tonnerre.
Demeurer si paisible en un temps plein de guerre
Et c'est pour acquérir un nom bien relevé,
D'être dans une ville à battre le pavé.
Chacun croit votre gloire à faux titre usurpée
Et vous ne passez plus que pour traîneur d'épée.

MATAMORE

Ah, ventre! il est tout vrai que vous avez raison.
Mais le moyen d'aller, si je suis en prison?
Isabelle m'arrête, et ses yeux pleins de charmes
Ont captivé mon cœur et suspendu mes armes.

GÉRONTE

Si rien que son sujet ne vous tient arrêté,
Faites votre équipage en toute liberté :
Elle n'est pas pour vous, n'en soyez point en peine.

MATAMORE

Ventre! que dites-vous? Je la veux faire reine.

GÉRONTE

Je ne suis pas d'humeur à rire tant de fois
Du grotesque récit de vos rares exploits.
La sottise ne plaît qu'alors qu'elle est nouvelle :
En un mot, faites reine une autre qu'Isabelle.
Si pour l'entretenir vous venez plus ici...

MATAMORE

Il a perdu le sens, de me parler ainsi.
Pauvre homme, sais-tu bien que mon nom effroyable
Met le Grand Turc en fuite, et fait trembler le diable;
Que pour t'anéantir je ne veux qu'un moment?

GÉRONTE

J'ai chez moi des valets à mon commandement,
Qui n'ayant pas l'esprit de faire des bravades,
Répondraient de la main à vos rodomontades[19].

MATAMORE, *à Clindor.*

Dis-lui ce que j'ai fait en mille et mille lieux.

GÉRONTE

Adieu, modérez-vous : il vous en prendra mieux;
Bien que je ne sois pas de ceux qui vous haïssent,
J'ai le sang un peu chaud et mes gens m'obéissent.

Scène IV : Matamore, Clindor.

MATAMORE

Respect de ma maîtresse, incommode vertu,
Tyran de ma vaillance, à quoi me réduis-tu?

---

19. C'est sous le nom même de *Rodomontades espagnoles*
que parut à Rouen, en 1627, un recueil qui rassemblait les
meilleurs morceaux de plusieurs auteurs sur ce sujet. A l'origine, le mot est tiré de Rodomont, personnage du *Roland
furieux* de l'Arioste.

Que n'ai-je eu cent rivaux en la place d'un père,
Sur qui, sans t'offenser, laisser choir ma colère!
Ah! visible démon, vieux spectre décharné,
Vrai suppôt de Satan, médaille de damné, 740
Tu m'oses donc bannir, et même avec menaces,
Moi de qui tous les rois briguent les bonnes grâces?

CLINDOR

Tandis qu'il est dehors, allez, dès aujourd'hui,
Causer de vos amours, et vous moquer de lui.

MATAMORE

Cadédiou! ses valets feraient quelque insolence. 745

CLINDOR

Ce fer a trop de quoi dompter leur violence.

MATAMORE

Oui, mais les feux qu'il jette en sortant de prison
Auraient en un moment embrasé la maison,
Dévoré tout à l'heure ardoises et gouttières,
Faîtes, lattes, chevrons, montants, courbes, filières, 750
Entretoises, sommiers, colonnes, soliveaux,
Pannes, soles, appuis, jambages, traveaux,
Portes, grilles, verrous, serrures, tuiles, pierre,
Plomb, fer, plâtre, ciment, peinture, marbre, verre,
Caves, puits, cours, perrons, salles, chambres, greniers, 755
Offices, cabinets, terrasses, escaliers.
Juge un peu quel désordre aux yeux de ma charmeuse,
Ces feux étoufferaient son ardeur amoureuse.
Va lui parler pour moi, toi qui n'es pas vaillant :
Tu puniras à moins un valet insolent. 760

CLINDOR

C'est m'exposer...

MATAMORE

    Adieu : je vois ouvrir la porte
Et crains que sans respect cette canaille sorte.

Scène V : Clindor, Lyse.

CLINDOR, *seul.*

Le souverain poltron, à qui pour faire peur,
Il ne faut qu'une feuille, une ombre, une vapeur!
Un vieillard le maltraite, il fuit pour une fille 765
Et tremble à tous moments de crainte qu'on l'étrille.
 Lyse, que ton abord doit être dangereux!
Il donne l'épouvante à ce cœur généreux,
Cet unique vaillant, la fleur des capitaines,
Qui dompte autant de rois qu'il captive de reines! 770

LYSE

Mon visage est ainsi malheureux en attraits :
D'autres charment de loin, le mien fait peur de près.

CLINDOR

S'il fait peur à des fous, il charme les plus sages :
Il n'est pas quantité de semblables visages.
Si l'on brûle pour toi, ce n'est pas sans sujet, 775
Je ne connus jamais un si gentil objet,
L'esprit beau, prompt, accort, l'humeur un peu rail-
L'embonpoint ravissant, la taille avantageuse, [leuse,
Les yeux doux, le teint vif, et les traits délicats :
Qui serait le brutal qui ne t'aimerait pas? 780

LYSE

De grâce, et depuis quand me trouvez-vous si belle?
Voyez bien, je suis Lyse, et non pas Isabelle.

CLINDOR
Vous partagez vous deux mes inclinations :
J'adore sa fortune et tes perfections.

LYSE
785 Vous en embrassez trop, c'est assez pour vous d'une
Et mes perfections cèdent à sa fortune.

CLINDOR
Quelque effort que je fasse à lui donner ma foi,
Penses-tu qu'en effet je l'aime plus que toi?
L'amour et l'hyménée ont diverse méthode :
790 L'un court au plus aimable, et l'autre au plus com-
Je suis dans la misère, et tu n'as point de bien : [mode.
Un rien s'ajuste mal avec un autre rien
Et malgré les douceurs que l'amour y déploie,
Deux malheureux ensemble ont toujours courte joie.
795 Ainsi j'aspire ailleurs pour vaincre mon malheur,
Mais je ne puis te voir sans un peu de douleur,
Sans qu'un soupir échappe à ce cœur qui murmure
De ce qu'à mes désirs ma raison fait d'injure.
A tes moindres coups d'œil je me laisse charmer.
800 Ah! que je t'aimerais, s'il ne fallait qu'aimer
Et que tu me plairais, s'il ne fallait que plaire!

LYSE
Que vous auriez d'esprit si vous saviez vous taire,
Ou remettre du moins en quelque autre saison
A montrer tant d'amour avec tant de raison!
805 Le grand trésor pour moi qu'un amoureux si sage,
Qui par compassion n'ose me rendre hommage
Et porte ses désirs à des partis meilleurs,
De peur de m'accabler sous nos communs malheurs!
Je n'oublierai jamais de si rares mérites.
810 Allez continuer cependant vos visites.

CLINDOR
Que j'aurais avec toi l'esprit bien plus content!

LYSE
Ma maîtresse là-haut est seule, et vous attend.

CLINDOR
Tu me chasses ainsi!

LYSE
Non, mais je vous envoie
Aux lieux où vous aurez une plus longue joie.

CLINDOR
815 Que même tes dédains me semblent gracieux!

LYSE
Ah! que vous prodiguez un temps si précieux!
Allez.

CLINDOR
Souviens-toi donc que si j'en aime une autre...

LYSE
C'est de peur d'ajouter ma misère à la vôtre :
Je vous l'ai déjà dit, je ne l'oublierai pas.

CLINDOR
820 Adieu : ta raillerie a pour moi tant d'appas
Que mon cœur à tes yeux de plus en plus s'engage
Et je t'aimerais trop à tarder davantage.

Scène VI : Lyse.

L'ingrat! il trouve enfin mon visage charmant
Et pour se divertir il contrefait l'amant!

Qui néglige mes feux m'aime par raillerie,
Me prend pour le jouet de sa galanterie
Et par un libre aveu de me vouloir voler ma foi,
Me jure qu'il m'adore et ne veut point de moi.
Aime en tous lieux, perfide, et partage ton âme,
Choisis qui tu voudras pour maîtresse ou pour femme,
Donne à tes intérêts à ménager tes vœux,
Mais ne crois plus tromper aucune de nous deux.
Isabelle vaut mieux qu'un amour politique
Et je vaux mieux qu'un cœur où cet amour s'applique.
J'ai raillé comme toi, mais c'était seulement
Pour ne t'avertir pas de mon ressentiment.
Qu'eût produit son éclat, que de la défiance?
Qui cache sa colère assure sa vengeance
Et ma feinte douceur prépare beaucoup mieux
Ce piège où tu vas choir, et bientôt, à mes yeux.
Toutefois qu'as-tu fait qui te rende coupable?
Pour chercher sa fortune est-on si punissable?
Tu m'aimes, mais le bien te fait être inconstant :
Au siècle où nous vivons, qui n'en ferait autant?
Oublions des mépris où par force il s'excite
Et laissons-le jouir du bonheur qu'il mérite.
S'il m'aime, il se punit en m'osant dédaigner
Et si je l'aime encor, je le dois épargner.
Dieux! à quoi me réduit ma folle inquiétude,
De vouloir faire grâce à tant d'ingratitude!
Digne soif de vengeance, à quoi m'exposez-vous,
De laisser affaiblir un si juste courroux?
Il m'aime, et de mes yeux je m'en vois méprisée!
Je l'aime, et ne lui sers que d'objet de risée!
Silence, amour, silence, il est temps de punir;
J'en ai donné ma foi, laisse-moi la tenir.
Puisque ton faux espoir ne fait qu'aigrir ma peine,
Fais céder tes douceurs à celles de la haine :
Il est temps qu'en mon cœur elle règne à son tour
Et l'amour outragé ne doit plus être amour.

Scène VII : Matamore.

Les voilà, sauvons-nous, Non. je ne vois personne.
Avançons hardiment. Tout le corps me frissonne.
Je les entends, fuyons. Le vent faisait ce bruit.
Marchons sous la faveur des ombres de la nuit.
Vieux rêveur, malgré toi j'attends ici ma reine.
Ces diables de valets me mettent en peine.
De deux mille ans et plus, je ne tremblai si fort.
C'est trop me hasarder : s'ils sortent, je suis mort,
Car j'aime mieux mourir que leur donner bataille
Et profaner mon bras contre cette canaille.
Que le courage expose à d'étranges dangers!
Toutefois, en tout cas, je suis des plus légers;
S'il ne faut que courir, leur attente est dupée :
J'ai le pied pour le moins aussi bon que l'épée.
Tout de bon, je les vois : c'est fait, il faut mourir,
J'ai le corps si glacé que je ne puis courir.
Destin, qu'à ma valeur tu te montres contraire!...
C'est ma reine elle-même, avec mon secrétaire!
Tout mon corps se déglace : écoutons leurs discours
Et voyons son adresse à traiter mes amours.

Scène VIII : Clindor, Isabelle, Matamore.

ISABELLE

Matamore écoute caché.

Tout se prépare mal du côté de mon père;
Je ne le vis jamais d'une humeur si sévère :
Il ne souffrira plus votre maître ni vous.
Votre rival d'ailleurs est devenu jaloux :
C'est par cette raison que je vous fais descendre,
Dedans mon cabinet ils pourraient nous surprendre,
Ici nous parlerons en plus de sûreté :
Vous pourrez vous couler d'un et d'autre côté
Et si quelqu'un survient, ma retraite est ouverte.

CLINDOR

C'est trop prendre de soin pour empêcher ma perte.

ISABELLE

Je n'en puis prendre trop pour assurer un bien
Sans qui tous autres biens à mes yeux ne sont rien,
Un bien qui vaut pour moi la terre toute entière
Et pour qui seul enfin j'aime à voir la lumière.
Un rival par mon père attaque en vain ma foi,
Votre amour seul a droit de triompher de moi :
Des discours de tous deux je suis persécutée,
Mais par vous seul je me plais à me voir maltraitée
Et des plus grands malheurs je bénirais les coups,
Si ma fidélité les endurait pour vous.

CLINDOR

Vous me rendez confus et mon âme ravie
Ne vous peut, en revanche, offrir rien que ma vie :
Mon sang est le seul bien qui me reste en ces lieux,
Trop heureux de le perdre en servant vos beaux yeux!
Mais si mon astre un jour, changeant son influence,
Me donne un accès libre au lieu de ma naissance,
Vous verrez que ce choix n'est pas fort inégal
Et que, tout balancé, je vaux bien mon rival.
Mais, avec ces douceurs, permettez-moi de craindre
Qu'un père et ce rival ne veuillent vous contraindre.

ISABELLE

N'en ayez point d'alarme et croyez qu'en ce cas
L'un aura moins d'effet que l'autre n'a d'appas.
Je ne vous dirai point où je suis résolue :
Il suffit que sur moi je me rends absolue.
Ainsi tous leurs projets sont des projets en l'air.
Ainsi...

MATAMORE

Je n'en puis plus : il est temps de parler.

ISABELLE

Dieux! on nous écoutait.

CLINDOR

C'est notre capitaine :
Je vais bien l'apaiser; n'en soyez pas en peine

Scène IX : Matamore, Clindor.

MATAMORE

Ah! traître!

CLINDOR

Parlez bas, ces valets...

MATAMORE

Eh bien! quoi?

CLINDOR

Ils fondront tout à l'heure et sur vous et sur moi.   920

MATAMORE, *le tire à un coin du théâtre.*

Viens çà. Tu sais ton crime et qu'à l'objet que j'aime
Loin de parler pour moi, tu parlais pour toi-même?

CLINDOR

Oui, pour me rendre heureux j'ai fait quelques efforts.

MATAMORE

Je te donne le choix de trois ou quatre morts :
Je vais, d'un coup de poing, te briser comme verre,   925
Ou t'enfoncer tout vif au centre de la terre,
Ou te fendre en dix parts d'un seul coup de revers,
Ou te jeter si haut au-dessus des éclairs,
Que tu sois dévoré des feux élémentaires.
Choisis donc promptement, et pense à tes affaires.   930

CLINDOR

Vous-même choisissez.

MATAMORE

Quel choix proposes-tu?

CLINDOR

De fuir en diligence, ou d'être bien battu.

MATAMORE

Me menacer encore! Ah, ventre! quelle audace!
Au lieu d'être à genoux, et d'implorer ma grâce!...
Il a donné le mot, ces valets vont sortir...   935
Je m'en vais commander aux mers de t'engloutir..

CLINDOR

Sans vous chercher si loin un si grand cimetière,
Je vous vais, de ce pas, jeter dans la rivière.

MATAMORE

Ils sont d'intelligence. Ah, tête!

CLINDOR

Point de bruit :
J'ai déjà massacré dix hommes, cette nuit   940
Et si vous me fâchez, vous en croîtrez le nombre.

MATAMORE

Cadédiou! ce coquin a marché dans mon ombre;
Il s'est fait tout vaillant d'avoir suivi mes pas :
S'il avait du respect, j'en voudrais faire cas.
Écoute, je suis bon, et ce serait dommage   945
De priver l'univers d'un homme de courage.
Demande-moi pardon et cesse par tes feux
De profaner l'objet digne seul de mes vœux :
Tu connais ma valeur, éprouve ma clémence.

CLINDOR

Plutôt, si votre amour a tant de véhémence,   950
Faisons deux coups d'épée au nom de sa beauté.

MATAMORE

Parbleu, tu me ravis de générosité.
Va, pour la conquérir n'use plus d'artifices;
Je te la veux donner pour prix de tes services :
Plains-toi dorénavant d'avoir un maître ingrat!   955

CLINDOR

A ce rare présent, d'aise le cœur me bat.
Protecteur des grands rois, guerrier trop magna-
Puisse tout l'univers bruire de votre estime!   [nime,

Scène X : Isabelle, Matamore, Clindor.

ISABELLE

Je rends grâces au ciel de ce qu'il a permis
960 Qu'à la fin, sans combat, je vous vois bons amis.

MATAMORE

Ne pensez plus, ma reine, à l'honneur que ma flamme
Vous devait faire un jour de vous prendre pour femme;
Pour quelque occasion j'ai changé de dessein,
Mais je vous veux donner un homme de ma main :
965 Faites-en de l'état : il est vaillant lui-même,
Il commandait sous moi.

ISABELLE

              Pour vous plaire, je l'aime.

CLINDOR

Mais il faut du silence à notre affection.

MATAMORE

Je vous promets silence, et ma protection.
Avouez-vous de moi par tous les coins du monde :
970 Je suis craint à l'égal sur la terre et sur l'onde.
Allez, vivez contents sous une même loi.

ISABELLE

Pour vous mieux obéir, je lui donne ma foi.

CLINDOR

Commandez que sa foi de quelque effet suivie...

*Scène XI : Géronte, Adraste, Matamore, Clindor,
Isabelle, Lyse, troupe de domestiques.*

ADRASTE

Cet insolent discours te coûtera la vie,
975 Suborneur.

MATAMORE

          Ils ont pris mon courage en défaut :
Cette porte est ouverte, allons gagner le haut.

*Il entre chez Isabelle après qu'elle et Lyse y sont
entrées.*

CLINDOR

Traître! qui te fais fort d'une troupe brigande,
Je te choisirai bien au milieu de la bande.

GÉRONTE

Dieux! Adraste est blessé, courez au médecin.
980 Vous autres, cependant, arrêtez l'assassin.

CLINDOR

Ah, ciel! je cède au nombre. Adieu, chère Isabelle :
Je tombe au précipice où mon destin m'appelle.

GÉRONTE

C'en est fait, emportez ce corps à la maison
Et vous, conduisez tôt ce traître à la prison.

Scène XII : Alcandre, Pridamant.

PRIDAMANT

985 Hélas! mon fils est mort.

ALCANDRE

          Que vous avez d'alarmes !

PRIDAMANT

Ne lui refusez point le secours de vos charmes.

ALCANDRE

Un peu de patience, et sans un tel secours
Vous le verrez bientôt heureux en ses amours.

ACTE QUATRIÈME

Scène I : Isabelle.

Enfin le terme approche : un jugement inique
Doit abuser demain d'un pouvoir tyrannique,
A son propre assassin immoler mon amant
Et faire une vengeance au lieu d'un châtiment.
Par un décret injuste autant comme sévère,
Demain doit triompher la haine de mon père,
La faveur du pays, la qualité du mort,
Le malheur d'Isabelle, et la rigueur du sort.
Hélas! que d'ennemis, et de quelle puissance,
Contre le faible appui que donne l'innocence,
Contre un pauvre inconnu, de qui tout le forfait
Est de m'avoir aimée et d'être trop parfait!   1
Oui, Clindor, tes vertus et ton feu légitime,
T'ayant acquis mon cœur, ont fait aussi ton crime.
Mais en vain après toi l'on me laisse le jour;
Je veux perdre la vie en perdant mon amour :
Prononçant ton arrêt, c'est de moi qu'on dispose,   1
Je veux suivre ta mort, puisque j'en suis la cause
Et le même moment verra par deux trépas
Nos esprits amoureux se rejoindre là-bas.
Ainsi, père inhumain, ta cruauté déçue
De nos saintes ardeurs verra l'heureuse issue   1
Et si ma perte alors fait naître tes douleurs,
Auprès de mon amant je rirai de tes pleurs.
Ce qu'un remords cuisant te coûtera de larmes
D'un si doux entretien augmentera les charmes
Ou s'il n'a pas assez de quoi te tourmenter,   1
Mon ombre chaque jour viendra t'épouvanter,
S'attacher à tes pas dans l'horreur des ténèbres,
Présenter à tes yeux mille images funèbres,
Jeter dans ton esprit un éternel effroi,
Te reprocher ma mort, t'appeler après moi,   1
Accabler de malheurs ta languissante vie
Et te réduire au point de me porter envie.
Enfin...

Scène II : Isabelle, Lyse.

LYSE

Quoi! chacun dort, et vous êtes ici?
Je vous jure, Monsieur en est en grand souci.

ISABELLE

Quand on n'a plus d'espoir, Lyse, on n'a plus de crainte. 1
Je trouve des douceurs à faire ici ma plainte :
Ici je vis Clindor pour la dernière fois,
Ce lieu me redit mieux les accents de sa voix
Et remet plus avant en mon âme éperdue
L'aimable souvenir d'une si chère vue.

LYSE

Que vous prenez de peine à grossir vos ennuis!

ISABELLE

Que veux-tu que je fasse en l'état ou je suis ?

LYSE

De deux amants parfaits dont vous étiez servie,
L'un doit mourir demain, l'autre est déjà sans vie :
Sans perdre plus de temps à soupirer pour eux,
Il en faut trouver un qui les vaille tous deux.

ISABELLE

De quel front oses-tu me tenir ces paroles ?

Quel fruit espérez-vous de vos douleurs frivoles ?
Pensez-vous, pour pleurer et ternir vos appas,
Rappeler votre amant des portes du trépas ?
Songez plutôt à faire une illustre conquête :
Je sais pour vos liens une âme toute prête,
Un homme incomparable.

ISABELLE

                          Ote-toi de mes yeux.

LYSE

Le meilleur jugement ne choisirait pas mieux.

ISABELLE

Pour croître mes douleurs faut-il que je te voie ?

LYSE

Et faut-il qu'à vos yeux je déguise ma joie ?

ISABELLE

D'où te vient cette joie ainsi hors de saison ?

LYSE

Quand je vous l'aurai dit, jugez si j'ai raison.

ISABELLE

Ah ! ne me conte rien.

LYSE

                        Mais l'affaire vous touche.

ISABELLE

Parle-moi de Clindor, ou n'ouvre point la bouche.

LYSE

Ma belle humeur, qui rit au milieu des malheurs,
Fait plus en un moment qu'un siècle de vos pleurs :
Elle a sauvé Clindor.

ISABELLE

                        Sauvé Clindor ?

LYSE

                                          Lui-même :
Jugez après cela comme quoi je vous aime.

ISABELLE

Eh ! de grâce, où faut-il que je l'aille trouver ?

LYSE

Je n'ai que commencé, c'est à vous d'achever.

ISABELLE

Ah ! Lyse !

LYSE

              Tout de bon, seriez-vous pour le suivre ?

ISABELLE

Si je suivrais celui sans qui je ne puis vivre ?
Lyse, si ton esprit ne le tire des fers,
Je l'accompagnerai jusque dans les enfers.
Va, ne demande plus si je suivrais sa fuite.

LYSE

Puisqu'à ce beau dessein l'amour vous a réduite,
Écoutez où j'en suis et secondez mes coups :
Si votre amant n'échappe, il ne tiendra qu'à vous.

La prison est tout proche.

ISABELLE

                            Eh bien ?

LYSE

                                        Ce voisinage   1065
Au frère du concierge a fait voir mon visage
Et comme c'est tout un que me voir et m'aimer,
Le pauvre malheureux s'en est laissé charmer.

ISABELLE

Je n'en avais rien su !

LYSE

                          J'en avais tant de honte
Que je mourais de peur qu'on vous en fît le conte ;   1070
Mais depuis quatre jours votre amant arrêté
A fait que l'allant voir je l'ai mieux écouté.
Des yeux et du discours flattant son espérance,
D'un mutuel amour j'ai formé l'apparence.
Quand on aime une fois et qu'on se croit aimé,   1075
On fait tout pour l'objet dont on est enflammé,
Par là j'ai sur son âme assuré mon empire
Et l'ai mis en état de ne m'oser dédire.
Quand il n'a plus douté de mon affection,
J'ai fondé mes refus sur sa condition   1080
Et lui, pour m'obliger, jurait de s'y déplaire,
Mais que malaisément il s'en pouvait défaire,
Que les clefs des prisons qu'il gardait aujourd'hui
Étaient le plus grand bien de son frère et de lui.
Moi de dire soudain que sa bonne fortune   1085
Ne lui pouvait offrir d'heure plus opportune,
Que pour se faire riche et pour me posséder,
Il n'avait seulement qu'à s'en accommoder,
Qu'il tenait dans les fers un seigneur de Bretagne
Déguisé sous le nom du sieur de la Montagne,   1090
Qu'il fallait le sauver et le suivre chez lui,
Qu'il nous ferait du bien et serait notre appui.
Il demeure étonné : je le presse, il s'excuse ;
Il me parle d'amour, et moi je le refuse ;
Je le quitte en colère, il me suit tout confus,   1095
Me fait nouvelle excuse, et moi nouveau refus.

ISABELLE

Mais enfin ?

LYSE

              J'y retourne, et le trouve fort triste ;
Je le juge ébranlé, je l'attaque, il résiste.
Ce matin : « En un mot, le péril est pressant,
Ai-je dit ; tu peux tout, et ton frère est absent   1100
— Mais il faut de l'argent pour un si long voyage
M'a-t-il dit ; il en faut pour faire l'équipage :
Ce cavalier en manque. »

ISABELLE

                          Ah ! Lyse, tu devais
Lui faire offre aussitôt de tout ce que j'avais :
Perles, bagues, habits.

LYSE

                          J'ai bien fait davantage :   1105
J'ai dit qu'à vos beautés ce captif rend hommage.
Que vous l'aimez de même et fuirez avec nous.
Ce mot me l'a rendu si traitable et si doux
Que j'ai bien reconnu qu'un peu de jalousie
Touchant votre Clindor brouillait sa fantaisie   1110

Et que tous ces détours provenaient seulement
D'une vaine frayeur qu'il ne fût mon amant.
Il est parti soudain après votre amour sue,
A trouvé tout aisé, m'en a promis l'issue
1115 Et vous mande par moi qu'environ à minuit
Vous soyez toute prête à déloger sans bruit.

ISABELLE

Que tu me rends heureuse!

LYSE

Ajoutez-y, de grâce,
Qu'accepter un mari pour qui je suis de glace,
C'est me sacrifier à vos contentements.

ISABELLE

1120 Aussi...

LYSE

Je ne veux point de vos remercîments.
Allez ployer bagage et pour grossir la somme,
Joignez à vos bijoux les écus du bonhomme.
Je vous vends ses trésors, mais à fort bon marché;
J'ai dérobé ses clefs depuis qu'il est couché :
1125 Je vous les livre.

ISABELLE

Allons y travailler ensemble.

LYSE

Passez-vous de mon aide.

ISABELLE

Eh quoi! le cœur te tremble?

LYSE

Non, mais c'est un secret tout propre à l'éveiller;
Nous ne nous garderions jamais de babiller.

ISABELLE

Folle, tu ris toujours.

LYSE

De peur d'une surprise,
1130 Je dois attendre ici le chef de l'entreprise;
S'il tardait à la rue, il serait reconnu;
Nous vous irons trouver dès qu'il sera venu.
C'est là sans raillerie.

ISABELLE

Adieu donc : je te laisse
Et consens que tu sois aujourd'hui la maîtresse.

LYSE

1135 C'est du moins.

ISABELLE

Fais bon guet.

LYSE

Vous, faites bon butin.

Scène III : Lyse.

Ainsi, Clindor, je fais moi seule ton destin :
Des fers où je t'ai mis c'est moi qui te délivre
Et te puis, à mon choix, faire mourir ou vivre.
On me vengeait de toi par delà mes désirs;
1140 Je n'avais de dessein que contre tes plaisirs.
Ton sort trop rigoureux m'a fait changer d'envie,
Je te veux assurer tes plaisirs et ta vie
Et mon amour éteint, te voyant en danger,
Renaît pour m'avertir que c'est trop me venger.
1145 J'espère aussi, Clindor que pour reconnaissance

De ton ingrat amour étouffant la licence...

Scène IV : Matamore, Isabelle, Lyse.

ISABELLE

Quoi! chez nous, et de nuit!

MATAMORE

L'autre jour...

ISABELLE

Qu'est-ce-ci :
« L'autre jour? » est-il temps que je vous trouve ici?

LYSE

C'est ce grand capitaine. Où s'est-il laissé prendre?

ISABELLE

En montant l'escalier je l'en ai vu descendre.

MATAMORE

L'autre jour, au défaut de mon affection,
J'assurai vos appas de ma protection.

ISABELLE

Après?

MATAMORE

On vint ici faire une brouillerie,
Vous rentrâtes voyant cette forfanterie
Et pour vous protéger, je vous suivis soudain.

ISABELLE

Votre valeur prit lors un généreux dessein.
Depuis?

MATAMORE

Pour conserver une dame si belle,
Au plus haut du logis j'ai fait la sentinelle.

ISABELLE

Sans sortir?

MATAMORE

Sans sortir.

LYSE

C'est-à-dire, en deux mots,
Que la peur l'enfermait dans la chambre aux fagots.

MATAMORE

La peur?

LYSE

Oui, vous tremblez : la vôtre est sans égale.

MATAMORE

Parce qu'elle a bon pas, j'en fais mon Bucéphale;
Lorsque je la domptai, je lui fis cette loi
Et depuis, quand je marche, elle tremble sous moi.

LYSE

Votre caprice est rare à choisir des montures.

MATAMORE

C'est pour aller plus vite aux grandes aventures.

ISABELLE

Vous en exploitez bien. Mais changeons de discours :
Vous avez demeuré là dedans quatre jours?

MATAMORE

Quatre jours.

ISABELLE

Et vécu?

MATAMORE

De nectar, d'ambrosie.

LYSE

Je crois que cette viande aisément rassasie?

MATAMORE
Aucunement.
ISABELLE
Enfin vous étiez descendu...
MATAMORE
Pour faire qu'un amant en vos bras fût rendu,
Pour rompre sa prison, en fracasser les portes
Et briser en morceaux ses chaînes les plus fortes.
LYSE
1175 Avouez franchement que, pressé de la faim,
Vous veniez bien plutôt faire la guerre au pain.
MATAMORE
L'un et l'autre, parbleu! Cette ambrosie est fade :
J'en eus au bout d'un jour l'estomac tout malade.
C'est un mets délicat et de peu de soutien :
1180 A moins que d'être un Dieu l'on n'en vivrait pas bien ;
Il cause mille maux, et dès l'heure qu'il entre,
Il allonge les dents et rétrécit le ventre.
LYSE
Enfin c'est un ragoût qui ne vous plaisait pas?
MATAMORE
Quitte pour chaque nuit faire deux tours en bas
1185 Et là, m'accommodant des reliefs de cuisine,
Mêler la viande humaine avecque la divine.
ISABELLE
Vous aviez, après tout, dessein de nous voler.
MATAMORE
Vous-mêmes, après tout, m'osez-vous quereller?
Si je laisse une fois échapper ma colère...
ISABELLE
1190 Lyse, fais-moi sortir les valets de mon père.
MATAMORE
Un sot les attendrait.

Scène V : Isabelle, Lyse.

LYSE
Vous ne le tenez pas.
ISABELLE
Il nous avait bien dit que la peur a bon pas.
LYSE
Vous n'avez cependant rien fait, ou peu de chose.
ISABELLE
Rien du tout. Que veux-tu? sa rencontre en est cause.
LYSE
1195 Mais vous n'aviez alors qu'à le laisser aller.
ISABELLE
Mais il m'a reconnue et m'est venu parler.
Moi qui, seule et de nuit, craignais son insolence
Et beaucoup plus encor de troubler le silence,
J'ai cru, pour m'en défaire et m'ôter de souci,
1200 Que le meilleur était de l'amener ici.
Vois, quand j'ai ton secours, que je me tiens vaillante,
Puisque j'ose affronter cette humeur violente.
LYSE
J'en ai ri comme vous, mais non sans murmurer :
C'est bien du temps perdu.
ISABELLE
Je vais le réparer.

LYSE
Voici le conducteur de notre intelligence,   1205
Sachez auparavant toute sa diligence.

Scène VI : Isabelle, Lyse, le geôlier.

ISABELLE
Eh bien! mon grand ami, braverons-nous le sort
Et viens-tu m'apporter ou la vie ou la mort?
Ce n'est plus qu'en toi seul que mon espoir se fonde.
LE GEÔLIER
Bannissez vos frayeurs : tout va le mieux du monde, 1210
Il ne faut que partir, j'ai des chevaux tout prêts
Et vous pourrez bientôt vous moquer des arrêts.
ISABELLE
Je te dois regarder comme un dieu tutélaire
Et ne sais point pour toi d'assez digne salaire.
LE GEÔLIER
Voici le prix unique où tout mon cœur prétend.   1215
ISABELLE
Lyse, il faut te résoudre à le rendre content.
LYSE
Oui, mais tout son apprêt nous est fort inutile :
Comment ouvrirons-nous les portes de la ville?
LE GEÔLIER
On nous tient des chevaux en main sûre aux faubourgs
Et je sais un vieux mur qui tombe tous les jours :   1220
Nous pourrons aisément sortir par ses ruines.
ISABELLE
Ah! que je me trouvais sur d'étranges épines!
LE GEÔLIER
Mais il faut se hâter.
ISABELLE
Nous partirons soudain.
Viens nous aider là-haut à faire notre main.

Scène VII : Clindor, en prison.

Aimables souvenirs de mes chères délices,   1225
Qu'on va bientôt changer en d'infâmes supplices,
Que malgré les horreurs de ce mortel effroi,
Vos charmants entretiens ont de douceurs pour moi!
Ne m'abandonnez point, soyez-moi plus fidèles
Que les rigueurs du sort ne se montrent cruelles   1230
Et lorsque du trépas les plus noires couleurs
Viendront à mon esprit figurer mes malheurs,
Figurez aussitôt à mon âme interdite
Combien je fus heureux par delà mon mérite.
Lorsque je me plaindrai de leur sévérité,   1235
Redites-moi l'excès de ma témérité,
Que d'un si haut dessein ma fortune incapable
Rendait ma flamme injuste et mon espoir coupable,
Que je fus criminel quand je devins amant
Et que ma mort en est le juste châtiment.   1240
    Quel bonheur m'accompagne à la fin de ma vie!
Isabelle, je meurs pour vous avoir servie
Et de quelque tranchant que je souffre les coups,
Je meurs trop glorieux, puisque je meurs pour vous.
Hélas! que je me flatte et que j'ai d'artifice   1245
A me dissimuler la honte d'un supplice!

En est-il de plus grand que de quitter ces yeux
Dont le fatal amour me rend si glorieux?
L'ombre d'un meurtrier creuse ici ma ruine,
1250 Il succomba vivant, et mort il m'assassine;
Son nom fait contre moi ce que n'a pu son bras,
Mille assassins nouveaux naissent de son trépas
Et je vois de son sang, fécond en perfidies,
S'élever contre moi des âmes plus hardies,
1255 De qui les passions, s'armant d'autorité,
Font un meurtre public avec impunité.
Demain de mon courage on doit faire un grand crime,
Donner au déloyal ma tête pour victime
Et tous pour le pays prennent tant d'intérêt
1260 Qu'il ne m'est pas permis de douter de l'arrêt.
Ainsi de tous côtés ma perte était certaine :
J'ai repoussé la mort, je la reçois pour peine.
D'un péril évité je tombe en un nouveau
Et des mains d'un rival en celles d'un bourreau.
1265 Je frémis à penser à ma triste aventure,
Dans le sein du repos je suis à la torture,
Au milieu de la nuit, et du temps du sommeil,
Je vois du mon trépas le honteux appareil,
J'en ai devant les yeux les funestes ministres;
1270 On me lit du sénat les mandements sinistres,
Je sors les fers aux pieds, j'entends déjà le bruit
De l'amas insolent d'un peuple qui me suit,
Je vois le lieu fatal où ma mort se prépare,
Là mon esprit se trouble et ma raison s'égare,
1275 Je ne découvre rien qui m'ose secourir
Et la peur de la mort me fait déjà mourir.
   Isabelle, toi seule, en réveillant ma flamme,
Dissipes ces terreurs et rassures mon âme
Et sitôt que je pense à tes divins attraits,
1280 Je vois évanouir ces infâmes portraits.
Quelques rudes assauts que le malheur me livre,
Garde mon souvenir, et je croirai revivre.
Mais d'où vient que de nuit on ouvre ma prison?
Ami, que viens-tu faire ici hors de saison?

Scène VIII : Clindor, le geôlier.

LE GEOLIER, *cependant qu'Isabelle et Lyse*
paraissent à quartier.
1285 Les juges assemblés pour punir votre audace,
Mus de compassion, enfin vous ont fait grâce.

CLINDOR
M'ont fait grâce, bons Dieux!

LE GEOLIER
                      Oui, vous mourrez de nuit.

CLINDOR
De leur compassion est-ce là tout le fruit?

LE GEOLIER
Que de cette faveur vous tenez peu de conte!
1290 D'un supplice public c'est vous sauver la honte.

CLINDOR
Quels encens puis-je offrir aux maîtres de mon sort,
Dont l'arrêt me fait grâce et m'envoie à la mort?

LE GEOLIER
Il la faut recevoir avec meilleur visage.

CLINDOR
Fais ton office, ami, sans causer davantage.

LE GEOLIER
Une troupe d'archers là dehors vous attend,   129
Peut-être en les voyant serez-vous plus content.

Scène IX : Clindor, Isabelle, Lyse, le geôlier.

ISABELLE *dit ces mots à Lyse, cependant que*
le geôlier ouvre la prison à Clindor.
Lyse, nous l'allons voir.

LYSE
                      Que vous êtes ravie!

ISABELLE
Ne le serais-je point de recevoir la vie?
Son destin et le mien prennent un même cours
Et je mourrais du coup qui trancherait ses jours.   13

LE GEOLIER
Monsieur, connaissez-vous beaucoup d'archers sem-
CLINDOR   [blables?
Ah! Madame, est-ce vous? Surprises adorables!
Trompeur trop obligeant, tu disais bien vraiment
Que je mourrais de nuit, mais de contentement.

ISABELLE
Clindor!   13

LE GEOLIER
      Ne perdons point de temps à ces caresses,
Nous aurons tout loisir de flatter nos maîtresses.

CLINDOR
Quoi? Lyse est donc la sienne?

ISABELLE
                      Écoutez le discours
De votre liberté qu'ont produit leurs amours.

LE GEOLIER
En lieu de sûreté le babil est de mise,
Mais ici ne songeons qu'à nous ôter de prise.   13

ISABELLE
Sauvons-nous : mais avant, promettez-nous tous deux
Jusqu'au jour d'un hymen de modérer vos feux.
Autrement, nous rentrons.

CLINDOR
                      Que cela ne vous tienne :
Je vous donne ma foi.

LE GEOLIER
                      Lyse, reçois la mienne.

ISABELLE
Sur un gage si beau j'ose tout hasarder.   13

LE GEOLIER
Nous nous amusons trop, il est temps d'évader.

Scène X : Alcandre, Pridamant.

ALCANDRE
Ne craignez plus pour eux ni périls ni disgrâces.
Beaucoup les poursuivront, mais sans trouver leurs
PRIDAMANT   [traces.
A la fin je respire.

ALCANDRE
                      Après un tel bonheur,
Deux ans les ont montés en haut degré d'honneur.   1

Je ne vous dirai point le cours de leurs voyages,
S'ils ont trouvé le calme ou vaincu les orages
Ni par quel art non plus ils se sont élevés :
Il suffit d'avoir vu comme ils se sont sauvés
Et que, sans vous en faire une histoire importune,
Je vous les vais montrer en leur haute fortune.
    Mais puisqu'il faut passer à des effets plus beaux,
Rentrons pour évoquer des fantômes nouveaux.
Ceux que vous avez vus représenter de suite
A vos yeux étonnés leur amour et leur fuite,
N'étant pas destinés aux hautes fonctions,
N'ont point assez d'éclat pour leurs conditions.

ACTE CINQUIÈME

Scène I : Alcandre, Pridamant.

PRIDAMANT

Qu'Isabelle est changée et qu'elle est éclatante !

ALCANDRE

Lyse marche après elle, et lui sert de suivante ;
Mais derechef surtout n'ayez aucun effroi
Et de ce lieu fatal ne sortez qu'après moi :
Je vous le dis encore, il y va de la vie.

PRIDAMANT

Cette condition m'en ôte assez l'envie.

Scène II : Isabelle, représentant Hippolyte ;
Lyse, représentant Clarine.

LYSE

Ce divertissement n'aura-t-il point de fin
Et voulez-vous passer la nuit dans ce jardin ?

ISABELLE

Je ne puis plus cacher le sujet qui m'amène,
C'est grossir mes douleurs que te taire ma peine.
    Le prince Florilame...

LYSE

              Eh bien ! il est absent.

ISABELLE

C'est la source des maux que mon âme ressent.
Nous sommes ses voisins, et l'amour qu'il nous porte
Dedans son grand jardin nous permet cette porte.
La princesse Rosine, et mon perfide époux,
Durant qu'il est absent en font leur rendez-vous.
Je l'attends au passage, et lui ferai connaître
Que je ne suis pas femme à rien souffrir d'un traître.

LYSE

Madame, croyez-moi, loin de le quereller,
Vous ferez beaucoup mieux de tout dissimuler ;
Il nous vient peu de fruit de telles jalousies,
Un homme en court plus tôt après ses fantaisies,
Il est toujours le maître, et tout notre discours,
Par un contraire effet l'obstine en ses amours.

ISABELLE

Je dissimulerai son adultère flamme !
Une autre aura son cœur, et moi le nom de femme !
Sans crime, d'un hymen peut-il rompre la loi
Et ne rougit-il point d'avoir si peu de foi ?

LYSE

Cela fut bon jadis, mais au temps où nous sommes,
Ni l'hymen ni la foi n'obligent plus les hommes :
Leur gloire a son brillant et ses règles à part,
Où la nôtre se perd, la leur est sans hasard,
Elle croît aux dépens de nos lâches faiblesses ;   1365
L'honneur d'un galant homme est d'avoir des maî-
             ISABELLE   [tresses.
Ote-moi cet honneur et cette vanité,
De se mettre en crédit par l'infidélité.
Si pour haïr le change et vivre sans amie
Un homme tel que lui tombe dans l'infamie,   1370
Je le tiens glorieux d'être infâme à ce prix ;
S'il en est méprisé, j'estime ce mépris.
Le blâme qu'on reçoit d'aimer trop une femme
Aux maris vertueux est un illustre blâme.

LYSE

Madame, il vient d'entrer ; la porte a fait du bruit.   1375

ISABELLE

Retirons-nous, qu'il passe.

LYSE

                Il vous voit et vous suit.

Scène III : Clindor, représentant Théagène ;
Isabelle, représentant Hippolyte ; Lyse,
représentant Clarine.

CLINDOR

Vous fuyez, ma princesse, et cherchez des remises :
Sont-ce là les douceurs que vous m'aviez promises ?
Est-ce ainsi que l'amour ménage un entretien ?
Ne fuyez plus, Madame, et n'appréhendez rien :   1380
Florilame est absent, ma jalouse endormie.

ISABELLE

En êtes-vous bien sûr ?

CLINDOR

          Ah ! fortune ennemie !

ISABELLE

Je veille, déloyal, ne crois plus m'aveugler ;
Au milieu de la nuit je ne vois que trop clair :
Je vois tous mes soupçons passer en certitudes   1385
Et ne puis plus douter de tes ingratitudes :
Toi-même, par ta bouche, as trahi ton secret.
O l'esprit avisé pour un amant discret !
Et que c'est en amour une haute prudence
D'en faire avec sa femme entière confidence !   1390
Où sont tant de serments de n'aimer rien que moi ?
Qu'as-tu fait de ton cœur ? qu'as-tu fait de ta foi ?
Lorsque je la reçus, ingrat, qu'il te souvienne
De combien différaient ta fortune et la mienne,
De combien de rivaux je dédaignai les vœux ;   1395
Ce qu'un simple soldat pouvait être auprès d'eux :
Quelle tendre amitié je recevais d'un père !
Je le quittai pourtant pour suivre ta misère
Et je tendis les bras à mon enlèvement,
Pour soustraire ma main à son commandement.   1400
En quelle extrémité depuis ne m'ont réduite
Les hasards dont le sort a traversé ta fuite
Et que n'ai-je souffert avant que le bonheur
Elevât ta bassesse à ce haut rang d'honneur !

1405 Si pour te voir heureux ta foi s'est relâchée,
Remets-moi dans le sein dont tu m'as arrachée.
L'amour que j'ai pour toi m'a fait tout hasarder,
Non pas pour des grandeurs, mais pour te posséder.

CLINDOR

Ne me reproche plus ta fuite ni ta flamme :
1410 Que ne fait point l'amour quand il possède une âme ?
Son pouvoir à ma vue attachait tes plaisirs,
Et tu me suivais moins que tes propres désirs.
J'étais lors peu de chose : oui, mais qu'il te souvienne
Que ta fuite égala ta fortune à la mienne
1415 Et que pour t'enlever c'était un faible appas
Que l'éclat de tes biens qui ne te suivaient pas.
Je n'eus, de mon côté, que l'épée en partage
Et ta flamme, du tien, fut mon seul avantage :
Celle-là m'a fait grand en ces bords étrangers,
1420 L'autre exposa ma tête à cent et cent dangers.
   Regrette maintenant ton père et ses richesses,
Fâche-toi de marcher à côté des princesses,
Retourne en ton pays chercher avec tes biens
L'honneur d'un rang pareil à celui que tu tiens.
1425 De quel manque, après tout, as-tu lieu de te plaindre,
En quelle occasion m'as-tu vu te contraindre,
As-tu reçu de moi ni froideurs, ni mépris ?
Les femmes à vrai dire, ont d'étranges esprits !
Qu'un mari les adore, et qu'un amour extrême
1430 A leur bizarre humeur le soumette lui-même,
Qu'il les comble d'honneurs et de bons traitements,
Qu'il ne refuse rien à leurs contentements,
S'il fait la moindre brèche à la foi conjugale,
Il n'est point à leur gré de crime qui l'égale :
1435 C'est vol, c'est perfidie, assassinat, poison,
C'est massacrer son père et brûler sa maison
Et jadis des Titans l'effroyable supplice
Tomba sur Encelade [20] avec moins de justice.

ISABELLE

Je te l'ai déjà dit, que toute ta grandeur
1440 Ne fut jamais l'objet de ma sincère ardeur.
Je ne suivais que toi, quand je quittai mon père ;
Mais puisque ces grandeurs t'ont fait l'âme légère,
Laisse mon intérêt : songe à qui tu les dois.
   Florilame lui seul t'a mis où tu te vois :
1445 A peine il te connut qu'il te tira de peine,
De soldat vagabond il te fit capitaine
Et le rare bonheur qui suivit cet emploi
Joignit à ses faveurs les faveurs de son roi.
Quelle forte amitié n'a-t-il point fait paraître
1450 A cultiver depuis ce qu'il avait fait naître ?
Par ses soins redoublés n'est-tu pas aujourd'hui
Un peu moindre de rang, mais plus puissant que lui ?
Il eût gagné par là l'esprit le plus farouche
Et pour remercîment tu veux souiller sa couche !
1455 Dans ta brutalité trouve quelques raisons
Et contre ses faveurs défends tes trahisons.
Il t'a comblé de biens, tu lui voles son âme !
Il t'a fait grand seigneur, et tu le rends infâme !
Ingrat, c'est donc ainsi que tu rends les bienfaits

---

20. Encelade, fils du Tartare et de la Terre, le plus puissant
des Géants. Jupiter l'écrasa sous l'Etna. Virgile en parle,
après Homère.

Et ta reconnaissance a produit ces effets ?

CLINDOR

Mon âme (car encor ce beau nom te demeure,
Et te demeurera, jusqu'à tant que je meure),
Crois-tu qu'aucun respect ou crainte du trépas
Puisse obtenir sur moi ce que tu n'obtiens pas ?
Dis que je suis ingrat, appelle-moi parjure ;
Mais à nos feux sacrés ne fais plus tant d'injure :
Ils conservent encor leur première vigueur.
Et si le fol amour qui m'a surpris le cœur
Avait pu s'étouffer au point de sa naissance,
Celui que je te porte eût eu cette puissance ;
Mais en vain mon devoir tâche à lui résister,
Toi-même as éprouvé qu'on ne le peut dompter.
Ce dieu qui te força d'abandonner ton père,
Ton pays et tes biens, pour suivre ma misère,
Ce dieu même aujourd'hui force tous mes désirs
A te faire un larcin de deux ou trois soupirs.
A mon égarement souffre cette échappée,
Sans craindre que ta place en demeure usurpée.
L'amour dont la vertu n'est point le fondement
Se détruit de soi-même et passe en un moment ;
Mais celui qui nous joint est un amour solide,
Où l'honneur a son lustre, où la vertu préside :
Sa durée a toujours quelques nouveaux appas
Et ses fermes liens durent jusqu'au trépas.
Mon âme, derechef pardonne à la surprise
Que ce tyran des cœurs a faite à ma franchise,
Souffre une folle ardeur qui ne vivra qu'un jour
Et qui n'affaiblit point le conjugal amour.

ISABELLE

Hélas ! que j'aide bien à m'abuser moi-même !
Je vois qu'on me trahit, et veux croire qu'on m'aime
Je me laisse charmer à ce discours flatteur
Et j'excuse un forfait dont j'adore l'auteur.
   Pardonne, cher époux, au peu de retenue
Où d'un premier transport la chaleur est venue :
C'est en ces accidents manquer d'affection
Que de les voir sans trouble et sans émotion.
Puisque mon teint se fane et ma beauté se passe,
Il est bien juste aussi que ton amour se lasse
Et même je croirai que ce feu passager
En l'amour conjugal ne pourra rien changer.
Songe un peu toutefois à qui ce feu s'adresse,
En quel péril le jette une telle maîtresse.
   Dissimule, déguise, et sois amant discret.
Les grands en leur amour n'ont jamais de secret ;
Ce grand train qu'à leurs pas leur grandeur propre
[attache
N'est qu'un grand corps tout d'yeux à qui rien ne se
Et dont il n'est pas un qui ne fît son effort   [cache
A se mettre en faveur par un mauvais rapport.
Tôt ou tard Florilame apprendra tes pratiques
Ou de sa défiance et de tes domestiques,
Et lors (à ce penser je frissonne d'horreur)
A quelle extrémité n'ira point sa fureur ?
Puisqu'à ces passe-temps ton humeur te convie,
Cours après les plaisirs, mais assure ta vie.
Sans aucun sentiment je te verrai changer,
Lorsque tu changeras sans te mettre en danger.

CLINDOR

Encore une fois donc tu veux que je te die
Qu'auprès de mon amour je méprise ma vie?
Mon âme est trop atteinte et mon cœur trop blessé
Pour craindre les périls dont je suis menacé,
Ma passion m'aveugle, et pour cette conquête
Croit hasarder trop peu de hasarder ma tête :
C'est un feu que le temps pourra seul modérer,
C'est un torrent qui passe et ne saurait durer.

ISABELLE

Eh bien! cours au trépas, puisqu'il a tant de charmes
Et néglige ta vie aussi bien que mes larmes.
Penses-tu que ce prince, après un tel forfait,
Par ta punition se tienne satisfait?
Qui sera mon appui lorsque ta mort infâme
A sa juste vengeance exposera ta femme
Et que sur la moitié d'un perfide étranger
Une seconde fois il croira se venger?
Non, je n'attendrai pas que ta perte certaine
Puisse attirer sur moi les restes de ta peine
Et que de mon honneur, gardé si chèrement,
Il fasse un sacrifice à son ressentiment.
Je préviendrai la honte où ton malheur me livre
Et saurai bien mourir, si tu ne veux pas vivre.
Ce corps, dont mon amour t'a fait le possesseur,
Ne craindra plus bientôt l'effort d'un ravisseur.
J'ai vécu pour t'aimer, mais non pour l'infamie
De servir au mari de ton illustre amie.
Adieu, je vais du moins, en mourant avant toi,
Diminuer ton crime et dégager ta foi.

CLINDOR

Ne meurs pas, chère épouse, et dans un second change
Vois l'effet merveilleux où ta vertu me range.
M'aimer malgré mon crime et vouloir par ta mort
Éviter le hasard de quelque indigne effort!
Je ne sais qui je dois admirer davantage
Ou de ce grand amour, ou de ce grand courage;
Tous les deux m'ont vaincu : je reviens sous tes lois
Et ma brutale ardeur va rendre les abois.
C'en est fait, elle expire, et mon âme plus saine
Vient de rompre les nœuds de sa honteuse chaîne.
Mon cœur, quand il fut pris, s'était mal défendu :
Perds-en le souvenir.

ISABELLE

Je l'ai déjà perdu.

CLINDOR

Que les plus beaux objets qui soient dessus la terre
Conspirent désormais à me faire la guerre,
Ce cœur, inexpugnable aux assauts de leurs yeux,
N'aura plus que les tiens pour maîtres et pour Dieux!

LYSE

Madame, quelqu'un vient [21].

*Scène IV : Clindor, représentant Théagène ;
Isabelle, représentant Hippolyte ; Lyse, représentant
Clarine ; Éraste ; troupe de domestiques de Florilame.*

ÉRASTE, *poignardant Clindor.*

Reçois, traître, avec joie
Les faveurs que par nous ta maîtresse t'envoie.

PRIMADANT, *à Alcandre.*

On l'assassine, ô Dieux! daignez le secourir.

ÉRASTE

Puissent les suborneurs ainsi toujours périr!

ISABELLE

Qu'avez-vous fait, bourreaux!

ÉRASTE

Un juste et grand exem- 1565
Qu'il faut qu'avec effroi tout l'avenir contemple, [ple,
Pour apprendre aux ingrats, aux dépens de son sang,
A n'attaquer jamais l'honneur d'un si haut rang.
Notre main a vengé le prince Florilame,
La princesse outragée et vous-même, Madame   1570
Immolant à tous trois un déloyal époux,
Qui ne méritait pas la gloire d'être à vous.
D'un si lâche attentat souffrez le prompt supplice
Et ne vous plaignez point quand on vous rend justice.
Adieu.

ISABELLE

Vous ne l'avez massacré qu'à demi,   1575
Il vit encor en moi, soûlez son ennemi;
Achevez, assassins, de m'arracher la vie.
Cher époux, en mes bras on te l'a donc ravie
Et de mon cœur jaloux les secrets mouvements
N'ont pu rompre ce coup par leurs pressentiments! 1580
O clarté trop fidèle, hélas! et trop tardive,
Qui ne fait voir le mal qu'au moment qu'il arrive!
Fallait-il... Mais j'étouffe et dans un tel malheur
Mes forces et ma voix cèdent à ma douleur,
Son vif excès me tue ensemble et me console   1585
Et puisqu'il nous rejoint...

LYSE

Elle perd la parole.
Madame... Elle se meurt; épargnons les discours,
Et courons au logis appeler du secours.

*Ici on rabaisse une toile qui couvre le jardin et les
corps de Clindor et d'Isabelle, et le magicien et le père
sortent de la grotte.*

Scène V : Alcandre, Pridamant.

ALCANDRE

Ainsi de notre espoir la fortune se joue;
Tout s'élève ou s'abaisse au branle de sa roue   1590
Et son ordre inégal, qui régit l'univers,
Au milieu du bonheur a ses plus grands revers.

PRIDAMANT

Cette réflexion, mal propre pour un père,
Consolerait peut-être une douleur légère,
Mais après avoir vu mon fils assassiné,   1595
Mes plaisirs foudroyés, mon espoir ruiné,
J'aurais d'un si grand coup l'âme bien peu blessée,
Si de pareils discours m'entraient dans la pensée.

---

21. Dans la première version, la femme du Roi, Rosine,
venait sur la scène et se voyait vertueusement repoussée de
Clindor. L'assassinat de Clindor, pris en flagrant délit, était
plus vraisemblable. Ce n'est qu'en 1660, que Corneille, par
délicatesse un peu scrupuleuse, supprima la scène.

Hélas! dans sa misère il ne pouvait périr
1600 Et son bonheur fatal lui seul l'a fait mourir.
N'attendez pas de moi des plaintes davantage,
La douleur qui se plaint cherche qu'on la soulage.
La mienne court après son déplorable sort.
Adieu, je vais mourir, puisque mon fils est mort.

ALCANDRE

1605 D'un juste désespoir l'effort est légitime
Et de le détourner je croirais faire un crime.
Oui, suivez ce cher fils sans attendre à demain,
Mais épargnez du moins ce coup à votre main,
Laissez faire aux douleurs qui rongent vos entrailles
1610 Et pour les redoubler voyez ses funérailles.

Ici on relève la toile, et tous les comédiens paraissent avec leur portier, qui comptent de l'argent sur une table, et en prennent chacun leur part.

PRIDAMANT

Que vois-je? chez les morts compte-t-on de l'argent?

ALCANDRE

Voyez si pas un d'eux s'y montre négligent.

PRIDAMANT

Je vois Clindor! ah Dieux! quelle étrange surprise!
Je vois ses assassins, je vois sa femme et Lyse!
1615 Quel charme en un moment étouffe leurs discords,
Pour assembler ainsi les vivants et les morts?

ALCANDRE

Ainsi tous les acteurs d'une troupe comique,
Leur poème récité, partagent leur pratique :
L'un tue, et l'autre meurt, l'autre vous fait pitié;
1620 Mais la scène préside à leur inimitié.   [paroles
Leurs vers font leurs combats, leur mort suit leurs
Et, sans prendre intérêt en pas un de leurs rôles,
Le traître et le trahi, le mort et le vivant,
Se trouvent à la fin amis comme devant.
1625 Votre fils et son train ont bien su, par leur fuite,
D'un père et d'un prévôt éviter la poursuite,
Mais tombant dans les mains de la nécessité,
Ils ont pris le théâtre en cette extrémité.

PRIDAMANT

Mon fils comédien!

ALCANDRE

D'un art si difficile
1630 Tous les quatre, au besoin, ont fait un doux asile
Et depuis sa prison, ce que vous avez vu,
Son adultère amour, son trépas imprévu,
N'est que la triste fin d'une pièce tragique
Qu'il expose aujourd'hui sur la scène publique,
1635 Par où ses compagnons en ce noble métier
Ravissent à Paris un peuple tout entier.
Le gain leur en demeure et ce grand équipage,
Dont je vous ai fait voir le superbe étalage,
Est bien à votre fils [22], mais non pour s'en parer
1640 Qu'alors que sur la scène il se fait admirer.

PRIDAMANT

J'ai pris sa mort pour vraie et ce n'était que feinte :

Mais je trouve partout mêmes sujets de plainte.
Est-ce là cette gloire et ce haut rang d'honneur
Où le devait monter l'excès de son bonheur?

ALCANDRE

Cessez de vous en plaindre. A présent le théâtre
Est en un point si haut que chacun l'idolâtre,
Et ce que votre temps voyait avec mépris
Est aujourd'hui l'amour de tous les bons esprits,
L'entretien de Paris, le souhait des provinces,
Le divertissement le plus doux de nos princes,
Les délices du peuple, et le plaisir des grands :
Il tient le premier rang parmi leurs passe-temps
Et ceux dont nous voyons la sagesse profonde
Par ses illustres soins conserver tout le monde,
Trouvent dans les douceurs d'un spectacle si beau
De quoi se délasser d'un si pesant fardeau [23].
Même notre grand Roi, ce foudre de la guerre,
Dont le nom se fait craindre aux deux bouts de la terre,
Le front ceint de lauriers, daigne bien quelquefois
Prêter l'œil et l'oreille au Théâtre-françois :
C'est là que le Parnasse étale ses merveilles,
Les plus rares esprits lui consacrent leurs veilles,
Et tous ceux qu'Apollon voit d'un meilleur regard
De leurs doctes travaux lui donnent quelque part.
D'ailleurs, si par les biens on prise les personnes,
Le théâtre est un fief dont les rentes sont bonnes
Et votre fils rencontre en un métier si doux
Plus d'accommodements qu'il n'eût trouvé chez vous.
Défaites-vous enfin de cette erreur commune
Et ne vous plaignez plus de sa bonne fortune.

PRIDAMANT

Je n'ose plus m'en plaindre et vois trop de combien
Le métier qu'il a pris est meilleur que le mien.
Il est vrai que d'abord mon âme s'est émue :
J'ai cru la comédie au point où je l'ai vue,
J'en ignorais l'éclat, l'utilité, l'appas
Et la blâmais ainsi, ne la connaissant pas.
Mais depuis vos discours mon cœur plein d'allégresse
A banni cette erreur avecque sa tristesse.
Clindor a trop bien fait.

ALCANDRE

N'en croyez que vos yeux.

PRIDAMANT

Demain, pour ce sujet, j'abandonne ces lieux;
Je vole vers Paris. Cependant, grand Alcandre,
Quelles grâces ici ne vous dois-je point rendre?

ALCANDRE

Servir les gens d'honneur est mon plus grand désir :
J'ai pris ma récompense en vous faisant plaisir.
Adieu, je suis content, puisque je vous vois l'être.

PRIDAMANT

Un si rare bienfait ne se peut reconnaître :
Mais, grand Mage, du moins croyez qu'à l'avenir
Mon âme en gardera l'éternel souvenir.

---

22. La garde-robe d'un comédien représentait une véritable fortune. Floridor racheta en 1648 celle de Bellerose 20 000 livres.

23. Allusion visible à Richelieu. Corneille a écrit un acte de *la Comédie des Tuileries*, signée des cinq auteurs patronnés de Richelieu, jouée cette année même.

LE CID

TRAGÉDIE[1]

Le Cid, un grand événement que rien ne laissait prévoir dans la production antérieure de Corneille, sinon l'acheminement vers ce pathétique dont le Cid marque la maîtrise! A bien des égards pourtant, la pièce est une exception dans l'ensemble de la production cornélienne : l'Espagne inspirera moins Corneille que la plupart de ses contemporains. L'énorme production de Lope de Vega, de Calderon, de Tirso de Molina ne lui fournit aucune grande tragédie; comparée à la production postérieure, le Cid est loin d'être la plus riche en signification tragique. Techniquement enfin la pièce n'est pas sans défauts.

Mais Corneille avait trouvé un beau sujet : l'histoire des amants séparés et déchirés (Roméo et Juliette, les Amants de Téruel, le Cid) ne peut vieillir.

Il doit peu à son modèle, Guilhem de Castro. Aucun n'est supérieur à l'autre : intentions et techniques sont trop différentes.

Tout Paris court au Cid. La salle devenue trop petite, on mit sur la scène des sièges pour des spectateurs supplémentaires de qualité que Voltaire eut bien du mal à déloger un siècle plus tard. Le Cid fut surtout la victoire de la forme la plus vivante de la littérature, le théâtre. Il fixa un public nouveau, grands seigneurs et honnêtes gens, qui lui demanderont plus qu'un divertissement. Corneille comprit immédiatement la leçon et lui donna d'emblée son contenu politique et social avec Horace, Cinna, Polyeucte, la Mort de Pompée, ses quatre véritables chefs-d'œuvre.

Les envieux suscitèrent une mauvaise querelle, qui prit des proportions imprévues.

La polémique qui vit paraître trente-six libelles, presque tous anonymes, dura cinq mois. Des rivaux, Scudéry, Mairet, Claveret, reprochèrent à Corneille : 1. son plagiat de Guilhem de Castro; 2. l'immoralité de Chimène; 3. les unités non respectées; 4. un fourmillement d'incorrections de langage. Des amis identifiés comme étant Faret, Sirmond, Ch. Sorel répondirent aux libelles par des apologies anonymes. Une nouvelle flambée de pamphlets apparaît jusqu'en mars, date à laquelle Scudéry en appelle à l'Académie.*

Richelieu observa malicieusement la bataille des gens de lettres, crut l'occasion venue de mettre en vedette son Académie, tenta de jouer un rôle modérateur et termina l'affaire par un oukase quand elle l'ennuya. Corneille répondit par la publication de trois pièces (la Galerie du Palais, la Suivante, la Place royale), la dédicace du Cid à la nièce de Richelieu, la profession de foi d'une fière indépendance de l'Excuse à Ariste, composée d'ailleurs trois ans plus tôt, une lettre d'une féroce ironie à son principal adversaire Scudéry, des allusions modérées dans la préface de la Suivante. Les Sentiments de l'Académie prouvent à la fois un juste sens de la langue française et une incompréhension de l'esprit tragique. Corneille tiendra compte sans le dire des remarques sur son vocabulaire et sa syntaxe (il corrige en 1656 cinquante des quelques passages incriminés par l'Académie) et passera outre sur la conception morale qui juge Chimène « indécente » et souhaite qu'une tragédie soit... sans tragique.

Le Cid est joué même à Londres. Il sera traduit du vivant de Corneille dans toutes les langues connues, « sauf l'esclavone et la turque ». Selon Fontenelle, Corneille possédait un exemplaire de chacune de ces traductions.

A MADAME DE COMBALET[2]

MADAME,

Ce portrait vivant que je vous offre représente un héros assez reconnaissable aux lauriers dont il est couvert. Sa vie a été une suite continuelle de victoires, son corps, porté dans son armée, a gagné des batailles après sa mort et son nom, au bout de six cents ans, vient encore de triompher en France. Il y a trouvé une réception trop favorable pour se repentir d'être sorti de son pays et d'avoir appris à parler une autre langue que la sienne. Ce succès a passé mes plus ambitieuses espérances et

---

1. Corneille l'avait d'abord appelée tragi-comédie : c'est en fait, selon la terminologie italienne mieux appropriée, une tragédie à fin heureuse. Corneille a eu raison de l'appeler par la suite tragédie, la tragi-comédie étant réservée aux sujets romanesques, d'un ton à la fois plus lyrique et plus familier.

Représentation au Marais le 4 janvier 1637. Privilège : 21 janvier. Achevé d'imprimer : 23 mars 1637.
2. La nièce de Richelieu, toute puissante sur l'esprit du cardinal-ministre, était veuve depuis 1631. Elle ne sera duchesse d'Aiguillon que l'année suivante.

m'a surpris d'abord [3], mais il a cessé de m'étonner depuis que j'ai vu la satisfaction que vous avez témoignée quand il a paru devant vous. Alors j'ai osé me promettre de lui tout ce qui en est arrivé, et j'ai cru qu'après les éloges dont vous l'avez honoré, cet applaudissement universel ne lui pouvait manquer. Et véritablement, MADAME, on ne peut douter avec raison de ce que vaut une chose qui a le bonheur de vous plaire : le jugement que vous en faites est la marque assurée de son prix et, comme vous donnez toujours libéralement aux véritables beautés l'estime qu'elles méritent, les fausses n'ont jamais le pouvoir de vous éblouir. Mais votre générosité ne s'arrête pas à des louanges stériles pour les ouvrages qui vous agréent; elle prend plaisir à s'étendre utilement sur ceux qui les produisent et ne dédaigne point d'employer en leur faveur ce grand crédit que votre qualité et vos vertus vous ont acquis. J'en ai ressenti des effets qui me sont trop avantageux pour m'en taire et je ne vous dois pas moins de remerciements pour moi que pour *le Cid*. C'est une reconnaissance qui m'est glorieuse, puisqu'il m'est impossible de publier que je vous ai de grandes obligations [4], sans publier en même temps que vous m'avez estimé pour vouloir que je vous en eusse. Aussi MADAME, si je souhaite quelque durée pour cet heureux effort de ma plume, ce n'est point pour apprendre mon nom à la postérité, mais seulement pour laisser des marques éternelles de ce que je vous dois, et faire lire à ceux qui naîtront dans les autres siècles la protestation que je fais d'être toute ma vie, MADAME, votre très humble, très obéissant et très obligé serviteur,

CORNEILLE.

AVERTISSEMENT (1648)

« *Avia pocos dias antes hecho campo con D. Gomez conde de Gormaz. Venciole, y dióle la muerte. Lo que resultó de este caso, fué caso con doña Ximena, hija y heredera del mismo conde. Ella misma requiró al Rey que se le diesse por marido, ca estaba muy prendada de sus partes, o le castigasse conforme a las leyes, por la muerte que dió a su padre. Hízose el casamiento, que á todos estaba á cuento, con el qual por el gran dote de su esposa, que se allegó al estado que él tenia de su padre, se aumantó en poder y riquezas.* » MARIANA [5], *Lib. IX de Historia d'España* V[e] [6].

Voilà ce qu'a prêté l'histoire à D. Guilhem de Castro, qui a mis ce fameux événement sur le théâtre avant moi. Ceux qui entendent l'espagnol y remarqueront deux circonstances : l'une, que Chimène ne pouvant s'empêcher de reconnaître et d'aimer les belles qualités qu'elle voyait en don Rodrigue, quoiqu'il eût tué son père (*estaba prendada de sus partes*), alla proposer elle-même au Roi cette généreuse alternative, ou qu'il le lui donnât pour

mari ou qu'il le fît punir suivant les lois; l'autre, que ce mariage se fit au gré de tout le monde (*á todos estaba á cuento*). Deux chroniques du Cid ajoutent qu'il fut célébré par l'archevêque de Séville, en présence du Roi et de toute sa cour, mais je me suis contenté du texte de l'historien, parce que toutes les deux ont quelque chose qui sent le roman et peuvent ne persuader pas davantage que celles que nous font faites de Charlemagne et de Roland. Ce que j'ai rapporté de Mariana suffit pour faire voir l'état qu'on fit de Chimène et de son mariage dans son siècle même, où elle vécut en un tel éclat, que les rois d'Aragon et de Navarre tinrent à honneur d'être ses gendres, en épousant ses deux filles. Quelques-uns ne l'ont pas si bien traitée dans le nôtre et sans parler de ce qu'on a dit de la Chimène du théâtre, celui qui a composé l'histoire d'Espagne en français l'a notée [7] dans son livre de s'être tôt et aisément consolée de la mort de son père et a voulu taxer de légèreté une action qui fut imputée à grandeur de courage par ceux qui en furent les témoins. Deux romances espagnoles, que je donnerai ensuite de cet *Avertissement*, parlent encore plus en sa faveur. Ces sortes de petits poèmes sont comme des originaux décousus de leurs anciennes histoires; et je serais ingrat envers la mémoire de cette héroïne, si, après l'avoir fait connaître en France et m'y être fait connaître par elle, je ne tâchais de la tirer de la honte qu'on lui a voulu faire, parce qu'elle a passé par mes mains. Je vous donne donc ces pièces justificatives de la réputation où elle a vécu, sans dessein de justifier la façon dont je l'ai fait parler français. Le temps l'a fait pour moi et les traductions qu'on en a faites en toutes les langues qui servent aujourd'hui à la scène, et chez tous les peuples où l'on voit des théâtres, je veux dire en italien, flamand et anglais, sont d'assez glorieuses apologies contre tout ce qu'on en a dit. Je n'y ajouterai pour votre chose qu'environ une douzaine de vers espagnols qui semblent faits exprès pour la défendre. Ils sont du même auteur qui l'a traitée avant moi, D. Guilhem de Castro, qui, dans une autre comédie qu'il intitule *Engañarse engañando* [9] : fait dire à une princesse de Béarn :

> *A mirar*
> *Bien el mundo, que el tener*
> *Apetitos que vencer,*
> *Y ocasiones que dexar.*
> *Examinan el valor*
> *En la muger, yo dixera*
> *Lo que siento, porque fuera*
> *Luzimiento de mi honor.*
> *Pero malicias fundadas*
> *En honras mal entendidas*
> *De tentaciones vencidas*
> *Hacen culpas declaradas :*
> *Y asi, la que el desear*
> *Con el resistir apunta,*
> *Vence dos veces, si junta*
> *Con el resistir el callar* [10].

3. Corneille ne considèrera jamais *le Cid* comme une de ses meilleures œuvres. Voyez l'*Examen*.

4. Allusion sans doute aux lettres de noblesse accordées à son père et à sa descendance, peu auparavant.

5. L'*Histoire générale d'Espagne* du jésuite Mariana (1535-1624) connut très tôt un succès européen. Son traité *Du Roi* (en latin) souleva de grandes polémiques auprès du Parlement de Paris, au début du règne de Louis XIII.

6. « Peu de jours avant, il avait livré un duel contre don Gomez, comte de Gormas. Il en triompha et le tua. Ce qui en résulta, ce fut son mariage avec doña Ximena, fille et héritière du comte. C'est elle qui pria le Roi de le lui donner pour mari, très éprise qu'elle était, ou qu'il subît le châtiment légal, pour avoir tué son père. Le mariage qui plaisait à tous se fit donc, grâce auquel, en raison de la dot considérable de son épouse, ajoutée à son patrimoine, son pouvoir et ses biens s'accrurent. »

7. Latinisme : taxée d'infamie.

8. Voyez la chronologie.

9. *Se tromper en trompant*, publiée en 1625 à Valence dans la seconde partie des *Comédies* de Guilhem de Castro.

10. « Au jugement du monde qui croit que, pour une femme, avoir des passions à vaincre et des occasions à fuir, sont les pierres de touche de son mérite, je confronterais mon sentiment personnel, qui grandirait mon honneur. Mais la malignité qui se fonde sur un honneur mal compris fait, de tentations dominées, des fautes reconnues. Ainsi, celle qui met en accord son désir et sa résistance est deux fois victorieuse, si elle ajoute à sa résistance de savoir se taire. »

C'est, si je ne me trompe, comme agit Chimène dans mon ouvrage, en présence du Roi et de l'Infante. Je dis en présence du Roi et de l'Infante, parce que quand elle est seule ou avec sa confidente ou avec son amant, c'est une autre chose. Ses mœurs sont inégalement égales, pour parler en termes de notre Aristote [11], et changent suivant les circonstances des lieux, des personnes, des temps et des occasions, en conservant toujours le même principe.

Au reste, je me sens obligé de désabuser le public de deux erreurs qui s'y sont glissées touchant cette tragédie, et qui semblent avoir été autorisées par mon silence. La première est que j'aye convenu de juges touchant son mérite [12], et m'en sois rapporté au sentiment de ceux qu'on a priés d'en juger. Je m'en tairais encore, si ce faux bruit n'avait été jusque chez M. de Balzac dans sa province, ou, pour me servir de ses paroles mêmes, dans son désert [13], et si je n'en avais vu depuis peu les marques dans cette admirable lettre qu'il a écrite sur ce sujet et qui ne fait pas la moindre richesse des deux derniers trésors qu'il nous a donnés [14]. Or comme tout ce qui part de sa plume regarde toute la postérité, maintenant que son nom est assuré de passer jusqu'à elle dans cette lettre incomparable, il me serait honteux qu'il y passât avec cette tache et qu'on pût à jamais me reprocher d'avoir compromis de ma réputation. C'est une chose qui jusqu'à présent est sans exemple, et de tous ceux qui ont été attaqués comme moi, aucun que je sache n'a eu assez de faiblesse pour convenir d'arbitres avec ses censeurs, et s'ils ont laissé toute le monde dans la liberté publique d'en juger, ainsi que j'ai fait, ç'a été sans s'obliger, non plus que moi, à en croire personne; outre que dans la conjoncture où étaient alors les affaires du *Cid*, il ne fallait pas être grand devin pour prévoir ce que nous en avons vu arriver. A moins que d'être tout à fait stupide, on ne pouvait pas ignorer que comme les questions de cette nature ne concernent ni la religion ni l'État, on en peut décider par les règles de la prudence humaine, aussi bien que par celles du théâtre et tourner sans scrupule le sens du bon Aristote du côté de la politique. Ce n'est pas que je sache si ceux qui ont jugé du *Cid* en ont jugé suivant leur sentiment ou non, ni même que je veuille dire qu'ils en ayent bien ou mal jugé, mais seulement que ce n'a jamais été de mon consentement qu'ils en ont jugé et que peut-être je l'aurais justifié sans beaucoup de peine, si la même raison qui les a fait parler ne m'avait obligé à me taire [15]. Aristote ne s'est pas expliqué si clairement dans sa *Poétique* que nous n'en puissions faire ainsi que les philosophes, qui le tirent chacun à leur parti dans leurs opinions contraires, et comme c'est un pays inconnu pour beaucoup de monde, les plus zélés partisans du *Cid* en ont cru ses censeurs sur leur parole, et se sont imaginé avoir pleinement satisfait à toutes leurs objections, quand ils ont soutenu qu'il importait peu

11. Cf. *Discours*, page 827.
12. Corneille a même fait des démarches personnelles encore en 1641, auprès de Guez de Balzac pour obtenir qu'aucun doute ne subsistât sur son refus de reconnaître, même tacitement, l'arbitrage de l'Académie.
13. De sa retraite en Charente, Guez de Balzac entretenait avec l'Europe savante une copieuse correspondance, qui reste son principal mérite littéraire.
14. Les deux volumes de *Lettres* publiées en 1642 et en 1644.
15. On conçoit que cette longue critique de la tyrannie littéraire de Richelieu n'ait vu le jour qu'après la mort du Cardinal, quand d'ailleurs Corneille avait reçu de flatteuses avances de Mazarin.

qu'il fût selon les règles d'Aristote et qu'Aristote en avait fait pour son siècle et pour des Grecs, et non pas pour le nôtre et pour des Français.

Cette seconde erreur, que mon silence a affermie, n'est pas moins injurieuse à Aristote qu'à moi. Ce grand homme a traité la poétique avec tant d'adresse et de jugement que les préceptes qu'il nous en a laissés sont de tous les temps et de tous les peuples; et bien loin de s'amuser au détail des bienséances et des agréments, qui peuvent être divers selon que ces deux circonstances sont diverses, il a été droit aux mouvements de l'âme, dont la nature ne change point. Il a montré quelles passions la tragédie doit exciter dans celle de ses auditeurs, il a cherché quelles conditions sont nécessaires, et aux personnes qu'on introduit, et aux événements qu'on représente, pour les y faire naître, il en a laissé des moyens qui auraient produit leur effet partout dès la création du monde, et qui seront encore capables de le produire encore partout, tant qu'il y aura des théâtres et des acteurs; et pour le reste, que les lieux et les temps peuvent changer, il l'a négligé, et n'a pas même prescrit le nombre des actes, qui n'a été réglé que par Horace beaucoup après lui [16].

Et certes, je serais le premier qui condamnerais *le Cid*, s'il péchait contre ces grandes et souveraines maximes que nous tenons de ce philosophe; mais bien loin d'en demeurer d'accord, j'ose dire que cet heureux poème n'a si extraordinairement réussi que parce qu'on y voit les deux maîtresses conditions (permettez-moi cette épithète) que demande ce grand maître aux excellentes tragédies et qui se trouvent si rarement assemblées dans un même ouvrage qu'un des plus doctes commentateurs de ce divin traité [17] qu'il en a fait soutient que toute l'antiquité ne les a vues se rencontrer que dans le seul *Œdipe*. La première est que celui qui souffre et est persécuté ne soit ni tout méchant ni tout vertueux, mais un homme plus vertueux que méchant, qui par quelque trait de faiblesse humaine qui ne soit pas un crime, tombe dans un malheur qu'il ne mérite pas; l'autre, que la persécution et le péril ne viennent point d'un ennemi ni d'un indifférent, mais d'une personne qui doive aimer celui qui souffre et en être aimée. Et voilà, pour en parler sainement, la véritable et seule cause de tout le succès du *Cid,* en qui l'on ne peut méconnaître ces deux conditions, sans s'aveugler soi-même pour lui faire injustice. J'achève donc en m'acquittant de ma parole et, après vous avoir dit en passant ces deux mots pour le Cid du théâtre, je vous donne, en faveur de la Chimène de l'histoire, les deux romances que je vous ai promis [18].

ROMANCE PRIMERO [19]

Delante el rey de Leon
Doña Ximena una tarde
Se pone á pedir justicia
Por la muerte de su padre.

16. Tel est le plus complet et le plus clair des commentaires d'Aristote par Corneille. Principe : l'émotion, puis conditions et moyens; en dernier lieu, corollaires annexes : les unités, laissées imprécises par Aristote.
17. *Robortello* (Florence, 1548) que Corneille utilisera dans les *Discours* de 1660.
18. Ces *romances* figurent évidemment dans le *Romancero* général, sans cesse repris et complété tout au long de l'histoire littéraire espagnole.
19. Par-devant le roi de Léon, un soir doña Chimène vient demander justice pour la mort de son père. / Contre le Cid elle la demande, don Rodrigue de Bivar, qui l'a rendue

Para contra el Cid la pide,
Don Rodrigo de Bivare,
Que huerfana la dexó,
Niña y de muy poca edade.

Si tengo razon ó nó,
Bien, rey, lo alcanzas y sabes,
Que los negocios de honra
No pueden disimularse.

Cada dia que amanece
Veo al lobo de mi sangre
Caballero en un caballo
Por darme mayor pesare.

Mandale, buen rey, pues puedes
Que no me ronde mi calle,
Que no se venga en mugeres
El hombre que mucho vale.

Si mi padre afrento al suyo,
Bien ha vengado á su padre,
Que si honras pagaron muertes,
Para su disculpa basten.

Encomendada me tienes,
No consientas que me agravien,
Que el que á mi se fiziere,
Á tu corona se faze.

Calledes, doña Ximena,
Que me dades pena grande,
Que yo dare buen remedio
Para todos vuestros males.

Al Cid no le he de ofender,
Que es hombre que mucho vale,
Y me defiende mis reynos,
Y quiero que me los guarde.

Pero yo faré un partido
Con el, que no os esté male,
De tomalle la palabra
Para que con vos se case.

Contenta quedó Ximena,
Con la merced que le faze,
Que quien huerfana la fizó
Aquese mismo la ampare.

ROMANCE SEGUNDO [20]

A Ximena y á Rodrigo
Prendió el rey palabra y mano,
De juntarlos para en uno
En presencia de Layn Calvo.

Las enemistades viejas
Con amor se conformaron.
Que donde preside el amor
Se olvidan muchos agravios.
. . . .
Llegaron juntos los novios,
Y al dar la mano y abrazo,
El Cid mirando á la novia,
Le dixo todo turbado :

Maté á tu padre, Ximena,
Pero no á desaguisado,
Matéle de hombre á hombre,
Para vengar cierto agravio.

Maté hombre y hombre doy,
Aqui estoy á tu mandado
Y en lugar del muerto padre
Cobraste un marido honrado.

A todos pareció bien,
Su discrecion alabaron,
Y asi se hizieron las bodas
De Rodrigo el Castellano.

EXAMEN (1660)

Ce poème a tant d'avantages du côté du sujet et des pensées brillantes dont il est semé que le plupart de ses auditeurs n'ont pas voulu voir les défauts de sa conduite et ont laissé enlever leurs suffrages au plaisir que leur a donné sa représentation. Bien que ce soit celui de tous mes ouvrages réguliers où je me suis permis le plus de licence, il passe encore pour le plus beau auprès de ceux qui ne s'attachent pas à la dernière sévérité des règles; et depuis cinquante [31] ans qu'il tient sa place sur nos théâtres, l'histoire ni l'effort de l'imagination n'y ont rien fait voir qui en aye effacé l'éclat. Aussi a-t-il les deux grandes conditions que demande Aristote aux tragédies parfaites et dont l'assemblage se rencontre si rarement chez les anciens ni chez les modernes; il les assemble même plus fortement et plus noblement que les espèces que pose ce philosophe. Une maîtresse que son devoir force à poursuivre la mort de son amant, qu'elle tremble d'obtenir, a les passions plus vives et plus allumées que tout ce qui peut se passer entre un mari et sa

orpheline, enfant, et de bien peu d'années. / Si j'ai raison ou non, ô Roi, tu le comprends et tu sais que les devoirs d'honneur ne peuvent se masquer. / Chaque jour au matin, je vois le loup de mon sang, chevalier à cheval, alourdissant ma peine. / Ordonne-lui, bon roi, — tu le peux — de ne plus passer par ma rue : qu'un homme de valeur ne se venge pas sur des femmes. / Si mon père fit affront au sien, il l'a bien vengé; si la mort a payé l'honneur, qu'il s'en tienne satisfait. / Je suis sous ta tutelle, ne permets pas que l'on m'offense : toute offense à moi faite concerne ta couronne. / — Tais-toi, doña Chimène : tu me donnes grand-peine. Je donnerai bon remède à tous vos maux. / Le Cid, je ne saurais le maltraiter; car il est homme de valeur, il est le défenseur de mes royaumes, et je veux qu'il me les conserve. / Mais je ferai un accord avec lui qui ne vous sera pas mauvais : c'est de prendre sa parole pour qu'il se marie avec vous. / Chimène demeure satisfaite, de la merci que fit le Roi, qui lui fixe pour protecteur celui qui l'a faite orpheline.

20. De Rodrigue et de Chimène le Roi prit la parole et la main, afin de les unir ensemble en présence de Layn Calvo. / Les vieilles inimitiés, l'amour les accorda; car où préside l'amour, bien des torts s'oublient... / Les fiancés arrivèrent ensemble et, au moment de donner la main et le baiser, le Cid, regardant la mariée, lui dit tout troublé : / J'ai tué ton père, Chimène, mais non en trahison : je l'ai tué d'homme à homme, pour venger injure certaine. / J'ai tué un homme, et je te donne un homme : me voici à ta demande, et au lieu du père mort tu reçois un époux honoré. / Cela parut bien à tous; ils louèrent sa sagesse, et ainsi se firent les noces de Rodrigue le Castillan.

21. La date fut rectifiée selon les éditions ; 1660 : vingt-trois ans; 1664 : vingt-huit ans; 1668 : trente-cinq ans. Ici, en 1682, le chiffre exact serait quarante-six.

femme, une mère et son fils, un frère et sa sœur; et la haute vertu dans un naturel sensible à ces passions, qu'elle dompte sans les affaiblir et à qui elle laisse toute leur force pour en triompher plus glorieusement, a quelque chose de plus touchant, de plus élevé et de plus aimable que cette médiocre bonté, capable d'une faiblesse et même d'un crime, où nos anciens étaient contraints d'arrêter le caractère le plus parfait des rois et des princes dont ils faisaient leurs héros, afin que ces taches et ces forfaits, défigurant ce qu'ils leur laissaient de vertu, s'accommodassent au goût et aux souhaits de leurs spectateurs et fortifiassent l'horreur qu'ils avaient conçue de leur domination et de la monarchie.

Rodrigue suit ici son devoir sans rien relâcher de sa passion; Chimène fait la même chose à son tour, sans laisser ébranler sa dessein par la douleur où elle se voit abîmée par là; et si la présence de son amant lui fait faire quelque faux pas, c'est une glissade dont elle se relève à l'heure même; et non seulement elle connaît si bien sa faute qu'elle nous en avertit, mais elle fait un prompt désaveu de tout ce qu'une vue si chère lui a pu arracher. Il n'est point besoin qu'on lui reproche qu'il lui est honteux de souffrir l'entretien de son amant après qu'il a tué son père; elle avoue que c'est la seule prise que la médisance aura sur elle. Si elle s'emporte jusqu'à lui dire qu'elle veut qu'on sache qu'elle l'adore et le poursuit, ce n'est point une résolution si ferme qu'elle l'empêche de cacher son amour de tout son possible lorsqu'elle est en la présence du Roi. S'il lui échappe de l'encourager au combat contre don Sanche par ces paroles :

Sors vainqueur d'un combat dont Chimène est le prix,

elle ne se contente pas de s'enfuir de honte au même moment; mais sitôt qu'elle est avec Elvire, à qui elle ne déguise rien de ce qui se passe dans son âme et que la vue de ce cher objet ne lui fait plus de violence, elle forme un souhait plus raisonnable, qui satisfait sa vertu et son amour tout ensemble et demande au ciel que le combat se termine

Sans faire aucun des deux ni vaincu ni vainqueur.

Si elle ne dissimule point qu'elle penche du côté de Rodrigue, de peur d'être à don Sanche pour qui elle a de l'aversion, cela ne détruit point la protestation qu'elle a faite un peu auparavant, que malgré la loi de ce combat et les promesses que le Roi a faites à Rodrigue, elle lui fera mille autres ennemis, s'il en sort victorieux. Ce grand éclat même qu'elle laisse faire à son amour, après qu'elle le croit mort, est suivi d'une opposition vigoureuse à l'exécution de cette loi qui la donne à son amant et elle ne se tait qu'après que le Roi l'a différée et lui a laissé lieu d'espérer qu'avec le temps il y pourra survenir quelque obstacle. Je sais bien que le silence passe d'ordinaire pour une marque de consentement; mais quand les rois parlent, c'en est une de contradiction : on ne manque jamais à leur applaudir quand on entre dans leurs sentiments; et le seul moyen de leur contredire avec le respect qui leur est dû, c'est de se taire, quand leurs ordres ne sont pas si pressants qu'on ne puisse remettre à s'excuser de leur obéir lorsque le temps en sera venu et conserver cependant une espérance légitime d'un empêchement qu'on ne peut encore déterminément prévoir.

Il est vrai que dans ce sujet il faut se contenter de tirer Rodrigue de péril, sans le pousser jusqu'à son mariage avec Chimène. Il est historique et a plu en son temps; mais bien sûrement il déplairait au nôtre; et j'ai peine à voir que Chimène y consente chez l'auteur espagnol,

bien qu'il donne plus de trois ans de durée à la comédie qu'il en a faite. Pour ne pas contredire l'histoire, j'ai cru ne me pouvoir dispenser d'en jeter quelque idée, mais avec incertitude de l'effet; et ce n'était que par là que je pouvais accorder la bienséance du théâtre avec la vérité de l'événement.

Les deux visites que Rodrigue fait à sa maîtresse ont quelque chose qui choque cette bienséance de la part de celle qui les souffre; la rigueur du devoir voulait qu'elle refusât de lui parler et s'enfermât dans son cabinet au lieu de l'écouter; mais permettez-moi de dire avec un des premiers esprits de notre siècle « que leur conversation est remplie de si beaux sentiments que plusieurs n'ont pas connu ce défaut et que ceux qui l'ont connu l'ont toléré ». J'irai plus outre et dirai que tous presque ont souhaité que ces entretiens se fissent; et j'ai remarqué aux premières représentations, qu'alors que ce malheureux amant se présentait devant elle, il s'élevait un certain frémissement dans l'assemblée, qui marquait une curiosité merveilleuse et un redoublement d'attention pour ce qu'ils avaient à se dire dans un état si pitoyable. Aristote dit qu'il y a des absurdités qu'il faut laisser dans un poème, quand on peut espérer qu'elles seront bien reçues; et il est du devoir du poète, en ce cas, de les couvrir de tant de brillants qu'elles puissent éblouir. Je laisse au jugement de mes auditeurs si je me suis assez bien acquitté de ce devoir pour justifier par là ces deux scènes. Les pensées de la première des deux sont quelquefois trop spirituelles pour partir de personnes fort affligées; mais, outre que je n'ai fait que la paraphraser de l'espagnol, si nous ne nous permettions quelque chose de plus ingénieux que le cours ordinaire de la passion, nos poèmes ramperaient souvent, et les grandes douleurs ne mettraient dans la bouche de nos acteurs que des exclamations et des hélas. Pour ne déguiser rien, cette offre que fait Rodrigue de son épée à Chimène et cette protestation de se laisser tuer par don Sanche, ne me plairaient pas maintenant. Ces beautés étaient de mise en ce temps-là et ne le seraient plus en celui-ci. La première est dans l'original espagnol et l'autre est tirée sur ce modèle. Toutes les deux ont fait leur effet en ma faveur; mais je ferais scrupule d'en étaler de pareilles à l'avenir sur notre théâtre.

J'ai dit ailleurs ma pensée touchant l'Infante et le Roi; il reste néanmoins quelque chose à examiner sur la manière dont ce dernier agit, qui ne me paraît pas assez vigoureuse, en ce qu'il ne fait pas arrêter le Comte après le soufflet donné et n'envoie pas des gardes à don Diègue et à son fils. Sur quoi on peut considérer que don Fernand étant le premier roi de Castille et ceux qui en avaient été maîtres auparavant lui n'ayant eu titres que de comtes, il n'était peut-être pas assez absolu sur les grands seigneurs de son royaume pour le pouvoir faire. Chez don Guilhem de Castro, qui a traité ce sujet avant moi et qui devait mieux connaître que moi quelle était l'autorité de ce premier monarque de son pays, le soufflet se donne en sa présence et en celle de deux ministres d'État qui lui conseillent, après que le Comte s'est retiré fièrement et avec bravade et que don Diègue a fait la même chose en soupirant, de ne le pousser point à bout, parce qu'il a quantité d'amis dans les Asturies, qui se pourraient révolter et prendre parti avec les Maures dont son État est environné. Ainsi il se résout d'accommoder l'affaire sans bruit, et recommande le secret à ces deux ministres, qui ont été seuls témoins de l'action. C'est sur cet exemple que je me suis cru bien fondé à le faire agir plus mollement qu'on ne ferait en ce temps-ci, où l'autorité royale est plus absolue. Je ne pense pas non plus qu'il fasse une faute bien grande de ne jeter point l'alarme de nuit dans sa ville, sur l'avis incertain qu'il a du dessein des Maures, puisqu'on faisait bonne garde sur les murs et sur le port; mais il est inexcusable de n'y donner aucun ordre après leur arrivée et de laisser tout faire à Rodrigue. La loi du combat qu'il propose à Chimène avant que de le permettre à don Sanche contre Rodrigue, n'est pas si injuste qu'on quelques-uns ont voulu le dire, parce qu'elle est plutôt une menace pour la faire dédire de la demande de ce combat qu'un arrêt qu'il lui veuille faire exécuter. Cela paraît en ce qu'après la victoire de Rodrigue il n'en exige pas précisément l'effet de sa parole et la laisse en état d'espérer que cette condition n'aura point de lieu.

Je ne puis dénier que la règle des vingt et quatre heures presse trop les incidents de cette pièce. La mort du Comte et l'arrivée des Maures s'y pouvaient entre-suivre d'aussi près qu'elles font, parce que cette arrivée est une surprise qui n'a point de communication ni de mesures à prendre avec le reste, mais il n'en va pas ainsi du combat de don Sanche, dont le Roi était le maître et pouvait lui choisir un autre temps que deux heures après la fuite des Maures. Leur défaite avait assez fatigué Rodrigue toute la nuit pour mériter deux ou trois jours de repos, et même il y avait quelque apparence qu'il n'en était pas échappé sans blessures, quoique je n'en aye rien dit, parce qu'elle n'auraient fait que nuire à la conclusion de l'action.

Cette même règle presse aussi trop Chimène de demander justice au Roi la seconde fois. Elle l'avait fait le soir d'auparavant et n'avait aucun sujet d'y retourner le lendemain matin pour l'importuner le Roi, dont elle n'avait encore aucun lieu de se plaindre, puisqu'elle ne pouvait encore dire qu'il lui eût manqué de promesse. Le roman lui aurait donné sept ou huit jours de patience avant que de l'en presser de nouveau; mais les vingt et quatre heures ne l'ont pas permis : c'est l'incommodité de la règle. Passons à celle de l'unité de lieu, qui ne m'a pas donné moins de gêne en cette pièce. Je l'ai placé dans Séville, bien que don Fernand n'en ait jamais été le maître et j'ai été obligé à cette falsification, pour former quelque vraisemblance à la descente des Maures, dont l'armée ne pouvait venir si vite par terre que par eau. Je ne voudrais pas assurer toutefois que le flux de la mer monte effectivement jusque-là; mais comme dans notre Seine il fait encore plus de chemin qu'il ne lui en faut faire sur le Guadalquivir pour battre les murailles de cette ville, cela peut suffire à fonder quelque probabilité parmi nous, pour ceux qui n'ont point été sur le lieu même [22].

Cette arrivée des Maures ne laisse pas d'avoir ce défaut, que j'ai marqué ailleurs, qu'ils se présentent d'eux-mêmes, sans être appelés dans la pièce directement ni indirectement, par aucun acteur du premier acte. Ils ont plus de justesse dans l'irrégularité de l'auteur espagnol : Rodrigue, n'osant plus se montrer à la cour, les va combattre sur la frontière; et ainsi le premier acteur les va chercher et leur donne place dans le poème, au contraire de ce qui arrive ici, où ils semblent se venir faire de fête exprès pour en être battus et lui donner moyen de rendre à son roi un service d'importance qui lui fasse obtenir sa grâce. C'est une seconde incommodité de la règle dans cette tragédie.

Tout s'y passe donc dans Séville et garde ainsi quelque espèce d'unité de lieu en général; mais le lieu particulier change de scène en scène, et tantôt c'est le palais du Roi, tantôt l'appartement de l'Infante, tantôt la maison de Chimène, et tantôt une rue ou place publique. On le détermine aisément par les scènes détachées; mais pour celles qui ont leur liaison ensemble, comme les quatre dernières du premier acte, il est malaisé d'en choisir un qui convienne à toutes. Le Comte et don Diègue se querellent au sortir du palais; cela se peut passer dans une rue; mais après le soufflet reçu, don Diègue ne peut pas demeurer en cette rue à faire ses plaintes, attendant que son fils survienne, qu'il ne soit tout aussitôt environné de peuple et ne reçoive l'offre de quelques amis. Ainsi il serait plus à propos qu'il se plaignît dans sa maison, où le met l'Espagnol, pour laisser aller ses sentiments en liberté; mais en ce cas il faudrait délier les scènes comme il a fait. En l'état où elles sont ici, on peut dire qu'il faut quelquefois aider au théâtre et suppléer favorablement ce qui ne s'y peut représenter. Deux personnes s'y arrêtent pour parler et quelquefois, il faut présumer qu'ils marchent, ce qu'on ne peut exposer sensiblement à la vue, parce qu'ils échapperaient aux yeux avant que d'avoir pu dire ce qu'il est nécessaire qu'ils fassent savoir à l'auditeur. Ainsi, par une fiction de théâtre, on peut s'imaginer que don Diègue et le Comte, sortant du palais du Roi, avancent toujours en se querellant et sont arrivés devant la maison de ce dernier lorsqu'il reçoit le soufflet qui l'oblige à y entrer pour y chercher du secours. Si cette fiction poétique ne vous satisfait point, laissons-le dans la place publique et disons que le concours du peuple autour de lui après cette offense et les offres de service que lui font les premiers amis qui s'y rencontrent, sont des circonstances que le roman ne doit pas oublier; mais que ces menues actions ne servant de rien à la principale, il n'est pas besoin que le poète s'en embarrasse sur la scène. Horace l'en dispense par ces vers :

> Hoc amet, hoc spernat promissi carminis auctor;
> Pleraque negligat [23].

Et ailleurs,

> Semper ad eventum festinet.

C'est ce qui m'a fait négliger, au troisième acte, de donner à don Diègue, pour aider à chercher son fils, aucun des cinq cents amis qu'il avait chez lui. Il y a grande apparence que quelques-uns d'eux l'y accompagnaient et même que quelques autres le cherchaient pour lui d'un autre côté; mais ces accompagnements inutiles de personnes qui n'ont rien à dire, puisque celui qu'ils accompagnent a seul tout l'intérêt à l'action, ces sortes d'accompagnements, dis-je, ont toujours mauvaise grâce au théâtre et d'autant plus que les comédiens n'emploient à ces personnages muets que leurs moucheurs de chandelles et leurs valets, qui ne savent quelle posture tenir.

Les funérailles du Comte étaient encore une chose fort embarrassante, soit qu'elles se soient faites avant la fin de la pièce, soit que le corps aye demeuré en présence dans son hôtel, attendant qu'on y donnât ordre. Le moindre mot que j'en eusse laissé dire, pour en prendre soin, eût rompu toute la chaleur de l'attention et rempli l'auditeur d'une fâcheuse idée. J'ai cru plus à propos

22. Ce n'est pas seulement la marée, mais tout le cadre de la bataille de Séville que Corneille dépeint — d'après la topographie... de Rouen.

23. Corneille cite de mémoire : le texte d'Horace diffère légèrement.
(Art poétique, v. 44-45 et 148).
Que l'auteur d'un poème en chantier choisisse ceci, méprise cela
Qu'il néglige presque tous les détails
Qu'il se hâte toujours vers le dénouement.

de les dérober à son imagination par mon silence, aussi bien que le lieu précis de ces quatre scènes du premier acte dont je viens de parler; et je m'assure que cet artifice m'a si bien réussi que peu de personnes ont pris garde à l'un ni à l'autre et que la plupart des spectateurs, laissant emporter leurs esprits à ce qu'ils ont vu et entendu de pathétique en ce poème, ne se sont point avisés de réfléchir sur ces deux considérations.

J'achève par une remarque sur ce que dit Horace, que ce qu'on expose à la vue touche bien plus que ce qu'on n'apprend que par un récit[24].

C'est sur quoi je me suis fondé pour faire voir le soufflet que reçoit don Diègue et cacher aux yeux la mort du Comte, afin d'acquérir et conserver à mon premier acteur l'amitié des auditeurs, si nécessaire pour réussir au théâtre. L'indignité d'un affront fait à un vieillard, chargé d'années et de victoires, les jette aisément dans le parti de l'offensé; et cette mort, qu'on vient dire au Roi tout simplement sans aucune narration touchante, n'excite point en eux la commisération qu'y eût fait naître le spectacle de son sang, et ne leur donne aucune aversion pour ce malheureux amant, qu'ils ont vu forcé par ce qu'il devait à son honneur d'en venir à cette extrémité, malgré l'intérêt et la tendresse de son amour.

ACTEURS[25]

DON FERNAND, *premier roi de Castille.*
DONA URRAQUE, *infante de Castille.*
DON DIÈGUE, *père de don Rodrigue.*
DON GOMÈS, *comte de Gormas, père de Chimène.*
DON RODRIGUE, *amant de Chimène.*
DON SANCHE, *amoureux de Chimène.*
DON ARIAS, ⎱
DON ALONSE, ⎰ *gentilshommes castillans.*
CHIMÈNE, *fille de don Gomès.*
LÉONOR, *gouvernante de l'Infante.*
ELVIRE, *gouvernante de Chimène.*
Un PAGE *de l'Infante.*

La scène est à Séville.

ACTE PREMIER

Scène I : Chimène, Elvire.

CHIMÈNE
Elvire, m'as-tu fait un rapport bien sincère,
Ne déguises-tu rien de ce qu'a dit mon père?
ELVIRE
Tous mes sens à moi-même en sont encor charmés :
Il estime Rodrigue autant que vous l'aimez,
5 Et si je ne m'abuse à lire dans son âme
Il vous commandera de répondre à sa flamme.
CHIMÈNE
Dis-moi donc, je te prie, une seconde fois
Ce qui te fait juger qu'il approuve mon choix :
Apprends-moi de nouveau quel espoir j'en dois prendre;
10 Un si charmant discours ne se peut trop entendre,
Tu ne peux trop promettre aux feux de notre amour

La douce liberté de se montrer au jour.
Que t'a-t-il répondu sur la secrète brigue
Que font auprès de toi don Sanche et don Rodrigue?
N'as-tu point trop fait voir quelle inégalité   15
Entre ces deux amants me penche d'un côté?
ELVIRE
Non, j'ai peint votre cœur dans une indifférence
Qui n'enfle d'aucun d'eux ni détruit l'espérance
Et sans les voir d'un œil trop sévère ou trop doux
Attend l'ordre d'un père à choisir un époux.   20
Ce respect l'a ravi, sa bouche et son visage
M'en ont donné sur l'heure un digne témoignage,
Et puisqu'il vous en faut encor faire un récit,
Voici d'eux et de vous ce qu'en hâte il m'a dit :
« Elle est dans le devoir; tous deux sont dignes d'elle,   25
Tous deux formés d'un sang noble, vaillant, fidèle,
Jeunes, mais qui font lire aisément dans leurs yeux
L'éclatante vertu de leurs braves aïeux.
Don Rodrigue surtout n'a trait en son visage
Qui d'un homme de cœur ne soit la haute image   30
Et sort d'une maison si féconde en guerriers
Qu'ils y prennent naissance au milieu des lauriers.
La valeur de son père, en son temps sans pareille,
Tant qu'a duré sa force, a passé pour merveille;
Ses rides sur son front ont gravé ses exploits[26]   35
Et nous disent encor ce qu'il fut autrefois.
Je me promets du fils ce que j'ai vu du père
Et ma fille, en un mot, peut l'aimer et me plaire. »
Il allait au conseil, dont l'heure qui pressait
A tranché ce discours qu'à peine il commençait;   40
Mais à ce peu de mots je crois que sa pensée
Entre vos deux amants n'est pas fort balancée.
Le Roi doit à son fils élire un gouverneur
Et c'est lui que regarde un tel degré d'honneur :
Ce choix n'est pas douteux et sa rare vaillance   45
Ne peut souffrir qu'on craigne aucune concurrence.
Comme ses hauts exploits le rendent sans égal,
Dans un espoir si juste il sera sans rival
Et puisque don Rodrigue a résolu son père
Au sortir du conseil à proposer l'affaire,   50
Je vous laisse à juger s'il prendra bien son temps
Et si tous vos désirs seront bientôt contents.

24. Corneille, soucieux de vérité, a répété son horreur des a parte, des monologues et des récits. Il ne peut agir librement que plus tard, les acteurs exigeant des « morceaux de bravoure ».
25. Don Fernand mourut en 1075. Don Diego (Laynez), don Arias (Gonzalez) sont aussi dans Mariana; doña Elvire est dans l'histoire la sœur de doña Urraca. Les noms de don Sanche et don Alonse y figurent, avec un autre rôle historique. Seul le nom de Léonor est inventé.

26. On sait que Racine mit ce vers dans *les Plaideurs* et que Corneille en fut très choqué.

CHIMÈNE

Il semble toutefois que mon âme troublée
Refuse cette joie, et s'en trouve accablée :
55 Un moment donne au sort des visages divers
Et dans ce grand bonheur je crains un grand revers.

ELVIRE

Vous verrez cette crainte heureusement déçue.

CHIMÈNE

Allons, quoi qu'il en soit, en attendre l'issue.

Scène II : L'Infante, Léonor, le page.

L'INFANTE

Page, allez avertir Chimène de ma part
60 Qu'aujourd'hui pour me voir elle attend un peu tard
Et que mon amitié se plaint de sa paresse.
Le page rentre.

LÉONOR

Madame, chaque jour même désir vous presse
Et dans son entretien je vous vois chaque jour
Demander en quel point se trouve son amour.

L'INFANTE

65 Ce n'est pas sans sujet : je l'ai presque forcée
A recevoir les traits dont son âme est blessée.
Elle aime don Rodrigue et le tient de ma main
Et par moi don Rodrigue a vaincu son dédain :
Ainsi de ces amants ayant formé les chaînes,
70 Je dois prendre intérêt à voir finir leurs peines.

LÉONOR

Madame, toutefois parmi leurs bons succès
Vous montrez un chagrin qui va jusqu'à l'excès.
Cet amour, qui tous deux les comble d'allégresse,
Fait-il de ce grand cœur la profonde tristesse
75 Et ce grand intérêt que vous prenez pour eux
Vous rend-il malheureuse alors qu'ils sont heureux?
Mais je vais trop avant et deviens indiscrète.

L'INFANTE

Ma tristesse redouble à la tenir secrète.
Écoute, écoute enfin comme j'ai combattu,
80 Écoute quels assauts brave encor ma vertu.
L'amour est un tyran qui n'épargne personne :
Ce jeune cavalier, cet amant que je donne,
Je l'aime.

LÉONOR

Vous l'aimez!

L'INFANTE

Mets la main sur mon cœur
Et vois comme il se trouble au nom de son vainqueur,
85 Comme il le reconnaît.

LÉONOR

Pardonnez-moi, Madame,
Si je sors du respect pour blâmer cette flamme.
Une grande princesse à ce point s'oublier
Que d'admettre en son cœur un simple cavalier!
Et que dirait le Roi? que dirait la Castille?
90 Vous souvient-il encor de qui vous êtes fille?

L'INFANTE

Il m'en souvient si bien que j'épandrai mon sang
Avant que je m'abaisse à démentir mon rang.
Je te répondrais bien que dans les belles âmes

Le seul mérite a droit de produire des flammes
Et si ma passion cherchait à s'excuser
Mille exemples fameux pourraient l'autoriser;
Mais je n'en veux point suivre où ma gloire s'engage,
La surprise des sens n'abat point mon courage
Et je me dis toujours qu'étant fille de roi,
Tout autre qu'un monarque est indigne de moi.   1
Quand je vis que mon cœur ne se pouvait défendre,
Moi-même je donnai ce que je n'osais prendre.
Je mis, au lieu de moi, Chimène en ses liens
Et j'allumai leurs feux pour éteindre les miens.
Ne t'étonne donc plus si mon âme gênée   1
Avec impatience attend leur hyménée :
Tu vois que mon repos en dépend aujourd'hui.
Si l'amour vit d'espoir, il périt avec lui :
C'est un feu qui s'éteint, faute de nourriture
Et malgré la rigueur de ma triste aventure,   1
Si Chimène a jamais Rodrigue pour mari,
Mon espérance est morte et mon esprit guéri.
     Je souffre cependant un tourment incroyable.
Jusques à cet hymen Rodrigue m'est aimable :
Je travaille à le perdre et le perds à regret.   1
Et de là prend son cours mon déplaisir secret.
Je vois avec chagrin que l'amour me contraigne
A pousser des soupirs pour ce que je dédaigne;
Je sens en deux partis mon esprit divisé,
Si mon courage est haut, mon cœur est embrasé,   1
Cet hymen m'est fatal, je le crains et souhaite :
Je n'ose en espérer qu'une joie imparfaite.
Ma gloire et mon amour ont pour moi tant d'appas
Que je meurs s'il s'achève ou ne s'achève pas[27].

LÉONOR

Madame, après cela je n'ai rien à vous dire,   1
Sinon que de vos maux avec vous je soupire :
Je vous blâmais tantôt, je vous plains à présent;
Mais puisque dans un mal si doux et si cuisant
Votre vertu combat et son charme et sa force,
En repousse l'assaut, en rejette l'amorce,   1
Elle rendra le calme à vos esprits flottants.
Espérez donc tout d'elle, et du secours du temps;
Espérez tout du ciel : il a trop de justice
Pour laisser la vertu dans un si long supplice[28].

L'INFANTE

Ma plus douce espérance est de perdre l'espoir.   1

LE PAGE

Par vos commandements Chimène vous vient voir.

L'INFANTE, *à Léonor.*

Allez l'entretenir en cette galerie.

LÉONOR

Voulez-vous demeurer dedans la rêverie?

L'INFANTE

Non, je veux seulement, malgré mon déplaisir,
Remettre mon visage un peu plus à loisir.
Je vous suis.
Seule.

27. Telle est la première et complète définition d'une situation cornélienne. C'est un dilemme, dont, quel que soit le choix, le résultat est douloureux.

28. Première affirmation du monde providentiel de Corneille et la solution surnaturelle d'un effort surhumain. Cf. vers 141-142.

Juste ciel, d'où j'attends mon remède,
Mets enfin quelque borne au mal qui me possède :
Assure mon repos, assure mon honneur.
Dans le bonheur d'autrui je cherche mon bonheur :
45 Cet hyménée à trois également importe[29];
Rends son effet plus prompt ou mon âme plus forte.
D'un lien conjugal joindre ces deux amants,
C'est briser tous mes fers et finir mes tourments.
Mais je tarde un peu trop : allons trouver Chimène
50 Et par son entretien soulager notre peine.

Scène III : le Comte, Don Diègue.

LE COMTE
Enfin vous l'emportez et la faveur du Roi
Vous élève en un rang qui n'était dû qu'à moi :
Il vous fait gouverneur du prince de Castille.

DON DIÈGUE
55 Cette marque d'honneur qu'il met dans ma famille
Montre à tous qu'il est juste et fait connaître assez
Qu'il sait récompenser les services passés.

LE COMTE
Pour grands que soient les rois, ils sont ce que nous
                                        [sommes :
Ils peuvent se tromper comme les autres hommes
Et ce choix sert de preuve à tous les courtisans
60 Qu'ils savent mal payer les services présents.

DON DIÈGUE
Ne parlons plus d'un choix dont votre esprit s'irrite :
La faveur l'a pu faire autant que le mérite;
Mais on doit ce respect au pouvoir absolu,
De n'examiner rien quand un roi l'a voulu.
65 A l'honneur qu'il m'a fait ajoutez-en un autre,
Joignons d'un sacré nœud ma maison à la vôtre :
Vous n'avez qu'une fille, et moi je n'ai qu'un fils :
Leur hymen nous peut rendre à jamais plus qu'amis :
Faites-nous cette grâce, et l'acceptez pour gendre.

LE COMTE
70 A des partis plus hauts ce beau fils doit prétendre
Et le nouvel éclat de votre dignité
Lui doit enfler le cœur d'une autre vanité.
Exercez-la, Monsieur, et gouvernez le Prince :
Montrez-lui comme il faut régir une province,
75 Faire trembler partout les peuples sous sa loi,
Remplir les bons d'amour et les méchants d'effroi.
Joignez à ces vertus celles d'un capitaine :
Montrez-lui comme il faut s'endurcir à la peine,
Dans le métier de Mars se rendre sans égal,
80 Passer les jours entiers et les nuits à cheval,
Reposer tout armé, forcer une muraille
Et ne devoir qu'à soi le gain d'une bataille.
Instruisez-le d'exemple, et rendez-le parfait,
Expliquant à ses yeux vos leçons par l'effet.

DON DIÈGUE
85 Pour s'instruire d'exemple, en dépit de l'envie,
Il lira seulement l'histoire de ma vie.
Là, dans un long tissu de belles actions,

Il verra comme il faut dompter des nations,
Attaquer une place, ordonner une armée
Et sur de grands exploits bâtir sa renommée.   190

LE COMTE
Les exemples vivants sont d'un autre pouvoir,
Un prince dans un livre apprend mal son devoir.
Et qu'a fait après tout ce grand nombre d'années,
Que ne puisse égaler une de mes journées?
Si vous fûtes vaillant, je le suis aujourd'hui   195
Et ce bras du royaume est le plus ferme appui.
Grenade et l'Aragon tremblent quand ce fer brille;
Mon nom sert de rempart à toute la Castille :
Sans moi, vous passeriez bientôt sous d'autres lois
Et vous auriez bientôt vos ennemis pour rois.   200
Chaque jour, chaque instant, pour rehausser ma gloire,
Met lauriers sur lauriers, victoire sur victoire :
Le prince à mes côtés ferait dans les combats
L'essai de son courage à l'ombre de mon bras;
Il apprendrait à vaincre en me regardant faire   205
Et pour répondre en hâte à son grand caractère,
Il verrait...

DON DIÈGUE
            Je le sais, vous servez bien le Roi.
Je vous ai vu combattre et commander sous moi.
Quand l'âge dans mes nerfs a fait couler sa glace,
Votre rare valeur a bien rempli ma place;   210
Enfin, pour épargner les discours superflus,
Vous êtes aujourd'hui ce qu'autrefois je fus.
Vous voyez toutefois qu'en cette concurrence
Un monarque entre nous met quelque différence.

LE COMTE
Ce que je méritais, vous l'avez emporté.   215

DON DIÈGUE
Qui l'a gagné sur vous l'avait mieux mérité.

LE COMTE
Qui peut mieux l'exercer en est bien le plus digne.

DON DIÈGUE
En être refusé n'en est pas un bon signe.

LE COMTE
Vous l'avez eu par brigue, étant vieux courtisan.

DON DIÈGUE
L'éclat de mes hauts faits fut mon seul partisan.   220

LE COMTE
Parlons-en mieux, le Roi fait honneur à votre âge.

DON DIÈGUE
Le Roi, quand il en fait, le mesure au courage.

LE COMTE
Et par là cet honneur n'était dû qu'à mon bras.

DON DIÈGUE
Qui n'a pu l'obtenir ne le méritait pas.

LE COMTE
Ne le méritait pas! moi?

DON DIÈGUE
                        Vous.

LE COMTE
                                Ton impudence,   225
Téméraire vieillard, aura sa récompense.
Il lui donne un soufflet.

DON DIÈGUE, *mettant l'épée à la main.*
Achève et prends ma vie, après un tel affront,

---

29. Vers très regrettable dans son ambiguïté. Il va de soi
que le sens est : importe à trois.

Le premier dont ma race ait vu rougir son front.
LE COMTE
Et que penses-tu faire avec tant de faiblesse?
DON DIÈGUE
230 O Dieu! ma force usée en ce besoin me laisse!
LE COMTE
Ton épée est à moi; mais tu serais trop vain,
Si ce honteux trophée avait chargé ma main.
    Adieu, fais lire au Prince, en dépit de l'envie,
Pour son instruction, l'histoire de ta vie.
235 D'un insolent discours ce juste châtiment,
Ne lui servira pas d'un petit ornement.

Scène IV: Don Diègue.

  O rage! ô désespoir! ô vieillesse ennemie!
N'ai-je donc tant vécu que pour cette infamie
Et ne suis-je blanchi dans les travaux guerriers
240 Que pour voir en un jour flétrir tant de lauriers?
Mon bras, qu'avec respect toute l'Espagne admire,
Mon bras, qui tant de fois a sauvé cet empire,
Tant de fois affermi le trône de son roi,
Trahit donc ma querelle, et ne fait rien pour moi?
245 O cruel souvenir de ma gloire passée,
Œuvre de tant de jours en un jour effacée!
Nouvelle dignité, fatale à mon bonheur,
Précipice élevé d'où tombe mon honneur!
Faut-il de votre éclat voir triompher le Comte,
250 Et mourir sans vengeance ou vivre dans la honte?
Comte, sois de mon prince à présent gouverneur :
Ce haut rang n'admet point un homme sans honneur
Et ton jaloux orgueil, par cet affront insigne,
Malgré le choix du Roi, m'en a su rendre indigne.
255 Et toi, de mes exploits glorieux instrument,
Mais d'un corps tout de glace inutile ornement,
Fer, jadis tant à craindre, et qui dans cette offense
M'a servi de parade et non pas de défense,
Va, quitte désormais le dernier des humains,
260 Passe, pour me venger, en de meilleures mains.

Scène V: Don Diègue, Don Rodrigue.

DON DIÈGUE
Rodrigue, as-tu du cœur?
DON RODRIGUE
           Tout autre que mon père
L'éprouverait sur l'heure.
DON DIÈGUE
           Agréable colère!
Digne ressentiment à ma douleur bien doux!
Je reconnais mon sang à ce noble courroux,
265 Ma jeunesse revit en cette ardeur si prompte.
Viens, mon fils, viens, mon sang, viens réparer ma
Viens me venger.   [honte,
DON RODRIGUE
  De quoi?
DON DIÈGUE
           D'un affront si cruel
Qu'à l'honneur de tous deux il porte un coup mortel :
D'un soufflet. L'insolent en eût perdu la vie;

Mais mon âge a trompé ma généreuse envie
Et ce fer, que mon bras ne peut plus soutenir,
Je le remets au tien pour venger et punir.
  Va contre un arrogant éprouver ton courage :
Ce n'est que dans le sang qu'on lave un tel outrage,
Meurs ou tue. Au surplus, pour ne te point flatter,
Je te donne à combattre un homme à redouter :
Je l'ai vu, tout couvert de sang et de poussière,
Porter partout l'effroi dans une armée entière.
J'ai vu par sa valeur cent escadrons rompus
Et pour t'en dire encor quelque chose de plus,
Plus que brave soldat, plus que grand capitaine,
C'est...
DON RODRIGUE
De grâce, achevez.
DON DIÈGUE
           Le père de Chimène.
DON RODRIGUE
Le...
DON DIÈGUE
  Ne réplique point, je connais ton amour;
Mais qui peut vivre infâme est indigne du jour.
Plus l'offenseur est cher et plus grande est l'offense.
Enfin tu sais l'affront et tu tiens la vengeance :
Je ne te dis plus rien. Venge-moi, venge-toi,
Montre-toi digne fils d'un père tel que moi.
Accablé des malheurs où le destin me range,
Je vais les déplorer : va, cours, vole, et nous venge.

Scène VI : Don Rodrigue.

       Percé jusques au fond du cœur
D'une atteinte imprévue aussi bien que mortelle,
Misérable vengeur d'une juste querelle
Et malheureux objet d'une injuste rigueur,
      Je demeure immobile, et mon âme abattue
        Cède au coup qui me tue.
      Si près de voir mon feu récompensé,
        O Dieu, l'étrange peine!
      En cet affront mon père est l'offensé,
       Et l'offenseur le père de Chimène!

       Que je sens de rudes combats!
Contre mon propre honneur mon amour s'intéresse :
Il faut venger un père, et perdre une maîtresse :
L'un m'anime le cœur, l'autre retient mon bras.
      Réduit au triste choix ou de trahir ma flamme
        Ou de vivre en infâme,
      Des deux côtés mon mal est infini.
        O Dieu, l'étrange peine!
      Faut-il laisser un affront impuni?
       Faut-il punir le père de Chimène?

       Père, maîtresse, honneur, amour,
Noble et dure contrainte, aimable tyrannie,
Tous mes plaisirs sont morts, ou ma gloire ternie.
L'un me rend malheureux, l'autre indigne du jour.
Cher et cruel espoir d'une âme généreuse,
        Mais ensemble amoureuse,

Digne ennemi de mon plus grand bonheur,
        Fer qui causes ma peine,
M'es-tu donné pour venger mon honneur?
M'es-tu donné pour perdre ma Chimène?

        Il vaut mieux courir au trépas.
Je dois à ma maîtresse aussi bien qu'à mon père,
J'attire en me vengeant sa haine et sa colère,
J'attire en me vengeant sa haine et sa colère,
J'attire en ne me vengeant pas.
A mon plus doux espoir l'un me rend infidèle
        Et l'autre indigne d'elle.
Mon mal augmente à le vouloir guérir,
        Tout redouble ma peine.
Allons, mon âme, et puisqu'il faut mourir,
Mourons du moins sans offenser Chimène.

        Mourir sans tirer ma raison!
Rechercher un trépas si mortel à ma gloire!
Endurer que l'Espagne impute à ma mémoire
D'avoir mal soutenu l'honneur de ma maison!
Respecter un amour dont mon âme égarée
        Voit la perte assurée!
N'écoutons plus ce penser suborneur
        Qui ne sert qu'à ma peine.
Allons, mon bras, sauvons du moins l'honneur,
Puisqu'après tout il faut perdre Chimène.

        Oui, mon esprit s'était déçu.
Je dois tout à mon père avant qu'à ma maîtresse :
Que je meure au combat ou meure de tristesse,
Je rendrai mon sang pur comme je l'ai reçu.
Je m'accuse déjà de trop de négligence :
        Courons à la vengeance;
Et tout honteux d'avoir tant balancé,
        Ne soyons plus en peine,
Puisqu'aujourd'hui mon père est l'offensé,
Si l'offenseur est père de Chimène.

ACTE SECOND

Scène I : Don Arias, le Comte.

LE COMTE

Je l'avoue entre nous, mon sang un peu trop chaud
S'est trop ému d'un mot et l'a porté trop haut;
Mais puisque c'en est fait, le coup est sans remède.

DON ARIAS

Qu'aux volontés du Roi ce grand courage cède :
Il y prend grande part et son cœur irrité
Agira contre vous de pleine autorité.
Aussi vous n'avez point de valable défense :
Le rang de l'offensé, la grandeur de l'offense
Demandent des devoirs et des submissions
Qui passent le commun des satisfactions.

LE COMTE

Le Roi peut à son gré disposer de ma vie.

DON ARIAS

De trop d'emportement votre faute est suivie.

Le Roi vous aime encore; apaisez son courroux.
Il a dit : « Je le veux »; désobéirez-vous?

LE COMTE

Monsieur, pour conserver tout ce que j'ai d'estime,   365
Désobéir un peu n'est pas un si grand crime
Et quelque grand qu'il soit, mes services présents
Pour le faire abolir sont plus que suffisants.

DON ARIAS

Quoi qu'on fasse d'illustre et de considérable,
Jamais à son sujet un roi n'est redevable.   370
Vous vous flattez beaucoup, et vous devez savoir
Que qui sert bien son roi ne fait que son devoir.
Vous vous perdrez, Monsieur, sur cette confiance.

LE COMTE

Je ne vous en croirai qu'après l'expérience.

DON ARIAS

Vous devez redouter la puissance d'un roi.   375

LE COMTE

Un jour seul ne perd pas un homme tel que moi.
Que toute sa grandeur s'arme pour mon supplice,
Tout l'État périra, s'il faut que je périsse.

DON ARIAS

Quoi! vous craignez si peu le pouvoir souverain...

LE COMTE

D'un sceptre qui sans moi tomberait de sa main?   380
Il a trop d'intérêt lui-même en ma personne
Et ma tête en tombant ferait choir sa couronne.

DON ARIAS

Souffrez que la raison remette vos esprits.
Prenez un bon conseil.

LE COMTE

                    Le conseil en est pris.

DON ARIAS

Que lui dirai-je enfin? je lui dois rendre conte.   385

LE COMTE

Que je ne puis du tout consentir à ma honte.

DON ARIAS

Mais songez que les rois veulent être absolus.

LE COMTE

Le sort en est jeté, Monsieur, n'en parlons plus.

DON ARIAS

Adieu donc, puisqu'en vain je tâche à vous résoudre :
Avec tous vos lauriers, craignez encor le foudre.   390

LE COMTE

Je l'attendrai sans peur.

DON ARIAS

                    Mais non pas sans effet.

LE COMTE

Nous verrons donc par là don Diègue satisfait.
    Il est seul.
Qui ne craint point la mort ne craint point les menaces,
J'ai le cœur au-dessus des plus fières disgrâces
Et l'on peut me réduire à vivre sans bonheur,   395
Mais non pas me résoudre à vivre sans honneur.

Scène II : Le Comte, Don Rodrigue.

DON RODRIGUE

A moi, Comte, deux mots.

LE COMTE
Parle.

DON RODRIGUE
Ote-moi d'un doute.

Connais-tu bien don Diègue?

LE COMTE
Oui.

DON RODRIGUE
Parlons bas, écoute.

Sais-tu que ce vieillard fut la même vertu,
400 La vaillance et l'honneur de son temps, le sais-tu?

LE COMTE
Peut-être.

DON RODRIGUE
Cette ardeur que dans les yeux je porte,

Sais-tu que c'est son sang, le sais-tu?

LE COMTE
Que m'importe!

DON RODRIGUE
A quatre pas d'ici je te le fais savoir.

LE COMTE
Jeune présomptueux!

DON RODRIGUE
Parle sans t'émouvoir.

405 Je suis jeune, il est vrai, mais aux âmes bien nées
La valeur n'attend point le nombre des années.

LE COMTE
Te mesurer à moi! qui t'a rendu si vain,
Toi qu'on n'a jamais vu les armes à la main?

DON RODRIGUE
Mes pareils à deux fois ne se font point connaître
410 Et pour leurs coups d'essai veulent des coups de maître.

LE COMTE
Sais-tu bien qui je suis?

DON RODRIGUE
Oui, tout autre que moi

Au seul bruit de ton nom pourrait trembler d'effroi.
Les palmes dont je vois ta tête si couverte
Semblent porter écrit le destin de ma perte.
415 J'attaque en téméraire un bras toujours vainqueur,
Mais j'aurai trop de force, ayant assez de cœur.
A qui venge son père il n'est rien impossible :
Ton bras est invaincu, mais non pas invincible.

LE COMTE
Ce grand cœur qui paraît aux discours que tu tiens,
420 Par tes yeux, chaque jour, se découvrait aux miens
Et croyant voir en toi l'honneur de la Castille,
Mon âme avec plaisir te destinait ma fille.
Je sais ta passion et suis ravi de voir
Que tous ses mouvements cèdent à ton devoir,
425 Qu'ils n'ont point affaibli cette ardeur magnanime,
Que ta haute vertu répond à mon estime
Et que voulant pour gendre un cavalier parfait,
Je ne me trompais point au choix que j'avais fait.
Mais je sens que pour toi ma pitié s'intéresse,
430 J'admire ton courage, et je plains ta jeunesse.
Ne cherche point à faire un coup d'essai fatal,
Dispense ma valeur d'un combat inégal,
Trop peu d'honneur pour moi suivrait cette victoire :
A vaincre sans péril, on triomphe sans gloire.

On te croirait toujours abattu sans effort
Et j'aurais seulement le regret de ta mort.

DON RODRIGUE
D'une indigne pitié ton audace est suivie :
Qui m'ose ôter l'honneur craint de m'ôter la vie?

LE COMTE
Retire-toi d'ici.

DON RODRIGUE
Marchons sans discourir.

LE COMTE
Es-tu si las de vivre?

DON RODRIGUE
As-tu peur de mourir?

LE COMTE
Viens, tu fais ton devoir et le fils dégénère
Qui survit un moment à l'honneur de son père.

Scène III : L'Infante, Chimène, Léonor.

L'INFANTE
Apaise ma Chimène, apaise ta douleur :
Fais agir ta constance en ce coup de malheur.
Tu reverras le calme après ce faible orage,
Ton bonheur n'est couvert que d'un peu de nuage
Et tu n'as rien perdu pour le voir différer.

CHIMÈNE
Mon cœur outré d'ennuis n'ose rien espérer.
Un orage si prompt qui trouble une bonace
D'un naufrage certain nous porte la menace :
Je n'en saurais douter, je péris dans le port.
J'aimais, j'étais aimée, et nos pères d'accord;
Et je vous en contais la charmante nouvelle
Au malheureux moment que naissait leur querelle,
Dont le récit fatal, sitôt qu'on vous l'a fait,
D'une si douce attente a ruiné l'effet.
Maudite ambition, détestable manie,
Dont les plus généreux souffrent la tyrannie!
Honneur impitoyable à mes plus chers désirs,
Que tu vas me coûter de pleurs et de soupirs!

L'INFANTE
Tu n'as dans leur querelle aucun sujet de craindre :
Un moment l'a fait naître, un moment va l'éteindre.
Elle a fait trop de bruit pour ne pas s'accorder,
Puisque déjà le Roi les veut accommoder
Et tu sais que mon âme, à tes ennuis sensible,
Pour en tarir la source y fera l'impossible.

CHIMÈNE
Les accommodements ne font rien en ce point :
De si mortels affronts ne se réparent point.
En vain on fait agir la force ou la prudence :
Si l'on guérit le mal, ce n'est qu'en apparence.
La haine que les cœurs conservent au dedans
Nourrit des feux cachés, mais d'autant plus ardents.

L'INFANTE
Le saint nœud qui joindra don Rodrigue et Chimène
Des pères ennemis dissipera la haine
Et nous verrons bientôt votre amour le plus fort
Par un heureux hymen étouffer ce discord.

CHIMÈNE
Je le souhaite ainsi plus que je ne l'espère :

Don Diègue est trop altier et je connais mon père.
Je sens couler des pleurs que je veux retenir,
Le passé me tourmente et je crains l'avenir.

L'INFANTE

Que crains-tu? d'un vieillard l'impuissante faiblesse?

CHIMÈNE

Rodrigue a du courage.

L'INFANTE

Il a trop de jeunesse.

CHIMÈNE

Les hommes valeureux le sont du premier coup.

L'INFANTE

Tu ne dois pas pourtant le redouter beaucoup :
Il est trop amoureux pour te vouloir déplaire
Et deux mots de ta bouche arrêtent sa colère.

CHIMÈNE

S'il ne m'obéit point, quel comble à mon ennui!
Et s'il peut m'obéir, que dira-t-on de lui?
Étant né ce qu'il est, souffrir un tel outrage!
Soit qu'il cède ou résiste au feu qui me l'engage,
Mon esprit ne peut qu'être ou honteux ou confus
De son trop de respect, ou d'un juste refus.

L'INFANTE

Chimène a l'âme haute et quoiqu'intéressée
Elle ne peut souffrir une basse pensée;
Mais si jusques au jour de l'accommodement
Je fais mon prisonnier de ce parfait amant
Et que j'empêche ainsi l'effet de son courage,
Ton esprit amoureux n'aura-t-il point d'ombrage?

CHIMÈNE

Ah! Madame, en ce cas je n'ai plus de souci.

Scène IV : L'Infante, Chimène, Léonor, le Page.

L'INFANTE

Page, cherchez Rodrigue et l'amenez ici.

LE PAGE

Le comte de Gormas et lui...

CHIMÈNE

Bon Dieu! je tremble.

L'INFANTE

Parlez.

LE PAGE

De ce palais ils sont sortis ensemble.

CHIMÈNE

Seuls?

LE PAGE

Seuls, et qui semblaient tout bas se quereller.

CHIMÈNE

Sans doute, ils sont aux mains, il n'en faut plus parler.
Madame, pardonnez à cette promptitude.

Scène V : L'Infante, Léonor.

L'INFANTE

Hélas! que dans l'esprit je sens d'inquiétude!
Je pleure ses malheurs, son amant me ravit;

Mon repos m'abandonne, et ma flamme revit.
Ce qui va séparer Rodrigue de Chimène
Fait renaître à la fois mon espoir et ma peine   510
Et leur division, que je vois à regret,
Dans mon esprit charmé jette un plaisir secret.

LÉONOR

Cette haute vertu qui règne dans votre âme
Se rend-elle si tôt à cette lâche flamme?

L'INFANTE

Ne la nomme point lâche, à présent que chez moi   515
Pompeuse et triomphante, elle me fait la loi :
Porte-lui du respect, puisqu'elle m'est si chère.
Ma vertu la combat, mais malgré moi j'espère
Et d'un si fol espoir mon cœur mal défendu
Vole après un amant que Chimène a perdu.   520

LÉONOR

Vous laissez choir ainsi ce glorieux courage
Et la raison chez vous perd ainsi son usage?

L'INFANTE

Ah! qu'avec peu d'effet on entend la raison,
Quand le cœur est atteint d'un si charmant poison!
Et lorsque le malade aime sa maladie,   525
Qu'il a peine à souffrir que l'on y remédie!

LÉONOR

Votre espoir vous séduit, votre mal vous est doux;
Mais enfin ce Rodrigue est indigne de vous.

L'INFANTE

Je ne le sais que trop; mais si ma vertu cède,
Apprends comme l'amour flatte un cœur qu'il possède. 530
Si Rodrigue une fois sort vainqueur du combat,
Si dessous sa valeur ce grand guerrier s'abat,
Je puis en faire cas, je puis l'aimer sans honte.
Que ne fera-t-il point, s'il peut vaincre le Comte?
J'ose m'imaginer qu'à ses moindres exploits   535
Les royaumes entiers tomberont sous ses lois
Et mon amour flatteur déjà me persuade
Que je le vois assis au trône de Grenade,
Les Mores subjugués trembler en l'adorant,
L'Aragon recevoir ce nouveau conquérant,   540
Le Portugal se rendre, et ses nobles journées
Porter delà les mers ses hautes destinées,
Du sang des Africains arroser ses lauriers :
Enfin tout ce qu'on dit des plus fameux guerriers,
Je l'attends de Rodrigue après cette victoire   545
Et fais de son amour un sujet de ma gloire.

LÉONOR

Mais, Madame, voyez où vous portez son bras,
Ensuite d'un combat qui peut-être n'est pas.

L'INFANTE

Rodrigue est offensé, le Comte a fait l'outrage,
Ils sont sortis ensemble, en faut-il davantage?   550

LÉONOR

Eh bien! ils se battront, puisque vous le voulez;
Mais Rodrigue ira-t-il si loin que vous allez?

L'INFANTE

Que veux-tu? Je suis folle et mon esprit s'égare :
Tu vois par là quels maux cet amour me prépare.
Viens dans mon cabinet consoler mes ennuis   555
Et ne me quitte point dans le trouble où je suis.

Scène VI : *Don Fernand, Don Arias,*
Don Sanche.

DON FERNAND

Le Comte est donc si vain et si peu raisonnable!
Ose-t-il croire encor son crime pardonnable?

DON ARIAS

Je l'ai de votre part longtemps entretenu;
560 J'ai fait mon pouvoir, Sire, et n'ai rien obtenu.

DON FERNAND

Justes cieux! ainsi donc un sujet téméraire
A si peu de respect et de soin de me plaire!
Il offense Don Diègue et méprise son roi!
Au milieu de ma cour il me donne la loi!
565 Qu'il soit brave guerrier, qu'il soit grand capitaine,
Je saurai bien rabattre une humeur si hautaine.
Fût-il la valeur même et le dieu des combats,
Il verra ce que c'est que de n'obéir pas.
Quoi qu'ait pu mériter une telle insolence,
570 Je l'ai voulu d'abord traiter sans violence;
Mais puisqu'il en abuse, allez dès aujourd'hui,
Soit qu'il résiste ou non, vous assurer de lui.

DON SANCHE

Peut-être un peu de temps le rendrait moins rebelle,
On l'a pris tout bouillant encor de sa querelle;
575 Sire, dans la chaleur d'un premier mouvement
Un cœur si généreux se rend malaisément.
Il voit bien qu'il a tort, mais une âme si haute
N'est pas si tôt réduite à confesser sa faute.

DON FERNAND

Don Sanche, taisez-vous, et soyez averti
580 Qu'on se rend criminel à prendre son parti.

DON SANCHE

J'obéis et me tais; mais de grâce encor, Sire,
Deux mots en sa défense.

DON FERNAND

                              Et que pouvez-vous dire?

DON SANCHE

Qu'une âme accoutumée aux grandes actions
Ne se peut abaisser à des submissions:
585 Elle n'en conçoit point qui s'expliquent sans honte
Et c'est à ce mot seul qu'a résisté le Comte.
Il trouve en son devoir un peu trop de rigueur
Et vous obéirait, s'il avait moins de cœur.
Commandez que son bras, nourri dans les alarmes,
590 Répare cette injure à la pointe des armes;
Il satisfera, Sire; et vienne qui voudra,
Attendant qu'il l'ait su, voici qui répondra.

DON FERNAND

Vous perdez le respect; mais je pardonne à l'âge
Et j'excuse l'ardeur en un jeune courage.
595 Un roi dont la prudence a de meilleurs objets
Est meilleur ménager du sang de ses sujets:
Je veille pour les miens, mes soucis les conservent,
Comme le chef a soin des membres qui le servent.
Ainsi votre raison n'est pas raison pour moi:
600 Vous parlez en soldat, je dois agir en roi
Et quoi qu'on veuille dire et quoi qu'il ose croire,
Le Comte à m'obéir ne peut perdre sa gloire.
D'ailleurs l'affront me touche: il a perdu d'honneur

Celui que de mon fils j'ai fait le gouverneur;
S'attaquer à mon choix, c'est se prendre à moi-même
Et faire un attentat sur le pouvoir suprême.
N'en parlons plus. Au reste, on a vu dix vaisseaux
De nos vieux ennemis arborer les drapeaux;
Vers la bouche du fleuve ils ont osé paraître.

DON ARIAS

Les Mores ont appris par force à vous connaître
Et tant de fois vaincus, ils ont perdu le cœur
De se plus hasarder contre un si grand vainqueur.

DON FERNAND

Ils ne verront jamais sans quelque jalousie
Mon sceptre, en dépit d'eux, régir l'Andalousie
Et ce pays si beau, qu'ils ont trop possédé,
Avec un œil d'envie est toujours regardé.
C'est l'unique raison qui m'a fait dans Séville
Placer depuis dix ans le trône de Castille,
Pour les voir de plus près et d'un ordre plus prompt
Renverser aussitôt ce qu'ils entreprendront.

DON ARIAS

Ils savent aux dépens de leurs plus dignes têtes
Combien votre présence assure vos conquêtes:
Vous n'avez rien à craindre.

DON FERNAND

                              Et rien à négliger:
Le trop de confiance attire le danger
Et vous n'ignorez pas qu'avec fort peu de peine
Un flux de pleine mer jusqu'ici les amène[30].
Toutefois j'aurais tort de jeter dans les cœurs,
L'avis étant mal sûr, de paniques terreurs.
L'effroi que produirait cette alarme inutile,
Dans la nuit qui survient troublerait trop la ville:
Faites doubler la garde aux murs et sur le port.
C'est assez pour ce soir.

Scène VII : *Don Fernand, Don Sanche,*
Don Alonse.

DON ALONSE

                              Sire, le Comte est mort:
Don Diègue, par son fils, a vengé son offense.

DON FERNAND

Dès que j'ai su l'affront, j'ai prévu la vengeance;
Et j'ai voulu dès lors prévenir ce malheur.

DON ALONSE

Chimène à vos genoux apporte sa douleur;
Elle vient tout en pleurs vous demander justice.

DON FERNAND

Bien qu'à ses déplaisirs mon âme compatisse,
Ce que le Comte a fait semble avoir mérité
Ce digne châtiment de sa témérité.
Quelque juste pourtant que puisse être sa peine,
Je ne puis sans regret perdre un tel capitaine.
Après un long service à mon État rendu,
Après son sang pour moi mille fois répandu,
A quelques sentiments que son orgueil m'oblige,
Sa perte m'affaiblit et son trépas m'afflige.

---

30. Erreur géographique évidente, reconnue plus tard par Corneille, cf. note 22.

Scène VIII : *Don Fernand, Don Diègue, Chimène,
Don Sanche, Don Arias, Don Alonse.*

CHIMÈNE

Sire, Sire, justice!

DON DIÈGUE

Ah! Sire, écoutez-nous.

CHIMÈNE

Je me jette à vos pieds.

DON DIÈGUE

J'embrasse vos genoux.

CHIMÈNE

Je demande justice.

DON DIÈGUE

Entendez ma défense.

CHIMÈNE

50 D'un jeune audacieux punissez l'insolence :
Il a de votre sceptre abattu le soutien,
Il a tué mon père.

DON DIÈGUE

Il a vengé le sien.

CHIMÈNE

Au sang de ses sujets un roi doit la justice.

DON DIÈGUE

Pour la juste vengeance il n'est point de supplice.

DON FERNAND

55 Levez-vous l'un et l'autre, et parlez à loisir.
Chimène, je prends part à votre déplaisir;
D'une égale douleur je sens mon âme atteinte.
Vous parlerez après, ne troublez pas sa plainte.

CHIMÈNE

Sire, mon père est mort; mes yeux ont vu son sang
60 Couler à gros bouillons de son généreux flanc;
Ce sang qui tant de fois garantit vos murailles,
Ce sang qui tant de fois vous gagna des batailles,
Ce sang qui tout sorti fume encor de courroux
De se voir répandu pour d'autres que pour vous,
5 Qu'au milieu des hasards n'osait verser la guerre,
Rodrigue en votre cour vient d'en couvrir la terre.
J'ai couru sur le lieu, sans force et sans couleur :
Je l'ai trouvé sans vie. Excusez ma douleur,
Sire, la voix me manque à ce récit funeste;
0 Mes pleurs et mes soupirs vous diront mieux le reste.

DON FERNAND

Prends courage, ma fille, et sache qu'aujourd'hui
Ton roi te veut servir de père au lieu de lui.

CHIMÈNE

Sire, de trop d'honneur ma misère est suivie.
Je vous l'ai déjà dit, je l'ai trouvé sans vie;
5 Son flanc était ouvert; et, pour mieux m'émouvoir,
Son sang sur la poussière écrivait mon devoir
Ou plutôt sa valeur en cet état réduite
Me parlait par sa plaie, et hâtait ma poursuite
Et pour se faire entendre au plus juste des rois,
0 Par cette triste bouche elle empruntait ma voix.
Sire, ne souffrez pas que sous votre puissance
Règne devant vos yeux une telle licence,
Que les plus valeureux avec impunité
Soient exposés aux coups de la témérité;
5 Qu'un jeune audacieux triomphe de leur gloire,

Se baigne dans leur sang et brave leur mémoire,
Un si vaillant guerrier qu'on vient de vous ravir
Éteint, s'il n'est vengé, l'ardeur de vous servir.
Enfin mon père est mort, j'en demande vengeance,
Plus pour votre intérêt que pour mon allégeance. 690
Vous perdez en la mort d'un homme de son rang :
Vengez-la par une autre et le sang par le sang.
Immolez, non à moi, mais à votre couronne,
Mais à votre grandeur, mais à votre personne,
Immolez, dis-je, Sire, au bien de tout l'État 695
Tout ce qu'enorgueillit un si haut attentat.

DON FERNAND

Don Diègue, répondez.

DON DIÈGUE

Qu'on est digne d'envie
Lorsqu'en perdant la force on perd aussi la vie
Et qu'un long âge apprête aux hommes généreux,
Au bout de leur carrière, un destin malheureux! 700
Moi, dont les longs travaux ont acquis tant de gloire
Moi, que jadis partout a suivi la victoire,
Je me vois aujourd'hui, pour avoir trop vécu,
Recevoir un affront et demeurer vaincu.
Ce que n'a pu jamais combat, siège, embuscade, 705
Ce que n'a pu jamais Aragon ni Grenade,
Ni tous vos ennemis ni tous mes envieux,
Le comte en votre cour l'a fait presque à vos yeux,
Jaloux de votre choix, et fier de l'avantage
Que lui donnait sur moi l'impuissance de l'âge. 710
Sire, ainsi ces cheveux blanchis sous le harnois,
Ce sang pour vous servir prodigué tant de fois,
Ce bras, jadis l'effroi d'une armée ennemie,
Descendaient au tombeau tout chargés d'infamie,
Si je n'eusse produit un fils digne de moi, 715
Digne de son pays et digne de son roi.
Il m'a prêté sa main, il a tué le Comte,
Il m'a rendu l'honneur, il a lavé ma honte.
Si montrer du courage et du ressentiment,
Si venger un soufflet mérite un châtiment, 720
Sur moi seul doit tomber l'éclat de la tempête :
Quand le bras a failli, l'on en punit la tête.
Qu'on nomme crime ou non ce qui fait nos débats,
Sire, j'en suis la tête, il n'en est que le bras.
Si Chimène se plaint qu'il a tué son père, 725
Il ne l'eût jamais fait si je l'eusse pu faire.
Immolez donc ce chef que les ans vont ravir
Et conservez pour vous le bras qui peut servir.
Aux dépens de mon sang satisfaites Chimène :
Je n'y résiste point, je consens à ma peine; 730
Et loin de murmurer d'un rigoureux décret,
Mourant sans déshonneur, je mourrai sans regret.

DON FERNAND

L'affaire est d'importance et, bien considérée,
Mérite en plein conseil d'être délibérée.
Don Sanche, remettez Chimène en sa maison. 735
Don Diègue aura ma cour et sa foi pour prison.
Qu'on me cherche son fils. Je vous ferai justice.

CHIMÈNE

Il est juste, grand Roi, qu'un meurtrier périsse.

DON FERNAND

Prends du repos, ma fille, et calme tes douleurs.

CHIMÈNE

740 M'ordonner du repos, c'est croître mes malheurs.

ACTE TROISIÈME

Scène I : *Don Rodrigue, Elvire.*

ELVIRE

Rodrigue, qu'as-tu fait? où viens-tu, misérable?

DON RODRIGUE

Suivre le triste cours de mon sort déplorable.

ELVIRE

Où prends-tu cette audace et ce nouvel orgueil,
De paraître en des lieux que tu remplis de deuil?

745 Quoi? viens-tu jusqu'ici braver l'ombre du Comte?
Ne l'as-tu pas tué?

DON RODRIGUE

Sa vie était ma honte,
Mon honneur de ma main a voulu cet effort.

ELVIRE

Mais chercher ton asile en la maison du mort!
Jamais un meurtrier en fit-il son refuge?

DON RODRIGUE

750 Et je n'y viens aussi que m'offrir à mon juge.
Ne me regarde plus d'un visage étonné,
Je cherche le trépas après l'avoir donné.
Mon juge est mon amour, mon juge est ma Chimène :
Je mérite la mort de mériter sa haine,

755 Et j'en viens recevoir, comme un bien souverain,
Et l'arrêt de sa bouche, et le coup de sa main.

ELVIRE

Fuis plutôt de ses yeux, fuis de sa violence,
A ses premiers transports dérobe ta présence :
Va, ne t'expose point aux premiers mouvements

760 Que poussera l'ardeur de ses ressentiments.

DON RODRIGUE

Non, non, ce cher objet à qui j'ai pu déplaire
Ne peut pour mon supplice avoir trop de colère
Et j'évite cent morts qui me vont accabler,
Si pour mourir plus tôt je puis la redoubler.

ELVIRE

765 Chimène est au palais, de pleurs toute baignée,
Et n'en reviendra point que bien accompagnée.
Rodrigue, fuis, de grâce : ôte-moi de souci.
Que ne dira-t-on point si l'on te voit ici?
Veux-tu qu'un médisant, pour comble à sa misère,

770 L'accuse d'y souffrir l'assassin de son père?
Elle va revenir, elle vient, je la voi :
Du moins, pour son honneur, Rodrigue, cache-toi.

Scène II : *Don Sanche, Chimène, Elvire.*

DON SANCHE

Oui, Madame, il vous faut de sanglantes victimes :
Votre colère est juste, et vos pleurs légitimes

775 Et je n'entreprends pas, à force de parler,
Ni de vous adoucir ni de vous consoler.
Mais si de vous servir je puis être capable,
Employez mon épée à punir le coupable,

Employez mon amour à venger cette mort :
Sous vos commandements mon bras sera trop fort.

CHIMÈNE

Malheureuse!

DON SANCHE

De grâce, acceptez mon service.

CHIMÈNE

J'offenserais le Roi, qui m'a promis justice.

DON SANCHE

Vous savez qu'elle marche avec tant de langueur
Qu'assez souvent le crime échappe à sa longueur,
Son cours lent et douteux fait trop perdre de larmes.
Souffrez qu'un cavalier vous venge par les armes :
La voie en est plus sûre et plus prompte à punir.

CHIMÈNE

C'est le dernier remède et s'il y faut venir
Et que de mes malheurs cette pitié vous dure,
Vous serez libre alors de venger mon injure.

DON SANCHE

C'est l'unique bonheur où mon âme prétend
Et pouvant l'espérer, je m'en vais trop content.

Scène III : *Chimène, Elvire.*

CHIMÈNE

Enfin je me vois libre, et je puis sans contrainte
De mes vives douleurs te faire voir l'atteinte,
Je puis donner passage à mes tristes soupirs,
Je puis t'ouvrir mon âme et tous mes déplaisirs.
Mon père est mort, Elvire; et la première épée
Dont s'est armé Rodrigue, a sa trame coupée.
Pleurez, pleurez, mes yeux, et fondez-vous en eau!
La moitié de ma vie a mis l'autre au tombeau [31],
Et m'oblige à venger, après ce coup funeste,
Celle que je n'ai plus sur celle qui me reste.

ELVIRE

Reposez-vous, Madame.

CHIMÈNE

Ah! que mal à propos
Dans un malheur si grand tu parles de repos!
Par où sera jamais ma douleur apaisée,
Si je ne puis haïr la main qui l'a causée?
Et que dois-je espérer qu'un tourment éternel,
Si je poursuis un crime, aimant le criminel?

ELVIRE

Il vous prive d'un père, et vous l'aimez encore!

CHIMÈNE

C'est peu de dire aimer, Elvire : je l'adore;
Ma passion s'oppose à mon ressentiment,
Dedans mon ennemi je trouve mon amant
Et je sens qu'en dépit de toute ma colère,
Rodrigue dans mon cœur combat encor mon père :
Il l'attaque, il le presse, il cède, il se défend,
Tantôt fort, tantôt faible, et tantôt triomphant;

31. Jamais Corneille n'a écrit rien de plus fâcheusement au goût du jour. Dans ses préfaces, il attire presque toujours l'attention sur le style de la pièce; ici, il n'en souffle mot. Quand, en plein triomphe de l'esprit précieux, Somaize ira chercher des exemples dans *Œdipe*, il ne fera que relever de belles images, aussi justes qu'audacieuses. Il eût trouvé mieux dans *le Cid*. Cf. vers 864, 866, 1050, 1196, 1372.

Mais, en ce dur combat de colère et de flamme,
Il déchire mon cœur sans partager mon âme;
Et quoi que mon amour ait sur moi de pouvoir,
820 Je ne consulte point pour suivre mon devoir :
Je cours sans balancer où mon honneur m'oblige.
Rodrigue m'est bien cher, son intérêt m'afflige;
Mon cœur prend son parti; mais, malgré son effort,
Je sais ce que je suis, et que mon père est mort.

ELVIRE
825 Pensez-vous le poursuivre?

CHIMÈNE
　　　　　　　Ah! cruelle pensée!
Et cruelle poursuite où je me vois forcée!
Je demande sa tête, et crains de l'obtenir :
Ma mort suivra la sienne, et je le veux punir!

ELVIRE
Quittez, quittez, Madame, un dessein si tragique;
830 Ne vous imposez point de loi si tyrannique.

CHIMÈNE
Quoi! mon père étant mort et presque entre mes bras,
Son sang criera vengeance et je ne l'orrai pas!
Mon cœur, honteusement surpris par d'autres charmes,
Croira ne lui devoir que d'impuissantes larmes,
835 Et je pourrai souffrir qu'un amour suborneur
Sous un lâche silence étouffe mon honneur!

ELVIRE
Madame, croyez-moi, vous serez excusable
D'avoir moins de chaleur contre un objet aimable,
Contre un amant si cher : vous avez assez fait,
840 Vous avez vu le Roi; n'en pressez point l'effet,
Ne vous obstinez point en cette humeur étrange.

CHIMÈNE
Il y va de ma gloire, il faut que je me venge
Et de quoi que nous flatte un désir amoureux
Toute excuse est honteuse aux esprits généreux.

ELVIRE
845 Mais vous aimez Rodrigue, il ne vous peut déplaire.

CHIMÈNE
Je l'avoue.

ELVIRE
　　　　　Après tout, que pensez-vous donc faire?

CHIMÈNE
Pour conserver ma gloire et finir mon ennui,
Le poursuivre, le perdre, et mourir après lui.

Scène IV : Don Rodrigue, Chimène, Elvire.

DON RODRIGUE
Eh bien! sans vous donner la peine de poursuivre,
Assurez-vous l'honneur de m'empêcher de vivre.

CHIMÈNE
Elvire, où sommes-nous, et qu'est-ce que je vois?
Rodrigue en ma maison! Rodrigue devant moi!

DON RODRIGUE
N'épargnez point mon sang : goûtez sans résistance
La douceur de ma perte et de votre vengeance.

CHIMÈNE
Hélas!

DON RODRIGUE
Écoute-moi.

CHIMÈNE
Je me meurs.

DON RODRIGUE
　　　　　　　Un moment.

CHIMÈNE
Va, laisse-moi mourir.

DON RODRIGUE
　　　　　Quatre mots seulement :
Après, ne me réponds qu'avecque cette épée.

CHIMÈNE
Quoi! du sang de mon père encor toute trempée!

DON RODRIGUE
Ma Chimène...

CHIMÈNE
　　　　　Ote-moi cet objet odieux,
Qui reproche ton crime et ta vie à mes yeux.　　　860

DON RODRIGUE
Regarde-le plutôt pour exciter ta haine,
Pour croître ta colère, et pour hâter ma peine.

CHIMÈNE
Il est teint de mon sang.

DON RODRIGUE
　　　　　　　Plonge-le dans le mien
Et fais-lui perdre ainsi la teinture du tien.

CHIMÈNE
Ah! quelle cruauté, qui tout en un jour tue　　　865
Le père par le fer, la fille par la vue!
Ote-moi cet objet, je ne le puis souffrir :
Tu veux que je t'écoute, et tu me fais mourir!

DON RODRIGUE
Je fais ce que tu veux, mais sans quitter l'envie
De finir par tes mains ma déplorable vie;　　　870
Car enfin n'attends pas de mon affection
Un lâche repentir d'une bonne action.
L'irréparable effet d'une chaleur trop prompte
Déshonorait mon père et me couvrait de honte.
Tu sais comme un soufflet touche un homme de cœur; 875
J'avais part à l'affront, j'en ai cherché l'auteur,
Je l'ai vu, j'ai vengé mon honneur et mon père;
Je le ferais encor, si j'avais à le faire.
Ce n'est pas qu'en effet contre mon père et moi
Ma flamme assez longtemps n'ait combattu pour toi; 880
Juge de son pouvoir : dans une telle offense
J'ai pu délibérer si j'en prendrais vengeance.
Réduit à te déplaire ou souffrir un affront,
J'ai pensé qu'à son tour mon bras était trop prompt,
Je me suis accusé de trop de violence　　　885
Et ta beauté sans doute emportait la balance,
A moins que d'opposer à tes plus forts appas
Qu'un homme sans honneur ne te méritait pas,
Que malgré cette part que j'avais en ton âme,
Qui m'aima généreux me haïrait infâme,　　　890
Qu'écouter ton amour, obéir à sa voix,
C'était m'en rendre indigne et diffamer ton choix.
Je te le dis encore; et quoique j'en soupire,
Jusqu'au dernier soupir je veux bien le redire :
Je t'ai fait une offense, et j'ai dû m'y porter　　　895
Pour effacer ma honte, et pour te mériter;
Mais quitte envers l'honneur et quitte envers mon père,
C'est maintenant à toi que je viens satisfaire :

C'est pour t'offrir mon sang qu'en ce lieu tu me vois.
900 J'ai fait ce que j'ai dû, je fais ce que je dois.
Je sais qu'un père mort t'arme contre mon crime,
Je ne t'ai pas voulu dérober ta victime :
Immole avec courage au sang qu'il a perdu
Celui qui met sa gloire à l'avoir répandu.

CHIMÈNE

905 Ah ! Rodrigue, il est vrai, quoique ton ennemie,
Je ne puis te blâmer d'avoir fui l'infamie
Et de quelque façon qu'éclatent mes douleurs,
Je ne t'accuse point, je pleure mes malheurs.
Je sais ce que l'honneur, après un tel outrage,
910 Demandait à l'ardeur d'un généreux courage :
Tu n'as fait le devoir que d'un homme de bien ;
Mais aussi, le faisant, tu m'as appris le mien.
Ta funeste valeur m'instruit par ta victoire,
Elle a vengé ton père et soutenu ta gloire :
915 Même soin me regarde et j'ai, pour m'affliger,
Ma gloire à soutenir, et mon père à venger.
Hélas ! ton intérêt ici me désespère :
Si quelque autre malheur m'avait ravi mon père,
Mon âme aurait trouvé dans le bien de le voir
920 L'unique allégement qu'elle eût pu recevoir
Et contre ma douleur j'aurais senti des charmes,
Quand une main si chère eût essuyé mes larmes.
Mais il me faut te perdre après l'avoir perdu,
Cet effort sur ma flamme à mon honneur est dû
925 Et cet affreux devoir, dont l'ordre m'assassine,
Me force à travailler moi-même à ta ruine.
Car enfin n'attends pas de mon affection
De lâches sentiments pour ta punition.
De quoi qu'en ta faveur notre amour m'entretienne,
930 Ma générosité doit répondre à la tienne :
Tu t'es, en m'offensant, montré digne de moi ;
Je me dois, par ta mort, montrer digne de toi.

DON RODRIGUE

Ne diffère donc plus ce que l'honneur t'ordonne :
Il demande ma tête, et je te l'abandonne ;
935 Fais-en un sacrifice à ce noble intérêt,
Le coup m'en sera doux, aussi bien que l'arrêt.
Attendre après mon crime une lente justice,
C'est reculer ta gloire autant que mon supplice.
Je mourrai trop heureux, mourant d'un coup si beau.

CHIMÈNE

940 Va, je suis ta partie, et non pas ton bourreau.
Si tu m'offres ta tête, est-ce à moi de la prendre ?
Je la dois attaquer, mais tu dois la défendre ;
C'est d'un autre que toi qu'il me faut l'obtenir
Et je dois te poursuivre, et non pas te punir.

DON RODRIGUE

945 De quoi qu'en ma faveur notre amour t'entretienne,
Ta générosité doit répondre à la mienne
Et pour venger un père emprunter d'autres bras,
Ma Chimène, crois-moi, c'est n'y répondre pas :
Ma main seule du mien a su venger l'offense,
950 Ta main seule du tien doit prendre la vengeance.

CHIMÈNE

Cruel, à quel propos sur ce point t'obstiner ?
Tu t'es vengé sans aide et tu m'en veux donner !
Je suivrai ton exemple, et j'ai trop de courage

Pour souffrir qu'avec toi ma gloire se partage.
Mon père et mon honneur ne veulent rien devoir
Aux traits de ton amour ni de ton désespoir.

DON RODRIGUE

Rigoureux point d'honneur ! hélas ! quoi que je fasse,
Ne pourrai-je à la fin obtenir cette grâce ?
Au nom d'un père mort ou de notre amitié,
Punis-moi par vengeance ou du moins par pitié.
Ton malheureux amant aura bien moins de peine
A mourir par ta main qu'à vivre avec ta haine.

CHIMÈNE

Va, je ne te hais point.

DON RODRIGUE

Tu le dois.

CHIMÈNE

Je ne puis.

DON RODRIGUE

Crains-tu si peu le blâme, et si peu les faux bruits ?
Quand on saura mon crime et que ta flamme dure,
Que ne publieront point l'envie et l'imposture !
Force-les au silence et sans plus discourir
Sauve ta renommée en me faisant mourir.

CHIMÈNE

Elle éclate bien mieux en te laissant la vie
Et je veux que la voix de la plus noire envie
Élève au ciel ma gloire et plaigne mes ennuis,
Sachant que je t'adore et que je te poursuis.
Va-t'en, ne montre plus à ma douleur extrême
Ce qu'il faut que je perde, encore que je l'aime.
Dans l'ombre de la nuit cache bien ton départ :
Si l'on te voit sortir, mon honneur court hasard.
La seule occasion qu'aura la médisance,
C'est de savoir qu'ici j'ai souffert ta présence :
Ne lui donne point lieu d'attaquer ma vertu.

DON RODRIGUE

Que je meure !

CHIMÈNE

Va-t'en.

DON RODRIGUE

A quoi te résous-tu ?

CHIMÈNE

Malgré des feux si beaux qui troublent ma colère,
Je ferai mon possible à bien venger mon père ;
Mais malgré la rigueur d'un si cruel devoir,
Mon unique souhait est de ne rien pouvoir.

DON RODRIGUE

O miracle d'amour !

CHIMÈNE

O comble de misères !

DON RODRIGUE

Que de maux et de pleurs nous coûteront nos pères !

CHIMÈNE

Rodrigue, qui l'eût cru ?

DON RODRIGUE

Chimène, qui l'eût dit ?

CHIMÈNE

Que notre heur fût si proche et sitôt se perdît ?

DON RODRIGUE

Et que si près du port, contre toute apparence,
Un orage si prompt brisât notre espérance ?

CHIMÈNE
Ah! mortelles douleurs!
DON RODRIGUE
Ah! regrets superflus!
CHIMÈNE
Va-t'en, encore un coup, je ne t'écoute plus.
DON RODRIGUE
Adieu, je vais traîner une mourante vie,
Tant que par ta poursuite elle me soit ravie.
CHIMÈNE
5 Si j'en obtiens l'effet, je t'engage ma foi
De ne respirer pas un moment après toi.
Adieu, sors et surtout garde bien qu'on te voie.
ELVIRE
Madame, quelques maux que le ciel nous envoie...
CHIMÈNE
Ne m'importune plus, laisse-moi soupirer,
0 Je cherche le silence et la nuit pour pleurer.

Scène V : Don Diègue.

Jamais nous ne goûtons de parfaite allégresse
Nos plus heureux succès sont mêlés de tristesse,
Toujours quelques soucis en ces événements
Troublent la pureté de nos contentements.
5 Au milieu du bonheur mon âme en sent l'atteinte :
Je nage dans la joie et je tremble de crainte,
J'ai vu mort l'ennemi qui m'avait outragé
Et je ne saurais voir la main qui m'a vengé.
En vain je m'y travaille et d'un soin inutile
0 Tout cassé que je suis, je cours toute la ville :
Ce peu que mes vieux ans m'ont laissé de vigueur
Se consume sans fruit à chercher ce vainqueur.
A toute heure, en tous lieux, dans une nuit si sombre,
Je pense l'embrasser et n'embrasse qu'une ombre ;
5 Et mon amour, déçu par cet objet trompeur,
Se forme des soupçons qui redoublent ma peur.
Je ne découvre point de marques de sa fuite,
Je crains du Comte mort les amis et la suite.
Leur nombre m'épouvante et confond ma raison.
0 Rodrigue ne vit plus ou respire en prison.
Justes cieux! me trompé-je encore à l'apparence,
Ou si je vois enfin mon unique espérance?
C'est lui, n'en doutons plus; mes vœux sont exaucés,
Ma crainte est dissipée, et mes ennuis cessés.

Scène VI : Don Diègue, Don Rodrigue.

DON DIÈGUE
5 Rodrigue, enfin le ciel permet que je te voie!
DON RODRIGUE
Hélas!
DON DIÈGUE
Ne mêle point de soupirs à ma joie,
Laisse-moi prendre haleine afin de te louer.
Ma valeur n'a point lieu de te désavouer :
Tu l'as bien imitée et ton illustre audace
0 Fait bien revivre en toi les héros de ma race :
C'est d'eux que tu descends, c'est de moi que tu viens :
Ton premier coup d'épée égale tous les miens

Et d'une belle ardeur ta jeunesse animée
Par cette grande épreuve atteint ma renommée.
Appui de ma vieillesse et comble de mon heur,   1035
Touche ces cheveux blancs à qui tu rends l'honneur,
Viens baiser cette joue et reconnais la place
Où fut empreint l'affront que ton courage efface.
DON RODRIGUE
L'honneur vous en est dû : je ne pouvais pas moins,
Étant sorti de vous et nourri par vos soins.   1040
Je m'en tiens trop heureux et mon âme est ravie
Que mon coup d'essai plaise à qui je dois la vie;
Mais parmi vos plaisirs ne soyez point jaloux
Si je m'ose à mon tour satisfaire après vous.
Souffrez qu'en liberté mon désespoir éclate;   1045
Assez et trop longtemps votre discours le flatte.
Je ne me repens point de vous avoir servi,
Mais rendez-moi le bien que ce coup m'a ravi.
Mon bras, pour vous venger, armé contre ma flamme,
Par ce coup glorieux m'a privé de mon âme ;   1050
Ne me dites plus rien, pour vous j'ai tout perdu :
Ce que je vous devais, je vous l'ai bien rendu.
DON DIÈGUE
Porte, porte plus haut le fruit de ta victoire :
Je t'ai donné la vie et tu me rends ma gloire
Et d'autant que l'honneur m'est plus cher que le jour, 1055
D'autant plus maintenant je te dois de retour.
Mais d'un cœur magnanime éloigne ces faiblesses,
Nous n'avons qu'un honneur, il est tant de maîtresses !
L'amour n'est qu'un plaisir, l'honneur est un devoir.
DON RODRIGUE
Ah! que me dites-vous?
DON DIÈGUE
Ce que tu dois savoir.   1060
DON RODRIGUE
Mon honneur offensé sur moi-même se venge
Et vous m'osez pousser à la honte du change!
L'infamie est pareille et suit également
Le guerrier sans courage et le perfide amant.
A ma fidélité ne faites point d'injure,   1065
Souffrez-moi généreux sans me rendre parjure,
Mes liens sont trop forts pour être ainsi rompus,
Ma foi m'engage encor si je n'espère plus
Et ne pouvant quitter ni posséder Chimène,
Le trépas que je cherche est ma plus douce peine.   1070
DON DIÈGUE
Il n'est pas temps encor de chercher le trépas :
Ton prince et ton pays ont besoin de ton bras.
La flotte qu'on craignait, dans ce grand fleuve entrée,
Croit surprendre la ville et piller la contrée.
Les Mores vont descendre et le flux et la nuit   1075
Dans une heure à nos murs les amènent sans bruit.
La cour est en désordre, et le peuple en alarmes :
On n'entend que des cris, on ne voit que des larmes.
Dans ce malheur public mon bonheur a permis
Que j'ai trouvé chez moi cinq cents de mes amis,   1080
Qui sachant mon affront, poussés d'un même zèle,
Se venaient tous offrir à venger ma querelle.
Tu les as prévenus, mais leurs vaillantes mains
Se tremperont bien mieux au sang des Africains.
Va marcher à leur tête où l'honneur te demande :   1085

C'est toi que veut pour chef leur généreuse bande.
De ces vieux ennemis va soutenir l'abord :
Là, si tu veux mourir, trouve une belle mort;
Prends-en l'occasion, puisqu'elle t'est offerte,
1090 Fais devoir à ton roi son salut à ta perte,
Mais reviens-en plutôt les palmes sur le front.
Ne borne pas ta gloire à venger un affront,
Porte-la plus avant : force par ta vaillance;
Ce monarque au pardon et Chimène au silence;
1095 Si tu l'aimes, apprends que revenir vainqueur,
C'est l'unique moyen de regagner son cœur.
  Mais le temps est trop cher pour le perdre en paroles :
Je t'arrête en discours et je veux que tu voles.
Viens, suis-moi, va combattre et montrer à ton roi
1100 Que ce qu'il perd au Comte il le recouvre en toi.

ACTE QUATRIÈME

Scène I : Chimène, Elvire.

CHIMÈNE
N'est-ce point un faux bruit? le sais-tu bien, Elvire?
ELVIRE
Vous ne croiriez jamais comme chacun l'admire
Et porte jusqu'au ciel, d'une commune voix,
De ce jeune héros les glorieux exploits.
1105 Les Mores devant lui n'ont paru qu'à leur honte,
Leur abord fut bien prompt, leur fuite encor plus
[prompte.
Trois heures de combat laissent à nos guerriers
Une victoire entière et deux rois prisonniers.
La valeur de leur chef ne trouvait point d'obstacles.
CHIMÈNE
1110 Et la main de Rodrigue a fait tous ces miracles?
ELVIRE
De ses nobles efforts ces deux rois sont le prix :
Sa main les a vaincus, et sa main les a pris.
CHIMÈNE
De qui peux-tu savoir ces nouvelles étranges?
ELVIRE
Du peuple, qui partout fait sonner ses louanges,
1115 Le nomme de sa joie et l'objet et l'auteur,
Son ange tutélaire et son libérateur.
CHIMÈNE
Et le Roi, de quel œil voit-il tant de vaillance?
ELVIRE
Rodrigue n'ose encor paraître en sa présence;
Mais don Diègue ravi lui présente enchaînés,
1120 Au nom de ce vainqueur, ces captifs couronnés
Et demande pour grâce à ce généreux prince
Qu'il daigne voir la main qui sauve la province.
CHIMÈNE
Mais n'est-il point blessé?
ELVIRE
                       Je n'en ai rien appris.
Vous changez de couleur! reprenez vos esprits.
CHIMÈNE
1125 Reprenons donc aussi ma colère affaiblie :
Pour avoir soin de lui faut-il que je m'oublie?

On le vante, on le loue, et mon cœur y consent!
Mon honneur est muet, mon devoir impuissant!
Silence, mon amour, laisse agir ma colère :
S'il a vaincu deux rois, il a tué mon père;   1
Ces tristes vêtements, où je lis mon malheur,
Sont les premiers effets qu'ait produits sa valeur
Et quoi qu'on die ailleurs d'un cœur si magnanime,
Ici tous les objets me parlent de son crime.
  Vous qui rendez la force à mes ressentiments,
Voiles, crêpes, habits, lugubres ornements,
Pompe que me prescrit sa première victoire,
Contre ma passion soutenez bien ma gloire
Et lorsque mon amour prendra trop de pouvoir,
Parlez à mon esprit de mon triste devoir,   1
Attaquez sans rien craindre une main triomphante.
ELVIRE
Modérez ces transports, voici venir l'Infante.

Scène II : L'Infante, Chimène, Léonor, Elvire.

L'INFANTE
Je ne viens pas ici te consoler tes douleurs;
Je viens plutôt mêler mes soupirs à tes pleurs.
CHIMÈNE
Prenez bien plutôt part à la commune joie   1
Et goûtez le bonheur que le ciel vous envoie,
Madame : autre que moi n'a droit de soupirer.
Le péril dont Rodrigue a su nous retirer
Et le salut public que vous rendent ses armes,
A moi seule aujourd'hui souffrent encor les larmes :   1
Il a sauvé la ville, il a servi son roi
Et son bras valeureux n'est funeste qu'à moi.
L'INFANTE
Ma Chimène, il est vrai qu'il a fait des merveilles.
CHIMÈNE
Déjà ce bruit fâcheux a frappé mes oreilles
Et je l'entends partout publier hautement   1
Aussi brave guerrier que malheureux amant.
L'INFANTE
Qu'a de fâcheux pour toi ce discours populaire?
Ce jeune Mars qu'il loue a su jadis te plaire :
Il possédait ton âme, il vivait sous tes lois
Et vanter sa valeur, c'est honorer ton choix.
CHIMÈNE
Chacun peut la vanter avec quelque justice,
Mais pour moi sa louange est un nouveau supplice.
On aigrit ma douleur en l'élevant si haut :
Je vois ce que je perds quand je vois ce qu'il vaut.
Ah! cruels déplaisirs à l'esprit d'une amante!   1
Plus j'apprends son mérite et plus mon feu s'augmente :
Cependant mon devoir est toujours le plus fort
Et malgré mon amour va poursuivre sa mort.
L'INFANTE
Hier ce devoir te mit en une haute estime,
L'effort que tu te fis parut si magnanime,
Si digne d'un grand cœur que chacun à la cour
Admirait ton courage et plaignait ton amour.
Mais croirais-tu l'avis d'une amitié fidèle?
CHIMÈNE
Ne vous obéir pas me rendrait criminelle.

L'INFANTE

Ce qui fut juste alors ne l'est plus aujourd'hui.
Rodrigue maintenant est notre unique appui,
L'espérance et l'amour d'un peuple qui l'adore,
Le soutien de Castille et la terreur du More.
Le Roi même est d'accord de cette vérité,
Que ton père en lui seul se voit ressuscité
Et si tu veux enfin qu'en deux mots je m'explique,
Tu poursuis en sa mort la ruine publique.
Quoi! pour venger un père est-il jamais permis
De livrer sa patrie aux mains des ennemis?.
Contre nous ta poursuite est-elle légitime
Et pour être punis avons-nous part au crime?
Ce n'est pas qu'après tout tu doives épouser
Celui qu'un père mort t'obligeait d'accuser :
Je te voudrais moi-même en arracher l'envie;
Ote-lui ton amour, mais laisse-nous sa vie.

CHIMÈNE

Ah! ce n'est pas à moi d'avoir tant de bonté,
Le devoir qui m'aigrit n'a rien de limité.
Quoique pour ce vainqueur mon amour s'intéresse,
Quoiqu'un peuple l'adore et qu'un roi le caresse,
Qu'il soit environné des plus vaillants guerriers,
J'irai sous mes cyprès accabler ses lauriers.

L'INFANTE

C'est générosité quand pour venger un père
Notre devoir attaque une tête si chère,
Mais c'en est une encor d'un plus illustre rang,
Quand on donne au public les intérêts du sang.
Non, crois-moi, c'est assez que d'éteindre ta flamme;
Il sera trop puni s'il n'est plus dans ton âme.
Que le bien du pays t'impose cette loi :
Aussi bien, que crois-tu que t'accorde le Roi?

CHIMÈNE

Il peut me refuser, mais je ne puis me taire.

L'INFANTE

Pense bien, ma Chimène, à ce que tu veux faire.
Adieu, tu pourras seule y penser à loisir.

CHIMÈNE

Après mon père mort, je n'ai point à choisir.

*Scène III : Don Fernand, Don Diègue, Don Arias,
Don Rodrigue, Don Sanche.*

DON FERNAND

Généreux héritier d'une illustre famille,
Qui fut toujours la gloire et l'appui de Castille,
Race de tant d'aïeux en valeur signalés,
Que l'essai de la tienne a sitôt égalés,
Pour te récompenser ma force est trop petite
Et j'ai moins de pouvoir que tu n'as de mérite.
Le pays délivré d'un si rude ennemi,
Mon sceptre dans ma main par la tienne affermi
Et les Mores défaits avant qu'en ces alarmes
J'eusse pu donner ordre à repousser leurs armes,
Ne sont point des exploits qui laissent à ton roi
Le moyen ni l'espoir de s'acquitter vers toi.
Mais deux rois tes captifs feront ta récompense.
Ils t'ont nommé tous deux leur Cid en ma présence :
Puisque Cid en leur langue est autant que seigneur,

Je ne t'envierai pas ce beau titre d'honneur.
　　Sois désormais le Cid : qu'à ce grand nom tout cède, 1225
Qu'il comble d'épouvante et Grenade et Tolède
Et qu'il marque à tous ceux qui vivent sous mes lois
Et ce que tu me vaux, et ce que je te dois.

DON RODRIGUE

Que Votre Majesté, Sire, épargne ma honte [32].
D'un si faible service elle fait trop de conte 1230
Et me force à rougir devant un si grand roi
De mériter si peu l'honneur que j'en reçoi.
Je sais trop que je dois au bien de votre empire
Et le sang qui m'anime, et l'air que je respire;
Et quand je les perdrai pour un si digne objet, 1235
Je ferai seulement le devoir d'un sujet.

DON FERNAND

Tous ceux que ce devoir à mon service engage
Ne s'en acquittent pas avec même courage
Et lorsque la valeur ne va point dans l'excès,
Elle ne produit point de si rares succès. 1240
Souffre donc qu'on te loue et de cette victoire
Apprends-moi plus au long la véritable histoire.

DON RODRIGUE

Sire, vous avez su qu'en ce danger pressant,
Qui jeta dans la ville un effroi si puissant,
Une troupe d'amis chez mon père assemblée 1245
Sollicita mon âme encor toute troublée...
Mais, Sire, pardonnez à ma témérité,
Si j'osai l'employer sans votre autorité :
Le péril approchait, leur brigade était prête,
Me montrant à la cour, je hasardais ma tête 1250
Et s'il la fallait perdre, il m'était bien plus doux
De sortir de la vie en combattant pour vous.

DON FERNAND

J'excuse ta chaleur à venger ton offense
Et l'État défendu me parle en ta défense :
Crois que dorénavant Chimène a beau parler, 1255
Je ne l'écoute plus que pour la consoler.
Mais poursuis.

DON RODRIGUE

　　　　　Sous moi donc cette troupe s'avance
Et porte sur le front une mâle assurance.
Nous partîmes cinq cents, mais par un prompt renfort
Nous nous vîmes trois mille en arrivant au port, 1260
Tant à nous voir marcher avec un tel visage
Les plus épouvantés reprenaient leur courage!
J'en cache les deux tiers, aussitôt qu'arrivés,
Dans le fond des vaisseaux qui lors furent trouvés;
Le reste, dont le nombre augmentait à toute heure, 1265
Brûlant d'impatience autour de moi demeure,
Se couche contre terre, et sans faire aucun bruit,
Passe une bonne part d'une si belle nuit.
Par mon commandement la garde en fait de même
Et se tenant cachée, aide à mon stratagème 1270
Et je feins hardiment d'avoir reçu de vous

---

32. Nous avons en vingt vers trois exemples des résistances
linguistiques de Corneille aux *Remarques de l'Académie* :
celle-ci avait critiqué « épargne ma honte » (v. 1229), « sollicite mon âme » (v. 1246), « leur brigade » (v. 1249) que
Corneille maintient. Mais il corrige neuf autres passages de
l'acte IV conformément aux critiques de l'Académie, fondées
cette fois.

L'ordre qu'on me voit suivre et que je donne à tous.
   Cette obscure clarté qui tombe des étoiles
Enfin avec le flux nous fait voir trente voiles;
1275 L'onde s'enfle dessous et d'un commun effort
Les Mores et la mer montent jusques au port.
On les laisse passer, tout leur paraît tranquille :
Point de soldats au port, point aux murs de la ville.
Notre profond silence abusant leurs esprits,
1280 Ils n'osent plus douter de nous avoir surpris;
Ils abordent sans peur, ils ancrent, ils descendent
Et courent se livrer aux mains qui les attendent.
Nous nous levons alors et tous en même temps
Poussons jusques au ciel mille cris éclatants.
1285 Les nôtres, à ces cris, de nos vaisseaux répondent;
Ils paraissent armés, les Mores se confondent,
L'épouvante les prend à demi descendus;
Avant que de combattre, ils s'estiment perdus.
Ils couraient au pillage et rencontrent la guerre;
1290 Nous les pressons sur l'eau, nous les pressons sur terre
Et nous faisons courir des ruisseaux de leur sang,
Avant qu'aucun résiste ou reprenne son rang.
Mais bientôt, malgré nous, leurs princes les rallient;
Leur courage renaît et leurs terreurs s'oublient :
1295 La honte de mourir sans avoir combattu
Arrête leur désordre et leur rend leur vertu.
Contre nous de pied ferme ils tirent leurs alfanges [33];
De notre sang au leur font d'horribles mélanges
Et la terre et le fleuve et leur flotte et le port
1300 Sont des champs de carnage où triomphe la mort.
   O combien d'actions, combien d'exploits célèbres
Sont demeurés sans gloire au milieu des ténèbres,
Où chacun, seul témoin des grands coups qu'il don-
Ne pouvait discerner où le sort inclinait!   [nait,
1305 J'allais de tous côtés encourager les nôtres,
Faire avancer les uns, et soutenir les autres,
Ranger ceux qui venaient, les pousser à leur tour
Et ne l'ai pu savoir jusques au point du jour.
Mais enfin sa clarté montre notre avantage :
1310 Le More voit sa perte et perd soudain courage
Et voyant un renfort qui nous vient secourir,
L'ardeur de vaincre cède à la peur de mourir.
Ils gagnent leurs vaisseaux, ils en coupent les câbles,
Poussent jusques aux cieux des cris épouvantables,
1315 Font retraite en tumulte, et sans considérer
Si leurs rois avec eux peuvent se retirer.
Pour souffrir ce devoir leur frayeur est trop forte :
Le flux les apporta, le reflux les remporte,
Cependant que leurs rois, engagés parmi nous
1320 Et quelque peu des leurs, tous percés de nos coups,
Disputent vaillamment et vendent bien leur vie.
A se rendre moi-même en vain je les convie :
Le cimeterre au poing ils ne m'écoutent pas,
Mais voyant à leurs pieds tomber tous leurs soldats,
1325 Et que seuls désormais en vain ils se défendent,
Ils demandent le chef : je me nomme, ils se rendent.
Je vous les envoyai tous deux en même temps
Et le combat cessa faute de combattants.
   C'est de cette façon que, pour votre service...

---

33. Cimeterres.

Scène IV : Don Fernand, Don Diègue,
Don Rodrigue, Don Arias, Don Alonse,
Don Sanche.

DON ALONSE

Sire, Chimène, vient vous demander justice.
DON FERNAND

La fâcheuse nouvelle, et l'importun devoir!
Va, je ne le veux pas obliger à te voir.
Pour tous remercîments, il faut que je te chasse;
Mais avant que sortir, viens, que ton roi t'embrasse.
   Don Rodrigue rentre.

DON DIÈGUE

Chimène le poursuit, et voudrait le sauver.
DON FERNAND

On m'a dit qu'elle l'aime et je vais l'éprouver.
Montrez un œil plus triste.

Scène V : Don Fernand, Don Diègue, Don Arias,
Don Sanche, Don Alonse, Chimène, Elvire.

DON FERNAND

           Enfin soyez contente,
Chimène, le succès répond à votre attente :
Si de nos ennemis Rodrigue a le dessus,
Il est mort à nos yeux des coups qu'il a reçus;
Rendez grâces au ciel qui vous en a vengée.
   A Don Diègue.
Voyez comme déjà sa couleur est changée.
DON DIÈGUE

Mais voyez qu'elle pâme et d'un amour parfait
Dans cette pâmoison, Sire, admirez l'effet.
Sa douleur a trahi les secrets de son âme
Et ne vous permet plus de douter de sa flamme.
CHIMÈNE

Quoi! Rodrigue est donc mort?
DON FERNAND

                Non, non, il voit le
Et te conserve encore un immuable amour :   [jour
Calme cette douleur qui pour lui s'intéresse.
CHIMÈNE

Sire, on pâme de joie ainsi que de tristesse :
Un excès de plaisir nous rend tout languissants
Et quand il surprend l'âme, il accable les sens.
DON FERNAND

Tu veux qu'en ta faveur nous croyions l'impossible?
Chimène, ta douleur a paru trop visible.
CHIMÈNE

Eh bien! Sire, ajoutez ce comble à mon malheur,
Nommez ma pâmoison l'effet de ma douleur :
Un juste déplaisir à ce point m'a réduite.
Son trépas dérobait sa tête à ma poursuite;
S'il meurt des coups reçus pour le bien du pays,
Ma vengeance est perdue et mes desseins trahis :
Une si belle fin m'est trop injurieuse.
Je demande sa mort, mais non pas glorieuse,
Non pas dans un éclat qui l'élève si haut,
Non pas au lit d'honneur, mais sur un échafaud;
Qu'il meure pour mon père, et non pour la patrie;

Que son nom soit taché, sa mémoire flétrie.
Mourir pour le pays n'est pas un triste sort;
C'est s'immortaliser par une belle mort.
    J'aime donc sa victoire, et je le puis sans crime;
70 Elle assure l'État, et me rend ma victime,
Mais noble, mais fameuse entre tous les guerriers,
Le chef, au lieu de fleurs, couronné de lauriers
Et pour dire en un mot ce que j'en considère,
Digne d'être immolée aux mânes de mon père...
75   Hélas! à quel espoir me laissé-je emporter!
Rodrigue de ma part n'a rien à redouter :
Que pourraient contre lui des larmes qu'on méprise?
Pour lui tout votre empire est un lieu de franchise;
Là, sous votre pouvoir, tout lui devient permis,
80 Il triomphe de moi comme de mes ennemis.
Dans leur sang répandu la justice étouffée
Au crime du vainqueur sert d'un nouveau trophée :
Nous en croissons la pompe, et le mépris des lois
Nous fait suivre son char au milieu de deux rois.

DON FERNAND

85 Ma fille, ces transports ont trop de violence.
Quand on rend la justice, on met tout en balance.
On a tué ton père, il était l'agresseur
Et la même équité m'ordonne la douceur.
Avant que d'accuser ce que j'en fais paraître,
90 Consulte bien ton cœur : Rodrigue en est le maître
Et ta flamme en secret rend grâces à ton roi,
Dont la faveur conserve un tel amant pour toi.

CHIMÈNE

Pour moi! mon ennemi! l'objet de ma colère!
L'auteur de mes malheurs! l'assassin de mon père!
95 De ma juste poursuite on fait si peu de cas
Qu'on me croit obliger en ne m'écoutant pas!
    Puisque vous refusez la justice à mes larmes,
Sire, permettez-moi de recourir aux armes;
C'est par là seulement qu'il a su m'outrager
100 Et c'est aussi par là que je me dois venger.
A tous vos cavaliers je demande sa tête :
Oui, qu'un d'eux me l'apporte et je suis sa conquête;
Qu'ils le combattent, Sire; et le combat fini,
J'épouse le vainqueur, si Rodrigue est puni.
105 Sous votre autorité souffrez qu'on le publie.

DON FERNAND

Cette vieille coutume en ces lieux établie,
Sous couleur de punir un injuste attentat,
Des meilleurs combattants affaiblit un État;
Souvent de cet abus le succès déplorable
110 Opprime l'innocent et soutient le coupable.
J'en dispense Rodrigue : il m'est trop précieux
Pour l'exposer aux coups d'un sort capricieux;
Et quoi qu'ait pu commettre un cœur si magnanime,
Les Mores en fuyant ont emporté son crime.

DON DIÈGUE

115 Quoi! Sire, pour lui seul vous renversez des lois
Qu'a vu toute la cour observer tant de fois!
Que croira votre peuple et que dira l'envie
Si sous votre défense il ménage sa vie
Et s'en fait un prétexte à ne paraître pas
120 Où tous les gens d'honneur cherchent un beau trépas?
De pareilles faveurs terniraient trop sa gloire :

Qu'il goûte sans rougir le fruit de sa victoire.
Le Comte eut de l'audace, il l'en a su punir;
Il l'a fait en brave homme et le doit maintenir.

DON FERNAND

Puisque vous le voulez, j'accorde qu'il le fasse; 1425
Mais d'un guerrier vaincu mille prendraient la place
Et le prix que Chimène au vainqueur a promis
De tous mes cavaliers ferait ses ennemis.
L'opposer seul à tous serait trop d'injustice :
Il suffit qu'une fois il entre dans la lice. 1430
Choisis qui tu voudras, Chimène, et choisis bien;
Mais après ce combat ne demande plus rien.

DON DIÈGUE

N'excusez point par là ceux que son bras étonne :
Laissez un champ ouvert où n'entrera personne.
Après ce que Rodrigue a fait voir aujourd'hui, 1435
Quel courage assez vain s'oserait prendre à lui,
Qui se hasarderait contre un tel adversaire,
Qui serait ce vaillant, ou bien ce téméraire?

DON SANCHE

Faites ouvrir le champ : vous voyez l'assaillant;
Je suis ce téméraire, ou plutôt ce vaillant. 1440
Accordez cette grâce à l'ardeur qui me presse,
Madame, vous savez quelle est votre promesse.

DON FERNAND

Chimène, remets-tu ta querelle en sa main?

CHIMÈNE

Sire, je l'ai promis.

DON FERNAND

Soyez prêt à demain.

DON DIÈGUE

Non, Sire, il ne faut pas différer davantage : 1445
On est toujours trop prêt quand on a du courage.

DON FERNAND

Sortir d'une bataille, et combattre à l'instant!

DON DIÈGUE

Rodrigue a pris haleine en vous la racontant.

DON FERNAND

Du moins une heure ou deux je veux qu'il se délasse.
Mais de peur qu'en exemple un tel combat ne passe, 1450
Pour témoigner à tous qu'à regret je permets
Un sanglant procédé qui ne me plut jamais,
De moi ni de ma cour il n'aura la présence.
    Il parle à Don Arias.
    Vous seul des combattants jugerez la vaillance :
Ayez soin que tous deux fassent en gens de cœur 1455
Et, le combat fini, m'amenez le vainqueur.
Qui qu'il soit, même prix est acquis à sa peine :
Je le veux de ma main présenter à Chimène
Et que pour récompense il reçoive sa foi.

CHIMÈNE

Quoi! Sire, m'imposer une si dure loi! 1460

DON FERNAND

Tu t'en plains; mais ton feu, loin d'avouer ta plainte,
Si Rodrigue est vainqueur, l'accepte sans contrainte.
Cesse de murmurer contre un arrêt si doux :
Qui que ce soit des deux, j'en ferai ton époux.

ACTE CINQUIÈME

Scène I : Don Rodrigue, Chimène.

CHIMÈNE

1465 Quoi! Rodrigue, en plein jour! d'où te vient cette au-
Va, tu me perds d'honneur, retire-toi, de grâce, [dace?

DON RODRIGUE

Je vais mourir, Madame, et vous viens en ce lieu,
Avant le coup mortel, dire un dernier adieu :
Cet immuable amour qui sous vos lois m'engage
1470 N'ose accepter ma mort sans vous en faire hommage

CHIMÈNE

Tu vas mourir!

DON RODRIGUE

Je cours à ces heureux moments
Qui vont livrer ma vie à vos ressentiments.

CHIMÈNE

Tu vas mourir! Don Sanche est-il si redoutable
Qu'il donne l'épouvante à ce cœur indomptable?
1475 Qui t'a rendu si faible ou qui le rend si fort?
Rodrigue va combattre et se croit déjà mort!
Celui qui n'a pas craint les Mores ni mon père
Va combattre don Sanche et déjà désespère!
Ainsi donc au besoin ton courage s'abat!

DON RODRIGUE

1480 Je cours à mon supplice et non pas au combat,
Et ma fidèle ardeur sait bien m'ôter l'envie,
Quand vous cherchez ma mort, de défendre ma vie.
J'ai toujours même cœur, mais je n'ai point de bras
Quand il faut conserver ce qui ne vous plaît pas
1485 Et déjà cette nuit m'aurait été mortelle
Si j'eusse combattu pour ma seule querelle.
Mais défendant mon roi, son peuple et mon pays,
A me défendre mal je les aurais trahis.
Mon esprit généreux ne hait pas tant la vie
1490 Qu'il en veuille sortir par une perfidie.
Maintenant qu'il s'agit de mon seul intérêt,
Vous demandez ma mort, j'en accepte l'arrêt.
Votre ressentiment choisit la main d'un autre
(Je ne méritais pas de mourir de la vôtre) :
1495 On ne me verra point en repousser les coups;
Je dois plus de respect à qui combat pour vous
Et ravi de penser que c'est de vous qu'ils viennent,
Puisque c'est votre honneur que ses armes soutiennent,
Je vais lui présenter mon estomac ouvert,
1500 Adorant en sa main la vôtre qui me perd.

CHIMÈNE

Si d'un triste devoir la juste violence,
Qui me fait malgré moi poursuivre ta vaillance,
Prescrit à ton amour une si forte loi
Qu'il te rend sans défense à qui combat pour moi,
1505 En cet aveuglement ne perds pas la mémoire
Qu'ainsi que de ta vie il y va de ta gloire
Et que dans quelque éclat que Rodrigue ait vécu,
Quand on le saura mort, on le croira vaincu.
Ton honneur t'est plus cher que je ne te suis chère,
1510 Puisqu'il trempe tes mains dans le sang de mon père
Et te fait renoncer, malgré ta passion,
A l'espoir le plus doux de ma possession :

Je t'en vois cependant faire si peu de conte,
Que sans rendre combat tu veux qu'on te surmonte.
Quelle inégalité ravale ta vertu?
Pourquoi ne l'as-tu plus ou pourquoi l'avais-tu?
Quoi, n'es-tu généreux que pour me faire outrage?
S'il ne faut m'offenser, n'as-tu point de courage
Et traites-tu mon père avec tant de rigueur,
Qu'après l'avoir vaincu tu souffres un vainqueur?
Va, sans vouloir mourir, laisse-moi te poursuivre
Et défends ton honneur, si tu ne veux plus vivre.

DON RODRIGUE

Après la mort du Comte et les Mores défaits,
Faudrait-il à ma gloire encor d'autres effets?
Elle peut dédaigner le soin de me défendre :
On sait que mon courage ose tout entreprendre,
Que ma valeur peut tout et que dessous les cieux
Auprès de mon honneur, rien ne m'est précieux.
Non, non, en ce combat, quoi que vous veuilliez croire,
Rodrigue peut mourir sans hasarder sa gloire,
Sans qu'on l'ose accuser d'avoir manqué de cœur,
Sans passer pour vaincu, sans souffrir un vainqueur.
On dira seulement : « Il adorait Chimène,
Il n'a pas voulu vivre et mériter sa haine,
Il a cédé lui-même à la rigueur du sort
Qui forçait sa maîtresse à poursuivre sa mort :
Elle voulait sa tête et son cœur magnanime,
S'il l'en eût refusée, eût pensé faire un crime.
Pour venger son honneur il perdit son amour,
Pour venger sa maîtresse il a quitté le jour,
Préférant, quelque espoir qu'eût son âme asservie,
Son honneur à Chimène et Chimène à sa vie. »
Ainsi donc vous verrez ma mort en ce combat,
Loin d'obscurcir ma gloire, en rehausser l'éclat
Et cet honneur suivra mon trépas volontaire,
Que tout autre que moi n'eût pu vous satisfaire.

CHIMÈNE

Puisque, pour t'empêcher de courir au trépas,
Ta vie et ton honneur sont de faibles appas,
Si jamais je t'aimai, cher Rodrigue, en revanche,
Défends-toi maintenant pour m'ôter à don Sanche;
Combats pour m'affranchir d'une condition
Qui me donne à l'objet de mon aversion.
Te dirai-je encor plus? va, songe à ta défense,
Pour forcer mon devoir, pour m'imposer silence
Et si tu sens pour moi ton cœur encore épris,
Sors vainqueur d'un combat dont Chimène est le prix.
Adieu, ce mot lâché me fait rougir de honte.

DON RODRIGUE

Est-il quelque ennemi qu'à présent je ne dompte?
Paraissez, Navarrois, Mores et Castillans
Et tout ce que l'Espagne a nourri de vaillants,
Unissez-vous ensemble et faites une armée
Pour combattre une main de la sorte animée :
Joignez tous vos efforts contre un espoir si doux,
Pour en venir à bout, c'est trop peu que de vous.

Scène II : L'Infante.

T'écouterai-je encor, respect de ma naissance,
Qui fais un crime de mes feux?

T'écouterai-je, amour, dont la douce puissance
Contre ce fier tyran fait révolter mes vœux?
      Pauvre princesse, auquel des deux
      Dois-tu prêter obéissance?
Rodrigue, ta valeur te rend digne de moi;
Mais pour être vaillant, tu n'es pas fils de roi.

Impitoyable sort, dont la rigueur sépare
      Ma gloire d'avec mes désirs!
Est-il dit que le choix d'une vertu si rare
Coûte à ma passion de si grands déplaisirs?
      O cieux! à combien de soupirs
      Faut-il que mon cœur se prépare,
Si jamais il n'obtient sur un si long tourment
Ni d'éteindre l'amour ni d'accepter l'amant!

Mais c'est trop de scrupule et ma raison s'étonne
      Du mépris d'un si digne choix :
Bien qu'aux monarques seuls ma naissance me donne,
Rodrigue, avec honneur je vivrai sous tes lois.
      Après avoir vaincu deux rois,
      Pourrais-tu manquer de couronne
Et ce grand nom de Cid que tu viens de gagner
Ne fait-il pas trop voir sur qui tu dois régner?

Il est digne de moi, mais il est à Chimène;
      Le don que j'en ai fait me nuit.
Entre eux la mort d'un père a si peu mis de haine
Que le devoir du sang à regret le poursuit :
      Ainsi n'espérons aucun fruit
      De son crime, ni de ma peine,
Puisque pour me punir le destin a permis
Que l'amour dure même entre deux ennemis.

Scène III : L'Infante, Léonor.

L'INFANTE
Où viens-tu, Léonor?
      LÉONOR
      Vous applaudir, Madame,
Sur le repos qu'enfin a retrouvé votre âme.
      L'INFANTE
D'où viendrait ce repos dans un comble d'ennui?
      LÉONOR
Si l'amour vit d'espoir et s'il meurt avec lui,
Rodrigue ne peut plus charmer votre courage.
Vous savez le combat où Chimène l'engage :
Puisqu'il faut qu'il y meure ou qu'il soit son mari,
Votre espérance est morte et votre esprit guéri.
      L'INFANTE
Ah! qu'il s'en faut encor!
      LÉONOR
      Que pouvez-vous prétendre?
      L'INFANTE
Mais plutôt quel espoir me pourrais-tu défendre?
Si Rodrigue combat sous ces conditions,
Pour en rompre l'effet, j'ai trop d'inventions.
L'amour, ce doux auteur de mes cruels supplices,
Aux esprits des amants apprend trop d'artifices.

LÉONOR
Pourrez-vous quelque chose, après qu'un père mort
N'a pu dans leurs esprits allumer de discord?
Car Chimène aisément montre par sa conduite
Que la haine aujourd'hui ne fait pas sa poursuite.
Elle obtient un combat et pour son combattant   1615
C'est le premier offert qu'elle accepte à l'instant :
Elle n'a point recours à ces mains généreuses
Que tant d'exploits fameux rendent si glorieuses;
Don Sanche lui suffit et mérite son choix,
Parce qu'il va s'armer pour la première fois.   1620
Elle aime en ce duel son peu d'expérience;
Comme il est sans renom, elle est sans défiance
Et sa facilité vous doit bien faire voir
Qu'elle cherche un combat qui force son devoir,
Qui livre à son Rodrigue une victoire aisée   1625
Et l'autorise enfin à paraître apaisée.
      L'INFANTE
Je le remarque assez et toutefois mon cœur
A l'envi de Chimène adore ce vainqueur.
A quoi me résoudrai-je, amante infortunée?
      LÉONOR
A vous mieux souvenir de qui vous êtes née :   1630
Le ciel vous doit un roi, vous aimez un sujet!
      L'INFANTE
Mon inclination a bien changé d'objet.
Je n'aime plus Rodrigue, un simple gentilhomme;
Non, ce n'est plus ainsi que mon amour le nomme :
Si j'aime, c'est l'auteur de tant de beaux exploits,   1635
C'est le valeureux Cid, le maître de deux rois.
Je me vaincrai pourtant, non de peur d'aucun blâme,
Mais pour ne troubler pas une si belle flamme
Et quand pour m'obliger on l'aurait couronné,
Je ne veux point reprendre un bien que j'ai donné.   1640
Puisqu'en un tel combat sa victoire est certaine,
Allons encore un coup le donner à Chimène
Et toi, qui vois les traits dont mon cœur est percé,
Viens me voir achever ce que j'ai commencé.

Scène IV : Chimène, Elvire.

CHIMÈNE
Elvire, que je souffre et que je suis à plaindre!   1645
Je ne sais qu'espérer et je vois tout à craindre;
Aucun vœu ne m'échappe où j'ose consentir,
Je ne souhaite rien sans un prompt repentir.
A deux rivaux pour moi je fais prendre les armes,
Le plus heureux succès me coûtera des larmes   1650
Et quoi qu'en ma faveur en ordonne le sort,
Mon père est sans vengeance ou mon amant est mort.
      ELVIRE
D'un et d'autre côté je vous vois soulagée :
Ou vous avez Rodrigue ou vous êtes vengée
Et, quoi que le destin puisse ordonner de vous,   1655
Il soutient votre gloire et vous donne un époux.
      CHIMÈNE
Quoi! l'objet de ma haine ou de tant de colère!
L'assassin de Rodrigue ou celui de mon père!
De tous les deux côtés on me donne un mari
Encor tout teint du sang que j'ai le plus chéri,   1660

De tous les deux côtés mon âme se rebelle :
Je crains plus que la mort la fin de ma querelle.
Allez, vengeance, amour, qui troublez mes esprits,
Vous n'avez point pour moi de douceurs à ce prix
1665 Et toi, puissant moteur du destin qui m'outrage,
Termine ce combat sans aucun avantage,
Sans faire aucun des deux ni vaincu ni vainqueur.

ELVIRE

Ce serait vous traiter avec trop de rigueur.
Ce combat pour votre âme est un nouveau supplice,
1670 S'il vous laisse obligée à demander justice,
A témoigner toujours ce haut ressentiment
Et poursuivre toujours la mort de votre amant.
Madame, il vaut bien mieux que sa rare vaillance,
Lui couronnant le front, vous impose silence,
1675 Que la loi du combat étouffe vos soupirs
Et que le Roi vous force à suivre vos désirs.

CHIMÈNE

Quand il sera vainqueur, crois-tu que je me rende?
Mon devoir est trop fort et ma perte trop grande,
Et ce n'est pas assez, pour leur faire la loi,
1680 Que celle du combat et le vouloir du Roi.
Il peut vaincre don Sanche avec fort peu de peine,
Mais non pas avec lui la gloire de Chimène
Et, quoi qu'à sa victoire un monarque ait promis,
Mon honneur lui fera mille autres ennemis.

ELVIRE

1685 Gardez, pour vous punir de cet orgueil étrange,
Que le ciel à la fin ne souffre qu'on vous venge.
Quoi! vous voulez encor refuser le bonheur
De pouvoir maintenant vous taire avec honneur?
Que prétend ce devoir et qu'est-ce qu'il espère?
1690 La mort de votre amant vous rendra-t-elle un père?
Est-ce trop peu pour vous que d'un coup de malheur?
Faut-il perte sur perte, et douleur sur douleur?
Allez, dans le caprice où votre humeur s'obstine,
Vous ne méritez pas l'amant qu'on vous destine
1695 Et nous verrons du ciel l'équitable courroux
Vous laisser, par sa mort, don Sanche pour époux.

CHIMÈNE

Elvire, c'est assez des peines que j'endure,
Ne les redouble point de ce funeste augure.
Je veux, si je le puis, les éviter tous deux,
1700 Sinon, en ce combat Rodrigue a tous mes vœux :
Non qu'une folle ardeur de son côté me penche,
Mais s'il était vaincu, je serais à don Sanche :
Cette appréhension fait naître mon souhait.
Que vois-je, malheureuse? Elvire, c'en est fait.

Scène V : Don Sanche, Chimène, Elvire.

DON SANCHE

1705 Obligé d'apporter à vos pieds cette épée...

CHIMÈNE

Quoi! du sang de Rodrigue encor toute trempée?
Perfide, oses-tu bien te montrer à mes yeux,
Après m'avoir ôté ce que j'aimais le mieux?
Éclate, mon amour, tu n'as plus rien à craindre :
1710 Mon père est satisfait, cesse de te contraindre.
Un même coup a mis ma gloire en sûreté,

Mon âme au désespoir, ma flamme en liberté.

DON SANCHE

D'un esprit plus rassis...

CHIMÈNE

Tu me parles encore,
Exécrable assassin d'un héros que j'adore?
Va, tu l'as pris en traître; un guerrier si vaillant
N'eût jamais succombé sous un tel assaillant.
N'espère rien de moi, tu ne m'as point servie :
En croyant me venger, tu m'as ôté la vie.

DON SANCHE

Étrange impression, qui, loin de m'écouter...

CHIMÈNE

Veux-tu que de sa mort je t'écoute vanter,
Que j'entende à loisir avec quelle insolence
Tu peindras son malheur, mon crime et ta vaillance?

Scène VI : Don Fernand, Don Diègue,
Don Arias, Don Sanche, Don
Alonse, Chimène, Elvire.

CHIMÈNE

Sire, il n'est plus besoin de vous dissimuler
Ce que tous mes efforts ne vous ont pu celer.
J'aimais, vous l'avez su; mais pour venger mon père,
J'ai bien voulu proscrire une tête si chère :
Votre Majesté, Sire, elle-même a pu voir
Comme j'ai fait céder mon amour au devoir.
Enfin Rodrigue est mort, et sa mort m'a changée
D'implacable ennemie en amante affligée.
J'ai dû cette vengeance à qui m'a mise au jour
Et je dois maintenant ces pleurs à mon amour.
Don Sanche m'a perdue en prenant ma défense
Et du bras qui me perd je suis la récompense!
Sire, si la pitié peut émouvoir un roi,
De grâce, révoquez une si dure loi;
Pour prix d'une victoire où je perds ce que j'aime,
Je lui laisse mon bien, qu'il me laisse à moi-même,
Qu'en un cloître sacré je pleure incessamment,
Jusqu'au dernier soupir, mon père et mon amant.

DON DIÈGUE

Enfin, elle aime, Sire, et ne croit plus un crime
D'avouer par sa bouche un amour légitime.

DON FERNAND

Chimène, sors d'erreur, ton amant n'est pas mort
Et Don Sanche vaincu t'a fait un faux rapport.

DON SANCHE

Sire, un peu trop d'ardeur malgré moi l'a déçue :
Je venais du combat lui raconter l'issue.
Ce généreux guerrier, dont son cœur est charmé :
« Ne crains rien, m'a-t-il dit, quand il m'a désarmé;
Je laisserais plutôt la victoire incertaine,
Que de répandre un sang hasardé pour Chimène;
Mais puisque mon devoir m'appelle auprès du Roi,
Va de notre combat l'entretenir pour moi,
De la part du vainqueur lui porter ton épée. »
Sire, j'y suis venu : cet objet l'a trompée,
Elle m'a cru vainqueur, me voyant de retour,
Et soudain sa colère a trahi son amour

Avec tant de transport et tant d'impatience
Que je n'ai pu gagner un moment d'audience.
    Pour moi, bien que vaincu, je me répute heureux
50 Et, malgré l'intérêt de mon cœur amoureux,
Perdant infiniment, j'aime encor ma défaite,
Qui fait le beau succès d'une amour si parfaite.

DON FERNAND

Ma fille, il ne faut point rougir d'un si beau feu
Ni chercher les moyens d'en faire un désaveu.
55 Une louable honte en vain t'en sollicite :
Ta gloire est dégagée, et ton devoir est quitte;
Ton père est satisfait et c'était le venger
Que mettre tant de fois ton Rodrigue en danger.
Tu vois comme le ciel autrement en dispose.
70 Ayant tant fait pour lui, fais pour toi quelque chose
Et ne sois point rebelle à mon commandement,
Qui te donne un époux aimé si chèrement.

*Scène VII : Don Fernand, Don Diègue, Don Arias,
Don Rodrigue, Don Alonse, Don Sanche,
l'Infante, Chimène, Léonor, Elvire.*

L'INFANTE

Sèche tes pleurs, Chimène, et reçois sans tristesse
Ce généreux vainqueur des mains de ta princesse.

DON RODRIGUE

5 Ne vous offensez point, Sire, si devant vous
Un respect amoureux me jette à ses genoux.
    Je ne viens point ici demander ma conquête :
Je viens tout de nouveau vous apporter ma tête,
Madame; mon amour n'emploiera point pour moi
10 Ni la loi du combat ni le vouloir du Roi.
Si tout ce qui s'est fait est trop peu sur un père,
Dites par quels moyens il vous faut satisfaire.
Faut-il combattre encor mille et mille rivaux,
Aux deux bouts de la terre étendre mes travaux,
15 Forcer moi seul un camp, mettre en fuite une armée,
Des héros fabuleux passer la renommée?
Si mon crime par là se peut enfin laver,
J'ose tout entreprendre et puis tout achever;
Mais si ce fier honneur, toujours inexorable,
20 Ne se peut apaiser sans la mort du coupable,
N'armez plus contre moi le pouvoir des humains :
Ma tête est à vos pieds, vengez-vous par vos mains,
Vos mains seules ont droit de vaincre un invincible,
Prenez une vengeance à tout autre impossible.
25 Mais du moins que ma mort suffise à me punir :
Ne me bannissez point de votre souvenir

Et puisque mon trépas conserve votre gloire,
Pour vous en revancher conservez ma mémoire
Et dites quelquefois, en déplorant mon sort :
« S'il ne m'avait aimée, il ne serait pas mort. »   1800

CHIMÈNE

Relève-toi Rodrigue. Il faut l'avouer, Sire,
Je vous en ai trop dit pour m'en pouvoir dédire.
Rodrigue a des vertus que je ne puis haïr
Et quand un roi commande, on lui doit obéir.
Mais à quoi que déjà vous m'ayez condamnée,   1805
Pourrez-vous à vos yeux souffrir cet hyménée?
Et quand de mon devoir vous voulez cet effort,
Toute votre justice en est-elle d'accord?
Si Rodrigue à l'État devient si nécessaire,
De ce qu'il fait pour vous dois-je être le salaire   1810
Et me livrer moi-même au reproche éternel
D'avoir trempé mes mains dans le sang paternel?

DON FERNAND

Le temps assez souvent a rendu légitime
Ce qui semblait d'abord ne se pouvoir sans crime :
Rodrigue t'a gagnée et tu dois être à lui.   1815
Mais quoique sa valeur t'ait conquise aujourd'hui,
Il faudrait que je fusse ennemi de ta gloire,
Pour lui donner sitôt le prix de sa victoire.
Cet hymen différé ne rompt point une loi
Qui sans marquer de temps, lui destine ta foi.   1820
Prends un an, si tu veux, pour essuyer tes larmes.
    Rodrigue, cependant il faut prendre les armes.
Après avoir vaincu les Mores sur nos bords,
Renversé leurs desseins, repoussé leurs efforts,
Va jusqu'en leur pays leur reporter la guerre,   1825
Commander mon armée et ravager leur terre :
A ce nom seul de Cid ils trembleront d'effroi,
Ils t'ont nommé seigneur et te voudront pour roi.
Mais parmi tes hauts faits sois-lui toujours fidèle :
Reviens-en, s'il se peut, encor plus digne d'elle   1830
Et par tes grands exploits fais-toi si bien priser
Qu'il lui soit glorieux alors de t'épouser.

DON RODRIGUE

Pour posséder Chimène et pour votre service,
Que peut-on m'ordonner que mon bras n'accomplisse?
Quoi qu'absent de ses yeux il me faille endurer,   1835
Sire, ce m'est trop d'heur de pouvoir espérer.

DON FERNAND

Espère en ton courage, espère en ma promesse,
Et possédant déjà le cœur de ta maîtresse,
Pour vaincre un point d'honneur qui combat contre
Laisse faire le temps, ta vaillance et ton roi.   [toi, 1840

L'AVEUGLE DE SMYRNE
TRAGI-COMÉDIE

En même temps que le Cid, *les cinq auteurs font jouer une* Grande pastorale *qui, chose étrange, puisque Richelieu fit toujours imprimer luxueusement les productions de ses protégés, ne nous est pas parvenue. Cette pièce à grand spectacle, avec « changements variés et admirables des scènes », annonce une nouvelle orientation du théâtre, confirmée par quelques ouvrages comme l'*Orphée de Chapoton *(1639) et la* Mirame de Desmarets *(1640).*

Dans ce divertissement pour les yeux, destiné au public cosmopolite des ambassadeurs étrangers, le texte avait peu d'importance, ce qui explique qu'il

ne fut pas imprimé, d'autant que Richelieu, auteur, disait-on, de cinq cents vers, avait subi une critique en règle de Chapelain et s'était rendu à ses raisons.

Six semaines après la Pastorale, *le 22 février 1637, est joué l'*Aveugle de Smyrne, *auquel il est probable que Corneille a collaboré, en écrivant, semble-t-il, l'acte I. Il serait intéressant de le savoir, car le sujet comporte nombre de ressemblances avec l'*Illusion comique. *En juin 1638, la rupture avec Richelieu est consommée : Corneille a été exclu du groupe des Cinq, ce qui n'empêche pas le poète de toucher une pension du ministre et de lui dédier, dès sa rentrée au théâtre,* Horace.

ACTEURS

ATLANTE, *prince du Sénat.*
PHILARQUE, *fils d'Atlante.*
HÉLIANE, *fille d'Atlante.*
OLINTHE, *mère d'Aristée.*
ARISTÉE, *maîtresse de Philarque.*
PHILISTE, *rival de Philarque.*
TERFILE, *confident de Philarque et ami d'Atlante.*
ALCINON, *guide de Philarque.*
PAULINE, *confidente d'Aristée.*
SILÈNE, *geôlier.*

La scène est en l'île de Smyrne.

ACTE PREMIER

Scène I : Philarque, Terfile.

TERFILE
Les bras ainsi croisés, et les larmes aux yeux,
Frappant du pied la terre, et regardant les cieux,
Que veut dire Philarque?
PHILARQUE
              Ah! j'ai trop de courage,
Pour commettre jamais un si perfide outrage.
TERFILE
5 Quel fâcheux accident lui causant ces transports,
Agite également son esprit et son corps?

PHILARQUE
Au secours ma raison, j'ai besoin de tes armes.
TERFILE
Ses mots entrecoupés de soupirs et de larmes,
Ses farouches regards, son geste, et sa couleur,
Témoignent qu'il succombe aux traits de la douleur.
PHILARQUE
Oui, je mourrai plutôt, que jamais il arrive,
TERFILE
Quoi?
PHILARQUE
      Vous m'avez surpris.
TERFILE
                Quelle peine excessive
Fait que depuis trois jours je vous vois soupirer?
PHILARQUE
Hélas! j'ai bien sujet de me désespérer.
TERFILE
Ne m'apprendrez-vous point d'où votre mal procède?
PHILARQUE
J'ai deux forts ennemis; mon mal est sans remède.
TERFILE
Eh bien, est-ce là tout?
PHILARQUE
             Ils sont à redouter:
TERFILE
Nous sommes deux aussi, courons les surmonter;
Nous en viendrons à bout, s'ils ne sont invincibles.
PHILARQUE
Les pourriez-vous trouver, puisqu'ils sont invisibles?

TERFILE

Hé quoi, ne sont-ce pas des hommes comme nous?

PHILARQUE

Non, ces deux ennemis redoutent peu nos coups;
Et les efforts d'un Dieu me seraient nécessaires.

TERFILE

Mais encor, qui sont donc ces puissants adversaires?
Où sont-ils?

PHILARQUE

Dans mon cœur : il leur sert de séjour.

TERFILE

Dans votre cœur, eh qui?

PHILARQUE

La Vengeance, et l'Amour.

TERFILE

Ce sont deux passions, dont la moindre est capable
De rendre pour jamais un esprit misérable :
Mais encor, quel sujet vous porte à vous venger?
Et quels maux en aimant, vous peuvent affliger?

PHILARQUE

Deux mots vous l'apprendront, puisqu'il vous prend
Cher ami, de savoir l'histoire de ma vie.   [envie,
Mon père eut autrefois assez de cruauté,
Pour vouloir sans raison forcer ma volonté,
Et me faire épouser une autre que la belle
A qui je suis lié d'une chaîne éternelle.
Je fais ce que je puis, pour arrêter sa main,
Comme il allait signer cet arrêt inhumain :
Je pars, pour éviter ce triste mariage;
Je m'éloigne de Smyrne, et fais un long voyage.
Il fut à mon départ touché de déplaisir,
Et cesse à mon retour de forcer mon désir
Qui, grâce aux Immortels, a mon âme asservie
Au plus aimable objet qui respire la vie;
Mais qu'avec cette joie il mêle de douleurs!

TERFILE

Pourquoi joint-il ainsi les épines aux fleurs?

PHILARQUE

Il pense que Philiste ait ma sœur subornée.

TERFILE

Que votre sœur ainsi se soit abandonnée?

PHILARQUE

Il le croit, et s'attend que par un lâche effort,
Sans me battre avec lui, je lui donne la mort.
Dieux! cette lâcheté n'est-elle pas extrême?

TERFILE

Le faire ainsi mourir?

PHILARQUE

Plutôt mourir moi-même.

TERFILE

Ce qu'il veut n'est pas juste.

PHILARQUE

Il parle absolument,
Et veut que j'obéisse à son commandement.

TERFILE

Mais que lui dites-vous?

PHILARQUE

Que je ne le puis faire,
Parce que la raison m'ordonne le contraire
Qu'en traître je le tue? et vengeant un affront,

Qu'il m'en demeure un autre imprimé sur le front?
Croit-il bien réparer la honte de sa fille,
Déshonorant son fils, et toute sa famille?   60
Voudrait-il abuser par cet assassinat,
Du titre glorieux de Prince du Sénat?
Se venger en tyran, et par cette licence,
Faire dans toute l'île abhorrer sa puissance?
M'a-t-il fait assassin? suis-je lâche, et sans cœur?   65
Il m'a donné la vie, il veut m'ôter l'honneur;
Qu'il me laisse l'honneur, et je lui rends la vie :
Oui, j'aime beaucoup mieux qu'elle me soit ravie,
Que d'aller faire un coup de lâche et de cruel;
Je veux bien voir Philiste en un juste duel;   70
Mais je crois, qui plus est, que mon père s'abuse,
C'est, c'est peut-être à faux que Philiste on accuse.
Retirez-moi de doute, et faites, justes Dieux,
Éclater l'innocence, ou le crime à mes yeux,
Et je soutiendrai l'une, ou je vengerai l'autre,   75
Afin de conserver mon honneur, et le vôtre.
Mais j'aperçois mon père.

TERFILE

Allez le consoler.

PHILARQUE

L'excès de la douleur m'empêche de parler.

Scène II : Atlante, Philarque, Terfile.

ATLANTE

O ciel qui si longtemps m'avez été propice,
Qu'ai-je fait, pour tomber du faîte au précipice?   80

PHILARQUE

Rien, mon père.

ATLANTE

Ah mon fils! Eh bien, avais-je tort?
Philiste et votre sœur n'étaient-ils pas d'accord?
J'étais un vieux rêveur, et dans votre créance,
Je supposais un crime à la même innocence;
Mais je les ai surpris, je les tiens en prison,   85
Et sans votre secours, j'en aurai la raison,
L'effort de votre bras ne m'est plus nécessaire,
Pour donner à ce traître un supplice exemplaire;
Il mourra dans les fers, accablé de tourments,
Autant de fois et plus, qu'il vivra de moments.   90

PHILARQUE

Mais s'il est innocent?

ATLANTE

Ah! que viens-je d'entendre!
Pouvez-vous bien sans crime un tel crime défendre?
Ils sont dans ces prisons, et je vais de ce pas,
Par un honteux supplice avancer leur trépas.

PHILARQUE

Mon père...

ATLANTE

Ah! laissez-moi.

PHILARQUE

Dieu! que pensez-vous faire? 95

ATLANTE

Mon devoir.

PHILARQUE

Mais plutôt...

ATLANTE
Rien ne m'en peut distraire.

TERFILE
Il faut vous consoler, et dans cet accident,
Ne paraître pas moins courageux que prudent.

PHILARQUE
Comment me consoler au milieu de deux peines,
100 Dont je ne puis souffrir les rigueurs inhumaines?
L'une, c'est de cacher, malgré mon désespoir,
Le gouffre d'infamie, où ma sœur vient de choir,
Et l'autre est de donner un peu d'air à la flamme
Que deux soleils vivants allument dans mon âme;
105 Deux beaux yeux, où l'amour fait sa gloire éclater,
Armés de traits de feu, qu'on ne peut éviter.

TERFILE
Comment appelez-vous cette jeune merveille,
Qui vous force à brûler d'une ardeur non pareille?

PHILARQUE
Je vous ouvre mon cœur avecque liberté,
110 Je meurs en adorant une Divinité
Qui paraît en ces lieux sous le nom d'Aristée.

TERFILE
Mais l'avez-vous aussi dans vos fers arrêtée?

PHILARQUE
Si je n'en suis aimé, je n'en suis pas haï,
Ou ses yeux, et les miens mille fois m'ont trahi :
115 Je sais bien que du feu dont je brûle pour elle,
Il est jusqu'en son cœur volé quelque étincelle.
Elle sait bien aussi quelle est ma passion,
Elle la dissimule avec discrétion;
Mais sa mère l'ignore, et je n'ose entreprendre,
120 De lui dire l'ardeur qui me réduit en cendre.

TERFILE
Hé pourquoi? quel sujet vous en peut retenir?

PHILARQUE
A quoi me servirait de l'en entretenir?

TERFILE
A terminer vos maux par un doux hyménée.

PHILARQUE
Au temple de Diane elle l'a destinée;
125 Et je crois que bientôt cette chaste beauté,
Choisira pour retraite un lieu de pureté,
Plutôt qu'une maison de gloire dépouillée,
Qu'un amour dissolu pour jamais a souillée.

TERFILE
Il vous faut éclaircir de cette trahison,
130 Et puis vous songerez à votre guérison.

PHILARQUE
Courons donc au logis, et s'il nous est possible
Apprenons si mon père à mes maux insensible,
Saura par les témoins qui peuvent déposer,
Les convaincre, aussi bien qu'il les sait accuser.

TERFILE
135 Allons, je le veux bien.

PHILARQUE
Mais devant que je sorte,
Allez à la prison, et frappez à la porte;
Peut-être n'a-t-il dit que pour m'épouvanter,
Qu'il les a fait ainsi l'un et l'autre arrêter.

TERFILE
J'y vais tout maintenant; poursuivez votre route.

PHILISTE
Qui heurte?

TERFILE
C'est assez, j'ouis Philiste sans doute.

PHILISTE
Quel est cet importun qui heurte de la sorte,
Sans vouloir seulement m'en dire la raison?
N'est-ce point un esprit, qui frappant à ma porte,
Veut que j'ouvre plutôt mon cœur que ma prison?
Hé bien, il faudra que je l'ouvre,
Et que librement je découvre,
Mon crime, et mon affection;
L'un me perd, l'autre est ma défense;
L'un mérite punition,
L'autre est digne de récompense.

Pouvons-nous trop oser sous l'amoureux empire,
Pour vaincre la beauté, qui nous force à l'aimer?
Libre je déplaisais à l'objet que j'admire,
Et peut-être captif m'en ferai-je estimer.
Ne sera-t-elle pas forcée
De me louer en sa pensée,
Puisqu'en l'adorant je me perds?
Ma prise m'est une victoire;
Je triomphe au milieu des fers,
Et ma honte cède à ma gloire.

Rien ne paraît si grand que mon amour fidèle,
Et mon crime en pouvoir le surpasse pourtant,
On croit qu'elle a failli; mon crime passe en elle,
Et jamais mon amour n'en a su faire autant.
Il n'entra jamais dans son âme
Le moindre rayon de la flamme,
Qui comble mon cœur de souci :
Elle me hait, je la seconde;
Car je me hais moi-même aussi,
Afin de n'aimer qu'elle au monde.

Je n'aime qu'elle au monde, et veux malgré l'envie,
Pour l'ôter de l'orage, et la conduire au port,
Faire voir qu'on s'attaque à la plus belle vie,
Qui tombera jamais sous les traits de la mort.
Que si je n'ai pas la puissance,
De montrer que son innocence,
Ne se peut sans crime accuser;
Au moins la loi la plus cruelle
Ne me pourra pas refuser
La gloire de mourir pour elle.

Un incroyable excès et d'amour, et de peine,
Fait qu'avecque raison j'ai toujours souhaité,
De pouvoir posséder cette belle inhumaine,
Ou de pouvoir au moins mourir pour sa beauté.
Maintenant l'un m'est impossible,
Mais l'autre m'est bien infaillible :
Je vais mourir en la servant;
Et la mort m'est un avantage,
Puisque ce beau rocher vivant
Est la cause de mon naufrage.
Peut-être cette ingrate, après tant de services,

Aura-t-elle regret à la mort d'un amant;
Qui soutiendra toujours au milieu des supplices,
Qu'il est seul criminel, et qu'il meurt justement;
5   Mais que pourtant sa faute est belle;
      Qu'il est moins traître que fidèle,
      Et moins coupable qu'amoureux :
      Qu'Aristée est la vertu même,
      Et Philarque est trop heureux,
0   D'être lui seul tout ce qu'elle aime.

Scène III : Terfile, Philarque.

TERFILE

Tout ce que dit Atlante en cette occasion,
Est, comme son esprit, plein de confusion.

PHILARQUE

Il n'a point de leur crime une assez claire marque;
Mais on vient de nommer Aristée et Philarque :
5 N'avez-vous pas ouï ces malheureux amants,
Proférer nos deux noms au fort de leurs tourments?

TERFILE

Oui, mais à quel propos se nomment-ils ensemble?
D'où vient que dans ce lieu vos deux noms on

     PHILARQUE   [assemble?

Ils joignent justement nos noms en leurs discours,
0 Puisque nos cœurs sont joints, et le seront toujours;
Allons en leur parlant tâcher de les surprendre.

TERFILE

Mais quoi, de leurs prisons vous pourront-ils entendre?

PHILARQUE

Je viens de les ouïr, sans doute ils m'entendront.

TERFILE

Mais à votre parole ils vous reconnaîtront.

     PHILARQUE

5 Je la déguiserai.

     TERFILE

     Dieux, quelle rêverie!
Mais que leur direz-vous?

     PHILARQUE

        Approchez, je vous prie,
Un mensonge en pourra tirer la vérité [1].
Il est mort, le méchant, et l'a bien mérité.

ARISTÉE, *en prison.*

Qui donc est mort?

     PHILARQUE

        Celui qui tient votre franchise,
Et venait vous parler, quand on vous a surprise.

     ARISTÉE

Qui l'a tué?

     PHILARQUE

     C'est moi, j'ai terminé son sort.

     ARISTÉE

Ha! c'est donc toi méchant qui mérites la mort!

     PHILARQUE

La raison?

     ARISTÉE

     Laisse-moi, cherche qui te réponde :
Sa mort me fait mourir, va, le ciel te confonde.

1. Jeu de scène non indiqué : Philarque s'approche de la
maison figurant la prison et déguise sa voix.

TERFILE

Pour une prisonnière elle a peu de douceur;   225
Mais qui vous parle ainsi? Serait-ce votre sœur?

     PHILARQUE

Et qui donc?

     TERFILE

     Je ne sais, mais sa voix, ce me semble,
Et celle qui parlait, n'ont rien qui se ressemble.

     PHILARQUE

Ce séjour triste et noir, plein d'un air échauffé,
Où le son de la voix est soudain étouffé,   230
Et la peur, et le mal, dont elle est affligée,
Ont en moins d'une nuit sa parole changée.
Mais allons vers Philiste, et tâchons d'en tirer
Ce que jamais ma sœur n'a voulu déclarer,
Elle est morte à la fin, et sa mort est tragique.   235

     Il va à la prison de Philiste, et frappe à la porte, et dit.

PHILISTE, *en prison.*

Qui donc est morte ainsi?

     PHILARQUE

     Cette jeune impudique,
Qui de feux dissolus embrasait vos esprits,
Et venait vous parler, quand on vous a surpris.

     PHILISTE

Impudique! bons Dieux, tu vomis un blasphème :
Elle était innocente, et ma faute est extrême,   240
Impudique! ah! plutôt dis qu'avec la beauté
On a mis au tombeau la même chasteté.

Scène IV : Atlante, Philarque, Terfile.

ATLANTE

Que vois-je? parlez-vous à ces deux misérables?

PHILARQUE

Je parle aux prisonniers, innocents ou coupables.

ATLANTE

Innocents? j'ai pitié de toi, si tu le crois;   245

PHILARQUE

Arrête, si ma sœur n'a déguisé sa voix,
Quelqu'autre prisonnière a répondu pour elle.

Scène V : Héliane, Pauline, Atlante, Philarque, Terfile. *Héliane paraît sur le théâtre.*

ATLANTE

Dieux! qui l'a fait sortir, étant si criminelle?
Ne l'aperçois-je pas qui s'en vient droit à nous?

HÉLIANE

Triste jusqu'à la mort, j'embrasse vos genoux,   250
Pour savoir...

     TERFILE

     Les sanglots lui coupent la parole.

ATLANTE

Qui l'a mise dehors? que le ciel me console,
Mais tout le monde au moins connaît visiblement,
Que si je l'accusais, c'était bien justement :
Ses pleurs et ses sanglots, avec trop d'apparence,   255
Me demandent pardon de sa cruelle offense.

HÉLIANE

Vous demander pardon? Ah! Dieux, que dites-vous ?

Qu'ai-je fait qui vous pique, et vous mette en cour-
Vous demander pardon! je serais insensée,   [roux?
260 N'étant pas seulement coupable de pensée.

ATLANTE

Impudente, confesse, et ne diffère plus;
Sanglots, plaintes, serments sont ici superflus.

HÉLIANE

Si j'ai perdu l'honneur, je veux perdre la vie;
Le garder, ou mourir, est toute mon envie.
265 Et je ne sais quel crime on me peut imposer;
Mais je sais que sans crime on ne peut m'accuser.

ATLANTE

Quel endroit cette nuit te retenait cachée,
Alors que dans la chambre en vain je t'ai cherchée?

HÉLIANE

J'étais devant l'autel, ou je priais les Dieux,
270 De vous toucher le cœur, et vous ouvrir les yeux.

PAULINE

Il est vrai...

ATLANTE

Que sans vous elle s'est échappée,
Pour s'en aller trouver celui qui l'a trompée;
Et qui favorisé des ombres de la nuit,
L'attendait sans témoins.

HÉLIANE

D'où vient ce mauvais bruit?
275 Mon cœur ne fut jamais saisi de cette envie,
Vous me donnez la mort.

ATLANTE

Je t'ai donné la vie,

HÉLIANE

Me la conservez-vous, si vous m'ôtez l'honneur?

ATLANTE

Hélas, le seul Philiste en est le ravisseur,
Et par ce coup funeste, en prive ma famille.

HÉLIANE

280 Il demeure pourtant entier à votre fille.

ATLANTE

Dieu le voulut ainsi!

HÉLIANE

Veillez-le seulement;
Vous le verrez bientôt, avec étonnement.

ATLANTE

Oui, ton crime, et ma mort, ma honte, et ton supplice.

HÉLIANE

Mais plutôt ma vertu, qui s'oppose à tout vice.

ATLANTE

285 Tes discours et tes pleurs ne m'apaiseront pas.

HÉLIANE

La raison le doit faire, ou je cours au trépas.

ATLANTE

Tais-toi.

HÉLIANE

Mon innocence en un état si triste
Parlera donc pour moi.

ATLANTE

Connais-tu bien Philiste?

HÉLIANE

Je le dois bien connaître.

ATLANTE

Où penses-tu qu'il soit?

HÉLIANE

Je crois qu'il est chez lui.

ATLANTE

Ton esprit te déçoit;
Approche-toi d'ici, mais n'ouvre pas la bouche.

HÉLIANE

Quel moyen de parler dans le mal qui me touche?

ATLANTE

Philiste, nous savons tout ce qui s'est passé;
Vous perdez temps de feindre, elle a tout confessé.

PHILISTE, *en prison.*

Son innocence donc vous est assez connue.

HÉLIANE

Vous a-t-on pas surpris? et ne l'a-t-on pas vue,
La nuit avecque vous?

PHILISTE

Je ne saurais celer,
Que nous étions sortis la nuit pour nous parler.

ATLANTE, *se tournant à Héliane.*

Entends-tu ce qu'il dit? as-tu la hardiesse
De le nier encore, après qu'il le confesse?

HÉLIANE

J'entends de ces discours les mots, mais non le sens,
Je n'ai jamais brûlé que de feux innocents.

PAULINE

Dieux! qui nous peut jouer une telle partie?

HÉLIANE

Les Dieux m'en sont témoins, je ne suis point sortie,
Et n'ai point vu Philiste.

ATLANTE

Insigne fausseté!
Que de feintise est jointe à sa méchanceté!
Tu n'as point vu Philiste?

HÉLIANE

Accablez-moi de chaînes,
Et je dirai toujours, au milieu de mes gênes,
Je n'ai point vu Philiste.

ATLANTE

Ah! tu mériterais
D'être mise en prison, pour la seconde fois.

HÉLIANE

Je n'y suis point entrée, et j'y serai contente,
Pourvu que dans mes maux, je me trouve innocente :
Mais le tort qu'on me fait me met au désespoir.

ATLANTE

Infâme, cache-toi, je ne te puis plus voir.

TERFILE

Ses pleurs demandent grâce.

ATLANTE

On lui fera justice.
Oui, je veux à son crime égaler son supplice.

PHILARQUE

Quels célestes flambeaux dissiperont mes nuits?
Quel Dieu débrouillera le chaos où je suis?
Rentrons, et par argent, ou bien par artifice,
Tirons la vérité de sa vieille nourrice.

FIN DU PREMIER ACTE.

HORACE[1]
TRAGÉDIE

Corneille n'a pas songé un instant à quitter le théâtre après le Cid. Le « découragement » supposé du poète repose sur le seul témoignage suspect de Chapelain du 15 janvier 1639, d'où il ressort au contraire que Corneille est plus combatif que jamais. Les difficultés du Marais, l'isolement relatif du poète à l'égard du monde littéraire, les troubles de Rouen et la mort de son père en 1639 expliquent assez pourquoi il ne fait rien jouer.

Un témoignage de la querelle du Cid laisse supposer au contraire qu'il prépare une nouvelle pièce pour la saison 1637-1638. Il n'est pas sûr que ce fût Horace, dont on sait seulement qu'une lecture fut faite en 1637 chez Boisrobert, devant un aréopage qui lui conseilla de supprimer le meurtre de Camille et le procès du cinquième acte ! D'Aubignac le rappellera vingt-trois ans plus tard. Corneille n'en tint pas compte, ce qui confirme combien il était peu « abattu » et peu disposé à se soumettre aux critiques qui prétendaient régenter les poètes.

Le sujet d'Horace était un défi au jugement de l'Académie sur le Cid. Le fratricide d'Horace est autrement grave que la tendresse de Chimène pour le meurtrier de son père. A la différence de Machiavel, Corneille justifie pleinement son héros, qui accomplit un « acte de raison et de justice » dont il n'éprouve aucun remords. Ce meurtre n'est pas plus douloureux pour lui que le sacrifice, voulu par le Destin, de son meilleur ami. Telle est l'exigence d'un sort « hors de l'ordre commun », telle est la nature du tragique.

Les doctes en murmurèrent, mais il n'y eut pas de querelle d'Horace. Il n'y en aura plus jusqu'à Sophonisbe. Corneille s'était inspiré, plus que des pages peu dramatiques de Tite-Live, de deux pièces antérieures, la Orazia de l'Arétin (Venise, 1546) et l'Honrado hermano de Lope de Vega (1622), qui donnent déjà une importance exceptionnelle à Camille. Il ne semble pas avoir connu l'Horace trigémine de Laudun d'Aygaliers (1576).

La troupe du Marais, dirigée momentanément par de Villiers, s'est acquis dès 1638 une recrue de choix, Floridor, qui avait alors trente ans. C'est lui qui joua probablement le rôle d'Horace. Pour le reste de la troupe, dont on connaît bien les membres, on ne peut reconstituer que par conjectures l'ensemble de la distribution[2].

La pièce fut publiée chez Courbé, dans le format in-4° traditionnel, avec un fronstipice de Le Brun, gravé par Daret. Une édition plus commune, un in-12 de la même année, atteste le grand succès.

A MONSEIGNEUR LE CARDINAL
DUC DE RICHELIEU

MONSEIGNEUR,

Je n'aurais jamais eu la témérité de présenter à Votre Éminence ce mauvais portrait d'Horace, si je n'eusse considéré qu'après tant de bienfaits que j'ai reçus d'elle, le silence où mon respect m'a retenu jusqu'à présent passerait pour ingratitude et que, quelque injuste défiance que j'aye de mon travail, je dois encore plus de confiance en votre bonté. C'est d'elle que je tiens tout ce que je suis; et ce n'est pas sans rougir que pour toute reconnaissance, je vous fais un présent si peu digne de vous et si peu proportionné à ce que je vous dois. Mais, dans cette confusion, qui m'est commune avec tous ceux qui écrivent, j'ai cet avantage qu'on ne peut, sans quelque injustice, condamner mon choix, et que ce généreux Romain, que je mets aux pieds de V. É., eût pu paraître devant elle avec moins de honte, si les forces de l'artisan eussent répondu à la dignité de la matière. J'en ai pour garant l'auteur dont je l'ai tirée, qui commence à décrire cette fameuse histoire par ce glorieux éloge, « qu'il n'y a presque aucune chose plus noble dans toute l'antiquité ». Je voudrais qu'il eût dit de l'action ce que j'en dis de la peinture que j'en ai faite, non pour en tirer plus de vanité, mais seulement pour vous offrir quelque chose un peu moins indigne de vous être offert. Le sujet était capable de plus de grâces, s'il eût été traité d'une main plus savante; mais du moins il a reçu de la mienne toutes celles qu'elle était capable de lui donner et qu'on pouvait raisonnablement attendre d'une muse de province, qui n'étant pas assez heureuse pour jouir souvent des regards de V. É., n'a pas les mêmes lumières à se conduire qu'ont celles qui en sont continuellement éclairées. Et

---

1. Les contemporains de Corneille ont longtemps appelé indifféremment cette pièce *Horace* ou *les Horaces*. Elle fut jouée pour la première fois en février 1640 et publiée en 1641. Achevé d'imprimer : 15 janvier 1641.

2. Erreurs de l'éd. Marty-Laveaux (III, 250) rectifiées par Mme Deierkauf, dans *le Théâtre du Marais* (Nizet, 1954).

certes, MONSEIGNEUR, ce changement visible qu'on remarque en mes ouvrages depuis que j'ai l'honneur d'être à V. É., qu'est-ce autre chose qu'un effet des grandes idées qu'elle m'inspire quand elle daigne souffrir que je lui rende mes devoirs? et à quoi peut-on attribuer ce qui s'y mêle de mauvais qu'aux teintures grossières que je reprends quand je demeure abandonné à ma propre faiblesse? Il faut, MONSEIGNEUR, que tous ceux qui donnent leurs veilles au théâtre publient hautement avec moi que nous vous avons deux obligations très signalées : l'une, d'avoir ennobli le but de l'art; l'autre, de nous en avoir facilité les connaissances. Vous avez ennobli le but de l'art, puisqu'au lieu de celui de plaire au peuple que nous prescrivent nos maîtres et dont les deux plus honnêtes gens de leur siècle, Scipion et Lœlie[3], ont autrefois protesté de se contenter, vous nous avez donné celui de vous plaire et de vous divertir; et qu'ainsi nous ne rendons pas un petit service à l'État, puisque, contribuant à vos divertissements, nous contribuons à l'entretien d'une santé qui lui est si précieuse et si nécessaire. Vous nous en avez facilité les connaissances, puisque nous n'avons plus besoin d'autre étude pour les acquérir que d'attacher nos yeux sur V. É. quand elle honore de sa présence et de son attention le récit de nos poèmes. C'est là que, lisant sur son visage ce qui lui plaît et ce qui ne lui plaît pas, nous nous instruisons avec certitude de ce qui est bon et de ce qui est mauvais, et tirons des règles infaillibles de ce qu'il faut suivre et de ce qu'il faut éviter; c'est là que j'ai souvent appris en deux heures ce que mes livres n'eussent pu m'apprendre en dix ans; c'est là que j'ai puisé ce qui m'a valu l'applaudissement du public; et c'est là qu'avec votre faveur j'espère puiser assez pour être un jour une œuvre digne de vos mains. Ne trouvez donc pas mauvais, MONSEIGNEUR, que pour vous remercier de ce que j'ai de réputation, dont je vous suis entièrement redevable, j'emprunte quatre vers d'un autre Horace que celui que je vous présente, et que je vous exprime par eux les plus véritables sentiments de mon âme :

Totum muneris hoc tui est,
Quod monstror digito prætereuntium,
Scenæ non levis artifex :
Quod spiro et placeo, si placeo, tuum est[4].

Je n'ajouterai qu'une vérité à celle-ci, en vous suppliant de croire que je suis et serai toute ma vie, très passionnément, MONSEIGNEUR, de V. É., le très humble, très obéissant et très fidèle serviteur,

CORNEILLE.

EXAMEN (1660)

C'est une croyance assez générale que cette pièce pourrait passer pour la plus belle des miennes, si les derniers actes répondaient aux premiers. Tous veulent que la mort de Camille en gâte la fin et j'en demeure d'accord; mais je ne sais si tous en savent la raison. On l'attribue communément à ce qu'on voit cette mort sur la scène; ce qui serait plutôt la faute de l'actrice

que la mienne, parce que quand elle voit son frère mettre l'épée à la main, la frayeur, si naturelle au sexe, lui doit faire prendre la fuite, et recevoir le coup derrière le théâtre, comme je le marque dans cette impression. D'ailleurs, si c'est une règle de ne le point ensanglanter, elle n'est pas du temps d'Aristote, qui nous apprend que, pour émouvoir puissamment, il faut de grands déplaisirs, des blessures et des morts en spectacle. Horace ne veut pas que nous y hasardions les événements trop dénaturés, comme de Médée qui tue ses enfants; mais je ne vois pas qu'il en fasse une règle générale pour toutes sortes de morts, ni que l'emportement d'un homme passionné pour sa patrie, contre une sœur qui la maudit en sa présence avec des imprécations horribles[5], soit de même nature que la cruauté de cette mère. Sénèque l'expose aux yeux du peuple, en dépit d'Horace et chez Sophocle, Ajax ne se cache point au spectateur lorsqu'il se tue. L'adoucissement que j'apporte dans le second de ces discours[6] pour rectifier la mort de Clytemnestre peut-être propre ici à celle de Camille. Quand elle s'enferrerait d'elle-même par désespoir en voyant son frère l'épée à la main[7], ce frère ne laisserait pas d'être criminel de l'avoir tirée contre elle, puisqu'il n'y a point de troisième personne sur le théâtre à qui il pût adresser le coup qu'il recevrait, comme peut faire Oreste à Egisthe. D'ailleurs l'histoire est trop connue pour retrancher le péril qu'il court d'une mort infâme après l'avoir tuée; et la défense que lui prête son père pour obtenir sa grâce n'aurait plus de lieu, s'il demeurait innocent. Quoi qu'il en soit, voyons si cette action n'a pu causer la chute de ce poème par là, et si elle n'a point d'autre irrégularité que de blesser les yeux.

Comme je n'ai point accoutumé de dissimuler mes défauts, j'en trouve ici deux ou trois assez considérables. Le premier est que cette action, qui devient la principale de la pièce, est momentanée et n'a point cette juste grandeur que lui demande Aristote et qui consiste en un commencement, un milieu et une fin. Elle surprend tout d'un coup; et toute la préparation que j'y ai donnée par la peinture de la vertu farouche d'Horace, et par la défense qu'il fait à sa sœur de regretter qui que ce soit, de lui ou de son amant, qui meure au combat, n'est point suffisante pour faire attendre un emportement si extraordinaire et servir de commencement à cette action.

Le second défaut est que cette mort fait une action double, par le second péril où tombe Horace après être sorti du premier. L'unité de péril d'un héros dans la tragédie fait l'unité d'action; et quand il en est garanti, la pièce est finie, si ce n'est que la sortie même de ce péril l'engage si nécessairement dans un autre, que la liaison et la continuité des deux n'en fasse qu'une action; ce qui n'arrive point ici, où Horace revient triomphant sans aucun besoin de tuer sa sœur ni même de parler à elle; et l'action serait insuffisamment terminée à sa victoire. Cette chute d'un péril en l'autre, sans nécessité, fait ici un effet d'autant plus mauvais que d'un péril public, où il y va de tout l'État, il tombe en un péril particulier, où il n'y va que de sa vie, et, pour dire encore plus, d'un péril illustre, où il ne peut succomber que glorieusement, en un péril infâme, dont il ne peut sortir sans tache. Ajoutez, pour troisième imperfection, que

---

3. Térence, dit-on, soumettait ses pièces à leur jugement, mais affirme (préface de *l'Andrienne*) que « la seule tâche du poète est de faire des pièces capables de plaire au peuple ».

4. Le poète s'adresse à la Muse :
   C'est par ton seul bienfait
   Que les passants me montrent au doigt,
   Moi, l'artisan non médiocre de la scène.
   Ma vie et mon succès, s'il existe, sont ton bien.
   (Horace, *Odes*, IV, 3.)

5. Corneille justifie ainsi sans réserve l'acte d'Horace qu'il nomme dans la pièce : « Un acte de raison, un acte de justice », pour lequel au procès du Ve acte, Horace reste sans remords possible.

6. *Discours de la tragédie*, cf. page 836.

7. Cette étonnante solution est celle proposée par l'abbé d'Aubignac, à qui Corneille répond avec une discrète ironie.

Camille, qui ne tient que le second rang dans les trois premiers actes, et y laisse le premier à Sabine, prend le premier en ces deux derniers, où cette Sabine n'est plus considérable et qu'ainsi, s'il y a égalité dans les mœurs, il n'y en a point dans la dignité des personnages, où se doit étendre ce précepte d'Horace :

> *Servetur ad imum*
> *Qualis ab incepto processerit, et sibi constet* [8].

Ce défaut en Rodélinde a été une des principales causes du mauvais succès de *Pertharite*, et je n'ai point encore vu sur nos théâtres cette inégalité de rang en un même acteur, qui n'ait produit un très méchant effet. Il serait bon d'en établir une règle inviolable.

Du côté du temps, l'action n'est point trop pressée et n'a rien qui ne me semble vraisemblable. Pour le lieu, bien que l'unité y soit exacte, elle n'est pas sans quelque contrainte. Il est constant qu'Horace et Curiace n'ont point de raison de se séparer du reste de la famille pour commencer le second acte; et c'est une adresse de théâtre de n'en donner aucune, quand on n'en peut donner de bonnes. L'attachement de l'auditeur à l'action présente souvent ne lui permet pas de descendre à l'examen sévère de cette justesse et ce n'est pas un crime que de s'en prévaloir pour l'éblouir, quand il est malaisé de le satisfaire.

Le personnage de Sabine est assez heureusement inventé, et trouve sa vraisemblance aisée dans le rapport à l'histoire, qui marque assez d'amitié et d'égalité entre les deux familles pour avoir pu faire cette double alliance.

Elle ne sert pas davantage à l'action que l'Infante à celle du *Cid* et ne fait que se laisser toucher diversement comme elle, à la diversité des événements. Néanmoins on a généralement approuvé celle-ci et condamné l'autre. J'en ai cherché la raison, et j'en ai trouvé deux. L'une est la liaison des scènes, qui semble, s'il m'est permis de parler ainsi, incorporer Sabine dans cette pièce, au lieu que dans *le Cid* toutes celles de l'Infante sont détachées et paraissent hors d'œuvre :

> *... Tantum series juncturaque pollet* [9] !

L'autre, qu'ayant une fois posé Sabine pour femme d'Horace, il est nécessaire que tous les incidents de ce poème lui donnent les sentiments qu'elle en témoigne avoir, par l'obligation qu'elle a de prendre intérêt à ce qui regarde son mari et ses frères; mais l'Infante n'est point obligée d'en prendre aucun en ce qui touche le Cid; et si elle a quelque inclination secrète pour lui, il n'est point besoin qu'elle en fasse rien paraître, puisqu'elle ne produit aucun effet.

L'oracle qui est proposé au premier acte trouve son vrai sens à la conclusion du cinquième. Il semble clair d'abord et porte l'imagination à un sens contraire; et je les aimerais mieux de cette sorte sur nos théâtres que ceux qu'on fait entièrement obscurs, parce que la surprise de leur véritable effet en est plus belle. J'en ai usé ainsi encore dans l'*Andromède* et dans l'*Œdipe*. Je n'en dis pas la même chose des songes, qui peuvent faire encore un grand ornement dans la protase, pourvu qu'on ne s'en serve pas souvent. Je voudrais qu'ils eussent l'idée de la fin véritable de la pièce, mais avec

quelque confusion qui n'en permît pas l'intelligence entière. C'est ainsi que je m'en suis servi deux fois, ici et dans *Polyeucte*, mais avec plus d'éclat et d'artifice dans ce dernier poème, où il marque toutes les particularités de l'événement, qu'en celui-ci, où il ne fait qu'exprimer une ébauche tout à fait informe de ce qui doit arriver de funeste.

Il passe pour constant que le second acte est un des plus pathétiques qui soient sur la scène et le troisième un des plus artificieux. Il est soutenu de la seule narration de la moitié du combat des trois frères, qui est coupée très heureusement pour laisser Horace le père dans la colère et le déplaisir, et lui donner ensuite un beau retour à la joie dans le quatrième. Il a été à propos, pour le jeter dans cette erreur, de se servir de l'impatience d'une femme qui suit brusquement sa première idée et présume le combat achevé, parce qu'elle a vu deux des Horaces par terre et le troisième en fuite. Un homme, qui doit être plus posé et plus judicieux, n'eût pas été propre à donner cette fausse alarme : il eût dû prendre plus de patience, afin d'avoir plus de certitude de l'événement et n'eût pas été excusable de se laisser emporter si légèrement par les apparences à présumer le mauvais succès d'un combat dont il n'eût pas vu la fin.

Bien que le Roi n'y paraisse qu'au cinquième, il y est mieux dans sa dignité que dans *le Cid*, parce qu'il a intérêt pour tout son État dans le reste de la pièce et, bien qu'il n'y parle point, il ne laisse pas d'y agir comme roi. Il vient aussi dans ce cinquième comme roi qui veut honorer par cette visite un père dont les fils lui ont conservé sa couronne et acquis celle d'Albe au prix de leur sang. S'il y fait l'office de juge, ce n'est que par accident et il le fait dans le logis même d'Horace, par la seule contrainte qu'impose la règle de l'unité du lieu. Tout ce cinquième est encore une des causes du peu de satisfaction que laisse cette tragédie : il est tout en plaidoyers, et ce n'est pas là la place des harangues ni des longs discours; ils peuvent être supportés en un commencement de pièce, où l'action n'est pas encore échauffée, mais le cinquième acte doit plus agir que discourir. L'attention de l'auditeur, déjà lassée, se rebute de ces conclusions qui traînent et tirent la fin en longueur.

Quelques-uns ne veulent pas que Valère y soit un digne accusateur d'Horace, parce que, dans la pièce, il n'a pas fait voir assez de passion pour Camille; à quoi je réponds que ce n'est pas à dire qu'il n'en eût une très forte, mais qu'un amant mal voulu ne pouvait se montrer de bonne grâce à sa maîtresse dans le jour qui la rejoignait à un amant aimé. Il n'y avait point de place pour lui au premier acte, et encore moins au second; il fallait qu'il tînt son rang à l'armée pendant le troisième; et il se montre au quatrième, sitôt que la mort de son rival fait quelque ouverture à son espérance : il tâche à gagner les bonnes grâces du père par la commission qu'il prend du Roi de lui apporter les glorieuses nouvelles de l'honneur que ce prince lui veut faire; et par occasion il lui apprend la victoire de son fils, qu'il ignorait. Il ne manque pas d'amour durant les trois premiers actes, mais d'un temps propre à le témoigner; et dès la première scène de la pièce, il paraît bien qu'il rendait assez de soins à Camille, puisque Sabine s'en alarme pour son frère. S'il ne prend pas le procédé de France, il faut considérer qu'il est Romain et dans Rome, où il n'aurait pu entreprendre un duel contre un autre Romain sans faire un crime d'État, et que j'en aurais fait un de théâtre, si j'avais habillé un Romain à la française.

8. « Qu'il conserve jusqu'au bout, constant avec soi-même, le caractère qu'on lui voit au début de l'action » (*Art Poétique*, V. 126-127).

9. « Tant est fort un enchaînement rigoureux » (*Art Poétique*, v. 242).

ACTEURS

TULLE, *roi de Rome.*
LE VIEIL HORACE, *chevalier romain.*
HORACE, *son fils.*
CURIACE, *gentilhomme d'Albe, amant de Camille.*
VALÈRE, *chevalier romain, amoureux de Camille.*
SABINE, *femme d'Horace, et sœur de Curiace.*
CAMILLE, *amante de Curiace, et sœur d'Horace.*
JULIE, *dame romaine,*
confidente de Sabine et de Camille.
FLAVIAN, *soldat de l'armée d'Albe.*
PROCULE, *soldat de l'armée de Rome.*

La scène est à Rome, dans une salle
de la maison d'Horace.

ACTE PREMIER

Scène I : Sabine, Julie.

SABINE

Approuvez ma faiblesse, et souffrez ma douleur;
Elle n'est que trop juste en un si grand malheur :
Si près de voir sur soi fondre de tels orages,
L'ébranlement sied bien aux plus fermes courages
5 Et l'esprit le plus mâle et le moins abattu
Ne saurait sans désordre excercer sa vertu.
Quoique le mien s'étonne à ces rudes alarmes,
Le trouble de mon cœur ne peut rien sur mes larmes
Et parmi les soupirs qu'il pousse vers les cieux,
10 Ma constance du moins règne encor sur mes yeux :
Quand on arrête là les déplaisirs d'une âme,
Si l'on fait moins qu'un homme, on fait plus qu'une
Commander à ses pleurs en cette extrémité, [femme,
C'est montrer, pour le sexe, assez de fermeté.

JULIE

15 C'en est peut-être assez pour une âme commune,
Qui du moindre péril se fait une infortune,
Mais de cette faiblesse un grand cœur est honteux,
Il ose espérer tout dans un succès douteux.
Les deux camps sont rangés au pied de nos murailles,
20 Mais Rome ignore encor comme on perd des batailles.
Loin de trembler pour elle, il lui faut applaudir,
Puisqu'elle va combattre, elle va s'agrandir.
Bannissez, bannissez une frayeur si vaine,
Et concevez des vœux dignes d'une Romaine.

SABINE

25 Je suis Romaine, hélas! puisque Horace est Romain;
J'en ai reçu le titre en recevant sa main;
Mais ce nœud me tiendrait en esclave enchaînée,
S'il m'empêchait de voir en quels lieux je suis née.
Albe, où j'ai commencé de respirer le jour,
30 Albe, mon cher pays, et mon premier amour,
Lorsqu'entre nous et toi je vois la guerre ouverte,
Je crains notre victoire autant que notre perte.
   Rome, si tu te plains que c'est là te trahir,
Fais-toi des ennemis que je puisse haïr.

Quand je vois de tes murs leur armée et la nôtre,
Mes trois frères dans l'une et mon mari dans l'autre,
Puis-je former des vœux, et sans impiété
Importuner le ciel pour ta félicité?
Je sais que ton État, encore en sa naissance,
Ne saurait, sans la guerre, affermir sa puissance,
Je sais qu'il doit s'accroître, et que tes grands destins
Ne le borneront pas chez les peuples latins,
Que les Dieux t'ont promis l'empire de la terre
Et que tu n'en peux voir l'effet que par la guerre :
Bien loin de m'opposer à cette noble ardeur
Qui suit l'arrêt des Dieux et court à ta grandeur,
Je voudrais déjà voir tes troupes couronnées
D'un pas victorieux franchir les Pyrénées.
Va jusqu'en l'Orient pousser tes bataillons,
Va sur les bords du Rhin planter tes pavillons,
Fais trembler sous tes pas les colonnes d'Hercule,
Mais respecte une ville à qui tu dois Romule.
Ingrate, souviens-toi que du sang de ses rois
Tu tiens ton nom, tes murs, et tes premières lois.
Albe est ton origine : arrête et considère
Que tu portes le fer dans le sein de ta mère.
Tourne ailleurs les efforts de tes bras triomphants,
Sa joie éclatera dans l'heur de ses enfants
Et se laissant ravir à l'amour maternelle,
Ses vœux seront pour toi, si tu n'es plus contre elle.

JULIE

Ce discours me surprend, vu que depuis le temps
Qu'on a contre son peuple armé nos combattants,
Je vous ai vu pour elle autant d'indifférence
Que si d'un sang romain vous aviez pris naissance.
J'admirais la vertu qui réduisait en vous
Vos plus chers intérêts à ceux de votre époux
Et je vous consolais au milieu de vos plaintes,
Comme si notre Rome eût fait toutes vos craintes.

SABINE

Tant qu'on ne s'est choqué qu'en de légers combats,
Trop faibles pour jeter un des partis à bas,
Tant qu'un espoir de paix a pu flatter ma peine,
Oui, j'ai fait vanité d'être toute Romaine.
Si j'ai vu Rome heureuse avec quelque regret,
Soudain j'ai condamné ce mouvement secret
Et si j'ai ressenti, dans ses destins contraires,
Quelque maligne joie en faveur de mes frères,
Soudain, pour l'étouffer rappelant ma raison,
J'ai pleuré quand ma gloire entrait dans leur maison.
Mais aujourd'hui qu'il faut que l'une ou l'autre tombe,
Qu'Albe devienne esclave ou que Rome succombe,
Et qu'après la bataille il ne demeure plus
Ni d'obstacle aux vainqueurs, ni d'espoir aux vaincus,
J'aurais pour mon pays une cruelle haine,
Si je pouvais encore être toute Romaine
Et si je demandais votre triomphe aux Dieux,
Au prix de tant de sang qui m'est si précieux.
Je m'attache un peu moins aux intérêts d'un homme :
Je ne suis point pour Albe et ne suis plus pour Rome,
Je crains pour l'une et l'autre en ce dernier effort
Et serai du parti qu'affligera le sort.
Égale à tous les deux jusqu'à la victoire,
Je prendrai part aux maux sans en prendre à la gloire

Et je garde, au milieu de tant d'âpres rigueurs,
Mes larmes aux vaincus et ma haine aux vainqueurs.

JULIE

Qu'on voit naître souvent de pareilles traverses,
En des esprits divers, des passions diverses!
Et qu'à nos yeux Camille agit bien autrement!
Son frère est votre époux, le vôtre est son amant;
Mais elle voit d'un œil bien différent du vôtre
Son sang dans une armée et son amour dans l'autre.
    Lorsque vous conserviez un esprit tout romain,
Le sien irrésolu, le sien tout incertain,
De la moindre mêlée appréhendait l'orage,
De tous les deux partis détestait l'avantage,
Au malheur des vaincus donnait toujours ses pleurs
Et nourrissait ainsi d'éternelles douleurs.
Mais hier, quand elle sut qu'on avait pris journée,
Et qu'enfin la bataille allait être donnée,
Une soudaine joie éclatant sur son front...

SABINE

Ah! que je crains, Julie, un changement si prompt!
Hier dans sa belle humeur elle entretint Valère;
Pour ce rival, sans doute, elle quitte mon frère;
Son esprit, ébranlé par les objets présents,
Ne trouve point d'absent aimable après deux ans.
Mais excusez l'ardeur d'une amour fraternelle:
Le soin que j'ai de lui me fait craindre tout d'elle,
Je forme des soupçons d'un trop léger sujet :
Près d'un jour si funeste on change peu d'objet;
Les âmes rarement sont de nouveau blessées
Et dans un si grand trouble on a d'autres pensées;
Mais on n'a pas aussi de si doux entretiens,
Ni de contentements qui soient pareils aux siens.

JULIE

Les causes, comme à vous, m'en semblent fort obscures
Je ne me satisfais d'aucunes conjectures.
C'est assez de constance en un si grand danger
Que de le voir, l'attendre et ne point s'affliger;
Mais certes c'en est trop d'aller jusqu'à la joie.

SABINE

Voyez qu'un bon génie à propos nous l'envoie.
Essayez sur ce point à la faire parler :
Elle vous aime assez pour ne vous rien celer.
Je vous laisse. Ma sœur, entretenez Julie :
J'ai honte de montrer tant de mélancolie
Et mon cœur, accablé de mille déplaisirs,
Cherche la solitude à cacher ses soupirs.

Scène II : Camille, Julie.

CAMILLE

Qu'elle a tort de vouloir que je vous entretienne!
Croit-elle ma douleur moins vive que la sienne
Et que plus insensible à de si grands malheurs,
A mes tristes discours je mêle moins de pleurs?
De pareilles frayeurs mon âme est alarmée,
Comme elle je perdrai dans l'une et l'autre armée :
Je verrai mon amant, mon plus unique bien,
Mourir pour son pays, ou détruire le mien,
Et cet objet d'amour devenir, pour ma peine,

Digne de mes soupirs ou digne de ma haine.
Hélas!

JULIE

    Elle est pourtant plus à plaindre que vous :   145
On peut changer d'amant, mais non changer d'époux.
Oubliez Curiace et recevez Valère,
Vous ne tremblerez plus pour le parti contraire;
Vous serez toute nôtre et votre esprit remis
N'aura plus rien à perdre au camp des ennemis.   150

CAMILLE

Donnez-moi des conseils qui soient plus légitimes
Et plaignez mes malheurs sans m'ordonner des crimes.
Quoiqu'à peine à mes maux je puisse résister,
J'aime mieux les souffrir que de les mériter.

JULIE

Quoi! vous appelez crime un change raisonnable?   155

CAMILLE

Quoi! le manque de foi vous semble pardonnable!

JULIE

Envers un ennemi qui peut nous obliger?

CAMILLE

D'un serment solennel qui peut nous dégager?

JULIE

Vous déguisez en vain une chose trop claire :
Je vous vis encor hier entretenir Valère   160
Et l'accueil gracieux qu'il recevait de vous
Lui permet de nourrir un espoir assez doux.

CAMILLE

Si je l'entretins hier et lui fis bon visage,
N'en imaginez rien qu'à son désavantage :
De mon contentement un autre était l'objet.   165
Mais pour sortir d'erreur sachez-en le sujet;
Je garde à Curiace une amitié trop pure
Pour souffrir plus longtemps qu'on m'estime parjure.
    Il vous souvient qu'à peine on voyait de sa sœur
Par un heureux hymen mon frère possesseur,   170
Quand, pour comble de joie, il obtint de mon père
Que de ses chastes feux je serais le salaire.
Ce jour nous fut propice et funeste à la fois :
Unissant nos maisons, il désunit nos rois;
Un même instant conclut notre hymen et la guerre, 175
Fit naître notre espoir et le jeta par terre,
Nous ôta tout, sitôt qu'il nous eut tout promis
Et, nous faisant amants, il nous fit ennemis.
Combien nos déplaisirs parurent lors extrêmes!
Combien contre le ciel il vomit de blasphèmes!   180
Et combien de ruisseaux coulèrent de mes yeux!
Je ne vous le dis point, vous vîtes nos adieux,
Vous avez vu depuis les troubles de mon âme,
Vous savez pour la paix quels vœux a faits ma flamme,
Et quels pleurs j'ai versés à chaque événement,   185
Tantôt pour mon pays, tantôt pour mon amant.
Enfin mon désespoir, parmi ces longs obstacles,
M'a fait avoir recours à la voix des oracles.
Écoutez si celui qui me fut hier rendu
Eut droit de rassurer mon esprit éperdu.   190
Ce Grec si renommé qui depuis tant d'années
Au pied de l'Aventin prédit nos destinées,
Lui qu'Apollon jamais n'a fait parler à faux,
Me promit par ces vers la fin de mes travaux :

195 « Albe et Rome demain prendront une autre face;
Tes vœux sont exaucés, elles auront la paix,
Et tu seras unie avec ton Curiace,
Sans qu'aucun mauvais sort t'en sépare jamais. »
Je pris sur cet oracle une entière assurance,
200 Et comme le succès passait mon espérance,
J'abandonnai mon âme à des ravissements
Qui passaient des transports des plus heureux amants.
Jugez de leur excès : je rencontrai Valère,
Et contre sa coutume, il ne put me déplaire.
205 Il me parla d'amour sans me donner d'ennui :
Je ne m'aperçus pas que je parlais à lui,
Je ne lui pus montrer de mépris ni de glace :
Tout ce que je voyais me semblait Curiace,
Tout ce qu'on me disait me parlait de ses feux,
210 Tout ce que je disais l'assurait de mes vœux.
Le combat général aujourd'hui se hasarde;
J'en sus hier la nouvelle et je n'y pris pas garde :
Mon esprit rejetait ces funestes objets,
Charmé des doux pensers d'hymen et de la paix.
215 La nuit a dissipé des erreurs si charmantes :
Mille songes affreux, mille images sanglantes,
Ou plutôt mille amas de carnage et d'horreur,
M'ont arraché ma joie et rendu ma terreur.
J'ai vu du sang, des morts, et n'ai rien vu de suite;
220 Un spectre en paraissant prenait soudain la fuite;
Ils s'effaçaient l'un l'autre, et chaque illusion
Redoublait mon effroi par sa confusion.

JULIE

C'est au contraire sens qu'un songe s'interprète.

CAMILLE

Je le dois croire ainsi, puisque je le souhaite;
225 Mais je me trouve enfin, malgré tous mes souhaits,
Au jour d'une bataille, et non pas d'une paix.

JULIE

Par là finit la guerre, et la paix lui succède.

CAMILLE

Dure à jamais le mal, s'il y faut ce remède!
Soit que Rome y succombe ou qu'Albe ait le dessous,
230 Cher amant, n'attends plus d'être un jour mon époux;
Jamais, jamais ce nom ne sera pour un homme
Qui soit ou le vainqueur ou l'esclave de Rome.
Mais quel objet nouveau se présente en ces lieux?
Est-ce toi, Curiace? en croirai-je mes yeux?

Scène III : Curiace, Camille, Julie.

CURIACE

235 N'en doutez point, Camille, et revoyez un homme
Qui n'est ni le vainqueur ni l'esclave de Rome;
Cessez d'appréhender de voir rougir mes mains
Du poids honteux des fers ou du sang des Romains.
J'ai cru que vous aimiez assez Rome et la gloire
240 Pour mépriser ma chaîne et haïr ma victoire
Et comme également en cette extrémité
Je craignais la victoire et la captivité...

CAMILLE

Curiace, il suffit, je devine le reste :
Tu fuis une bataille à tes vœux si funeste
245 Et ton cœur tout à moi, pour ne me perdre pas,

Dérobe à ton pays le secours de ton bras.
Qu'un autre considère ici ta renommée
Et te blâme, s'il veut, de m'avoir trop aimée;
Ce n'est point à Camille à t'en mésestimer :
Plus ton amour paraît, plus elle doit t'aimer
Et si tu dois beaucoup aux lieux qui t'ont vu naître,
Plus tu quittes pour moi, plus elle te fais paraître.
Mais as-tu vu mon père et peut-il endurer
Qu'ainsi dans sa maison tu t'oses retirer?
Ne préfère-t-il point l'État à sa famille?
Ne regarde-t-il point Rome plus que sa fille?
Enfin notre bonheur est-il bien affermi?
T'a-t-il vu comme gendre ou bien comme ennemi?

CURIACE

Il m'a vu comme gendre, avec une tendresse
Qui témoignait assez une entière allégresse;
Mais il ne m'a point vu, par une trahison,
Indigne de l'honneur d'entrer dans sa maison.
Je n'abandonne point l'intérêt de ma ville,
J'aime encor mon honneur en adorant Camille.
Tant qu'a duré la guerre, on m'a vu constamment
Aussi bon citoyen que véritable amant.
D'Albe avec mon amour j'accordais la querelle :
Je soupirais pour vous en combattant pour elle
Et s'il me fallait encor que l'on en vînt aux coups,
Je combattrais pour elle en soupirant pour vous.
Oui, malgré les désirs de mon âme charmée,
Si la guerre durait, je serais dans l'armée :
C'est la paix qui chez vous me donne un libre accès,
La paix à qui nos feux doivent ce beau succès.

CAMILLE

La paix! Et le moyen de croire un tel miracle?

JULIE

Camille, pour le moins croyez-en votre oracle
Et sachons pleinement par quels heureux effets
L'heure d'une bataille a produit cette paix.

CURIACE

L'aurait-on jamais cru? Déjà les deux armées,
D'une égale chaleur au combat animées,
Se menaçaient des yeux, et marchant fièrement,
N'attendaient, pour donner, que le commandement,
Quand notre dictateur devant les rangs s'avance,
Demande à votre prince un moment de silence,
Et l'ayant obtenu : « Que faisons-nous, Romains,
Dit-il, et quel démon nous fait venir aux mains?
Souffrons que la raison éclaire enfin nos âmes :
Nous sommes vos voisins, nos filles sont vos femmes
Et l'hymen nous a joints par tant et tant de nœuds
Qu'il est peu de nos fils qui ne soient vos neveux.
Nous ne sommes qu'un sang et qu'un peuple en deux
Pourquoi nous déchirer par des guerres civiles, [villes :
Où la mort des vaincus affaiblit les vainqueurs
Et le plus beau triomphe est arrosé de pleurs?
Nos ennemis communs attendent avec joie
Qu'un des partis défait leur donne l'autre en proie,
Lassé, demi-rompu, vainqueur, mais, pour tout fruit,
Dénué d'un secours par lui-même détruit.
Ils ont assez longtemps joui de nos divorces;
Contre eux dorénavant joignons toutes nos forces,
Et noyons dans l'oubli ces petits différends

Qui de si bons guerriers font de mauvais parents.
Que si l'ambition de commander aux autres
Fait marcher aujourd'hui vos troupes et les nôtres,
5 Pourvu qu'à moins de sang nous voulions l'apaiser,
Elle nous unira, loin de nous diviser.
Nommons des combattants pour la cause commune :
Que chaque peuple aux siens attache sa fortune;
Et, suivant ce que d'eux ordonnera le sort,
0 Que le faible parti prenne loi du plus fort :
Mais sans indignité pour des guerriers si braves,
Qu'ils deviennent sujets sans devenir esclaves,
Sans honte, sans tribut, et sans autre rigueur
Que de suivre en tous lieux les drapeaux du vainqueur.
5 Ainsi nos deux États ne feront qu'un empire. »
Il semble qu'à ces mots notre discorde expire :
Chacun, jetant les yeux dans un rang ennemi,
Reconnaît un beau-frère, un cousin, un ami;
Ils s'étonnent comment leurs mains, de sang avides,
0 Volaient, sans y penser, à tant de parricides,
Et font paraître un front couvert tout à la fois
D'horreur pour la bataille et d'ardeur pour ce choix.
Enfin l'offre s'accepte, et la paix désirée
Sous ces conditions est aussitôt jurée :   [choisir,
5 Trois combattront pour tous; mais pour les mieux
Nos chefs ont voulu prendre un peu plus de loisir :
Le vôtre est au sénat, le nôtre dans sa tente.

CAMILLE

O Dieux, que ce discours rend mon âme contente!

CURIACE

Dans deux heures au plus, par un commun accord,
0 Le sort de nos guerriers réglera notre sort.
Cependant tout est libre, attendant qu'on les nomme :
Rome est dans notre camp, et notre camp dans Rome;
D'un et d'autre côté l'accès étant permis,
Chacun va renouer avec ses vieux amis.
5 Pour moi, ma passion m'a fait suivre vos frères
Et mes désirs ont eu des succès si prospères
Que l'auteur de vos jours m'a promis à demain
Le bonheur sans pareil de vous donner la main.
Vous ne deviendrez pas rebelle à sa puissance?

CAMILLE

0 Le devoir d'une fille est dans l'obéissance.

CURIACE

Venez donc recevoir ce doux commandement,
Qui doit mettre le comble à mon contentement.

CAMILLE

Je vais suivre vos pas, mais pour revoir mes frères,
Et savoir d'eux encor la fin de nos misères.

JULIE

Allez, et cependant au pied de nos autels
J'irai rendre pour vous grâces aux immortels.

ACTE SECOND

Scène I : Horace, Curiace.

CURIACE

Ainsi Rome n'a point séparé son estime;
Elle eût cru faire ailleurs un choix illégitime :
Cette superbe ville en vos frères et vous
Trouve les trois guerriers qu'elle préfère à tous   350
Et son illustre ardeur d'oser plus que les autres
D'une seule maison brave toutes les nôtres :
Nous croirons, à la voir toute entière en vos mains,
Que hors les fils d'Horace il n'est point de Romains.
Ce choix pouvait combler trois familles de gloire,   355
Consacrer hautement leurs noms à la mémoire :
Oui, l'honneur que reçoit la vôtre par ce choix,
En pouvait à bon titre immortaliser trois
Et puisque c'est chez vous que mon heur et ma flamme
M'ont fait placer ma sœur et choisir une femme,   360
Ce que je vais vous être et ce que je vous suis
Me font y prendre part autant que je le puis;
Mais un autre intérêt tient ma joie en contrainte,
Et parmi ses douceurs mêle beaucoup de crainte :
La guerre en tel éclat a mis votre valeur   365
Que je tremble pour Albe et prévois son malheur :
Puisque vous combattez, sa perte est assurée;
En vous faisant nommer, le destin l'a jurée.
Je vois trop dans ce choix ses funestes projets
Et me compte déjà pour un de vos sujets.   370

HORACE

Loin de trembler pour Albe, il vous faut plaindre Rome,
Voyant ceux qu'elle oublie, et les trois qu'elle nomme.
C'est un aveuglement pour elle bien fatal
D'avoir tant à choisir, et de choisir si mal.
Mille de ses enfants beaucoup plus dignes d'elle   375
Pouvaient bien mieux que nous soutenir sa querelle;
Mais quoique ce combat me promette un cercueil,
La gloire de ce choix m'enfle d'un juste orgueil :
Mon esprit en conçoit une mâle assurance :
J'ose espérer beaucoup de mon peu de vaillance   380
Et du sort envieux quels que soient les projets,
Je ne me compte point pour un de vos sujets.
Rome a trop cru de moi; mais mon âme ravie
Remplira son attente ou quittera la vie.
Qui veut mourir ou vaincre est vaincu rarement :   385
Ce noble désespoir périt malaisément.
Rome, quoi qu'il en soit, ne sera point sujette,
Que mes derniers soupirs n'assurent ma défaite.

CURIACE

Hélas! c'est bien ici que je dois être plaint.
Ce que veut mon pays, mon amitié le craint.   390
Dures extrémités, de voir Albe asservie,
Ou sa victoire au prix d'une si chère vie
Et que l'unique bien où tendent ses désirs
S'achète seulement par vos derniers soupirs!
Quels vœux puis-je former, et quel bonheur attendre? 395
De tous les deux côtés j'ai des pleurs à répandre;
De tous les deux côtés mes désirs sont trahis.

HORACE

Quoi! vous me pleureriez mourant pour mon pays!
Pour un cœur généreux ce trépas a des charmes;
La gloire qui le suit ne souffre point de larmes,   400
Et je le recevrais en bénissant mon sort,
Si Rome et tout l'État perdaient moins en ma mort.

CURIACE

A vos amis pourtant permettez de le craindre;
Dans un si beau trépas ils sont les seuls à plaindre :

405 La gloire en est pour vous, et la perte pour eux ;
    Il vous fait immortel, et les rend malheureux :
    On perd tout quand on perd un ami si fidèle.
    Mais Flavian m'apporte ici quelque nouvelle.

Scène II : Horace, Curiace, Flavian.

CURIACE

Albe de trois guerriers a-t-elle fait le choix ?

FLAVIAN

410 Je viens pour vous l'apprendre.

CURIACE

                    Eh bien, qui sont les

FLAVIAN   [trois ?

Vos deux frères et vous

CURIACE

Qui ?

FLAVIAN

                  Vous et vos deux frères.

Mais pourquoi ce front triste et ces regards sévères ?
Ce choix vous déplaît-il ?

CURIACE

          Non, mais il me surprend :
Je m'estimais trop peu pour un honneur si grand.

FLAVIAN

415 Dirai-je au dictateur, dont l'ordre ici m'envoie,
    Que vous le recevez avec si peu de joie ?
    Ce morne et froid accueil me surprend à mon tour.

CURIACE

Dis-lui que l'amitié, l'alliance et l'amour
Ne pourront empêcher que les trois Curiaces
420 Ne servent leur pays contre les trois Horaces.

FLAVIAN

Contre eux ! Ah ! c'est beaucoup me dire en peu de

CURIACE   [mots.

Porte-lui ma réponse et nous laisse en repos.

Scène III : Horace, Curiace.

CURIACE

Que désormais le ciel, les enfers et la terre
Unissent leurs fureurs à nous faire la guerre,
425 Que les hommes, les Dieux, les démons et le sort
    Préparent contre nous un général effort !
    Je mets à faire pis, en l'état où nous sommes,
    Le sort et les démons et les Dieux et les hommes.
    Ce qu'ils ont de cruel et d'horrible et d'affreux
430 L'est bien moins que l'honneur qu'on nous fait à tous

HORACE   [deux.

Le sort qui de l'honneur nous ouvre la barrière
Offre à notre constance une illustre matière ;
Il épuise sa force à former un malheur
Pour mieux se mesurer avec notre valeur ;
435 Et comme il voit en nous des âmes peu communes,
    Hors de l'ordre commun il nous fait des fortunes.
    Combattre un ennemi pour le salut de tous
    Et contre un inconnu s'exposer seul aux coups,
    D'une simple vertu c'est l'effet ordinaire :
440 Mille déjà l'ont fait, mille pourraient le faire ;

Mourir pour le pays est un si digne sort
Qu'on briguerait en foule une si belle mort ;
Mais vouloir au public [10] immoler ce qu'on aime,
S'attacher au combat contre un autre soi-même,
Attaquer un parti qui prend pour défenseur
Le frère d'une femme et l'amant d'une sœur
Et rompant tous ces nœuds, s'armer pour la patrie
Contre un sang qu'on voudrait racheter de sa vie,
Une telle vertu n'appartenait qu'à nous ;
L'éclat de son grand nom lui fait peu de jaloux
Et peu d'hommes au cœur l'ont assez imprimée
Pour oser aspirer à tant de renommée.

CURIACE

Il est vrai que nos noms ne sauraient plus périr.
L'occasion est belle, il nous la faut chérir.
Nous serons les miroirs d'une vertu bien rare ;
Mais votre fermeté tient un peu du barbare :
Peu, même des grands cœurs, tireraient vanité
D'aller par ce chemin à l'immortalité.
A quelque prix qu'on mette une telle fumée,
L'obscurité vaut mieux que tant de renommée.
    Pour moi, je l'ose dire, et vous l'avez pu voir,
Je n'ai point consulté pour suivre mon devoir ;
Notre longue amitié, l'amour, ni l'alliance,
N'ont pu mettre un moment mon esprit en balance ;
Et puisque par ce choix Albe montre en effet
Qu'elle m'estime autant que Rome vous a fait,
Je crois faire pour elle autant que vous pour Rome ;
J'ai le cœur aussi bon, mais enfin je suis homme :
Je vois que votre honneur demande tout mon sang,
Que tout le mien consiste à vous percer le flanc,
Près d'épouser la sœur, qu'il faut tuer le frère,
Et que pour mon pays j'ai le sort si contraire.
Encor qu'à mon devoir je coure sans terreur,
Mon cœur s'en effarouche, et j'en frémis d'horreur ;
J'ai pitié de moi-même, et jette un œil d'envie
Sur ceux dont notre guerre a consumé la vie,
Sans souhait toutefois de pouvoir reculer.
Ce triste et fier honneur m'émeut sans m'ébranler :
J'aime ce qu'il me donne, et je plains ce qu'il m'ôte ;
Et si Rome demande une vertu plus haute,
Je rends grâces aux Dieux de n'être pas Romain,
Pour conserver encor quelque chose d'humain.

HORACE

Si vous n'êtes Romain, soyez digne de l'être ;
Et si vous m'égalez, faites-le mieux paraître.
    La solide vertu dont je fais vanité
N'admet point de faiblesse avec sa fermeté ;
Et c'est mal de l'honneur entrer dans la carrière
Que dès le premier pas regarder en arrière.
Notre malheur est grand ; il est au plus haut point ;
Je l'envisage entier, mais je n'en frémis point :
Contre qui que ce soit que mon pays m'emploie,
J'accepte aveuglément cette gloire avec joie ;
Celle de recevoir de tels commandements
Doit étouffer en nous tous autres sentiments.
Qui, près de le servir, considère autre chose,
A faire ce qu'il doit lâchement se dispose ;

---

10. Sens neutre : au bien, à l'intérêt public.

Ce droit saint et sacré rompt tout autre lien.
Rome a choisi mon bras, je n'examine rien.
Avec une allégresse aussi pleine et sincère
Que j'épousai la sœur, je combattrai le frère   510
Et, pour trancher enfin ces discours superflus,
Albe vous a nommé, je ne vous connais plus.

CURIACE

Je vous connais encore, et c'est ce qui me tue;
Mais cette âpre vertu ne m'était pas connue;
Comme notre malheur elle est au plus haut point :   515
Souffrez que je l'admire et ne l'imite point.

HORACE

Non, non, n'embrassez pas de vertu par contrainte,
Et puisque vous trouvez plus de charme à la plainte,
En toute liberté goûtez un bien si doux,
Voici venir ma sœur pour se plaindre avec vous.   520
Je vais revoir la vôtre, et résoudre son âme
A se bien souvenir qu'elle est toujours ma femme,
A vous aimer encor, si je meurs par vos mains,
Et prendre en son malheur des sentiments romains.

Scène IV : Horace, Curiace, Camille.

HORACE

Avez-vous su l'état qu'on fait de Curiace,   525
Ma sœur?

CAMILLE

Hélas! mon sort a bien changé de face.

HORACE

Armez-vous de constance et montrez-vous ma sœur;
Et si par mon trépas il retourne vainqueur,
Ne le recevez point en meurtrier d'un frère,
Mais en homme d'honneur qui fait ce qu'il doit faire,   530
Qui sert bien son pays et sait montrer à tous,
Par sa haute vertu, qu'il est digne de vous.
Comme si je vivais, achevez l'hyménée;
Mais si ce fer aussi tranche sa destinée,
Faites à ma victoire un pareil traitement :   535
Ne me reprochez point la mort de votre amant.
Vos larmes vont couler, et votre cœur se presse;
Consumez avec lui toute cette faiblesse,
Querellez ciel et terre, et maudissez le sort;
Mais après le combat ne pensez plus au mort.   540

A Curiace.

Je ne vous laisserai qu'un moment avec elle,
Puis nous irons ensemble où l'honneur nous appelle.

Scène V : Curiace, Camille.

CAMILLE

Iras-tu, Curiace, et ce funeste honneur
Te plaît-il aux dépens de tout notre bonheur?

CURIACE

Hélas! je vois trop bien qu'il faut, quoi que je fasse,
Mourir, ou de douleur, ou de la main d'Horace.
Je vais comme au supplice à cet illustre emploi,
Je maudis mille fois l'état qu'on fait de moi,
Je hais cette valeur qui fait qu'Albe m'estime;
Ma flamme au désespoir passe jusques au crime,
Elle se prend au ciel, et l'ose quereller;

Je vous plains, je me plains; mais il y faut aller.

CAMILLE

Non; je te connais mieux, tu veux que je te prie
Et qu'ainsi mon pouvoir t'excuse à ta patrie.
Tu n'es que trop fameux par tes autres exploits :   545
Albe a reçu par eux tout ce que tu lui dois.
Autre n'a mieux que toi soutenu cette guerre,
Autre de plus de morts n'a couvert notre terre,
Ton nom ne peut plus croître, il ne lui manque rien,
Souffre qu'un autre ici puisse ennoblir le sien.   550

CURIACE

Que je souffre à mes yeux qu'on ceigne une autre tête
Des lauriers immortels que la gloire m'apprête
Ou que tout mon pays reproche à ma vertu
Qu'il aurait triomphé si j'avais combattu
Et que sous mon amour ma valeur endormie   555
Couronne tant d'exploits d'une telle infamie!
Non, Albe, après l'honneur que j'ai reçu de toi,
Tu ne succomberas ni vaincras que par moi;
Tu m'as commis ton sort, je t'en rendrai bien conte
Et vivrai sans reproche ou périrai sans honte.   560

CAMILLE

Quoi! tu ne veux pas voir qu'ainsi tu me trahis!

CURIACE

Avant que d'être à vous, je suis à mon pays.

CAMILLE

Mais te priver pour lui toi-même d'un beau-frère,
Ta sœur de son mari!

CURIACE

Telle est notre misère :
Le choix d'Albe et de Rome ôte toute douceur   565
Aux noms jadis si doux de beau-frère et de sœur.

CAMILLE

Tu pourras donc, cruel, me présenter sa tête
Et demander ma main pour prix de ta conquête!

CURIACE

Il n'y faut plus penser : en l'état où je suis,
Vous aimer sans espoir, c'est tout ce que je puis.   570
Vous en pleurez, Camille?

CAMILLE

Il faut bien que je pleure :
Mon insensible amant ordonne que je meure;
Et quand l'hymen pour nous allume son flambeau,
Il l'éteint de sa main pour m'ouvrir le tombeau,
Ce cœur impitoyable à ma perte s'obstine   575
Et dit qu'il m'aime encore alors qu'il m'assassine.

CURIACE

Que les pleurs d'une amante ont de puissants discours
Et qu'un bel œil est fort avec un tel secours!
Que mon cœur s'attendrit à cette triste vue!
Ma constance contre elle à regret s'évertue.   580
N'attaquez plus ma gloire avec tant de douleurs
Et laissez-moi sauver ma vertu de vos pleurs;
Je sens qu'elle chancelle, et défend mal la place :
Plus je suis votre amant, moins je suis Curiace.
Faible d'avoir déjà combattu l'amitié,   585
Vaincrait-elle à la fois l'amour et la pitié?
Allez, ne m'aimez plus, ne versez plus de larmes
Ou j'oppose l'offense à de si fortes armes;
Je me défendrai mieux contre votre courroux

590 Et pour le mériter, je n'ai plus d'yeux pour vous :
    Vengez-vous d'un ingrat, punissez un volage.
    Vous ne vous montrez point sensible à cet outrage!
    Je n'ai plus d'yeux pour vous, vous en avez pour moi!
    En faut-il plus encor? je renonce à ma foi.
595 Rigoureuse vertu dont je suis la victime,
    Ne peux-tu résister sans le secours d'un crime?

CAMILLE

Ne fais point d'autre crime et j'atteste les Dieux
Qu'au lieu de t'en haïr, je t'en aimerai mieux;
Oui, je te chérirai, tout ingrat et perfide,
600 Et cesse d'aspirer au nom de fratricide.
    Pourquoi suis-je Romaine, ou que n'es-tu Romain?
    Je te préparerais des lauriers de ma main;
    Je t'encouragerais au lieu de te distraire
    Et je te traiterais comme j'ai fait mon frère.
605 Hélas! j'étais aveugle en mes vœux aujourd'hui,
    J'en ai fait contre toi quand j'en ai fait pour lui.
        Il revient : quel malheur, si l'amour de sa femme
    Ne peut non plus sur lui que le mien sur ton âme!

Scène VI : Horace, Curiace, Sabine, Camille.

CURIACE

Dieux! Sabine le suit! Pour ébranler mon cœur,
610 Est-ce peu de Camille? y joignez-vous ma sœur?
    Et laissant à ses pleurs vaincre ce grand courage,
    L'amenez-vous ici chercher même avantage?

SABINE

Non, non, mon frère, non : je ne viens en ce lieu
Que pour vous embrasser et pour vous dire adieu.
615 Votre sang est trop bon, n'en craignez rien de lâche,
    Rien dont la fermeté de ces grands cœurs se fâche :
    Si ce malheur illustre ébranlait l'un de vous,
    Je le désavouerais pour frère ou pour époux.
    Pourrai-je toutefois vous faire une prière
620 Digne d'un tel époux et digne d'un tel frère?
    Je veux d'un coup si noble ôter l'impiété,
    A l'honneur qui l'attend rendre sa pureté,
    La mettre en son éclat sans mélange de crimes;
    Enfin je vous veux faire ennemis légitimes.
625 Du saint nœud qui vous joint je suis le seul lien :
    Quand je ne serai plus, vous ne vous serez rien.
    Brisez votre alliance, et rompez-en la chaîne,
    Et puisque votre honneur veut des effets de haine
    Achetez par ma mort le droit de vous haïr :
630 Albe le veut et Rome, il faut leur obéir.
    Qu'un de vous deux me tue et que l'autre me venge:
    Alors votre combat n'aura plus rien d'étrange,
    Et du moins l'un des deux sera juste agresseur
    Ou pour venger sa femme, ou pour venger sa sœur.
635 Mais quoi? vous souilleriez une gloire si belle,
    Si vous vous animiez par quelque autre querelle :
    Le zèle du pays vous défend de tels soins,
    Vous feriez peu pour lui si vous vous étiez moins,
    Il lui faut, et sans haine, immoler un beau-frère.
640 Ne différez donc plus ce que vous devez faire,
    Commencez par sa sœur à répandre son sang,
    Commencez par sa femme à lui percer le flanc,
    Commencez par Sabine à faire de vos vies

Un digne sacrifice à vos chères patries :
Vous êtes ennemis en ce combat fameux,
Vous d'Albe, vous de Rome, et moi de toutes deux.
Quoi? me réservez-vous à voir une victoire
Où pour haut appareil d'une pompeuse gloire,
Je verrai les lauriers d'un frère ou d'un mari
Fumer encor d'un sang que j'aurai tant chéri?
Pourrai-je entre vous deux régler alors mon âme,
Satisfaire aux devoirs et de sœur et de femme,
Embrasser le vainqueur en pleurant le vaincu?
Non, non, avant ce coup Sabine aura vécu :
Ma mort le préviendra, de qui que je l'obtienne;
Le refus de vos mains y condamne la mienne.
Sus donc, qui vous retient? Allez, cœurs inhumains,
J'aurai trop de moyens pour y forcer vos mains.
Vous ne les aurez point au combat occupées
Que ce corps au milieu n'arrête vos épées,
Et malgré vos refus, il faudra que leurs coups
Se fassent jour ici pour aller jusqu'à vous.

HORACE

O ma femme!

CURIACE

O ma sœur!

CAMILLE

Courage! ils s'amollissent.

SABINE

Vous poussez des soupirs, vos visages pâlissent!
Quelle peur vous saisit? Sont-ce là ces grands cœurs,
Ces héros qu'Albe et Rome ont pris pour défenseurs?

HORACE

Que t'ai-je fait, Sabine, et quelle est mon offense
Qui t'oblige à chercher une telle vengeance?
Que t'a fait mon honneur? et par quel droit viens-tu
Avec toute ta force attaquer ma vertu?
Du moins contente-toi de l'avoir étonnée,
Et me laisse achever cette grande journée.
Tu me viens de réduire en un étrange point;
Aime assez ton mari pour n'en triompher point,
Va-t'en, et ne rends plus la victoire douteuse,
La dispute déjà m'en est assez honteuse,
Souffre qu'avec honneur je termine mes jours.

SABINE

Va, cesse de me craindre, on vient à ton secours.

*Scène VII : Le vieil Horace, Horace, Curiace,
Sabine, Camille.*

LE VIEIL HORACE

Qu'est-ce-ci, mes enfants? écoutez-vous vos flammes
Et perdez-vous encor le temps avec des femmes?
Prêts à verser du sang regardez-vous des pleurs?
Fuyez et laissez-les déplorer leurs malheurs.
Leurs plaintes ont pour vous trop d'art et de tendresse,
Elles vous feraient part enfin de leur faiblesse,
Et ce n'est qu'en fuyant qu'on pare de tels coups.

SABINE

N'appréhendez rien d'eux, ils sont dignes de vous.
Malgré tous nos efforts, vous en devez attendre
Ce que vous souhaitez et d'un fils et d'un gendre;
Et si notre faiblesse ébranlait leur honneur,

90 Nous vous laissons ici pour leur rendre du cœur.
   Allons, ma sœur, allons, ne perdons plus de larmes :
   Contre tant de vertus ce sont de faibles armes.
   Ce n'est qu'au désespoir qu'il nous faut recourir.
   Tigres, allez combattre, et nous, allons mourir.

Scène VIII : Le vieil Horace, Horace, Curiace.

HORACE

95 Mon père, retenez des femmes qui s'emportent,
   Et de grâce empêchez surtout qu'elles ne sortent.
   Leur amour importun viendrait avec éclat
   Par des cris et des pleurs troubler notre combat,
   Et ce qu'elles nous sont ferait qu'avec justice
00 On nous imputerait ce mauvais artifice.
   L'honneur d'un si beau choix serait trop acheté,
   Si l'on nous soupçonnait de quelque lâcheté.

LE VIEIL HORACE

   J'en aurai soin. Allez, vos frères vous attendent;
   Ne pensez qu'aux devoirs que vos pays demandent.

CURIACE

5 Quel adieu vous dirai-je? et par quels compliments...

LE VIEIL HORACE

   Ah! n'attendrissez point ici mes sentiments;
   Pour vous encourager ma voix manque de termes;
   Mon cœur ne forme point de pensers assez fermes;
   Moi-même en cet adieu, j'ai les larmes aux yeux.
0 Faites votre devoir, et laissez faire aux Dieux.

ACTE TROISIÈME

Scène I : Sabine.

Prenons parti, mon âme, en de telles disgrâces :
Soyons femme d'Horace, ou sœur des Curiaces,
Cessons de partager nos inutiles soins,
Souhaitons quelque chose, et craignons un peu moins.
5 Mais, las! quel parti prendre en un sort si contraire?
Quel ennemi choisir, d'un époux ou d'un frère?
La nature ou l'amour parle pour chacun d'eux,
Et la loi du devoir m'attache à tous les deux.
Sur leurs hauts sentiments réglons plutôt les nôtres,
0 Soyons femme de l'un ensemble et sœur des autres,
Regardons leur honneur comme un souverain bien,
Imitons leur constance, et ne craignons plus rien.
La mort qui les menace est une mort si belle
Qu'il en faut sans frayeur attendre la nouvelle;
5 N'appelons point alors les destins inhumains,
Songeons pour quelle cause, et non par quelles mains,
Revoyons les vainqueurs, sans penser qu'à la gloire
Que toute leur maison reçoit de leur victoire,
Et sans considérer aux dépens de quel sang
0 Leur vertu les élève en cet illustre rang,
Faisons nos intérêts de ceux de leur famille :
En l'une je suis femme, en l'autre je suis fille,
Et tiens à toutes deux par de si forts liens
Qu'on ne peut triompher que par les bras des miens.
Fortune, quelques maux que ta rigueur m'envoie,

J'ai trouvé les moyens d'en tirer de la joie [11],
Et puis voir aujourd'hui le combat sans terreur,
Les morts sans désespoir, les vainqueurs sans horreur.
   Flatteuse illusion, erreur douce et grossière,
Vain effort de mon âme, impuissante lumière,   740
De qui le faux brillant prend droit de m'éblouir,
Que tu sais peu durer, et tôt t'évanouir!
Pareille à ces éclairs qui dans le fort des ombres
Poussent un jour qui fuit, et rend les nuits plus sombres,
Tu n'as frappé mes yeux d'un moment de clarté   745
Que pour les abîmer dans plus d'obscurité.
Tu charmais trop ma peine, et le ciel, qui s'en fâche,
Me vend déjà bien cher ce moment de relâche.
Je sens mon triste cœur percé de tous les coups
Qui m'ôtent maintenant un frère, ou mon époux.   750
Quand je songe à leur mort, quoi que je me propose,
Je songe par quels bras, et non pour quelle cause,
Et ne vois les vainqueurs en leur illustre rang
Que pour considérer aux dépens de quel sang.
La maison des vaincus touche seule mon âme :   755
En l'une je suis fille, en l'autre je suis femme,
Et tiens à toutes deux par de si forts liens
Qu'on ne peut triompher que par la mort des miens.
C'est là donc cette paix que j'ai tant souhaitée!
Trop favorables Dieux, vous m'avez écoutée!   760
Quels foudres lancez-vous quand vous vous irritez,
Si même vos faveurs ont tant de cruautés?
Et de quelle façon punissez-vous l'offense,
Si vous traitez ainsi les vœux de l'innocence?

Scène II : Sabine, Julie.

SABINE

En est-ce fait, Julie, et que m'apportez-vous?   765
Est-ce la mort d'un frère, ou celle d'un époux?
Le funeste succès de leurs armes impies
De tous les combattants a-t-il fait des hosties,
Et m'enviant l'horreur que j'aurais des vainqueurs,
Pour tous tant qu'ils étaient demande-t-il mes pleurs? 770

JULIE

Quoi? ce qui s'est passé, vous l'ignorez encore?

SABINE

Vous faut-il étonner de ce que je l'ignore,
Et ne savez-vous point que de cette maison
Pour Camille et pour moi l'on fait une prison?
Julie, on nous renferme, on a peur de nos larmes,   775
Sans cela nous serions au milieu de leurs armes,
Et par les désespoirs d'une chaste amitié
Nous aurions des deux camps tiré quelque pitié.

JULIE

Il n'était pas besoin d'un si tendre spectacle,
Leur vue à leur combat apporte assez d'obstacle.   780
   Sitôt qu'ils ont paru prêts à se mesurer,
On a dans les deux camps entendu murmurer :
A voir de tels amis, des personnes si proches,
Venir pour leur patrie aux mortelles approches,
L'un s'émeut de pitié, l'autre est saisi d'horreur,   785

11. Définition heureuse de la valeur morale de l'héroïsme cornélien.

L'autre d'un si grand zèle admire la fureur,
Tel porte jusqu'aux cieux leur vertu sans égale,
Et tel l'ose nommer sacrilège et brutale.
Ces divers sentiments n'ont pourtant qu'une voix,
790 Tous accusent leurs chefs, tous détestent leur choix,
Et ne pouvant souffrir un combat si barbare,
On s'écrie, on s'avance, enfin on les sépare.

SABINE

Que je vous dois d'encens, grands Dieux, qui
JULIE   [m'exaucez!
Vous n'êtes pas, Sabine, encore où vous pensez,
795 Vous pouvez espérer, vous avez moins à craindre,
Mais il vous reste encore assez de quoi vous plaindre.
    En vain d'un sort si triste on veut les garantir,
Ces cruels généreux n'y peuvent consentir,
La gloire de ce choix leur est si précieuse,
800 Et charme tellement leur âme ambitieuse,
Qu'alors qu'on les déplore ils s'estiment heureux
Et prennent pour affront la pitié qu'on a d'eux.
Le trouble des deux camps souille leur renommée;
Ils combattront plutôt et l'une et l'autre armée
805 Et mourront par les mains qui leur font d'autres lois,
Que pas un d'eux renonce aux honneurs d'un tel choix.

SABINE

Quoi? dans leur dureté ces cœurs d'acier s'obstinent!

JULIE

Oui, mais d'autre côté les deux camps se mutinent,
Et leurs cris, des deux parts poussés en même temps,
810 Demandent la bataille, ou d'autres combattants.
La présence des chefs à peine est respectée,
Leur pouvoir est douteux, leur voix mal écoutée,
Le Roi même s'étonne; et pour dernier effort :
« Puisque chacun, dit-il, s'échauffe en ce discord,
815 Consultons des grands Dieux la Majesté sacrée,
Et voyons si ce change à leurs bontés agrée,
Quel impie osera se prendre à leur vouloir,
Lorsqu'en un sacrifice ils nous l'auront fait voir? »
Il se tait, et ces mots semblent être des charmes,
820 Même aux six combattants ils arrachent les armes,
Et ce désir d'honneur qui leur ferme les yeux,
Tout aveugle qu'il est, respecte encor les Dieux.
Leur plus bouillante ardeur cède à l'avis de Tulle,
Et soit par déférence, ou par un prompt scrupule,
825 Dans l'une et l'autre armée on s'en fait une loi,
Comme si toutes deux le connaissaient pour roi.
Le reste s'apprendra par la mort des victimes.

SABINE

Les Dieux n'avoueront point un combat plein de
J'en espère beaucoup, puisqu'il est différé,   [crimes,
830 Et je commence à voir ce que j'ai désiré.

Scène III : Sabine, Camille, Julie.

SABINE

Ma sœur, que je vous die une bonne nouvelle.

CAMILLE

Je pense la savoir, s'il faut la nommer telle.
On l'a dite à mon père, et j'étais avec lui,
Mais je n'en conçois rien qui flatte mon ennui.
835 Ce délai de nos maux rendra leurs coups plus rudes,

Ce n'est qu'un plus long terme à nos inquiétudes,
Et tout l'allégement qu'il en faut espérer,
C'est de pleurer plus tard ceux qu'il faudra pleurer.

SABINE

Les Dieux n'ont pas en vain inspiré ce tumulte.

CAMILLE

Disons plutôt, ma sœur, qu'en vain on les consulte.
Ces mêmes Dieux à Tulle ont inspiré ce choix,
Et la voix du public n'est pas toujours leur voix,
Ils descendent bien moins dans de si bas étages
Que dans l'âme des rois, leurs vivantes images,
De qui l'indépendante et sainte autorité
Est un rayon secret de leur divinité.

JULIE

C'est vouloir sans raison vous former des obstacles
Que de chercher leur voix ailleurs qu'en leurs oracles,
Et vous ne vous pouvez figurer tout perdu,
Sans démentir celui qui vous fut hier rendu.

CAMILLE

Un oracle jamais ne se laisse comprendre,
On l'entend d'autant moins que plus on croit l'en-
Et loin de s'assurer sur un pareil arrêt,   [tendre,
Qui n'y voit rien d'obscur doit croire que tout l'est.

SABINE

Sur ce qu'il fait pour nous prenons plus d'assurance,
Et souffrons les douceurs d'une juste espérance.
Quand la faveur du ciel ouvre à demi ses bras,
Qui ne s'en promet rien ne la mérite pas;
Il empêche souvent qu'elle ne se déploie,
Et lorsqu'elle descend, son refus la renvoie.

CAMILLE

Le ciel agit sans nous en ces événements,
Et ne les règle point dessus nos sentiments.

JULIE

Il ne vous a fait peur que pour vous faire grâce,
Adieu, je vais savoir comme enfin tout se passe,
Modérez vos frayeurs; j'espère à mon retour
Ne vous entretenir que de propos d'amour,
Et que nous n'emploierons la fin de la journée
Qu'aux doux préparatifs d'un heureux hyménée.

SABINE

J'ose encor espérer.

CAMILLE

                    Moi, je n'espère rien.

JULIE

L'effet vous fera voir que nous en jugeons bien.

Scène IV : Sabine, Camille.

SABINE

Parmi nos déplaisirs souffrez que je vous blâme.
Je ne puis approuver tant de trouble en votre âme;
Que feriez-vous, ma sœur, au point où je me vois,
Si vous aviez à craindre autant que je le dois,
Et si vous attendiez de leurs armes fatales
Des maux pareils aux miens, et des pertes égales?

CAMILLE

Parlez plus sainement de vos maux et des miens,
Chacun voit ceux d'autrui d'un autre œil que les siens,
Mais à bien regarder ceux où le ciel me plonge,

Les vôtres auprès d'eux vous sembleront un songe.
La seule mort d'Horace est à craindre pour vous.
Des frères ne sont rien à l'égal d'un époux,
L'hymen qui nous attache en une autre famille
Nous détache de celle où l'on a vécu fille;
On voit d'un œil divers des nœuds si différents,
Et pour suivre un mari l'on quitte ses parents.
Mais si près d'un hymen, l'amant que donne un père
Nous est moins qu'un époux et non pas moins qu'un [frère,
Nos sentiments entre eux demeurent suspendus,
Notre choix impossible, et nos vœux confondus.
Ainsi, ma sœur, du moins vous avez dans vos plaintes
Où porter vos souhaits et terminer vos craintes,
Mais si le ciel s'obstine à nous persécuter,
Pour moi, j'ai tout à craindre, et rien à souhaiter.

SABINE

Quand il faut que l'un meure et par les mains de l'autre,
C'est un raisonnement bien mauvais que le vôtre.
Quoique ce soient, ma sœur, des nœuds bien diffé-
C'est sans les oublier qu'on quitte ses parents; [rents,
L'hymen n'efface point ces profonds caractères,
Pour aimer un mari, l'on ne hait pas ses frères,
La nature en tout temps garde ses premiers droits,
Aux dépens de leur vie on ne fait point de choix,
Aussi bien qu'un époux ils sont d'autres nous-mêmes,
Et tous maux sont pareils alors qu'ils sont extrêmes.
Mais l'amant qui vous charme et pour qui vous brûlez
Ne vous est, après tout, que ce que vous voulez,
Une mauvaise humeur, un peu de jalousie,
En fait assez souvent passer la fantaisie;
Ce que peut le caprice, osez-le par raison,
Et laissez votre sang hors de comparaison :
C'est crime qu'opposer des liens volontaires
A ceux que la naissance a rendus nécessaires.
Si donc le ciel s'obstine à nous persécuter,
Seule j'ai tout à craindre, et rien à souhaiter.
Mais pour vous, le devoir vous donne dans vos plaintes
Où porter vos souhaits et terminer vos craintes.

CAMILLE

Je le vois bien, ma sœur, vous n'aimâtes jamais,
Vous ne connaissez point ni l'amour ni ses traits,
On peut lui résister quand il commence à naître,
Mais non pas le bannir quand il s'est rendu maître
Et que l'aveu d'un père, engageant notre foi,
A fait de ce tyran un légitime roi :
Il entre avec douceur, mais il règne par force,
Et quand l'âme une fois a goûté son amorce
Vouloir ne plus aimer, c'est ce qu'elle ne peut,
Puisqu'elle ne peut plus vouloir que ce qu'il veut;
Ses chaînes sont pour nous aussi fortes que belles.

Scène V : Le vieil Horace, Sabine, Camille.

LE VIEIL HORACE

Je viens vous apporter de fâcheuses nouvelles,
Mes filles; mais en vain je voudrais vous celer
Ce qu'on ne vous saurait longtemps dissimuler :
Vos frères sont aux mains, les Dieux ainsi l'ordon-

SABINE   [nent.

Je veux bien l'avouer, ces nouvelles m'étonnent,

Et je m'imaginais dans la divinité
Beaucoup moins d'injustice, et bien plus de bonté [12]
Ne nous consolez point : contre tant d'infortune   935
La pitié parle en vain, la raison importune.
Nous avons en nos mains la fin de nos douleurs,
Et qui veut bien mourir peut braver les malheurs.
Nous pourrions aisément faire en votre présence
De notre désespoir une fausse constance;   940
Mais quand on peut sans honte être sans fermeté,
L'affecter au dehors, c'est une lâcheté;
L'usage d'un tel art, nous le laissons aux hommes,
Et ne voulons passer que pour ce que nous sommes.
Nous ne demandons point qu'un courage si fort   945
S'abaisse à notre exemple à se plaindre du sort.
Recevez sans frémir ces mortelles alarmes;
Voyez couler nos pleurs sans y mêler vos larmes;
Enfin, pour toute grâce, en de tels déplaisirs,
Gardez votre constance, et souffrez nos soupirs.   950

LE VIEIL HORACE

Loin de blâmer les pleurs que je vous vois répandre,
Je crois faire beaucoup de m'en pouvoir défendre,
Et céderais peut-être à de si rudes coups,
Si je prenais ici même intérêt que vous.
Non qu'Albe par son choix m'ait fait haïr vos frères, 955
Tous trois me sont encor des personnes bien chères,
Mais enfin l'amitié n'est pas du même rang
Et n'a point les effets de l'amour ni du sang.
Je ne sens point pour eux la douleur qui tourmente
Sabine comme sœur, Camille comme amante,   960
Je puis les regarder comme nos ennemis,
Et donne sans regret mes souhaits à mes fils.
Ils sont, grâces aux Dieux, dignes de leur patrie,
Aucun étonnement n'a leur gloire flétrie,
Et j'ai vu leur honneur croître de la moitié,   965
Quand ils ont des deux camps refusé la pitié.
Si par quelque faiblesse ils l'avaient mendiée,
Si leur haute vertu ne l'eût répudiée,
Ma main bientôt sur eux m'eût vengé hautement
De l'affront que m'eût fait ce mol consentement.   970
Mais lorsqu'en dépit d'eux on en a voulu d'autres,
Je ne le cèle point, j'ai joint mes vœux aux vôtres.
Si le ciel pitoyable eût écouté ma voix,
Albe serait réduite à faire un autre choix,
Nous pourrions voir tantôt triompher les Horaces   975
Sans voir leurs bras souillés du sang des Curiaces,
Et de l'événement d'un combat plus humain
Dépendrait maintenant l'honneur du nom romain.
La prudence des Dieux autrement en dispose,
Sur leur ordre éternel mon esprit se repose,   980
Il s'arme en ce besoin de générosité,
Et du bonheur public fait sa félicité.
Tâchez d'en faire autant pour soulager vos peines,
Et songez toutes deux que vous êtes Romaines :
Vous l'êtes devenue, et vous l'êtes encor :   985
Un si glorieux titre est un digne trésor.

12. Telle est la réaction humaine naturelle. A celle-ci s'oppose celle d'Horace : la soumission aveugle aux voies providentielles humainement incompréhensibles. C'est la condition même de l'héroïsme. Le vieil Horace passe de l'une à l'autre attitude : vers 973-983.

Un jour, un jour viendra que par toute la terre
Rome se fera craindre à l'égal du tonnerre,
Et que tout l'univers tremblant dessous ses lois,
990 Ce grand nom deviendra l'ambition des rois :
Les Dieux à notre Énée ont promis cette gloire.

Scène VI : *Le vieil Horace, Sabine, Camille, Julie.*

LE VIEIL HORACE
Nous venez-vous, Julie, apprendre la victoire?
JULIE
Mais plutôt du combat les funestes effets.
Rome est sujette d'Albe, et vos fils sont défaits,
995 Des trois les deux sont morts, son époux seul vous
LE VIEIL HORACE   [reste.
O d'un triste combat effet vraiment funeste!
Rome est sujette d'Albe, et pour l'en garantir
Il n'a pas employé jusqu'au dernier soupir!
Non, non, cela n'est point, on vous trompe, Julie;
1000 Rome n'est point sujette, ou mon fils est sans vie :
Je connais mieux mon sang, il sait mieux son devoir.
JULIE
Mille, de nos remparts, comme moi l'ont pu voir.
Il s'est fait admirer tant qu'a duré ses frères,
Mais comme il s'est vu seul contre trois adversaires,
1005 Près d'être enfermé d'eux, sa fuite l'a sauvé.
LE VIEIL HORACE
Et nos soldats trahis ne l'ont point achevé!
Dans leurs rangs à ce lâche ils ont donné retraite?
JULIE
Je n'ai rien voulu voir après cette défaite.
CAMILLE
O mes frères!
LE VIEIL HORACE
                    Tout beau, ne les pleurez pas tous;
1010 Deux jouissent d'un sort dont leur père est jaloux.
Que des plus nobles fleurs leur tombe soit couverte,
La gloire de leur mort m'a payé de leur perte,
Ce bonheur a suivi leur courage invaincu
Qu'ils ont vu Rome libre autant qu'ils ont vécu,
1015 Et ne l'auront point vue obéir qu'à son prince,
Ni d'un État voisin devenir la province.
Pleurez l'autre, pleurez l'irréparable affront
Que sa fuite honteuse imprime à notre front,
Pleurez le déshonneur de toute notre race,
1020 Et l'opprobre éternel qu'il laisse au nom d'Horace.
JULIE
Que vouliez-vous qu'il fît contre trois?
LE VIEIL HORACE
                                        Qu'il mourût,
Ou qu'un beau désespoir alors le secourût.
N'eût-il que d'un moment reculé sa défaite,
Rome eût été du moins un peu plus tard sujette;
1025 Il eût avec honneur laissé mes cheveux gris,
Et c'était de sa vie un assez digne prix.
Il est de tout son sang comptable à sa patrie,
Chaque goutte épargnée a sa gloire flétrie,
Chaque instant de sa vie, après ce lâche tour,
1030 Met d'autant plus ma honte avec la sienne au jour.
J'en romprai bien le cours, et ma juste colère,

Contre un indigne fils usant des droits d'un père,
Saura bien faire voir dans sa punition
L'éclatant désaveu d'une telle action.
SABINE
Ecoutez un peu moins ces ardeurs généreuses,
Et ne nous rendez point tout à fait malheureuses.
LE VIEIL HORACE
Sabine, votre cœur se console aisément,
Nos malheurs jusqu'ici vous touchent faiblement,
Vous n'avez point encor de part à nos misères,
Le ciel vous a sauvé votre époux et vos frères;
Si nous sommes sujets, c'est de votre pays,
Vos frères sont vainqueurs quand nous sommes trahis,
Et voyant le haut point où leur gloire se monte,
Vous regardez fort peu ce qui nous vient de honte.
Mais votre trop d'amour pour cet infâme époux
Vous donnera bientôt à plaindre comme à nous.
Vos pleurs en sa faveur sont de faibles défenses,
J'atteste des grands Dieux les suprêmes puissances
Qu'avant ce jour fini, ces mains, ces propres mains
Laveront dans son sang la honte des Romains.
SABINE
Suivons-le promptement, la colère l'emporte.
Dieux! verrons-nous toujours des malheurs de la sorte?
Nous faudra-t-il toujours en craindre de plus grands,
Et toujours redouter la main de nos parents?

ACTE QUATRIÈME

Scène I : *Le vieil Horace, Camille.*

LE VIEIL HORACE
Ne me parlez jamais en faveur d'un infâme,
Qu'il me fuie à l'égal des frères de sa femme,
Pour conserver un sang qu'il tient si précieux,
Il n'a rien fait encor s'il n'évite mes yeux.
Sabine y peut mettre ordre, ou derechef j'atteste
Le souverain pouvoir de la troupe céleste...
CAMILLE
Ah! mon père, prenez un plus doux sentiment;
Vous verrez Rome même en user autrement,
Et de quelque malheur que le ciel l'ait comblée,
Excusez la vertu sous le nombre accablée.
LE VIEIL HORACE
Le jugement de Rome est peu pour mon regard,
Camille, je suis père, et j'ai mes droits à part.
Je sais trop comme agit la vertu véritable :
C'est sans en triompher que le nombre l'accable,
Et sa mâle vigueur toujours en même point
Succombe sous la force, et ne lui cède point.
Taisez-vous, et sachons ce que nous veut Valère.

Scène II : *Le vieil Horace, Valère, Camille.*

VALÈRE
Envoyé par le Roi pour consoler un père,
Et pour lui témoigner...
LE VIEIL HORACE
                    N'en prenez aucun soin,

C'est un soulagement dont je n'ai pas besoin,
5 Et j'aime mieux voir morts que couverts d'infamie
Ceux que vient de m'ôter une main ennemie.
Tous deux pour leur pays sont morts en gens d'hon-
Il me suffit.   [neur,

VALÈRE

Mais l'autre est un rare bonheur,
De tous les trois chez vous il doit tenir la place.

LE VIEIL HORACE

0 Que n'a-t-on vu périr en lui le nom d'Horace!

VALÈRE

Seul vous le maltraitez après ce qu'il a fait.

LE VIEIL HORACE

C'est à moi seul aussi de punir son forfait.

VALÈRE

Quel forfait trouvez-vous en sa bonne conduite?

LE VIEIL HORACE

Quel éclat de vertu trouvez-vous en sa fuite?

VALÈRE

5 La fuite est glorieuse en cette occasion.

LE VIEIL HORACE

Vous redoublez ma honte et ma confusion.
Certes, l'exemple est rare et digne de mémoire,
De trouver dans la fuite un chemin à la gloire.

VALÈRE

Quelle confusion, et quelle honte à vous
0 D'avoir produit un fils qui nous conserve tous,
Qui fait triompher Rome, et lui gagne un empire?
A quels plus grands honneurs faut-il qu'un père aspire?

LE VIEIL HORACE

Quels honneurs, quel triomphe, et quel empire enfin,
Lorsque Albe sous ses lois range notre destin?

VALÈRE

5 Que parlez-vous ici d'Albe et de sa victoire?
Ignorez-vous encor la moitié de l'histoire?

LE VIEIL HORACE

Je sais que par sa fuite il a trahi l'État.

VALÈRE

Oui, s'il eût en fuyant terminé le combat,
Mais on a bientôt vu qu'il ne fuyait qu'en homme
0 Qui savait ménager l'avantage de Rome.

LE VIEIL HORACE

Quoi, Rome donc triomphe?

VALÈRE

Apprenez, apprenez
La valeur de ce fils qu'à tort vous condamnez.
Resté seul contre trois, mais en cette aventure
Tous trois étant blessés et lui seul sans blessure,
5 Trop faible pour eux tous, trop fort pour chacun d'eux,
Il sait bien se tirer d'un pas si dangereux,
Il fuit pour mieux combattre, et cette prompte ruse
Divise adroitement trois frères qu'elle abuse.
Chacun le suit d'un pas ou plus ou moins pressé,
0 Selon qu'il se rencontre ou plus ou moins blessé,
Leur ardeur est égale à poursuivre sa fuite,
Mais leurs coups inégaux séparent leur poursuite.
Horace, les voyant l'un de l'autre écartés,
Se retourne, et déjà les croit demi-domptés,
Il attend le premier et c'était votre gendre :
L'autre, tout indigné qu'il ait osé l'attendre,

En vain en l'attaquant fait paraître un grand cœur,
Le sang qu'il a perdu ralentit sa vigueur.
Albe à son tour commence à craindre un sort contraire,
Elle crie au second qu'il secoure son frère,   1120
Il se hâte et s'épuise en efforts superflus,
Il trouve en les joignant que son frère n'est plus.

CAMILLE

Hélas!

VALÈRE

Tout hors d'haleine, il prend pourtant sa place,
Et redouble bientôt la victoire d'Horace,
Son courage sans force est un débile appui,   1125
Voulant venger son frère, il tombe auprès de lui.
L'air résonne des cris qu'au ciel chacun envoie,
Albe en jette d'angoisse, et les Romains de joie.
Comme notre héros se voit près d'achever,
C'est peu pour lui de vaincre, il veut encor braver : 1130
« J'en viens d'immoler deux aux mânes de mes frères,
Rome aura le dernier de mes trois adversaires,
C'est à ses intérêts que je vais l'immoler »,
Dit-il, et tout d'un temps on le voit y voler.
La victoire entre eux deux n'était pas incertaine,   1135
L'Albain percé de coups ne se traînait qu'à peine,
Et comme une victime aux marches de l'autel,
Il semblait présenter sa gorge au coup mortel;
Aussi le reçoit-il, peut s'en faut, sans défense,
Et son trépas de Rome établit la puissance.   1140

LE VIEIL HORACE

O mon fils, ô ma joie, ô l'honneur de nos jours!
O d'un État penchant l'inespéré secours!
Vertu digne de Rome, et sang digne d'Horace!
Appui de ton pays et gloire de ta race!
Quand pourrai-je étouffer dans tes embrassements   1145
L'erreur dont j'ai formé de si faux sentiments?
Quand pourra mon amour baigner avec tendresse
Ton front victorieux de larmes d'allégresse?

VALÈRE

Vos caresses bientôt pourront se déployer,
Le Roi dans un moment vous le va renvoyer,   1150
Et remet à demain la pompe qu'il prépare
D'un sacrifice aux Dieux pour un bonheur si rare.
Aujourd'hui seulement on s'acquitte vers eux
Par des chants de victoire et par de simples vœux;
C'est où le Roi le mène, et tandis il m'envoie   1155
Faire office vers vous de douleur et de joie,
Mais cet office encor n'est pas assez pour lui,
Il y viendra lui-même, et peut-être aujourd'hui :
Il croit mal reconnaître une vertu si pure,
Si de sa propre bouche il ne vous en assure,   1160
S'il ne vous dit chez vous combien vous doit l'État.

LE VIEIL HORACE

De tels remercîments ont pour moi trop d'éclat,
Et je me tiens déjà trop payé par les vôtres
Du service d'un fils et du sang des deux autres.

VALÈRE

Il ne sait ce que c'est d'honorer à demi,   1165
Et son sceptre arraché des mains de l'ennemi
Fait qu'il tient cet honneur qu'il lui plaît de vous faire
Au-dessous du mérite et du fils et du père.
Je vais lui témoigner quels nobles sentiments

1170 La vertu vous inspire en tous vos mouvements,
Et combien vous montrez d'ardeur pour son service.
LE VIEIL HORACE
Je vous devrai beaucoup pour un si bon office.

Scène III : Le vieil Horace, Camille.

LE VIEIL HORACE
Ma fille, il n'est plus temps de répandre des pleurs,
Il sied mal d'en verser où l'on voit tant d'honneurs,
1175 On pleure injustement des pertes domestiques,
Quand on en voit sortir des victoires publiques.
Rome triomphe d'Albe, et c'est assez pour nous,
Tous nos maux à ce prix doivent nous être doux.
En la mort d'un amant vous ne perdez qu'un homme
1180 Dont la perte est aisée à réparer dans Rome;
Après cette victoire, il n'est point de Romain
Qui ne soit glorieux de vous donner la main.
Il me faut à Sabine en porter la nouvelle,
Ce coup sera sans doute assez rude pour elle,
1185 Et ses trois frères morts par la main d'un époux
Lui donneront des pleurs bien plus justes qu'à vous :
Mais j'espère aisément en dissiper l'orage,
Et qu'un peu de prudence aidant son grand courage
Fera bientôt régner sur un si noble cœur
1190 Le généreux amour qu'elle doit au vainqueur.
Cependant étouffez cette lâche tristesse,
Recevez-le, s'il vient, avec moins de faiblesse,
Faites-vous voir sa sœur, et qu'en un même flanc
Le ciel vous a tous deux formés d'un même sang.

Scène IV : Camille.

1195 Oui, je lui ferai voir, par d'infaillibles marques,
Qu'un véritable amour brave la main des Parques,
Et ne prend point de lois de ces cruels tyrans
Qu'un astre injurieux nous donne pour parents.
Tu blâmes ma douleur, tu l'oses nommer lâche!
1200 Je l'aime d'autant plus que plus elle te fâche,
Impitoyable père, et par un juste effort
Je la veux rendre égale aux rigueurs de mon sort.
En vit-on jamais un dont les rudes traverses
Prissent en moins de rien tant de faces diverses,
1205 Qui fût doux tant de fois, et tant de fois cruel,
Et portât tant de coups avant le coup mortel?
Vit-on jamais une âme en un jour plus atteinte
De joie et de douleur, d'espérance et de crainte,
Asservie en esclave à plus d'événements,
1210 Et le piteux jouet de plus de changements?
Un oracle m'assure, un songe me travaille,
La paix calme l'effroi que me fait la bataille,
Mon hymen se prépare, et presque en un moment
Pour combattre mon frère on choisit mon amant;
1215 Ce choix me désespère, et tous le désavouent,
La partie est rompue, et les Dieux la renouent;
Rome semble vaincue, et seul des trois Albains,
Curiace en mon sang n'a point trempé ses mains.
O Dieux! sentais-je alors des douleurs trop légères
1220 Pour le malheur de Rome et la mort de deux frères,
Et me flattais-je trop quand je croyais pouvoir

L'aimer encor sans crime et nourrir quelque espoir?
Sa mort m'en punit bien, et la façon cruelle
Dont mon âme éperdue en reçoit la nouvelle;
Son rival me l'apprend, et faisant à mes yeux
D'un si triste succès le récit odieux,
Il porte sur le front une allégresse ouverte,
Que le bonheur public fait bien moins que ma perte;
Et bâtissant en l'air sur le malheur d'autrui,
Aussi bien que mon frère il triomphe de lui.
Mais ce n'est rien encore au prix de ce qui reste,
On demande ma joie en un jour si funeste,
Il me faut applaudir aux exploits du vainqueur,
Et baiser une main qui me perce le cœur.
En un sujet de pleurs si grand, si légitime,
Se plaindre est une honte, et soupirer un crime,
Leur brutale vertu veut qu'on s'estime heureux,
Et si l'on n'est barbare, on n'est point généreux.
Dégénérons, mon cœur, d'un si vertueux père,
Soyons indigne sœur d'un si généreux frère,
C'est gloire de passer pour un cœur abattu,
Quand la brutalité fait la haute vertu.
Éclatez, mes douleurs, à quoi bon vous contraindre?
Quand on a tout perdu, que saurait-on plus craindre?
Pour ce cruel vainqueur, n'ayez point de respect,
Loin d'éviter ses yeux, croissez à son aspect,
Offensez sa victoire, irritez sa colère,
Et prenez, s'il se peut, plaisir à lui déplaire.
Il vient, préparons-nous à montrer constamment
Ce que doit une amante à la mort d'un amant.

Scène V : Horace, Camille, Procule.
Procule porte en sa main les trois épées des Curiaces.

HORACE
Ma sœur, voici le bras qui venge nos deux frères,
Le bras qui rompt le cours de nos destins contraires,
Qui nous rend maîtres d'Albe, enfin voici le bras
Qui seul fait aujourd'hui le sort de deux États.
Vois ces marques d'honneur, ces témoins de ma gloire,
Et rends ce que tu dois à l'heur de ma victoire.
CAMILLE
Recevez donc mes pleurs, c'est ce que je lui dois.
HORACE
Rome n'en veut point voir après de tels exploits,
Et nos deux frères morts dans le malheur des armes
Sont trop payés de sang pour exiger des larmes,
Quand la perte est vengée, on n'a plus rien perdu.
CAMILLE
Puisqu'ils sont satisfaits par le sang épandu,
Je cesserai pour eux de paraître affligée,
Et j'oublierai leur mort que vous avez vengée.
Mais qui me vengera de celle d'un amant,
Pour me faire oublier sa perte en un moment?
HORACE
Que dis-tu, malheureuse?
CAMILLE
O mon cher Curiace!
HORACE
O d'une indigne sœur insupportable audace!
D'un ennemi public dont je reviens vainqueur

Le nom est dans ta bouche et l'amour dans ton cœur!
Ton ardeur criminelle à la vengeance aspire!
Ta bouche la demande, et ton cœur la respire!
Suis moins ta passion, règle mieux tes désirs,
Ne me fais plus rougir d'entendre tes soupirs,
Tes flammes désormais doivent être étouffées,
Bannis-les de ton âme, et songe à mes trophées,
Qu'ils soient dorénavant ton unique entretien.

CAMILLE

Donne-moi donc, barbare, un cœur comme le tien,
Et si tu veux enfin que je t'ouvre mon âme,
Rends-moi mon Curiace, ou laisse agir ma flamme,
Ma joie et mes douleurs dépendaient de son sort,
Je l'adorais vivant, et je le pleure mort.
Ne cherche plus ta sœur où tu l'avais laissée,
Tu ne revois en moi qu'une amante offensée
Qui comme une furie attachée à tes pas
Te veut incessamment reprocher son trépas.
Tigre altéré de sang, qui me défends les larmes,
Qui veux que dans sa mort je trouve encor des charmes,
Et que jusques au ciel élevant tes exploits,
Moi-même je le tue une seconde fois!
Puissent tant de malheurs accompagner ta vie
Que tu tombes au point de me porter envie,
Et toi, bientôt souiller par quelque lâcheté
Cette gloire si chère à ta brutalité!

HORACE

O ciel, qui vit jamais une pareille rage!
Crois-tu donc que je sois insensible à l'outrage,
Que je souffre en mon sang ce mortel déshonneur?
Aime, aime cette mort qui fait notre bonheur,
Et préfère du moins au souvenir d'un homme
Ce que doit ta naissance aux intérêts de Rome.

CAMILLE

Rome, l'unique objet de mon ressentiment!
Rome, à qui vient ton bras d'immoler mon amant!
Rome qui t'a vu naître, et que ton cœur adore!
Rome enfin que je hais parce qu'elle t'honore!
Puissent tous ses voisins ensemble conjurés
Saper ses fondements encor mal assurés,
Et si ce n'est assez de toute l'Italie,
Que l'Orient contre elle à l'Occident s'allie,
Que cent peuples unis des bouts de l'univers
Passent pour la détruire et les monts et les mers,
Qu'elle-même sur soi renverse ses murailles,
Et de ses propres mains déchire ses entrailles,
Que le courroux du ciel allumé par mes vœux
Fasse pleuvoir sur elle un déluge de feux!
Puissé-je de mes yeux y voir tomber ce foudre,
Voir ses maisons en cendre et tes lauriers en poudre,
Voir le dernier Romain à son dernier soupir,
Moi seule en être cause, et mourir de plaisir!

HORACE, *mettant l'épée à la main,*
et poursuivant sa sœur qui s'enfuit.

C'est trop, ma patience à la raison fait place,
Va dedans les enfers plaindre[13] ton Curiace!

CAMILLE, *blessée derrière le théâtre.*

Ah, traître!

13. Le premier texte disait « joindre », version bien plus
intéressante que le médiocre « plaindre » mis en 1660.

HORACE, *revenant sur le théâtre.*
Ainsi reçoive un châtiment soudain
Quiconque ose pleurer un ennemi romain!

Scène VI : Horace, Procule.

PROCULE

Que venez-vous de faire?

HORACE

Un acte de justice,
Un semblable forfait veut un pareil supplice.

PROCULE

Vous deviez la traiter avec moins de rigueur.   1325

HORACE

Ne me dis point qu'elle est et mon sang et ma sœur.
Mon père ne peut plus l'avouer pour sa fille,
Qui maudit son pays renonce à sa famille,
Des noms si pleins d'amour ne lui sont plus permis,
De ses plus chers parents il fait ses ennemis,   1330
Le sang même les arme en haine de son crime,
La plus prompte vengeance en est plus légitime,
Et ce souhait impie, encore qu'impuissant,
Est un monstre qu'il faut étouffer en naissant.

Scène VII : Horace, Sabine, Procule.

SABINE

A quoi s'arrête ici ton illustre colère?   1335
Viens voir mourir ta sœur dans les bras de ton père,
Viens repaître tes yeux d'un spectacle si doux,
Ou si tu n'es point las de ces généreux coups,
Immole au cher pays des vertueux Horaces
Ce reste malheureux du sang des Curiaces.   1340
Si prodigue du tien, n'épargne pas le leur;
Joins Sabine à Camille, et ta femme à ta sœur,
Nos crimes sont pareils, ainsi que nos misères,
Je soupire comme elle, et déplore mes frères,
Plus coupable en ce point contre tes dures lois   1345
Qu'elle n'en pleurait qu'un, et que j'en pleure trois,
Qu'après son châtiment ma faute continue.

HORACE

Sèche tes pleurs, Sabine, ou les cache à ma vue,
Rends-toi digne du nom de ma chaste moitié,
Et ne m'accable point d'une indigne pitié.   1350
Si l'absolu pouvoir d'une pudique flamme
Ne nous laisse à tous deux qu'un penser et qu'une
C'est à toi d'élever tes sentiments aux miens,   [âme,
Non à moi de descendre à la honte des tiens.
Je t'aime, et je connais la douleur qui te presse,   1355
Embrasse ma vertu pour vaincre ta faiblesse,
Participe à ma gloire au lieu de la souiller,
Tâche à t'en revêtir, non à m'en dépouiller.
Es-tu de mon honneur si mortelle ennemie,
Que je te plaise mieux couvert d'une infamie?   1360
Sois plus femme que sœur, et te réglant sur moi
Fais-toi de mon exemple une immuable loi.

SABINE

Cherche pour t'imiter des âmes plus parfaites,
Je ne t'impute point les pertes que j'ai faites,

1365 J'en ai les sentiments que je dois en avoir,
     Et je m'en prends au sort plutôt qu'à ton devoir.
     Mais enfin je renonce à la vertu romaine,
     Si pour la posséder je dois être inhumaine,
     Et ne puis voir en moi la femme du vainqueur
1370 Sans y voir des vaincus la déplorable sœur.
        Prenons part en public aux victoires publiques,
     Pleurons dans la maison nos malheurs domestiques,
     Et ne regardons point des biens communs à tous,
     Quand nous voyons des maux qui ne sont que pour
1375 Pourquoi veux-tu, cruel, agir d'une autre sorte? [nous.
     Laisse en entrant ici tes lauriers à la porte;
     Mêle tes pleurs aux miens. Quoi? ces lâches discours
     N'arment point ta vertu contre mes tristes jours?
     Mon crime redoublé n'émeut point ta colère?
1380 Que Camille est heureuse! elle a pu te déplaire,
     Elle a reçu de toi ce qu'elle a prétendu,
     Et recouvre là-bas tout ce qu'elle a perdu [14].
     Cher époux, cher auteur du tourment qui me presse,
     Écoute la pitié, si ta colère cesse;
1385 Exerce l'une ou l'autre, après de tels malheurs,
     A punir ma faiblesse, ou finir mes douleurs.
     Je demande la mort pour grâce, ou pour supplice,
     Qu'elle soit un effet d'amour ou de justice,
     N'importe, tous ses traits n'auront rien que de doux,
1390 Si je les vois partir de la main d'un époux.

                    HORACE

     Quelle injustice aux Dieux d'abandonner aux femmes
     Un empire si grand sur les plus belles âmes,
     Et de se plaire à voir de si faibles vainqueurs
     Régner si puissamment sur les plus nobles cœurs!
1395 A quel point ma vertu devient-elle réduite!
     Rien ne la saurait plus garantir que la fuite.
     Adieu, ne me suis point ou retiens tes soupirs.

               SABINE, *seule*.

     O colère, ô pitié, sourdes à mes désirs,
     Vous négligez mon crime, et ma douleur vous lasse,
1400 Et je n'obtiens de vous ni supplice ni grâce!
     Allons-y par nos pleurs faire encore un effort
     Et n'employons après que nous à notre mort.

ACTE CINQUIÈME

Scène I : *Le vieil Horace, Horace.*

               LE VIEIL HORACE

     Retirons nos regards de cet objet funeste
     Pour admirer ici le jugement céleste;
1405 Quand la gloire nous enfle, il sait bien comme il faut
     Confondre notre orgueil qui s'élève trop haut.
     Nos plaisirs les plus doux ne vont point sans tristesse,
     Il mêle à nos vertus des marques de faiblesse,
     Et rarement accorde à notre ambition
1410 L'entier et pur honneur d'une bonne action.
     Je ne plains point Camille : elle était criminelle,
     Je me tiens plus à plaindre, et je te plains plus qu'elle,

14. Sabine explique ainsi : le « joindre » de la note précédente.

Moi d'avoir mis au jour un cœur si peu romain,
Toi d'avoir par sa mort déshonoré ta main.
Je ne la trouve point injuste ni trop prompte,
Mais tu pouvais, mon fils, t'en épargner la honte.
Son crime, quoique énorme et digne du trépas,
Etait mieux impuni que puni par ton bras.

                    HORACE

Disposez de mon sang, les lois vous en font maître,
J'ai cru devoir le sien aux lieux qui m'ont vu naître.
Si dans vos sentiments mon zèle est criminel,
S'il m'en faut recevoir un reproche éternel,
Si ma main en devient honteuse et profanée,
Vous pouvez d'un seul mot trancher ma destinée :
Reprenez tout ce sang de qui ma lâcheté
A si brutalement souillé la pureté.
Ma main n'a pu souffrir de crime en votre race,
Ne souffrez point de tache en la maison d'Horace,
C'est en ces actions dont l'honneur est blessé
Qu'un père tel que vous se montre intéressé.
Son amour doit se taire où toute excuse est nulle,
Lui-même il y prend part lorsqu'il les dissimule,
Et de sa propre gloire il fait trop peu de cas,
Quand il ne punit point ce qu'il n'approuve pas.

               LE VIEIL HORACE

Il n'use pas toujours d'une rigueur extrême,
Il épargne ses fils bien souvent pour soi-même,
Sa vieillesse sur eux aime à se soutenir,
Et ne les punit point, de peur de se punir.
Je te vois d'un autre œil que tu ne te regardes,
Je sais... Mais le Roi vient, je vois entrer ses gardes.

Scène II : *Tulle, Valère, le vieil Horace,*
                Horace, troupe de gardes.

               LE VIEIL HORACE

Ah! Sire, un tel honneur a trop d'excès pour moi;
Ce n'est point en ce lieu que je dois voir mon Roi :
Permettez qu'à genoux...

                    TULLE

                    Non, levez-vous, mon père :
Je fais ce qu'en ma place un bon prince doit faire.
Un si rare service et si fort important
Veut l'honneur le plus rare et le plus éclatant.
Vous en aviez déjà sa parole pour gage,
Je ne l'ai pas voulu différer davantage.
    J'ai su par son rapport (et je n'en doutais pas)
Comme de vos deux fils vous vous portez le trépas,
Et que déjà votre âme étant trop résolue,
Ma consolation vous serait superflue :
Mais je viens de savoir quel étrange malheur
D'un fils victorieux a suivi la valeur,
Et que son trop d'amour pour la cause publique
Par ses mains à son père ôte une fille unique.
Ce coup est un peu rude à l'esprit le plus fort,
Et je doute comment vous portez cette mort.

               LE VIEIL HORACE

Sire, avec déplaisir, mais avec patience.

                    TULLE

C'est l'effet vertueux de votre expérience.
Beaucoup par un long âge ont appris comme vous

Que le malheur succède au bonheur le plus doux :
Peu savent comme vous s'appliquer ce remède,
Et dans leur intérêt toute leur vertu cède.
Si vous pouvez trouver dans ma compassion
Quelque soulagement pour votre affliction,
Ainsi que votre mal sachez qu'elle est extrême,
Et que je vous en plains autant que je vous aime.

VALÈRE

Sire, puisque le ciel entre les mains des rois
Dépose sa justice et la force des lois,
Et que l'État demande aux princes légitimes
Des prix pour les vertus, des peines pour les crimes,
Souffrez qu'un bon sujet vous fasse souvenir
Que vous plaignez beaucoup ce qu'il vous faut punir,
Souffrez...

LE VIEIL HORACE

Quoi? qu'on envoie un vainqueur au supplice?

TULLE

Permettez qu'il achève, et je ferai justice.
J'aime à la rendre à tous, à toute heure, en tout lieu.
C'est par elle qu'un roi se fait un demi-dieu,
Et c'est dont je vous plains, qu'après un tel service
On puisse contre lui me demander justice.

VALÈRE

Souffrez donc, ô grand Roi, le plus juste des rois,
Que tous les gens de bien vous parlent par ma voix.
Non que nos cœurs jaloux de ses honneurs s'irritent,
S'il en reçoit beaucoup, ses hauts faits le méritent,
Ajoutez-y plutôt que d'en diminuer,
Nous sommes tous encor prêts d'y contribuer;
Mais puisque d'un tel crime il s'est montré capable,
Qu'il triomphe en vainqueur, et périsse en coupable.
Arrêtez sa fureur, et sauvez de ses mains,
Si vous voulez régner, le reste des Romains :
Il y va de la perte ou du salut du reste.

La guerre avait un cours si sanglant, si funeste,
Et les nœuds de l'hymen durant nos bons destins
Ont tant de fois uni des peuples si voisins
Qu'il est peu de Romains que le parti contraire
N'intéresse en la mort d'un gendre ou d'un beau-frère,
Et qui ne soient forcés de donner quelques pleurs,
Dans le bonheur public, à leurs propres malheurs.
Si c'est offenser Rome et que l'heur de ses armes
L'autorise à punir ce crime de nos larmes,
Quel sang épargnera ce barbare vainqueur
Qui ne pardonne pas à celui de sa sœur,
Et ne peut excuser cette douleur pressante
Que la mort d'un amant jette au cœur d'une amante,
Quand près d'être éclairés du nuptial flambeau
Elle voit avec lui son espoir au tombeau?
Faisant triompher Rome il se l'est asservie,
Il a sur nous un droit et de mort et de vie,
Et nos jours criminels ne pourront plus durer
Qu'autant qu'à sa clémence il plaira l'endurer.

Je pourrais ajouter aux intérêts de Rome,
Combien un pareil coup est indigne d'un homme,
Je pourrais demander qu'on mît devant vos yeux
Ce grand et rare exploit d'un bras victorieux.
Vous verriez un beau sang, pour accuser sa rage,
D'un frère si cruel rejaillir au visage,

Vous verriez des horreurs qu'on ne peut concevoir,
Son âge et sa beauté vous pourraient émouvoir,
Mais je hais ces moyens qui sentent l'artifice.
Vous avez à demain remis le sacrifice.   1520
Pensez-vous que les Dieux, vengeurs des innocents,
D'une main parricide acceptent de l'encens?
Sur vous ce sacrilège attirerait sa peine,
Ne le considérez qu'en objet de leur haine,
Et croyez avec nous qu'en tous ses trois combats   1525
Le bon destin de Rome a plus fait que son bras,
Puisque ces mêmes Dieux, auteurs de sa victoire,
Ont permis qu'aussitôt il en souillât la gloire,
Et qu'un si grand courage, après ce noble effort,
Fût digne en même jour de triomphe et de mort.   1530
Sire, c'est ce qu'il faut que votre arrêt décide.
En ce lieu Rome a vu le premier parricide,
La suite en est à craindre, et la haine des cieux,
Sauvez-nous de sa main et redoutez les Dieux.

TULLE

Défendez-vous, Horace.

HORACE

           A quoi bon me défendre?   1535
Vous savez l'action, vous la venez d'entendre;
Ce que vous en croyez me doit être une loi.
Sire, on se défend mal contre l'avis d'un roi,
Et le plus innocent devient soudain coupable,
Quand aux yeux de son prince il paraît condamnable.   1540
C'est crime qu'envers lui se vouloir excuser :
Notre sang est son bien, il en peut disposer;
Et c'est à nous de croire, alors qu'il en dispose,
Qu'il ne s'en prive point sans une juste cause.
Sire, prononcez donc, je suis prêt d'obéir,   1545
D'autres aiment la vie, et je la dois haïr.
Je ne reproche point à l'ardeur de Valère
Qu'en amant de la sœur il accuse le frère,
Mes vœux avec les siens conspirent aujourd'hui,
Il demande ma mort, je la veux comme lui.   1550
Un seul point entre nous met cette différence,
Que mon honneur par là cherche son assurance,
Et qu'à ce même but nous voulons arriver,
Lui pour flétrir ma gloire, et moi pour la sauver.
Sire, c'est rarement qu'il s'offre une matière   1555
A montrer d'un grand cœur la vertu tout entière.
Suivant l'occasion elle agit plus ou moins
Et paraît forte ou faible aux yeux de ses témoins.
Le peuple, qui voit tout seulement par l'écorce,
S'attache à son effet pour juger de sa force,   1560
Il veut que ses dehors gardent un même cours,
Qu'ayant fait un miracle, elle en fasse toujours.
Après une action pleine, haute, éclatante,
Tout ce qui brille moins remplit mal son attente,
Il veut qu'on soit égal en tout temps, en tous lieux,   1565
Il n'examine point s'il lors on pouvait mieux,
Ni que, s'il ne voit pas sans cesse une merveille,
L'occasion est moindre, et la vertu pareille :
Son injustice accable et détruit les grands noms;
L'honneur des premiers faits se perd par les seconds;   1570
Et quand la renommée a passé l'ordinaire,
Si l'on n'en veut déchoir, il faut ne plus rien faire.
Je ne vanterai point les exploits de mon bras,

Votre Majesté, Sire, a vu mes trois combats,
1575 Il est bien mal aisé qu'un pareil les seconde,
Qu'une autre occasion à celle-ci réponde,
Et que tout mon courage, après de si grands coups,
Parvienne à des succès qui n'aillent au-dessous;
Si bien que pour laisser une illustre mémoire,
1580 La mort seule aujourd'hui peut conserver ma gloire.
Encore la fallait-il sitôt que j'eus vaincu,
Puisque pour mon honneur j'ai déjà trop vécu.
Un homme tel que moi voit sa gloire ternie,
Quand il tombe en péril de quelque ignominie,
1585 Et ma main aurait su déjà m'en garantir,
Mais sans votre congé mon sang n'ose sortir.
Comme il vous appartient, votre aveu doit se prendre,
C'est vous le dérober qu'autrement le répandre,
Rome ne manque point de généreux guerriers,
1590 Assez d'autres sans moi soutiendront vos lauriers.
Que Votre Majesté désormais m'en dispense,
Et si ce que j'ai fait vaut quelque récompense,
Permettez, ô grand Roi, que de ce bras vainqueur
Je m'immole à ma gloire, et non pas à ma sœur.

Scène III : Tulle, Valère, le vieil Horace,
Horace, Sabine.

SABINE

1595 Sire, écoutez Sabine, et voyez dans son âme
Les douleurs d'une sœur, et celles d'une femme,
Qui toute désolée, à vos sacrés genoux,
Pleure pour sa famille, et craint pour son époux.
Ce n'est pas que je veuille avec cet artifice
1600 Dérober un coupable au bras de la justice,
Quoi qu'il ait fait pour vous, traitez-le comme tel,
Et punissez en moi ce noble criminel.
De mon sang malheureux expiez tout son crime,
Vous ne changerez point pour cela de victime,
1605 Ce n'en sera point prendre une injuste pitié,
Mais en sacrifier la plus chère moitié.
Les nœuds de l'hyménée et son amour extrême
Font qu'il vit plus en moi qu'il ne vit en lui-même,
Et si vous m'accordez de mourir aujourd'hui,
1610 Il mourra plus en moi qu'il ne mourrait en lui.
La mort que je demande, et qu'il faut que j'obtienne,
Augmentera sa peine, et finira la mienne.
Sire, voyez l'excès de mes tristes ennuis,
Et l'effroyable état où mes jours sont réduits.
1615 Quelle horreur d'embrasser un homme dont l'épée
De toute ma famille a la trame coupée,
Et quelle impiété de haïr un époux
Pour avoir bien servi les siens, l'État et vous!
Aimer un bras souillé du sang de tous mes frères!
1620 N'aimer pas un mari qui finit nos misères!
Sire, délivrez-moi par un heureux trépas
Des crimes de l'aimer et de ne l'aimer pas.
J'en nommerai l'arrêt une faveur bien grande,
Ma main peut me donner ce que je vous demande,
1625 Mais ce trépas enfin me sera bien plus doux,
Si je puis de sa honte affranchir mon époux,
Si je puis par mon sang apaiser la colère
Des Dieux qu'a pu fâcher sa vertu trop sévère,

Satisfaire en mourant aux mânes de sa sœur,
Et conserver à Rome un si bon défenseur.

LE VIEIL HORACE, *au Roi.*

Sire, c'est donc à moi de répondre à Valère.
Mes enfants avec lui conspirent contre un père,
Tous trois veulent me perdre, et s'arment sans raison
Contre si peu de sang qui reste en ma maison.

A Sabine.

Toi qui par des douleurs à ton devoir contraires,
Veux quitter un mari pour rejoindre tes frères,
Va plutôt consulter leurs mânes généreux;
Ils sont morts, mais pour Albe, et s'en tiennent heu-
Puisque le ciel voulait qu'elle fût asservie,   [reux.
Si quelque sentiment demeure après la vie,
Ce mal leur semble moindre, et moins rudes ses coups,
Voyant que tout l'honneur en retombe sur nous.
Tous trois désavoueront la douleur qui te touche,
Les larmes de tes yeux, les soupirs de ta bouche,
L'horreur que tu fais voir d'un mari vertueux,
Sabine, sois leur sœur, suis ton devoir comme eux.

Au Roi.

Contre ce cher époux Valère en vain s'anime,
Un premier mouvement ne fut jamais un crime,
Et la louange est due, au lieu du châtiment,
Quand la vertu produit ce premier mouvement.
Aimer nos ennemis avec idolâtrie,
De rage en leur trépas maudire la patrie,
Souhaiter à l'État un malheur infini,
C'est ce qu'on nomme crime, et ce qu'il a puni.
Le seul amour de Rome a sa main animée,
Il serait innocent s'il l'avait moins aimée.
Qu'ai-je dit, Sire? il l'est, et ce bras paternel
L'aurait déjà puni s'il était criminel :
J'aurais su mieux user de l'entière puissance
Que me donnent sur lui les droits de la naissance,
J'aime trop l'honneur, Sire, et ne suis point de rang
A souffrir ni d'affront ni de crime en mon sang.
C'est dont je ne veux point de témoin que Valère,
Il a vu quel accueil lui gardait ma colère,
Lorsque ignorant encor la moitié du combat,
Je croyais que sa fuite avait trahi l'État.
Qui le fait se charger des soins de ma famille?
Qui le fait, malgré moi, vouloir venger ma fille?
Et par quelle raison, dans son juste trépas,
Prend-il un intérêt qu'un père ne prend pas?
On craint qu'après sa sœur il n'en maltraite d'autres,
Sire, nous n'avons part qu'à la honte des nôtres,
Et de quelque façon qu'un autre puisse agir,
Qui ne nous touche point ne nous fait point rougir.

A Valère.

Tu peux pleurer, Valère, et même aux yeux d'Horace,
Il ne prend intérêt qu'aux crimes de sa race,
Qui n'est point de son sang ne peut faire d'affront
Aux lauriers immortels qui lui ceignent le front.
Lauriers, sacrés rameaux qu'on veut réduire en poudre,
Vous qui mettez sa tête à couvert de la foudre,
L'abandonnerez-vous à l'infâme couteau
Qui fait choir les méchants sous la main d'un bourreau?
Romains, souffrirez-vous qu'on vous immole un homme
Sans qui Rome aujourd'hui cesserait d'être Rome,

5 Et qu'un Romain s'efforce à tacher le renom
  D'un guerrier à qui tous doivent un si beau nom?
  Dis, Valère, dis-nous, si tu veux qu'il périsse,
  Où tu penses choisir un lieu pour son supplice?
0 Sera-ce entre ces murs que mille et mille voix
  Font résonner encor du bruit de ses exploits?
  Sera-ce hors des murs, au milieu de ces places
  Qu'on voit fumer encor du sang des Curiaces,
  Entre leurs trois tombeaux, et dans ce champ d'honneur
5 Témoin de sa vaillance et de notre bonheur?
  Tu ne saurais cacher sa peine à sa victoire;
  Dans les murs, hors des murs, tout parle de sa gloire,
  Tout s'oppose à l'effort de ton injuste amour,
  Qui veut d'un si bon sang souiller un si beau jour.
0 Albe ne pourra pas souffrir un tel spectacle,
  Et Rome par ses pleurs y mettra trop d'obstacle.
        Au Roi.
  Vous les préviendrez, Sire; et par un juste arrêt
  Vous saurez embrasser bien mieux son intérêt.
  Ce qu'il a fait pour elle, il peut encor le faire,
5 Il peut la garantir encor d'un sort contraire.
  Sire, ne donnez rien à mes débiles ans,
  Rome aujourd'hui m'a vu père de quatre enfants.
  Trois en ce même jour sont morts pour sa querelle,
  Il m'en reste encore un, conservez-le pour elle,
0 N'ôtez pas à ses murs un si puissant appui,
  Et souffrez, pour finir, que je m'adresse à lui.
        A Horace.
  Horace, ne crois pas que le peuple stupide
  Soit le maître absolu d'un renom bien solide,
  Sa voix tumultueuse assez souvent fait bruit,
  Mais un moment l'élève, un moment le détruit,
5 Et ce qu'il contribue à notre renommée
  Toujours en moins de rien se dissipe en fumée.
  C'est aux rois, c'est aux grands, c'est aux esprits bien
  A voir la vertu pleine en ses moindres effets, [faits,
  C'est d'eux seuls qu'on reçoit la véritable gloire,
0 Eux seuls des vrais héros assurent la mémoire.
  Vis toujours en Horace, et toujours auprès d'eux
  Ton nom demeurera grand, illustre, fameux,
  Bien que l'occasion, moins haute ou moins brillante,
  D'un vulgaire ignorant trompe l'injuste attente.
5 Ne hais donc plus la vie, et du moins vis pour moi,
  Et pour servir encor ton pays et ton roi.
  Sire, j'en ai trop dit, mais l'affaire vous touche,
  Et Rome toute entière a parlé par ma bouche.
                    VALÈRE
Sire, permettez-moi...
                    TULLE
            Valère, c'est assez :
0 Vos discours par les leurs ne sont pas effacés,
  J'en garde en mon esprit les forces plus pressantes,
  Et toutes vos raisons me sont encor présentes.
      Cette énorme action faite presque à nos yeux
  Outrage la nature, et blesse jusqu'aux Dieux.
  Un premier mouvement qui produit un tel crime

Ne saurait lui servir d'excuse légitime :
Les moins sévères lois en ce point sont d'accord,
Et si nous les suivons, il est digne de mort.
Si d'ailleurs nous voulons regarder le coupable,
Ce crime, quoique grand, énorme, inexcusable,   1740
Vient de la même épée et part du même bras
Qui me fait aujourd'hui maître de deux États.
Deux sceptres en ma main, Albe à Rome asservie,
Parlent bien hautement en faveur de sa vie.
Sans lui j'obéirais où je donne la loi,   1745
Et je serais sujet où je suis deux fois roi.
Assez de bons sujets dans toutes les provinces
Par des vœux impuissants s'acquittent vers leurs princes,
Tous les peuvent aimer, mais tous ne peuvent pas
Par d'illustres effets assurer leurs États,   1750
Et l'art et le pouvoir d'affermir des couronnes
Sont des dons que le ciel fait à peu de personnes.
De pareils serviteurs sont les forces des rois,
Et de pareils aussi sont au-dessus des lois [15].
Qu'elles se taisent donc, que Rome dissimule   1755
Ce que dès sa naissance elle vit en Romule :
Elle peut bien souffrir en son libérateur
Ce qu'elle a bien souffert en son premier auteur [16].
    Vis donc, Horace, vis, guerrier trop magnanime,
Ta vertu met ta gloire au-dessus de ton crime,   1760
Sa chaleur généreuse a produit ton forfait,
D'une cause si belle il faut souffrir l'effet.
Vis pour servir l'État, vis, mais aime Valère,
Qu'il ne reste entre vous ni haine ni colère,
Et soit qu'il ait suivi l'amour ou le devoir,   1765
Sans aucun sentiment résous-toi de le voir.
    Sabine, écoutez moins la douleur qui vous presse,
Chassez de ce grand cœur ces marques de faiblesse,
C'est en séchant vos pleurs que vous vous montrerez
La véritable sœur de ceux que vous pleurez.   1770
    Mais nous devons aux Dieux demain un sacrifice,
Et nous aurions le ciel à nos vœux mal propice,
Si nos prêtres, avant que de sacrifier,
Ne trouvaient les moyens de le purifier.
Son père en prendra soin, il lui sera facile   1775
D'apaiser tout d'un temps les mânes de Camille.
Je la plains, et pour rendre à son sort rigoureux
Ce que peut souhaiter son esprit amoureux,
Puisqu'en un même jour l'ardeur d'un même zèle
Achève le destin de son amant et d'elle,   1780
Je veux qu'un même jour, témoin de leurs deux morts,
En un même tombeau voie enfermer leurs corps [17].

15. Cette phrase s'oppose directement au point de vue de
Machiavel qui blâme Rome de n'avoir pas appliqué à Horace
la rigueur de la loi.
  16. Romulus a commis un fratricide pour un crime apparemment moindre : Remus avait franchi en riant le fossé symbolique tracé par son frère, pour délimiter son territoire.
  17. Le texte primitif comportait une brève scène finale dans
laquelle Julie rappelait l'oracle du premier acte. Corneille l'a
fâcheusement retranchée en 1660.

CINNA[1]
TRAGÉDIE

On dispute encore de la date de Cinna. La tradition lui assigne la saison 1640-1641. Rien ne permet de savoir quand Corneille composa sa pièce, en 1640 ou plus tôt.

Beaucoup plus que les références aux historiens latins citées par Corneille, il faut invoquer, pour la genèse de la pièce, l'énorme masse des œuvres de philosophie politique publiées depuis près d'un siècle. Corneille aborde un double problème familier à son public lettré : celui du tyrannicide, qu'il condamne absolument; et pour le Prince, le dilemme devant un complot entre ses devoirs de justice et de clémence. Auguste ne pardonne pas par intérêt politique, comme le lui eût conseillé Machiavel, mais selon une générosité supérieure, accordée au plan providentiel de l'histoire. Ce ton est nouveau dans le théâtre contemporain et dans Corneille lui-même. La Mort de Pompée, qui suit Cinna de peu, complète la profession de foi anti-machiavélique de Corneille. La suite de son œuvre, à quelques pièces de commande près, n'est qu'une série de variations sur ce thème. Pour cette raison et pour d'autres, il n'y a pas lieu de voir dans Cinna la moindre allusion à des événements contemporains, complots contre Richelieu — Corneille n'aimait d'ailleurs ni les uns ni l'autre —, ou révoltes populaires, telles que celles dont il venait d'être le témoin à Rouen.

Cinna fut le plus grand succès de Corneille : avec de tels sujets, le poète atteignait un autre public, la cour tout entière; il s'enorgueillit encore en 1660 de « tant d'illustres suffrages » qui mettent Cinna au premier rang de sa production.

La pièce, jouée au Marais, fut bien servie par une troupe au mieux de sa composition. En janvier 1642, elle fut pour la seconde fois démembrée : six de ses meilleurs acteurs, la moitié de la troupe, passa par ordre royal à l'Hôtel de Bourgogne. Sans vouloir tenter une distribution hypothétique des rôles[2], rappelons seulement le nom des acteurs de Cinna : Villiers, directeur, et la Villiers, sa femme; Floridor et sa femme; Baron et sa femme; Beauchateau et sa femme; le Beaupré, Laroque, Le Gaulcher.

A MONSIEUR DE MONTORON [3]

MONSIEUR,

Je vous présente un tableau d'une des plus belles actions d'Auguste. Ce monarque était tout généreux, et sa générosité n'a jamais paru avec tant d'éclat que dans les effets de sa clémence et de sa libéralité. Ces deux rares vertus lui étaient si naturelles et si inséparables en lui qu'il semble qu'en cette histoire que j'ai mise sur notre théâtre elles se soient tour à tour entre-produites dans son âme. Il avait été si libéral envers Cinna que, sa conjuration ayant fait voir une ingratitude extraordinaire, il eut besoin d'un extraordinaire effort de clémence pour lui pardonner; et le pardon qu'il lui donna fut la source des nouveaux bienfaits dont il lui fut prodigue, pour vaincre tout à fait cet esprit qui n'avait pu être gagné par les premiers; de sorte qu'il est vrai de dire qu'il eût été moins clément envers lui s'il eût été moins libéral, et qu'il eût été moins libéral s'il eût été moins clément. Cela étant, à qui pourrais-je plus justement donner le portrait de l'une de ces héroïques vertus, qu'à celui qui possède l'autre en un si haut degré, puisque, dans cette action, ce grand prince a si bien attachées et comme unies l'une à l'autre, qu'elles ont été tout ensemble et la cause et l'effet l'une de l'autre? Vous avez des richesses, mais vous savez en jouir et vous en jouissez d'une façon si noble, si relevée et tellement illustre que vous forcez la voix publique d'avouer que la fortune a consulté la raison quand elle a répandu ses faveurs sur vous, et qu'on a plus de sujet de vous en souhaiter le redoublement que de vous en envier l'abondance. J'ai vécu si éloigné de la flatterie que je pense être en possession de me faire croire quand je dis du bien de quelqu'un; et lorsque je donne des louanges (ce qui m'arrive assez rarement), c'est avec tant de retenue que je supprime toujours quantité de glorieuses vérités, pour ne me rendre pas suspect d'étaler de ces mensonges

1. Titre complet : Cinna ou la Clémence d'Auguste. Privilège : 1er août 1642. Achevé d'imprimer : 18 janvier 1643.
2. Onze membres pour neuf rôles, sans compter le retour au Marais de Jodelet et l'Espy pour les emplois comiques.
3. Ce n'était pas la première fois que ce riche financier recevait des dédicaces littéraires. Elles pouvaient être d'ailleurs désintéressées. Le financier appartenait à la famille Puget, dont Jean Puget de La Serre était en train d'illustrer le nom dans les lettres. Celui-ci, à cette date, venait de publier trois tragédies en prose. Quoi qu'il en soit, Montauron se montra le plus généreux des dédicataires, ce que les envieux de Corneille lui reprochèrent amèrement : c'est de là qu'est partie la légende d'un Corneille flatteur et avare.

obligeants que beaucoup de nos modernes savent débiter de si bonne grâce. Aussi je ne dirai rien des avantages de votre naissance ni de votre courage, que l'a si dignement soutenue dans la profession des armes[4], à qui vous avez donné vos premières années : ce sont des choses trop connues de tout le monde. Je ne dirai rien de ce prompt et puissant secours que reçoivent chaque jour de votre main tant de bonnes familles, ruinées par les désordres de nos guerres[5] : ce sont des choses que vous vouliez tenir cachées. Je dirai seulement un mot de ce que vous avez particulièrement de commun avec Auguste : c'est que cette générosité qui compose la meilleure partie de votre âme et règne sur l'autre, et qu'à juste titre on peut nommer l'âme de votre âme, puisqu'elle en fait mouvoir toutes les puissances; c'est, dis-je, que cette générosité, à l'exemple de ce grand empereur, prend plaisir à s'étendre sur les gens de lettres, en un temps où beaucoup pensent avoir trop récompensé leurs travaux quand ils les ont honorés d'une louange stérile. Et certes, vous avez traité quelques-unes de nos muses[6] avec tant de magnanimité qu'en elles vous avez obligé toutes les autres, et qu'il n'en est point qui ne vous en doive un remercîment. Trouvez donc bon, MONSIEUR, que je m'acquitte de celui que je reconnais vous en devoir, par le présent que je vous fais de ce poème, que j'ai choisi comme le plus durable des miens, pour apprendre plus longtemps à ceux qui le liront que le généreux M. de Montoron, par une libéralité inouïe en ce siècle, s'est rendu toutes les muses redevables et que je prends tant de part aux bienfaits dont vous avez surpris quelques-unes d'elles que je m'en dirai toute ma vie, MONSIEUR, votre très humble et très obligé serviteur,

CORNEILLE.

EXAMEN (1660)

Ce poème a tant d'illustres suffrages qui lui donnent le premier rang parmi les miens que je me ferais trop d'importants ennemis si j'en disais du mal : je ne le suis pas assez de moi-même pour chercher des défauts où ils n'en ont point voulu voir, et accuser le jugement qu'ils en ont fait, pour obscurcir la gloire qu'ils m'ont donnée. Cette approbation si forte et si générale vient sans doute de ce que la vraisemblance s'y trouve si heureusement conservée aux endroits où la vérité lui manque, qu'il n'a jamais besoin de recourir au nécessaire. Rien n'y contredit l'histoire, bien que beaucoup de choses y soient ajoutées, rien n'y est violent par les incommodités de la représentation, ni par l'unité de jour ni par celle du lieu.

Il est vrai qu'il s'y rencontre une duplicité de lieu particulier. La moitié de la pièce se passe chez Émilie,

et l'autre dans le cabinet d'Auguste. J'aurais été ridicule si j'avais prétendu que cet empereur délibérât avec Maxime et Cinna s'il quitterait l'empire ou non, précisément dans la même place où ce dernier vient de rendre compte à Émilie de la conspiration qu'il a formée contre lui. C'est ce qui m'a fait rompre la liaison des scènes au quatrième acte, n'ayant pu me résoudre à faire que Maxime vînt donner l'alarme à Émilie de la conjuration découverte, au lieu même où Auguste en venait de recevoir l'avis par son ordre, et dont il ne faisait que de sortir avec tant d'inquiétude et d'irrésolution. C'eût été une impudence extraordinaire, et tout à fait hors du vraisemblable, de se présenter dans son cabinet un moment après qu'il lui avait fait révéler le secret de cette entreprise et porter la nouvelle de sa fausse mort. Bien loin de pouvoir surprendre Émilie à la peur de se voir arrêtée, c'eût été se faire arrêter lui-même et se précipiter dans un obstacle invincible au dessein qu'il voulait exécuter. Émilie ne parle donc pas où parle Auguste, à la réserve du cinquième acte; mais cela n'empêche pas qu'à considérer tout le poème ensemble, il n'ait son unité de lieu, puisque tout s'y peut passer, non seulement dans Rome ou dans un quartier de Rome, mais dans le seul palais d'Auguste, pourvu que vous y vouliez donner un appartement à Émilie qui soit éloigné du sien.

Le compte que Cinna lui rend de sa conspiration justifie ce que j'ai dit ailleurs, que pour faire souffrir une narration ornée, il faut que celui qui la fait et celui qui l'écoute ayent l'esprit assez tranquille, et s'y plaisent assez pour lui prêter toute la patience qui lui est nécessaire. Émilie a de la joie d'apprendre de la bouche de son amant avec quelle chaleur il a suivi ses intentions, et Cinna n'en a pas moins de lui pouvoir donner de si belles espérances de l'effet qu'elle en souhaite : c'est pourquoi, quelque longue que soit cette narration, sans interruption aucune, elle n'ennuie point. Les ornements de rhétorique dont j'ai tâché de l'enrichir ne la font point condamner de trop d'artifice, et la diversité de ses figures ne fait point regretter le temps que j'y perds; mais si j'avais attendu à la commencer qu'Évandre eût troublé ces deux amants par la nouvelle qu'il leur apporte, Cinna eût été obligé de s'en taire ou de la conclure en six vers, et Émilie n'en eût pu supporter davantage.

Comme les vers d'*Horace* ont quelque chose de plus net et de moins guindé pour les pensées que ceux du *Cid*, on peut dire que ceux de cette pièce ont quelque chose de plus achevé que ceux d'*Horace*, et qu'enfin la facilité de concevoir le sujet, qui n'est ni trop chargé d'incidents, ni trop embarrassé des récits de ce qui s'est passé avant le commencement de la pièce, est une des causes sans doute de la grande approbation qu'il a reçue. L'auditeur aime à s'abandonner à l'action présente, et à n'être point obligé, pour l'intelligence de ce qu'il voit, de réfléchir sur ce qu'il a déjà vu, et de fixer sa mémoire sur les premiers actes, cependant que les derniers sont devant ses yeux. C'est l'incommodité des pièces embarrassées, qu'en termes de l'art on nomme *implexes*[7], par un mot emprunté du latin, telles que sont *Rodogune* et *Héraclius*. Elle ne se rencontre pas dans les simples : mais comme celles-là ont sans doute besoin de plus d'esprit pour les

---

4. C'est le seul point où Corneille s'avance à la légère. Scarron écrira en 1648 : « Je ne doute point que ces marchands poétiques n'ayent donné à ces publicains libéraux toutes les vertus, jusques aux militaires. » Cela n'empêche pas les sobres louanges de Corneille, partout ailleurs dans cette dédicace, d'être tout à fait fondées.

5. Montauron avait pour conseiller en ce domaine un homme avisé, Monsieur Vincent (saint Vincent de Paul). Corneille évite toujours de s'en prendre au saint homme qu'il admirait, même quand celui-ci essaya de réduire, sinon de supprimer le théâtre à la Cour, en 1648, ce dont Corneille fut la première victime avec *Andromède*.

6. Montauron reçut l'année d'avant la dédicace des *Lettres* de Tristan, des *Lettres* de Chevreau, du *Mausolée* de Mareschal. Les trois auteurs étaient plus ou moins liés avec Corneille.

7. Aux épisodes « tressés » les uns dans les autres : le mot a été éliminé par *intriquer* (*intricare*) qui a fourni *intrigue*. Notre moderne *complexe* a un sens plus étendu. Le terme vient d'Aristote et a été largement commenté par les Italiens du XVIe siècle, qui en ont en outre donné les plus nombreux modèles.

imaginer, et de plus d'art pour les conduire, celles-ci, n'ayant pas le même secours du côté du sujet, demandent plus de force de vers, de raisonnement, et de sentiments pour les soutenir.

ACTEURS [8]

OCTAVE-CÉSAR AUGUSTE, *empereur de Rome.*
LIVIE, *impératrice.*
CINNA, *fils d'une fille de Pompée, chef de la conjuration contre Auguste.*
MAXIME, *autre chef de la conjuration.*
ÉMILIE, *fille de C. Toranius, tuteur d'Auguste, et proscrit par lui durant le triumvirat.*
FULVIE, *confidente d'Émilie.*
POLYCLÈTE, *affranchi d'Auguste.*
ÉVANDRE, *affranchi de Cinna.*
EUPHORBE, *affranchi de Maxime.*

La scène est à Rome [9].

ACTE PREMIER

Scène I : *Émilie.*

Impatients désirs d'une illustre vengeance
Dont la mort de mon père a formé la naissance,
Enfants impétueux de mon ressentiment,
Que ma douleur séduite embrasse aveuglément,
5 Vous prenez sur mon âme un trop puissant empire;
Durant quelques moments souffrez que je respire,
Et que je considère en l'état où je suis,
Et ce que je hasarde et ce que je poursuis.
Quand je regarde Auguste au milieu de sa gloire,
10 Et que vous reprochez à ma triste mémoire
Que par sa propre main mon père massacré
Du trône où je le vois fait le premier degré,
Quand vous me présentez cette sanglante image,
La cause de ma haine et l'effet de sa rage,
15 Je m'abandonne toute à vos ardents transports,
Et crois pour une mort lui devoir mille morts.
Au milieu toutefois d'une fureur si juste,
J'aime encor plus Cinna que je ne hais Auguste,
Et je sens refroidir ce bouillant mouvement
20 Quand il faut, pour le suivre, exposer mon amant.
Oui, Cinna, contre moi moi-même je m'irrite
Quand je songe aux dangers où je te précipite.
Quoique pour me servir tu n'appréhendes rien,
Te demander du sang, c'est exposer le tien,

D'une si haute place on n'abat point de têtes   2
Sans attirer sur soi mille et mille tempêtes.
L'issue en est douteuse, et le péril certain,
Un ami déloyal peut trahir ton dessein,
L'ordre mal concerté, l'occasion mal prise,   3
Peuvent sur son auteur renverser l'entreprise,
Tourner sur toi les coups dont tu le veux frapper,
Dans sa ruine même il peut t'envelopper,
Et quoi qu'en ma faveur ton amour exécute,
Il te peut, en tombant, écraser sous sa chute.
Ah! cesse de courir à ce mortel danger,   3
Te perdre en me vengeant, ce n'est pas me venger.
Un cœur est trop cruel quand il trouve des charmes
Aux douceurs que corrompt l'amertume des larmes,
Et l'on doit mettre au rang des plus cuisants malheurs
La mort d'un ennemi qui coûte tant de pleurs.   4
Mais peut-on en verser alors qu'on venge un père?
Est-il perte à ce prix qui ne semble légère?
Et quand son assassin tombe sous notre effort,
Doit-on considérer ce que coûte sa mort?
Cessez, vaines frayeurs, cessez, lâches tendresses,   4
De jeter dans mon cœur vos indignes faiblesses;
Et toi qui les produis par tes soins superflus,
Amour, sers mon devoir, et ne le combats plus :
Lui céder, c'est ta gloire, et le vaincre, ta honte,
Montre-toi généreux, souffrant qu'il te surmonte,   5
Plus tu lui donneras, plus il te va donner,
Et ne triomphera que pour te couronner.

Scène II : *Émilie, Fulvie.*

ÉMILIE

Je l'ai juré, Fulvie, et je le jure encore,
Quoique j'aime Cinna, quoique mon cœur l'adore,   5
S'il me veut posséder, Auguste doit périr,
Sa tête est le seul prix dont il peut m'acquérir :
Je lui prescris la loi que mon devoir m'impose.

FULVIE

Elle a pour la blâmer une trop juste cause :
Par un si grand dessein vous vous faites juger
Digne sang de celui que vous voulez venger,   6
Mais encore une fois souffrez que je vous die
Qu'une si juste ardeur devrait être attiédie.
Auguste chaque jour, à force de bienfaits,
Semble assez réparer les maux qu'il vous a faits,
Sa faveur envers vous paraît si déclarée   6
Que vous êtes chez lui la plus considérée,
Et de ses courtisans souvent les plus heureux
Vous pressent à genoux de lui parler pour eux.

ÉMILIE

Toute cette faveur né me rend pas mon père,
Et de quelque façon que l'on me considère,
Abondante en richesse, ou puissante en crédit,
Je demeure toujours la fille d'un proscrit.

8. Les indications historiques qui suivent les noms de Cinna et d'Émilie viennent des historiens Dion Cassius et Valère Maxime. Mais parmi les sources plus directes d'inspiration de Corneille, il faut mettre les commentaires des grands ouvrages politiques célèbres : l'*Histoire* du cardinal Baronius, les récents ouvrages de *la Raison d'État* de L. Settala (1627) et du P. Sartonio (Bologne, 1628), l'*Argenis* de Barclay (1627), *les Considérations politiques sur les coups d'État* de G. Naudé (1639), et, toujours présent à l'arrière-plan, Machiavel.

9. Le palais d'Auguste : au moins deux salles. Cf. l'*Examen* ci-dessus.

Les bienfaits ne font pas toujours ce que tu penses,
D'une main odieuse ils tiennent lieu d'offenses :
75 Plus nous en prodiguons à qui nous peut haïr,
Plus d'armes nous donnons à qui nous veut trahir.
Il m'en fait chaque jour sans changer mon courage,
Je suis ce que j'étais, et je puis davantage,
Et des mêmes présents qu'il verse dans mes mains
80 J'achète contre lui les esprits des Romains;
Je recevrais de lui la place de Livie
Comme un moyen plus sûr d'attenter à sa vie.
Pour qui venge son père il n'est point de forfaits [10],
Et c'est vendre son sang que se rendre aux bienfaits.

FULVIE

85 Quel besoin toutefois de passer pour ingrate?
Ne pouvez-vous haïr sans que la haine éclate?
Assez d'autres sans vous n'ont pas mis en oubli
Par quelles cruautés son trône est établi.
Tant de braves Romains, tant d'illustres victimes,
90 Qu'à son ambition ont immolé ses crimes,
Laissent à leurs enfants d'assez vives douleurs
Pour venger votre perte en vengeant leurs malheurs.
Beaucoup l'ont entrepris, mille autres vont les suivre,
Qui vit haï de tous ne saurait longtemps vivre.
95 Remettez à leurs bras les communs intérêts,
Et n'aidez leurs desseins que par des vœux secrets.

ÉMILIE

Quoi, je le haïrai sans tâcher de lui nuire?
J'attendrai du hasard qu'il ose le détruire?
Et je satisferai des devoirs si pressants
100 Par une haine obscure et des vœux impuissants?
Sa perte que je veux me deviendrait amère
Si quelqu'un l'immolait à d'autres qu'à mon père,
Et tu verrais mes pleurs couler pour son trépas,
Qui le faisant périr ne me vengerait pas.
105 C'est une lâcheté que de remettre à d'autres
Les intérêts publics qui s'attachent aux nôtres.
Joignons à la douceur de venger nos parents,
La gloire qu'on remporte à punir les tyrans,
Et faisons publier par toute l'Italie :
110 « La liberté de Rome est l'œuvre d'Émilie,
On a touché son âme, et son cœur s'est épris,
Mais elle n'a donné son amour qu'à ce prix. »

FULVIE

Votre amour à ce prix n'est qu'un présent funeste
Qui porte à votre amant sa perte manifeste.
115 Pensez mieux, Émilie, à quoi vous l'exposez,
Combien à cet écueil se sont déjà brisés,
Ne vous aveuglez point quand sa mort est visible.

ÉMILIE

Ah! tu sais me frapper par où je suis sensible.
Quand je songe aux dangers que je lui fais courir,
120 La crainte de sa mort me fait déjà mourir;
Mon esprit en désordre à soi-même s'oppose,
Je veux et ne veux pas, je m'emporte et je n'ose,
Et mon devoir confus, languissant, étonné,
Cède aux rébellions de mon cœur mutiné.

10. Autrement dit : La fin justifie les moyens. Cet amoralisme
difficile de Corneille explique les jugements contradictoires
portés sur lui en tous temps, du point de vue moral ou chrétien.

Tout beau, ma passion, deviens un peu moins forte; 125
Tu vois bien des hasards, ils sont grands, mais n'im-
Cinna n'est pas perdu pour être hasardé.   [porte,
De quelques légions qu'Auguste soit gardé,
Quelque soin qu'il se donne et quelque ordre qu'il
Qui méprise sa vie est maître de la sienne.   [tienne, 130
Plus le péril est grand, plus doux en est le fruit;
La vertu nous y jette, et la gloire le suit.
Quoi qu'il en soit, qu'Auguste ou que Cinna périsse,
Aux mânes paternels je dois ce sacrifice;
Cinna me l'a promis en recevant ma foi,   135
Et ce coup seul aussi le rend digne de moi.
Il est tard, après tout, de m'en vouloir dédire.
Aujourd'hui l'on s'assemble, aujourd'hui l'on conspire,
L'heure, le lieu, le bras se choisit aujourd'hui,
Et c'est à faire enfin à mourir après lui.   140

Scène III : Cinna, Émilie,
Fulvie.

ÉMILIE

Mais le voici qui vient. Cinna, votre assemblée
Par l'effroi du péril n'est-elle point troublée,
Et reconnaissez-vous au front de vos amis
Qu'ils soient prêts à tenir ce qu'ils vous ont promis?

CINNA

Jamais contre un tyran entreprise conçue   145
Ne permit d'espérer une si belle issue,
Jamais de telle ardeur on n'en jura la mort,
Et jamais conjurés ne furent mieux d'accord.
Tous s'y montrent portés avec tant d'allégresse
Qu'ils semblent, comme moi, servir une maîtresse, 150
Et tous font éclater un si puissant courroux,
Qu'ils semblent tous venger un père, comme vous.

ÉMILIE

Je l'avais bien prévu, que pour un tel ouvrage
Cinna saurait choisir des hommes de courage,
Et ne remettrait pas en de mauvaises mains   155
L'intérêt d'Émilie et celui des Romains.

CINNA

Plût aux Dieux que vous-même eussiez vu de quel zèle
Cette troupe entreprend une action si belle!
Au seul nom de César, d'Auguste, et d'empereur,
Vous eussiez vu leurs yeux s'enflammer de fureur, 160
Et dans un même instant, par un effet contraire,
Leur front pâlir d'horreur et rougir de colère.
« Amis, leur ai-je dit, voici le jour heureux
Qui doit conclure enfin nos desseins généreux;
Le ciel entre nos mains a mis le sort de Rome, 165
Et son salut dépend de la perte d'un homme,
Si l'on doit le nom d'homme à qui n'a rien d'humain,
A ce tigre altéré de tout le sang romain.
Combien pour le répandre a-t-il formé de brigues,
Combien de fois changé de partis et de ligues,   170
Tantôt ami d'Antoine, et tantôt ennemi,
Et jamais insolent ni cruel ni demi! »
Là, par un long récit de toutes les misères
Que durant notre enfance ont enduré nos pères,
Renouvelant leur haine avec leur souvenir,   175
Je redouble en leurs cœurs l'ardeur de le punir.

Je leur fais des tableaux de ces tristes batailles
Où Rome par ses mains déchirait ses entrailles,
Où l'aigle abattait l'aigle, et de chaque côté
180 Nos légions s'armaient contre leur liberté,
Où les meilleurs soldats et les chefs les plus braves
Mettaient toute leur gloire à devenir esclaves,
Où, pour mieux assurer la honte de leurs fers,
Tous voulaient à leur chaîne attacher l'univers,
185 Et l'exécrable honneur de lui donner un maître
Faisant aimer à tous l'infâme nom de traître,
Romains contre Romains, parents contre parents,
Combattaient seulement pour le choix des tyrans.
    J'ajoute à ces tableaux la peinture effroyable
190 De leur concorde impie, affreuse, inexorable,
Funeste aux gens de bien, aux riches, au sénat,
Et pour tout dire enfin, de leur triumvirat;
Mais je ne trouve point de couleurs assez noires
Pour en représenter les tragiques histoires,
195 Je les peins dans le meurtre à l'envi triomphants,
Rome entière noyée au sang de ses enfants,
Les uns assassinés dans les places publiques,
Les autres dans le sein de leurs dieux domestiques,
Le méchant par le prix au crime encouragé,
200 Le mari par sa femme en son lit égorgé;
Le fils tout dégouttant du meurtre de son père,
Et sa tête à la main demandant son salaire,
Sans pouvoir exprimer par tant d'horribles traits
Qu'un crayon imparfait de leur sanglante paix.
205   Vous dirai-je les noms de ces grands personnages
Dont j'ai dépeint les morts pour aigrir les courages,
De ces fameux proscrits, ces demi-dieux mortels,
Qu'on a sacrifiés jusque sur les autels?
Mais pourrai-je vous dire à quelle impatience,
210 A quels frémissements, à quelle violence,
Ces indignes trépas, quoique mal figurés,
Ont porté les esprits de tous nos conjurés?
Je n'ai point perdu temps, et voyant leur colère
Au point de ne rien craindre, en état de tout faire,
215 J'ajoute en peu de mots : « Toutes ces cruautés,
La perte de nos biens et de nos libertés,
Le ravage des champs, le pillage des villes,
Et les proscriptions, et les guerres civiles,
Sont les degrés sanglants dont Auguste a fait choix
220 Pour monter dans le trône et nous donner des lois.
Mais nous pouvons changer un destin si funeste,
Puisque de trois tyrans c'est le seul qui nous reste,
Et que juste une fois, il s'est privé d'appui,
Perdant, pour régner seul, deux méchants comme lui.
225 Lui mort, nous n'avons point de vengeur ni de maître,
Avec la liberté Rome s'en va renaître,
Et nous mériterons le nom de vrais Romains,
Si le joug qui l'accable est brisé par nos mains.
Prenons l'occasion tandis qu'elle est propice :
230 Demain au Capitole il fait un sacrifice,
Qu'il en soit la victime, et faisons en ces lieux
Justice à tout le monde, à la face des Dieux :
Là presque pour sa suite il n'a que notre troupe,
C'est de ma main qu'il prend et l'encens et la coupe,
235 Et je veux pour signal que cette même main   [sein.
Lui donne, au lieu d'encens, d'un poignard dans le

Ainsi d'un coup mortel la victime frappée
Fera voir si je suis du sang du grand Pompée,
Faites voir après moi si vous vous souvenez
Des illustres aïeux de qui vous êtes nés. »   2
A peine ai-je achevé, que chacun renouvelle
Par un noble serment le vœu d'être fidèle :
L'occasion leur plaît : mais chacun veut pour soi
L'honneur du premier coup que j'ai choisi pour moi.
La raison règle enfin l'ardeur qui les emporte,   2
Maxime et la moitié s'assurent de la porte,
L'autre moitié me suit et doit l'environner,
Prête au moindre signal que je voudrai donner.
    Voilà, belle Émilie, à quel point nous en sommes.
Demain j'attends la haine ou la faveur des hommes, 2
Le nom de parricide ou de libérateur,
César celui de prince ou d'un usurpateur.
Du succès qu'on obtient contre la tyrannie
Dépend ou notre gloire ou notre ignominie,
Et le peuple, inégal à l'endroit des tyrans,   2
S'il les déteste morts, les adore vivants.
Pour moi, soit que le ciel me soit dur ou propice,
Qu'il m'élève à la gloire ou me livre au supplice,
Que Rome se déclare ou pour ou contre nous,
Mourant pour vous servir, tout me semblera doux.   2

ÉMILIE

Ne crains point de succès qui souille ta mémoire :
Le bon et le mauvais sont égaux pour ta gloire,
Et dans un tel dessein, le manque de bonheur
Met en péril ta vie, et non pas ton honneur.
Regarde le malheur de Brute et de Cassie [11] :   2
La splendeur de leurs noms en est-elle obscurcie?
Sont-ils morts tout entiers avec leurs grands desseins?
Ne les compte-t-on plus pour les derniers Romains?
Leur mémoire dans Rome est encor précieuse,
Autant que de César la vie est odieuse,   2
Si leur vainqueur y règne, ils y sont regrettés,
Et par les vœux de tous leurs pareils souhaités.
    Va marcher sur leurs pas où l'honneur te convie,
Mais ne perds pas le soin de conserver ta vie,
Souviens-toi du beau feu dont nous sommes épris,   2
Qu'aussi bien que la gloire Émilie est ton prix,
Que tu me dois ton cœur, que mes faveurs t'attendent,
Que tes jours me sont chers, que les miens en dépen-
Mais quelle occasion mène Évandre vers nous? [dent.

Scène IV : Cinna, Émilie,
Évandre, Fulvie.

ÉVANDRE

Seigneur, César vous mande, et Maxime avec vous.   2

CINNA

Et Maxime avec moi? Le sais-tu bien, Évandre?

ÉVANDRE

Polyclète est encor chez vous à vous attendre,
Et fût venu lui-même avec moi vous chercher,
Si ma dextérité n'eût su l'en empêcher;
Je vous en donne avis, de peur d'une surprise.

11. Brutus et Cassius, assassins de César, pour la vengeance
duquel Auguste entreprit précisément la campagne qui le
mena à l'Empire.

Il presse fort.
ÉMILIE
Mander les chefs de l'entreprise,
Tous deux, en même temps! Vous êtes découverts.
CINNA
Espérons mieux, de grâce.
ÉMILIE
Ah! Cinna, je te perds!
Et les Dieux, obstinés à nous donner un maître,
Parmi tes vrais amis ont mêlé quelque traître.
Il n'en faut point douter, Auguste a tout appris.
Quoi? tous deux! et sitôt que le conseil est pris!
CINNA
Je ne vous puis celer que son ordre m'étonne,
Mais souvent il m'appelle auprès de sa personne,
Maxime est comme moi de ses plus confidents,
Et nous nous alarmons peut-être en imprudents.
ÉMILIE
Sois moins ingénieux à te tromper toi-même,
Cinna, ne porte point mes maux jusqu'à l'extrême,
Et puisque désormais tu ne peux me venger,
Dérobe au moins ta tête à ce mortel danger.
Fuis d'Auguste irrité l'implacable colère,
Je verse assez de pleurs pour la mort de mon père,
N'aigris point ma douleur par un nouveau tourment,
Et ne me réduis point à pleurer mon amant.
CINNA
Quoi? sur l'illusion d'une terreur panique,
Trahir vos intérêts et la cause publique!
Par cette lâcheté moi-même m'accuser,
Et tout abandonner quand il faut tout oser!
Que feront nos amis si vous êtes déçue?
ÉMILIE
Mais que deviendras-tu si l'entreprise est sue?
CINNA
S'il est pour me trahir des esprits assez bas,
Ma vertu pour le moins ne me trahira pas :
Vous la verrez, brillante au bord des précipices,
Se couronner de gloire en bravant les supplices,
Rendre Auguste jaloux du sang qu'il répandra,
Et le faire trembler alors qu'il me perdra.
Je deviendrais suspect à tarder davantage.
Adieu, raffermissez ce généreux courage.
S'il faut subir le coup d'un destin rigoureux,
Je mourrai tout ensemble heureux et malheureux :
Heureux pour vous servir de perdre ainsi la vie,
Malheureux de mourir sans vous avoir servie.
ÉMILIE
Oui, va, n'écoute plus ma voix qui te retient,
Mon trouble se dissipe et ma raison revient.
Pardonne à mon amour cette indigne faiblesse.
Tu voudrais fuir en vain, Cinna, je le confesse.
Si tout est découvert, Auguste a su pourvoir
A ne te laisser pas ta fuite en ton pouvoir.
Porte, porte chez lui cette mâle assurance,
Digne de notre amour, digne de ta naissance,
Meurs, s'il y faut mourir, en citoyen romain,
Et par un beau trépas couronne un beau dessein.
Ne crains pas qu'après toi rien ici me retienne :
Ta mort emportera mon âme vers la tienne,

Et mon cœur, aussitôt, percé des mêmes coups...   335
CINNA
Ah! souffrez que tout mort je vive encore en vous,
Et du moins en mourant permettez que j'espère
Que vous saurez venger l'amant avec le père.
Rien n'est pour vous à craindre : aucun de nos amis
Ne sait ni vos desseins, ni ce qui m'est promis,   340
Et leur parlant tantôt des misères romaines,
Je leur ai tu la mort qui fait naître nos haines,
De peur que mon ardeur touchant vos intérêts
D'un si parfait amour ne trahît les secrets :
Il n'est su que d'Évandre et de votre Fulvie.   345
ÉMILIE
Avec moins de frayeur je vais donc chez Livie,
Puisque dans ton péril il me reste un moyen
De faire agir pour toi son crédit et le mien.
Mais si mon amitié par là ne te délivre,
N'espère pas qu'enfin je veuille te survivre :   350
Je fais de ton destin des règles à mon sort.
Et j'obtiendrai ta vie, ou je suivrai ta mort.
CINNA
Soyez en ma faveur moins cruelle à vous-même.
ÉMILIE
Va-t'en, et souviens-toi seulement que je t'aime.

ACTE SECOND

Scène I : Auguste, Cinna, Maxime,
troupe de courtisans.

AUGUSTE
Que chacun se retire, et qu'aucun n'entre ici.   355
Vous, Cinna, demeurez, et vous, Maxime, aussi.
   Tous se retirent, à la réserve de Cinna et de Maxime.
    Cet empire absolu sur la terre et sur l'onde,
Ce pouvoir souverain que j'ai sur tout le monde,
Cette grandeur sans borne et cet illustre rang,
Qui m'a jadis coûté tant de peine et de sang,   360
Enfin tout ce qu'adore en ma haute fortune
D'un courtisan flatteur la présence importune,
N'est que de ces beautés dont l'éclat éblouit,
Et qu'on cesse d'aimer sitôt qu'on en jouit.
L'ambition déplaît quand elle est assouvie,   365
D'une contraire ardeur son ardeur est suivie,
Et comme notre esprit, jusqu'au dernier soupir,
Toujours vers quelque objet pousse quelque désir,
Il se ramène en soi, n'ayant plus où se prendre,
Et monté sur le faîte, il aspire à descendre.   370
J'ai souhaité l'empire, et j'y suis parvenu,
Mais en le souhaitant, je ne l'ai pas connu,
Dans sa possession j'ai trouvé pour tous charmes
D'effroyables soucis, d'éternelles alarmes,
Mille ennemis secrets, la mort à tous propos,   375
Point de plaisir sans trouble, et jamais de repos.
Sylla m'a précédé dans ce pouvoir suprême,
Le grand César mon père en a joui de même,
D'un œil si différent tous deux l'ont regardé,
Que l'un s'en est démis, et l'autre l'a gardé.   380
Mais l'un, cruel, barbare, est mort aimé, tranquille,

Comme un bon citoyen dans le sein de sa ville,
L'autre, tout débonnaire, au milieu du sénat
A vu trancher ses jours par un assassinat.
385 Ces exemples récents suffiraient pour m'instruire,
Si par l'exemple seul on se devait conduire;
L'un m'invite à le suivre, et l'autre me fait peur,
Mais l'exemple souvent n'est qu'un miroir trompeur,
Et l'ordre du destin qui gêne nos pensées
390 N'est pas toujours écrit dans les choses passées :
Quelquefois l'un se brise où l'autre s'est sauvé,
Et par où l'un périt un autre est conservé.
    Voilà, mes chers amis, ce qui me met en peine.
Vous, qui me tenez lieu d'Agrippe et de Mécène [12],
395 Pour résoudre ce point avec eux débattu,
Prenez sur mon esprit le pouvoir qu'ils ont eu.
Ne considérez point cette grandeur suprême,
Odieuse aux Romains, et pesante à moi-même.
Traitez-moi comme ami, non comme souverain;
400 Rome, Auguste, l'État, tout est en votre main,
Vous mettrez et l'Europe, et l'Asie, et l'Afrique,
Sous les lois d'un monarque, ou d'une république :
Votre avis est ma règle, et par ce seul moyen
Je veux être empereur, ou simple citoyen.

CINNA

405 Malgré notre surprise, et mon insuffisance,
Je vous obéirai, Seigneur, sans complaisance,
Et mets bas le respect qui pourrait m'empêcher
De combattre un avis où vous semblez pencher.
Souffrez-le d'un esprit jaloux de votre gloire,
410 Que vous allez souiller d'une tache trop noire,
Si vous ouvrez votre âme à ces impressions
Jusques à condamner toutes vos actions.
On ne renonce point aux grandeurs légitimes,
On garde sans remords ce qu'on acquiert sans crimes,
415 Et plus le bien qu'on quitte est noble, grand, exquis,
Plus qui l'ose quitter le juge mal acquis.
N'imprimez pas, Seigneur, cette honteuse marque
A ces rares vertus qui vous ont fait monarque,
Vous l'êtes justement, et c'est sans attentat
420 Que vous avez changé la forme de l'État.
Rome est dessous vos lois par le droit de la guerre,
Qui sous les lois de Rome a mis toute la terre,
Vos armes l'ont conquise, et tous les conquérants
Pour être usurpateurs ne sont pas des tyrans.
425 Quand ils ont sous leurs lois asservi des provinces,
Gouvernant justement, ils s'en font justes princes.
C'est ce que fit César : il vous faut aujourd'hui
Condamner sa mémoire, ou faire comme lui.
Si le pouvoir suprême est blâmé par Auguste,
430 César fut un tyran, et son trépas fut juste,
Et vous devez aux Dieux compte de tout le sang
Dont vous l'avez vengé pour monter à son rang.
N'en craignez point, Seigneur, les tristes destinées,
Un plus puissant démon veille sur vos années,
435 On a dix fois sur vous attenté sans effet,
Et qui l'a voulu perdre au même instant l'a fait.
On entreprend assez, mais aucun n'exécute,
Il est des assassins, mais il n'est plus de Brute,

12. Conseillers d'Auguste.

Enfin, s'il faut attendre un semblable revers,
Il est beau de mourir maître de l'univers.
C'est ce qu'en peu de mots j'ose dire, et j'estime
Que ce peu que j'ai dit est l'avis de Maxime.

MAXIME

Oui, j'accorde qu'Auguste a droit de conserver
L'empire où sa vertu l'a fait seule arriver,
Et qu'au prix de son sang, au péril de sa tête,
Il a fait de l'État une juste conquête.
Mais que sans se noircir, il ne puisse quitter
Le fardeau que sa main est lasse de porter,
Qu'il accuse par là César de tyrannie,
Qu'il approuve sa mort, c'est ce que je dénie.
    Rome est à vous, Seigneur, l'empire est votre bien,
Chacun en liberté peut disposer du sien,
Il le peut à son choix garder ou s'en défaire,
Vous seul ne pourriez pas ce que peut le vulgaire,
Et seriez devenu, pour avoir tout dompté,
Esclave des grandeurs où vous êtes monté!
Possédez-les, Seigneur, sans qu'elles vous possèdent,
Loin de vous captiver, souffrez qu'elles vous cèdent,
Et faites hautement connaître enfin à tous
Que tout ce qu'elles ont est au-dessous de vous.
Votre Rome autrefois vous donna la naissance,
Vous lui voulez donner votre toute-puissance,
Et Cinna vous impute à crime capital
La libéralité vers le pays natal!
Il appelle remords l'amour de la patrie!
Par la haute vertu la gloire est donc flétrie,
Et ce n'est qu'un objet digne de nos mépris,
Si de ses pleins effets l'infamie est le prix!
Je veux bien avouer qu'une action si belle
Donne à Rome bien plus que vous ne tenez d'elle,
Mais commet-on un crime indigne de pardon,
Quand la reconnaissance est au-dessus du don?
Suivez, suivez, Seigneur, le ciel qui vous inspire :
Votre gloire redouble à mépriser l'empire,
Et vous serez fameux chez la postérité,
Moins pour l'avoir conquis que pour l'avoir quitté.
Le bonheur peut conduire à la grandeur suprême,
Mais pour y renoncer il faut la vertu même,
Et peu de généreux vont jusqu'à dédaigner,
Après un sceptre acquis, la douceur de régner.
    Considérez d'ailleurs que vous régnez dans Rome,
Où, de quelque façon que votre cour vous nomme,
On hait la monarchie, et le nom d'empereur
Cachant celui de roi ne fait pas moins d'horreur.
Il passe pour tyran quiconque s'y fait maître,
Qui le sert pour esclave, et qui l'aime pour traître;
Qui le souffre a le cœur lâche, mol, abattu,
Et pour s'en affranchir tout s'appelle vertu.
Vous en avez, Seigneur, des preuves trop certaines :
On a fait contre vous dix entreprises vaines;
Peut-être que l'onzième est prête d'éclater,
Et que ce mouvement qui vous vient agiter
N'est qu'un avis secret que le ciel vous envoie,
Qui pour vous conserver n'a plus que cette voie.
Ne vous exposez plus à ces fameux revers,
Il est beau de mourir maître de l'univers,
Mais la plus belle mort souille notre mémoire,

Quand nous avons pu vivre et croître notre gloire.
CINNA
Si l'amour du pays doit ici prévaloir,
C'est son bien seulement que vous devez vouloir,
Et cette liberté, qui lui semble si chère,
N'est pour Rome, Seigneur, qu'un bien imaginaire,
Plus nuisible qu'utile, et qui n'approche pas
De celui qu'un bon prince apporte à ses États.
Avec ordre et raison les honneurs il dispense,
Avec discernement punit et récompense,
Et dispose de tout en juste possesseur,
Sans rien précipiter de peur d'un successeur.
Mais quand le peuple est maître, on n'agit qu'en
La voix de la raison jamais ne se consulte, [tumulte,
Les honneurs sont vendus aux plus ambitieux,
L'autorité livrée aux plus séditieux.
Ces petits souverains qu'il fait pour une année,
Voyant d'un temps si court leur puissance bornée,
Des plus heureux desseins font avorter le fruit,
De peur de le laisser à celui qui les suit,
Comme ils ont peu de part aux biens dont ils ordonnent,
Dans le champ du public largement ils moissonnent,
Assurés que chacun leur pardonne aisément,
Espérant à son tour un pareil traitement :
Le pire des États, c'est l'État populaire.
AUGUSTE
Et toutefois le seul qui dans Rome peut plaire.
Cette haine des rois, que depuis cinq cents ans
Avec le premier lait sucent tous ses enfants,
Pour l'arracher des cœurs, est trop enracinée.
MAXIME
Oui, Seigneur, dans son mal Rome est trop obstinée,
Son peuple, qui s'y plaît, en fuit la guérison,
Sa coutume l'emporte, et non pas la raison,
Et cette vieille erreur, que Cinna veut abattre,
Est une heureuse erreur dont il est idolâtre,
Par qui le monde entier, asservi sous ses lois,
L'a vu cent fois marcher sur la tête des rois,
Son épargne s'enfler du sac de leurs provinces.
Que lui pouvaient de plus donner les meilleurs princes?
J'ose dire, Seigneur, que par tous les climats
Ne sont pas bien reçus toutes sortes d'États,
Chaque peuple a le sien conforme à sa nature,
Qu'on ne saurait changer sans lui faire une injure :
Telle est la loi du ciel, dont la sage équité
Sème dans l'univers cette diversité.
Les Macédoniens aiment le monarchique,
Et le reste des Grecs la liberté publique;
Les Parthes, les Persans veulent des souverains,
Et le seul consulat est bon pour les Romains [13].
CINNA
Il est vrai que du ciel la prudence infinie
Départ à chaque peuple un différent génie,
Mais il n'est pas moins vrai que cet ordre des cieux
Change selon les temps comme selon les lieux.
Rome a reçu des rois ses murs et sa naissance,
Elle tient des consuls sa gloire et sa puissance,

Et reçoit maintenant de vos rares bontés
Le comble souverain de ses prospérités.
Sous vous, l'État n'est plus en pillage aux armées,
Les portes de Janus par vos mains sont fermées [14],
Ce que sous ses consuls on n'a vu qu'une fois,   555
Et qu'a fait voir comme eux le second de ses rois.
MAXIME
Les changements d'État que fait l'ordre céleste
Ne coûtent point de sang, n'ont rien qui soit funeste.
CINNA
C'est un ordre des Dieux qui jamais ne se rompt,
De nous vendre un peu cher les grands biens qu'ils   560
[nous font.
L'exil des Tarquins même ensanglanta nos terres,
Et nos premiers consuls nous ont coûté des guerres.
MAXIME
Donc votre aïeul Pompée au ciel a résisté
Quand il a combattu pour notre liberté?
CINNA
Si le ciel n'eût voulu que Rome l'eût perdue,   565
Par les mains de Pompée il l'aurait défendue,
Il a choisi sa mort pour servir dignement
D'une marque éternelle à ce grand changement,
Et devait cette gloire aux mânes d'un tel homme,
D'emporter avec eux la liberté de Rome.   570
Ce nom depuis longtemps ne sert qu'à l'éblouir,
Et sa propre grandeur l'empêche d'en jouir.
Depuis qu'elle se voit la maîtresse du monde,
Depuis que la richesse entre ses murs abonde,
Et que son sein, fécond en glorieux exploits,   575
Produit des citoyens plus puissants que des rois,
Les grands, pour s'affermir achetant les suffrages,
Tiennent pompeusement leurs maîtres à leurs gages,
Qui par des fers dorés se laissant enchaîner,
Reçoivent d'eux les lois qu'ils pensent leur donner. 580
Envieux l'un de l'autre, ils mènent tout par brigues
Que leur ambition tourne en sanglantes ligues [15].
Ainsi de Marius Sylla devint jaloux,
César de mon aïeul, Marc-Antoine de vous;
Ainsi la liberté ne peut plus être utile   585
Qu'à former les fureurs d'une guerre civile,
Lorsque par un désordre à l'univers fatal,
L'un ne veut point de maître, et l'autre point d'égal.
Seigneur, pour sauver Rome, il faut qu'elle s'unisse
En la main d'un bon chef à qui tout obéisse.   590
Si vous aimez encore à la favoriser,
Otez-lui les moyens de se plus diviser.
Sylla, quittant la place enfin bien usurpée,
N'a fait qu'ouvrir le champ à César et Pompée,
Que le malheur des temps ne nous eût pas fait voir,   595
S'il eût dans sa famille assuré son pouvoir.
Qu'a fait du grand César le cruel parricide
Qu'élever contre vous Antoine avec Lépide,
Qui n'eussent pas détruit Rome par les Romains,

13. On voit que la théorie des « climats » ne date pas de
Montesquieu. On n'a que l'embarras du choix, de Patrizzi à
Bodin et Botero, pour donner une source à Corneille.

14. A toute déclaration de guerre, en effet, on ouvrait les
portes du temple de Janus; à toute signature de paix, on les
refermait.
15. Analyse, traditionnelle elle aussi depuis la philosophie
politique de la Renaissance, de la fausse démocratie romaine,
censitaire et aristocratique, telle qu'elle se survivait encore
dans la célèbre république de Venise.

600 Si César eût laissé l'empire entre vos mains?
Vous la replongerez, en quittant cet empire,
Dans les maux dont à peine encore elle respire,
Et de ce peu, Seigneur, qui lui reste de sang
Une guerre nouvelle épuisera son flanc.
605 Que l'amour du pays, que la pitié vous touche,
Votre Rome à genoux vous parle par ma bouche,
Considérez le prix que vous avez coûté.
Non pas qu'elle vous croie avoir trop acheté,
Des maux qu'elle a soufferts elle est trop bien payée,
610 Mais une juste peur tient son âme effrayée.
Si, jaloux de son heur et las de commander,
Vous lui rendez un bien qu'elle ne peut garder,
S'il lui faut à ce prix en acheter un autre,
Si vous ne préférez son intérêt au vôtre,
615 Si ce funeste don la met au désespoir,
Je n'ose dire ici ce que j'ose prévoir.
Conservez-vous, Seigneur, en lui laissant un maître
Sous qui son vrai bonheur commence de renaître,
Et pour mieux assurer le bien commun de tous,
620 Donnez un successeur qui soit digne de vous.

AUGUSTE

N'en délibérons plus, cette pitié l'emporte.
Mon repos m'est bien cher, mais Rome est la plus forte,
Et quelque grand malheur qui m'en puisse arriver,
Je consens à me perdre afin de la sauver.
625 Pour ma tranquillité mon cœur en vain soupire,
Cinna, par vos conseils je retiendrai l'empire,
Mais je le retiendrai pour vous en faire part.
Je vois trop que vos cœurs n'ont point pour moi de fard,
Et que chacun de vous, dans l'avis qu'il me donne,
630 Regarde seulement l'État en ma personne,
Votre amour en tous deux fait ce combat d'esprits,
Et vous allez tous deux en recevoir le prix.
Maxime, je vous fais gouverneur de Sicile :
Allez donner mes lois à ce terroir fertile.
635 Songez que c'est pour moi que vous gouvernerez,
Et que je répondrai de ce que vous ferez.
Pour épouse, Cinna, je vous donne Émilie :
Vous savez qu'elle tient la place de Julie,
Et que si nos malheurs et la nécessité
640 M'ont fait traiter son père avec sévérité,
Mon épargne depuis en sa faveur ouverte
Doit avoir adouci l'aigreur de cette perte.
Voyez-la de ma part, tâchez de la gagner :
Vous n'êtes point pour elle un homme à dédaigner,
645 De l'offre de vos vœux elle sera ravie.
Adieu, j'en veux porter la nouvelle à Livie.

Scène II : Cinna, Maxime.

MAXIME

Quel est votre dessein après ces beaux discours?

CINNA

Le même que j'avais, et que j'aurai toujours.

MAXIME

Un chef de conjurés flatte la tyrannie!

CINNA

650 Un chef de conjurés la veut voir impunie!

MAXIME

Je veux voir Rome libre.

CINNA

Et vous pouvez juger
Que je veux l'affranchir ensemble et la venger.
Octave aura donc vu ses fureurs assouvies,
Pillé jusqu'aux autels, sacrifié nos vies,
Rempli les champs d'horreur, comblé Rome de morts,
Et sera quitte après pour l'effet d'un remords!
Quand le ciel par nos mains à le punir s'apprête,
Un lâche repentir garantira sa tête!
C'est trop semer d'appas, et c'est trop inviter
Par son impunité quelque autre à l'imiter.
Vengeons nos citoyens, et que sa peine étonne
Quiconque après sa mort aspire à la couronne.
Que le peuple aux tyrans ne soit plus exposé :
S'il eût puni Sylla, César eût moins osé.

MAXIME

Mais la mort de César, que vous trouvez si juste,
A servi de prétexte aux cruautés d'Auguste.
Voulant nous affranchir, Brute s'est abusé :
S'il n'eût puni César, Auguste eût moins osé.

CINNA

La faute de Cassie et ses terreurs paniques
Ont fait rentrer l'État sous des lois tyranniques,
Mais nous ne verrons point de pareils accidents,
Lorsque Rome suivra des chefs moins imprudents.

MAXIME

Nous sommes encor loin de mettre en évidence
Si nous nous conduirons avec plus de prudence;
Cependant c'en est peu que de n'accepter pas
Le bonheur qu'on recherche au péril du trépas.

CINNA

C'en est encor bien moins, alors qu'on s'imagine
Guérir un mal si grand sans couper la racine;
Employer la douceur à cette guérison,
C'est, en fermant la plaie, y verser du poison.

MAXIME

Vous la voulez sanglante, et la rendez douteuse.

CINNA

Vous la voulez sans peine, et la rendez honteuse.

MAXIME

Pour sortir de ses fers jamais on ne rougit.

CINNA

On en sort lâchement, si la vertu n'agit.

MAXIME

Jamais la liberté ne cesse d'être aimable;
Et c'est toujours pour Rome un bien inestimable.

CINNA

Ce ne peut être un bien qu'elle daigne estimer,
Quand il vient d'une main lasse de l'opprimer :
Elle a le cœur trop bon pour se voir avec joie
Le rebut du tyran dont elle fut la proie,
Et tout ce que la gloire a de vrais partisans
Le hait trop puissamment pour aimer ses présents.

MAXIME

Donc pour vous Émilie est un objet de haine?

CINNA

La recevoir de lui me serait une gêne.
Mais quand j'aurai vengé Rome des maux soufferts,

Je saurai le braver jusque dans les enfers.
Oui, quand par son trépas je l'aurai méritée,
Je veux joindre à sa main ma main ensanglantée,
L'épouser sur sa cendre, et qu'après notre effort
Les présents du tyran soient le prix de sa mort.

MAXIME

Mais l'apparence, ami, que vous puissiez lui plaire,
Teint du sang de celui qu'elle aime comme un père?
Car vous n'êtes pas homme à la violenter.

CINNA

Ami, dans ce palais on peut nous écouter,
Et nous parlons peut-être avec trop d'imprudence
Dans un lieu si mal propre à notre confidence.
Sortons, qu'en sûreté j'examine avec vous,
Pour en venir à bout, les moyens les plus doux.

ACTE TROISIÈME

Scène I : Maxime, Euphorbe.

MAXIME

Lui-même, il m'a tout dit : leur flamme est mutuelle,
Il adore Émilie, il est adoré d'elle,
Mais sans venger son père il n'y peut aspirer,
Et c'est pour l'acquérir qu'il nous fait conspirer.

EUPHORBE

Je ne m'étonne plus de cette violence
Dont il contraint Auguste à garder sa puissance;
La ligue se romprait, s'il s'en était démis,
Et tous vos conjurés deviendraient ses amis.

MAXIME

Ils servent à l'envi la passion d'un homme
Qui n'agit que pour soi, feignant d'agir pour Rome,
Et moi, par un malheur qui n'eut jamais d'égal,
Je pense servir Rome, et je sers mon rival.

EUPHORBE

Vous êtes son rival?

MAXIME

Oui, j'aime sa maîtresse,
Et l'ai caché toujours avec assez d'adresse;
Mon ardeur inconnue, avant que d'éclater,
Par quelque grand exploit la voulait mériter.
Cependant par mes mains je vois qu'il me l'enlève,
Son dessein fait ma perte, et c'est moi qui l'achève,
J'avance des succès dont j'attends le trépas,
Et pour m'assassiner je lui prête mon bras,
Que l'amitié me plonge en un malheur extrême!

EUPHORBE

L'issue en est aisée : agissez pour vous-même,
D'un dessein qui vous perd rompez le coup fatal,
Gagnez une maîtresse, accusant un rival.
Auguste, à qui par là vous sauverez la vie,
Ne vous pourra jamais refuser Émilie.

MAXIME

Quoi! trahir mon ami!

EUPHORBE

L'amour rend tout permis :
Un véritable amant ne connaît point d'amis,
Et même avec justice on peut trahir un traître

Qui pour une maîtresse ose trahir son maître.
Oubliez l'amitié, comme lui les bienfaits.

MAXIME

C'est un exemple à fuir que celui des forfaits.   740

EUPHORBE

Contre un si noir dessein tout devient légitime,
On n'est point criminel quand on punit un crime.

MAXIME

Un crime par qui Rome obtient sa liberté!

EUPHORBE

Craignez tout d'un esprit si plein de lâcheté.
L'intérêt du pays n'est point ce qui l'engage,   745
Le sien, et non la gloire, anime son courage,
Il aimerait César, s'il n'était amoureux,
Et n'est enfin qu'ingrat, et non pas généreux.
  Pensez-vous avoir lu jusqu'au fond de son âme?
Sous la cause publique il vous cachait sa flamme,   750
Et peut cacher encor sous cette passion
Les détestables feux de son ambition.
Peut-être qu'il prétend, après la mort d'Octave,
Au lieu d'affranchir Rome, en faire une esclave,
Qu'il vous compte déjà pour un de ses sujets,   755
Ou que sur votre perte il fonde ses projets.

MAXIME

Mais comment l'accuser sans nommer tout le reste?
A tous nos conjurés l'avis serait funeste,
Et par là nous verrions indignement trahis
Ceux qu'engage avec nous le seul bien du pays.   760
D'un si lâche dessein mon âme est incapable,
Il perd trop d'innocents pour punir un coupable,
J'ose tout contre lui, mais je crains tout pour eux.

EUPHORBE

Auguste s'est lassé d'être si rigoureux.
En ces occasions, ennuyé de supplices,   765
Ayant puni les chefs, il pardonne aux complices.
Si toutefois pour eux vous craignez son courroux,
Quand vous lui parlerez, parlez au nom de tous.

MAXIME

Nous disputons en vain, et ce n'est que folie
De vouloir par sa perte acquérir Émilie :   770
Ce n'est pas le moyen de plaire à ses beaux yeux
Que de priver du jour ce qu'elle aime le mieux.
Pour moi j'estime peu qu'Auguste me la donne,
Je veux gagner son cœur plutôt que sa personne,
Et ne fais point d'état de sa possession,   775
Si je n'ai point de part à son affection.
Puis-je la mériter par une triple offense?
Je trahis son amant, je détruis sa vengeance,
Je conserve le sang qu'elle veut voir périr,
Et j'aurais quelque espoir qu'elle me pût chérir?   780

EUPHORBE

C'est ce qu'à dire vrai je vois fort difficile,
L'artifice pourtant vous y peut être utile,
Il en faut trouver un qui la puisse abuser,
Et du reste le temps en pourra disposer.

MAXIME

Mais si pour s'excuser il nomme sa complice,   785
S'il arrive qu'Auguste avec lui la punisse,
Puis-je lui demander, pour prix de mon rapport,
Celle qui nous oblige à conspirer sa mort?

EUPHORBE

Vous pourriez m'opposer tant et de tels obstacles
790 Que pour les surmonter il faudrait des miracles.
J'espère, toutefois, qu'à force d'y rêver...

MAXIME

Éloigne-toi, dans peu j'irai te retrouver.
Cinna vient et je veux en tirer quelque chose,
Pour mieux résoudre après ce que je me propose.

Scène II : Cinna, Maxime.

MAXIME

795 Vous me semblez pensif.

CINNA

Ce n'est pas sans sujet.

MAXIME

Puis-je d'un tel chagrin savoir quel est l'objet?

CINNA

Émilie et César l'un et l'autre me gêne :
L'un me semble trop bon, l'autre trop inhumaine.
Plût aux Dieux que César employât mieux ses soins,
800 Et s'en fît plus aimer, ou m'aimât un peu moins,
Que sa bonté touchât la beauté qui me charme,
Et la pût adoucir comme elle me désarme!
Je sens au fond du cœur mille remords cuisants,
Qui rendent à mes yeux tous ses bienfaits présents.
805 Cette faveur si pleine et si mal reconnue
Par un mortel reproche à tous moments me tue.
Il me semble surtout incessamment le voir
Déposer en nos mains son absolu pouvoir,
Écouter nos avis, m'applaudir, et me dire :
810 « Cinna, par vos conseils je retiendrai l'empire,
Mais je le retiendrai pour vous en faire part. »
Et je puis dans son sein enfoncer un poignard!
Ah! plutôt... Mais, hélas! j'idolâtre Émilie,
Un serment exécrable à sa haine me lie,
815 L'horreur qu'elle a de lui me le rend odieux,
Des deux côtés j'offense et ma gloire et les Dieux,
Je deviens sacrilège ou je suis parricide,
Et vers l'un ou vers l'autre il faut être perfide.

MAXIME

Vous n'aviez point tantôt ces agitations,
820 Vous paraissiez plus ferme en vos intentions,
Vous ne sentiez au cœur ni remords ni reproche.

CINNA

On ne les sent aussi que quand le coup approche,
Et l'on ne reconnaît de semblables forfaits
Que quand la main s'apprête à venir aux effets.
825 L'âme, de son dessein jusque-là possédée,
S'attache aveuglément à sa première idée.
Mais alors quel esprit n'en devient point troublé
Ou plutôt quel esprit n'en est point accablé?
Je crois que Brute même, à tel point qu'on le prise,
830 Voulut plus d'une fois rompre son entreprise,
Qu'avant que de frapper elle lui fit sentir
Plus d'un remords en l'âme et plus d'un repentir.

MAXIME

Il eut trop de vertu pour tant d'inquiétude,
Il ne soupçonna point sa main d'ingratitude,
835 Et fut contre un tyran d'autant plus animé

Qu'il en reçut de biens, et qu'il s'en vit aimé.
Comme vous l'imitez, faites la même chose,
Et formez vos remords d'une plus juste cause,
De vos lâches conseils, qui seuls ont arrêté
Le bonheur renaissant de notre liberté.
C'est vous seul aujourd'hui qui nous l'avez ôtée,
De la main de César Brute l'eût acceptée,
Et n'eût jamais souffert qu'un intérêt léger
De vengeance ou d'amour l'eût remise en danger.
N'écoutez plus la voix d'un tyran qui vous aime,
Et vous veut faire part de son pouvoir suprême,
Mais entendez crier Rome à votre côté :
« Rends-moi, rends-moi, Cinna, ce que tu m'as ôté;
Et si tu m'as tantôt préféré ta maîtresse,
Ne me préfère pas le tyran qui m'oppresse. »

CINNA

Ami, n'accable plus un esprit malheureux
Qui ne forme qu'en lâche un dessein généreux.
Envers nos citoyens je sais quelle est ma faute,
Et leur rendrai bientôt tout ce que je leur ôte.
Mais pardonne aux abois d'une vieille amitié,
Qui ne peut expirer sans me faire pitié,
Et laisse-moi, de grâce, attendant Émilie,
Donner un libre cours à ma mélancolie.
Mon chagrin t'importune, et le trouble où je suis
Veut de la solitude à calmer tant d'ennuis.

MAXIME

Vous voulez rendre compte à l'objet qui vous blesse
De la bonté d'Octave et de votre faiblesse;
L'entretien des amants veut un entier secret.
Adieu, je me retire en confident discret.

Scène III : Cinna.

Donne un plus digne nom au glorieux empire
Du noble sentiment que la vertu m'inspire,
Et que l'honneur oppose au coup précipité
De mon ingratitude et de ma lâcheté,
Mais plutôt continue à le nommer faiblesse,
Puisqu'il devient si faible auprès d'une maîtresse,
Qu'il respecte un amour qu'il devrait étouffer
Ou que s'il le combat il n'ose en triompher.
En ces extrémités quel conseil dois-je prendre?
De quel côté pencher, à quel parti me rendre?
    Qu'une âme généreuse a de peine à faillir!
Quelque fruit que par là j'espère de cueillir,
Les douceurs de l'amour, celles de la vengeance,
La gloire d'affranchir le lieu de ma naissance,
N'ont point assez d'appas pour flatter ma raison,
S'il les faut acquérir par une trahison,
S'il faut percer le flanc d'un prince magnanime
Qui du peu que je suis fait une telle estime,
Qui me comble d'honneurs, qui m'accable de biens,
Qui ne prend pour régner de conseils que les miens.
O coup, ô trahison trop indigne d'un homme!
Dure, dure à jamais l'esclavage de Rome!
Périsse mon amour, périsse mon espoir,
Plutôt que de ma main parte un crime si noir!
Quoi! ne m'offre-t-il pas tout ce que je souhaite,
Et qu'au prix de son sang ma passion achète?

Pour jouir de ses dons faut-il l'assassiner
Et faut-il lui ravir ce qu'il me veut donner?
    Mais je dépends de vous, ô serment téméraire,
Ô haine d'Émilie, ô souvenir d'un père!
Ma foi, mon cœur, mon bras, tout vous est engagé,
Et je ne puis plus rien que par votre congé.
C'est à vous à régler ce qu'il faut que je fasse,
C'est à vous, Émilie, à lui donner sa grâce,
Vos seules volontés président à son sort,
Et tiennent en mes mains et sa vie et sa mort.
Ô Dieux, qui comme vous la rendez adorable,
Rendez-la, comme vous, à mes vœux exorable,
Et puisque de ses lois je ne puis m'affranchir,
Faites qu'à mes désirs je la puisse fléchir.
Mais voici de retour cette aimable inhumaine.

Scène IV : Émilie, Cinna, Fulvie.

ÉMILIE

Grâces aux Dieux, Cinna, ma frayeur était vaine :
Aucun de tes amis ne t'a manqué de foi,
Et je n'ai point eu lieu de m'employer pour toi.
Octave en ma présence a tout dit à Livie,
Et par cette nouvelle il m'a rendu la vie.

CINNA

Le désavouerez-vous? et du don qu'il me fait
Voudrez-vous retarder le bienheureux effet?

ÉMILIE

L'effet est en ta main.

CINNA

                    Mais plutôt en la vôtre.

ÉMILIE

Je suis toujours moi-même, et mon cœur n'est point
Me donner à Cinna, c'est ne lui donner rien, [autre :
C'est seulement lui faire un présent de son bien.

CINNA

Vous pouvez toutefois... ô ciel! l'osé-je dire?

ÉMILIE

Que puis-je et que crains-tu?

CINNA

                    Je tremble, je soupire,
Et vois que si nos cœurs avaient mêmes désirs,
Je n'aurais pas besoin d'expliquer mes soupirs.
Ainsi je suis trop sûr que je vais vous déplaire,
Mais je n'ose parler et je ne puis me taire.

ÉMILIE

C'est trop me gêner, parle.

CINNA

                    Il faut vous obéir :
Je vais donc vous déplaire, et vous m'allez haïr.
    Je vous aime, Émilie, et le ciel me foudroie
Si cette passion ne fait toute ma joie,
Et si je ne vous aime avec toute l'ardeur
Que peut un digne objet attendre d'un grand cœur!
Mais voyez à quel prix vous me donnez votre âme;
En me rendant heureux, vous me rendez infâme :
Cette bonté d'Auguste...

ÉMILIE

                    Il suffit, je t'entends,
Je vois ton repentir et tes vœux inconstants,
Les faveurs du tyran emportent tes promesses,

Tes feux et tes serments cèdent à ses caresses,
Et ton esprit crédule ose s'imaginer   935
Qu'Auguste, pouvant tout, peut aussi me donner.
Tu me veux de sa main plutôt que de la mienne,
Mais ne crois pas qu'ainsi jamais je t'appartienne :
Il peut faire trembler la terre sous ses pas,
Mettre un roi hors du trône et donner ses États,   940
De ses proscriptions rougir la terre et l'onde,
Et changer à son gré l'ordre de tout le monde,
Mais le cœur d'Émilie est hors de son pouvoir.

CINNA

Aussi n'est-ce qu'à vous que je veux le devoir.
Je suis toujours moi-même, et ma foi toujours pure.   945
La pitié que je sens ne me rend point parjure,
J'obéis sans réserve à tous vos sentiments,
Et prends vos intérêts par delà mes serments.
J'ai pu, vous le savez, sans parjure et sans crime,
Vous laisser échapper cette illustre victime.   950
César se dépouillant du pouvoir souverain
Nous ôtait tout prétexte à lui percer le sein;
La conjuration s'en allait dissipée,
Vos desseins avortés, votre haine trompée :
Moi seul j'ai raffermi son esprit étonné,   955
Et pour vous l'immoler ma main l'a couronné.

ÉMILIE

Pour me l'immoler, traître! et tu veux que moi-même
Je retienne ta main! qu'il vive et que je l'aime!
Que je sois le butin de qui l'ose épargner,
Et le prix du conseil qui le force à régner!   960

CINNA

Ne me condamnez point quand je vous ai servie :
Sans moi, vous n'auriez plus de pouvoir sur sa vie,
Et malgré ses bienfaits je rends tout à l'amour.
Quand je veux qu'il périsse, ou vous doive le jour.
Avec les premiers vœux de mon obéissance   965
Souffrez ce faible effort de ma reconnaissance,
Que je tâche de vaincre un indigne courroux,
Et vous donner pour lui l'amour qu'il a pour vous.
Une âme généreuse et que la vertu guide
Fuit la honte des noms d'ingrate et de perfide,   970
Elle en hait l'infamie attachée au bonheur
Et n'accepte aucun bien aux dépens de l'honneur.

ÉMILIE

Je fais gloire, pour moi, de cette ignominie :
La perfidie est noble envers la tyrannie,
Et quand on rompt le cours d'un sort si malheureux,   975
Les cœurs les plus ingrats sont les plus généreux.

CINNA

Vous faites des vertus au gré de votre haine.

ÉMILIE

Je me fais des vertus dignes d'une Romaine.

CINNA

Un cœur vraiment romain...

ÉMILIE

                    Ose tout pour ravir
Une odieuse vie à qui le fait servir :   980
Il fuit plus que la mort la honte d'être esclave.

CINNA

C'est l'être avec honneur que de l'être d'Octave,
Et nous voyons souvent des rois à nos genoux

Demander pour appui tels esclaves que nous.
985 Il abaisse à nos pieds l'orgueil des diadèmes,
Il nous fait souverains sur leurs grandeurs suprêmes,
Il prend d'eux les tributs dont il nous enrichit,
Et leur impose un joug dont il nous affranchit.

ÉMILIE

L'indigne ambition que ton cœur se propose!
990 Pour être plus qu'un roi, tu te crois quelque chose!
Aux deux bouts de la terre en est-il un si vain
Qu'il prétende égaler un citoyen romain?
Antoine sur sa tête attira notre haine
En se déshonorant par l'amour d'une reine;
995 Attale, ce grand roi dans la pourpre blanchi,
Qui du peuple romain se nommait l'affranchi,
Quand de toute l'Asie il se fût vu l'arbitre,
Eût encor moins prisé son trône que ce titre.
Souviens-toi de ton nom, soutiens sa dignité,
1000 Et prenant d'un Romain la générosité,
Sache qu'il n'en est point que le ciel n'ait fait naître
Pour commander aux rois, et pour vivre sans maître.

CINNA

Le ciel a trop fait voir en de tels attentats
Qu'il hait les assassins et punit les ingrats,
1005 Et quoi qu'on entreprenne et quoi qu'on exécute,
Quand il élève un trône il en venge la chute.
Il se met du parti de ceux qu'il fait régner,
Le coup dont on les tue est longtemps à saigner,
Et quand à les punir il a pu se résoudre,
1010 De pareils châtiments n'appartiennent qu'au foudre.

ÉMILIE

Dis que de leur parti toi-même tu te rends,
De te remettre au foudre à punir les tyrans.
Je ne t'en parle plus, va, sers la tyrannie,
Abandonne ton âme à son lâche génie,
1015 Et pour rendre le calme à ton esprit flottant,
Oublie et ta naissance et le prix qui t'attend.
Sans emprunter ta main pour servir ma colère,
Je saurai bien venger mon pays et mon père.
J'aurais déjà l'honneur d'un si fameux trépas,
1020 Si l'amour jusqu'ici n'eût arrêté mon bras.
C'est lui qui sous tes lois me tenant asservie,
M'a fait en ta faveur prendre soin de ma vie.
Seule contre un tyran, en le faisant périr,
Par les mains de sa garde il me fallait mourir :
1025 Je t'eusse par ma mort dérobé ta captive,
Et comme pour toi seul l'amour veut que je vive,
J'ai voulu, mais en vain, me conserver pour toi,
Et te donner moyen d'être digne de moi.
Pardonnez-moi, grands Dieux, si je me suis trompée
1030 Quand j'ai pensé chérir un neveu de Pompée,
Et si d'un faux semblant mon esprit abusé
A fait choix d'un esclave en son lieu supposé.
Je t'aime toutefois, quel que tu puisses être,
Et si pour me gagner il faut trahir ton maître,
1035 Mille autres à l'envi recevraient cette loi,
S'ils pouvaient m'acquérir à même prix que toi.
Mais n'appréhende pas qu'un autre ainsi m'obtienne,
Vis pour ton cher tyran, tandis que je meurs tienne,
Mes jours avec les siens se vont précipiter,
1040 Puisque ta lâcheté n'ose me mériter.

Viens me voir, dans son sang et dans le mien baignée
De ma seule vertu mourir accompagnée,
Et te dire en mourant d'un esprit satisfait :
« N'accuse point mon sort, c'est toi seul qui l'as fait
Je descends dans la tombe où tu m'as condamnée,
Où la gloire me suit qui t'était destinée,
Je meurs en détruisant un pouvoir absolu,
Mais je vivrais à toi, si tu l'avais voulu. »

CINNA

Eh bien! vous le voulez, il faut vous satisfaire,
Il faut affranchir Rome, il faut venger un père,
Il faut sur un tyran porter de justes coups,
Mais apprenez qu'Auguste est moins tyran que vous
S'il nous ôte à son gré nos biens, nos jours, no
Il n'a point jusqu'ici tyrannisé nos âmes,   [femmes
Mais l'empire inhumain qu'exercent vos beautés
Force jusqu'aux esprits et jusqu'aux volontés.
Vous me faites priser ce qui me déshonore,
Vous me faites haïr ce que mon âme adore,
Vous me faites répandre un sang pour qui je dois
Exposer tout le mien et mille et mille fois.
Vous le voulez, j'y cours, ma parole est donnée,
Mais ma main, aussitôt contre mon sein tournée,
Aux mânes d'un tel prince immolant votre amant,
A mon crime forcé joindra mon châtiment,
Et par cette action dans l'autre confondue
Recouvrera ma gloire aussitôt que perdue.
Adieu.

Scène V : Émilie, Fulvie.

FULVIE

Vous avez mis son âme au désespoir.

ÉMILIE

Qu'il cesse de m'aimer, ou suive son devoir.

FULVIE

Il va vous obéir aux dépens de sa vie :
Vous en pleurez!

ÉMILIE

Hélas! cours après lui, Fulvie,
Et si ton amitié daigne me secourir,
Arrache-lui du cœur ce dessein de mourir.
Dis-lui...

FULVIE

Qu'en sa faveur vous laissez vivre Auguste

ÉMILIE

Ah! c'est faire à ma haine une loi trop injuste.

FULVIE

Et quoi donc?

ÉMILIE

Qu'il achève et dégage sa foi,
Et qu'il choisisse après, de la mort ou de moi.

ACTE QUATRIÈME

Scène I : Auguste, Euphorbe, Polyclète, gardes.

AUGUSTE

Tout ce que tu me dis, Euphorbe, est incroyable.

EUPHORBE

Seigneur, le récit même en paraît effroyable :
On ne conçoit qu'à peine une telle fureur,
Et la seule pensée en fait frémir d'horreur.

AUGUSTE

Quoi, mes plus chers amis! quoi, Cinna! quoi, Maxime!
Les deux que j'honorais d'une si haute estime,
A qui j'ouvrais mon cœur, et dont j'avais fait choix
Pour les plus importants et plus nobles emplois!
Après qu'entre leurs mains j'ai remis mon empire,
Pour m'arracher le jour l'un et l'autre conspire!
Maxime a vu sa faute, il m'en fait avertir,
Et montre un cœur touché d'un juste repentir;
Mais Cinna!

EUPHORBE

Cinna seul dans sa rage s'obstine,
Et contre vos bontés d'autant plus se mutine;
Lui seul combat encor les vertueux efforts
Que sur les conjurés fait ce juste remords
Et malgré les frayeurs à leurs regrets mêlées,
Il tâche à raffermir leurs âmes ébranlées.

AUGUSTE

Lui seul les encourage, et lui seul les séduit!
O le plus déloyal que la terre ait produit!
O trahison conçue au sein d'une furie,
O trop sensible coup d'une main si chérie!
Cinna, tu me trahis! Polyclète, écoutez.

Il lui parle à l'oreille.

POLYCLÈTE

Tous vos ordres, Seigneur, seront exécutés.

AUGUSTE

Qu'Éraste en même temps aille dire à Maxime
Qu'il vienne recevoir le pardon de son crime.

Polyclète rentre.

EUPHORBE

Il l'a jugé trop grand pour ne pas s'en punir :
A peine du palais il a pu revenir,
Que les yeux égarés et le regard farouche,
Le cœur gros de soupirs, les sanglots à la bouche,
Il déteste sa vie et ce complot maudit,
M'en apprend l'ordre entier tel que je vous l'ai dit,
Et m'ayant commandé que je vous avertisse,
Il ajoute : « Dis-lui que je me fais justice,
Que je n'ignore point ce que j'ai mérité. »
Puis soudain dans le Tibre il s'est précipité,
Et l'eau grosse et rapide et la nuit assez noire
M'ont dérobé la fin de sa tragique histoire.

AUGUSTE

Sous ce pressant remords il a trop succombé,
Et s'est à mes bontés lui-même dérobé :
Il n'est crime envers moi qu'un repentir n'efface,
Mais puisqu'il a voulu renoncer à ma grâce,
Allez pourvoir au reste et faites qu'on ait soin
De tenir en lieu sûr ce fidèle témoin.

Scène II : Auguste.

Ciel, à qui voulez-vous désormais que je fie
Les secrets de mon âme et le soin de ma vie?
Reprenez le pouvoir que vous m'avez commis,

Si donnant des sujets il ôte les amis,
Si tel est le destin des grandeurs souveraines   1125
Que leurs plus grands bienfaits n'attirent que des
Et si votre rigueur les condamne à chérir   [haines,
Ceux que vous animez à les faire périr.
Pour elles rien n'est sûr, qui peut tout doit tout craindre.
Rentre en toi-même, Octave, et cesse de te plaindre. 1130
Quoi! tu veux qu'on t'épargne, et n'as rien épargné!
Songe aux fleuves de sang où ton bras s'est baigné,
De combien ont rougi les champs de Macédoine,
Combien en a versé la défaite d'Antoine,
Combien celle de Sexte, et revois tout d'un temps   1135
Pérouse au sien noyée, et tous ses habitants.
Remets dans ton esprit, après tant de carnages,
De tes proscriptions les sanglantes images,
Où toi-même, des tiens devenu le bourreau,
Au sein de ton tuteur enfonças le couteau   1140
Et puis ose accuser le destin d'injustice,
Quand tu vois que les tiens s'arment pour ton supplice
Et que par ton exemple à ta perte guidés,
Ils violent des droits que tu n'as pas gardés!
Leur trahison est juste et le ciel l'autorise,   1145
Quitte la dignité comme tu l'as acquise,
Rends un sang infidèle à l'infidélité,
Et souffre des ingrats après l'avoir été.
Mais que mon jugement au besoin m'abandonne!
Quelle fureur, Cinna, m'accuse et te pardonne?   1150
Toi, dont la trahison me force à retenir
Ce pouvoir souverain dont tu me veux punir,
Me traite en criminel, et fait seule mon crime,
Relève pour l'abattre un trône illégitime,
Et d'un zèle effronté couvrant son attentat,   1155
S'oppose, pour me perdre, au bonheur de l'État!
Donc jusqu'à l'oublier je pourrais me contraindre,
Tu vivrais en repos après m'avoir fait craindre!
Non, non, je me trahis moi-même d'y penser,
Qui pardonne aisément invite à l'offenser,   1160
Punissons l'assassin, proscrivons les complices.
Mais quoi? toujours du sang, et toujours des sup-
Ma cruauté se lasse, et ne peut s'arrêter;   [plices!
Je veux me faire craindre, et ne fais qu'irriter.
Rome a pour ma ruine une hydre trop fertile,   1165
Une tête coupée en fait renaître mille,
Et le sang répandu de mille conjurés
Rend mes jours plus maudits, et non plus assurés.
Octave, n'attends plus le coup d'un nouveau Brute,
Meurs et dérobe-lui la gloire de ta chute,   1170
Meurs, tu ferais pour vivre un lâche et vain effort,
Si tant de gens de cœur font des vœux pour ta mort,
Et si tout ce que Rome a d'illustre jeunesse
Pour te faire périr tour à tour s'intéresse;
Meurs, puisque c'est un mal que tu ne peux guérir,   1175
Meurs enfin, puisqu'il faut ou tout perdre, ou mourir.
La vie est peu de chose et le peu qui t'en reste
Ne vaut pas l'acheter par un prix si funeste,
Meurs, mais quitte du moins la vie avec éclat,
Éteins-en le flambeau dans le sang de l'ingrat,   1180
A toi-même en mourant immole ce perfide,
Contentant ses désirs, punis son parricide,
Fais un tourment pour lui de ton propre trépas,

En faisant qu'il le voie et n'en jouisse pas.
1185 Mais jouissons plutôt nous-même de sa peine,
Et si Rome nous hait, triomphons de sa haine.
  O Romains, ô vengeance, ô pouvoir absolu,
O rigoureux combat d'un cœur irrésolu
Qui fuit en même temps tout ce qu'il se propose!
1190 D'un prince malheureux ordonnez quelque chose.
Qui des deux dois-je suivre et duquel m'éloigner?
Ou laissez-moi périr, ou laissez-moi régner.

Scène III : Auguste, Livie.

AUGUSTE

Madame, on me trahit, et la main qui me tue
Rend sous mes déplaisirs ma constance abattue.
1195 Cinna, Cinna, le traître...

LIVIE

                    Euphorbe m'a tout dit,
Seigneur, et j'ai pâli cent fois à ce récit.
Mais écouteriez-vous les conseils d'une femme?

AUGUSTE

Hélas! de quel conseil est capable mon âme?

LIVIE

Votre sévérité, sans produire aucun fruit,
1200 Seigneur, jusqu'à présent a fait beaucoup de bruit.
Par les peines d'un autre aucun ne s'intimide,
Salvidien à bas a soulevé Lépide,
Murène a succédé, Cépion l'a suivi,
Le jour à tous les deux dans les tourments ravi
1205 N'a point mêlé de crainte à la fureur d'Égnace,
Dont Cinna maintenant ose prendre la place;
Et dans les plus bas rangs les noms les plus abjets
Ont voulu s'ennoblir par de si hauts projets.
Après avoir en vain puni leur insolence,
1210 Essayez sur Cinna ce que peut la clémence[16].
Faites son châtiment de sa confusion,
Cherchez le plus utile en cette occasion.
Sa peine peut aigrir une ville animée,
Son pardon peut servir à votre renommée,
1215 Et ceux que vos rigueurs ne font qu'effaroucher
Peut-être à vos bontés se laisseront toucher.

AUGUSTE

Gagnons-les tout à fait en quittant cet empire
Qui nous rend odieux, contre qui l'on conspire.
J'ai trop par vos avis consulté là-dessus,
1220 Ne m'en parlez jamais, je ne consulte plus.
  Cesse de soupirer, Rome, pour ta franchise.
Si je t'ai mise aux fers, moi-même je les brise,
Et te rends ton État, après l'avoir conquis,
Plus paisible et plus grand que je ne te l'ai pris.
1225 Si tu me veux haïr, hais-moi sans plus rien feindre,
Si tu me veux aimer, aime-moi sans me craindre,
De tout ce qu'eut Sylla de puissance et d'honneur,
Lassé comme il en fut, j'aspire à son bonheur.

16. Tout ce passage, y compris la liste des noms propres,
est fidèlement traduit de la page du *De Clementia*, de Sénèque
(livre I, chap. 9) que Corneille a jointe à *Cinna* dans la première
édition.

LIVIE

Assez et trop longtemps son exemple vous flatte,
Mais gardez que sur vous le contraire n'éclate,
Ce bonheur sans pareil qui conserva ses jours
Ne serait pas bonheur, s'il arrivait toujours.

AUGUSTE

Eh bien! s'il est trop grand, si j'ai tort d'y prétendre,
J'abandonne mon sang à qui voudra l'épandre.
Après un long orage il faut trouver un port,
Et je n'en vois que deux, le repos ou la mort.

LIVIE

Quoi, vous voulez quitter le fruit de tant de peines?

AUGUSTE

Quoi, vous voulez garder l'objet de tant de haines?

LIVIE

Seigneur, vous emporter à cette extrémité,
C'est plutôt désespoir que générosité.

AUGUSTE

Régner et caresser une main si traîtresse,
Au lieu de sa vertu, c'est montrer sa faiblesse.

LIVIE

C'est régner sur vous-même, et par un noble choix,
Pratiquer la vertu la plus digne des rois.

AUGUSTE

Vous m'aviez bien promis des conseils d'une femme :
Vous me tenez parole, et c'en sont là, Madame.
  Après tant d'ennemis à mes pieds abattus,
Depuis vingt ans je règne, et j'en sais les vertus,
Je sais leur divers ordre et de quelle nature
Sont les devoirs d'un prince en cette conjoncture.
Tout son peuple est blessé par un tel attentat,
Et la seule pensée est un crime d'État,
Une offense qu'on fait à toute sa province,
Dont il faut qu'il la venge, ou cesse d'être prince.

LIVIE

Donnez moins de croyance à votre passion.

AUGUSTE

Ayez moins de faiblesse, ou moins d'ambition.

LIVIE

Ne traitez plus si mal un conseil salutaire.

AUGUSTE

Le ciel m'inspirera ce qu'ici je dois faire.
Adieu, nous perdons temps.

LIVIE

                    Je ne vous quitte point,
Seigneur, que mon amour n'aye obtenu ce point.

AUGUSTE

C'est l'amour des grandeurs qui vous rend importune.

LIVIE

J'aime votre personne, et non votre fortune.
Elle est seule.
Il m'échappe : suivons et forçons-le de voir
Qu'il peut, en faisant grâce, affermir son pouvoir,
Et qu'enfin la clémence est la plus belle marque
Qui fasse à l'univers connaître un vrai monarque.

Scène IV : Émilie, Fulvie.

ÉMILIE

D'où me vient cette joie? et que mal à propos

Mon esprit malgré moi goûte un entier repos!
César mande Cinna sans me donner d'alarmes!
Mon cœur est sans soupirs, mes yeux n'ont point de
Comme si j'apprenais d'un secret mouvement [larmes,
Que tout doit succéder à mon contentement!
Ai-je bien entendu? me l'as-tu dit, Fulvie?

FULVIE

J'avais gagné sur lui qu'il aimerait la vie,
Et je vous l'amenais, plus traitable et plus doux,
Faire un second effort contre votre courroux;
Je m'en applaudissais, quand soudain Polyclète,
Des volontés d'Auguste ordinaire interprète,
Est venu l'aborder et sans suite et sans bruit,
Et de sa part sur l'heure au palais l'a conduit.
Auguste est fort troublé, l'on ignore la cause,
Chacun diversement soupçonne quelque chose,
Tous présument qu'il aye un grand sujet d'ennui,
Et qu'il mande Cinna pour prendre avis de lui.
Mais ce qui m'embarrasse et que je viens d'apprendre,
C'est que deux inconnus se sont saisis d'Évandre,
Qu'Euphorbe est arrêté sans qu'on sache pourquoi,
Que même de son maître on dit je ne sais quoi :
On lui veut imputer un désespoir funeste,
On parle d'eaux, de Tibre, et l'on se tait du reste.

ÉMILIE

Que de sujets de craindre et de désespérer,
Sans que mon triste cœur en daigne murmurer!
A chaque occasion le ciel y fait descendre
Un sentiment contraire à celui qu'il doit prendre.
Une vaine frayeur tantôt m'a pu troubler,
Et je suis insensible alors qu'il faut trembler.
    Je vous entends, grands Dieux! vos bontés que
Ne peuvent consentir que je me déshonore, [j'adore
Et ne me permettant soupirs, sanglots, ni pleurs,
Soutiennent ma vertu contre de tels malheurs.
Vous voulez que je meure avec ce grand courage
Qui m'a fait entreprendre un si fameux ouvrage,
Et je veux bien périr comme vous l'ordonnez,
Et dans la même assiette où vous me retenez.
    O liberté de Rome! ô mânes de mon père!
J'ai fait de mon côté tout ce que j'ai pu faire :
Contre votre tyran j'ai ligué ses amis,
Et plus osé pour vous qu'il ne m'était permis.
Si l'effet a manqué, ma gloire n'est pas moindre,
N'ayant pu vous venger, je vous irai rejoindre,
Mais si fumante encor d'un généreux courroux,
Par un trépas si noble et si digne de vous
Qu'il vous fera sur l'heure aisément reconnaître
Le sang des grands héros dont vous m'avez fait naître.

Scène V : Maxime, Émilie, Fulvie.

ÉMILIE

Mais je vous vois, Maxime, et l'on vous faisait mort!

MAXIME

Euphorbe trompe Auguste avec ce faux rapport :
Se voyant arrêté, la trame découverte,
Il a feint ce trépas pour empêcher ma perte.

ÉMILIE

Que dit-on de Cinna?

MAXIME
              Que son plus grand regret
C'est de voir que César sait tout votre secret.   1320
En vain il le dénie et le veut méconnaître,
Évandre a tout conté pour excuser son maître,
Et par l'ordre d'Auguste on vient vous arrêter.

ÉMILIE

Celui qui l'a reçu tarde à l'exécuter,
Je suis prête à le suivre et lasse de l'attendre.   1325

MAXIME

Il vous attend chez moi.

ÉMILIE
                      Chez vous!

MAXIME
                              C'est vous surprendre.
Mais apprenez le soin que le ciel a de vous,
C'est un des conjurés qui va fuir avec nous.
Prenons notre avantage avant qu'on nous poursuive,
Nous avons pour partir un vaisseau sur la rive.   1330

ÉMILIE

Me connais-tu, Maxime, et sais-tu qui je suis?

MAXIME

En faveur de Cinna je fais ce que je puis,
Et tâche à garantir de ce malheur extrême
La plus belle moitié qui reste de lui-même.
    Sauvons-nous, Émilie, et conservons le jour   1335
Afin de le venger par un heureux retour.

ÉMILIE

Cinna dans son malheur est de ceux qu'il faut suivre,
Qu'il ne faut pas venger, de peur de leur survivre.
Quiconque après sa perte aspire à se sauver
Est indigne du jour qu'il tâche à conserver.   1340

MAXIME

Quel désespoir aveugle à ces fureurs vous porte?
O Dieux! que de faiblesse en une âme si forte!
Ce cœur si généreux rend si peu de combat,
Et du premier revers la fortune l'abat!
Rappelez, rappelez cette vertu sublime,   1345
Ouvrez enfin les yeux et connaissez Maxime.
C'est un autre Cinna qu'en lui vous regardez,
Le ciel vous rend en lui l'amant que vous perdez,
Et puisque l'amitié n'en faisait plus qu'une âme,
Aimez en cet ami l'objet de votre flamme.   1350
Avec la même ardeur il saura vous chérir,
Que...

ÉMILIE
        Tu m'oses aimer, et tu n'oses mourir!
Tu prétends un peu trop; mais quoi que tu prétendes,
Rends-toi digne du moins de ce que tu demandes,
Cesse de fuir en lâche un glorieux trépas,   1355
Ou de m'offrir un cœur que tu fais voir si bas.
Fais que je porte envie à ta vertu parfaite,
Ne te pouvant aimer, fais que je te regrette,
Montre d'un vrai Romain la dernière vigueur,
Et mérite mes pleurs au défaut de mon cœur.   1360
Quoi! si ton amitié pour Cinna s'intéresse,
Crois-tu qu'elle consiste à flatter sa maîtresse?
Apprends, apprends de moi quel en est le devoir,
Et donne-m'en l'exemple, ou viens le recevoir.

MAXIME

1365 Votre juste douleur est trop impétueuse.

ÉMILIE

La tienne en ta faveur est trop ingénieuse.
Tu me parles déjà d'un bienheureux retour,
Et dans tes déplaisirs tu conçois de l'amour!

MAXIME

Cet amour en naissant est toutefois extrême.

1370 C'est votre amant en vous, c'est mon ami que j'aime,
Et des mêmes ardeurs dont il fut embrasé...

ÉMILIE

Maxime, en voilà trop pour un homme avisé.
Ma perte m'a surprise et ne m'a point troublée,
Mon noble désespoir ne m'a point aveuglée,

1375 Ma vertu tout entière agit sans s'émouvoir,
Et je vois malgré moi plus que je ne veux voir.

MAXIME

Quoi, vous suis-je suspect de quelque perfidie?

ÉMILIE

Oui, tu l'es, puisque enfin tu veux que je le die.
L'ordre de notre fuite est trop bien concerté

1380 Pour ne te soupçonner d'aucune lâcheté :
Les Dieux seraient pour nous prodigues en miracles,
S'ils en avaient sans toi levé tous les obstacles.
Fuis sans moi, tes amours sont ici superflus.

MAXIME

Ah! vous m'en dites trop.

ÉMILIE

J'en présume encor plus.

1385 Ne crains pas toutefois que j'éclate en injures,
Mais n'espère non plus m'éblouir de parjures.
Si c'est te faire tort que de m'en défier,
Viens mourir avec moi pour te justifier.

MAXIME

Vivez, belle Émilie, et souffrez qu'un esclave...

ÉMILIE

1390 Je ne t'écoute plus qu'en présence d'Octave.
Allons, Fulvie, allons.

Scène VI : Maxime.

Désespéré, confus,
Et digne, s'il se peut, d'un plus cruel refus,
Que résous-tu, Maxime? et quel est le supplice
Que ta vertu prépare à ton vain artifice?

1395 Aucune illusion ne te doit plus flatter :
Émilie en mourant va tout faire éclater,
Sur un même échafaud la perte de sa vie
Étalera sa gloire et ton ignominie,
Et sa mort va laisser à la postérité

1400 L'infâme souvenir de ta déloyauté.
Un même jour t'a vu, par une fausse adresse,
Trahir ton souverain, ton ami, ta maîtresse,
Sans que de tant de droits en un jour violés,
Sans que de deux amants au tyran immolés,

1405 Il te reste aucun fruit que la honte et la rage
Qu'un remords inutile allume en ton courage.
Euphorbe, c'est l'effet de tes lâches conseils.
Mais que peut-on attendre enfin de tes pareils?
Jamais un affranchi n'est qu'un esclave infâme,

Bien qu'il change d'état, il ne change point d'âme,
La tienne, encor servile, avec la liberté
N'a pu prendre un rayon de générosité.
Tu m'as fait relever une injuste puissance,
Tu m'as fait démentir l'honneur de ma naissance,
Mon cœur te résistait, et tu l'as combattu
Jusqu'à ce que ta fourbe ait souillé sa vertu.
Il m'en coûte la vie, il m'en coûte la gloire,
Et j'ai tout mérité pour t'avoir voulu croire.
Mais les Dieux permettront à mes ressentiments
De te sacrifier aux yeux des deux amants,
Et j'ose m'assurer qu'en dépit de mon crime
Mon sang leur servira d'assez pure victime,
Si dans le tien mon bras, justement irrité,
Peut laver le forfait de t'avoir écouté.

ACTE CINQUIÈME

Scène I : Auguste, Cinna.

AUGUSTE

Prends un siège, Cinna, prends, et sur toute chose
Observe exactement la loi que je t'impose :
Prête, sans me troubler, l'oreille à mes discours,
D'aucun mot, d'aucun cri, n'en interromps le cours,
Tiens ta langue captive, et si ce grand silence
A ton émotion fait quelque violence,
Tu pourras me répondre après tout à loisir :
Sur ce point seulement contente mon désir.

CINNA

Je vous obéirai, Seigneur.

AUGUSTE

Qu'il te souvienne
De garder ta parole, et je tiendrai la mienne.
Tu vois le jour, Cinna; mais ceux dont tu le tiens
Furent les ennemis de mon père et les miens.
Au milieu de leur camp tu reçus la naissance,
Et lorsque après leur mort tu vins en ma puissance,
Leur haine enracinée au milieu de ton sein
T'avais mis contre moi les armes à la main.
Tu fus mon ennemi même avant que de naître,
Et tu le fus encor quand tu me pus connaître,
Et l'inclination jamais n'a démenti
Ce sang qui t'avait fait du contraire parti.
Autant que tu l'as pu, les effets l'ont suivie :
Je ne m'en suis vengé qu'en te donnant la vie,
Je te fis prisonnier pour te combler de biens,
Ma cour fut ta prison, mes faveurs tes liens.
Je te restituai d'abord ton patrimoine,
Je t'enrichis après des dépouilles d'Antoine,
Et tu sais que depuis, à chaque occasion,
Je suis tombé pour toi dans la profusion.
Toutes les dignités que tu m'as demandées,
Je te les ai sur l'heure et sans peine accordées,
Je t'ai préféré même à ceux dont les parents
Ont jadis dans mon camp tenu les premiers rangs,
A ceux qui de leur sang m'ont acheté l'empire,
Et qui m'ont conservé le jour que je respire.

De la façon enfin qu'avec toi j'ai vécu,
Les vainqueurs sont jaloux du bonheur du vaincu.
Quand le ciel me voulut, en rappelant Mécène,
Après tant de faveur montrer un peu de haine,
Je te donnai sa place en ce triste accident,
Et te fis, après lui, mon plus cher confident.
Aujourd'hui même encor, mon âme irrésolue
Me pressant de quitter ma puissance absolue,
De Maxime et de toi j'ai pris les seuls avis,
Et ce sont, malgré lui, les tiens que j'ai suivis.
Bien plus, ce même jour je te donne Émilie,
Le digne objet des vœux de toute l'Italie,
Et qu'ont mise si haut mon amour et mes soins
Qu'en te couronnant roi je t'aurais donné moins.
Tu t'en souviens, Cinna : tant d'heur et tant de gloire
Ne peuvent pas sitôt sortir de ta mémoire.
Mais ce qu'on ne pourrait jamais s'imaginer,
Cinna, tu t'en souviens, et veux m'assassiner.

CINNA

Moi, Seigneur! moi, que j'eusse une âme si traîtresse;
Qu'un si lâche dessein...

AUGUSTE

Tu tiens mal ta promesse.
Sieds-toi, je n'ai pas dit encor ce que je veux :
Tu te justifieras après, si tu le peux.
Écoute cependant et tiens mieux ta parole.
Tu veux m'assassiner demain, au Capitole,
Pendant le sacrifice, et ta main pour signal
Me doit au lieu d'encens, donner le coup fatal.
La moitié de tes gens doit occuper la porte,
L'autre moitié te suivre et te prêter main-forte.
Ai-je de bons avis, ou de mauvais soupçons?
De tous ces meurtriers te dirai-je les noms?
Procule, Glabrion, Virginian, Rutile,
Marcel, Plaute, Lénas, Pompone, Albin, Icile,
Maxime, qu'après toi j'avais le plus aimé.
Le reste ne vaut pas l'honneur d'être nommé,
Un tas d'hommes perdus de dettes et de crimes
Que pressent de mes lois les ordres légitimes
Et qui, désespérant de les plus éviter,
Si tout n'est renversé, ne sauraient subsister.
Tu te tais maintenant et gardes le silence,
Plus par confusion que par obéissance.
Quel était ton dessein, et que prétendais-tu
Après m'avoir au temple à tes pieds abattu?
Affranchir ton pays d'un pouvoir monarchique?
Si j'ai bien entendu tantôt ta politique,
Son salut désormais dépend d'un souverain
Qui pour tout conserver tienne tout en sa main,
Et si sa liberté te faisait entreprendre,
Tu ne m'eusses jamais empêché de la rendre :
Tu l'aurais acceptée au nom de tout l'État,
Sans vouloir l'acquérir par un assassinat.
Quel était donc ton but? D'y régner en ma place?
D'un étrange malheur son destin le menace,
Si pour monter au trône et lui donner la loi
Tu ne trouves dans Rome autre obstacle que moi,
Si jusques à ce point son sort est déplorable
Que tu sois après moi le plus considérable,
Et que ce grand fardeau de l'empire romain
Ne puisse après ma mort tomber mieux qu'en ta main.
Apprends à te connaître et descends en toi-même :
On t'honore dans Rome, on te courtise, on t'aime,
Chacun tremble sous toi, chacun t'offre des vœux,
Ta fortune est bien haut, tu peux ce que tu veux,   1520
Mais tu ferais pitié même à ceux qu'elle irrite,
Si je t'abandonnais à ton peu de mérite.
Ose me démentir, dis-moi ce que tu vaux,
Conte-moi tes vertus, tes glorieux travaux,
Les rares qualités par où tu m'as dû plaire,   1525
Et tout ce qui t'élève au-dessus du vulgaire.
Ma faveur fait ta gloire, et ton pouvoir en vient :
Elle seule t'élève et seule te soutient.
C'est elle qu'on adore, et non pas ta personne,
Tu n'as crédit ni rang qu'autant qu'elle t'en donne,   1530
Et pour te faire choir je n'aurais aujourd'hui
Qu'à retirer la main qui seule est ton appui.
J'aime mieux toutefois céder à ton envie :
Règne, si tu le peux, aux dépens de ma vie,
Mais oses-tu penser que les Serviliens,   1535
Les Cosses, les Métels, les Pauls, les Fabiens,
Et tant d'autres enfin de qui les grands courages
Des héros de leur sang sont les vives images,
Quittent le noble orgueil d'un sang si généreux
Jusqu'à pouvoir souffrir que tu règnes sur eux [17]?   1540
Parle, parle, il est temps.

CINNA

Je demeure stupide :
Non que votre colère ou la mort m'intimide,
Je vois qu'on m'a trahi, vous m'y voyez rêver,
Et j'en cherche l'auteur sans le pouvoir trouver.
Mais c'est trop d'y tenir toute l'âme occupée :   1545
Seigneur, je suis Romain et du sang de Pompée.
Le père et les deux fils lâchement égorgés,
Par la mort de César étaient trop peu vengés.
C'est là d'un beau dessein l'illustre et seule cause,
Et puisqu'à vos rigueurs la trahison m'expose,   1550
N'attendez point de moi d'infâmes repentirs,
D'inutiles regrets, ni de honteux soupirs.
Le sort vous est propice autant qu'il m'est contraire,
Je sais ce que j'ai fait, et ce qu'il vous faut faire,
Vous devez un exemple à la postérité,   1555
Et mon trépas importe à votre sûreté.

AUGUSTE

Tu me braves, Cinna, tu fais le magnanime,
Et loin de t'excuser, tu couronnes ton crime.
Voyons si ta constance ira jusques au bout.
Tu sais ce qui t'est dû, tu vois que je sais tout :   1560
Fais ton arrêt toi-même, et choisis tes supplices.

Scène II : Auguste, Livie, Cinna,
Émilie, Fulvie.

LIVIE

Vous ne connaissez pas encor tous les complices :
Votre Émilie en est, Seigneur, et la voici.

17. Tout ce passage est tiré de la même page de Sénèque,
qui servit à la scène 3 de l'acte IV. Cf. note 16.

CINNA

C'est elle-même, ô Dieux!

AUGUSTE

Et toi, ma fille, aussi!

ÉMILIE

1565 Oui, tout ce qu'il a fait, il l'a fait pour me plaire,
Et j'en étais, Seigneur, la cause et le salaire.

AUGUSTE

Quoi? l'amour qu'en ton cœur j'ai fait naître aujour-
T'emporte-t-il déjà jusqu'à mourir pour lui?   [d'hui
Ton âme à ces transports un peu trop s'abandonne,
1570 Et c'est trop tôt aimer l'amant que je te donne.

ÉMILIE

Cet amour qui m'expose à vos ressentiments
N'est point le prompt effet de vos commandements;
Ces flammes dans nos cœurs sans votre ordre étaient
Et ce sont des secrets de plus de quatre années.   [nées,
1575 Mais quoique je l'aimasse et qu'il brûlât pour moi,
Une haine plus forte à tous deux fit la loi,
Je ne voulus jamais lui donner d'espérance,
Qu'il ne m'eût de mon père assuré la vengeance.
Je la lui fis jurer, il chercha des amis,
1580 Le ciel rompt le succès que je m'étais promis,
Et je vous viens, Seigneur, offrir une victime,
Non pour sauver sa vie en me chargeant du crime :
Son trépas est trop juste après son attentat,
Et toute excuse est vaine en un crime d'État.
1585 Mourir en sa présence et rejoindre mon père,
C'est tout ce qui m'amène et tout ce que j'espère.

AUGUSTE

Jusques à quand, ô ciel, et par quelle raison
Prendrez-vous contre moi des traits dans ma maison?
Pour ses débordements j'en ai chassé Julie,
1590 Mon amour en sa place a fait choix d'Émilie,
Et je la vois comme elle indigne de ce rang.
L'une m'ôtait l'honneur, l'autre a soif de mon sang,
Et prenant toutes deux leur passion pour guide,
L'une fut impudique, et l'autre est parricide.
1595 O ma fille! Est-ce là le prix de mes bienfaits?

ÉMILIE

Ceux de mon père en vous firent mêmes effets.

AUGUSTE

Songe avec quel amour j'élevai ta jeunesse.

ÉMILIE

Il éleva la vôtre avec même tendresse,
Il fut votre tuteur, et vous son assassin,
1600 Et vous m'avez au crime enseigné le chemin.
Le mien d'avec le vôtre en ce point seul diffère,
Que votre ambition s'est immolé mon père,
Et qu'un juste courroux, dont je me sens brûler,
A son sang innocent voulait vous immoler.

LIVIE

1605 C'en est trop, Émilie : arrête, et considère
Qu'il a trop bien payé les bienfaits de ton père.
Sa mort, dont la mémoire allume ta fureur,
Fut un crime d'Octave, et non de l'Empereur.
Tous ces crimes d'État qu'on fait pour la couronne,
1610 Le ciel nous en absout alors qu'il nous la donne,
Et dans le sacré rang où sa faveur l'a mis,
Le passé devient juste et l'avenir permis.

Qui peut y parvenir ne peut être coupable,
Quoi qu'il ait fait ou fasse, il est inviolable,
Nous lui devons nos biens, nos jours sont en sa main,
Et jamais on n'a droit sur ceux du souverain.

ÉMILIE

Aussi dans le discours que vous venez d'entendre,
Je parlais pour l'aigrir, et non pour me défendre.
Punissez donc, Seigneur, ces criminels appas
Qui de vos favoris font d'illustres ingrats.
Tranchez mes tristes jours pour assurer les vôtres.
Si j'ai séduit Cinna, j'en séduirai bien d'autres,
Et je suis plus à craindre et vous plus en danger
Si j'ai l'amour ensemble et le sang à venger.

CINNA

Que vous m'ayez séduit, et que je souffre encore
D'être déshonoré par celle que j'adore!
Seigneur, la vérité doit ici s'exprimer :
J'avais fait ce dessein avant que de l'aimer.
A mes plus saints désirs la trouvant inflexible,
Je crus qu'à d'autres soins elle serait sensible,
Je parlai de son père et de votre rigueur,
Et l'offre de mon bras suivit celle du cœur.
Que la vengeance est douce à l'esprit d'une femme!
Je l'attaquai par là, par là je pris son âme.
Dans mon peu de mérite elle me négligeait,
Et ne put négliger le bras qui la vengeait.
Elle n'a conspiré que par mon artifice,
J'en suis le seul auteur, elle n'est que complice.

ÉMILIE

Cinna, qu'oses-tu dire? est-ce là me chérir,
Que de m'ôter l'honneur quand il me faut mourir?

CINNA

Mourez, mais en mourant ne souillez point ma gloire.

ÉMILIE

La mienne se flétrit, si César te veut croire.

CINNA

Et la mienne se perd, si vous tirez à vous
Toute celle qui suit de si généreux coups.

ÉMILIE

Eh bien! prends-en ta part, et me laisse la mienne.
Ce serait l'affaiblir que d'affaiblir la tienne :
La gloire et le plaisir, la honte et les tourments,
Tout doit être commun entre de vrais amants.
Nos deux âmes, Seigneur, sont deux âmes romaines,
Unissant nos désirs, nous unîmes nos haines,
De nos parents perdus le vif ressentiment
Nous apprit nos devoirs en un même moment.
En ce noble dessein nos cœurs se rencontrèrent,
Nos esprits généreux ensemble le formèrent,
Ensemble nous cherchons l'honneur d'un beau trépas
Vous vouliez nous unir, ne nous séparez pas.

AUGUSTE

Oui, je vous unirai, couple ingrat et perfide,
Et plus mon ennemi qu'Antoine ni Lépide,
Oui, je vous unirai, puisque vous le voulez :
Il faut bien satisfaire aux feux dont vous brûlez,
Et que tout l'univers, sachant ce qui m'anime,
S'étonne du supplice aussi bien que du crime.

Scène III : Auguste, Livie, Cinna,
Maxime, Émilie, Fulvie.

AUGUSTE

Mais enfin le ciel m'aime, et ses bienfaits nouveaux
Ont enlevé Maxime à la fureur des eaux.
Approche, seul ami que j'éprouve fidèle.

MAXIME

Honorez moins, Seigneur, une âme criminelle.

AUGUSTE

Ne parlons plus de crime après ton repentir,
Après que du péril tu m'as su garantir :
C'est à toi que je dois et le jour et l'Empire.

MAXIME

De tous vos ennemis, connaissez mieux le pire :
Si vous régnez encor, Seigneur, si vous vivez,
C'est ma jalouse rage à qui vous le devez.
Un vertueux remords n'a point touché mon âme,
Pour perdre mon rival j'ai découvert sa trame.
Euphorbe vous a feint que je m'étais noyé,
De crainte qu'après moi vous n'eussiez envoyé.
Je voulais avoir lieu d'abuser Émilie,
Effrayer son esprit, la tirer d'Italie,
Et pensais la résoudre à cet enlèvement
Sous l'espoir du retour pour venger son amant.
Mais au lieu de goûter ces grossières amorces,
Sa vertu combattue a redoublé ses forces,
Elle a lu dans mon cœur; vous savez le surplus,
Et je vous en ferais des récits superflus :
Vous voyez le succès de mon lâche artifice.
Si pourtant quelque grâce est due à mon indice,
Faites périr Euphorbe au milieu des tourments,
Et souffrez que je meure aux yeux de ces amants.
J'ai trahi mon ami, ma maîtresse, mon maître,
Ma gloire, mon pays, par l'avis de ce traître,
Et croirai toutefois mon bonheur infini,
Si je puis m'en punir après l'avoir puni.

AUGUSTE

En est-ce assez, ô ciel! et le sort, pour me nuire,
A-t-il quelqu'un des miens qu'il veuille encor séduire?
Qu'il joigne à ses efforts le secours des enfers.
Je suis maître de moi comme de l'univers;
Je le suis; je veux l'être. O siècles, ô mémoire,
Conservez à jamais ma dernière victoire!
Je triomphe aujourd'hui du plus juste courroux
De qui le souvenir puisse aller jusqu'à vous.
Soyons amis, Cinna, c'est moi qui t'en convie :
Comme à mon ennemi je t'ai donné la vie,
Et malgré la fureur de ton lâche destin,
Je te la donne encor comme à mon assassin.
Commençons un combat qui montre par l'issue
Qui l'aura mieux de nous ou donnée ou reçue.
Tu trahis mes bienfaits, je les veux redoubler,
Je t'en avais comblé, je t'en veux accabler.
Avec cette beauté que je t'avais donnée,
Reçois le consulat pour la prochaine année.
Aime Cinna, ma fille, en cet illustre rang,
Préfères-en la pourpre à celle de mon sang,
Apprends sur mon exemple à vaincre ta colère :
Te rendant un époux, je te rends plus qu'un père.

ÉMILIE

Et je me rends, Seigneur, à ces hautes bontés.   1715
Je recouvre la vue auprès de leurs clartés,
Je connais mon forfait, qui me semblait justice,
Et, ce que n'avait pu la terreur du supplice,
Je sens naître en mon âme un repentir puissant,
Et mon cœur en secret me dit qu'il y consent.   1720
Le ciel a résolu votre grandeur suprême,
Et pour preuve, Seigneur, je n'en veux que moi-même.
J'ose avec vanité me donner cet éclat,
Puisqu'il change mon cœur, qu'il veut changer l'État.
Ma haine va mourir, que j'ai crue immortelle.   1725
Elle est morte, et ce cœur devient sujet fidèle,
Et prenant désormais cette haine en horreur,
L'ardeur de vous servir succède à sa fureur.

CINNA

Seigneur, que vous dirai-je après que nos offenses
Au lieu de châtiments trouvent des récompenses?   1730
O vertu sans exemple! ô clémence qui rend
Votre pouvoir plus juste, et mon crime plus grand!

AUGUSTE

Cesse d'en retarder un oubli magnanime,
Et tous deux avec moi faites grâce à Maxime.
Il nous a trahi tous, mais ce qu'il a commis   1735
Vous conserve innocents, et me rend mes amis.

A Maxime.

Reprends auprès de moi ta place accoutumée,
Rentre dans ton crédit et dans ta renommée,
Qu'Euphorbe de tous trois ait sa grâce à son tour,
Et que demain l'hymen couronne leur amour.   1740
Si tu l'aimes encor, ce sera ton supplice.

MAXIME

Je n'en murmure point, il a trop de justice,
Et je suis plus confus, Seigneur, de vos bontés
Que je ne suis jaloux du bien que vous m'ôtez.

CINNA

Souffrez que ma vertu dans mon cœur rappelée   1745
Vous consacre une foi lâchement violée,
Mais si ferme à présent, si loin de chanceler,
Que la chute du ciel ne pourrait l'ébranler.
Puisse le grand moteur des belles destinées,
Pour prolonger vos jours, retrancher nos années,   1750
Et moi, par un bonheur, dont chacun soit jaloux,
Perdre pour vous cent fois ce que je tiens de vous!

LIVIE

Ce n'est pas tout, Seigneur : une céleste flamme
D'un rayon prophétique illumine mon âme.
Oyez ce que les Dieux vous font savoir par moi,   1755
De votre heureux destin c'est l'immuable loi.
Après cette action vous n'avez rien à craindre :
On portera le joug désormais sans se plaindre,
Et les plus indomptés, renversant leurs projets,
Mettront toute leur gloire à mourir vos sujets.   1760
Aucun lâche dessein, aucune ingrate envie
N'attaquera le cours d'une si belle vie,
Jamais plus d'assassins ni de conspirateurs,
Vous avez trouvé l'art d'être maître des cœurs.
Rome, avec une joie et sensible et profonde,   1765
Se démet en vos mains de l'empire du monde,
Vos royales vertus lui vont trop enseigner

Que son bonheur consiste à vous faire régner.
D'une si longue erreur pleinement affranchie,
1770 Elle n'a plus de vœux que pour la monarchie,
Vous prépare déjà des temples, des autels,
Et le ciel une place entre les immortels,
Et la postérité, dans toutes les provinces,
Donnera votre exemple aux plus généreux princes.

AUGUSTE

J'en accepte l'augure, et j'ose l'espérer :
Ainsi toujours les Dieux vous daignent inspirer !
Qu'on redouble demain les heureux sacrifices
Que nous leur offrirons sous de meilleurs auspices,
Et que vos conjurés entendent publier
Qu'Auguste a tout appris, et veut tout oublier.

POLYEUCTE
TRAGÉDIE CHRÉTIENNE

On ignore quand fut jouée Polyeucte, *vraisemblablement dans l'hiver 1640-1641, ce qui n'exclut nullement que Corneille l'eût composée plus tôt, dans la période 1637-1640* [1]. *La pièce est en effet tirée d'une tragédie italienne, qui porte le même titre, de Bartolomei, imprimée en 1632. Que Corneille ait eu en main cet ouvrage n'a rien de surprenant. Presque tous ses contemporains font encore le voyage d'Italie; les libraires vendent à Lyon, à Paris, chaque année, presque toutes les nouveautés imprimées au-delà des Alpes; Rouen, la deuxième ville de France après Paris pour l'imprimerie, en publie. C'est précisément le cas du théâtre de Bartolomei. En outre, Corneille, familier du théâtre des jésuites, a dû songer assez tôt à reprendre, pour les théâtres publics, la puissante tradition des représentations des collèges, ce que font depuis longtemps l'Espagne et l'Italie. De 1638 à 1640, divers auteurs esquissent un retour à la tragédie sacrée, que Corneille consacrera pour cinq ans.*

Le scrupuleux Corneille remonte en outre aux sources historiques; il lit Surius et Siméon Métaphraste. Mais son génie humanisa le drame sacré, en inventant Pauline. Si l'histoire de la condamnation de la pièce par l'Hôtel de Rambouillet est incertaine, il est sûr en tous cas que l'ouvrage déplut au milieu dévot, qui n'avait certes plus le sens du martyre. Polyeucte fut trouvé à la fois trop profane et d'une religion trop exaltée. Au demeurant, doctes et gens d'Église jugeaient impossibles et dangereuses les tragédies sur des sujets sacrés. Aussi, malgré Polyeucte, le genre déclina vite, après une flambée de cinq ans.

Diverses raisons retardèrent l'impression : son succès, la mort de Richelieu, de patientes tractations avec le roi, à qui Corneille voulait dédier la pièce, mais plus encore l'innovation introduite par Corneille en matière d'édition. Le 1er août 1642, Cinna *obtient un privilège non plus au nom d'un éditeur mais au nom de l'auteur. Les libraires ont dû réagir et tenter de boycotter Corneille. De fait, deux ans s'écoulent entre l'impression d'*Horace *(janvier 1641) et celle de* Cinna *(janvier 1643). Ce n'est que l'affaire menée à bien, douze jours après l'achevé de* Cinna, *que Corneille demande un privilège identique pour* Polyeucte. *L'impression elle-même demandera plus longtemps encore que pour* Cinna. *La dédicace à Anne d'Autriche rapporte plus encore que celle de* Cinna *à Montauron : le poète en obtient, par l'intermédiaire de Mazarin, quelque chose de plus sûr qu'une grosse somme, une pension (mille livres). Le nombre des envieux s'accroît, qui lui font une réputation d'avarice.*

A LA REINE RÉGENTE [2] (1643)

MADAME,

Quelque connaissance que j'aye de ma faiblesse, quelque profond respect qu'imprime Votre Majesté dans les âmes de ceux qui l'approchent, j'avoue que je me jette à ses pieds sans timidité et sans défiance, et que

1. La raison la plus sérieuse que l'on aurait d'assigner à 1641 la date de la composition de la pièce, c'est le mariage de Corneille cette année-là. Polyeucte est jeune marié. Vraisemblable, mais faible indice, on le voit — Privilège : 30 janvier 1643. Achevé d'imprimer : 20 octobre 1643.
2. La pièce, selon Tallemant, devait être dédiée au roi, qui mourut avant l'impression. Corneille avait de bonnes raisons de reporter cette dédicace à Anne d'Autriche, qui, avec la duchesse d'Aiguillon, l'avait toujours défendu. Il prodigue des précautions oratoires, alors que la reine depuis 1637 acceptait sans peine des dédicaces : La Calprenède, Scudéry, voire l'obscur Quenel, Rouennais, qui lui dédia une pastorale en 1639.

je me tiens assuré de lui plaire, parce que je suis assuré de lui parler de ce qu'elle aime le mieux. Ce n'est qu'une pièce de théâtre que je lui présente, mais qui l'entretiendra de Dieu : la dignité de la matière est si haute que l'impuissance de l'artisan ne la peut ravaler; et votre âme royale se plaît trop à cette sorte d'entretien pour s'offenser des défauts d'un ouvrage où elle rencontrera les délices de son cœur. C'est par là, MADAME, que j'espère obtenir de Votre Majesté le pardon du long temps que j'ai attendu à lui rendre cette sorte d'hommage. Toutes les fois que j'ai mis sur notre scène des vertus morales ou politiques, j'en ai toujours cru les tableaux trop peu dignes de paraître devant Elle, quand j'ai considéré qu'avec quelque soin que je les pusse choisir dans l'histoire et quelques ornements dont l'artifice les pût enrichir, elle en voyait de plus grands exemples dans elle-même. Pour rendre les choses proportionnées, il fallait aller à la plus haute espèce, et n'entreprendre pas de rien offrir de cette nature à une reine très chrétienne, et qui l'est beaucoup plus encore par ses actions que par son titre, à moins que de lui offrir un portrait des vertus chrétiennes dont l'amour et la gloire de Dieu formassent les plus beaux traits, et qui rendît les plaisirs qu'elle y pourra prendre aussi propres à exercer sa piété qu'à délasser son esprit. C'est à cette extraordinaire et admirable piété, MADAME, que la France est redevable des bénédictions qu'elle voit tomber sur les premières armes de son roi; les heureux succès qu'elles ont obtenus en sont les rétributions éclatantes, et des coups du ciel qui répand abondamment sur tout le royaume les récompenses et les grâces que Votre Majesté a méritées. Notre perte semblait infaillible après celle de notre grand monarque; toute l'Europe avait déjà pitié de nous et s'imaginait que nous nous allions précipiter dans un extrême désordre, parce qu'elle nous voyait dans une extrême désolation : cependant la prudence et les soins de Votre Majesté, les bons conseils qu'elle a pris, les grands courages qu'elle a choisis pour les exécuter, ont agi si puissamment dans tous les besoins de l'État, que cette première année de sa régence a non seulement égalé les plus glorieuses de l'autre règne, mais a même effacé, par la prise de Thionville², le souvenir du malheur qui, devant ses murs, avait interrompu une si longue suite de victoires. Permettez que je me laisse emporter au ravissement que me donne cette pensée, et que je m'écrie dans ce transport :

Que vos soins, grande REINE, enfantent de miracles!
Bruxelles et Madrid en sont tout interdits,
Et si notre Apollon me les avait prédits,
J'aurais moi-même osé douter de ses oracles.

Sous vos commandements on force tous obstacles,
On porte l'épouvante aux cœurs les plus hardis,
Et par des coups d'essai vos États agrandis
Des drapeaux ennemis font d'illustres spectacles.

La Victoire elle-même accourant à mon roi,
Et mettant à ses pieds Thionville et Rocroi⁴,
Fait retentir ces vers sur les bords de la Seine :

« *France, attends tout d'un règne ouvert en triomphant,*
Puisque tu vois déjà les ordres de ta reine
Faire un foudre en tes mains des armes d'un enfant. »

Il ne faut point douter que des commencements si merveilleux ne soient obtenus par des progrès encore plus étonnants. Dieu ne laisse point ses ouvrages imparfaits : il les achèvera, MADAME, et rendra non seulement la régence de Votre Majesté mais encore toute sa vie, un enchaînement continuel de prospérités. Ce sont les vœux de toute la France, et ce sont ceux que fait avec plus de zèle, MADAME, de votre Majesté, le très humble, très obéissant et très fidèle serviteur et sujet,

P. CORNEILLE.

3. Le 18 août 1643. On voit que Corneille, qui avait demandé le privilège de sa pièce dès janvier, ne composait ses dédicaces qu'au cours même de l'impression.
4. La victoire de Rocroi eut lieu cinq jours après la mort du roi, le lendemain de la proclamation d'Anne d'Autriche comme régente. L'auteur en était Condé, à qui Corneille dédiera *Rodogune*.
5. Siméon Métaphraste, byzantin du xᵉ siècle, a rassemblé une longue série de *Vies de saints*, publiée de 1551 à 1556 par Lippomani. Le P. Laurent Surius, chartreux (1522-1578), reprit cette édition et en fit six volumes in-folios. Ces références sont précieuses en ce qu'elles nous renseignent, quoiqu'imparfaitement, sur la bibliothèque de Corneille. Comme celle de tout bourgeois cultivé, elle comportait un important

ABRÉGÉ DU MARTYRE DE SAINT POLYEUCTE

ÉCRIT PAR SIMÉON MÉTAPHRASTE ET RAPPORTÉ PAR SURIUS⁵.

L'ingénieuse tissure des fictions avec la vérité, où consiste le plus beau secret de la poésie, produit d'ordinaire deux sortes d'effets, selon la diversité des esprits qui la voient. Les uns se laissent si bien persuader à cet enchaînement, qu'aussitôt qu'ils ont remarqué quelques événements véritables, ils s'imaginent la même chose des motifs qui les font naître et des circonstances qui les accompagnent; les autres, mieux avertis de notre artifice, soupçonnent de fausseté tout ce qui n'est pas de leur connaissance, si bien que quand nous traitons quelque histoire écartée dont ils ne trouvent rien dans leur souvenir, ils l'attribuent tout entière à l'effort de notre imagination et la prennent pour une aventure de roman.

L'un et l'autre de ces effets serait dangereux en cette rencontre : il y va de la gloire de Dieu, qui se plaît dans celle de ses saints, dont la mort si précieuse devant ses yeux ne doit pas passer pour fabuleuse devant ceux des hommes⁶. Au lieu de sanctifier notre théâtre par sa représentation, nous y profanerions la sainteté de leurs souffrances, si nous permettions que la crédulité des uns et la défiance des autres, également abusées par ce mélange, se méprissent également en la vénération qui leur est due et que les premiers la rendissent mal à propos à ceux qui ne la méritent pas, cependant que les autres la dénieraient à ceux à qui elle appartient.

Saint Polyeucte est un martyr dont, s'il m'est permis de parler ainsi, beaucoup ont plutôt appris le nom à la comédie qu'à l'église. Le *Martyrologe romain* en fait mention sur le 13ᵉ de février, mais en deux mots, suivant sa coutume; Baronius⁷, dans ses *Annales*, n'en dit qu'une ligne; le seul Surius, ou plutôt Mosander⁸, l'a augmenté dans les dernières impressions, en rapporte la mort assez au long sur le 9ᵉ de janvier; et j'ai cru qu'il était de mon devoir d'en mettre ici l'abrégé. Comme il a été à propos d'en rendre la représentation agréable, afin que le plaisir pût insinuer plus doucement l'utilité et lui servir comme de véhicule pour la porter dans l'âme du peuple, il est juste aussi de lui donner cette lumière pour démêler la vérité d'avec ses ornements, et lui faire reconnaître ce qui lui doit imprimer du respect comme saint et ce qui le doit seulement divertir comme industrieux. Voici donc ce que ce dernier nous apprend :

fonds latin théologique, historique et juridique, d'ouvrages publiés au siècle précédent, surtout en Italie. Mais Corneille omet sa principale source, la pièce de Bartolomei, rééditée à Rouen en 1632.
6. Ceci semble viser nombre de tragédies sacrées, spécialement du xvᵉ siècle italien, fondées sur de douteuses légendes, trop largement diffusées par la fameuse *Légende dorée* de Jacques de Voragine. Les jésuites, dans leurs spectacles, avaient déjà depuis longtemps les mêmes scrupules historiques que Corneille. Un prêtre contemporain, Jean de Launoy (1603-1678), devenu redoutable à tous les diocèses de France par ses attaques contre de pieuses mais suspectes traditions, qui lui valurent le nom de « dénicheur de saints ».
7. Célèbre historien italien, dont les volumineuses *Annales ecclésiastiques* lui valurent un chapeau de cardinal. Corneille y puisera le sujet d'*Héraclius* (1647).
8. Mosander, confrère de Surius, compléta l'ouvrage, dont l'impression à Cologne en 1618 est la plus complète. On voit que ce fut celle de Corneille.

« Polyeucte et Néarque étaient deux cavaliers étroitement liés ensemble d'amitié; ils vivaient en l'an 250, sous l'empire de Décius; leur demeure était dans Mélitène, capitale d'Arménie; leur religion différente : Néarque étant chrétien, et Polyeucte suivant encore la secte des gentils, mais ayant toutes les qualités dignes d'un chrétien, et une grande inclination à le devenir. L'Empereur ayant fait publier un édit très rigoureux contre les chrétiens, cette publication donna un grand trouble à Néarque, non pour la crainte des supplices dont il était menacé, mais pour l'appréhension qu'il eut que leur amitié ne souffrît quelque séparation ou refroidissement par cet édit, vu les peines qui y étaient proposées à ceux de sa religion et les honneurs promis à ceux du parti contraire. Il en conçut un si profond déplaisir, que son ami s'en aperçut; et l'ayant obligé de lui en dire la cause, il prit de là occasion de lui ouvrir son cœur : « Ne craignez point, lui dit-il, que l'édit de l'Empereur nous désunisse; j'ai vu cette nuit le Christ que vous adorez; il m'a dépouillé d'une robe sale pour me revêtir d'une autre toute lumineuse, et m'a fait monter sur un cheval ailé pour le suivre : cette vision m'a résolu entièrement à faire ce qu'il y a longtemps que je médite; le seul nom de chrétien me manque; et vous-même, toutes les fois que vous m'avez parlé de votre grand Messie, vous avez pu remarquer que je vous ai toujours écouté avec respect; et quand vous m'avez lu sa vie et ses enseignements, j'ai toujours admiré la sainteté de ses actions et de ses discours. O Néarque! si je ne me croyais pas indigne d'aller à lui sans être initié de ses mystères et avoir reçu la grâce de ses sacrements, que vous verriez éclater l'ardeur que j'ai de mourir pour sa gloire et le soutien de ses éternelles vérités! » Néarque l'ayant éclairci de l'illusion du scrupule où il était par l'exemple du bon larron, qui en un moment mérita le ciel, bien qu'il n'eût pas reçu le baptême, aussitôt notre martyr, plein d'une sainte ferveur, prend l'édit de l'Empereur, crache dessus et le déchire en morceaux qu'il jette au vent; et voyant des idoles que le peuple portait sur les autels pour les adorer, il les arrache à ceux qui les portaient, les brise contre terre, et les foule aux pieds, étonnant tout le monde et son ami par la chaleur de ce zèle, qu'il n'avait pas espéré.

« Son beau-père Félix, qui avait la commission de l'Empereur pour persécuter les chrétiens, ayant vu lui-même ce qu'avait fait son gendre, saisi de douleur pour l'espoir et l'appui de sa famille perdus, tâche d'ébranler sa constance, premièrement par de belles paroles, ensuite par des menaces, enfin par des coups qu'il lui fait donner par ses bourreaux sur tout le visage; mais n'en ayant pu venir à bout, pour dernier effort il lui envoie sa fille Pauline, afin de voir si ses larmes n'auraient point plus de pouvoir sur l'esprit d'un mari que n'avaient eu ses artifices et ses rigueurs. Il n'avance rien davantage par là; au contraire, voyant que sa fermeté convertissait beaucoup de païens, il le condamne à perdre la tête. Cet arrêt fut exécuté sur l'heure et le saint martyr, sans autre baptême que de son sang, s'en alla prendre possession de la gloire que Dieu a promise à ceux qui renonceraient à eux-mêmes pour l'amour de lui. »

Voilà en peu de mots ce qu'en dit Surius : le songe de Pauline, l'amour de Sévère, le baptême effectif de Polyeucte, le sacrifice pour la victoire de l'Empereur, la dignité de Félix que je fais gouverneur d'Arménie, la mort de Néarque, la conversion de Félix et de Pauline, sont des inventions et des embellissements de théâtre.

La seule victoire de l'empereur contre les Perses a quelque fondement dans l'histoire et, sans chercher d'autres auteurs, elle est rapportée par M. Coëffeteau dans son *Histoire romaine* ; mais il ne dit pas ni qu'il leur imposa tribut ni qu'il envoya faire des sacrifices de remerciement en Arménie.

Si j'ai ajouté ces incidents et ces particularités, selon l'art ou non, les savants en jugeront; mon but ici n'est pas de les justifier, mais seulement d'avertir le lecteur de ce qu'il en peut croire.

EXAMEN (1660)

Ce martyr est rapporté par Surius sur le neuvième de janvier. Polyeucte vivait en l'année 250, sous l'empereur Décius. Il était Arménien, ami de Néarque et gendre de Félix, qui avait la commission de l'Empereur pour faire exécuter ses édits contre les chrétiens. Cet ami l'ayant résolu à se faire chrétien, il déchira ces édits qu'on publiait, arracha les idoles des mains de ceux qui les portaient sur les autels pour les adorer, les brisa contre terre, résista aux larmes de sa femme Pauline, que Félix employa auprès de lui pour le ramener à leur culte et perdit la vie par l'ordre de son beau-père, sans autre baptême que celui de son sang. Voilà ce que m'a prêté l'histoire; le reste est de mon invention.

Pour donner plus de dignité à l'action, j'ai fait Félix gouverneur d'Arménie et ai pratiqué un sacrifice public, afin de rendre l'occasion plus illustre et donner un prétexte à Sévère de venir en cette province, sans faire éclater son amour avant qu'il en eût l'aveu de Pauline. Ceux qui veulent arrêter nos héros dans une médiocre bonté, où quelques interprètes d'Aristote bornent leur vertu, ne trouveront pas ici leur compte, puisque celle de Polyeucte va jusqu'à la sainteté et n'a aucun mélange de faiblesse. J'en ai déjà parlé ailleurs; et pour confirmer ce que j'en ai dit par quelques autorités, j'ajouterai ici que Minturnus[9], dans son *Traité du Poète*, agite cette question, *si la Passion de Jésus-Christ et les martyres des saints doivent être exclus du théâtre, à cause qu'ils passent cette médiocre bonté* et résout en ma faveur. Le célèbre Heinsius[10], qui non seulement a traduit la *Poétique* de notre philosophe, mais a fait un *Traité de la Constitution de la Tragédie* selon sa pensée, nous en a donné une sur le martyre des Innocents. L'illustre Grotius[11] a mis sur la scène la Passion même de Jésus-Christ et l'histoire de Joseph; et le savant Buchanan[12] a fait la même chose de celle de Jephté, et de la mort de saint Jean-Baptiste. C'est sur ces exemples que j'ai hasardé ce poème, où je me suis donné des licences qu'ils n'ont pas prises, de changer l'histoire en quelque chose, et d'y mêler des épisodes d'invention : aussi m'était-il plus permis sur cette matière qu'à eux sur celle qu'ils ont choisie. Nous ne devons qu'une croyance pieuse à la vie des saints et nous avons le même droit

---

9. Minturno, évêque italien, dans son *De poeta* (Venise, 1559).

10. Heinsius (1580-1655), professeur à Leyde, Son *Herodes infanticida* a fait l'objet d'une longue polémique en Europe, et particulièrement en France, entre 1630 et 1640.

11. Hugo Grotius (1523-1645), le célèbre auteur du traité latin *Du droit de guerre et de paix* (1625), bien connu en France, où il résidait comme ambassadeur de Christine de Suède.

12. G. Buchanan (1506-1582), Écossais qui professa en France, y composa une *Jephté* (1554) traduite en français par Pierre de Brinon, qui était encore célèbre au moment où en parle Corneille, ainsi que son *Joannes Baptista*.

sur ce que nous en tirons pour le porter sur le théâtre que sur ce que nous empruntons des autres histoires; mais nous devons une foi chrétienne et indispensable à tout ce qui est dans la Bible, qui ne nous laisse aucune liberté d'y rien changer. J'estime toutefois qu'il ne nous est pas défendu d'y ajouter quelque chose, pourvu qu'il ne détruise rien de ces vérités dictées par le Saint-Esprit. Buchanan ni Grotius ne l'ont pas fait dans leurs poèmes, mais aussi ne les ont-ils pas rendus assez fournis pour notre théâtre et ne s'y sont proposé pour exemple que la constitution la plus simple des anciens. Heinsius a plus osé qu'eux dans celui que j'ai nommé : les anges qui bercent l'enfant Jésus, et l'ombre de Mariane avec les furies qui agitent l'esprit d'Hérode, sont des agréments qu'il n'a pas trouvés dans l'Évangile[13]. Je crois même qu'on en peut supprimer quelque chose, quand il y a apparence qu'il ne plairait pas sur le théâtre, pourvu qu'on ne mette rien en la place; car alors, ce serait changer l'histoire, ce que le respect que nous devons à l'Écriture ne permet point. Si j'avais à y exposer celle de David et de Bersabée (sic), je ne décrirais pas comme il en devint amoureux en la voyant se baigner dans une fontaine, de peur que l'image de cette nudité ne fît une impression trop chatouilleuse dans l'esprit de l'auditeur, mais je me contenterais de le peindre avec de l'amour pour elle, sans parler aucunement de quelle manière cet amour se serait emparé de son cœur.

Je reviens à *Polyeucte*, dont le succès a été très heureux. Le style n'en est pas si fort ni si majestueux que celui de *Cinna* et de *Pompée*, mais il a quelque chose de plus touchant, et les tendresses de l'amour humain y font un si agréable mélange avec la fermeté du divin que sa représentation a satisfait tout ensemble les dévôts et les gens du monde. A mon gré, je n'ai point fait de pièce où l'ordre du théâtre soit plus beau et l'enchaînement des scènes mieux ménagé. L'unité d'action et celles de jour et de lieu y ont leur justesse; et les scrupules qui peuvent naître touchant ces deux dernières se dissiperont aisément, pour peu qu'on me veuille prêter de cette faveur que l'auditeur nous doit toujours, quand l'occasion s'en offre, en reconnaissance de la peine que nous avons prise à le divertir.

Il est hors de doute que si nous appliquons ce poème à nos coutumes, le sacrifice se fait trop tôt après la venue de Sévère; et cette précipitation sortira du vraisemblable par la nécessité d'obéir à la règle. Quand le Roi envoie ses ordres dans les villes pour y faire rendre des actions de grâces pour ses victoires ou pour d'autres bénédictions qu'il reçoit du ciel, on ne les exécute pas dès le jour même; mais aussi il faut du temps pour assembler le clergé, les magistrats et le corps de ville, et c'est ce qui en fait différer l'exécution. Nos acteurs n'avaient ici aucune de ces assemblées à faire.

Il suffisait de la présence de Sévère et de Félix et du ministère du grand prêtre; ainsi nous n'avons eu aucun besoin de remettre ce sacrifice en un autre jour. D'ailleurs, comme Félix craignait ce favori, qu'il croyait irrité du mariage de sa fille, il était bien aise de lui donner le moins d'occasion de tarder qu'il lui était possible et de tâcher, durant son peu de séjour, à gagner son esprit par une prompte complaisance et montrer tout ensemble une impatience d'obéir aux volontés de l'Empereur.

L'autre scrupule regarde l'unité de lieu qui est assez

exacte, puisque tout s'y passe dans une salle ou antichambre commune aux appartements de Félix et de sa fille. Il semble que la bienséance y soit un peu forcée pour conserver cette unité au second acte, en ce que Pauline vient jusque dans cette antichambre pour trouver Sévère, dont elle devrait attendre la visite dans son cabinet. A quoi je réponds qu'elle a eu deux raisons de venir au-devant de lui : l'une, pour faire plus d'honneur à un homme dont son père redoutait l'indignation et qu'il lui avait commandé d'adoucir en sa faveur, l'autre, pour rompre plus aisément la conversation avec lui, en se retirant dans ce cabinet, s'il ne voulait pas la quitter à sa prière, et se délivrer par cette retraite d'un entretien dangereux pour elle, ce qu'elle n'eût pu faire si elle eût reçu sa visite dans son appartement.

Sa confidence avec Stratonice, touchant l'amour qu'elle avait eu pour ce cavalier, me fait faire une réflexion sur le temps qu'elle prend pour cela. Il s'en fait beaucoup sur nos théâtres, d'affections qui ont déjà duré deux ou trois ans, dont on attend à révéler le secret justement au jour de l'action qui se présente, et non seulement sans aucune raison de choisir ce jour-là plutôt qu'un autre pour le déclarer, mais lors même que vraisemblablement on s'en est dû ouvrir beaucoup auparavant avec la personne à qui on en fait confidence. Ce sont choses dont il faut instruire le spectateur en les faisant apprendre par un des acteurs à l'autre, mais il faut prendre garde avec soin que celui à qui on les apprend ait eu lieu de les ignorer jusque-là aussi bien que le spectateur et que quelque occasion tirée du sujet oblige celui qui les récite à rompre enfin un silence qu'il a gardé si longtemps. L'Infante dans *le Cid* avoue à Léonor l'amour secret qu'elle a pour lui et l'aurait pu faire un an ou six mois plus tôt. Cléopâtre, dans *Pompée*, ne prend pas des mesures plus justes avec Charmion; elle lui conte la passion de César pour elle, et comme

> *Chaque jour ses courriers*
> *Lui portent en tribut ses vœux et ses lauriers.*

Cependant, comme il ne paraît personne avec qui elle aye plus d'ouverture de cœur qu'avec cette Charmion, il y a grande apparence que c'était elle-même dont cette reine se servait pour introduire ces courriers, et qu'ainsi elle devait savoir déjà tout ce commerce entre César et sa maîtresse. Du moins il fallait marquer quelque raison qui lui eût laissé ignorer jusque-là tout ce qu'elle lui apprend et de quel autre ministère cette princesse s'était servie pour recevoir ces courriers. Il n'en va pas de même ici. Pauline ne s'ouvre avec Stratonice que pour lui faire entendre le songe qui la trouble et les sujets qu'elle a de s'en alarmer; et comme elle n'a fait ce songe que la nuit d'auparavant et qu'elle ne lui eût jamais révélé ce secret sans cette occasion qui l'y oblige, on peut dire qu'elle n'a point eu lieu de lui faire cette confidence plus tôt qu'elle ne l'a faite.

Je n'ai point fait de narration de la mort de Polyeucte, parce que je n'avais personne pour la faire ni pour l'écouter que des païens qui ne la pouvaient ni écouter ni faire que comme ils l'avaient fait et écouté celle de Néarque, ce qui aurait été une répétition et marque de stérilité, et en outre n'aurait pas répondu à la dignité de l'action principale, qui est terminée par là. Ainsi j'ai mieux aimé la faire connaître par un saint emportement de Pauline, que cette mort a convertie, que par un récit qui n'eût point eu de grâce dans une bouche indigne de le prononcer. Félix son père se convertit après elle; et ces deux conversions, quoique miraculeuses,

---

13. C'est précisément ce merveilleux visible, encore en usage dans les tragédies sacrées de l'Italie contemporaine que Corneille proscrit, tant au nom de la vérité dramatique que du rôle tout intérieur de la grâce.

ont si ordinaires dans les martyres qu'elles ne sortent point de la vraisemblance, parce qu'elles ne sont pas de ces événements rares et singuliers qu'on ne peut tirer en exemple; et elles servent à remettre le calme dans les esprits de Félix, de Sévère et de Pauline, que sans cela j'aurais eu bien de la peine à retirer du théâtre dans un état qui rendît la pièce complète, en ne laissant rien à souhaiter à la curiosité de l'auditeur.

ACTEURS [14]

FÉLIX, *sénateur romain, gouverneur d'Arménie.*
POLYEUCTE, *seigneur arménien, gendre de Félix.*
SÉVÈRE, *chevalier romain, favori de l'empereur Décie.*
NÉARQUE, *seigneur arménien, ami de Polyeucte.*
PAULINE, *fille de Félix et femme de Polyeucte.*
STRATONICE, *confidente de Pauline.*
ALBIN, *confident de Félix.*
FABIAN, *domestique de Sévère.*
CLÉON, *domestique de Félix.*
TROIS GARDES.

*La scène est à Mélitène [15], capitale d'Arménie,
dans le palais de Félix.*

ACTE PREMIER

Scène I : Polyeucte, Néarque.

NÉARQUE
Quoi? vous vous arrêtez aux songes d'une femme!
De si faibles sujets troublent cette grande âme!
Et ce cœur tant de fois dans la guerre éprouvé
S'alarme d'un péril qu'une femme a rêvé!

POLYEUCTE
Je sais ce qu'est un songe, et le peu de croyance
Qu'un homme doit donner à son extravagance,
Qui d'un amas confus des vapeurs de la nuit
Forme de vains objets que le réveil détruit.
Mais vous ne savez pas ce que c'est qu'une femme,
Vous ignorez quels droits elle a sur toute l'âme,
Quand, après un long temps qu'elle a su nous charmer,
Les flambeaux de l'hymen viennent de s'allumer.
Pauline, sans raison dans la douleur plongée,
Craint et croit déjà voir ma mort qu'elle a songée,
Elle oppose ses pleurs au dessein que je fais
Et tâche à m'empêcher de sortir du palais.
Je méprise sa crainte, et je cède à ses larmes,
Elle me fait pitié sans me donner d'alarmes,
Et mon cœur, attendri sans être intimidé,
N'ose déplaire aux yeux dont il est possédé.
L'occasion, Néarque, est-elle si pressante
Qu'il faille être insensible aux soupirs d'une amante?
Par un peu de remise épargnons son ennui,

Pour faire en plein repos ce qu'il trouble aujourd'hui.

NÉARQUE
Avez-vous cependant une pleine assurance   25
D'avoir assez de vie ou de persévérance,
Et Dieu qui tient votre âme et vos jours dans sa main,
Promet-il à vos vœux de le pouvoir demain?
Il est toujours tout juste et tout bon, mais sa grâce
Ne descend pas toujours avec même efficace.   30
Après certains moments que perdent nos longueurs,
Elle quitte ces traits qui pénètrent les cœurs,
Le nôtre s'endurcit, la repousse, l'égare,
Le bras qui la versait en devient plus avare
Et cette sainte ardeur qui doit porter au bien   35
Tombe plus rarement ou n'opère plus rien.
Celle qui vous pressait de courir au baptême,
Languissante déjà, cesse d'être la même,
Et pour quelques soupirs qu'on vous a fait ouïr,
Sa flamme se dissipe et va s'évanouir.   40

POLYEUCTE
Vous me connaissez mal : la même ardeur me brûle
Et le désir s'accroît quand l'effet se recule.
Ces pleurs, que je regarde avec un œil d'époux,
Me laissent dans le cœur aussi chrétien que vous.
Mais pour en recevoir le sacré caractère,   45
Qui lave nos forfaits dans une eau salutaire,
Et qui purgeant notre âme et dessillant nos yeux,
Nous rend le premier droit que nous avions aux cieux,
Bien que je le préfère aux grandeurs d'un empire,
Comme le bien suprême et le seul où j'aspire,   50
Je crois, pour satisfaire un juste et saint amour,
Pouvoir un peu remettre et différer d'un jour.

NÉARQUE
Ainsi du genre humain l'ennemi vous abuse :
Ce qu'il ne peut de force, il l'entreprend de ruse.
Jaloux des bons desseins qu'il tâche d'ébranler, 55
Quand il ne les peut rompre, il pousse à reculer;
D'obstacle sur obstacle, il va troubler le vôtre,
Aujourd'hui par des pleurs, chaque jour par quelque [autre,
Et ce songe rempli de noires visions
N'est que le coup d'essai de ses illusions.   60
Il met tout en usage, et prière et menace,
Il attaque toujours et jamais ne se lasse,
Il croit pouvoir enfin ce qu'encore il n'a pu,
Et que ce qu'on diffère est à demi rompu.
    Rompez ses premiers coups, laissez pleurer Pauline. 65
Dieu ne veut point d'un cœur où le monde domine,
Qui regarde en arrière et doutteux en son choix,
Lorsque sa voix l'appelle, écoute une autre voix.

POLYEUCTE
Pour se donner à lui faut-il n'aimer personne?

NÉARQUE
Nous pouvons tout aimer : il le souffre, il l'ordonne. 70

14. Félix, Polyeucte, Néarque, Sévère, Pauline portent les mêmes noms, conformes à l'histoire, dans la pièce de Bartolomei, où Sévère est Artaban, Albin s'appelle Selimo et Cléon est simplement désigné par « un messager ».
15. Erreur de lecture, ou faute typographique, Bartolomei appelle cette ville Métilène. Corneille a donc soigneusement vérifié.

Mais, à vous dire tout, ce seigneur des seigneurs
Veut le premier amour et les premiers honneurs.
Comme rien n'est égal à sa grandeur suprême,
Il ne faut rien aimer qu'après lui, qu'en lui-même,
75 Négliger, pour lui plaire, et femme et biens et rang,
Exposer pour sa gloire et verser tout son sang.
Mais que vous êtes loin de cette ardeur parfaite
Qui vous est nécessaire, et que je vous souhaite!
Je ne puis vous parler que les larmes aux yeux.
80 Polyeucte, aujourd'hui qu'on nous hait en tous lieux,
Qu'on croit servir l'État quand on nous persécute,
Qu'aux plus âpres tourments un chrétien est en butte.
Comment en pourrez-vous surmonter les douleurs,
Si vous ne pouvez pas résister à des pleurs?

POLYEUCTE

85 Vous ne m'étonnez point : la pitié qui me blesse
Sied bien aux plus grands cœurs et n'a point de
[faiblesse.
Sur mes pareils, Néarque, un bel œil est bien fort,
Tel craint de le fâcher qui ne craint pas la mort,
Et s'il faut affronter les plus cruels supplices,
90 Y trouver des appas, en faire mes délices,
Votre Dieu, que je n'ose encor nommer le mien,
M'en donnera la force en me faisant chrétien.

NÉARQUE

Hâtez-vous donc de l'être.

POLYEUCTE

Oui, j'y cours, cher Néarque,
Je brûle d'en porter la glorieuse marque.
95 Mais Pauline s'afflige, et ne peut consentir,
Tant ce songe la trouble, à me laisser sortir.

NÉARQUE

Votre retour pour elle en aura plus de charmes :
Dans une heure au plus tard vous essuierez ses larmes,
Et l'heur de vous revoir lui semblera plus doux,
100 Plus elle aura pleuré pour un si cher époux.
Allons, on nous attend.

POLYEUCTE

Apaisez donc sa crainte,
Et calmez la douleur dont son âme est atteinte.
Elle revient.

NÉARQUE

Fuyez.

POLYEUCTE

Je ne puis.

NÉARQUE

Il le faut :
Fuyez un ennemi qui sait votre défaut,
105 Qui le trouve aisément, qui blesse par la vue,
Et dont le coup mortel vous plaît quand il vous tue.

Scène II : Polyeucte, Néarque,
Pauline, Stratonice.

POLYEUCTE

Fuyons, puisqu'il le faut. Adieu, Pauline, adieu :
Dans une heure au plus tard je reviens en ce lieu.

PAULINE

Quel sujet si pressant à sortir vous convie?

Y va-t-il de l'honneur, y va-t-il de la vie?

POLYEUCTE

Il y va de bien plus.

PAULINE

Quel est donc ce secret?

POLYEUCTE

Vous le saurez un jour. Je vous quitte à regret.
Mais enfin il le faut.

PAULINE

Vous m'aimez?

POLYEUCTE

Je vous aime,
Le ciel m'en soit témoin, cent fois plus que moi-même,
Mais...

PAULINE

Mais mon déplaisir ne vous peut émouvoir!
Vous avez des secrets que je ne puis savoir!
Quelle preuve d'amour! Au nom de l'hyménée,
Donnez à mes soupirs cette seule journée.

POLYEUCTE

Un songe vous fait peur!

PAULINE

Ses présages sont vains,
Je le sais, mais enfin je vous aime et je crains.

POLYEUCTE

Ne craignez rien de mal pour une heure d'absence.
Adieu, vos pleurs sur moi prennent trop de puissance.
Je sens déjà mon cœur prêt à se révolter,
Et ce n'est qu'en fuyant que j'y puis résister.

Scène III : Pauline, Stratonice.

PAULINE

Va, néglige mes pleurs, cours, et te précipite
Au-devant de la mort que les Dieux m'ont prédite.
Suis cet agent fatal de tes mauvais destins,
Qui peut-être te livre aux mains des assassins.
Tu vois, ma Stratonice, en quel siècle nous sommes :
Voilà notre pouvoir sur les esprits des hommes,
Voilà ce qui nous reste et l'ordinaire effet [fait.
De l'amour qu'on nous offre et des vœux qu'on nous
Tant qu'ils ne sont qu'amants, nous sommes souveraines,
Et jusqu'à la conquête ils nous traitent de reines;
Mais après l'hyménée ils sont rois à leur tour.

STRATONICE

Polyeucte pour vous ne manque point d'amour.
S'il ne vous traite ici d'entière confidence,
S'il part malgré vos pleurs, c'est un trait de prudence;
Sans vous en affliger, présumez avec moi
Qu'il est plus à propos qu'il vous cèle pourquoi.
Assurez-vous sur lui qu'il en a juste cause;
Il est bon qu'un mari nous cache quelque chose,
Qu'il soit quelquefois libre, et ne s'abaisse pas
A nous rendre toujours compte de tous ses pas.
On n'a tous deux qu'un cœur qui sent mêmes traverses,
Mais ce cœur a pourtant ses fonctions diverses,
Et la loi de l'hymen qui vous tient assemblés
N'ordonne pas qu'il tremble alors que vous tremblez.
Ce qui fait vos frayeurs ne peut le mettre en peine

Il est Arménien [16] et vous êtes Romaine [17]
Et vous pouvez savoir que nos deux nations
N'ont pas sur ce sujet mêmes impressions :
Un songe en notre esprit passe pour ridicule,
Il ne nous laisse espoir ni crainte ni scrupule,
Mais il passe dans Rome avec autorité
Pour fidèle miroir de la fatalité [18].

PAULINE

Quelque peu de crédit que chez vous il obtienne,
Je crois que ta frayeur égalerait la mienne,
Si de telles horreurs t'avaient frappé l'esprit,
Si je t'en avais fait seulement le récit.

STRATONICE

A raconter ses maux souvent on les soulage.

PAULINE

Écoute, mais il faut te dire davantage,
Et que pour mieux comprendre un si triste discours,
Tu saches ma faiblesse et mes autres amours.
Une femme d'honneur peut avouer sans honte
Ces surprises des sens que la raison surmonte,
Ce n'est qu'en ces assauts qu'éclate la vertu
Et l'on doute d'un cœur qui n'a point combattu.
  Dans Rome, où je naquis, ce malheureux visage
D'un chevalier romain captiva le courage.
Il s'appelait Sévère ; excuse les soupirs
Qu'arrache encore un nom trop cher à mes désirs.

STRATONICE

Est-ce lui qui naguère aux dépens de sa vie
Sauva des ennemis votre empereur Décie,
Qui leur tira mourant la victoire des mains,
Et fit tourner le sort des Perses aux Romains ?
Lui qu'entre tant de morts immolés à son maître,
On ne put rencontrer, ou du moins reconnaître,
A qui Décie enfin, pour des exploits si beaux,
Fit si pompeusement dresser de vains tombeaux ?

PAULINE

Hélas ! c'était lui-même, et jamais notre Rome
N'a produit plus grand cœur ni vu plus honnête
Puisque tu le connais, je ne t'en dirai rien.   [homme.
Je l'aimai, Stratonice, il le méritait bien.
Mais que sert le mérite où manque la fortune ?
L'un était grand en lui, l'autre faible et commune ;
Trop invincible obstacle, et dont trop rarement
Triomphe auprès d'un père un vertueux amant [19] !

STRATONICE

La digne occasion d'une rare constance !

PAULINE

Dis plutôt d'une indigne et folle résistance.

16. Est-ce coïncidence ? Richelieu avait tenté de développer
le commerce avec ce pays. Le chancelier Séguier fit venir en
France un Arménien, chargé d'imprimer des livres en cette
langue, pour ramener au sein de l'Église ces schismatiques
de longue date.
17. Curieuse et intéressante notation raciale, en un siècle
qui passe pour avoir méconnu la « couleur locale ». Si elle
est absente dans des détails de costumes ou de mœurs (et encore
beaucoup d'anachronismes sont volontaires), la véritable
couleur locale, psychologique, est spontanée chez des hommes
nourris d'histoire, après une Renaissance sur ce point très
exigeante.
18. Il existe au XVIe siècle toute une littérature du Songe,
spécialement étudiée à travers la religion romaine.
19. Autre souvenir d'un thème constant des comédies.

Quelque fruit qu'une fille en puisse recueillir,
Ce n'est une vertu que pour qui veut faillir.
  Parmi ce grand amour que j'avais pour Sévère,
J'attendais un époux de la main de mon père,
Toujours prête à le prendre, et jamais ma raison   195
N'avoua de mes yeux l'aimable trahison.
Il possédait mon cœur, mes désirs, ma pensée,
Je ne lui cachais point combien j'étais blessée.
Nous soupirions ensemble et pleurions nos malheurs.
Mais au lieu d'espérance, il n'avait que des pleurs,   200
Et malgré des soupirs si doux, si favorables,
Mon père et mon devoir étaient inexorables.
Enfin je quittai Rome et ce parfait amant,
Pour suivre ici mon père en son gouvernement,
Et lui, désespéré, s'en alla dans l'armée   205
Chercher d'un beau trépas l'illustre renommée.
Le reste, tu le sais : mon abord en ces lieux
Me fit voir Polyeucte et je plus à ses yeux,
Et comme il est ici le chef de la noblesse,
Mon père fut ravi qu'il me prît pour maîtresse,   210
Et par son alliance il se crut assuré
D'être plus redoutable et plus considéré.
Il approuva sa flamme, et conclut l'hyménée,
Et moi, comme à son lit je me vis destinée,
Je donnai par devoir à son affection   215
Tout ce que l'autre avait par inclination.
Si tu peux en douter, juge-le par la crainte
Dont en ce triste jour tu me vois l'âme atteinte.

STRATONICE

Elle fait assez voir à quel point vous l'aimez.
Mais quel songe, après tout, tient vos sens alarmés ? 220

PAULINE

Je l'ai vu cette nuit, ce malheureux Sévère,
La vengeance à la main, l'œil ardent de colère.
Il n'était point couvert de ces tristes lambeaux
Qu'une ombre désolée emporte des tombeaux,
Il n'était point percé de ces coups pleins de gloire   225
Qui retranchant sa vie, assurent sa mémoire,
Il semblait triomphant, et tel que sur son char
Victorieux dans Rome entre notre César.
Après un peu d'effroi que m'a donné sa vue :
« Porte à qui tu voudras la faveur qui m'est due,   230
Ingrate, m'a-t-il dit ; et ce jour expiré,
Pleure à loisir l'époux que tu m'as préféré. »
A ces mots, j'ai frémi, mon âme s'est troublée,
Ensuite des chrétiens une impie assemblée,
Pour avancer l'effet de ce discours fatal,   235
A jeté Polyeucte aux pieds de son rival.
Soudain à son secours j'ai réclamé mon père.
Hélas ! c'est de tout point ce qui me désespère,
J'ai vu mon père même, un poignard à la main,
Entrer le bras levé pour lui percer le sein.   240
Là ma douleur trop forte a brouillé ces images,
Le sang de Polyeucte a satisfait leurs rages,
Je ne sais ni comment ni quand ils l'ont tué,
Mais je sais qu'à sa mort tous ont contribué.
Voilà quel est mon songe.

STRATONICE

                    Il est vrai qu'il est triste,   245
Mais il faut que votre âme à ces frayeurs résiste.

La vision, de soi, peut faire quelque horreur,
Mais non pas vous donner une juste terreur. [un père
Pouvez-vous craindre un mort, pouvez-vous craindre
250 Qui chérit votre époux, que votre époux révère,
Et dont le juste choix vous a donnée à lui
Pour s'en faire en ces lieux un ferme et sûr appui?

PAULINE

Il m'en a dit autant et rit de mes alarmes;
Mais je crains des chrétiens les complots et les charmes,
255 Et que sur mon époux leur troupeau ramassé
Ne venge tant de sang que mon père a versé.

STRATONICE

Leur secte est insensée, impie et sacrilège,
Et dans son sacrifice use de sortilège,
Mais sa fureur ne va qu'à briser nos autels :
260 Elle n'en veut qu'aux Dieux, et non pas aux mortels.
Quelque sévérité que sur eux on déploie,
Ils souffrent sans murmure, et meurent avec joie,
Et depuis qu'on les traite en criminels d'État,
On ne peut les charger d'aucun assassinat.

PAULINE

265 Tais-toi, mon père vient.

Scène IV : Félix, Albin, Pauline,
Stratonice.

FÉLIX

Ma fille, que ton songe
En d'étranges frayeurs ainsi que toi me plonge!
Que j'en crains les effets, qui semblent s'approcher!

PAULINE

Quelle subite alarme ainsi vous peut toucher?

FÉLIX

Sévère n'est point mort.

PAULINE

Quel mal nous fait sa vie?

FÉLIX

270 Il est le favori de l'empereur Décie.

PAULINE

Après l'avoir sauvé des mains des ennemis,
L'espoir d'un si haut rang lui devenait permis;
Le destin, aux grands cœurs si souvent mal propice,
Se résout quelquefois à leur faire justice.

FÉLIX

275 Il vient ici lui-même.

PAULINE

Il vient!

FÉLIX

Tu le vas voir.

PAULINE

C'en est trop; mais comment le pouvez-vous savoir?

FÉLIX

Albin l'a rencontré dans la proche campagne,
Un gros de courtisans en foule l'accompagne,
Et montre assez quel est son rang et son crédit.
280 Mais, Albin, redis-lui ce que ses gens t'ont dit.

ALBIN

Vous savez quelle fut cette grande journée,
Que sa perte pour nous rendit si fortunée,
Où l'Empereur captif, par sa main dégagé,

Rassura son parti déjà découragé,
Tandis que sa vertu succomba sous le nombre.
Vous savez les honneurs qu'on fit faire à son ombre
Après qu'entre les morts on ne le put trouver,
Le roi de Perse aussi l'avait fait enlever,
Témoin de ses hauts faits et de son grand courage,
Ce monarque en voulut connaître le visage;
On le mit dans sa tente, où tout percé de coups,
Tout mort qu'il paraissait, il fit mille jaloux.
Là, bientôt il montra quelque signe de vie,
Ce prince généreux en eut l'âme ravie,
Et sa joie, en dépit de son dernier malheur,
Du bras qui le causait honora la valeur.
Il en fit prendre soin, la cure en fut secrète,
Et comme au bout d'un mois sa santé fut parfaite,
Il offrit dignités, alliance, trésors,
Et pour gagner Sévère, il fit cent vains efforts.
Après avoir comblé ses refus de louange,
Il envoie à Décie en proposer l'échange,
Et soudain l'Empereur, transporté de plaisir,
Offre au Perse son frère et cent chefs à choisir.
Ainsi revint au camp le valeureux Sévère
De sa haute vertu recevoir le salaire :
La faveur de Décie en fut le digne prix.
De nouveau l'on combat, et nous sommes surpris.
Ce malheur toutefois sert à croître sa gloire,
Lui seul rétablit l'ordre et gagne la victoire,
Mais si belle et si pleine, et par tant de beaux faits
Qu'on nous offre tribut, et nous faisons la paix.
L'Empereur, qui lui montre une amour infinie,
Après ce grand succès l'envoie en Arménie,
Il vient en apporter la nouvelle en ces lieux,
Et par un sacrifice en rendre hommage aux Dieux.

FÉLIX

O ciel! en quel état ma fortune est réduite!

ALBIN

Voilà ce que j'ai su d'un homme de sa suite,
Et j'ai couru, Seigneur, pour vous y disposer.

FÉLIX

Ah! sans doute, ma fille, il vient pour t'épouser.
L'ordre d'un sacrifice est pour lui peu de chose,
C'est un prétexte faux dont l'amour est la cause.

PAULINE

Cela pourrait bien être; il m'aimait chèrement.

FÉLIX

Que ne permettra-t-il à son ressentiment
Et jusques à quel point ne porte sa vengeance
Une juste colère avec tant de puissance?
Il nous perdra, ma fille.

PAULINE

Il est trop généreux.

FÉLIX

Tu veux flatter en vain un père malheureux :
Il nous perdra, ma fille. Ah! regret qui me tue
De n'avoir pas aimé la vertu toute nue!
Ah! Pauline, en effet, tu m'as trop obéi,
Ton courage était bon, ton devoir l'a trahi.
Que ta rébellion m'eût été favorable,
Qu'elle m'eût garanti d'un état déplorable!
Si quelque espoir me reste, il n'est plus aujourd'hu[i]

Qu'en l'absolu pouvoir qu'il te donnait sur lui;
Ménage en ma faveur l'amour qui le possède,
Et d'où provient mon mal fais sortir le remède.

PAULINE

Moi, moi! que je revoie un si puissant vainqueur,
Et m'expose à des yeux qui me percent le cœur!
Mon père, je suis femme, et je sais ma faiblesse,
Je sens déjà mon cœur qui pour lui s'intéresse,
Et poussera sans doute, en dépit de ma foi,
Quelque soupir indigne et de vous et de moi.
Je ne le verrai point.

FÉLIX

Rassure un peu ton âme.

PAULINE

Il est toujours aimable et je suis toujours femme,
Dans le pouvoir sur moi que ses regards ont eu,
Je n'ose m'assurer de toute ma vertu.
Je ne le verrai point.

FÉLIX

Il faut le voir, ma fille,
Ou tu trahis ton père et toute ta famille.

PAULINE

C'est à moi d'obéir, puisque vous commandez,
Mais voyez les périls où vous me hasardez.

FÉLIX

Ta vertu m'est connue.

PAULINE

Elle vaincra sans doute;
Ce n'est pas le succès que mon âme redoute :
Je crains ce dur combat et ces troubles puissants
Que fait déjà chez moi la révolte des sens,
Mais puisqu'il faut combattre un ennemi que j'aime,
Souffrez que je me puisse armer contre moi-même,
Et qu'un peu de loisir me prépare à le voir.

FÉLIX

Jusqu'au-devant des murs je vais le recevoir;
Rappelle cependant tes forces étonnées,
Et songe qu'en tes mains tu tiens nos destinées.

PAULINE

Oui, je vais de nouveau dompter mes sentiments
Pour servir de victime à vos commandements.

ACTE SECOND

Scène I : Sévère, Fabian.

SÉVÈRE

Cependant que Félix donne ordre au sacrifice,
Pourrai-je prendre un temps à mes vœux si propice,
Pourrai-je voir Pauline et rendre à ses beaux yeux
L'hommage souverain que l'on va rendre aux Dieux?
Je ne t'ai point celé que c'est ce qui m'amène,
Le reste est un prétexte à soulager ma peine.
Je viens sacrifier, mais c'est aux beautés
Que je viens immoler toutes mes volontés.

FABIAN

Vous la verrez, Seigneur.

SÉVÈRE

Ah! quel comble de joie!

Cette chère beauté consent que je la voie!
Mais ai-je sur son âme encor quelque pouvoir,   375
Quelque reste d'amour s'y fait-il encor voir?
Quel trouble, quel transport lui cause ma venue,
Puis-je tout espérer de cette heureuse vue?
Car je voudrais mourir plutôt que d'abuser
Des lettres de faveur que j'ai pour l'épouser.   380
Elles sont pour Félix, non pour triompher d'elle,
Jamais à ses désirs mon cœur ne fut rebelle,
Et si mon mauvais sort avait changé le sien,
Je me vaincrais moi-même et ne prétendrais rien.

FABIAN

Vous la verrez, c'est tout ce que je vous puis dire. 385

SÉVÈRE

D'où vient que tu frémis et que ton cœur soupire?
Ne m'aime-t-elle plus? Éclaircis-moi ce point.

FABIAN

M'en croirez-vous, Seigneur? ne la revoyez point.
Portez en lieu plus haut l'honneur de vos caresses,
Vous trouverez à Rome assez d'autres maîtresses,   390
Et dans ce haut degré de puissance et d'honneur,
Les plus grands y tiendront votre amour à bonheur.

SÉVÈRE

Qu'à des pensers si bas mon âme se ravale!
Que je tienne Pauline à mon sort inégale!
Elle en a mieux usé, je la dois imiter,   395
Je n'aime mon bonheur que pour la mériter.
Voyons-la, Fabian; ton discours m'importune,
Allons mettre à ses pieds cette haute fortune,
Je l'ai dans les combats trouvée heureusement
En cherchant une mort digne de son amant.   400
Ainsi ce rang est sien, cette faveur est sienne,
Et je n'ai rien enfin que d'elle je ne tienne.

FABIAN

Non, mais encore un coup ne la revoyez point.

SÉVÈRE

Ah! c'en est trop, enfin éclaircis-moi ce point.
As-tu vu des froideurs quand tu l'en as priée?   405

FABIAN

Je tremble à vous le dire; elle est...

SÉVÈRE

Quoi?

FABIAN

Mariée.

SÉVÈRE

Soutiens-moi, Fabian; ce coup de foudre est grand,
Et frappe d'autant plus que plus il me surprend.

FABIAN

Seigneur, qu'est devenu ce généreux courage?

SÉVÈRE

La constance est ici d'un difficile usage :   410
De pareils déplaisirs accablent un grand cœur,
La vertu la plus mâle en perd toute vigueur,
Et quand d'un feu si beau les âmes sont éprises,
La mort la trouble moins que de telles surprises.
Je ne suis plus à moi quand j'entends ce discours.   415
Pauline est mariée!

FABIAN

Oui, depuis quinze jours.
Polyeucte, un seigneur des premiers d'Arménie,

Goûte de son hymen la douceur infinie.
                    SÉVÈRE
Je ne la puis du moins blâmer d'un mauvais choix,
420 Polyeucte a du nom, et sort du sang des rois.
Faibles soulagements d'un malheur sans remède!
Pauline, je verrai qu'un autre vous possède!
    O ciel, qui malgré moi me renvoyez au jour,
O sort, qui redonniez l'espoir à mon amour,
425 Reprenez la faveur que vous m'avez prêtée,
Et rendez-moi la mort que vous m'avez ôtée.
    Voyons-la toutefois, et dans ce triste lieu
Achevons de mourir en lui disant adieu;
Que mon cœur, chez les morts emportant son image,
430 De son dernier soupir puisse lui faire hommage!
                    FABIAN
Seigneur, considérez...
                    SÉVÈRE
                    Tout est considéré.
Quel désordre peut craindre un cœur désespéré?
N'y consent-elle pas?
                    FABIAN
                    Oui, Seigneur, mais...
                    SÉVÈRE
                              N'importe.
                    FABIAN
Cette vive douleur en deviendra plus forte.
                    SÉVÈRE
435 Et ce n'est pas un mal que je veuille guérir.
Je ne veux que la voir, soupirer, et mourir [20].
                    FABIAN
Vous vous échapperez sans doute en sa présence :
Un amant qui perd tout n'a plus de complaisance,
Dans un tel entretien il suit sa passion,
440 Et ne pousse qu'injure et qu'imprécation.
                    SÉVÈRE
Juge autrement de moi : mon respect dure encore;
Tout violent qu'il est, mon désespoir l'adore.
Quels reproches aussi peuvent m'être permis?
De quoi puis-je accuser qui ne m'a rien promis?
445 Elle n'est point parjure, elle n'est point légère :
Son devoir m'a trahi, mon malheur et son père.
Mais son devoir fut juste, et son père eut raison;
J'impute à mon malheur toute la trahison.
Un peu moins de fortune et plus tôt arrivée
450 Eût gagné l'un par l'autre, et me l'eût conservée;
Trop heureux, mais trop tard, je n'ai pu l'acquérir :
Laisse-la-moi donc voir, soupirer, et mourir.
                    FABIAN
Oui, je vais l'assurer qu'en ce malheur extrême
Vous êtes assez fort pour vous vaincre vous-même.
455 Elle a craint comme moi ces premiers mouvements
Qu'une perte imprévue arrache aux vrais amants,
Et dont la violence excite assez de trouble,
Sans que l'objet présent l'irrite et le redouble.

---

20. Ce vers, un peu galant, sera repris dans plusieurs pièces
de la vieillesse, et en particulier dans *Suréna*. On le lui reprochera alors injustement, comme un signe de décadence ou
une concession au goût des « doucereux » (Quinault et, mal
compris, Racine).

                    SÉVÈRE
Fabian, je la vois.
                    FABIAN
                    Seigneur, souvenez-vous...
                    SÉVÈRE
Hélas! elle aime un autre, un autre est son époux.

Scène II : Sévère, Pauline, Stratonice, Fabian.

                    PAULINE
Oui, je l'aime, Seigneur, et n'en fais point d'excuse;
Que toute autre que moi vous flatte et vous abuse,
Pauline a l'âme noble, et parle à cœur ouvert :
Le bruit de votre mort n'est point ce qui vous perd.
Si le ciel en mon choix eût mis mon hyménée,
A vos seules vertus je me serais donnée,
Et toute la rigueur de votre premier sort
Contre votre mérite eût fait un vain effort.
Je découvrais en vous d'assez illustres marques
Pour vous préférer même aux plus heureux monarques,
Mais puisque mon devoir m'imposait d'autres lois,
De quelque amant pour moi que mon père eût fait
                                        [choix,
Quand à ce grand pouvoir que la valeur vous donne
Vous auriez ajouté l'éclat d'une couronne,
Quand je vous aurais vu, quand je l'aurais haï,
J'en aurais soupiré, mais j'aurais obéi,
Et sur mes passions ma raison souveraine
Eût blâmé mes soupirs et dissipé ma haine.
                    SÉVÈRE
Que vous êtes heureuse, et qu'un peu de soupirs
Fait un aisé remède à tous vos déplaisirs!
Ainsi, de vos désirs toujours reine absolue,
Les plus grands changements vous trouvent résolue,
De la plus forte ardeur vous portez vos esprits
Jusqu'à l'indifférence et peut-être au mépris,
Et votre fermeté fait succéder sans peine
La faveur au dédain, et l'amour à la haine.
    Qu'un peu de votre humeur ou de votre vertu
Soulagerait les maux de ce cœur abattu!
Un soupir, une larme à regret épandue
M'aurait déjà guéri de vous avoir perdue.
Ma raison pourrait tout sur l'amour affaibli,
Et de l'indifférence irait jusqu'à l'oubli,
Et mon feu désormais se réglant sur le vôtre,
Je me tiendrais heureux entre les bras d'une autre.
    O trop aimable objet, qui m'avez trop charmé,
Est-ce là comme on aime, et m'avez-vous aimé?
                    PAULINE
Je vous l'ai trop fait voir, Seigneur, et si mon âme
Pouvait bien étouffer les restes de sa flamme,
Dieux, que j'éviterais de rigoureux tourments!
Ma raison, il est vrai, dompte mes sentiments,
Mais quelque autorité que sur eux elle ait prise,
Elle n'y règne pas, elle les tyrannise,
Et quoique le dehors soit sans émotion,
Le dedans n'est que trouble et que sédition.
Un je ne sais quel charme encor vers vous m'emporte,
Votre mérite est grand, si ma raison est forte,
Je le vois encor tel qu'il alluma mes feux,

D'autant plus puissamment solliciter mes vœux
Qu'il est environné de puissance et de gloire,
Qu'en tous lieux après vous il traîne la victoire,
Que j'en sais mieux le prix, et qu'il n'a point déçu
Le généreux espoir que j'en avais conçu.
Mais ce même devoir qui le vainquit dans Rome,
Et qui me range ici dessous les lois d'un homme,
Repousse encor si bien l'effort de tant d'appas
Qu'il déchire mon âme et ne l'ébranle pas.
C'est cette vertu même, à nos désirs cruelle,
Que vous louiez alors en blasphémant contre elle.
Plaignez-vous-en encor mais louez sa rigueur,
Qui triomphe à la fois de vous et de mon cœur,
Et voyez qu'un devoir moins ferme et moins sincère
N'aurait pas mérité l'amour du grand Sévère.

SÉVÈRE

Ah! Madame, excusez une aveugle douleur,
Qui ne connaît plus rien que l'excès du malheur.
Je nommais inconstance, et prenais pour un crime
De ce juste devoir l'effort le plus sublime.
De grâce, montrez moins à mes sens désolés
La grandeur de ma perte et ce que vous valez,
Et cachant par pitié cette vertu si rare,
Qui redouble mes feux lorsqu'elle nous sépare,
Faites voir des défauts qui puissent à leur tour
Affaiblir ma douleur avecque mon amour.

PAULINE

Hélas! cette vertu quoique enfin invincible,
Ne laisse que trop voir une âme trop sensible.
Ces pleurs en sont témoins, et ces lâches soupirs
Qu'arrachent de nos feux les cruels souvenirs :
Trop rigoureux effets d'une aimable présence
Contre qui mon devoir a trop peu de défense!
Mais si vous estimez ce vertueux devoir,
Conservez-m'en la gloire, et cessez de me voir.
Épargnez-moi des pleurs qui coulent à ma honte,
Épargnez-moi des feux qu'à regret je surmonte,
Enfin épargnez-moi ces tristes entretiens,
Qui ne font qu'irriter vos tourments et les miens.

SÉVÈRE

Que je me prive ainsi du seul bien qui me reste!

PAULINE

Sauvez-vous d'une vue à tous les deux funeste.

SÉVÈRE

Quel prix de mon amour, quel fruit de mes travaux!

PAULINE

C'est le remède seul qui peut guérir nos maux.

SÉVÈRE

Je veux mourir des miens, aimez-en la mémoire.

PAULINE

Je veux guérir des miens, ils souilleraient ma gloire.

SÉVÈRE

Ah! puisque votre gloire en prononce l'arrêt,
Il faut que ma douleur cède à son intérêt.
Est-il rien que sur moi cette gloire n'obtienne?
Elle me rend les soins que je dois à la mienne.
Adieu, je vais chercher au milieu des combats
Cette immortalité que donne un beau trépas
Et remplir dignement, par une mort pompeuse,
De mes premiers exploits l'attente avantageuse,

Si toutefois, après ce coup mortel du sort,
J'ai de la vie assez pour chercher une mort.   560

PAULINE

Et moi, dont votre vue augmente le supplice,
Je l'éviterai même en votre sacrifice,
Et seule dans ma chambre enfermant mes regrets,
Je vais pour vous aux Dieux faire des vœux secrets.

SÉVÈRE

Puisse le juste ciel, content de ma ruine,   565
Combler d'heur et de jours Polyeucte et Pauline!

PAULINE

Puisse trouver Sévère, après tant de malheur,
Une félicité digne de sa valeur!

SÉVÈRE

Il la trouvait en vous.

PAULINE

        Je dépendais d'un père.

SÉVÈRE

O devoir qui me perd et qui me désespère!   570
Adieu, trop vertueux objet, et trop charmant.

PAULINE

Adieu, trop malheureux et trop parfait amant [21].

Scène III : Pauline, Stratonice.

STRATONICE

Je vous ai plaints tous deux, j'en verse encor des larmes
Mais du moins votre esprit est hors de ses alarmes,
Vous voyez clairement que votre songe est vain,   575
Sévère ne vient pas la vengeance à la main.

PAULINE

Laisse-moi respirer du moins, si tu m'as plainte :
Au fort de ma douleur tu rappelles ma crainte,
Souffre un peu de relâche à mes esprits troublés,
Et ne m'accable point par des maux redoublés.   580

STRATONICE

Quoi? vous craignez encor!

PAULINE

        Je tremble, Stratonice,
Et bien que je m'effraye avec peu de justice,
Cette injuste frayeur sans cesse reproduit
L'image des malheurs que j'ai vus cette nuit.

STRATONICE

Sévère est généreux.

PAULINE

        Malgré sa retenue,   585
Polyeucte sanglant frappe toujours ma vue.

STRATONICE

Vous voyez ce rival faire des vœux pour lui.

PAULINE

Je crois même au besoin qu'il serait son appui.
Mais soit cette croyance ou fausse ou véritable,
Son séjour en ce lieu m'est toujours redoutable,   590
A quoi sa vertu puisse le disposer,

21. Cette scène, parfois blâmée comme un ornement incongru
dans une tragédie sacrée, est l'une des plus typiquement
« cornélienne ». La douloureuse victoire d'une raison héroïque
agit par contagion. Le conflit du devoir et de l'amour se résout
sur un plan supérieur. L'âme n'est plus divisée ni les passions
étouffées : elles conspirent avec la raison au retour à l'unité
intérieure.

Il est puissant, il m'aime, et vient pour m'épouser.

> Scène IV : *Polyeucte, Néarque,*
> *Pauline, Stratonice.*

POLYEUCTE

C'est trop verser de pleurs : il est temps qu'ils tarissent,
Que votre douleur cesse, et vos craintes finissent.
595 Malgré les faux avis par vos Dieux envoyés,
Je suis vivant, Madame, et vous me revoyez.

PAULINE

Le jour est encor long, et ce qui plus m'effraie,
La moitié de l'avis se trouve déjà vraie :
J'ai cru Sévère mort, et je le vois ici.

POLYEUCTE

600 Je le sais, mais enfin j'en prends peu de souci.
Je suis dans Mélitène, et quel que soit Sévère,
Votre père y commande, et l'on m'y considère,
Et je ne pense pas qu'on puisse avec raison
D'un cœur tel que le sien craindre une trahison.
605 On m'avait assuré qu'il vous faisait visite,
Et je venais lui rendre un honneur qu'il mérite.

PAULINE

Il vient de me quitter assez triste et confus,
Mais j'ai gagné sur lui qu'il ne me verra plus.

POLYEUCTE

Quoi! vous me soupçonnez déjà de quelque ombrage?

PAULINE

610 Je ferais à tous trois un trop sensible outrage.
J'assure mon repos, que troublent ses regards.
La vertu la plus ferme évite les hasards :
Qui s'expose au péril veut bien trouver sa perte,
Et pour vous en parler avec une âme ouverte,
615 Depuis qu'un vrai mérite a pu nous enflammer,
Sa présence toujours a droit de nous charmer,
Outre qu'on doit rougir de s'en laisser surprendre,
On souffre à résister, on souffre à s'en défendre,
Et bien que la vertu triomphe de ces feux,
620 La victoire est pénible et le combat honteux.

POLYEUCTE

O vertu trop parfaite, et devoir trop sincère,
Que vous devez coûter de regrets à Sévère!
Qu'aux dépens d'un beau feu vous me rendez heureux,
Et que vous êtes doux à mon cœur amoureux!
625 Plus je vois mes défauts et plus je vous contemple,
Plus j'admire...

> Scène V : *Polyeucte, Pauline, Néarque,*
> *Stratonice, Cléon.*

CLÉON

Seigneur, Félix vous mande au temple:
La victime est choisie et le peuple à genoux
Et pour sacrifier on n'attend plus que vous.

POLYEUCTE

Va, nous allons te suivre. Y venez-nous, Madame?

PAULINE

630 Sévère craint ma vue, elle irrite sa flamme :
Je lui tiendrai parole, et ne veux plus le voir.
Adieu, vous l'y verrez; pensez à son pouvoir

Et ressouvenez-vous que sa faveur est grande.

POLYEUCTE

Allez, tout son crédit n'a rien que j'appréhende,
Et comme je connais sa générosité,
Nous ne nous combattrons que de civilité.

> Scène VI : *Polyeucte, Néarque.*

NÉARQUE

Où pensez-vous aller?

POLYEUCTE

Au temple, où l'on m'appelle.

NÉARQUE

Quoi? vous mêler aux vœux d'une troupe infidèle!
Oubliez-vous déjà que vous êtes chrétien?

POLYEUCTE

Vous par qui je le suis, vous en souvient-il bien?

NÉARQUE

J'abhorre les faux Dieux.

POLYEUCTE

Et moi, je les déteste.

NÉARQUE

Je tiens leur culte impie.

POLYEUCTE

Et je le tiens funeste.

NÉARQUE

Fuyez donc leurs autels.

POLYEUCTE

Je les veux renverser,
Et mourir dans leur temple, ou les y terrasser.
Allons, mon cher Néarque, allons aux yeux des hommes
Braver l'idolâtrie, et montrer qui nous sommes.
C'est l'attente du ciel, il nous la faut remplir,
Je viens de le promettre, et je vais l'accomplir.
Je rends grâces au Dieu que tu m'as fait connaître
De cette occasion qu'il a sitôt fait naître,
Où déjà sa bonté, prête à me couronner,
Daigne éprouver la foi qu'il vient de me donner.

NÉARQUE

Ce zèle est trop ardent, souffrez qu'il se modère.

POLYEUCTE

On n'en peut avoir trop pour le Dieu qu'on révère.

NÉARQUE

Vous trouverez la mort.

POLYEUCTE

Je la cherche pour lui.

NÉARQUE

Et si ce cœur s'ébranle?

POLYEUCTE

Il sera mon appui.

NÉARQUE

Il ne commande point que l'on s'y précipite.

POLYEUCTE

Plus elle est volontaire, et plus elle mérite.

NÉARQUE

Il suffit, sans chercher, d'attendre et de souffrir.

POLYEUCTE

On souffre avec regret quand on n'ose s'offrir.

NÉARQUE

Mais dans ce temple enfin la mort est assurée.

POLYEUCTE
Mais dans le ciel déjà la palme est préparée.
NÉARQUE
Par une sainte vie il faut la mériter.
POLYEUCTE
Mes crimes, en vivant, me la pourraient ôter.
Pourquoi mettre au hasard ce que la mort assure?
Quand elle ouvre le ciel, peut-elle sembler dure?
Je suis chrétien, Néarque, et le suis tout à fait,
La foi que j'ai reçue aspire à son effet.
Qui fuit croit lâchement et n'a qu'une foi morte.
NÉARQUE
Ménagez votre vie, à Dieu même elle importe :
Vivez pour protéger les chrétiens en ces lieux.
POLYEUCTE
L'exemple de ma mort les fortifiera mieux.
NÉARQUE
Vous voulez donc mourir?
POLYEUCTE
                          Vous aimez donc à vivre?
NÉARQUE
Je ne puis déguiser que j'ai peine à vous suivre,
Sous l'horreur des tourments je crains de succomber.
POLYEUCTE
Qui marche assurément n'a point peur de tomber :
Dieu fait part, au besoin, de sa force infinie.
Qui craint de le nier, dans son âme le nie,
Il croit le pouvoir faire et doute de sa foi.
NÉARQUE
Qui n'appréhende rien présume trop de soi.
POLYEUCTE
J'attends tout de sa grâce et rien de ma faiblesse.
Mais loin de me presser, il faut que je vous presse!
D'où vient cette froideur?
NÉARQUE
                          Dieu même a craint la mort.
POLYEUCTE
Il s'est offert pourtant, suivons ce saint effort;
Dressons-lui des autels sur des monceaux d'idoles.
Il faut (je me souviens encor de vos paroles)
Négliger, pour lui plaire, et femme et biens et rang,
Exposer pour sa gloire et verser tout son sang.
Hélas! qu'avez-vous fait de cette amour parfaite
Que vous me souhaitiez et que je vous souhaite?
S'il vous en reste encor, n'êtes-vous point jaloux
Qu'à grand'peine chrétien, j'en montre plus que vous?
NÉARQUE
Vous sortez du baptême, et ce qui vous anime,
C'est sa grâce qu'en vous n'affaiblit aucun crime.
Comme encor toute entière, elle agit pleinement,
Et tout semble possible à son feu véhément,
Mais cette même grâce, en moi diminuée,
Et par mille péchés sans cesse exténuée,
Agit aux grands effets avec tant de langueur
Que tout semble impossible à son peu de vigueur.
Cette indigne mollesse et ces lâches défenses
Sont les punitions qu'attirent mes offenses.
Mais Dieu, dont on ne doit jamais se défier,
Me donne votre exemple à me fortifier.
  Allons, cher Polyeucte, allons aux yeux des hommes

Braver l'idolâtrie, et montrer qui nous sommes.
Puissé-je vous donner l'exemple de souffrir,
Comme vous me donnez celui de vous offrir!
POLYEUCTE
A cet heureux transport que le ciel vous envoie,
Je reconnais Néarque, et j'en pleure de joie.   710
  Ne perdons plus de temps, le sacrifice est prêt,
Allons-y du vrai Dieu soutenir l'intérêt,
Allons fouler aux pieds ce foudre ridicule
Dont arme un bois pourri ce peuple trop crédule,
Allons en éclairer l'aveuglement fatal,   715
Allons briser ces Dieux de pierre et de métal,
Abandonnons nos jours à cette ardeur céleste,
Faisons triompher Dieu, qu'il dispose du reste!
NÉARQUE
Allons faire éclater sa gloire aux yeux de tous,
Et répondre avec zèle à ce qu'il veut de nous.   720

ACTE TROISIÈME

Scène I : Pauline.

Que de soucis flottants, que de confus nuages
Présentent à mes yeux d'inconstantes images!
Douce tranquillité, que je n'ose espérer,
Que ton divin rayon tarde à les éclairer!
Mille agitations, que mes troubles produisent,   725
Dans mon cœur ébranlé tour à tour se détruisent.
Aucun espoir n'y coule où j'ose persister,
Aucun effroi n'y règne où j'ose m'arrêter.
Mon esprit, embrassant tout ce qu'il s'imagine,
Voit tantôt mon bonheur et tantôt ma ruine,   730
Et suit leur vaine idée avec si peu d'effet
Qu'il ne peut espérer ni craindre tout à fait.
Sévère incessamment brouille ma fantaisie :
J'espère en sa vertu, je crains sa jalousie,
Et je n'ose penser que d'un œil bien égal   735
Polyeucte en ces lieux puisse voir son rival.
Comme entre deux rivaux la haine est naturelle,
L'entrevue aisément se termine en querelle :
L'un voit aux mains d'autrui ce qu'il croit mériter,
L'autre un désespéré qui peut trop attenter.   740
Quelque haute raison qui règle leur courage,
L'un conçoit de l'envie, et l'autre de l'ombrage.
La honte d'un affront, que chacun d'eux croit voir
Ou de nouveau reçue, ou prête à recevoir,
Consument dès l'abord toute leur patience,   745
Forme de la colère et de la défiance,
Et saisissant ensemble et l'époux et l'amant,
En dépit d'eux les livre à leur ressentiment,
Mais que je me figure une étrange chimère,
Et que je traite mal Polyeucte et Sévère!   750
Comme si la vertu de ces fameux rivaux
Ne pouvait s'affranchir de ces communs défauts!
Leurs âmes à tous deux d'elles-mêmes maîtresses
Sont d'un ordre trop haut pour de telles bassesses.
Ils se verront au temple en hommes généreux,   755
Mais las! ils se verront, et c'est beaucoup pour eux.
Que sert à mon époux d'être dans Mélitène,

Si contre lui Sévère arme l'aigle romaine,
Si mon père y commande et craint ce favori,
760 Et se repent déjà du choix de mon mari?
Si peu que j'ai d'espoir ne luit qu'avec contrainte,
En naissant, il avorte, et fait place à la crainte,
Ce qui doit l'affermir sert à le dissiper.
Dieux! faites que ma peur puisse enfin se tromper!

Scène II : Pauline, Stratonice.

PAULINE
765 Mais sachons-en l'issue. Eh bien! ma Stratonice,
Comment s'est terminé ce pompeux sacrifice?
Ces rivaux généreux au temple se sont vus?
STRATONICE
Ah! Pauline!
PAULINE
         Mes vœux ont-ils été déçus?
J'en vois sur ton visage une mauvaise marque.
770 Se sont-ils querellés?
STRATONICE
              Polyeucte, Néarque,
Les chrétiens...
PAULINE
          Parle donc : les chrétiens...
STRATONICE
                           Je ne puis.
PAULINE
Tu prépares mon âme à d'étranges ennuis.
STRATONICE
Vous n'en sauriez avoir une plus juste cause.
PAULINE
L'ont-ils assassiné?
STRATONICE
              Ce serait peu de chose.
775 Tout votre songe est vrai, Polyeucte n'est plus...
PAULINE
Il est mort!
STRATONICE
         Non, il vit, mais ô pleurs superflus!
Ce courage si grand, cette âme si divine,
N'est plus digne du jour, ni digne de Pauline.
Ce n'est plus cet époux si charmant à vos yeux,
780 C'est l'ennemi commun de l'État et des Dieux,
Un méchant, un infâme, un rebelle, un perfide,
Un traître, un scélérat, un lâche, un parricide,
Une peste exécrable à tous les gens de bien,
Un sacrilège impie, en un mot, un chrétien.
PAULINE
785 Ce mot aurait suffi sans ce torrent d'injures.
STRATONICE
Ces titres aux chrétiens sont-ce des impostures?
PAULINE
Il est ce que tu dis, s'il embrasse leur foi,
Mais il est mon époux, et tu parles à moi.
STRATONICE
Ne considérez plus que le Dieu qu'il adore.
PAULINE
790 Je l'aimai par devoir, ce devoir dure encore.

STRATONICE
Il vous donne à présent sujet de le haïr :
Qui trahit tous nos Dieux aurait pu vous trahir.
PAULINE
Je l'aimerais encor, quand il m'aurait trahie,
Et si de tant d'amour tu peux être ébahie,
Apprends que mon devoir ne dépend point du sien : 7
Qu'il y manque, s'il veut, je dois faire le mien.
Quoi? s'il aimait ailleurs, serais-je dispensée
A suivre à son exemple une ardeur insensée?
Quelque chrétien qu'il soit, je n'en ai point d'horreur,
Je chéris sa personne et je hais son erreur.   8
Mais quel ressentiment en témoigne mon père?
STRATONICE
Une secrète rage, un excès de colère,
Malgré qui toutefois un reste d'amitié
Montre pour Polyeucte encor quelque pitié.
Il ne veut point sur lui faire agir sa justice,   8
Que du traître Néarque il n'ait vu le supplice.
PAULINE
Quoi? Néarque en est donc?
STRATONICE
                     Néarque l'a séduit :
De leur vieille amitié c'est là l'indigne fruit.
Ce perfide tantôt, en dépit de lui-même,
L'arrachant de vos bras, le traînait au baptême.   8
Voilà ce grand secret et si mystérieux
Que n'en pouvait tirer votre amour curieux.
PAULINE
Tu me blâmais alors d'être trop importune.
STRATONICE
Je ne prévoyais pas une telle infortune.
PAULINE
Avant qu'abandonner mon âme à mes douleurs,   8
Il me faut essayer la force de mes pleurs.
En qualité de femme ou de fille, j'espère
Qu'ils vaincront un époux ou fléchiront un père.
Que si sur l'un et l'autre ils manquent de pouvoir,
Je ne prendrai conseil que de mon désespoir.   8
Apprends-moi cependant ce qu'ils ont fait au temple.
STRATONICE
C'est une impiété qui n'eut jamais d'exemple;
Je ne puis y penser sans frémir à l'instant,
Et crains de faire un crime en vous la racontant.
Apprenez en deux mots leur brutale insolence.   8
   Le prêtre avait à peine obtenu du silence
Et devers l'orient assuré son aspect,
Qu'ils ont fait éclater leur manque de respect.
A chaque occasion de la cérémonie,
A l'envi l'un et l'autre étalait sa manie,   8
Des mystères sacrés hautement se moquait
Et traitait de mépris les Dieux qu'on invoquait.
Tout le peuple en murmure, et Félix s'en offense :
Mais tous deux s'emportant à plus d'irrévérence :
« Quoi? lui dit Polyeucte en élevant sa voix,   8
Adorez-vous des Dieux ou de pierre ou de bois? »
Ici dispensez-moi du récit des blasphèmes
Qu'ils ont vomis tous deux contre Jupiter même.
L'adultère et l'inceste en étaient les plus doux.
« Oyez, dit-il ensuite, oyez, peuple, oyez tous.   8

Le Dieu de Polyeucte et celui de Néarque
De la terre et du ciel est l'absolu monarque,
Seul être indépendant, seul maître du destin,
Seul principe éternel, et souveraine fin.
C'est ce Dieu des chrétiens qu'il faut qu'on remercie
Des victoires qu'il donne à l'empereur Décie.
Lui seul tient en sa main le succès des combats,
Il le veut élever, il le peut mettre à bas,
Sa bonté, son pouvoir, sa justice est immense;
C'est lui seul qui punit, lui seul qui récompense.
Vous adorez en vain des monstres impuissants. »
Se jetant à ces mots sur le vin et l'encens,
Après en avoir mis les saints vases par terre,
Sans crainte de Félix, sans crainte du tonnerre,
D'une fureur pareille ils courent à l'autel.
Cieux! a-t-on vu jamais, a-t-on rien vu de tel?
Du plus puissant des Dieux nous voyons la statue
Par une main impie à leurs pieds abattue,
Les mystères troublés, le temple profané,
La fuite et les clameurs d'un peuple mutiné,
Qui craint d'être accablé sous le courroux céleste.
Félix... Mais le voici qui vous dira le reste.

PAULINE

Que son visage est sombre et plein d'émotion!
Qu'il montre de tristesse et d'indignation!

Scène III : Félix, Pauline, Stratonice.

FÉLIX

Une telle insolence avoir osé paraître,
En public, à ma vue! Il en mourra, le traître.

PAULINE

Souffrez que votre fille embrasse vos genoux.

FÉLIX

Je parle de Néarque, et non de votre époux.
Quelque indigne qu'il soit de ce doux nom de gendre,
Mon âme lui conserve un sentiment plus tendre.
La grandeur de son crime et de mon déplaisir
N'a pas éteint l'amour qui me l'a fait choisir.

PAULINE

Je n'attendais pas moins de la bonté d'un père.

FÉLIX

Je pouvais l'immoler à ma juste colère,
Car vous n'ignorez pas à quel comble d'horreur
De son audace impie a monté la fureur;
Vous l'avez pu savoir du moins de Stratonice.

PAULINE

Je sais que de Néarque il doit voir le supplice.

FÉLIX

Du conseil qu'il doit prendre il sera mieux instruit,
Quand il verra punir celui qui l'a séduit.
Au spectacle sanglant d'un ami qu'il faut suivre,
Le crainte de mourir et le désir de vivre
Ressaisissent une âme avec tant de pouvoir
Que qui voit le trépas cesse de le vouloir.
L'exemple touche plus que ne fait la menace,
Cette indiscrète ardeur tourne bientôt en glace,
Et nous verrons bientôt son cœur inquiété
Me demander pardon de tant d'impiété.

PAULINE

Vous pouvez espérer qu'il change de courage?

FÉLIX

Aux dépens de Néarque il doit se rendre sage.   890

PAULINE

Il le doit, mais, hélas! où me renvoyez-vous,
Et quels tristes hasards ne court point mon époux,
Si de son inconstance il faut qu'enfin j'espère
Le bien que j'espérais de la bonté d'un père?

FÉLIX

Je vous en fais trop voir, Pauline, à consentir   895
Qu'il évite la mort par un prompt repentir.
Je devais même peine à des crimes semblables,
Et mettant différence entre ces deux coupables,
J'ai trahi la justice à l'amour paternel;
Je me suis fait pour lui moi-même criminel,   900
Et j'attendais de vous, au milieu de vos craintes,
Plus de remerciements que je n'entends de plaintes.

PAULINE

De quoi remercier qui ne me donne rien?
Je sais quelle est l'humeur et l'esprit d'un chrétien,
Dans l'obstination jusqu'au bout il demeure;   905
Vouloir son repentir, c'est ordonner qu'il meure.

FÉLIX

Sa grâce est en sa main, c'est à lui d'y rêver.

PAULINE

Faites-la tout entière.

FÉLIX

                    Il la peut achever.

PAULINE

Ne l'abandonnez pas aux fureurs de sa secte.

FÉLIX

Je l'abandonne aux lois, qu'il faut que je respecte.   910

PAULINE

Est-ce ainsi que d'un gendre un beau-père est l'appui?

FÉLIX

Qu'il fasse autant pour soi comme je fais pour lui.

PAULINE

Mais il est aveuglé.

FÉLIX

                    Mais il se plaît à l'être.
Qui chérit son erreur ne la veut pas connaître.

PAULINE

Mon père, au nom des Dieux...

FÉLIX

                    Ne les réclamez pas,   915
Ces Dieux dont l'intérêt demande son trépas.

PAULINE

Ils écoutent nos vœux.

FÉLIX

                    Eh bien! qu'il leur en fasse.

PAULINE

Au nom de l'Empereur dont vous tenez la place...

FÉLIX

J'ai son pouvoir en main, mais s'il me l'a commis,
C'est pour le déployer contre ses ennemis.   920

PAULINE

Polyeucte l'est-il?

FÉLIX

                    Tous chrétiens sont rebelles.

PAULINE

N'écoutez point pour lui ces maximes cruelles :
En épousant Pauline il s'est fait votre sang.

FÉLIX

Je regarde sa faute et ne vois plus son rang.
925 Quand le crime d'État se mêle au sacrilège,
Le sang ni l'amitié n'ont plus de privilège.

PAULINE

Quel excès de rigueur !

FÉLIX

                    Moindre que son forfait.

PAULINE

O de mon songe affreux trop véritable effet !
Voyez-vous qu'avec lui vous perdez votre fille ?

FÉLIX

930 Les Dieux et l'Empereur sont plus que ma famille.

PAULINE

La perte de tous deux ne vous peut arrêter !

FÉLIX

J'ai les Dieux et Décie ensemble à redouter.
Mais nous n'avons encore à craindre rien de triste.
Dans son aveuglement pensez-vous qu'il persiste ?
935 S'il nous semblait tantôt courir à son malheur,
C'est d'un nouveau chrétien la première chaleur.

PAULINE

Si vous l'aimez encor, quittez cette espérance,
Que deux fois en un jour il change de croyance.
Outre que les chrétiens ont plus de dureté,
940 Vous attendez de lui trop de légèreté.
Ce n'est point une erreur avec le lait sucée,
Que sans l'examiner son âme ait embrassée :
Polyeucte est chrétien parce qu'il l'a voulu,
Et vous portait au temple un esprit résolu.
945 Vous devez présumer de lui comme du reste,
Le trépas n'est pour eux ni honteux ni funeste,
Ils cherchent de la gloire à mépriser nos Dieux,
Aveugles pour la terre, ils aspirent aux cieux,
Et croyant que la mort leur en ouvre la porte,
950 Tourmentés, déchirés, assassinés, n'importe,
Les supplices leur sont ce qu'à nous les plaisirs
Et les mènent au but où tendent leurs désirs :
La mort la plus infâme, ils l'appellent martyre.

FÉLIX

Eh bien donc ! Polyeucte aura ce qu'il désire.
955 N'en parlons plus.

PAULINE

Mon père...

Scène IV : Félix, Albin, Pauline,
Stratonice.

FÉLIX

                    Albin, en est-ce fait ?

ALBIN

Oui, Seigneur, et Néarque a payé son forfait.

FÉLIX

Et notre Polyeucte a vu trancher sa vie ?

ALBIN

Il l'a vu, mais hélas ! avec un œil d'envie.

Il brûle de le suivre, au lieu de reculer,
Et son cœur s'affermit, au lieu de s'ébranler.

PAULINE

Je vous le disais bien. Encore un coup, mon père,
Si jamais mon respect a pu vous satisfaire,
Si vous l'avez prisé, si vous l'avez chéri...

FÉLIX

Vous aimez trop, Pauline, un indigne mari.

PAULINE

Je l'ai de votre main : mon amour est sans crime,
Il est de votre choix la glorieuse estime,
Et j'ai, pour l'accepter, éteint le plus beau feu
Qui d'une âme bien née ait mérité l'aveu.
    Au nom de cette aveugle et prompte obéissance
Que j'ai toujours rendue aux lois de la naissance,
Si vous avez pu tout sur moi, sur mon amour,
Que je puisse sur vous quelque chose à mon tour !
Par ce juste pouvoir à présent trop à craindre,
Par ces beaux sentiments qu'il m'a fallu contraindre,
Ne m'ôtez pas vos dons : ils sont chers à mes yeux
Et m'ont assez coûté pour m'être précieux.

FÉLIX   [tendre,

Vous m'importunez trop : bien que j'aye un cœur
Je n'aime la pitié qu'au prix que j'en veux prendre,
Employez mieux l'effort de vos justes douleurs, [pleurs,
Malgré moi m'en toucher, c'est perdre et temps et
J'en veux être le maître, et je veux bien qu'on sache
Que je la désavoue alors qu'on me l'arrache.
Préparez-vous à voir ce malheureux chrétien,
Et faites votre effort quand j'aurai fait le mien.
Allez : n'irritez plus un père qui vous aime,
Et tâchez d'obtenir votre époux de lui-même.
Tantôt jusqu'en ce lieu je le ferai venir.
Cependant quittez-nous, je veux l'entretenir.

PAULINE

De grâce, permettez...

FÉLIX

                    Laissez-nous seuls, vous dis-je :
Votre douleur m'offense autant qu'elle m'afflige.
A gagner Polyeucte appliquez tous vos soins,
Vous avancerez plus en m'importunant moins.

Scène V : Félix, Albin.

FÉLIX

Albin, comme est-il mort ?

ALBIN

                    En brutal, en impie,
En bravant les tourments, en dédaignant la vie,
Sans regret, sans murmure et sans étonnement,
Dans l'obstination et l'endurcissement,
Comme un chrétien enfin, le blasphème à la bouche.

FÉLIX

Et l'autre ?

ALBIN

            Je l'ai dit déjà, rien ne le touche.
Loin d'en être abattu, son cœur en est plus haut.
On l'a violenté pour quitter l'échafaud.
Il est dans la prison où je l'ai vu conduire,
Mais vous êtes bien loin encor de le réduire.

FÉLIX

Que je suis malheureux !

ALBIN

Tout le monde vous plaint.

FÉLIX

On ne sait pas les maux dont mon cœur est atteint :
De pensers sur pensers mon âme est agitée,
De soucis sur soucis elle est inquiétée;
Je sens l'amour, la haine et la crainte et l'espoir,
La joie et la douleur tour à tour l'émouvoir.
J'entre en des sentiments qui ne sont pas croyables,
J'en ai de violents, j'en ai de pitoyables,
J'en ai de généreux qui n'oseraient agir,
J'en ai même de bas et qui me font rougir.
J'aime ce malheureux que j'ai choisi pour gendre,
Je hais l'aveugle erreur qui le vient de surprendre,
Je déplore sa perte, et le voulant sauver,
J'ai la gloire des Dieux ensemble à conserver.
Je redoute leur foudre et celui de Décie;
Il y va de ma charge, il y va de ma vie.
Ainsi tantôt pour lui je m'expose au trépas,
Et tantôt je le perds pour ne me perdre pas.

ALBIN

Décie excusera l'amitié d'un beau-père
Et d'ailleurs Polyeucte est d'un sang qu'on révère.

FÉLIX

A punir les chrétiens son ordre est rigoureux,
Et plus l'exemple est grand, plus il est dangereux.
On ne distingue point quand l'offense est publique,
Et lorsqu'on dissimule un crime domestique,
Par quelle autorité peut-on, par quelle loi,
Châtier en autrui ce qu'on souffre chez soi ?

ALBIN

Si vous n'osez avoir d'égard à sa personne,
Écrivez à Décie afin qu'il en ordonne.

FÉLIX

Sévère me perdrait, si j'en usais ainsi.
Sa haine et son pouvoir font mon plus grand souci;
Si j'avais différé de punir un tel crime,
Quoiqu'il soit généreux, quoiqu'il soit magnanime,
Il est homme et sensible, et je l'ai dédaigné,
Et de tant de mépris son esprit indigné,
Que met au désespoir cet hymen de Pauline,
Du courroux de Décie obtiendrait ma ruine.
Pour venger un affront tout semble être permis,
Et les occasions tentent les plus remis.
Peut-être, et ce soupçon n'est pas sans apparence,
Il rallume en son cœur déjà quelque espérance,
Et croyant bientôt voir Polyeucte puni,
Il rappelle un amour à grand'peine banni.
Juge si sa colère, en ce cas implacable,
Me ferait innocent de sauver un coupable,
Et s'il m'épargnerait, voyant par mes bontés
Une seconde fois ses desseins avortés.
Te dirai-je un penser indigne, bas et lâche ?
Je l'étouffe, il renaît; il me flatte et me fâche.
L'ambition toujours me le vient présenter,
Et tout ce que je puis, c'est de le détester.
Polyeucte est ici l'appui de ma famille,
Mais si, par son trépas l'autre épousait ma fille,

J'acquerrais bien par là de plus puissants appuis,   1055
Qui me mettraient plus haut cent fois que je ne suis.
Mon cœur en prend par force une maligne joie,
Mais que plutôt le ciel à tes yeux me foudroie,
Qu'à des pensers si bas je puisse consentir,
Que jusque-là ma gloire ose se démentir !   1060

ALBIN

Votre cœur est trop bon et votre âme trop haute.
Mais vous résolvez-vous à punir cette faute ?

FÉLIX

Je vais dans la prison faire tout mon effort
A vaincre cet esprit par l'effroi de la mort,
Et nous verrons après ce que pourra Pauline.   1065

ALBIN

Que ferez-vous enfin, si toujours il s'obstine ?

FÉLIX

Ne me presse point tant : dans un tel déplaisir
Je ne puis que résoudre [22], et ne sais que choisir.

ALBIN

Je dois vous avertir, en serviteur fidèle,
Qu'en sa faveur déjà la ville se rebelle,   1070
Et ne peut voir passer par la rigueur des lois
Sa dernière espérance et le sang de ses rois.
Je tiens sa prison même assez mal assurée,
J'ai laissé tout autour une troupe éplorée,
Je crains qu'on ne la force.

FÉLIX

Il faut donc l'en tirer.   1075
Et l'amener ici pour nous en assurer.

ALBIN

Tirez-l'en donc vous-même, et d'un espoir de grâce
Apaisez la fureur de cette populace [23]

FÉLIX

Allons, et s'il persiste à demeurer chrétien,
Nous en disposerons sans qu'elle en sache rien.   1080

ACTE QUATRIÈME

Scène I : Polyeucte, Cléon, trois autres gardes.

POLYEUCTE

Gardes, que me veut-on ?

CLÉON

Pauline vous demande.

POLYEUCTE

O présence, ô combat que surtout j'appréhende !
Félix, dans la prison j'ai triomphé de toi,
J'ai ri de ta menace, et t'ai vu sans effroi :
Tu prends pour t'en venger de plus puissantes armes; 1085
Je craignais beaucoup moins tes bourreaux que ses
                          [larmes.
Seigneur, qui vois ici les périls que je cours,
En ce pressant besoin redouble ton secours;
Et toi qui, tout sortant encor de la victoire,

22. *Je ne puis que*, latinisme, qui évite ici la répétition de :
je ne sais que.
23. Si Corneille, en théorie, condamne un pouvoir populaire,
il tient compte, en bon théoricien de la monarchie, de la
valeur de l'opinion publique. Elle est présente dans *le Cid*,
dans *Horace*, dans *Cinna*, lorsque Auguste songe à abdiquer.
Elle agit dans *Nicomède*, dans *Pertharite*.

1090 Regarde mes travaux du séjour de la gloire,
Cher Néarque, pour vaincre un si fort ennemi,
Prête du haut du ciel la main à ton ami.
    Gardes, oseriez-vous me rendre un bon office ?
Non pour me dérober aux rigueurs du supplice,
1095 Ce n'est pas mon dessein qu'on me fasse évader,
Mais comme il suffira de trois à me garder,
L'autre m'obligerait d'aller querir Sévère.
Je crois que sans péril on peut me satisfaire :
Si j'avais pu lui dire un secret important,
1100 Il vivrait plus heureux et je mourrais content.

            CLÉON
Si vous me l'ordonnez, j'y cours en diligence.

          POLYEUCTE
Sévère, à mon défaut, fera ta récompense.
Va, ne perds point de temps et reviens promptement.

            CLÉON
Je serai de retour, Seigneur, dans un moment.

        Scène II : Polyeucte.
   Les gardes se retirent aux coins du théâtre.

1105 Source délicieuse en misères féconde,
Que voulez-vous de moi, flatteuses voluptés ?
Honteux attachements de la chair et du monde,
Que ne me quittez-vous quand je vous ai quittés ?
Allez, honneurs, plaisirs, qui me livrez la guerre :
1110   Toute votre félicité
     Sujette à l'instabilité
     En moins de rien tombe par terre,
     Et comme elle a l'éclat du verre
     Elle en a la fragilité.

1115 Ainsi n'espérez pas qu'après vous je soupire :
Vous étalez en vain vos charmes impuissants,
Vous me montrez en vain par tout ce vaste empire
Les ennemis de Dieu pompeux et florissants.
Il étale à son tour des revers équitables
1120   Par qui les grands sont confondus,
     Et les glaives qu'il tient pendus
     Sur les plus fortunés coupables
     Sont d'autant plus inévitables
     Que leurs coups sont moins attendus.

1125 Tigre altéré de sang, Décie impitoyable,
Ce Dieu t'a trop longtemps abandonné les siens ;
De ton heureux destin vois la suite effroyable,
Le Scythe va venger la Perse et les chrétiens.
Encore un peu plus outre et ton heure est venue.
1130   Rien ne t'en saurait garantir,
     Et la foudre qui va partir,
     Toute prête à crever la nue,
     Ne peut plus être retenue
     Par l'attente du repentir.

1135 Que cependant Félix m'immole à ta colère,
Qu'un rival plus puissant éblouisse ses yeux,
Qu'aux dépens de ma vie il s'en fasse beau-père,
Et qu'à titre d'esclave il commande en ces lieux.
Je consens, ou plutôt j'aspire à ma ruine.
1140   Monde, pour moi tu n'as plus rien :

     Je porte en un cœur tout chrétien
     Une flamme toute divine
     Et je ne regarde Pauline
     Que comme un obstacle à mon bien.

Saintes douleurs du ciel, adorables idées,
Vous remplissez un cœur qui vous peut recevoir ;
De vos sacrés attraits les âmes possédées
Ne conçoivent plus rien qui les puisse émouvoir.
Vous promettez beaucoup et donnez davantage.
     Vos biens ne sont point inconstants
     Et l'heureux trépas que j'attends
     Ne vous sert que d'un doux passage
     Pour nous introduire au partage
     Qui nous rend à jamais contents.

C'est vous, ô feu divin que rien ne peut éteindre,
Qui m'allez faire voir Pauline sans la craindre.
Je la vois, mais mon cœur d'un saint zèle enflammé
N'en goûte plus l'appas dont il était charmé ;
Et mes yeux éclairés des célestes lumières
Ne trouvent plus aux siens leurs grâces coutumières.

     Scène III : Polyeucte, Pauline, gardes.

          POLYEUCTE
Madame, quel dessein vous fait me demander ?
Est-ce pour me combattre ou pour me seconder ?
Cet effort généreux de votre amour parfaite
Vient-il à mon secours, vient-il à ma défaite ?
Apportez-vous ici la haine ou l'amitié,
Comme mon ennemie ou ma chère moitié ?

          PAULINE
Vous n'avez point ici d'ennemi que vous-même :
Seul vous vous haïssez, lorsque chacun vous aime,
Seul vous exécutez tout ce que j'ai rêvé :
Ne veuillez pas vous perdre, et vous êtes sauvé.
A quelque extrémité que votre crime passe,
Vous êtes innocent si vous vous faites grâce.
Daignez considérer le sang dont vous sortez,
Vos grandes actions, vos rares qualités :
Chéri de tout le peuple, estimé chez le prince,
Gendre du gouverneur de toute la province,
Je ne vous compte à rien le nom de mon époux :
C'est un bonheur pour moi qui n'est pas grand pour vous ;
Mais après vos exploits, après votre naissance,
Après votre pouvoir, voyez notre espérance,
Et n'abandonnez pas à la main du bourreau
Ce qu'à nos justes vœux promet un sort si beau.

          POLYEUCTE
Je considère plus, je sais mes avantages
Et l'espoir que sur eux forment les grands courages :
Ils n'aspirent enfin qu'à des biens passagers,
Que troublent les soucis, que suivent les dangers ;
La mort nous les ravit, la fortune s'en joue,
Aujourd'hui dans le trône, et demain dans la boue,
Et leur plus haut éclat fait tant de mécontents
Que peu de vos Césars en ont joui longtemps.
  J'ai de l'ambition, mais plus noble et plus belle :
Cette grandeur périt, j'en veux une immortelle,
Un bonheur assuré, sans mesure et sans fin,

Au-dessus de l'envie, au-dessus du destin.
Est-ce trop l'acheter que d'une triste vie
Qui tantôt, qui soudain me peut être ravie,
Qui me fait jouir que d'un instant qui fuit,
Et ne peut m'assurer de celui qui le suit?

PAULINE

Voilà de vos chrétiens les ridicules songes,   [songes.
Voilà jusqu'à quel point vous charment leurs men-
Tout votre sang est peu pour un bonheur si doux!
Mais pour en disposer, ce sang est-il à vous?
Vous n'avez pas la vie ainsi qu'un héritage,
Le jour qui vous la donne en même temps l'engage,
Vous la devez au prince, au public, à l'État.

POLYEUCTE

Je la voudrais pour eux perdre dans un combat,
Je sais quel en est l'heur, et quelle en est la gloire.
Des aïeux de Décie on vante la mémoire,
Et ce nom, précieux encore à vos Romains,
Au bout de six cents ans lui met l'empire aux mains.
Je dois ma vie au peuple, au prince, à sa couronne,
Mais je la dois bien plus au Dieu qui me la donne.
Si mourir pour son prince est un illustre sort,
Quand on meurt pour son Dieu, quelle sera la mort!

PAULINE

Quel Dieu!

POLYEUCTE

                Tout beau, Pauline : il entend vos paroles,
Et ce n'est pas un Dieu comme vos dieux frivoles,
Insensibles et sourds, impuissants, mutilés,
De bois, de marbre, ou d'or, comme vous les voulez,
C'est le Dieu des chrétiens, c'est le mien, c'est le vôtre,
Et la terre et le ciel n'en connaissent point d'autre.

PAULINE

Adorez-le dans l'âme, et n'en témoignez rien.

POLYEUCTE

Que je sois tout ensemble idolâtre et chrétien!

PAULINE

Ne feignez qu'un moment, laissez partir Sévère,
Et donnez lieu d'agir aux bontés de mon père.

POLYEUCTE

Les bontés de mon Dieu sont bien plus à chérir :
Il m'ôte des périls que j'aurais pu courir,
Et sans me laisser lieu de tourner en arrière,
Sa faveur me couronne entrant dans la carrière;
Du premier coup de vent il me conduit au port,
Et sortant du baptême, il m'envoie à la mort.
Si vous pouviez comprendre et le peu qu'est la vie,
Et de quelles douceurs cette mort est suivie!
Mais que sert de parler de ces trésors cachés
A des esprits que Dieu n'a pas encor touchés?

PAULINE

Cruel, car il est temps que ma douleur éclate,
Et qu'un juste reproche accable une âme ingrate,
Est-ce là ce beau feu, sont-ce là tes serments?
Témoignes-tu pour moi les moindres sentiments?
Je ne te parlais point de l'état déplorable
Où ta mort va laisser ta femme inconsolable,
Je croyais que l'amour t'en parlerait assez,
Et je ne voulais pas de sentiments forcés.
Mais cette amour si ferme et si bien méritée

Que tu m'avais promise, et que je t'ai portée,
Quand tu me veux quitter, quand tu me fais mourir,   1245
Te peut-elle arracher une larme, un soupir?
Tu me quittes, ingrat, et le fais avec joie,
Tu ne la caches pas, tu veux que je la voie,
Et ton cœur, insensible à ces tristes appas,
Se figure un bonheur où je ne serai pas!   1250
C'est donc là le dégoût qu'apporte l'hyménée?
Je te suis odieuse après m'être donnée!

POLYEUCTE

Hélas!

PAULINE

            Que cet hélas a de peine à sortir!
Encor s'il commençait un heureux repentir,
Que tout forcé qu'il est, j'y trouverais de charmes!   1255
Mais courage, il s'émeut, je vois couler des larmes.

POLYEUCTE

J'en verse, et plût à Dieu qu'à force d'en verser
Ce cœur trop endurci se pût enfin percer!
Le déplorable état où je vous abandonne
Est bien digne des pleurs que mon amour vous donne,   1260
Et si l'on peut au ciel sentir quelques douleurs,
J'y pleurerai pour vous l'excès de vos malheurs.
Mais si, dans ce séjour de gloire et de lumière,
Ce Dieu tout juste et bon peut souffrir ma prière,
S'il y daigne écouter un conjugal amour,   1265
Sur votre aveuglement il répandra le jour.
Seigneur, de vos bontés il faut que je l'obtienne;
Elle a trop de vertus pour n'être pas chrétienne :
Avec trop de mérite il vous plut la former,
Pour ne pas vous connaître et ne vous pas aimer,   1270
Pour vivre des enfers esclave infortunée,
Et sous leur triste joug mourir comme elle est née.

PAULINE

Que dis-tu, malheureux, qu'oses-tu souhaiter?

POLYEUCTE

Ce que de tout mon sang je voudrais acheter.

PAULINE

Que plutôt...

POLYEUCTE

                C'est en vain qu'on se met en défense :   1275
Ce Dieu touche les cœurs lorsque moins on y pense.
Ce bienheureux moment n'est pas encor venu;
Il viendra, mais le temps ne m'en est pas connu.

PAULINE

Quittez cette chimère, et m'aimez.

POLYEUCTE

                            Je vous aime,
Beaucoup moins que mon Dieu, mais bien plus que   1280
                                            [moi-même.

PAULINE

Au nom de cet amour, ne m'abandonnez pas.

POLYEUCTE

Au nom de cet amour, daignez suivre mes pas.

PAULINE

C'est peu de me quitter, tu veux donc me séduire?

POLYEUCTE

C'est peu d'aller au ciel, je vous y veux conduire.

PAULINE

Imaginations!   1285

POLYEUCTE
Célestes vérités!
PAULINE
Étrange aveuglement!
POLYEUCTE
Éternelles clartés!
PAULINE
Tu préfères la mort à l'amour de Pauline!
POLYEUCTE
Vous préférez le monde à la bonté divine!
PAULINE
Va, cruel, va mourir : tu ne m'aimas jamais.
POLYEUCTE
1290 Vivez heureuse au monde, et me laissez en paix.
PAULINE
Oui, je t'y vais laisser, ne t'en mets plus en peine;
Je vais...

Scène IV : Polyeucte, Pauline, Sévère,
Fabian, gardes.

PAULINE
Mais quel dessein en ce lieu vous amène,
Sévère? Aurait-on cru qu'un cœur si généreux
Pût venir jusqu'ici braver un malheureux?
POLYEUCTE
1295 Vous traitez mal, Pauline, un si rare mérite :
A ma seule prière il rend cette visite.
Je vous ai fait, Seigneur, une incivilité
Que vous pardonnerez à ma captivité.
Possesseur d'un trésor dont je n'étais pas digne,
1300 Souffrez avant ma mort que je vous le résigne,
Et laisse la vertu la plus rare à nos yeux
Qu'une femme jamais pût recevoir des cieux
Aux mains du plus vaillant et du plus honnête homme
Qu'ait adoré la terre et qu'ait vu naître Rome.
1305 Vous êtes digne d'elle, elle est digne de vous,
Ne la refusez pas de la main d'un époux,
S'il vous a désunis, sa mort vous va rejoindre.
Qu'un feu jadis si beau n'en devienne pas moindre,
Rendez-lui votre cœur, et recevez sa foi,
1310 Vivez heureux ensemble, et mourez comme moi :
C'est le bien qu'à tous deux Polyeucte désire.
Qu'on me mène à la mort, je n'ai plus rien à dire.
Allons, gardes, c'est fait.

Scène V : Sévère, Pauline, Fabian.

SÉVÈRE
Dans mon étonnement,
Je suis confus pour lui de son aveuglement;
1315 Sa résolution a si peu de pareilles,
Qu'à peine je me fie encore à mes oreilles;
Un cœur qui vous chérit (mais quel cœur assez bas
Aurait pu vous connaître, et ne vous chérir pas?),
Un homme aimé de vous, sitôt qu'il vous possède,
1320 Sans regret il vous quitte; il fait plus, il vous cède,
Et comme si vos feux étaient un don fatal,
Il en fait un présent lui-même à son rival!
Certes ou les chrétiens ont d'étranges manies,

Ou leurs félicités doivent être infinies,
Puisque, pour y prétendre, ils osent rejeter
Ce que de tout l'empire il faudrait acheter.
Pour moi, si mes destins, un peu plus tôt propices,
Eussent de votre hymen honoré mes services,
Je n'aurais adoré que l'éclat de vos yeux,
J'en aurais fait mes rois, j'en aurais fait mes Dieux,
On m'aurait mis en poudre, on m'aurait mis en cendre,
Avant que...
PAULINE
Brisons là : je crains de trop entendre,
Et que cette chaleur qui sent vos premiers feux,
Ne pousse quelque suite indigne de tous deux.
Sévère, connaissez Pauline tout entière.
Mon Polyeucte touche à son heure dernière :
Pour achever de vivre il n'a plus qu'un moment,
Vous en êtes la cause, encor qu'innocemment.
Je ne sais si votre âme, à vos désirs ouverte,
Aurait osé former quelque espoir sur sa perte,
Mais sachez qu'il n'est point de si cruel trépas
Où d'un front assuré je ne porte mes pas,
Qu'il n'est point aux enfers d'horreurs que je n'endure,
Plutôt que de souiller une gloire si pure,
Que d'épouser un homme, après son triste sort,
Qui de quelque façon soit cause de sa mort;
Et si vous me croyiez d'une âme si peu saine,
L'amour que j'eus pour vous tournerait tout en haine.
Vous êtes généreux, soyez-le jusqu'au bout. .
Mon père est en état de vous accorder tout,
Il vous craint, et j'avance encor cette parole,
Que s'il perd mon époux, c'est à vous qu'il l'immole.
Sauvez ce malheureux, employez-vous pour lui,
Faites-vous un effort pour lui servir d'appui.
Je sais que c'est beaucoup que ce que je demande,
Mais plus l'effort est grand, plus la gloire en est grande.
Conserver un rival dont vous êtes jaloux,
C'est un trait de vertu qui n'appartient qu'à vous,
Et si ce n'est assez de votre renommée,
C'est beaucoup qu'une femme autrefois tant aimée
Et dont l'amour peut-être encor vous peut toucher
Doive à votre grand cœur ce qu'elle a de plus cher :
Souvenez-vous enfin que vous êtes Sévère.
Adieu: résolvez seul ce que vous voulez faire.
Si vous n'êtes pas tel que je l'ose espérer,
Pour vous priser encor je le veux ignorer.

Scène VI : Sévère, Fabian.

SÉVÈRE
Qu'est ceci, Fabian, quel nouveau coup de foudre
Tombe sur mon bonheur et le réduit en poudre?
Plus je l'estime près, plus il est éloigné;
Je trouve tout perdu quand je crois tout gagné,
Et toujours la fortune, à me nuire obstinée,
Tranche mon espérance aussitôt qu'elle est née.
Avant qu'offrir des vœux je reçois des refus,
Toujours triste, toujours honteux et confus
De voir que lâchement elle ait osé renaître,
Qu'encor plus lâchement elle ait osé paraître,
Et qu'une femme enfin dans la calamité

Me fasse des leçons de générosité.
  Votre belle âme est haute autant que malheureuse,
Mais elle est inhumaine autant que généreuse,
Pauline, et vos douleurs avec trop de rigueur
D'un amant tout à vous tyrannisent le cœur.
C'est donc peu de vous perdre, il faut que je vous
Que je serve un rival lorsqu'il vous abandonne [donne,
Et que par un cruel et généreux effort
Pour vous rendre en ses mains, je l'arrache à la mort.

FABIAN

Laissez à son destin cette ingrate famille;
Qu'il accorde, s'il veut, le père avec la fille,
Polyeucte et Félix, l'épouse avec l'époux.
D'un si cruel effort quel prix espérez-vous?

SÉVÈRE

La gloire de montrer à cette âme si belle
Que Sévère l'égale, et qu'il est digne d'elle,
Qu'elle m'était bien due, et que l'ordre des cieux
En me la refusant m'est trop injurieux.

FABIAN

Sans accuser le sort ni le ciel d'injustice,
Prenez garde au péril qui suit un tel service.
Vous hasardez beaucoup. Seigneur, pensez-y bien.
Quoi, vous entreprenez de sauver un chrétien?
Pouvez-vous ignorer pour cette secte impie
Quelle est et fut toujours la haine de Décie?
C'est un crime vers lui si grand, si capital,
Qu'à votre faveur même il peut être fatal.

SÉVÈRE

Cet avis serait bon pour quelque âme commune.
S'il tient entre ses mains ma vie et ma fortune,
Je suis encor Sévère, et tout ce grand pouvoir
Ne peut rien sur ma gloire et rien sur mon devoir.
Ici l'honneur m'oblige et j'y veux satisfaire;
Qu'après le sort se montre ou propice ou contraire,
Comme son naturel est toujours inconstant,
Périssant glorieux, je périrai content.
  Je te dirai bien plus, mais avec confidence :
La secte des chrétiens n'est pas ce que l'on pense;
On les hait; la raison, je ne la connais point,
Et je ne vois Décie injuste qu'en ce point.
Par curiosité j'ai voulu les connaître,
On les tient pour sorciers dont l'enfer est le maître,
Et sur cette croyance on punit du trépas
Des mystères secrets que nous n'entendons pas.
Mais Cérès Éleusine et la Bonne Déesse ²⁴
Ont leurs secrets, comme eux, à Rome et dans la Grèce;
Encore impunément nous souffrons en tous lieux,
Leur nom seul excepté, toutes sortes de Dieux : [Rome.
Tous les monstres d'Égypte ont leurs temples dans
Nos aïeux à leur gré faisaient un Dieu d'un homme,
Et leur sang parmi nous conservent leurs erreurs,
Nous remplissons le ciel de tous nos Empereurs;
Mais à parler sans fard de tant d'apothéoses ²⁵,

---

24. Cérès Éleusine : c'est la Déméter des Grecs, dont le
principal temple était à Éleusis. Son culte tend à supplanter
celui de la Bonne Déesse, fille de Faunus, qui assume le même
rôle de terre nourricière.
25. Tel est le sens primitif étroit du mot *apothéose* : la divi-
nisation de l'Empereur.

L'effet est bien douteux de ces métamorphoses.
  Les chrétiens n'ont qu'un Dieu, maître absolu de
De qui le seul pouvoir fait tout ce qu'il résout, [tout, 1430
Mais si j'ose entre nous dire ce qu'il me semble,
Les nôtres bien souvent s'accordent mal ensemble,
Et me dût leur colère écraser à tes yeux,
Nous en avons beaucoup pour être de vrais Dieux.
Enfin chez les chrétiens les mœurs sont innocentes,   1435
Les vices détestés, les vertus florissantes,
Il font des vœux pour nous qui les persécutons,
Et depuis tant de temps que nous les tourmentons,
Les a-t-on vus mutins? les a-t-on vus rebelles?
Nos princes ont-ils eu des soldats plus fidèles?   1440
Furieux dans la guerre, ils souffrent nos bourreaux,
Et lions au combat, ils meurent en agneaux.
J'ai trop pitié d'eux pour ne les pas défendre.
Allons trouver Félix, commençons par son gendre,
Et contentons ainsi, d'une seule action,   1445
Et Pauline, et ma gloire, et ma compassion.

ACTE CINQUIÈME

Scène I : Félix, Albin, Cléon.

FÉLIX

Albin, as-tu bien vu la fourbe de Sévère,
As-tu bien vu sa haine, et vois-tu ma misère?

ALBIN

Je n'ai vu rien en lui qu'un rival généreux
Et ne vois rien en vous qu'un père rigoureux.   1450

FÉLIX

Que tu discernes mal le cœur d'avec la mine!
Dans l'âme il hait Félix et dédaigne Pauline,
Et s'il l'aima jadis, il estime aujourd'hui
Les restes d'un rival trop indignes de lui.
Il parle en sa faveur, il me prie, il menace,   1455
Et me perdra, dit-il, si je ne lui fais grâce;
Tranchant du généreux, il croit m'épouvanter,
L'artifice est trop lourd pour ne pas l'éventer.
Je sais des gens de cour quelle est la politique,
J'en connais mieux que lui la plus fine pratique.   1460
C'est en vain qu'il tempête et feint d'être en fureur,
Je vois ce qu'il prétend auprès de l'Empereur.
De ce qu'il me demande il m'y ferait un crime;
Épargnant son rival, je serais sa victime,
Et s'il avait affaire à quelque maladroit,   1465
Le piège est bien tendu, sans doute il le perdroit.
Mais un vieux courtisan est un peu moins crédule,
Il voit quand on le joue, et quand on dissimule,
Et moi j'en ai tant vu de toutes les façons
Qu'à lui-même au besoin j'en ferais des leçons.   1470

ALBIN

Dieux! que vous vous gênez par cette défiance!

FÉLIX

Pour subsister en cour c'est la haute science.
Quand un homme une fois a droit de nous haïr,
Nous devons présumer qu'il cherche à nous trahir :
Toute son amitié nous doit être suspecte.   1475
Si Polyeucte enfin n'abandonne sa secte,

Quoi que son protecteur ait pour lui dans l'esprit,
Je suivrai hautement l'ordre qui m'est prescrit.

ALBIN

Grâce, grâce, Seigneur! que Pauline l'obtienne!

FÉLIX

1480 Celle de l'Empereur ne suivrait pas la mienne,
Et loin de le tirer de ce pas dangereux,
Ma bonté ne ferait que nous perdre tous deux.

ALBIN

Mais Sévère promet...

FÉLIX

            Albin, je m'en défie,
Et connais mieux que lui la haine de Décie :
1485 En faveur des chrétiens s'il choquait son courroux,
Lui-même assurément se perdrait avec nous.
    Je veux tenter pourtant encore une autre voie.
Amenez Polyeucte, et si je le renvoie,
S'il demeure insensible à ce dernier effort,
1490 Au sortir de ce lieu qu'on lui donne la mort.

ALBIN

Votre ordre est rigoureux.

FÉLIX

                    Il faut que je le suive,
Si je veux empêcher qu'un désordre n'arrive.
Je vois le peuple ému pour prendre son parti,
Et toi-même tantôt tu m'en as averti.
1495 Dans ce zèle pour lui qu'il fait déjà paraître,
Je ne sais si longtemps j'en pourrais être maître,
Peut-être dès demain, dès la nuit, dès ce soir,
J'en verrais des effets que je ne veux pas voir,
Et Sévère aussitôt, courant à sa vengeance,
1500 M'irait calomnier de quelque intelligence.
Il faut rompre ce coup, qui me serait fatal.

ALBIN

Que tant de prévoyance est un étrange mal!
Tout vous nuit, tout vous perd, tout vous fait de
                                        [l'ombrage;
Mais voyez que sa mort mettra ce peuple en rage,
1505 Que c'est mal le guérir que le désespérer.

FÉLIX

En vain après sa mort, il voudra murmurer,
Et s'il ose venir à quelque violence,
C'est à faire à céder deux jours à l'insolence :
J'aurai fait mon devoir, quoi qu'il puisse arriver.
1510 Mais Polyeucte vient, tâchons à le sauver.
Soldats, retirez-vous, et gardez bien la porte.

Scène II : Félix, Polyeucte, Albin.

FÉLIX

As-tu donc pour la vie une haine si forte,
Malheureux Polyeucte, et la loi des chrétiens
T'ordonne-t-elle ainsi d'abandonner les tiens?

POLYEUCTE

1515 Je ne hais point la vie et j'en aime l'usage,
Mais sans attachement qui sente l'esclavage,
Toujours prêt à la rendre au Dieu dont je la tiens.
La raison me l'ordonne, et la loi des chrétiens,
Et je vous montre à tous par là comme il faut vivre,
1520 Si vous avez le cœur assez bon pour me suivre.

FÉLIX

Te suivre dans l'abîme où tu veux te jeter?

POLYEUCTE

Mais plutôt dans la gloire où je m'en vais monter.

FÉLIX

Donne-moi pour le moins le temps de la connaître :
Pour me faire chrétien, sers-moi de guide à l'être,
Et ne dédaigne pas de m'instruire en ta foi,
Ou toi-même à ton Dieu tu répondras de moi.

POLYEUCTE

N'en riez point, Félix, il sera votre juge,
Vous ne trouverez point devant lui de refuge,
Les rois et les bergers y sont d'un même rang,
De tous les siens sur vous il vengera le sang.

FÉLIX

Je n'en répandrai plus, et quoi qu'il en arrive,
Dans la foi des chrétiens je souffrirai qu'on vive :
J'en serai protecteur.

POLYEUCTE

            Non, non, persécutez,
Et soyez l'instrument de nos félicités :
Celle d'un vrai chrétien n'est que dans les souffrances;
Les plus cruels tourments lui sont des récompenses.
Dieu, qui rend le centuple aux bonnes actions,
Pour comble donne encor les persécutions.
Mais ces secrets pour vous sont fâcheux à compren-
Ce n'est qu'à ses élus que Dieu les fait entendre. [dre,

FÉLIX

Je te parle sans fard et veux être chrétien.

POLYEUCTE

Qui donc peut retarder l'effet d'un si grand bien?

FÉLIX

La présence importune...

POLYEUCTE

                    Et de qui? de Sévère?

FÉLIX

Pour lui seul contre toi j'ai feint tant de colère :
Dissimule un moment jusques à son départ.

POLYEUCTE

Félix, c'est donc ainsi que vous parlez sans fard?
Portez à vos païens, portez à vos idoles
Le sucre empoisonné que sèment vos paroles.
Un chrétien ne craint rien, ne dissimule rien :
Aux yeux de tout le monde il est toujours chrétien.

FÉLIX

Ce zèle de ta foi ne sert qu'à te séduire,
Si tu cours à la mort plutôt que de m'instruire.

POLYEUCTE

Je vous en parlerais ici hors de saison :
Elle est un don du ciel, et non de la raison,
Et c'est là que bientôt, voyant Dieu face à face,
Plus aisément pour vous j'obtiendrai cette grâce.

FÉLIX

Ta perte cependant me va désespérer.

POLYEUCTE

Vous avez en vos mains de quoi la réparer :
En vous ôtant un gendre, on vous en donne un autre,
Dont la condition répond mieux à la vôtre;
Ma perte n'est pour vous qu'un change avantageux.

FÉLIX

Cesse de me tenir ce discours outrageux.
Je t'ai considéré plus que tu ne mérites,
Mais malgré ma bonté qui croît plus tu l'irrites,
Cette insolence enfin te rendrait odieux,
Et je me vengerais aussi bien que nos Dieux.

POLYEUCTE

Quoi? vous changez bientôt d'humeur et de langage!
Le zèle de vos Dieux rentre en votre courage!
Celui d'être chrétien s'échappe et par hasard
Je vous viens d'obliger à me parler sans fard!

FÉLIX

Va, ne présume pas que quoi que je te jure,
De tes nouveaux docteurs je suive l'imposture :
Je flattais ta manie, afin de t'arracher
Du honteux précipice où tu vas trébucher,
Je voulais gagner temps, pour ménager ta vie
Après l'éloignement d'un flatteur de Décie.
Mais j'ai fait trop d'injure à nos Dieux tout-puissants :
Choisis de leur donner ton sang ou de l'encens.

POLYEUCTE

Mon choix n'est point douteux. Mais j'aperçois Pau-
O ciel!   [line.

Scène III : Félix, Polyeucte,
Pauline, Albin.

PAULINE

Qui de vous deux aujourd'hui m'assassine?
Sont-ce tous deux ensemble ou chacun à son tour?
Ne pourrai-je fléchir la nature ou l'amour?
Et n'obtiendrai-je rien d'un époux ni d'un père?

FÉLIX

Parlez à votre époux.

POLYEUCTE

Vivez avec Sévère.

PAULINE

Tigre, assassine-moi du moins sans m'outrager.

POLYEUCTE

Mon amour par pitié cherche à vous soulager :
Il voit quelle douleur dans l'âme vous possède,
Et sait qu'un autre amour en est le seul remède.
Puisqu'un si grand mérite a pu vous enflammer,
Sa présence toujours a droit de vous charmer :
Vous l'aimiez, il vous aime, et sa gloire augmentée...

PAULINE

Que t'ai-je fait, cruel, pour être ainsi traitée,
Et pour me reprocher, au mépris de ma foi
Un amour si puissant que j'ai vaincu pour toi?
Vois, pour te faire vaincre un si fort adversaire,
Quels efforts à moi-même il a fallu me faire,
Quels combats j'ai donnés pour te donner un cœur
Si justement acquis à son premier vainqueur,
Et si l'ingratitude en ton cœur ne domine,
Fais quelque effort sur toi pour te rendre à Pauline.
Apprends d'elle à forcer ton propre sentiment,
Prends sa vertu pour guide en ton aveuglement,
Souffre que de toi-même elle obtienne ta vie,
Pour vivre sous tes lois à jamais asservie.
Si tu peux rejeter de si justes désirs,

Regarde au moins ses pleurs, écoute ses soupirs,
Ne désespère pas une âme qui t'adore.

POLYEUCTE

Je vous l'ai déjà dit, et vous le dis encore,
Vivez avec Sévère ou mourez avec moi,
Je ne méprise point vos pleurs ni votre foi,   [tienne, 1610
Mais de quoi que pour vous notre amour m'entre-
Je ne vous connais plus, si vous n'êtes chrétienne.
C'en est assez, Félix, reprenez ce courroux,
Et sur cet insolent vengez vos Dieux et vous.

PAULINE

Ah! mon père, son crime à peine est pardonnable;   1615
Mais s'il est insensé, vous êtes raisonnable.
La nature est trop forte, et ses aimables traits
Imprimés dans le sang ne s'effacent jamais.
Un père est toujours père, et sur cette assurance
J'ose appuyer encore un reste d'espérance.   1620
Jetez sur votre fille un regard paternel :
Ma mort suivra la mort de ce cher criminel,
Et les Dieux trouveront sa peine illégitime,
Puisqu'elle confondra l'innocence et le crime,
Et qu'elle changera par ce redoublement,   1625
En injuste rigueur un juste châtiment.
Nos destins, par vos mains rendus inséparables,
Nous doivent rendre heureux ensemble ou misérables,
Et vous seriez cruel jusques au dernier point,
Si vous désunissiez ce que vous avez joint.   1630
Un cœur à l'autre uni jamais ne se retire,
Et pour l'en séparer il faut qu'on le déchire.
Mais vous êtes sensible à mes justes douleurs,
Et d'un œil paternel vous regardez mes pleurs.

FÉLIX

Oui, ma fille, il est vrai qu'un père est toujours père. 1635
Rien n'en peut effacer le sacré caractère :
Je porte un cœur sensible, et vous l'avez percé;
Je me joins avec vous contre cet insensé.
Malheureux Polyeucte, es-tu seul insensible
Et veux-tu rendre seul ton crime irrémissible?   1640
Peux-tu voir tant de pleurs d'un œil si détaché,
Peux-tu voir tant d'amour sans en être touché?
Ne reconnais-tu plus ni beau-père, ni femme,
Sans amitié pour l'un, et pour l'autre sans flamme?
Pour reprendre les noms et de gendre et d'époux,   1645
Veux-tu nous voir tous deux embrasser tes genoux?

POLYEUCTE

Que tout cet artifice est de mauvaise grâce!
Après avoir deux fois essayé la menace,
Après m'avoir fait voir Néarque dans la mort,
Après avoir tenté l'amour et son effort,   1650
Après m'avoir montré cette soif du baptême,
Pour opposer à Dieu l'intérêt de Dieu même,
Vous vous joignez ensemble! Ah! ruses de l'enfer!
Faut-il tant de fois vaincre avant que triompher?
Vos résolutions usent trop de remise :   1655
Prenez la vôtre enfin, puisque la mienne est prise.
Je n'adore qu'un Dieu, maître de l'univers,
Sous qui tremblent le ciel, la terre, et les enfers,
Un Dieu qui, nous aimant d'une amour infinie,
Voulut mourir pour nous avec ignominie,   1660
Et qui par un effort de cet excès d'amour,

Veut pour nous en victime être offert chaque jour.
Mais j'ai tort d'en parler à qui ne peut m'entendre.
Voyez l'aveugle erreur que vous osez défendre :
1665 Des crimes les plus noirs vous souillez tous vos Dieux,
Vous n'en punissez point qui n'ait son maître aux
La prostitution, l'adultère, l'inceste,   [cieux :
Le vol, l'assassinat, et tout ce qu'on déteste,
C'est l'exemple qu'à suivre offrent vos immortels.
1670 J'ai profané leur temple et brisé leurs autels;
Je le ferais encor si j'avais à le faire,
Même aux yeux de Félix, même aux yeux de Sévère,
Même aux yeux du sénat, aux yeux de l'Empereur.

FÉLIX

Enfin ma bonté cède à ma juste fureur :
1675 Adore-les ou meurs.

POLYEUCTE

Je suis chrétien.

FÉLIX

Impie!

Adore-les, te dis-je, ou renonce à la vie.

POLYEUCTE

Je suis chrétien.

FÉLIX

Tu l'es? O cœur trop obstiné!
Soldats, exécutez l'ordre que j'ai donné.

PAULINE

Où le conduisez-vous?

FÉLIX

A la mort.

POLYEUCTE

A la gloire.
1680 Chère Pauline, adieu, conservez ma mémoire.

PAULINE

Je te suivrai partout et mourrai si tu meurs.

POLYEUCTE

Ne suivez point mes pas ou quittez vos erreurs.

FÉLIX

Qu'on l'ôte de mes yeux et que l'on m'obéisse.
Puisqu'il aime à périr, je consens qu'il périsse...

Scène IV : Félix, Albin.

FÉLIX

1685 Je me fais violence, Albin, mais je l'ai dû :
Ma bonté naturelle aisément m'eût perdu.
Que la rage du peuple à présent se déploie,
Que Sévère en fureur tonne, éclate, foudroie,
M'étant fait cet effort, j'ai fait ma sûreté.
1690 Mais n'es-tu point surpris de cette dureté?
Vois-tu comme le sien des cœurs impénétrables,
Ou des impiétés à ce point exécrables?
Du moins j'ai satisfait mon esprit affligé :
Pour amollir son cœur je n'ai rien négligé,
1695 J'ai feint même à tes yeux des lâchetés extrêmes,
Et certes sans l'horreur de ses derniers blasphèmes,
Qui m'ont rempli soudain de colère et d'effroi,
J'aurais eu de la peine à triompher de moi.

ALBIN

Vous maudirez peut-être un jour cette victoire,
1700 Qui tient je ne sais quoi d'une action trop noire,

Indigne de Félix, indigne d'un Romain,
Répandant votre sang par votre propre main.

FÉLIX

Ainsi l'ont autrefois versé Brute et Manlie,
Mais leur gloire en a crû, loin d'en être affaiblie,
Et quand nos vieux héros avaient de mauvais sang,
Ils eussent, pour le perdre, ouvert leur propre flanc.

ALBIN

Votre ardeur vous séduit, mais quoi qu'elle vous die,
Quand vous la sentirez une fois refroidie,
Quand vous verrez Pauline et que son désespoir
Par ses pleurs et ses cris saura vous émouvoir...

FÉLIX

Tu me fais souvenir qu'elle a suivi ce traître,
Et que ce désespoir qu'elle fera paraître
De mes commandements pourra troubler l'effet :
Va donc, cours y mettre ordre et voir ce qu'elle fait,
Romps ce que ses douleurs y donneraient d'obstacle,
Tire-la, si tu peux, de ce triste spectacle,
Tâche à la consoler. Va donc, qui te retient?

ALBIN

Il n'en est pas besoin, Seigneur, elle revient.

Scène V : Félix, Pauline, Albin.

PAULINE

Père barbare, achève, achève ton ouvrage :
Cette seconde hostie est digne de ta rage,
Joins ta fille à ton gendre, ose, que tardes-tu?
Tu vois le même crime, ou la même vertu :
Ta barbarie en elle a les mêmes matières.
Mon époux en mourant m'a laissé ses lumières;
Son sang, dont tes bourreaux viennent de me couvrir,
M'a dessillé les yeux et me les vient d'ouvrir.
Je vois, je sais, je crois, je suis désabusée.
De ce bienheureux sang tu me vois baptisée,
Je suis chrétienne enfin, n'est-ce point assez dit?
Conserve en me perdant ton rang et ton crédit,
Redoute l'Empereur, appréhende Sévère :
Si tu ne veux périr, ma perte est nécessaire.
Polyeucte m'appelle à cet heureux trépas,
Je vois Néarque et lui qui me tendent les bras.
Mène, mène-moi voir tes Dieux que je déteste :
Ils n'en ont brisé qu'un, je briserai le reste.
On m'y verra braver tout ce que vous craignez,
Ces foudres impuissants qu'en leurs mains vous pei-
Et saintement rebelle aux lois de la naissance, [gnez
Une fois envers toi manquer d'obéissance.
Ce n'est point ma douleur que par là je fais voir,
C'est la grâce qui parle, et non le désespoir.
Le faut-il dire encor, Félix? je suis chrétienne!
Affermis par ma mort ta fortune et la mienne :
Le coup à l'un et l'autre en sera précieux,
Puisqu'il t'assure en terre en m'élevant aux cieux.

Scène VI : Félix, Sévère, Pauline, Albin, Fabian.

SÉVÈRE

Père dénaturé, malheureux politique,
Esclave ambitieux d'une peur chimérique,

Polyeucte est donc mort et par vos cruautés
50 Vous pensez conserver vos tristes dignités!
La faveur que pour lui je vous avais offerte,
Au lieu de le sauver, précipite sa perte!
J'ai prié, menacé, mais sans vous émouvoir,
Et vous m'avez cru fourbe ou de peu de pouvoir!
55 Eh bien! à vos dépens vous verrez que Sévère
Ne se vante jamais que de ce qu'il peut faire,
Et par votre ruine il vous fera juger
Que qui peut bien vous perdre eût pu vous protéger.
Continuez aux Dieux ce service fidèle,
60 Par de telles horreurs montrez-leur votre zèle.
Adieu, mais quand l'orage éclatera sur vous,
Ne doutez point du bras dont partiront les coups.

FÉLIX

Arrêtez-vous, Seigneur, et d'une âme apaisée
Souffrez que je vous livre une vengeance aisée.
65 Ne me reprochez plus que par mes cruautés
Je tâche à conserver mes tristes dignités :
Je dépose à vos pieds l'éclat de leur faux lustre.
Celle où j'ose aspirer est d'un rang plus illustre,
Je m'y trouve forcé par un secret appas,
70 Je cède à des transports que je ne connais pas,
Et par un mouvement que je ne puis entendre,
De ma fureur je passe au zèle de mon gendre.
C'est lui, n'en doutez point, dont le sang innocent
Pour son persécuteur prie un Dieu tout-puissant.
75 Son amour épandu sur toute la famille
Tire après lui le père aussi bien que la fille.
J'en ai fait un martyr, sa mort me fait chrétien;
J'ai fait tout son bonheur, il veut faire le mien.
C'est ainsi qu'un chrétien se venge et se courrouce.
80 Heureuse cruauté dont la suite est si douce!
Donne la main, Pauline. Apportez des liens,
Immolez à vos Dieux ces deux nouveaux chrétiens :
Je le suis, elle l'est, suivez votre colère.

PAULINE

Qu'heureusement enfin je retrouve mon père!
Cet heureux changement rend mon bonheur parfait.   1785

FÉLIX

Ma fille, il n'appartient qu'à la main qui le fait.

SÉVÈRE

Qui ne serait touché d'un si tendre spectacle?
De pareils changements ne vont point sans miracle.
Sans doute vos chrétiens, qu'on persécute en vain,
Ont quelque chose en eux qui surpasse l'humain.   1790
Ils mènent une vie avec tant d'innocence,
Que le ciel leur en doit quelque reconnaissance :
Se relever plus forts, plus ils sont abattus,
N'est pas aussi l'effet des communes vertus.
Je les aimai toujours, quoi qu'on m'en ait pu dire.   1795
Je n'en vois point mourir que mon cœur n'en soupire,
Et peut-être qu'un jour je les connaîtrai mieux.
J'approuve cependant que chacun ait ses Dieux,
Qu'il les serve à sa mode, et sans peur de la peine.
Si vous êtes chrétien, ne craignez plus ma haine;   1800
Je les aime, Félix, et de leur protecteur
Je n'en veux pas sur vous faire un persécuteur.
Gardez votre pouvoir, reprenez-en la marque,
Servez bien votre Dieu, servez votre monarque.
Je perdrai mon crédit envers Sa Majesté [26],   1805
Ou vous verrez finir cette sévérité :
Par cette injuste haine il se fait trop d'outrage.

FÉLIX

Daigne le ciel en vous achever son ouvrage,
Et pour vous rendre un jour ce que vous méritez,
Vous inspirer bientôt toutes ses vérités!   1810
Nous autres, bénissons notre heureuse aventure,
Allons à nos martyrs donner la sépulture,
Baiser leurs corps sacrés, les mettre en digne lieu,
Et faire retentir partout le nom de Dieu.

26. Anachronisme évident pour Corneille. Comme d'autres,
il est volontaire.

LA MORT DE POMPÉE

TRAGÉDIE

Une tragédie, qui porte exactement ce titre, d'un compatriote de Corneille, Chaulmer [1], fut imprimée à Paris en 1638. A en suivre l'argument, c'est exactement le sujet de Corneille. Mais Chaulmer ajoute : « Les circonstances sont de l'invention de l'auteur, dont il a enrichi un si noble sujet... » Ces enrichissements qui occupent les trois premiers actes sont l'amour de Cléopâtre pour Sextus, le fils du grand Pompée, tenté d'abandonner sa première maîtresse, Léonie... Le Père Mousson, jésuite, avait publié en 1621 une pièce latine dont les trois premiers actes sont certes bien différents de Chaulmer, mais qui coïncident exactement avec lui dans les actes IV et V.

Si, comme il est probable, Corneille doit quelque chose à ces deux devanciers, c'est le besoin de refaire un beau sujet gâché qui le pousse. La pièce fut sans doute composée dans l'hiver 1641, mais Corneille tenait certainement son sujet en réserve depuis plusieurs années.

Corneille signale lui-même les imitations de Lucain (environ quatre-vingts vers) qu'il a cru bon de faire : simple point d'appui esthétique.

L'intention de la pièce est étrangère aux visions républicaines de Lucain. Pompée d'ailleurs n'apparaît pas. Ce qui intéresse Corneille, c'est le comportement des petits États face aux grandes puissances. Machiavel conseille la prudence, la soumission, les alliances intéressées, bref une politique réaliste en calculs raisonnables. Corneille au contraire cherche à montrer que la générosité est toujours payante et que, même si elle ne l'est pas, il est des échecs, des résistances ou des morts plus belles que des victoires.

Il est peu probable qu'il faille chercher dans la Mort de Pompée une vengeance retardée contre Richelieu. Dédiée à Mazarin, comme celle de Chaulmer à Richelieu, cette pièce n'est pas une condamnation des premiers ministres. Richelieu n'est pas le conseiller Photin. Corneille, ici comme dans toutes ses grandes pièces politiques, se situe au-delà des contingences historiques.

Si la Mort de Pompée fut bien jouée durant la saison 1642-1643, c'est une troupe amputée de ses meilleurs membres, Floridor excepté, qui en eut la lourde charge. La Beaupré, actrice éprouvée mais déjà vieillissante, pouvait être néanmoins une excellente Cornélie. La femme de Floridor était vraisemblablement Cléopâtre. Restait à une nouvelle recrue, Mlle de Hornay, le rôle de Charmion. Les représentations durent être interrompues le 15 janvier, par l'incendie du théâtre. Ceci expliquerait la date du privilège : 22 janvier 1644. (Achevé d'imprimer : 16 février.)

A MONSEIGNEUR L'ÉMINENTISSIME
CARDINAL MAZARIN [2] (1644)

MONSEIGNEUR,

Je présente le grand Pompée à Votre Éminence, c'est-à-dire le plus grand personnage de l'ancienne Rome au plus illustre de la nouvelle. Je mets sous la protection du premier ministre de notre jeune roi un héros qui dans sa bonne fortune fut le protecteur de beaucoup de rois, et qui dans sa mauvaise eut encore des rois pour ses ministres. Il espère de la générosité de Votre Éminence qu'elle ne dédaignera pas de lui conserver cette seconde vie que j'ai tâché de lui redonner, et que lui rendant cette justice qu'elle fait rendre par tout le royaume, elle le vengera pleinement de la mauvaise politique de la cour d'Égypte. Il l'espère, et avec raison, puisque dans le peu de séjour qu'il a fait en France, il a déjà su de la voix publique que les maximes dont vous vous servez pour la conduite de cet État ne sont point fondées sur d'autres principes que ceux de la vertu [3]. Il a su d'elle les obligations que vous a la France de l'avoir choisie pour votre seconde mère, qui vous est d'autant plus redevable, que les grands services que vous lui rendez sont de purs effets de votre inclination et de votre zèle, et non pas des devoirs de votre naissance. Il a su d'elle que Rome s'est acquittée envers notre jeune monarque de ce qu'elle devait à ses prédécesseurs, par le présent qu'elle lui a fait de votre personne. Il a su d'elle enfin que la solidité de votre prudence et la netteté de vos lumières enfantent des conseils si avantageux pour le gouvernement qu'il semble que

1. Tout ce qu'on sait de lui est qu'il mourut en 1680, après avoir publié de très nombreuses traductions d'auteurs latins et quelques ouvrages d'histoire.
2. Mazarin (1602-1661), après une brève cabale des Grands à la mort de Louis XIII, avait succédé à Richelieu et manifesté dès le début de son ministère sa protection au poète. L'occasion était belle de souligner l'origine romaine du cardinal.

3. « La mauvaise politique de l'Égypte »... « Les maximes fondées sur la vertu » forment une profession de foi anti-machiavélique.

ce soit vous à qui par un esprit de prophétie notre Virgile ait adressé ce vers il y a plus de seize siècles :

Tu regere imperio populos, Romane, memento[4].

Voilà, MONSEIGNEUR, ce que ce grand homme a appris en apprenant à parler français :

Pauca, sed a pleno venientia pectore veri[5].

Et comme la gloire de V. É. est assez assurée sur la fidélité de cette voix publique, je n'y mêlerai point la faiblesse de mes pensées, ni la rudesse de mes expressions, qui pourraient diminuer quelque chose de son éclat ; et je n'ajouterai rien aux célèbres témoignages qu'elle vous rend, qu'une profonde vénération pour les hautes qualités qui vous les ont acquis, avec une protestation très sincère et très inviolable d'être toute ma vie, MONSEIGNEUR, DE V. É., le très humble, très obéissant et très fidèle serviteur,

CORNEILLE.

AU LECTEUR

Si je voulais faire ici ce que j'ai fait en mes derniers ouvrages, et te donner le texte ou l'abrégé des auteurs dont cette histoire est tirée, afin que tu pusses remarquer en quoi je m'en serais écarté pour l'accommoder au théâtre, je ferais un avant-propos dix fois plus long que mon poème, et j'aurais à rapporter des livres entiers de presque tous ceux qui ont écrit l'histoire romaine. Je me contenterai de t'avertir que celui dont je me suis le plus servi a été le poète Lucain[6] dont la lecture m'a rendu si amoureux de la force de ses pensées et de la majesté de son raisonnement, qu'afin d'en enrichir notre langue, j'ai fait cet effort pour réduire en poème dramatique ce qu'il a traité en épique. Tu trouveras ici cent ou deux cents vers traduits ou imités de lui. J'ai tâché de le suivre dans le reste, et de prendre son caractère quand son exemple m'a manqué : si je suis demeuré bien loin derrière, tu en jugeras. Cependant j'ai cru ne te déplaire pas de te donner ici trois passages qui ne viennent pas mal à mon sujet. Le premier est un épitaphe[7] de Pompée, prononcé par Caton dans Lucain. Les deux autres sont deux peintures de Pompée et de César, tirées de Velleius Paterculus[8]. Je les laisse en latin, de peur que ma traduction n'ôte trop de leur grâce et de leur force ; les dames se les feront expliquer.

EPITAPHIUM POMPEII MAGNI
(Cato, apud Lucanum, lib. IX.)
Civis obit, inquit, multum majoribus impar
Nosse modum juris, sed in hoc tamen utilis ævo,
Cui non ulla fuit justi reverentia : salva
Libertate potens, et solus plebe parata
Privatus servire sibi, rectorque senatus,
Sed regnantis, erat. Nil belli jure poposcit :

4. Toi, Romain, souviens-toi de gouverner les peuples.
5. Ce vers est de Lucain (*la Pharsale*, IX, 189) ; le premier mot modifié :
« Peu de paroles, mais venant d'un cœur tout sincère. »
6. Lucain (39-65 après J.-C.), poète cordouan, neveu de Sénèque, intimement lié à Néron vers l'année 59, englobé dans la disgrâce qui suivit la conjuration de Pison (62), auteur du poème épique de *la Pharsale*, à la gloire de Pompée contre César.
7. Le mot est aujourd'hui féminin.
8. Velleius Paterculus (vers 19 avant J.-C. - 31 après J.-C.), tribun sous Auguste puis sous Tibère, délégué impérial en Germanie, auteur d'*Histoires*, traduit en français en 1610.

Quæque dari voluit, voluit sibi posse negari.
Immodicas possedit opes, sed plura retentis
Intulit : invasit ferrum ; sed ponere norat.
Prætulit arma togæ, sed pacem armatus amavit.
Juvit sumpta ducem, juvit dimissa potestas.
Casta domus, luxuque carens, corruptaque nunquam
Fortuna domini. Clarum et venerabile nomen
Gentibus, et multum nostræ quod proderat urbi.
Olim vera fides, Sylla Marioque receptis,
Libertatis obit : Pompeio rebus adempto,
Nunc et ficta perit. Non jam regnare pudebit :
Nec color imperii, nec frons erit ulla senatus.
O felix, cui summa dies fuit obvia victo,
Et cui quærendos Pharium scelus obtulit enses !
Forsitan in soceri potuisses vivere regno.
Scire mori, sors prima viris, sed proxima cogi.
Et mihi, si fatis aliena in jura venimus,
Da talem, Fortuna, Jubam : non deprecor hosti
Servari, dum me servet cervice recisa[9].

ICON POMPEII MAGNI
(Velleius Paterculus, lib. II, cap. XXIX.)
Fuit hic genitus matre Lucilia, stirpis senatoriæ, forma excellens, non ea qua flos commendatur ætatis, sed dignitate et constantia : quæ in illam conveniens amplitudinem, fortunam quoque ejus ad ultimum vitæ comitata est diem : innocentia eximius, sanctitate præcipuus, eloquentia medius ; potentiæ, quæ honoris causa ad eum deferretur, non ut ab eo occuparetur, cupidissimus : dux bello peritissimus : civis in toga (nisi ubi vereretur ne quem haberet parem), modestissimus, amicitiarum tenax, in offensis exorabilis, in reconcilianda gratia fidelissimus, in accipienda satisfactione facillimus, potentia sua nunquam aut raro ad impotentiam usus, pene omnium votorum expers, nisi numeraretur inter maxima, in civitate libera dominaque gentium, indignari, cum omnes cives jure haberet pares, quemquam æqualem dignitate conspicere.

ICON C. J. CÆSARIS
(Velleius Paterculus, lib. II, cap. XLI.)
Hic, nobilissima Juliorum genitus familia, et, quod inter omnes antiquissimos constabat, ab Anchise ac Venere deducens genus, forma omnium civium excellentissimus, vigore animi acerrimus, munificentia effusissimus, animo super humanam et naturam et fidem evectus, magnitudine cogitationum, celeritate bellandi, patientia periculorum, Magno illi Alexandro, sed sobrio, neque iracundo, simillimus : qui denique semper et somno et cibo in vitam, non in voluptatem uteretur[10].

EXAMEN (1660)

À bien considérer cette pièce, je ne crois pas qu'il y en aye sur le théâtre où l'histoire soit plus conservée et plus falsifiée tout ensemble. Elle est si connue que je n'ai osé en changer les événements, mais il s'y en trouvera peu qui soient arrivés comme je les fais arriver. Je n'y ai ajouté que ce qui regarde Cornélie, qui semble s'y offrir d'elle-même, puisque, dans la vérité historique, elle était dans le même vaisseau que son mari lorsqu'il aborda en Égypte, qu'elle le vit descendre dans la barque, où il fut assassiné à ses yeux par Septime, et

9. Vers 190-214.
10. Ces deux textes furent supprimés dans les éditions postérieures à 1655.

qu'elle fut poursuivie sur mer par les ordres de Ptolomée. C'est ce qui m'a donné occasion de feindre qu'on l'atteignit, et qu'elle fut ramenée devant César, bien que l'histoire n'en parle point. La diversité des lieux où les choses se sont passées et la longueur du temps qu'elles ont consumé dans la vérité historique m'ont réduit à cette falsification pour les ramener dans l'unité de jour et de lieu. Pompée fut massacré devant les murs de Pélusium, qu'on appelle aujourd'hui Damiette, et César prit terre à Alexandrie. Je n'ai nommé ni l'une ni l'autre ville, de peur que le nom de l'une n'arrêtât l'imagination de l'auditeur et ne lui fît remarquer malgré lui la fausseté de ce qui s'est passé ailleurs. Le lieu particulier est comme dans *Polyeucte*, un grand vestibule commun à tous les appartements du palais royal et cette unité n'a rien que de vraisemblable, qu'on se détache de la vérité historique. Le premier, le troisième et le quatrième acte y ont leur justesse manifeste; il y peut avoir quelque difficulté pour le second et le cinquième, dont Cléopâtre ouvre l'un et Cornélie l'autre. Elles sembleraient toutes deux avoir plus de raison de parler dans leur appartement, mais l'impatience de la curiosité féminine les en peut faire sortir, l'une pour apprendre plus tôt les nouvelles de la mort de Pompée ou par Achorée, qu'elle a envoyé en être témoin, ou par le premier dans ce vestibule; et l'autre, pour en savoir du combat de César et des Romains contre Ptolomée et les Égyptiens, pour empêcher que ce héros n'en aille donner à Cléopâtre avant qu'à elle et pour obtenir de lui d'autant plus tôt la permission de partir. En quoi on peut remarquer que comme elle sait qu'il est amoureux de cette reine, et qu'elle peut douter qu'au retour de son combat, les trouvant ensemble, il ne lui fasse le premier compliment, le soin qu'elle a de conserver la dignité romaine lui fait prendre la parole la première, et obliger par là César à lui répondre avant qu'il puisse dire rien à l'autre.

Pour le temps, il m'a fallu réduire en soulèvement tumultuaire une guerre qui n'a pu durer guère moins d'un an, puisque Plutarque rapporte qu'incontinent après que César fut parti d'Alexandrie, Cléopâtre accoucha de Césarion. Quand Pompée se présenta pour entrer en Égypte, cette princesse et le Roi son frère avaient chacun leur armée prête à en venir aux mains l'une contre l'autre et n'avaient garde ainsi de loger dans le même palais. César, dans ses *Commentaires*, ne parle point de ses amours avec elle, ni que la tête de Pompée lui fut présentée quand il arriva : c'est Plutarque et Lucain qui nous apprennent l'un et l'autre, mais ils ne lui font présenter cette tête que par un des ministres du Roi, nommé Théodote, et non par le Roi même, comme je l'ai fait.

Il y a quelque chose d'extraordinaire dans le titre de ce poème, qui porte le nom d'un héros qui n'y parle point; mais il ne laisse pas d'en être en quelque sorte le principal acteur, puisque sa mort est la cause unique de tout ce qui s'y passe. J'ai justifié ailleurs l'unité d'action qui s'y rencontre, par cette raison que les événements y ont une telle dépendance l'un de l'autre que la tragédie n'aurait pas été complète, si je ne l'eusse poussée jusqu'au terme où je la fais finir. C'est à ce dessein que dès le premier acte, je fais connaître la venue de César, à qui la cour d'Égypte immole Pompée pour gagner les bonnes grâces du victorieux; et ainsi il m'a fallu nécessairement faire voir quelle réception il ferait à leur lâche et cruelle politique. J'ai avancé l'âge de Ptolomée, afin qu'il pût agir et que, portant le titre de roi, il tâchât d'en soutenir le caractère. Bien que

les historiens et le poète Lucain l'appellent communément *rex puer*, « le roi enfant », il ne l'était pas à tel point qu'il ne fût en état d'épouser sa sœur Cléopâtre, comme l'avait ordonné son père. Hirtius dit qu'il était *puer jam adulta ætate*[11] et Lucain appelle Cléopâtre incestueuse, dans ce vers qu'il adresse à ce roi par apostrophe :

Incestæ sceptris cessure sorori[12]

soit qu'elle eût déjà contracté ce mariage incestueux, soit à cause qu'après la guerre d'Alexandrie et la mort de Ptolomée, César la fit épouser à son jeune frère, qu'il rétablit dans le trône : d'où l'on peut tirer une conséquence infaillible, que si le plus jeune des deux frères était en âge de se marier quand César partit d'Égypte, l'aîné en était capable quand il y arriva, puisqu'il n'y tarda pas plus d'un an.

Le caractère de Cléopâtre garde une ressemblance ennoblie par ce qu'on y peut imaginer de plus illustre. Je ne la fais amoureuse que par ambition, et en sorte qu'elle semble n'avoir point d'amour qu'en tant qu'il peut servir à sa grandeur. Quoique la réputation de la laissée la fasse passer pour une femme lascive et abandonnée à ses plaisirs, et que Lucain, peut-être en haine de César, la nomme en quelque endroit *meretrix regina*[13], et fasse dire ailleurs à l'eunuque Photin, qui gouvernait sous le nom de son frère Ptolomée

Quem non e nobis credit Cleopatra nocentem,
A quo casta fuit[14] ?

je trouve qu'à bien examiner l'histoire, elle n'avait que de l'ambition sans amour ou par politique elle se servait des avantages de sa beauté pour affermir sa fortune. Cela paraît visible, en ce que les historiens ne marquent point qu'elle ne se soit donnée qu'aux deux premiers hommes du monde, César et Antoine; et qu'après la déroute de ce dernier, elle n'épargna aucun artifice pour engager Auguste dans la même passion qu'ils avaient eue pour elle et fit voir par là qu'elle ne s'était attachée qu'à la haute puissance d'Antoine, et non pas à sa personne.

Pour le style, il est plus élevé en ce poème qu'en aucun des miens, et ce sont, sans contredit, les vers les plus pompeux que j'aye faits[15]. La gloire n'en est pas toute à moi : j'ai traduit de Lucain tout ce que j'y ai trouvé de propre à mon sujet, et comme je n'ai point fait de scrupule d'enrichir notre langue du pillage que j'ai pu faire chez lui, j'ai tâché pour le reste à entrer si bien dans sa manière de former ses pensées et de s'expliquer que ce qu'il m'a fallu y joindre du mien sentît son génie, et ne fût pas indigne d'être pris pour un larcin que je lui eusse fait. J'ai parlé, en l'examen de *Polyeucte*, de ce que je trouve à dire en la confidence que fait Cléopâtre à Charmion au second acte; et je ne me veux rien qu'un mot touchant les narrations d'Achorée, qui ont toujours passé pour fort belles : en quoi je ne veux pas aller contre le jugement du public, mais seulement faire remarquer de nouveau que celui qui les fait et les personnes qui les écoutent ont l'esprit assez tran-

11. Un enfant déjà grand.
12. Toi qui vas céder le trône à une sœur incestueuse.
13. Une reine courtisane.
14. Qui de nous Cléopâtre ne considère-t-elle pas coupable de n'avoir pas été son amant?
15. Le mot *pompeux* n'impliquait au XVIIe siècle aucune idée péjorative. Corneille l'a en outre lui-même défini comme bien différent de l'emphase dont il avait horreur. Cf. *Discours*, page 827.

quille pour avoir toute la patience qu'il y faut donner. Celle du troisième acte, qui est à mon gré la plus magnifique, a été accusée de n'être pas reçue par une personne digne de la recevoir; mais bien que Charmion qui l'écoute ne soit qu'une domestique de Cléopâtre, qu'on peut toutefois prendre pour sa dame d'honneur, étant envoyée exprès par cette reine pour l'écouter, elle tient lieu de cette reine même, qui cependant montre un orgueil digne d'elle, d'attendre la visite de César dans sa chambre sans aller au-devant de lui. D'ailleurs Cléopâtre eût rompu tout le reste de ce troisième acte, si elle s'y fût montrée; et il m'a fallu la cacher par adresse de théâtre, et trouver pour cela dans l'action un prétexte qui fût glorieux pour elle, et qui ne laissât point paraître le secret de l'art qui m'obligeait à l'empêcher de se produire.

ACTEURS [16]

JULES CÉSAR.
MARC ANTOINE.
LÉPIDE.
CORNÉLIE, *femme de Pompée.*
PTOLOMÉE, *roi d'Égypte.*
CLÉOPATRE, *sœur de Ptolomée.*
PHOTIN, *chef du conseil d'Égypte.*
ACHILLAS, *lieutenant général des armées du roi d'Égypte.*
SEPTIME, *tribun romain, à la solde du roi d'Égypte.*
CHARMION, *dame d'honneur de Cléopâtre.*
ACHORÉE, *écuyer de Cléopâtre.*
PHILIPPE, *affranchi de Pompée.*
TROUPE DE ROMAINS.
TROUPE D'ÉGYPTIENS.

La scène est en Alexandrie, dans le palais de Ptolomée.

ACTE PREMIER

Scène I : Ptolomée, Photin, Achillas, Septime.

PTOLOMÉE

Le destin se déclare, et nous venons d'entendre
Ce qu'il a résolu du beau-père et du gendre.
Quand les Dieux étonnés semblaient se partager,
Pharsale a décidé ce qu'ils n'osaient juger.
Ses fleuves teints de sang, et rendus plus rapides
Par le débordement de tant de parricides,
Cet horrible débris d'aigles, d'armes, de chars,
Sur ses champs empestés confusément épars,
Ces montagnes de morts privés d'honneurs suprêmes,
Que la nature force à se venger eux-mêmes
Et dont les troncs pourris exhalent dans les vents
De quoi faire la guerre au reste des vivants,
Sont les titres affreux dont le droit de l'épée,
Justifiant César, a condamné Pompée.
Ce déplorable chef du parti le meilleur,

Que sa fortune lasse abandonne au malheur,
Devient un grand exemple, et laisse à la mémoire
Des changements du sort une éclatante histoire.
Il fuit, lui qui toujours triomphant et vainqueur
Vit ses prospérités égaler son grand cœur,   20
Il fuit, et dans nos ports, dans nos murs, dans nos villes,
Et contre son beau-père ayant besoin d'asiles,
Sa déroute orgueilleuse en cherche aux mêmes lieux
Où contre les Titans en trouvèrent les Dieux :
Il croit que ce climat, en dépit de la guerre,   25
Ayant sauvé le ciel, sauvera bien la terre,
Et dans son désespoir à la fin se mêlant,
Pourra prêter l'épaule au monde chancelant.
Oui, Pompée avec lui porte le sort du monde,
Et veut que notre Égypte, en miracles féconde,   30
Serve à sa liberté de sépulcre ou d'appui,
Et relève sa chute, ou trébuche sous lui.
     C'est de quoi, mes amis, nous avons à résoudre.
Il apporte en ces lieux les palmes ou la foudre :
S'il couronna le père, il hasarde le fils,   35
Et nous l'ayant donnée, il expose Memphis.
Il faut le recevoir ou hâter son supplice,
Le suivre ou le pousser dedans le précipice.
L'un me semble peu sûr, l'autre peu généreux,
Et je crains d'être injuste, et d'être malheureux.   40
Quoi que je fasse enfin, la fortune ennemie
M'offre bien des périls, ou beaucoup d'infamie :
C'est à moi de choisir, c'est à vous d'aviser
A quel choix vos conseils doivent me disposer.
Il s'agit de Pompée, et nous aurons la gloire   45
D'achever de César ou troubler la victoire,
Et je puis dire enfin que jamais potentat
N'eut à délibérer d'un si grand coup d'État.

PHOTIN

Seigneur, quand par le fer les choses sont vidées,
La justice et le droit sont de vaines idées,   50
Et qui veut être juste en de telles saisons,
Balance le pouvoir, et non pas les raisons.
     Voyez donc votre force et regardez Pompée,
Sa fortune abattue et sa valeur trompée.
César n'est pas le seul qu'il fuie en cet état :   55
Il fuit et le reproche et les yeux du sénat,
Dont plus de la moitié piteusement étale
Une indigne curée aux vautours de Pharsale,
Il fuit Rome perdue, il fuit tous les Romains,
A qui par sa défaite il met les fers aux mains,   60
Il fuit le désespoir des peuples et des princes
Qui vengeraient sur lui le sang de leurs provinces,
Leurs États et d'argent et d'hommes épuisés,
Leurs trônes mis en cendre, et leurs sceptres brisés;

---

16. La pièce semble refaite d'un ouvrage de Chaulmer, compatriote normand de Corneille, qui ne fit jouer que cette *Mort de Pompée*, publiée en 1638. Aux mêmes personnages historiques, Chaulmer ajoute une *Parthénée* au Sextus, amoureux dédaigné de Cléopâtre, et une Léonie déguisée en homme. Le déroulement du sujet est en outre le même chez Corneille que dans les actes IV et V d'une tragédie latine d'un jésuite de La Flèche, le Père Mousson (1620).

65 Auteur des maux de tous, il est à tous en butte
   Et fuit le monde entier écrasé sous sa chute.
   Le défendrez-vous seul contre tant d'ennemis?
   L'espoir de son salut en lui seul était mis,
   Lui seul pouvait pour soi : cédez alors qu'il tombe.
70 Soutiendrez-vous un faix sous qui Rome succombe,
   Sous qui tout l'univers se trouve foudroyé,
   Sous qui le grand Pompée a lui-même ployé?
   Quand on veut soutenir ceux que le sort accable,
   A force d'être juste on est souvent coupable,
75 Et la fidélité qu'on garde imprudemment,
   Après un peu d'éclat traîne un long châtiment,
   Trouve un noble revers, dont les coups invincibles,
   Pour être glorieux, ne sont pas moins sensibles.
      Seigneur, n'attirez point le tonnerre en ces lieux :
80 Rangez-vous du parti des destins et des Dieux,
   Et sans les accuser d'injustice ou d'outrage,
   Puisqu'ils font les heureux, adorez leur ouvrage.
   Quels que soient leurs décrets, déclarez-vous pour eux,
   Et pour leur obéir, perdez le malheureux.
85 Pressé de toutes parts des colères célestes,
   Il en vient dessus vous faire fondre les restes,
   Et sa tête qu'à peine il a pu dérober,
   Toute prête de choir, cherche avec qui tomber.
   Sa retraite chez vous en effet n'est qu'un crime;
90 Elle marque sa haine et non pas son estime,
   Il ne vient que vous perdre en venant prendre port,
   Et vous pouvez douter s'il est digne de mort!
   Il devait mieux remplir nos vœux et notre attente,
   Faire voir sur ses nefs la victoire flottante.
95 Il n'eût ici trouvé que joie et que festins,
   Mais puisqu'il est vaincu, qu'il s'en prenne aux destins.
   J'en veux à sa disgrâce, et non à sa personne,
   J'exécute à regret ce que le ciel ordonne,
   Et du même poignard pour César destiné,
100 Je perce en soupirant son cœur infortuné.
   Vous ne pouvez enfin qu'aux dépens de sa tête
   Mettre à l'abri la vôtre et parer la tempête.
   Laissez nommer sa mort un injuste attentat,
   La justice n'est pas une vertu d'État.
105 Le choix des actions ou mauvaises ou bonnes
   Ne fait qu'anéantir la force des couronnes;
   Le droit des rois consiste à ne rien épargner,
   La timide équité détruit l'art de régner.
   Quand on craint d'être injuste, on a toujours à craindre,
110 Et qui veut tout pouvoir doit oser tout enfreindre,
   Fuir comme un déshonneur la vertu qui le perd,
   Et voler sans scrupule au crime qui lui sert.
      C'est là mon sentiment. Achillas et Septime
   S'attacheront peut-être à quelque autre maxime.
115 Chacun a son avis, mais quel que soit le leur,
   Qui punit le vaincu ne craint point le vainqueur.

ACHILLAS

   Seigneur, Photin dit vrai; mais quoique de Pompée
   Je voie et la fortune et la valeur trompée,
   Je regarde son sang comme un sang précieux,
120 Qu'au milieu de Pharsale ont respecté les Dieux.
   Non qu'en un coup d'État je n'approuve le crime,
   Mais s'il est nécessaire, il n'est point légitime,
   Et quel besoin ici d'une extrême rigueur?

Qui n'est point au vaincu ne craint point le vainqueur.
   Neutre jusqu'à présent, vous pouvez l'être encore,
   Vous pouvez adorer César, si l'on l'adore,
   Mais quoique vos encens le traitent d'immortel,
   Cette grande victime est trop pour son autel,
   Et sa tête immolée au Dieu de la victoire
   Imprime à votre nom une tache trop noire.
   Ne le pas secourir suffit sans l'opprimer,
   En usant de la sorte on ne vous peut blâmer.
   Vous lui devez beaucoup : par lui Rome animée
   A fait rendre le sceptre au feu roi Ptolomée,
   Mais la reconnaissance et l'hospitalité
   Sur les âmes des rois n'ont qu'un droit limité.
   Quoi que doive un monarque et dût-il sa couronne,
   Il doit à ses sujets encor plus qu'à personne,
   Et cesse de devoir quand la dette est d'un rang
   A ne point s'acquitter qu'aux dépens de leur sang.
   S'il est juste d'ailleurs que tout se considère,
   Que hasardait Pompée en servant votre père?
   Il se voulut par là faire voir tout-puissant,
   Et vit croître sa gloire en le rétablissant.
   Il le servit enfin, mais ce fut de la langue.
   La bourse de César fit plus que sa harangue;
   Sans ses mille talents, Pompée et ses discours
   Pour rentrer en Égypte étaient un froid secours.
   Qu'il ne vante donc plus ses mérites frivoles,
   Les effets de César valent bien ses paroles,
   Et si c'est un bienfait qu'il faut rendre aujourd'hui,
   Comme il parla pour vous, vous parlerez pour lui.
   Ainsi vous le pouvez et devez reconnaître.
   Le recevoir chez vous, c'est recevoir un maître,
   Qui, tout vaincu qu'il est, bravant le nom de Roi,
   Dans vos propres États vous donnerait la loi.
      Fermez-lui donc vos ports, mais épargnez sa tête.
   S'il le faut toutefois, ma main est toute prête.
   J'obéis avec joie, et je serais jaloux
   Qu'autre bras que le mien portât les premiers coups.

SEPTIME

   Seigneur, je suis Romain : je connais l'un et l'autre,
   Pompée a besoin d'aide, il vient chercher la vôtre;
   Vous pouvez, comme maître absolu de son sort,
   Le servir, le chasser, le livrer vif ou mort.
   Des quatre le premier vous serait trop funeste;
   Souffrez donc qu'en deux mots j'examine le reste.
   Le chasser, c'est vous faire un puissant ennemi,
   Sans obliger par là le vainqueur qu'à demi,
   Puisque c'est lui laisser et sur mer et sur terre
   La suite d'une longue et difficile guerre,
   Dont peut-être tous deux également lassés
   Se vengeraient sur vous de tous les maux passés.
   Le livrer à César n'est que la même chose :
   Il lui pardonnera, s'il faut qu'il en dispose,
   Et s'armant à regret de générosité,
   D'une fausse clémence il fera vanité,
   Heureux de l'asservir en lui donnant la vie,
   Et de plaire par là même à Rome asservie!
   Cependant que forcé d'épargner son rival,
   Aussi bien que Pompée il vous voudra du mal.
      Il faut le délivrer du péril et du crime,
   Assurer sa puissance et sauver son estime,

Et du parti contraire en ce grand chef détruit,
Prendre sur vous le crime, et lui laisser le fruit.
C'est là mon sentiment, ce doit être le vôtre :
Par là vous gagnez l'un, et ne craignez plus l'autre;
Mais suivant d'Achillas le conseil hasardeux,
Vous n'en gagnez aucun, et les perdez tous deux.

PTOLOMÉE

N'examinons donc plus la justice des causes,
Et cédons au torrent qui roule toutes choses.
Je passe au plus de voix, et de mon sentiment
Je veux bien avoir part à ce grand changement.
　　Assez et trop longtemps l'arrogance de Rome
A cru qu'être Romain c'était être plus qu'homme.
Abattons sa superbe avec sa liberté,
Dans le sang de Pompée éteignons sa fierté,
Tranchons l'unique espoir où tant d'orgueil se fonde,
Et donnons un tyran à ces tyrans du monde.
Secondons le destin qui les veut mettre aux fers,
Et prêtons-lui la main pour venger l'univers.
Rome, tu serviras, et ces rois que tu braves
Et que ton insolence ose traiter d'esclaves,
Adoreront César avec moins de douleur,
Puisqu'il sera ton maître aussi bien que le leur.
　　Allez donc, Achillas, allez avec Septime
Nous immortaliser par cet illustre crime.
Qu'il plaise au ciel ou non, laissez-m'en le souci.
Je crois qu'il veut sa mort, puisqu'il l'amène ici.

ACHILLAS

Seigneur, je crois tout juste alors qu'un Roi l'ordonne.

PTOLOMÉE

Allez et hâtez-vous d'assurer ma couronne,
Et vous ressouvenez que je mets en vos mains
Le destin de l'Égypte et celui des Romains.

Scène II　Ptolomée, Photin.

PTOLOMÉE

Photin, ou je me trompe ou ma sœur est déçue :
De l'abord de Pompée elle espère autre issue.
Sachant que de mon père il a le testament,
Elle ne doute point de son couronnement.
Elle se croit déjà souveraine maîtresse
D'un sceptre partagé que sa bonté lui laisse,
Et se promettant tout de leur vieille amitié,
De mon trône en son âme elle prend la moitié,
Où de son vain orgueil les cendres rallumées
Poussent déjà dans l'air de nouvelles fumées.

PHOTIN

Seigneur, c'est un motif que je ne disais pas,
Qui devait de Pompée avancer le trépas.
Sans doute il jugerait de la sœur et du frère
Suivant le testament du feu Roi votre père,
Son hôte et son ami, qui l'en daigna saisir :
Jugez après cela de votre déplaisir.
Ce n'est pas que je veuille, en vous parlant contre elle,
Rompre les sacrés nœuds d'une amour fraternelle.
Du trône et non du cœur je la veux éloigner,
Car c'est ne régner pas qu'être deux à régner.
Un Roi qui s'y résout est mauvais politique,
Il détruit son pouvoir quand il le communique,

Et les raisons d'État... Mais, Seigneur, la voici.　　235

Scène III : Ptolomée, Cléopâtre, Photin.

CLÉOPÂTRE

Seigneur, Pompée arrive, et vous êtes ici!

PTOLOMÉE

J'attends dans mon palais ce guerrier magnanime,
Et lui viens d'envoyer Achillas et Septime.

CLÉOPÂTRE

Quoi? Septime à Pompée, à Pompée Achillas!

PTOLOMÉE

Si ce n'est assez d'eux, allez, suivez leurs pas.　　240

CLÉOPÂTRE

Donc pour le recevoir c'est trop que de vous-même?

PTOLOMÉE

Ma sœur, je dois garder l'honneur du diadème.

CLÉOPÂTRE

Si vous en portez un, ne vous en souvenez
Que pour baiser la main de qui vous le tenez,
Que pour en faire hommage aux pieds d'un si grand 245
　　　　　　　　　　　　　　　　　　[homme.
Au sortir de Pharsale est-ce ainsi qu'on le nomme?

CLÉOPÂTRE

Fût-il dans son malheur de tous abandonné,
Il est toujours Pompée, et vous a couronné.

PTOLOMÉE

Il n'en est plus que l'ombre et couronna mon père,
Dont l'ombre et non pas moi, lui doit ce qu'il espère. 250
Il peut aller, s'il veut, dessus son monument
Recevoir ses devoirs et son remercîment.

CLÉOPÂTRE

Après un tel bienfait, c'est ainsi qu'on le traite!

PTOLOMÉE

Je m'en souviens, ma sœur, et je vois sa défaite.

CLÉOPÂTRE

Vous la voyez de vrai, mais d'un œil de mépris.　　255

PTOLOMÉE

Le temps de chaque chose ordonne et fait le prix.
Vous qui l'estimez tant, allez lui rendre hommage,
Mais songez qu'au port même il peut faire naufrage.

CLÉOPÂTRE

Il peut faire naufrage, et même dans le port!
Quoi? vous auriez osé lui préparer la mort!　　260

PTOLOMÉE

J'ai fait ce que les Dieux m'ont inspiré de faire,
Et que pour mon État j'ai jugé nécessaire.

CLÉOPÂTRE

Je ne le vois que trop, Photin et ses pareils
Vous ont empoisonné de leurs lâches conseils.
Ces âmes que le ciel ne forma que de boue...　　265

PHOTIN

Ce sont de nos conseils, oui, Madame, et j'avoue...

CLÉOPÂTRE

Photin, je parle au Roi; vous répondrez pour tous
Quand je m'abaisserai jusqu'à parler à vous.

PTOLOMÉE, à Photin.

Il faut un peu souffrir de cette humeur hautaine.
Je sais votre innocence et je connais sa haine;　　270
Après tout, c'est ma sœur, oyez sans repartir.

CLÉOPATRE

Ah! s'il est encor temps de vous en repentir,
Affranchissez-vous d'eux et de leur tyrannie,
Rappelez la vertu par leurs conseils bannie,
275 Cette haute vertu dont le ciel et le sang
Enflent toujours les cœurs de ceux de notre rang.

PTOLOMÉE

Quoi? d'un frivole espoir déjà préoccupée,
Vous me parlez en reine en parlant de Pompée,
Et d'un faux zèle ainsi votre orgueil revêtu
280 Fait agir l'intérêt sous le nom de vertu!
Confessez-le, ma sœur, vous sauriez vous en taire,
N'était le testament du feu Roi notre père :
Vous savez qu'il le garde.

CLÉOPATRE

Et vous saurez aussi
Que la seule vertu me fait parler ainsi,
285 Et que si l'intérêt m'avait préoccupée,
J'agirais pour César, et non pas pour Pompée.
Apprenez un secret que je voulais cacher,
Et cessez désormais de me rien reprocher.
Quand ce peuple insolent qu'enferme Alexandrie
290 Fit quitter au feu Roi son trône et sa patrie,
Et que jusque dans Rome il alla du sénat
Implorer la pitié contre un tel attentat,
Il nous mena tous deux pour toucher son courage;
Vous, assez jeune encor, moi déjà dans un âge
295 Où ce peu de beauté que m'ont donné les cieux
D'un assez vif éclat faisait briller mes yeux.
César en fut épris, et du moins j'eus la gloire
De le voir hautement donner lieu de le croire,
Mais voyant contre lui le sénat irrité,
300 Il fit agir Pompée et son autorité.
Ce dernier nous servit à sa seule prière,
Qui de leur amitié fut la preuve dernière.
Vous en savez l'effet, et vous en jouissez.
Mais pour un tel amant ce ne fut pas assez.
305 Après avoir pour nous employé ce grand homme,
Qui nous gagna soudain toutes les voix de Rome,
Son amour en voulut seconder les efforts,
Et nous ouvrant son cœur, nous ouvrit ses trésors.
Nous eûmes de ses feux, encore en leur naissance,
310 Et les nerfs de la guerre et ceux de la puissance,
Et les mille talents qui lui sont encor dus
Remirent en nos mains tous nos États perdus.
Le Roi, qui s'en souvint à son heure fatale,
Me laissa comme à vous la dignité royale,
315 Et par son testament, il vous fit cette loi,
Pour me rendre une part de ce qu'il tint de moi.
C'est ainsi qu'ignorant d'où vint ce bon office,
Vous appelez fureur ce qui n'est que justice,
Et l'osez accuser d'une aveugle amitié,
320 Quand du tout qu'il me doit il me rend la moitié.

PTOLOMÉE

Certes, ma sœur, le conte est fait avec adresse.

CLÉOPATRE

César viendra bientôt, et j'en ai lettre expresse,
Et peut-être aujourd'hui vos yeux seront témoins
De ce que votre esprit s'imagine le moins.
325 Ce n'est pas sans sujet que je parlais en reine.

Je n'ai reçu de vous que mépris et que haine,
Et de ma part du sceptre indigne ravisseur,
Vous m'avez plus traitée en esclave qu'en sœur.
Même, pour éviter des effets plus sinistres,
Il m'a fallu flatter vos insolents ministres,
Dont j'ai craint jusqu'ici le fer ou le poison.
Mais Pompée ou César m'en va faire raison,
Et quoi qu'avec Photin Achillas en ordonne,
Ou l'une ou l'autre main me rendra ma couronne.
Cependant mon orgueil vous laisse à démêler
Quel était l'intérêt qui me faisait parler.

Scène IV : Ptolomée, Photin.

PTOLOMÉE

Que dites-vous, ami, de cette âme orgueilleuse?

PHOTIN

Seigneur, cette surprise est pour moi merveilleuse.
Je n'en sais que penser, et mon cœur étonné
D'un secret que jamais il n'aurait soupçonné,
Inconstant et confus dans son incertitude,
Ne se résout à rien qu'avec inquiétude.

PTOLOMÉE

Sauverons-nous Pompée?

PHOTIN

Il faudrait faire effort,
Si nous l'avions sauvé, pour conclure sa mort.
Cléopâtre vous hait; elle est fière, elle est belle,
Et si l'heureux César a de l'amour pour elle,
La tête de Pompée est l'unique présent
Qui vous fasse contre elle un rempart suffisant.

PTOLOMÉE

Ce dangereux esprit a beaucoup d'artifice.

PHOTIN

Son artifice est peu contre un si grand service.

PTOLOMÉE

Mais si, tout grand qu'il est, il cède à ses appas?

PHOTIN

Il la faudra flatter, mais ne m'en croyez pas,
Et pour mieux empêcher qu'elle ne vous opprime,
Consultez-en encore Achillas et Septime.

PTOLOMÉE

Allons donc les voir faire, et montons à la tour,
Et nous en résoudrons ensemble à leur retour.

ACTE SECOND

Scène I : Cléopâtre, Charmion.

CLÉOPATRE

Je l'aime, mais l'éclat d'une si belle flamme,
Quelque brillant qu'il soit, n'éblouit point mon âme,
Et toujours ma vertu retrace dans mon cœur
Ce qu'il doit au vaincu, brûlant pour le vainqueur.
Aussi qui l'ose aimer porte une âme trop haute
Pour souffrir seulement le soupçon d'une faute,
Et je le traiterais avec indignité,
Si j'aspirais à lui par une lâcheté.

CHARMION

Quoi? vous aimez César, et si vous étiez crue,
L'Égypte pour Pompée armerait à sa vue,
En prendrait la défense, et par un prompt secours
Du destin de Pharsale arrêterait le cours!
L'amour certes sur vous a bien peu de puissance.

CLÉOPATRE

Les princes ont cela de leur haute naissance :
Leur âme dans leur rang prend des impressions
Qui dessous leur vertu rangent leurs passions.
Leur générosité soumet tout à leur gloire,
Tout est illustre en eux quand ils daignent se croire,
Et si le peuple y voit quelques déréglements,
C'est quand l'avis d'autrui corrompt leurs sentiments.
Ce malheur de Pompée achève la ruine,
Le Roi l'eût secouru, mais Photin l'assassine;
Il croit cette âme basse, et se montre sans foi,
Mais s'il croyait la sienne, il agirait en Roi.

CHARMION

Ainsi donc de César l'amante et l'ennemie...

CLÉOPATRE

Je lui garde ma flamme exempte d'infamie,
Un cœur digne de lui.

CHARMION

Vous possédez le sien?

CLÉOPATRE

Je crois le posséder.

CHARMION

Mais le savez-vous bien?

CLÉOPATRE

Apprends qu'une princesse aimant sa renommée,
Quand elle dit qu'elle aime, est sûre d'être aimée,
Et que les plus beaux feux dont son cœur soit épris
N'oseraient l'exposer aux hontes d'un mépris.
Notre séjour à Rome enflamma son courage :
Là j'eus de son amour le premier témoignage,
Et depuis jusqu'ici chaque jour ses courriers
M'apportent en tribut ses vœux et ses lauriers.
Partout, en Italie, aux Gaules, en Espagne,
La fortune le suit, et l'amour l'accompagne.
Son bras ne dompte point de peuples ni de lieux
Dont il ne rende hommage au pouvoir de mes yeux,
Et de la même main dont il quitte l'épée,
Fumante encor du sang des amis de Pompée,
Il trace des soupirs, et d'un style plaintif
Dans son champ de victoire il se dit mon captif.
Oui, tout victorieux il m'écrit de Pharsale,
Et si sa diligence à ses feux est égale,
Ou plutôt si la mer ne s'oppose à ses feux,
L'Égypte le va voir me présenter ses vœux.
Il vient, ma Charmion, jusque dans nos murailles,
Chercher auprès de moi le prix de ses batailles,
M'offrir toute sa gloire, et soumettre à mes lois
Ce cœur et cette main qui commandent aux rois,
Et ma rigueur, mêlée aux faveurs de la guerre,
Ferait un malheureux du maître de la terre.

CHARMION

J'oserais bien jurer que vos charmants appas
Se vantent d'un pouvoir dont ils n'useront pas,
Et que le grand César n'a rien qui l'importune,

Si vos seules rigueurs ont droit sur sa fortune.
Mais quelle est votre attente, et que prétendez-vous,   415
Puisque d'une autre femme il est déjà l'époux,
Et qu'avec Calphurnie un paisible hyménée
Par des liens sacrés tient son âme enchaînée?

CLÉOPATRE

Le divorce, aujourd'hui si commun aux Romains,
Peut rendre en ma faveur tous ces obstacles vains :   420
César en sait l'usage et la cérémonie,
Un divorce chez lui fit place à Calphurnie.

CHARMION

Par cette même voie il pourra vous quitter.

CLÉOPATRE

Peut-être mon bonheur saura mieux l'arrêter,
Peut-être mon amour aura quelque avantage   425
Qui saura mieux que moi ménager son courage.
Mais laissons au hasard ce qui peut arriver,
Achevons cet hymen, s'il se peut achever.
Ne durât-il qu'un jour, ma gloire est sans seconde
D'être du moins un jour la maîtresse du monde.   430
J'ai de l'ambition, et soit vice ou vertu,
Mon cœur sous son fardeau veut bien être abattu,
J'en aime la chaleur et la nomme sans cesse
La seule passion digne d'une princesse.
Mais je veux que la gloire anime ses ardeurs,   435
Qu'elle mène sans honte au faîte des grandeurs,
Et je la désavoue alors que sa manie
Nous présente le trône avec ignominie.
Ne t'étonne donc plus, Charmion, de me voir
Défendre encor Pompée et suivre mon devoir.   440
Ne pouvant rien de plus pour sa vertu séduite,
Dans mon âme en secret je l'exhorte à la fuite,
Et voudrais qu'un orage, écartant ses vaisseaux,
Malgré lui l'enlevât aux mains de ses bourreaux.
Mais voici de retour le fidèle Achorée,   445
Par qui j'en apprendrai la nouvelle assurée.

Scène II : Cléopâtre, Achorée, Charmion.

CLÉOPATRE

En est-ce déjà fait, et nos bords malheureux
Sont-ils déjà souillés d'un sang si généreux?

ACHORÉE

Madame, j'ai couru par votre ordre au rivage,
J'ai vu la trahison, j'ai vu toute sa rage,   450
Du plus grand des-mortels j'ai vu trancher le sort,
J'ai vu dans son malheur la gloire de sa mort,
Et puisque vous voulez qu'ici je vous raconte
La gloire d'une mort dont nous couvre de honte,
Écoutez, admirez, et plaignez son trépas.   455
Ses-trois vaisseaux en rade avaient mis voiles bas,
Et voyant dans le port préparer nos galères,
Il croyait que le Roi, touché de ses misères,
Par un beau sentiment d'honneur et de devoir,
Avec toute sa cour le venait recevoir.   460
Mais voyant que ce prince, ingrat à ses mérites,
N'envoyait qu'un esquif rempli de satellites,
Il soupçonne aussitôt son manquement de foi,
Et se laisse surprendre à quelque peu d'effroi.
Enfin, voyant nos bords et notre flotte en armes,   465

Il condamne en son cœur ces indignes alarmes,
Et réduit tous les soins d'un si pressant ennui
A ne hasarder pas Cornélie avec lui :
« N'exposons, lui dit-il, que cette seule tête
470 A la réception que l'Égypte m'apprête;
Et tandis que moi seul j'en courrai le danger,
Songe à prendre la fuite afin de me venger.
Le roi Juba nous garde une foi plus sincère,
Chez lui tu trouveras et mes fils et ton père,
475 Mais quand tu les verrais descendre chez Pluton,
Ne désespère point, du vivant de Caton. »
Tandis que leur amour en cet adieu conteste,
Achillas à son bord joint son esquif funeste.
Septime se présente, et lui tendant la main,
480 Le salue Empereur en langage romain,
Et comme député de ce jeune monarque :
« Passez, Seigneur, dit-il, passez dans cette barque,
Les sables et les bancs cachés dessous les eaux
Rendent l'accès mal sûr à de plus grands vaisseaux. »
485   Ce héros voit la fourbe, et s'en moque dans l'âme :
Il reçoit les adieux des siens et de sa femme,
Leur défend de le suivre, et s'avance au trépas
Avec le même front qu'il donnait les États.
La même majesté sur son visage empreinte
490 Entre ses assassins montre un esprit sans crainte,
Sa vertu tout entière à la mort le conduit.
Son affranchi Philippe est le seul qui le suit,
C'est de lui que j'ai su ce que je viens de dire,
Mes yeux ont vu le reste et mon cœur en soupire,
495 Et croit que César même à de si grands malheurs
Ne pourra refuser des soupirs et des pleurs.

CLÉOPÂTRE
N'épargnez pas les miens : achevez, Achorée,
L'histoire d'une mort que j'ai déjà pleurée.

ACHORÉE
On l'amène, et du port nous le voyons venir,
500 Sans que pas un d'entre eux daigne l'entretenir.
Ce mépris lui fait voir ce qu'il en doit attendre.
Sitôt qu'on a pris terre, on l'invite à descendre.
Il se lève, et soudain pour signal Achillas
Derrière ce héros tirant son coutelas
505 Septime et trois des siens, lâches enfants de Rome,
Percent à coups pressés les flancs de ce grand homme
Tandis qu'Achillas même, épouvanté d'horreur,
De ces quatre enragés admire la fureur.

CLÉOPÂTRE
Vous qui livrez la terre aux discordes civiles,
510 Si vous vengez sa mort, Dieux, épargnez nos villes!
N'imputez rien aux lieux, reconnaissez les mains :
Le crime de l'Égypte est fait par des Romains.
Mais que fait et que dit ce généreux courage?

ACHORÉE
D'un des pans de sa robe il couvre son visage,
515 A son mauvais destin en aveugle obéit,
Et dédaigne de voir le ciel qui le trahit,
De peur que d'un coup d'œil contre une telle offense
Il ne semble implorer son aide ou sa vengeance.
Aucun gémissement à son cœur échappé
520 Ne le montre, en mourant, digne d'être frappé.
Immobile à leurs coups, en lui-même il rappelle

Ce qu'eut de beau sa vie, et ce qu'on dira d'elle,
Et tient la trahison que le Roi leur prescrit
Trop au-dessous de lui pour y prêter l'esprit.
Sa vertu dans leur crime augmente ainsi son lustre,
Et son dernier soupir est un soupir illustre,
Qui de cette grande âme achevant les destins,
Étale sur Pompée aux yeux des assassins.
Sur les bords de l'esquif sa tête enfin penchée,
Par le traître Septime indignement tranchée,
Passe au bout d'une lance en la main d'Achillas,
Ainsi qu'un grand trophée après de grands combats
On descend, et pour comble à sa noire aventure
On donne à ce héros la mer pour sépulture,
Et le tronc sous les flots roule dorénavant
Au gré de la fortune, et de l'onde, et du vent.
La triste Cornélie, à cet affreux spectacle,
Par de longs cris aigus tâche d'y mettre obstacle,
Défend ce cher époux de la voix et des yeux,
Puis n'espérant plus rien, lève les mains aux cieux,
Et cédant tout à coup à la douleur plus forte,
Tombe, dans sa galère, évanouie ou morte.
Les siens en ce désastre, à force de ramer,
L'éloignent de la rive, et regagnent la mer.
Mais sa fuite est mal sûre, et l'infâme Septime,
Qui se voit dérober la moitié de son crime,
Afin de l'achever, prend six vaisseaux au port,
Et poursuit sur les eaux Pompée après sa mort.
    Cependant Achillas porte au Roi sa conquête,
Tout le peuple tremblant en détourne la tête,
Un effroi général offre à l'un sous ses pas
Des abîmes ouverts pour venger ce trépas.
L'autre entend le tonnerre, et chacun se figure
Un désordre soudain de toute la nature,
Tant l'excès du forfait troublant leurs jugements
Présente à leur terreur l'excès des châtiments!
    Philippe d'autre part, montrant sur le rivage
Dans une âme servile un généreux courage,
Examine d'un œil et d'un soin curieux
Où les vagues rendront ce dépôt précieux,
Pour lui rendre, s'il peut, ce qu'aux morts on doit rendre
Dans quelque urne chétive en ramasser la cendre,
Et d'un peu de poussière élever un tombeau
A celui qui du monde eut le sort le plus beau.
Mais comme vers l'Afrique on poursuit Cornélie,
On voit d'ailleurs César venir de Thessalie.
Une flotte paraît qu'on a peine à compter...

CLÉOPÂTRE
C'est lui-même, Achorée, il n'en faut point douter.
Tremblez, tremblez, méchants, voici venir la foudre
Cléopâtre a de quoi vous mettre tous en poudre,
César vient, elle est reine, et Pompée est vengé,
La tyrannie est bas, et le sort a changé.
Admirons cependant le destin des grands hommes,
Plaignons-les, et par eux jugeons ce que nous sommes
    Ce prince d'un sénat maître de l'univers,
Dont le bonheur semblait au-dessus du revers,
Lui que sa Rome a vu plus craint que le tonnerre,
Triompher en trois fois des trois parts de la terre,
Et qui voyait encore en ces derniers hasards
L'un et l'autre consul suivre ses étendards;

Sitôt que d'un malheur sa fortune est suivie,
Les monstres de l'Égypte ordonnent de sa vie.
On voit un Achillas, un Septime, un Photin,
Arbitres souverains d'un si noble destin;
Un Roi qui de ses mains a reçu la couronne
A ces pestes de cour lâchement l'abandonne.
Ainsi finit Pompée et peut-être qu'un jour
César éprouvera même sort à son tour.
Rendez l'augure faux, Dieux qui voyez mes larmes,
Et secondez partout et mes vœux et ses armes!

CHARMION

Madame, le Roi vient, qui pourra vous ouïr.

Scène III : Ptolomée, Cléopâtre, Charmion.

PTOLOMÉE

Savez-vous le bonheur dont nous allons jouir,
Ma sœur?

CLÉOPATRE

Oui, je le sais, le grand César arrive;
Sous les lois de Photin je ne suis plus captive.

PTOLOMÉE

Vous haïssez toujours ce fidèle sujet?

CLÉOPATRE

Non, mais en liberté je ris de son projet.

PTOLOMÉE

Quel projet faisait-il dont vous puissiez vous plaindre?

CLÉOPATRE

J'en ai souffert beaucoup, et j'avais plus à craindre.
Un si grand politique est capable de tout,
Et vous donnez les mains à tout ce qu'il résout.

PTOLOMÉE

Si je suis ses conseils, j'en connais la prudence.

CLÉOPATRE

Si j'en crains les effets, j'en vois la violence.

PTOLOMÉE

Pour le bien de l'État tout est juste en un Roi.

CLÉOPATRE

Ce genre de justice est à craindre pour moi :
Après ma part du sceptre, à ce titre usurpée,
Il en coûte la vie et la tête à Pompée.

PTOLOMÉE

Jamais un coup d'État ne fut mieux entrepris.
Le voulant secourir, César nous eût surpris.
Vous voyez sa vitesse, et l'Égypte troublée
Avant qu'être en défense en serait accablée,
Mais je puis maintenant à cet heureux vainqueur
Offrir en sûreté mon trône et votre cœur.

CLÉOPATRE

Je ferai mes présents; n'ayez soin que des vôtres
Et dans vos intérêts n'en confondez point d'autres.

PTOLOMÉE

Les vôtres sont les miens, étant de même sang.

CLÉOPATRE

Vous pouvez dire encor, étant de même rang,
Étant rois l'un et l'autre, et toutefois je pense
Que nos deux intérêts ont quelque différence.

PTOLOMÉE

Oui, ma sœur, car l'État dont mon cœur est content,
Sur quelques bords du Nil à grand'peine s'étend,

Mais César, à vos lois soumettant son courage,
Vous va faire régner sur le Gange et le Tage.

CLÉOPATRE

J'ai de l'ambition, mais je sais la régler;
Elle peut m'éblouir, et non pas m'aveugler.
Ne parlons point ici du Tage ni du Gange,   625
Je connais ma portée et ne prends point le change.

PTOLOMÉE

L'occasion vous rit et vous en userez.

CLÉOPATRE

Si je n'en use bien, vous m'en accuserez.

PTOLOMÉE

J'en espère beaucoup, vu l'amour qui l'engage.

CLÉOPATRE

Vous la craignez peut-être encore davantage,   630
Mais, quelque occasion qui me rie aujourd'hui,
N'ayez aucune peur, je ne veux rien d'autrui.
Je ne garde pour vous ni haine ni colère,
Et je suis bonne sœur, si vous n'êtes bon frère.

PTOLOMÉE

Vous montrez cependant un peu bien du mépris.   635

CLÉOPATRE

Le temps de chaque chose ordonne et fait le prix.

PTOLOMÉE

Votre façon d'agir le fait assez connaître.

CLÉOPATRE

Le grand César arrive, et vous avez un maître.

PTOLOMÉE

Il l'est de tout le monde, et je l'ai fait le mien.

CLÉOPATRE

Allez lui rendre hommage, et j'attendrai le sien.   640
Allez, ce n'est pas trop pour lui que de vous-même :
Je garderai pour vous l'honneur du diadème.
Photin vous vient aider à le bien recevoir,
Consultez avec lui quel est votre devoir.

Scène IV : Ptolomée, Photin.

PTOLOMÉE

J'ai suivi tes conseils, mais plus je l'ai flattée   645
Et plus dans l'insolence elle s'est emportée,
Si bien qu'enfin, outré de tant d'indignités,
Je m'allais emporter dans les extrémités.
Mon bras, dont ses mépris forçaient la retenue,
N'eût plus considéré César ni sa venue,   650
Et l'eût mise en état, malgré tout son appui,
De s'en plaindre à Pompée auparavant qu'à lui.
L'arrogante! à l'ouïr elle est déjà ma reine,
Et si César en croit son orgueil ou sa haine,
Si, comme elle s'en vante, elle est son cher objet,   655
De son frère et son roi je deviens son sujet.
Non, non, prévenons-la, c'est faiblesse d'attendre
Le mal qu'on voit venir sans vouloir s'en défendre.
Otons-lui les moyens de nous plus dédaigner,
Otons-lui les moyens de plaire et de régner,   660
Et ne permettons pas qu'après tant de bravades,
Mon sceptre soit le prix d'une de ses œillades.

PHOTIN

Seigneur, ne donnez point de prétexte à César
Pour attacher l'Égypte aux pompes de son char.

665 Ce cœur ambitieux, qui par toute la terre,
Ne cherche qu'à porter l'esclavage et la guerre,
Enflé de sa victoire, et des ressentiments
Qu'une perte pareille imprime aux vrais amants,
Quoique vous ne rendiez que justice à vous-même,
670 Prendrait l'occasion de venger ce qu'il aime,
Et pour s'assujettir et vos États et vous,
Imputerait à crime un si juste courroux.

PTOLOMÉE

Si Cléopâtre vit, s'il la voit, elle est reine.

PHOTIN

Si Cléopâtre meurt, votre perte est certaine.

PTOLOMÉE

675 Je perdrai qui me perd, ne pouvant me sauver.

PHOTIN

Pour la perdre avec joie, il faut vous conserver.

PTOLOMÉE

Quoi, pour voir sur sa tête éclater ma couronne ?
Sceptre, s'il faut enfin que ma main t'abandonne,
Passe, passe plutôt en celle du vainqueur.

PHOTIN

680 Vous l'arracherez mieux de celle d'une sœur.
Quelques feux que d'abord il lui fasse paraître,
Il partira bientôt, et vous serez le maître.
L'amour à ses pareils ne donne point d'ardeur
Qui ne cède aisément aux soins de leur grandeur.
685 Il voit encor l'Afrique et l'Espagne occupées
Par Juba, Scipion et les jeunes Pompées,
Et le monde à ses lois n'est point assujetti,
Tant qu'il verra durer ces restes du parti.
Au sortir de Pharsale un si grand capitaine
690 Saurait mal son métier s'il laissait prendre haleine,
Et s'il donnait loisir à des cœurs si hardis
De relever du coup dont ils sont étourdis.
S'il les vainc, s'il parvient où son désir aspire,
Il faut qu'il aille à Rome établir son empire,
695 Jouir de sa fortune et de son attentat,
Et changer à son gré la forme de l'État.
Jugez durant ce temps ce que vous pourrez faire.
Seigneur, voyez César, forcez-vous à lui plaire,
Et lui déférant tout, veuillez vous souvenir
700 Que les événements régleront l'avenir.
Remettez en ses mains trône, sceptre, couronne,
Et sans en murmurer, souffrez qu'il les ordonne.
Il en croira sans doute ordonner justement,
En suivant du feu Roi l'ordre et le testament ;
705 L'importance d'ailleurs de ce dernier service
Ne permet pas d'en craindre une entière injustice.
Quoi qu'il en fasse enfin, feignez d'y consentir,
Louez son jugement, et laissez-le partir.
Après, quand nous verrons le temps propre aux ven-
710 Nous aurons et la force et les intelligences. [geances,
Jusque-là réprimez ces transports violents
Qu'excitent d'une sœur les mépris insolents.
Les bravades enfin sont des discours frivoles,
Et qui songe aux effets néglige les paroles.

PTOLOMÉE

715 Ah ! tu me rends la vie et le sceptre à la fois :
Un sage conseiller est le bonheur des Rois.
Cher appui de mon trône, allons, sans plus attendre,

Offrir tout à César, afin de tout reprendre ;
Avec toute ma flotte allons le recevoir,
Et par ces vains honneurs séduire son pouvoir.

ACTE TROISIÈME

Scène I : Charmion, Achorée.

CHARMION

Oui, tandis que le Roi va lui-même en personne
Jusqu'aux pieds de César prosterner sa couronne,
Cléopâtre s'enferme en son appartement,
Et sans s'en émouvoir attend son compliment.
Comment nommerez-vous une humeur si hautaine ?

ACHORÉE

Un orgueil noble et juste, et digne d'une reine
Qui soutient avec cœur et magnanimité
L'honneur de sa naissance et de sa dignité.
Lui pourrai-je parler ?

CHARMION

                        Non, mais elle m'envoie
Savoir à cet abord ce qu'on a vu de joie,
Ce qu'à ce beau présent César a témoigné,
S'il a paru content, ou s'il l'a dédaigné,
S'il traite avec douceur, s'il traite avec empire,
Ce qu'à nos assassins enfin il a su dire.

ACHORÉE

La tête de Pompée a produit des effets
Dont ils n'ont pas sujet d'être fort satisfaits.
Je ne sais si César prendrait plaisir à feindre,
Mais pour eux jusqu'ici je trouve lieu de craindre ;
S'ils aimaient Ptolomée, ils l'ont fort mal servi.
Vous l'avez vu partir, et moi je l'ai suivi.
Ses vaisseaux en bon ordre ont éloigné la ville [17],
Et pour joindre César n'ont avancé qu'un mille.
Il venait à plein voile, et si dans les hasards
Il éprouva toujours pleine faveur de Mars,
Sa flotte, qu'à l'envi favorisait Neptune,
Avait le vent en poupe ainsi que sa fortune.
Dès le premier abord notre prince étonné
Ne s'est plus souvenu de son front couronné.
Sa frayeur a paru sous sa fausse allégresse,
Toutes ses actions ont senti la bassesse.
J'en ai rougi moi-même, et me suis plaint à moi
De voir là Ptolomée, et n'y voir point de Roi,
Et César, qui lisait sa peur sur son visage,
Le flattait par pitié pour lui donner courage.
Lui, d'une voix tombante offrant ce don fatal :
« Seigneur, vous n'avez plus, lui dit-il, de rival.
Ce que n'ont pu les Dieux dans votre Thessalie,
Je vais mettre en vos mains Pompée et Cornélie ;
En voici déjà l'un, et pour l'autre elle fuit ;
Mais avec six vaisseaux un des miens la poursuit. »
À ces mots Achillas découvre cette tête :
Il semble qu'à parler encore elle s'apprête,
Qu'à ce nouvel affront un reste de chaleur
En sanglots mal formés exhale sa douleur,

17. *Éloigner* a au XVIIe siècle le même sens et les mêmes
emplois que *quitter*.

Sa bouche encore ouverte et sa vue égarée
Rappellent sa grande âme à peine séparée,
Et son courroux mourant fait un dernier effort
Pour reprocher aux Dieux sa défaite et sa mort.
César, à cet aspect comme frappé du foudre,
Et comme ne sachant que croire ou que résoudre,
Immobile, et les yeux sur l'objet attachés,
Nous tient assez longtemps ses sentiments cachés;
Et je dirai, si j'ose en faire conjecture,
Que par un mouvement commun à la nature,
Quelque maligne joie en son cœur s'élevait,
Dont sa gloire indignée à peine le sauvait.
L'aise de voir la terre à son pouvoir soumise
Chatouillait malgré lui son âme avec surprise,
Et de cette douceur son esprit combattu
Avec un peu d'effort rassurait sa vertu.
S'il aime sa grandeur, il hait la perfidie,
Il se juge en autrui, se tâte, s'étudie,
Examine en secret sa joie et ses douleurs,
Les balance, choisit, laisse couler des pleurs,
Et forçant sa vertu d'être encor la maîtresse,
Se montre généreux par un trait de faiblesse.
Ensuite il fait ôter ce présent de ses yeux,
Lève les mains ensemble et les regards aux cieux,
Lâche deux ou trois mots contre cette insolence;
Puis tout triste et pensif il s'obstine au silence,
Et même à ses Romains ne daigne repartir
Que d'un regard farouche et d'un profond soupir.
Enfin, ayant pris terre avec trente cohortes,
Il se saisit du port, il se saisit des portes,
Met des gardes partout et des ordres secrets,
Fait voir sa défiance, ainsi que ses regrets,
Parle d'Égypte en maître et de son adversaire,
Non plus comme ennemi, mais comme son beau-père.
Voilà ce que j'ai vu.

CHARMION
Voilà ce qu'attendait,
Ce qu'au juste Osiris la reine demandait.
Je vais bien la ravir avec cette nouvelle.
Vous, continuez-lui ce service fidèle.

ACHORÉE
Qu'elle n'en doute point. Mais César vient. Allez,
Peignez-lui bien nos gens pâles et désolés,
Et moi, soit que l'issue en soit douce ou funeste,
J'irai l'entretenir quand j'aurai vu le reste.

Scène II : César, Ptolomée, Lépide,
Photin, Achorée,
soldats romains, soldats égyptiens.

PTOLOMÉE
Seigneur, montez au trône, et commandez ici.
CÉSAR
Connaissez-vous César, de lui parler ainsi?
Que m'offrirait de pis la fortune ennemie,
A moi qui tiens le trône égal à l'infamie?
Certes, Rome à ce coup pourrait bien se vanter
D'avoir eu juste lieu de me persécuter,
Elle qui d'un même œil les donne et les dédaigne,
Qui ne voit rien aux rois qu'elle aime ou qu'elle craigne,

Et qui verse en nos cœurs avec l'âme et le sang,   815
Et la haine du nom, et le mépris du rang.
C'est ce que de Pompée il vous fallait apprendre :
S'il en eût aimé l'offre, il eût su s'en défendre,
Et le trône et le Roi se seraient ennoblis
A soutenir la main qui les a rétablis.   820
Vous eussiez pu tomber, mais tout couvert de gloire.
Votre chute eût valu la plus haute victoire,
Et si votre destin n'eût pu vous en sauver,
César eût pris plaisir à vous en relever.
Vous n'avez pu former une si noble envie.   825
Mais quel droit aviez-vous sur cette illustre vie?
Que vous devait son sang pour y tremper vos mains,
Vous qui devez respect au moindre des Romains?
Ai-je vaincu pour vous dans les champs de Pharsale?
Et par une victoire aux vaincus trop fatale,   830
Vous ai-je acquis sur eux, en ce dernier effort,
La puissance absolue et de vie et de mort?
Moi qui n'ai jamais pu la souffrir à Pompée,
La souffrirai-je en vous sur lui-même usurpée,
Et que de mon bonheur vous ayez abusé   835
Jusqu'à plus attenter que je n'aurais osé?
De quel nom, après tout, pensez-vous que je nomme
Ce coup où vous tranchez du souverain de Rome,
Et qui sur un seul chef lui fait bien plus d'affront
Que sur tant de milliers ne fit le roi de Pont [18]?   840
Pensez-vous que j'ignore ou que je dissimule
Que vous n'auriez pas eu pour moi plus de scrupule,
Et que s'il m'eût vaincu, votre esprit complaisant
Lui faisait de ma tête un semblable présent?
Grâces à ma victoire, on me rend des hommages   845
Où ma fuite eût reçu toutes sortes d'outrages;
Au vainqueur, non à moi, vous faites tout l'honneur,
Si César en jouit, ce n'est que par bonheur.
Amitié dangereuse, et redoutable zèle,
Que règle la fortune, et qui tourne avec elle!   850
Mais parlez, c'est trop être interdit et confus.
PTOLOMÉE
Je le suis, il est vrai, si jamais je le fus,
Et vous-même avouerez que j'ai sujet de l'être.
Étant né souverain, je vois ici mon maître.
Ici, dis-je, où ma cour tremble en me regardant,   855
Où je n'ai point encore agi qu'en commandant,
Je vois une autre cour sous une autre puissance,
Et ne puis plus agir qu'avec obéissance.
De votre seul aspect je me suis vu surpris :
Jugez si vos discours rassurent mes esprits,   860
Jugez par quels moyens je puis sortir d'un trouble
Que forme le respect, que la crainte redouble,
Et ce que peut vous dire un prince épouvanté
De voir tant de colère et tant de majesté.
Dans ces étonnements dont mon âme est frappée,   865
De rencontrer en vous le vengeur de Pompée,
Il me souvient pourtant que s'il fut notre appui,
Nous vous dûmes dès lors autant et plus qu'à lui.
Votre faveur pour nous éclata la première,

18. Mithridate avait fait massacrer tous les Romains des
villes d'Asie Mineure. L'évocation est ici particulièrement
opportune puisque c'est Pompée qui présida à sa défaite et
à sa mort.

870 Tout ce qu'il fit après fut à votre prière :
Il émut le sénat pour des rois outragés,
Que sans cette prière il aurait négligés.
Mais de ce grand sénat les saintes ordonnances
Eussent peu fait pour nous, Seigneur, sans vos finances;
875 Par là de nos mutins le feu Roi vint à bout,
Et pour en bien parler, nous vous devons le tout.
Nous avons honoré votre ami, votre gendre,
Jusqu'à ce qu'à vous-même il ait osé se prendre,
Mais voyant son pouvoir, de vos succès jaloux,
880 Passer en tyrannie, et s'armer contre vous...

CÉSAR

Tout beau : que votre haine en son sang assouvie
N'aille point à sa gloire, il suffit de sa vie.
N'avancez rien ici que Rome ose nier,
Et justifiez-vous sans le calomnier.

PTOLOMÉE

885 Je laisse donc aux Dieux à juger ses pensées,
Et dirai seulement qu'en vos guerres passées,
Où vous fûtes forcé par tant d'indignités,
Tous nos vœux ont été pour vos prospérités.
Que comme il vous traitait en mortel adversaire,
890 J'ai cru sa mort pour vous un malheur nécessaire,
Et que sa haine injuste, augmentant tous les jours,
Jusque dans les enfers chercherait du secours,
Ou qu'enfin, s'il tombait dessous votre puissance,
Il nous fallait pour vous craindre votre clémence;
895 Et que le sentiment d'un cœur trop généreux,
Usant mal de vos droits, vous rendit malheureux.
    J'ai donc considéré qu'en ce péril extrême
Nous vous devions, Seigneur, servir malgré vous-
Et sans attendre d'ordre en cette occasion,   [même,
900 Mon zèle ardent l'a prise à ma confusion.
Vous m'en désavouez, vous l'imputez à crime,
Mais pour servir César rien n'est illégitime.
J'en ai souillé mes mains pour vous en préserver,
Vous pouvez en jouir, et le désapprouver,
905 Et j'ai plus fait pour vous, plus l'action est noire,
Puisque c'est d'autant plus vous immoler ma gloire,
Et que ce sacrifice, offert par mon devoir,
Vous assure la vôtre avec votre pouvoir.

CÉSAR

Vous cherchez, Ptolomée, avecque trop de ruses
910 De mauvaises couleurs et de froides excuses.
Votre zèle était faux, si seul il redoutait
Ce que le monde entier à pleins vœux souhaitait,
Et s'il vous a donné ces craintes trop subtiles,
Qui m'ôtent tout le fruit de nos guerres civiles,
915 Où l'honneur seul m'engage, et que pour terminer
Je ne veux que celui de vaincre et pardonner,
Où mes plus dangereux et plus grands adversaires,
Sitôt qu'ils sont vaincus, ne sont plus que mes frères,
Et mon ambition ne va qu'à les forcer,
920 Ayant dompté leur haine, à vivre et m'embrasser.
    Oh! combien d'allégresse une si triste guerre
Aurait-elle laissé dessus toute la terre,
Si Rome avait pu voir marcher en même char,
Vainqueurs de leur discorde, et Pompée et César!
925 Voilà ces grands malheurs que craignait votre zèle.
O crainte ridicule autant que criminelle!

Vous craigniez ma clémence! ah! n'ayez plus ce soin,
Souhaitez-la plutôt, vous en avez besoin.
Si je n'avais égard qu'aux lois de la justice,
Je m'apaiserais Rome avec votre supplice,
Sans que ni vos respects ni votre repentir,
Ni votre dignité vous pussent garantir.
Votre trône lui-même en serait le théâtre,
Mais voulant épargner le sang de Cléopâtre,
J'impute à vos flatteurs toute la trahison,
Et je veux voir comment vous m'en ferez raison.
Suivant les sentiments dont vous serez capable,
Je saurai vous tenir innocent ou coupable.
Cependant à Pompée élevez des autels,
Rendez-lui les honneurs qu'on rend aux immortels,
Par un prompt sacrifice expiez tous vos crimes,
Et surtout pensez bien au choix de vos victimes.
Allez y donner ordre, et me laissez ici
Entretenir les miens sur quelque autre souci.

Scène III : César, Antoine, Lépide.

CÉSAR

Antoine, avez-vous vu cette reine adorable?

ANTOINE

Oui, Seigneur, je l'ai vue : elle est incomparable;
Le ciel n'a point encor, par de si doux accords,
Uni tant de vertus aux grâces d'un beau corps.
Une majesté douce épand sur son visage
De quoi s'assujettir le plus noble courage,
Ses yeux savent ravir, son discours sait charmer,
Et si j'étais César, je la voudrais aimer.

CÉSAR

Comme a-t-elle reçu les offres de ma flamme?

ANTOINE

Comme n'osant la croire, et la croyant dans l'âme :
Par un refus modeste et fait pour inviter,
Elle s'en dit indigne, et la croit mériter.

CÉSAR

En pourrai-je être aimé?

ANTOINE

                    Douter qu'elle vous aime,
Elle qui de vous seul attend son diadème,
Qui n'espère qu'en vous! douter de ses ardeurs,
Vous qui pouvez la mettre au faîte des grandeurs!
Que votre amour sans crainte à son amour prétende,
Au vainqueur de Pompée il faut que tout se rende,
Et vous l'éprouverez; elle craint toutefois
L'ordinaire mépris que Rome fait des rois,
Et surtout elle craint l'amour de Calphurnie,
Mais l'une et l'autre crainte à votre aspect bannie,
Vous ferez succéder un espoir assez doux,
Lorsque vous daignerez lui dire un mot pour vous.

CÉSAR

Allons donc l'affranchir de ces frivoles craintes,
Lui montrer de mon cœur les sensibles atteintes,
Allons, ne tardons plus.

ANTOINE

                    Avant que de la voir,
Sachez que Cornélie est en votre pouvoir;
Septime vous l'amène, orgueilleux de son crime,

Et pense auprès de vous se mettre en haute estime.
Dès qu'ils ont abordé, vos chefs, par vous instruits,
Sans leur rien témoigner, les ont ici conduits.

CÉSAR

Qu'elle entre. Ah! l'importune et fâcheuse nouvelle!
Qu'à mon impatience elle semble cruelle!
O ciel! et ne pourrai-je enfin à mon amour
Donner en liberté ce qui reste du jour?

Scène IV : César, Cornélie, Antoine,
Lépide, Septime.

SEPTIME

Seigneur...

CÉSAR

Allez, Septime, allez vers votre maître.
César ne peut souffrir la présence d'un traître,
D'un Romain lâche assez pour servir sous un roi,
Après avoir servi sous Pompée et sous moi.
Septime rentre.

CORNÉLIE

César, car le destin, que dans tes fers je brave,
Me fait ta prisonnière et non pas ton esclave,
Et tu ne prétends pas qu'il m'abatte le cœur
Jusqu'à te rendre hommage, et te nommer seigneur.
De quelque rude trait qu'il m'ose avoir frappée,
Veuve du jeune Crasse et veuve de Pompée,
Fille de Scipion, et pour dire encor plus,
Romaine, mon courage est encore au-dessus,
Et de tous les assauts que sa rigueur me livre,
Rien ne me fait rougir que la honte de vivre.
J'ai vu mourir Pompée, et ne l'ai pas suivi,
Et bien que le moyen m'en aye été ravi,
Qu'une pitié cruelle à mes douleurs profondes
M'aye ôté le secours et du fer et des ondes,
Je dois rougir pourtant, après un tel malheur,
De n'avoir pu mourir d'un excès de douleur.
Ma mort était ma gloire, et le destin m'en prive
Pour croître mes malheurs et me voir ta captive.
Je dois bien toutefois rendre grâces aux Dieux
De ce qu'en arrivant je te trouve en ces lieux,
Que César y commande, et non pas Ptolomée.
Hélas! et sous quel astre, ô ciel! m'as-tu formée,
Si je leur dois des vœux de ce qu'ils ont permis
Que je rencontre ici mes plus grands ennemis,
Et tombe entre leurs mains plutôt qu'aux mains d'un
Qui doit à mon époux son trône et sa province? [prince
César, de ta victoire écoute moins le bruit :
Elle n'est que l'effet du malheur qui me suit.
Je l'ai porté pour Pompée et chez Crasse,
Deux fois du monde entier j'ai causé la disgrâce,
Deux fois de mon hymen le nœud mal assorti
A chassé tous les Dieux du plus juste parti;
Heureuse en mes malheurs, si ce triste hyménée,
Pour le bonheur de Rome, à César m'eût donnée,
Et si j'eusse avec moi porté dans ta maison
D'un astre envenimé l'invincible poison!
Car enfin n'attends pas que j'abaisse ma haine.
Je te l'ai déjà dit, César, je suis Romaine;
Et quoique ta captive, un cœur comme le mien

De peur de s'oublier ne te demande rien.
Ordonne, et sans vouloir qu'il tremble ou s'humilie, 1025
Souviens-toi seulement que je suis Cornélie.

CÉSAR

O d'un illustre époux noble et digne moitié,
Dont le courage étonne, et le sort fait pitié!
Certes, vos sentiments font assez reconnaître
Qui vous donna la main, et qui vous donna l'être, 1030
Et l'on juge aisément, au cœur que vous portez,
Où vous êtes entrée et de qui vous sortez.
L'âme du jeune Crasse et celle de Pompée,
L'une et l'autre vertu par le malheur trompée,
Le sang des Scipions protecteur de nos Dieux, 1035
Parlent par votre bouche et brillent dans vos yeux,
Et Rome dans ses murs ne voit point de famille
Qui soit plus honorée ou de femme ou de fille.
Plût au grand Jupiter, plût à ces mêmes Dieux,
Qu'Annibal eût bravés jadis sans vos aïeux, 1040
Que ce héros si cher dont le ciel vous sépare
N'eût pas si mal connu la cour d'un roi barbare,
Ni mieux aimé tenter une incertaine foi,
Que la vieille amitié qu'il eût trouvée en moi;
Qu'il eût voulu souffrir qu'un bonheur de mes armes 1045
Eût vaincu ses soupçons, dissipé ses alarmes,
Et qu'enfin, m'attendant sans plus se défier,
Il m'eût donné moyen de me justifier!
Alors, foulant aux pieds la discorde et l'envie,
Je l'eusse conjuré de se donner la vie, 1050
D'oublier ma victoire, et d'aimer un rival
Heureux d'avoir vaincu pour vivre son égal.
J'eusse alors regagné son âme satisfaite
Jusqu'à lui faire aux Dieux pardonner sa défaite;
Il eût fait à son tour, en me rendant son cœur, 1055
Que Rome eût pardonné la victoire au vainqueur.
Mais puisque par sa perte, à jamais sans seconde,
Le sort a dérobé cette allégresse au monde,
César s'efforcera de s'acquitter vers vous
De ce qu'il voudrait rendre à cet illustre époux. 1060
Prenez donc en ces lieux liberté tout entière :
Seulement pour deux jours soyez ma prisonnière,
Afin d'être témoin comme après nos débats
Je chéris sa mémoire et venge son trépas,
Et de pouvoir apprendre à toute l'Italie 1065
De quel orgueil nouveau m'enfle la Thessalie.
Je vous laisse à vous-même et vous quitte un moment.
Choisissez-lui, Lépide, un digne appartement,
Et qu'on l'honore ici, mais en dame romaine,
C'est-à-dire un peu plus qu'on n'honore la Reine. 1070
Commandez et chacun aura soin d'obéir.

CORNÉLIE

O ciel, que de vertus vous me faites haïr!

ACTE QUATRIÈME

Scène I : Ptolomée, Achillas, Photin.

PTOLOMÉE

Quoi? de la même main et de la même épée
Dont il vient d'immoler le malheureux Pompée,

1075 Septime, par César indignement chassé,
Dans un tel désespoir à vos yeux a passé?

ACHILLAS

Oui, Seigneur, et sa mort a de quoi vous apprendre
La honte qu'il prévient et qu'il vous faut attendre.
Jugez quel est César à ce courroux si lent.
1080 Un moment pousse et rompt un transport violent,
Mais l'indignation qu'on prend avec étude
Augmente avec le temps, et porte un coup plus rude;
Ainsi n'espérez pas de le voir modéré,
Par adresse il se fâche après s'être assuré.
1085 Sa puissance établie, il a soin de sa gloire,
Il poursuivait Pompée et chérit sa mémoire,
Et veut tirer à soi par un courroux accort [19],
L'honneur de sa vengeance et le fruit de sa mort.

PTOLOMÉE

Ah! si je t'avais cru, je n'aurais pas de maître,
1090 Je serais dans le trône où le ciel m'a fait naître,
Mais c'est une imprudence assez commune aux Rois
D'écouter trop d'avis, et se tromper au choix.
Le destin les aveugle au bord du précipice,
Ou si quelque lumière en leur âme se glisse,
1095 Cette fausse clarté, dont il les éblouit,
Les plonge dans un gouffre, et puis s'évanouit.

PHOTIN

J'ai mal connu César, mais puisqu'en son estime
Un si rare service est un énorme crime,
Il porte dans son flanc de quoi nous en laver :
1100 C'est là qu'est notre grâce, il nous l'y faut trouver.
Je ne vous parle plus de souffrir sans murmure,
D'attendre son départ pour venger cette injure,
Je sais mieux conformer les remèdes au mal,
Justifions sur lui la mort de son rival,
1105 Et notre main alors également trempée
Et du sang de César et du sang de Pompée,
Rome, sans leur donner de titres différents,
Se croira par vous seul libre de deux tyrans.

PTOLOMÉE

Oui, par là seulement ma perte est évitable :
1110 C'est trop craindre un tyran que j'ai fait redoutable.
Montrons que sa fortune est l'œuvre de nos mains,
Deux fois en même jour disposons des Romains,
Faisons leur liberté comme leur esclavage.
César, que tes exploits n'enflent plus ton courage,
1115 Considère les miens, tes yeux en sont témoins.
Pompée était mortel, et tu ne l'es pas moins;
Il pouvait plus que toi, tu lui portais envie,
Tu n'as, non plus que lui, qu'une âme et qu'une vie,
Et son sort que tu plains te doit faire penser
1120 Que ton cœur est sensible, et qu'on peut le percer.
Tonne, tonne à ton gré, fais peur de ta justice :
C'est à moi d'apaiser Rome par ton supplice,
C'est à moi de punir ta cruelle douceur,
Qui n'épargne en un roi que le sang de sa sœur.
1125 Je n'abandonne plus ma vie et ma puissance
Au hasard de sa haine ou de ton inconstance;
Ne crois pas que jamais tu puisses à ce prix
Récompenser sa flamme ou punir ses mépris.

J'emploierai contre toi de plus nobles maximes,
Tu m'as prescrit tantôt de choisir des victimes,
De bien penser au choix, j'obéis, et je vois
Que je n'en puis choisir de plus dignes que toi,
Ni dont le sang offert, la fumée et la cendre
Puissent mieux satisfaire aux mânes de ton gendre.
    Mais ce n'est pas assez, amis, de s'irriter :
Il faut voir quels moyens on a d'exécuter,
Toute cette chaleur est peut-être inutile :
Les soldats du tyran sont maîtres de la ville.
Que pouvons-nous contre eux, et pour les prévenir,
Quel temps devons-nous prendre et quel ordre tenir?

ACHILLAS

Nous pouvons tout, Seigneur, en l'état où nous sommes
A deux milles d'ici vous avez six mille hommes,
Que depuis quelques jours, craignant des remuements,
Je faisais tenir prêts à tous événements.
Quelques soins qu'ait César, sa prudence est déçue.
Cette ville a sous terre une secrète issue,
Par où fort aisément on les peut cette nuit
Jusque dans le palais introduire sans bruit;
Car contre sa fortune aller à force ouverte,
Ce serait trop courir vous-même à votre perte.
Il nous le faut surprendre au milieu du festin,
Enivré des douceurs de l'amour et du vin.
Tout le peuple est pour nous. Tantôt, à son entrée,
J'ai remarqué l'horreur que ce peuple a montrée
Lorsque avec tant de faste il a vu ses faisceaux
Marcher arrogamment et braver nos drapeaux;
Au spectacle insolent de ce pompeux outrage
Ses farouches regards étincelaient de rage :
Je voyais sa fureur à peine se dompter;
Et pour peu qu'on le pousse, il est prêt d'éclater;
Mais surtout les Romains que commandait Septime,
Pressés de la terreur que sa mort leur imprime,
Ne cherchent qu'à venger par un coup généreux
Le mépris qu'en leur chef se superbe a fait d'eux.

PTOLOMÉE

Mais qui pourra de nous approcher sa personne,
Si durant le festin sa garde l'environne?

PHOTIN

Les gens de Cornélie, entre qui vos Romains
Ont déjà reconnu des frères, des germains,
Dont l'âpre déplaisir leur a laissé paraître
Une soif d'immoler leur tyran à leur maître.
Ils ont donné parole et peuvent mieux que nous
Dans les flancs de César porter les premiers coups.
Son faux art de clémence ou plutôt sa folie,
Qui pense gagner Rome en flattant Cornélie
Leur donnera sans doute un assez libre accès
Pour ce grand dessein assurer le succès.
    Mais voici Cléopâtre : agissez avec feinte,
Seigneur, et ne montrez que faiblesse et que crainte.
Nous allons vous quitter, comme objets odieux
Dont l'aspect importun offenserait ses yeux.

PTOLOMÉE

Allez, je vous rejoins.

---

19. Mot italien francisé : *accorto :* avisé.

Scène II : *Ptolomée, Cléopâtre,*
Achorée, Charmion.

CLÉOPATRE

J'ai vu César, mon frère,
Et de tout mon pouvoir combattu sa colère.

PTOLOMÉE

Vous êtes généreuse, et j'avais attendu
Cet office de sœur que vous m'avez rendu.
Mais cet illustre amant vous a bientôt quittée.

CLÉOPATRE

Sur quelque brouillerie, en la ville excitée.
Il a voulu lui-même apaiser les débats
Qu'avec nos citoyens ont eus quelques soldats,
Et moi, j'ai bien voulu moi-même vous redire
Que vous ne craigniez rien pour vous ni votre empire,
Et que le grand César blâme votre action
Avec moins de courroux que de compassion.
Il vous plaint d'écouter ces lâches politiques
Qui n'inspirent aux rois que des mœurs tyranniques :
Ainsi que la naissance, ils ont les esprits bas.
En vain on les élève à régir des États :
Un cœur né pour servir sait mal comme on commande,
Sa puissance l'accable alors qu'elle est trop grande;
Et sa main, que le crime en vain fait redouter,
Laisse choir le fardeau qu'elle ne peut porter.

PTOLOMÉE

Vous dites vrai, ma sœur, et ces effets sinistres
Me font bien voir ma faute au choix de mes ministres.
Si j'avais écouté de plus nobles conseils,
Je vivrais dans la gloire où vivent mes pareils.
Je mériterais mieux cette amitié si pure
Que pour un frère ingrat vous donne la nature,
César embrasserait Pompée en ce palais,
Notre Égypte à la terre aurait rendu la paix,
Et verrait son monarque encore à juste titre
Ami de tous les deux, et peut-être l'arbitre.
Mais puisque le passé ne peut se révoquer,
Trouvez bon qu'avec vous mon cœur s'ose expliquer.
Je vous ai maltraitée, et vous êtes si bonne
Que vous me conservez la vie et la couronne.
Vainquez-vous tout à fait, et par un digne effort
Arrachez Achillas et Photin à la mort :
Elle leur est bien due; ils vous ont offensée,
Mais ma gloire en leur perte est trop intéressée.
Si César les punit des crimes de leur roi,
Toute l'ignominie en rejaillit sur moi :
Il me punit en eux, leur supplice est ma peine.
Forcez en ma faveur une trop juste haine.
De quoi peut satisfaire un cœur si généreux
Le sang abject et vil de ces deux malheureux ?
Que je vous doive tout : César cherche à vous plaire,
Et vous pouvez d'un mot désarmer sa colère.

CLÉOPATRE

Si j'avais en mes mains leur vie et leur trépas,
Je les méprise assez pour ne m'en venger pas;
Mais sur le grand César je puis fort peu de chose,
Quand je veux du sang de Pompée à mes désirs s'oppose.
Je ne me vante pas de pouvoir le fléchir;
J'en ai déjà parlé, mais il a su gauchir;

Et tournant le discours sur une autre matière,
Il n'a ni refusé ni souffert ma prière.
Je veux bien toutefois encor m'y hasarder,   1235
Mes efforts redoublés pourront mieux succéder,
Et j'ose croire...

PTOLOMÉE

Il vient : souffrez que je l'évite,
Je crains que ma présence à vos yeux ne l'irrite,
Que son courroux ému ne s'aigrisse à me voir,
Et vous agirez seule avec plus de pouvoir.   1240

Scène III : *César, Cléopâtre, Antoine, Lépide,*
Charmion, Achorée, romains.

CÉSAR

Reine, tout est paisible, et la ville calmée
Qu'un trouble assez léger avait trop alarmée,
N'a plus à redouter le divorce intestin
Du soldat insolent et du peuple mutin.
Mais, ô Dieux! ce moment que je vous ai quittée   1245
D'un trouble bien plus grand a mon âme agitée
Et ces soins importuns, qui m'arrachaient de vous,
Contre ma grandeur même allumaient mon courroux.
Je lui voulais du mal de m'être si contraire,
De rendre ma présence ailleurs si nécessaire,   1250
Mais je lui pardonnais, au simple souvenir
Du bonheur qu'à ma flamme elle fait obtenir.
C'est elle dont je tiens cette haute espérance
Qui flatte mes désirs d'une illustre apparence,
Et fait croire à César qu'il peut former des vœux,   1255
Qu'il n'est pas tout à fait indigne de vos feux,
Et qu'il peut en prétendre une juste conquête,
N'ayant plus que les Dieux au-dessus de sa tête.
Oui, Reine, si quelqu'un dans ce vaste univers
Pouvait porter plus haut la gloire de vos fers,   1260
S'il était quelque trône où vous puissiez paraître
Plus dignement assise en captivant son maître,
J'irais, j'irais à lui, moins pour le lui ravir,
Que pour lui disputer le droit de vous servir,
Et je n'aspirerais au bonheur de vous plaire   1265
Qu'après avoir mis bas un si grand adversaire.
C'était pour acquérir un droit si précieux
Que combattait partout mon bras ambitieux,
Et dans Pharsale même il a tiré l'épée
Plus pour le conserver que pour vaincre Pompée.   1270
Je l'ai vaincu, Princesse, et le Dieu des combats
M'y favorisait moins que vos divins appas.
Ils conduisaient ma main, ils enflaient mon courage,
Cette pleine victoire est leur dernier ouvrage,
C'est l'effet des ardeurs qu'ils daignaient m'inspirer, 1275
Et vos beaux yeux enfin m'ayant fait soupirer,
Pour faire que votre âme avec gloire y réponde,
M'ont rendu le premier et de Rome et du monde.
C'est ce glorieux titre, à présent effectif,
Que je viens ennoblir par celui de captif,   1280
Heureux, si mon esprit gagne tant sur le vôtre,
Qu'il en estime l'un et me permette l'autre!

CLÉOPATRE

Je sais ce que je dois au souverain bonheur
Dont me comble et m'accable un tel excès d'honneur.

1285 Je ne vous tiendrai plus mes passions secrètes.
Je sais ce que je suis, je sais ce que vous êtes.
Vous daignâtes m'aimer dès mes plus jeunes ans,
Le sceptre que je porte est un de vos présents,
Vous m'avez par deux fois rendu le diadème.
1290 J'avoue, après cela, Seigneur, que je vous aime,
Et que mon cœur n'est point à l'épreuve des traits
Ni de tant de vertus ni de tant de bienfaits.
Mais, hélas! ce haut rang, cette illustre naissance,
Cet état de nouveau rangé sous ma puissance,
1295 Ce sceptre par vos mains dans les miennes remis,
A mes vœux innocents sont autant d'ennemis.
Ils allument contre eux une implacable haine :
Ils me font méprisable alors qu'ils me font reine,
Et si Rome est encor telle qu'auparavant,
1300 Le trône où je me sieds m'abaisse en m'élevant,
Et ces marques d'honneur, comme titres infâmes,
Me rendent à jamais indigne de vos flammes.
    J'ose encor toutefois, voyant votre pouvoir,
Permettre à mes désirs un généreux espoir.
1305 Après tant de combats, je sais qu'un si grand homme
A droit de triompher des caprices de Rome,
Et que l'injuste horreur qu'elle eut toujours des rois
Peut céder par votre ordre à de plus justes lois.
Je sais que vous pouvez forcer d'autres obstacles :
1310 Vous me l'avez promis, et j'attends ces miracles.
Votre bras dans Pharsale a fait de plus grands coups,
Et je ne les demande à d'autres Dieux qu'à vous.

CÉSAR
Tout miracle est facile où mon amour s'applique.
Je n'ai plus qu'à courir les côtes de l'Afrique,
1315 Qu'à montrer mes drapeaux au reste épouvanté
Du parti malheureux qui m'a persécuté.
Rome n'ayant plus lors d'ennemis à me faire,
Par impuissance enfin prendra soin de me plaire,
Et vos yeux la verront, par un superbe accueil,
1320 Immoler à vos pieds sa haine et son orgueil.
Encore une défaite, et dans Alexandrie
Je veux que cette ingrate en ma faveur vous prie,
Et qu'un juste respect conduisant ses regards,
A votre chaste amour demande des Césars.
1325 C'est l'unique bonheur où mes désirs prétendent,
C'est le fruit que j'attends des lauriers qui m'attendent;
Heureux si mon destin, encore un peu plus doux,
Me les faisait cueillir sans m'éloigner de vous!
Mais, las! contre mon feu mon feu me sollicite.
1330 Si je veux être à vous, il faut que je vous quitte.
En quelques lieux qu'on fuie, il me faut y courir,
Pour achever de vaincre et de vous conquérir.
Permettez cependant qu'à ces douces amorces
Je prenne un nouveau cœur et de nouvelles forces,
1335 Pour faire dire encore aux peuples pleins d'effroi,
Que venir, voir, et vaincre est même chose en moi.

CLÉOPATRE
C'est trop, c'est trop, Seigneur, souffrez que j'en abuse;
Votre amour fait ma faute, il fera mon excuse.
    Vous me rendez le sceptre et peut-être le jour,
1340 Mais si j'ose abuser de cet excès d'amour,
Je vous conjure encor, par ses plus puissants charmes,
Par ce juste bonheur qui suit toujours vos armes,

Par tout ce que j'espère et que vous attendez,
De n'ensanglanter pas ce que vous me rendez.
Faites grâce, Seigneur, ou souffrez que j'en fasse,
Et montre à tous par là que j'ai repris ma place.
Achillas et Photin sont gens à dédaigner.
Ils sont assez punis en me voyant régner
Et leur crime...

CÉSAR
        Ah! prenez d'autres marques de reine :
Dessus mes volontés vous êtes souveraine,
Mais si mes sentiments peuvent être écoutés,
Choisissez des sujets dignes de vos bontés.
Ne vous donnez sur moi qu'un pouvoir légitime,
Et ne me rendez point complice de leur crime.
C'est beaucoup que pour vous j'ose épargner le Roi,
Et si mes feux n'étaient...

Scène IV : César, Cornélie, Cléopâtre, Achorée,
Antoine, Lépide, Charmion, romains.

CORNÉLIE
        César, prends garde à toi :
Ta mort est résolue, on la jure, on l'apprête,
A celle de Pompée on veut joindre ta tête.
Prends-y garde, César, ou ton sang répandu
Bientôt parmi le sien se verra confondu.
Mes esclaves en sont, apprends de leurs indices
L'auteur de l'attentat et l'ordre et les complices :
Je te les abandonne.

CÉSAR
        O cœur vraiment romain,
Et digne du héros qui vous donna la main!
Ses mânes, qui du ciel ont vu de quel courage
Je préparais la mienne à venger son outrage,
Mettant leur haine bas, me sauvent aujourd'hui
Par la moitié qu'en terre il nous laisse de lui.
Il vit, il vit encore en l'objet de sa flamme,
Il parle par sa bouche, il agit dans son âme,
Il la pousse, et l'oppose à cette indignité,
Pour me vaincre par elle en générosité.

CORNÉLIE
Tu te flattes, César, de mettre en ta croyance
Que la haine ait fait place à la reconnaissance.
Ne le présume plus, le sang de mon époux
A rompu pour jamais tout commerce entre nous.
J'attends la liberté qu'ici tu m'as offerte,
Afin de l'employer tout entière à ta perte,
Et je te chercherai partout des ennemis,
Si tu m'oses tenir ce que tu m'as promis.
Mais, avec cette soif que j'ai de ta ruine,
Je me jette au-devant du coup qui t'assassine,
Et forme des désirs avec trop de raison
Pour en aimer l'effet par une trahison.
Qui la sait et la souffre a part à l'infamie.
Si je veux ton trépas, c'est en juste ennemie,
Mon époux a des fils, il aura des neveux;
Quand ils te combattront, c'est là que je le veux,
Et qu'une digne main par moi-même animée,
Dans ton champ de bataille, aux yeux de ton armée,
T'immole noblement, et par un digne effort,

Aux mânes du héros dont tu venges la mort.
Tous mes soins, tous mes vœux hâtent cette vengeance,
Ta perte la recule, et ton salut l'avance.
Quelque espoir qui d'ailleurs me l'ose ou puisse offrir,
Ma juste impatience aurait trop à souffrir.
La vengeance éloignée est à demi perdue,
Et quand il faut l'attendre, elle est trop cher vendue.
Je n'irai point chercher sur les bords africains
Le foudre souhaité que je vois en tes mains :
La tête qu'il menace en doit être frappée.
J'ai pu donner la tienne, au lieu d'elle, à Pompée,
Ma haine avait le choix, mais cette haine enfin
Sépare son vainqueur d'avec son assassin,
Et ne croit avoir droit de punir la victoire
Qu'après le châtiment d'une action si noire.
   Rome le veut ainsi; son adorable front
Aurait de quoi rougir d'un trop honteux affront,
De voir en même jour, après tant de conquêtes,
Sous un indigne fer ses deux plus nobles têtes.
Son grand cœur, qu'à tes lois en vain tu crois soumis,
En veut aux criminels plus qu'à ses ennemis,
Il tiendrait à malheur le bien de se voir libre,
Si l'attentat du Nil affranchissait le Tibre.
Comme autre qu'un Romain n'a pu l'assujettir,
Autre aussi qu'un Romain ne l'en doit garantir.
Tu tomberais ici sans être sa victime,
Au lieu d'un châtiment ta mort serait un crime,
Et sans que tes pareils en conçussent d'effroi,
L'exemple que tu dois périrait avec toi.
Venge-la de l'Égypte à ton appui fatale,
Et je la vengerai, si je puis, de Pharsale.
Va, ne perds point de temps, il presse. Adieu, tu peux
Te vanter qu'une fois j'ai fait pour toi des vœux.

Scène V : César, Cléopâtre, Antoine,
Lépide, Achorée, Charmion.

CÉSAR

Son courage m'étonne autant que leur audace.
Reine, voyez pour qui vous me demandiez grâce!

CLÉOPATRE

Je n'ai rien à vous dire. Allez, Seigneur, allez
Venger sur ces méchants tant de droits violés. [respirent,
On m'en veut plus qu'à vous : c'est ma mort qu'ils
C'est contre mon pouvoir que les traîtres conspirent;
Leur rage, pour l'abattre, attaque mon soutien,
Et par votre trépas cherche un passage au mien.
Mais parmi ces transports d'une juste colère,
Je ne puis oublier que leur chef est mon frère.
Le saurez-vous, Seigneur? et pourrai-je obtenir
Que ce cœur irrité daigne s'en souvenir?

CÉSAR

Oui, je me souviendrai que ce cœur magnanime
Au bonheur de son sang veut pardonner son crime.
Adieu, ne craignez rien. Achillas et Photin
Ne sont pas gens à vaincre un si puissant destin.
Pour les mettre en déroute, eux et tous leurs complices,
Je n'ai qu'à déployer l'appareil des supplices,
Et pour soldats choisis, envoyer des bourreaux
Qui portent hautement mes haches pour drapeaux.

César rentre avec les Romains.

CLÉOPATRE

Ne quittez pas César : allez, cher Achorée,   1445
Repousser avec lui la mort qu'on a jurée,
Et quand il punira nos lâches ennemis,
Faites-le souvenir de ce qu'il m'a promis.
Ayez l'œil sur le Roi dans la chaleur des armes,
Et conservez son sang pour épargner mes larmes.   1450

ACHORÉE

Madame, assurez-vous qu'il ne peut y périr
Si mon zèle et mes soins peuvent le secourir.

ACTE CINQUIÈME

Scène I : Cornélie, tenant une petite
urne en sa main, Philippe.

CORNÉLIE

Mes yeux, puis-je vous croire, et n'est-ce point un songe
Qui sur mes tristes vœux a formé ce mensonge?
Te revois-je, Philippe, et cet époux si cher   1455
A-t-il reçu de toi les honneurs du bûcher?
Cette urne que je tiens contient-elle sa cendre?
  O vous, à ma douleur objet terrible et tendre,
Éternel entretien de haine et de pitié,
Restes du grand Pompée, écoutez sa moitié.   1460
N'attendez point de moi de regrets, ni de larmes,
Un grand cœur à ses maux applique d'autres charmes.
Les faibles déplaisirs s'amusent à parler,
Et quiconque se plaint cherche à se consoler.
Moi, je jure des Dieux la puissance suprême,   1465
Et pour dire encor plus, je jure par vous-même,
Car vous pouvez bien plus sur ce cœur affligé
Que le respect des Dieux qui l'ont mal protégé,
Je jure donc par vous, ô pitoyable reste,
Ma divinité seule après ce coup funeste,   1470
Par vous, qui seul ici pouvez me soulager,
De n'éteindre jamais l'ardeur de le venger.
Ptolomée à César, par un lâche artifice,
Rome, de ton Pompée a fait un sacrifice,
Et je n'entrerai point dans tes murs désolés,   1475
Que le prêtre et le Dieu ne lui soient immolés.
Faites-m'en souvenir et soutenez ma haine,
O cendres, mon espoir aussi bien que ma peine,
Et pour m'aider un jour à perdre son vainqueur,
Versez dans tous les cœurs ce que ressent mon cœur.   1480
  Toi qui l'as honoré sur cette infâme rive
D'une flamme pieuse autant comme chétive,
Dis-moi, quel bon démon a mis en ton pouvoir
De rendre à ce héros ce funèbre devoir?

PHILIPPE

Tout couvert de son sang, et plus mort que lui-même,   1485
Après avoir cent fois maudit le diadème,
Madame, j'ai porté mes pas et mes sanglots
Du côté que le vent poussait encor les flots.
Je cours longtemps en vain, mais enfin d'une roche
J'en découvre le tronc vers un sable assez proche,   1490
Où la vague en courroux semblait prendre plaisir
A feindre de le rendre, et puis s'en ressaisir.

Je m'y jette et l'embrasse, et le pousse au rivage,
Et ramassant sous lui le débris d'un naufrage,
1495 Je lui dresse un bûcher à la hâte et sans art,
Tel que je pus sur l'heure, et qu'il plut au hasard.
A peine brûlait-il que le ciel plus propice
M'envoie un compagnon en ce pieux office :
Cordus, un vieux Romain qui demeure en ces lieux,
1500 Retournant de la ville, y détourne les yeux;
Et n'y voyant qu'un tronc dont la tête est coupée,
A cette triste marque il reconnaît Pompée.
Soudain la larme à l'œil : « O toi, qui que tu sois,
A qui le ciel permet de si dignes emplois,
1505 Ton sort est bien, dit-il, autre que tu ne penses;
Tu crains des châtiments, attends des récompenses.
César est en Égypte, et venge hautement
Celui pour qui ton zèle a tant de sentiment.
Tu peux faire éclater les soins qu'on t'en voit prendre,
1510 Tu peux même à sa veuve en reporter la cendre.
Son vainqueur l'a reçue avec tout le respect
Qu'un Dieu pourrait ici trouver à son aspect.
Achève, je reviens. » Il part et m'abandonne,
Et rapporte ce vase qu'il me donne,
1515 Où sa main et la mienne enfin ont renfermé
Ces restes d'un héros par le feu consumé.

CORNÉLIE

Oh! que sa piété mérite de louanges!

PHILIPPE

En entrant j'ai trouvé des désordres étranges.
J'ai vu fuir tout un peuple en foule vers le port,
1520 Où le Roi, disait-on, s'était fait le plus fort.
Les Romains poursuivaient, et César dans la place
Ruisselante du sang de cette populace
Montrait de sa justice un exemple si beau,
Faisant passer Photin par les mains d'un bourreau.
1525 Aussitôt qu'il me voit, il daigne me connaître,
Et prenant de ma main les cendres de mon maître :
« Restes d'un demi-dieu, dont à peine je puis
Égaler le grand nom, tout vainqueur que j'en suis,
De vos traîtres, dit-il, voyez punir les crimes.
1530 Attendant des autels, recevez ces victimes,
Bien d'autres vont les suivre, et toi, cours au palais
Porter à sa moitié ce don que je lui fais,
Porte à ses déplaisirs cette faible allégeance,
Et dis-lui que je cours achever sa vengeance. »
1535 Ce grand homme à ces mots me quitte en soupirant,
Et baise avec respect ce vase qu'il me rend.

CORNÉLIE

O soupirs! ô respect! oh! qu'il est doux de plaindre
Le sort d'un ennemi quand il n'est plus à craindre!
Qu'avec chaleur, Philippe, on court à le venger
1540 Lorsqu'on s'y voit forcé par son propre danger,
Et quand cet intérêt qu'on prend pour sa mémoire
Fait notre sûreté comme il croît notre gloire!
César est généreux, j'en veux être d'accord,
Mais le Roi le veut perdre, et son rival est mort.
1545 Sa vertu laisse lieu de douter à l'envie
De ce qu'elle ferait s'il le voyait en vie.
Pour grand qu'en soit le prix, son péril en rabat,
Cette ombre qui la couvre en affaiblit l'éclat,
L'amour même s'y mêle, et le force à combattre,

Quand il venge Pompée, il défend Cléopâtre.
Tant d'intérêts sont joints à ceux de mon époux,
Que je ne devrais rien à ce qu'il fait pour nous,
Si, comme par soi-même un grand cœur juge un autre,
Je n'aimais mieux juger sa vertu par la nôtre,
Et croire que nous seuls armons ce combattant,
Parce qu'au point qu'il est j'en voudrais faire autant.

Scène II : Cléopâtre, Cornélie,
Philippe, Charmion.

CLÉOPATRE

Je ne viens pas ici pour troubler une plainte
Trop juste à la douleur dont vous êtes atteinte;
Je viens pour rendre hommage aux cendres d'un héros
Qu'un fidèle affranchi vient d'arracher aux flots,
Pour le plaindre avec vous et vous jurer, Madame,
Que j'aurais conservé ce maître de votre âme,
Si le ciel, qui vous traite avec trop de rigueur,
M'en eût donné la force aussi bien que le cœur.
Si pourtant, à l'aspect de ce qu'il vous renvoie,
Vos douleurs laissaient place à quelque peu de joie,
Si la vengeance avait de quoi vous soulager,
Je vous dirais aussi qu'on vient de vous venger,
Que le traître Photin... Vous le savez peut-être?

CORNÉLIE

Oui, Princesse, je sais qu'on a puni ce traître.

CLÉOPATRE

Un si prompt châtiment vous doit être bien doux.

CORNÉLIE

S'il a quelque douceur, elle n'est que pour vous.

CLÉOPATRE

Tous les cœurs trouvent doux le succès qu'ils espèrent.

CORNÉLIE

Comme nos intérêts, nos sentiments diffèrent.
Si César à sa mort joint celle d'Achillas,
Vous êtes satisfaite, et je ne la suis pas.
Aux mânes de Pompée il faut une autre offrande :
La victime est trop basse et l'injure est trop grande,
Et ce n'est pas un sang que pour la réparer
Son ombre et ma douleur daignent considérer.
L'ardeur de le venger, dans mon âme allumée,
En attendant César, demande Ptolomée.
Tout indigne qu'il est de vivre et de régner,
Je sais bien que César se force à l'épargner.
Mais quoi que son amour ait osé vous promettre,
Le ciel, plus juste enfin, n'osera le permettre,
Et s'il peut une fois écouter tous mes vœux,
Par la main l'un de l'autre ils périront tous deux.
Mon âme à ce bonheur, si le ciel me l'envoie,
Oubliera ses douleurs pour s'ouvrir à la joie,
Mais si ce grand souhait demande trop pour moi,
Si vous n'en perdez qu'un, ô ciel! perdez le Roi.

CLÉOPATRE

Le ciel sur nos souhaits ne règle pas les choses.

CORNÉLIE

Le ciel règle souvent les effets sur les causes
Et rend aux criminels ce qu'ils ont mérité.

CLÉOPATRE

Comme de la justice, il a de la bonté.

CORNÉLIE

Oui, mais il fait juger, à voir comme il commence,
Que sa justice agit, et non pas sa clémence.

CLÉOPÂTRE

Souvent de la justice il passe à la douceur.

CORNÉLIE

Reine, je parle en veuve, et vous parlez en sœur.
Chacune a son sujet d'aigreur ou de tendresse,
Qui dans le sort du Roi justement l'intéresse.
Apprenons par le sang qu'on aura répandu
A quels souhaits le ciel a le mieux répondu.
Voici votre Achorée.

Scène III : Cornélie, Cléopâtre, Achorée,
Philippe, Charmion.

CLÉOPÂTRE

Hélas! sur son visage
Rien ne s'offre à mes yeux que de mauvais présage.
Ne nous déguisez rien, parlez sans me flatter.
Qu'ai-je à craindre, Achorée, ou qu'ai-je à regretter?

ACHORÉE

Aussitôt que César eut su la perfidie...

CLÉOPÂTRE

Ce ne sont pas ses soins que je veux qu'on me die.
Je sais qu'il fit trancher et clore ce conduit [20],
Par où ce grand secours devait être introduit,
Qu'il manda tous les siens pour s'assurer la place,
Où Photin a reçu le prix de son audace,
Que d'un si prompt supplice Achillas étonné
S'est aisément saisi du port abandonné,
Que le Roi l'a suivi, qu'Antoine a mis à terre
Ce qui dans ses vaisseaux restait de gens de guerre,
Que César l'a rejoint, et je ne doute pas
Qu'il n'ait su vaincre encore et punir Achillas.

ACHORÉE

Oui, Madame, on a vu son bonheur ordinaire...

CLÉOPÂTRE

Dites-moi seulement s'il a sauvé mon frère,
S'il m'a tenu promesse.

ACHORÉE

Oui, de tout son pouvoir.

CLÉOPÂTRE

C'est là l'unique point que je voulais savoir.
Madame, vous voyez, les Dieux m'ont écoutée.

CORNÉLIE

Ils n'ont que différé la peine méritée.

CLÉOPÂTRE

Vous la vouliez sur l'heure, ils l'en ont garanti.

ACHORÉE

Il faudrait qu'à nos vœux il eût mieux consenti.

CLÉOPÂTRE

Que disiez-vous naguère, et que viens-je d'entendre?
Accordez ces discours, que j'ai peine à comprendre.

ACHORÉE

Aucuns ordres ni soins n'ont pu le secourir.
Malgré César et nous il a voulu périr,

20. Achillas a parlé aux vers 1146-1148 d'une secrète issue
souterraine.

Mais il est mort, Madame, avec toutes les marques
Que puissent laisser d'eux les plus dignes monarques.
Sa vertu rappelée a soutenu son rang,   1635
Et sa perte aux Romains a coûté bien du sang.
    Il combattait Antoine avec tant de courage
Qu'il emportait déjà sur lui quelque avantage,
Mais l'abord de César a changé le destin :
Aussitôt Achillas suit le sort de Photin.   1640
Il meurt, mais d'une mort trop belle pour un traître,
Les armes à la main, en défendant son maître.
Le vainqueur crie en vain qu'on épargne le Roi,
Ces mots au lieu d'espoir lui donnent de l'effroi.
Son esprit alarmé les croit un artifice   1645
Pour réserver sa tête à l'affront d'un supplice.
Il pousse dans nos rangs, il les perce, et fait voir
Ce que peut la vertu qu'arme le désespoir,
Et son cœur, emporté par l'erreur qui l'abuse,
Cherche partout la mort que chacun lui refuse.   1650
Enfin perdant haleine, après ces grands efforts,
Près d'être environné, ses meilleurs soldats morts,
Il voit quelques fuyards sauter dans une barque,
Il s'y jette et les siens, qui suivent leur monarque,
D'un si grand nombre en foule accablent ce vaisseau   1655
Que la mer l'engloutit avec tout son fardeau.
    C'est ainsi que sa mort lui rend toute sa gloire.
A vous toute l'Égypte, à César la victoire.
Il vous proclame reine, et bien qu'aucun Romain
Du sang que vous pleurez n'ait vu rougir sa main,   1660
Il nous fait voir à tous un déplaisir extrême,
Il soupire, il gémit. Mais le voici lui-même,
Qui pourra mieux que moi vous montrer la douleur
Que lui donne du Roi l'invincible malheur.

Scène IV : César, Cornélie, Cléopâtre, Antoine,
Lépide, Achorée, Charmion, Philippe.

CORNÉLIE

César, tiens-moi parole, et me rends mes galères.   1665
Achillas et Photin ont reçu leurs salaires,
Leur roi n'a pu jouir de ton cœur adouci,
Et Pompée est vengé ce qu'il peut l'être ici.
Je n'y saurais plus voir qu'un funeste rivage
Qui de leur attentat m'offre l'horrible image,   1670
Ta nouvelle victoire, et le bruit éclatant
Qu'aux changements de roi pousse un peuple incons-
Et parmi ces objets, ce qui le plus m'afflige,   [tant,
C'est d'y revoir toujours l'ennemi qui m'oblige.
Laisse-moi m'affranchir de cette indignité,   1675
Et souffre que ma haine agisse en liberté.
A cet empressement j'ajoute une requête :
Vois l'urne de Pompée, il y manque sa tête;
Ne me la retiens plus, c'est l'unique faveur
Dont je te puis encor prier avec honneur.   1680

CÉSAR

Il est juste, et César est tout prêt de vous rendre
Ce reste où vous avez tant de droit de prétendre,
Mais il est juste aussi qu'après tant de sanglots
A ses mânes errants nous rendions le repos,
Qu'un bûcher allumé par ma main et la vôtre   1685
Le venge pleinement de la honte de l'autre,

Que son ombre s'apaise en voyant notre ennui,
Et qu'une urne plus digne et de vous et de lui,
Après la flamme éteinte et les pompes finies,
1690 Renferme avec éclat ses cendres réunies.
De cette même main dont il fut combattu,
Il verra des autels dressés à sa vertu,
Il recevra des vœux, de l'encens, des victimes,
Sans recevoir par là d'honneurs que légitimes.
1695 Pour ces justes devoirs je ne veux que demain,
Ne me refusez pas ce bonheur souverain.
Faites un peu de force à votre impatience,
Vous êtes libre après, partez en diligence,
Portez à notre Rome un si digne trésor,
1700 Portez...

CORNÉLIE

Non pas, César, non pas à Rome encor :
Il faut que la défaite et que tes funérailles
A cette cendre aimée en ouvrent les murailles,
Et quoiqu'elle la tienne aussi chère que moi,
Elle n'y doit rentrer qu'en triomphant de toi.
1705 Je la porte en Afrique, et c'est là que j'espère
Que les fils de Pompée et Caton mon père,
Secondés par l'effort d'un Roi plus généreux,
Ainsi que la justice auront le sort pour eux.
C'est là que tu verras sur la terre et sur l'onde
1710 Les débris de Pharsale armer un autre monde,
Et c'est là que j'irai, pour hâter tes malheurs,
Porter de rang en rang ces cendres et mes pleurs.
Je veux que de ma haine ils reçoivent des règles,
Qu'ils suivent au combat des urnes au lieu d'aigles,
1715 Et que ce triste objet porte en leur souvenir
Les soins de le venger et ceux de te punir.
Tu veux à ce héros rendre un devoir suprême :
L'honneur que tu lui rends rejaillit sur toi-même.
Tu m'en veux pour témoin : j'obéis au vainqueur,
1720 Mais ne présume pas toucher par là mon cœur.
La perte que j'ai faite est trop irréparable,
La source de ma haine est trop inépuisable,
A l'égal de mes jours je la ferai durer,
Je veux vivre avec elle, avec elle expirer.
1725 Je t'avouerai pourtant, comme vraiment Romaine,
Que pour toi mon estime est égale à ma haine,
Que l'une et l'autre est juste et montre le pouvoir,
L'une de ta vertu, l'autre de mon devoir,
Que l'une est généreuse, et l'autre intéressée,
1730 Et que dans mon esprit l'une et l'autre est forcée.
Tu vois que ta vertu, qu'en vain on veut trahir,
Me force de priser ce que je dois haïr.
Juge ainsi de la haine où mon devoir me lie :
La veuve de Pompée y force Cornélie.
1735 J'irai, n'en doute point, au sortir de ces lieux,
Soulever contre toi les hommes et les Dieux,
Ces Dieux qui t'ont flatté, ces Dieux qui m'ont trompée,
Ces Dieux qui dans Pharsale ont mal servi Pompée,
Qui la foudre à la main l'ont pu voir égorger :
1740 Ils connaîtront leur faute, et le voudront venger.
Mon zèle à leur refus, aidé de sa mémoire,
Te saura bien sans eux arracher la victoire,
Et quand tout mon effort se trouvera rompu,
Cléopâtre fera ce que je n'aurai pu.

Je sais quelle est ta flamme et quelles sont ses forces,
Que tu n'ignores pas comme on fait les divorces,
Que ton amour t'aveugle, et que pour l'épouser
Rome n'a point de lois que tu n'oses briser.
Mais sache aussi qu'alors la jeunesse romaine
Se croira tout permis sur l'époux d'une reine,
Et que de cet hymen tes amis indignés
Vengeront sur ton sang leurs avis dédaignés.
J'empêche ta ruine, empêchant tes caresses.
Adieu, j'attends demain l'effet de tes promesses.

Scène V : *César, Cléopâtre, Antoine,*
Lépide, Achorée, Charmion.

CLÉOPATRE

Plutôt qu'à ces périls je vous puisse exposer,
Seigneur, perdez en moi ce qui les peut causer.
Sacrifiez ma vie au bonheur de la vôtre,
Le mien sera trop grand, et je n'en veux point d'autre,
Indigne que je suis d'un César pour époux,
Que de vivre en votre âme, étant morte pour vous.

CÉSAR

Reine, ces vains projets sont le seul avantage
Qu'un grand cœur impuissant a du ciel en partage.
Comme il a peu de force, il a beaucoup de soins,
Et s'il pouvait plus faire, il souhaiterait moins.
Les Dieux empêcheront l'effet de ces augures,
Et mes félicités n'en seront pas moins pures,
Pourvu que votre amour gagne sur vos douleurs,
Qu'en faveur de César vous tarissiez vos pleurs,
Et que votre bonté, sensible à ma prière,
Pour un fidèle amant oublie un mauvais frère.
     On aura pu vous dire avec quel déplaisir
J'ai vu le désespoir qu'il a voulu choisir,
Avec combien d'efforts j'ai voulu le défendre
Des paniques terreurs qui l'avaient pu surprendre.
Il s'est de mes bontés jusqu'au bout défendu,
Et de peur de se perdre il s'est enfin perdu.
Oh! honte pour César, qu'avec tant de puissance,
Tant de soins de vous rendre entière obéissance,
Il n'ait pu toutefois en ces événements
Obéir au premier de vos commandements!
Prenez-vous-en au ciel, dont les ordres sublimes
Malgré tous nos efforts savent punir les crimes.
Sa rigueur envers lui vous offre un sort plus doux,
Puisque par cette mort l'Égypte est toute à vous.

CLÉOPATRE

Je sais que j'en reçois un nouveau diadème,
Qu'on n'en peut accuser que les Dieux et lui-même.
Mais comme il est, Seigneur, de la fatalité
Que l'aigreur soit mêlée à la félicité,
Ne vous offensez pas si cet heur de vos armes,
Qui me rend tant de biens, me coûte un peu de larmes,
Et si voyant sa mort due à sa trahison,
Je donne à la nature ainsi qu'à la raison.
Je n'ouvre point les yeux sur ma grandeur si proche,
Qu'aussitôt à mon cœur mon sang ne le reproche,
J'en ressens dans mon âme un murmure secret,
Et ne puis remonter au trône sans regret.

ACHORÉE

Un grand peuple, Seigneur, dont cette cour est pleine,
Par des cris redoublés demande à voir sa reine,
Et tout impatient déjà se plaint aux cieux
Qu'on lui donne trop tard un bien si précieux.

CÉSAR

Ne lui refusons plus le bonheur qu'il désire :
Princesse, allons par là commencer votre empire.

  Fasse le juste ciel, propice à mes désirs,
Que ces longs cris de joie étouffent vos soupirs,
Et puissent ne laisser dedans votre pensée
Que l'image des traits dont mon âme est blessée!

Cependant, qu'à l'envi ma suite et votre cour
Préparent pour demain la pompe d'un beau jour,
Où dans un digne emploi l'une et l'autre occupée
Couronne Cléopâtre et m'apaise Pompée,
Élève à l'une un trône, à l'autre des autels,
Et jure à tous les deux des respects immortels [21].

21. Cette tragédie, comme beaucoup de celles de Corneille, appartient à ce genre que les Italiens nomment « tragédie à fin heureuse » et n'a pas de terme équivalent en français. Corneille ne pouvait la nommer « comédie héroïque », comme il le fera de *Don Sanche*, car elle est la tragédie de Pompée et même de César, à cause des fâcheux présages lancés prophétiquement par Cornélie.

1810

LE MENTEUR
COMÉDIE

Corneille nous apprend qu'il écrivit le Menteur *« le même hiver » qu'il composa* Pompée. *Comme une lettre de Guez de Balzac du 10 février 1643 déclare : « Vous serez Aristophane quand vous le voudrez », il est vraisemblable de penser que les deux pièces furent jouées ensemble au Marais l'hiver suivant*.*

De la distribution on sait seulement que le valet Cliton était Jodelet, célèbre par sa mine pâle et sa voix nasillarde. Floridor jouait probablement Dorante.

Corneille fut satisfait de l'immense succès de sa

comédie, libre adaptation d'une pièce d'Alarcon : La Verdad sospechosa *(La Vérité suspecte) dont il croyait que Lope de Vega était l'auteur.*

Il concentre les lieux (six chez Alarcon, deux ici), le temps (trente-six heures dans la pièce française contre au moins quatre jours chez Alarcon), et l'action est élaguée d'épisodes secondaires.

L'ensemble surtout diffère : la pièce assez peu comique de son modèle devient un morceau de verve et de mouvement plutôt qu'une comédie de mœurs, ce que Alcaron a voulu faire et réussi.

ÉPITRE

MONSIEUR[1],

Je vous présente une pièce de théâtre d'un style si éloigné de ma dernière, qu'on aura de la peine à croire qu'elles soient parties toutes les deux de la même main, dans le même hiver. Aussi les raisons qui m'ont obligé à y travailler ont été bien différentes. J'ai fait *Pompée* pour satisfaire à ceux qui ne trouvaient pas les vers de *Polyeucte* si puissants que ceux de *Cinna* et leur montrer que j'en saurais bien retrouver la pompe quand le sujet le pourrait souffrir ; j'ai fait *le Menteur* pour contenter les souhaits de beaucoup d'autres qui, suivant l'humeur des Français, aiment le changement, et après tant de poèmes graves dont nos meilleures plumes ont enrichi la scène, m'ont demandé quelque chose de plus enjoué qui ne servît qu'à les divertir. Dans le premier, j'ai voulu faire un essai de ce que pouvaient la majesté du raisonnement, et la force des vers dénués de l'agrément du sujet ; dans celui-ci, j'ai voulu tenter ce que pourrait l'agrément du sujet, dénué de la force des vers. Et d'ailleurs, étant obligé au genre comique de ma première réputation, je ne pouvais l'abandonner tout à fait sans quelque espèce d'ingratitude. Il est vrai que comme alors que je me hasardai à le quitter, je n'osai me fier à mes seules forces et que, pour m'élever à la dignité du tragique, je pris l'appui du grand Sénèque, à qui j'empruntai tout ce qu'il avait donné de rare à sa *Médée* : ainsi, quand je me suis résolu de repasser

du héroïque au naïf, je n'ai osé descendre de si haut sans m'assurer d'un guide et me suis laissé conduire au fameux Lope de Vega[2], de peur de m'égarer dans les détours de tant d'intrigues que fait notre Menteur. En un mot, ce n'est ici qu'une copie d'un excellent original qu'il a mis au jour sous le titre de *la Verdad sospechosa*; et me fiant sur notre Horace, qui donne liberté de tout oser aux poètes ainsi qu'aux peintres, j'ai cru que nonobstant la guerre des deux couronnes, il m'était permis de trafiquer[3] en Espagne. Si cette sorte de commerce était un crime, il y a longtemps que je serais coupable, je ne dis pas seulement pour *le Cid*, où je me suis aidé de don Guilhem de Castro, mais aussi pour *Médée*, dont je me suis parlé, et pour *Pompée* même, où pensant me fortifier du secours de deux Latins, j'ai pris celui de deux Espagnols, Sénèque et Lucain étant tous deux de Cordoue. Ceux qui ne voudront pas me pardonner cette intelligence avec nos ennemis approuveront du moins que je pille chez eux; et soit qu'on fasse passer ceci pour un larcin ou pour un emprunt, je m'en suis trouvé si bien que je n'ai pas envie que ce soit le dernier que je ferai chez eux. Je crois que vous en serez d'avis, et ne m'en estimerez pas moins.

Je suis, MONSIEUR, votre très humble serviteur,
CORNEILLE.

*Privilège (à Corneille): 22 janvier 1644. Achevé d'imprimer: 31 octobre 1644.

1. Ce personnage inconnu doit être un de ceux « qui ont demandé à Corneille d'écrire une comédie » (cf. infra). Rien n'aide à l'identification. Rien ne permet de supposer qu'il s'agisse de Monsieur, frère du roi. S'il s'agissait d'un être imaginaire, on ne voit pas pourquoi Corneille y aurait joint un *Au lecteur*.

2. Le texte est d'Alarcon. L'erreur est compréhensible, tous les textes espagnols étant réunis dans des recueils collectifs dont l'auteur n'est pas toujours clairement indiqué, où même parfois on attribue, par une erreur volontaire, une pièce à un auteur plus connu. Voyez plus bas *l'Examen*.

3. Trait d'humour dans lequel Corneille joue sur le mot « trafiquer ». En 1644 les pourparlers de paix traînent, qui n'aboutiront qu'en 1648 à la paix de Munster.

AU LECTEUR

Bien que cette comédie et celle qui la suit soient toutes deux de l'invention de Lope de Vega, je ne vous les donne point dans le même ordre que je vous ai donné *le Cid* et *Pompée*, dont en l'un vous avez vu les vers espagnols et en l'autre les latins, que j'ai traduits ou imités de Guilhem de Castro et de Lucain. Ce n'est pas que je n'aye ici emprunté beaucoup de choses de cet admirable original, mais comme j'ai entièrement dépaysé les sujets pour les habiller à la française, vous trouveriez si peu de rapport entre l'Espagnol et le Français, qu'au lieu de satisfaction vous n'en recevriez que de l'importunité.

Par exemple, tout ce que je fais conter à notre Menteur des guerres d'Allemagne, où il se vante d'avoir été, l'Espagnol le lui fait dire du Pérou et des Indes, dont il fait le nouveau revenu; et ainsi de la plupart des autres incidents, qui bien qu'ils soient imités de l'original, n'ont presque point de ressemblance avec lui pour les pensées, ni pour les termes qui les expriment. Je me contenterai donc de vous avouer que les sujets sont entièrement de lui, comme vous les trouverez dans la vingt et deuxième partie[4] de ses comédies. Pour le reste, j'en ai pris tout ce qui s'est pu accommoder à notre usage, et s'il m'est permis de dire mon sentiment touchant une chose où j'ai si peu de part, je vous avouerai en même temps que l'invention de celle-ci me charme tellement que je ne trouve rien à mon gré qui lui soit comparable en ce genre, ni parmi les anciens ni parmi les modernes. Elle est toute spirituelle depuis le commencement jusqu'à la fin, et les incidents si justes et si gracieux qu'il faut être, à mon avis, de bien mauvaise humeur pour n'en approuver pas la conduite et n'en aimer pas la représentation.

Je me défierais peut-être de l'estime extraordinaire que j'ai pour ce poème, si je n'y étais confirmé par celle qu'en a faite un des premiers hommes de ce siècle, et qui non seulement est le protecteur des savantes muses de la Hollande, mais fait voir encore par son propre exemple que les grâces de la poésie ne sont pas incompatibles avec les plus hauts emplois de la politique et les plus nobles fonctions d'un homme d'Etat. Je parle de M. de Zuylichem[5], secrétaire des commandements de Monseigneur le prince d'Orange. C'est lui que MM. Heinsius et Balzac ont pris comme pour arbitre de leur fameuse querelle[6], puisqu'ils lui ont adressé l'un et l'autre leurs doctes dissertations, et qui n'a pas dédaigné de montrer au public l'état qu'il fait de cette comédie par deux épigrammes, l'un en français et l'autre latin, qu'il a mis au-devant de l'impression qu'en ont faite les Elzeviers, à Leyden. Je vous les donne ici d'autant plus volontiers que n'ayant pas l'honneur d'être connu de lui, son témoignage ne peut être suspect et qu'on n'aura pas lieu de m'accuser de beaucoup de vanité pour en avoir fait parade, puisque

toute la gloire qu'il m'y donne doit être attribuée au grand Lope de Vega, que peut-être il ne connaissait pas pour le premier auteur de cette merveille de théâtre.

IN PRÆSTANTISSIMI POETÆ
GALLICI CORNELII [7]
COMŒDIAM, QUÆ INSCRIBITUR MENDAX

Gravi cothurno torvus, orchestra truci
Dudum cruentus, Galliæ justus stupor,
Audivit et vatum decus Cornelius.
Laudem poetæ num mereret comici
Pari nitore et elegantia, fuit
Qui disputaret, et negarunt inscii,
Et mos gerendus insciis semel fuit.
Et ecce gessit, mentiendi gratia
Faceliisque, quas Terentius, pater
Amœnitatum, quas Menander, quas merum
Nectar deorum Plautus et mortalium,
Si sæculo reddantur, agnoscant suas,
Et quas negare non graventur non suas.
Tandem poeta est : fraude, fuco, fabula,
Mendace scena vindicavit se sibi[8].
Cui Stagiræ[9] venit in mentem, putas,
Quis qua prævit supputator algebra,
Quis cogitavit illud Euclides prior,
Probare rem verissimam mendacio[10]?

CONSTANTER, 1645.

A M. CORNEILLE
SUR SA COMÉDIE : LE MENTEUR

Eh bien, ce beau *Menteur*, cette pièce fameuse,
Qui étonne le Rhin et fait rougir la Meuse,
Et le Tage et le Pô, et le Tibre romain,
De n'avoir rien produit d'égal à cette main,
A ce Plaute rené, à ce nouveau Térence,
La trouve-t-on si loin ou de l'indifférence
Ou du juste mépris des savants d'aujourd'hui?
Je tiens tout au rebours qu'elle a besoin d'appui,
De grâce, de pitié, de faveur affétée,
D'extrême charité, de louange empruntée.

---

4. Cette vingt-deuxième partie avait paru en 1630 à Saragosse. Mais Alarcon l'avait bien publiée sous son nom en 1634, dans la deuxième partie de ses *Comédies* : Corneille n'a donc pas connu cette édition.

5. Constantin Huygens (1595-1647), père de l'astronome célèbre, avait recherché le premier l'amitié du poète, en lui adressant des vers latins louangeurs. Corneille lui dédiera *Don Sanche* en 1650.

6. A propos de l'*Hérode* de Heinsius et de l'usage du surnaturel dans la tragédie. On a vu que Corneille partage le point de vue de Guez de Balzac, le surnaturel n'ayant sa place que dans les âmes, et non sur la scène, sous la forme d'apparitions ou d'allégories.

7. Sur la comédie intitulée *le Menteur*, de l'incomparable poète français, Corneille.
Farouche d'un cothurne grave, sanglant encore
D'un théâtre effrayant, celui qui stupéfait à bon droit la Gaule
Corneille, la gloire des poètes, il l'a aussi entendue.
S'il méritait la louange du poète comique
S'il avait même éclat, même grâce, il y eut des gens
Pour en disputer, et les sots le nièrent :
Il a fallu pour une fois suivre leur volonté.
Mais voici qu'il l'a fait, en faveur du mensonge,
Avec des facéties que Térence, père des élégances
Ou Ménandre ou Plaute, pur nectar
Des hommes et des dieux, reconnaîtraient
S'ils revivaient, pour les leurs,
Ou qu'ils n'oseraient renier quand elles ne le sont pas.
Bref, il est poète : par la fourbe, la ruse, la fable,
Le mensonge, le Théâtre se venge de lui-même.
En quel Stagyre est-il venu à l'esprit, penses-tu,
Quel algébriste, en des voies qui le devancent,
Quel Euclide a pensé le premier
Qu'on prouvait la pure vérité par un mensonge?

8. Le théâtre est le lieu par excellence de la feinte. Cf. *l'Illusion comique* : « l'illusion trompe et plaît ».

9. Ville de Macédoine, patrie d'Aristote.

10. Le mathématicien opère des démonstrations *par l'absurde*, c'est-à-dire contraires à la vérité.

Elle est plate, elle est fade, elle manque de sel,
De pointe et de vigueur; et n'y a carrousel
Où la rage et le vin n'enfante des Corneilles
Capables de fournir de plus fortes merveilles.
  Qu'ai-je dit! Ah! Corneille, aime mon repentir;
Ton excellent *Menteur* m'a porté à mentir.
Il m'a rendu le faux si doux et si aimable,
Que sans m'en aviser, j'ai vu le véritable
Ruiné de crédit, et ai cru constamment
N'y avoir plus d'honneur qu'à mentir vaillamment.
  Après tout, le moyen de s'en pouvoir dédire?
A moins que d'en mentir, je n'en pouvais rien dire.
La plus haute pensée au bas de sa valeur
Devenait injustice et injure à l'auteur.
Qu'importe donc qu'on mente, ou que d'un faible éloge
A toi et ton *Menteur* faussement on déroge?
Qu'importe que les dieux se trouvent irrités
De mensonges ou bien de fausses vérités?

CONSTANTER.

EXAMEN (1660)

Cette pièce est en partie traduite, en partie imitée de l'espagnol. Le sujet m'en semble si spirituel et si bien tourné que j'ai dit souvent que je voudrais avoir donné les deux plus belles que j'aye faites et qu'il fût de mon invention. On l'a attribué au fameux Lope de Vegue; mais il m'est tombé depuis peu entre les mains une volume de don Juan d'Alarcon, où il prétend que cette comédie est à lui et se plaint des imprimeurs qui l'ont fait courir sous le nom d'un autre. Si c'est son bien, je n'empêche pas qu'il ne se ressaisisse. De quelque main que parte cette comédie, il est constant qu'elle est très ingénieuse et je n'ai rien vu dans cette langue qui m'aye satisfait davantage. J'ai tâché de la réduire à notre usage et dans nos règles, mais il m'a fallu forcer mon aversion pour les *a parte*, dont je n'aurais pu la purger sans lui faire perdre une bonne partie de ses beautés. Je les ai faits les plus courts que j'ai pu, et je me les suis permis rarement sans laisser deux acteurs ensemble qui s'entretiennent tout bas cependant que d'autres disent ce que ceux-là ne doivent pas écouter. Cette duplicité d'action particulière ne rompt point l'unité de la principale, mais elle gêne un peu l'attention de l'auditeur, qui ne sait à laquelle s'attacher et qui se trouve obligé de séparer aux deux ce qu'il est accoutumé de donner à une. L'unité de lieu s'y trouve, en ce que tout s'y passe dans Paris : mais le premier acte est dans les Tuileries, et le reste à la place Royale. Celle de jour n'y est pas forcée, pourvu qu'on lui laisse les vingt et quatre heures entières. Quant à celle d'action, je ne sais s'il n'y a point quelque chose à dire, en ce que Dorante aime Clarice dans toute la pièce et épouse Lucrèce à la fin, qui par là ne répond pas à la protase. L'auteur espagnol lui donne ainsi le change pour punition de ses menteries, et le réduit à épouser par force cette Lucrèce qu'il n'aime point. Comme il se méprend toujours au nom et croit que Clarice porte celui-là, il lui présente la main quand on lui a accordé l'autre et dit hautement, quand on l'avertit de son erreur, que s'il s'est trompé au nom, il ne se trompe point à la personne. Sur quoi, le père de Lucrèce le menace de le tuer s'il n'épouse sa fille après l'avoir demandée et obtenue; et le sien propre lui fait la même menace. Pour moi, j'ai trouvé cette manière de finir un peu dure et cru qu'un mariage moins violent serait plus au goût de notre auditoire. C'est ce qui m'a obligé à lui donner une pente vers la personne de Lucrèce au cinquième acte, afin qu'après qu'il a reconnu sa méprise aux noms, il fasse de nécessité vertu de meilleure grâce, et que la comédie se termine avec pleine tranquillité de tous côtés.

ACTEURS [11]

GÉRONTE, *père de Dorante.*
DORANTE, *fils de Géronte.*
ALCIPPE, *ami de Dorante et amant de Clarice.*
PHILISTE, *ami de Dorante et d'Alcippe.*
CLARICE, *maîtresse d'Alcippe.*
LUCRÈCE, *amie de Clarice.*
ISABELLE, *suivante de Clarice.*
SABINE, *femme de chambre de Lucrèce.*
CLITON, *valet de Dorante.*
LYCAS, *valet d'Alcippe.*

La scène est à Paris [12].

11. Comme le sujet, Corneille a modifié le nom des acteurs, à l'exception de Lucrèce et d'Isabelle. On y retrouve plusieurs des noms conventionnels déjà utilisés dans les premières comédies, *Clitandre* et l'*Illusion* : Géronte, Dorante, Clarice. Il y avait déjà aussi une Isabelle dans l'*Illusion comique* (1635).
12. Deux lieux : les Tuileries et la Place Royale (cf. *Examen*).
13. Bartole, célèbre juriste italien (1313-1356), docteur de Bologne, successivement professeur à Pise et Pérouse, se rendit célèbre comme restaurateur du Droit romain.

ACTE PREMIER

Scène I : Dorante, Cliton.

DORANTE

A la fin j'ai quitté la robe pour l'épée,
L'attente où j'ai vécu n'a point été trompée,
Mon père a consenti que je suive mon choix,
Et j'ai fait banqueroute à ce fatras de lois.
Mais puisque nous voici dedans les Tuileries,
Le pays du beau monde et des galanteries,
Dis-moi, me trouves-tu bien fait en cavalier,
Ne vois-tu rien en moi qui sente l'écolier?
Comme il est malaisé qu'aux royaumes du *Code*
On apprenne à se faire un visage à la mode,
J'ai lieu d'appréhender...

CLITON
                    Ne craignez rien pour vous,
Vous ferez en une heure ici mille jaloux.
Ce visage et ce port n'ont point l'air de l'école,
Et jamais comme vous on ne peignit Bartole [13];
Je prévois du malheur pour beaucoup de maris.
Mais que vous semble encor maintenant de Paris?

DORANTE

J'en trouve l'air bien doux, et cette loi bien rude
Qui m'en avait banni sous prétexte d'étude.
   Toi qui sais les moyens de s'y bien divertir,
Ayant eu le bonheur de n'en jamais sortir,
Dis-moi comme en ce lieu l'on gouverne les dames.

CLITON

C'est là le plus beau soin qui vienne aux belles âmes,
Disent les beaux esprits. Mais sans faire le fin,
Vous avez l'appétit ouvert de bon matin;
D'hier au soir seulement vous êtes dans la ville,
Et vous vous ennuyez déjà d'être inutile!
Votre humeur sans emploi ne peut passer un jour,
Et déjà vous cherchez à pratiquer l'amour!
Je suis auprès de vous en fort bonne posture
De passer pour un homme à donner tablature;
J'ai la taille d'un maître en ce noble métier,
Et je suis tout au moins l'intendant du quartier.

DORANTE

Ne t'effarouche point : je ne cherche, à vrai dire,
Que quelque connaissance où l'on se plaise à rire,
Qu'on puisse visiter par divertissement,
Où l'on puisse en douceur couler quelque moment.
Pour me connaître mal, tu prends mon sens à gauche.

CLITON

J'entends, vous n'êtes pas un homme de débauche,
Et tenez celles-là trop indignes de vous
Que le son d'un écu rend traitables à tous.
Aussi que vous cherchiez de ces sages coquettes
Où peuvent tous venants débiter leurs fleurettes,
Mais qui ne font l'amour que de babil et d'yeux,
Vous êtes d'encolure à vouloir un peu mieux.
Loin de passer son temps, chacun le perd chez elles,
Et le jeu, comme on dit, n'en vaut pas les chandelles.
Mais ce serait pour vous un bonheur sans égal
Que ces femmes de bien qui se gouvernent mal [14],
Et de qui la vertu, quand on leur fait service,
N'est pas incompatible avec un peu de vice.
Vous en verrez ici de toutes les façons.
Ne me demandez point cependant de leçons :
Ou je me connais mal à voir votre visage,
Ou vous n'en êtes pas à votre apprentissage;
Vos lois ne réglaient pas si bien tous vos desseins
Que vous eussiez toujours un portefeuille aux mains.

DORANTE

A ne rien déguiser, Cliton, je te confesse
Qu'à Poitiers [15] j'ai vécu comme vit la jeunesse;
J'étais en ces lieux-là de beaucoup de métiers :
Mais Paris, après tout, est bien loin de Poitiers.
Le climat différent veut une autre méthode,
Ce qu'on admire ailleurs est ici hors de mode,
La diverse façon de parler et d'agir
Donne aux nouveaux venus souvent de quoi rougir.

Chez les provinciaux on prend ce qu'on rencontre, 65
Et là, faute de mieux, un sot passe à la montre [16].
Mais il faut à Paris bien d'autres qualités,
On ne s'éblouit point de ces fausses clartés,
Et tant d'honnêtes gens que l'on y voit ensemble
Font qu'on est mal reçu si l'on ne leur ressemble. 70

CLITON

Connaissez mieux Paris, puisque vous en parlez.
   Paris est un grand lieu plein de marchands mêlés,
L'effet n'y répond pas toujours à l'apparence,
On s'y laisse duper autant qu'en lieu de France,
Et parmi tant d'esprits plus polis et meilleurs, 75
Il y croît de ces badauds autant et plus qu'ailleurs.
Dans la confusion que ce grand monde apporte,
Il y vient de tous lieux des gens de toute sorte,
Et dans toute la France il est fort peu d'endroits
Dont il n'ait le rebut aussi bien que le choix. 80
Comme on s'y connaît mal, chacun s'y fait de mise [17],
Et vaut communément autant comme il se prise :
De bien pires que vous s'y font assez valoir.
Mais pour venir au point que vous voulez savoir,
Êtes-vous libéral?

DORANTE

          Je ne suis point avare. 85

CLITON

C'est un secret d'amour et bien grand et bien rare,
Mais il faut de l'adresse à le bien débiter.
Autrement on s'y perd au lieu d'en profiter.
Tel donne à pleines mains qui n'oblige personne :
La façon de donner vaut mieux que ce qu'on donne. 90
L'un perd exprès au jeu son présent déguisé,
L'autre oublie un bijou qu'on aurait refusé.
Un lourdaud libéral auprès d'une maîtresse
Semble donner l'aumône alors qu'il fait largesse,
Et d'un tel contre-temps il fait tout ce qu'il fait, 95
Que quand il tâche à plaire, il offense en effet.

DORANTE

Laissons là ces lourdauds contre qui tu déclames,
Et me dis seulement si tu connais ces dames.

CLITON

Non, cette marchandise est de trop bon aloi,
Ce n'est point là gibier à des gens comme moi, 100
Il est aisé pourtant d'en savoir des nouvelles,
Et bientôt leur cocher m'en dira des plus belles.

DORANTE

Penses-tu qu'il t'en dise?

CLITON

         Assez pour en mourir.
Puisque c'est un cocher, il aime à discourir.

Scène II : Dorante, Clarice, Lucrèce, Isabelle.

CLARICE, *faisant un faux pas,*
et comme se laissant choir.

Ay!   105

---

14. On en trouvera de piquants et très nombreux exemples dans les *Historiettes* de Tallemant des Réaux et l'*Histoire amoureuse des Gaules* de Bussy-Rabutin, tous deux mauvaises langues, mais bien informés.

15. Une des quatre universités célèbres pour le Droit, avec Toulouse, Bourges et Orléans. Un célèbre professeur comme Cujas, au XVIᵉ siècle, passa des unes aux autres, entraînant avec lui une bonne part de ses élèves.

16. Une montre est une revue militaire. *Passer à la montre :* se faire examiner comme à une revue.

17. « On dit au figuré qu'un homme est de mise pour dire qu'il a de la mine, de la capacité. » (Furetière.) *Se faire de mise :* se mettre en position de se faire remarquer.

DORANTE, *lui donnant la main.*
Ce malheur me rend un favorable office,
Puisqu'il me donne lieu de ce petit service,
Et c'est pour moi, Madame, un bonheur souverain
Que cette occasion de vous donner la main.

CLARICE
L'occasion ici fort peu vous favorise,
110 Et ce faible bonheur ne vaut pas qu'on le prise.

DORANTE
Il est vrai, je le dois tout entier au hasard,
Mes soins ni vos désirs n'y prennent point de part,
Et sa douceur mêlée avec cette amertume
Ne me rend pas le sort plus doux que de coutume,
115 Puisque enfin ce bonheur, que j'ai si fort prisé,
A mon peu de mérite eût été refusé.

CLARICE
S'il a perdu sitôt ce qui pouvait vous plaire,
Je veux être à mon tour d'un sentiment contraire,
Et crois qu'on doit trouver plus de félicité
120 A posséder un bien sans l'avoir mérité.
J'estime plus un don qu'une reconnaissance :
Qui nous donne fait plus que qui nous récompense,
Et le plus grand bonheur au mérite rendu
Ne fait que nous payer de ce qui nous est dû.
125 La faveur qu'on mérite est toujours achetée,
L'heur en croît d'autant plus moins elle est méritée,
Et le bien où sans peine elle fait parvenir
Par le mérite à peine aurait pu s'obtenir.

DORANTE
Aussi ne croyez pas que jamais je prétende
130 Obtenir par mérite une faveur si grande :
J'en sais mieux le haut prix, et mon cœur amoureux
Moins il s'en connaît digne et plus s'en tient heureux.
On me l'a pu toujours dénier sans injure,
Et si la recevant ce cœur même en murmure,
135 Il se plaint du malheur de ses félicités,
Que le hasard lui donne, et non vos volontés.
Un amant a fort peu de quoi se satisfaire
Des faveurs qu'on lui fait sans dessein de les faire.
Comme l'intention seule en forme le prix,
140 Assez souvent sans elle on les joint au mépris.
Jugez par là quel bien peut recevoir ma flamme
D'une main qu'on me donne en me refusant l'âme.
Je la tiens, je la touche et je la touche en vain,
Si je ne puis toucher le cœur avec la main.

CLARICE
145 Cette flamme, Monsieur, est pour moi fort nouvelle,
Puisque j'en viens de voir la première étincelle.
Si votre cœur ainsi s'embrase en un moment,
Le mien ne sut jamais brûler si promptement.
Mais, peut-être, à présent que j'en suis avertie,
150 Le temps donnera place à plus de sympathie.
Confessez cependant qu'à tort vous murmurez
Du mépris de vos feux, que j'avais ignorés.

Scène III : Dorante, Clarice, Lucrèce,
Isabelle, Cliton.

DORANTE
C'est l'effet du malheur qui partout m'accompagne.

Depuis que j'ai quitté les guerres d'Allemagne [18],
C'est-à-dire du moins depuis un an entier,
Je suis et jour et nuit dedans votre quartier.
Je vous cherche en tous lieux, au bal, aux promenades,
Vous n'avez que de moi reçu des sérénades,
Et je n'ai pu trouver que cette occasion
A vous entretenir de mon affection.

CLARICE
Quoi! vous avez donc vu l'Allemagne et la guerre?

DORANTE
Je m'y suis fait quatre ans craindre comme un ton-
[nerre.

CLITON
Que lui va-t-il conter?

DORANTE
Et durant ces quatre ans
Il ne s'est fait combats, ni sièges importants,
Nos armes n'ont jamais remporté de victoire,
Où cette main n'ait eu bonne part à la gloire :
Et même la gazette a souvent divulgué... [19]

CLITON, *le tirant par la basque.*
Savez-vous bien, Monsieur, que vous extravaguez?

DORANTE
Tais-toi.

CLITON
Vous rêvez, dis-je, ou...

DORANTE
Tais-toi, misérable.

CLITON
Vous venez de Poitiers, ou je me donne au diable;
Vous en revîntes hier.

DORANTE, *à Cliton.*
Te tairas-tu, maraud?

A Clarice.
Mon nom dans nos succès s'était mis assez haut
Pour faire quelque bruit sans beaucoup d'injustice,
Et je suivrais encore un si noble exercice,
N'était que l'autre hiver, faisant ici ma cour,
Je vous vis, et je fus retenu par l'amour.
Attaqué par vos yeux, je leur rendis les armes,
Je me fis prisonnier de tant d'aimables charmes,
Je leur livrai mon âme et ce cœur généreux
Dès ce premier moment oublia tout pour eux.
Vaincre dans les combats, commander dans l'armée,
De mille exploits fameux enfler ma renommée,
Et tous ces nobles soins qui m'avaient su ravir,
Cédèrent aussitôt à ceux de vous servir.

ISABELLE, *à Clarice, tout bas.*
Madame, Alcippe vient : il aura de l'ombrage.

CLARICE
Nous en saurons, Monsieur, quelque jour davantage.
Adieu.

18. L'empereur s'était joint à l'Espagne en 1636. - 1638 :
Brisach, en Alsace. - 1642 : Kampen (janvier), Breitenfeld
(novembre). En 1643, la campagne reprend contre la Hollande
et c'est Rocroi : les pourparlers de paix avec l'Empire
commencent. Ceci laisse penser que la pièce a dû être sinon
jouée, en tout cas composée en 1642.
19. On sait qu'au XVIIe siècle Théophraste Renaudot eut
l'idée de fonder le premier journal officiel, qui fut le seul
jusqu'à la concurrence de Donneau de Visé (cf. *Chronologie*).
Les nouvelles militaires y avaient la première place.

DORANTE

Quoi? me priver sitôt de tout mon bien!

CLARICE

Nous n'avons pas loisir d'un plus long entretien,
Et malgré la douceur de me voir cajolée,
Il faut que nous fassions seules deux tours d'allée.

DORANTE

Cependant accordez à mes vœux innocents
La licence d'aimer des charmes si puissants.

CLARICE

Un cœur qui veut aimer et qui sait comme on aime
N'en demande jamais licence qu'à soi-même.

Scène IV : Dorante, Cliton.

DORANTE

Suis-les, Cliton.

CLITON

        J'en sais ce qu'on en peut savoir.
La langue du cocher a fait tout son devoir.
« La plus belle des deux, dit-il, est ma maîtresse,
Elle loge à la Place, et son nom est Lucrèce. »

DORANTE

Quelle place?

CLITON

        Royale, et l'autre y loge aussi.
Il n'en sait pas le nom, mais j'en prendrai souci.

DORANTE

Ne te mets point, Cliton, en peine de l'apprendre.
Celle qui m'a parlé, celle qui m'a su prendre,
C'est Lucrèce, ce l'est sans aucun contredit :
Sa beauté m'en assure et mon cœur me le dit.

CLITON

Quoique mon sentiment doive respect au vôtre,
La plus belle des deux, je crois que ce soit l'autre.

Quoi? celle qui s'est tue, et qui dans nos propos
N'a jamais eu l'esprit de mêler quatre mots?

CLITON

Monsieur, quand une femme a le don de se taire,
Elle a des qualités au-dessus du vulgaire.
C'est un effort du ciel qu'on a peine à trouver,
Sans un petit miracle il ne peut l'achever,
Et la nature souffre extrême violence
Lorsqu'il en fait d'humeur à garder le silence.
Pour moi, jamais l'amour n'inquiète mes nuits,
Et quand le cœur m'en dit, j'en prends par où je puis;
Mais naturellement femme qui se peut taire
A sur moi tel pouvoir et tel droit de me plaire
Qu'eût-elle en vrai magot [20] tout le corps fagoté,
Je lui voudrais donner le prix de la beauté.
C'est elle assurément qui s'appelle Lucrèce;
Cherchez un autre nom pour l'objet qui vous blesse,
Ce n'est point là le sien; celle qui n'a dit mot,
Monsieur, c'est la plus belle ou je ne suis qu'un sot.

---

20. Un *magot* est un singe sans queue, fauve ou verdâtre.
Il était connu depuis les découvertes des Portugais en Afrique
au XVe siècle. Ceux que les Anglais entretiennent sur le roc
de Gibraltar sont célèbres.

DORANTE

Je t'en crois sans jurer avec tes incartades.   225
Mais voici les plus chers de mes vieux camarades.
Ils semblent étonnés, à voir leur action.

Scène V : Dorante, Alcippe, Philiste, Cliton.

PHILISTE, *à Alcippe.*

Quoi? sur l'eau la musique et la collation?

ALCIPPE, *à Philiste.*

Oui, la collation avecque la musique.

PHILISTE, *à Alcippe.*

Hier au soir?

ALCIPPE, *à Philiste.*

      Hier au soir.

PHILISTE, *à Alcippe.*

         Et belle?

ALCIPPE, *à Philiste.*

           Magnifique.   230

PHILISTE, *à Alcippe.*

Et par qui?

ALCIPPE, *à Philiste.*

      C'est de quoi je suis mal éclairci.

DORANTE, *les saluant.*

Que mon bonheur est grand de vous revoir ici!

ALCIPPE

Le mien est sans pareil, puisque je vous embrasse.

DORANTE

J'ai rompu vos discours d'assez mauvaise grâce,
Vous le pardonnerez à l'aise de vous voir.   235

PHILISTE

Avec nous, de tout temps, vous avez tout pouvoir.

DORANTE

Mais de quoi parliez-vous?

ALCIPPE

         D'une galanterie.

DORANTE

D'amour?

ALCIPPE

    Je le présume.

DORANTE

         Achevez, je vous prie,
Et souffrez qu'à ce mot ma curiosité
Vous demande sa part de cette nouveauté.   240

ALCIPPE

On dit qu'on a donné musique à quelque dame.

DORANTE

Sur l'eau?

ALCIPPE

    Sur l'eau.

DORANTE

      Souvent l'onde irrite la flamme.

PHILISTE

Quelquefois.

DORANTE

    Et ce fut hier au soir?

ALCIPPE

           Hier au soir.

DORANTE

Dans l'ombre de la nuit le feu se fait mieux voir.

245 Le temps était bien pris. Cette dame, elle est belle ?

ALCIPPE

Aux yeux de bien du monde elle passe pour telle.

DORANTE

Et la musique ?

ALCIPPE

            Assez pour n'en rien dédaigner.

DORANTE

Quelque collation a pu l'accompagner ?

ALCIPPE

On le dit.

DORANTE

      Fort superbe ?

ALCIPPE

              Et fort bien ordonnée.

DORANTE

250 Et vous ne savez point celui qui l'a donnée ?

ALCIPPE

Vous en riez !

DORANTE

         Je ris de vous voir étonné
D'un divertissement que je me suis donné.

ALCIPPE

Vous ?

DORANTE

     Moi-même.

ALCIPPE

          Et déjà vous avez fait maîtresse ?

DORANTE

Si je n'en avais fait, j'aurais bien peu d'adresse,
255 Moi qui depuis un mois suis ici de retour.
Il est vrai que je sors fort peu souvent de jour :
De nuit, *incognito*, je rends quelques visites ;
Ainsi...

CLITON, *à Dorante, à l'oreille.*

    Vous ne savez, Monsieur, ce que vous dites.

DORANTE

Tais-toi ; si jamais plus tu me viens avertir...

CLITON

260 J'enrage de me taire et d'entendre mentir !

PHILISTE, *à Alcippe, tout bas.*

Voyez qu'heureusement dedans cette rencontre
Votre rival lui-même à vous-même se montre.

DORANTE, *revenant à eux.*

Comme à mes chers amis je vous veux tout conter.
J'avais pris cinq bateaux pour mieux tout ajuster :
265 Les quatre contenaient quatre chœurs de musique,
Capables de charmer le plus mélancolique.
Au premier, violons, en l'autre, luths et voix ;
Des flûtes, au troisième ; au dernier, des hautbois,
Qui tour à tour dans l'air poussaient des harmonies
270 Dont on pouvait nommer les douceurs infinies.
Le cinquième était grand, tapissé tout exprès
De rameaux enlacés pour conserver le frais,
Dont chaque extrémité portait un doux mélange
De bouquets de jasmin, de grenade et d'orange.
275 Je fis de ce bateau la salle du festin.
Là je menai l'objet qui fait seul mon destin,
De cinq autres beautés la sienne fut suivie,
Et la collation fut aussitôt servie.

Je ne vous dirai point les différents apprêts,
Le nom de chaque plat, le rang de chaque mets.
Vous saurez seulement qu'en ce lieu de délices
On servit douze plats, et qu'on fit six services,
Cependant que les eaux, les rochers et les airs
Répondaient aux accents de nos quatre concerts.
Après qu'on eut mangé, mille et mille fusées,
S'élançant vers les cieux, ou droites ou croisées,
Firent un nouveau jour, d'où tant de serpenteaux
D'un déluge de flamme attaquèrent les eaux,
Qu'on crut que, pour leur faire une plus rude guerre,
Tout l'élément du feu tombait du ciel en terre.
Après ce passe-temps on dansa jusqu'au jour,
Dont le soleil jaloux avança le retour ;
S'il eût pris notre avis, sa lumière importune
N'eût pas troublé sitôt ma petite fortune,
Mais n'étant pas d'humeur à suivre nos désirs,
Il sépara la troupe, et finit nos plaisirs [21].

ALCIPPE

Certes, vous avez grâce à conter ces merveilles ;
Paris, tout grand qu'il est, en voit peu de pareilles.

DORANTE

J'avais été surpris, et l'objet de mes vœux
Ne m'avait tout au plus donné qu'une heure ou deux.

PHILISTE

Cependant l'ordre est rare et la dépense belle.

DORANTE

Il s'est fallu passer à cette bagatelle,
Alors que le temps presse, on n'a pas à choisir.

ALCIPPE

Adieu : nous nous verrons avec plus de loisir.

DORANTE

Faites état de moi.

ALCIPPE, *à Philiste, en s'en allant.*

          Je meurs de jalousie.

PHILISTE, *à Alcippe.*

Sans raison toutefois votre âme en est saisie :
Les signes du festin ne s'accordent pas bien.

ALCIPPE, *à Philiste.*

Le lieu s'accorde et l'heure et le reste n'est rien.

Scène VI : Dorante, Cliton.

CLITON

Monsieur, puis-je à présent parler sans vous déplaire ?

DORANTE

Je remets à ton choix de parler ou te taire,
Mais quand tu vois quelqu'un ne fais plus l'insolent.

CLITON

Votre ordinaire est-il de rêver en parlant ?

DORANTE

Où me vois-tu rêver ?

CLITON

           J'appelle rêveries
Ce qu'en d'autres qu'un maître on nomme menteries.
Je parle avec respect.

---

21. Cette fête sur l'eau, inspirée de la réalité, devint elle-
même si célèbre que des dames demandèrent réellement qu'on
leur fît « la fête du *Menteur* » (Tallemant, *Historiettes*, V, 247).

DORANTE
Pauvre esprit!

CLITON
Je le perds
Quand je vous oy parler de guerre et de concerts.
Vous voyez sans péril nos batailles dernières,
Et faites des festins qui ne vous coûtent guères.
Pourquoi depuis un an vous feindre de retour?

DORANTE
J'en montre plus de flamme, et j'en fais mieux ma cour.

CLITON
Qu'a de propre la guerre à montrer votre flamme?

DORANTE
Oh! le beau compliment à charmer une dame,
De lui dire d'abord : « J'apporte à vos beautés
Un cœur nouveau venu des universités.
Si vous avez besoin de lois et de rubriques,
Je sais le Code entier avec les *Authentiques*,
Le *Digeste* nouveau, le vieux, l'*Infortiat*,
Ce qu'en a dit Jason, Balde, Accurse, Alciat [22]! »
Qu'un si riche discours nous rend considérables,
Qu'on amollit par là de cœurs inexorables,
Qu'un homme à paragraphe est un joli galant!
On s'introduit bien mieux à titre de vaillant :
Tout le secret ne gît qu'en un peu de grimace,
A mentir à propos, jurer de bonne grâce,
Étaler force mots qu'elles n'entendent pas,
Faire sonner Lamboy, Jean de Vert, et Galas [23],
Nommer quelques châteaux de qui les noms barbares
Plus ils blessent l'oreille, et plus leur semblent rares,
Avoir toujours en bouche angles, lignes, fossés,
Vedette, contrescarpe, et travaux avancés :
Sans ordre et sans raison, n'importe, on les étonne.
On leur fait admirer les bayes qu'on leur donne [24],
Et tel, à la faveur d'un semblable débit,
Passe pour homme illustre, et se met en crédit.

CLITON
A qui vous veut ouïr, vous en faites bien croire,
Mais celle-ci bientôt peut savoir votre histoire.

DORANTE
J'aurai déjà gagné chez elle quelque accès,
Et loin d'en redouter un malheureux succès,
Si jamais un fâcheux nous nuit par sa présence,
Nous pourrons sous ces mots être d'intelligence.
Voilà traiter l'amour, Cliton, et comme il faut.

CLITON
A vous dire le vrai, je tombe de bien haut.
Mais parlons du festin : Urgande et Mélusine [25]

N'ont jamais sur-le-champ mieux fourni leur cuisine.
Vous allez au-delà de leurs enchantements,   355
Vous seriez un grand maître à faire des romans,
Ayant si bien en main le festin et la guerre,
Vos gens en moins de rien courraient toute la terre,
Et ce serait pour vous des travaux fort légers
Que d'y mêler partout la pompe et les dangers [26].   360
Ces hautes fictions vous sont bien naturelles.

DORANTE
J'aime à braver ainsi les conteurs de nouvelles,
Et sitôt que j'en vois quelqu'un s'imaginer
Que ce qu'il veut m'apprendre a de quoi m'étonner,
Je le sers aussitôt d'un conte imaginaire,   365
Qui l'étonne lui-même, et le force à se taire.
Si tu pouvais savoir quel plaisir on a lors
De leur faire rentrer leurs nouvelles au corps...

CLITON
Je le juge assez grand, mais enfin ces pratiques
Vous peuvent engager en de fâcheux intriques.   370

DORANTE
Nous nous en tirerons, mais tous ces vains discours
M'empêchent de chercher l'objet de mes amours.
Tâchons de le rejoindre, et sache qu'à me suivre
Je t'apprendrai bientôt d'autres façons de vivre.

ACTE SECOND

Scène I : Géronte, Clarice, Isabelle.

CLARICE
Je sais qu'il vaut beaucoup étant sorti de vous;   375
Mais, Monsieur, sans le voir accepter un époux,
Par quelque haut récit qu'on en soit conviée,
C'est grande avidité de se voir mariée.
D'ailleurs, en recevoir visite et compliment,
Et lui permettre accès en qualité d'amant,   380
A moins qu'à vos projets un plein effet réponde,
Ce serait trop donner à discourir au monde.
Trouvez donc un moyen de me le faire voir,
Sans m'exposer au blâme et manquer au devoir.

GÉRONTE
Oui, vous avez raison, belle et sage Clarice :   385
Ce que vous m'ordonnez est la même justice,
Et comme c'est à subir votre loi,
Je reviens tout à l'heure, et Dorante avec moi.
Je le tiendrai longtemps dessous votre fenêtre,
Afin qu'avec loisir vous puissiez le connaître,   390
Examiner sa taille et sa mine et son air,
Et voir quel est l'époux que je veux donner.
Il vint hier de Poitiers, mais il sent peu l'école,
Et si l'on pouvait croire un père à sa parole,
Quelque écolier qu'il soit, je dirais qu'aujourd'hui   395
Peu de nos gens de cour sont mieux taillés que lui.
Mais vous en jugerez après la voix publique.
Je cherche à l'arrêter, parce qu'il m'est unique,

---

22. Corneille nous apprend l'essentiel du matériel de l'étudiant en Droit : les *Authentiques*, fragment du code Justinien. Le *Digeste nouveau* : la réédition de Bologne, avec de nouvelles divisions. Balde (xive siècle) disciple de Bartole; Jason Maino ou du Maine (xve siècle) et Alciat, Milanais, qui professa longtemps en France au xvie siècle (1492-1550) et fut éclipsé par Cujas.

23. Les trois généraux vaincus de la récente guerre : Galas en 1636 dut lever le siège de Saint-Jean-de-Losne. Jean de Werth vint, prisonnier, à Paris, en 1638, de même que Lamboy en 1642.

24. *Donner les bayes :* duper. Bayes devient ainsi synonyme de tromperie.

25. Deux fées popularisées par les romans d'*Amadis de Gaule* et de Jehan d'Arras au xve siècle.

26. Ces vers ressemblent fort à une attaque contre les romans à succès de Mlle de Scudéry. *Ibrahim* est de 1641. La Calprenède ne fait que commencer la publication des dix volumes de *Cassandre*.

Et je brûle surtout de le voir sous vos lois.
CLARICE
400 Vous m'honorez beaucoup d'un si glorieux choix.
Je l'attendrai, Monsieur, avec impatience,
Et je l'aime déjà sur cette confiance.

Scène II : Isabelle, Clarice.

ISABELLE
Ainsi vous le verrez, et sans vous engager.
CLARICE
Mais pour le voir ainsi qu'en pourrai-je juger ?
405 J'en verrai le dehors, la mine, l'apparence,
Mais du reste, Isabelle, où prendre l'assurance ?
Le dedans paraît mal en ces miroirs flatteurs,
Les visages souvent sont de doux imposteurs ;
Que de défauts d'esprits se couvrent de leurs grâces,
410 Et que de beaux semblants cachent des âmes basses !
Les yeux en ce grand choix ont la première part,
Mais leur déférer tout, c'est tout mettre au hasard.
Qui veut vivre en repos ne doit pas leur déplaire,
Mais sans leur obéir, il doit les satisfaire.
415 En croire leur refus et non pas leur aveu,
Et sur d'autres conseils laisser naître son feu.
Cette chaîne, qui dure autant que notre vie,
Et qui devrait donner plus de peur que d'envie,
Si l'on n'y prend bien garde, attache assez souvent
420 Le contraire au contraire et le mort au vivant,
Et pour moi, puisqu'il faut qu'elle me donne un maître,
Avant que l'accepter je voudrais le connaître,
Mais connaître dans l'âme.
ISABELLE
Eh bien ! qu'il parle à vous.
CLARICE
Alcippe le sachant en deviendrait jaloux.
ISABELLE
425 Qu'importe qu'il le soit, si vous avez Dorante ?
CLARICE
Sa perte ne m'est pas encore indifférente,
Et l'accord de l'hymen entre nous concerté,
Si son père venait, serait exécuté.
Depuis plus de deux ans il promet et diffère.
430 Tantôt c'est maladie, et tantôt quelque affaire,
Le chemin est mal sûr ou les jours sont trop courts,
Et le bonhomme enfin ne peut sortir de Tours.
Je prends tous ces délais pour une résistance,
Et ne suis pas d'humeur à mourir de constance.
435 Chaque moment d'attente ôte de notre prix,
Et fille qui vieillit tombe dans le mépris.
C'est un nom glorieux qui se garde avec honte,
Sa défaite est fâcheuse à moins que d'être prompte.
Le temps n'est pas un Dieu qu'elle puisse braver,
440 Et son honneur se perd à le trop conserver.
ISABELLE
Ainsi vous quitteriez Alcippe pour un autre
De qui l'humeur aurait de quoi plaire à la vôtre ?
CLARICE
Oui, je le quitterais, mais pour ce changement
Il me faudrait en main avoir un autre amant,
445 Savoir qu'il me fût propre, et que son hyménée

Dût bientôt à la sienne unir ma destinée.
Mon humeur sans cela ne s'y résout pas bien,
Car Alcippe, après tout, vaut toujours mieux que rien ;
Son père peut venir, quelque longtemps qu'il tarde.
ISABELLE
Pour en venir à bout sans que rien s'y hasarde,
Lucrèce est votre amie, et peut beaucoup pour vous.
Elle n'a point d'amants qui deviennent jaloux,
Qu'elle écrive à Dorante, et lui fasse paraître
Qu'elle veut cette nuit le voir par sa fenêtre.
Comme il est jeune encore, on l'y verra voler,
Et là, sous ce faux nom, vous pourrez lui parler,
Sans qu'Alcippe jamais en découvre l'adresse,
Ni que lui-même pense à d'autres qu'à Lucrèce.
CLARICE
L'invention est belle, et Lucrèce aisément
Se résoudra pour moi d'écrire un compliment :
J'admire ton adresse à trouver cette ruse.
ISABELLE
Puis-je vous dire encor que si je ne m'abuse,
Tantôt cet inconnu ne vous déplaisait pas ?
CLARICE
Ah, bon Dieu ! si Dorante avait autant d'appas,
Que d'Alcippe aisément il obtiendrait la place !
ISABELLE
Ne parlez point d'Alcippe, il vient.
CLARICE
Qu'il m'embarrasse !
Va pour moi chez Lucrèce et lui dis mon projet,
Et tout ce qu'on peut dire en un pareil sujet.

Scène III : Clarice, Alcippe.

ALCIPPE
Ah ! Clarice, ah ! Clarice, inconstante, volage !
CLARICE
Aurait-il deviné déjà ce mariage ?
Alcippe, qu'avez-vous ? qui vous fait soupirer ?
ALCIPPE
Ce que j'ai, déloyale ! et peux-tu l'ignorer ?
Parle à ta conscience, elle devrait t'apprendre...
CLARICE
Parlez un peu plus bas, mon père va descendre.
ALCIPPE
Ton père va descendre, âme double et sans foi !
Confesse que tu n'as un père que pour moi.
La nuit, sur la rivière...
CLARICE
Eh bien ! sur la rivière ?
La nuit, quoi, qu'est-ce enfin ?
ALCIPPE
Oui, la nuit tout entière.
CLARICE
Après ?
ALCIPPE
Quoi ! sans rougir ?...
CLARICE
Rougir ! à quel propos ?
ALCIPPE
Tu ne meurs pas de honte, entendant ces deux mots ?

CLARICE
Mourir pour les entendre! et qu'ont-ils de funeste?

ALCIPPE
Tu peux donc les ouïr et demander le reste?
Ne saurais-tu rougir, si je ne te dis tout?

CLARICE
Quoi, tout?

ALCIPPE
Tes passe-temps de l'un à l'autre bout.

CLARICE
Je meure, en vos discours si je puis rien comprendre!

ALCIPPE
Quand je te veux parler, ton père va descendre,
Il t'en souvient alors, le tour est excellent!
Mais pour passer la nuit auprès de ton galant...

CLARICE
Alcippe, êtes-vous fol?

ALCIPPE
Je n'ai plus lieu de l'être,
A présent que le ciel me fait te mieux connaître.
Oui, pour passer la nuit en danses et festin,
Être avec ton galant du soir jusqu'au matin
(Je ne parle que d'hier), tu n'as point lors de père.

CLARICE
Rêvez-vous, raillez-vous, et quel est ce mystère?

ALCIPPE
Ce mystère est nouveau, mais non pas fort secret.
Choisis une autre fois un amant plus discret,
Lui-même il m'a tout dit.

CLARICE
Qui, lui-même?

ALCIPPE
Dorante.

CLARICE
Dorante!

ALCIPPE
Continue, et fais bien l'ignorante.

CLARICE
Si je le vis jamais, et si je le connoi!...

ALCIPPE
Ne viens-je pas de voir son père avecque toi?
Tu passes, infidèle, âme ingrate et légère,
La nuit avec le fils, le jour avec le père!

CLARICE
Son père, de vieux temps, est grand ami du mien.

ALCIPPE
Cette vieille amitié faisait votre entretien?
Tu te sens convaincue, et tu m'oses répondre!
Te faut-il quelque chose encor pour te confondre?

CLARICE
Alcippe, si je sais quel visage a le fils...

ALCIPPE
La nuit était fort noire alors que tu le vis.
Il ne t'a pas donné quatre chœurs de musique,
Une collation superbe et magnifique,
Six services de rang, douze plats à chacun?
Son entretien alors t'était fort importun?
Quand ses feux d'artifice éclairaient le rivage,
Tu n'eus pas le loisir de le voir au visage?
Tu n'as pas avec lui dansé jusques au jour,

Et tu ne l'as pas vu pour le moins au retour?
T'en ai-je dit assez? Rougis, et meurs de honte.

CLARICE
Je ne rougirai point pour le récit d'un conte.

ALCIPPE
Quoi! je suis donc un fourbe, un bizarre, un jaloux?

CLARICE
Quelqu'un a pris plaisir à se jouer de vous,   520
Alcippe, croyez-moi.

ALCIPPE
Ne cherche point d'excuses,
Je connais tes détours et devine tes ruses.
Adieu, suis ton Dorante et l'aime désormais,
Laisse en repos Alcippe et n'y pense jamais.

CLARICE
Écoutez quatre mots.

ALCIPPE
Ton père va descendre.   525

CLARICE
Non, il ne descend point et ne peut nous entendre,
Et j'aurai tout loisir de vous désabuser.

ALCIPPE
Je ne t'écoute point, à moins que m'épouser,
A moins qu'en attendant le jour du mariage,
M'en donner ta parole et deux baisers en gage.   530

CLARICE
Pour me justifier vous demandez de moi,
Alcippe?

ALCIPPE
Deux baisers, et ta main, et ta foi.

CLARICE
Que cela?

ALCIPPE
Résous-toi, sans plus me faire attendre.

CLARICE
Je n'ai plus le loisir, mon père va descendre.

Scène IV : Alcippe.

Va, ris de ma douleur alors que je te perds,   535
Par ces indignités romps toi-même mes fers,
Aide mes feux trompés à se tourner en glace,
Aide un juste courroux à se mettre en leur place.
Je cours à la vengeance, et porte à ton amant
Le vif et prompt effet de mon ressentiment.   540
S'il est homme de cœur, ce jour même nos armes
Régleront par leur sort tes plaisirs ou tes larmes,
Et plutôt que le voir possesseur de mon bien,
Puissé-je dans son sang voir couler tout le mien!
Le voici, ce rival, que son père t'amène.   545
Ma vieille amitié cède à ma nouvelle haine,
Sa vue accroît l'ardeur dont je me sens brûler,
Mais ce n'est pas ici qu'il faut le quereller.

Scène V : Géronte, Dorante,
Cliton.

GÉRONTE
Dorante, arrêtons-nous; le trop de promenade
Me mettrait hors d'haleine et me ferait malade.   550

Que l'ordre est rare et beau de ces grands bâtiments!

DORANTE

Paris semble à mes yeux un pays de romans.
J'y croyais ce matin voir une île enchantée :
Je la laissai déserte, et la trouve habitée.
555 Quelque Amphion[27] nouveau, sans l'aide des maçons,
En superbes palais a changé ses buissons.

GÉRONTE

Paris voit tous les jours de ces métamorphoses,
Dans tout le Pré-aux-Clercs tu verras mêmes choses,
Et l'univers entier ne peut rien voir d'égal
560 Aux superbes dehors du Palais-Cardinal [28].
Toute une ville entière, avec pompe bâtie,
Semble d'un vieux fossé par miracle sortie,
Et nous fait présumer, à ses superbes toits,
Que tous ses habitants sont des Dieux ou des Rois.
565 Mais changeons de discours. Tu sais combien je t'aime?

DORANTE

Je chéris cet honneur bien plus que le jour même.

GÉRONTE

Comme de mon hymen il n'est sorti que toi,
Et que je te vois prendre un périlleux emploi,
Où l'ardeur pour la gloire à tout oser convie,
570 Et force à tout moment de négliger la vie,
Avant qu'aucun malheur te puisse être avenu,
Pour te faire marcher un peu plus retenu,
Je te veux marier.

DORANTE

Oh! ma chère Lucrèce!

GÉRONTE

Je t'ai voulu choisir moi-même une maîtresse,
575 Honnête, belle, riche.

DORANTE

Ah! pour la bien choisir,
Mon père, donnez-vous un peu plus de loisir.

GÉRONTE

Je la connais assez, Clarice est belle et sage
Autant que dans Paris il en soit de son âge,
Son père de tout temps est mon plus grand ami,
580 Et l'affaire est conclue.

DORANTE

Ah! Monsieur, j'en frémi :
D'un fardeau si pesant accabler ma jeunesse!

GÉRONTE

Fais ce que je t'ordonne.

DORANTE

Il faut jouer d'adresse.
Quoi? Monsieur, à présent qu'il faut dans les combats
Acquérir quelque nom, et signaler mon bras...

GÉRONTE

585 Avant qu'être au hasard qu'un autre bras t'immole,
Je veux dans ma maison avoir qui m'en console,
Je veux qu'un petit-fils puisse y tenir ton rang,
Soutenir ma vieillesse et réparer mon sang :

27. Célèbre personnage de la mythologie : les pierres s'assem-
blaient à sa musique. Valéry a brillamment commenté ce
mythe.
28. Commencé en 1629, achevé en 1636. Richelieu lui-même
fit graver sur la porte ce nom de Palais-Cardinal, qui deviendra sous Louis XIV : Palais-Royal.

En un mot, je le veux.

DORANTE

Vous êtes inflexible!

GÉRONTE

Fais ce que je te dis.

DORANTE

Mais s'il est impossible?

GÉRONTE

Impossible! et comment?

DORANTE

Souffrez qu'aux yeux de tous
Pour obtenir pardon j'embrasse vos genoux.
Je suis...

GÉRONTE

Quoi?

DORANTE

Dans Poitiers...

GÉRONTE

Parle donc, et te lève.

DORANTE

Je suis donc marié, puisqu'il faut que j'achève.

GÉRONTE

Sans mon consentement?

DORANTE

On m'a violenté.
Vous ferez tout casser par votre autorité,
Mais nous fûmes tous deux forcés à l'hyménée
Par la fatalité la plus inopinée...
Ah! si vous le saviez!

GÉRONTE

Dis, ne me cache rien.

DORANTE

Elle est de fort bon lieu, mon père, et pour son bien,
S'il n'est du tout si grand que votre humeur souhaite...

GÉRONTE

Sachons, à cela près, puisque c'est chose faite.
Elle se nomme?

DORANTE

Orphise, et son père, Armédon.

GÉRONTE

Je n'ai jamais ouï ni l'un ni l'autre nom.
Mais poursuis.

DORANTE

Je la vis presque à mon arrivée.
Une âme de rocher ne s'en fût pas sauvée,
Tant elle avait d'appas, et tant son œil vainqueur
Par une douce force assujettit mon cœur!
Je cherchai donc chez elle à faire connaissance,
Et les soins obligeants de ma persévérance
Surent plaire de sorte à cet objet charmant,
Que je fus en six mois autant aimé qu'amant.
J'en reçus des faveurs secrètes mais honnêtes,
Et j'étendis si loin mes petites conquêtes,
Qu'en son quartier souvent je me coulais sans bruit,
Pour causer avec elle une part de la nuit.
Un soir que je venais de monter dans sa chambre
(Ce fut, s'il m'en souvient, le second de septembre;
Oui, ce fut ce jour-là que je fus attrapé),
Ce soir même son père en ville avait soupé;
Il monte à son retour, il frappe à la porte, elle,

Transit, rougit, pâlit, me cache en sa ruelle,
Ouvre enfin, et d'abord (qu'elle eut d'esprit et d'art!)
Elle se jette au cou de ce pauvre vieillard,
Dérobe en l'embrassant son désordre à sa vue.
Il se sied, il lui dit qu'il veut la voir pourvue,
Lui propose un parti qu'on lui venait d'offrir.
Jugez combien mon cœur à lors à souffrir!
Par sa réponse adroite elle sut si bien faire
Que sans m'inquiéter elle plut à son père.
Ce discours ennuyeux enfin se termina,
Le bonhomme partait quand ma montre sonna,
Et lui, se retournant vers sa fille étonnée :
« Depuis quand cette montre? et qui vous l'a donnée?
— Acaste, mon cousin, me la vient d'envoyer,
Dit-elle, et veut ici la faire nettoyer,
N'ayant point d'horlogers au lieu de sa demeure :
Elle a déjà sonné deux fois en un quart d'heure.
— Donnez-la-moi, dit-il, j'en prendrai mieux le soin. »
Alors pour me la prendre elle vient en mon coin.
Je la lui donne en main, mais, voyez ma disgrâce,
Avec mon pistolet le cordon s'embarrasse,
Fait marcher le déclic : le feu prend, le coup part;
Jugez de notre trouble à ce triste hasard.
Elle tombe par terre, et moi je la crus morte.
Le père épouvanté gagne aussitôt la porte,
Il appelle au secours, il crie à l'assassin,
Son fils et deux valets me coupent le chemin.
Furieux de ma perte, et combattant de rage,
Au milieu de tous trois je me faisais passage,
Quand un autre malheur de nouveau me perdit :
Mon épée en ma main en trois morceaux rompit.
Désarmé, je recule et rentre : alors Orphise,
De sa frayeur première aucunement remise,
Sait prendre un temps si juste en son reste d'effroi,
Qu'elle pousse la porte et s'enferme avec moi.
Soudain nous entassons, pour défenses nouvelles,
Bancs, tables, coffres, lits, et jusqu'aux escabelles.
Nous nous barricadons et dans ce premier feu,
Nous croyons gagner tout à différer un peu.
Mais comme à ce rempart l'un et l'autre travaille,
D'une chambre voisine on perce la muraille :
Alors me voyant pris, il fallut composer.
    Ici Clarice les voit de sa fenêtre; et Lucrèce, avec
Isabelle, les voit aussi de la sienne.

GÉRONTE

C'est-à-dire en français qu'il fallut l'épouser?

DORANTE

Les siens m'avaient trouvé de nuit seul avec elle,
Ils étaient les plus forts, elle me semblait belle,
Le scandale était grand, son honneur se perdait,
A ne le faire pas ma tête en répondait.
Ses grands efforts pour moi, son péril, et ses larmes,
A mon cœur amoureux étaient de nouveaux charmes,
Donc, pour sauver ma vie ainsi que son honneur,
Et me mettre avec elle au comble du bonheur,
Je changeai d'un seul mot la tempête en bonace,
Et fis ce que tout autre aurait fait en ma place.
Choisissez maintenant de me voir ou mourir,
Ou posséder un bien qu'on ne peut trop chérir.

GÉRONTE

Non, non, je ne suis pas si mauvais que tu penses,
Et trouve en ton malheur de telles circonstances
Que mon amour t'excuse, et mon esprit touché
Te blâme seulement de l'avoir trop caché.   680

DORANTE

Le peu de bien qu'elle a me faisait vous le taire.

GÉRONTE

Je prends peu garde au bien, afin d'être bon père.
Elle est belle, elle est sage, elle sort de bon lieu,
Tu l'aimes, elle t'aime, il me suffit, adieu.
Je vais me dégager du père de Clarice.   685

Scène VI : *Dorante, Cliton.*

DORANTE

Que dis-tu de l'histoire et de mon artifice?
Le bonhomme en tient-il? m'en suis-je bien tiré?
Quelque sot en ma place y serait demeuré,
Il eût perdu le temps à gémir et se plaindre,
Et malgré son amour, se fût laissé contraindre.   690
Oh! l'utile secret que mentir à propos!

CLITON

Quoi, ce que vous disiez n'est pas vrai?

DORANTE

                              Pas deux mots,
Et tu ne viens d'ouïr qu'un trait de gentillesse
Pour conserver mon âme et mon cœur à Lucrèce.

CLITON

Quoi? la montre, l'épée, avec le pistolet...   695

DORANTE

Industrie.

CLITON

        Obligez, Monsieur, votre valet :
Quand vous voudrez jouer de ces grands coups de maître
Donnez-lui quelque signe à les pouvoir connaître;
Quoique bien averti, j'étais dans le panneau.

DORANTE

Va, n'appréhende pas d'y tomber de nouveau :   700
Tu seras de mon cœur l'unique secrétaire,
Et de tous mes secrets le grand dépositaire.

CLITON

Avec ces qualités j'ose bien espérer
Qu'assez malaisément je pourrai m'en parer.
Mais parlons de vos feux. Certes cette maîtresse...   705

Scène VII : *Dorante, Cliton, Sabine.*

SABINE, *elle lui donne un billet.*

Lisez ceci, Monsieur.

DORANTE

              D'où vient-il?

SABINE

                      De Lucrèce.

DORANTE, *après avoir lu.*

Dis-lui que j'y viendrai.
    Sabine rentre, et Dorante continue.
                  Doute encore, Cliton,
A laquelle des deux appartient ce beau nom.
Lucrèce sent sa part des feux qu'elle fait naître,

710 Et me veut cette nuit parler par sa fenêtre.
Dis encor que c'est l'autre, ou que tu n'es qu'un sot.
Qu'aurait l'autre à m'écrire, à qui je n'ai dit mot?

CLITON

Monsieur, pour ce sujet n'ayons point de querelle;
Cette nuit, à la voix, vous saurez si c'est elle.

DORANTE

715 Coule-toi là dedans, et de quelqu'un des siens
Sache subtilement sa famille et ses biens.

Scène VIII : Dorante, Lycas.

LYCAS, *lui présentant un billet.*

Monsieur.

DORANTE

Autre billet.
Il continue, après avoir lu tout bas le billet.
                    J'ignore quelle offense
Peut d'Alcippe avec moi rompre l'intelligence,
Mais n'importe, dis-lui que j'irai volontiers.

720 Je te suis.
Lycas rentre, et Dorante continue seul.
                    Je revins hier au soir de Poitiers,
D'aujourd'hui seulement je produis mon visage,
Et j'ai déjà querelle, amour et mariage :
Pour un commencement ce n'est point mal trouvé.
Vienne encore un procès, et je suis achevé.
725 Se charge qui voudra d'affaires plus pressantes,
Plus en nombre à la fois et plus embarrassantes,
Je pardonne à qui mieux s'en pourra démêler,
Mais allons voir celui qui m'ose quereller.

ACTE TROISIÈME

Scène I : Dorante, Alcippe, Philiste.

PHILISTE

Oui, vous faisiez tous deux en hommes de courage,
730 Et n'aviez l'un ni l'autre aucun désavantage.
Je rends grâce au ciel de ce qu'il a permis
Que je sois survenu pour vous refaire amis,
Et que, la chose égale, ainsi je vous sépare :
Mon heur en est extrême et l'aventure rare.

DORANTE

735 L'aventure est encor bien plus rare pour moi,
Qui lui faisais raison sans avoir su de quoi.
Mais, Alcippe, à présent tirez-moi hors de peine.
Quel sujet aviez-vous de colère ou de haine?
Quelque mauvais rapport m'aurait-il pu noircir?
740 Dites, que devant lui je vous puisse éclaircir.

ALCIPPE

Vous le savez assez.

DORANTE

                    Plus je me considère,
Moins je découvre en moi ce qui vous peut déplaire.

ALCIPPE

Eh bien! puisqu'il vous faut parler plus clairement,
Depuis plus de deux ans j'aime secrètement,
745 Mon affaire est d'accord et la chose vaut faite,

Mais pour quelque raison nous la tenons secrète.
Cependant à l'objet qui me tient sous sa loi,
Et qui sans me trahir ne peut être qu'à moi,
Vous avez donné bal, collation, musique,
Et vous n'ignorez pas combien cela me pique,
Puisque, pour me jouer un si sensible tour,
Vous m'avez à dessein caché votre retour,
Et n'avez aujourd'hui quitté votre embuscade
Qu'afin de m'en conter l'histoire par bravade.
Ce procédé m'étonne, et j'ai lieu de penser
Que vous n'avez rien fait qu'afin de m'offenser.

DORANTE

Si vous pouviez encor douter de mon courage,
Je ne vous guérirais ni d'erreur ni d'ombrage,
Et nous nous reverrions, si nous étions rivaux,
Mais comme vous savez tous deux ce que je vaux,
Écoutez en deux mots l'histoire démêlée :
    Celle que cette nuit sur l'eau j'ai régalée
N'a pu vous donner lieu de devenir jaloux,
Car elle est mariée, et ne peut être à vous.
Depuis peu pour affaire elle est ici venue,
Et je ne pense pas qu'elle vous soit connue.

ALCIPPE

Je suis ravi, Dorante, en cette occasion,
De voir finir sitôt notre division.

DORANTE

Alcippe, une autre fois donnez moins de croyance
Aux premiers mouvements de votre défiance.
Jusqu'à mieux savoir tout sachez vous retenir,
Et ne commencez plus par où l'on doit finir.
Adieu, je suis à vous.

Scène II : Alcippe, Philiste.

PHILISTE

            Ce cœur encor soupire!

ALCIPPE

Hélas! je sors d'un mal pour tomber dans un pire.
Cette collation, qui l'aura pu donner?
A qui puis-je m'en prendre, et que m'imaginer?

PHILISTE

Que l'ardeur de Clarice est égale à vos flammes.
Cette galanterie était pour d'autres dames.
L'erreur de votre page a causé votre ennui,
S'étant trompé lui-même, il vous trompe après lui.
J'ai tout su de lui-même et des gens de Lucrèce.
    Il avait vu chez elle entrer votre maîtresse,
Mais il n'avait pas su qu'Hippolyte et Daphné
Ce jour-là, par hasard, chez elle avaient dîné.
Il les en voit sortir, mais à coiffe abattue,
Et sans les approcher il suit de rue en rue;
Aux couleurs, au carrosse, il ne doute de rien,
Tout était à Lucrèce, et le dupe si bien
Que prenant ces beautés pour Lucrèce et Clarice,
Il rend à votre amour un très mauvais service.
Il les voit donc aller jusques au bord de l'eau,
Descendre de carrosse, entrer dans un bateau;
Il voit porter des plats, entend quelque musique
(A ce que l'on m'a dit, assez mélancolique).
Mais cessez d'en avoir l'esprit inquiété,

Car enfin le carrosse avait été prêté.
L'avis se trouve faux, et ces deux autres belles
Avaient en plein repos passé la nuit chez elles.

ALCIPPE
Quel malheur est le mien! Ainsi donc sans sujet
J'ai fait ce grand vacarme à ce charmant objet?

PHILISTE
Je ferai votre paix. Mais sachez autre chose :
Celui qui de ce trouble est la seconde cause,
Dorante, qui tantôt nous en a tant conté
De son festin superbe et sur l'heure apprêté,
Lui qui depuis un mois nous cachant sa venue,
La nuit, *incognito*, visite une inconnue,
Il vint hier de Poitiers et sans faire aucun bruit
Chez lui paisiblement a dormi toute nuit.

ALCIPPE
Quoi! sa collation...

PHILISTE
      N'est rien qu'un pur mensonge,
Ou quand il l'a donnée, il l'a donnée en songe.

ALCIPPE
Dorante, en ce combat si peu prémédité,
M'a fait voir trop de cœur pour tant de lâcheté.
La valeur n'apprend point la fourbe en son école,
Tout homme de courage est homme de parole,
A des vices si bas il ne peut consentir,
Et fuit plus que la mort la honte de mentir.
Cela n'est point.

PHILISTE
      Dorante, à ce que je présume,
Est vaillant par nature et menteur par coutume.
Ayez sur ce sujet moins d'incrédulité,
Et vous-même admirez notre simplicité.
A nous laisser duper nous sommes bien novices.
Une collation servie à six services,
Quatre concerts entiers, tant de plats, tant de feux,
Tout cela cependant prêt en une heure ou deux,
Comme si l'appareil d'une telle cuisine
Fût descendu du ciel dedans quelque machine.
Quiconque le peut croire ainsi que vous et moi,
S'il a manqué de sens, n'a pas manqué de foi.
Pour moi, je voyais bien que tout ce badinage
Répondait assez mal aux remarques du page.
Mais vous?

ALCIPPE
      La jalousie aveugle un cœur atteint,
Et sans examiner croit tout ce qu'elle craint.
Mais laissons là Dorante avecque son audace,
Allons trouver Clarice et lui demander grâce :
Elle pouvait tantôt m'entendre sans rougir.

PHILISTE
Attendez à demain et me laissez agir;
Je veux par ce récit vous préparer la voie,
Dissiper sa colère et lui rendre sa joie.
Ne vous exposez point, pour gagner un moment,
Aux premières chaleurs de son ressentiment.

ALCIPPE
Si du jour qui s'enfuit la lumière est fidèle,
Je pense l'entrevoir avec son Isabelle,
Je suivrai tes conseils, et fuirai son courroux

Jusqu'à ce qu'elle ait ri de m'avoir vu jaloux.

Scène III : Clarice, Isabelle.

CLARICE
Isabelle, il est temps, allons trouver Lucrèce.   845

ISABELLE
Il n'est pas encor tard et rien ne vous en presse.
Vous avez un pouvoir bien grand sur son esprit :
A peine ai-je parlé qu'elle a sur l'heure écrit.

CLARICE
Clarice à la servir ne serait pas moins prompte.
Mais dis, par sa fenêtre as-tu bien vu Géronte?   850
Et sais-tu que ce fils qu'il m'avait tant vanté
Est ce même inconnu qui m'en a tant conté?

ISABELLE
A Lucrèce avec moi je l'ai fait reconnaître;
Et sitôt que Géronte a voulu disparaître,
Le voyant resté seul avec un vieux valet,   855
Sabine à nos yeux même a rendu le billet.
Vous parlerez à lui.

CLARICE
      Qu'il est fourbe, Isabelle.

ISABELLE
Eh bien! cette pratique est-elle si nouvelle?
Dorante est-il le seul qui, de jeune écolier,
Pour être mieux reçu s'érige en cavalier?   860
Que j'en sais comme lui qui parlent d'Allemagne,
Et si l'on veut les croire, ont vu chaque campagne,
Sur chaque occasion tranchent des entendus,
Content quelque défaite et des chevaux perdus,
Qui dans une gazette apprenant ce langage,   865
S'ils sortent de Paris, ne vont qu'à leur village,
Et se donnent ici pour témoins approuvés
De tous ces grands combats qu'ils ont lus ou rêvés!
Il aura cru sans doute, ou je suis fort trompée,
Que les filles de cœur aiment les gens d'épée,   870
Et vous prenant pour telle, il a jugé soudain
Qu'une plume au chapeau vous plaît mieux qu'à la [main.
Ainsi donc, pour vous plaire, il a voulu paraître,
Non pas pour ce qu'il est, mais pour ce qu'il veut être,
Et s'est osé promettre un traitement plus doux   875
Dans la condition qu'il veut prendre pour vous.

CLARICE
En matière de fourbe il est maître, il y pipe,
Après m'avoir dupée, il dupe encore Alcippe.
Ce malheureux jaloux s'est blessé le cerveau
D'un festin qu'hier au soir il m'a donné sur l'eau.   880
(Juge un peu si la pièce a la moindre apparence).
Alcippe cependant m'accuse d'inconstance,
Me fait une querelle où je ne comprends rien.
J'ai, dit-il, toute nuit souffert son entretien,
Il me parle de bal, de danse, de musique,   885
D'une collation superbe et magnifique,
Servie à tant de plats, tant de fois redoublés,
Que j'en ai la cervelle et les esprits troublés.

ISABELLE
Reconnaissez par là que Dorante vous aime,
Et que dans son amour son adresse est extrême;   890
Il aura su qu'Alcippe était bien avec vous,

Et pour l'en éloigner il l'a rendu jaloux.
Soudain à cet effort il en a joint un autre :
Il a fait que son père est venu voir le vôtre.
895 Un amant peut-il mieux agir en un moment
Que de gagner un père et brouiller l'autre amant ?
Votre père l'agrée et le sien vous souhaite,
Il vous aime, il vous plaît : c'est une affaire faite.

CLARICE
Elle est faite, de vrai, ce qu'elle se fera.

ISABELLE
900 Quoi ? votre cœur se change et désobéira ?

CLARICE
Tu vas sortir de garde et perdre tes mesures.
Explique, si tu peux, encor ses impostures :
    Il était marié sans que l'on en sût rien,
Et son père a repris sa parole du mien,
905 Fort triste de visage et fort confus dans l'âme.

ISABELLE
Ah ! je dis à mon tour : « Qu'il est fourbe, Madame ! »
C'est bien aimer la fourbe et l'avoir bien en main,
Que de prendre plaisir à fourber sans dessein,
Car pour moi, plus j'y songe, et moins je puis com-
910 Quel fruit auprès de vous il en ose prétendre. [prendre
Mais qu'allez-vous donc faire, et pourquoi lui parler ?
Est-ce à dessein d'en rire ou de le quereller ?

CLARICE
Je prendrais du plaisir du moins à le confondre.

ISABELLE
J'en prendrais davantage à le laisser morfondre.

CLARICE
915 Je veux l'entretenir par curiosité.
Mais j'entrevois quelqu'un dans cette obscurité,
Et si c'était lui-même, il pourrait me connaître ;
Entrons donc chez Lucrèce, allons à sa fenêtre,
Puisque c'est sous son nom que je lui dois parler.
920 Mon jaloux, après tout, sera mon pis aller :
Si sa mauvaise humeur déjà n'est apaisée,
Sachant ce que je sais, la chose est fort aisée.

Scène IV : Dorante, Cliton.

DORANTE
Voici l'heure et le lieu que marque le billet.

CLITON
J'ai su tout ce détail d'un ancien valet.
925 Son père est de la robe et n'a qu'elle de fille,
Je vous ai dit son bien, son âge, et sa famille.
    Mais, Monsieur, ce serait pour me bien divertir,
Si comme elle Lucrèce excellait à mentir :
Le divertissement serait rare, ou je meure !
930 Et je voudrais qu'elle eût ce talent pour une heure,
Qu'elle pût un moment vous piper en votre art,
Rendre conte pour conte, et martre pour renard,
D'un et d'autre côté j'en entendrais de bonnes.

DORANTE
Le ciel fait cette grâce à fort peu de personnes :
935 Il y faut promptitude, esprit, mémoire, soins,
Ne se brouiller jamais, et rougir encor moins.
Mais la fenêtre s'ouvre, approchons.

Scène V : Clarice, Lucrèce, Isabelle, à la fenêtre ; Dorante, Cliton, en bas.

CLARICE, à Isabelle.
                        Isabelle,
Durant notre entretien demeure en sentinelle.

ISABELLE
Lorsque votre vieillard sera prêt à sortir,
Je ne manquerai pas de vous en avertir.
Isabelle descend de la fenêtre et ne se montre plus.

LUCRÈCE, à Clarice.
Il conte assez au long ton histoire à mon père.
Mais parle sous mon nom, c'est à moi de me taire.

CLARICE
Etes-vous là, Dorante ?

DORANTE
                   Oui, Madame, c'est moi,
Qui veut vivre et mourir sous votre seule loi.

LUCRÈCE, à Clarice.
Sa fleurette pour toi prend encor même style.

CLARICE, à Lucrèce.
Il devrait s'épargner cette gêne inutile.
Mais m'aurait-il déjà reconnue à la voix ?

CLITON, à Dorante.
C'est elle, et je me rends, Monsieur, à cette fois.

DORANTE, à Clarice.
Oui, c'est moi qui voudrais effacer de ma vie
Les jours que j'ai vécu sans vous avoir servie.
Que vivre sans vous voir est un sort rigoureux !
C'est ou ne vivre point ou vivre malheureux,
C'est une longue mort, et pour moi, je confesse
Que pour vivre il faut être esclave de Lucrèce.

CLARICE, à Lucrèce.
Chère amie, il en conte à chacune à son tour.

LUCRÈCE, à Clarice.
Il aime à promener sa fourbe et son amour.

DORANTE
A vos commandements j'apporte donc ma vie,
Trop heureux si pour vous elle m'était ravie !
Disposez-en, Madame, et me dites en quoi
Vous avez résolu de vous servir de moi.

CLARICE
Je vous voulais tantôt proposer quelque chose,
Mais il n'est plus besoin que je vous la propose,
Car elle est impossible.

DORANTE
               Impossible ! Ah ! pour vous
Je pourrais tout, Madame, en tous lieux, contre tous.

CLARICE
Jusqu'à vous marier, quand je sais que vous l'êtes ?

DORANTE
Moi, marié ! ce sont pièces qu'on vous a faites.
Quiconque vous l'a dit s'est voulu divertir.

CLARICE, à Lucrèce.
Est-il un plus grand fourbe ?

LUCRÈCE, à Clarice.
                  Il ne sait que mentir.

DORANTE
Je ne le fus jamais, et si par cette voie
On pense...

CLARICE
Et vous pensez encor que je vous croie?
DORANTE
Que le foudre à vos yeux m'écrase si je mens!
CLARICE
Un menteur est toujours prodigue de serments.
DORANTE
Non, si vous avez eu pour moi quelque pensée
Qui sur ce faux rapport puisse être balancée
975 Cessez d'être en balance et de vous défier
De ce qu'il m'est aisé de vous justifier.
CLARICE, à Lucrèce.
On dirait qu'il dit vrai, tant son effronterie
Avec naïveté pousse une menterie.
DORANTE
Pour vous ôter de doute, agréez que demain
980 En qualité d'époux je vous donne la main.
CLARICE
Eh! vous la donneriez en un jour à deux mille.
DORANTE
Certes, vous m'allez mettre en crédit par la ville,
Mais en crédit si grand que j'en crains les jaloux.
CLARICE
C'est tout ce que mérite un homme tel que vous,
985 Un homme qui se dit un grand foudre de guerre,
Et n'en a vu qu'à coups d'écritoire ou de verre,
Qui vint hier à Poitiers, et conte à son retour
Que depuis une année il fait ici sa cour,
Qui donne toute nuit festin, musique et danse,
990 Bien qu'il l'ait dans son lit passée en tout silence,
Qui se dit marié, puis soudain s'en dédit.
Sa méthode est jolie à se mettre en crédit!
Vous-même, apprenez-moi comme il faut qu'on le
CLITON, à Dorante.   [nomme.
Si vous vous en tirez, je vous tiens habile homme.
DORANTE, à Cliton.
995 Ne t'épouvante point, tout vient en sa saison.
A Clarice.
De ces inventions chacune a sa raison :
Sur toutes quelque jour je vous rendrai contente,
Mais à présent je passe à la plus importante.
J'ai donc feint cet hymen (pourquoi désavouer
1000 Ce qui vous forcera vous-même à me louer?);
Je l'ai feint, et ma feinte à vos mépris m'expose.
Mais si de ces détours vous seule étiez la cause?
CLARICE
Moi?
DORANTE
Vous. Écoutez-moi. Ne pouvant consentir...
CLITON, à Dorante.
De grâce, dites-moi si vous allez mentir.
DORANTE, à Cliton.
1005 Ah! je t'arracherai cette langue importune.
A Clarice.
Donc, comme à vous servir j'attache ma fortune,
L'amour que j'ai pour vous ne pouvant consentir
Qu'un père à d'autres lois voulût m'assujettir...
CLARICE, à Lucrèce.
Il fait pièce nouvelle, écoutons.

DORANTE
Cette adresse
A conservé mon âme à la belle Lucrèce   1010
Et par ce mariage au besoin inventé,
J'ai su rompre celui qu'on m'avait apprêté.
Blâmez-moi de tomber en des fautes si lourdes,
Appelez-moi grand fourbe et grand donneur de bourdes,
Mais louez-moi du moins d'aimer si puissamment, 1015
Et joignez à ces noms celui de votre amant.
Je fais par cet hymen banqueroute à tous autres,
J'évite tous leurs fers pour mourir dans les vôtres,
Et libre pour entrer en des liens si doux,
Je me fais marié pour toute autre que vous.   1020
CLARICE
Votre flamme en naissant a trop de violence,
Et me laisse toujours en juste défiance.
Le moyen que mes yeux eussent de tels appas
Pour qui m'a si peu vue et ne me connaît pas?
DORANTE
Je ne vous connais pas! Vous n'avez plus de mère, 1025
Périandre est le nom de monsieur votre père,
Il est homme de robe, adroit et retenu,
Dix mille écus de rente en font le revenu,
Vous perdîtes un frère aux guerres d'Italie,
Vous aviez une sœur qui s'appelait Julie.   1030
Vous connais-je à présent? dites encor que non.
CLARICE, à Lucrèce.
Cousine, il te connaît, et t'en veut tout de bon.
LUCRÈCE, en elle-même.
Plût à Dieu!
CLARICE, à Lucrèce.
Découvrons le fond de l'artifice.
A Dorante.
J'avais voulu tantôt vous parler de Clarice,
Quelqu'un de vos amis m'en est venu prier.   1035
Dites-moi, seriez-vous pour elle à marier?
DORANTE
Par cette question n'éprouvez plus ma flamme.
Je vous ai trop fait voir jusqu'au fond de mon âme,
Et vous ne pouvez plus désormais ignorer
Que j'ai feint cet hymen afin de m'en parer.   1040
Je n'ai ni feux ni vœux que pour votre service,
Et ne puis plus avoir que mépris pour Clarice.
CLARICE
Vous êtes, à vrai dire, un peu bien dégoûté :
Clarice est de maison et n'est pas sans beauté;
Si Lucrèce à vos yeux paraît un peu plus belle, 1045
De bien mieux faits que vous se contenteraient d'elle.
DORANTE
Oui, mais un grand défaut ternit tous ses appas.
CLARICE
Quel est-il, ce défaut?
DORANTE
Elle ne me plaît pas,
Et plutôt que l'hymen avec elle me lie,
Je serai marié, si l'on veut, en Turquie.   1050
CLARICE
Aujourd'hui cependant on m'a dit qu'en plein jour
Vous lui serriez la main, et lui parliez d'amour.

DORANTE

Quelqu'un auprès de vous m'a fait cette imposture.

CLARICE, *à Lucrèce.*

Écoutez l'imposteur, c'est hasard s'il n'en jure.

DORANTE

1055 Que du ciel...

CLARICE, *à Lucrèce.*

L'ai-je dit?

DORANTE

J'éprouve le courroux

Si j'ai parlé, Lucrèce, à personne qu'à vous!

CLARICE

Je ne puis plus souffrir une telle impudence,
Après ce que j'ai vu moi-même en ma présence.
Vous couchez d'imposture et vous osez jurer,
1060 Comme si je pouvais vous croire ou l'endurer!
Adieu, retirez-vous et croyez, je vous prie,
Que souvent je m'égaie ainsi par raillerie,
Et que pour me donner des passe-temps si doux,
J'ai donné cette baye [29] à bien d'autres qu'à vous.

Scène VI : Dorante, Cliton.

CLITON

1065 Eh bien! vous le voyez, l'histoire est découverte.

DORANTE

Ah! Cliton, je me trouve à deux doigts de ma perte.

CLITON

Vous en avez sans doute un plus heureux succès,
Et vous avez gagné chez elle un grand accès,
Mais je suis ce fâcheux qui nuis par ma présence,
1070 Et vous fais sous ces mots être d'intelligence.

DORANTE

Peut-être. Qu'en crois-tu?

CLITON

Le peut-être est gaillard.

DORANTE

Penses-tu qu'après tout j'en quitte encor ma part,
Et tienne tout perdu pour un peu de traverse?

CLITON

Si jamais cette part tombait dans le commerce,
1075 Et qu'il vous vînt marchand pour ce trésor caché,
Je vous conseillerais d'en faire bon marché.

DORANTE

Mais pourquoi si peu croire un feu si véritable?

CLITON

A chaque bout de champ vous mentez comme un [diable.

DORANTE

Je disais vérité.

CLITON

Quand un menteur la dit,
1080 En passant par sa bouche elle perd son crédit.

DORANTE

Il faut donc essayer si par quelque autre bouche
Elle pourra trouver un accueil moins farouche.
Allons sur le chevet rêver quelque moyen
D'avoir de l'incrédule un plus doux entretien.

29. Baye : cf. note 24.

Souvent leur belle humeur suit le cours de la lune, 10
Telle rend des mépris qui veut qu'on l'importune,
Et de quelques effets que les siens soient suivis,
Il sera demain jour, et la nuit porte avis.

ACTE QUATRIÈME

Scène I : Dorante, Cliton.

CLITON

Mais, Monsieur, pensez-vous qu'il soit jour chez Lu-
Pour sortir si matin elle a trop de paresse.   [crèce? 10

DORANTE

On trouve bien souvent plus qu'on ne croit trouver,
Et ce lieu pour ma flamme est plus propre à rêver;
J'en puis voir sa fenêtre, et de sa chère idée
Mon âme à cet aspect sera mieux possédée.

CLITON

A propos de rêver, n'avez-vous rien trouvé   10
Pour servir de remède au désordre arrivé?

DORANTE

Je me suis souvenu d'un secret que toi-même
Me donnais hier pour grand, pour rare, pour suprême :
Un amant obtient tout quand il est libéral.

CLITON

Le secret est fort beau, mais vous l'appliquez mal :
Il ne fait réussir qu'auprès d'une coquette.

DORANTE

Je sais ce qu'est Lucrèce : elle est sage et discrète,
A lui faire présent mes efforts seraient vains,
Elle a le cœur trop bon, mais ses gens ont des mains,
Et bien que sur ce point elle les désavoue,
Avec un tel secret leur langue se dénoue :
Ils parlent, et souvent on les daigne écouter.
A tel prix que ce soit, il m'en faut acheter.
Si celle-ci venait qui m'a rendu sa lettre,
Après ce qu'elle a fait j'ose tout m'en promettre,
Et ce sera hasard si sans beaucoup d'effort
Je ne trouve moyen de lui payer le port.

CLITON

Certes, vous dites vrai, j'en juge par moi-même.
Ce n'est point mon humeur de refuser qui m'aime,
Et comme c'est m'aimer que me faire présent,
Je suis toujours alors d'un esprit complaisant.

DORANTE

Il est beaucoup d'humeurs pareilles à la tienne.

CLITON

Mais, Monsieur, attendant que Sabine survienne,
Et sur son esprit vos dons fassent vertu,
Il court quelque bruit sourd qu'Alcippe s'est battu.

DORANTE

Contre qui?

CLITON

L'on ne sait, mais ce confus murmure
D'un air pareil au vôtre à peu près le figure,
Et si de tout le jour je vous avais quitté,
Je vous soupçonnerais de cette nouveauté.

DORANTE

Tu ne me quittas point pour entrer chez Lucrèce?

CLITON

Ah! Monsieur, m'auriez-vous joué ce tour d'adresse?

DORANTE

Nous nous battîmes hier, et j'avais fait serment
De ne parler jamais de cet événement.
Mais à toi, de mon cœur l'unique secrétaire,
A toi, de mes secrets le grand dépositaire [30],
Je ne célerai rien, puisque je l'ai promis.
   Depuis cinq ou six mois nous étions ennemis,
Il passa par Poitiers, où nous prîmes querelle,
Et comme on nous fit lors une paix telle quelle,
Nous sûmes l'un à l'autre en secret protester
Qu'à la première vue il en faudrait tâter.
Hier nous nous rencontrons, cette ardeur se réveille,
Fait de notre embrassade un appel à l'oreille.
Je me défais de toi, j'y cours, je le rejoins,
Nous vidons sur le pré l'affaire sans témoins,
Et le perçant à jour de deux coups d'estocade
Je le mets hors d'état d'être jamais malade :
Il tombe dans son sang.

CLITON

                    A ce compte il est mort?

DORANTE

Je le laissai pour tel.

CLITON

                    Certes, je plains son sort.
Il était honnête homme, et le ciel ne déploie...

Scène II : Dorante, Alcippe, Cliton.

ALCIPPE

Je te veux, cher ami, faire part de ma joie.
Je suis heureux : mon père...

DORANTE

                    Eh bien?

ALCIPPE

                              Vient d'arriver.

CLITON, *à Dorante.*

Cette place pour vous est commode à rêver.

DORANTE

Ta joie est peu commune, et pour revoir un père
Un tel homme que nous [31] ne se réjouit guère.

ALCIPPE

Un esprit que la joie entièrement saisit
Présume qu'on l'entend au moindre mot qu'il dit.
Sache donc que je touche à l'heureuse journée
Qui doit avec Clarice unir ma destinée :
On attendait mon père afin de tout signer.

DORANTE

C'est ce que mon esprit ne pouvait deviner,
Mais je m'en réjouis. Tu vas entrer chez elle?

ALCIPPE

Oui, je lui vais porter cette heureuse nouvelle,
Et je t'en ai voulu faire part en passant.

DORANTE

Tu t'acquiers d'autant plus un cœur reconnaissant. 1160
Enfin donc ton amour ne craint plus de disgrâce?

ALCIPPE

Cependant qu'au logis mon père se délasse,
J'ai voulu par devoir prendre l'heure du sien.

CLITON, *à Dorante.*

Les gens que vous tuez se portent assez bien.

ALCIPPE

Je n'ai de part ni d'autre aucune défiance. 1165
Excuse d'un amant la juste impatience.
Adieu.

DORANTE

      Le ciel te donne un hymen sans souci!

Scène III : Dorante, Cliton.

CLITON

Il est mort? Quoi? Monsieur, vous m'en donnez aussi,
A moi, de votre cœur l'unique secrétaire,
A moi, de vos secrets le grand dépositaire! 1170
Avec ces qualités j'avais lieu d'espérer
Qu'assez malaisément je pourrais m'en parer.

DORANTE

Quoi! mon combat te semble un conte imaginaire?

CLITON

Je croirai tout, Monsieur, pour ne vous pas déplaire,
Mais vous en contez tant, à toute heure, en tous lieux, 1175
Qu'il faut bien de l'esprit avec vous, et bons yeux.
More, juif ou chrétien, vous n'épargnez personne.

DORANTE

Alcippe te surprend, sa guérison t'étonne!
L'état où je le mis était fort périlleux,
Mais il est à présent des secrets merveilleux : 1180
Ne t'a-t-on point parlé d'une source de vie
Que nomment nos guerriers poudre de sympathie [32]?
On en voit tous les jours des effets étonnants.

CLITON

Encor ne sont-ils pas du tout si surprenants,
Et je n'ai point appris qu'elle eût tant d'efficace, 1185
Qu'un homme que pour mort on laisse sur la place,
Qu'on a de deux grands coups percé de part en part,
Soit dès le lendemain si frais et si gaillard.

DORANTE

La poudre que tu dis n'est que de la commune,
On n'en fait plus de cas; mais, Cliton, j'en sais une 1190
Qui rappelle sitôt des portes du trépas
Qu'en moins d'un tourne-main on ne s'en souvient [pas;
Quiconque la sait faire a de grands avantages.

CLITON

Donnez-m'en le secret, et je vous sers sans gages.

DORANTE

Je te le donnerais, et tu serais heureux, 1195
Mais le secret consiste en quelques mots hébreux,
Qui tous à prononcer sont si forts difficiles

---

30. Répétition comique des vers 701-702, repris ironiquement
par Cliton à la scène suivante (1169-1170).
   31. La tournure, à la rigueur, correcte au XVIIᵉ siècle, est
néanmoins bizarre et ne figure que dans les deux dernières
éditions : il doit plutôt s'agir d'une faute typographique.
De 1644 à 1668, on lit : un homme tel que nous.

32. Ce sera le titre du fameux ouvrage de Sir Kenelm Digby.
Cf. page 168. Cette plaisanterie avait de quoi brouiller Corneille avec l'ambassadeur anglais, qui ne publiera son
ouvrage qu'en 1651. Mais comme c'est précisément en 1642
que l'armée du Roussillon expérimenta la recette achetée aux
Espagnols, Corneille ne manque pas l'occasion de faire allusion
à la nouvelle mode.

Que ce seraient pour toi des trésors inutiles.

CLITON

Vous savez donc l'hébreu ?

DORANTE

L'hébreu ? parfaitement :
1200 J'ai dix langues, Cliton, à mon commandement.

CLITON

Vous auriez bien besoin de dix des mieux nourries,
Pour fournir tour à tour à tant de menteries,
Vous les hachez menu comme chair à pâtés.
Vous avez tout le corps bien plein de vérités,
1205 Il n'en sort jamais une.

DORANTE

Ah! cervelle ignorante !
Mais mon père survient.

Scène IV : Géronte, Dorante, Cliton.

GÉRONTE

Je vous cherchais, Dorante.

DORANTE

Je ne vous cherchais pas, moi. Que mal à propos
Son abord importun vient troubler mon repos !
Et qu'un père incommode un homme de mon âge !

GÉRONTE

1210 Vu l'étroite union que fait le mariage,
J'estime qu'en effet c'est n'y consentir point,
Que laisser désunir ceux que le ciel a joint.
La raison le défend, et je sens dans mon âme
Un violent désir de voir ici ta femme.
1215 J'écris donc à son père, écris-lui comme moi,
Je lui mande qu'après ce que j'ai su de toi
Je me tiens trop heureux qu'une si belle fille,
Si sage et si bien née entre dans ma famille.
J'ajoute à ce discours que je brûle de voir
1220 Celle qui de mes ans devient l'unique espoir,
Que pour me l'amener tu t'en vas en personne,
Car enfin il le faut, et le devoir l'ordonne ;
N'envoyer qu'un valet sentirait son mépris.

DORANTE

De vos civilités il sera bien surpris
1225 Et pour moi, je suis prêt ; mais je perdrai ma peine :
Il ne souffrira pas encor qu'on vous l'amène,
Elle est grosse.

GÉRONTE

Elle est grosse !

DORANTE

Et de plus de six mois.

GÉRONTE

Que de ravissements je sens à cette fois !

DORANTE

Vous ne voudriez pas hasarder sa grossesse ?

GÉRONTE

1230 Non, j'aurai patience autant que d'allégresse ;
Pour hasarder ce gage il m'est trop précieux.
A ce coup ma prière a pénétré les cieux,
Je pense en le voyant que je mourrai de joie,
Adieu, je vais changer la lettre que j'envoie,
1235 En écrire à son père un nouveau compliment,
Le prier d'avoir soin de son accouchement,

Comme du seul espoir où mon bonheur se fonde.

DORANTE, *à Cliton.*

Le bonhomme s'en va le plus content du monde.

GÉRONTE, *se retournant.*

Écris-lui comme moi.

DORANTE

Je n'y manquerai pas.

Qu'il est bon !

CLITON

Taisez-vous, il revient sur ses pas.

GÉRONTE

Il ne me souvient plus du nom de ton beau-père.
Comment s'appelle-t-il ?

DORANTE

Il n'est pas nécessaire.
Sans que vous vous donniez ces soucis superflus,
En fermant le paquet j'écrirai le dessus.

GÉRONTE

Étant tout d'une main, il sera plus honnête.

DORANTE

Ne lui pourrai-je ôter ce souci de la tête ?
Votre main ou la mienne, il n'importe des deux.

GÉRONTE

Ces nobles de province y sont un peu fâcheux.

DORANTE

Son père sait la cour.

GÉRONTE

Ne me fais plus attendre.
Dis-moi...

DORANTE

Que lui dirai-je ?

GÉRONTE

Il s'appelle ?

DORANTE

Pyrandre.

GÉRONTE

Pyrandre ! tu m'as dit tantôt un autre nom :
C'était, je m'en souviens, oui, c'était Armédon.

DORANTE

Oui, c'est là son nom propre, et l'autre d'une terre ;
Il portait ce dernier quand il fut à la guerre,
Et se sert si souvent de l'un et l'autre nom,
Que tantôt c'est Pyrandre, et tantôt Armédon.

GÉRONTE

C'est un abus commun qu'autorise l'usage,
Et j'en usais ainsi du temps de mon jeune âge.
Adieu, je vais écrire.

Scène V : Dorante, Cliton.

DORANTE

Enfin j'en suis sorti.

CLITON

Il faut bonne mémoire après qu'on a menti.

DORANTE

L'esprit a secouru le défaut de mémoire.

CLITON

Mais on éclaircira bientôt toute l'histoire.
Après ce mauvais pas où vous avez bronché,
Le reste encor longtemps ne peut être caché.

5 On le sait chez Lucrèce et chez cette Clarice,
Qui d'un mépris si grand piquée avec justice,
Dans son ressentiment prendra l'occasion
De vous couvrir de honte et de confusion.

DORANTE

Ta crainte est bien fondée, et puisque le temps presse,
0 Il faut tâcher en hâte à m'engager Lucrèce.
Voici tout à propos ce que j'ai souhaité.

Scène VI : Dorante, Cliton, Sabine.

DORANTE

Chère amie, hier au soir j'étais si transporté,
Qu'en ce ravissement je ne pus me permettre
De bien penser à toi quand j'eus lu cette lettre.
5 Mais tu n'y perdras rien, et voici pour le port.

SABINE

Ne croyez pas, Monsieur...

DORANTE

Tiens.

SABINE

Vous me faites tort.

Je ne suis pas de...

DORANTE

Prends.

SABINE

Hé! Monsieur.

DORANTE

Prends, te dis-je,
Je ne suis point ingrat alors que l'on m'oblige;
Dépêche, tends la main.

CLITON

Qu'elle y fait de façons!
Je lui veux par pitié donner quelques leçons.
Chère amie, entre nous, toutes tes révérences
En ces occasions ne sont qu'impertinences;
Si ce n'est assez d'une, ouvre toutes les deux :
Le métier que tu fais ne veut point de honteux.
Sans te piquer d'honneur, crois qu'il n'est que de
[prendre,
Et que tenir vaut mieux mille fois que d'attendre.
Cette pluie est fort douce, et quand j'en vois pleuvoir,
J'ouvrirais jusqu'au cœur pour la mieux recevoir.
On prend à toutes mains dans le siècle où nous sommes
Et refuser n'est plus le vice des grands hommes.
Retiens bien ma doctrine, et pour faire amitié,
Si tu veux, avec toi je serai de moitié.

SABINE

Cet article est de trop.

DORANTE

Vois-tu, je me propose
De faire avec le temps pour toi toute autre chose.
Mais comme j'ai reçu cette lettre de toi,
En voudrais-tu donner la réponse pour moi?

SABINE

Je la donnerai bien, mais je n'ose vous dire
Que ma maîtresse daigne ou la prendre ou la lire :
J'y ferai mon effort.

CLITON

Voyez, elle se rend

Plus douce qu'une épouse et plus souple qu'un gant. 1300

DORANTE

Le secret a joué. Présente-la, n'importe;
Elle n'a pas pour moi d'aversion si forte.
Je reviens dans une heure en apprendre l'effet.

SABINE

Je vous conterai lors tout ce que j'aurai fait.

Scène VII : Cliton, Sabine.

CLITON

Tu vois que les effets préviennent les paroles, 1305
C'est un homme qui fait litière de pistoles,
Mais comme auprès de lui je puis beaucoup pour toi...

SABINE

Fais tomber de la pluie, et laisse faire à moi.

CLITON

Tu viens d'entrer en goût.

SABINE

Avec mes révérences,
Je ne suis pas encor si dupe que tu penses. 1310
Je sais bien mon métier, et ma simplicité
Joue aussi bien son jeu que ton avidité.

CLITON

Si tu sais ton métier, dis-moi quelle espérance
Doit obstiner mon maître à la persévérance.
Sera-t-elle insensible, en viendrons-nous à bout? 1315

SABINE

Puisqu'il est si brave homme, il faut te dire tout.
Pour te désabuser, sache donc que Lucrèce
N'est rien moins qu'insensible à l'ardeur qui le presse;
Durant toute la nuit elle n'a point dormi,
Et si je ne me trompe, elle l'aime à demi. 1320

CLITON

Mais sur quel privilège est-ce qu'elle se fonde,
Quand elle aime à demi, de maltraiter le monde?
Il n'en a cette nuit reçu que des mépris.
Chère amie, après tout, mon maître vaut son prix.
Ces amours à demi sont d'une étrange espèce, 1325
Et s'il me voulait croire, il quitterait Lucrèce.

SABINE

Qu'il ne se hâte point, on l'aime assurément.

CLITON

Mais on le lui témoigne un peu bien rudement,
Et je ne vis jamais de méthodes pareilles.

Elle tient, comme on dit, le loup par les oreilles; 1330
Elle l'aime, et son cœur n'y saurait consentir,
Parce que d'ordinaire il ne fait que mentir.
Hier même elle le vit dedans les Tuileries,
Où tout ce qu'il conta n'était que menteries.
Il en a fait autant depuis à deux ou trois. 1335

CLITON

Les menteurs les plus grands disent vrai quelquefois.

SABINE

Elle a lieu de douter et d'être en défiance.

CLITON

Qu'elle donne à ses feux un peu plus de croyance,
Il n'a fait toute nuit que soupirer d'ennui.

SABINE

1340 Peut-être que tu mens aussi bien comme lui?

CLITON

Je suis homme d'honneur, tu me fais injustice.

SABINE

Mais dis-moi, sais-tu bien qu'il n'aime plus Clarice?

CLITON

Il ne l'aima jamais.

SABINE

Pour certain?

CLITON

Pour certain.

SABINE

Qu'il ne craigne donc plus de soupirer en vain.

1345 Aussitôt que Lucrèce a pu le reconnaître,
Elle a voulu qu'exprès je me sois fait paraître,
Pour voir si par hasard il ne me dirait rien,
Et s'il l'aime en effet, tout le reste ira bien.
Va-t-en, et sans te mettre en peine de m'instruire
1350 Crois que je lui dirai tout ce qu'il lui faut dire.

CLITON

Adieu, de ton côté si tu fais ton devoir,
Tu dois croire du mien que je ferai pleuvoir.

Scène VIII : Lucrèce, Sabine.

SABINE

Que je vais bientôt voir une fille contente!
Mais la voici déjà, qu'elle est impatiente!
1355 Comme elle a les yeux fins, elle a vu le poulet [33].

LUCRÈCE

Eh bien! que t'ont conté le maître et le valet?

SABINE

Le maître et le valet m'ont dit la même chose.
Le maître est tout à vous, et voici de sa prose.

LUCRÈCE, après avoir lu.

Dorante avec chaleur fait le passionné,
1360 Mais le fourbe qu'il est nous en a trop donné,
Et je ne suis pas fille à croire ses paroles.

SABINE

Je ne les crois non plus, mais j'en crois ses pistoles.

LUCRÈCE

Il t'a donc fait présent?

SABINE

Voyez.

LUCRÈCE

Et tu l'as pris?

SABINE

Pour vous ôter du trouble où flottent vos esprits,
1365 Et vous mieux témoigner ses flammes véritables,
J'en ai pris les témoins les plus indubitables,
Et je remets, Madame, au jugement de tous
Si qui donne à vos gens est sans amour pour vous,
Et si ce traitement marque une âme commune.

LUCRÈCE

1370 Je ne m'oppose pas à ta bonne fortune,
Mais comme en l'acceptant tu sors de ton devoir,

33. Billet-doux. Le nom en vint de l'usage de plier le billet en triangle, ce qui lui donnait la forme d'une aile.

Du moins une autre fois ne m'en fais rien savoir.

SABINE

Mais à ce libéral que pourrai-je promettre?

LUCRÈCE

Dis-lui que sans la voir j'ai déchiré sa lettre.

SABINE

O ma bonne fortune, où vous enfuyez-vous!

LUCRÈCE

Mêles-y de ta part deux ou trois mots plus doux,
Conte-lui dextrement le naturel des femmes,
Dis-lui qu'avec le temps on amollit leurs âmes,
Et l'avertis surtout des heures et des lieux
Où par rencontre il peut se montrer à mes yeux
Parce qu'il est grand fourbe, il faut que je m'assure.

SABINE

Ah! si vous connaissiez les peines qu'il endure,
Vous ne douteriez plus si son cœur est atteint;
Toute nuit il soupire, il gémit, il se plaint.

LUCRÈCE

Pour apaiser les maux que cause cette plainte,
Donne-lui de l'espoir avec beaucoup de crainte,
Et sache entre les deux toujours le modérer,
Sans m'engager à lui ni le désespérer.

Scène IX : Clarice, Lucrèce, Sabine.

CLARICE

Il t'en veut tout de bon et m'en voilà défaite,
Mais je souffre aisément la perte que j'ai faite,
Alcippe la répare et son père est ici.

LUCRÈCE

Te voilà donc bientôt quitte d'un grand souci?

CLARICE

M'en voilà bientôt quitte, et toi te voilà prête,
A t'enrichir bientôt d'une étrange conquête.
Tu sais ce qu'il m'a dit.

SABINE

S'il vous mentait alors,
A présent il dit vrai; j'en réponds corps pour corps.

CLARICE

Peut-être qu'il le dit, mais c'est un grand peut-être.

LUCRÈCE

Dorante est un grand fourbe et nous l'a fait connaître,
Mais s'il continuait encore à m'en conter,
Peut-être avec le temps il me ferait douter.

CLARICE

Si tu l'aimes, du moins, étant bien avertie,
Prends bien garde à ton fait, et fais bien ta partie.

LUCRÈCE

C'en est trop, et tu dois seulement présumer
Que je penche à le croire et non pas à l'aimer.

CLARICE

De le croire à l'aimer la distance est petite,
Qui fait croire ses feux fait croire son mérite.
Ces deux points en amour se suivent de si près
Que qui se croit aimée aime bientôt après.

LUCRÈCE

La curiosité souvent dans quelques âmes
Produit le même effet que produiraient des flammes.

CLARICE

Je suis prête à le croire afin de t'obliger.

SABINE

Vous me feriez ici toutes deux enrager.
Voyez qu'il est besoin de tout ce badinage!
Faites moins la sucrée et changez de langage
Ou vous n'en casserez, ma foi, que d'une dent [34].

LUCRÈCE

Laissons là cette folle et dis-moi cependant,
Quand nous le vîmes hier dedans les Tuileries,
Qu'il te conta d'abord tant de galanteries,
Il fut, ou je me trompe, assez bien écouté.
Était-ce amour alors ou curiosité?

CLARICE

Curiosité pure, avec dessein de rire
De tous les compliments qu'il aurait pu me dire.

LUCRÈCE

Je fais de ce billet même chose à mon tour,
Je l'ai pris, je l'ai lu, mais le tout sans amour :
Curiosité pure, avec dessein de rire
De tous les compliments qu'il aurait pu m'écrire.

CLARICE

Ce sont deux que de lire et d'avoir écouté,
L'un est grande faveur, l'autre, civilité.
Mais trouves-y ton compte et j'en serai ravie,
En l'état où je suis j'en parle sans envie.

LUCRÈCE

Sabine lui dira que je l'ai déchiré.

CLARICE

Nul avantage ainsi n'en peut être tiré.
Tu n'es que curieuse.

LUCRÈCE

Ajoute, à ton exemple.

CLARICE

Soit. Mais il est saison que nous allions au temple [35].

LUCRÈCE, à Clarice.

Allons.

A Sabine.

Si tu le vois, agis comme tu sais.

SABINE

Ce n'est pas sur ce coup que je fais mes essais :
Je connais à tous deux où tient la maladie,
Et le mal sera grand si je n'y remédie,
Mais sachez qu'il est homme à prendre sur le vert [36].

LUCRÈCE

Je te croirai.

34. Comme les soubrettes de comédies, Sabine parle volontiers par proverbes qui s'entendent assez d'eux-mêmes. Ici,
casser d'une dent : n'avoir qu'une faible partie du profit.
35. Par une curieuse convention, on continue à désigner
église du terme latin. De la même façon D'Urfé, qui avait
situé l'Astrée à l'époque druidique, pouvait évoquer les actes
lieux de ses personnages sans nommer les véritables lieux
sacrés. Cependant dans la Place royale, Angélique se retirait
bien au couvent, non chez les Vestales.
36. Prendre sur le vert : surprendre. On n'a donné de l'expression aucune origine satisfaisante. Prendre sans vert signi-
fiait : surprendre quelqu'un sans la branche verte qu'on portait
au mois de mai. Sur le vert viendrait plutôt de la langue des
viticulteurs : un vin est encore sur le vert, quand il n'est pas
assez vieux. Dans les deux cas, on passe difficilement à prendre
sur le vert, sinon par une évidente confusion des deux expressions.

SABINE

Mettons cette pluie à couvert.

ACTE CINQUIÈME

Scène I : Géronte, Philiste.

GÉRONTE

Je ne pouvais avoir rencontre plus heureuse
Pour satisfaire ici mon humeur curieuse.
Vous avez feuilleté le *Digeste* à Poitiers
Et vu comme mon fils les gens de ces quartiers.
Ainsi vous me pouvez facilement apprendre   1445
Quelle est et la famille et le bien de Pyrandre.

PHILISTE

Quel est-il, ce Pyrandre?

GÉRONTE

Un de leurs citoyens,
Noble, à ce qu'on m'a dit, mais un peu mal en biens.

PHILISTE

Il n'est dans tout Poitiers bourgeois ni gentilhomme
Qui, si je m'en souviens, de la sorte se nomme.   1450

GÉRONTE

Vous le connaîtrez mieux peut-être à l'autre nom,
Ce Pyrandre s'appelle autrement Armédon.

PHILISTE

Aussi peu l'un que l'autre.

GÉRONTE

Et le père d'Orphise,
Cette rare beauté qu'en ces lieux même on prise?
Vous connaissez le nom de cet objet charmant   1455
Qui fait de ces cantons le plus digne ornement?

PHILISTE

Croyez que cette Orphise, Armédon et Pyrandre,
Sont gens dont à Poitiers, on ne peut rien apprendre.
S'il vous faut sur ce point encor quelque garant...

GÉRONTE

En faveur de mon fils vous faites l'ignorant,   1460
Mais je ne sais que trop qu'il aime cette Orphise,
Et qu'après les douceurs d'une longue hantise,
On l'a seul dans sa chambre avec elle trouvé,
Que par son pistolet un désordre arrivé
L'a forcé sur-le-champ d'épouser cette belle.   1465
Je sais tout, et de plus ma bonté paternelle
M'a fait y consentir, et votre esprit discret
N'a plus d'occasion de m'en faire un secret.

PHILISTE

Quoi! Dorante a fait donc un secret mariage?

GÉRONTE

Et comme je suis bon, je pardonne à son âge.   1470

PHILISTE

Qui vous l'a dit?

GÉRONTE

Lui-même.

PHILISTE

Ah! puisqu'il vous l'a dit,
Il vous fera du reste un fidèle récit,
Il en sait mieux que moi toutes les circonstances,
Non qu'il vous faille en prendre aucunes défiances,

1475 Mais il a le talent de bien imaginer,
Et moi je n'eus jamais celui de deviner.
GÉRONTE
Vous me feriez par là soupçonner son histoire.
PHILISTE
Non, sa parole est sûre, et vous pouvez l'en croire,
Mais il nous servit hier d'une collation
1480 Qui partait d'un esprit de grande invention,
Et si ce mariage est de même méthode,
La pièce est fort complète et des plus à la mode.
GÉRONTE
Prenez-vous du plaisir à me mettre en courroux?
PHILISTE
Ma foi, vous en tenez aussi bien comme nous,
1485 Et pour vous en parler avec toute franchise,
Si vous n'avez jamais pour bru que cette Orphise,
Vos chers collatéraux s'en trouveront fort bien.
Vous m'entendez; adieu, je ne vous dis plus rien.

Scène II : Géronte.

O vieillesse facile! ô jeunesse impudente!
1490 O de mes cheveux gris honte trop évidente!
Est-il dessous le ciel père plus malheureux?
Est-il affront plus grand pour un cœur généreux?
Dorante n'est qu'un fourbe, et cet ingrat que j'aime,
Après m'avoir fourbé, me fait fourber moi-même,
1495 Et d'un discours en l'air qu'il forge en imposteur,
Il me fait le trompette et le second auteur!
Comme si c'était peu pour mon reste de vie
De n'avoir à rougir que de son infamie,
L'infâme, se jouant de mon trop de bonté,
1500 Me fait encor rougir de ma crédulité!

Scène III : Géronte, Dorante, Cliton.

GÉRONTE
Êtes-vous gentilhomme?
DORANTE
                    Ah! rencontre fâcheuse!
Étant sorti de vous, la chose est peu douteuse [37].
GÉRONTE
Croyez-vous qu'il suffit d'être sorti de moi?
DORANTE
Avec toute la France aisément je le croi.
GÉRONTE
1505 Et ne savez-vous point avec toute la France
D'où ce titre d'honneur a tiré sa naissance,
Et que la vertu seule a mis en ce haut rang
Ceux qui l'ont jusqu'à moi fait passer dans leur sang?
DORANTE
J'ignorerais un point que n'ignore personne,
1510 Que la vertu l'acquiert, comme le sang le donne?
GÉRONTE
Où le sang a manqué, si la vertu l'acquiert,
Où le sang l'a donné, le vice aussi le perd.
Ce qui naît d'un moyen périt par son contraire,

37. Pastiche du *Cid* (voyez aussi plus bas : v. 1527-1528).
Cette scène, où le ton héroïque sert le rire, existe d'ailleurs
dans Alarcon.

Tout ce que l'un a fait, l'autre peut le défaire,
Et dans la lâcheté du vice où je te vois,
Tu n'es plus gentilhomme, étant sorti de moi.
DORANTE
Moi?
GÉRONTE
Laisse-moi parler, toi de qui l'imposture
Souille honteusement ce don de la nature.
Qui se dit gentilhomme et ment comme tu fais,
Il ment quand il le dit et ne le fut jamais.
Est-il vice plus bas, est-il tache plus noire,
Plus indigne d'un homme élevé pour la gloire?
Est-il quelque faiblesse, est-il quelque action
Dont un cœur vraiment noble ait plus d'aversion.
Puisqu'un seul démenti lui porte une infamie
Qu'il ne peut effacer s'il n'expose sa vie,
Et si dedans le sang il ne lave l'affront
Qu'un si honteux outrage imprime sur son front?
DORANTE
Qui vous dit que je mens?
GÉRONTE
                    Qui me le dit, infâme?
Dis-moi, si tu le peux, dis le nom de ta femme.
Le conte qu'hier au soir tu m'en fis publier...
CLITON, à Dorante.
Dites que le sommeil vous l'a fait oublier.
GÉRONTE
Ajoute, ajoute encore avec effronterie
Le nom de ton beau-père et de sa seigneurie,
Invente à m'éblouir quelques nouveaux détours.
CLITON, à Dorante.
Appelez la mémoire ou l'esprit au secours.
GÉRONTE
De quel front cependant faut-il que je confesse
Que ton effronterie a surpris ma vieillesse,
Qu'un homme de mon âge a cru légèrement
Ce qu'un homme du tien débite impudemment?
Tu me fais donc servir de fable et de risée,
Passer pour esprit faible, et pour cervelle usée!
Mais dis-moi, te portais-je à la gorge un poignard?
Voyais-tu violence ou courroux de ma part?
Si quelque aversion t'éloignait de Clarice,
Quel besoin avais-tu d'un si lâche artifice?
Et pouvais-tu douter que mon consentement
Ne dût tout accorder à ton contentement,
Puisque mon indulgence, au dernier point venue,
Consentait à tes yeux d'un hymen d'une inconnue?
Ce grand excès d'amour que je t'ai témoigné
N'a point touché ton cœur, ou ne l'a point gagné.
Ingrat, tu m'as payé d'une impudente feinte,
Et tu n'as eu pour moi respect, amour ni crainte.
Va, je te désavoue.
DORANTE
                    Eh! mon père, écoutez.
GÉRONTE
Quoi? des contes en l'air et sur l'heure inventés?
DORANTE
Non, la vérité pure.
GÉRONTE
                    En est-il dans ta bouche?

CLITON, à Dorante.
Voici pour votre adresse une assez rude touche.

DORANTE
Épris d'une beauté qu'à peine j'ai pu voir
Qu'elle a pris sur mon âme un absolu pouvoir,
De Lucrèce, en un mot, vous la pouvez connaître...

GÉRONTE
Dis vrai : je la connais, et ceux qui l'ont fait naître;
Son père est mon ami.

DORANTE
Mon cœur en un moment
Étant de ses regards charmé si puissamment,
Le choix que vos bontés avaient fait de Clarice,
Sitôt que je le sus, me parut un supplice,
Mais comme j'ignorais si Lucrèce et son sort
Pouvaient avec le vôtre avoir quelque rapport,
Je n'osai pas encor vous découvrir la flamme
Que venaient ses beautés d'allumer dans mon âme,
Et j'avais ignoré, Monsieur, jusqu'à ce jour
Que l'adresse d'esprit fût un crime en amour.
Mais si je vous osais demander quelque grâce,
A présent que je sais et son bien et sa race,
Je vous conjurerais, par les nœuds les plus doux
Dont l'amour et le sang puissent m'unir à vous,
De seconder mes vœux auprès de cette belle :
Obtenez-la d'un père, et je l'obtiendrai d'elle.

GÉRONTE
Tu me fourbes encor.

DORANTE
Si vous ne m'en croyez,
Croyez-en pour le moins Cliton que vous voyez :
Il sait tout mon secret.

GÉRONTE
Tu ne meurs pas de honte
Qu'il faille que de lui je fasse plus de conte,
Et que ton père même, en doute de ta foi,
Donne plus de croyance à ton valet qu'à toi!
Écoute : je suis bon, et malgré ma colère,
Je veux encore un coup montrer un cœur de père,
Je veux encore un coup pour toi me hasarder.
Je connais ta Lucrèce et la vais demander.
Mais si de ton côté le moindre obstacle arrive...

DORANTE
Pour vous mieux assurer, souffrez que je vous suive.

GÉRONTE
Demeure ici, demeure, et ne suis point mes pas :
Je doute, je hasarde, et je ne te crois pas.
Mais sache que tantôt si pour cette Lucrèce
Tu fais la moindre fourbe ou la moindre finesse,
Tu peux bien fuir mes yeux et ne me voir jamais;
Autrement souviens-toi du serment que je fais :
Je jure les rayons du jour qui nous éclaire
Que tu ne mourras point que de la main d'un père,
Et que ton sang indigne à mes pieds répandu
Rendra prompte justice à mon honneur perdu.

Scène IV : Dorante, Cliton.

DORANTE
Je crains peu les effets d'une telle menace.

CLITON
Vous vous rendez trop tôt et de mauvaise grâce,
Et cet esprit adroit, qui l'a dupé deux fois,
Devait en galant homme aller jusques à trois :
Toutes tierces, dit-on, sont bonnes ou mauvaises [38]. 1605

DORANTE
Cliton, ne raille point, que tu ne me déplaises :
D'un trouble tout nouveau j'ai l'esprit agité.

CLITON
N'est-ce point du remords d'avoir dit vérité?
Si pourtant ce n'est point quelque nouvelle adresse,
Car je doute à présent si vous aimez Lucrèce, 1610
Et vous vois si fertile en semblables détours,
Que, quoi que vous disiez, je l'entends au rebours.

DORANTE
Je l'aime, et sur ce point ta défiance est vaine,
Mais je hasarde trop, et c'est ce qui me gêne.
Si son père et le mien ne tombent point d'accord, 1615
Tout commerce est rompu, je fais naufrage au port,
Et d'ailleurs, quand l'affaire entre eux serait conclue,
Suis-je sûr que la fille y soit bien résolue?
J'ai tantôt vu passer cet objet si charmant,
Sa compagne, ou je meure! a beaucoup d'agrément. 1620
Aujourd'hui que mes yeux l'ont mieux examinée,
De mon premier amour j'ai l'âme un peu gênée :
Mon cœur entre les deux est presque partagé,
Et celle-ci l'aurait s'il n'était engagé.

CLITON
Mais pourquoi donc montrer une flamme si grande, 1625
Et porter votre père à faire une demande?

DORANTE
Il ne m'aurait pas cru, si je ne l'avais fait.

CLITON
Quoi? même en disant vrai, vous mentiez en effet!

DORANTE
C'était le seul moyen d'apaiser sa colère.
Que maudit soit quiconque a détrompé mon père! 1630
Avec ce faux hymen j'aurais eu le loisir
De consulter mon cœur, et je pourrais choisir.

CLITON
Mais sa compagne enfin n'est autre que Clarice.

DORANTE
Je me suis donc rendu moi-même un bon office.
Oh! qu'Alcippe est heureux, et que je suis confus! 1635
Mais Alcippe, après tout, n'aura que mon refus.
N'y pensons plus, Cliton, puisque la place est prise.

CLITON
Vous en voilà défait aussi bien que d'Orphise.

DORANTE
Reportons à Lucrèce un esprit ébranlé,
Que l'autre à ses yeux même avait presque volé. 1640
Mais Sabine survient.

Scène V : Dorante, Sabine, Cliton.

DORANTE
Qu'as-tu fait de ma lettre?

38. L'expression ne vient pas du jeu. Il s'agit de la fièvre
tierce, le troisième accès de fièvre, selon le médecin antique,
décidait de la vie ou de la mort du malade.

En de si belles mains as-tu su la remettre?

SABINE

Oui, Monsieur, mais...

DORANTE

Quoi? mais!

SABINE

Elle a tout déchiré.

DORANTE

Sans lire?

SABINE

Sans rien lire.

DORANTE

Et tu l'as enduré!

SABINE

1645 Ah, si vous aviez vu comme elle m'a grondée!
Elle va me chasser, l'affaire en est vidée.

DORANTE

Elle s'apaisera, mais pour t'en consoler,
Tends la main.

SABINE

Eh! Monsieur.

DORANTE

Ose encor lui parler.
Je ne perds pas sitôt toutes mes espérances.

CLITON

1650 Voyez la bonne pièce avec ses révérences!
Comme ses déplaisirs sont déjà consolés,
Elle vous en dira plus que vous n'en voulez.

DORANTE

Elle a donc déchiré mon billet sans le lire?

SABINE

Elle m'avait donné charge de vous le dire,
1655 Mais à parler sans fard...

CLITON

Sait-elle son métier!

SABINE

Elle n'en a rien fait et l'a lu tout entier.
Je ne puis si longtemps abuser un brave homme.

CLITON

Si quelqu'un l'entend mieux, je l'irai dire à Rome.

DORANTE

Elle ne me hait pas, à ce compte?

SABINE

Elle? non.

DORANTE

1660 M'aime-t-elle?

SABINE

Non plus.

DORANTE

Tout de bon?

SABINE

Tout de bon.

DORANTE

Aime-t-elle quelque autre?

SABINE

Encor moins.

DORANTE

Qu'obtiendrai-je?

SABINE

Je ne sais.

DORANTE

Mais enfin, dis-moi.

SABINE

Que vous dirai-je?

DORANTE

Vérité.

SABINE

Je la dis.

DORANTE

Mais elle m'aimera?

SABINE

Peut-être.

DORANTE

Et quand encor?

SABINE

Quand elle vous croira.

DORANTE

Quand elle me croira? Que ma joie est extrême!

SABINE

Quand elle vous croira, dites qu'elle vous aime.

DORANTE

Je le dis déjà donc et m'en ose vanter,
Puisque ce cher objet n'en saurait plus douter.
Mon père...

SABINE

La voici qui vient avec Clarice.

*Scène VI : Clarice, Lucrèce, Dorante,
Sabine, Cliton.*

CLARICE, *à Lucrèce.*

Il peut te dire vrai, mais ce n'est pas son vice.
Comme tu le connais, ne précipite rien.

DORANTE, *à Clarice.*

Beauté qui pouvez seule et mon mal et mon bien...

CLARICE, *à Lucrèce.*

On dirait qu'il m'en veut, et c'est moi qu'il regarde.

LUCRÈCE, *à Clarice.*

Quelques regards sur toi sont tombés par mégarde.
Voyons s'il continue.

DORANTE, *à Clarice.*

Ah! que loin de vos yeux
Les moments à mon cœur deviennent ennuyeux!
Et que je reconnais par mon expérience
Quel supplice aux amants est une heure d'absence!

CLARICE, *à Lucrèce.*

Il continue encor.

LUCRÈCE, *à Clarice.*

Mais vois ce qu'il m'écrit.

CLARICE

Mais écoute.

LUCRÈCE, *à Clarice.*

Tu prends pour toi ce qu'il me dit.

CLARICE

Éclaircissons-nous-en. Vous m'aimez donc, Dorante?

DORANTE, *à Clarice.*

Hélas! que cette amour vous est indifférente!
Depuis que vos regards m'ont mis sous votre loi...

CLARICE, *à Lucrèce.*

Crois-tu que le discours s'adresse encore à toi?

LUCRÈCE, *à Clarice.*
Je ne sais où j'en suis.

CLARICE, *à Lucrèce.*
Oyons la fourbe entière.

LUCRÈCE, *à Clarice.*
Vu ce que nous savons, elle est un peu grossière.

CLARICE, *à Lucrèce.*
C'est ainsi qu'il partage entre nous son amour :
Il te flatte de nuit et m'en conte de jour.

DORANTE, *à Clarice.*
Vous consultez ensemble! Ah! quoi qu'elle vous die,
Sur de meilleurs conseils disposez de ma vie.
Le sien auprès de vous me serait trop fatal,
Elle a quelque sujet de me vouloir du mal.

LUCRÈCE, *en elle-même.*
Ah! je n'en ai que trop, et si je ne me venge...

CLARICE, *à Dorante.*
Ce qu'elle me disait est de fait fort étrange.

DORANTE
C'est quelque invention de son esprit jaloux.

CLARICE
Je le crois, mais enfin me reconnaissez-vous?

DORANTE
Si je vous reconnais! quittez ces railleries,
Vous que j'entretins hier dedans les Tuileries,
Que je fis aussitôt maîtresse de mon sort.

CLARICE
Si je veux toutefois en croire son rapport,
Pour une autre déjà votre âme inquiétée...

DORANTE
Pour une autre déjà je vous aurais quittée?
Que plutôt à vos pieds mon cœur sacrifié...

CLARICE
Bien plus, si je la crois, vous êtes marié.

DORANTE
Vous me jouez, Madame, et sans doute pour rire,
Vous prenez du plaisir à m'entendre redire
Qu'à dessein de mourir en des liens si doux
Je me fais marié pour toute autre que vous.

CLARICE
Mais avant qu'avec moi le nœud d'hymen vous lie,
Vous serez marié, si l'on veut, en Turquie.

DORANTE
Avant qu'avec toute autre on me puisse engager,
Je serai marié, si l'on veut, en Alger.

CLARICE
Mais enfin vous n'avez que mépris pour Clarice?

DORANTE
Mais enfin vous savez le nœud de l'artifice,
Et que pour être à vous je fais ce que je puis.

CLARICE
Je ne sais plus moi-même, à mon tour, où j'en suis.
Lucrèce, écoute un mot.

DORANTE, *à Cliton.*
Lucrèce! que dit-elle?

CLITON, *à Dorante.*
Vous en tenez, Monsieur. Lucrèce est la plus belle;
Mais laquelle des deux? J'en ai le mieux jugé,
Et vous auriez perdu si vous aviez gagé.

DORANTE, *à Cliton.*
Cette nuit à la voix j'ai cru la reconnaître.

CLITON, *à Dorante.*
Clarice sous son nom parlait à sa fenêtre,
Sabine m'en a fait un secret entretien.

DORANTE
Bonne bouche [39]! J'en tiens, mais l'autre la vaut bien,
Et comme dès tantôt je la trouvais bien faite, 1725
Mon cœur déjà penchait où mon erreur le jette.
Ne me découvre point, et dans ce nouveau feu
Tu me vas voir, Cliton, jouer un nouveau jeu.
Sans changer de discours changeons de batterie.

LUCRÈCE, *à Clarice.*
Voyons le dernier point de son effronterie. 1730
Quand tu lui diras tout, il sera bien surpris.

CLARICE, *à Dorante.*
Comme elle est mon amie, elle m'a tout appris :
Cette nuit vous l'aimiez, et m'avez méprisée.
Laquelle de nous deux avez-vous abusée?
Vous lui parliez d'amour en termes assez doux. 1735

DORANTE
Moi! depuis mon retour je n'ai parlé qu'à vous.

CLARICE
Vous n'avez point parlé cette nuit à Lucrèce?

DORANTE
Vous n'avez point voulu me faire un tour d'adresse,
Et je ne vous ai point reconnue à la voix?

CLARICE
Nous dirait-il bien vrai pour la première fois? 1740

DORANTE
Pour me venger de vous j'eus assez de malice
Pour vous laisser jouir d'un si lourd artifice,
Et vous laissant passer pour ce que vous vouliez,
Je vous en donnai plus que vous ne m'en donniez.
Je vous embarrassai, n'en faites point la fine. 1745
Choisissez un peu mieux vos dupes à la mine.
Vous pensiez me jouer, et moi je vous jouais,
Mais par de faux mépris que je désavouais,
Car enfin je vous aime, et je hais de ma vie
Les jours que j'ai vécu sans vous avoir servie. 1750

CLARICE
Pourquoi, si vous m'aimez, feindre un hymen en l'air,
Quand un père pour vous est venu me parler?
Quel fruit de cette fourbe osez-vous vous promettre?

LUCRÈCE, *à Dorante.*
Pourquoi, si vous m'aimez, m'écrire cette lettre?

DORANTE, *à Lucrèce.*
J'aime de ce courroux les principes cachés. 1755
Je ne vous déplais pas, puisque vous vous fâchez.
Mais j'ai moi-même enfin assez joué d'adresse :
Il faut vous dire vrai, je n'aime que Lucrèce.

CLARICE, *à Lucrèce.*
Est-il un plus grand fourbe, et peux-tu l'écouter?

DORANTE, *à Lucrèce.*
Quand vous m'aurez ouï, vous n'en pourrez douter. 1760
Sous votre nom, Lucrèce, et par votre fenêtre,
Clarice m'a fait pièce, et je l'ai su connaître.
Comme en y consentant, vous m'avez affligé,

39. Exclamation qui marque l'heureuse fin d'une histoire.

Je vous ai mise en peine, et je m'en suis vengé.
LUCRÈCE

1765 Mais que disiez-vous hier dedans les Tuileries?
DORANTE

Clarice fut l'objet de mes galanteries...
CLARICE, à Lucrèce.

Veux-tu longtemps encore écouter ce moqueur?
DORANTE, à Lucrèce.

Elle avait mes discours, mais vous aviez mon cœur,
Où vos yeux faisaient naître un feu que j'ai fait taire,
1770 Jusqu'à ce que ma flamme ait eu l'aveu d'un père.
Comme tout ce discours n'était que fiction,
Je cachais mon retour et ma condition.
CLARICE, à Lucrèce.

Vois que fourbe sur fourbe à nos yeux il entasse,
Et ne fait que jouer des tours de passe-passe.
DORANTE, à Lucrèce.

1775 Vous seule êtes l'objet dont mon cœur est charmé.
LUCRÈCE, à Dorante.

C'est ce que les effets m'ont fort mal confirmé.
DORANTE

Si mon père à présent porte parole au vôtre,
Après son témoignage, en voulez-vous quelque autre?
LUCRÈCE

Après son témoignage il faudra consulter
1780 Si nous aurons encor quelque lieu d'en douter.
DORANTE, à Lucrèce.

Qu'à de telles clartés votre erreur se dissipe.
A Clarice.

Et vous, belle Clarice, aimez toujours Alcippe.
Sans l'hymen de Poitiers il ne tenait plus rien,
Je ne lui ferai pas ce mauvais entretien.
1785 Mais entre vous et moi vous savez le mystère.
Le voici qui s'avance, et j'aperçois mon père.

Scène VII : Géronte, Dorante, Alcippe, Clarice,
Lucrèce, Isabelle, Sabine, Cliton.

ALCIPPE, sortant de chez Clarice et parlant à elle.

Nos parents sont d'accord, et vous êtes à moi.

GÉRONTE, sortant de chez Lucrèce
et parlant à elle.

Votre père à Dorante engage votre foi.
ALCIPPE, à Clarice.

Un mot de votre main, l'affaire est terminée.
GÉRONTE, à Lucrèce.

Un mot de votre bouche achève l'hyménée.
DORANTE, à Lucrèce.

Ne soyez pas rebelle à seconder mes vœux.
ALCIPPE

Êtes-vous aujourd'hui muettes toutes deux?
CLARICE

Mon père a sur mes vœux une entière puissance.
LUCRÈCE

Le devoir d'une fille est dans l'obéissance [40].
GÉRONTE, à Lucrèce.

Venez donc recevoir ce doux commandement.
ALCIPPE, à Clarice.

Venez donc ajouter ce doux consentement.
Alcippe rentre chez Clarice avec elle et Isabelle, et le
reste rentre chez Lucrèce.

SABINE, à Dorante, comme
il rentre.

Si vous vous mariez, il ne pleuvra plus guères.
DORANTE

Je changerai pour toi cette pluie en rivières.
SABINE

Vous n'aurez pas loisir seulement d'y penser.
Mon métier ne vaut rien quand on s'en peut passer.
CLITON, seul.

Comme en sa propre fourbe un menteur s'embarrasse!
Peu sauraient comme lui s'en tirer avec grâce.
Vous autres qui doutiez s'il en pourrait sortir,
Par un si rare exemple apprenez à mentir.

---

40. Ce vers est textuellement dans la bouche de Camille
(*Horace*, v. 340).

LA SUITE DU MENTEUR

COMÉDIE

La date de la Suite du Menteur *est liée évidemment à celle du* Menteur. *Il est curieux que le nombre des acteurs s'y trouve réduit, comme c'est le cas dans les deux tragédies de la* Mort de Pompée *et de* Rodogune. *Si la chose vient du démembrement de la troupe du Marais, il faut donc placer le* Menteur *et* Pompée *avant Pâques 1642, donc la* Suite *dans la saison 1642-1643* *.

Tour de force rarement réussi : donner une suite à une pièce à succès qui vaille l'original, avec des moyens plus réduits, sur une trame toute nouvelle. L'intrigue est tirée cette fois de Amar sin saber a quien *(Aimer sans savoir qui), de Lope de Vega, que Corneille avait trouvé dans le même volume de comédies publiées en 1630. Dorante est guéri de son vice, qui l'a mené jusqu'en prison. En fait, il aura autant d'occasions de mentir que jadis, mais il est cette fois le menteur par générosité. Corneille invente donc de toutes pièces le rapport entre les deux comédies qu'il imite.*

En 1660, il regarde comme une erreur technique d'avoir obligé les spectateurs à se souvenir de la première pièce : défaillance contestable, puisque c'est ce qui plaisait aux spectateurs, que l'auteur mettait ainsi dans sa complicité. Il enregistre néanmoins sans s'incliner le verdict du public, qui n'accueillit pas aussi favorablement la pièce; la publication en 1645 est accompagnée d'une Épître, *d'un ton inhabituel et d'une ampleur toute nouvelle sur le nature et le but de l'art.*

La bataille des règles est gagnée dès avant 1640 et Corneille a contribué à son succès; elle s'est déplacée entre 1640 et 1645 sur le plan des bienséances et Corneille, aussi fidèle à la liberté des Anciens qu'à sa propre conception dramatique, refusera toujours de se rallier aux vues étroites que veulent imposer les « doctes ».

Il est curieux que cette question soit traitée en tête de l'édition de la Suite du Menteur. *L'*Épître *prouve l'extrême attention que Corneille apporte à tous les problèmes touchant son art, dans le feu des discussions contemporaines.*

ÉPITRE[1] (1645)

MONSIEUR,

Je vous avais bien dit que *le Menteur* ne serait pas le dernier emprunt ou larcin que je ferais chez les Espagnols : en voici une *Suite* qui est encore tirée du même original, et dont Lope a traité le sujet sous le titre de *Amar sin saber à quien*[2]. Elle n'a pas été si heureuse au théâtre que l'autre, quoique plus remplie de beaux sentiments et de beaux vers. Ce n'est pas que j'en veuille accuser ni le défaut des acteurs, ni le mauvais jugement du peuple : la faute en est toute à moi, qui

* Le privilège est du 5 août 1645, l'achevé d'imprimer du 30 septembre.

1. Cette épître, importante pour les théories esthétiques de Corneille, pourrait bien cette fois s'adresser à un dédicataire imaginaire, puisqu'aucun *Au lecteur* ne l'accompagne. Le cas serait unique et par conséquent la chose apparaît douteuse. Contrairement à ce qui se passa en 1639, on ne voit guère les raisons de la discrétion de Corneille en 1645, sinon l'insuccès relatif de la pièce.

2. *Aimer sans savoir qui.* Cette pièce se trouvait avec la pièce d'Alarcon qui servit au *Menteur*, dans l'édition collective de Saragosse (1630). Lope avait composé cette pièce au moins vingt ans plus tôt.

devais mieux prendre mes mesures, et choisir des sujets plus répondants au goût de mon auditoire. Si j'étais de ceux qui tiennent que la poésie a pour but de profiter aussi bien que de plaire, je tâcherais de vous persuader que celle-ci est beaucoup meilleure que l'autre, à cause que Dorante y paraît beaucoup plus honnête homme, et donne des exemples de vertu à suivre, au lieu qu'en l'autre, il ne donne que des imperfections à éviter; mais pour moi, qui tiens avec Aristote et Horace que notre art n'a pour but que le divertissement, j'avoue qu'il est ici bien moins à estimer qu'en la première comédie, puisque, avec ses mauvaises habitudes, il a perdu presque toutes ses grâces, et qu'il semble avoir quitté la meilleure part de ses agréments lorsqu'il a voulu se corriger de ses défauts. Vous me direz que je suis bien injurieux au métier qui me fait connaître, d'en ravaler le but si bas de le réduire à plaire au peuple et que je suis bien hardi tout ensemble de prendre pour garant de mon opinion, les deux maîtres dont ceux du parti contraire se fortifient. A cela, je vous dirai que ceux-là même qui mettent si haut le but de l'art sont injurieux à l'artisan, dont ils ravalent d'autant plus le mérite qu'ils pensent relever la dignité de sa profession, parce que, s'il est obligé de prendre soin de l'utile, il évite seulement une faute quand il s'en acquitte et n'est digne d'aucune louange. C'est mon Horace qui me l'apprend :

> *Vitavi denique culpam,*
> *Non laudem merui*[3].

En effet, MONSIEUR, vous ne loueriez pas beaucoup un homme pour avoir réduit un poème dramatique dans l'unité de jour et de lieu, parce que les lois du théâtre le lui prescrivent et que sans cela son ouvrage ne serait qu'un monstre. Pour moi, j'estime extrêmement ceux qui mêlent l'utile au délectable, et d'autant plus qu'ils n'y sont pas obligés par les règles de la poésie; je suis bien aise de dire d'eux avec notre docteur :

> *Omne tulit punctum, qui miscuit utile dulci*[4],

mais je dénie qu'ils faillent contre ces règles, lorsqu'ils ne l'y mêlent pas, et les blâme seulement de ne s'être pas proposé un objet assez digne d'eux, ou si vous me permettez de parler un peu chrétiennement, de n'avoir pas eu assez de charité pour prendre l'occasion de donner en passant quelque instruction à ceux qui les écoutent ou qui les lisent. Pourvu qu'ils ayent trouvé le moyen de plaire, ils sont quittes envers leur art, et s'ils pèchent, ce n'est pas contre lui, c'est contre les bonnes mœurs et contre leur auditoire. Pour vous faire voir le sentiment d'Horace là-dessus, je n'ai qu'à répéter ce que j'en ai déjà pris : puisqu'il ne tient pas qu'on soit digne de louange quand on n'a fait que s'acquitter de ce qu'on doit, et qu'il en donne tant à celui qui joint l'utile à l'agréable, il est aisé de conclure qu'il tient que celui-là fait plus qu'il n'était obligé de faire. Quant à Aristote, je ne crois pas que ceux du parti contraire ayent d'assez bons yeux pour trouver le mot d'utilité dans tout son *Art poétique*; quand il recherche la cause de la poésie, il ne l'attribue qu'au plaisir que les hommes reçoivent de l'imitation; et comparant l'une à l'autre les parties de la tragédie, il préfère la fable aux mœurs, seulement pour ce qu'elle contient tout ce qu'il y a d'agréable dans le poème, et c'est pour cela qu'il l'appelle l'âme de la tragédie. Cependant, quand on y mêle quelque utilité, ce doit être principalement dans cette partie qui regarde les mœurs, et que ce grand homme toutefois ne tient point du tout nécessaire, puisqu'il permet de la retrancher entièrement, et demeure d'accord qu'on peut faire une tragédie sans mœurs. Or, pour ne vous pas donner mauvaise impression de la comédie du *Menteur*, qui a donné lieu à cette *Suite*, que vous pourriez juger être simplement faite pour plaire, et n'avoir pas ce noble mélange de l'utilité, d'autant qu'elle semble violer une autre maxime, qu'on veut tenir pour indubitable, touchant la récompense des bonnes actions et la punition des mauvaises, il ne sera peut-être pas hors de propos que je vous dise là-dessus ce que je pense. Il est certain que les actions de Dorante ne sont pas bonnes moralement, n'étant que fourbes et menteries, et néanmoins il obtient enfin ce qu'il souhaite, puisque la vraie Lucrèce est en cette pièce sa dernière inclination. Ainsi, si cette maxime est une véritable règle de théâtre, j'ai failli, et si c'est en ce point seul que consiste l'utilité de la poésie, je n'y en ai point mêlé. Pour le premier, je n'ai qu'à vous dire que cette règle imaginaire est entièrement contre la pratique des anciens; et sans aller chercher des exemples parmi les Grecs, Sénèque, qui en a tiré presque tous ses sujets, nous en fournit assez : Médée

brave Jason, après avoir brûlé le palais royal, fait périr le roi et sa fille et tué ses enfants; dans *la Troade*, Ulysse précipite Astyanax, et Pyrrhus immole Polyxène, tous deux impunément; dans *Agamemnon*, il est assassiné par sa femme et par son adultère, qui s'empare de son trône sans qu'on voie tomber de foudre sur leurs têtes; Atrée même, dans le *Thyeste*, triomphe de son misérable frère après lui avoir fait manger ses enfants. Et dans les comédies de Plaute et de Térence, que voyons-nous autre chose que des jeunes fous qui, après avoir, quelque tromperie, tiré de l'argent de leurs pères, pour dépenser à la suite de leurs amours déréglées, sont enfin richement mariés; et des esclaves qui, après avoir conduit tout l'intrique et servi de ministres à leurs débauches, obtiennent leur liberté pour récompense. Ce sont des exemples qui ne seraient non plus propres à imiter que les mauvaises finesses de notre Menteur. Vous me demanderez en quoi donc consiste l'utilité de la poésie, qui en doit être un des grands ornements, et qui relève si haut le mérite du poète quand il en enrichit son ouvrage. J'en trouve deux à mon sens : l'une empruntée de la morale, l'autre qui lui est particulière : celle-là se rencontre aux sentences et réflexions que l'on peut adroitement semer presque partout, celle-ci en la naïve peinture des vices et des vertus. Pourvu qu'on les sache mettre en leur jour, et les faire connaître par leurs véritables caractères, celles-ci se feront aimer quoique malheureuses, et ceux-là se feront détester quoique triomphants. Et comme le portrait d'une laide femme ne laisse pas d'être beau, et qu'il n'est pas besoin d'avertir que l'original n'en est pas aimable pour empêcher qu'on l'aime, il en est de même dans notre peinture parlante; quand le crime est bien peint de ses couleurs, quand les imperfections sont bien figurées, il n'est point besoin d'en faire voir un mauvais succès à la fin pour avertir qu'il ne les faut pas imiter, et je m'assure que toutes les fois que *le Menteur* a été représenté, bien qu'on l'ait vu sortir du théâtre pour aller épouser l'objet de ses derniers désirs, il n'y a eu personne qui se soit proposé son exemple pour acquérir une maîtresse, et qui n'ait pris toutes ses fourbes, quoique heureuses, pour des friponneries d'écoliers, dont il faut qu'on se corrige avec soin, si l'on veut passer pour honnête homme. Je vous dirais qu'il y a encore une autre utilité propre à la tragédie, qui est la purgation des passions, mais ce n'est pas ici le lieu d'en parler, puisque ce n'est qu'une comédie que je vous présente. Vous y pourrez rencontrer en quelques endroits ces deux sortes d'utilité dont je vous viens d'entretenir. Je voudrais que le peuple y eût trouvé autant d'agréable, afin que je vous pusse présenter quelque chose qui eût mieux atteint le but de l'art. Telle qu'elle est, je vous la donne, aussi bien que la première, et demeure de tout mon cœur, MONSIEUR, votre très humble serviteur,

CORNEILLE.

EXAMEN (1660)

L'effet de celle-ci n'a pas été si avantageux que celui de la précédente, bien qu'elle soit mieux écrite. L'original espagnol est de Lope de Vegue sans contredit, et a ce défaut que ce n'est que le valet qui fait rire, au lieu qu'en l'autre les principaux agréments sont dans la bouche du maître. L'on a pu voir par les divers succès quelle différence il y a entre les railleries spirituelles d'un honnête homme de bonne humeur, et les bouffonneries froides d'un plaisant à gages. L'obscurité

---

3. « Bref, j'ai évité le blâme sans mériter la louange. » (*Art poétique*, v. 267-268).
4. « Il a pleinement atteint son but celui qui a joint l'utile à l'agréable. » (*Art poétique* v. 343).

que fait en celle-ci le rapport à l'autre a pu contribuer quelque chose à sa disgrâce, y ayant beaucoup de choses qu'on ne peut entendre, si l'on n'a l'idée présente du *Menteur*. Elle a encore quelques défauts particuliers. Au second acte, Cléandre raconte à sa sœur la générosité de Dorante qu'on a vue au premier, contre la maxime qu'il ne faut jamais faire raconter ce que le spectateur a déjà vu. Le cinquième est trop sérieux pour une pièce si enjouée, et n'a rien de plaisant que la première scène entre un valet et une servante. Cela plaît si fort en Espagne qu'ils font souvent parler bas les amants de condition, pour donner lieu à ces sortes de gens de s'entredire des badinages, mais en France ce n'est pas le goût de l'auditoire. Leur entretien est plus supportable au premier acte, cependant que Dorante écrit, car il ne faut jamais laisser le théâtre sans qu'on y agisse, et l'on n'y agit qu'en parlant. Ainsi Dorante qui écrit ne le remplit pas assez, et toutes les fois que cela arrive, il faut fournir l'action par d'autres gens qui parlent. Le second débute par une adresse digne

d'être remarquée, et dont on peut former cette règle que quand on a quelque occasion de louer une lettre, un billet ou quelque autre pièce éloquente ou spirituelle, il ne faut jamais la faire voir, parce qu'alors c'est une propre louange que le poète se donne à soi-même; et souvent le mérite de la chose répond si mal aux éloges qu'on en fait que j'ai vu des stances présentées à une maîtresse, qu'elle vantait d'une haute excellence, bien qu'elles fussent très médiocres, et cela devenait ridicule. Mélisse loue ici la lettre que Dorante lui a écrite; et comme elle ne la lit point, l'auditeur a lieu de croire qu'elle est aussi bien faite qu'elle le dit. Bien que d'abord cette pièce n'eût pas grande approbation, quatre ou cinq ans après la troupe du Marais la remit sur le théâtre avec un succès plus heureux, mais aucune des troupes qui courent les provinces ne s'en est chargée. Le contraire est arrivé de *Théodore*, que les troupes de Paris n'y ont point rétablie depuis sa disgrâce, mais que celles des provinces y ont fait assez passablement réussir.

ACTEURS[5]

> DORANTE.
> CLITON, *valet de Dorante.*
> CLÉANDRE, *gentilhomme de Lyon.*
> MÉLISSE, *sœur de Cléandre.*
> PHILISTE, *ami de Dorante, et amoureux de Mélisse.*
> LYSE, *femme de chambre de Mélisse.*
> UN PRÉVÔT.

> *La scène est à Lyon* [6].

ACTE PREMIER

Scène I : Dorante, Cliton.
Dorante paraît écrivant dans une prison et le geôlier ouvrant la porte à Cliton, et le lui montrant.

CLITON
Ah! Monsieur, c'est donc vous?

DORANTE
                              Cliton, je te revois!

CLITON
Je vous trouve, Monsieur, dans la maison du Roi [7]!
Quel charme, quel désordre, ou quelle raillerie,
Des prisons de Lyon fait votre hôtellerie?

DORANTE
5 Tu le sauras bientôt. Mais qui t'amène ici?

CLITON
Les soins de vous chercher.

DORANTE
                          Tu prends trop de souci,
Et bien qu'après deux ans ton devoir s'en avise,
Ta rencontre me plaît, j'en aime la surprise.
Ce devoir, quoique tard, enfin s'est éveillé.

CLITON
Et qui savait, Monsieur, où vous étiez allé?   10
Vous ne nous témoigniez qu'ardeur et allégresse,
Qu'impatients désirs de posséder Lucrèce;
L'argent était touché, les accords publiés,
Le festin commandé, les parents conviés,
Les violons choisis, ainsi que la journée :   15
Rien ne semblait plus sûr qu'un si proche hyménée,
Et parmi ces apprêts, la nuit d'auparavant,
Vous sûtes faire gille [8], et fendîtes le vent.
Comme il ne fut jamais d'éclipse plus obscure,
Chacun sur ce départ forma sa conjecture :   20
Tous s'entre-regardaient, étonnés, ébahis;
L'un disait : « Il est jeune, il veut voir le pays »;
L'autre : « Il s'est allé battre, il a quelque querelle »;
L'autre d'une autre idée embrouillait sa cervelle,
Et tel vous soupçonnait de quelque guérison   25
D'un mal privilégié dont je tairai le nom.
Pour moi, j'écoutais tout, et mis dans mon caprice
Qu'on ne devinait rien que par votre artifice.
Ainsi ce qui chez eux prenait plus de crédit
M'était aussi suspect que si vous l'eussiez dit,   30
Et tout simple et doucet, sans chercher de finesse,
Attendant le boiteux [9], je consolais Lucrèce.

5. Le nombre d'acteurs est réduit, non seulement en égard à la pièce de Lope de Vega, mais par rapport aux autres comédies de Corneille. Il y faut voir, avec celles proposées dans *l'Examen*, l'une des raisons du demi-échec.

6. Rien n'explique ce choix, non plus que les événements narrés par Cliton à cette première scène : Lucrèce délaissée, le vol de la dot, la mort du père et le deuil pris à Rome... L'imagination de Corneille est-elle seule en cause? Deux lieux : le logis de Mélisse, la prison.

7. Cette appellation populaire et logique de la prison sonne ironiquement comme notre « violon » actuel.

8. *S'enfuir.* L'origine de l'expression est obscure et remonte au moins au XVᵉ siècle. Béroalde de Verville dans *le Moyen de parvenir* (1600) déclare que c'est imiter saint Gilles qui se cacha de peur d'être fait roi. Peut-être s'agit-il d'un personnage populaire (Gilles) célèbre un temps par sa couardise. Cf. l'espagnol : « *Tomar las de Petro Grullo* : Prendre la poudre d'escampette. »

9. Autre expression populaire imagée : le Temps était figuré sous l'emblème d'un boiteux avec des ailes : à la fois trop lent et trop rapide. Aucune de ces expressions ne figure dans les premières comédies de Corneille. Elles semblent résulter chez lui de la lecture des *Curiosités françaises* de César Oudin, publiées en 1640.

DORANTE

Je l'aimais, je te jure, et pour la posséder,
Mon amour mille fois voulut tout hasarder,
35 Mais quand j'eus bien pensé que j'allais à mon âge
Au sortir de Poitiers entrer au mariage,
Que j'eus considéré ses chaînes de plus près,
Son visage à ce prix n'eut plus pour moi d'attraits.
L'horreur d'un tel lien m'en fit de la maîtresse [10];
40 Je crus qu'il fallait mieux employer ma jeunesse,
Et que quelques appas qui pussent me ravir,
C'était mal en user que sitôt m'asservir.
Je combats toutefois, mais le temps qui s'avance
Me fait précipiter en cette extravagance,
45 Et la tentation de tant d'argent touché
M'achève de pousser où j'étais trop penché.
Que l'argent est commode à faire une folie!
L'argent me fait résoudre à courir l'Italie.
Je pars de nuit en poste, et d'un soin diligent
50 Je quitte la maîtresse, et j'emporte l'argent.
    Mais, dis-moi, que fit-elle, et que dit lors son père?
Le mien, ou je me trompe, était fort en colère?

CLITON

D'abord de part et d'autre, on vous attend sans bruit;
Un jour se passe, deux, trois, quatre, cinq, six, huit;
55 Enfin, n'espérant plus, on éclate, on foudroie.
Lucrèce par dépit témoigne de la joie,
Chante, danse, discourt, rit, mais sur mon honneur!
Elle enrageait, Monsieur, dans l'âme et de bon cœur.
Ce grand bruit s'accommode, et pour plâtrer l'affaire,
60 La pauvre délaissée épouse votre père,
Et rongeant dans son cœur son déplaisir secret,
D'un visage content prend le change à regret.
L'éclat d'un tel affront l'ayant trop décriée,
Il n'est à son avis que d'être mariée,
65 Et comme en un naufrage on se prend où l'on peut,
En fille obéissante elle veut ce qu'on veut.
Voilà donc le bonhomme enfin à sa seconde [11],
C'est-à-dire qu'il prend la poste à l'autre monde :
Un peu moins de deux mois le met dans le cercueil.

DORANTE

70 J'ai su sa mort à Rome, où j'en ai pris le deuil.

CLITON

Elle a laissé chez vous un diable de ménage :
Ville prise d'assaut n'est pas mieux au pillage;
La veuve et les cousins, chacun y fait pour soi,
Comme fait un traitant pour les deniers du Roi [12]!
75 Où qu'ils jettent la main ils font rafles entières;
Ils ne pardonnent pas même au plomb des gouttières,
Et ce sera beaucoup si vous trouvez chez vous,
Quand vous y rentrerez, deux gonds et quatre clous.
J'apprends qu'on vous a vu cependant à Florence.
80 Pour vous donner avis je pars en diligence,
Et je suis étonné qu'en entrant dans Lyon
Je vois courir du peuple avec émotion.

Je veux voir ce que c'est, et je vois, ce me semble,
Pousser dans la prison quelqu'un qui vous ressemble;
On m'y permet l'entrée, et vous trouvant ici,   85
Je trouve en même temps mon voyage accourci.
Voilà mon aventure, apprenez-moi la vôtre.

DORANTE

La mienne est bien étrange, on me prend pour un autre.

CLITON

J'eusse osé le gager. Est-ce meurtre ou larcin?

DORANTE

Suis-je fait en voleur ou bien en assassin?   90
Traître, en ai-je l'habit ou la mine ou la taille?

CLITON

Connaît-on l'habit aujourd'hui la canaille,
Et n'est-il point, Monsieur, à Paris de filous
Et de taille et de mine aussi bonnes que vous?

DORANTE

Tu dis vrai, mais écoute. Après une querelle   9
Qu'à Florence un jaloux me fit pour quelque belle,
J'eus avis que ma vie y courait du danger :
Ainsi donc sans trompette il fallut déloger.
Je pars seul et de nuit, et prends ma route en France,
Où, sitôt que je suis en pays d'assurance,   1
Comme d'avoir couru je me sens un peu las,
J'abandonne la poste, et viens au petit pas.
Approchant de Lyon, je vois dans la campagne...

CLITON, *bas*.

N'aurons-nous point ici de guerres d'Allemagne [13]?

DORANTE

Que dis-tu?

CLITON

        Rien, Monsieur, je gronde entre mes dents   1
Du malheur qui suivra ces rares incidents.
J'en ai l'âme déjà toute préoccupée.

DORANTE

Donc à deux cavaliers je vois tirer l'épée,
Et pour en empêcher l'événement fatal,
J'y cours la mienne au poing, et descends de cheval.   1
L'un et l'autre, voyant à quoi je me prépare,
Se hâte d'achever avant qu'on les sépare,
Presse sans perdre temps, si bien qu'à mon abord
D'un coup que l'un allonge, il blesse l'autre à mort.
Je me jette au blessé, je l'embrasse, et j'essaie   1
Pour arrêter son sang de lui bander sa plaie,
L'autre, sans perdre temps en cet événement,
Saute sur mon cheval, le presse vivement,
Disparaît, et mettant à couvert le coupable,
Me laisse auprès du mort faire le charitable.   1
    Ce fut en cet état, les doigts de sang souillés,
Qu'au bruit de ce duel trois sergents éveillés,
Tout gonflés de l'espoir d'une bonne lippée [14],
Me découvrirent seul, et la main à l'épée.
Lors, suivant du métier le serment solennel,   1
Mon argent fut pour eux le premier criminel,
Et s'en étant saisis aux premières approches,

---

10. M'*en* fit : me fit *horreur* de la maîtresse.
11. A sa seconde (femme).
12. Avant La Bruyère, attaque contre les « partisans »,
qui achetaient légalement pour une forte somme forfaitaire
le droit de lever l'impôt dans une province.

13. Allusion au *Menteur* : acte I, scène 3.
14. Unique emploi de ce mot dans Corneille : *une bonne
prise*. Cf. La Fontaine : « Point de franche lippée. Tout à la
pointe de l'épée. »

Ces Messieurs pour prison lui donnèrent leurs poches,
Et moi, non sans couleur, encor qu'injustement,
Je fus conduit par eux en cet appartement.
Qui te fait ainsi rire, et qu'est-ce que tu penses ?

CLITON

Je trouve ici, Monsieur, beaucoup de circonstances.
Vous en avez sans doute un trésor infini ?
Votre hymen de Poitiers n'en fut pas mieux fourni,
Et le cheval surtout vaut, en cette rencontre,
Le pistolet ensemble, et l'épée, et la montre [15].

DORANTE

Je me suis bien défait de ces traits d'écolier
Dont l'usage autrefois m'était si familier,
Et maintenant, Cliton, je vis en honnête homme.

CLITON

Vous êtes amendé du voyage de Rome,
Et votre âme en ce lieu, réduite au repentir,
Fait mentir le proverbe en cessant de mentir [16].
Ah ! j'aurais plutôt cru...

DORANTE

                          Le temps m'a fait connaître
Quelle indignité c'est, et quel mal en peut naître.

CLITON

Quoi ! ce duel, ces coups si justement portés,
Ce cheval, ces sergents...

DORANTE

                          Autant de vérités.

CLITON

J'en suis fâché pour vous, Monsieur, et surtout d'une,
Que je ne compte pas à petite infortune.
Vous êtes prisonnier, et n'avez point d'argent :
Vous serez criminel.

DORANTE

                     Je suis trop innocent.

CLITON

Ah ! Monsieur, sans argent est-il de l'innocence ?

DORANTE

Fort peu, mais dans ces murs Philiste a pris naissance,
Et comme il est parent des premiers magistrats,
Soit d'argent, soit d'amis, nous n'en manquerons pas.
J'ai su qu'il est en ville, et lui venais d'écrire
Lorsqu'ici le concierge est venu t'introduire.
Va lui porter ma lettre.

CLITON

                          Avec un tel secours
Vous serez innocent avant qu'il soit deux jours.
   Mais je ne comprends rien à ces nouveaux mystères :
Les filles doivent être ici fort volontaires,
Jusque dans la prison elles cherchent les gens.

Scène II : Dorante, Cliton, Lyse.

CLITON, à Lyse.

Il ne fait que sortir des mains de trois sergents.
Je t'en veux avertir ; un fol espoir te trouble,

15. Cf. le Menteur : acte II, scène 5.
16. Le proverbe dit : Menteur qui revient de Rome (ou de loin).
17. On dit plutôt : « N'avoir pas un double », monnaie de cuivre valant deux deniers.

Il cajole des mieux, mais il n'a pas le double [17].

LYSE

J'en apporte pour lui.   165

CLITON

                     Pour lui ! tu m'as dupé ;
Et je doute sans toi si nous aurions soupé.

LYSE, montrant une bourse.

Avec ce passeport suis-je la bienvenue ?

CLITON

Tu nous vas à tous deux donner dedans la vue.

LYSE

Ai-je bien pris mon temps ?

CLITON

                     Le mieux qu'il se pouvait.
C'est une honnête fille, et Dieu nous la devait.   170
Monsieur, écoutez-la.

DORANTE

                     Que veut-elle ?

LYSE

                                 Une dame
Vous offre en cette lettre un cœur tout plein de flamme.

DORANTE

Une dame ?

CLITON

          Lisez sans faire de façons :
Dieu nous aime, Monsieur, comme nous sommes bons ;
Et ce n'est pas tout, l'amour ouvre son coffre,   175
Et l'argent qu'elle tient vaut bien le cœur qu'elle offre.

DORANTE, lit.

   Au bruit du monde qui vous conduisait prisonnier,
j'ai mis les yeux à la fenêtre, et vous ai trouvé de si
bonne mine, que mon cœur est allé dans la même prison
que vous, et n'en veut point sortir tant que vous y serez.
Je ferai mon possible pour vous en tirer au plus tôt.
Cependant obligez-moi de vous servir de ces cent
pistoles que je vous envoie : vous en pouvez avoir
besoin en l'état où vous êtes, et il m'en demeure assez
d'autres à votre service.
   Dorante continue.
Cette lettre est sans nom.

CLITON

                     Les mots en sont françois.

A Lyse.
Dis-moi, sont-ce louis, ou pistoles de poids [18] ?

DORANTE

Tais-toi.

LYSE, à Dorante.

          Pour ma maîtresse il est de conséquence
De vous taire deux jours son nom et sa naissance :   180
Ce secret trop tôt su peut la perdre d'honneur.

DORANTE

Je serai cependant aveugle en mon bonheur
Et d'un si grand bienfait j'ignorerai la source ?

CLITON, à Dorante.

Curiosité bas, prenons toujours la bourse :
Souvent c'est perdre tout que vouloir tout savoir.   185

18. Il y avait diverses sortes de pistoles, d'Espagne, d'Italie. Seules, celles de France, vérifiées par la Monnaie royale, pesaient le bon poids, onze livres.

LYSE, *à Dorante.*
Puis-je la lui donner ?
            CLITON, *à Lyse.*
            Donne, j'ai tout pouvoir,
Quand même ce serait le trésor de Venise.
            DORANTE
Tout beau, tout beau, Cliton, il nous faut...
            CLITON
                        Lâcher prise ?
Quoi ! c'est ainsi, Monsieur...
            DORANTE
                        Parleras-tu toujours ?
            CLITON
190 Et voulez-vous du ciel renvoyer le secours ?
            DORANTE
Accepter de l'argent porte en soi quelque honte.
            CLITON
Je m'en charge pour vous, et la prends pour mon conte.
            DORANTE, *à Lyse.*
Écoute un mot.
            CLITON
            Je tremble, il va la refuser.
            DORANTE
Ta maîtresse m'oblige.
            CLITON
                  Il en veut mieux user.
195 Oyons.
            DORANTE
            Sa courtoisie est extrême et m'étonne,
Mais...
            CLITON
      Le diable de mais !
            DORANTE
                        Mais qu'elle me pardonne...
            CLITON
Je me meurs, je suis mort.
            DORANTE
                  Si j'en change l'effet,
Et reçois comme un prêt le don qu'elle me fait.
            CLITON
Je suis ressuscité ; prêt ou don, ne m'importe.
            DORANTE, *à Cliton, et puis à Lyse.*
200 Prends. Je le lui rendrai même avant que je sorte.
            CLITON, *à Lyse.*
Écoute un mot : tu peux t'en aller à l'instant,
Et revenir demain avec encore autant.
Et vous, Monsieur, songez à changer de demeure
Vous serez innocent avant qu'il soit une heure.
            DORANTE, *à Cliton, et puis à Lyse.*
205 Ne me romps plus la tête, et toi, tarde un moment :
J'écris à ta maîtresse un mot de compliment.
            Dorante va écrire sur la table.
            CLITON
Dirons-nous cependant deux mots de guerre ensemble ?
            LYSE
Disons.
            CLITON
Contemple-moi.
            LYSE
Toi ?

CLITON
            Oui, moi. Que t'en semble ?
Dis.
            LYSE
      Que tout vert et rouge, ainsi qu'un perroquet,
Tu n'es que bien en cage, et n'as que du caquet.   2
            CLITON
Tu ris. Cette action [19], qu'est-elle ?
            LYSE
                        Ridicule.
            CLITON
Et cette main ?
            LYSE
            De taille à bien ferrer la mule [20].
            CLITON
Cette jambe, ce pied ?
            LYSE
                  Si tu sors des prisons,
Dignes de t'installer aux Petites-Maisons [21].
            CLITON
Ce front ?
            LYSE
      Est un peu creux.
            CLITON
                  Cette tête ?
            LYSE
                              Un peu folle. 2
            CLITON
Ce ton de voix enfin avec cette parole ?
            LYSE
Ah ! c'est là que mes sens demeurent étonnés :
Le ton de voix est rare, aussi bien que le nez [22].
            CLITON
Je meure, ton humeur me semble si jolie
Que tu me vas résoudre à faire une folie.   2
Touche, je veux t'aimer, tu seras mon souci.
Nos maîtres font l'amour, nous le ferons aussi [23].
J'aurai mille beaux mots tous les jours à te dire ;
J'accoucherai de feux, de sanglots, de martyre,
Je te dirai : « Je meurs, je suis dans les abois,   2
Je brûle... »
            LYSE
            Et tout cela de ce beau ton de voix ?
Ah ! si tu m'entreprends deux jours de cette sorte,
Mon cœur est déconfit, et je me tiens pour morte ;
Si tu me veux en vie, affaiblis ces attraits,
Et retiens pour le moins la moitié de leurs traits.   2
            CLITON
Tu sais même charmer alors que tu te moques.
Gouverne doucement l'âme que tu m'escroques.
On a traité mon maître avec moins de rigueur,
On n'a pris que sa bourse, et tu prends jusqu'au cœur.

19. L'ensemble des gestes, le comportement.
20. Une des nombreuses expressions populaires signifiant
duper, en supposant d'imaginaires débours.
21. L'hôpital des Fols.
22. Allusion à la célèbre diction nasillarde de l'acteur Jodelet,
nommé formellement au vers 281.
23. Cette contrefaçon de l'amour des maîtres chez les valets
annonce directement Marivaux.

LYSE
35 Il est riche, ton maître?

CLITON
          Assez.

LYSE
                    Et gentilhomme?

CLITON
Il le dit.

LYSE
          Il demeure?

CLITON
          A Paris.

LYSE
                    Et se nomme?

DORANTE, *fouillant dans la bourse.*
Porte-lui cette lettre, et reçois...

CLITON, *lui retenant le bras.*
                    Sans compter?

DORANTE
Cette part de l'argent que tu viens d'apporter.

CLITON
Elle n'en prendra pas, Monsieur, je vous proteste.

LYSE
0 Celle qui vous l'envoie en a pour moi de reste.

CLITON
Je vous le disais bien, elle a le cœur trop bon.

LYSE
Lui pourrai-je, Monsieur, apprendre votre nom?

DORANTE
Il est dans mon billet. Mais prends, je t'en conjure.
Vous faut-il dire encor que c'est lui faire injure?

LYSE
5 Vous perdez temps, Monsieur, je sais trop mon devoir.
Adieu, dans peu de temps je viendrai vous revoir,
Et porte tant de joie à celle qui vous aime,
Qu'elle rapportera la réponse elle-même.

CLITON
Adieu, belle railleuse.

LYSE
          Adieu, cher babillard.

Scène III : Dorante, Cliton.

DORANTE
Cette fille est jolie, elle a l'esprit gaillard.

CLITON
J'en estime l'humeur, j'en aime le visage,
Mais plus que tous les deux j'adore son message.

DORANTE
C'est celle dont il vient qu'il en faut estimer,
C'est elle qui me charme, et que je veux aimer.

CLITON
Quoi! vous voulez, Monsieur, aimer cette inconnue?

DORANTE
Oui, je la veux aimer, Cliton.

CLITON
                    Sans l'avoir vue?

DORANTE
Un si rare bienfait en un besoin pressant
S'empare puissamment d'un cœur reconnaissant,
Et comme de soi-même il marque un grand mérite,
Dessous cette couleur il parle, il sollicite,   260
Peint l'objet aussi beau qu'on le voit généreux
Et si l'on n'est ingrat, il faut être amoureux.

CLITON
Votre amour va toujours d'un étrange caprice :
Dès l'abord autrefois vous aimâtes Clarice,
Celle-ci, sans la voir. Mais, Monsieur, votre nom,   265
Lui deviez-vous l'apprendre, et si tôt?

DORANTE
                              Pourquoi non?
J'ai cru le devoir faire, et l'ai fait avec joie.

CLITON
Il est plus décrié que la fausse monnoie.

DORANTE
Mon nom?

CLITON
          Oui, dans Paris, en langage commun,
Dorante et le Menteur à présent ce n'est qu'un,   270
Et vous y possédez ce haut degré de gloire
Qu'en une comédie on a mis votre histoire.

DORANTE
En une comédie?

CLITON
                    Et si naïvement,
Que j'ai cru, la voyant, voir un enchantement.
  On y voit un Dorante avec votre visage,   275
On le prendrait pour vous : il a votre air, votre âge,
Vos yeux, votre action, votre maigre embonpoint,
Et paraît, comme vous, adroit au dernier point.
Comme à l'événement j'ai part à la peinture :
Après votre portrait on produit ma figure.   280
Le héros de la farce, un certain Jodelet,
Fait marcher après vous votre digne valet;
Il a jusqu'à mon nez et jusqu'à ma parole
Et nous avons tous deux appris en même école :
C'est l'original même, il vaut ce que je vaux.   285
Si quelque autre s'en mêle, on peut s'inscrire en faux,
Et tout autre que lui dans cette comédie,
N'en fera jamais voir qu'une fausse copie.
Pour Clarice et Lucrèce, elles en ont quelque air;
Philiste avec Alcippe y vient vous accorder;   290
Votre feu père même est joué sous le masque.

DORANTE
Cette pièce doit être et plaisante et fantasque.
Mais son nom?

CLITON
          Votre nom de guerre, *Le Menteur.*

DORANTE
Les vers en sont-ils bons? fait-on cas de l'auteur?

CLITON
La pièce a réussi, quoique faible de style,   295
Et d'un nouveau proverbe elle enrichit la ville;
De sorte qu'aujourd'hui presque en tous les quartiers
On dit, quand quelqu'un ment, qu'il revient de Poitiers.
Et pour moi, c'est bien pis, je n'ose plus paraître.
Ce maraud de farceur m'a fait si bien connaître,   300
Que les petits enfants, sitôt qu'on m'aperçoit,
Me courent dans la rue et me montrent au doigt,

Et chacun rit de voir les courtauds de boutique,
Grossissant à l'envi leur chienne de musique,
305 Se rompre le gosier, dans cette belle humeur,
A crier après moi : « Le valet du Menteur! »
Vous en riez vous-même!

DORANTE

Il faut bien que j'en rie.

CLITON

Je n'y trouve que rire, et cela vous décrie,
Mais si bien, qu'à présent, voulant vous marier,
310 Vous ne trouveriez pas la fille d'un huissier,
Pas celle d'un recors, pas d'un cabaret même.

DORANTE

Il faut donc avancer près de celle qui m'aime.
Comme Paris est loin, si je ne suis déçu,
Nous pourrons réussir avant qu'elle ait rien su.
315 Mais quelqu'un vient à nous, et j'entends du murmure.

Scène IV : Le Prévôt, Cléandre,
Dorante, Cliton.

CLÉANDRE, *au prévôt.*

Ah! je suis innocent, vous me faites injure.

LE PRÉVÔT, *à Cléandre.*

Si vous l'êtes, Monsieur, ne craignez aucun mal,
Mais comme enfin le mort était votre rival,
Et que le prisonnier proteste d'innocence,
320 Je dois sur ce soupçon vous mettre en sa présence.

CLÉANDRE, *au prévôt.*

Et si pour s'affranchir il ose me charger?

LE PRÉVÔT, *à Cléandre.*

La justice entre vous en saura bien juger.
Souffrez paisiblement que l'ordre s'exécute.

A Dorante.

Vous avez vu, Monsieur, le coup qu'on vous impute.
325 Voyez ce cavalier, en serait-il l'auteur?

CLÉANDRE, *bas.*

Il va me reconnaître. Ah, Dieu! je meurs de peur.

DORANTE, *au prévôt.*

Souffrez que j'examine à loisir son visage.

Bas.

C'est lui, mais il n'a fait qu'en homme de courage;
Ce serait lâcheté, quoi qu'il puisse arriver,
330 De perdre un si grand cœur quand je puis le sauver.
Ne le découvrons point.

CLÉANDRE, *bas.*

Il me connaît, je tremble.

DORANTE, *au prévôt.*

Ce cavalier, Monsieur, n'a rien qui lui ressemble;
L'autre est de moindre taille, il a le poil plus blond,
Le teint plus coloré, le visage plus rond,
335 Et je le connais moins, tant plus je le contemple.

CLÉANDRE, *bas.*

Oh! générosité qui n'eut jamais d'exemple!

DORANTE

L'habit même est tout autre.

LE PRÉVÔT

Enfin ce n'est pas lui?

DORANTE

Non, il n'a point de part au duel d'aujourd'hui.

LE PRÉVÔT, *à Cléandre.*

Je suis ravi, Monsieur, de voir votre innocence
Assurée à présent par sa reconnaissance.   34
Sortez quand vous voudrez, vous avez tout pouvoir.
Excusez la rigueur qu'a voulu mon devoir.
Adieu.

CLÉANDRE, *au prévôt.*

Vous avez fait le dû de votre office.

Scène V : Dorante, Cléandre, Cliton.

DORANTE, *à Cléandre.*

Mon cavalier, pour vous je me fais injustice.
Je vous tiens pour brave homme, et vous reconnais   34
Faites votre devoir comme j'ai fait le mien.   [bien,

CLÉANDRE

Monsieur...

DORANTE

Point de réplique, on pourrait nous entendre.

CLÉANDRE

Sachez donc seulement qu'on m'appelle Cléandre,
Que je sais mon devoir, que j'en prendrai souci,
Et que je périrai pour vous tirer d'ici.   3

Scène VI : Dorante, Cliton.

DORANTE

N'est-il pas vrai, Cliton, que c'eût été dommage
De livrer au malheur ce généreux courage?
J'avais entre mes mains et sa vie et sa mort,
Et je me viens de voir arbitre de son sort.

CLITON

Quoi? c'est là donc, Monsieur...?

DORANTE

Oui, c'est là le coupable. 3

CLITON

L'homme à votre cheval?

DORANTE

Rien n'est si véritable.

CLITON

Je ne sais où j'en suis et deviens tout confus.
Ne m'aviez-vous pas dit que vous ne mentiez plus?

DORANTE

J'ai vu sur son visage un noble caractère,
Qui me parlant pour lui m'a forcé de me taire,   3
Et d'une voix connue entre les gens de cœur
M'a dit qu'en le perdant je me perdrais d'honneur :
J'ai cru devoir mentir pour sauver un brave homme.

CLITON

Et c'est ainsi, Monsieur, que l'on s'amende à Rome?
Je me tiens au proverbe; oui, courez, voyagez,   3
Je veux être guenon si jamais vous changez.
Vous mentirez toujours, Monsieur, sur ma parole.
Croyez-moi que Poitiers est une bonne école,
Pour le bien du public je veux le publier,
Les leçons qu'on y prend ne peuvent s'oublier.   3

DORANTE

Je ne mens plus, Cliton, je t'en donne assurance,
Mais en un tel sujet l'occasion dispense.

CLITON

Vous en prendrez autant comme vous en verrez.
Menteur vous voulez vivre, et menteur vous mourrez,
Et l'on dira de vous pour oraison funèbre :
« C'était en menterie un auteur très célèbre,
Qui sut y raffiner de si digne façon
Qu'aux maîtres du métier il en eût fait leçon,
Et qui tant qu'il vécut, sans craindre aucune risque,
Aux plus forts d'après lui put donner quinze et

DORANTE   [bisque [24]. »

Je n'ai plus qu'à mourir, mon épitaphe est fait,
Et tu m'érigeras en cavalier parfait :
Tu ferais violence à l'humeur la plus triste.
Mais sans plus badiner, va-t'en chercher Philiste,
Donne-lui cette lettre, et moi, sans plus mentir,
Avec les prisonniers j'irai me divertir.

ACTE SECOND

Scène I : Mélisse, Lyse.

MÉLISSE, *tenant une lettre*
ouverte en sa main.

Certes, il écrit bien : sa lettre est excellente.

LYSE

Madame, sa personne est encor plus galante :
Tout est charmant en lui, sa grâce, son maintien...

MÉLISSE

Il semble que déjà tu lui veuilles du bien ?

LYSE

J'en trouve, à dire vrai, la rencontre si belle
Que je voudrais l'aimer si j'étais demoiselle.
Il est riche, et de plus il demeure à Paris,
Où des dames, dit-on, est le vrai paradis,
Et ce qui vaut bien mieux que toutes ces richesses,
Les maris y sont bons, et les femmes maîtresses.
Je vous le dis encor, je m'y passerais bien [25],
Et si j'étais son fait, il serait fort le mien.

MÉLISSE

Tu n'es pas dégoûtée. Enfin, Lyse, sans rire,
C'est un homme bien fait ?

LYSE

Plus que je ne puis dire.

MÉLISSE

A sa lettre il paraît qu'il a beaucoup d'esprit.
Mais, dis-moi, parle-t-il aussi bien qu'il écrit ?

LYSE

Pour lui faire en discours montrer son éloquence,
Il lui faudrait des gens de plus de conséquence :
C'est à vous d'éprouver ce que vous demandez.

MÉLISSE

Et que croit-on de moi ?

LYSE

Ce que vous lui mandez,

Que vous l'avez tantôt vu par votre fenêtre,
Que vous l'aimez déjà.

MÉLISSE

Cela pourrait bien être.

LYSE

Sans l'avoir jamais vu ?

MÉLISSE

J'écris bien sans le voir.

LYSE

Mais vous suivez d'un frère un absolu pouvoir,   410
Qui vous ayant conté par quel bonheur étrange
Il s'est mis à couvert de la mort de Florange,
Se sert de cette feinte, en cachant votre nom,
Pour lui donner secours dedans cette prison.
L'y voyant en sa place, il fait ce qu'il doit faire.   415

MÉLISSE

Je n'écrivais tantôt qu'à dessein de lui plaire,
Mais, Lyse, maintenant j'ai pitié de l'ennui
D'un homme si bien fait qui souffre pour autrui,
Et par quelques motifs que je vienne d'écrire,
Il est de mon honneur de ne m'en pas dédire.   420
La lettre est de ma main, elle parle d'amour :
S'il ne sait qui je suis, il peut l'apprendre un jour.
Un tel gage m'oblige à lui tenir parole :
Ce qu'on met par écrit passe une amour frivole.
Puisqu'il a du mérite, on ne m'en peut blâmer,   425
Et je lui dois mon cœur, s'il daigne l'estimer.
Je m'en forme en idée une image si rare
Qu'elle pourrait gagner l'âme la plus barbare ;
L'amour en est le peintre, et ton rapport flatteur
En fournit les couleurs à ce doux enchanteur.   430

LYSE

Tout comme vous l'aimez vous verrez qu'il vous aime.
Si vous vous engagez, il s'engage de même,
Et se forme de vous un tableau si parfait
Que c'est lettre pour lettre, et portrait pour portrait.
Il faut que votre amour plaisamment s'entretienne,   435
Il sera votre idée, et vous serez la sienne ;
L'alliance est mignarde et cette nouveauté,
Surtout dans une lettre, aura grande beauté,
Quand vous y souscrirez pour Dorante ou Mélisse :
« Votre très humble idée à vous rendre service. »   440
Vous vous moquez, Madame, et loin d'y consentir,
Vous n'en parlez ainsi que pour vous divertir.

MÉLISSE

Je ne me moque point.

LYSE

Et que fera, Madame,
Cet autre cavalier dont vous possédez l'âme,
Votre amant ?

MÉLISSE

Qui ?

LYSE

Philiste.

MÉLISSE

Ah ! ne présume pas   445
Que son cœur soit sensible au peu que j'ai d'appas :
Il fait mine d'aimer, mais sa galanterie
N'est qu'un amusement et qu'une raillerie.

24. Au jeu de paume, quand l'adversaire est plus faible,
on lui *rend des points*, qu'il utilise à son gré au cours de la
partie.
25. *Se passer à*, déjà en usage au début du XVIᵉ : *Se contenter
de.*

LYSE

Il est riche et parent des premiers de Lyon.

MÉLISSE

450 Et c'est ce qui le porte à plus d'ambition.
S'il me voit quelquefois, c'est comme par surprise,
Dans ses civilités on dirait qu'il méprise,
Qu'un seul mot de sa bouche est un rare bonheur,
Et qu'un de ses regards est un excès d'honneur.
455 L'amour même d'un roi me serait importune,
S'il fallait la tenir à si haute fortune.
La sienne est un trésor qu'il fait bien d'épargner;
L'avantage est trop grand, j'y pourrais trop gagner.
Il n'entre point chez nous, et quand il me rencontre,
460 Il semble qu'avec peine à mes yeux il se montre
Et prend l'occasion avec une froideur
Qui craint en me parlant d'abaisser sa grandeur.

LYSE

Peut-être il est timide et n'ose davantage.

MÉLISSE

S'il craint, c'est que l'amour trop avant ne l'engage.
465 Il voit souvent mon frère, et ne parle de rien.

LYSE

Mais vous le recevez, ce me semble, assez bien?

MÉLISSE

Comme je ne suis pas en amour des plus fines,
Faute d'autre j'en souffre et je lui rends ses mines,
Mais je commence à voir que de tels cajoleurs
470 Ne font qu'effaroucher les partis les meilleurs,
Et ne dois plus souffrir qu'avec cette grimace
D'un véritable amant il occupe la place.

LYSE

Je l'ai vu pour vous voir faire beaucoup de tours.

MÉLISSE

Qui l'empêche d'entrer et me voir tous les jours?
475 Cette façon d'agir est-elle plus polie?
Croit-il...

LYSE

Les amoureux ont chacun leur folie,
La sienne est de vous voir avec tant de respect,
Qu'il passe pour superbe et vous devient suspect,
Et la vôtre, un dégoût de cette retenue,
480 Qui vous fait mépriser la personne connue,
Pour donner votre estime, et chercher avec soin
L'amour d'un inconnu, parce qu'il est de loin.

Scène II : Cléandre, Mélisse, Lyse.

CLÉANDRE

Envers ce prisonnier as-tu fait cette feinte,
Ma sœur?

MÉLISSE

Sans me connaître, il me croit l'âme atteinte,
485 Que je l'ai vu conduire en ce triste séjour,
Que ma lettre et l'argent sont des effets d'amour,
Et Lyse, qui l'a vu, m'en dit tant de merveilles
Qu'elle fait presque entrer l'amour par les oreilles.

CLÉANDRE

Ah! si tu savais tout!

MÉLISSE

Elle ne laisse rien,

Elle en vante l'esprit, la taille, le maintien,
Le visage attrayant et la façon modeste.

CLÉANDRE

Ah! que c'est peu de chose au prix de ce qui reste!

MÉLISSE

Qu reste-t-il à dire? Un courage invaincu?

CLÉANDRE

C'est le plus généreux qui jamais ait vécu,
C'est le cœur le plus noble, et l'âme la plus haute...

MÉLISSE

Quoi? vous voulez, mon frère, ajouter à sa faute,
Percer avec ces traits un cœur qu'il a blessé,
Et vous-même achever ce qu'elle a commencé?

CLÉANDRE

Ma sœur, à peine sais-je encor comme il se nomme,
Et je sais qu'on n'a vu jamais plus honnête homme,
Et que ton frère enfin périrait aujourd'hui,
Si nous avions affaire à tout autre qu'à lui.
Quoique notre partie aye été si secrète
Que j'en dusse espérer une sûre retraite,
Et que Florange et moi, comme je t'ai conté,
Afin que ce duel ne pût être éventé,
Sans prendre de seconds, l'eussions faite de sorte
Que chacun pour sortir choisît diverse porte,
Que nous n'eussions ensemble été vus de huit jours,
Que presque tout le monde ignorât nos amours,
Et que l'occasion me fût si favorable
Que je vis l'innocent saisi pour le coupable
(Je crois te l'avoir dit, qu'il nous vint séparer,
Et que sur son cheval je sus me retirer):
Comme je me montrais, afin que ma présence
Donnât lieu d'en juger une entière innocence,
Sur un bruit épandu que le défunt et moi
D'une même beauté nous adorions la loi,
Un prévôt soupçonneux me saisit dans la rue,
Me mène au prisonnier, et m'expose à sa vue.
Juge quel trouble j'eus de me voir en ces lieux :
Ce cavalier me voit, m'examine des yeux,
Me reconnaît (je tremble encore à te le dire),
Mais apprends sa vertu, chère sœur, et l'admire.
Ce grand cœur, se voyant mon destin en la main,
Devient pour me sauver à soi-même inhumain;
Lui qui souffre pour moi sait mon crime et le nie,
Dit que ce qu'on m'impute est une calomnie,
Dépeint le criminel de toute autre façon,
Oblige le prévôt à sortir sans soupçon,
Me promet amitié, m'assure de se taire,
Voilà ce qu'il a fait; vois ce que je dois faire.

MÉLISSE

L'aimer, le secourir, et tous deux avouer
Qu'une telle vertu ne se peut trop louer.

CLÉANDRE

Si je l'ai plaint tantôt de souffrir pour mon crime,
Cette pitié, ma sœur, était bien légitime,
Mais ce n'est plus pitié, c'est obligation,
Et le devoir succède à la compassion.
Nos plus puissants secours ne sont qu'ingratitude,
Mets à les redoubler ton soin et ton étude,
Sous ce même prétexte et ces déguisements
Ajoute à ton argent perles et diamants,

Qu'il ne manque de rien, et pour sa délivrance
Je vais de mes amis faire agir la puissance.
Que si tous leurs efforts ne peuvent le tirer,
Pour m'acquitter vers lui j'irai me déclarer.
Adieu, de ton côté prends souci de me plaire,
Et vois ce que tu dois à qui te sauve un frère.

MÉLISSE

Je vous obéirai très ponctuellement.

Scène III : Mélisse, Lyse.

LYSE

Vous pouviez dire encor très volontairement;
Et la faveur du ciel vous a bien conservée,
Si ces derniers discours ne vous ont achevée.
Le parti de Philiste a de quoi s'appuyer;
Je n'en suis plus, Madame; il n'est bon qu'à noyer,
Il ne valut jamais un cheveu de Dorante.
Je puis vers la prison apprendre une courante [26] ?

MÉLISSE

Oui, tu peux te résoudre encore à te crotter.

LYSE

Quels de vos diamants me faut-il lui porter ?

MÉLISSE

Mon frère va trop vite, et sa chaleur l'emporte
Jusqu'à connaître mal des gens de cette sorte.
Aussi, comme son but est différent du mien,
Je dois prendre un chemin fort éloigné du sien.
Il est reconnaissant, et je suis amoureuse,
Il a peur d'être ingrat, et je veux être heureuse.
A force de présents il se croit acquitter,
Mais le redoublement ne fait que rebuter.
Si le premier oblige un homme de mérite,
Le second l'importune, et le reste l'irrite,
Et passé le besoin, quoi qu'on lui puisse offrir,
C'est un accablement qu'il ne saurait souffrir.
L'amour est libéral, mais c'est avec adresse,
Le prix de ses présents est en leur gentillesse,
Et celui qu'à Dorante exprès tu vas porter,
Je veux qu'il le dérobe au lieu de l'accepter.
Écoute une pratique assez ingénieuse.

LYSE

Elle doit être belle et fort mystérieuse.

MÉLISSE

Au lieu des diamants dont tu viens de parler,
Avec quelques douceurs il faut le régaler,
Entrer sous ce prétexte, et trouver quelque voie
Par où, sans que j'y sois, tu fasses qu'il me voie.
Porte-lui mon portrait, et comme sans dessein
Fais qu'il puisse aisément le surprendre en ton sein,
Feins lors pour le ravoir un déplaisir extrême :
S'il le rend, c'en est fait; s'il le retient, il m'aime.

LYSE

A vous dire le vrai, vous en savez beaucoup.

26. La courante est une danse d'origine italienne au XVIᵉ
mais très à la mode encore à la fin du XVIIᵉ siècle (cf. celles
de Corelli). Lyse joue sur le mot. On voit que, par l'image
et l'expression figurée, le parler populaire et la langue précieuse
se rejoignent souvent. Mascarille, singeant les ruelles, emploiera
précisément la même expression « ma franchise va danser
la courante ».

MÉLISSE

L'amour est un grand maître, il instruit tout d'un coup.

LYSE

Il vient de vous donner de belles tablatures.

MÉLISSE

Viens querir mon portrait avec des confitures.
Comme pourra Dorante en user bien ou mal,
Nous résoudrons après touchant l'original. 590

*Scène IV : Philiste, Dorante,
Cliton, dans la prison.*

DORANTE

Voilà, mon cher ami, la véritable histoire
D'une aventure étrange et difficile à croire,
Mais puisque je vous vois, mon sort est assez doux.

PHILISTE

L'aventure est étrange et bien digne de vous, 595
Et, si je n'en voyais la fin trop véritable,
J'aurais bien de la peine à la trouver croyable.
Vous me seriez suspect, si vous étiez ailleurs.

CLITON

Ayez pour lui, Monsieur, des sentiments meilleurs.
Il s'est bien converti dans un si long voyage, 600
C'est tout un autre esprit sous le même visage,
Et tout ce qu'il débite est pure vérité,
S'il ne ment quelquefois par générosité.
C'est le même qui prit Clarice pour Lucrèce,
Qui fit jaloux Alcippe avec sa noble adresse, 605
Et malgré tout cela, le même toutefois,
Depuis qu'il est ici n'a menti qu'une fois.

PHILISTE

En voudrais-tu jurer ?

CLITON

    Oui, Monsieur, et j'en jure
Par le Dieu des menteurs, dont il est créature,
Et s'il vous faut encore un serment plus nouveau,
Par l'hymen de Poitiers et le festin sur l'eau. 610

PHILISTE

Laissant là ce badin, ami, je vous confesse
Qu'il me souvient toujours de vos traits de jeunesse.
Cent fois en cette ville aux meilleures maisons
J'en ai fait un bon conte en déguisant les noms.
J'en ai ri de bon cœur et j'en ai bien fait rire, 615
Et quoi que maintenant je vous entende dire,
Ma mémoire toujours me les vient présenter,
Et m'en fait un rapport qui m'invite à douter.

DORANTE

Formez en ma faveur de plus saines pensées :
Ces petites humeurs sont aussitôt passées, 620
Et l'air du monde change en bonnes qualités
Ces teintures qu'on prend aux universités.

PHILISTE

Dès lors, à cela près, vous étiez en estime
D'avoir une âme noble et grande et magnanime.

CLITON

Je le disais dès lors : sans cette qualité, 625
Vous n'eussiez pu jamais le payer de bonté.

DORANTE

Ne te tairas-tu point ?

CLITON

    Dis-je rien qu'il ne sache,
Et fais-je à votre nom quelque nouvelle tache ?
N'était-il pas, Monsieur, avec Alcippe et vous,
630 Quand ce festin en l'air le rendit si jaloux ?
Lui qui fut le témoin du conte que vous fîtes,
Lui qui vous sépara lorsque vous vous battîtes,
Ne sait-il pas encor les plus rusés détours
Dont votre esprit adroit bricola [27] vos amours ?

PHILISTE

635 Ami, ce flux de langue est trop grand pour se taire,
Mais sans plus l'écouter, parlons de votre affaire.
Elle me semble aisée, et j'ose me vanter
Qu'assez facilement je pourrai l'emporter.
Ceux dont elle dépend sont de ma connaissance,
640 Et même à la plupart je touche de naissance.
Le mort était d'ailleurs fort peu considéré,
Et chez les gens d'honneur on ne l'a point pleuré.
Sans perdre plus de temps, souffrez que j'aille
          [apprendre
Pour en venir à bout quel chemin il faut prendre.
645 Ne vous attristez point cependant en prison,
On aura soin de vous comme en votre maison,
Le concierge en a l'ordre, il tient de moi sa place,
Et sitôt que je parle il n'est rien qu'il ne fasse.

DORANTE

Ma joie est de vous voir, vous me l'allez ravir.

PHILISTE

650 Je prends congé de vous pour vous aller servir.
Cliton divertira votre mélancolie.

Scène V : Dorante, Cliton.

CLITON

Comment va maintenant l'amour ou la folie ?
Cette dame obligeante au visage inconnu,
Qui s'empare des cœurs avec son revenu,
655 Est-elle encor aimable, a-t-elle encor des charmes ?
Par générosité lui rendons-nous les armes ?

DORANTE

Cliton, je la tiens belle, et m'ose figurer
Qu'elle n'a rien en soi qu'on ne puisse adorer.
Qu'en imagines-tu ?

CLITON

    J'en fais des conjectures
660 Qui s'accordent fort mal avecque vos figures.
Vous payer par avance, et vous cacher son nom,
Quoi que vous présumiez, ne marque rien de bon.
A voir ce qu'elle a fait, et comme elle procède,
Je jurerais, Monsieur, qu'elle est ou vieille ou laide,
665 Peut-être l'une et l'autre, et vous a regardé
Comme un galant commode, et fort incommodé.

DORANTE

Tu parles en brutal.

CLITON

    Vous, en visionnaire.

27. « Pousser une balle obliquement pour la faire aller en
un certain endroit par réflexion » (Furetière, 1690) : prendre
des moyens obliques pour parvenir à ses fins. Corneille a déjà
employé le mot en 1632.

Mais si je disais vrai, que prétendez-vous faire ?

DORANTE

Envoyer et la dame et les amours au vent.

CLITON

Mais vous avez reçu : quiconque prend se vend. 6

DORANTE

Quitte pour lui jeter son argent à la tête.

CLITON

Le compliment est doux et la défaite honnête.
Tout de bon à ce coup vous êtes converti.
Je le soutiens, Monsieur, le proverbe a menti.
Sans scrupule autrefois, témoin votre Lucrèce,
Vous emportiez l'argent et quittiez la maîtresse,
Mais Rome vous a fait si grand homme de bien
Qu'à présent vous voulez rendre à chacun le sien.
Vous vous êtes instruit des cas de conscience.

DORANTE

Tu m'embrouilles l'esprit faute de patience. 6
Deux ou trois jours peut-être, un peu plus, un peu
Éclairciront ce trouble, et purgeront ces soins. [moins,
Tu sais qu'on m'a promis que la beauté qui m'aime
Viendra me rapporter sa réponse elle-même;
Vois déjà sa servante, elle revient.

CLITON

       Tant pis ! 6
Dussiez-vous enrager, c'est ce que je vous dis.
Si fréquente ambassade et maîtresse invisible
Sont de ma conjecture une preuve infaillible.
Voyons ce qu'elle veut, et si son passeport
Est aussi bien fourni comme au premier abord. 6

DORANTE

Veux-tu qu'à tous moments il pleuve des pistoles ?

CLITON

Qu'avons-nous sans cela besoin de ses paroles ?

Scène VI : Dorante, Lyse, Cliton.

DORANTE, *à Lyse.*

Je ne t'espérais pas si soudain de retour.

LYSE

Vous jugerez par là d'un cœur qui meurt d'amour.
De vos civilités ma maîtresse est ravie, 6
Elle serait venue, elle en brûle d'envie,
Mais une compagnie au logis la retient.
Elle viendra bientôt, et peut-être elle vient,
Et je me connais mal à l'ardeur qui l'emporte,
Si vous ne la voyez même avant que je sorte. 7
Acceptez cependant quelque peu de douceurs
Fort propres en ces lieux à conforter les cœurs :
Les sèches sont dessous, celles-ci sont liquides.

CLITON

Les amours de tantôt me semblaient plus solides.
Si tu n'as autre chose, épargne mieux tes pas : 7
Cette inégalité ne me satisfait pas.
Nous avons le cœur bon et dans nos aventures,
Nous ne fûmes jamais hommes à confitures.

LYSE

Badin, qui te demande ici ton sentiment ?

CLITON

Ah ! tu me fais l'amour un peu bien rudement. 7

LYSE
Est-ce à toi de parler? que n'attends-tu ton heure?
DORANTE
Saurons-nous cette fois son nom, ou sa demeure?
LYSE
Non pas encor sitôt.
DORANTE
　　　　　　Mais te vaut-elle bien?
Parle-moi franchement, et ne déguise rien.
LYSE
15 A ce compte, Monsieur, vous me trouvez passable?
DORANTE
Je te trouve de taille et d'esprit agréable,
Tant de grâce en l'humeur, et tant d'attraits aux yeux,
Qu'à te dire le vrai, je ne voudrais pas mieux.
Elle me charmera, pourvu qu'elle te vaille.
LYSE
20 Ma maîtresse n'est pas tout à fait de ma taille,
Mais elle me surpasse en esprit, en beauté,
Autant et plus encor, Monsieur, qu'en qualité.
DORANTE
Tu sais adroitement couler ta flatterie.
Que ce bout de ruban a de galanterie!
25 Je le veux dérober. Mais qu'est-ce qui le suit?
LYSE
Rendez-le moi, Monsieur; j'ai hâte, il s'en va nuit.
DORANTE
Je verrai ce que c'est.
LYSE
　　　　　　　C'est une miniature.
DORANTE
Oh! le charmant portrait, l'adorable peinture!
Elle est faite à plaisir.
LYSE
　　　　　　Après le naturel.
DORANTE
30 Je ne crois pas jamais avoir rien vu de tel.
LYSE
Ces quatre diamants dont elle est enrichie
Ont sous eux quelque feuille, ou mal nette ou blanchie,
Et je cours de ce pas y faire regarder.
DORANTE
Et quel est ce portrait?
LYSE
　　　　　　　Le faut-il demander?
35 Et doutez-vous si c'est ma maîtresse elle-même?
DORANTE
Quoi? celle qui m'écrit?
LYSE
　　　　　　　Oui, celle qui vous aime.
A l'aimer tant soit peu vous l'auriez deviné.
DORANTE
Un si rare bonheur ne m'est pas destiné,
Et tu me veux flatter par cette fausse joie.
LYSE
40 Quand je dis vrai, Monsieur, je prétends qu'on me
Mais je m'amuse trop, l'orfèvre est loin d'ici; [croie.
Donnez-moi, je perds temps.
DORANTE
　　　　　　　Laisse-moi ce souci :

Nous avons un orfèvre arrêté pour ses dettes,
Qui saura tout remettre au point que tu souhaites.
LYSE
Vous m'en donnez, Monsieur.
DORANTE
　　　　　　　Je te le ferai voir.　745
LYSE
A-t-il la main fort bonne?
DORANTE
　　　　　　　Autant qu'on peut l'avoir.
LYSE
Sans mentir?
DORANTE
　　　　Sans mentir.
CLITON
　　　　　　Il est trop jeune, il n'ose.
LYSE
Je voudrais bien pour vous faire ici quelque chose,
Mais vous le montrerez.
DORANTE
　　　　　　Non, à qui que ce soit.
LYSE
Vous me ferez chasser si quelque autre le voit.　750
DORANTE
Va, dors en sûreté.
LYSE
　　　　　　Mais enfin à quand rendre?
DORANTE
Dès demain.
LYSE
　　　　Demain donc je viendrai le reprendre :
Je ne puis me résoudre à vous désobliger.
CLITON, *à Dorante, puis à Lyse.*
Elle se met pour vous en un très grand danger.
Dirons-nous rien nous deux?
LYSE
　　　　　　　Non.
CLITON
　　　　　　　　Comme tu méprises. 755
LYSE
Je n'ai pas le loisir d'entendre tes sottises.
CLITON
Avec cette rigueur tu me feras mourir.
LYSE
Peut-être à mon retour je saurai te guérir,
Je ne puis mieux pour l'heure, adieu.
CLITON
　　　　　　　　Tout me succède.

Scène VII : Dorante, Cliton.

DORANTE
Viens, Cliton, et regarde. Est-elle vieille ou laide?　760
Voit-on des yeux plus vifs, voit-on des traits plus
　　　　　　　　　　　　　[doux?
CLITON
Je suis un peu moins dupe, et plus futé que vous.
C'est un leurre, Monsieur, la chose est toute claire :
Elle a fait tout du long les mines qu'il faut faire.
On amorce le monde avec de tels portraits :　765

Pour les faire surprendre on les apporte exprès,
On s'en fâche, on fait bruit, on vous les redemande,
Mais on tremble toujours de crainte qu'on les rende,
Et pour dernière adresse, une telle beauté
770 Ne se voit que de nuit et dans l'obscurité,
De peur qu'en un moment l'amour ne s'estropie
A voir l'original si loin de sa copie.
Mais laissons ce discours qui peut vous ennuyer.
Vous ferai-je venir l'orfèvre prisonnier ?

DORANTE

775 Simple, n'as-tu point vu que c'était une feinte,
Un effet de l'amour dont mon âme est atteinte ?

CLITON

Bon : en voici déjà de deux en même jour,
Par devoir d'honnête homme, et par effet d'amour.
Avec un peu de temps nous en verrons bien d'autres :
780 Chacun a ses talents et ce sont là les vôtres.

DORANTE

Tais-toi, tu m'étourdis de tes sottes raisons.
Allons prendre un peu l'air dans la cour des prisons.

ACTE TROISIÈME [28]

Scène I : Cléandre, Dorante, Cliton.

DORANTE

Je vous en prie encor, discourons d'autre chose,
Et sur un tel sujet ayons la bouche close ;
785 On peut nous écouter, et vous surprendre ici,
Et si vous vous perdez, vous me perdez aussi.
La parfaite amitié que pour vous j'ai conçue,
Quoiqu'elle soit l'effet d'une première vue,
Joint mon péril au vôtre, et les unit si bien
790 Qu'au cours de votre sort elle attache le mien.

CLÉANDRE

N'ayez aucune peur, et sortez d'un tel doute.
J'ai des gens là dehors qui gardent qu'on écoute,
Et je puis vous parler en toute sûreté
De ce que mon malheur doit à votre bonté.
795 Si d'un bienfait si grand qu'on reçoit sans mérite
Qui s'avoue insolvable aucunement s'acquitte,
Pour m'acquitter vers vous autant que je le puis,
J'avoue, et hautement, Monsieur, que je le suis.
Mais si cette amitié par l'amitié se paie,
800 Ce cœur qui vous doit tout vous en rend une vraie.
La vôtre la devance à peine d'un moment,
Elle attache mon sort au vôtre également,
Et l'on n'y trouvera que cette différence,
Qu'en vous elle est faveur, en moi reconnaissance.

DORANTE

805 N'appelez point faveur ce qui fut un devoir :
Entre les gens de cœur il suffit de se voir.
Par un effort secret de quelque sympathie
L'un à l'autre aussitôt un certain nœud les lie :
Chacun d'eux sur son front porte écrit ce qu'il est,
810 Et quand on lui ressemble, on prend son intérêt.

28. L'acte se passe dans la prison (Note de Corneille, 1660).

CLITON

Par exemple, voyez, aux traits de ce visage
Mille dames m'ont pris pour homme de courage,
Et sitôt que je parle, on devine à demi
Que le sexe jamais ne fut mon ennemi.

CLÉANDRE

Cet homme a de l'humeur.

DORANTE

C'est un vieux domestique, 8
Qui, comme vous voyez, n'est pas mélancolique.
A cause de son âge il se croit tout permis ;
Il se rend familier avec tous mes amis,
Mêle partout son mot et jamais quoi qu'on die,
Pour donner son avis il n'attend qu'on l'en prie. 8
Souvent il importune, et quelquefois il plaît.

CLÉANDRE

J'en voudrais connaître un de l'humeur dont il est.

CLITON

Croyez qu'à le trouver vous auriez de la peine :
Le monde n'en voit pas quatorze à la douzaine,
Et je jurerais bien, Monsieur, en bonne foi, 8
Qu'en France il n'en est point que Jodelet et moi.

DORANTE

Voilà de ses bons mots les galantes surprises,
Mais qui parle beaucoup dit beaucoup de sottises,
Et quand il a dessein de se mettre en crédit,
Plus il y fait d'effort, moins il sait ce qu'il dit. 8

CLITON

On appelle cela des vers à ma louange.

CLÉANDRE

Presque insensiblement nous avons pris le change.
Mais revenons, Monsieur, à ce que je vous dois.

DORANTE

Nous en pourrons parler encor quelque autre fois,
Il suffit pour ce coup.

CLÉANDRE

Je ne saurais vous taire 8
En quel heureux état se trouve votre affaire.
Vous sortirez bientôt, et peut-être demain.
Mais un si prompt secours ne vient pas de ma main,
Les amis de Philiste en ont trouvé la voie,
J'en dois rougir de honte au milieu de ma joie, 8
Et je ne saurais voir sans être un peu jaloux
Qu'il m'ôte les moyens de m'employer pour vous.
Je cède avec regret à cet ami fidèle ;
S'il a plus de pouvoir, il n'a pas plus de zèle,
Et vous m'obligerez au sortir de prison 8
De me faire l'honneur de prendre ma maison.
Je n'attends point le temps de votre délivrance,
De peur qu'encore un coup Philiste me devance.
Comme il m'ôte aujourd'hui l'espoir de vous servir,
Vous loger est un bien que je lui veux ravir. 8

DORANTE

C'est un excès d'honneur que vous me voulez rendre,
Et je croirais faillir de m'en vouloir défendre.

CLÉANDRE

Je vous en reprierai quand vous pourrez sortir,
Et lors nous tâcherons à vous bien divertir,
Et vous faire oublier l'ennui que je vous cause.
Auriez-vous cependant besoin de quelque chose ?

Vous êtes voyageur, et pris par des sergents,
Et quoique ces messieurs soient fort honnêtes gens,
Il en est quelques-uns...
                    CLITON
                    Les siens en sont du nombre.
Ils ont en le prenant pillé jusqu'à son ombre,
Et n'était que le ciel a su le soulager,
Vous le verriez encor fort net et fort léger.
Mais comme je pleurais ses tristes aventures,
Nous avons reçu lettre, argent et confitures.
                    CLÉANDRE
Et de qui?
                    DORANTE
            Pour le dire, il faudrait deviner.
Jugez ce qu'en ma place on peut s'imaginer :
Une dame m'écrit, me flatte, me régale,
Me promet une amour qui n'eut jamais d'égale,
Me fait force présent...
                    CLÉANDRE
                    Et vous visite?
                    DORANTE
                                    Non.
                    CLÉANDRE
Vous savez son logis?
                    DORANTE
                    Non, pas même son nom.
Ne soupçonnez-vous point ce que ce pourrait être?
                    CLÉANDRE
A moins que de la voir je ne la puis connaître.
                    DORANTE
Pour un si bon ami je n'ai point de secret.
Voyez, connaissez-vous les traits de ce portrait?
                    CLÉANDRE
Elle semble éveillée et passablement belle,
Mais je ne vous en puis dire aucune nouvelle,
Et je ne connais rien à ces traits que je vois.
Je vais vous préparer une chambre chez moi.
Adieu.

          Scène II : Dorante, Cliton.

                    DORANTE
          Ce brusque adieu marque un trouble dans l'âme.
Sans doute il la connaît.
                    CLITON
                    C'est peut-être sa femme?
                    DORANTE
Sa femme?
                    CLITON
          Oui, c'est sans doute elle qui vous écrit,
Et vous venez de faire un coup de grand esprit.
Voilà de vos secrets et de vos confidences.
                    DORANTE
Nomme-les par leur nom, dis de mes imprudences.
Mais serait-ce en effet celle que tu me dis?
                    CLITON
Envoyez vos portraits à de tels étourdis :
Ils gardent un secret avec extrême adresse.
C'est sa femme, vous dis-je, ou du moins sa maîtresse.
Ne l'avez-vous pas vu tout changé de couleur?

                    DORANTE
Je l'ai vu, comme atteint d'une vive douleur,   890
Faire de vains efforts pour cacher sa surprise.
Son désordre, Cliton, montre ce qu'il déguise :
Il a pris un prétexte à sortir promptement,
Sans se donner loisir d'un mot de compliment.
                    CLITON
Qu'il fera dangereux rencontrer sa colère!   895
Il va tout renverser si l'on le laisse faire,
Et je vous tiens pour mort si sa fureur se croît.
Mais surtout ses valets peuvent bien marcher droit :
Malheureux le premier qui fâchera son maître!
Pour autres cent louis je ne voudrais pas l'être!   900
                    DORANTE
La chose est sans remède : en soit ce qui pourra.
S'il fait tant le mauvais, peut-être on le verra.
Ce n'est pas qu'après tout, Cliton, si c'est sa femme,
Je ne sache étouffer cette naissante flamme,
Ce serait lui prêter un fort mauvais secours   905
Que lui ravir l'honneur en conservant ses jours :
D'une belle action j'en ferais une noire.
J'en ai fait mon ami, je prends part à sa gloire,
Et je ne voudrais pas qu'on pût me reprocher
De servir un brave homme au prix d'un bien si cher.   910
                    CLITON
Et s'il est son amant?
                    DORANTE
                    Puisqu'elle me préfère,
Ce que j'ai fait pour lui vaut bien qu'il me défère;
Sinon, il a du cœur, il en sait bien les lois,
Et je suis résolu de défendre son choix.
Tandis, pour un moment, trêve de raillerie,   915
Je veux entretenir un peu ma rêverie.
          Il prend le portrait de Mélisse.
          Merveille qui m'as enchanté,
          Portrait à qui je rends les armes,
          As-tu bien autant de bonté
          Comme tu me fais voir de charmes?   920
          Hélas! au lieu de l'espérer,
          Je ne fais que me figurer
          Que tu te plains à cette belle,
          Que tu lui dis mon procédé,
          Et que je te fus infidèle   925
          Sitôt que je t'eus possédé.

          Garde mieux le secret que moi,
          Daigne en ma faveur te contraindre;
          Si j'ai pu te manquer de foi,
          C'est m'imiter que de t'en plaindre.   930
          Ta colère en me punissant
          Te fait criminel d'innocent;
          Sur toi retombent les vengeances...
          CLITON, *lui ôtant le portrait.*
Vous ne dites, Monsieur, que des extravagances,
Et parlez justement le langage des fous.   935
Donnez, j'entretiendrai ce portrait mieux que vous.
Je veux vous en montrer de meilleures méthodes,
Et lui faire des vœux plus courts et plus commodes.

          Adorable et riche beauté,
          Qui joins les effets aux paroles,   940

Merveille qui m'as enchanté
Par tes douceurs et tes pistoles,
Sache un peu mieux les partager.
Et si tu nous veux obliger
945 A dépeindre aux races futures
L'éclat de tes faits inouïs,
Garde pour toi les confitures,
Et nous accable de louis.
Voilà parler en homme.

DORANTE
Arrête tes saillies,
950 Ou va du moins ailleurs débiter tes folies.
Je ne suis pas toujours d'humeur à t'écouter.

CLITON
Et je ne suis jamais d'humeur à vous flatter,
Je ne vous puis souffrir de dire une sottise.
Par un double intérêt je prends cette franchise :
955 L'un, vous êtes mon maître, et j'en rougis pour vous,
L'autre, c'est mon talent, et j'en deviens jaloux.

DORANTE
Si c'est là ton talent, ma faute est sans exemple.

CLITON
Ne me l'enviez point, le vôtre est assez ample,
Et puisque enfin le ciel m'a voulu départir
960 Le don d'extravaguer, comme à vous de mentir,
Comme je ne mens point devant votre Excellence,
Ne dites à mes yeux aucune extravagance,
N'entreprenez sur moi, non plus que moi sur vous.

DORANTE
Tais-toi, le ciel m'envoie un entretien plus doux.
965 L'ambassade revient.

CLITON
Que nous apporte-t-elle ?

DORANTE
Maraud, veux-tu toujours quelque douceur nouvelle ?

CLITON
Non pas, mais le passé m'a rendu curieux :
Je lui regarde aux mains un peu plutôt qu'aux yeux.

*Scène III : Dorante, Mélisse, déguisée
en servante, cachant son visage sous
une coiffe; Cliton, Lyse.*

CLITON, *à Lyse.*
Montre ton passeport. Quoi ? tu viens les mains
970 Ainsi détruit le temps les biens les plus solides, [vides ?
Et moins d'un jour réduit tout votre heur et le mien,
Des louis aux douceurs, et des douceurs à rien.

LYSE
Si j'apportai tantôt, à présent je demande.

DORANTE
Que veux-tu ?

LYSE
Ce portrait, que je veux qu'on me rende.

DORANTE
975 As-tu pris du secours pour faire plus de bruit ?

LYSE
J'amène ici ma sœur, parce qu'il s'en va nuit,
Mais vous pensez en vain chercher une défaite.
Demandez-lui, Monsieur, quelle vie on m'a faite.

DORANTE
Quoi ? ta maîtresse sait que tu me l'as laissé ?

LYSE
Elle s'en est doutée, et je l'ai confessé.

DORANTE
Elle s'en est donc mise en colère ?

LYSE
Et si forte
Que je n'ose rentrer si je ne le rapporte :
Si vous vous obstinez à me le retenir,
Je ne sais dès ce soir, Monsieur, que devenir.
Ma fortune est perdue, et dix ans de service.

DORANTE
Écoute, il n'est pour toi chose que je ne fisse.
Si je te nuis ici, c'est avec grand regret,
Mais on aura mon cœur avant que ce portrait.
Va dire de ma part à celle qui l'envoie
Qu'il fait tout mon bonheur, qu'il fait toute ma joie,
Que rien n'approcherait de mon ravissement,
Si je le possédais de son consentement,
Qu'il est l'unique bien où mon espoir se fonde,
Qu'il est le seul trésor qui me soit cher au monde,
Et quant à ta fortune, il est en mon pouvoir
De la faire monter par delà ton espoir.

LYSE
Je ne veux point de vous, ni de vos récompenses.

DORANTE
Tu me dédaignes trop.

LYSE
Je le dois.

CLITON
Tu l'offenses.
Mais voulez-vous, Monsieur, me croire et vous venger ?
Rendez-lui son portrait pour la faire enrager.

LYSE
Oh ! le grand habile homme ! il y connaît finesse.
C'est donc ainsi, Monsieur, que vous tenez promesse ?
Mais puisque auprès de vous j'ai si peu de crédit,
Demandez à ma sœur ce qu'elle m'en a dit,
Et si c'est sans raison que j'ai tant d'épouvante.

DORANTE
Tu verras que ta sœur sera plus obligeante,
Mais si ce grand courroux lui donne autant d'effroi,
Je ferai tout autant pour elle que pour toi.

LYSE
N'importe, parlez-lui : du moins vous saurez d'elle
Avec quelle chaleur j'ai pris votre querelle.

DORANTE, *à Mélisse.*
Son ordre est-il si rude ?

MÉLISSE
Il est assez exprès, [près
Mais sans mentir, ma sœur vous presse un peu de
Quoi qu'elle ait commandé, la chose a deux visages.

CLITON
Comme toutes les deux jouent leurs personnages !

MÉLISSE
Souvent tout cet effort à ravoir un portrait
N'est que pour voir l'amour par l'état qu'on en fait.
C'est peut-être après tout le dessein de Madame :
Ma sœur, non plus que moi, ne lit pas dans son âme.

En ces occasions il fait bon hasarder,
20 Et de force ou de gré je saurais le garder.
Si vous l'aimez, Monsieur, croyez qu'en son courage
Elle vous aime assez pour vous laisser ce gage.
Ce serait vous traiter avec trop de rigueur,
Puisque avant ce portrait on aura votre cœur,
25 Et je la trouverais d'une humeur bien étrange
Si je ne lui faisais accepter cet échange.
Je l'entreprends pour vous, et vous répondrai bien
Qu'elle aimera ce gage autant comme le sien.

DORANTE

O ciel! et de quel nom faut-il que je te nomme?

CLITON

30 Ainsi font deux soldats qui sont chez le bonhomme :
Quand l'un veut tuer, l'autre rabat les coups,
L'un jure comme un diable, et l'autre file doux.
    Les belles, n'en déplaise à tout votre grimoire!
Vous vous entr'entendez comme larrons en foire.

MÉLISSE

35 Que dit cet insolent?

DORANTE

C'est un fou qui me sert.

CLITON

Vous dites que...

DORANTE, *à Cliton.*

Tais-toi, ta sottise me perd.

A Mélisse.

Je suivrai ton conseil, il m'a rendu la vie.

LYSE

Avec sa complaisance à flatter votre envie,
Dans le cœur de Madame elle croit pénétrer,
40 Mais son front en rougit, et n'ose se montrer.

MÉLISSE, *se découvrant.*

Mon front n'en rougit point, et je veux bien qu'il voie
D'où lui vient ce conseil qui lui rend tant de joie.

DORANTE

Mes yeux, que vois-je? où suis-je? êtes-vous des flat-
Si le portrait dit vrai, les habits sont menteurs. [teurs?
45 Madame, c'est ainsi que vous savez surprendre!

MÉLISSE

C'est ainsi que je tâche à ne me point méprendre,
A voir si vous m'aimez, et savez mériter
Cette parfaite amour que je vous veux porter.
    Ce portrait est à vous, vous l'avez su défendre,
50 Et de plus sur mon cœur vous pouvez tout prétendre.
Mais par quelque motif que vous l'eussiez rendu,
L'un et l'autre à jamais était pour vous perdu.
Je retirais le portrait en retirant ce gage,
Et vous n'eussiez de moi jamais vu que l'image.
55 Voilà le vrai sujet de mon déguisement.
Pour ne rien hasarder, j'ai pris ce vêtement,
Pour entrer sans soupçon, pour en sortir de même,
Et ne me point montrer qu'ayant vu si l'on m'aime.

DORANTE

Je demeure immobile, et pour vous répliquer
60 Je perds la liberté même de m'expliquer.
Surpris, charmé, confus d'une telle merveille,
Je ne sais si je dors, je ne sais si je veille,
Je ne sais si je vis, et je sais toutefois
Que ma vie est trop peu pour ce que je vous dois,

Que tous mes jours usés à vous rendre service,   1065
Que tout mon sang pour vous offert en sacrifice,
Que tout mon cœur brûlé d'amour pour vos appas,
Envers votre beauté ne m'acquitteraient pas.

MÉLISSE

Sachez, pour arrêter ce discours qui me flatte,
Que je n'ai pu moins faire, à moins que d'être ingrate. 1070
Vous avez fait pour moi plus que vous ne savez,
Et je vous dois bien plus que vous ne me devez.
Vous m'entendrez un jour, à présent je vous quitte,
Et malgré mon amour, je romps cette visite.
Le soin de mon honneur veut que j'en use ainsi.   1075
Je crains à tous moments qu'on me surprenne ici;
Encor que déguisée, on pourrait me connaître.
Je vous puis cette nuit parler par ma fenêtre,
Du moins si le concierge est homme à consentir,
A force de présents, que vous puissiez sortir :   1080
Un peu d'argent fait tout chez les gens de sa sorte.

DORANTE

Mais après que les dons m'auront ouvert la porte,
Où dois-je vous chercher?

MÉLISSE

Ayant su la maison,
Vous pourriez aisément vous informer du nom.
Encore un jour ou deux il me faut vous le taire,   1085
Mais vous n'êtes pas homme à me vouloir déplaire.
    Je loge en Bellecour, environ au milieu,
Dans un grand pavillon. N'y manquez pas. Adieu.

DORANTE

Donnez quelque signal pour plus certaine adresse.

LYSE

Un linge servira de marque plus expresse,   1090
J'en prendrai soin.

MÉLISSE

On ouvre et quelqu'un vous vient voir.
Si vous m'aimez, Monsieur...
Elles abaissent toutes deux leurs coiffes.

DORANTE

Je sais bien mon devoir,
Sur ma discrétion prenez toute assurance.

Scène IV : Philiste, Dorante, Cliton.

PHILISTE

Ami, notre bonheur passe notre espérance.
Vous avez compagnie! Ah! voyons, s'il vous plaît.   1095

DORANTE

Laissez-les s'échapper, je vous dirai qui c'est.
Ce n'est qu'une lingère : allant en Italie,
Je la vis en passant et la trouvai jolie,
Nous fîmes connaissance, et me sachant ici,
Comme vous le voyez, elle en a pris souci.   1100

PHILISTE

Vous trouvez en tous lieux d'assez bonnes fortunes.

DORANTE

Celle-ci pour le moins n'est pas des plus communes.

PHILISTE

Elle vous semble belle, à ce compte?

DORANTE

A ravir.

PHILISTE

Je n'en suis point jaloux.

DORANTE

M'y voulez-vous servir?

PHILISTE

1105 Je suis trop maladroit pour un si noble rôle.

DORANTE

Vous n'avez seulement qu'à dire une parole.

PHILISTE

Qu'une?

DORANTE

Non. Cette nuit j'ai promis de la voir,
Sûr que vous obtiendrez mon congé pour ce soir.
Le concierge est à vous.

PHILISTE

C'est une affaire faite.

DORANTE

1110 Quoi! vous me refusez un mot que je souhaite?

PHILISTE

L'ordre, tout au contraire, en est déjà donné,
Et votre esprit trop prompt n'a pas bien deviné.
Comme je vous quittais avec peine à vous croire,
Quatre de mes amis m'ont conté votre histoire,
1115 Ils marchaient après vous deux ou trois mille pas,
Ils vous ont vu courir, tomber le mort à bas,
L'autre vous démonter, et fuir en diligence :
Ils ont vu tout cela de sur une éminence,
Et n'ont connu personne, étant trop éloignés.
1120 Voilà, quoi qu'il en soit, tous nos procès gagnés,
Et plus tôt de beaucoup que je n'osais prétendre.
Je n'ai point perdu temps et les ai fait entendre,
Si bien que sans chercher d'autre éclaircissement,
Vos juges m'ont promis votre élargissement.
1125 Mais quoiqu'il soit constant qu'on vous prend pour
Il faudra caution, et je serai la vôtre.   [un autre,
Ce sont formalités que pour vous dégager
Les juges, disent-ils, sont tenus d'exiger,
Mais sans doute ils en font ainsi que bon leur semble.
1130 Tandis, ce soir chez moi nous souperons ensemble,
Dans un moment ou deux vous y pourrez venir,
Nous aurons tout loisir de nous entretenir,
Et vous prendrez le temps de voir votre lingère.
Ils m'ont dit toutefois qu'il serait nécessaire
1135 De coucher pour la forme un moment en prison,
Et m'en ont sur-le-champ rendu quelque raison.
Mais c'est si peu mon jeu que de telles matières,
Que j'en perds aussitôt les plus belles lumières.
Vous sortirez demain, il n'est rien de plus vrai,
1140 C'est tout ce que j'en aime, et tout ce que j'en sai.

DORANTE

Que ne vous dois-je point pour de si bons offices!

PHILISTE

Ami, ce ne sont là que de petits services;
Je voudrais pouvoir mieux, tout me serait fort doux.
Je vais chercher du monde à souper avec vous.
1145 Adieu, je vous attends au plus tard dans une heure.

Scène V : Dorante, Cliton.

DORANTE

Tu ne dis mot, Cliton.

CLITON

Elle est belle, ou je meure!

DORANTE

Elle te semble belle?

CLITON

Et si parfaitement
Que j'en suis même encor dans le ravissement.
Encor dans mon esprit je la vois et l'admire,
Et je n'ai su depuis trouver le mot à dire.

DORANTE

Je suis ravi de voir que mon élection
Ait enfin mérité ton approbation.

CLITON

Ah! plût à Dieu, Monsieur, que ce fût la servante!
Vous verriez comme quoi je la trouve charmante,
Et comme pour l'aimer je ferais le mutin.

DORANTE

Admire en cet amour la force du destin.

CLITON

J'admire bien plutôt votre adresse ordinaire,
Qui change en un moment cette dame en lingère.

C'était nécessité dans cette occasion,
De crainte que Philiste eût quelque vision,
S'en formât quelque idée, et la pût reconnaître.

CLITON

Cette métamorphose est de vos coups de maître.
Je n'en parlerai plus, Monsieur, que cette fois,
Mais en un demi-jour comptez déjà pour trois.
Un coupable honnête homme, un portrait, une dame,
A son premier métier rendent soudain votre âme,
Et vous savez mentir par générosité,
Par adresse d'amour, et par nécessité.
Quelle conversion!

DORANTE

Tu fais bien le sévère.

CLITON

Non, non, à l'avenir je fais vœu de m'en taire,
J'aurais trop à compter.

DORANTE

Conserver un secret,
Ce n'est pas tant mentir qu'être amoureux discret :
L'honneur d'une maîtresse aisément y dispose.

CLITON

Ce n'est qu'autre prétexte, et non pas autre chose.
Croyez-moi, vous mourrez, Monsieur, dans votre
Et vous mériterez cet illustre tombeau,   [peau,
Cette digne oraison que naguère j'ai faite :
Vous vous en souvenez, sans que je la répète.

DORANTE

Pour de pareils secrets peut-on s'en garantir?
Et toi-même, à ton tour, ne crois-tu point mentir?
L'occasion convie, aide, engage, dispense,
Et pour servir un autre on ment sans qu'on y pense.

CLITON

Si vous m'y surprenez, étrillez-y-moi bien.

DORANTE

Allons trouver Philiste, et ne jurons de rien.

ACTE QUATRIÈME

Scène I : Mélisse, Lyse.

MÉLISSE

5 J'en tremble encor de peur, et n'en suis pas remise.

LYSE

Aussi bien comme vous je pensais être prise.

MÉLISSE

Non, Philiste n'est fait que pour m'incommoder.
Voyez ce qu'en ces lieux il venait demander,
S'il est heure si tard de faire une visite.

LYSE

10 Un ami véritable à toute heure s'acquitte,
Mais un amant fâcheux, soit de jour, soit de nuit,
Toujours à contretemps à nos yeux se produit,
Et depuis qu'une fois il commence à déplaire,
Il ne manque jamais d'occasion contraire :
15 Tant son mauvais destin semble prendre de soins
A mêler sa présence où l'on la veut le moins !

MÉLISSE

Quel désordre eût-ce été, Lyse, s'il m'eût connue !

LYSE

Il vous aurait donné fort avant dans la vue.

MÉLISSE

Quel bruit et quel éclat n'eût point fait son courroux !

LYSE

20 Il eût été peut-être aussi honteux que vous.
Un homme un peu content et qui s'en fait accroire,
Se voyant méprisé, rabat bien de sa gloire,
Et surpris qu'il en est en telle occasion,
Toute sa vanité tourne en confusion.
25 Quand il a de l'esprit, il sait rendre le change;
Loin de s'en émouvoir, en raillant il se venge,
Affecte des mépris, comme pour reprocher
Que la perte qu'il fait ne vaut pas s'en fâcher;
Tant qu'il peut, il témoigne une âme indifférente.
30 Quoi qu'il en soit enfin, vous avez vu Dorante,
Et fort adroitement je vous ai mise en jeu.

MÉLISSE

Et fort adroitement tu m'as fait voir son feu.

LYSE

Eh bien ! mais que vous semble encor du personnage ?
Vous en ai-je trop dit ?

MÉLISSE

J'en ai vu davantage.

LYSE

35 Avez-vous du regret d'avoir trop hasardé ?

MÉLISSE

Je n'ai qu'un déplaisir, d'avoir si peu tardé.

LYSE

Vous l'aimez ?

MÉLISSE

Je l'adore.

LYSE

Et croyez qu'il vous aime ?

MÉLISSE

Qu'il m'aime et d'une amour comme la mienne extrême.

LYSE

Une première vue, un moment d'entretien,
Vous fait ainsi tout croire et ne douter de rien !   1220

MÉLISSE

Quand les ordres du ciel nous ont faits l'un pour l'autre,
Lyse, c'est un accord bientôt fait que le nôtre :
Sa main entre les cœurs, par un secret pouvoir,
Sème l'intelligence avant que de se voir;
Il prépare si bien l'amant et la maîtresse   1225
Que leur âme au seul nom s'émeut et s'intéresse.
On s'estime, on se cherche, on s'aime en un moment.
Tout ce qu'on s'entre-dit persuade aisément,
Et sans s'inquiéter d'aucunes peurs frivoles,
La foi semble courir au-devant des paroles :   1230
La langue en peu de mots en explique beaucoup,
Les yeux, plus éloquents, font tout voir tout d'un coup,
Et de quoi qu'à l'envi tous les deux nous instruisent,
Le cœur en entend plus que tous les deux n'en disent.

LYSE

Si, comme dit Sylvandre, une âme en se formant,   1235
Ou descendant du ciel, prend d'une autre l'aimant,
La sienne a pris la vôtre, et vous a rencontrée.

MÉLISSE

Quoi ? tu lis les romans ?

LYSE

Je puis bien lire *Astrée*,
Je suis de son village, et j'ai de bons garants
Qu'elle et son Céladon étaient de nos parents [29].   1240

MÉLISSE

Quelle preuve en as-tu ?

LYSE

Ce vieux saule, Madame,
Où chacun d'eux cachait ses lettres et sa flamme,
Quand le jaloux Sémire en fit un faux témoin,
Du pré de mon grand-père il fait encor le coin,
Et l'on m'a dit que c'est un infaillible signe   1245
Que d'un si rare hymen je viens en droite ligne [30].
Vous ne m'en croyez pas ?

MÉLISSE

De vrai, c'est un grand point.

LYSE

Aurais-je tant d'esprit, si cela n'était point ?
D'où viendrait cette adresse à faire vos messages,
A jouer avec vous de si bons personnages,   1250
Ce trésor de lumière et de vivacité,
Que d'un sang amoureux que j'ai d'eux hérité ?

MÉLISSE

Tu le disais tantôt, chacun a sa folie :
Les uns l'ont importune, et la tienne est jolie.

---

29. Le roman de d'Urfé est alors vieux de plus de vingt ans.
La bergère du Forez, Astrée, aime Céladon et en est aimée.
Silvandre aime Diana (Iʳᵉ partie, 3ᵉ livre) et reprend la théorie
platonicienne de l'amour des deux moitiés préformées au
ciel qui se cherchent sur la terre.

30. L'absurdité du raisonnement montre bien que le réaliste
Corneille se moque du vieux roman.

Scène II : *Cléandre, Mélisse, Lyse.*

CLÉANDRE

1255 Je viens d'avoir querelle avec ce prisonnier,
Ma sœur...

MÉLISSE

Avec Dorante? avec ce cavalier
Dont vous tenez l'honneur, dont vous tenez la vie?
Qu'avez-vous fait?

CLÉANDRE

Un coup dont tu seras ravie.

MÉLISSE

Qu'à cette lâcheté je puisse consentir!

CLÉANDRE

1260 Bien plus, tu m'aideras à le faire mentir.

MÉLISSE

Ne le présumez pas, quelque espoir qui vous flatte :
Si vous êtes ingrat, je ne puis être ingrate.

CLÉANDRE

Tu sembles t'en fâcher?

MÉLISSE

Je m'en fâche pour vous :
D'un mot il peut vous perdre, et je crains son courroux.

CLÉANDRE

1265 Il est trop généreux, et d'ailleurs la querelle,
Dans les termes qu'elle est, n'est pas si criminelle.
Écoute. Nous parlions des dames de Lyon :
Elles sont assez mal en son opinion;
Il confesse de vrai qu'il a peu vu la ville,
1270 Mais il se l'imagine en beautés fort stérile,
Et ne peut se résoudre à croire qu'en ces lieux
La plus belle ait de quoi captiver de bons yeux.
Pour l'honneur du pays j'en nomme trois ou quatre,
Mais à moins que de voir, il n'en veut rien rabattre
1275 Et comme il ne le peut étant dans la prison,
J'ai cru par un portrait le mettre à la raison,
Et sans chercher plus loin ces beautés qu'on admire,
Je ne veux que le tien pour le faire dédire.
Me le dénieras-tu, ma sœur, pour un moment?

MÉLISSE

1280 Vous me jouez, mon frère, assez accortement :
La querelle est adroite et bien imaginée.

CLÉANDRE

Non, je m'en suis vanté, ma parole est donnée.

MÉLISSE

S'il faut ruser ici, j'en sais autant que vous,
Et vous serez bien fin si je ne romps vos coups.
1285 Vous pensez me surprendre, et je n'en fais que rire :
Dites donc tout d'un coup ce que vous voulez dire.

CLÉANDRE

Et bien! je viens de voir ton portrait en ses mains.

MÉLISSE

Et c'est ce qui vous fâche?

CLÉANDRE

Et c'est dont je me plains.

MÉLISSE

J'ai cru vous obliger, et l'ai fait pour vous plaire.
1290 Votre ordre était exprès.

CLÉANDRE

Quoi? je te l'ai fait faire?

MÉLISSE

Ne m'avez-vous pas dit : « Sous ces déguisements
Ajoute à ton argent perles et diamants? »
Ce sont vos propres mots, et vous en êtes cause.

CLÉANDRE

Eh quoi! de ce portrait disent-ils quelque chose?

MÉLISSE

Puisqu'il est enrichi de quatre diamants,
N'est-ce pas obéir à vos commandements?

CLÉANDRE

C'est fort bien expliquer le sens de mes prières.
Mais, ma sœur, ces faveurs sont un peu singulières :
Qui donne le portrait promet l'original.

MÉLISSE

C'est encore votre ordre, ou je m'y connais mal.
Ne m'avez-vous pas dit : « Prends souci de me plaire,
Et vois ce que tu dois à qui te sauve un frère? »
Puisque vous lui devez et la vie et l'honneur,
Pour vous en revancher dois-je moins que mon cœur?
Et doutez-vous encore à quel point je vous aime,
Quand pour vous acquitter je me donne moi-même?

CLÉANDRE

Certes, pour m'obéir avec plus de chaleur,
Vous donnez à mon ordre une étrange couleur,
Et prenez un grand soin de bien payer mes dettes.
Non que mes volontés en soient mal satisfaites,
Loin d'éteindre ce feu, je voudrais l'allumer,
Qu'il eût de quoi vous plaire, et voulût vous aimer.
Je tiendrais à bonheur de l'avoir pour beau-frère :
J'en cherche les moyens, j'y fais ce qu'on peut faire,
Et c'est à ce dessein qu'au sortir de prison
Je viens de l'obliger à prendre la maison,
Afin que l'entretien produise quelques flammes
Qui forment doucement l'union de vos âmes.
Mais vous savez trouver des chemins plus aisés.
Sans savoir s'il vous plaît ni si vous lui plaisez,
Vous pensez l'engager en lui donnant ces gages,
Et lui donnez sur vous de trop grands avantages.
Que sera-ce, ma sœur, si quand vous le verrez,
Vous n'y rencontrez pas ce que vous espérez,
Si quelque aversion vous prend pour son visage,
Si le vôtre le choque ou qu'un autre l'engage,
Et que de ce portrait donné légèrement,
Il érige un trophée à quelque objet charmant?

MÉLISSE

Sans jamais l'avoir vu, je connais son courage;
Qu'importe après cela quel en soit le visage?
Tout le reste m'en plaît; si le cœur en est haut,
Et si l'âme est parfaite, il n'a point de défaut.
Ajoutez que vous-même, après votre aventure,
Ne m'en avez pas fait une laide peinture,
Et comme vous devez vous y connaître mieux,
Je m'en rapporte à vous, et choisis par vos yeux.
N'en doutez nullement, je l'aimerai, mon frère,
Et si ces faibles traits n'ont point de quoi lui plaire,
S'il aime en autre lieu, n'en appréhendez rien :
Puisqu'il est généreux, il en usera bien.

CLÉANDRE

Quoi qu'il en soit, ma sœur, soyez plus retenue
Alors qu'à tous moments vous serez à sa vue.

Votre amour me ravit, je veux le couronner,
Mais souffrez qu'il se donne avant que vous donner.
45 Il sortira demain, n'en soyez point en peine.
Adieu, je vais une heure entretenir Climène.

Scène III : Mélisse, Lyse.

LYSE

Vous en voilà défaite et quitte à bon marché !
Encore est-il traitable alors qu'il est fâché,
Sa colère a pour vous une douce méthode,
0 Et sur la remontrance il n'est pas incommode.

MÉLISSE

Aussi qu'ai-je commis pour en donner sujet ?
Me ranger à son choix sans savoir son projet,
Deviner sa pensée, obéir par avance,
Sont-ce, Lyse, envers lui des crimes d'importance ?

LYSE

5 Obéir par avance est un jeu délicat,
Dont tout autre que lui ferait un mauvais plat.
Mais ce nouvel amant dont vous faites votre âme
Avec un grand secret ménage votre flamme.
Devait-il exposer ce portrait à ses yeux ?
0 Je le tiens indiscret.

MÉLISSE

Il n'est que curieux,
Et ne montrerait pas si grande impatience,
S'il me considérait avec indifférence,
Outre qu'un tel secret peut souffrir un ami.

LYSE

Mais un homme qu'à peine il connaît à demi !

MÉLISSE

5 Mon frère lui doit tant qu'il a lieu d'en attendre
Tout ce que d'un ami tout autre peut prétendre.

LYSE

L'amour excuse tout dans un cœur enflammé,
Et tout crime est léger dont l'auteur est aimé.
Je serais plus sévère, et tiens qu'à juste titre
0 Vous lui pouvez tantôt en faire un bon chapitre.

MÉLISSE

Ne querellons personne, et puisque tout va bien,
De crainte d'avoir pis, ne nous plaignons de rien.

LYSE

Que vous avez de peur que le marché n'échappe !

MÉLISSE

Avec tant de façons que veux-tu que j'attrape ?
Je possède son cœur, je ne veux rien de plus,
Et je perdrais le temps en débats superflus.
Quelquefois en amour trop de finesse abuse.
S'excusera-t-il mieux que mon feu ne l'excuse ?
Allons, allons l'attendre, et sans en murmurer,
Ne pensons qu'aux moyens de nous en assurer.

LYSE

Vous ferez-vous connaître ?

MÉLISSE

Oui, s'il sait de mon frère
Ce que jusqu'à présent j'avais voulu lui taire.
Sinon, quand il viendra prendre son logement,
Il se verra surpris plus agréablement.

Scène IV : Dorante, Philiste, Cliton.

DORANTE

Me reconduire encor ! cette cérémonie   1385
D'entre les vrais amis devrait être bannie.

PHILISTE

Jusques en Bellecour je vous ai reconduit,
Pour voir une maîtresse en faveur de la nuit.
Le temps est assez doux, et je la vois paraître
En de semblables nuits souvent à la fenêtre :   1390
J'attendrai le hasard un moment en ce lieu,
Et vous laisse aller voir votre lingère. Adieu.

DORANTE

Que je vous laisse ici, de nuit, sans compagnie ?

PHILISTE

C'est faire à votre tour trop de cérémonie.
Peut-être qu'à Paris j'aurais besoin de vous,   1395
Mais je ne crains ici ni rivaux, ni filous.

DORANTE

Ami, pour des rivaux, chaque jour en fait naître ;
Vous en pouvez avoir, et ne les pas connaître.
Ce n'est pas que je veuille entrer dans vos secrets,
Mais nous nous tiendrons loin en confidents discrets. 1400
J'ai du loisir assez.

PHILISTE

Si l'heure ne vous presse,
Vous saurez mon secret touchant cette maîtresse :
Elle demeure, ami, dans ce grand pavillon.

CLITON, bas.

Tout se prépare mal à cet échantillon.

DORANTE

Est-ce où je pense voir un linge qui voltige ?   1405

PHILISTE

Justement.

DORANTE

Elle est belle ?

PHILISTE

Assez.

DORANTE

Et vous oblige ?

PHILISTE

Je ne saurais encor, s'il faut tout avouer,
Ni m'en plaindre beaucoup ni beaucoup m'en louer,
Son accueil n'est pour moi ni trop doux ni trop rude,
Il est et sans faveur et sans ingratitude,   1410
Et je la vois toujours dedans un certain point
Qui ne me chasse pas, et ne l'engage point.
Mais je me trompe fort, ou sa fenêtre s'ouvre.

DORANTE

Je me trompe moi-même, ou quelqu'un s'y découvre.

PHILISTE

J'avance ; approchez-vous, mais sans suivre mes pas, 1415
Et prenez un détour qui ne vous montre pas.
Vous jugerez quel fruit je puis espérer d'elle.
Pour Cliton, il peut faire ici la sentinelle.

DORANTE, parlant à Cliton,
après que Philiste s'est éloigné.

Que me vient-il de dire, et qu'est-ce que je vois ?
Cliton, sans doute il aime en même lieu que moi.   1420
O ciel ! que mon bonheur est de peu de durée !

CLITON

S'il prend l'occasion qui vous est préparée,
Vous pouvez disputer avec votre valet
A qui mieux de vous deux gardera le mulet.

DORANTE

1425 Que de confusion et de trouble en mon âme!

CLITON

Allez prêter l'oreille aux discours de la dame.
Au bruit que je ferai prenez bien votre temps,
Et nous lui donnerons de jolis passe-temps.
Dorante va auprès de Philiste.

Scène V : Mélisse, Lyse, à la fenêtre;
Philiste, Dorante, Cliton.

MÉLISSE

Est-ce vous?

PHILISTE

Oui, Madame.

MÉLISSE

Ah! que j'en suis ravie!
1430 Que mon sort cette nuit devient digne d'envie!
Certes, je n'osais plus espérer ce bonheur.

PHILISTE

Manquerais-je à venir où j'ai laissé mon cœur?

MÉLISSE

Qu'ainsi je sois aimée, et que de vous j'obtienne
Une amour si parfaite, et pareille à la mienne!

PHILISTE

1435 Ah! s'il en est besoin, j'en jure, et par vos yeux.

MÉLISSE

Vous revoir en ce lieu m'en persuade mieux,
Et sans autre serment, cette seule visite
M'assure d'un bonheur qui passe mon mérite.

CLITON

A l'aide!

MÉLISSE

J'oy du bruit.

CLITON

A la force! au secours!

PHILISTE

1440 C'est quelqu'un qu'on maltraite, excusez si j'y cours.
Madame, je reviens.

CLITON, *s'éloignant toujours*
derrière le théâtre.

On m'égorge, on me tue.

Au meurtre!

PHILISTE

Il est déjà dans la prochaine rue.

DORANTE

C'est Cliton : retournez, il suffira de moi.

PHILISTE

Je ne vous quitte point, allons.
Ils sortent tous deux.

MÉLISSE

Je meurs d'effroi.

CLITON, *derrière le théâtre.*

1445 Je suis mort!

MÉLISSE

Un rival lui fait cette surprise.

LYSE

C'est plutôt quelque ivrogne, ou quelque autre sottise
Qui ne méritait pas rompre votre entretien.

MÉLISSE

Tu flattes mes désirs.

Scène VI : Dorante, Mélisse, Lyse.

DORANTE

Madame, ce n'est rien :
Des marauds, dont le vin embrouillait la cervelle,
Vidaient à coups de poing une vieille querelle :
Ils étaient trois contre un, et le pauvre battu
A crier de la sorte exerçait sa vertu.
Bas.
Si Cliton m'entendait, il compterait pour quatre [31]

MÉLISSE

Vous n'avez donc point eu d'ennemis à combattre?

DORANTE

Un coup de plat d'épée a tout fait écouler.

MÉLISSE

Je mourais de frayeur, vous y voyant aller.

DORANTE

Que Philiste est heureux! qu'il doit aimer la vie!

MÉLISSE

Vous n'avez pas sujet de lui porter envie.

DORANTE

Vous lui parliez naguère en termes assez doux.

MÉLISSE

Je pense d'aujourd'hui n'avoir parlé qu'à vous.

DORANTE

Vous ne lui parliez pas avant tout ce vacarme?
Vous ne lui disiez pas que son amour vous charme,
Qu'aucuns feux à vos feux ne peuvent s'égaler?

MÉLISSE

J'ai tenu ce discours, mais j'ai cru vous parler.
N'êtes-vous pas Dorante?

DORANTE

Oui, je le suis, Madame,
Le malheureux témoin de votre peu de flamme.
Ce qu'un moment fit naître, un autre l'a détruit,
Et l'ouvrage d'un jour se perd en une nuit.

MÉLISSE

L'erreur n'est pas un crime, et votre aimable idée,
Régnant sur mon esprit m'a si bien possédée
Que dans ce cher objet le sien s'est confondu,
Et lorsqu'il m'a parlé je vous ai répondu.
En sa place tout autre eût passé pour vous-même :
Vous verrez par la suite à quel point je vous aime.
Pardonnez cependant à mes esprits déçus,
Daignez prendre pour vous les vœux qu'il a reçus,
Ou si, manque d'amour, votre soupçon persiste...

DORANTE

N'en parlons plus, de grâce, et parlons de Philiste :
Il vous sert, et la nuit me l'a trop découvert.

MÉLISSE

Dites qu'il m'importune, et non pas qu'il me sert.
N'en craignez rien. Adieu, j'ai peur qu'il ne revienne.

31. Il me compterait un quatrième mensonge.

DORANTE

Où voulez-vous demain que je vous entretienne?
Je dois être élargi.

MÉLISSE

Je vous ferai savoir
Dès demain chez Cléandre où vous me pourrez voir.

DORANTE

35 Et qui vous peut sitôt apprendre ces nouvelles?

MÉLISSE

Et ne savez-vous pas que l'amour a des ailes?

DORANTE

Vous avez l'habitude avec ce cavalier?

MÉLISSE

Non, je sais tout cela d'un esprit familier.
Soyez moins curieux, plus secret, plus modeste,
0 Sans ombrage, et demain nous parlerons du reste.

DORANTE, seul.

Comme elle est ma maîtresse, elle m'a fait leçon,
Et d'un soupçon je tombe en un autre soupçon.
Lorsque je crains Cléandre, un ami me traverse;
Mais nous avons bien fait de rompre le commerce,
5 Je crois l'entendre.

Scène VII : Dorante, Philiste, Cliton.

PHILISTE

Ami, vous m'avez tôt quitté.

DORANTE

Sachant fort peu la ville, et dans l'obscurité,
En moins de quatre pas j'ai tout perdu de vue,
Et m'étant égaré dès la première rue,
Comme je sais un peu ce que c'est que l'amour,
J'ai cru qu'il vous fallait attendre en Bellecour;
Mais je n'ai plus trouvé personne à la fenêtre.
Dites-moi, cependant, qui massacrait ce traître?
Qui le faisait crier?

PHILISTE

A quelques mille pas,
Je l'ai rencontré seul tombé sur des plâtras.

DORANTE

Maraud, ne criais-tu que pour nous mettre en peine?

CLITON

Souffrez encore un peu que je reprenne haleine.
Comme à Lyon le peuple aime fort les laquais,
Et leur donne souvent de dangereux paquets,
Deux coquins, me trouvant tantôt en sentinelle,
Ont laissé choir sur moi leur haine naturelle,
Et sitôt qu'ils ont vu mon habit rouge et vert...

DORANTE

Quand il est nuit sans lune, et qu'il fait temps couvert,
Connaît-on les couleurs? tu donnes une bourde.

CLITON

Ils portaient sous le bras une lanterne sourde.
C'était fait de ma vie, ils me traînaient à l'eau,
Mais sentant du secours, ils ont craint pour leur peau,
Et jouant des talons tous deux en gens habiles,
Ils m'ont fait trébucher sur un monceau de tuiles,
Chargé de tant de coups et de poing et de pied,
Que je crois tout au moins en être estropié.
Puissé-je voir bientôt la canaille noyée!

PHILISTE

Si j'eusse pu les joindre, ils me l'eussent payée,
L'heureuse occasion dont je n'ai pu jouir,
Et que cette sottise a fait évanouir.
Vous en êtes témoin, cette belle adorable   1525
Ne me pourrait jamais être plus favorable :
Jamais je n'en reçus d'accueil si gracieux,
Mais j'ai bientôt perdu ces moments précieux.
Adieu : je prendrai soin demain de votre affaire.
Il est saison pour vous de voir votre lingère.   1530
Puissiez-vous recevoir dans ce doux entretien
Un plaisir plus solide et plus long que le mien!

Scène VIII : Dorante, Cliton.

DORANTE

Cliton, si tu le peux, regarde-moi sans rire.

CLITON

J'entends à demi-mot, et ne m'en puis dédire :
J'ai gagné votre mal?

DORANTE

Eh bien! l'occasion?   1535

CLITON

Elle fait le menteur, ainsi que le larron.
Mais si j'en ai donné, c'est pour votre service.

DORANTE

Tu l'as bien fait courir avec cet artifice.

CLITON

Si je ne fusse chu, je l'eusse mené loin,
Mais surtout j'ai trouvé la lanterne au besoin,   1540
Et sans ce prompt secours, votre feinte importune
M'eût bien embarrassé de votre nuit sans lune.
Sachez une autre fois que ces difficultés
Ne se proposent point qu'entre gens concertés.

DORANTE

Pour le mieux éblouir, je faisais le sévère.   1545

CLITON

C'était un jeu tout propre à gâter le mystère.
Dites-moi cependant, êtes-vous satisfait?

DORANTE

Autant comme on peut l'être.

CLITON

En effet?

DORANTE

En effet.

CLITON

Et Philiste?

DORANTE

Il se tient comblé d'heur et de gloire,
Mais on l'a pris pour moi dans une nuit si noire :   1550
On s'excuse du moins avec cette couleur.

CLITON

Ces fenêtres toujours vous ont porté malheur.
Vous y prîtes jadis Clarice pour Lucrèce,
Aujourd'hui même erreur trompe cette maîtresse,
Et vous n'avez point eu de pareils rendez-vous   1555
Sans faire une jalouse ou devenir jaloux.

DORANTE

Je n'ai pas lieu de l'être, et n'en sors pas fort triste.

CLITON

Vous pourrez maintenant savoir tout de Philiste.

DORANTE

Cliton, tout au contraire, il me faut l'éviter.
1560 Tout est perdu pour moi, s'il me va tout conter.
De quel front oserais-je, après sa confidence,
Souffrir que mon amour se mît en évidence ?
Après les soins qu'il prend de rompre ma prison,
Aimer en même lieu semble une trahison.
1565 Voyant cette chaleur qui pour moi l'intéresse,
Je rougis en secret de servir sa maîtresse,
Et crois devoir du moins ignorer son amour
Jusqu'à ce que le mien ait pu paraître au jour.
Déclaré le premier, je l'oblige à se taire,
1570 Ou si de cette flamme il ne se peut défaire,
Il ne peut refuser de s'en remettre au choix
De celle dont tous deux nous adorons les lois.

CLITON

Quand il vous préviendra, vous pouvez le défendre
Aussi bien contre lui comme contre Cléandre.

DORANTE

1575 Contre Cléandre et lui je n'ai pas même droit.
Je dois autant à l'un comme l'autre me doit,
Et tout homme d'honneur n'est qu'en inquiétude,
Pouvant être suspect de quelque ingratitude.
Allons nous reposer : la nuit et le sommeil
1580 Nous pourront inspirer quelque meilleur conseil.

ACTE CINQUIÈME

Scène I : Lyse, Cliton.

CLITON

Nous voici bien logés, Lyse, et sans raillerie,
Je ne souhaitais pas meilleure hôtellerie.
Enfin nous voyons clair à ce que nous faisons,
Et je puis à loisir te conter mes raisons.

LYSE

1585 Tes raisons, c'est-à-dire autant d'extravagances.

CLITON

Tu me connais déjà !

LYSE

Bien mieux que tu ne penses.

CLITON

J'en débite beaucoup.

LYSE

Tu sais les prodiguer.

CLITON

Mais sais-tu que l'amour me fait extravaguer ?

LYSE

En tiens-tu donc pour moi ?

CLITON

J'en tiens, je le confesse.

LYSE

1590 Autant comme ton maître en tient pour ma maîtresse ?

CLITON

Non pas encore si fort, mais dès ce même instant
Il ne tiendra qu'à toi que je n'en tienne autant :
Tu n'as qu'à l'imiter pour être autant aimée.

LYSE

Si son âme est en feu, la mienne est enflammée,
Et je crois jusqu'ici ne l'imiter pas mal.

CLITON

Tu manques, à vrai dire, encore au principal.

LYSE

Ton secret est obscur.

CLITON

Tu ne veux pas l'entendre.
Vois quelle est sa méthode, et tâche de la prendre.
Ses attraits tout puissants ont des avant-coureurs
Encor plus souverains à lui gagner les cœurs :
Mon maître se rendit à ton premier message.
Ce n'est pas qu'en effet je n'aime ton visage ;
Mais l'amour aujourd'hui dans les cœurs les plus vains
Entre moins par les yeux qu'il ne fait par les mains,
Et quand l'objet aimé voit les siennes garnies,
Il voit en l'autre objet des grâces infinies.
Pourrais-tu te résoudre à m'attaquer ainsi ?

LYSE

J'en voudrais être quitte à moins d'un grand merci.

CLITON

Écoute : je n'ai pas une âme intéressée,
Et je te veux ouvrir le fond de ma pensée.   [rigueur
    Aimons-nous but à but [32], sans soupçons, sans
Donnons âme pour âme, et rendons cœur pour cœur.

LYSE

J'en veux bien à ce prix.

CLITON

Donc, sans plus de langage,
Tu veux bien m'en donner quelques baisers pour gage ?

LYSE

Pour l'âme et pour le cœur, tant que tu les voudras,
Mais pour le bout du doigt, ne le demande pas.
Un amour délicat hait ces faveurs grossières,
Et je t'ai bien donné des preuves plus entières.
Pourquoi me demander des gages superflus ?
Ayant l'âme et le cœur, que te faut-il de plus ?

CLITON

J'ai le goût fort grossier en matière de flamme :
Je sais que c'est beaucoup qu'avoir le cœur et l'âme,
Mais je ne sais pas moins qu'on a fort peu de fruit
Et de l'âme et du cœur, si le reste ne suit.

LYSE

Eh quoi ! pauvre ignorant, ne sais-tu pas encore
Qu'il faut suivre l'humeur de celle qu'on adore,
Se rendre complaisant, vouloir ce qu'elle veut ?

CLITON

Si tu n'en veux changer, c'est ce qui ne se peut.
De quoi me guériraient ces gages invisibles ?
Comme j'ai l'esprit lourd, je les veux plus sensibles :
Autrement, marché nul.

LYSE

Ne désespère point,
Chaque chose a son ordre, et tout vient à son point.
Peut-être avec le temps nous pourrons nous connaître.
Apprends-moi cependant qu'est devenu ton maître.

CLITON

Il est avec Philiste allé remercier

32. D'égal à égal : terme de jeu.

Ceux que pour son affaire il a voulu prier.

LYSE
Je crois qu'il est ravi de voir que sa maîtresse
Est la sœur de Cléandre et devient son hôtesse ?

CLITON
Il a raison de l'être, et de tout espérer.

LYSE
40 Avec toute assurance il peut se déclarer.
Autant comme la sœur le frère le souhaite,
Et s'il l'aime en effet, je tiens la chose faite.

Ne doute point s'il l'aime après qu'il meurt d'amour.

LYSE
Il semble toutefois fort triste à son retour.

Scène II : Dorante, Cliton, Lyse.

DORANTE
5 Tout est perdu, Cliton, il faut ployer bagage.

CLITON
Je fais ici, Monsieur, l'amour de bon courage ;
Au lieu de m'y troubler, allez en faire autant.

DORANTE
N'en parlons plus.

CLITON
Entrez, vous dis-je, on vous attend.

DORANTE
Que m'importe ?

CLITON
On vous aime.

DORANTE
Hélas !

CLITON
On vous adore.

DORANTE
Je le sais.

CLITON
D'où vient donc l'ennui qui vous dévore ?

DORANTE
Que je te trouve heureux !

CLITON
Le destin m'est si doux
Que vous avez sujet d'en être fort jaloux.
Alors qu'on vous caresse à grands coups de pistoles,
J'obtiens tout doucement paroles pour paroles.
L'avantage est fort rare et me rend fort heureux.

DORANTE
Il faut partir, te dis-je.

CLITON
Oui, dans un an ou deux.

DORANTE
Sans tarder un moment.

LYSE
L'amour trouve des charmes
A donner quelquefois de pareilles alarmes.

DORANTE
Lyse, c'est tout de bon.

LYSE
Vous n'en avez pas lieu.

DORANTE
Ta maîtresse survient, il faut lui dire adieu.   1660
Puisse en ses belles mains ma douleur immortelle
Laisser toute mon âme en prenant congé d'elle !

Scène III : Dorante, Mélisse, Lyse, Cliton.

MÉLISSE
Au bruit de vos soupirs, tremblante et sans couleur,
Je viens savoir de vous mon crime ou mon malheur,
Si j'en suis le sujet, si j'en suis le remède,   1665
Si je puis le guérir, ou s'il faut que j'y cède,
Si je dois ou vous plaindre ou me justifier,
Et de quels ennemis il faut me défier.

DORANTE
De mon mauvais destin, qui seul me persécute.

MÉLISSE
A ses injustes lois que faut-il que j'impute ?   1670

DORANTE
Le coup le plus mortel dont il m'eût pu frapper.

MÉLISSE
Est-ce un mal que mes yeux ne puissent dissiper ?

DORANTE
Votre amour le fait naître, et vos yeux le redoublent.

MÉLISSE
Si je ne puis calmer les soucis qui vous troublent,
Mon amour avec vous saura les partager.   1675

DORANTE
Ah ! vous les aigrissez, les voulant soulager !
Puis-je voir tant d'amour avec tant de mérite,
Et dire sans mourir qu'il faut que je vous quitte ?

MÉLISSE
Vous me quittez ! ô ciel ! Mais, Lyse, soutenez :
Je sens manquer la force à mes sens étonnés.   1680

DORANTE
Ne croissez point ma plaie, elle est assez ouverte :
Vous me montrez en vain la grandeur de ma perte.
Ce grand excès d'amour que font voir vos douleurs
Triomphe de mon cœur sans vaincre mes malheurs.
On ne m'arrête pas pour redoubler mes chaînes,   1685
On redouble ma flamme, on redouble mes peines,
Mais tous ces nouveaux feux qui viennent m'embraser
Me donnent seulement plus de fers à briser.

MÉLISSE
Donc à m'abandonner votre âme est résolue ?

DORANTE
Je cède à la rigueur d'une force absolue.   1690

MÉLISSE
Votre manque d'amour vous y fait consentir.

DORANTE
Traitez-moi de volage et me laissez partir :
Vous me serez plus douce en m'étant plus cruelle.
Je ne pars toutefois que pour être fidèle ;
A quelques lois par là qu'il me faille obéir,   1695
Je m'en révolterais, si je pouvais trahir.
Sachez-en le sujet, et peut-être, Madame,
Que vous-même avouerez en lisant dans mon âme,
Qu'il faut plaindre Dorante au lieu de l'accuser,
Que plus il quitte en vous, plus il est à priser,   1700
Et que tant de faveurs dessus lui répandues

Sur un indigne objet ne sont pas descendues.
Je ne vous redis point combien il m'était doux
De vous connaître enfin et de loger chez vous,
1705 Ni comme avec transport je vous ai rencontrée.
Par cette porte, hélas! mes maux ont pris entrée,
Par ce dernier bonheur mon bonheur s'est détruit,
Ce funeste départ en est l'unique fruit,
Et ma bonne fortune, à moi-même contraire,
1710 Me fait perdre la sœur par la faveur du frère.
    Le cœur enflé d'amour et de ravissement,
J'allais rendre à Philiste un mot de compliment,
Mais lui tout aussitôt, sans le vouloir entendre :
« Cher ami, m'a-t-il dit, vous logez chez Cléandre,
1715 Vous aurez vu sa sœur : je l'aime, et vous pouvez
Me rendre beaucoup plus que vous ne me devez.
En faveur de mes feux parlez à cette belle,
Et comme mon amour a peu d'accès chez elle,
Faites l'occasion quand je vous irai voir. »
1720 A ces mots j'ai frémi sous l'horreur du devoir.
Par ce que je lui dois jugez de ma misère,
Voyez ce que je puis et ce que je dois faire.
Ce cœur qui le trahit, s'il vous aime aujourd'hui,
Ne vous trahit pas moins s'il vous parle pour lui.
1725 Ainsi, pour n'offenser son amour ni le vôtre,
Ainsi, pour n'être ingrat ni vers l'un ni vers l'autre,
J'ôte de votre vue un amant malheureux,
Qui ne peut plus vous voir sans vous trahir tous deux :
Lui, puisqu'à son amour j'oppose ma présence,
1730 Vous, puisqu'en sa faveur je m'impose silence.

                    MÉLISSE
C'est à Philiste donc que vous m'abandonnez?
Ou plutôt c'est Philiste à qui vous me donnez?
Votre amitié trop ferme ou votre amour trop lâche,
M'ôtant ce qui me plaît, me rend ce qui me fâche?
1735 Que c'est à contre-temps faire l'amant discret,
Qu'en ces occasions conserver un secret!
Il fallait découvrir... mais simple! je m'abuse,
Un amour si léger eût mal servi d'excuse,
Un bien acquis sans peine est un trésor en l'air,
1740 Ce qui coûte si peu ne vaut pas en parler,
La garde en importune et la perte en console,
Et pour le retenir c'est trop qu'une parole.

                    DORANTE
Quelle excuse, Madame, et quel remercîment!
Et quel compte eût-il fait d'un amour d'un moment,
1745 Allumé d'un coup d'œil? car lui dire autre chose,
Lui conter de vos feux la véritable cause,
Que je vous sauve un frère et qu'il me doit le jour,
Que la reconnaissance a produit votre amour,
C'était mettre en sa main le destin de Cléandre,
1750 C'était trahir ce frère en voulant vous défendre,
C'était me repentir de l'avoir conservé,
C'était l'assassiner après l'avoir sauvé,
C'était désavouer ce généreux silence
Qu'au péril de mon sang garda mon innocence
1755 Et perdre, en vous forçant à ne plus m'estimer,
Toutes les qualités qui vous firent m'aimer.

                    MÉLISSE
Hélas! tout ce discours ne sert qu'à me confondre.
Je n'y puis consentir, et ne sais qu'y répondre.

Mais je découvre enfin l'adresse de vos coups :
Vous parlez pour Philiste, et vous faites pour vous,   17
Vos dames de Paris vous rappellent vers elles,
Nos provinces pour vous n'en ont point d'assez belles.
Si dans votre prison vous avez fait l'amant,
Je ne vous y servais que d'un amusement.
A peine en sortez-vous que vous changez de style :   17
Pour quitter la maîtresse il faut quitter la ville.
Je ne vous retiens plus, allez.

                    DORANTE
                        Puisse à vos yeux
M'écraser à l'instant la colère des cieux,
Si j'adore autre objet que celui de Mélisse,
Si je conçois des vœux que pour votre service,   17
Et si pour d'autres yeux on m'entend soupirer,
Tant que je pourrai voir quelque lieu d'espérer!
Oui, Madame, souffrez que cette amour persiste
Tant que l'hymen engage ou Mélisse ou Philiste.
Jusque-là les douceurs de votre souvenir
Avec un peu d'espoir sauront m'entretenir :
J'en jure par moi-même, et ne suis pas capable
D'un serment ni plus saint ni plus inviolable.
Mais j'offense Philiste avec un tel serment;
Pour guérir vos soupçons je nuis à votre amant.   1
J'effacerai ce crime avec cette prière :
Si vous devez le cœur à qui vous sauve un frère,
Vous ne devez pas moins au généreux secours
Dont tient le jour celui qui conserva ses jours.
Aimez en ma faveur un ami qui vous aime,
Et possédez Dorante en un autre lui-même.
    Adieu : contre vos yeux c'est assez combattu;
Je sens à leurs regards chanceler ma vertu,
Et dans le triste état où mon âme est réduite,
Pour sauver mon honneur, je n'ai plus que la fuite.

            Scène IV : Dorante, Philiste,
                Mélisse, Lyse, Cliton.

                    PHILISTE
Ami, je vous rencontre assez heureusement.
Vous sortiez?

                    DORANTE
            Oui, je sors, ami, pour un moment.
Entrez, Mélisse est seule, et je pourrais vous nuire.

                    PHILISTE
Ne m'échappez donc point avant que m'introduire,
Après, sur le discours vous prendrez votre temps;
Et nous serons ainsi l'un et l'autre contents.
Vous me semblez troublé.

                    DORANTE
                    J'ai bien raison de l'être,
Adieu.

                    PHILISTE
        Vous soupirez, et voulez disparaître!
De Mélisse ou de vous je saurai vos malheurs.
Madame, puis-je... O ciel! elle-même est en pleurs!
Je ne vois des deux parts que des sujets d'alarmes;
D'où viennent ses soupirs, et d'où naissent vos larmes?
Quel accident vous fâche et le fait retirer?
Qu'ai-je à craindre pour vous, ou qu'ai-je à déplorer?

MÉLISSE

5 Philiste, il est tout vrai... Mais retenez Dorante :
Sa présence au secret est la plus importante.

DORANTE

Vous me perdez, Madame.

MÉLISSE

Il faut tout hasarder
Pour un bien qu'autrement je ne puis plus garder.

LYSE

Cléandre entre.

MÉLISSE

Le ciel à propos nous l'envoie.

Scène V : Dorante, Philiste, Cléandre,
Mélisse, Lyse, Cliton.

CLÉANDRE

Ma sœur, auriez-vous cru ?... Vous montrez peu de joie !
En si bon entretien qui vous peut attrister ?

MÉLISSE, *à Cléandre.*

J'en contais le sujet, vous pouvez l'écouter.

A Philiste.

Vous m'aimez, je l'ai su de votre propre bouche,
Je l'ai su de Dorante, et votre amour me touche,
Si trop peu [33] pour vous rendre un amour tout pareil,
Assez pour vous donner un fidèle conseil.
Ne vous obstinez plus à chérir une ingrate :
J'aime ailleurs; c'est en vain qu'un faux espoir vous [flatte,
J'aime et je suis aimée, et mon frère y consent,
Mon choix est aussi beau que mon amour puissant;
Vous l'auriez fait pour moi, si vous étiez mon frère :
C'est Dorante, en un mot, qui seul a pu me plaire.
Ne me demandez point ni quelle occasion,
Ni quel temps entre nous a fait cette union,
S'il la faut appeler ou surprise ou constance,
Je ne vous en puis dire aucune circonstance :
Contentez-vous de voir que mon frère aujourd'hui
L'estime et l'aime assez pour le loger chez lui,
Et d'apprendre de moi que mon cœur se propose
Le change et le tombeau pour une même chose.
Lorsque notre destin nous semblait le plus doux,
Vous l'avez obligé de me parler pour vous;
Il l'a fait, et s'en va pour vous quitter la place.
Jugez par ce discours quel malheur nous menace.
Voilà cet accident qui le fait retirer,
Voilà ce qui le trouble, et qui me fait pleurer,
Voilà ce que je crains, et voilà les alarmes
D'où viennent ses soupirs et d'où naissent mes larmes.

PHILISTE

Ce n'est pas là, Dorante, agir en cavalier.
Sur ma parole encor vous êtes prisonnier,
Votre liberté n'est qu'une prison plus large,
Et je réponds de vous s'il survient quelque charge.
Vous partez cependant, et sans m'en avertir!
Rentrez dans la prison dont vous vouliez sortir.

DORANTE

Allons, je suis tout prêt d'y laisser une vie

---

33. S'il (me touche) trop peu pour vous le rendre, il me
touche assez pour vous donner conseil.

Plus digne de pitié qu'elle n'était d'envie.
Mais après le bonheur que je vous ai cédé,
Je méritais peut-être un plus doux procédé.

PHILISTE

Un ami tel que vous n'en mérite point d'autre :
Je vous dis mon secret, vous me cachez le vôtre,   1850
Et vous ne craignez point d'irriter mon courroux,
Lorsque vous me jugez moins généreux que vous !
Vous pouvez me céder un objet qui vous aime,
Et j'ai le cœur trop bas pour vous traiter de même,
Pour vous en céder un à qui l'amour me rend   1855
Sinon trop mal voulu, du moins indifférent.
Si vous avez pu naître et noble et magnanime,
Vous ne me deviez pas tenir en moindre estime.
Malgré notre amitié, je m'en dois ressentir :
Rentrez dans la prison dont vous vouliez sortir.   1860

CLÉANDRE

Vous prenez pour mépris son trop de déférence,
Dont il ne faut tirer qu'une pleine assurance
Qu'un ami si parfait, que vous osez blâmer,
Vous aime plus que lui, sans vous moins estimer.
Si pour lui votre foi sert aux juges d'otage,   1865
Permettez qu'auprès d'eux la mienne la dégage,
Et sortant du péril d'en être inquiété,
Remettez-lui, Monsieur, toute sa liberté,
Ou si mon mauvais sort vous rend inexorable,
Au lieu de l'innocent arrêtez le coupable :   1870
C'est moi qui me suis hier sauvé sur son cheval,
Après avoir donné la mort à mon rival.
Ce duel fut l'effet de l'amour de Climène
Et Dorante sans vous se fût tiré de peine,
Si devant le prévôt son cœur trop généreux   1875
N'eût voulu méconnaître un homme malheureux.

PHILISTE

Je ne demande plus quel secret a pu faire
Et l'amour de la sœur, et l'amitié du frère :
Ce qu'il a fait pour vous est digne de vos soins.
Vous lui devez beaucoup, vous ne rendez pas moins.   1880
D'un plus haut sentiment la vertu n'est capable,
Et puisque ce duel vous avait fait coupable,
Vous ne pouviez jamais envers un innocent
Être plus obligé ni plus reconnaissant.
Je ne m'oppose point à votre gratitude,   1885
Et si je vous ai mis en quelque inquiétude,
Si d'un si prompt départ j'ai paru me piquer,
Vous ne m'entendiez pas, et je vais m'expliquer.
On nomme une prison le nœud de l'hyménée,
L'amour même a des fers dont l'âme est enchaînée,   1890
Vous les rompiez pour moi, je n'y puis consentir.
Rentrez dans la prison dont vous vouliez sortir.

DORANTE

Ami, c'est là le but qu'avait votre colère ?

PHILISTE

Ami, je fais rien moins que vous ne vouliez faire.

CLÉANDRE

Comme à lui je vous dois et la vie et l'honneur.   1895

MÉLISSE

Vous m'avez fait trembler pour croître mon bonheur.

PHILISTE, *à Mélisse.*

J'ai voulu voir vos pleurs pour mieux voir votre flamme,

Et la crainte a trahi les secrets de votre âme.
Mais quittons désormais des compliments si vains.

A Cléandre.

1900 Votre secret, Monsieur, est sûr entre mes mains.

Recevez moi pour tiers d'une amitié si belle,
Et croyez qu'à l'envi je vous serai fidèle.

CLITON, *seul.*

Ceux qui sont las debout se peuvent aller seoir,
Je vous donne en passant cet avis, et bonsoir.

THÉODORE, VIERGE ET MARTYRE*
TRAGÉDIE CHRÉTIENNE

On a vu que, *malgré son succès,* Polyeucte *allait contre l'opinion d'un public délicat. Loin de se soumettre,* Corneille *récidive avec un sujet plus scabreux en apparence seulement : le martyre de sainte Théodore.* Bartolomei, *qui servit de base à* Polyeucte, *avait traité aussi ce sujet. Mais il semble que* Corneille *ait connu d'autres* Théodore *italiennes, l'une du Père Gottardi (1640), l'autre de Faustini (1618), source probable de* Théodore, *car l'auteur y met en scène la femme du préfet, qui sera dans la pièce française le puissant rôle de* Marcelle. Corneille *inaugure ici ces duels de femmes dont il se fera, avant* Racine, *une sorte de spécialité. La pièce est en outre admirablement bâtie et écrite.*

Elle échoua et on la délaisse encore de nos jours, parce que Corneille, *fidèle à l'histoire et conscient du pathétique particulier du sujet, osa conduire son personnage « en un infâme lieu... » avec un tact extraordinaire et qui ne prête pas à rire. Les délicats poussèrent les hauts cris et* Corneille *put ironiser sans peine sur le « scrupule, le caprice ou le zèle » de ces âmes plus sensibles que celles de saint Ambroise et de saint Augustin.*

On regrette que dans son Examen *de 1660, il ait porté, pour des raisons purement techniques, une demi-condamnation sur cette pièce, en soi très belle, où il donnait une nouvelle impulsion à son inspiration.*

Il lui était difficile de trouver un destinataire de marque à une pièce qui avait échoué. C'est la raison pour laquelle le personnage n'est désigné que par les lettres L.P.C.B.

A MONSIEUR L.P.C.B.[1]

MONSIEUR,

Je n'abuserai point de votre absence de la Cour pour vous imposer touchant cette tragédie : sa représentation n'a pas eu grand éclat, et quoique beaucoup en attribuent la cause à diverses conjonctures qui pourraient me justifier aucunement, pour moi je ne m'en veux prendre qu'à ses défauts et le tiens mal faite, puisqu'elle a été mal suivie. J'aurais tort de m'opposer au jugement du public : il m'a été trop avantageux en mes autres ouvrages pour le désavouer en celui-ci, et si je l'accusais d'erreur ou d'injustice pour *Théodore*, mon exemple donnerait lieu à tout le monde de soupçonner des mêmes choses tous les arrêts qu'il a prononcés en ma faveur. Ce n'est pas toutefois sans quelque sorte de satisfaction que je vois que la meilleure partie de mes juges impute ce mauvais succès à l'idée de la prostitution que l'on n'a pu souffrir, quoiqu'on sût bien qu'elle n'aurait pas d'effet, et que pour en exténuer l'horreur j'aye employé tout ce que l'art et l'expérience m'ont pu fournir de lumières; et certes il y a de quoi congratuler à la pureté de notre théâtre, de voir qu'une histoire qui fait le plus bel ornement du second livre des *Vierges* de saint Ambroise, se trouve trop licencieuse pour y être supportée. Qu'eût-on dit si, comme ce grand docteur de l'Église, j'eusse fait voir Théodore dans le lieu infâme, si j'eusse décrit les diverses agitations de son âme durant qu'elle y fut, si j'eusse figuré les troubles qu'elle y ressentit au premier moment qu'elle y vit entrer Didyme? C'est là-dessus que ce grand saint fait triompher son éloquence, et c'est pour ce spectacle qu'il invite particulièrement les vierges à ouvrir les yeux. Je l'ai dérobé à la vue, et, autant que j'ai pu, à l'imagination de mes auditeurs; et après j'avoir consumé toute mon adresse, la modestie de notre scène a désavoué, comme indigne d'elle, ce peu que la nécessité de mon sujet m'a forcé d'en faire connaître. Après cela, j'oserai bien dire que ce n'est pas contre des comédies pareilles aux nôtres que déclame saint Augustin, et que ceux que le scrupule ou le caprice ou le zèle en rend opiniâtres ennemis, n'ont pas grande raison de s'appuyer de son autorité. C'est avec justice qu'il condamne celles de son temps, qui ne méritaient que trop le nom qu'il leur donne de spectacles de turpitude, mais c'est avec injustice qu'on veut étendre cette condamnation jusqu'à celles du nôtre, qui ne contiennent pour l'ordinaire que des exemples d'innocence, de vertu et de piété. J'aurais mauvaise grâce de vous en entretenir plus au long : vous êtes déjà trop persuadé de ces vérités, et ce n'est pas mon dessein d'entreprendre ici de désabuser ceux qui ne veulent pas l'être. Il est juste qu'on les abandonne à leur aveuglement volontaire, et que pour peine de la trop facile croyance

---

* Représentée au Marais (1645?) ; privilège du 17 avril 1646, achevé d'imprimer : 31 octobre 1646.
1. Le dédicataire jusqu'ici non identifié pourrait être le prince César de Bourbon, effectivement retiré de la cour en 1643, de cette famille de Vendôme (on l'appelait, plus communément que Bourbon, César de Vendôme) qu'on retrouve à de multiples dates de la carrière de Corneille.

qu'ils donnent à des invectives mal fondées, ils demeurent privés du plus agréable et du plus utile des divertissements dont l'esprit humain soit capable. Contentons-nous d'en jouir sans leur en faire part; et souffrez que, sans faire aucun effort pour les guérir de leur faiblesse, je finisse en vous assurant que je suis et serai toute ma vie, MONSIEUR, votre très humble et très obligé serviteur,

CORNEILLE.

EXAMEN (1660)

La représentation de cette tragédie n'a pas eu grand éclat, et sans chercher des couleurs à la justifier, je veux bien ne m'en prendre qu'à ses défauts, et la croire mal faite, puisqu'elle a été mal suivie. J'aurais tort de m'opposer au jugement du public : il m'a été trop avantageux en d'autres ouvrages pour le contredire en celui-ci, et si je l'accusais d'erreur ou d'injustice pour *Théodore*, mon exemple donnerait lieu à tout le monde de soupçonner des mêmes choses les arrêts qu'il a prononcés en ma faveur. Ce n'est pas toutefois sans quelque satisfaction que je vois la meilleure et la plus saine partie de mes juges imputer ce mauvais succès à l'idée de la prostitution qu'on n'a pu souffrir, bien qu'on sût assez qu'elle n'aurait point d'effet, et que pour en exténuer l'horreur, j'aye employé tout ce que l'art et l'expérience m'ont pu fournir de lumières; pouvant dire du quatrième acte de cette pièce, que je ne crois pas en avoir fait aucun où les diverses passions soient ménagées avec plus d'adresse et qui donne plus de lieu à faire voir tout le talent d'un excellent acteur. Dans cette disgrâce, j'ai de quoi congratuler à la pureté de notre scène, de voir qu'une histoire qui fait le plus bel ornement du second livre des *Vierges* de saint Ambroise, se trouve trop licencieuse pour y être supportée. Qu'eût-on dit si, comme ce grand docteur de l'Église, j'eusse fait voir cette vierge dans le lieu infâme? si j'eusse décrit les diverses agitations de son âme pendant qu'elle y fut? si j'eusse peint les troubles qu'elle ressentit au premier moment qu'elle y vit entrer Didyme? C'est là-dessus que ce grand saint fait triompher cette éloquence qui convertit saint Augustin, et c'est pour ce spectacle qu'il invite particulièrement les vierges à ouvrir les yeux. Je l'ai dérobé à la vue, et, autant que je l'ai pu, à l'imagination de mes auditeurs; et après y avoir consumé toute mon industrie, la modestie de notre théâtre a désavoué ce peu que la nécessité de mon sujet m'a forcé d'en faire connaître.

Je ne veux pas toutefois me flatter jusqu'à dire que cette fâcheuse idée aye été le seul défaut de ce poème. A le bien examiner, s'il y a quelques caractères vigoureux et animés, comme ceux de Placide et de Marcelle, il y en a de traînants, qui ne peuvent avoir grand charme ni grand feu sur le théâtre. Celui de Théodore est entièrement froid : elle n'a aucune passion qui l'agite, et là même où son zèle pour Dieu, qui occupe toute son âme, devrait éclater le plus, c'est-à-dire dans sa contestation avec Didyme pour le martyre, je lui ai donné si peu de chaleur que cette scène, bien que très courte, ne laisse pas d'ennuyer. Aussi, pour en parler sainement, une vierge et martyre sur un théâtre n'est autre chose qu'un Terme[2] qui n'a ni jambes ni bras, et par conséquent point d'action.

Le caractère de Valens ressemble trop à celui de Félix

2. Le dieu Terme, dont le buste surmontait les bornes des champs, n'avait par conséquent ni bras ni jambes, symboliquement.

dans *Polyeucte* et a même quelque chose de plus bas, en ce qu'il se ravale à craindre sa femme et n'ose s'opposer à ses fureurs, bien que dans l'âme il tienne le parti de son fils. Tout gouverneur qu'il est, il demeure les bras croisés, au cinquième acte, quand il les voit prêts à s'entre-immoler l'un à l'autre, et attend le succès de leur haine mutuelle pour se ranger du côté du plus fort. La connaissance que Placide, son fils, a de cette bassesse d'âme, fait qu'il le regarde si peu comme un esclave de Marcelle qu'il ne daigne s'adresser à lui pour obtenir ce qu'il souhaite en faveur de sa maîtresse, sachant bien qu'il le ferait inutilement. Il aime mieux se jeter aux pieds de cette marâtre impérieuse, qu'il hait et qu'il a bravée, que de perdre des prières et des soupirs auprès d'un père qui l'aime dans le fond de l'âme et n'oserait lui en accorder.

Le reste est assez ingénieusement conduit, et la maladie de Flavie, sa mort, et les violences des désespoirs de sa mère qui la venge, ont assez de justesse. J'avais peint des haines trop envenimées pour finir autrement, et j'eusse été ridicule si j'eusse fait faire au sang de ces martyrs le même effet sur les cœurs de Marcelle et de Placide que fait celui de Polyeucte sur ceux de Félix et de Pauline. La mort de Théodore peut servir de preuve à ce que dit Aristote, que, *quand un ennemi tue son ennemi, il ne s'excite par là aucune pitié dans l'âme des spectateurs*. Placide en peut faire naître et purger ensuite ces forts attachements d'amour qui sont cause de son malheur, mais les funestes désespoirs de Marcelle et de Flavie, bien que l'une ni l'autre ne fasse de pitié, sont encore plus capables de purger l'opiniâtreté à faire des mariages par force et à ne se point départir du projet qu'on en fait par un accommodement de famille entre des enfants dont les volontés ne s'y conforment point quand ils sont venus en âge de l'exécuter.

L'unité de jour et de lieu se rencontre en cette pièce, mais je ne sais s'il n'y a point une duplicité d'action, en ce que Théodore, échappée d'un péril, se rejette dans un autre de son propre mouvement. L'histoire le porte, mais la tragédie n'est pas obligée de représenter toute la vie de son héros ou de son héroïne, et doit ne s'attacher qu'à une action propre au théâtre. Dans l'histoire même, j'ai trouvé toujours quelque chose à dire en cette offre volontaire qu'elle fait de sa vie aux bourreaux de Didyme. Elle venait d'échapper de la prostitution et n'avait aucune assurance qu'on ne l'y condamnerait point de nouveau, et qu'on accepterait sa vie en échange de sa pudicité qu'on avait voulu sacrifier. Je l'ai sauvée de ce péril, non seulement par une révélation de Dieu qu'on se contenterait de sa mort, mais encore par une raison assez vraisemblable, que Marcelle, qui vient de voir expirer sa fille unique entre ses bras, voudrait obstinément du sang pour sa vengeance; mais avec toutes ces précautions, je ne vois pas comment je pourrais justifier ici cette duplicité de péril, après l'avoir condamnée dans l'*Horace*. La seule couleur qui pourrait y servir de prétexte, c'est que la pièce ne serait pas achevée si on ne savait ce que devient Théodore après être échappée de l'infamie, et qu'il n'y a point de fin glorieuse ni même raisonnable pour elle que le martyre, qui est historique : du moins l'imagination ne m'en offre point. Si les maîtres de l'art veulent consentir que cette nécessité de faire connaître ce qu'elle devient suffise pour réunir ce nouveau péril à l'autre et empêcher qu'il n'y aye duplicité d'action, je ne m'opposerai pas à leur jugement, mais aussi je n'en appellerai pas quand ils la voudront condamner

ACTEURS

VALENS, *gouverneur d'Antioche.*
PLACIDE, *fils de Valens et amoureux de Théodore.*
CLÉOBULE, *ami de Placide.*
DIDYME, *amoureux de Théodore.*
PAULIN, *confident de Valens.*
LYCANTE, *capitaine d'une cohorte romaine.*
MARCELLE, *femme de Valens.*
THÉODORE, *princesse d'Antioche.*
STÉPHANIE, *confidente de Marcelle.*

*La scène est à Antioche, dans le palais
du Gouverneur* ³.

ACTE PREMIER

Scène I : Placide, Cléobule.

PLACIDE

Il est vrai, Cléobule, et je veux l'avouer,
La fortune me flatte assez pour m'en louer :
Mon père est gouverneur de toute la Syrie,
Et comme si c'était trop peu de flatterie,
Moi-même elle m'embrasse, et vient de me donner,
Tout jeune que je suis, l'Égypte à gouverner.
Certes, si je m'enflais de ces vaines fumées
Dont on voit à la cour tant d'âmes si charmées,
Si l'éclat des grandeurs avait pu me ravir,
J'aurais de quoi me plaire et de quoi m'assouvir.
Au-dessous des Césars, je suis ce qu'on peut être ;
A moins que de leur rang le mien ne saurait croître,
Et pour haut qu'on ait mis des titres si sacrés,
On y monte souvent par de moindres degrés.
Mais ces honneurs pour moi ne sont qu'une infamie,
Parce que je les tiens d'une main ennemie,
Et leur plus doux appas qu'un excès de rigueur,
Parce que pour échange on veut avoir mon cœur.
On perd temps toutefois, ce cœur n'est point à vendre.
Marcelle, en vain là tu crois gagner un gendre :
Ta Flavie à mes yeux fait toujours même horreur.
Ton frère Marcellin peut tout sur l'Empereur,
Mon père est ton époux, et tu peux sur son âme
Ce que sur un mari doit pouvoir une femme.
Va plus outre, et par zèle ou par dextérité,
Joins le vouloir des Dieux à leur autorité,
Assemble leur faveur, assemble leur colère ;
Pour aimer je n'écoute Empereur, Dieux, ni père
Et je la trouverais un objet odieux
Des mains de l'Empereur et d'un père et des Dieux.

CLÉOBULE

Quoique pour vous Marcelle ait le nom de marâtre,
Considérez, Seigneur, qu'elle vous idolâtre.

---

3. Saint Ambroise place seul le martyre de Théodore à
Antioche, les autres historiens ecclésiastiques à Alexandrie,
comme sainte Catherine dont le martyre a donné lieu à tant
de pièces.

Voyez d'un œil plus sain ce que vous lui devez,
Les biens et les honneurs qu'elle vous a sauvés.
Quand Dioclétien fut maître de l'empire...   35

PLACIDE

Mon père était perdu, c'est ce que tu veux dire.
Sitôt qu'à son parti le bonheur eut manqué,
Sa tête fut proscrite, et son bien confisqué ;
On vit à Marcellin sa dépouille donnée,
Il sut la racheter par ce triste hyménée,   40
Et forçant son grand cœur à ce honteux lien,
Lui-même il se livra pour rançon de son bien.
Dès lors on asservit jusques à mon enfance.
De Flavie avec moi l'on conclut l'alliance,
Et depuis ce moment Marcelle a fait chez nous   45
Un destin que tout autre aurait trouvé fort doux.
La dignité du fils, comme celle du père,
Descend du haut pouvoir que lui donne ce frère,
Mais à la regarder de l'œil dont je la voi,
Ce n'est qu'un joug pompeux qu'on veut jeter sur moi.   50
On élève chez nous un trône pour sa fille,
On y sème l'éclat dont on veut qu'elle brille,
Et dans tous ces honneurs je ne vois en effet
Qu'un infâme dépôt des présents qu'on lui fait.

CLÉOBULE

S'ils ne sont qu'un dépôt du bien qu'on lui veut faire,   55
Vous en êtes, Seigneur, mauvais dépositaire,
Puisqu'avec tant d'effort on vous voit travailler
A mettre ailleurs l'éclat dont elle doit briller.
Vous aimez Théodore, et votre âme ravie
Lui veut donner ce trône élevé pour Flavie :   60
C'est là le fondement de votre aversion.

PLACIDE

Ce n'est point un secret que cette passion :
Flavie, au lit malade, en meurt de jalousie,
Et dans l'âpre dépit dont sa mère est saisie,
Elle tonne, foudroie, et pleine de fureur,   65
Menace de tout perdre auprès de l'Empereur.
Comme de ses faveurs, je ris de sa colère.
Quoi qu'elle ait fait pour moi, quoi qu'elle puisse faire,
Le passé sur mon cœur ne peut rien obtenir,
Et je laisse au hasard le soin de l'avenir.   70
Je me plais à braver cet orgueilleux courage,
Chaque jour pour l'aigrir je vais jusqu'à l'outrage,
Son âme impérieuse et prompte à fulminer
Ne saurait me haïr jusqu'à m'abandonner.
Souvent elle me flatte alors que je l'offense,   75
Et quand je l'ai poussée à quelque violence,
L'amour de sa Flavie en rompt tous les effets,
Et l'éclat s'en termine à de nouveaux bienfaits.
Je la plains toutefois, et plus à plaindre qu'elle,
Comme elle aime un ingrat, j'adore une cruelle,   80
Dont la rigueur la venge, et rejetant ma foi,
Me rend tous les mépris que Flavie a de moi.
Mon sort des deux côtés mérite qu'on le plaigne :
L'une me persécute, et l'autre me dédaigne ;
Je hais qui m'idolâtre, et j'aime qui me fuit,   85
Et je poursuis en vain, ainsi qu'on me poursuit.
Telle est de mon destin la fatale injustice,
Telle est la tyrannie ensemble et le caprice
Du démon aveuglé qui sans discrétion

90 Verse l'antipathie et l'inclination.
　Mais puisqu'à d'autres yeux je parais trop aimable,
　Que peut voir Théodore en moi de méprisable?
　Sans doute elle aime ailleurs, et s'impute à bonheur
　De préférer Didyme au fils du gouverneur.

CLÉOBULE

95 Comme elle je suis né, Seigneur, dans Antioche,
　Et par les droits du sang je lui suis assez proche;
　Je connais son courage, et vous répondrais bien
　Qu'étant sourde à vos vœux elle n'écoute rien,
　Et que cette rigueur dont votre amour l'accuse
100 Ne donne point ailleurs ce qu'elle vous refuse.
　Ce malheureux rival dont vous êtes jaloux
　En reçoit chaque jour plus de mépris que vous,
　Mais quand même ses feux répondraient à vos flammes
　Qu'une amour mutuelle unirait vos deux âmes,
105 Voyez où cette amour vous peut précipiter,
　Quel orage sur vous elle doit exciter,
　Ce que dira Valens, ce que fera Marcelle.
　Souffrez que son parent vous die enfin pour elle...

PLACIDE

　Ah! si je puis encor quelque chose sur toi,
110 Ne me dis rien pour elle, et dis-lui tout pour moi,
　Dis-lui que je suis sûr des bontés de mon père,
　Ou que s'il se rendait d'une humeur trop sévère,
　L'Égypte où l'on m'envoie est un asile ouvert
　Pour mettre notre flamme et notre heur à couvert.
115 Là, saisis d'un rayon des puissances suprêmes,
　Nous ne recevrons plus de lois que de nous-mêmes.
　Quelques noires vapeurs que puissent concevoir
　Et la mère et la fille ensemble au désespoir,
　Tout ce qu'elles pourront enfanter de tempêtes,
120 Sans venir jusqu'à nous, crèvera sur leurs têtes,
　Et nous érigerons en cet heureux séjour
　De leur rage impuissant un trophée à l'amour.
　Parle, parle pour moi, presse, agis, persuade,
　Fais quelque chose enfin pour mon esprit malade,
125 Fais-lui voir mon pouvoir, fais-lui voir mon ardeur,
　Son dédain est peut-être un effet de sa peur.
　Et si tu lui pouvais arracher cette crainte,
　Tu pourrais dissiper cette froideur contrainte,
　Tu pourrais... Mais je vois Marcelle qui survient.

Scène II : Marcelle, Placide,
Cléobule, Stéphanie.

MARCELLE

130 Ce mauvais conseiller toujours vous entretient?

PLACIDE

　Vous dites vrai, Madame, il tâche à me surprendre;
　Son conseil est mauvais, mais je sais m'en défendre.

MARCELLE

　Il vous parle d'aimer?

PLACIDE

　　　　　Contre mon sentiment.

MARCELLE

　Levez, levez le masque et parlez franchement.
135 De votre Théodore il est l'agent fidèle,
　Pour vous mieux engager elle fait la cruelle,

Vous chasse en apparence, et pour vous retenir,
Par ce parent adroit vous fait entretenir.

PLACIDE

Par ce fidèle agent elle est donc mal servie.
Loin de parler pour elle, il parle pour Flavie,
Et ce parent adroit en matière d'amour
Agit contre son sang pour mieux faire sa cour.
C'est, Madame, en effet, le mal qu'il me conseille,
Mais j'ai le cœur trop bon pour lui prêter l'oreille.

MARCELLE

Dites le cœur trop bas pour aimer en bon lieu.

PLACIDE

L'objet où vont mes vœux serait digne d'un dieu [4].

MARCELLE

Il est digne de vous, d'une âme vile et basse.

PLACIDE

Je fais donc seulement ce qu'il faut que je fasse.
Ne blâmez que Flavie : un cœur si bien placé
D'une âme vile et basse est trop embarrassé,
D'un choix qui lui fait honte il faut qu'elle s'irrite
Et me prive d'un bien qui passe mon mérite.

MARCELLE

Avec quelle arrogance osez-vous me parler?

PLACIDE

Au-dessous de Flavie ainsi me ravaler,
C'est de cette arrogance un mauvais témoignage.
Je ne me puis, Madame, abaisser davantage.

MARCELLE

Votre respect est rare, et fait voir clairement
Que votre humeur modeste aime l'abaissement.
Eh bien! puisqu'à présent j'en suis mieux avertie,
Il faudra satisfaire à cette modestie :
Avec un peu de temps nous en viendrons à bout.

PLACIDE

Vous ne m'ôterez rien, puisque je vous dois tout.
Qui n'a que ce qu'il doit a peu de perte à faire.

MARCELLE

Vous pourrez bientôt prendre un sentiment contraire.

PLACIDE

Je n'en changerai point pour la perte d'un bien
Qui me rendra celui de ne vous devoir rien.

MARCELLE

Ainsi l'ingratitude en soi-même se flatte,
Mais je saurai punir cette âme trop ingrate,
Et pour mieux abaisser vos esprits soulevés,
Je vous ôterai plus que vous ne me devez.

PLACIDE

La menace est obscure, expliquez-la, de grâce.

MARCELLE

L'effet expliquera le sens de la menace.
Tandis, souvenez-vous, malgré tous vos mépris,
Que j'ai fait ce que sont et le père et le fils :
Vous me devez l'Égypte, et Valens Antioche.

PLACIDE

Nous ne vous devons rien après un tel reproche.
Un bienfait perd sa grâce à le trop publier :
Qui veut qu'on s'en souvienne, il le doit oublier.

4. Formule audacieuse, calembour tragique : Digne d'un
dieu et digne de Dieu.

MARCELLE
Je l'oublierais, ingrat, si pour tant de puissance
230 Je recevais de vous quelque reconnaissance.
PLACIDE
Et je m'en souviendrais jusqu'aux derniers abois,
Si vous vous contentiez de ce que je vous dois.
MARCELLE
Après tant de bienfaits, osé-je trop prétendre?
PLACIDE
Ce ne sont plus bienfaits alors qu'on veut les vendre.
MARCELLE
235 Que doit donc un grand cœur aux faveurs qu'il reçoit?
PLACIDE
S'avouant redevable il rend tout ce qu'il doit.
MARCELLE
Tous les ingrats en foule iront à votre école,
Puisqu'on y devient quitte en payant de parole.
PLACIDE
Je vous dirai donc plus, puisque vous me pressez :
240 Nous ne vous devons pas tout ce que vous pensez.
MARCELLE
Que seriez-vous sans moi?
PLACIDE
            Sans vous? ce que nous sommes.
Notre empereur est juste, et sait choisir les hommes,
Et mon père, après tout, ne se trouve qu'au rang
Où l'auraient mis sans vous ses vertus et son sang.
MARCELLE
245 Ne vous souvient-il plus qu'on proscrivit sa tête?
PLACIDE
Par là votre artifice en fit votre conquête.
MARCELLE
Ainsi de ma faveur vous nommez les effets?
PLACIDE
Un autre ami peut-être aurait bien fait sa paix,
Et si votre faveur pour lui s'est employée,
250 Par son hymen, Madame, il vous a trop payée.
On voit peu d'unions de deux telles moitiés,
Et la faveur à part, on sait qui vous étiez.
MARCELLE
L'ouvrage de mes mains avoir tant d'insolence!
PLACIDE
Elles m'ont mis trop haut pour souffrir une offense.
MARCELLE
Quoi, vous tranchez ici du nouveau gouverneur?
PLACIDE
De mon rang en tous lieux je soutiendrai l'honneur.
MARCELLE
Considérez donc mieux quelle main vous y porte :
L'hymen seul de Flavie en est pour vous la porte.
PLACIDE
Si je n'y puis entrer qu'acceptant cette loi,
Reprenez votre Égypte, et me laissez à moi.
MARCELLE
Plus il me doit d'honneurs, plus son orgueil me brave!
PLACIDE
Plus je reçois d'honneurs, moins je dois être esclave.
MARCELLE
Conservez ce grand cœur, vous en aurez besoin.

PLACIDE
Je le conserverai, Madame, avec grand soin,
Et votre grand pouvoir en chassera la vie   215
Avant que d'y surprendre aucun lieu pour Flavie.
MARCELLE
J'en chasserai du moins l'ennemi qui me nuit.
PLACIDE
Vous ferez peu d'effet avec beaucoup de bruit.
MARCELLE
Je joindrai de si près l'effet à la menace
Que sa perte aujourd'hui me quittera la place.   220
PLACIDE
Vous perdrez aujourd'hui?...
MARCELLE
            Théodore à vos yeux.
M'entendez-vous, Placide? Oui, j'en jure les Dieux
Qu'aujourd'hui mon courroux, armé contre son crime,
Au pied de leurs autels en fera ma victime.
PLACIDE
Et je jure à vos yeux ces mêmes immortels   225
Que je la vengerai jusque sur leurs autels.
Je jure plus encor, que si je pouvais croire
Que vous eussiez dessein d'une action si noire,
Il n'est point de respect qui pût me retenir
D'en punir la pensée et de vous prévenir,   230
Et que pour garantir une tête si chère,
Je vous irais chercher jusqu'au lit de mon père.
M'entendez-vous, Madame? Adieu, pensez-y bien,
N'épargnez pas mon sang si vous versez le sien;
Autrement ce beau sang en fera verser d'autre,   235
Et ma fureur n'est pas pour se borner au vôtre.

Scène III : Marcelle, Stéphanie.

MARCELLE
As-tu vu, Stéphanie, un plus farouche orgueil?
As-tu vu des mépris plus dignes du cercueil?
Et pourrais-je épargner cette insolente vie,
Si sa perte n'était la perte de Flavie,   240
Dont le cruel destin prend un si triste cours
Qu'aux jours de ce barbare il attache ses jours?
STÉPHANIE
Je tremble encor de voir où sa rage l'emporte.
MARCELLE
Ma colère en devient et plus juste et plus forte,
Et l'aveugle fureur dont ses discours sont pleins   245
Ne m'arrachera pas ma vengeance des mains.
STÉPHANIE
Après votre vengeance appréhendez la sienne.
MARCELLE
Qu'une indigne épouvante à présent me retienne!
De ce feu turbulent l'éclat impétueux
N'est qu'un faible avorton d'un cœur présomptueux.   250
La menace à grand bruit ne porte aucune atteinte,
Elle n'est qu'un effet d'impuissance et de crainte,
Et qui si près du mal s'amuse à menacer
Veut amollir le coup qu'il ne peut repousser.
STÉPHANIE
Théodore vivante, il craint votre colère,   255
Mais voyez qu'il ne craint que parce qu'il espère,

Et c'est à vous, Madame, à bien considérer
Qu'il cessera de craindre en cessant d'espérer.

MARCELLE

Si l'espoir fait sa peur, nous n'avons qu'à l'éteindre :
260 Il cessera d'aimer aussi bien que de craindre.
L'amour va rarement jusque dans un tombeau
S'unir au reste affreux de l'objet le plus beau.
Hasardons, je ne vois que ce conseil à prendre,
Théodore vivante, il n'en faut rien prétendre,
265 Et Théodore morte, on peut encor douter
Quel sera le succès que tu veux redouter.
Quoi qu'il arrive enfin, de la sorte outragée,
C'est un plaisir bien doux que de se voir vengée.
Mais dis-moi, ton indice est-il bien assuré?

STÉPHANIE

270 J'en réponds sur ma tête, et l'ai trop avéré.

MARCELLE

Ne t'oppose donc plus à ce moment de joie
Qu'aujourd'hui par ta main le juste ciel m'envoie.
Valens vient à propos, et sur tes bons avis
Je vais forcer le père à me venger du fils.

Scène IV : Valens, Marcelle,
Paulin, Stéphanie.

MARCELLE

275 Jusques à quand, Seigneur, voulez-vous qu'abusée
Au mépris d'un ingrat je demeure exposée,
Et qu'un fils arrogant sous votre autorité
Outrage votre femme avec impunité?
Sont-ce là les douceurs, sont-ce là les caresses
280 Qu'en faisaient à ma fille espérer vos promesses,
Et faut-il qu'un amour conçu par votre aveu
Lui coûte enfin la vie et vous touche si peu?

VALENS

Plût aux Dieux que mon sang eût de quoi satisfaire
Et l'amour de la fille et l'espoir de la mère,
285 Et qu'en le répandant je lui pusse gagner
Ce cœur dont l'insolence ose le dédaigner!
Mais de ses volontés le ciel est le seul maître;
J'ai promis de l'amour, il le doit faire naître.
Si son ordre n'agit, l'effet ne s'en peut voir,
290 Et je pense être quitte y faisant mon pouvoir.

MARCELLE

Faire votre pouvoir avec tant d'indulgence,
C'est avec son orgueil être d'intelligence;
Aussi bien que le fils, le père m'est suspect,
Et vous manquez de foi comme lui de respect.
295 Ah! si vous déployiez cette haute puissance
Que donnent aux parents les droits de la naissance...

VALENS

Si la haine et l'amour lui doivent obéir,
Déployez-la, Madame, à le faire haïr.
Quel que soit le pouvoir d'un père en sa famille,
300 Puis-je plus sur mon fils que vous sur votre fille?
Et si vous n'en pouvez vaincre la passion,
Dois-je plus obtenir sur tant d'aversion?

MARCELLE

Elle tâche à se vaincre, et son cœur y succombe,
Et l'effort qu'elle y fait la jette sous la tombe.

VALENS

Elle n'a toutefois que l'amour à dompter,   30
Et Placide bien moins se pourrait surmonter,
Puisque deux passions le font être rebelle :
L'amour pour Théodore, et la haine pour elle.

MARCELLE

Otez-lui Théodore, et son amour dompté,
Vous dompterez sa haine avec facilité.   31

VALENS

Pour l'ôter à Placide il faut qu'elle se donne.
Aime-t-elle quelque autre?

MARCELLE

                    Elle n'aime personne. [vœux?
Mais qu'importe, Seigneur, qu'elle écoute aucuns
Ce n'est pas son hymen, c'est sa mort que je veux.

VALENS

Quoi, Madame? abuser ainsi de ma puissance!   3
A votre passion immoler l'innocence!
Les Dieux m'en puniraient.

MARCELLE

                    Trouvent-ils innocents
Ceux dont l'impiété leur refuse l'encens?
Prenez leur intérêt : Théodore est chrétienne.
C'est la cause des Dieux, et ce n'est plus la mienne. 3

VALENS

Souvent la calomnie...

MARCELLE

                    Il n'en faut plus parler,
Si vous vous préparez à le dissimuler.
Devenez protecteur de cette secte impie
Que l'Empereur jamais ne crut digne de vie;
Vous pouvez en ces lieux vous en faire l'appui,   3
Mais songez qu'il me reste un frère auprès de lui.

VALENS

Sans en importuner l'autorité suprême,
Si je vous suis suspect, n'en croyez que vous-même.
Agissez en ma place, et faites-la venir,
Quand vous la convaincrez, je saurai la punir,
Et vous reconnaîtrez que dans le fond de l'âme
Je prends comme je dois l'intérêt d'une femme.

MARCELLE

Puisque vous le voulez, j'oserai la mander.
Allez-y, Stéphanie, allez sans plus tarder.
    Stéphanie s'en va, et Marcelle continue à parler à
    Valens.
Et si l'on m'a flattée avec un faux indice,
Je vous irai moi-même en demander justice.

VALENS

N'oubliez pas alors que je le dois à tous,
Et même à Théodore, aussi bien comme à vous.

MARCELLE

N'oubliez pas non plus quelle est votre promesse.
    Valens s'en va, et Marcelle continue.
Il est temps que Flavie ait part à l'allégresse;
Avec cette espérance allons la soulager.
Et vous, Dieux, qu'avec moi j'entreprends de venger,
Agréez ma victime, et pour finir ma peine,
Jetez un peu d'amour où règne tant de haine,
Ou si c'est trop pour nous qu'il soupire à son tour,
Jetez un peu de haine où règne tant d'amour.

ACTE SECOND

Scène I : Théodore, Cléobule,
Stéphanie.

STÉPHANIE

Marcelle n'est pas loin, et je me persuade
Que son amour l'attache auprès de sa malade,
Mais je vais 1'avertir que vous êtes ici.

THÉODORE

50 Vous m'obligerez fort d'en prendre le souci,
Et de lui témoigner avec quelle franchise
A ses commandements vous me voyez soumise.

STÉPHANIE

Dans un moment ou deux vous la verrez venir.

Scène II : Cléobule, Théodore.

CLÉOBULE

Tandis, permettez-moi de vous entretenir,
5 Et de blâmer un peu cette vertu farouche,
Cette insensible humeur qu'aucun objet ne touche,
D'où naissent tant de feux sans pouvoir l'enflammer,
Et qui semble haïr quiconque l'ose aimer.
    Je veux bien avec vous que dessous votre empire
0 Toute notre jeunesse en vain brûle et soupire,
J'approuve les mépris que vous rendez à tous,
Le ciel n'en a point fait qui soient dignes de vous.
Mais je ne puis souffrir que la grandeur romaine
S'abaissant à vos pieds ait part à cette haine,
5 Et que vous égaliez par vos durs traitements
Ces maîtres de la terre aux vulgaires amants.
Quoiqu'une âpre vertu du nom d'amour s'irrite,
Elle trouve sa gloire à céder au mérite,
Et sa sévérité ne lui fait point de lois,
0 Qu'elle n'aime à briser pour un illustre choix.
Voyez ce qu'est Valens, voyez ce qu'est Placide.
Voyez sur quels États l'un et l'autre préside,
Où le père et le fils peuvent un jour régner,
Et cessez d'être aveugle et de le dédaigner.

THÉODORE

5 Je ne suis point aveugle, et vois ce qu'est un homme
Qu'élèvent la naissance, et la fortune, et Rome.
Je rends ce que je dois à l'éclat de son sang,
J'honore son mérite et respecte son rang,
Mais vous connaissez mal cette vertu farouche
0 De vouloir qu'aujourd'hui l'ambition la touche,
Et qu'une âme insensible aux plus saintes ardeurs
Cède honteusement à l'éclat des grandeurs.
Si cette fermeté dont elle est ennoblie
Par quelques traits d'amour pouvait être affaiblie,
5 Mon cœur, plus incapable encor de vanité,
Ne ferait point de choix que dans l'égalité,
Et rendant aux grandeurs un respect légitime,
J'honorerais Placide, et j'aimerais Didyme.

CLÉOBULE

Didyme, que sur tous vous semblez dédaigner !

THÉODORE

Didyme, que sur tous je tâche d'éloigner,
Et qui verrait bientôt sa flamme couronnée

Si mon âme à mes sens était abandonnée,
Et se laissait conduire à ces impressions
Que forment en naissant les belles passions.
Comme cet avantage est digne qu'on le craigne,　　395
Plus je penche à l'aimer et plus je le dédaigne,
Et m'arme d'autant plus que mon cœur en secret
Voudrait s'en laisser vaincre, et combat à regret.
Je me fais tant d'effort lorsque je le méprise,
Que par mes propres sens je crains d'être surprise :　400
J'en crains une révolte, et que las d'obéir,
Comme je les trahis, ils ne m'osent trahir.
    Voilà, pour vous montrer mon âme toute nue [5],
Ce qui m'a fait bannir Didyme de ma vue :
Je crains d'en recevoir quelque coup d'œil fatal,　　405
Et chasse un ennemi dont je me défends mal.
Voilà quelle je suis et quelle je veux être;
La raison quelque jour s'en fera mieux connaître :
Nommez-la cependant vertu, caprice, orgueil,
Ce dessein me suivra jusque dans le cercueil.　　410

CLÉOBULE

Il peut vous y pousser si vous n'y prenez garde;
D'un œil envenimé Marcelle vous regarde,
Et se prenant à vous du mauvais traitement
Que sa fille à ses yeux reçoit de votre amant,
Sa jalouse fureur ne peut être assouvie　　415
A moins de votre sang, à moins de votre vie.
Ce n'est plus en secret que frémit son courroux,
Elle en parle tout haut, elle s'en vante à nous,
Elle en jure les Dieux, et ce que j'appréhende,
Pour ce triste sujet sans doute elle vous mande.　　420
Dans un péril si grand faites un protecteur.

THÉODORE

Si je suis en péril, Placide en est l'auteur.
L'amour qu'il a pour moi lui seul m'y précipite,
C'est par là qu'on me hait, c'est par là qu'on s'irrite.
On n'en veut qu'à sa flamme, on n'en veut qu'à son　425
　　　　　　　　　　　　　　　[choix :
C'est contre lui qu'on arme ou la force ou les lois.
Tous les vœux qu'il m'adresse avancent ma ruine,
Et par une autre main c'est lui qui m'assassine.
    Je sais quel est mon crime, et je ne doute pas
Du prétexte qu'aura l'arrêt de mon trépas.　　430
Je l'attends sans frayeur, mais de quoi qu'on m'accuse,
S'il portait à Flavie un cœur que je refuse,
Qui veut finir mes jours les voudrait protéger,
Et par ce changement il ferait tout changer.
Mais mon péril le flatte et son cœur en espère　　435
Ce que jusqu'à présent tous ses soins n'ont pu faire;
Il attend que du mien j'achète son appui,
J'en trouverai peut-être un plus puissant que lui,
Et s'il me faut périr, dites-lui qu'avec joie
Je cours à cette mort où son amour m'envoie,　　440
Et que par un exemple assez rare à nommer,
Je périrai pour lui si je ne puis l'aimer.

CLÉOBULE

Ne vous pas mieux servir d'un amour si fidèle,
C'est...

---

5. Expression fréquente chez Corneille : L'explication tragique est la minute de vérité.

THÉODORE

Quittons ce discours, je vois venir Marcelle.

Scène III : Marcelle, Théodore,
Cléobule, Stéphanie.

MARCELLE à *Cléobule.*

445 Quoi? toujours l'un ou l'autre est par vous obsédé?
Qui vous amène ici? Vous avais-je mandé?
Et ne pourrai-je voir Théodore ou Placide,
Sans que vous leur serviez d'interprète ou de guide?
Cette assiduité marque un zèle imprudent,
450 Et ce n'est pas agir en adroit confident.

CLÉOBULE

Je crois qu'on me doit voir d'une âme indifférente
Accompagner ici Placide et ma parente.
Je fais ma cour à l'un à cause de son rang,
Et rends à l'autre un soin où m'oblige le sang.

MARCELLE

455 Vous êtes bon parent.

CLÉOBULE

Elle m'oblige à l'être.

MARCELLE

Votre humeur généreuse aime à le reconnaître,
Et sensible aux faveurs que vous en recevez,
Vous rendez à tous deux ce que vous leur devez.
Un si rare service aura sa récompense
460 Plus grande qu'on n'estime et plus tôt qu'on ne pense.
Cependant quittez-nous, que je puisse à mon tour
Servir de confidente à cet illustre amour.

CLÉOBULE

Ne croyez pas, Madame...

MARCELLE

Obéissez, de grâce :
Je sais ce qu'il faut croire, et vois ce qui se passe.

Scène IV : Marcelle, Théodore, Stéphanie.

MARCELLE

465 Ne vous offensez pas, objet rare et charmant,
Si ma haine avec lui traite un peu rudement.
Ce n'est point avec vous que je la dissimule :
Je chéris Théodore, et je hais Cléobule,
Et par un pur effet du bien que je vous veux,
470 Je ne puis voir ici ce parent dangereux.
Je sais que pour Placide il vous fait tout facile,
Qu'en sa grandeur nouvelle il vous peint un asile,
Et tâche à vous porter jusqu'à la vanité
D'espérer me braver avec impunité.
475 Je n'ignore non plus que votre âme plus saine,
Connaissant son devoir ou redoutant ma haine,
Rejette ses conseils, en dédaigne le prix,
Et fait de ces grandeurs un généreux mépris.
Mais comme avec le temps il pourrait vous séduire,
480 Et vous, changeant d'humeur, me forcer à vous nuire,
J'ai voulu vous parler, pour vous mieux avertir
Qu'il serait malaisé de vous en garantir ;
Que si ce qu'est Placide enflait votre courage,
Je puis en un moment renverser mon ouvrage,

Abattre sa fortune, et détruire avec lui
Quiconque m'oserait opposer son appui.
Gardez donc d'aspirer au rang où je l'élève,
Qui commence le mieux ne fait rien s'il n'achève,
Ne servez point d'obstacle à ce que j'en prétends,
N'acquérez point ma haine en perdant votre temps.
Croyez que me tromper, c'est vous tromper vous-même,
Et si vous vous aimez, souffrez que je vous aime.

THÉODORE

Je n'ai point vu, Madame, encor jusqu'à ce jour
Avec tant de menace expliquer son amour,
Et peu faite à l'honneur de pareilles visites,
J'aurais lieu de douter de ce que vous me dites.
Mais soit que ce puisse être ou feinte ou vérité,
Je veux bien vous répondre avec sincérité.
Quoique vous me jugiez l'âme basse et timide,
Je croirais sans faillir pouvoir aimer Placide,
Et si sa passion avait pu me toucher,
J'aurais assez de cœur pour ne le point cacher.
Cette haute puissance à ses vertus rendue
L'égale presque aux rois dont je suis descendue,
Et si Rome et le temps m'en ont ôté le rang,
Il m'en demeure encor le courage et le sang.
Dans mon sort ravalé je sais vivre en princesse :
Je fuis l'ambition, je hais la faiblesse,
Et comme ses grandeurs ne peuvent m'ébranler,
L'épouvante jamais ne me fera parler.
Je l'estime beaucoup, mais en vain il soupire ;
Quand même sur ma tête il ferait choir l'empire,
Vous me verriez répondre à cette illustre ardeur
Avec la même estime et la même froideur.
Sortez d'inquiétude, et m'obligez de croire
Que la gloire où j'aspire est toute une autre gloire,
Et que sans m'éblouir de cet éclat nouveau,
Plutôt que dans son lit j'entrerais au tombeau.

MARCELLE

Je vous crois, mais souvent l'amour brûle sans luire,
Dans un profond secret il aime à se conduire,
Et voyant Cléobule aller tant et venir,
Entretenir Placide, et vous entretenir,
Je sens toujours dans l'âme un reste de scrupule,
Que je blâme moi-même et tiens pour ridicule,
Mais mon cœur soupçonneux ne s'en peut départir.
Vous avez deux moyens de l'en faire sortir :
Épousez ou Didyme, ou Cléante, ou quelque autre,
Ne m'importe pas qui, mon choix suivra le vôtre,
Et je le comblerai de tant de dignités
Que peut-être il vaudra ce que vous me quittez.
Ou si vous ne pouvez sitôt vous y résoudre,
Jurez-moi par ce Dieu qui porte en main la foudre,
Et dont tout l'univers doit craindre le courroux,
Que Placide jamais ne sera votre époux.
Je lui fais pour Flavie offrir un sacrifice :
Peut-être que vos vœux le rendront plus propice,
Venez les joindre aux miens, et le prendre à témoin.

THÉODORE

Je veux vous satisfaire, et sans aller si loin,
J'atteste ici le Dieu qui lance le tonnerre,
Ce monarque absolu du ciel et de la terre,
Et dont tout l'univers doit craindre le courroux,

Que Placide jamais ne sera mon époux.
En est-ce assez, Madame? êtes-vous satisfaite?

MARCELLE

Ce serment à peu près est ce que je souhaite;
45 Mais pour vous dire tout, la sainteté des lieux,
Le respect des autels, la présence des Dieux,
Me le rendant et plus saint et plus inviolable,
Me le pourraient aussi rendre bien plus croyable.

THÉODORE

Le Dieu que j'ai juré connaît tout, entend tout :
50 Il remplit l'univers de l'un à l'autre bout,
Sa grandeur est sans borne ainsi que sans exemple,
Il n'est pas moins ici qu'au milieu de son temple,
Et ne m'entend pas mieux dans son temple qu'ici.

MARCELLE

S'il vous entend partout, je vous entends aussi.
55 On ne m'éblouit point d'une mauvaise ruse,
Suivez-moi dans le temple, et tôt, et sans excuse.

THÉODORE

Votre cœur soupçonneux ne m'y croirait non plus,
Et je vous y ferais des serments superflus.

MARCELLE

Vous désobéissez!

THÉODORE

Je crois vous satisfaire.

MARCELLE

60 Suivez, suivez mes pas.

THÉODORE

Ce serait vous déplaire.
Vos desseins d'autant plus en seraient reculés :
Ma désobéissance est ce que vous voulez.

MARCELLE

Il faut de deux raisons que l'une vous retienne :
Ou vous aimez Placide, ou vous êtes chrétienne.

THÉODORE

65 Oui, je la suis, Madame, et le tiens à plus d'heur
Qu'une autre ne tiendrait toute votre grandeur.
Je vois qu'on vous l'a dit, ne cherchez plus de ruse;
J'avoue et hautement, et tôt, et sans excuse.
Armez-vous à ma perte, éclatez, vengez-vous,
70 Par ma mort à Flavie assurez un époux,
Et noyez dans ce sang, dont vous êtes avide,
Et le mal qui la tue, et l'amour de Placide.

MARCELLE

Oui, pour vous en punir, je n'épargnerai rien,
Et l'intérêt des Dieux assurera le mien.

THÉODORE

75 Le vôtre en même temps assurera ma gloire;
Triomphant de ma vie, il fera ma victoire,
Mais si grande, si haute, et si pleine d'appas,
Qu'à ce prix j'aimerai les plus cruels trépas.

MARCELLE

De cette illusion soyez persuadée.
80 Périssant à mes yeux, triomphez en idée,
Goûtez d'un autre monde à loisir les appas,
Et devenez heureuse où je ne serai pas.
Je n'en suis point jalouse, et toute ma puissance
Vous veut bien d'un tel heur hâter la jouissance,
85 Mais gardez de pâlir et de vous étonner
A l'aspect du chemin qui vous y doit mener.

THÉODORE

La mort n'a que douceur pour une âme chrétienne.

MARCELLE

Votre félicité va donc faire la mienne.

THÉODORE

Votre haine est trop lente à me la procurer.

MARCELLE

Vous n'aurez pas longtemps sujet d'en murmurer.   590
Allez trouver Valens, allez, ma Stéphanie.
Mais demeurez, il vient.

*Scène V : Valens, Marcelle, Théodore,
Paulin, Stéphanie.*

MARCELLE

Ce n'est point calomnie,
Seigneur, elle est chrétienne, et s'en ose vanter.

VALENS

Théodore, parlez sans vous épouvanter.

THÉODORE

Puisque je suis coupable aux yeux de l'injustice,   595
Je fais gloire du crime, et j'aspire au supplice,
Et d'un crime si beau le supplice est si doux
Que qui peut le connaître en doit être jaloux.

VALENS

Je ne recherche plus la damnable origine
De cette aveugle amour où Placide s'obstine.   600
Cette noire magie, ordinaire aux chrétiens,
L'arrête indignement dans vos honteux liens;
Votre charme après lui se répand sur Flavie,
De l'un il prend le cœur, et de l'autre la vie.
Vous osez donc ainsi jusque dans ma maison,   605
Jusque sur mes enfants verser votre poison?
Vous osez donc tous deux les prendre pour victimes?

THÉODORE

Seigneur, il ne faut point me supposer de crimes.
C'est à des faussetés sans besoin recourir :
Puisque je suis chrétienne, il suffit pour mourir.   610
Je suis prête. Où faut-il que je porte ma vie?
Où me veut votre haine immoler à Flavie?
Hâtez, hâtez, Seigneur, ces heureux châtiments
Qui feront mes plaisirs et vos contentements.

VALENS

Ah! je rabattrai bien cette fière constance.   615

THÉODORE

Craindrai-je des tourments qui font ma récompense?

VALENS

Oui, j'en sais que peut-être aisément vous craindrez.
Vous en recevrez l'ordre, et vous en résoudrez.
Ce courage toujours ne sera pas si ferme.
Paulin, que là dedans pour prison on l'enferme;   620
Mettez-y bonne garde.

*Paulin la conduit avec quelques soldats, et l'ayant
enfermée, revient incontinent.*

*Scène VI : Valens, Marcelle,
Paulin, Stéphanie.*

MARCELLE

Eh quoi! pour la punir,

Quand le crime est constant, qui vous peut retenir?
Agréerez-vous le choix que je fais d'un supplice?

MARCELLE

J'agréerai tout, Seigneur, pourvu qu'elle périsse :
625 Choisissez le plus doux, ce sera m'obliger.

VALENS

Ah! que vous savez mal comme il se faut venger!

MARCELLE

Je ne suis point cruelle, et n'en veux à sa vie
Que pour rendre Placide à l'amour de Flavie.
Otez-nous cet obstacle à nos contentements,
630 Mais en faveur du sexe épargnez les tourments :
Qu'elle meure, il suffit.

VALENS

Oui, sans plus de demeure,
Pour l'intérêt des Dieux je consens qu'elle meure :
Indigne de la vie, elle doit en sortir,
Mais pour votre intérêt je n'y puis consentir.
635 Quoi? Madame, la perdre est-ce gagner Placide?
Croyez-vous que sa mort le change ou l'intimide?
Que ce soit un moyen d'être aimable à ses yeux,
Que de mettre au tombeau ce qu'il aime le mieux?
Ah! ne vous flattez point d'une espérance vaine.
640 En cherchant son amour vous redoublez sa haine,
Et dans le désespoir où vous l'allez plonger,
Loin d'en aimer la cause, il voudra s'en venger.
Chaque jour à ses yeux cette ombre ensanglantée,
Sortant des tristes nuits où vous l'aurez jetée,
645 Vous peindra toutes deux avec des traits d'horreur
Qui feront de sa haine une aveugle fureur,
Et lors je ne dis pas tout ce que j'appréhende.
Son âme est violente, et son amour est grande :
Verser le sang aimé, ce n'est pas l'en guérir,
650 Et le désespérer, ce n'est pas l'acquérir.

MARCELLE

Ainsi donc vous laissez Théodore impunie?

VALENS

Non, je la veux punir, mais par l'ignominie,
Et pour forcer Placide à vous porter ses vœux,
Rendre cette chrétienne indigne de ses feux.

MARCELLE

655 Je ne vous entends point.

VALENS

Contentez-vous, Madame,
Que je vois pleinement les désirs de votre âme,
Que de votre intérêt je veux faire le mien.
Allez, et sur ce point ne demandez plus rien.
Si je m'expliquais mieux, quoique son ennemie,
660 Vous la garantiriez d'une telle infamie,
Et quelque bon succès qu'il en faille espérer,
Votre haute vertu ne pourrait l'endurer.
Agréez ce supplice, et sans que je le nomme,
Sachez qu'assez souvent on le pratique à Rome,
665 Qu'il est craint des chrétiens, qu'il plaît à l'Empereur,
Qu'aux filles de sa sorte il fait le plus d'horreur,
Et que ce digne objet de votre juste haine
Voudrait de mille morts racheter cette peine.

MARCELLE

Soit que vous me vouliez éblouir ou venger,

Jusqu'à l'événement je n'en veux point juger.
Je vous en laisse faire. Adieu, disposez d'elle,
Mais gardez d'oublier qu'enfin je suis Marcelle,
Et que si vous trompez un si juste courroux,
Je me saurai bientôt venger d'elle et de vous.

Scène VII : Valens, Paulin.

VALENS

L'impérieuse humeur! Vois comme elle me brave,
Comme son fier orgueil m'ose traiter d'esclave.

PAULIN

Seigneur, j'en suis confus, mais vous le méritez :
Au lieu d'y résister, vous vous y soumettez.

VALENS

Ne t'imagine pas que dans le fond de l'âme
Je préfère à mon fils les fureurs d'une femme :
L'un m'est plus cher que l'autre, et par ce triste arrêt
Ce n'est que de ce fils que je prends l'intérêt.
Théodore est chrétienne, et ce honteux supplice
Vient moins de ma rigueur que de mon artifice :
Cette haute infamie où je veux la plonger
Est moins pour la punir que pour la voir changer.
Je connais les chrétiens : la mort la plus cruelle
Affermit leur constance et redouble leur zèle,
Et sans s'épouvanter de tous nos châtiments,
Ils trouvent des douceurs au milieu des tourments.
Mais la pudeur peut tout sur l'esprit d'une fille
Dont la vertu répond à l'illustre famille,
Et j'attends aujourd'hui d'un si puissant effort
Ce que n'obtiendraient pas les frayeurs de la mort.
Après ce grand effet, j'oserai tout pour elle,
En dépit de Flavie, en dépit de Marcelle,
Et je n'ai rien à craindre auprès de l'Empereur,
Si ce cœur endurci renonce à son erreur.
Lui-même il me louera d'avoir su l'y réduire,
Lui-même il détruira ceux qui m'en voudraient nuire :
J'aurai lieu de braver Marcelle et ses amis,
Ma vertu me soutient où son crédit m'a mis,
Mais elle me perdrait, quelque rang que je tienne,
Si j'osais à ses yeux sauver cette chrétienne.
Va la voir de ma part, et tâche à l'étonner :
Dis-lui qu'à tout le peuple on va l'abandonner,
Tranche le mot enfin, que je la prostitue,
Et quand tu la verras troublée et combattue,
Donne entrée à Placide, et souffre que son feu
Tâche d'en arracher un favorable aveu.
Les larmes d'un amant et l'horreur de sa honte
Pourront fléchir ce cœur qu'aucun péril ne dompte,
Et lors elle n'a point d'ennemis si puissants
Dont elle ne triomphe avec un peu d'encens,
Et cette ignominie où je l'ai condamnée
Se changera soudain en heureux hyménée.

PAULIN

Votre prudence est rare, et j'en suivrai les lois.
Daigne le juste ciel seconder votre choix,
Et par une influence un peu moins rigoureuse,
Disposer Théodore à vouloir être heureuse!

ACTE TROISIÈME

Scène I : Théodore, Paulin.

THÉODORE

Où m'allez-vous conduire?

PAULIN

　　　　　　　Il est en votre choix :
Suivez-moi dans le temple, ou subissez nos lois.

THÉODORE

De ces indignités vos juges sont capables !

PAULIN

Ils égalent la peine aux crimes des coupables.

THÉODORE

Si le mien est trop grand pour le dissimuler,
N'est-il point de tourments qui puissent l'égaler?

PAULIN

Comme dans les tourments vous trouvez des délices,
Ils ont trouvé pour vous ailleurs de vrais supplices,
Et par un châtiment aussi grand que nouveau,
De votre vertu même ils font votre bourreau.

THÉODORE

Ah! qu'un si détestable et honteux sacrifice
Est pour elle en effet un rigoureux supplice!

PAULIN

Ce mépris de la mort qui partout à nos yeux
Brave si hautement et nos lois et nos Dieux,
Cette indigne fierté ne serait pas punie
A ne vous ôter rien de plus cher que la vie.
Il faut qu'on leur immole, après de tels mépris,
Ce que chez votre sexe on met à plus haut prix,
Ou que cette fierté, de nos lois ennemie,
Cède aux justes horreurs d'une pleine infamie,
Et que votre pudeur rende à nos immortels
L'encens que votre orgueil refuse à leurs autels.

THÉODORE

Valens me fait par vous porter cette menace.
Mais s'il hait les chrétiens, il respecte ma race :
Le sang d'Antiochus n'est pas encor si bas
Qu'on l'abandonne en proie aux fureurs des soldats.

PAULIN

Ne vous figurez point qu'en un tel sacrilège
Le sang d'Antiochus ait quelque privilège.
Les Dieux sont au-dessus des rois dont vous sortez,
Et l'on vous traite ici comme vous les traitez :
Vous les déshonorez, et l'on vous déshonore.

THÉODORE

Vous leur immolez donc l'honneur de Théodore,
A ces Dieux dont enfin la plus sainte action
N'est qu'inceste, adultère et prostitution?
Pour venger le mépris que je fais de leurs temples,
Je me vois condamnée à suivre leurs exemples,
Et dans vos dures lois je ne puis éviter
Ou de leur rendre hommage, ou de les imiter?
Dieu de la pureté, que vos lois sont bien autres!

PAULIN

Au lieu de blasphémer, obéissez aux nôtres,
Et ne redoublez point par vos impiétés
La haine et le courroux de nos Dieux irrités :
Après nos châtiments ils ont encor leur foudre.

On vous donne de grâce une heure à vous résoudre,
Vous savez votre arrêt, vous avez à choisir,　　765
Usez utilement de ce peu de loisir.

THÉODORE

Quelles sont vos rigueurs, si vous le nommez grâce,
Et quel choix voulez-vous qu'une chrétienne fasse,
Réduite à balancer son esprit agité
Entre l'idolâtrie et l'impudicité?　　770
Le choix est inutile où les maux sont extrêmes.
Reprenez votre grâce, et choisissez vous-mêmes :
Quiconque peut choisir consent à l'un des deux,
Et le consentement est seul lâche et honteux.
Dieu, tout juste et tout bon, qui lit dans nos pensées, 775
N'impute point de crime aux actions forcées.
Soit que vous contraigniez pour vos Dieux impuissants
Mon corps à l'infamie ou ma main à l'encens,
Je saurai conserver d'une âme résolue
A l'époux sans macule une épouse impollue.　　780

Scène II : Placide, Théodore, Paulin.

THÉODORE

Mais que vois-je? Ah, Seigneur! est-ce Marcelle ou
Dont sur mon innocence éclate le courroux?　　[vous
L'arrêt qu'a contre moi prononcé votre père,
Est-ce pour la venger, ou pour vous satisfaire?
Est-ce mon ennemie ou mon illustre amant　　785
Qui du nom de vos Dieux abuse insolemment?
Vos feux de sa fureur se sont-ils faits complices?
Sont-ils d'intelligence à choisir mes supplices?
Étouffent-ils si bien vos respects généreux,
Qu'ils fassent mon bourreau d'un héros amoureux? 790

PLACIDE

Retirez-vous, Paulin.

PAULIN

　　　　　　　On me l'a mise en garde.

PLACIDE

Je sais jusqu'à quel point ce devoir vous regarde.
Prenez soin de la porte, et sans me répliquer :
Ce n'est pas devant vous que je veux m'expliquer.

PAULIN

Seigneur...

PLACIDE

　　　　　Laissez-nous, dis-je, et craignez ma colère. 795
Je vous garantirai de celle de mon père.

Scène III : Placide, Théodore.

THÉODORE

Quoi? vous chassez Paulin, et vous craignez ses yeux,
Vous qui ne craignez pas la colère des cieux?

PLACIDE

Redoublez vos mépris, mais bannissez des craintes
Qui portent à mon cœur les plus rudes atteintes.　　800
Ils sont encor plus doux que les indignités
Qu'imputent vos frayeurs à mes témérités,
Et ce n'est pas contre eux que mon âme s'irrite.
Je sais qu'ils font justice à mon peu de mérite,
Et lorsque vous pouviez jouir de vos dédains,　　805
Si j'osais les nommer quelquefois inhumains,

Je les justifiais dedans ma conscience,
Et je n'attendais rien que de ma patience,
Sans que pour ces grandeurs qui font tant de jaloux,
810 Je me sois jamais cru moins indigne de vous.
Aussi ne pensez pas que je vous importune
De payer mon amour, ou de voir ma fortune :
Je ne demande pas un bien qui leur soit dû,
Mais je viens pour vous rendre un bien presque perdu,
815 Encor le même amant qu'une rigueur si dure
A toujours vu brûler et souffrir sans murmure,
Qui plaint du sexe en vous les respects violés,
Votre libérateur enfin, si vous voulez.

THÉODORE

Pardonnez donc, Seigneur, à la première idée
820 Qu'a jetée dans mon âme une peur mal fondée,
De mille objets d'horreur mon esprit combattu
Aurait tout soupçonné de la même vertu.
Dans un péril si proche et si grand pour ma gloire,
Comme je dois tout craindre, aussi je puis tout croire,
825 Et mon honneur timide, entre tant d'ennemis,
Sur les ordres du père a mal jugé du fils.
Je vois, grâces au ciel, par un effet contraire,
Que la vertu du fils soutient celle du père,
Qu'elle ranime en lui la raison qui mourait,
830 Qu'elle rappelle en lui l'honneur qui s'égarait,
Et le rétablissant dans une âme si belle,
Détruit heureusement l'ouvrage de Marcelle.
Donc à votre prière il s'est laissé toucher ?

PLACIDE

J'aurais touché plutôt un cœur tout de rocher ;
835 Soit crainte, soit amour qui possède son âme,
Elle est tout asservie aux fureurs d'une femme.
Je le dis à ma honte, et j'en rougis pour lui,
Il est inexorable, et j'en mourrais d'ennui,
Si nous n'avions l'Égypte où fuir l'ignominie
840 Dont vous veut lâchement combler sa tyrannie.
Consentez-y, Madame, et je suis assez fort
Pour rompre vos prisons et changer votre sort.
Ou si votre pudeur au peuple abandonnée
S'en peut mieux affranchir que par mon hyménée,
845 S'il est quelque autre voie à vous sauver l'honneur,
J'y consens, et renonce à mon plus doux bonheur.
Mais si contre un arrêt à cet honneur funeste,
Pour en rompre le coup ce moyen seul vous reste,
Si refusant Placide, il vous faut être à tous,
850 Fuyez cette infamie en suivant un époux ;
Suivez-moi dans des lieux où je serai le maître,
Où vous serez sans peur ce que vous voudrez être,
Et peut-être, suivant ce que vous résoudrez,
Je n'y serai bientôt que ce que vous voudrez.
855 C'est assez m'expliquer, que rien ne vous retienne :
Je vous aime, Madame, et vous aime chrétienne.
Venez me donner lieu d'aimer ma dignité,
Qui fera mon bonheur et votre sûreté.

THÉODORE

N'espérez pas, Seigneur, que mon sort déplorable
860 Me puisse à votre amour rendre plus favorable,
Et que d'un si grand coup mon esprit abattu
Défère à ses malheurs plus qu'à votre vertu.
Je l'ai toujours connue et toujours estimée,
Je l'ai plainte souvent d'aimer sans être aimée,
Et par tous ces dédains où j'ai su recourir,
J'ai voulu vous déplaire afin de vous guérir.
Louez-en le dessein, en apprenant la cause :
Un obstacle éternel à vos désirs s'oppose.
Chrétienne, et sous les lois d'un plus puissant époux...
Mais, Seigneur, à ce mot ne soyez pas jaloux.
Quelque haute splendeur que vous teniez de Rome,
Il est plus grand que vous, mais ce n'est point un
[homme :
C'est le Dieu des chrétiens, c'est le maître des rois,
C'est lui qui tient ma foi, c'est lui dont j'ai fait choix,
Et c'est enfin à lui que mes vœux ont donnée
Cette virginité que l'on a condamnée.
  Que puis-je donc pour vous, n'ayant rien à donner ?
Et par où votre amour se peut-il couronner,
Si pour moi votre hymen n'est qu'un lâche adultère,
D'autant plus criminel qu'il serait volontaire,
Dont le ciel punirait les sacrilèges nœuds,
Et que ce Dieu jaloux vengerait sur tous deux ?
Non, non, en quelque état que le sort m'ait réduite,
Ne me parlez, Seigneur, ni d'hymen, ni de fuite :
C'est changer d'infamie, et non pas l'éviter ;
Loin de m'en garantir, c'est m'y précipiter.
Mais pour braver Marcelle et m'affranchir de honte,
Il est une autre voie et plus sûre et plus prompte,
Que dans l'éternité j'aurais lieu de bénir,
La mort, et c'est de vous que je dois l'obtenir.
Si vous m'aimez encor, comme j'ose le croire,
Vous devez cette grâce à votre propre gloire ;
En m'arrachant la mienne on la va déchirer,
C'est votre choix, c'est vous qu'on va déshonorer.
L'amant si fortement s'unit à ce qu'il aime
Qu'il en fait dans son cœur une part de lui-même,
C'est par là qu'on vous blesse, et c'est par là, Seigneur,
Que peut jusques à vous aller mon déshonneur.
  Tranchez donc cette part par où l'ignominie
Pourrait souiller l'éclat d'une si belle vie,
Rendez à votre honneur toute sa pureté,
Et mettez par ma mort son lustre en sûreté.
Mille dont votre Rome adore la mémoire
Se sont bien tout entiers immolés à leur gloire.
Comme eux, en vrai Romain de la vôtre jaloux,
Immolez cette part trop indigne de vous,
Sauvez-la par sa perte, ou si quelque tendresse
A ce bras généreux imprime sa faiblesse,
Si du sang d'une fille il craint de se rougir,
Armez, armez le mien, et le laissez agir.
Ma loi me le défend, mais mon Dieu me l'inspire,
Il parle et j'obéis à son secret empire,
Et contre l'ordre exprès de son commandement,
Je sens que c'est de lui que vient ce mouvement.
Pour le suivre, Seigneur, souffrez que votre épée
Me puisse...

PLACIDE

            Oui, vous l'aurez, mais dans mon sang
Et votre bras du moins en recevra du mien [trempée,
Le glorieux exemple avant que le moyen.

THÉODORE

Ah ! ce n'est pas pour vous un mouvement à suivre,

20 C'est à moi de mourir, mais c'est à vous de vivre.
PLACIDE
Ah! faites-moi donc vivre, ou me laissez mourir,
Cessez de me tuer ou de me secourir.
Puisque vous n'écoutez ni mes vœux ni mes larmes,
Puisque la mort pour vous a plus que moi de charmes,
25 Souffrez que ce trépas, que vous trouvez si doux,
Ait à son tour pour moi plus de douceur que vous.
Puis-je vivre et vous voir morte ou déshonorée,
Vous que de tout mon cœur j'ai toujours adorée,
Vous qui de mon destin réglez le triste cours,
30 Vous, dis-je, à qui j'attache et ma gloire et mes jours?
Non, non, s'il vous faut voir déshonorée ou morte,
Souffrez un désespoir où la raison me porte :
Renoncer à la vie avant de tels malheurs,
Ce n'est que prévenir l'effet de mes douleurs.
35 En ces extrémités je vous conjure encore,
Non par ce zèle ardent d'un cœur qui vous adore,
Non par ce vain éclat de tant de dignités,
Trop au-dessous du sang des Rois dont vous sortez,
Non par ce désespoir où vous poussez ma vie,
40 Mais par la sainte horreur que vous fait l'infamie,
Par ce Dieu que j'ignore et pour qui vous vivez,
Et par ce même bien que vous lui conservez,
Daignez en éviter la perte irréparable,
Et sous les saints liens d'un nœud si vénérable
45 Mettez en sûreté ce qu'on va vous ravir.
THÉODORE
Vous n'êtes pas celui dont Dieu s'y veut servir.
Il saura bien sans vous en susciter un autre,
Dont le bras moins puissant, mais plus saint que le
Par un zèle plus pur se fera mon appui,   [vôtre,
50 Sans porter ses désirs sur un bien tout à lui.
Mais parlez à Marcelle.

Scène IV : Marcelle, Placide, Théodore,
Paulin, Stéphanie.

PLACIDE
Ah, Dieux, quelle infortune !
Faut-il qu'à tous moments...
MARCELLE
Je vous suis importune
De mêler ma présence aux secrets des amants,
Qui n'ont jamais besoin de pareils truchements.
PAULIN
Madame, on m'a forcé de puissance absolue.
MARCELLE, à Paulin.
L'ayant soufferte ainsi, vous l'avez bien voulue :
Ne me répliquez plus, et me la renfermez.

Scène V : Marcelle, Placide, Stéphanie.

MARCELLE
Ainsi donc vos désirs en sont toujours charmés,
Et quand un juste arrêt la couvre d'infamie,
Comme de tout l'empire et des Dieux ennemie,
Au milieu de sa honte elle plaît à vos yeux,
Et vous fait l'ennemi de l'empire et des Dieux,
Tant les illustres noms d'infâme et de rebelle

Vous semblent précieux à les porter pour elle !
Vous trouvez, je m'assure, en un si digne lieu   965
Cet objet de vos vœux encor digne d'un Dieu?
J'ai conservé son sang de peur de vous déplaire,
Et pour ne forcer pas votre juste colère
A ce serment conçu par tous les immortels
De venger son trépas jusque sur les autels.   970
Vous vous étiez par là fait une loi si dure
Que sans moi vous seriez sacrilège ou parjure :
Je vous en ai fait grâce en lui laissant le jour,
Et j'épargne du moins un crime à votre amour.
PLACIDE
Triomphez-en dans l'âme, et tâchez de paraître   975
Moins insensible aux maux que vous avez fait naître.
En l'état où je suis, c'est une lâcheté
D'insulter aux malheurs où vous m'avez jeté,
Et l'amertume enfin de cette raillerie
Tournerait aisément ma douleur en furie.   980
Si quelque espoir arrête et suspend mon courroux,
Il ne peut être grand, puisqu'il n'est plus qu'en vous,
En vous, que j'ai traitée avec tant d'insolence,
En vous, de qui la haine a tant de violence.
Contre ces malheurs même où vous m'avez jeté,   985
J'espère encore en trouver quelque bonté.
Je fais plus, je l'implore, et cette âme si fière
Du haut de son orgueil descend à la prière,
Après tant de mépris s'abaisse pleinement,
Et de votre triomphe achève l'ornement.   990
Voyez ce qu'aucun Dieu n'eût osé vous promettre,
Ce que jamais mon cœur n'aurait cru se permettre :
Placide suppliant, Placide à vos genoux
Vous doit être, Madame, un spectacle assez doux,
Et c'est par la douceur de ce même spectacle   995
Que mon cœur vous demande un aussi grand miracle.
Arrachez Théodore aux hontes d'un arrêt
Qui mêle avec le sien mon plus cher intérêt.
Toute ingrate, inhumaine, inflexible, chrétienne,
Madame, elle est mon choix, et sa gloire est la mienne.   1000
S'il faut qu'elle subisse une si rude loi,
Toute l'ignominie en rejaillit sur moi,
Et je n'ai pas moins qu'elle à rougir d'un supplice
Qui profane l'autel où j'ai fait sacrifice,
Et de l'illustre objet de mes plus saints désirs   1005
Fait l'infâme rebut des plus sales plaisirs,
S'il vous demeure encor quelque espoir pour Flavie,
Conservez-moi l'honneur pour conserver sa vie,
Et songez que l'affront où vous m'abandonnez
Déshonore l'époux que vous lui destinez.   1010
Je vous le dis encor, sauvez-moi cette honte,
Ne désespérez pas une âme qui se dompte,
Et par le noble effort d'un généreux emploi,
Triomphez de vous-même aussi bien que de moi.
Théodore est pour vous une utile ennemie,   1015
Et si, proche qu'elle est de choir dans l'infamie,
Ma plus sincère ardeur n'en peut rien obtenir,
Vous n'avez pas beaucoup à craindre l'avenir.
Le temps ne la rendra que plus inexorable,
Le temps détrompera peut-être un misérable,   1020
Daignez lui donner lieu de me pouvoir guérir,
Et ne me perdez pas en voulant m'acquérir.

MARCELLE

Quoi? vous voulez enfin me devoir votre gloire !
Certes un tel miracle est difficile à croire,
1025 Que vous, qui n'aspiriez qu'à ne me devoir rien,
Vous me vouliez devoir un si précieux bien.
Mais comme en ses désirs aisément on se flatte,
Dussé-je contre moi servir une âme ingrate,
Perdre encor mes faveurs, et m'en voir abuser,
1030 Je vous aime encor trop pour vous rien refuser.
        Oui, puisque Théodore enfin me rend capable
De vous rendre une fois un office agréable,
Puisque son intérêt vous force à me traiter
Mieux que tous mes bienfaits n'avaient su mériter,
1035 Et par soin de vous plaire et par reconnaissance
Je vais pour l'un et l'autre employer ma puissance,
Et pour un peu d'espoir qui m'est en vain rendu,
Rendre à mes ennemis l'honneur presque perdu.
Je vais d'un juste juge adoucir la colère,
1040 Rompre le triste effet d'un arrêt trop sévère,
Répondre à votre attente, et vous faire éprouver
Cette bonté qu'en moi vous espériez trouver.
Jugez par cette épreuve, à mes vœux si cruelle,
Quel pouvoir vous avez sur l'esprit de Marcelle,
1045 Et ce que vous pourriez un peu plus complaisant,
Quand vous y pouvez tout même en la méprisant.
Mais pourrai-je à mon tour vous faire une prière ?

PLACIDE

Madame, au nom des Dieux, faites-moi grâce entière :
En l'état où je suis, quoi qu'il puisse advenir,
1050 Je vous dois tout promettre, et ne puis rien tenir.
Ne me réduisez point à manquer de parole,
Je crains, mais j'aime encore, et mon cœur amoureux...

MARCELLE

Le mien est raisonnable autant que généreux.
1055 Je ne demande pas que vous cessiez encore
Ou de haïr Flavie, ou d'aimer Théodore.
Ce grand coup doit tomber plus insensiblement,
Et je me défierais d'un si prompt changement.
Il faut languir encor dedans l'incertitude,
1060 Laisser faire le temps et cette ingratitude.
Je ne veux à présent qu'une fausse pitié,
Qu'une feinte douceur, qu'une ombre d'amitié :
Un moment de visite à la triste Flavie
Des portes du trépas rappellerait sa vie.
1065 Cependant que pour vous je vais tout obtenir,
Pour soulager ses maux allez l'entretenir.
Ne lui promettez rien, mais souffrez qu'elle espère,
Et trompez-la du moins pour la rendre à sa mère :
Un coup d'œil y suffit, un mot ou deux plus doux.
1070 Faites un peu pour moi quand je fais tout pour vous,
Daignez pour Théodore un moment vous contraindre.

PLACIDE

Un moment est bien long à qui ne sait pas feindre;
Mais vous m'en conjurez par un nom trop puissant
Pour ne rencontrer pas un cœur obéissant.
1075 J'y vais, mais par pitié souvenez-vous vous-même
Des troubles d'un amant qui craint pour ce qu'il aime,
Et qui n'a pas pour feindre assez de liberté,
Tant que pour son objet il est inquiété.

MARCELLE

Allez sans plus rien craindre, ayant pour vous Mar-
                                                [celle.

Scène VI : Marcelle, Stéphanie.

STÉPHANIE

Enfin vous triomphez de cet esprit rebelle?

MARCELLE

Quel triomphe !

STÉPHANIE

        Est-ce peu que de voir à vos pieds
Sa haine et son orgueil enfin humiliés?

MARCELLE

Quel triomphe, te dis-je, et qu'il a d'amertumes,
Et que nous sommes loin de ce que tu présumes !
Tu le vois à mes pieds pleurer, gémir, prier,
Mais ne crois pas pourtant le voir s'humilier,
Ne crois pas qu'il se rende aux bontés qu'il implore,
Mais vois de quelle ardeur il aime Théodore,
Et juge quel pouvoir cet amour a sur lui,
Puisqu'il peut le réduire à chercher mon appui.
Que n'oseront ses feux entreprendre pour elle,
S'ils ont pu l'abaisser jusqu'aux pieds de Marcelle,
Et que dois-je espérer d'un cœur si fort épris,
Qui même en m'adorant me fait voir ses mépris?
Dans ses submissions vois ce qui l'y convie :
Mesure à son amour sa haine pour Flavie,
En voyant l'un et l'autre en son abaissement,
Juge de mon triomphe un peu plus sainement,
Vois dans son triste effet sa ridicule pompe.
J'ai peine en triomphant d'obtenir qu'il me trompe,
Qu'il feigne par pitié, qu'il donne un faux espoir.

STÉPHANIE

Et vous l'allez servir de tout votre pouvoir?

MARCELLE

Oui, je vais le servir, mais comme il le mérite.
Toi, va par quelque adresse amuser sa visite,
Et sous un faux appât prolonger l'entretien.

STÉPHANIE

Donc...

MARCELLE

        Le temps presse : va, sans t'informer de rien.

ACTE QUATRIÈME

Scène I : Placide, Stéphanie,
sortant de chez Marcelle.

STÉPHANIE

Seigneur...

PLACIDE

        Va, Stéphanie, en vain tu me rappelles,
Ces feintes ont pour moi des gênes trop cruelles,
Marcelle en ma faveur agit trop lentement,
Et laisse trop durer cet ennuyeux moment.
Pour souffrir plus longtemps un supplice si rude,
J'ai trop d'impatience et trop d'inquiétude :

Il faut voir Théodore, il faut savoir mon sort,
Il faut...
####### STÉPHANIE
Ah! faites-vous, Seigneur, un peu d'effort.
Marcelle, qui vous sert de toute sa puissance,
Mérite bien du moins cette reconnaissance.
Retournez chez Flavie attendre un bien si doux,
Et ne craignez plus rien puisqu'elle agit pour vous.
####### PLACIDE
L'effet tarde beaucoup pour n'avoir rien à craindre :
Elle feignait peut-être en me priant de feindre.
On retire souvent le bras pour mieux frapper,
Qui veut que je la trompe a droit de me tromper.
####### STÉPHANIE
Considérez l'humeur implacable d'un père,
Quelle est pour les chrétiens sa haine et sa colère,
Combien il faut de temps afin de l'émouvoir.
####### PLACIDE
Hélas! il n'en faut guère à trahir mon espoir.
Peut-être en ce moment qu'ici tu me cajoles,
Que tu remplis mon cœur d'espérances frivoles,
Ce rare et cher objet qui fait seul mon destin,
Du soldat insolent est l'indigne butin.
Va flatter, si tu veux, la douleur de Flavie,
Et me laisse éclaircir de l'état de ma vie :
C'est trop l'abandonner à l'injuste pouvoir.
Ouvrez, Paulin, ouvrez, et me la faites voir.
On ne me répond point, et la porte est ouverte!
Paulin! Madame!
####### STÉPHANIE
O Dieux! la fourbe est découverte.
Où fuirai-je?
####### PLACIDE
Demeure, infâme, et ne crains rien :
Je ne veux pas d'un sang abject comme le tien.
Il faut à mon courroux de plus nobles victimes :
Instruis-moi seulement de l'ordre de tes crimes.
Qu'a-t-on fait de mon âme? où la dois-je chercher?
####### STÉPHANIE
Vous n'avez pas sujet encor de vous fâcher.
Elle est...
####### PLACIDE
Dépêche, dis ce qu'on a fait Marcelle.
####### STÉPHANIE
Tout ce que votre amour pouvait attendre d'elle.
Peut-on croire autre chose avec quelque raison,
Quand vous voyez déjà qu'elle est hors de prison?
####### PLACIDE
Ah! j'en aurais déjà reçu les assurances,
Et tu veux m'amuser de vaines apparences,
Cependant que Marcelle agit comme il lui plaît,
Et fait sans résistance exécuter l'arrêt.
De ma crédulité Théodore est punie :
Elle est hors de prison, mais dans l'ignominie,
Et je devais juger, dans mon sort rigoureux,
Que l'ennemi qui flatte est le plus dangereux.
Mais souvent on s'aveugle, et dans des maux extrêmes,
Les esprits généreux jugent tout par eux-mêmes,
Et lorsqu'on les trahit...

Scène II : Placide, Lycante, Stéphanie.

####### LYCANTE
Jugez-en mieux, Seigneur.
Marcelle vous renvoie et la joie et l'honneur;
Elle a de l'infamie arraché Théodore.
####### PLACIDE
Elle a fait ce miracle!
####### LYCANTE
Elle a fait plus encore.   1160
####### PLACIDE
Ne me fais plus languir, dis promptement.
####### LYCANTE
D'abord
Valens changeait l'arrêt en un arrêt de mort...
####### PLACIDE
Ah! si de cet arrêt jusqu'à l'effet on passe...
####### LYCANTE
Marcelle a refusé cette sanglante grâce.
Elle la veut entière, et tâche à l'obtenir,   1165
Mais Valens irrité s'obstine à la bannir,
Et voulant que cet ordre à l'instant s'exécute,
Quoi qu'en votre faveur Marcelle lui dispute,
Il mande Théodore, et la veut promptement
Faire conduire au lieu de son bannissement.   1170
####### STÉPHANIE
Et vous vous alarmiez de voir sa prison vide?
####### PLACIDE
Tout fait peur à l'amour, c'est un enfant timide,
Et si tu le connais, tu me dois pardonner.
####### LYCANTE
Elle fait ses efforts pour vous la ramener,
Et vous conjure encore un moment de l'attendre.   1175
####### PLACIDE
Quelles grâces, bons Dieux, ne lui dois-je point rendre!
Va, dis-lui que j'attends ici ce grand succès,
Où sa bonté pour moi paraît avec excès.
Lycante rentre.
####### STÉPHANIE
Et moi je vais pour vous consoler sa Flavie.
####### PLACIDE
Fais-lui donc quelque excuse à flatter son envie,   1180
Et dis-lui de ma part tout ce que tu voudras.
Mon âme n'eut jamais les sentiments ingrats,
Et j'ai honte en secret d'être dans l'impuissance
De montrer plus d'effets de ma reconnaissance.
Il est seul.
Certes, une ennemie à qui je dois l'honneur   1185
Méritait dans son choix un peu plus de bonheur,
Devait trouver une âme un peu moins défendue,
Et j'ai pitié de voir tant de bonté perdue.
Mais le cœur d'un amant ne peut se partager;
Elle a beau se contraindre, elle a beau m'obliger,   1190
Je n'ai qu'aversion pour ce qui la regarde.

Scène III : Placide, Paulin.

####### PLACIDE
Vous ne me direz plus qu'on vous l'a mise en garde,
Paulin?

PAULIN

Elle n'est plus, Seigneur, en mon pouvoir.

PLACIDE

Quoi, vous en soupirez?

PAULIN

Je pense le devoir.

PLACIDE

1195 Soupirez du bonheur que le ciel me renvoie!

PAULIN

Je ne vois pas pour vous de grands sujets de joie.

PLACIDE

Qu'on la bannisse ou non, je la verrai toujours.

PAULIN

Quel fruit de cette vue espèrent vos amours?

PLACIDE

Le temps adoucira cette âme rigoureuse.

PAULIN

1200 Le temps ne rendra pas la vôtre plus heureuse.

PLACIDE

Sans doute elle aura peine à me laisser périr.

PAULIN

Qui le peut espérer devait la secourir.

PLACIDE

Marcelle a fait pour moi tout ce que j'ai dû faire.

PAULIN

Je n'ai donc rien à dire et dois ici me taire.

PLACIDE

1205 Non, non, il faut parler avec sincérité,
Et louer hautement sa générosité.

PAULIN

Si vous me l'ordonnez, je louerai donc sa rage.
Mais depuis quand, Seigneur, changez-vous de
[courage?
Depuis quand pour vertu prenez-vous la fureur?

1210 Depuis quand louez-vous ce qui doit faire horreur?

PLACIDE

Ah! je tremble à ces mots que j'ai peine à comprendre.

PAULIN

Je ne sais pas, Seigneur, ce qu'on vous fait entendre,
Ou quel puissant motif retient votre courroux,
Mais Théodore enfin n'est plus digne de vous.

PLACIDE

1215 Quoi? Marcelle en effet ne l'a pas garantie?

PAULIN

A peine d'avec vous, Seigneur, elle est sortie,
Que l'âme tout en feu, les yeux étincelants,
Rapportant elle-même un ordre de Valens,
Avec trente soldats elle a saisi la porte,

1220 Et tirant de ce lieu Théodore à main-forte...

PLACIDE

O Dieux! jusqu'à ses pieds j'ai donc pu m'abaisser,
Pour voir trahir des vœux qu'elle a feint d'exaucer,
Et pour en recevoir avec tant d'insolence
De tant de lâcheté la digne récompense!

1225 Mon cœur avait déjà pressenti ce malheur,
Mais achève, Paulin, d'irriter ma douleur,
Et sans m'entretenir des crimes de Marcelle,
Dis-moi qui je me dois immoler après elle,
Et sur quels insolents, après son châtiment,

1230 Doit choir le reste affreux de mon ressentiment.

PAULIN

Armez-vous donc, Seigneur, d'un peu de patience,
Et forcez vos transports à me prêter silence,
Tandis que je le récit d'une injuste rigueur,
Peut-être à chaque mot vous percera le cœur.
Je ne vous dirai point avec quelle tristesse
A ce honteux supplice a marché la Princesse.
Forcé de la conduire en ces infâmes lieux,
De honte et de dépit j'en détournais les yeux,
Et pour la consoler, ne sachant que lui dire,
Je maudissais tout bas les lois de notre empire,
Et vous étiez le dieu que dans mes déplaisirs
En secret pour les rompre invoquaient mes soupirs.

PLACIDE

Ah! pour gagner ce temps on charmait mon courage
D'une fausse promesse, et puis d'un faux message,
Et j'ai cru dans ces cœurs de la sincérité!
Ne fais plus de reproche à ma crédulité,
Et poursuis.

PAULIN

Dans ces lieux à peine on l'a traînée
Qu'on a vu des soldats la troupe mutinée :
Tous courent à la proie avec avidité,
Tous montrent à l'envi même brutalité.
Je croyais déjà voir de cette ardeur égale
Naître quelque discorde à ces tigres fatale,
Quand Didyme...

PLACIDE

Ah, le lâche! ah, le traître!

PAULIN

Écoutez.
Ce traître a réuni toutes leurs volontés;
Le front plein d'impudence et l'œil armé d'audace :
« Compagnons, a-t-il dit, on me doit une grâce;
Depuis plus de dix ans je souffre le mépris
Du plus ingrat objet dont on puisse être épris :
Ce n'est pas de mes feux que je veux récompense,
Mais de tant de rigueurs la première vengeance.
Après, vous punirez à loisir ses dédains. »
Il leur jette de l'or ensuite à pleines mains,
Et lors, soit par respect qu'on eut pour sa naissance,
Soit qu'ils eussent marché sous son obéissance,
Soit que son or pour lui fît un si prompt effort,
Ces cœurs en sa faveur tombent soudain d'accord :
Il entre sans obstacle.

PLACIDE

Il y mourra, l'infâme!
Viens me voir dans ses bras lui faire vomir l'âme,
Viens voir de ma colère un juste et prompt effet
Joindre en ces mêmes lieux la peine à son forfait,
Confondre son triomphe avecque son supplice.

PAULIN

Ce n'est pas en ces lieux qu'il vous fera justice;
Didyme en est sorti.

PLACIDE

Quoi, Paulin? ce voleur
A déjà par sa fuite évité ma douleur!

PAULIN

Oui, mais il n'était plus, en sortant, ce Didyme
Dont l'orgueil insolent demandait sa victime.

Ses cheveux sur son front s'efforçaient de cacher
La rougeur que son crime y semblait attacher,
Et le remords de sorte abattait son courage,
280 Que même il n'osait plus nous montrer son visage,
L'œil bas, le pied timide et le corps chancelant,
Tel qu'un coupable enfin qui s'échappe en tremblant.
A peine il est sorti que la fière insolence
Du soldat mutiné reprend sa violence,
85 Chacun, en sa valeur mettant tout son appui,
S'efforce de montrer qu'il n'a cédé qu'à lui;
On se pousse, on se presse, on se bat, on se tue :
J'en vois une partie à mes pieds abattue.
Au spectacle sanglant que je m'étais promis,
90 Cléobule survient avec quelques amis,
Met l'épée à la main, tourne en fuite le reste,
Entre...

PLACIDE
        Lui seul?

PAULIN
         Lui seul.

PLACIDE
            Ah, Dieux! quel coup funeste!

PAULIN
Sans doute il n'est entré que pour l'en retirer.

PLACIDE
Dis, dis qu'il est entré pour la déshonorer,
95 Et que le sort cruel, pour hâter ma ruine,
Veut qu'après un rival un ami m'assassine.
Le traître! Mais, dis-moi, l'en as-tu vu sortir?
Montrait-il de l'audace ou quelque repentir?
Qui des siens l'a suivi?

PAULIN
           Cette troupe fidèle
0 M'a chassé comme chef des soldats de Marcelle.
Je n'ai rien vu de plus, mais loin de le blâmer,
Je présume...

PLACIDE
      Ah! je sais ce qu'il faut présumer.
Il est entré lui seul.

PAULIN
           Ayant si peu d'escorte,
C'est ainsi qu'il a dû s'assurer de la porte,
5 Et si là tous ensemble il ne les eût laissés,
Assez facilement on les aurait forcés,
Mais le voici qui vient pour vous en rendre compte :
A son zèle, de grâce, épargnez cette honte.

Scène IV : Placide, Paulin, Cléobule.

PLACIDE
Eh bien! votre parente? elle est hors de ces lieux
0 Où l'on sacrifiait sa pudeur à nos Dieux?

CLÉOBULE
Oui, Seigneur.

PLACIDE
      J'ai regret qu'un cœur si magnanime
Se soit ainsi laissé prévenir par Didyme.

CLÉOBULE
J'en dois être honteux, mais je m'étonne fort
Qui vous a pu sitôt en faire le rapport.

J'en croyais apporter les premières nouvelles. 1315

PLACIDE
Grâces aux Dieux, sans vous j'ai des amis fidèles.
Mais ne différez plus à me la faire voir.

CLÉOBULE
Qui, Seigneur?

PLACIDE
        Théodore.

CLÉOBULE
              Est-elle en mon pouvoir?

PLACIDE
Ne me dites-vous pas que vous l'avez sauvée?

CLÉOBULE
Je vous le dirais, moi qui ne l'ai plus trouvée! 1320

PLACIDE
Quoi? soudain par un charme elle avait disparu?

CLÉOBULE
Puisque déjà ce bruit jusqu'à vous a couru,
Vous savez que sans charme elle a fui sa disgrâce,
Que je n'ai plus trouvé que Didyme en sa place.
Quel plaisir prenez-vous à me le déguiser? 1325

PLACIDE
Quel plaisir prenez-vous vous-même à m'abuser,
Quand Paulin de ses yeux a vu sortir Didyme?

CLÉOBULE
Si ses yeux l'ont trompé, l'erreur est légitime,
Et si vous n'en savez que ce qu'il vous a dit,
Écoutez-en, Seigneur, un fidèle récit. 1330
Vous ignorez encor la meilleure partie :
Sous l'habit de Didyme elle-même est sortie.

PLACIDE
Qui?

CLÉOBULE
      Votre Théodore, et cet audacieux
Sous le sien au lieu d'elle est resté dans ces lieux.

PLACIDE
Que dis-tu, Cléobule? ils ont fait cet échange? 1335

CLÉOBULE
C'est une nouveauté qui doit sembler étrange...

PLACIDE
Et qui me porte encor de plus étranges coups.
Vois si c'est sans raison que j'en étais jaloux,
Et malgré les avis de ta fausse prudence,
Juge de leur amour par leur intelligence. 1340

CLÉOBULE
J'ose en douter encore, et je ne vois pas bien
Si c'est zèle d'amant ou fureur de chrétien.

PLACIDE
Non, non, ce téméraire au péril de sa tête,
A mis en sûreté son illustre conquête.
Par tant de feints mépris elle qui t'abusait 1345
Lui conservait ce cœur qu'elle me refusait,
Et ses dédains cachaient une faveur secrète,
Dont tu n'étais pour moi qu'un aveugle interprète.
L'œil d'un amant jaloux a bien d'autres clartés,
Les cœurs pour ses soupçons n'ont point d'obscurités, 1350
Son malheur lui fait jour jusques au fond d'une âme,
Pour y lire sa perte écrite en traits de flamme.
Elle me disait bien, l'ingrate, que son Dieu
Saurait, sans mon secours, la tirer de ce lieu,

1355 Et sûre qu'elle était de celui de Didyme,
A se servir du mien elle eût cru faire un crime.
Mais aurait-on bien pris pour générosité
L'impétueuse ardeur de sa témérité?
Après un tel affront et de telles offenses,
1360 M'aurait-on envié la douceur des vengeances?

CLÉOBULE

Vous le verriez déjà, si j'avais pu souffrir
Qu'en cet habit de fille on vous le vînt offrir.
J'ai cru que sa valeur et l'éclat de sa race
Pouvaient bien mériter cette petite grâce,
1365 Et vous pardonnerez à ma vieille amitié
Si jusque-là, Seigneur, elle étend sa pitié.
Le voici qu'Amyntas vous amène à main-forte.

PLACIDE

Pourrai-je retenir la fureur qui m'emporte?

CLÉOBULE

Seigneur, réglez si bien ce violent courroux
1370 Qu'il n'en échappe rien trop indigne de vous.

*Scène V : Placide, Didyme, Cléobule,
Paulin, Amyntas, troupe.*

PLACIDE

Approche, heureux rival, heureux choix d'une ingrate,
Dont je vois qu'à ma honte enfin l'amour éclate.
C'est donc pour t'enrichir d'un si noble butin
Qu'elle s'est obstinée à suivre son destin?
1375 Et pour mettre ton âme au comble de sa joie,
Cet esprit déguisé n'a point eu d'autre voie?
Dans ces lieux dignes d'elle elle a reçu ta foi,
Et pris l'occasion de se donner à toi?

DIDYME

Ah! Seigneur, traitez mieux une vertu parfaite.

PLACIDE

1380 Ah! je sais mieux que toi comme il faut qu'on la [traite.
J'en connais l'artifice, et de tous ses mépris[6].
Sur quelle confiance as-tu tant entrepris?
Ma perfide marâtre et mon tyran de père
Auraient-ils contre moi choisi ton ministère?
1385 Et pour mieux t'enhardir à me voler mon bien,
T'auraient-ils promis grâce, appui, faveur, soutien?
Aurais-tu bien uni leurs fureurs à ton zèle,
Son amant tout ensemble et l'agent de Marcelle?
Qu'en as-tu fait enfin? où me la caches-tu?

DIDYME

1390 Derechef jugez mieux de la même vertu.
Je n'ai rien entrepris, ni comme amant fidèle,
Ni comme impie agent des fureurs de Marcelle,
Ni sous l'espoir flatteur de quelque impunité,
Mais par un pur effet de générosité :
1395 Je le nommerais mieux, si vous pouviez comprendre
Par quel zèle un chrétien ose tout entreprendre.
La mort, qu'avec ce nom je ne puis éviter,
Ne vous laisse aucun lieu de vous inquiéter :
Qui s'apprête à mourir, qui court à ses supplices,

N'abaisse pas son âme à ces molles délices;
Et près de rendre compte à son juge éternel,
Il craint d'y porter même un désir criminel.
J'ai soustrait Théodore à la rage insensée,
Sans blesser sa pudeur de la moindre pensée :
Elle fuit, et sans tache, où l'inspire son Dieu.
Ne m'en demandez point ni l'ordre ni le lieu :
Comme je n'en prétends ni faveur ni salaire,
J'ai voulu l'ignorer, afin de le mieux taire.

PLACIDE

Ah! tu me fais ici des contes superflus :
J'ai trop été crédule, et je ne le suis plus.
Quoi? sans rien obtenir, sans même rien prétendre,
Un zèle de chrétien t'a fait tout entreprendre?
Quel prodige pareil s'est jamais rencontré?

DIDYME

Paulin vous aura dit comme je suis entré;
Prêtez l'oreille au reste, et punissez ensuite
Tout ce que vous verrez de coupable en sa fuite.

PLACIDE

Dis, mais en peu de mots, et sûr que les tourments
M'auront bientôt vengé de tes déguisements.

DIDYME

La Princesse, à ma vue également atteinte
D'étonnement, d'horreur, de colère et de crainte,
A tant de passions exposée à la fois,
A perdu quelque temps l'usage de la voix.
Aussi[7] j'avais l'audace encor sur le visage
Qui parmi ces mutins m'avait donné passage,
Et je portais encor sur le front imprimé
Cet insolent orgueil dont je l'avais armé.
Enfin reprenant cœur : « Arrête, me dit-elle,
Arrête » et m'allait faire une longue querelle[8].
Mais pour laisser agir l'erreur qui la surprend,
Le temps était trop cher, et le péril trop grand.
Donc, pour la détromper : « Non, lui dis-je, Madame,
Quelque outrageux mépris dont vous traitiez ma [flamme,
Je ne viens point ici comme amant indigné
Me venger de l'objet dont je fus dédaigné.
Une plus sainte ardeur règne au cœur de Didyme :
Il vient de votre honneur se faire la victime,
Le payer de son sang et s'exposer pour vous
A tout ce qu'oseront la haine et le courroux.
Fuyez sous mon habit, et me laissez de grâce
Sous le vôtre en ces lieux occuper votre place.
C'est par ce moyen seul qu'on peut vous garantir,
Conservez une vierge en faisant un martyr. »
Elle, à cette prière encor demi-tremblante,
Et mêlant à sa joie un reste d'épouvante,
Me demande pardon, d'un visage étonné,
De tout ce que son âme a craint ou soupçonné.
Je m'apprête à l'échange, elle à la mort s'apprête,
Je lui tends mes habits, elle m'offre sa tête,
Et demande à sauver un si précieux bien
Aux dépens de son sang, plutôt qu'au prix du mien.
Mais Dieu la persuade, et notre combat cesse.
Je vois, suivant mes vœux, échapper la Princesse.

---

6. Construction bizarre, mais grammaticalement correcte :
J'en (de sa vertu) connais l'artifice, et (celui) de tous ses
mépris.

7. Aussi explicatif : *C'est parce que j'avais.*
8. Sens latin : *plainte.*

PAULIN

C'était donc à dessein qu'elle cachait ses yeux,
Comme rouge de honte, en sortant de ces lieux?

DIDYME

En lui disant adieu, je l'en avais instruite,
Et le ciel a daigné favoriser sa fuite.
    Seigneur, ce peu de mots suffit pour vous guérir :
Vivez sans jalousie, et m'envoyez mourir.

PLACIDE

Hélas ! et le moyen d'être sans jalousie,
Lorsque ce cher objet te doit plus que la vie?
Ta courageuse adresse à ses divins appas
Vient de rendre un secours que leur devait mon bras,
Et lorsque je me laisse amuser de paroles,
Tu t'exposes pour elle, ou plutôt tu t'immoles,
Tu donnes tout ton sang pour lui sauver l'honneur,
Et je ne serais pas jaloux de ton bonheur !
    Mais ferai-je périr celui qui l'a sauvée,
Celui par qui Marcelle est pleinement bravée,
Qui m'a rendu ma gloire, et préservé mon front
Des infâmes couleurs d'un si mortel affront?
Tu vivras. Toutefois défendrai-je ta tête,
Alors que Théodore est la juste conquête,
Et que cette beauté qui me tient sous sa loi
Ne saurait plus sans crime être à d'autre qu'à toi?
N'importe, si ta flamme en est mieux écoutée,
Je dirai seulement que tu l'as méritée,
Et sans plus regarder ce que j'aurais perdu,
J'aurai devant les yeux ce que tu m'as rendu.
De mille déplaisirs qui m'arrachaient la vie
Je n'ai plus que celui de te porter envie.
Je saurai bien le vaincre et garder pour tes feux
Dans une âme jalouse un esprit généreux.
    Va donc, heureux rival, rejoindre ta Princesse,
Dérobe-toi comme elle aux yeux d'une tigresse :
Tu m'as sauvé l'honneur, j'assurerai tes jours,
Et mourrai, s'il le faut, moi-même à ton secours.

DIDYME

Seigneur...

PLACIDE

            Ne me dis rien. Après de tels services,
Je n'ai rien à prétendre, à moins que tu périsses.
Je le sais, je l'ai dit, mais dans ce triste état
Je te suis redevable et ne puis être ingrat.

ACTE CINQUIÈME

Scène I : Paulin, Cléobule.

PAULIN

Oui, Valens pour Placide a beaucoup d'indulgence;
Il est même en secret de son intelligence.
C'était par cet arrêt lui qu'il considérait,
Et je vous ai conté ce qu'il en espérait.
Mais il hait des chrétiens l'opiniâtre zèle,
Et s'il aime Placide, il redoute Marcelle,
Il en sait le pouvoir, il en voit la fureur,
Et ne veut pas se perdre auprès de l'Empereur.
Il ne veut pas périr pour conserver Didyme.

Puisqu'il s'est laissé prendre, il paiera pour son crime; 1500
Valens saura punir son illustre attentat
Par inclination et par raison d'État,
Et si quelque malheur ramène Théodore,
A moins qu'elle renonce à ce Dieu qu'elle adore,
Dût Placide lui-même après elle en mourir,   1505
Par les mêmes motifs il la fera périr.
Dans l'âme il est ravi d'ignorer sa retraite,
Il fait des vœux au ciel pour la tenir secrète,
Il craint qu'un indiscret la vienne révéler,
Et n'osera rien plus que de dissimuler.   1510

CLÉOBULE

Cependant vous savez, pour grand que soit ce crime,
Ce qu'a juré Placide en faveur de Didyme.
Piqué contre Marcelle, il cherche à la braver,
Et hasardera tout afin de le sauver.
Il a des amis prêts, il en assemble encore,   1515
Et si quelque malheur vous rendait Théodore,
Je prévois des transports en lui si violents
Que je crains pour Marcelle et même pour Valens.
Mais a-t-il condamné ce généreux coupable?

PAULIN

Il l'interroge encor, mais en juge implacable.   1520

CLÉOBULE

Il m'a permis pourtant de l'attendre en ce lieu,
Pour tâcher à le vaincre, ou pour lui dire adieu.
Ah! qu'il dissiperait un dangereux orage,
S'il voulait à nos Dieux rendre le moindre hommage!

PAULIN

Quand de sa folle erreur vous l'auriez diverti,   1525
En vain de ce péril vous le croiriez sorti.
Flavie est aux abois, Théodore échappée
D'un mortel désespoir jusqu'au cœur l'a frappée,
Marcelle n'attend plus que son dernier soupir.
Jugez à quelle rage ira son déplaisir,   1530
Et si, comme on ne peut s'en prendre qu'à Didyme,
Son époux lui voudra refuser sa victime.

CLÉOBULE

Ah! Paulin, un chrétien à nos autels réduit
Fait auprès des Césars un trop précieux bruit :
Il leur devient trop cher pour souffrir qu'il périsse. 1535
Mais je le vois déjà qu'on amène au supplice.

Scène II : Paulin, Cléobule, Lycante, Didyme.

CLÉOBULE

Lycante, souffre ici l'adieu de deux amis,
Et me donne un moment que Valens m'a promis.

LYCANTE

J'en ai l'ordre, et je vais disposer ma cohorte
A garder cependant les dehors de la porte.   1540
Je ne mets point d'obstacle à vos derniers secrets,
Mais tranchez promptement d'inutiles regrets.

Scène III [9] : Cléobule, Didyme, Paulin.

CLÉOBULE

Ce n'est point, cher ami, le cœur troublé d'alarmes

---

9. Cette scène reprend, par la voix d'un ami, la tentation
de l'amour et du monde que Pauline présente à Polyeucte.

Que je t'attends ici pour te donner des larmes.
1545 Un astre plus bénin vient d'éclairer tes jours :
Il faut vivre, Didyme, il faut vivre.

DIDYME

                    Et j'y cours.
Pour la cause de Dieu s'offrir en sacrifice,
C'est courir à la vie, et non pas au supplice.

CLÉOBULE

Peut-être dans ta secte est-ce une vision,
1550 Mais l'heur que je t'apporte est sans illusion.
Théodore est à toi : ce dernier témoignage
Et de ta passion et de ton grand courage
A si bien en amour changé tous ses mépris
Qu'elle t'attend chez moi pour t'en donner le prix.

DIDYME

1555 Que me sert son amour et sa reconnaissance,
Alors que leur effet n'est plus en sa puissance,
Et qui t'amène ici par ce frivole attrait
Aux douceurs de ma mort mêler un vain regret,
Empêcher que ma joie à mon heur ne réponde,
1560 Et m'arracher encore un regard vers le monde?
Ainsi donc Théodore est cruelle à mon sort
Jusqu'à persécuter ma vie et ma mort :
Dans sa haine et sa flamme également à craindre,
Et moi dans l'une et l'autre également à plaindre !

CLÉOBULE

1565 Ne te figure point d'impossibilité
Où tu fais, si tu veux, trop de facilité,
Où tu n'as qu'à te faire un moment de contrainte.
    Donne à ton Dieu ton cœur, aux nôtres quelque
Un peu d'encens offert au pied de leurs autels [feinte.
1570 Peut égaler ton sort au sort des immortels.

DIDYME

Et pour cela vers moi Théodore t'envoie?
Son esprit adouci me veut par cette voie?

CLÉOBULE

Non, elle ignore encor que tu sois arrêté,
Mais ose en sa faveur te mettre en liberté,
1575 Ose te dérober aux fureurs de Marcelle,
Et Placide t'enlève en Égypte avec elle,
Où son cœur généreux te laisse entre ses bras
Être avec sûreté tout ce que tu voudras.

DIDYME

Va, dangereux ami que l'enfer me suscite,
1580 Ton damnable artifice en vain me sollicite :
Mon cœur, inébranlable aux plus cruels tourments,
A presque été surpris de tes chatouillements :
Leur mollesse a plus fait que le fer ni la flamme,
Elle a frappé mes sens, elle a brouillé mon âme,
1585 Ma raison s'est troublée, et mon faible a paru,
Mais j'ai dépouillé l'homme, et Dieu m'a secouru.
    Va revoir ta parente, et dis-lui qu'elle quitte
Ce soin de me payer par-delà mon mérite.
Je n'ai rien fait pour elle, elle ne me doit rien.
1590 Ce qu'elle juge amour n'est qu'ardeur de chrétien :
C'est la connaître mal que de la reconnaître,
Je n'en veux point de prix que du souverain maître,
Et comme c'est lui seul que j'ai considéré,
C'est lui seul dont j'attends ce qu'il m'a préparé.
1595   Si pourtant elle croit me devoir quelque chose,

Et peut avant ma mort souffrir que j'en dispose,
Qu'elle paye à Placide, et tâche à conserver
Des jours que par les miens je viens de lui sauver,
Qu'elle fuie avec lui, c'est tout ce que veut d'elle
Le souvenir mourant d'une flamme si belle.
Mais elle-même vient, hélas ! à quel dessein?

Scène IV : Didyme, Théodore, Cléobule,
          Paulin, Lycante.
Lycante suit Théodore, et entre incontinent
chez Marcelle, sans rien dire.

DIDYME

Pensez-vous m'arracher la palme de la main,
Madame, et mieux que lui m'expliquant votre envie,
Par un charme plus fort m'attacher à la vie?

THÉODORE

Oui, Didyme, il faut vivre et me laisser mourir :
C'est moi qu'on en veut, c'est à moi de périr.

CLÉOBULE, à Théodore.

O Dieux ! quelle fureur aujourd'hui vous possède?
A Paulin.
Mais prévenons le mal par le dernier remède :
Je cours trouver Placide, et toi, tire en longueur
De Valens, si tu peux, la dernière rigueur.

Scène V : Didyme, Théodore, Paulin.

DIDYME

Quoi? ne craignez-vous point qu'une rage ennemie
Vous fasse de nouveau traîner à l'infamie?

THÉODORE

Non, non, Flavie est morte, et Marcelle en fureur
Dédaigne un châtiment qui m'a fait tant d'horreur.
Je n'en ai rien à craindre, et Dieu me le révèle [10]
Ce n'est plus que du sang que veut cette cruelle,
Et quelque cruauté qu'elle veuille essayer,
S'il ne faut que du sang j'ai trop de quoi payer.
Rends-moi, rends-moi ma place assez et trop gardée.
Pour me sauver l'honneur je te l'avais cédée,
Jusque-là seulement j'ai souffert ton secours,
Mais je la viens reprendre alors qu'on veut mes jours.
Rends, Didyme, rends-moi le seul bien où j'aspire,
C'est le droit de mourir, c'est l'honneur du martyre.
A quel titre peux-tu me retenir mon bien?

DIDYME

A quel droit voulez-vous vous emparer du mien?
C'est à moi qu'appartient, quoique vous puissiez dire,
Et le droit de mourir, et l'honneur du martyre;
De sort comme d'habits nous avons su changer,
Et l'arrêt de Valens me le vient d'adjuger.

10. C'est la troisième inspiration céleste de Théodore. Dans la
première (vers 910-914), Dieu permet qu'elle se tue elle-même.
Dans la seconde (vers 1445-1448), Dieu la persuade d'accepter
de fuir, inspiration acceptable encore que peu nécessaire.
Dieu lui révèle ici qu'elle n'a plus à craindre Marcelle : c'est
intervenir bien souvent sans motif essentiel. Rien de tout
ceci n'est dans les sources suivies par Corneille.

THÉODORE

Il ne t'a condamné qu'au lieu de Théodore
Mais si l'arrêt t'en plaît, l'effet m'en déshonore.
Te voir au lieu de moi payer Dieu de ton sang,
C'est te laisser au ciel aller prendre mon rang.
35 Je ne souffrirai point, quoi que Valens ordonne,
Qu'en me rendant ma gloire, on m'ôte ma couronne,
J'en appelle à Marcelle, et sans plus t'abuser,
Vois comme ce grand Dieu lui-même en vient d'user,
De cette même honte, il sauve Agnès dans Rome [11]
40 Il daigne s'y servir d'un ange au lieu d'un homme,
Mais si dans l'infamie, il vient la secourir,
Sitôt qu'on veut son sang, il la laisse mourir.

DIDYME

Sur cet exemple donc, ne trouvez pas étrange
Puisqu'il se sert ici d'un homme au lieu d'un ange,
45 S'il daigne mettre au rang de ces esprits heureux
Celui dont pour sa gloire il se sert au lieu d'eux.
Je n'ai regardé qu'elle en conservant la vôtre
Et ne lui donne pas mon sang au lieu d'un autre
Quand ce qu'il m'a fait faire a pu m'en acquérir
50 Et l'honneur du martyre et le droit de mourir.

THÉODORE

Tu t'obstines en vain, la haine de Marcelle...

Scène VI : Marcelle, Théodore, Didyme,
Paulin, Lycante, Stéphanie.

MARCELLE, à Lycante.

Avec quelque douceur j'en reçois la nouvelle,
Non que mes déplaisirs s'en puissent soulager,
Mais c'est toujours beaucoup que se pouvoir venger.

THÉODORE

5 Madame, je vous viens rendre votre victime,
Ne le retenez plus, ma fuite est tout son crime,
Ce n'est qu'au lieu de moi qu'on le mène à l'autel,
Et puisque je me montre, il n'est plus criminel.
C'est pour moi que Placide a dédaigné Flavie,
10 C'est moi par conséquent qui lui coûte la vie.

DIDYME

Non, c'est moi seul, Madame, et vous l'avez pu voir,
Qui sauvant sa rivale, ai fait son désespoir.
C'est moi de qui l'audace a terminé sa vie,
C'est moi par conséquent qui vous ôte Flavie
15 Et sur qui doit verser ce courage irrité
Tout ce que la vengeance a de sévérité.

MARCELLE

O couple de ma perte également coupable,
Sacrilèges auteurs du malheur qui m'accable,
Qui dans ce vain débat vous vantez à l'envi,
20 Lorsque j'ai tout perdu, de me l'avoir ravi !
Donc jusques à ce point vous bravez ma colère
Qu'en vous faisant périr je ne vous puis déplaire,
Et que loin de trembler sous la punition,
Vous y courez tous deux avec ambition !
25 Elle semble à tous deux porter un diadème,

Vous en êtes jaloux comme d'un bien suprême,
L'un et l'autre de moi s'efforce à l'obtenir,
Je puis vous immoler, et ne puis vous punir,
Et quelque sang qu'épande une mère affligée,
Ne vous punissant pas elle n'est pas vengée.   1680
Toutefois Placide aime, et votre châtiment
Portera sur son cœur ses coups plus puissamment ;
Dans ce gouffre de maux c'est lui qui m'a plongée,
Et si je l'en punis, je suis assez vengée.

THÉODORE, à Didyme.

J'ai donc enfin gagné, Didyme, et tu le vois.   1685
L'arrêt est prononcé, c'est moi dont on fait choix,
C'est moi qu'aime Placide, et ma mort te délivre.

DIDYME

Non, non, si vous mourez, Didyme vous doit suivre.

MARCELLE

Tu la suivras, Didyme, et je suivrai tes vœux ;
Un déplaisir si grand n'a pas trop de tous deux   1690
Que ne puis-je aussi bien immoler à Flavie
Tous les chrétiens ensemble, et toute la Syrie !
Ou que ne peut ma haine avec un plein loisir
Animer les bourreaux qu'elle saurait choisir,
Repaître mes douleurs d'une mort dure et lente,   1695
Vous la rendre à la fois et cruelle et traînante,
Et parmi les tourments soutenir votre sort,
Pour vous faire sentir chaque jour une mort !
Mais je sais le secours que Placide prépare,
Je sais l'effort pour vous que fera ce barbare,   1700
Et ma triste vengeance a beau se consulter,
Il me faut ou la perdre ou la précipiter.
Hâtons-la donc, Lycante, et courons-y sur l'heure :
La plus prompte des morts est ici la meilleure.
N'avoir pour y descendre à pousser qu'un soupir,   1705
C'est mourir doucement, mais c'est enfin mourir,
Et lorsqu'un grand obstacle à nos fureurs s'oppose,
Se venger à demi, c'est du moins quelque chose.
Amenez-les tous deux.

PAULIN

　　　　　　　　Sans l'ordre de Valens ?

Madame, écoutez moins de transports si bouillants,   1710
Sur son autorité c'est beaucoup entreprendre.

MARCELLE

S'il en demande compte, est-ce à vous de le rendre ?
Paulin, portez ailleurs vos conseils indiscrets,
Et ne prenez souci que de vos intérêts.

THÉODORE, à Didyme.

Ainsi de ce combat que la vertu nous donne,   1715
Nous sortirons tous deux avec une couronne.

DIDYME

Oui, Madame, on exauce et vos vœux et les miens.
Dieu...

MARCELLE

　　　　Vous suivrez ailleurs de si doux entretiens.
Amenez-les tous deux.

PAULIN, seul.

　　　　　　　　Quel orage s'apprête !

Que je vois se former une horrible tempête !   1720
Si Placide survient, que de sang répandu !
Et qu'il en répandra s'il trouve tout perdu !
Allons chercher Valens : qu'à tant de violence

Il oppose, non plus une molle prudence,
1725 Mais un courage mâle, et qui d'autorité,
Sans rien craindre...

Scène VII : *Valens, Paulin.*

VALENS
          Ah ! Paulin, est-ce une vérité,
Est-ce une illusion, est-ce une rêverie ?
Viens-je d'ouïr la voix de Marcelle en furie,
Ose-t-elle traîner Théodore à la mort ?

PAULIN
1730 Oui, si Valens n'y fait un généreux effort.

VALENS
Quel effort généreux veux-tu que Valens fasse,
Lorsque de tous côtés il ne voit que disgrâce ?

PAULIN
Faites voir qu'en ces lieux c'est vous qui gouvernez,
Qu'aucun n'y doit périr si vous ne l'ordonnez.
1735 La Syrie à vos lois est-elle assujettie,
Pour souffrir qu'une femme y soit juge et partie ?
Jugez de Théodore.

VALENS
         Et qu'en puis-je ordonner
Qui dans mon triste sort ne serve à me gêner ?
Ne la condamner pas, c'est me perdre avec elle,
1740 C'est m'exposer en butte aux fureurs de Marcelle,
Au pouvoir de son frère, au courroux des Césars,
Et pour un vain effort courir mille hasards.
La condamner d'ailleurs, c'est faire un parricide,
C'est de ma propre main assassiner Placide,
1745 C'est lui porter au cœur d'inévitables coups.

PAULIN
Placide donc, Seigneur, osera plus que vous.
Marcelle a fait armer Lycante et sa cohorte,
Mais se sur eux il va fondre à main-forte,
Résolu de forcer pour cet objet charmant
1750 Jusqu'à votre palais et votre appartement.
Prévenez ce désordre, et jugez quel carnage
Produit le désespoir qui s'oppose à la rage,
Et combien des deux parts l'amour et la fureur
Étaleront ici de spectacles d'horreur.

VALENS
1755 N'importe, laissons faire et Marcelle et Placide :
Que l'amour en furie ou la haine en décide,
Que Théodore en meure ou ne périsse pas,
J'aurai lieu d'excuser sa vie ou son trépas.
S'il la sauve peut-être on trouvera dans Rome
1760 Plus de cœur que de crime à l'ardeur d'un jeune hom-
Je l'en désavouerai, j'irai l'en accuser,   [me.
Les pousser par ma plainte à le favoriser,
A plaindre son malheur en blâmant son audace.
César même pour lui me demandera grâce,
1765 Et cette illusion de ma sévérité
Augmentera ma gloire et mon autorité.

PAULIN
Et s'il ne peut sauver cet objet qu'il adore ?
Si Marcelle à ses yeux fait périr Théodore ?

VALENS
Marcelle aura sans moi commis cet attentat ;

J'en saurai près de lui faire un crime d'État,
A ses ressentiments égaler ma colère,
Lui promettre vengeance et trancher du sévère,
Et n'ayant point de part en cet événement,
L'en consoler en père un peu plus aisément.
Mes soins avec le temps pourront tarir ses larmes.

PAULIN
Seigneur d'un mal si grand, c'est prendre peu d'alar-
Placide est violent, et pour le secourir   [mes.
Il périra lui-même, ou fera tout périr.
Si Marcelle y succombe, appréhendez son frère,
Et si Placide y meurt, les déplaisirs d'un père.
De grâce, prévenez ce funeste hasard.
Mais que vois-je ? peut-être il est déjà trop tard.
Stéphanie entre ici, de pleurs toute trempée.

VALENS
Théodore à Marcelle est sans doute échappée,
Et l'amour de Placide a bravé son effort.

Scène VIII : *Valens, Paulin, Stéphanie.*

VALENS, *à Stéphanie.*
Marcelle a donc osé les traîner à la mort
Sans mon su, sans mon ordre ? et son audace extrême...

STÉPHANIE
Seigneur, pleurez sa perte, elle est morte elle-même.

VALENS
Elle est morte !

STÉPHANIE
       Elle l'est.

VALENS
          Et Placide a commis...

STÉPHANIE
Non, ce n'est en effet ni lui ni ses amis,
Mais s'il n'en est l'auteur, du moins il en est cause.

VALENS
Ah ! pour moi l'un et l'autre est une même chose,
Et puisque c'est l'effet de leur inimité,
Je dois venger sur lui cette chère moitié.
Mais apprends-moi sa mort, du moins si tu l'as vue.

STÉPHANIE
De l'escalier à peine elle était descendue,
Qu'elle aperçoit Placide aux portes du palais,
Suivi d'un gros armé d'amis et de valets ;
Sur les bords du perron soudain elle s'avance,
Et pressant sa fureur qu'accroît cette présence :
« Viens, dit-elle, viens voir l'effet de ton secours »
Et sans perdre de temps en de plus longs discours,
Ayant fait avancer l'une et l'autre victime,
D'un côté Théodore, et de l'autre Didyme,
Elle lève le bras, et de la même main
Leur enfonce à tous deux un poignard dans le sein.

VALENS
Quoi ? Théodore est morte !

STÉPHANIE
        Et Didyme avec elle.

VALENS
Et l'un et l'autre enfin de la main de Marcelle ?
Ah ! tout est pardonnable aux douleurs d'un amant,
Et quoi qu'ait fait Placide en son ressentiment...

STÉPHANIE
Il n'a rien fait, Seigneur, mais écoutez le reste :
Il demeure immobile à cet objet funeste;
Quelque ardeur qui le pousse à venger ce malheur,
Pour en avoir la force il a trop de douleur.
5 Il pâlit, il frémit, il tremble, il tombe, il pâme,
Sur son cher Cléobule il semble rendre l'âme.
  Cependant, triomphante entre ces deux mourants,
Marcelle les contemple à ses pieds expirants,
Jouit de sa vengeance, et d'un regard avide
10 En cherche les douceurs jusqu'au cœur de Placide,
Et tantôt se repaît de leurs derniers soupirs,
Tantôt goûte à pleins yeux ses mortels déplaisirs,
Y mesure sa joie, et trouve plus charmante
La douleur de l'amant que la mort de l'amante,
15 Nous témoigne un dépit qu'après ce coup fatal,
Pour être trop sensible il sent trop peu son mal,
En hait sa pâmoison qui la laisse impunie,
Au péril de ses jours la souhaite finie.
Mais à peine il revit, qu'elle, haussant la voix :
20 « Je n'ai pas résolu de mourir à ton choix,
Dit-elle, ni d'attendre à rejoindre Flavie
Que ta rage insolente ordonne de ma vie. »
A ces mots, furieuse, et se perçant le flanc
De ce même poignard fumant d'un autre sang,
25 Elle ajoute : « Va, traître, à qui j'épargne un crime.
Si tu veux te venger, cherche une autre victime.
Je meurs, mais j'ai de quoi rendre grâces aux Dieux,
Puisque je meurs vengée, et vengée à tes yeux. »
Lors même, dans la mort conservant son audace,
30 Elle tombe, et tombant elle choisit sa place,
D'où son œil semble encore à longs traits se soûler
Du sang des malheureux qu'elle vient d'immoler.
VALENS
Et Placide?

STÉPHANIE
  J'ai fui voyant Marcelle morte,
De peur qu'une douleur et si juste et si forte
Ne vengeât... Mais, Seigneur, je l'aperçois qui vient.
VALENS
Arrête, de faiblesse à peine il se soutient,
Et d'ailleurs à ma vue il saura se contraindre. [craindre !
Ne crains rien. Mais, ô Dieux ! que j'ai moi-même à

Scène IX : Valens, Placide, Cléobule,
Paulin, Stéphanie, troupe.

VALENS
Cléobule, quel sang coule sur ses habits?

CLÉOBULE
Le sien propre, Seigneur.
VALENS
              Ah, Placide, ah, mon fils !   1850
PLACIDE
Retire-toi, cruel.

VALENS
        Cet ami si fidèle
N'a pu rompre le coup qui t'immole à Marcelle!
Qui sont les assassins?
CLÉOBULE
            Son propre désespoir.
VALENS
Et vous ne deviez pas le craindre et le prévoir?
CLÉOBULE
Je l'ai craint et prévu jusqu'à saisir ses armes,   1855
Mais comme après ce soin j'en avais moins d'alarmes,
Embrassant Théodore, un funeste hasard
A fait dessous sa main rencontrer ce poignard,
Par où ses déplaisirs trompant ma prévoyance...
VALENS
Ah ! fallait-il avoir si peu de défiance?   1860
PLACIDE
Rends-en grâces au ciel, heureux père et mari;
Par là t'est conservé ce pouvoir si chéri,
Ta dignité, dans l'âme à ton fils préférée,
Ta propre vie enfin par là t'est assurée,
Et ce sang qu'un amour pleinement indigné   1865
Peut-être en ses transports n'aurait pas épargné.
Pour ne point violer les droits de la naissance,
Il fallait que mon bras s'en mît dans l'impuissance.
C'est par là seulement qu'il s'est pu retenir,
Et je me suis puni de peur de te punir.   1870
Je te punis pourtant, c'est ton sang que je verse;
Si tu m'aimes encor, c'est ton sein que je perce,
Et c'est pour te punir que je viens en ces lieux,
Pour le moins en mourant te blesser par les yeux.
Daigne ce juste ciel...
VALENS
            Cléobule, il expire.   1875
CLÉOBULE
Non, Seigneur, je l'entends encore qui soupire,
Ce n'est que la douleur qui lui coupe la voix.
VALENS
Non, non, j'ai tout perdu, Placide est aux abois.
Mais ne rejetons pas une espérance vaine,
Portons-le reposer dans la chambre prochaine,   1880
Et vous autres, allez prendre souci des morts,
Tandis que j'aurai soin de calmer ses transports.

RODOGUNE, PRINCESSE DES PARTHES[1]
TRAGÉDIE

Rodogune, princesse des Parthes, montre bien le danger de chercher dans Corneille des allusions aux événements contemporains. Il met en scène une reine-régente meurtrière de ses fils. Le rapprochement avec Anne d'Autriche serait absurde. Or Gabriel Gilbert, dans la préface de sa Rodogune, rivale de celle de Corneille, le suggère avec une intention malveillante: « Cette héroïne... vous assure qu'elle n'a jamais eu la pensée de tremper ses mains dans le sang de son mari ni dans celui de ses fils; que si elle eût des sentiments si barbares et si contraires aux inclinations de Votre Altesse Royale, elle n'eût jamais osé se présenter devant elle... » Corneille n'éprouva pas le besoin de se disculper et l'année même, le jeune roi de sept ans, sous la dictée de sa mère, commandait au poète les vers qui glorifieraient Louis XIII. Corneille dédie sa pièce au prince qui, Gaston d'Orléans excepté, touche de plus près à la famille royale, au jeune Condé. Dans sa dédicace, il insiste à trois reprises sur l'appui que lui donne le prince, à qui il attribue tout le succès de l'ouvrage. Dans une admirable page d'histoire, il analyse en particulier les résultats maritimes de la prise de Dunkerque. En outre, Le Brun, protégé de la reine-mère, dessine le frontispice de l'édition et exécute un portrait du poète.

Le choix du sujet semble étranger aux préoccupations antérieures de Corneille, qui déclare encore en 1660 que cette pièce reste sa préférée; mais lui, qui ne manque jamais de souligner la nouveauté de ses œuvres, n'en souffle mot ici. Si l'on se souvient en outre de la préface de la suite du Menteur, où il défend la forme classique de la tragédie historique et la moralité dans l'art, on ne saurait regarder Rodogune ni comme un retour au romanesque ni comme une peinture indifférente d'une belle criminelle.

En fait, Rodogune *continue la réflexion politique de* Cinna *et de* Pompée.

Corneille n'a jamais pris tant de soin à expliquer ses intentions: il donne exactement ce que ses sources latines lui ont apporté, — les données apparemment romanesques de cette étonnante histoire — mais insiste sur toutes les insertions et les modifications qu'il a apportées aux caractères, notamment à son héros Antiochus, qui ne fut dans la réalité qu'un personnage aussi sinistre que sa mère.

Bien qu'on en soit toujours réduit aux conjectures, il est plus facile de trouver ici une distribution vraisemblable des rôles à laquelle dut songer Corneille en écrivant sa pièce. Floridor devait être Antiochus; la Beaupré, Cléopâtre; la Floridor, Léonice; les anciens de la troupe, Laroque et Le Gaulcher, Timagène et Oronte. Séleucus, une nouvelle acquisition du Marais, Dargy. Reste pour Rodogune, Marie de Hornay, qui fut sans doute aussi Théodore.

Ce fut la dernière tragédie de Corneille jouée au Marais. Il faut croire que, malgré ses succès, la troupe sentait venir le déclin.

Floridor lui-même, « las de jouer avec de méchants comédiens » (Tallemant des Réaux), regardait vers la troupe officiellement patronnée. Quand Bellerose, à qui jamais Corneille ne confia une de ses pièces, prit sa retraite à la fin de 1646, Floridor racheta 20 000 livres la garde-robe et la place de chef de troupe de l'Hôtel de Bourgogne. Corneille, fidèle au Marais depuis dix-sept ans, le suivit.

A MONSEIGNEUR LE PRINCE[2]

MONSEIGNEUR,

Rodogune se présente à Votre Altesse avec quelque sorte de confiance, et ne peut croire qu'après avoir fait sa bonne fortune, vous dédaigniez de la prendre en votre protection. Elle a trop de connaissance de votre bonté pour craindre que vous veuilliez laisser votre ouvrage imparfait, et lui dénier la continuation des grâces dont vous lui avez été si prodigue[3]. C'est à votre illustre suffrage qu'elle est obligée de tout ce qu'elle a reçu d'applaudissement, et les favorables regards dont il vous plut fortifier la faiblesse de sa naissance lui don-

---

1. Représentée au Marais (hiver 1644-1645). La pièce, qui eut le même privilège que *Théodore* (17 avril 1646), ne fut achevée d'imprimer que le 31 janvier 1647. Il est possible que ce retard vienne du soin apporté à l'édition.

2. Le duc d'Enghien venait tout juste de prendre à la mort de son père le titre de prince de Condé.
3. On ignore quelles furent les « grâces » témoignées par Condé à l'auteur.

nèrent tant d'éclat et de vigueur qu'il semblait que vous eussiez pris plaisir à répandre sur elle un rayon de cette gloire qui vous environne et à lui faire part de cette facilité de vaincre qui vous suit partout. Après cela, MONSEIGNEUR, quels hommages peut-elle rendre à Votre Altesse qui ne soient au-dessous de ce qu'elle doit? Si elle tâche à lui témoigner quelque reconnaissance par l'admiration de ses vertus, où trouvera-t-elle des éloges dignes de cette main qui fait trembler tous nos ennemis et dont les coups d'essai furent signalés par la défaite des premiers capitaines de l'Europe? Votre Altesse sut vaincre avant qu'ils se pussent imaginer qu'elle sût combattre, et ce grand courage, qui n'avait encore vu la guerre que dans les livres, effaça tout ce qu'il avait lu des Alexandre et des César, sitôt qu'il parut à la tête d'une armée. La générale consternation où la perte de notre grand monarque nous avait plongés enflait l'orgueil de nos adversaires en un tel point qu'ils osaient se persuader que du siège de Rocroi[4] dépendait la prise de Paris, et l'avidité de leur ambition dévorait déjà le cœur d'un royaume dont ils pensaient avoir surpris les frontières. Cependant les premiers miracles de votre valeur renversèrent si pleinement toutes leurs espérances que ceux-là mêmes qui s'étaient promis tant de conquêtes sur nous virent terminer la campagne de cette même année par celle que vous fîtes sur eux. Ce fut par là, MONSEIGNEUR, que vous commençâtes ces grandes victoires que vous avez toujours si bien choisies qu'elles ont honoré deux règnes tout à la fois, comme si c'eût été trop peu pour Votre Altesse d'étendre les bornes de l'État sous celui-ci, si elle n'eût en même temps effacé quelques-uns des malheurs qui s'étaient mêlés aux longues prospérités de l'autre. Thionville, Philisbourg et Nordlinghen, étaient des lieux funestes pour la France : elle n'en pouvait entendre les noms sans gémir, elle ne pouvait y porter sa pensée sans soupirer, et ces mêmes lieux, dont le souvenir lui arrachait des soupirs et des gémissements[5], sont devenus les éclatantes marques de sa nouvelle félicité, les dignes occasions de ses feux de joie, et les glorieux sujets des actions de grâces qu'elle a rendues au ciel pour les triomphes que votre courage invincible lui a obtenus. Dispensez-moi, MONSEIGNEUR, de vous parler de Dunquerque[6] : j'épuise toutes les forces de mon imagination, et je ne conçois rien qui réponde à la dignité de ce grand ouvrage, qui nous vient de s'assurer l'Océan par la prise de cette fameuse retraite de corsaire. Tous nos havres en étaient comme assiégés : il n'en pouvait échapper un vaisseau qu'à la merci de leur brigandages, et nous en avons vu souvent de pillés à la vue des mêmes ports dont ils venaient de faire voile; et maintenant, par la conquête d'une seule ville, je vois d'un côté nos mers libres, nos côtes affranchies, notre commerce rétabli, la racine de nos maux publics coupée; d'autre côté la Flandre ouverte, l'embouchure de ses rivières captive, la porte de son secours fermée, la source de son abondance en notre pouvoir[7]; et ce que je vois n'est rien encore au prix de ce que je prévois sitôt que Votre Altesse y reportera la terreur de ses armes. Dispensez-moi donc, MONSEIGNEUR, de profaner des effets si merveilleux et

des attentes si hautes par la bassesse de mes idées et par l'impuissance de mes expressions, et trouvez bon que demeurant dans un respectueux silence, je n'ajoute rien ici qu'une protestation très inviolable d'être toute ma vie, MONSEIGNEUR, de VOTRE ALTESSE, le très humble, très obéissant et très passionné serviteur,

CORNEILLE.

APPIAN ALEXANDRIN[8]
AU LIVRE DES GUERRES DE SYRIE, SUR LA FIN

« Démétrius, surnommé Nicanor, roi de Syrie, entreprit la guerre contre les Parthes, et étant devenu leur prisonnier, vécut dans la cour de leur roi Phraates, dont il épousa la sœur nommée Rodogune. Cependant Diodotus, domestique des rois précédents, s'empara du trône de Syrie, et y fit asseoir un Alexandre, encore enfant, fils d'Alexandre le Bâtard et d'une fille de Ptolémée. Ayant gouverné quelque temps comme son tuteur, il se défit de ce malheureux pupille, et eut l'insolence de prendre lui-même la couronne sous un nouveau nom de Tryphon qu'il se donna. Mais Antiochus, frère du Roi prisonnier, ayant appris à Rhodes sa captivité et les troubles qui l'avaient suivie, revint dans le pays, où ayant défait Tryphon avec beaucoup de peine, il le fit mourir. De là il porta ses armes contre Phraates, lui redemandant son frère; et vaincu dans une bataille, il se tua lui-même. Démétrius, retourné en son royaume, fut tué par sa femme Cléopâtre[9], qui lui dressa des embûches en haine de cette seconde femme Rodogune qu'il avait épousée, dont elle avait conçu une telle indignation que pour se venger elle avait épousé ce même Antiochus, frère de son mari. Elle avait deux fils de Démétrius : l'un nommé Séleucus et l'autre Antiochus, dont elle tua le premier d'un coup de flèche, sitôt qu'il eut pris le diadème après la mort de son père, soit qu'elle craignît qu'il ne la voulût venger, soit que l'impétuosité de la même fureur la portât à ce nouveau parricide[10]. Antiochus lui succéda, qui contraignit cette mauvaise mère de boire le poison qu'elle lui avait préparé. C'est ainsi qu'elle fut enfin punie. »

Voilà ce que m'a prêté l'histoire, où j'ai changé les circonstances de quelques incidents, pour leur donner plus de bienséance. Je me suis servi du nom de Nicanor plutôt que de celui de Démétrius, à cause que le vers souffrait plus aisément l'un que l'autre. J'ai supposé qu'il n'avait pas encore épousé Rodogune, afin que ses deux fils pussent avoir de l'amour pour elle sans choquer les spectateurs, qui eussent trouvé étrange cette passion pour la veuve de leur père, si j'eusse suivi l'histoire. L'ordre de leur naissance incertain, Rodogune prisonnière, quoiqu'elle ne vînt jamais en Syrie, la haine de Cléopâtre pour elle, la proposition sanglante qu'elle

---

4. Rocroi : 19 mai 1643; plus bas, Thionville : 10 août 1643; Philisbourg : 9 septembre 1644; Nordlingen : 3 août 1645.
5. Mauvais souvenirs de la campagne de 1634.
6. Capitulation de la ville le 7 octobre 1646.
7. Excellente page d'histoire économique. Corneille, comme avocat à l'Amirauté avait précisément, parmi ses attributions, celle de régler les épineux problèmes diplomatiques des navires saisis de part et d'autre.

8. Appien d'Alexandrie, historien latin du IIe siècle après J.-C., sans cesse réédité tout au long de la Renaissance. On le confrontait avec Eusèbe et Flavius Josèphe, favorables aux Juifs, sur l'occupation et les persécutions romaines des deux premiers siècles.
9. Une dizaine de femmes se sont illustrées sous ce nom. La plus connue, mise en scène par Shakespeare et Corneille dans *la mort de Pompée*, est la fameuse reine d'Egypte, amante d'Antoine. Celle-ci est une reine de Syrie (morte en 121), fille de Ptolémée Philometor, femme en secondes noces de ce Démétrius qu'elle assassine.
10. Corneille appelle toujours ainsi ce que nous nommons infanticide.

fait à ses fils, celle que cette princesse est obligée de leur faire pour se garantir, l'inclination qu'elle a pour Antiochus, et la jalouse fureur de cette mère qui se résout plutôt à perdre ses fils qu'à se voir sujette de sa rivale, ne sont que des embellissements de l'invention, et des acheminements vraisemblables à l'effet dénaturé que me présentait l'histoire, et que les lois du poème ne me permettaient pas de changer[11]. Je l'ai même adouci tant que j'ai pu en Antiochus, que j'avais fait trop honnête homme, dans le reste de l'ouvrage, pour forcer à la fin sa mère à s'empoisonner soi-même.

On s'étonnera peut-être de ce que j'ai donné à cette tragédie le nom de *Rodogune* plutôt que celui de *Cléopâtre*, sur qui tombe toute l'action tragique, et même on pourra douter si la liberté de la poésie peut s'étendre jusqu'à feindre un sujet entier sous des noms véritables, comme j'ai fait ici, où depuis la narration du premier acte, qui sert de fondement au reste, jusques aux effets qui paraissent dans le cinquième, il n'y a rien que l'histoire avoue.

Pour le premier, je confesse ingénument que ce poème devait plutôt porter le nom de *Cléopâtre* que de *Rodogune*, mais ce qui m'a fait en user ainsi a été la peur que j'ai eue qu'à ce nom le peuple ne se laissât préoccuper des idées de cette fameuse et dernière reine d'Égypte, et ne confondît cette reine de Syrie avec elle, s'il l'entendait prononcer. C'est pour cette même raison que j'ai évité de la mêler dans mes vers, n'ayant jamais fait parler de cette seconde Médée que sous celui de la Reine ; et je me suis enhardi à cette licence d'autant plus librement que j'ai remarqué parmi nos anciens maîtres qu'ils se sont fort peu mis en peine de donner à leurs poèmes le nom des héros qu'ils y faisaient paraître, et leur ont souvent fait porter celui des chœurs, qui ont encore bien moins de part dans l'action que les personnages épisodiques, comme Rodogune : témoin *les Trachiniennes* de Sophocle, que nous n'aurions jamais voulu nommer autrement que *la Mort d'Hercule*.

Pour le second point, je le tiens un peu plus difficile à résoudre, et n'en voudrais pas donner mon opinion pour bonne : j'ai cru bien pourvu que nous conservassions les effets de l'histoire, toutes les circonstances ou, comme je viens de les nommer, les acheminements étaient en notre pouvoir ; au moins je ne pense point avoir vu de règle qui restreigne cette liberté que j'ai prise. Je m'en suis assez bien trouvé en cette tragédie, mais comme je l'ai poussée encore plus loin dans *Héraclius*, que je viens de mettre sur le théâtre, ce sera en le donnant au public que je tâcherai de la justifier, si je vois les savants s'en offenser ou que le peuple en murmure. Cependant ceux qui en auront quelque scrupule m'obligeront de considérer les deux *Electre* de Sophocle et d'Euripide, qui, conservant le même effet, y parviennent par des voies si différentes qu'il faut nécessairement conclure que l'une des deux est tout à fait de l'invention de son auteur. Ils pourront encore jeter l'œil sur l'*Iphigénie in Tauris*, que notre Aristote nous donne pour exemple d'une parfaite tragédie, et qui a bien la mine d'être toute de même nature, vu qu'elle n'est fondée que sur cette feinte que Diane enleva Iphigénie du sacrifice dans une nuée, et supposa une biche en sa place. Enfin, ils pourront prendre garde à l'*Hélène* d'Euripide, où la principale action et les épisodes, le nœud et le dénouement sont entièrement inventés, sous des noms véritables.

Au reste, si quelqu'un a la curiosité de voir cette

histoire plus au long, qu'il prenne la peine de lire Justin[12], qui la commence au trente-sixième livre, et l'ayant quittée la reprend sur la fin du trente et huitième, et l'achève au trente-neuvième. Il la rapporte un peu autrement, et ne dit pas que Cléopâtre tua son mari, mais qu'elle l'abandonna, et qu'il fut tué par le commandement d'un des capitaines d'un Alexandre, qu'il lui oppose. Il varie aussi beaucoup sur ce qui regarde Tryphon et son pupille, qu'il nomme Antiochus, et ne s'accorde avec Appian que sur ce qui se passa entre la mère et les deux fils.

Le premier livre des *Machabées*[13], aux chapitres 11, 13, 14 et 15, parle de ces guerres de Tryphon et de la prison de Démétrius chez les Parthes, mais il nomme ce pupille Antiochus ainsi que Justin et attribue la défaite de Tryphon à Antiochus, fils de Démétrius, et non pas à son frère, comme fait Appian, que j'ai suivi, et ne dit rien du reste.

Josèphe, au 13. livre des *Antiquités judaïques*[14], nomme encore ce pupille de Tryphon Antiochus, fait marier Cléopâtre à Antiochus, frère de Démétrius, durant la captivité de ce premier mari chez les Parthes, lui attribue la défaite et la mort de Tryphon, s'accorde avec Justin touchant la mort de Démétrius, abandonné et non pas tué par sa femme, et ne parle point de ce qu'Appian et lui rapportent d'elle et de ses deux fils, dont j'ai fait cette tragédie.

EXAMEN[15] (1660)

Le sujet de cette tragédie est tiré d'Appian Alexandrin, dont voici les paroles, sur la fin du livre qu'il a fait des *Guerres de Syrie* : « Démétrius, surnommé Nicanor, entreprit la guerre contre les Parthes et vécut quelque temps prisonnier dans la cour de leur roi Phraates, dont il épousa la sœur, nommée Rodogune. Cependant Diodotus, domestique des rois précédents, s'empara du trône de Syrie, et y fit asseoir un Alexandre, encore enfant, fils d'Alexandre le Bâtard et d'une fille de Ptolémée. Ayant gouverné quelque temps comme tuteur sous le nom de ce pupille, il s'en défit et prit lui-même la couronne sous un nouveau nom de Tryphon qu'il se donna. Antiochus, frère du Roi prisonnier, ayant appris sa captivité à Rhodes, et les troubles qui l'avaient suivie, revint dans la Syrie, où ayant défait Tryphon, il le fit mourir. De là il porta ses armes contre Phraates, et vaincu dans une bataille, il se tua lui-même. Démétrius, retournant en son royaume, fut tué par sa femme Cléopâtre, qui lui dressa des embûches sur le chemin, en haine de cette Rodogune qu'il avait épousée, dont elle avait conçu une telle indignation qu'elle avait épousé ce même Antiochus, frère de son mari. Elle avait deux fils de Démétrius, dont elle tua Séleucus, l'aîné, d'un coup de flèche, sitôt qu'il eut pris le diadème après la mort de son père, soit qu'elle craignît qu'il ne la voulût venger sur elle, soit que la même fureur l'emportât

11. Cf. *Discours de la tragédie*, p. 836.

12. Justin, autre historien du IIe siècle, abréviateur d'une *Histoire universelle* de Trogue Pompée, perdue. Ce texte, souvent édité de 1470 (Venise) à l'édition elzévirienne (1640), qui dut être celle de Corneille, avait été plusieurs fois traduit en français, entre autres par un contemporain, Colomby.

13. L'un des livres historiques de la Bible.

14. Cf. note 8.

15. La similitude d'expression entre l'examen et la préface vient de ce que en 1660, l'Examen se substitue à la préface de l'édition originale, sans faire, comme ici, double emploi.

à ce nouveau parricide. Antiochus son frère lui succéda et contraignit cette mère dénaturée de prendre le poison qu'elle lui avait préparé. »

Justin, en son 36, 38 et 39-livre, raconte cette histoire plus au long, avec quelques autres circonstances. Le premier des *Machabées*, et Josèphe, au 13, des *Antiquités judaïques*, en disent aussi quelque chose, qui ne s'accorde pas tout à fait avec Appian. C'est à lui que je me suis attaché pour la narration que j'ai mise au premier acte et pour l'effet du cinquième, que j'ai adouci du côté d'Antiochus. J'en ai dit la raison ailleurs. Le reste sont des épisodes d'invention, qui ne sont pas incompatibles avec l'histoire, puisqu'elle ne dit point ce que devint Rodogune après la mort de Démétrius, qui vraisemblablement l'amenait en Syrie prendre possession de sa couronne. J'ai fait porter à la pièce le nom de cette princesse plutôt que celui de Cléopâtre, que je n'ai même osé nommer dans mes vers, de peur qu'on ne confondît cette reine de Syrie avec cette fameuse princesse d'Égypte qui portait même nom et que l'idée de celle-ci, beaucoup plus connue que l'autre, ne semât une dangereuse préoccupation parmi les auditeurs.

On m'a souvent fait une question à la cour : quel était celui de mes poèmes que j'estimais le plus, et j'ai trouvé tous ceux qui me l'ont faite si prévenus en faveur de *Cinna* ou du *Cid*, que je n'ai jamais osé déclarer toute la tendresse que j'ai toujours eue pour celui-ci, où j'aurais volontiers donné mon suffrage, si je n'avais craint de manquer en quelque sorte au respect que je devais à ceux que je voyais pencher d'un autre côté. Cette préférence est peut-être en moi un effet de ces inclinations aveugles qu'ont beaucoup de pères pour quelques-uns de leurs enfants plus que pour les autres; peut-être y entre-t-il un peu d'amour-propre, en ce que cette tragédie me semble être un peu plus à moi que celles qui l'ont précédée, à cause des incidents surprenants qui sont purement de mon invention et n'avaient jamais été vus au théâtre; et peut-être enfin y a-t-il un peu de vrai mérite qui fait que cette inclination n'est pas tout à fait injuste. Je veux bien laisser chacun en liberté de ses sentiments, mais certainement on peut dire que mes autres pièces ont peu d'avantages qui ne se rencontrent en celle-ci : elle a tout ensemble la beauté du sujet, la nouveauté des fictions, la force des vers, la facilité de l'expression, la solidité du raisonnement, la chaleur des passions, les tendresses de l'amour et de l'amitié[16], et cet heureux assemblage est ménagé de sorte qu'elle s'élève d'acte en acte. Le second passe le premier, le troisième est au-dessus du second, et le dernier l'emporte sur tous les autres. L'action y est une, grande, complète; sa durée ne va point ou fort peu au-delà de celle de la représentation. Le jour en est le plus illustre qu'on en puisse imaginer, et l'unité de lieu s'y rencontre en la manière que je l'explique dans le troisième de ces discours[17], et avec l'indulgence que je demandai pour le théâtre.

Ce n'est pas que je me flatte assez pour présumer qu'elle soit sans taches. On a fait tant d'objections contre la narration de Laonice au premier acte qu'il est malaisé de ne donner pas les mains à quelques-unes. Je ne la tiens pas toutefois si inutile qu'on l'a dit. Il est hors de doute que Cléopâtre, dans le second, ferait connaître beaucoup de choses par sa confidence avec cette Laonice, et par le récit qu'elle en fait à ses deux fils, pour leur remettre devant les yeux combien ils lui ont d'obligation,

mais ces deux scènes demeureraient assez obscures, si cette narration ne les avait précédées, et du moins les justes défiances de Rodogune à la fin du premier acte, et la peinture que Cléopâtre fait d'elle-même dans son monologue qui ouvre le second, n'auraient pu se faire entendre sans ce secours.

J'avoue qu'elle est sans artifice, et qu'on la fait de sang-froid à un personnage protatique[18], qui se pourrait toutefois justifier par les deux exemples de Térence que j'ai cités sur ce sujet au premier discours. Timagène, qui l'écoute, n'est introduit que pour l'écouter, bien qu'il l'emploie au cinquième à faire celle de la mort de Séleucus, qui se pouvait faire par un autre. Il l'écoute sans y avoir aucun intérêt notable, et par simple curiosité d'apprendre ce qu'il pouvait avoir su déjà en la cour d'Égypte, où il était en assez bonne posture, étant gouverneur des neveux du Roi, pour entendre des nouvelles assurées de tout ce qui se passait dans la Syrie, qui en est voisine. D'ailleurs, ce qui ne peut recevoir d'excuse, c'est que, comme il y avait déjà quelque temps qu'il était de retour avec les princes, il n'y a pas d'apparence qu'il aye attendu ce grand jour de cérémonie pour s'informer de sa sœur comment se sont passés tous ces troubles qu'il dit ne savoir que confusément. Pollux, dans *Médée*, est un personnage protatique qui écoute sans intérêt comme lui, mais sa surprise de voir Jason à Corinthe où il vient d'arriver, et son séjour en Asie que la mer en sépare, lui donnent juste sujet d'ignorer ce qu'il en apprend. La narration ne laisse pas de demeurer froide comme celle-ci, parce qu'il ne s'est encore rien passé dans la pièce qui excite la curiosité de l'auditeur ni qui lui puisse donner quelque émotion en l'écoutant; mais si vous voulez réfléchir sur celle de Curiace dans l'*Horace*, vous trouverez qu'elle fait tout un autre effet. Camille, qui l'écoute, a intérêt comme lui à savoir comment s'est faite une paix dont dépend leur mariage, et l'auditeur, que Sabine et elle n'ont entretenu que de leurs malheurs et des appréhensions d'une bataille qui se va donner entre deux partis où elles voient leurs frères dans l'un et leur amour dans l'autre, n'a pas moins d'avidité qu'elle d'apprendre comment une paix si surprenante s'est pu conclure.

Ces défauts dans cette narration confirment ce que j'ai dit ailleurs, que lorsque la tragédie a son fondement sur des guerres entre deux États ou sur d'autres affaires publiques, il est très malaisé d'introduire un acteur qui les ignore et qui puisse recevoir le récit qui en doit instruire les spectateurs en parlant à lui.

J'ai déguisé quelque chose de la vérité historique en celui-ci : Cléopâtre n'épousa Antiochus qu'en haine de ce que son mari avait épousé Rodogune chez les Parthes, et je fais qu'elle ne l'épouse que par la nécessité de ses affaires, sur un faux bruit de la mort de Démétrius, tant pour ne la faire pas méchante sans nécessité, comme Ménélas dans l'*Oreste* d'Euripide, que pour avoir lieu de feindre que Démétrius n'avait pas encore épousé Rodogune et venait l'épouser dans son royaume pour le mieux établir en la place de l'autre, par le consentement de ses peuples, et assurer la couronne aux enfants qui naîtraient de ce mariage. Cette fiction m'était absolument nécessaire, afin qu'il fût tué avant que de l'avoir épousée et que l'amour que ses deux fils ont pour elle ne fît point d'horreur aux spectateurs, qui n'auraient pas manqué d'en prendre une assez forte, s'ils les eussent

---

16. Important condensé d'art poétique cornélien.
17. Cf. *Discours des trois unités*, p. 845.

18. Chargé au début de la pièce, dans la protase, de faire l'exposition du sujet.

vus amoureux de la veuve de leur père : tant cette affection incestueuse répugne à nos mœurs !

Cléopâtre a lieu d'attendre ce jour-là à faire confidence à Laonice de ses desseins et des véritables raisons de tout ce qu'elle a fait. Elle eût pu trahir son secret aux princes ou à Rodogune, si elle l'eût su plus tôt, et cette ambitieuse mère ne lui en fait part qu'au moment qu'elle veut bien qu'il éclate, par la cruelle proposition qu'elle va faire à ses fils. On a trouvé que Rodogune leur fait à son tour indigne d'une personne vertueuse, comme je la peins, mais on n'a pas considéré qu'elle ne la fait pas, comme Cléopâtre, avec espoir de la voir exécuter par les princes, mais seulement pour s'exempter d'en choisir aucun et les attacher tous deux à sa protection par une espérance égale. Elle était avertie par Laonice de celle que la Reine leur avait faite, et devait prévoir que, si elle se fût déclarée pour Antiochus qu'elle aimait, son ennemie, qui avait seule le secret de leur naissance, n'eût pas manqué de nommer Séleucus pour aîné afin de les commettre l'un contre l'autre et d'exciter une guerre civile qui eût pu causer sa perte. Ainsi elle devait s'exempter de choisir, pour les contenir tous deux dans l'égalité de prétention, et elle n'en avait point de meilleur moyen que de rappeler le souvenir de ce qu'elle devait à la mémoire de leur père, qui avait perdu la vie pour elle, et leur faire cette proposition qu'elle savait bien qu'ils n'accepteraient pas [19]. Si le traité de paix l'avait forcée à se départir de ce juste sentiment de reconnaissance, la liberté qu'ils lui rendaient le rejetait dans cette obligation. Il était de son devoir de venger cette mort, mais il était de celui des princes de ne se pas charger de cette vengeance. Elle avoue elle-même à Antiochus qu'elle les haïrait, s'ils lui avaient obéi, que comme elle a fait ce qu'elle a dû par cette demande, ils font ce qu'ils doivent par leur refus ; qu'elle aime trop la vertu pour vouloir être le prix d'un crime, et que la justice qu'elle demande de la mort de leur père

serait un parricide, si elle la recevait de leurs mains.

Je dirai plus : quand cette proposition serait tout à fait condamnable en sa bouche, elle mériterait quelque grâce, et pour l'éclat que la nouveauté de l'invention a fait au théâtre, et pour l'embarras surprenant où elle jette les princes, et pour l'effet qu'elle produit dans le reste de la pièce qu'elle conduit à l'action historique. Elle est cause que Séleucus, par dépit, renonce au trône et à la possession de cette princesse, et que la Reine, le voulant animer contre son frère, n'en peut rien obtenir, et qu'enfin elle se résout par désespoir de les perdre tous deux, plutôt que de se voir sujette de son ennemie.

Elle commence par Séleucus, tant pour suivre l'ordre de l'histoire que parce que, s'il fût demeuré en vie après Antiochus et Rodogune, qu'elle voulait empoisonner publiquement, il les aurait pu venger. Elle ne craint pas la même chose d'Antiochus pour son frère, d'autant qu'elle espère que le poison violent qu'elle lui a préparé fera un effet assez prompt pour le faire mourir avant qu'il ait pu rien savoir de cette autre mort, ou du moins avant qu'il l'en puisse convaincre, puisqu'elle a si bien pris son temps pour l'assassiner que ce parricide n'a point eu de témoins. J'ai parlé ailleurs de l'adoucissement que j'ai apporté pour empêcher qu'Antiochus n'en commît un en la forçant de prendre le poison qu'elle lui présente, et du peu d'apparence qu'il y avait qu'un moment après qu'elle a expiré presque à sa vue, il parlât d'amour et de mariage à Rodogune. Dans l'état où ils rentrent derrière le théâtre, ils peuvent le résoudre quand ils le jugeront à propos. L'action est complète, puisqu'ils sont hors de péril, et la mort de Séleucus m'a exempté de développer le secret du droit d'aînesse entre les deux frères, qui d'ailleurs n'eût jamais été croyable, ne pouvant être éclairci que par une bouche en qui l'on n'a pas vu assez de sincérité pour prendre aucune assurance sur son témoignage.

ACTEURS [20]

CLÉOPATRE, *reine de Syrie, veuve de Démétrius Nicanor.*
SÉLEUCUS, ANTIOCHUS, *fils de Démétrius et de Cléopâtre.*
RODOGUNE, *sœur de Phraates, Roi des Parthes.*
TIMAGÈNE, *gouverneur des deux princes.*
ORONTE, *ambassadeur de Phraates.*
LAONICE, *sœur de Timagène, confidente de Cléopâtre.*

La scène est à Séleucie, dans le palais royal.

ACTE PREMIER

Scène I : Laonice, Timagène.

LAONICE

Enfin ce jour pompeux, cet heureux jour nous luit,
Qui d'un trouble si long doit dissiper la nuit,
Ce grand jour où l'hymen, étouffant la vengeance,
Entre le Parthe et nous remet l'intelligence,
5 Affranchit sa princesse, et nous fait pour jamais
Du motif de la guerre un lien de la paix ;

Ce grand jour est venu, mon frère, où notre reine,
Cessant de plus tenir la couronne incertaine,
Doit rompre aux yeux de tous son silence obstiné,
De deux princes gémeaux nous déclarer l'aîné ;
Et l'avantage d'un moment de naissance,
Dont elle a jusqu'ici caché la connaissance,
Mettant au plus heureux le sceptre dans la main,
Va faire l'un sujet, et l'autre souverain.
Mais n'admirez-vous point que cette même reine
Le donne pour époux à l'objet de sa haine,
Et n'en doit faire un roi qu'afin de couronner
Celle que dans les fers elle aimait à gêner ?
Rodogune, par elle en esclave traitée,
Par elle se va voir sur le trône montée,
Puisque celui des deux qu'elle nommera roi
Lui doit donner sa main et recevoir sa foi.

TIMAGÈNE

Mais pour mieux admirer, trouvez bon, je vous prie,
Que j'apprenne de vous les troubles de Syrie.

---

19. Explication importante, encore trop souvent méconnue par la critique. Voir aussi les vers 1222-1225.
20. C'est la pièce de Corneille qui en comporte le moins. Peut-être n'y a-t-il pas d'autre explication à en chercher que la situation de la troupe du Marais à cette date. (Cf. *Chronologie*.)

J'en ai vu les premiers, et me souviens encor
Des malheureux succès du grand roi Nicanor,
Quand des Parthes vaincus pressant l'adroite fuite,
Il tomba dans leurs fers au bout de sa poursuite.
Je n'ai pas oublié que cet événement
Du perfide Tryphon fit le soulèvement.
Voyant le Roi captif, la Reine désolée,
Il crut pouvoir saisir la couronne ébranlée,
Et le sort, favorable à son lâche attentat,
Mit d'abord sous ses lois la moitié de l'État.
La Reine, craignant tout de ces nouveaux orages,
En sut mettre à l'abri ses plus précieux gages;
Et pour n'exposer pas l'enfance de ses fils,
Me les fit chez son frère enlever à Memphis.
Là, nous n'avons rien su que de la renommée,
Qui par un bruit confus diversement semée,
N'a porté jusqu'à nous ces grands renversements
Que sous l'obscurité de cent déguisements.

LAONICE

Sachez donc que Tryphon, après quatre batailles,
Ayant su nous réduire à nos seules murailles,
En forma tôt le siège; et pour comble d'effroi,
Un faux bruit s'y coula touchant la mort du Roi.
Le peuple épouvanté, qui déjà dans son âme
Ne suivait qu'à regret les ordres d'une femme,
Voulut forcer la Reine à choisir un époux.
Que pouvait-elle faire et seule et contre tous?
Croyant son mari mort, elle épousa son frère.
L'effet montra soudain ce conseil salutaire.
Le prince Antiochus, devenu nouveau roi,
Sembla de tous côtés traîner l'heur avec soi :
La victoire attachée au progrès de ses armes
Sur nos fiers ennemis rejeta nos alarmes,
Et la mort de Tryphon dans un dernier combat,
Changeant tout notre sort, lui rendit tout l'État.
Quelque promesse alors qu'il eût faite à la mère
De remettre ses fils au trône de leur père,
Il témoigna si peu de la vouloir tenir,
Qu'elle n'osa jamais les faire revenir.
Ayant régné sept ans, son ardeur militaire
Ralluma cette guerre où succomba son frère.
Il attaqua le Parthe, et se crut assez fort
Pour en venger sur lui la prison et la mort.
Jusque dans ses États il lui porta la guerre,
Il s'y fit partout craindre à l'égal du tonnerre,
Il lui donna bataille, où mille beaux exploits...
Je vous achèverai le reste une autre fois,
Un des princes survient.
Elle veut se retirer.

Scène II : *Antiochus, Timagène, Laonice.*

ANTIOCHUS

                Demeurez, Laonice :
Vous pouvez, comme lui, me rendre un bon office.
   Dans l'état où je suis, triste et plein de souci,
Si j'espère beaucoup, je crains beaucoup aussi.
Un seul mot aujourd'hui, maître de ma fortune,
M'ôte ou donne à jamais le sceptre et Rodogune;
Et de tous les mortels ce secret révélé

Me rend le plus content ou le plus désolé.
Je vois dans le hasard tous les biens que j'espère,
Et ne puis être heureux sans le malheur d'un frère,   80
Mais d'un frère si cher, qu'une sainte amitié
Fait sur moi de ses maux rejaillir la moitié. [prétendre;
Donc, pour moins hasarder, j'aime mieux moins
Et pour rompre le coup que mon cœur n'ose attendre,
Lui cédant de deux biens le plus brillant aux yeux,   85
M'assurer de celui qui m'est plus précieux.
Heureux si, sans attendre un fâcheux droit d'aînesse,
Pour un trône incertain j'en obtiens la Princesse,
Et puis par ce partage épargner les soupirs
Qui naîtraient à sa peine ou de ses déplaisirs!   90
   Va le voir de ma part, Timagène, et lui dire
Que pour cette beauté je lui cède l'empire,
Mais porte-lui si haut la douceur de régner,
Qu'à cet éclat du trône il se laisse gagner,
Qu'il s'en laisse éblouir jusqu'à ne pas connaître   95
A quel prix je consens de l'accepter pour maître.
   *Timagène s'en va, et le prince continue à parler à
Laonice.*
   Et vous, en ma faveur, voyez ce cher objet,
Et tâchez d'abaisser ses yeux sur un sujet
Qui peut-être aujourd'hui porterait la couronne,
S'il n'attachait les siens à sa seule personne,   100
Et ne la préférait à cet illustre rang
Pour qui les plus grands cœurs prodiguent tout leur
   Timagène rentre sur le théâtre.   [sang.

TIMAGÈNE

Seigneur, le Prince vient, et votre amour lui-même
Lui peut sans interprète offrir le diadème.

ANTIOCHUS

Ah! je tremble, et la peur d'un trop juste refus   105
Rend ma langue muette et mon esprit confus.

Scène III : *Séleucus, Antiochus,
Timagène, Laonice.*

SÉLEUCUS

Vous puis-je en confiance expliquer ma pensée?

ANTIOCHUS

Parlez : notre amitié par ce doute est blessée.

SÉLEUCUS

Hélas! c'est le malheur que je crains aujourd'hui.
L'égalité, mon frère, en est le ferme appui,   110
C'en est le fondement, la liaison, le gage,
Et voyant d'un côté tomber tout l'avantage,
Avec juste raison je crains qu'entre nous deux
L'égalité rompue en rompe les doux nœuds,
Et que ce jour, fatal à l'heur de notre vie,   115
Jette sur l'un de nous trop de honte ou d'envie.

ANTIOCHUS

Comme nous n'avons eu jamais qu'un sentiment,
Cette peur me touchait, mon frère, également,
Mais si vous le voulez, j'en sais bien le remède.

SÉLEUCUS

Si je le veux! bien plus, je l'apporte, et vous cède   120
Tout ce que la couronne a de charmant en soi.
Oui, Seigneur, car je parle à présent à mon Roi,
Pour le trône cédé, cédez-moi Rodogune,

Et je n'envierai point votre haute fortune.
125 Ainsi notre destin n'aura rien de honteux,
Ainsi notre bonheur n'aura rien de douteux,
Et nous mépriserons ce faible droit d'aînesse,
Vous, satisfait du trône, et moi de la Princesse.

ANTIOCHUS

Hélas!

SÉLEUCUS

Recevez-vous l'offre avec déplaisir?

ANTIOCHUS

130 Pouvez-vous nommer offre une ardeur de choisir,
Qui de la même main qui me cède un empire,
M'arrache un bien plus grand, et le seul où j'aspire?

SÉLEUCUS

Rodogune?

ANTIOCHUS

Elle-même : ils en sont les témoins.

SÉLEUCUS

Quoi? l'estimez-vous tant?

ANTIOCHUS

Quoi? l'estimez-vous moins?

SÉLEUCUS

135 Elle vaut bien un trône, il faut que je le die.

ANTIOCHUS

Elle vaut à mes yeux tout ce qu'en a l'Asie.

SÉLEUCUS

Vous l'aimez donc, mon frère?

ANTIOCHUS

Et vous l'aimez aussi.
C'est là tout mon malheur, c'est là tout mon souci.
J'espérais que l'éclat dont le trône se pare
140 Toucherait vos désirs plus qu'un objet si rare,
Mais aussi bien qu'à moi son prix vous est connu,
Et dans ce juste choix vous m'avez prévenu.
Ah, déplorable prince!

SÉLEUCUS

Ah, destin trop contraire!

ANTIOCHUS

Que ne ferais-je point contre un autre qu'un frère?
145 O mon cher frère! ô nom pour un rival trop doux!
Que ne ferais-je point contre un autre que vous?

ANTIOCHUS

Où nous vas-tu réduire, amitié fraternelle?

SÉLEUCUS

Amour, qui doit ici vaincre de vous ou d'elle?

ANTIOCHUS

L'amour, l'amour doit vaincre, et la triste amitié
150 Ne doit être à tous deux qu'un objet de pitié.
Un grand cœur cède un trône, et le cède avec gloire :
Cet effort de vertu couronne sa mémoire,
Mais lorsqu'un digne objet a pu nous enflammer,
Qui le cède est un lâche et ne sait pas aimer.
155 De tous deux Rodogune a charmé le courage,
Cessons par trop d'amour de lui faire un outrage,
Elle doit épouser, non pas vous, non pas moi,
Mais de moi, mais de vous, quiconque sera Roi.
La couronne entre nous flotte encore incertaine,
160 Mais sans incertitude elle doit être Reine.
Cependant, aveuglés dans notre vain projet,

Nous la faisons tous deux la femme d'un sujet!
Régnons : l'ambition ne peut être que belle,
Et pour elle quittée et reprise pour elle,
Et ce trône où tous deux nous osions renoncer,
Souhaitons-le tous deux, afin de l'y placer.
C'est dans notre destin le seul conseil à prendre,
Nous pouvons nous en plaindre et nous le devons

SÉLEUCUS   [l'attendre.

Il faut encor plus faire : il faut qu'en ce grand jour
Notre amitié triomphe aussi bien que l'amour.
Ces deux sièges fameux de Thèbes et de Troie,
Qui mirent l'une en sang, l'autre aux flammes en proie,
N'eurent pour fondements à leurs maux infinis
Que ceux que contre nous le sort a réunis.
Il sème entre nous deux toute la jalousie
Qui dépeupla la Grèce et saccagea l'Asie;
Un même espoir du sceptre est permis à tous deux,
Pour la même beauté nous faisons mêmes vœux.
Thèbes périt pour l'un, Troie a brûlé pour l'autre,
Tout va choir en ma main ou tomber en la vôtre.
En vain notre amitié tâchait à partager,
Et si j'ose tout dire, un titre assez léger,
Un droit d'aînesse obscur, sur la foi d'une mère,
Va combler l'un de gloire et l'autre de misère.
Que de sujets de plainte en ce double intérêt
Aura le malheureux contre un si faible arrêt!
Que de sources de haine! Hélas! jugez le reste :
Craignez-en avec moi l'événement funeste,
Ou plutôt avec moi faites un digne effort
Pour armer votre cœur contre un si triste sort.
Malgré l'éclat du trône et l'amour d'une femme,
Faisons si bien régner l'amitié sur notre âme,
Qu'étouffant dans leur perte un regret suborneur,
Dans le bonheur d'un frère on trouve son bonheur.
Ainsi ce qui jadis perdit Thèbes et Troie
Dans nos cœurs mieux unis ne versera que joie,
Ainsi notre amitié, triomphante à son tour,
Vaincra la jalousie en cédant à l'amour,
Et de notre destin bravant l'ordre barbare,
Trouvera des douceurs aux maux qu'il nous prépare.

ANTIOCHUS

Le pourrez-vous, mon frère?

SÉLEUCUS

Ah! que vous me pressez,
Je le voudrai du moins, mon frère, et c'est assez,
Et ma raison sur moi gardera tant d'empire,
Que je désavouerai mon cœur s'il en soupire.

ANTIOCHUS

J'embrasse comme vous ces nobles sentiments;
Mais allons leur donner le secours des serments,
Afin qu'étant témoins de l'amitié jurée,
Les Dieux contre un tel coup assurent sa durée.

SÉLEUCUS

Allons, allons l'étreindre au pied de leurs autels
Par des liens sacrés et des nœuds immortels.

Scène IV : Laonice, Timagène.

LAONICE

Peut-on plus dignement mériter la couronne?

TIMAGÈNE

Je ne suis point surpris de ce qui vous étonne.
Confident de tous deux, prévoyant leur douleur,
J'ai prévu leur constance, et j'ai plaint leur malheur,
Mais, de grâce, achevez l'histoire commencée.

LAONICE

Pour la reprendre donc où nous l'avons laissée,
Les Parthes, au combat par les nôtres forcés,
Tantôt presque vainqueurs, tantôt presque enfoncés,
Sur l'une et l'autre armée, également heureuse,
Virent longtemps voler la victoire douteuse,
Mais la fortune enfin se tourna contre nous,
Si bien qu'Antiochus, percé de mille coups,
Près de tomber aux mains d'une troupe ennemie,
Lui voulut dérober les restes de sa vie,
Et préférant aux fers la gloire de périr,
Lui-même par sa main acheva de mourir.
La Reine ayant appris cette triste nouvelle,
En reçut tôt après une autre plus cruelle,
Que Nicanor vivait, que sur un faux rapport,
De ce premier époux elle avait cru la mort,
Que piqué jusqu'au vif contre son hyménée,
Son âme à l'imiter s'était déterminée,
Et que pour s'affranchir des fers de son vainqueur,
Il allait épouser la Princesse sa sœur.
C'est cette Rodogune, où l'un et l'autre frère
Trouve encor les appas qu'avait trouvés leur père.
La Reine envoie en vain pour se justifier :
On a beau la défendre, on a beau le prier,
On ne rencontre en lui qu'un juge inexorable,
Et son amour nouveau la veut croire coupable.
Son erreur est un crime, et pour l'en punir mieux,
Il veut même épouser Rodogune à ses yeux,
Arracher de son front le sacré diadème,
Pour ceindre une autre tête en sa présence même,
Soit qu'ainsi sa vengeance eût plus d'indignité,
Soit qu'ainsi cet hymen eût plus d'autorité,
Et qu'il assurât mieux par cette barbarie
Aux enfants qui naîtraient le trône de Syrie.
   Mais tandis qu'animé de colère et d'amour,
Il vient déshériter ses fils par son retour,
Et qu'un gros escadron de Parthes pleins de joie
Conduit ces deux amants et court comme à la proie,
La Reine, au désespoir de n'en rien obtenir,
Se résout de se perdre ou de le prévenir.
Elle oublie un mari qui veut cesser de l'être,
Qui ne veut plus la voir qu'en implacable maître,
Et changeant à regret son amour en horreur,
Elle abandonne tout à sa juste fureur,
Elle-même leur dresse une embûche au passage,
Se mêle dans les coups, porte partout sa rage,
En pousse jusqu'au bout les furieux effets.
Que vous dirai-je enfin? les Parthes sont défaits,
Le Roi meurt, et, dit-on, par la main de la Reine,
Rodogune captive est livrée à sa haine.
Tous les maux qu'un esclave endure dans les fers,
Alors sans moi, mon frère, elle les eût soufferts.
La Reine, à la gêner prenant mille délices,
Ne commettait [21] qu'à moi l'ordre de ses supplices;

Mais quoi que m'ordonnât cette âme toute en feu,
Je promettais beaucoup et j'exécutais peu.   270
Le Parthe cependant en jure la vengeance,
Sur nous à main armée il fond en diligence,
Nous surprend, nous assiège, et fait un tel effort
Que la ville aux abois, on lui parle d'accord.
Il veut fermer l'oreille, enflé de l'avantage,   275
Mais voyant parmi nous Rodogune en otage,
Enfin il craint pour elle et nous daigne écouter,
Et c'est ce qu'aujourd'hui l'on doit exécuter.
   La Reine de l'Égypte a rappelé nos princes
Pour remettre à l'aîné son trône et ses provinces.   280
Rodogune a paru, sortant de sa prison,
Comme un soleil levant dessus notre horizon.
Le Parthe a décampé, pressé par d'autres guerres
Contre l'Arménien qui ravage ses terres.
D'un ennemi cruel il s'est fait notre appui;   285
La paix finit la haine, et pour comble aujourd'hui
Dois-je dire de bonne ou mauvaise fortune,
Nos deux princes tous deux adorent Rodogune.

TIMAGÈNE

Sitôt qu'ils ont paru tous deux en cette cour,
Ils ont vu Rodogune, et j'ai vu leur amour,   [dre, 290
Mais comme étant rivaux nous les trouvons à plain-
Connaissant leur vertu, je n'en vois rien à craindre.
Pour vous qui gouvernez cet objet de leurs vœux...

LAONICE

Je n'ai point encor vu qu'elle aime aucun des deux...

TIMAGÈNE

Vous me trouvez mal propre à cette confidence,   295
Et peut-être à dessein je la vois qui s'avance.
Adieu : je dois au rang qu'elle est prête à tenir
Du moins la liberté de vous entretenir.

Scène V : Rodogune, Laonice.

RODOGUNE

Je ne sais quel malheur aujourd'hui me menace,
Et coule dans ma joie une secrète glace :   300
Je tremble, Laonice, et te voulais parler,
Ou pour chasser ma crainte ou pour m'en consoler.

LAONICE

Quoi? Madame, en ce jour pour vous si plein de gloire?

RODOGUNE

Ce jour m'en promet tant que j'ai peine à tout croire :
La fortune me traite avec trop de respect,   305
Et le trône et l'hymen, tout me devient suspect.
L'hymen semble à mes yeux cacher quelque supplice,
Le trône sous mes pas creuser un précipice,
Je vois de nouveaux fers après les miens brisés,
Et je prends tous ces biens pour des maux déguisés : 310
En un mot, je crains tout de l'esprit de la Reine.

LAONICE

La paix qu'elle a jurée en a calmé la haine.

RODOGUNE

La haine entre les grands se calme rarement :
La paix souvent n'y sert que d'un amusement;

21. Latinisme : *confiait*.

315 Et dans l'État où j'entre, à te parler sans feinte,
Elle a lieu de me craindre, et je crains cette crainte.
Non qu'enfin je ne donne au bien des deux États
Ce que j'ai dû de haine à de tels attentats,
J'oublie, et pleinement, toute mon aventure,
320 Mais une grande offense est de cette nature
Que toujours son auteur impute à l'offensé
Un vif ressentiment dont il le croit blessé,
Et quoiqu'en apparence on les réconcilie,
Il le craint, il le hait, et jamais ne s'y fie,
325 Et toujours alarmé de cette illusion,
Sitôt qu'il peut le perdre il prend l'occasion.
Telle est pour moi la Reine.

                    LAONICE
                            Ah! Madame, je jure
Que par ce faux soupçon vous lui faites injure :
Vous devez oublier un désespoir jaloux
330 Où força son courage un infidèle époux.
Si teinte de son sang et toute furieuse
Elle vous traita lors en rivale odieuse,
L'impétuosité d'un premier mouvement
Engageait sa vengeance à ce dur traitement.
335 Il fallait un prétexte à vaincre sa colère,
Il y fallait du temps, et pour ne vous rien taire,
Quand je me dispensais à lui devoir obéir,
Quand en votre faveur je semblais la trahir,
Peut-être qu'en son cœur plus douce et repentie
340 Elle en dissimulait la meilleure partie,
Que se voyant tromper elle fermait les yeux,
Et qu'un peu de pitié la satisfaisait mieux.
A présent que l'amour succède à la colère,
Elle ne vous voit plus qu'avec des yeux de mère,
345 Et si de cet amour je la voyais sortir,
Je jure de nouveau de vous en avertir :
Vous savez comme quoi je vous suis toute acquise.
Le Roi souffrirait-il d'ailleurs quelque surprise?

                    RODOGUNE
Qui que ce soit des deux qu'on couronne aujourd'hui,
350 Elle sera sa mère, et pourra tout sur lui.

                    LAONICE
Qui que ce soit des deux, je sais qu'il vous adore :
Connaissant leur amour, pouvez-vous craindre encore?

                    RODOGUNE
Oui, je crains leur hymen, et d'être à l'un des deux.

                    LAONICE
Quoi, sont-ils des sujets indignes de vos feux?

                    RODOGUNE
355 Comme ils ont même sang avec pareil mérite,
Un avantage égal pour eux me sollicite,
Mais il est malaisé, dans cette égalité,
Qu'un esprit combattu ne penche d'un côté.
Il est des nœuds secrets, il est des sympathies
360 Dont par le doux rapport les âmes assorties
S'attachent l'une à l'autre et se laissent piquer
Par ce je ne sais quoi qu'on ne peut expliquer.
C'est par là que l'un d'eux obtient la préférence :
Je crois voir l'autre encore avec indifférence;
365 Mais cette indifférence est une aversion
Lorsque je la compare avec ma passion.
Étrange effet d'amour, incroyable chimère!

Je voudrais être à lui si je n'aimais son frère,
Et le plus grand des maux toutefois que je crains,
C'est que mon triste sort me livre entre ses mains.

                    LAONICE
Ne pourrais-je servir une si belle flamme?

                    RODOGUNE
Ne crois pas en tirer le secret de mon âme :
Quelque époux que le ciel veuille me destiner,
C'est à lui pleinement que je veux me donner.
De celui que je crains si je suis le partage,
Je saurai l'accepter avec même visage.
L'hymen me le rendra précieux sur tour,
Et le devoir fera ce qu'aurait fait l'amour,
Sans crainte qu'on reproche à mon humeur forcée
Qu'un autre qu'un mari règne sur ma pensée.

                    LAONICE
Vous craignez que ma foi vous l'ose reprocher?

                    RODOGUNE
Que ne puis-je à moi-même aussi bien le cacher?

                    LAONICE
Quoi que vous me cachiez, aisément je devine,
Et pour vous dire enfin ce que je m'imagine,
Le Prince...

                    RODOGUNE
                    Garde-toi de nommer mon vainqueur :
Ma rougeur trahirait les secrets de mon cœur,
Et je te voudrais mal de cette violence
Que ta dextérité ferait à mon silence.
Même de peur qu'un mot par hasard échappé
Te fasse voir ce cœur et quels traits l'ont frappé,
Je romps un entretien dont la suite me blesse.
Adieu, mais souviens-toi que c'est sur ta promesse
Que mon esprit reprend quelque tranquillité.

                    LAONICE
Madame, assurez-vous sur ma fidélité.

ACTE SECOND

Scène I : Cléopâtre.

Serments fallacieux, salutaire contrainte,
Que m'imposa la force et qu'accepta ma crainte,
Heureux déguisements d'un immortel courroux,
Vains fantômes d'État, évanouissez-vous!
Si d'un péril pressant la terreur vous fit naître,
Avec ce péril même il vous faut disparaître,
Semblables à ces vœux dans l'orage formés,
Qu'efface un prompt oubli quand les flots sont calmés
Et vous, qu'avec tant d'art cette feinte a voilée,
Recours des impuissants, haine dissimulée,
Digne vertu des Rois, noble secret de cour,
Éclatez, il est temps, et voici votre jour.
Montrons-nous toutes deux, non plus comme sujettes
Mais telle que je suis et telle que vous êtes.
Le Parthe est éloigné, nous pouvons tout oser,
Nous n'avons rien à craindre et rien à déguiser.
Je hais, je règne encor : laissons d'illustres marques
En quittant, s'il le faut, ce haut rang des monarques
Faisons-en avec gloire un départ éclatant,

Et rendons-le funeste à celle qui l'attend.
C'est encor, c'est encor cette même ennemie
Qui cherchait ses honneurs dedans mon infamie,
Dont la haine à son tour croit me faire la loi,
Et régner par mon ordre et sur vous et sur moi.
Tu m'estimes bien lâche, imprudente rivale,
Si tu crois que mon cœur jusque-là se ravale,
Qu'il souffre qu'un hymen qu'on t'a promis en vain
Te mette ta vengeance et mon sceptre à la main.
Vois jusqu'où m'emporta l'amour du diadème,
Vois quel sang il me coûte, et tremble pour toi-même.
Tremble, te dis-je, et songe en dépit du traité
Que pour t'en faire un don je l'ai trop acheté.

Scène II : Cléopâtre, Laonice.

CLÉOPATRE
Laonice, vois-tu que le peuple s'apprête
Au pompeux appareil de cette grande fête?

LAONICE
La joie en est publique, et les princes tous deux
Des Syriens ravis emportent tous les vœux :
L'un et l'autre fait voir un mérite si rare
Que le souhait confus entre les deux s'égare
Et ce qu'en quelques-uns on voit d'attachement
N'est qu'un faible ascendant d'un premier mouvement.
Ils penchent d'un côté, prêts à tomber de l'autre :
Leur choix pour s'affermir attend encor le vôtre,
Et de celui qu'ils font ils sont si peu jaloux
Que votre secret sur les réunira tous.

CLÉOPATRE
Sais-tu que mon secret n'est pas ce que l'on pense?

LAONICE
J'attends avec eux tous celui de leur naissance.

CLÉOPATRE
Pour un esprit de cour, et nourri chez les grands,
Tes yeux dans leurs secrets sont bien peu pénétrants [22].
Apprends, ma confidente, apprends à me connaître.
  Si je cache en quel rang le ciel les a fait naître,
Vois, vois que tant que l'ordre en demeure douteux,
Aucun des deux ne règne, et je règne pour eux.
Quoique ce soit un bien que l'un et l'autre attende,
De crainte de le perdre aucun ne le demande ;
Cependant je possède, et leur droit incertain
Me laisse avec leur sort leur sceptre dans la main :
Voilà mon grand secret. Sais-tu par quel mystère
Je les laissais tous deux en dépôt chez mon frère?

LAONICE
J'ai cru qu'Antiochus les tenait éloignés
Pour jouir des États qu'il avait regagnés.

CLÉOPATRE
Il occupait leur trône et craignait leur présence,
Et cette juste crainte assurait ma puissance.
Mes ordres en étaient de point en point suivis,
Quand je menaçais du retour de mes fils.
Voyant ce foudre prêt à suivre ma colère,
Quoi qu'il me plût oser, il n'osait me déplaire,

22. Allusion à tout un secteur de la littérature politique de
la Renaissance depuis le *Cortegiano* de B. Castiglione (1531)
jusqu'au *Discreto* de B. Gracian, contemporain de *Rodogune*.

Et content malgré lui du vain titre de roi,
S'il régnait au lieu d'eux, ce n'était que sous moi.
Je te dirai bien plus : sans violence aucune
J'aurais vu Nicanor épouser Rodogune,   465
Si content de lui plaire et de me dédaigner,
Il eût vécu chez elle en me laissant régner.
Son retour me fâchait plus que son hyménée,
Et j'aurais pu l'aimer, s'il ne l'eût couronnée.
Tu vis comme il y fit des efforts superflus :
Je fis beaucoup alors, et ferais encor plus   470
S'il était quelque voie, infâme ou légitime,
Que m'enseignât la gloire ou que m'ouvrît le crime,
Qui me pût conserver un bien que j'ai chéri
Jusqu'à verser pour lui tout le sang d'un mari.
Dans l'état pitoyable où m'en réduit la suite,   475
Délices de mon cœur, il faut que je te quitte.
On m'y force, il le faut, mais on verra quel fruit
En recevra bientôt celle qui m'y réduit.
L'amour que j'ai pour toi tourne en haine pour elle :
Autant que l'un fut grand, l'autre sera cruelle,   480
Et puisqu'en te perdant, j'ai sur qui m'en venger,
Ma perte est supportable, et mon mal est léger.

LAONICE
Quoi! vous parlez encor de vengeance et de haine
Pour celle dont vous-même allez faire une Reine!

CLÉOPATRE
Quoi! je ferais un roi pour être son époux,   485
Et m'exposer aux traits de son juste courroux!
N'apprendras-tu jamais, âme basse et grossière,
A voir par d'autres yeux que les yeux du vulgaire?
Toi qui connais ce peuple, et sais qu'aux champs de [Mars 490
Lâchement d'une femme il suit les étendards,
Que sans Antiochus Tryphon m'eût dépouillée,
Que sous lui son ardeur fut soudain réveillée,
Ne saurais-tu juger que si je nomme un Roi,
C'est pour le commander, et combattre pour moi?
J'en ai le choix en main avec le droit d'aînesse, 495
Et puisqu'il en faut faire une aide à ma faiblesse,
Que la guerre sans lui ne peut se rallumer,
J'userai bien du droit que j'ai de le nommer.
On ne montera point au rang dont je dévale,
Qu'en épousant ma haine au lieu de ma rivale :   500
Ce n'est qu'en me vengeant qu'on me le peut ravir,
Et je ferai régner qui me voudra servir.

LAONICE
Je vous connaissais mal.

CLÉOPATRE
                      Connais-moi tout entière.
Quand je mis Rodogune en tes mains prisonnière,
Ce ne fut ni pitié ni respect de son rang   505
Qui m'arrêta le bras et conserva son sang.
La mort d'Antiochus me laissait sans armée,
Et d'une troupe en hâte à me suivre animée,
Beaucoup dans ma vengeance ayant fini leurs jours
M'exposaient à son frère et faible et sans secours. 510
Je me voyais perdue, à moins d'un tel otage.
Il vint, et sa fureur craignit pour ce cher gage,
Il m'imposa des lois, exigea des serments,
Et moi, j'accordai tout pour obtenir du temps.
Le temps est un trésor plus grand qu'on ne peut croire, 515

J'en obtins, et je crus obtenir la victoire.
J'ai pu reprendre haleine, et sous de faux apprêts...
Mais voici mes deux fils, que j'ai mandés exprès :
Écoute, et tu verras quel est cet hyménée
520 Où se doit terminer cette illustre journée.

Scène III : Cléopâtre, Antiochus,
Séleucus, Laonice.

CLÉOPÂTRE

Mes enfants, prenez place. Enfin voici le jour
Si doux à mes souhaits, si cher à mon amour,
Où je puis voir briller sur une de vos têtes
Ce que j'ai conservé parmi tant de tempêtes,
525 Et vous remettre un bien, après tant de malheurs,
Qui m'a coûté pour vous tant de soins et de pleurs.
Il peut vous souvenir quelles furent mes larmes
Quand Tryphon me donna de si rudes alarmes,
Que pour ne vous pas voir exposés à ses coups,
530 Il fallut me résoudre à me priver de vous.
Quelles peines depuis, grands Dieux, n'ai-je souffertes !
Chaque jour redoubla mes douleurs et mes pertes.
Je vis votre royaume entre ces murs réduit,
Je crus mort votre père, et sur si faux bruit
535 Le peuple mutiné voulut avoir un maître.
J'eus beau le nommer lâche, ingrat, parjure, traître,
Il fallut satisfaire à son brutal désir,
Et de peur qu'il en prît, il m'en fallut choisir.
Pour vous sauver l'État que n'eussé-je pu faire ?
540 Je choisis un époux avec des yeux de mère,
Votre oncle Antiochus, et j'espérai qu'en lui
Votre trône tombant trouverait un appui.
Mais à peine son bras en relève la chute,
Que par lui de nouveau le sort me persécute :
545 Maître de votre État par sa valeur sauvé,
Il s'obstine à remplir ce trône relevé.
Qui lui parle de vous attire sa menace,
Il n'a défait Tryphon que pour prendre sa place,
Et de dépositaire et de libérateur,
550 Il s'érige en tyran et lâche usurpateur.
Sa main l'en a puni : pardonnons à son ombre.
Aussi bien en un seul voici des maux sans nombre.
Nicanor votre père et mon premier époux...
Mais pourquoi lui donner encor des noms si doux,
555 Puisque l'ayant cru mort, il sembla ne revivre
Que pour s'en dépouiller afin de nous poursuivre ?
Passons, je ne me puis souvenir sans trembler
Du coup dont j'empêchai qu'il ne nous pût accabler.
Je ne sais s'il est digne ou d'horreur ou d'estime,
560 S'il plut aux Dieux ou non, s'il fut justice ou crime ;
Mais soit crime ou justice, il est certain, mes fils,
Que mon amour pour vous fit tout ce que je fis :
Ni celui des grandeurs, ni celui de la vie
Ne jeta dans mon cœur cette aveugle furie.
565 J'étais lasse d'un trône où d'éternels malheurs
Me comblaient chaque jour de nouvelles douleurs.
Ma vie est presque usée, et ce reste inutile
Chez mon frère avec vous trouvait un sûr asile.
Mais voir, après douze ans et de soins et de maux,
570 Un père vous ôter le fruit de mes travaux,

Mais voir votre couronne après lui destinée
Aux enfants qui naîtraient d'un second hyménée !
A cette indignité je ne connus plus rien :
Je me crus tout permis pour garder votre bien.
Recevez donc, mes fils, de la main d'une mère
Un trône racheté par le malheur d'un père.
Je crus qu'il fit lui-même un crime en vous l'ôtant,
Et si j'en ai fait un en vous le rachetant,
Daigne du juste ciel la bonté souveraine,
Vous en laissant le fruit, m'en réserver la peine,
Ne lancer que sur moi les foudres mérités,
Et n'épandre sur vous que des prospérités !

ANTIOCHUS
Jusques ici, Madame, aucun ne met en doute
Les longs et grands travaux que notre amour vous [coûte,
Et nous croyons tenir des soins de cet amour
Ce doux espoir du trône aussi bien que le jour :
Le récit nous en charme, et nous fait mieux comprendre
Quelles grâces tous deux nous vous en devons rendre ;
Mais afin qu'à jamais nous les puissions bénir,
Épargnez le dernier à notre souvenir.
Ce sont fatalités dont l'âme embarrassée
A plus qu'elle ne veut se voit souvent forcée.
Sur les noires couleurs d'un si triste tableau
Il faut passer l'éponge ou tirer le rideau.
Un fils est criminel quand il les examine,
Et quelque suite enfin que le ciel y destine,
J'en rejette l'idée, et crois qu'en ces malheurs
Le silence ou l'oubli nous sied mieux que les pleurs.
Nous attendons le sceptre avec même espérance,
Mais si nous l'attendons, c'est sans impatience.
Nous pouvons sans régner vivre tous deux contents.
C'est le fruit de vos soins, jouissez-en longtemps.
Il tombera sur nous quand vous en serez lasse,
Nous le recevrons lors de bien meilleure grâce,
Et l'accepter si tôt semble nous reprocher
De n'être revenus que pour vous l'arracher.

SÉLEUCUS
J'ajouterai, Madame, à ce qu'a dit mon frère,
Que bien qu'avec plaisir et l'un et l'autre espère,
L'ambition n'est pas notre plus grand désir.
Régnez, nous le verrons tous deux avec plaisir,
Et c'est bien la raison que pour tant de puissance
Nous vous rendions du moins un peu d'obéissance,
Et que celui de nous dont le ciel a fait choix
Sous votre illustre exemple apprenne l'art des rois.

CLÉOPÂTRE
Dites tout, mes enfants. Vous fuyez la couronne,
Non que son trop d'éclat ou son poids vous étonne :
L'unique fondement de cette aversion,
C'est la honte attachée à sa possession.
Elle passe à vos yeux pour la même infamie,
S'il faut la partager avec notre ennemie,
Et qu'un indigne hymen la fasse retomber
Sur celle qui venait pour vous la dérober.
O nobles sentiments d'une âme généreuse !
O fils vraiment mes fils, ô mère trop heureuse !
Le sort de votre père enfin est éclairci,
Il était innocent, et je puis l'être aussi,
Il vous aima toujours, et ne fut mauvais père

Que charmé par la sœur ou forcé par le frère,
Et dans cette embuscade où son effort fut vain,
Rodogune, mes fils, le tua par ma main.
Ainsi de cet amour la fatale puissance
Vous coûte votre père, à moi mon innocence,
Et si ma main pour vous n'avait tout attenté,
L'effet de cet amour vous aurait tout coûté.
Ainsi vous me rendrez l'innocence et l'estime,
Lorsque vous punirez la cause de mon crime.
De cette même main qui vous a tout sauvé,
Dans son sang odieux je l'aurais bien lavé.
Mais comme vous aviez votre part aux offenses,
Je vous ai réservé votre part aux vengeances,
Et pour ne tenir plus en suspens vos esprits,
Si vous voulez régner, le trône est à ce prix.
Entre deux fils que j'aime avec même tendresse,
Embrasser ma querelle est le seul droit d'aînesse :
La mort de Rodogune en nommera l'aîné.
　　Quoi! vous montrez tous deux un visage étonné!
Redoutez-vous son frère? Après la paix infâme
Que même en la jurant je détestais dans l'âme,
J'ai fait lever des gens par des ordres secrets,
Qu'à vous suivre en tous lieux vous trouverez tous
Et tandis qu'il fait tête aux princes d'Arménie, [prêts,
Nous pouvons sans péril briser sa tyrannie.
Qui vous fait donc pâlir à cette juste loi?
Est-ce pitié pour elle, est-ce haine pour moi?
Voulez-vous l'épouser afin qu'elle me brave,
Et mettre mon destin aux mains de mon esclave?
Vous ne me répondez point! Allez, enfants ingrats,
Pour qui je crus en vain conserver ces États :
J'ai fait votre oncle roi, j'en ferai bien un autre,
Et mon nom peut encore ici plus que le vôtre.
　　　　　SÉLEUCUS
Mais, Madame, voyez que pour premier exploit...
　　　　　CLÉOPATRE
Mais que chacun de vous pense à ce qu'il me doit.
Je sais bien que le sang qu'à vos mains je demande
N'est pas le digne essai d'une valeur bien grande,
Mais si vous me devez et le sceptre et le jour,
Ce doit être envers moi le sceau de votre amour.
Sans ce gage ma haine à jamais s'en défie;
Ce n'est qu'en m'imitant que l'on me justifie.
Rien ne vous sert ici de faire les surpris,
Je vous le dis encor, le trône est à ce prix.
Je puis en disposer comme de ma conquête :
Point d'aîné, point de roi, qu'en m'apportant sa tête,
Et puisque mon seul choix vous y peut élever,
Pour jouir de mon crime il le faut achever.

　　　Scène IV : Séleucus, Antiochus.

　　　　　SÉLEUCUS
Est-il une constance à l'épreuve du foudre
Dont ce cruel arrêt met notre espoir en poudre?
　　　　　ANTIOCHUS
Est-il un coup de foudre à comparer aux coups
Que ce cruel arrêt vient de lancer sur nous?
　　　　　SÉLEUCUS
Ô haines, ô fureurs dignes d'une Mégère!

O femme, que je n'ose appeler encor mère!   680
Après que tes forfaits ont régné pleinement,
Ne saurais-tu souffrir qu'on règne innocemment?
Quels attraits penses-tu qu'ait pour nous la couronne,
S'il faut qu'un crime égal par ta main nous la donne,
Et de quelles horreurs nous doit-elle combler,   685
Si pour monter au trône il faut te ressembler?
　　　　　ANTIOCHUS
Gardons plus de respect aux droits de la nature,
Et n'imputons qu'au sort notre triste aventure :
Nous le nommions cruel, mais il nous était doux
Quand il ne nous donnait à combattre que nous.   690
Confidents tout ensemble et rivaux l'un de l'autre,
Nous ne concevions point de mal pareil au nôtre.
Cependant à nous voir l'un de l'autre rivaux,
Nous ne concevions pas la moitié de nos maux.
　　　　　SÉLEUCUS
Une douleur si sage et si respectueuse,   695
Ou n'est guère sensible ou guère impétueuse,
Et c'est en de tels maux avoir l'esprit bien fort
D'en connaître la cause et l'imputer au sort.
Pour moi, je sens les miens avec plus de faiblesse,
Plus leur cause m'est chère, et plus l'effet m'en blesse.   700
Non que pour m'en venger j'ose entreprendre rien,
Je donnerais encor tout mon sang pour le sien.
Je sais ce que je dois, mais dans cette contrainte,
Si je retiens mon bras, je laisse aller ma plainte,
Et j'estime qu'au point qu'elle nous a blessés,   705
Qui ne fait que s'en plaindre a du respect assez.
Voyez-vous bien quel est le ministère infâme
Qu'ose exiger de nous la main d'une femme?
Voyez-vous qu'aspirant à des crimes nouveaux,
De deux princes ses fils elle fait ses bourreaux?   710
Si vous pouvez le voir, pouvez-vous vous en taire?
　　　　　ANTIOCHUS
Je vois bien plus encor : je vois qu'elle est ma mère,
Et plus je vois son crime indigne de ce rang,
Plus je lui vois souiller la source de mon sang.
J'en sens de ma douleur croître la violence,   715
Mais ma confusion m'impose le silence,
Lorsque dans ses forfaits sur nos fronts imprimés
Je vois les traits honteux dont nous sommes formés.
Je tâche à cet objet d'être aveugle ou stupide,
J'ose me déguiser jusqu'à son parricide,   720
Je me cache à moi-même un excès de malheur
Où notre ignominie égale ma douleur,
Et détournant les yeux d'une mère cruelle,
J'impute tout au sort qui m'a fait naître d'elle.
Je conserve pourtant encore un peu d'espoir :   725
Elle est mère, et le sang a beaucoup de pouvoir,
Et le sort l'eût-il faite encore plus inhumaine,
Une larme d'un fils peut amollir sa haine.
　　　　　SÉLEUCUS
Ah! mon frère, l'amour n'est guère véhément
Pour des fils élevés dans un bannissement,   730
Et qu'ayant fait nourrir presque dans l'esclavage
Elle n'a rappelés que pour servir sa rage.
De ses pleurs tant vantés je découvre le fard,
Nous avons en son cœur, vous et moi, peu de part;
Elle fait bien sonner ce grand amour de mère,   735

Mais elle seule enfin s'aime et se considère,
Et quoi que nous étale un langage si doux,
Elle a tout fait pour elle, et n'a rien fait pour nous.
Ce n'est qu'un faux amour que la haine domine,
740 Nous ayant embrassés, elle nous assassine,
En veut au cher objet dont nous sommes épris,
Nous demande son sang, met le trône à ce prix.
Ce n'est plus de sa main qu'il nous le faut attendre :
Il est, il est à nous, si nous osons le prendre.
745 Notre révolte ici n'a rien que d'innocent :
Il est à l'un de nous, si l'autre le consent.
Régnons, et son courroux ne sera que faiblesse,
C'est l'unique moyen de sauver la Princesse.
Allons la voir, mon frère, et demeurons unis :
750 C'est l'unique moyen de voir nos maux finis.
Je forme un beau dessein, que son amour m'inspire,
Mais il faut qu'avec lui notre union conspire.
Notre amour, aujourd'hui si digne de pitié,
Ne saurait triompher que par notre amitié.

ANTIOCHUS

755 Cet avertissement marque une défiance
Que la mienne pour vous souffre avec patience.
Allons, et soyez sûr que même le trépas
Ne peut rompre des nœuds que l'amour ne rompt pas.

ACTE TROISIÈME

Scène I : Rodogune, Oronte, Laonice.

RODOGUNE

Voilà comme l'amour succède à la colère,
760 Comme elle ne me voit qu'avec des yeux de mère,
Comme elle aime la paix, comme elle fait un roi,
Et comme elle use enfin de ses fils et de moi.
Et tantôt mes soupçons lui faisaient une offense?
Elle n'avait rien fait qu'en sa juste défense?
765 Lorsque tu la trompais elle fermait les yeux?
Ah! que ma défiance en jugeait beaucoup mieux!
Tu le vois, Laonice.

LAONICE

Et vous voyez, Madame,
Quelle fidélité vous conserve mon âme,
Et qu'ayant reconnu sa haine et mon erreur,
770 Le cœur gros de soupirs et frémissant d'horreur,
Je romps une foi due aux secrets de ma reine,
Et vous viens découvrir mon erreur et sa haine.

RODOGUNE

Cet avis salutaire est l'unique secours
A qui je crois devoir le reste de mes jours.
775 Mais ce n'est pas assez de m'avoir avertie :
Il faut de ces périls m'aplanir la sortie,
Il faut que tes conseils m'aident à repousser...

LAONICE

Madame, au nom des Dieux, veuillez m'en dispenser.
C'est assez que pour vous je lui sois infidèle,
780 Sans m'engager encore à des conseils contre elle.
Oronte est avec vous, qui, comme ambassadeur,
Devait de cet hymen honorer la splendeur.
Comme c'est en ses mains que le Roi votre frère

A déposé le soin d'une tête si chère,
Je vous laisse avec lui pour en délibérer;
Quoi que vous résolviez, laissez-moi l'ignorer.
Au reste, assurez-vous de l'amour des deux princes.
Plutôt que de vous perdre ils perdront leurs provinces,
Mais je ne réponds pas que ce cœur inhumain
Ne veuille à leur refus s'armer d'une autre main.
Je vous parle en tremblant : si j'étais ici vue,
Votre péril croîtrait, et je serais perdue.
Fuyez, grande princesse, et souffrez cet adieu.

RODOGUNE

Va, je reconnaîtrai ce service en son lieu.

Scène II : Rodogune, Oronte.

RODOGUNE

Que ferons-nous, Oronte, en ce péril extrême,
Où l'on fait de mon sang le prix d'un diadème?
Fuirons-nous chez mon frère? attendrons-nous la [mort
Ou ferons-nous contre elle un généreux effort?

ORONTE

Notre fuite, Madame, est assez difficile :
J'ai vu des gens de guerre épandus par la ville.
Si l'on veut votre perte, on vous fait observer
Ou s'il vous est permis encor de vous sauver,
L'avis de Laonice est sans doute une adresse,
Feignant de vous servir elle sert sa maîtresse.
La Reine, qui surtout craint de vous voir régner,
Vous donne ces terreurs pour vous faire éloigner,
Et pour rompre un hymen qu'avec peine elle endure.
Elle en veut à vous-même imputer la rupture.
Elle obtiendra par vous le but de ses souhaits,
Et vous accusera de violer la paix,
Et le Roi, plus piqué contre vous que contre elle,
Vous voyant lui porter une guerre nouvelle,
Blâmera vos frayeurs et nos légèretés,
D'avoir osé douter de la foi des traités,
Et peut-être, pressé des guerres d'Arménie,
Vous laissera moquée, et la Reine impunie.
A ces honteux moyens gardez de recourir :
C'est ici qu'il vous faut ou régner ou périr.
Le ciel pour vous ailleurs n'a point fait de couronne
Et l'on s'en rend indigne alors qu'on l'abandonne.

RODOGUNE

Ah! que de vos conseils j'aimerais la vigueur,
Si nous avions la force égale à ce grand cœur!
Mais pourrons-nous braver une Reine en colère
Avec ce peu de gens que m'a laissés mon frère?

ORONTE

J'aurais perdu l'esprit si j'osais me vanter
Qu'avec ce peu de gens nous puissions résister.
Nous mourrons à vos pieds, c'est toute l'assistance
Que vous peut en ces lieux offrir notre impuissance.
Mais pouvez-vous trembler quand dans ces mêmes [lieux
Vous portez le grand maître et des rois et des Dieux
L'Amour fera lui seul tout ce qu'il vous faut faire.
Faites-vous un rempart des fils contre la mère,
Ménagez bien leur flamme, ils voudront tout pour vous
Et ces astres naissants sont adorés de tous.

Quoi que puisse en ces lieux une reine cruelle,
Pouvant tout sur ses fils, vous y pouvez plus qu'elle.
Cependant trouvez bon qu'en ces extrémités
Je tâche à rassembler nos Parthes écartés.
Ils sont peu, mais vaillants, et peuvent de sa rage
Empêcher la surprise et le premier outrage.
Craignez moins, et surtout, Madame, en ce grand jour,
Si vous voulez régner, faites régner l'Amour.

Scène III : Rodogune.

Quoi? je pourrais descendre à ce lâche artifice
D'aller de mes amants mendier le service,
Et sous l'indigne appas d'un coup d'œil affété,
J'irais jusqu'en leur cœur chercher ma sûreté!
Celles de ma naissance ont horreur des bassesses;
Leur sang tout généreux hait ces molles adresses.
Quel que soit le secours qu'ils me puissent offrir,
Je croirai faire assez de le daigner souffrir :
Je verrai leur amour, j'éprouverai sa force,
Sans flatter leurs désirs, sans leur jeter d'amorce,
Et s'il est assez fort pour me servir d'appui,
Je le ferai régner, mais en régnant sur lui.
Sentiments étouffés de colère et de haine,
Rallumez vos flambeaux à celles de la Reine,
Et d'un oubli contraint rompez la dure loi,
Pour rendre enfin justice aux mânes d'un grand roi,
Rapportez à mes yeux son image sanglante,
D'amour et de fureur encore étincelante,
Telle que je le vis, quand tout percé de coups [vous! »
Il me cria : « Vengeance! Adieu : je meurs pour
Chère ombre, hélas! bien loin de l'avoir poursuivie,
J'allais baiser la main qui t'arracha la vie,
Rendre un respect de fille à qui versa ton sang,
Mais pardonne au devoir que m'impose mon rang.
Plus la haute naissance approche des couronnes,
Plus cette grandeur même asservit nos personnes.
Nous n'avons point de cœur pour aimer ni haïr,
Toutes nos passions ne savent qu'obéir.
Après avoir armé pour venger cet outrage,
D'une paix mal conçue on m'a faite le gage,
Et moi, fermant les yeux sur ce noir attentat,
Je suivais mon destin en victime d'État.
Mais aujourd'hui qu'on voit cette main parricide,
Des restes de ta vie insolemment avide,
Vouloir encor percer ce sein infortuné,
Pour y chercher le cœur que tu m'avais donné,
De la paix qu'elle rompt je ne suis plus le gage,
Je brise avec honneur mon illustre esclavage,
J'ose reprendre un cœur pour aimer et haïr,
Et ce n'est plus qu'à toi que je veux obéir.
Le consentiras-tu cet effort sur ma flamme,
Toi, son vivant portrait, que j'adore dans l'âme,
Cher Prince, dont je n'ose en mes plus doux souhaits
Fier encor le nom aux murs de ce palais?
Je sais quelles seront tes douleurs et tes craintes,
Je vois déjà tes maux, j'entends déjà tes plaintes,
Mais pardonne aux devoirs qu'exige enfin un roi
A qui tu dois le jour qu'il a perdu pour moi.
J'aurai mêmes douleurs, j'aurai mêmes alarmes;

S'il t'en coûte un soupir, j'en verserai des larmes.
Mais, Dieux! que je me trouble en les voyant tous
[deux!
Amour, qui me confonds, cache du moins tes feux,
Et content de mon cœur dont je te fais le maître,   895
Dans mes regards surpris garde-toi de paraître.

Scène IV : Antiochus, Séleucus, Rodogune.

ANTIOCHUS

Ne vous offensez pas, Princesse, de nous voir
De vos yeux à vous-même expliquer le pouvoir.
Ce n'est pas d'aujourd'hui que nos cœurs en soupirent :
A vos premiers regards tous deux ils se rendirent,   900
Mais un profond respect nous fit taire et brûler,
Et ce même respect nous force de parler.
    L'heureux moment approche où votre destinée
Semble être aucunement à la nôtre enchaînée,
Puisque d'un droit d'aînesse incertain parmi nous   905
La nôtre attend un sceptre et la vôtre un époux.
C'est trop d'indignité que notre souveraine
De l'un de ses captifs tienne la main de reine.
Notre amour s'en offense, et changeant cette loi,
Remet à notre reine à nous choisir un roi.   910
Ne vous abaissez plus à suivre la couronne,
Donnez-la, sans souffrir qu'avec elle on vous donne.
Réglez notre destin, qu'ont mal réglé les Dieux :
Notre seul droit d'aînesse est de plaire à vos yeux;
L'ardeur qu'allume en nous une flamme si pure   915
Préfère votre choix au choix de la nature,
Et vient sacrifier à votre élection
Toute notre espérance et notre ambition.
    Prononcez donc, Madame, et faites un monarque :
Nous céderons sans honte à cette illustre marque,   920
Et celui qui perdra votre divin objet
Demeurera du moins votre premier sujet.
Son amour immortel saura toujours lui dire
Que ce rang près de vous vaut ailleurs un empire;
Il y mettra sa gloire, et dans un tel malheur,   925
L'heur de vous obéir flattera sa douleur.

RODOGUNE

Princes, je dois beaucoup à cette déférence
De votre ambition et de votre espérance,
Et j'en recevrais l'offre avec quelque plaisir,
Si celles de mon rang avaient droit de choisir.   930
Comme sans leur avis les rois disposent d'elles
Pour affermir leur trône ou finir leurs querelles,
Le destin des États est arbitre du leur,
Et l'ordre des traités règle tout dans leur cœur.
C'est lui qui suit le mien, et non pas la couronne;   935
J'aimerai l'un de vous, parce qu'il me l'ordonne;
Du secret révélé j'en prendrai le pouvoir,
Et mon amour pour naître attendra mon devoir.
N'attendez pas de plus, ou votre attente est vaine
Le choix que vous m'offrez appartient à la Reine.   940
J'entreprendrais sur elle à l'accepter de vous.
Peut-être on vous a tu jusqu'où va son courroux,
Mais je dois par épreuve assez bien le connaître
Pour fuir l'occasion de le faire renaître.

945 Que n'en ai-je souffert, et que n'a-t-elle osé?
Je veux croire avec vous que tout est apaisé,
Mais craignez avec moi que ce choix ne ranime
Cette haine mourante à quelque nouveau crime;
Pardonnez-moi ce mot qui viole un oubli
950 Que la paix entre nous doit avoir établi.
Le feu qui semble éteint souvent dort sous la cendre.
Qui l'ose réveiller peut s'en laisser surprendre,
Et je mériterais qu'il me pût consumer,
Si je lui fournissais de quoi se rallumer.

SÉLEUCUS

955 Pouvez-vous redouter sa haine renaissante,
S'il est en votre main de la rendre impuissante?
Faites un roi, Madame, et régnez avec lui.
Son courroux désarmé demeure sans appui,
Et toutes ses fureurs sans effet rallumées
960 Ne pousseront en l'air que de vaines fumées.
Mais a-t-elle intérêt au choix que vous ferez,
Pour en craindre les maux que vous vous figurez?
La couronne est à nous, et sans lui faire injure,
Sans manquer de respect aux droits de la nature,
965 Chacun de nous à l'autre en peut céder sa part,
Et rendre à votre choix ce qu'il doit au hasard.
Qu'un si faible scrupule en votre faveur cesse,
Votre inclination vaut bien un droit d'aînesse,
Dont vous seriez traitée avec trop de rigueur,
970 S'il se trouvait contraire aux vœux de votre cœur.
On vous applaudirait quand vous seriez à plaindre,
Pour vous faire régner ce serait vous contraindre,
Vous donner la couronne en vous tyrannisant,
Et verser du poison sur ce noble présent.
975 Au nom de ce beau feu qui tous deux nous consume,
Princesse, à notre espoir ôtez cette amertume,
Et permettez que l'heur qui suivra votre époux
Se puisse redoubler à le tenir de vous.

RODOGUNE

Ce beau feu vous aveugle autant comme il vous brûle,
980 Et, tâchant d'avancer, son effort vous recule.
Vous croyez que ce choix que l'un et l'autre attend
Pourra faire un heureux sans faire un mécontent,
Et moi, quelque vertu que votre cœur prépare,
Je crains d'en faire deux si le mien se déclare.
985 Non que de l'un et l'autre il dédaigne les vœux :
Je tiendrais à bonheur d'être à l'un de vous deux,
Mais souffrez que je suive enfin ce qu'on m'ordonne.
Je me mettrai trop haut s'il faut que je me donne;
Quoique aisément je cède aux ordres de mon Roi,
990 Il n'est pas bien aisé de m'obtenir de moi.
Savez-vous quels devoirs, quels travaux, quels services,
Voudront de mon orgueil exiger les caprices?
Par quels degrés de gloire on me peut mériter?
En quels affreux périls il faudra vous jeter?
995 Ce cœur vous est acquis après le diadème,
Princes, mais gardez-vous de le rendre à lui-même.
Vous y renoncerez peut-être pour jamais,
Quand je vous aurai dit à quel prix je le mets.

SÉLEUCUS

Quels seront les devoirs, quels travaux, quels services
Dont nous ne vous fassions d'amoureux sacrifices,
1000 Et quels affreux périls pourrons-nous redouter,

Si c'est par ces degrés qu'on peut vous mériter?

ANTIOCHUS

Princesse, ouvrez ce cœur, et jugez mieux du nôtre,
Jugez mieux du beau feu qui brûle l'un et l'autre,
Et dites hautement à quel prix votre choix
Veut faire l'un de nous le plus heureux des rois.

RODOGUNE

Princes, le voulez-vous?

ANTIOCHUS

C'est notre unique envie.

RODOGUNE

Je verrai cette ardeur d'un repentir suivie.

SÉLEUCUS

Avant ce repentir tous deux nous périrons.

RODOGUNE

Enfin vous le voulez?

SÉLEUCUS

Nous vous en conjurons.

RODOGUNE

Eh bien donc! il est temps de me faire connaître.
J'obéis à mon roi, puisqu'un de vous doit l'être.
Mais quand j'aurai parlé, si vous vous en plaignez,
J'atteste tous les Dieux que vous m'y contraignez,
Et que c'est malgré moi qu'à moi-même rendue
J'écoute une chaleur qui m'était défendue,
Qu'un devoir rappelé me rend un souvenir
Que la foi des traités ne doit plus retenir.
Tremblez, Princes, tremblez au nom de votre père :
Il est mort, et pour moi, par les mains d'une mère.
Je l'avais oublié, sujette à d'autres lois,
Mais libre, je lui rends enfin ce que je dois.
C'est à vous de choisir mon amour ou ma haine.
J'aime les fils du Roi, je hais ceux de la Reine.
Réglez-vous là-dessus, et sans plus me presser,
Voyez auquel des deux vous voulez renoncer.
Il faut prendre parti, mon choix suivra le vôtre :
Je respecte autant l'un que je déteste l'autre,
Mais ce que j'aime en vous du sang de ce grand roi,
S'il n'est digne de lui, n'est pas digne de moi.
Ce sang que vous portez, ce trône qu'il vous laisse,
Valent bien que pour lui votre cœur s'intéresse :
Votre gloire le veut, l'amour vous le prescrit.
Qui peut contre elle et lui soulever votre esprit?
Si vous leur préférez une mère cruelle,
Soyez cruels, ingrats, parricides comme elle.
Vous devez la punir, si vous la condamnez,
Vous devez l'imiter, si vous la soutenez.
Quoi? cette ardeur s'éteint! l'un et l'autre soupire!
J'avais su le prévoir, j'avais su le prédire...

ANTIOCHUS

Princesse...

RODOGUNE

Il n'est plus temps, le mot en est lâché.
Quand j'ai voulu me taire, en vain je l'ai tâché.
Appelez ce devoir haine, rigueur, colère :
Pour gagner Rodogune il faut venger un père.
Je me donne à ce prix : osez me mériter,
Et voyez qui de vous daignera m'accepter.
Adieu, Princes.

Scène V : Antiochus, Séleucus.

ANTIOCHUS

Hélas! c'est donc ainsi qu'on traite
Les plus profonds respects d'une amour si parfaite!

SÉLEUCUS

Elle nous fuit, mon frère, après cette rigueur.

ANTIOCHUS

50 Elle fuit, mais en Parthe, en nous perçant le cœur.

SÉLEUCUS

Que le ciel est injuste! Une âme si cruelle
Méritait notre mère, et devait naître d'elle.

ANTIOCHUS

Plaignons-nous sans blasphème.

SÉLEUCUS

Ah! que vous me gênez
Par cette retenue où vous vous obstinez!
55 Faut-il encor régner? faut-il l'aimer encore?

ANTIOCHUS

Il faut plus de respect pour celle qu'on adore.

SÉLEUCUS

C'est ou d'elle ou du trône être ardemment épris,
Que vouloir ou l'aimer ou régner à ce prix.

ANTIOCHUS

C'est et d'elle et de lui tenir bien peu de compte,
60 Que faire une révolte et si pleine et si prompte.

SÉLEUCUS

Lorsque l'obéissance a tant d'impiété,
La révolte devient une nécessité.

ANTIOCHUS

La révolte, mon frère, est bien précipitée,
Quand la loi qu'elle rompt peut être rétractée,
5 Et c'est à nos désirs trop de témérité
De vouloir de tels biens avec facilité :
Le ciel par les travaux veut qu'on monte à la gloire,
Pour gagner un triomphe il faut une victoire.
Mais que je tâche en vain de flatter nos tourments!
0 Nos malheurs sont plus forts que ces déguisements.
Leur excès à mes yeux paraît un noir abîme
Où la haine s'apprête à couronner le crime,
Où la gloire est sans nom, la vertu sans honneur,
Où sans un parricide il n'est point de bonheur,
5 Et voyant de tels maux l'épouvantable image,
Je me sens affaiblir quand je vous encourage.
Je frémis, je chancelle, et mon cœur abattu
Suit tantôt sa douleur, et tantôt sa vertu.
Mon frère, pardonnez à des discours sans suite,
0 Qui font trop voir le trouble où mon âme est réduite.

SÉLEUCUS

J'en ferais comme vous, si mon esprit troublé
Ne secouait le joug dont il est accablé.
Dans mon ambition, dans l'ardeur de ma flamme,
Je vois ce qu'est un trône, et ce qu'est une femme,
5 Et jugeant par leur prix de leur possession,
J'éteins enfin ma flamme et mon ambition.
Et je vous céderais l'un et l'autre avec joie,
Si dans la liberté que le ciel me renvoie,
La crainte de vous faire un funeste présent
0 Ne me jetait dans l'âme un remords trop cuisant.
Dérobons-nous, mon frère, à ces âmes cruelles,

Et laissons-les sans nous achever leurs querelles.

ANTIOCHUS

Comme j'aime beaucoup, j'espère encore un peu.
L'espoir ne peut s'éteindre où brûle tant de feu,
Et son reste confus me rend quelques lumières   1095
Pour juger mieux que vous de ces âmes si fières.
Croyez-moi, l'une et l'autre a redouté nos pleurs,
Leur fuite à nos soupirs a dérobé leurs cœurs,
Et si tantôt leur haine eût attendu nos larmes,
Leur haine à nos douleurs aurait rendu les armes.   1100

SÉLEUCUS

Pleurez donc à leurs yeux, gémissez, soupirez,
Et je craindrai pour vous ce que vous espérez.
Quoi qu'en votre faveur vos pleurs obtiennent d'elles,
Il vous faudra parer leurs haines mutuelles,
Sauver l'une de l'autre, et peut-être leurs coups,   1105
Vous trouvant au milieu, ne perceront que vous.
C'est ce qu'il faut pleurer : ni maîtresse ni mère
N'ont plus de choix ici ni de lois à nous faire :
Quoi que leur rage exige ou de vous ou de moi,
Rodogune est à vous, puisque je vous fais Roi.   1110
Epargnez vos soupirs près de l'une et de l'autre.
J'ai trouvé mon bonheur, saisissez-vous du vôtre :
Je n'en suis point jaloux, et ma triste amitié
Ne le verra jamais que d'un œil de pitié.

Scène VI : Antiochus.

Que je serais heureux si je n'aimais un frère!   1115
Lorsqu'il ne veut pas voir le mal qu'il se veut faire,
Mon amitié s'oppose à son aveuglement.
Elle agira pour vous, mon frère, également,
Elle n'abusera point de cette violence
Que l'indignation fait à votre espérance.   1120
La pesanteur du coup souvent nous étourdit,
On le croit repoussé quand il s'approfondit,
Et quoi qu'un juste orgueil sur l'heure persuade,
Qui ne sent point son mal est d'autant plus malade;
Ces ombres de santé cachent mille poisons,   1125
Et la mort suit de près ces fausses guérisons.
Daignent les justes Dieux rendre vain ce présage!
Cependant allons voir si nous vaincrons l'orage,
Et si contre l'effort d'un si puissant courroux
La nature et l'amour voudront parler pour nous.   1130

ACTE QUATRIÈME

Scène I : Antiochus, Rodogune.

RODOGUNE

Prince, qu'ai-je entendu? parce que je soupire,
Vous présumez que j'aime, et vous m'osez le dire!
Est-ce un frère, est-ce vous dont la témérité
S'imagine...

ANTIOCHUS

Apaisez ce courage irrité,
Princesse, aucun de nous ne serait téméraire   1135
Jusqu'à s'imaginer qu'il eût l'heur de vous plaire.
Je vois votre mérite et le peu que je vaux,

Et ce rival si cher connaît mieux ses défauts.
Mais si tantôt ce cœur parlait par votre bouche,
1140 Il veut que nous croyions qu'un peu d'amour le touche,
Et qu'il daigne écouter quelques-uns de nos vœux,
Puisqu'il tient à bonheur d'être à l'un de nous deux.
Si c'est présomption de croire ce miracle,
C'est une impiété de douter de l'oracle,
1145 Et mériter les maux où nous nous condamnez,
Qu'éteindre un bel espoir que vous nous ordonnez.
Princesse, au nom des Dieux, au nom de cette flamme...

RODOGUNE

Un mot ne fait pas voir jusques au fond d'une âme,
Et votre espoir trop prompt prend trop de vanité
1150 Des termes obligeants de ma civilité.
Je l'ai dit, il est vrai, mais quoi qu'il en puisse être,
Méritez cet amour que vous voulez connaître.
Lorsque j'ai soupiré, ce n'était pas pour vous,
J'ai donné ces soupirs aux mânes d'un époux[23]
1155 Et ce sont les effets du souvenir fidèle
Que sa mort à toute heure en mon âme rappelle.
Princes, soyez ses fils, et prenez son parti.

ANTIOCHUS

Recevez donc son cœur en nous deux réparti,
1160 Ce cœur qu'un saint amour rangea sous votre empire,
Ce cœur pour qui le vôtre à tous moments soupire,
Ce cœur, en vous aimant indignement percé,
Reprend pour vous aimer le sang qu'il a versé.
Il le reprend en nous, il revit, il vous aime,
1165 Et montre, en vous aimant, qu'il est encor le même.
Ah! Princesse, en l'état où le sort nous a mis,   [fils?
Pouvons-nous mieux montrer que nous sommes ses

RODOGUNE

Si c'est son cœur en vous qui revit et qui m'aime,
Faites ce qu'il ferait s'il vivait en lui-même.
A ce cœur qu'il vous laisse osez prêter un bras;
1170 Pouvez-vous le porter et ne l'écouter pas?
S'il vous explique mal ce qu'il en doit attendre,
Il emprunte ma voix pour se mieux faire entendre.
Une seconde fois il vous le dit par moi :
Prince, il faut le venger.

ANTIOCHUS

                    J'accepte cette loi.
1175 Nommez les assassins, et j'y cours.

RODOGUNE

                                    Quel mystère
Vous fait, en l'acceptant, méconnaître une mère?

ANTIOCHUS

Ah! si vous ne voulez voir finir nos destins,
Nommez d'autres vengeurs ou d'autres assassins.

RODOGUNE

Ah! je vois trop régner son parti dans votre âme.
1180 Prince, vous le prenez.

ANTIOCHUS

                    Oui, je le prends, Madame,
Et j'apporte à vos pieds le plus pur de son sang,
Que la nature enferme en ce malheureux flanc.

---

23. Corneille a fait de Rodogune la fiancée, non la femme
d'Antiochus. Mais époux s'emploie encore alors au sens de
fiancé.

Satisfaites vous-même à cette voix secrète
Dont la vôtre envers nous daigne être l'interprète.
Exécutez son ordre, et hâtez-vous sur moi
De punir une reine et de venger un roi.
Mais quitte par ma mort d'un devoir si sévère,
Ecoutez-en un autre en faveur de mon frère.
De deux Princes unis à soupirer pour vous
Prenez l'un pour victime et l'autre pour époux.
Punissez un des fils des crimes de la mère,
Mais payez l'autre aussi des services du père,
Et laissez un exemple à la postérité
Et de rigueur entière et d'entière équité.
Quoi? n'écouterez-vous ni l'amour ni la haine?
Ne pourrai-je obtenir ni salaire ni peine?
Ce cœur qui vous adore et que vous dédaignez...

RODOGUNE

Hélas! Prince.

ANTIOCHUS

                    Est-ce encor le Roi que vous plaignez?
Ce soupir ne va-t-il que vers l'ombre d'un père?

RODOGUNE

Allez, ou pour le moins rappelez votre frère.
Le combat pour mon âme était moins dangereux
Lorsque je vous avais à combattre tous deux :
Vous êtes plus fort seul que vous n'étiez ensemble.
Je vous bravais tantôt, et maintenant je tremble.
J'aime; n'abusez pas, Prince, de mon secret.
Au milieu de ma haine il m'échappe à regret,
Mais enfin il m'échappe, et cette retenue
Ne peut plus soutenir l'effort de votre vue.
Oui, j'aime un de vous deux malgré ce grand courroux,
Et ce dernier soupir dit assez que c'est vous.
Un rigoureux devoir à cet amour s'oppose,
Ne m'en accusez point, vous en êtes la cause,
Vous l'avez fait renaître en me pressant d'un choix
Qui rompt de vos traités les favorables lois.
D'un père mort pour moi voyez le sort étrange :
Si vous me laissez libre, il faut que je le venge,
Et mes feux dans mon âme ont beau s'en mutiner,
Ce n'est qu'à ce prix seul que je puis me donner.
Mais ce n'est pas de vous qu'il faut que je l'attende,
Votre refus est juste autant que ma demande,
A force de respect votre amour s'est trahi.
Je voudrais vous haïr s'il m'avait obéi,
Et je n'estime pas l'honneur d'une vengeance
Jusqu'à vouloir d'un crime être la récompense.
Rentrons donc sous les lois que m'impose la paix,
Puisque m'en affranchir c'est vous perdre à jamais.
Prince, en votre faveur je ne puis davantage :
L'orgueil de ma naissance enfle encor mon courage,
Et quelque grand pouvoir que l'amour ait sur moi,
Je n'oublierai jamais que je me dois un roi.
Oui, malgré mon amour; j'attendrai d'une mère
Que le trône me donne ou vous ou votre frère.
Attendant son secret, vous aurez mes désirs,
Et s'il le fait régner, vous aurez mes soupirs.
C'est tout ce qu'à mes feux ma gloire peut permettre,
Et tout ce qu'à vos feux les miens osent promettre.

ANTIOCHUS

Que voudrais-je de plus? son bonheur est le mien.

Rendez heureux ce frère, et je ne perdrai rien.
L'amitié le consent, si l'amour l'appréhende,
40 Je bénirai le ciel d'une perte si grande,
Et quittant les douceurs de cet espoir flottant,
Je mourrai de douleur, mais je mourrai content.

RODOGUNE

Et moi, si mon destin entre ses mains me livre,
Pour un autre que vous s'il m'ordonne de vivre,
45 Mon amour... Mais adieu : mon esprit se confond.
Prince, si votre flamme à la mienne répond,
Si vous n'êtes ingrat à ce cœur qui vous aime,
Ne me revoyez point qu'avec le diadème.

Scène II : Antiochus.

Les plus doux de mes vœux enfin sont exaucés.
50 Tu viens de vaincre, amour, mais ce n'est pas assez.
Si tu veux triompher en cette conjoncture,
Après avoir vaincu, fais vaincre la nature,
Et prête-lui pour nous ces tendres sentiments
Que ton ardeur inspire aux cœurs des vrais amants,
55 Cette pitié qui force, et ces dignes faiblesses
Dont la vigueur détruit les fureurs vengeresses.
Voici la Reine. Amour, nature, justes Dieux,
Faites-la-moi fléchir ou mourir à ses yeux.

Scène III : Cléopâtre, Antiochus, Laonice.

CLÉOPÂTRE

Eh bien! Antiochus, vous dois-je la couronne?

ANTIOCHUS

0 Madame, vous savez si le ciel me la donne.

CLÉOPÂTRE

Vous savez mieux que moi si vous la méritez.

ANTIOCHUS

Je sais que je péris si vous ne m'écoutez.

CLÉOPÂTRE

Un peu trop lent peut-être à servir ma colère,
Vous vous êtes laissé prévenir par un frère?
5 Il a su me venger quand vous délibériez,
Et je dois à son bras ce que vous espériez?
Je vous en plains, mon fils, ce malheur est extrême :
C'est périr en effet que perdre un diadème.
Je n'y sais qu'un remède; encore est-il fâcheux,
0 Etonnant, incertain, et triste pour tous deux.
Je périrais moi-même avant que de le dire,
Mais enfin on perd tout quand on perd un empire.

ANTIOCHUS

Le remède à nos maux est tout en votre main,
Et n'a rien de fâcheux, d'étonnant, d'incertain;
5 Votre seule colère a fait notre infortune.
Nous perdons tout, Madame, en perdant Rodogune.
Nous l'adorons tous deux : jugez en quels tourments
Nous jette la rigueur de vos commandements.
L'aveu de cet amour sans doute vous offense,
0 Mais enfin nos malheurs croissent par le silence,
Et votre cœur, qu'aveugle un peu d'inimitié,
S'il ignore nos maux, n'en peut prendre pitié :
Au point où je les vois, c'en est le seul remède.

CLÉOPÂTRE

Quelle aveugle fureur vous-même vous possède?
Avez-vous oublié que vous parlez à moi,   1285
Ou si vous présumez être déjà mon roi?

ANTIOCHUS

Je tâche avec respect à vous faire connaître
Les forces d'un amour que vous avez fait naître.

CLÉOPÂTRE

Moi, j'aurais allumé cet insolent amour?

ANTIOCHUS

Et quel autre prétexte a fait notre retour?   1290
Nous avez-vous mandés qu'afin qu'un droit d'aînesse
Donnât à l'un de nous le trône et la Princesse?
Vous avez bien fait plus, vous nous l'avez fait voir,
Et c'était par vos mains nous mettre en son pouvoir.
Qui de nous deux, Madame, eût osé s'en défendre,   1295
Quand vous nous ordonniez à tous deux d'y pré-
Si sa beauté dès lors n'eût allumé nos feux, [tendre?
Le devoir auprès d'elle eût attaché nos vœux,
Le désir de régner eût fait la même chose,
Et dans l'ordre des lois que la paix nous impose,   1300
Nous devions aspirer à sa possession
Par amour, par devoir, ou par ambition.
Nous avons donc aimé, nous avons cru vous plaire :
Chacun de nous n'a craint que le bonheur d'un frère;
Et cette crainte enfin cédant à l'amitié,   1305
J'implore pour tous deux un moment de pitié.
Avons-nous dû prévoir cette haine cachée,
Que la foi des traités n'avait point arrachée?

CLÉOPÂTRE

Non, mais vous avez dû garder le souvenir
Des hontes que pour vous j'avais su prévenir,   1310
Et de l'indigne état où votre Rodogune,
Sans moi, sans mon courage, eût mis votre fortune.
Je croyais que vos cœurs, sensibles à ces coups,
En sauraient conserver un généreux courroux,
Et je le retenais avec ma douceur feinte,   1315
Afin que grossissant sous un peu de contrainte,
Ce torrent de colère et de ressentiment
Fût plus impétueux en son débordement.
Je fais plus maintenant : je presse, sollicite,
Je commande, menace, et rien ne vous irrite.   1320
Le sceptre, dont ma main vous doit récompenser,
N'a point de quoi vous faire un moment balancer :
Vous ne considérez ni lui, ni mon injure,
L'amour étouffe en vous la voix de la nature,
Et je pourrais aimer des fils dénaturés!   1325

ANTIOCHUS

La nature et l'amour ont leurs droits séparés :
L'un n'ôte point à l'autre une âme qu'il possède.

CLÉOPÂTRE

Non, non, où l'amour règne il faut que l'autre cède.

ANTIOCHUS

Leurs charmes à nos cœurs sont également doux.
Nous périrons tous deux s'il faut périr pour vous;   1330
Mais aussi...

CLÉOPÂTRE

Poursuivez, fils ingrat et rebelle.

ANTIOCHUS

Nous périrons tous deux s'il faut périr pour elle.

CLÉOPATRE

Périssez, périssez : votre rébellion
Mérite plus d'horreur que de compassion.
1335 Mes yeux sauront le voir sans verser une larme,
Sans regarder en vous que l'objet qui vous charme,
Et je triompherai, voyant périr mes fils,
De ses adorateurs et de mes ennemis.

ANTIOCHUS

Eh bien! triomphez-en, que rien ne vous retienne.
1340 Votre main tremble-t-elle? y voulez-vous la mienne?
Madame, commandez, je suis prêt d'obéir :
Je percerai ce cœur qui vous ose trahir,
Heureux si par ma mort je puis vous satisfaire,
Et noyer dans mon sang toute votre colère!
1345 Mais si la dureté de votre aversion
Nomme encor notre amour une rébellion,
Du moins souvenez-vous qu'elle n'a pris pour armes
Que de faibles soupirs et d'impuissantes larmes.

CLÉOPATRE

Ah! que n'a-t-elle pris et la flamme et le fer!
1350 Que bien plus aisément j'en saurais triompher!
Vos larmes dans mon cœur ont trop d'intelligence,
Elles ont presque éteint cette ardeur de vengeance,
Je ne puis refuser des soupirs à vos pleurs,
Je sens que je suis mère auprès de vos douleurs.
1355 C'en est fait, je me rends, et ma colère expire :
Rodogune est à vous aussi bien que l'empire.
Rendez grâces aux Dieux qui vous ont fait l'aîné :
Possédez-la, régnez.

ANTIOCHUS

Oh! moment fortuné!
Oh! trop heureuse fin de l'excès de ma peine!
1360 Je rends grâces aux Dieux qui calment votre haine.
Madame, est-il possible?

CLÉOPATRE

En vain j'ai résisté,
La nature est trop forte, et mon cœur s'est dompté.
Je ne vous dis plus rien, vous aimez votre mère,
Et votre amour pour moi taira ce qu'il faut taire.

ANTIOCHUS

1365 Quoi, je triomphe donc sur le point de périr!
La main qui me blessait a daigné me guérir!

CLÉOPATRE

Oui, je veux couronner une flamme si belle.
Allez à la Princesse en porter la nouvelle;
Son cœur, comme le vôtre, en deviendra charmé :
1370 Vous n'aimeriez pas tant si vous n'étiez aimé.

ANTIOCHUS

Heureux Antiochus, heureuse Rodogune!
Oui, Madame, entre nous la joie en est commune.

CLÉOPATRE

Allez donc, ce qu'ici vous perdez de moments
Sont autant de larcins à vos contentements,
1375 Et ce soir, destiné pour la cérémonie,
Fera voir pleinement si ma haine est finie.

ANTIOCHUS

Et nous vous ferons voir tous nos désirs bornés
A vous donner en nous des sujets couronnés.

Scène IV : Cléopâtre, Laonice.

LAONICE

Enfin ce grand courage a vaincu sa colère.

CLÉOPATRE

Que ne peut point un fils sur le cœur d'une mère?

LAONICE

Vos pleurs coulent encore, et ce cœur adouci...

CLÉOPATRE

Envoyez-moi son frère, et nous laissez ici.
Sa douleur sera grande, à ce que je présume,
Mais j'en saurai sur l'heure adoucir l'amertume.
Ne lui témoignez rien : il lui sera plus doux
D'apprendre tout de moi, qu'il ne serait de vous.

Scène V : Cléopâtre.

Que tu pénètres mal le fond de mon courage!
Si je verse des pleurs, ce sont des pleurs de rage,
Et ma haine, qu'en vain tu crois s'évanouir,
Ne les a fait couler qu'afin de t'éblouir.
Je ne veux plus de moi dedans ma confidence.
Et toi, crédule amant, que charme l'apparence,
Et dont l'esprit léger s'attache avidement
Aux attraits captieux de mon déguisement,
Va, triomphe en idée avec ta Rodogune,
Au sort des immortels préfère ta fortune,
Tandis que mieux instruite en l'art de me venger,
En de nouveaux malheurs je saurai te plonger. [buche.
Ce n'est pas tout d'un coup que tant d'orgueil tré-
De qui se rend trop tôt on doit craindre une embûche,
Et c'est mal démêler le cœur d'avec le front,
Que prendre pour sincère un changement si prompt.
L'effet te fera voir comme je suis changée.

Scène VI : Cléopâtre, Séleucus.

CLÉOPATRE

Savez-vous, Séleucus, que je me suis vengée?

SÉLEUCUS

Pauvre princesse, hélas!

CLÉOPATRE

Vous déplorez son sort!
Quoi? l'aimiez-vous?

SÉLEUCUS

Assez pour regretter sa mort.

CLÉOPATRE

Vous lui pouvez servir encor d'amant fidèle;
Si j'ai su me venger, ce n'a pas été d'elle.

SÉLEUCUS

Oh ciel! et de qui donc, Madame?

CLÉOPATRE

C'est de vous,
Ingrat, qui n'aspirez qu'à vous voir son époux,
De vous, qui l'adorez en dépit d'une mère,
De vous, qui dédaignez de servir ma colère,
De vous, de qui l'amour, rebelle à mes désirs,
S'oppose à ma vengeance, et détruit mes plaisirs.

SÉLEUCUS

De moi!

CLÉOPATRE

De toi [24], perfide! Ignore, dissimule
Le mal que tu dois craindre et le feu qui te brûle,
Et si pour l'ignorer tu crois t'en garantir,
Du moins en l'apprenant commence à le sentir.
  Le trône était à toi par le droit de naissance,
Rodogune avec lui tombait en ta puissance,
Tu devais l'épouser, tu devais être roi!
Mais comme ce secret n'est connu que de moi,
Je puis, comme je veux, tourner le droit d'aînesse,
Et donne à ton rival ton sceptre et ta maîtresse.

SÉLEUCUS

A mon frère?

CLÉOPATRE

C'est lui que j'ai nommé l'aîné.

SÉLEUCUS

Vous ne m'affligez point de l'avoir couronné,
Et par une raison qui vous est inconnue,
Mes propres sentiments vous avaient prévenue.
Les biens que vous m'ôtez n'ont point d'attraits si doux
Que mon cœur n'ait donnés à ce frère avant vous,
Et si vous bornez là toute votre vengeance,
Vos désirs et les miens seront d'intelligence.

CLÉOPATRE

C'est ainsi qu'on déguise un violent dépit,
C'est ainsi qu'une feinte au dehors l'assoupit,
Et qu'on croit amuser de fausses patiences
Ceux dont en l'âme on craint les justes défiances.

SÉLEUCUS

Quoi! je conserverais quelque courroux secret!

CLÉOPATRE

Quoi! lâche, tu pourrais la perdre sans regret?
Elle de qui les Dieux te donnaient l'hyménée,
Elle dont tu plaignais la perte imaginée?

SÉLEUCUS

Considérer sa perte avec compassion,
Ce n'est pas aspirer à sa possession.

CLÉOPATRE

Que la mort la ravisse ou qu'un rival l'emporte,
La douleur d'un amant est également forte,
Et tel qui se console après l'instant fatal,
Ne saurait voir son bien aux mains de son rival.
Piqué jusques au vif, il tâche à le reprendre,
Il fait de l'insensible, afin de mieux surprendre,
D'autant plus animé, que ce qu'il a perdu
Par rang ou par mérite à sa flamme était dû.

SÉLEUCUS

Peut-être, mais enfin par quel amour de mère
Pressez-vous tellement ma douleur contre un frère?
Prenez-vous intérêt à la faire éclater?

CLÉOPATRE

J'en prends à la connaître, et la faire avorter,
J'en prends à conserver malgré toi mon ouvrage
Des jaloux attentats de ta secrète rage.

SÉLEUCUS

Je le veux croire ainsi, mais quel autre intérêt [plaît?
Nous fait tous deux aînés quand et comme il vous

Qui des deux vous doit croire, et par quelle justice
Faut-il que sur moi seul tombe tout le supplice,   1460
Et que du même amour dont nous sommes blessés
Il soit récompensé, quand vous m'en punissez?

CLÉOPATRE

Comme reine, à mon choix je fais justice ou grâce,
Et je m'étonne fort d'où vous vient cette audace,
D'où vient qu'un mon fils, vers moi noirci de trahison, 1465
Ose de mes faveurs me demander raison.

SÉLEUCUS

Vous pardonnerez donc ces chaleurs indiscrètes :
Je ne suis point jaloux du bien que vous lui faites,
Et je vois quel amour vous avez pour tous deux,
Plus que vous ne pensez et plus que je ne veux :   1470
Le respect me défend d'en dire davantage.
  Je n'ai ni faute d'yeux ni faute de courage,
Madame, mais enfin n'espérez voir en moi
Qu'amitié pour mon frère, et zèle pour mon roi.
Adieu.   1475

Scène VII : Cléopâtre.

De quel malheur suis-je encore capable?
Leur amour m'offensait, leur amitié m'accable,
Et contre mes fureurs je trouve en mes deux fils
Deux enfants révoltés et deux rivaux unis.
Quoi? sans émotion perdre trône et maîtresse!
Quel est ici ton charme, odieuse Princesse?   1480
Et par quel privilège, allumant de tels feux,
Peux-tu n'en prendre qu'un et m'ôter tous les deux?
N'espère pas pourtant triompher de ma haine :
Pour régner sur deux cœurs, tu n'es pas encor reine.
Je sais bien qu'en l'état où tous deux je les voi,   1485
Il me les faut percer pour aller jusqu'à toi;
Mais qu'importe : mes mains sur le père enhardies
Pour un bras refusé sauront prendre deux vies,
Leurs jours également sont pour moi dangereux,
J'ai commencé par lui, j'achèverai par eux.   1490
  Sors de mon cœur, nature, ou fais qu'ils m'obéissent :
Fais-les servir ma haine, ou consens qu'ils périssent.
Mais déjà l'un m'a vu que je les veux punir :
Souvent qui tarde trop se laisse prévenir.
Allons chercher le temps d'immoler mes victimes,   1495
Et de me rendre heureuse à force de grands crimes.

ACTE CINQUIÈME

Scène I : Cléopâtre.

Enfin, grâces aux Dieux, j'ai moins d'un ennemi :
La mort de Séleucus m'a vengée à demi.
Son ombre, en attendant Rodogune et son frère,
Peut déjà de ma part les promettre à son père.   1500
Ils le suivront de près, et j'ai tout préparé
Pour réunir bientôt ce que j'ai séparé.
O toi, qui n'attends plus que la cérémonie
Pour jeter à mes pieds ma rivale punie,
Et par qui deux amants vont d'un seul coup du sort   1505
Recevoir l'hyménée et le trône et la mort,

Poison, me sauras-tu rendre mon diadème?
Le fer m'a bien servie, en feras-tu de même?
Me seras-tu fidèle? Et toi, que me veux-tu,
1510 Ridicule retour d'une sotte vertu,
Tendresse dangereuse autant comme importune?
Je ne veux point pour fils l'époux de Rodogune,
Et ne vois plus en lui les restes de mon sang,
S'il m'arrache du trône et la met en mon rang.
1515   Reste du sang ingrat d'un époux infidèle,
Héritier d'une flamme envers moi criminelle,
Aime mon ennemie, et péris comme lui.
Pour la faire tomber j'abattrai son appui;
Aussi bien sous mes pas c'est creuser un abîme,
1520 Que retenir ma main sur la moitié du crime,
Et te faisant mon roi, c'est trop me négliger,
Que te laisser sur moi père et frère à venger.
Qui se venge à demi court lui-même à sa peine :
Il faut ou condamner ou couronner sa haine.
1525 Dût le peuple en fureur pour ses maîtres nouveaux
De mon sang odieux arroser leurs tombeaux,
Dût le Parthe vengeur me trouver sans défense,
Dût le ciel égaler le supplice à l'offense,
Trône, à t'abandonner je ne puis consentir,
1530 Par un coup de tonnerre il vaut mieux en sortir,
Il vaut mieux mériter le sort le plus étrange.
Tombe sur moi le ciel, pourvu que je me venge!
J'en recevrai le coup d'un visage remis :
Il est doux de périr après ses ennemis,
1535 Et de quelque rigueur que le destin me traite,
Je perds moins à mourir qu'à vivre leur sujette.
    Mais voici Laonice : il faut dissimuler
Ce que le seul effet doit bientôt révéler.

Scène II : Cléopâtre, Laonice.

CLÉOPATRE
Viennent-ils, nos amants?
LAONICE
               Ils approchent, Madame :
1540 On lit dessus leur front l'allégresse de l'âme,
L'amour s'y fait paraître avec la majesté,
Et suivant le vieil ordre en Syrie usité,
D'une grâce en tous deux toute auguste et royale
Ils viennent prendre ici la coupe nuptiale,
1545 Pour s'en aller au temple au sortir du palais,
Par les mains du grand prêtre être unis à jamais :
C'est là qu'il les attend pour bénir l'alliance.
Le peuple tout ravi par ses vœux le devance,
Et pour eux à grands cris demande aux immortels
1550 Tout ce qu'on leur souhaite au pied de leurs autels,
Impatient pour eux que la cérémonie
Ne commence bientôt, ne soit bientôt finie.
Les Parthes à la foule aux Syriens mêlés,
Tous nos vieux différends de leur âme exilés,
1555 Font leur suite assez grosse, et d'une voix commune
Bénissent à l'envi le Prince et Rodogune.
Mais je les vois déjà, Madame : c'est à vous
A commencer ici des spectacles si doux.

Scène III : Cléopâtre, Antiochus, Rodogune, Oronte, Laonice, troupe de Parthes et de Syriens.

CLÉOPATRE
Approchez, mes enfants, car l'amour maternelle,
Madame, dans mon cœur vous tient déjà pour telle,
Et je crois que ce nom ne vous déplaira pas.
RODOGUNE
Je le chérirai même au-delà du trépas.
Il m'est trop doux, Madame, et tout l'heur que j'espère,
C'est de vous obéir et respecter en mère.
CLÉOPATRE
Aimez-moi seulement : vous allez être rois,
Et s'il faut du respect, c'est moi qui vous le dois.
ANTIOCHUS
Ah! si nous recevons la suprême puissance,
Ce n'est pas pour sortir de votre obéissance :
Vous régnerez ici quand nous y régnerons,
Et ce seront vos lois que nous y donnerons.
CLÉOPATRE
J'ose le croire ainsi, mais prenez votre place.
Il est temps d'avancer ce qu'il faut que je fasse.
Ici Antiochus s'assied dans un fauteuil, Rodogune à
sa gauche, en même rang, et Cléopâtre à sa droite,
mais en rang inférieur, et qui marque quelque inégalité.
Oronte s'assied aussi à la gauche de Rodogune, avec la
même différence; et Cléopâtre, cependant qu'ils pren-
nent leurs places, parle à l'oreille de Laonice, qui s'en
va querir une coupe pleine de vin empoisonné. Après
qu'elle est partie, Cléopâtre continue :
Peuple qui m'écoutez, Parthes et Syriens,
Sujets du Roi son frère, ou qui fûtes les miens,
Voici de mes deux fils celui qu'un droit d'aînesse
Élève dans le trône, et donne à la Princesse.
Je lui rends cet État que j'ai sauvé pour lui,
Je cesse de régner, il commence aujourd'hui.
Qu'on ne me traite plus ici de souveraine :
Voici votre Roi, peuple, et voilà votre Reine.
Vivez pour les servir, respectez-les tous deux,
Aimez-les et mourez, s'il est besoin, pour eux.
    Oronte, vous voyez avec quelle franchise
Je leur rends ce pouvoir dont je me suis démise :
Prêtez les yeux au reste, et voyez les effets
Suivre de point en point les traités de la paix.
Laonice revient avec une coupe à la main.
ORONTE
Votre sincérité s'y fait assez paraître,
Madame, et j'en ferai récit au Roi mon maître.
CLÉOPATRE
L'hymen est maintenant notre plus cher souci.
L'usage veut, mon fils, qu'on le commence ici :
Recevez de ma main la coupe nuptiale,
Pour être après unis de la foi conjugale.
Puisse-t-elle être un gage envers votre moitié,
De votre amour ensemble et de mon amitié!
ANTIOCHUS, *prenant la coupe.*
Ciel! que ne dois-je point aux bontés d'une mère!
CLÉOPATRE
Le temps presse, et votre heur d'autant plus se diffère.

ANTIOCHUS, *à Rodogune.*

Madame, hâtons donc ces glorieux moments :
Voici l'heureux essai de nos contentements.
Mais si mon frère était le témoin de ma joie...

CLÉOPATRE

C'est être trop cruel de vouloir qu'il la voie :
Ce sont des déplaisirs qu'il fait bien d'épargner,
Et sa douleur secrète a droit de l'éloigner.

ANTIOCHUS

Il m'avait assuré qu'il la verrait sans peine.
Mais n'importe, achevons.

Scène IV : Cléopâtre, Antiochus, Rodogune,
Oronte, Timagène, Laonice, troupe.

TIMAGÈNE

Ah! Seigneur.

CLÉOPATRE

Timagène,
Quelle est votre insolence?

TIMAGÈNE

Ah! Madame!

ANTIOCHUS, *rendant la coupe à Laonice.*

Parlez.

TIMAGÈNE

Souffrez pour un moment que mes sens rappelés...

ANTIOCHUS

Qu'est-il donc arrivé?

TIMAGÈNE

Le Prince votre frère...

ANTIOCHUS

Quoi? se voudrait-il rendre à mon bonheur contraire?

TIMAGÈNE

L'ayant cherché longtemps afin de divertir
L'ennui que de sa perte il pouvait ressentir,
Je l'ai trouvé, Seigneur, au bout de cette allée,
Où la clarté du ciel semble toujours voilée.
Sur un lit de gazon, de faiblesse étendu,
Il semblait déplorer ce qu'il avait perdu.
Son âme à ce penser paraissait attachée,
Sa tête sur un bras languissamment penchée,
Immobile et rêveur, en malheureux amant...

ANTIOCHUS

Enfin, que faisait-il? achevez promptement.

TIMAGÈNE

D'une profonde plaie en l'estomac ouverte,
Son sang à gros bouillons sur cette couche verte...

CLÉOPATRE

Il est mort?

TIMAGÈNE

Oui, Madame.

CLÉOPATRE

Ah! destins ennemis,
Qui m'enviez le bien que je m'étais promis,
Voilà le coup fatal que je craignais dans l'âme,
Voilà le désespoir où l'a réduit sa flamme.
Pour vivre en vous perdant il avait trop d'amour,
Madame, et de sa main il s'est privé du jour.

TIMAGÈNE, *à Cléopâtre.*

Madame, il a parlé : sa main est innocente.

CLÉOPATRE, *à Timagène.*

La tienne est donc coupable, et ta rage insolente,
Par une lâcheté qu'on ne peut égaler,
L'ayant assassiné, le fait encor parler!   1630

ANTIOCHUS

Timagène, souffrez la douleur d'une mère,
Et les premiers soupçons d'une aveugle colère.
Comme ce coup fatal n'a point d'autres témoins,
J'en ferais autant qu'elle, à vous connaître moins.
Mais que vous a-t-il dit? achevez, je vous prie.   1635

TIMAGÈNE

Surpris d'un tel spectacle, à l'instant je m'écrie,
Et soudain à mes cris, ce prince, en soupirant,
Avec assez de peine entr'ouvre un œil mourant,
Et ce reste égaré de lumière incertaine
Lui peignant son cher frère au lieu de Timagène,   1640
Rempli de votre idée, il m'adresse pour vous
Ces mots où l'amitié règne sur le courroux :
« Une main qui nous fut bien chère
Venge ainsi le refus d'un coup trop inhumain.
Régnez, et surtout, mon cher frère,   1645
Gardez-vous de la même main.
C'est... » La Parque à ce mot lui coupe la parole
Sa lumière s'éteint, et son âme s'envole;
Et moi, tout effrayé d'un si tragique sort,
J'accours pour vous en faire un funeste rapport.   1650

ANTIOCHUS

Rapport vraiment funeste, et sort vraiment tragique,
Qui va changer en pleurs l'allégresse publique.
O frère, plus aimé que la clarté du jour,
O rival, aussi cher que m'était mon amour,
Je te perds, et je trouve en ma douleur extrême   1655
Un malheur dans ta mort plus grand que ta mort
Oh! de ses derniers mots fatale obscurité!   [même.
En quel gouffre d'horreurs m'as-tu précipité?
Quand j'y pense chercher la main qui l'assassine,
Je m'impute à forfait tout ce que j'imagine.   1660
Mais aux marques enfin que tu m'en viens donner,
Fatale obscurité, qui dois-je en soupçonner?
« Une main qui nous fut bien chère! »
Madame, est-ce la vôtre, ou celle de ma mère?
Vous vouliez toutes deux un coup trop inhumain,   1665
Nous vous avons tous deux refusé notre main.
Qui de vous s'est vengée? est-ce l'une, est-ce l'autre
Qui fait agir la sienne au refus de la nôtre?
Est-ce vous qu'en coupable il me faut regarder?
Est-ce vous désormais dont je me dois garder?   1670

CLÉOPATRE

Quoi? vous me soupçonnez?

RODOGUNE

Quoi? je vous suis suspecte?

ANTIOCHUS

Je suis amant et fils, je vous aime et respecte.
Mais quoi que sur mon cœur puissent des noms si
A ces marques enfin je ne connais que   [doux,
As-tu bien entendu? dis-tu vrai, Timagène?   1675

TIMAGÈNE

Avant qu'en soupçonner la Princesse ou la Reine,
Je mourrais mille fois, mais enfin mon récit
Contient, sans rien de plus, ce que le Prince a dit.

ANTIOCHUS

D'un et d'autre côté l'action est si noire,
1680 Que n'en pouvant douter, je n'ose encor la croire.
    O quiconque des deux avez versé son sang,
    Ne vous préparez plus à me percer le flanc!
    Nous avons mal servi vos haines mutuelles,
    Aux jours l'une de l'autre également cruelles.
1685 Mais si j'ai refusé ce détestable emploi,
    Je veux bien vous servir toutes deux contre moi :
    Qui que vous soyez donc, recevez une vie
    Que déjà vos fureurs m'ont à demi ravie.

Il tire son épée, et veut se tuer.

RODOGUNE

Ah! Seigneur, arrêtez.

TIMAGÈNE

                 Seigneur, que faites-vous?

ANTIOCHUS

1690 Je sers ou l'une ou l'autre, et je préviens ses coups.

CLÉOPATRE

Vivez, régnez heureux.

ANTIOCHUS

                 Otez-moi donc de doute,
    Et montrez-moi la main qu'il faut que je redoute,
    Qui pour m'assassiner ose me secourir,
    Et me sauve de moi pour me faire périr.
1695 Puis-je vivre et traîner cette gêne éternelle,
    Confondre l'innocente avec la criminelle,
    Vivre et ne pouvoir plus vous voir sans m'alarmer,
    Vous craindre toutes deux, toutes deux vous aimer?
    Vivre avec ce tourment, c'est mourir à toute heure.
1700 Tirez-moi de ce trouble, ou souffrez que je meure,
    Et que mon déplaisir, par un coup généreux,
    Epargne un parricide à l'une de vous deux.

CLÉOPATRE

Puisque le même jour que ma main vous couronne
    Je perds un de mes fils, et l'autre me soupçonne,
1705 Qu'au milieu de mes pleurs, qu'il devrait essuyer,
    Son peu d'amour me force à me justifier;
    Si vous n'en pouvez mieux consoler une mère
    Qu'en la traitant d'égale avec une étrangère,
    Je vous dirai, Seigneur (car ce n'est plus à moi
1710 A nommer autrement et mon juge et mon Roi),
    Que vous voyez l'effet de cette vieille haine
    Qu'en dépit de la paix me garde l'inhumaine,
    Qu'en son cœur du passé soutient le souvenir,
    Et que j'avais raison de vouloir prévenir.
1715 Elle a soif de mon sang, elle a voulu l'épandre,
    J'ai prévu d'assez loin ce que j'en viens d'apprendre,
    Mais je vous ai laissé désarmer mon courroux.

A Rodogune.

    Sur la foi de ses pleurs je n'ai rien craint de vous,
    Madame; mais, ô Dieux! quelle rage est la vôtre!
1720 Quand je vous donne un fils, vous assassinez l'autre,
    Et m'enviez soudain l'unique et faible appui
    Qu'une mère opprimée eût pu trouver en lui!
    Quand vous m'accablerez, où sera mon refuge?
    Si je m'en plains au Roi, vous possédez mon juge,
1725 Et s'il m'ose écouter, peut-être, hélas! en vain
    Il voudra se garder de cette même main.
    Enfin je suis leur mère, et vous leur ennemie,

J'ai recherché leur gloire, et vous leur infamie,
    Et si je n'eusse aimé ces fils que vous m'ôtez,
    Votre abord en ces lieux les eût déshérités.
    C'est à lui maintenant, en cette concurrence,
    A régler ses soupçons sur cette différence,
    A voir de qui des deux il doit se défier,
    Si vous n'avez un charme à vous justifier.

RODOGUNE, *à Cléopâtre.*

Je me défendrai mal : l'innocence étonnée
    Ne peut s'imaginer qu'elle soit soupçonnée,
    Et n'ayant rien prévu d'un attentat si grand,
    Qui l'en veut accuser sans peine la surprend.
    Je ne m'étonne point de voir que votre haine
    Pour me faire coupable a quitté Timagène [25]
    Au moindre jour ouvert de tout jeter sur moi,
    Son récit s'est trouvé digne de votre foi.
    Vous l'accusiez pourtant, quand votre âme alarmée
    Craignait qu'en expirant ce fils vous eût nommée;
    Mais de ses derniers mots voyant le sens douteux,
    Vous avez pris soudain le crime entre nous deux.
    Certes, si vous voulez passer pour véritable
    Que l'une de nous deux de sa mort soit coupable,
    Je veux bien par respect ne vous imputer rien;
    Mais votre bras au crime est plus fait que le mien,
    Et qui sur un époux fit son apprentissage
    A bien pu sur un fils achever son ouvrage.
    Je ne dénierai point, puisque vous le savez,
    De justes sentiments dans mon âme élevés :
    Vous demandiez mon sang, j'ai demandé le vôtre.
    Le Roi sait quels motifs ont poussé l'une et l'autre;
    Comme par sa prudence il a tout adouci,
    Il vous connaît peut-être, et me connaît aussi.

A Antiochus.

    Seigneur, c'est un moyen de vous être bien chère
    Que pour don nuptial vous immoler mon frère.
    On [26] fait plus, on m'impute un coup si plein d'hor-
    Pour me faire un passage à vous percer le cœur. [reur,

A Cléopâtre.

    Où fuirais-je de vous après tant de furie,
    Madame, et que ferait toute votre Syrie,
    Où seule, et sans appui contre mes attentats,
    Je verrais...? Mais, Seigneur, vous ne m'écoutez pas.

ANTIOCHUS

Non, je n'écoute rien, et dans la mort d'un frère
    Je ne veux point juger entre vous et ma mère.
    Assassinez un fils, massacrez un époux,
    Je ne veux me garder ni d'elle, ni de vous.
    Suivons aveuglément ma triste destinée,
    Pour m'exposer à tout achevons l'hyménée.
    Cher frère, c'est pour moi le chemin du trépas;
    La main qui t'a percé ne m'épargnera pas;
    Je cherche à te rejoindre, et non à m'en défendre,
    Et lui veux bien donner tout lieu de me surprendre,
    Heureux si sa fureur qui me prive de toi,
    Se fait bientôt connaître en achevant sur moi,
    Et si du ciel, trop lent à la réduire en poudre,

---

25. *A déplacé l'accusation de Timagène sur moi.*
26. Premier exemple dans la tragédie d'un *on* de cinglant mépris, que Molière, après Corneille, maniera si heureusement dans la comédie.

780 Son crime redoublé peut arracher la foudre!
Donnez-moi...
RODOGUNE, *l'empêchant de prendre la coupe.*
Quoi? Seigneur.
ANTIOCHUS
Vous m'arrêtez en vain,
Donnez.
RODOGUNE
Ah! gardez-vous de l'une et l'autre main.
Cette coupe est suspecte, elle vient de la Reine.
Craignez de toutes deux quelque secrète haine.
785 Qui m'épargnait tantôt ose enfin m'accuser!
RODOGUNE
De toutes deux, Madame, il doit tout refuser.
Je n'accuse personne, et vous tiens innocente :
Mais il en faut sur l'heure une preuve évidente.
Je veux bien à mon tour subir les mêmes lois.
90 On ne peut craindre trop pour le salut des rois.
Donnez donc cette preuve, et pour toute réplique,
Faites faire un essai par quelque domestique.
CLÉOPATRE, *prenant la coupe.*
Je le ferai moi-même. Eh bien! redoutez-vous
Quelque sinistre effet encor de mon courroux?
95 J'ai souffert cet outrage avecque patience.
ANTIOCHUS, *prenant la coupe des mains de
Cléopatre, après qu'elle a bu.*
Pardonnez-lui, Madame, un peu de défiance.
Comme vous l'accusez, elle fait son effort
A rejeter sur vous l'horreur de cette mort,
Et soit amour pour moi, soit adresse pour elle,
00 Ce soin la fait paraître un peu moins criminelle.
Pour moi, qui ne vois rien, dans le trouble où je suis,
Qu'un gouffre de malheurs, qu'un abîme d'ennuis,
Attendant qu'en plein jour ces vérités paraissent,
J'en laisse la vengeance aux Dieux qui les connaissent,
05 Et vais sans plus tarder...
RODOGUNE
Seigneur, voyez ses yeux
Déjà tout égarés, troubles et furieux,
Cette affreuse sueur qui court sur son visage,
Cette gorge qui s'enfle. Ah, bons Dieux, quelle rage!
Pour vous perdre après elle, elle a voulu périr.

ANTIOCHUS, *rendant la coupe à Laonice
ou à quelque autre.*
N'importe, elle est ma mère, il faut la secourir. 1810
CLÉOPATRE
Va, tu me veux en vain rappeler à la vie.
Ma haine est trop fidèle, et m'a trop bien servie :
Elle a paru trop tôt pour te perdre avec moi,
C'est le seul déplaisir qu'en mourant je reçoi.
Mais j'ai cette douceur dedans cette disgrâce 1815
De ne voir point régner ma rivale en ma place.
Règne : de crime en crime enfin te voilà roi.
Je t'ai défait d'un père, et d'un frère, et de moi.
Puisse le ciel tous deux vous prendre pour victimes,
Et laisser choir sur vous les peines de mes crimes! 1820
Puissiez-vous ne trouver dedans votre union
Qu'horreur, que jalousie, et que confusion!
Et pour vous souhaiter tous les malheurs ensemble,
Puisse naître de vous un fils qui me ressemble.
ANTIOCHUS
Ah! vivez pour changer cette haine en amour! 1825
CLÉOPATRE
Je maudirais les Dieux s'ils me rendaient le jour.
Qu'on m'emporte d'ici : je me meurs, Laonice,
Si tu veux m'obliger par un dernier service,
Après les vains efforts de mes inimitiés,
Sauve-moi de l'affront de tomber à leurs pieds. 1830
Elle s'en va, et Laonice lui aide à marcher.
ORONTE
Dans les justes rigueurs d'un sort si déplorable,
Seigneur, le juste ciel vous est bien favorable;
Il vous a préservé, sur le point de périr,
Du danger le plus grand que vous puissiez courir,
Et par un digne effet de ses faveurs puissantes, 1835
La coupable est punie et vos mains innocentes.
ANTIOCHUS
Oronte, je ne sais, dans son funeste sort,
Qui m'afflige le plus, ou sa vie, ou sa mort.
L'une et l'autre a pour moi des malheurs sans exemple :
Plaignez mon infortune. Et vous, allez au temple 1840
Y changer l'allégresse en un deuil sans pareil,
La pompe nuptiale en funèbre appareil,
Et nous verrons après, par d'autres sacrifices,
Si les Dieux voudront être à nos vœux plus propices.

HÉRACLIUS, EMPEREUR D'ORIENT [1]

TRAGÉDIE

Héraclius est la dernière pièce de Corneille jouée au Marais, Floridor n'ayant pris la direction de l'Hôtel de Bourgogne qu'à Pâques 1648.

Nous connaissons la date de la représentation par Corneille lui-même qui déclare dans l'Avertissement de Rodogune (31 janvier 1647) : « Héraclius, que je viens de mettre sur le théâtre » [2]*.*

Le champ de son inspiration historique s'agrandit. Ces sujets tirés des temps barbares sont familiers aux théâtres des jésuites et c'est vers cette date que Rotrou donne Cosroès et Venceslas, qui ont même origine. Corneille cite son point de départ, le cardinal Baronius, dont les Annales ecclésiastiques sont le classique du genre.

En fait Héraclius reprend le thème de Rodogune et de Théodore, celui de la tyrannie et des moyens de la tenir en échec.

Dans son Avertissement au lecteur, Corneille répond à une troisième querelle doctrinale : après les unités, après les bienséances, on discute maintenant de la vraisemblance. Sur les premières, il était d'accord, sur les secondes aussi, pourvu qu'on s'entendît sur la définition et que ces bienséances ne fussent pas un moralisme bourgeois qui anéantît la notion même d'héroïsme. Pour les mêmes raisons, il se prononce résolument contre la vraisemblance. « Je ne craindrais pas d'avancer que le sujet d'une belle tragédie doit n'être pas vraisemblable ». « Je dois, dit-il, me défendre d'une objection qui détruirait tout mon ouvrage, puisqu'elle va en saper le fondement. » Question oiseuse selon lui, puisque le vrai, cautionné par l'histoire, dispense du vraisemblable.

Ainsi Corneille, de 1637 à 1647, a répondu au gré des querelles, sur tous les points de la doctrine classique, non en y résistant, mais en la formulant avec une netteté que ne dépasseront point les Discours de 1660. Dans son Examen, il insiste au contraire sur les procédés par lesquels le pathétique est soutenu. Il n'oublie jamais que la tragédie est d'abord émotion.

Avec Héraclius, malgré le succès, on sent poindre le divorce de l'auteur et de son public, qui s'affirma cinq ans plus tard avec Pertharite.

La dédicace à Séguier confirme la situation très officielle du poète qui vient d'entrer à l'Académie, reçoit les plus flatteuses louanges de l'étranger et rédige l'histoire officielle du règne précédent.

A MONSEIGNEUR SÉGUIER CHANCELIER DE FRANCE [3]

MONSEIGNEUR,

Je sais que cette tragédie n'est pas d'un genre assez relevé pour espérer légitimement que vous y daigniez jeter les yeux, et que pour offrir quelque chose à V. Grandeur qui n'en fût pas entièrement indigne, j'aurais eu besoin d'une parfaite peinture de toute la vertu d'un Caton ou d'un Sénèque; mais comme je tâchais d'amasser des forces pour ce grand dessein, les nouvelles faveurs que j'ai reçues de vous m'ont donné une juste impatience de les publier, et les applaudissements qui ont suivi les représentations de ce poème m'ont fait présumer que sa bonne fortune pourrait suppléer à son peu de mérite. La curiosité que son récit a laissée dans les esprits pour sa lecture m'a flatté aisément, jusques à me persuader que je ne pouvais prendre une plus heureuse occasion de leur faire savoir combien je vous suis redevable, quand j'ai considéré qu'autant que je la différerais pour m'en acquitter plus dignement, autant je demeurerais dans les apparences d'une ingratitude inexcusable envers vous. Mais quand même les dernières obligations que je vous ai ne m'auraient pas fait cette glorieuse violence, il faut que je vous avoue ingénument que les intérêts de ma propre réputation, m'en imposaient une très

---

1. Comme dans *Rodogune*, il s'agit encore ici d'une page sanglante de l'histoire d'Orient. Phocas en 602 massacre l'empereur Maurice et liquide la famille royale : l'impératrice, cinq fils et trois filles. En réalité Héraclius, successeur de Phocas, venait d'Afrique et n'était pas fils de Maurice. Il règne de 610 à 641. - Tragédie « à fin heureuse », cf. note 1 du *Cid*.
2. Privilège : 17 avril 1647. Achevé d'imprimer : 28 juin.
3. Séguier (1588-1672) était chancelier depuis 1635 et protecteur de l'Académie depuis la mort de Richelieu (1642). Cette dédicace est un geste de reconnaissance du poète, fraîchement élu à l'Académie, sans que le chancelier ait fait pression sur la compagnie pour imposer le candidat rival, Ballesdens, son protégé.

pressante nécessité. Le bonheur de mes ouvrages ne la porte en aucun lieu où elle ne demeure fort douteuse et où l'on ne se défie avec raison de ce qu'en dit la voix publique, parce qu'aucun d'eux n'y fait connaître l'honneur que j'ai d'être connu de vous. Cependant on sait par toute l'Europe l'accueil favorable que V. Grandeur fait aux gens de lettres, que l'accès auprès de vous est ouvert et libre à tous ceux qui les sciences ou les talents de l'esprit élèvent au-dessus du commun; que les caresses dont vous les honorez sont les marques les plus indubitables et les plus solides de ce qu'ils valent; et qu'enfin nos plus belles muses, que feu Mgr le cardinal de Richelieu avait choisies de sa main pour en composer un corps tout d'esprits seraient encore inconsolables de sa perte, si elles n'avaient trouvé chez V. Grandeur la même protection qu'elles rencontraient chez Son Éminence[4]. Quelle apparence donc qu'en quelque climat où notre langue puisse avoir entrée, on puisse croire qu'un homme mérite quelque véritable estime, si ses travaux n'y portent les assurances de l'état que vous en faites dans les hommages qu'il vous en doit? Trouvez bon, MONSEIGNEUR, que celui-ci, plus heureux que le reste des miens, affranchisse mon nom de la honte de ne vous en avoir point encore rendu que, pour affirmer ce peu de réputation qu'ils m'ont acquis, il tire mes lecteurs d'un doute si légitime, en leur apprenant non seulement que je ne vous suis pas tout à fait inconnu, mais aussi même que votre bonté ne dédaigne pas de répandre sur moi votre bienveillance et vos grâces : de sorte que quand votre vertu ne me donnerait pas toutes les passions imaginables pour votre service, je serais le plus ingrat de tous les hommes si je n'étais toute ma vie très véritablement, MONSEIGNEUR, votre très humble, très obéissant et très fidèle serviteur,

CORNEILLE.

AU LECTEUR

Voici une hardie entreprise sur l'histoire, dont vous ne reconnaîtrez aucune chose dans cette tragédie, que l'ordre de la succession des empereurs Tibère, Maurice, Phocas et Héraclius. J'ai falsifié la naissance de ce dernier, mais ce n'a été qu'en sa faveur, et pour lui en donner une plus illustre, le faisant fils de l'empereur Maurice, bien qu'il ne le fût que d'un préteur d'Afrique de même nom que lui. J'ai prolongé la durée de l'empire de son prédécesseur de douze années, et lui ai donné un fils, quoique l'histoire n'en parle point, mais seulement d'une fille nommée Domitia, qu'il maria à un Priscus ou Crispus. J'ai prolongé de même la vie de l'impératrice Constantine, et comme j'ai fait régner ce tyran vingt ans au lieu de huit, je n'ai fait mourir cette princesse que dans la quinzième année de sa tyrannie, quoiqu'il l'eût sacrifiée à sa sûreté avec ses filles dès le cinquième. Je ne me mettrai pas en peine de justifier cette licence que j'ai prise : l'événement l'a assez justifié, et les exemples des anciens que j'ai rapportés sur *Rodogune* semblent l'autoriser suffisamment; mais à parler sans fard, je ne voudrais pas conseiller à personne de la tirer en exemple. C'est beaucoup hasarder, et l'on n'est pas toujours heureux; et dans un dessein de cette nature, ce qu'un bon succès fait passer pour une ingénieuse hardiesse, un mauvais le fait prendre pour une témérité ridicule[5].

4. Séguier avait mis son hôtel à la disposition des académiciens pour leurs réunions.

5. Corneille lui-même ne récidivera pas.

Baronius[6], parlant de la mort de l'empereur Maurice, et de celle de ses fils, que Phocas faisait immoler à sa vue, rapporte une circonstance très rare, dont j'ai pris l'occasion de former le nœud de cette tragédie, à qui elle sert de fondement. Cette nourrice fut tant de zèle pour ce malheureux prince qu'elle exposa son fils au supplice, au lieu d'un des siens qu'on lui avait donné à nourrir. Maurice reconnut l'échange, et l'empêcha par une considération pieuse que cette extermination de toute sa famille était un juste jugement de Dieu, auquel il n'eût pas cru satisfaire, s'il eût souffert que le sang d'un autre eût payé pour celui d'un de ses fils. Mais quant à ce qui était de la mère elle avait surmonté l'affection maternelle en faveur de son prince, et l'on peut dire que son enfant était mort pour son regard. Comme j'ai cru que cette action était assez généreuse pour mériter une personne plus illustre à la produire, j'ai fait de cette nourrice une gouvernante. J'ai supposé que l'échange avait eu son effet; et de cet enfant sauvé par la supposition d'un autre, j'en ai fait Héraclius, le successeur de Phocas. Bien plus, j'ai feint que cette Léontine, ne croyant pas pouvoir cacher longtemps cet enfant que Maurice avait commis à sa fidélité, vu la recherche exacte que Phocas en faisait faire, et se voyant même déjà soupçonnée et prête à être découverte, se voulut mettre dans les bonnes grâces de ce tyran, en lui allant offrir ce petit prince dont il était en peine, au lieu duquel elle lui livra son propre fils Léonce. J'ai ajouté que par cette action Phocas fut tellement gagné qu'il crut ne pouvoir remettre son fils Martian aux mains d'une personne qui lui fût plus acquise, d'autant que ce qu'elle venait de faire l'avait jetée, à ce qu'il croyait, dans une haine irréconciliable avec les amis de Maurice, qu'il avait seuls à craindre. Cette faveur où je la mets auprès de lui donne lieu à un second échange d'Héraclius, pour fils, qui est dorénavant élevé auprès de lui sous le nom de Martian, cependant qu'elle retient le vrai Martian auprès d'elle et le nourrit sous le nom de Léonce, avec Martian, que Phocas lui avait confié. Je lui fais prendre l'occasion de l'éloignement de ce tyran, que j'arrête trois ans, sans revenir, à la guerre contre les Perses; et à son retour, je fais qu'elle lui donne Héraclius, qu'elle nourrissait comme son fils sous le nom de son Léonce, qu'elle avait exposé pour l'autre. Comme ces deux princes sont grands et que Phocas, abusé de ce dernier échange, presse Héraclius d'épouser Pulchérie, fille de Maurice, qu'il avait réservée exprès seule de toute sa famille, afin qu'elle portât par ce mariage le droit et les titres de l'empire dans sa maison, Léontine, pour empêcher cette alliance incestueuse du frère et de la sœur, avertit Héraclius de sa naissance. Je serais trop long si je voulais ici toucher le reste des incidents d'un poème si embarrassé, et me contenterai de vous avoir donné ces lumières, afin que vous en puissiez commencer la lecture avec moins d'obscurité. Vous vous souviendrez seulement qu'Héraclius passe pour Martian, fils de Phocas, et Martian pour Léonce, fils de Léontine, et qu'Héraclius sait qui il est et qui est ce faux Léonce, mais que le vrai Martian, Phocas ni Pulchérie, n'en savent rien. Pour le reste des acteurs, hormis Léontine et sa fille Eudoxe.

On m'a fait quelque scrupule de ce qu'il n'est pas vraisemblable qu'une mère expose son fils à la mort pour en préserver un autre, à quoi j'ai deux réponses

6. Le célèbre cardinal, auteur des *Annales ecclésiastiques*, déjà utilisées pour *Polyeucte* et *Théodore* et qui servira encore à Corneille, comme source secondaire, dans *Pertharite, Attila, Pulchérie*.

à faire : la première, que notre unique docteur Aristote nous permet de mettre quelquefois des choses qui même soient contre la raison et l'apparence, pourvu que ce soit hors de l'action, ou pour me servir des termes latins de ses interprètes, *extra fabulam*, comme est ici cette supposition d'enfant, et nous donne pour exemple Œdipe, qui ayant tué un roi de Thèbes, l'ignore encore vingt ans après ; l'autre, que l'action étant vraie du côté de la mère, comme je l'ai remarqué tantôt, il ne faut plus s'informer si elle est vraisemblable, étant certain que toutes les vérités sont recevables dans la poésie, quoiqu'elle ne soit pas obligée à les suivre. La liberté qu'elle a de s'en écarter n'est pas une nécessité, et la vraisemblance n'est qu'une condition nécessaire à la disposition et pas au choix du sujet[7], ni des incidents qui sont appuyés de l'histoire. Tout ce qui entre dans le poème doit être croyable ; et il l'est, selon Aristote, par l'un de ces trois moyens, la vérité, la vraisemblance, ou l'opinion commune. J'irai plus outre, et quoique peut-être on voudra prendre cette proposition pour un paradoxe, je ne craindrai point d'avancer que le sujet d'une belle tragédie doit n'être pas vraisemblable. La preuve en est aisée par le même Aristote, qui ne veut pas qu'on en compose une d'un ennemi qui tue son ennemi, parce que, bien que cela soit fort vraisemblable, il n'excite dans l'âme des spectateurs ni pitié ni crainte, qui sont les deux passions de la tragédie ; mais il nous renvoie à le choisir dans les événements extraordinaires qui se passent entre personnes proches, comme d'un père qui tue son fils, une femme son mari, un frère sa sœur ; ce qui, n'étant jamais vraisemblable, doit avoir l'autorité de l'histoire ou de l'opinion commune pour être cru : si bien qu'il n'est pas permis d'inventer un sujet de cette nature. C'est la raison qu'il donne de ce que les anciens traitaient presque mêmes sujets, d'autant qu'ils rencontraient peu de familles où fussent arrivés de pareils désordres, qui font les belles et puissantes oppositions du devoir et de la passion.

Ce n'est pas ici le lieu de m'étendre plus au long sur cette matière : j'en ai dit ces deux mots en passant, par une nécessité de me défendre d'une objection qui détruirait tout mon ouvrage, puisqu'elle va en saper le fondement, et non par ambition d'étaler mes maximes, qui peut-être ne sont pas généralement avouées des savants. Aussi ne donné-je ici mes opinions qu'à la mode de M. de Montaigne, non pour bonnes, mais pour miennes[8]. Je m'en suis bien trouvé jusqu'à présent, mais je ne tiens pas impossible qu'on réussisse mieux en suivant les contraires.

EXAMEN (1660)

Cette tragédie a encore plus d'efforts d'invention que celle de *Rodogune*, et je puis dire que c'est un heureux original dont il s'est fait beaucoup de belles copies sitôt qu'il a paru. Sa conduite diffère de celle-là, en ce que les narrations qui lui donnent jour sont pratiquées par occasion en divers lieux avec adresse, et toujours dites et écoutées avec intérêt, sans qu'il y en aye pas une de sang-froid comme celle de Laonice. Elles sont éparses ici dans tout le poème et ne font connaître à la fois que ce qu'il est besoin qu'on sache pour l'intelligence

de la scène qui suit. Ainsi, dès la première, Phocas, alarmé du bruit qui court qu'Héraclius est vivant, récite les particularités de sa mort pour montrer la fausseté de ce bruit, et Crispe, son gendre, en lui proposant un remède aux troubles qu'il appréhende, fait connaître comme en perdant toute la famille de Maurice, il a réservé Pulchérie pour la faire épouser à son fils Martian, et le pousse d'autant plus à presser ce mariage, que ce prince court chaque jour de grands périls à la guerre, et que sans Léonce il fût demeuré au dernier combat. C'est par là qu'il instruit les auditeurs de l'obligation qu'a le vrai Héraclius qui passe pour Martian, au vrai Martian qui passe pour Léonce ; et cela sert de fondement à l'offre volontaire qu'il fait de sa vie au quatrième acte, pour le sauver du péril où l'expose cette erreur des noms. Sur cette proposition, Phocas, se plaignant de l'aversion que les deux parties témoignent à ce mariage, impute celle de Pulchérie à l'instruction qu'elle a reçue de sa mère, et apprend ainsi aux spectateurs, comme en passant, qu'il l'a laissée trop vivre après la mort de l'empereur Maurice, son mari. Il fallait tout cela pour faire entendre la scène qui suit entre Pulchérie et lui ; mais je n'ai pu savoir assez d'adresse pour faire entendre les équivoques ingénieux dont est rempli tout ce que dit Héraclius à la fin de ce premier acte ; et on ne les peut comprendre que par une réflexion après que la pièce est finie, et qu'il est entièrement reconnu, ou dans une seconde représentation.

Surtout la manière dont Eudoxe fait connaître, au second acte, le double échange que sa mère a fait des deux princes, est une des choses les plus spirituelles qui soient sorties de ma plume. Léontine l'accuse d'avoir révélé le secret d'Héraclius et d'être cause du bruit qui court, qui le met en péril de sa vie ; pour s'en justifier, elle explique tout ce qu'elle en sait, et conclut que puisqu'on n'en publie pas tant, il faut que ce bruit ait pour auteur quelqu'un qui n'en sache pas tant qu'elle. Il est vrai que cette narration est si courte qu'elle laisserait beaucoup d'obscurité si Héraclius ne l'expliquait plus au long, au quatrième acte, quand il est besoin que cette vérité fasse son plein effet ; mais elle n'en pouvait pas dire davantage à une personne qui savait cette histoire mieux qu'elle, et ce peu qu'elle en dit suffit à jeter une lumière imparfaite de ces échanges, qu'il n'est pas besoin alors d'éclaircir plus entièrement.

L'artifice de la dernière scène de ce quatrième acte passe encore celui-ci : Exupère y fait connaître tout son dessein à Léontine, mais d'une façon qui n'empêche point cette femme avisée de le soupçonner de fourberie, et de n'avoir autre dessein que de tirer d'elle le secret d'Héraclius pour le perdre. L'auditeur lui-même en demeure dans la défiance et ne sait qu'en juger ; mais après que la conspiration a eu son effet par la mort de Phocas, cette confiance anticipée exempte Exupère de se purger de tous les justes soupçons qu'on avait eus de lui, et délivre l'auditeur d'un récit qui lui aurait été fort ennuyeux après le dénouement de la pièce, où toute la patience que peut avoir sa curiosité se borne à savoir qui est le vrai Héraclius des deux qui prétendent l'être.

Le stratagème d'Exupère, avec toute son industrie, a quelque chose un peu délicat, et d'une nature à ne se faire qu'au théâtre, où l'auteur est maître des événements qu'il tient dans sa main, et non pas dans la vie civile, où les hommes en disposent selon leurs intérêts et leur pouvoir. Quand il découvre Héraclius à Phocas et le fait arrêter prisonnier, son intention est

---

7. Corneille précisera dans le *Discours de la tragédie*, qu'au contraire l'action doit être au-delà du vraisemblable : il n'y a pas sans cela ce cas-limite nécessaire à l'héroïsme tragique.
8. Allusion aux *Essais*, liv. I, chap. 25.

fort bonne, et lui réussit, mais il n'y avait que moi qui lui pût répondre du succès. Il acquiert la confiance du tyran par là, et se fait remettre entre les mains la garde d'Héraclius et sa conduite au supplice, mais le contraire pouvait arriver; et Phocas, au lieu de déférer à ses avis qui le résolvent à faire couper la tête à ce prince en place publique, pouvait s'en défaire sur l'heure, et se défier de lui et de ses amis, comme de gens qu'il avait offensés et dont il ne devait jamais espérer un zèle bien sincère à le servir. La mutinerie qu'il excite, dont il lui amène les chefs comme prisonniers pour le poignarder, est imaginée avec justesse; mais jusque-là toute sa conduite est de ces choses qu'il faut souffrir au théâtre, parce qu'elles ont un éclat dont la surprise éblouit et qu'il ne ferait pas bon tirer en exemple pour conduire une action véritable sur leur plan.

Je ne sais si on voudra me pardonner d'avoir fait une pièce d'invention sous des noms véritables, mais je ne crois pas qu'Aristote le défende, et j'en trouve assez d'exemples chez les anciens. Les deux *Électre* de Sophocle et d'Euripide aboutissent à la même action par des moyens si divers qu'il faut de nécessité que l'une des deux soit toute inventée; l'*Iphigénie in Tauris* a la mine d'être de même nature et l'*Hélène*, où Euripide suppose qu'elle n'a jamais été à Troie, et que Pâris n'y a enlevé qu'un fantôme qui lui ressemblait, ne peut avoir aucune action épisodique ni principale qui ne parte de la seule imagination de son auteur.

Je n'ai conservé ici, pour toute vérité historique, que l'ordre de la succession des empereurs Tibère, Maurice, Phocas et Héraclius. J'ai falsifié la naissance de ce dernier, pour lui en donner une plus illustre, en le faisant fils de Maurice, bien qu'il ne le fût que d'un prêteur d'Afrique qui portait même nom que lui. J'ai prolongé de douze ans la durée de l'empire de Phocas, et lui ai donné Martian pour fils, quoique l'histoire ne parle que d'une fille nommée Domitia, qu'il maria à Crispe, dont je fais un de mes personnages. Ce fils et Héraclius, qui sont confondus l'un avec l'autre par les échanges de Léontine, n'auraient pas été en état

d'agir, si je ne l'eusse fait régner que les huit ans qu'il régna, puisque, pour faire ces échanges, il fallait qu'ils fussent tous deux au berceau quand il commença de régner. C'est par cette même raison que j'ai prolongé la vie de l'impératrice Constantine, que je n'ai fait mourir qu'en la quinzième année de sa tyrannie, bien qu'il l'eût immolée à sa sûreté dès la cinquième, et je l'ai fait afin qu'elle pût avoir une fille capable de recevoir ses instructions en mourant, et d'un âge proportionné à celui du prince qu'on lui voulait faire épouser.

La supposition que fait Léontine d'un de ses fils, pour mourir au lieu d'Héraclius, n'est point vraisemblable mais elle est historique et n'a point besoin de vraisemblance, puisqu'elle a l'appui de la vérité, qui la rend croyable, quelque répugnance qu'y veuillent apporter les difficiles. Baronius attribue cette action à une nourrice et je l'ai trouvée assez généreuse pour la faire produire à une personne plus illustre et qui soutient mieux la dignité du théâtre. L'empereur Maurice reconnut cette supposition et l'empêcha d'avoir son effet, pour ne s'opposer pas au juste jugement de Dieu, qui voulait exterminer toute sa famille; mais quant à ce qui est de la mère, elle avait surmonté l'affection maternelle en faveur de son prince; et comme on pouvait dire que son fils était mort pour son regard, je me suis cru assez autorisé par ce qu'elle avait voulu faire à rendre cet échange effectif, et à le faire servir de fondement aux nouveautés surprenantes du sujet.

Il lui faut la même indulgence pour l'unité de lieu qu'à *Rodogune*. La plupart des poèmes qui suivent en ont besoin, et je me dispenserai de le répéter en les examinant. L'unité de jour n'a rien de violenté et l'action se pourrait passer en cinq ou six heures, mais le poème est si embarrassé qu'il demande une merveilleuse attention. J'ai vu de fort bons esprits, et des personnes des plus qualifiées de la cour, se plaindre de ce que sa représentation fatiguait autant l'esprit qu'une étude sérieuse. Elle n'a pas laissé de plaire, mais je crois qu'il l'a fallu voir plus d'une fois pour en remporter une entière intelligence.

ACTEURS [9]

PHOCAS, *empereur d'Orient.*
HÉRACLIUS, *fils de l'empereur Maurice,*
cru Martian, fils de Phocas, amant d'Eudoxe.
MARTIAN, *fils de Phocas, cru Léonce,*
fils de Léontine, amant de Pulchérie.
PULCHÉRIE, *fille de l'empereur Maurice,*
maîtresse de Martian.
LÉONTINE, *dame de Constantinople,*
autrefois gouvernante d'Héraclius et de Martian.
EUDOXE, *fille de Léontine,*
et maîtresse d'Héraclius.
CRISPE, *gendre de Phocas.*
EXUPÈRE, *patricien de Constantinople.*
AMINTAS, *ami d'Exupère.*
UN PAGE *de Léontine.*

La scène est à Constantinople.

ACTE PREMIER

Scène I : Phocas, Crispe.

PHOCAS

Crispe, il n'est que trop vrai, la plus belle couronne
N'a que de faux brillants dont l'éclat l'environne,
Et celui dont le ciel pour un sceptre fait choix,
Jusqu'à ce qu'il le porte, en ignore le poids.
Mille et mille douceurs y semblent attachées,   5
Qui ne sont qu'un amas d'amertumes cachées :
Qui croit les posséder les sent s'évanouir,
Et la peur de les perdre empêche d'en jouir,
Surtout qui, comme moi, d'une obscure naissance

9. On sait que la troupe de l'Hôtel de Bourgogne comprenait alors : Floridor, chef de troupe, Montfleury, Baron, Villiers, Beauchâteau, et Pierre Hasard. Pour les femmes, outre la Bellerose, femme de l'ancien chef de troupe, les femmes des cinq acteurs nommés. Comme il n'y a que trois rôles féminins dans *Héraclius*, il est difficile d'en imaginer la distribution.

10 Monte par la révolte à la toute-puissance,
Qui de simple soldat à l'empire élevé
Ne l'a que par le crime acquis et conservé.
Autant que sa fureur s'est immolé de têtes,
Autant dessus la sienne il croit avoir de tempêtes,
15 Et comme il n'a semé qu'épouvante et qu'horreur,
Il n'en recueille enfin que trouble et que terreur.
J'en ai semé beaucoup, et depuis quatre lustres
Mon trône n'est fondé que sur des morts illustres,
Et j'ai mis au tombeau, pour régner sans effroi,
20 Tout ce que j'en ai vu de plus digne que moi.
Mais le sang répandu de l'empereur Maurice,
Ses cinq fils à ses yeux envoyés au supplice,
En vain en ont été les premiers fondements,
Si pour m'ôter ce trône ils servent d'instruments.
25 On en fait revivre un au bout de vingt années :
Byzance ouvre, dis-tu, l'oreille à ces menées,
Et le peuple, amoureux de tout ce qui me nuit,
D'une croyance avide embrasse ce faux bruit,
Impatient déjà de se laisser séduire
30 Au premier imposteur armé pour me détruire,
Qui s'osant revêtir de ce fantôme aimé,
Voudra servir d'idole à son zèle charmé.
Mais sais-tu sous quel nom ce fâcheux bruit s'excite?

CRISPE

Il nomme Héraclius celui qu'il ressuscite.

PHOCAS

35 Quiconque en est l'auteur devait mieux l'inventer :
Le nom d'Héraclius doit peu m'épouvanter;
Sa mort est trop certaine et fut trop remarquable
Pour craindre un grand effet d'une si vaine fable.
Il n'avait que six mois, et lui perçant le flanc,
40 On en fit dégoutter plus de lait que de sang;
Et ce prodige affreux, dont je tremblai dans l'âme,
Fut aussitôt suivi de la mort de ma femme.
Il me souvient encor qu'il fut deux jours caché,
Et que sans Léontine on l'eût longtemps cherché;
45 Il fut livré par elle, à qui pour récompense
Je donnai de mon fils à gouverner l'enfance,
Du jeune Martian, qui d'âge presque égal,
Était resté sans mère en ce moment fatal.
Juge par là combien ce conte est ridicule.

CRISPE

50 Tout ridicule, il plaît et le peuple est crédule,
Mais avant qu'à ce conte il se laisse emporter,
Il vous est trop aisé de le faire avorter.
Quand vous fîtes périr Maurice et sa famille,
Il vous en plut, Seigneur, réserver une fille,
55 Et résoudre dès lors qu'elle aurait pour époux
Ce prince destiné pour régner après vous.
Le peuple en sa personne aime encore et révère
Et son père Maurice et son aïeul Tibère,
Et vous verra sans trouble en occuper le rang,
60 S'il voit tomber leur sceptre au reste de leur sang.
Non, il ne courra plus après l'ombre du frère,
S'il voit monter la sœur dans le trône du père.
Mais pressez cet hymen : le Prince aux champs de Mars,
Chaque jour, chaque instant, s'offre à mille hasards,
65 Et n'eût été Léonce, en la dernière guerre,
Ce dessein avec lui serait tombé par terre,

Puisque sans la valeur de ce jeune guerrier,
Martian demeurait ou mort ou prisonnier.
Avant que d'y périr, s'il faut qu'il y périsse,
Qu'il vous laisse un neveu qui le soit de Maurice,
Et qui réunissant l'une et l'autre maison,
Tire chez vous l'amour qu'on garde pour son nom [10].

PHOCAS

Hélas! de quoi me sert ce dessein salutaire.
Si pour en voir l'effet tout me devient contraire?
Pulchérie et mon fils ne se montrent d'accord
Qu'à fuir cet hyménée à l'égal de la mort,
Et les aversions entre eux deux mutuelles
Les font d'intelligence à se montrer rebelles.
La Princesse surtout frémit à mon aspect;
Et quoiqu'elle étudie un peu de faux respect,
Le souvenir des siens, l'orgueil de sa naissance,
L'emporte à tous moments à braver ma puissance.
Sa mère, que longtemps je voulus épargner,
Et qu'en vain par douceur j'espérai de gagner,
L'a de la sorte instruite, et ce que je vois suivre
Me punit bien du trop que je la laissai vivre.

CRISPE

Il faut agir de force avec de tels esprits,
Seigneur, et qui les flatte endurcit leurs mépris :
La violence est juste où la douceur est vaine.

PHOCAS

C'est par là qu'aujourd'hui je veux dompter sa haine.
Je l'ai mandée exprès, non plus pour la flatter,
Mais pour prendre mon ordre et pour l'exécuter.

CRISPE

Elle entre.

Scène II : Phocas, Pulchérie, Crispe.

PHOCAS

Enfin, Madame, il est temps de vous
Le besoin de l'État défend de plus attendre, [rendre :
Il lui faut des Césars, et je me suis promis
D'en voir naître bientôt de vous et de mon fils.
Ce n'est pas exiger grande reconnaissance
Des soins que mes bontés ont pris de votre enfance,
De vouloir qu'aujourd'hui, pour prix de mes bienfaits,
Vous daigniez accepter les dons que je vous fais.
Ils ne font point de honte au rang le plus sublime,
Ma couronne et mon fils valent bien quelque estime :
Je vous les offre encore après tant de refus,
Mais apprenez aussi que je n'en souffre plus,
Que de force ou de gré je me veux satisfaire,
Qu'il me faut craindre en maître, ou me chérir en père,
Et que si votre orgueil s'obstine à me haïr,
Qui ne peut être aimé se peut faire obéir.

PULCHÉRIE

J'ai rendu jusqu'ici cette reconnaissance
A ces soins tant vantés d'élever mon enfance,
Que tant qu'on m'a laissée en quelque liberté,
J'ai voulu me défendre avec civilité.
Mais puisqu'on use enfin d'un pouvoir tyrannique.

10. Procédé traditionnel de la tyrannie : la légitimation par alliance avec l'ancienne famille royale. On le retrouvera dans *Pertharite*.

Je vois bien qu'à mon tour il faut que je m'explique,
15 Que je me montre entière à l'injuste fureur,
Et parle à mon tyran en fille d'empereur.
    Il fallait me cacher avec quelque artifice
Que j'étais Pulchérie et fille de Maurice,
Si tu faisais dessein de m'éblouir les yeux
20 Jusqu'à prendre tes dons pour des dons précieux.
Vois quels sont ces présents, dont le refus t'étonne :
Tu me donnes, dis-tu, ton fils et ta couronne.
Mais que me donnes-tu, puisque l'une est à moi,
Et l'autre en est indigne, étant sorti de toi ?
25 Ta libéralité me fait peine à comprendre :
Tu parles de donner, quand tu ne fais que rendre,
Et puisqu'avecque moi tu veux le couronner,
Tu ne me rends mon bien que pour te le donner.
Tu veux que cet hymen que tu m'oses prescrire
30 Porte dans ta maison les titres de l'empire,
Et de cruel tyran, d'infâme ravisseur,
Te fasse vrai monarque et juste possesseur.
Ne reproche donc plus à mon âme indignée
Qu'en perdant tous les miens tu m'as seule épargnée :
35 Cette feinte douceur, cette ombre d'amitié,
Vint de ta politique, et non de ta pitié.
Ton intérêt dès lors fit seul cette réserve,
Tu m'as laissé la vie, afin qu'elle te serve,
Et mal sûr dans un trône où tu crains l'avenir,
40 Tu ne m'y veux placer que pour t'y maintenir.
Tu ne m'y fais monter que de peur d'en descendre,
Mais connais Pulchérie, et cesse de prétendre.
    Je sais qu'il m'appartient, ce trône où tu te sieds,
Que c'est à moi d'y voir tout le monde à mes pieds,
45 Mais comme il est encor teint du sang de mon père,
S'il n'est lavé du tien, il ne saurait me plaire,
Et ta mort, que mes vœux s'efforcent de hâter,
Est l'unique degré par où j'y veux monter :
Voilà quelle je suis, et quelle je veux être.
50 Qu'un autre t'aime en père, ou te redoute en maître,
Le cœur de Pulchérie est trop haut et trop franc
Pour craindre ou pour flatter le bourreau de son sang.

                              PHOCAS

J'ai forcé ma colère à te prêter silence,
Pour voir à quel excès irait ton insolence :
55 J'ai vu ce qui t'abuse et me fait mépriser,
Et t'aime encore assez pour te désabuser.
    N'estime plus mon sceptre usurpé sur ton père,
Ni que pour l'appuyer ta main soit nécessaire.
Depuis vingt ans je règne, et je règne sans toi,
60 Et j'en eus tout le droit du choix qu'on fit de moi.
Le trône où je me sieds n'est pas un bien de race.
L'armée a ses raisons pour remplir cette place,
Son choix en est le titre, et tel est notre sort
Qu'une autre élection nous condamne à la mort.
65 Celle qu'on fit de moi fut l'arrêt de Maurice,
J'en vis avec regret le triste sacrifice,
Au repos de l'État il fallut l'accorder,
Mon cœur, qui résistait, fut contraint de céder,
Mais pour remettre un jour l'empire en sa famille,
70 Je fis ce que je pus, je conservai sa fille,
Et sans avoir besoin de titre ni d'appui,
Je te fais part d'un bien qui n'était plus à lui.

                              PULCHÉRIE

Un chétif centenier des troupes de Mysie,
Qu'un gros de mutinés élut par fantaisie,
Oser arrogamment se vanter à mes yeux   175
D'être juste seigneur du bien de mes aïeux !
Lui qui n'a pour l'empire autre droit que ses crimes,
Lui qui de tous les miens fit autant de victimes,
Croire s'être lavé d'un si noir attentat
En imputant leur perte au repos de l'État !   180
Il fait plus, il me croit digne de cette excuse !
Souffre, souffre à ton tour que je te désabuse :
Apprends que si jadis quelques séditions
Usurpèrent le droit de ces élections,
L'empire était chez nous un bien héréditaire.   185
Maurice ne l'obtint qu'en gendre de Tibère,
Et l'on voit depuis lui remonter mon destin
Jusqu'au grand Théodose, et jusqu'à Constantin [11],
Et je pourrais avoir l'âme assez abattue...

                              PHOCAS

Eh bien ! si tu le veux, je te le restitue,   190
Cet empire, et consens encor que ta fierté
Impute à mes remords l'effet de ma bonté.
Dis que je te le rends et te fais des caresses,
Pour apaiser des tiens les ombres vengeresses,
Et tout ce qui pourra sous quelque autre couleur   195
Autoriser ta haine et flatter ta douleur ;
Pour un dernier effort je veux souffrir la rage
Qu'allume dans ton cœur cette sanglante image.
Mais que t'a fait mon fils ? était-il, au berceau,
Des tiens que je perdis le juge ou le bourreau ?   200
Tant de vertus qu'en lui le monde entier admire
Ne l'ont-elles pas fait trop digne de l'empire ?
En ai-je eu quelque espoir qu'il n'aye assez rempli,
Et voit-on sous le ciel prince plus accompli ?
Un cœur comme le tien, si grand, si magnanime...   205

                              PULCHÉRIE

Va, je ne confonds point ses vertus et ton crime.
Comme ma haine est juste et ne m'aveugle pas,
J'en vois assez en lui pour les plus grands États,
J'admire chaque jour les preuves qu'il en donne,
J'honore sa valeur, j'estime sa personne,   210
Et penche d'autant plus à lui vouloir du bien
Que s'en voyant indigne il ne demande rien,
Que ses longues froideurs témoignent qu'il s'irrite
De ce qu'on veut de moi par delà son mérite,
Et que de tes projets son cœur triste et confus   215
Pour m'en faire justice approuve mes refus.
Ce fils si vertueux d'un père si coupable,
S'il ne devait régner, me pourrait être aimable,
Et cette grandeur même où tu veux le porter
Est l'unique motif qui m'y fait résister.   220
Après l'assassinat de ma famille entière,
Quand tu ne m'as laissé père, mère, ni frère,
Que j'en fasse ton fils légitime héritier.

11. C'est sans doute par le biais du théâtre que Corneille
rencontra l'histoire d'Héraclius. L'empereur Maurice (562-
602) avait fait l'objet de nombreuses pièces latines des jésuites
de 1609 à 1649. L'une d'elles fut jouée au collège de La Flèche
et peut-être à Rouen, et nous est signalée en 1621 par le P. Mousson. Ce sujet forme un véritable cycle de politique chrétienne,
avec les pièces sur Constantin (*la Mort de Crispe*) et Cosroès.

Que j'assure par là leur trône au meurtrier,
225 Non, non! si tu me crois le cœur si magnanime
Qu'il ose séparer ses vertus de ton crime,
Sépare tes présents, et ne m'offre aujourd'hui
Que ton fils sans le sceptre, ou le sceptre sans lui,
Avise, et si tu crains qu'il te fût trop infâme
230 De remettre l'empire en la main d'une femme,
Tu peux dès aujourd'hui le voir mieux occupé :
Le ciel me rend un frère à ta rage échappé.
On dit qu'Héraclius est tout près de paraître :
Tyran, descends du trône, et fais place à ton maître.

PHOCAS

235 A ce compte, arrogante, un fantôme nouveau,
Qu'un murmure confus fait sortir du tombeau,
Te donne cette audace et cette confiance!
Ce bruit s'est fait déjà digne de ta croyance.
Mais...

PULCHÉRIE

Je sais qu'il est faux; pour t'assurer ce rang
240 Ta rage eut trop de soin de verser tout mon sang,
Mais la soif de ta perte en cette conjoncture
Me fait aimer l'auteur d'une belle imposture.
Au seul nom de Maurice il te fera trembler :
Puisqu'il se dit son fils, il veut lui ressembler,
245 Et cette ressemblance où son courage aspire
Mérite mieux que toi de gouverner l'empire.
J'irai par mon suffrage affermir cette erreur,
L'avouer pour mon frère et pour mon empereur,
Et dedans son parti jeter tout l'avantage
250 Du peuple convaincu par mon premier hommage.
Toi, si quelque remords te donne un juste effroi,
Sors du trône, et te laisse abuser comme moi :
Prends cette occasion de te faire justice.

PHOCAS

Oui, je me la ferai bientôt par ton supplice.
255 Ma bonté ne peut plus arrêter mon devoir,
Ma patience a fait par delà son pouvoir.
Qui se laisse outrager mérite qu'on l'outrage,
Et l'audace impunie enfle trop un courage.
Tonne, menace, brave, espère en de faux bruits,
260 Fortifie, affermis ceux qu'ils auront séduits,
Dans ton âme à ton gré change ma destinée,
Mais choisis pour demain la mort ou l'hyménée.

PULCHÉRIE

Il n'est pas pour ce choix besoin d'un grand effort
A qui hait l'hyménée et ne craint point la mort.

*En ces deux scènes, Héraclius passe pour Martian,
et Martian pour Léonce. Héraclius se connaît, mais
Martian ne se connaît pas.*

Scène III : *Phocas, Pulchérie, Héraclius, Crispe.*

PHOCAS, *à Pulchérie.*

265 Dis, si tu veux encor, que ton cœur la souhaite.
A Héraclius.
Approche, Martian, que je te le répète :
Cette ingrate furie, après tant de mépris,
Conspire encor la perte et du père et du fils.
Elle-même a semé cette erreur populaire

D'un faux Héraclius qu'elle accepte pour frère,   27
Mais quoi qu'à ces mutins elle puisse imposer,
Demain ils la verront mourir, ou t'épouser.

HÉRACLIUS

Seigneur...

PHOCAS

Garde sur toi d'attirer ma colère.

HÉRACLIUS

Dussé-je mal user de cet amour de père,
Étant ce que je suis, je me dois quelque effort   2
Pour vous dire, Seigneur, que c'est vous faire tort,
Et que c'est trop montrer d'injuste défiance
De ne pouvoir régner que par son alliance.
Sans prendre un nouveau droit du nom de son époux,
Ma naissance suffit pour régner après vous.   2
J'ai du cœur, et tiendrais l'empire même infâme,
S'il fallait le tenir de la main d'une femme.

PHOCAS

Eh bien! elle mourra, tu n'en as pas besoin.

HÉRACLIUS

De vous-même, Seigneur, daignez mieux prendre soin.
Le peuple aime Maurice : en perdre ce qui reste   2
Nous rendrait ce tumulte au dernier point funeste.
Au nom d'Héraclius à demi soulevé,
Vous verriez par sa mort le désordre achevé.
Il vaut mieux la priver du rang qu'elle rejette,
Faire régner une autre, et la laisser sujette,
Et d'un parti plus bas punissant son orgueil...   2

PHOCAS

Quand Maurice peut tout du creux de son cercueil,
A ce fils supposé, dont il me faut défendre,
Tu parles d'ajouter un véritable gendre!

HÉRACLIUS

Seigneur, j'ai des amis chez qui cette moitié...   2

PHOCAS

A l'épreuve d'un sceptre il n'est point d'amitié,
Point qui ne s'éblouisse à l'éclat de sa pompe,
Point qu'après son hymen sa haine ne corrompe [12].
Elle pourra, te dis-je.

PULCHÉRIE

Ah! ne m'empêchez pas
De rejoindre les miens par un heureux trépas.
La vapeur de mon sang ira grossir la foudre
Que Dieu tient déjà prête à le réduire en poudre,
Et ma mort, en servant de comble à tant d'horreurs...

PHOCAS

Par ses remercîments juge de ses fureurs.
J'ai prononcé l'arrêt, il faut que l'effet suive.
Résous-la de t'aimer, si tu veux qu'elle vive,
Sinon, j'en jure encore et ne t'écoute plus,
Son trépas dès demain punira ses refus.

Scène IV : *Pulchérie, Héraclius, Martian.*

HÉRACLIUS

En vain il se promet que sous cette menace
J'espère en votre cœur surprendre quelque place :
Votre refus est juste, et j'en sais les raisons.

12. Maximes tirées du *Prince* de Machiavel.

Ce n'est pas à nous deux d'unir les deux maisons;
D'autres destins, Madame, attendent l'un et l'autre,
Ma foi m'engage ailleurs aussi bien que la vôtre,
5 Vous aurez en Léonce un digne possesseur,
Je serai trop heureux d'en posséder la sœur.
Ce guerrier vous adore, et vous l'aimez de même,
Je suis aimé d'Eudoxe autant comme je l'aime,
Léontine leur mère est propice à nos vœux,
10 Et quelque effort qu'on fasse à rompre ces beaux nœuds,
D'un amour si parfait les chaînes sont si belles
Que nos captivités doivent être éternelles.

PULCHÉRIE

Seigneur, vous connaissez ce cœur infortuné :
15 Léonce y peut beaucoup, vous me l'avez donné,
Et votre main illustre augmente le mérite
Des vertus dont l'éclat pour lui me sollicite.
Mais à d'autres pensers il me faut recourir,
Il n'est plus temps d'aimer alors qu'il faut mourir,
Et quand à ce départ une âme se prépare...

HÉRACLIUS

20 Redoutez un peu moins les rigueurs d'un barbare,
Pardonnez-moi ce mot; pour vous servir d'appui
J'ai peine à reconnaître encore un père en lui.
Résolu de périr pour vous sauver la vie,
Je sens tous mes respects céder à cette envie :
25 Je ne suis plus son fils, s'il en veut à vos jours,
Et mon cœur tout entier vole à votre secours.

PULCHÉRIE

C'est donc avec raison que je commence à craindre,
Non la mort, non l'hymen où l'on me veut contrain-
Mais ce péril extrême où pour me secourir   [dre,
30 Je vois votre grand cœur aveuglément courir.

MARTIAN

Ah! mon Prince, ah! Madame, il vaut mieux vous ré-
Par un heureux hymen, à dissiper ce foudre. [soudre,
Au nom de votre amour et de votre amitié,
Prenez de votre sort tous deux quelque pitié.
35 Que la vertu du fils, si pleine et si sincère,
Vainque la juste horreur que vous avez du père,
Et pour mon intérêt n'exposez pas tous deux...

HÉRACLIUS

Que me dis-tu, Léonce, et qu'est-ce que tu veux?
Tu m'as sauvé la vie, et pour reconnaissance
40 Je voudrais à tes feux ôter leur récompense,
Et ministre insolent d'un prince furieux,
Couvrir de cette honte un nom si glorieux,
Ingrat à mon ami, perfide à ce que j'aime,
Cruel à la Princesse, odieux à moi-même!
45 Je te connais, Léonce, et mieux que tu ne crois :
Je sais ce que tu vaux, et ce que je te dois.
Son bonheur est le mien, Madame; et je vous donne
Léonce et Martian en la même personne :
C'est Martian en lui que vous favorisez [13].
50 Opposons la constance aux périls opposés.
Je vais près de Phocas essayer la prière,
Et si je n'obtiens pas la grâce tout entière,
Malgré le nom de père et le titre de fils,

13. Ce sont les « ingénieuses équivoques » dont Corneille
parle dans l'*Examen*.

Je deviens le plus grand de tous ses ennemis,
55 Oui, si sa cruauté s'obstine à votre perte,   365
J'irai pour l'empêcher jusqu'à la force ouverte;
Et puisse, si le ciel m'y voit rien épargner,
Un faux Héraclius à ma place régner!
Adieu, Madame.

PULCHÉRIE

Adieu, prince trop magnanime,
Héraclius s'en va, et Pulchérie continue.
Prince digne en effet d'un trône acquis sans crime,   370
Digne d'un autre père. Ah! Phocas, ah! tyran,
Se peut-il que ton sang ait formé Martian?
Mais allons, cher Léonce, admirant son courage,
Tâcher de notre part à repousser l'orage.
Tu t'es fait des amis, je sais des mécontents,   375
Le peuple est ébranlé, ne perdons point de temps :
L'honneur te le commande, et l'amour t'y convie.

MARTIAN

Pour otage en ses mains ce tigre a votre vie,
Et je n'oserai rien qu'avec un juste effroi
Qu'il ne venge sur vous ce qu'il craindra de moi.   380

PULCHÉRIE

N'importe, à tout oser le péril doit contraindre.
Il ne faut craindre rien quand on a tout à craindre.
Allons examiner pour ce coup généreux
Les moyens les plus prompts et les moins dangereux.

ACTE SECOND

Scène I : Léontine, Eudoxe.

LÉONTINE

Voilà ce que j'ai craint de son âme enflammée.   385

EUDOXE

S'il m'eût caché son sort, il m'aurait mal aimée.

LÉONTINE

Avec trop d'imprudence il vous l'a révélé :
Vous êtes fille, Eudoxe, et vous avez parlé;
Vous n'avez pu savoir cette grande nouvelle
Sans la dire à l'oreille à quelque âme infidèle,   390
A quelque esprit léger, ou de votre heur jaloux,
A qui ce grand secret a pesé comme à vous.
C'est par là qu'il est su, c'est par là qu'on publie
Ce prodige étonnant d'Héraclius en vie,
C'est par là qu'un tyran, plus instruit que troublé   395
De l'ennemi secret qui l'aurait accablé,
Ajoutera bientôt sa mort à tant de crimes,
Et se sacrifiera pour nouvelles victimes
Ce prince dans son sein pour son fils élevé,
Vous qu'adore son âme, et moi qui l'ai sauvé.   400
Voyez combien de maux pour n'avoir su vous taire!

EUDOXE

Madame, mon respect souffre tout d'une mère,
Qui pour peu qu'elle veuille écouter la raison,
Ne m'accusera plus de cette trahison,
Car c'en est une enfin bien digne de supplice   405
Qu'avoir d'un tel secret donné le moindre indice.

LÉONTINE

Et qui donc aujourd'hui le fait connaître à tous?

Est-ce le Prince, ou moi?

EUDOXE

Ni le Prince, ni vous.
De grâce examinez ce bruit qui vous alarme.
410 On dit qu'il est en vie, et son nom seul les charme :
On ne dit point comment vous trompâtes Phocas,
Livrant un de vos fils pour ce prince au trépas,
Ni comme après, du sien étant la gouvernante,
Par une tromperie encor plus importante,
415 Vous en fîtes l'échange, et prenant Martian,
Vous laissâtes pour fils ce prince à son tyran,
En sorte que le sien passe ici pour mon frère,
Cependant que de l'autre il croit être le père,
Et voit en Martian Léonce qui n'est plus,
420 Tandis que sous ce nom il aime Héraclius.
On dirait tout cela si par quelque imprudence
Il m'était échappé d'en faire confidence,
Mais pour toute nouvelle on dit qu'il est vivant,
Aucun n'ose pousser l'histoire plus avant.
425 Comme ce sont pour tous des routes inconnues,
Il semble à quelques-uns qu'il doit tomber des nues,
Et j'en sais tel qui croit, dans sa simplicité,
Que pour punir Phocas, Dieu l'a ressuscité.
Mais le voici.

Scène II : Héraclius, Léontine, Eudoxe.

HÉRACLIUS

Madame, il n'est plus temps de taire
430 D'un si profond secret le dangereux mystère :
Le tyran, alarmé du bruit qui le surprend,
Rend ma crainte trop juste, et le péril trop grand.
Non que de ma naissance il fasse conjecture,
Au contraire, il prend tout pour grossière imposture,
435 Et me connaît si peu que pour la renverser,
A l'hymen qu'il souhaite il prétend me forcer.
Il m'oppose à mon nom qui le vient de surprendre :
Je suis fils de Maurice, il m'en veut faire gendre,
Et s'acquérir les droits d'un prince si chéri
440 En me donnant moi-même à ma sœur pour mari.
En vain nous résistons à son impatience,
Elle par haine aveugle, et moi par connaissance.
Lui, qui ne conçoit rien de l'obstacle éternel
Qu'oppose la nature à ce nœud criminel,
445 Menace Pulchérie, au refus obstinée,
Lui propose à demain la mort ou l'hyménée,
J'ai fait pour le fléchir un inutile effort :
Pour éviter l'inceste, elle n'a que la mort.
Jugez s'il n'est pas temps de montrer qui nous sommes,
450 De cesser d'être fils du plus méchant des hommes,
D'immoler mon tyran aux périls de ma sœur,
Et de rendre à mon père un juste successeur.

LÉONTINE

Puisque vous ne craignez que sa mort ou l'inceste,
Je rends grâce, Seigneur, à la bonté céleste
455 De ce qu'en ce grand bruit le sort nous est si doux
Que nous n'avons encor rien à craindre pour vous.
Votre courage seul nous donne lieu de craindre :
Modérez-en l'ardeur, daignez vous y contraindre,
Et puisqu'aucun soupçon ne dit rien à Phocas,

Soyez encor son fils, et ne vous montrez pas.
De quoi que ce tyran menace Pulchérie,
J'aurai trop de moyens d'arrêter sa furie,
De rompre cet hymen ou de le retarder,
Pourvu que vous veuillez ne vous point hasarder.
Répondez-moi de vous, et je vous réponds d'elle.

HÉRACLIUS

Jamais l'occasion ne s'offrira si belle :
Vous voyez un grand peuple à demi révolté,
Sans qu'on sache l'auteur de cette nouveauté.
Il semble que de Dieu la main appesantie,
Se faisant du tyran l'effroyable partie,
Veuille avancer par là son juste châtiment,
Que par un si grand bruit semé confusément,
Il dispose les cœurs à prendre un nouveau maître,
Et presse Héraclius de se faire connaître.
C'est à nous de répondre à ce qu'il en prétend :
Montrons Héraclius au peuple qui l'attend,
Évitons le hasard qu'un imposteur l'abuse,
Et qu'après s'être armé d'un nom que je refuse,
De mon trône, à Phocas sous ce titre arraché,
Il puisse me punir de m'être trop caché.
Il ne sera pas temps, Madame, de lui dire
Qu'il me rende mon nom, ma naissance et l'empire,
Quand il se prévaudra de ce nom déjà pris,
Pour me joindre au tyran dont je passe pour fils.

LÉONTINE

Sans vous donner pour chef à cette populace,
Je romprai bien encor ce coup, s'il vous menace;
Mais gardons jusqu'au bout ce secret important,
Fiez-vous plus à moi qu'à ce peuple inconstant.
Ce que j'ai fait pour vous depuis votre naissance,
Semble digne, Seigneur, de cette confiance :
Je ne laisserai point mon ouvrage imparfait,
Et bientôt mes desseins auront leur plein effet.
Je punirai Phocas, je vengerai Maurice,
Mais aucun n'aura part à ce grand sacrifice :
J'en veux toute la gloire, et vous me la devez.
Vous régnerez par moi, si par moi vous vivez.
Laissez entre mes mains mûrir vos destinées,
Et ne hasardez point le fruit de vingt années.

EUDOXE

Seigneur, si votre amour peut écouter mes pleurs,
Ne vous exposez point au dernier des malheurs.
La mort de ce tyran, quoique trop légitime,
Aura dedans vos mains l'image d'un grand crime :
Le peuple pour miracle osera maintenir
Que le ciel par son fils l'aura voulu punir,
Et sa haine obstinée après cette chimère
Vous croira parricide en vengeant votre père.
La vérité n'aura ni le nom ni l'effet
Que d'un adroit mensonge à couvrir ce forfait,
Et d'une telle erreur l'ombre sera trop noire
Pour ne pas obscurcir l'éclat de votre gloire.
Je sais bien que l'ardeur de venger vos parents...

HÉRACLIUS

Vous en êtes aussi, Madame, et je me rends.
Je n'examine rien, et n'ai pas la puissance
De combattre l'amour et la reconnaissance.
Le secret est à vous, et je serais ingrat

Si sans votre congé j'osais en faire éclat,
Puisque, sans votre aveu, toute mon aventure
Passerait pour un songe ou pour une imposture.
Je dirai plus : l'empire est plus à vous qu'à moi,
Puisqu'à Léonce mort tout entier je le doi;
C'est le prix de son sang, c'est pour y satisfaire
Que je rends à la sœur ce que je tiens du frère.
Non que pour m'acquitter par cette élection
Mon devoir ait forcé mon inclination,
Il présenta mon cœur aux yeux qui le charmèrent,
Il prépara mon âme aux feux qu'ils allumèrent,
Et ces yeux tout divins, par un soudain pouvoir,
Achevèrent sur moi l'effet de ce devoir.
Oui, mon cœur, chère Eudoxe, à ce trône n'aspire
Que pour vous voir bientôt maîtresse de l'empire.
Je ne me suis voulu jeter dans le hasard
Que par la seul soif de vous en faire part,
C'était là tout mon but. Pour éviter l'inceste,
Je n'ai qu'à m'éloigner de ce climat funeste;
Mais si je me dérobe au rang qui vous est dû,
Ce sera par moi seul que vous l'aurez perdu,
Seul je vous ôterai ce que je vous dois rendre :
Disposez des moyens et du temps de le prendre,
Quand vous voudrez régner, faites-m'en possesseur,
Mais comme enfin j'ai lieu de craindre pour ma sœur,
Tirez-la dans ce jour de ce péril extrême,
Ou demain je ne prends conseil que de moi-même.

LÉONTINE

Reposez-vous sur moi, Seigneur, de tout son sort,
Et n'en appréhendez ni l'hymen ni la mort.

Scène III : Léontine, Eudoxe.

LÉONTINE

Ce n'est plus avec vous qu'il faut que je déguise :
A ne vous rien cacher son amour m'autorise.
Vous saurez les desseins de tout ce que j'ai fait,
Et pourrez me servir à presser leur effet.
Notre vrai Martian adore la Princesse :
Animons toutes deux l'amant pour la maîtresse,
Faisons que son amour nous venge de Phocas,
Et de son propre fils arme pour nous le bras.
Si j'ai pris soin de lui, si je l'ai laissé vivre,
Si je perdis Léonce et ne le fis pas suivre,
Ce fut sur l'espoir seul qu'un jour pour s'agrandir,
A ma pleine vengeance il pourrait s'enhardir.
Je ne l'ai conservé que pour ce parricide.

EUDOXE

Ah! Madame.

LÉONTINE

Ce mot déjà vous intimide!
C'est à de telles mains qu'il nous faut recourir,
C'est par là qu'un tyran est digne de périr,
Et le courroux du ciel, pour en purger la terre,
Nous doit un parricide au refus du tonnerre.
C'est à nous qu'il remet de l'y précipiter :
Phocas le commettra s'il le peut éviter,
Et nous immolerons au sang de votre frère
Le père par le fils ou le fils par le père.
L'ordre est digne de nous, le crime est digne d'eux.

Sauvons Héraclius au péril de tous deux.

EUDOXE

Je sais qu'un parricide est digne d'un tel père,
Mais faut-il qu'un tel fils soit en péril d'en faire?   570
Et sachant sa vertu, pouvez-vous justement
Abuser jusque-là de son aveuglement?

LÉONTINE

Dans le fils d'un tyran l'odieuse naissance
Mérite que l'erreur arrache l'innocence,
Et que de quelque éclat qu'il se soit revêtu,   575
Un crime qu'il ignore en souille la vertu [14].

PAGE

Exupère, Madame, est là qui vous demande.

LÉONTINE

Exupère! à ce nom que ma surprise est grande!
Qu'il entre. A quel dessein vient-il parler à moi,
Lui que je ne vois point, qu'à peine je connoi?   580
Dans l'âme il hait Phocas, qui s'immola son père,
Et sa venue ici cache quelque mystère.
Je vous l'ai déjà dit, votre langue nous perd.

Scène IV : Exupère, Léontine, Eudoxe.

EXUPÈRE

Madame, Héraclius vient d'être découvert.

LÉONTINE, à Eudoxe.

Eh bien?

EUDOXE

Si...

LÉONTINE

Taisez-vous.
A Exupère.

Depuis quand?

EXUPÈRE

Tout à l'heure. 585

LÉONTINE

Et déjà l'Empereur a commandé qu'il meure?

EXUPÈRE

Le tyran est bien loin de s'en voir éclairci.

LÉONTINE

Comment?

EXUPÈRE

Ne craignez rien, Madame, le voici.

LÉONTINE

Je ne vois que Léonce.

EXUPÈRE

Ah! quittez l'artifice.

Scène V : Martian, Léontine,
Exupère, Eudoxe.

MARTIAN

Madame, dois-je croire un billet de Maurice?   590
Voyez si c'est sa main, ou s'il est contrefait.
Dites s'il me détrompe, ou m'abuse en effet,
Si je suis votre fils, ou s'il était mon père,
Vous en devez connaître encor le caractère.

_____

14. Sévère transposition du péché originel sur le plan de
l'histoire.

LÉONTINE *lit le billet.*
BILLET DE MAURICE

595   *Léontine a trompé Phocas,*
Et livrant pour mon fils un des siens au trépas,
Dérobe à sa fureur l'héritier de l'empire.
O vous qui me restez de fidèles sujets,
Honorez son grand zèle, appuyez ses projets :
600 *Sous le nom de Léonce Héraclius respire.*

MAURICE.

Elle rend le billet à Exupère, qui le lui a donné, et
continue.

Seigneur, il vous dit vrai : vous étiez en mes mains,
Quand on ouvrit Byzance au pire des humains,
Maurice m'honora de cette confiance,
Mon zèle y répondit par delà sa croyance.
605 Le voyant prisonnier et ses quatre autres fils,
Je cachai quelques jours ce qu'il m'avait commis,
Mais enfin, toute prête à me voir découverte,
Ce zèle sur mon sang détourna votre perte.
J'allai pour vous sauver vous offrir à Phocas,
610 Mais j'offris votre nom, et ne vous donnai pas.
La généreuse ardeur de sujette fidèle,
Me rendit pour mon prince à moi-même cruelle :
Mon fils fut, pour mourir, le fils de l'Empereur.
J'éblouis le tyran, je trompai sa fureur :
615 Léonce, au lieu de vous, lui servit de victime [15].
Elle fait un soupir.
Ah! pardonnez, de grâce, il m'échappe sans crime.
J'ai pris pour vous sa vie, et lui rends un soupir.
Ce n'est pas trop, Seigneur, pour un tel souvenir.
A cet illustre effort par mon devoir réduite,
620 J'ai dompté la nature, et ne l'ai pas détruite.
Phocas, ravi de joie à cette illusion,
Me combla de faveurs avec profusion,
Et nous fit de sa main cette haute fortune
Dont il n'est pas besoin que je vous importune.
625   Voilà ce que mes soins vous laissaient ignorer,
Et j'attendais, Seigneur, à vous le déclarer,
Que par vos grands exploits votre rare vaillance
Pût faire à l'univers croire à votre naissance,
Et qu'une occasion pareille à ce grand bruit
630 Nous pût de son aveu promettre quelque fruit;
Car comme j'ignorais que notre grand monarque
En eût pu rien savoir, ou laisser quelque marque,
Je doutai qu'un secret, n'étant su que de moi,
Sous un tyran si craint pût trouver quelque foi.

EXUPÈRE

635 Comme sa cruauté, pour mieux gêner Maurice,
Le forçait de ses fils à voir le sacrifice,
Ce prince vit l'échange et l'allait empêcher,
Mais l'acier des bourreaux fut plus prompt à trancher.
La mort de votre fils arrêta cette envie,

15. Cet infanticide caractérise l'amoralisme de Corneille et
rapproche Léontine de *Médée* et d'*Horace*. Un crime change
de sens, quand l'ordre essentiel est en jeu : celui du couple ou
celui de l'État. Voici qui justifie le réquisitoire de Claudel
contre Corneille, jugé d'un point de vue strictement chrétien.
Mais c'est un des traits de l'héroïsme cornélien qui étouffe
ou transcende l'ordre naturel, sur le plan du seul bonheur
individuel. C'est toujours le « Sors de mon cœur, Nature »
de *Médée*.

Et prévint d'un moment le refus de sa vie.
Maurice, à quelque espoir se laissant lors flatter,
S'en ouvrit à Félix, qui vint le visiter,
Et trouva les moyens de lui donner ce gage
Qui vous en pût un jour rendre un plein témoignage.
Félix est mort, Madame, et naguère en mourant
Il remit ce dépôt à son plus cher parent,
Et m'ayant tout conté : « Tiens, dit-il, Exupère,
  Sers ton prince, et venge ton père. »
Armé d'un tel secret, Seigneur, j'ai voulu voir
Combien parmi le peuple il aurait de pouvoir.
J'ai fait semer ce bruit sans vous faire connaître,
Et voyant tous les cœurs vous souhaiter pour maître,
J'ai ligué du tyran les secrets ennemis,
Mais sans leur découvrir plus qu'il ne m'est permis.
Ils aiment votre nom, sans savoir davantage,
Et cette seule joie anime leur courage,
Sans qu'autres que les deux qui vous parlaient là-bas
De tout ce qu'elle a fait sachent plus que Phocas.
Vous venez de savoir ce que vous vouliez d'elle,
C'est à vous de répondre à son généreux zèle.
Le peuple est mutiné, nos amis assemblés,
Le tyran effrayé, ses confidents troublés.
Donnez l'aveu du Prince à sa mort qu'on apprête,
Et ne dédaignez pas d'ordonner de sa tête.

MARTIAN

Surpris des nouveautés d'un tel événement,
Je demeure à vos yeux muet d'étonnement.
   Je sais ce que je dois, Madame, au grand service
Dont vous avez sauvé l'héritier de Maurice.
Je croyais, comme fils, devoir tout à vos soins,
Et je vous dois bien plus lorsque je vous suis moins,
Mais pour vous expliquer toute ma gratitude,
Mon âme a trop de trouble et trop d'inquiétude.
J'aimais, vous le savez, et mon cœur enflammé
Trouve enfin une sœur dedans l'objet aimé.
Je perds une maîtresse en gagnant un empire :
Mon amour en murmure, et mon cœur en soupire,
Et de mille pensers mon esprit agité
Paraît enseveli dans la stupidité.
Il est temps d'en sortir, l'honneur nous le commande :
Il faut donner un chef à votre illustre bande.
Allez, brave Exupère, allez, je vous rejoins,
Souffrez que je lui parle un moment sans témoins,
Disposez cependant vos amis à bien faire,
Surtout sauvons le fils en immolant le père.
Il n'eut rien du tyran qu'un peu de mauvais sang,
Dont la dernière guerre a trop purgé son flanc.

EXUPÈRE

Nous vous rendrons, Seigneur, entière obéissance,
Et vous allons attendre avec impatience.

Scène VI : Martian, Léontine, Eudoxe.

MARTIAN

Madame, pour laisser toute sa dignité
A ce dernier effort de générosité,
Je crois que les raisons que vous m'avez données
M'en ont seules caché le secret tant d'années.

D'autres soupçonneraient qu'un peu d'ambition,
Du prince Martian voyant la passion,
5 Pour lui voir sur le trône élever votre fille,
Aurait voulu laisser l'empire en sa famille,
Et me faire trouver un tel destin bien doux
Dans l'éternelle erreur d'être sorti de vous.
Mais je tiendrais à crime une telle pensée.
0 Je me plains seulement d'une ardeur insensée,
D'un détestable amour que pour ma propre sœur
Vous-même vous avez allumé dans mon cœur.
Quel dessein faisiez-vous sur cet aveugle inceste?

LÉONTINE
Je vous aurais tout dit avant ce nœud funeste,
5 Et je le craignais peu, trop sûre que Phocas,
Ayant d'autres desseins, ne le souffrirait pas.
    Je voulais donc, Seigneur, qu'une flamme si belle
Portât votre courage aux vertus dignes d'elles,
Et que votre valeur l'ayant su mériter,
● Le refus du tyran vous pût mieux irriter.
Vous n'avez pas rendu mon espérance vaine :
J'ai vu dans votre amour une source de haine,
Et j'ose dire encor qu'un bras si renommé
Peut-être aurait moins fait si le cœur n'eût aimé.
‚ Achevez donc, Seigneur, et puisque Pulchérie
Doit craindre l'attentat d'une aveugle furie...

MARTIAN
Peut-être il vaudrait mieux moi-même la porter
A ce que le tyran témoigne en souhaiter.
Son amour, qui pour moi résiste à sa colère,
N'y résistera plus quand je serai son frère.
Pourrais-je lui trouver un plus illustre époux?

LÉONTINE
Seigneur, qu'allez-vous faire, et que me dites-vous?

MARTIAN
Que peut-être, pour rompre un si digne hyménée,
J'expose à tort sa tête avec ma destinée,
Et fais d'Héraclius un chef de conjurés
Dont je vois les complots encor mal assurés.
Aucun d'eux du tyran n'approche la personne,
Et quand même l'issue en pourrait être bonne,
Peut-être il m'est honteux de reprendre l'État
Par l'infâme succès d'un lâche assassinat.
Peut-être il vaudrait mieux en tête d'une armée
Faire parler pour moi toute ma renommée,
Et trouver à l'empire un chemin glorieux
Pour venger mes parents d'un bras victorieux.
C'est dont je vais résoudre avec cette princesse,
Pour qui non plus l'amour, mais le sang m'intéresse.
Vous, avec votre Eudoxe...

LÉONTINE
                        Ah! Seigneur, écoutez.

MARTIAN
J'ai besoin de conseils dans ces difficultés,
Mais à parler sans fard, pour écouter les vôtres,
Outre mes intérêts, vous en avez trop d'autres.
Je ne soupçonne point vos vœux ni votre foi,
Mais je ne veux d'avis que d'un cœur tout à moi.
Adieu.

Scène VII : Léontine, Eudoxe.

LÉONTINE
Tout me confond, tout me devient contraire.
Je ne fais rien du tout, quand je pense tout faire,
Et lorsque le hasard me flatte avec excès,   745
Tout mon dessein avorte au milieu du succès :
Il semble qu'un démon funeste à sa conduite
Des beaux commencements empoisonne la suite.
Ce billet, dont je vois Martian abusé,
Fait plus en ma faveur que je n'aurais osé :   750
Il arme puissamment le fils contre le père;
Mais comme il a levé le bras en qui j'espère,
Sur le point de frapper, je vois avec regret
Que la nature y forme un obstacle secret.
La vérité le trompe, et ne peut le séduire :   755
Il sauve en reculant ce qu'il croit mieux détruire :
Il doute, et du côté que je le vois pencher,
Il va presser l'inceste au lieu de l'empêcher.

EUDOXE
Madame, pour le moins vous avez connaissance
De l'auteur de ce bruit, et de mon innocence,   760
Mais je m'étonne fort de voir à l'abandon
Du prince Héraclius les droits avec le nom.
Ce billet, confirmé par votre témoignage,
Pour monter dans le trône est un grand avantage.
Si Martian le peut sous ce titre occuper,   765
Pensez-vous qu'il se laisse aisément détromper,
Et qu'au premier moment qu'il vous verra dédire,
Aux mains de son vrai maître il remette l'empire?

LÉONTINE
Vous êtes curieuse, et voulez trop savoir.
N'ai-je pas déjà dit que j'y saurai pourvoir?   770
Tâchons, sans plus tarder, à revoir Exupère,
Pour prendre en ce désordre un conseil salutaire.

ACTE TROISIÈME

Scène I : Martian, Pulchérie.

MARTIAN
Je veux bien l'avouer, Madame, car mon cœur
A de la peine encore à vous nommer ma sœur,
Quand malgré ma fortune à vos pieds abaissée   775
J'osai jusques à vous élever ma pensée,
Plus plein d'étonnement que de timidité,
J'interrogeais ce cœur sur sa témérité,
Et dans ses mouvements, pour secrète réponse,
Je sentais quelque chose au-dessus de Léonce,   780
Dont, malgré ma raison, l'impérieux effort
Emportait mes désirs au delà de mon sort.

PULCHÉRIE
Moi-même assez souvent j'ai senti dans mon âme
Ma naissance en secret me reprocher ma flamme.
Mais quoi! l'impératrice à qui je dois le jour   785
Avait innocemment fait naître cet amour :
J'approchais de quinze ans, alors qu'empoisonnée
Pour avoir contredit mon indigne hyménée,

Elle mêla ces mots à ses derniers soupirs :
790 « Le tyran veut surprendre ou forcer vos désirs,
Ma fille, et sa fureur à son fils vous destine,
Mais prenez un époux des mains de Léontine,
Elle garde un trésor qui vous sera bien cher. »
Cet ordre en sa faveur me sut si bien toucher,
795 Qu'au lieu de la haïr d'avoir livré mon frère,
J'en tins le bruit pour faux, elle me devint chère,
Et confondant ces mots de trésor et d'époux,
Je crus les bien entendre, expliquant tout de vous.
J'opposais de la sorte à ma fière naissance
800 Les favorables lois de mon obéissance,
Et je m'imputais même à trop de vanité
De trouver entre nous quelque inégalité.
La race de Léonce étant patricienne,
L'éclat de vos vertus l'égalait à la mienne,
805 Et je me laissais dire en mes douces erreurs :
« C'est de pareils héros qu'on fait les empereurs;
Tu peux bien sans rougir aimer un grand courage
A qui le monde entier peut rendre un juste hommage. »
J'écoutais sans dédain ce qui m'autorisait :
810 L'amour pensait le dire, et le sang le disait,
Et de ma passion la flatteuse imposture
S'emparait dans mon cœur des droits de la nature.

MARTIAN

Ah! ma sœur, puisque enfin mon destin éclairci
Veut que je m'accoutume à vous nommer ainsi,
815 Qu'aisément l'amitié jusqu'à l'amour nous mène!
C'est un penchant si doux qu'on y tombe sans peine.
Mais quand il faut changer l'amour en amitié,
Que l'âme qui s'y force est digne de pitié,
Et qu'on doit plaindre un cœur qui n'osant s'en
820 Se laisse déchirer avant que de se rendre! [défendre,
Ainsi donc la nature à l'espoir le plus doux
Fait succéder l'horreur, et l'horreur d'être à vous!
Ce que je suis m'arrache à ce que j'aimais d'être!
Ah! s'il m'était permis de ne me pas connaître,
825 Qu'un si charmant abus serait à préférer
A l'âpre vérité qui vient de m'éclairer!

PULCHÉRIE

J'eus pour vous trop d'amour pour ignorer ses forces,
Je sais quelle amertume aigrit de tels divorces,
Et la haine à mon gré les fait plus doucement
830 Que quand il faut aimer, mais aimer autrement.
J'ai senti comme vous une douleur bien vive
En brisant les beaux fers qui me tenaient captive,
Mais j'en condamnerais le plus doux souvenir,
S'il avait à mon cœur coûté plus d'un soupir.
835 Ce grand coup m'a surprise et ne m'a point troublée,
Mon âme l'a reçu sans en être accablée,
Et comme tous mes feux n'avaient rien que de saint,
L'honneur les alluma, le devoir les éteint.
Je ne vois plus d'amant où je rencontre un frère,
840 L'un ne peut me toucher, ni l'autre me déplaire,
Et je tiendrai toujours mon bonheur bien certain,
Si les miens sont vengés, et le tyran puni.
    Vous que va sur le trône élever la naissance,
Régnez sur votre cœur avant que sur Byzance,
845 Et domptant comme moi ce dangereux mutin,
Commencez à répondre à ce noble destin.

MARTIAN

Ah! vous fûtes toujours l'illustre Pulchérie,
En fille d'empereur dès le berceau nourrie,
Et ce grand nom sans peine a pu vous enseigner
Comment dessus vous-même il vous fallait régner.
Mais pour moi, qui caché sous une autre aventure,
D'une âme plus commune ai pris quelque teinture,
Il n'est pas merveilleux si ce que je me crus
Mêle un peu de Léonce au cœur d'Héraclius.
A mes confus regrets soyez donc moins sévère :
C'est Léonce qui parle, et non pas votre frère.
Mais si l'un parle mal, l'autre va bien agir,
Et l'un ni l'autre enfin ne vous fera rougir.
Je vais des conjurés embrasser l'entreprise,
Puisqu'une âme si haute à frapper m'autorise,
Et tient que pour répandre un si coupable sang,
L'assassinat est noble et digne de mon rang.
Pourrai-je cependant vous faire une prière?

PULCHÉRIE

Prenez sur Pulchérie une puissance entière.

MARTIAN

Puisqu'un amant si cher ne peut plus être à vous,
Ni vous mettre l'empire en la main d'un époux,
Epousez Martian comme un autre moi-même :
Ne pouvant être à moi, soyez à ce que j'aime.

PULCHÉRIE

Ne pouvant être à vous, je pourrais justement
Vouloir n'être à personne, et fuir tout autre amant,
Mais on pourrait nommer cette fermeté d'âme
Un reste mal éteint d'incestueuse flamme.
Afin donc qu'à ce choix j'ose tout accorder,
Soyez mon empereur pour me le commander.
Martian vaut beaucoup, sa personne m'est chère,
Mais purgez sa vertu des crimes de son père,
Et donnez à mes feux pour légitime objet
Dans le fils du tyran votre premier sujet.

MARTIAN

Vous le voyez, j'y cours; mais enfin s'il arrive
Que l'issue en devienne ou funeste ou tardive,
Votre perte est jurée; et d'ailleurs nos amis
Au tyran immolé voudront joindre ce fils.
Sauvez d'un tel péril et sa vie et la vôtre :
Par cet heureux hymen conservez l'un et l'autre,
Garantissez ma sœur des fureurs de Phocas,
Et mon ami de suivre un tel père au trépas.
Faites qu'en ce grand jour la troupe d'Exupère
Dans un sang odieux respecte mon beau-frère,
Et donnez au tyran, qui n'en pourra jouir,
Quelques moments de joie afin de l'éblouir.

PULCHÉRIE

Mais durant ces moments, unie à sa famille,
Il deviendra mon père, et je serai sa fille.
Je lui devrai respect, amour, fidélité,
Ma haine n'aura plus d'impétuosité,
Et tous mes vœux pour vous seront mols et timides,
Quand mes vœux contre lui seront des parricides.
Outre que le succès est encore à douter,
Que l'on peut vous trahir, qu'il peut vous résister,
Si vous y succombez, pourrai-je me dédire
D'avoir porté chez lui les titres de l'empire?

Ah! combien ces moments de quoi vous me flattez
Alors pour mon supplice auraient d'éternités!
Votre haine voit peu l'erreur de sa tendresse :
Comme elle vient de naître, elle n'est que faiblesse.
5 La mienne a plus de force, et les yeux mieux ouverts,
Et, se dût avec moi perdre tout l'univers,
Jamais un seul moment, quoi que l'on puisse faire,
Le tyran n'aura droit de me traiter de père.
Je ne refuse au fils ni mon cœur ni ma foi :
10 Vous l'aimez, je l'estime, il est digne de moi.
Tout son crime est un père à qui le sang l'attache :
Quand il n'en aura plus, il n'aura plus de tache,
Et cette mort, propice à former ces beaux nœuds,
Purifiant l'objet, justifiera mes feux.
15 Allez donc préparer cette heureuse journée,
Et du sang du tyran signez cet hyménée.
Mais quel mauvais démon devers nous le conduit?

MARTIAN

Je suis trahi, Madame, Exupère le suit.

Scène II : Phocas, Exupère, Amintas,
Martian, Pulchérie, Crispe.

PHOCAS

Quel est votre entretien, avec cette princesse?
Des noces que je veux?

MARTIAN

C'est de quoi je la presse.

PHOCAS

Et vous l'avez gagnée en faveur de mon fils?

MARTIAN

Il sera son époux, elle me l'a promis.

PHOCAS

C'est beaucoup obtenir d'une âme si rebelle.
Mais quand?

MARTIAN

C'est un secret que je n'ai pas su d'elle.

PHOCAS

Vous pouvez m'en dire un dont je suis plus jaloux.
On dit qu'Héraclius est fort connu de vous :
Si vous aimez mon fils, faites-le-moi connaître.

MARTIAN

Vous le connaissez trop, puisque je vois ce traître.

EXUPÈRE

Je sers mon empereur, et je sais mon devoir.

MARTIAN

Chacun te l'avouera : tu le fais assez voir.

PHOCAS

De grâce éclaircissez ce que je vous propose.
Ce billet à demi m'en dit bien quelque chose;
Mais, Léonce, c'est peu si vous ne l'achevez.

MARTIAN

Nommez-moi par mon nom, puisque vous le savez :
Dites Héraclius; il n'est plus de Léonce,
Et j'entends mon arrêt sans qu'on me le prononce.

PHOCAS

Tu peux bien t'y résoudre, après ton vain effort
Pour m'arracher le sceptre et conspirer ma mort.

MARTIAN

J'ai fait ce que j'ai dû. Vivre sous ta puissance,

C'eût été démentir mon nom et ma naissance,   940
Et ne point écouter le sang de mes parents,
Qui ne crie en mon corps que la mort des tyrans.
Quiconque pour l'empire eut la gloire de naître
Renonce à cet honneur s'il peut souffrir un maître :
Hors le trône ou la mort, il doit tout dédaigner,   945
C'est un lâche, s'il n'ose ou se perdre ou régner.
J'entends donc mon arrêt sans qu'on me le prononce.
Héraclius mourra comme a vécu Léonce :
Bon sujet, meilleur prince, et ma vie et ma mort
Rempliront dignement et l'un et l'autre sort.   950
La mort n'a rien d'affreux pour une âme bien née,
A mes côtés pour toi je l'ai cent fois traînée,
Et mon dernier exploit contre tes ennemis
Fut d'arrêter son bras qui tombait sur ton fils.

PHOCAS

Tu prends pour me toucher un mauvais artifice :   955
Héraclius n'eut point de part à ce service.
J'en ai payé Léonce à qui seul était dû
L'inestimable honneur de me l'avoir rendu.
Mais, sous des noms divers à soi-même contraire,
Qui conserva le fils attente sur le père,   960
Et se désavouant d'un aveugle secours,
Sitôt qu'il se connaît il en veut à mes jours.
Je te devais la vie, et je me dois justice.
Léonce est effacé par le fils de Maurice.
Contre un tel attentat rien n'est à balancer,   965
Et je saurai punir comme récompenser.

MARTIAN

Je sais trop qu'un tyran est sans reconnaissance,
Pour en avoir conçu la honteuse espérance,
Et suis trop au-dessus de cette indignité,
Pour te vouloir piquer de générosité.   970
Que ferais-tu pour moi de me laisser la vie,
Si pour moi sans le trône elle n'est qu'infamie?
Héraclius vivrait pour te faire la cour!
Rends-lui, rends-lui son sceptre, ou prive-le du jour.
Pour ton propre intérêt sois juge incorruptible :   975
Ta vie avec la mienne est trop incompatible,
Un si grand ennemi ne peut être gagné,
Et je te punirais de m'avoir épargné.
Si de ton fils sauvé j'ai rappelé l'image,
J'ai voulu de Léonce étaler le courage,   980
Afin qu'en le voyant tu ne doutasses plus
Jusques où doit aller celui d'Héraclius.
Je me tiens plus heureux de périr en monarque
Que de vivre en éclat sans en porter la marque,
Et puisque pour jouir d'un si glorieux sort,   985
Je n'ai que ce moment qu'on destine à ma mort,
Je la rendrai si belle et si digne d'envie
Que ce moment vaudra la plus illustre vie.
M'y faisant donc conduire, assure ton pouvoir,
Et délivre mes yeux de l'horreur de te voir.   990

PHOCAS

Nous verrons la vertu de cette âme hautaine.
Faites-le retirer en la chambre prochaine,
Crispe, et qu'on me l'y garde, attendant que mon choix
Pour punir son forfait vous donne d'autres lois.

MARTIAN, à Pulchérie

Adieu, Madame, adieu, je n'ai pu davantage.   995

Ma mort vous va laisser encor dans l'esclavage :
Le ciel par d'autres mains vous en daigne affranchir!

*Scène III : Phocas, Pulchérie,
Exupère, Amintas.*

PHOCAS

Et toi, n'espère pas désormais me fléchir.
Je tiens Héraclius, et n'ai plus rien à craindre,
1000 Plus lieu de te flatter, plus lieu de me contraindre.
Ce frère et ton espoir vont entrer au cercueil,
Et j'abattrai d'un coup sa tête et ton orgueil.
Mais ne te contrains point dans ces rudes alarmes,
Laisse aller tes soupirs, laisse couler tes larmes.

PULCHÉRIE

1005 Moi, pleurer! moi, gémir, tyran! J'aurais pleuré
Si quelques lâchetés l'avaient déshonoré,
S'il n'eût pas emporté sa gloire tout entière,
S'il m'avait fait rougir par la moindre prière,
Si quelque infâme espoir qu'on lui dût pardonner
1010 Eût mérité la mort que tu lui vas donner.
Sa vertu jusqu'au bout ne s'est point démentie :
Il n'a point pris le ciel ni le sort à partie,
Point querellé le bras qui fait ces lâches coups,
Point daigné contre lui perdre un juste courroux.
1015 Sans te nommer ingrat, sans trop le nommer traître,
De tous deux, de soi-même il s'est montré le maître,
Et dans cette surprise il a bien su courir
A la nécessité qu'il voyait de mourir.
Je goûtais cette joie en un sort si contraire.
1020 Je l'aimai comme amant, je l'aime comme frère,
Et dans ce grand revers je l'ai vu hautement
Digne d'être mon frère, et d'être mon amant.

PHOCAS

Explique, explique mieux le fond de ta pensée,
Et sans plus te parer d'une vertu forcée,
1025 Pour apaiser le père offre le cœur au fils,
Et tâche à racheter ce cher frère à ce prix.

PULCHÉRIE

Crois-tu que sur la foi de tes fausses promesses
Mon âme ose descendre à de telles bassesses?
Prends mon sang pour le sien, mais s'il y faut mon
1030 Périsse Héraclius avec sa triste sœur!   [cœur,

PHOCAS

Eh bien! il va périr : ta haine en est complice.

PULCHÉRIE

Et je verrai du ciel bientôt choir ton supplice.
Dieu, pour le réserver à ses puissantes mains,
Fait avorter exprès tous les moyens humains;
1035 Il veut frapper le coup sans notre ministère.
Si l'on t'a bien donné Léonce pour mon frère,
Les quatre autres peut-être à tes yeux abusés,
Ont été comme lui des Césars supposés.
L'État, qui dans leur mort voyait trop sa ruine,
1040 Avait des généreux autres que Léontine,
Ils trompaient d'un barbare aisément la fureur,
Qui n'avait jamais vu la cour ni l'Empereur.
Crains, tyran, crains encor : tous les quatre peut-être
L'un après l'autre enfin se vont faire paraître,
1045 Et malgré tous tes soins, malgré tout ton effort,
Tu ne les connaîtras qu'en recevant la mort.

Moi-même, à leur défaut, je serai la conquête
De quiconque à mes pieds apportera ta tête :
L'esclave le plus vil qu'on puisse imaginer
Sera digne de moi s'il peut t'assassiner.
Va perdre Héraclius, et quitte la pensée
Que je me pare ici d'une vertu forcée,
Et sans m'importuner de répondre à tes vœux,
Si tu prétends régner, défais-toi de tous deux.

Scène IV : Phocas, Exupère, Amintas.

PHOCAS

J'écoute avec plaisir ces menaces frivoles,
Je ris d'un désespoir qui n'a que des paroles,
Et de quelque façon qu'elle m'ose outrager,
Le sang d'Héraclius m'en doit assez venger.
Vous donc, mes vrais amis, qui me tirez de peine,
Vous, dont je vois l'amour quand je craignais la haine,
Vous, qui m'avez livré mon secret ennemi,
Ne soyez point vers moi fidèles à demi.
Résolvez avec moi des moyens de sa perte :
La ferons-nous secrète, ou bien à force ouverte?
Prendrons-nous le plus sûr, ou le plus glorieux?

EXUPÈRE

Seigneur, n'en doutez point, le plus sûr vaut le mieux,
Mais le plus sûr pour vous est que sa mort éclate,
De peur qu'en l'ignorant le peuple ne se flatte,
N'attende encor ce prince, et n'ait quelque raison
De courir en aveugle à qui prendra son nom.

PHOCAS

Donc, pour ôter tout doute à cette populace,
Nous enverrons sa tête au milieu de la place.

EXUPÈRE

Mais si vous la coupez dedans votre palais,
Ces obstinés mutins ne le croiront jamais,
Et sans que pas un d'eux à son erreur renonce,
Ils diront qu'on impute un faux nom à Léonce,
Qu'on en fait un fantôme afin de les tromper,
Prêts à suivre toujours qui voudra l'usurper.

PHOCAS

Lors nous leur ferons voir ce billet de Maurice.

EXUPÈRE

Ils le tiendront pour faux, et pour un artifice.
Seigneur, après vingt ans vous espérez en vain
Que ce peuple ait des yeux pour connaître sa main.
Si vous voulez calmer toute cette tempête,
Il faut en pleine place abattre cette tête.
Et qu'il die, en mourant, à ce peuple confus :
« Peuple, n'en doute point, je suis Héraclius. »

PHOCAS

Il le faut, je l'avoue, et déjà je destine
A ce même échafaud l'infâme Léontine.
Mais si ces insolents l'arrachent de nos mains?

EXUPÈRE

Qui l'osera, Seigneur?

PHOCAS

                        Ce peuple que je crains.

EXUPÈRE

Ah! souvenez-vous mieux des désordres qu'enfante
Dans un peuple sans chef la première épouvante.

Le seul bruit de ce prince au palais arrêté
Dispersera soudain chacun de son côté,
Les plus audacieux craindront votre justice,
Et le reste en tremblant ira voir son supplice.
Mais ne leur donnez pas, tardant trop à punir,
Le temps de se remettre et de se réunir,
Envoyez des soldats à chaque coin des rues,
Saisissez l'Hippodrome avec ses avenues,
Dans tous les lieux publics rendez-vous le plus fort.
Pour nous, qu'un tel indice intéresse à sa mort,
De peur que d'autres mains ne se laissent séduire,
Jusques à l'échafaud laissez-nous le conduire.
Nous aurons trop d'amis pour en venir à bout;
J'en réponds sur ma tête, et j'aurai l'œil à tout.

PHOCAS

C'en est trop, Exupère : allez, je m'abandonne
Aux fidèles conseils que votre ardeur me donne.
C'est l'unique moyen de dompter nos mutins,
Et d'éteindre à jamais ces troubles intestins.
Je vais, sans différer, pour cette grande affaire
Donner à tous mes chefs un ordre nécessaire.
Vous, pour répondre aux soins que vous m'avez
Allez de votre part assembler vos amis,   [promis,
Et croyez qu'après moi, jusqu'à ce que j'expire,
Ils seront, eux et vous, les maîtres de l'empire.

Scène V : Exupère, Amintas.

EXUPÈRE

Nous sommes en faveur, ami, tout est à nous :
L'heur de notre destin va faire des jaloux.

AMINTAS

Quelque allégresse ici que vous fassiez paraître,
Trouvez-vous doux les noms de perfide et de traître?

EXUPÈRE

Je sais qu'aux généreux ils doivent faire horreur.
Ils m'ont frappé l'oreille, ils m'ont blessé le cœur,
Mais bientôt par l'effet que nous devons attendre,
Nous serons en état de ne plus les entendre.
Allons : pour un moment qu'il faut les endurer,
Ne fuyons pas les biens qu'ils nous font espérer.

ACTE QUATRIÈME

Scène I : Héraclius, Eudoxe.

HÉRACLIUS

Vous avez grand sujet d'appréhender pour elle :
Phocas au dernier point la tiendra criminelle,
Et je le connais mal, ou s'il la peut trouver,
Il n'est moyen humain qui puisse la sauver.
Je vous plains, chère Eudoxe, et non pas votre mère :
Elle a bien mérité ce qu'a fait Exupère,
Il trahit justement qui voulait me trahir.

EUDOXE

Vous croyez qu'à ce point elle ait pu vous haïr,
Vous, pour qui son amour a forcé la nature?

HÉRACLIUS

Comment voulez-vous donc nommer son imposture?

M'empêcher d'entreprendre, et par un faux rapport
Confondre en Martian et mon nom et mon sort,
Abuser d'un billet que le hasard lui donne,
Attacher de sa main mes droits à sa personne,   1140
Et le mettre en état, dessous sa bonne foi,
De régner en ma place, ou de périr pour moi :
Madame, est-ce en effet me rendre un grand service?

EUDOXE

Eût-elle démenti ce billet de Maurice
Et l'eût-elle pu faire, à moins que révéler   1145
Ce que surtout alors il lui fallait celer?
Quand Martian par là n'eût pas connu son père,
C'était vous hasarder sur la foi d'Exupère :
Elle en doutait, Seigneur, et par l'événement
Vous voyez que son zèle en doutait justement.   1150
Sûre en soi des moyens de vous rendre l'empire,
Qu'à vous-même jamais elle n'a voulu dire,
Elle a sur Martian tourné le coup fatal
De l'épreuve d'un cœur qu'elle connaissait mal.
Seigneur, où seriez-vous sans ce nouveau service?   1155

HÉRACLIUS

Qu'importe qui des deux on destine au supplice?
Qu'importe, Martian, vu ce que je te dois,
Qui trahisse mon sort, d'Exupère ou de moi?
Si l'on ne me découvre, il faut que je m'expose
Et l'un et l'autre enfin ne sont que même chose,   1160
Sinon qu'étant trahi je mourrai malheureux,
Et que, m'offrant pour toi, je mourrai généreux.

EUDOXE

Quoi? pour désabuser une aveugle furie,
Rompre votre destin, et donner votre vie!

HÉRACLIUS

Vous êtes plus aveugle encore en votre amour.   1165
Périra-t-il pour moi quand je lui dois le jour?
Et lorsque sous mon nom il se livre à sa perte,
Tiendrai-je sous le mien ma fortune couverte?
S'il s'agissait ici de le faire empereur,
Je pourrais lui laisser mon nom et son erreur,   1170
Mais conniver [16] en lâche à ce nom qu'on me vole,
Quand son père à mes yeux au lieu de moi l'immole!
Souffrir qu'il se trahisse aux rigueurs de mon sort,
Vivre par son supplice et régner par sa mort!

EUDOXE

Ah! ce n'est pas, Seigneur, ce que je vous demande :   1175
De cette lâcheté l'infamie est trop grande.
Montrez-vous pour sauver ce héros du trépas,
Mais montrez-vous en maître et ne vous perdez pas.
Rallumez cette ardeur où s'opposait ma mère,
Garantissez le fils par la perte du père;   1180
Et prenant à l'empire un chemin éclatant,
Montrez Héraclius au peuple qui l'attend.

HÉRACLIUS

Il n'est plus temps, Madame : un autre a pris ma place.
Sa prison a rendu le peuple tout de glace.
Déjà préoccupé d'un autre Héraclius   1185
Dans l'effroi qui le trouble il ne me croira plus,
Et ne me regardant que comme un fils perfide,

16. *Avoir une part complice à...* Le français moderne a
conservé connivence.

Il aura de l'horreur de suivre un parricide.
Mais quand même il voudrait seconder mes desseins,
1190 Le tyran tient déjà Martian en ses mains.
S'il voit qu'en sa faveur je marche à force ouverte,
Piqué de ma révolte, il hâtera sa perte,
Et croira qu'en m'ôtant l'espoir de le sauver,
Il m'ôtera l'ardeur qui me fait soulever.
1195 N'en parlons plus : en vain votre amour me retarde,
Le sort d'Héraclius tout entier me regarde.
Soit qu'il faille régner, soit qu'il faille périr,
Au tombeau comme au trône on me verra courir.
Mais voici le tyran, et son traître Exupère.

> *Scène II : Phocas, Héraclius, Exupère,*
> *Eudoxe, troupe de gardes.*

PHOCAS, *montrant Eudoxe à ses gardes.*
1200 Qu'on la tienne en lieu sûr, en attendant sa mère.
HÉRACLIUS
A-t-elle quelque part ?...
PHOCAS
          Nous verrons à loisir :
Il est bon cependant de la faire saisir.
EUDOXE, *s'en allant.*
Seigneur, ne croyez rien de ce qu'il va vous dire.
PHOCAS, *à Eudoxe.*
Je croirai ce qu'il faut pour le bien de l'empire.
A Héraclius.
1205 Ses pleurs pour ce coupable imploraient ta pitié ?
HÉRACLIUS
Seigneur...
PHOCAS
        Je sais pour lui quelle est ton amitié,
Mais je veux que toi-même, ayant bien vu son crime,
Tiennes ton zèle injuste, et sa mort légitime.
Aux gardes.
Qu'on le fasse venir. Pour en tirer l'aveu
1210 Il ne sera besoin ni de fer ni de feu.
Loin de se repentir, l'orgueilleux en fait gloire.
Mais que me diras-tu qu'il ne me faut pas croire ?
Eudoxe m'en conjure, et l'avis me surprend.
Aurais-tu découvert quelque crime plus grand ?
HÉRACLIUS
1215 Oui, sa mère a plus fait contre votre service
Que ne sait Exupère, et que n'a vu Maurice.
PHOCAS
La perfide ! Ce jour lui sera le dernier.
Parle.
HÉRACLIUS
    J'achèverai devant le prisonnier.
Trouvez bon qu'un secret d'une telle importance,
1220 Puisque vous le mandez, s'explique en sa présence.
PHOCAS
Le voici. Mais surtout ne me dis rien pour lui.

> *Scène III : Phocas, Héraclius, Martian,*
> *Exupère, troupe de gardes.*

HÉRACLIUS
Je sais qu'en ma prière il aurait peu d'appui,

Et loin de me donner une inutile peine,
Tout ce que je demande à votre juste haine,
C'est que de tels forfaits ne soient pas impunis.
Perdez Héraclius, et sauvez votre fils :
Voilà tout mon souhait et toute ma prière.
M'en refuserez-vous ?
PHOCAS
          Tu l'obtiendras entière :
Ton salut en effet est douteux sans sa mort.
MARTIAN
Ah, Prince ! j'y courais sans me plaindre du sort,
Son indigne rigueur n'est pas ce qui me touche.
Mais en ouïr l'arrêt sortir de votre bouche !
Je vous ai mal connu jusques à mon trépas.
HÉRACLIUS
Et même en ce moment tu ne me connais pas.
Écoute, père aveugle, et toi, prince crédule,
Ce que l'honneur défend que plus je dissimule.
   Phocas, connais ton sang et tes vrais ennemis :
Je suis Héraclius, et Léonce est ton fils.
MARTIAN
Seigneur, que dites-vous ?
HÉRACLIUS
          Que je ne puis plus taire
Que deux fois Léontine osa tromper ton père,
Et semant de nos noms un insensible abus,
Fit un faux Martian du jeune Héraclius.
PHOCAS
Maurice te dément, lâche ! tu n'as qu'à lire :
« Sous le nom de Léonce Héraclius respire. »
Tu fais après cela des contes superflus.
HÉRACLIUS
Si ce billet fut vrai, Seigneur, il ne l'est plus :
J'étais Léonce alors, et j'ai cessé de l'être
Quand Maurice immolé n'en a pu rien connaître.
S'il laissa par écrit ce qu'il avait pu voir,
Ce qui suivit sa mort fut hors de son pouvoir.
Vous portâtes soudain la guerre dans la Perse,
Où vous eûtes trois ans la fortune diverse.
Cependant Léontine, étant dans le château
Reine de nos destins et de notre berceau,
Pour me rendre le rang qu'occupait votre race,
Prit Martian pour elle, et me mit en sa place.
Ce zèle en ma faveur lui succéda si bien
Que vous-même au retour vous n'en connûtes rien,
Et ces informes traits qu'à six mois a l'enfance,
Ayant mis entre nous fort peu de différence,
Le faible souvenir en trois ans s'en perdit :
Vous prîtes aisément qu'elle vous rendit.
Nous vécûmes tous deux sous le nom l'un de l'autre,
Il passa pour son fils, je passai pour le vôtre,
Et je ne jugeais pas ce chemin criminel
Pour remonter sans meurtre au trône paternel.
Mais voyant cette erreur fatale à cette vie
Sans qui déjà la mienne aurait été ravie,
Je me croirais, Seigneur, coupable infiniment
Si je souffrais encore un tel aveuglement.
Je viens reprendre un nom qui seul a fait son crime.
Conservez votre haine, et changez de victime.
Je ne demande rien que ce qui m'est promis :

Perdez Héraclius, et sauvez votre fils.

MARTIAN

Admire de quel fils le ciel t'a fait le père,
Admire quel effort sa vertu vient de faire,
Tyran, et ne prends pas pour une vérité
Ce qu'invente pour moi sa générosité.

A Héraclius.

C'est trop, Prince, c'est trop pour ce petit service
Dont honora mon bras ma fortune propice :
Je vous sauvai la vie, et ne la perdis pas,
Et pour moi vous cherchez un assuré trépas !
Ah ! si vous m'en devez quelque reconnaissance,
Prince, ne m'ôtez pas l'honneur de ma naissance :
Avoir tant de pitié d'un sort si glorieux,
De crainte d'être ingrat, c'est m'être injurieux.

PHOCAS

En quel trouble me jette une telle dispute !
A quels nouveaux malheurs m'expose-t-elle en butte !
Lequel croire, Exupère, et lequel démentir ?
Tombé-je dans l'erreur, ou si j'en vais sortir ?
Si ce billet est vrai, le reste est vraisemblable.

EXUPÈRE

Mais qui sait si ce reste est faux ou véritable ?

PHOCAS

Léontine deux fois a pu tromper Phocas.

EXUPÈRE

Elle a pu les changer, et ne les changer pas,
Et plus que vous, Seigneur, dedans l'inquiétude,
Je ne vois que du trouble et de l'incertitude.

HÉRACLIUS

Ce n'est pas aujourd'hui que je sais qui je suis :
Vous voyez quels effets en ont été produits.
Depuis plus de quatre ans vous voyez quelle adresse
J'apporte à rejeter l'hymen de la Princesse,
Où sans doute aisément mon cœur eût consenti,
Si Léontine alors ne m'en eût averti.

MARTIAN

Léontine ?

HÉRACLIUS

Elle-même.

MARTIAN

Ah ! ciel ! quelle est sa ruse !
Martian aime Eudoxe, et sa mère l'abuse.
Par l'horreur d'un hymen qu'il croit incestueux,
De ce prince à sa fille elle assure les vœux,
Et son ambition, adroite à le séduire,
Le plonge en une erreur dont elle attend l'empire.
Ce n'est que d'aujourd'hui que je sais qui je suis ;
Mais de mon ignorance elle espérait ces fruits,
Et me tiendrait encor la vérité cachée,
Si tantôt ce billet ne l'en eût arrachée.

PHOCAS, à Exupère.

La méchante l'abuse aussi bien que Phocas.

EXUPÈRE

Elle a pu l'abuser, et ne l'abuser pas.

PHOCAS

Tu vois comme la fille a part au stratagème.

EXUPÈRE

Et que la mère a pu l'abuser elle-même.

PHOCAS

Que de pensers divers, que de soucis flottants !

EXUPÈRE

Je vous en tirerai, Seigneur, dans peu de temps.

PHOCAS

Dis-moi, tout est-il prêt pour ce juste supplice ?

EXUPÈRE

Oui, si nous connaissions le vrai fils de Maurice.   1320

HÉRACLIUS

Pouvez-vous en douter après ce que j'ai dit ?

MARTIAN

Donnez-vous à l'erreur encor quelque crédit ?

HÉRACLIUS

Ami, rends-moi mon nom : la faveur n'est pas grande,
Ce n'est que pour mourir que je te le demande.
Reprends ce triste jour que tu m'as racheté,   1325
Ou rends-moi cet honneur que tu m'as presque ôté.

MARTIAN

Pourquoi, de mon tyran volontaire victime,
Précipiter vos jours pour me noircir d'un crime ?
Prince, qui que je sois, j'ai conspiré sa mort,
Et nos noms au dessein donnent un divers sort :   1330
Dedans Héraclius il a la gloire solide,
Et dedans Martian il devient parricide.
Puisqu'il faut que je meure illustre ou criminel,
Couvert ou de louange ou d'opprobre éternel,
Ne souillez point ma mort, et ne veuillez pas faire   1335
Du vengeur de l'empire un assassin d'un père.

HÉRACLIUS

Mon nom seul est coupable, et sans plus disputer,
Pour le faire innocent tu n'as qu'à le quitter.
Il conspira lui seul, tu n'en es point complice.
Ce n'est qu'Héraclius qu'on envoie au supplice :   1340
Sois son fils, tu vivras.

MARTIAN

Si je l'avais été,
Seigneur, ce traître en vain m'aurait sollicité,
Et lorsque contre vous il m'a fait entreprendre,
La nature en secret aurait su m'en défendre.

HÉRACLIUS

Apprends donc qu'en secret mon cœur t'a prévenu.   1345
J'ai voulu conspirer, mais on m'a retenu,
Et dedans mon péril Léontine timide...

MARTIAN

N'a pu voir Martian commettre un parricide.

HÉRACLIUS

Toi, que de Pulchérie elle a fait amoureux,
Juge sous les deux noms ton dessein et tes feux.   1350
Elle a rendu pour toi l'un et l'autre funeste,
Martian parricide, Héraclius inceste,
Et n'eût pas eu pour moi d'horreur d'un grand forfait,
Puisque dans ta personne elle en pressait l'effet.
Mais elle m'empêchait de hasarder ma tête,   1355
Espérant par ton bras me livrer ma conquête.
Ce favorable aveu dont elle t'a séduit
T'exposait aux périls pour m'en donner le fruit,
Et c'était ton succès qu'attendait sa prudence,
Pour découvrir au peuple ou cacher ma naissance.   1360

PHOCAS

Hélas ! je ne puis voir qui des deux est mon fils,

Et je vois que tous deux ils sont mes ennemis.
En ce piteux état quel conseil dois-je suivre?
J'ai craint un ennemi, mon bonheur me le livre,
1365 Je sais que de mes mains il ne se peut sauver,
Je sais que je le vois, et ne puis le trouver.
La nature tremblante, incertaine, étonnée,
D'un nuage confus couvre sa destinée :
L'assassin sous cette ombre échappe à ma rigueur,
1370 Et présent à mes yeux, il se cache en mon cœur.
Martian! à ce nom aucun ne veut répondre,
Et l'amour paternel ne sert qu'à me confondre.
Trop d'un Héraclius en mes mains est remis;
Je tiens mon ennemi, mais je n'ai plus de fils.
1375 Que veux-tu donc, nature, et que prétends-tu faire?
Si je n'ai plus de fils, puis-je encore être père?
De quoi parle à mon cœur ton murmure imparfait?
Ne me dis rien du tout, ou parle tout à fait.
Qui que ce soit des deux que mon sang ait fait naître,
1380 Ou laisse-moi le perdre, ou fais-le-moi connaître.
      O toi, qui que tu sois, enfant dénaturé,
Et trop digne du sort que tu t'es procuré,
Mon trône est-il pour toi plus honteux qu'un supplice?
O malheureux Phocas! ô trop heureux Maurice!
1385 Tu recouvres deux fils pour mourir après toi,
Et je n'en puis trouver pour régner après moi!
Qu'aux honneurs de ta mort je dois porter envie,
Puisque mon propre fils les préfère à sa vie!

       Scène IV : Phocas, Héraclius, Martian, Crispe,
            Exupère, Léontine, gardes.

                    CRISPE, à Phocas.
Seigneur, ma diligence enfin a réussi :
1390 J'ai trouvé Léontine, et je l'amène ici.
                    PHOCAS, à Léontine.
Approche, malheureuse.
                    HÉRACLIUS, à Léontine.
                            Avouez tout, Madame.
J'ai tout dit.
                    LÉONTINE, à Héraclius.
            Quoi, Seigneur?
                    PHOCAS
                            Tu l'ignores, infâme!
Qui des deux est mon fils?
                    LÉONTINE
                            Qui vous en fait douter?
                    HÉRACLIUS, à Léontine.
Le nom d'Héraclius que son fils veut porter :
1395 Il en croit ce billet et votre témoignage,
Mais ne le laissez pas dans l'erreur davantage.
                    PHOCAS
N'attends pas les tourments, ne me déguise rien.
M'as-tu livré ton fils, as-tu changé le mien?
                    LÉONTINE
Je t'ai livré mon fils, et j'en aime la gloire.
1400 Si je parle du reste, oseras-tu m'en croire?
Et qui t'assurera que pour Héraclius,
Moi qui t'ai tant trompé je ne te trompe plus?
                    PHOCAS
N'importe, fais-nous voir quelle haute prudence

En des temps si divers leur en fait confidence :
A l'un depuis quatre ans, à l'autre d'aujourd'hui.
                    LÉONTINE
Le secret n'en est su ni de lui, ni de lui;
Tu n'en sauras non plus les véritables causes :
Devine, si tu peux, et choisis, si tu l'oses.
      L'un des deux est ton fils, l'autre est ton empereur.
Tremble dans ton amour, tremble dans ta fureur.
Je te veux toujours voir, quoi que ta rage fasse,
Craindre ton ennemi dedans ta propre race,
Toujours aimer ton fils dedans ton ennemi,
Sans être ni tyran, ni père qu'à demi.
Tandis qu'autour des deux tu perdras ton étude,
Mon âme jouira de ton inquiétude,
Je rirai de ta peine, ou si tu m'en punis,
Tu perdras avec moi le secret de ton fils.
                    PHOCAS
Et si je les punis tous deux sans les connaître,
L'un comme Héraclius, l'autre pour vouloir l'être?
                    LÉONTINE
Je m'en consolerai quand je verrai Phocas
Croire affermir son sceptre en se coupant le bras,
Et de la même main son ordre tyrannique
Venger Héraclius dessus son fils unique.
                    PHOCAS
Quelle reconnaissance, ingrate, tu me rends
Des bienfaits répandus sur toi, sur tes parents,
De t'avoir confié ce fils que tu me caches,
D'avoir mis en tes mains ce cœur que tu m'arraches,
D'avoir mis à tes pieds ma cour qui t'adorait!
Rends-moi mon fils, ingrate.
                    LÉONTINE
                            Il m'en désavouerait,
Et ce fils, quel qu'il soit, que tu ne peux connaître,
A le cœur assez bon pour ne vouloir pas l'être.
Admire sa vertu qui trouble ton repos.
C'est du fils d'un tyran que j'ai fait ce héros,
Tant ce qu'il a reçu d'heureuse nourriture
Dompte ce mauvais sang qu'il eut de la nature!
C'est assez dignement répondre à tes bienfaits
Que d'avoir dégagé ton fils de tes forfaits.
Séduit par ton exemple et par sa complaisance,
Il t'aurait ressemblé, s'il eût su sa naissance :
Il serait lâche, impie, inhumain comme toi,
Et tu me dois ainsi plus que je ne te dois.
                    EXUPÈRE
L'impudence et l'orgueil suivent les impostures.
Ne vous exposez plus à ce torrent d'injures,
Qui ne faisant qu'aigrir votre ressentiment,
Vous donne peu de jour pour ce discernement.
Laissez-la-moi, Seigneur, quelques moments en garde.
Puisque j'ai commencé, le reste me regarde :
Malgré l'obscurité de son illusion,
J'espère démêler cette confusion.
Vous savez à quel point l'affaire m'intéresse.
                    PHOCAS
Achève, si tu peux, par force ou par adresse,
Exupère, et sois sûr que je te devrai tout,
Si l'ardeur de ton zèle en peut venir à bout.
Je saurai cependant prendre à part l'un et l'autre,

Et peut-être qu'enfin nous trouverons le nôtre.
Agis de ton côté, je la laisse avec toi :
Gêne, flatte, surprends. Vous autres, suivez-moi.

Scène V : Exupère, Léontine.

EXUPÈRE

On ne peut nous entendre. Il est juste, Madame,
Que je vous ouvre enfin jusqu'au fond de mon âme.
C'est passer trop longtemps pour traître auprès de
Vous haïssez Phocas, nous le haïssons tous... [vous.

LÉONTINE

Oui, c'est bien lui montrer ta haine et ta colère,
Que lui vendre ton prince et le sang de ton père.

EXUPÈRE

L'apparence vous trompe, et je suis en effet...

LÉONTINE

L'homme le plus méchant que la nature ait fait.

EXUPÈRE

Ce qui passe à vos yeux pour une perfidie...

LÉONTINE

Cache une intention fort noble et fort hardie !

EXUPÈRE

Pouvez-vous en juger, puisque vous l'ignorez ?
Considérez l'état de tous nos conjurés.
Il n'est aucun de nous à qui sa violence
N'ait donné trop de lieu d'une juste vengeance,
Et nous en croyant tous dans notre âme indignés,
Le tyran du palais nous a tous éloignés.
Il y fallait rentrer par quelque grand service.

LÉONTINE

Et tu crois m'éblouir avec cet artifice ?

EXUPÈRE

Madame, apprenez tout. Je n'ai rien hasardé.
Vous savez de quel nombre il est toujours gardé,
Pouvions-nous le surprendre, ou forcer les cohortes
Qui de jour et de nuit tiennent toutes ses portes ?
Pouvions-nous mieux sans bruit nous approcher de lui ?
Vous voyez la posture où j'y suis aujourd'hui :
Il me parle, il m'écoute, il me croit, et lui-même
Se livre entre mes mains, aide à mon stratagème.
C'est par mes seuls conseils qu'il veut publiquement
Du prince Héraclius faire le châtiment,
Que sa milice, éparse à chaque coin des rues,
A laissé du palais les portes presque nues :
Je puis en un moment m'y rendre le plus fort.
Mes amis sont tout prêts : c'en est fait, il est mort,
Et j'userai si bien de l'accès qu'il me donne
Qu'aux pieds d'Héraclius je mettrai sa couronne.
Mais après mes desseins pleinement découverts,
De grâce, faites-moi connaître qui je sers,
Et ne le cachez plus à ce cœur qui n'aspire
Qu'à le rendre aujourd'hui maître de tout l'empire.

LÉONTINE

Esprit lâche et grossier, quelle brutalité
Te fait juger en moi tant de crédulité ?
Va, d'un piège si lourd l'appas est inutile,
Traître, et si tu n'as point de ruse plus subtile...

EXUPÈRE

Je vous dis vrai, Madame, et vous dirai de plus...

LÉONTINE

Ne me fais point ici de contes superflus :
L'effet à tes discours ôte toute croyance.

EXUPÈRE

Eh bien ! demeurez donc dans votre défiance.
Je ne demande plus et ne vous dis plus rien ;   1505
Gardez votre secret, je garderai le mien.
Puisque je passe encor pour homme à vous séduire,
Venez dans la prison où je vais vous conduire :
Si vous ne me croyez, craignez ce que je puis.
Avant la fin du jour vous saurez qui je suis.   1510

ACTE CINQUIÈME

Scène I : Héraclius.

Quelle confusion étrange
De deux princes fait un mélange
Qui met en discord deux amis !
Un père ne sait où se prendre,
Et plus tous deux s'osent défendre   1515
Du titre infâme de son fils,
Plus eux-mêmes cessent d'entendre
Les secrets qu'on leur a commis.

Léontine avec tant de ruse
Ou me favorise ou m'abuse,   1520
Qu'elle brouille tout notre sort :
Ce que j'en eus de connaissance
Brave une orgueilleuse puissance
Qui n'en croit pas mon vain effort,
Et je doute de ma naissance   1525
Quand on me refuse la mort.

Ce fier tyran qui me caresse
Montre pour moi tant de tendresse
Que mon cœur s'en laisse alarmer :
Lorsqu'il me prie et me conjure,   1530
Son amitié paraît si pure,
Que je ne saurais présumer
Si c'est par instinct de nature,
Ou par coutume de m'aimer.

Dans cette croyance incertaine,   1535
J'ai pour lui des transports de haine
Que je ne conserve pas bien :
Cette grâce qu'il veut me faire
Étonne et trouble ma colère,
Et je n'ose résoudre rien,   1540
Quand je trouve un amour de père
En celui qui m'ôta le mien.

Retiens, grande ombre de Maurice,
Mon âme au bord du précipice
Que cette obscurité lui fait,   1545
Et m'aide à faire mieux connaître
Qu'en ton fils Dieu n'a pas fait naître
Un prince en ce point imparfait,
Ou que je méritais de l'être,

1550 Si je ne le suis en effet.

Soutiens ma haine qui chancelle,
Et redoublant pour ta querelle
Cette noble ardeur de mourir,
Fais voir... Mais il m'exauce, on vient me secourir.

Scène II : Héraclius, Pulchérie.

HÉRACLIUS

O ciel! quel bon démon devers moi vous envoie,
Madame?

PULCHÉRIE

Le tyran, qui veut que je vous voie,
Et met tout en usage afin de s'éclaircir.

HÉRACLIUS

Par vous-même en ce trouble il pense réussir!

PULCHÉRIE

Il le pense, Seigneur, et ce brutal espère
1560 Mieux qu'il ne trouve un fils que je découvre un frère :
Comme si j'étais fille à ne lui rien celer
De tout ce que le sang pourrait me révéler!

HÉRACLIUS

Puisse-t-il par un trait de lumière fidèle
Vous le mieux révéler qu'il ne me le révèle!

1565 Aidez-moi cependant, Madame, à repousser
Les indignes frayeurs dont je me sens presser...

PULCHÉRIE

Ah! Prince, il ne faut point d'assurance plus claire.
Si vous craignez la mort, vous n'êtes point mon frère :
Ces indignes frayeurs vous ont trop découvert.

HÉRACLIUS

1570 Moi la craindre, Madame! Ah! je m'y suis offert.
Qu'il me traite en tyran, qu'il m'envoie au supplice,
Je suis Héraclius, je suis fils de Maurice;
Sous ces noms précieux je cours m'ensevelir,
Et m'étonne si peu que je l'en fais pâlir.
1575 Mais il me traite en père, il me flatte, il m'embrasse;
Je n'en puis arracher une seule menace,
J'ai beau faire et beau dire afin de l'irriter,
Il m'écoute si peu qu'il me force à douter.
Malgré moi, comme fils toujours il me regarde;
1580 Au lieu d'être en prison, je n'ai pas même un garde.
Je ne sais qui je suis et crains de le savoir,
Je veux ce que je dois, et cherche mon devoir :
Je crains de le haïr, si j'en tiens la naissance,
Je le plains de m'aimer, si je m'en dois vengeance,
[585 Et mon cœur, indigné d'une telle amitié,
En frémit de colère, et tremble de pitié.
De tous ses mouvements mon esprit se défie,
Il condamne aussitôt tout ce qu'il justifie.
La colère, l'amour, la haine et le respect,
1590 Ne me présentent rien qui ne me soit suspect.
Je crains tout, je fuis tout, et dans cette aventure,
Des deux côtés en vain j'écoute la nature.
Secourez donc un frère en ces perplexités.

PULCHÉRIE

Ah! vous ne l'êtes point, puisque vous en doutez.
1595 Celui qui, comme vous, prétend à cette gloire,
D'un courage plus ferme en croit ce qu'il doit croire.

Comme vous on le flatte, il y sait résister;
Rien ne le touche assez pour le faire douter;
Et le sang, par un double et secret artifice,
Parle en vous pour Phocas, comme en lui pour Mau-
                        HÉRACLIUS   [rice.
A ces marques en lui connaissez Martian :
Il a le cœur plus dur étant fils d'un tyran.
La générosité suit la belle naissance,
La pitié l'accompagne et la reconnaissance.
Dans cette grandeur d'âme un vrai prince affermi
Est sensible aux malheurs même d'un ennemi.
La haine qu'il lui doit ne saurait le défendre,
Quand il s'en voit aimé, de s'en laisser surprendre,
Et trouve assez souvent son devoir arrêté
Par l'effort naturel de sa propre bonté.
Cette digne vertu de l'âme la mieux née,
Madame, ne doit pas souiller ma destinée.
Je doute, et si ce doute a quelque crime en soi,
C'est assez m'en punir que douter comme moi,
Et mon cœur, qui sans cesse en sa faveur se flatte,
Cherche qui le soutienne, et non pas qui l'abatte :
Il demande secours pour mes sens étonnés,
Et non le coup mortel dont vous m'assassinez.

PULCHÉRIE

L'œil le mieux éclairé sur de telles matières
Peut prendre de faux jours pour de vives lumières,
Et comme notre sexe ose assez promptement
Suivre l'impression d'un premier mouvement,
Peut-être qu'en faveur de ma première idée
Ma haine pour Phocas m'a trop persuadée.
Son amour est pour vous un poison dangereux,
Et quoique la pitié montre un cœur généreux,
Celle qu'on a pour lui de ce rang dégénère.
Vous le devez haïr, et fût-il votre père :
Si ce titre est douteux, son crime ne l'est pas.
Qu'il vous offre sa grâce ou vous livre au trépas,
Il n'est pas moins tyran quand il vous favorise,
Puisque c'est ce cœur même alors qu'il tyrannise,
Et que votre devoir, par la mieux combattu,
Prince, met en péril jusqu'à votre vertu.
Doutez, mais haïssez; et quoi qu'il exécute,
Je douterai d'un nom qu'un autre vous dispute.
En douter lorsqu'en moi vous cherchez quelque appui,
Si c'est trop peu pour vous, c'est assez contre lui.
L'un de vous est mon frère, et l'autre y peut prétendre :
Entre tant de vertus mon choix se peut méprendre,
Mais je ne puis faillir, dans votre sort douteux,
A chérir l'un et l'autre, et vous plaindre tous deux.
J'espère encor pourtant : on murmure, on menace,
Un tumulte, dit-on, s'élève dans la place,
Exupère est allé fondre sur ces mutins;
Et peut-être de là dépendent nos destins.
Mais Phocas entre.

Scène III : Phocas, Héraclius, Martian,
Pulchérie, gardes.

PHOCAS

Eh bien! se rendra-t-il, Madame?

PULCHÉRIE
Quelque effort que je fasse à lire dans son âme,
Je n'en vois que l'effet que je m'étais promis :
Je trouve trop d'un frère, et vous trop peu d'un fils.
PHOCAS
Ainsi le ciel vous veut enrichir de ma perte.
PULCHÉRIE
Il tient en ma faveur leur naissance couverte :
Ce frère qu'il me rend serait déjà perdu,
Si dedans votre sang il ne l'eût confondu.
PHOCAS, à Pulchérie.
Cette confusion peut perdre l'un et l'autre.
En faveur de mon sang je ferai grâce au vôtre,
Mais je veux le connaître, et ce n'est qu'à ce prix
Qu'en lui donnant la vie il me rendra mon fils.
A Héraclius.
Pour la dernière fois, ingrat, je t'en conjure :
Car enfin c'est vers toi que penche la nature,
Et je n'ai point pour lui ces doux empressements
Qui d'un cœur paternel font les vrais mouvements.
Ce cœur s'attache à toi par d'invincibles charmes.
En crois-tu mes soupirs? en croiras-tu mes larmes?
Songe avec quel amour mes soins t'ont élevé,
Avec quelle valeur son bras t'a conservé.
Tu nous dois à tous deux.
HÉRACLIUS
                    Et pour reconnaissance
Je vous rends votre fils, je lui rends sa naissance.
PHOCAS
Tu me l'ôtes, cruel, et le laisses mourir.
HÉRACLIUS
Je meurs pour vous le rendre, et pour le secourir.
PHOCAS
C'est me l'ôter assez que ne vouloir plus l'être.
HÉRACLIUS
C'est vous le rendre assez que le faire connaître.
PHOCAS
C'est me l'ôter assez que me le supposer.
HÉRACLIUS
C'est vous le rendre assez pour vous désabuser.
PHOCAS
Laisse-moi mon erreur, puisqu'elle m'est si chère.
Je t'adopte pour fils, accepte-moi pour père.
Fais vivre Héraclius sous l'un ou l'autre sort :
Pour moi, pour toi, pour lui, fais-toi ce peu d'effort.
HÉRACLIUS
Ah! c'en est trop enfin, et ma gloire blessée
Dépouille un vieux respect où je l'avais forcée.
De quelle ignominie osez-vous me flatter?
Toutes les fois, tyran, qu'on se laisse adopter,
On veut une maison illustre autant qu'amie,
On cherche de la gloire, et non de l'infamie,
Et ce serait un monstre horrible à vos États
Que le fils de Maurice adopté par Phocas.
PHOCAS
Va, cesse d'espérer la mort que tu mérites :
Ce n'est que contre lui, lâche, que tu m'irrites.
Tu te veux rendre en vain indigne de ce rang :
Je m'en prends à la cause, et j'épargne mon sang.
Puisque ton amitié de ma foi se défie

Jusqu'à prendre son nom pour lui sauver la vie,
Soldats, sans plus tarder, qu'on l'immole à ses yeux,
Et sois après sa mort mon fils, si tu le veux.
HÉRACLIUS
Perfides, arrêtez!
MARTIAN
                    Ah! que voulez-vous faire,   1695
Prince?
HÉRACLIUS
        Sauver le fils de la fureur du père.
MARTIAN
Conservez-lui ce fils qu'il ne cherche qu'en vous :
Ne troublez point un sort qui lui semble si doux.
C'est avec assez d'heur qu'Héraclius expire,
Puisque c'est en vos mains que tombe son empire.   1700
Le ciel daigne bénir votre sceptre et vos jours!
PHOCAS
C'est trop perdre de temps à souffrir ces discours.
Dépêche, Octavian.
HÉRACLIUS
                    N'attente rien, barbare!
Je suis...
PHOCAS
        Avoue enfin.
HÉRACLIUS
                    Je tremble, je m'égare,
Et mon cœur...
PHOCAS. à Héraclius.
                Tu pourras à loisir y penser.   1705
A Octavian.
Frappe.
HÉRACLIUS
        Arrête; je suis... Puis-je le prononcer?
PHOCAS
Achève, ou...
HÉRACLIUS
            Je suis donc, s'il faut que je le die,
Ce qu'il faut que je sois pour lui sauver la vie.
Oui, je lui dois assez, Seigneur, quoi qu'il en soit,
Pour vous payer pour lui de l'amour qu'il vous doit, 1710
Et je vous le promets entier, ferme, sincère,
Et tel qu'Héraclius l'aurait pour son vrai père.
J'accepte en sa faveur ses parents pour les miens,
Mais sachez que vos jours me répondront des siens :
Vous me serez garant des hasards de la guerre,   1715
Des ennemis secrets, de l'éclat du tonnerre,
Et de quelque façon que le courroux des cieux
Me prive d'un ami qui m'est si précieux,
Je vengerai sur vous, et fussiez-vous mon père,
Ce qu'aura fait sur lui leur injuste colère.   1720
PHOCAS
Ne crains rien : de tous deux je ferai mon appui.
L'amour qu'il a pour moi m'assure trop de lui :
Mon cœur pâme de joie, et mon âme n'aspire
Qu'à vous associer l'un et l'autre à l'empire.
J'ai retrouvé mon fils; mais sois-le tout à fait, 1725
Et donne-m'en pour marque un véritable effet,
Ne laisse plus de place à la supercherie :
Pour achever ma joie, épouse Pulchérie.

HÉRACLIUS
Seigneur, elle est ma sœur.
PHOCAS
               Tu n'es donc point mon fils,
1730 Puisque si lâchement déjà tu t'en dédis?
PULCHÉRIE
Qui te donne, tyran, une attente si vaine?
Quoi? son consentement étoufferait ma haine!
Pour l'avoir étonné tu m'aurais fait changer!
J'aurais pour cette honte un cœur assez léger!
1735 Je pourrais épouser ou ton fils ou mon frère!

Scène IV : Phocas, Héraclius, Martian,
Pulchérie, Crispe, gardes.

CRISPE
Seigneur, vous devez tout au grand cœur d'Exupère
Il est l'unique auteur de nos meilleurs destins,
Lui seul et ses amis ont dompté vos mutins,
Il a fait prisonnier leur chef, qu'il vous amène.
PHOCAS
1740 Dis-lui qu'il me les garde en la salle prochaine.
Je vais de leurs complots m'éclaircir avec eux.

Crispe s'en va, et Phocas parle à Héraclius.
  Toi, cependant, ingrat, sois mon fils, si tu veux.
En l'état où je suis, je n'ai plus lieu de feindre :
Les mutins sont domptés, et je cesse de craindre.
1745 Je vous laisse tous trois.

A Pulchérie.
               Use bien du moment
Que je prends pour en faire un juste châtiment,
Et si tu n'aimes mieux que l'un et l'autre meure,
Trouve ou choisis mon fils, et l'épouse sur l'heure.
Autrement, si leur sort demeure encor douteux,
1750 Je jure à mon retour qu'ils périront tous deux.
Je ne veux point d'un fils dont l'implacable haine
Prend ce nom pour affront et mon amour pour gêne.
Toi...
PULCHÉRIE
    Ne menace point, je suis prête à mourir.
PHOCAS
A mourir! jusque-là je pourrais te chérir!
1755 N'espère pas de moi cette faveur suprême,
Et pense...
PULCHÉRIE
    A quoi, tyran?
PHOCAS
              A m'épouser moi-même
Au milieu de leur sang à tes pieds répandu.
PULCHÉRIE
Quel supplice!
PHOCAS
        Il est grand pour toi mais il t'est dû.
Tes mépris de la mort bravaient trop ma colère.
1760 Il est en toi de perdre ou de sauver ton frère,
Et du moins, quelque erreur qui puisse me troubler,
J'ai trouvé les moyens de te faire trembler.

Scène V : Héraclius, Martian, Pulchérie.

PULCHÉRIE
Le lâche, il vous flattait lorsqu'il tremblait dans l'âme.
Mais tel est d'un tyran le naturel infâme :
Sa douceur n'a jamais qu'un mouvement contraint.
S'il ne craint, il opprime, et s'il n'opprime, il craint.
L'une et l'autre fortune en montre la faiblesse,
L'une n'est qu'insolence, et l'autre que bassesse.
A peine est-il sorti de ces lâches terreurs
Qu'il a trouvé pour moi le comble des horreurs.
  Mes frères, puisque enfin vous voulez tous deux l'être,
Si vous m'aimez en sœur, faites-le-moi paraître.
HÉRACLIUS
Que pouvons-nous tous deux, lorsqu'on tranche nos
PULCHÉRIE
                 [jours?
Un généreux conseil est un puissant secours.
MARTIAN
Il n'est point de conseil qui vous soit salutaire
Que d'épouser le fils pour éviter le père :
L'horreur d'un mal plus grand vous y doit disposer.
PULCHÉRIE
Qui me le montrera, si je veux l'épouser?
Et dans cet hyménée à ma gloire funeste,
Qui me garantira des périls de l'inceste?
MARTIAN
Je le vois trop à craindre et pour vous et pour nous.
Mais, Madame, on peut prendre un vain titre d'époux,
Abuser du tyran la rage forcenée
Et vivre en frère et sœur sous un feint hyménée [17].
PULCHÉRIE
Feindre, et nous abaisser à cette lâcheté!
HÉRACLIUS
Pour tromper un tyran, c'est générosité,
Et c'est mettre, en faveur du frère qu'il vous donne,
Deux ennemis secrets auprès de sa personne,
Qui dans leur juste haine animés et constants,
Sur l'ennemi commun sauront prendre leur temps,
Et terminer bientôt la feinte avec sa vie.
PULCHÉRIE
Pour conserver vos jours et fuir mon infamie,
Feignons, vous le voulez, et j'y résiste en vain.
Sus donc, qui de vous deux me prêtera la main?
Qui veut feindre avec moi, qui sera mon complice?
HÉRACLIUS
Vous, Prince, à qui le ciel inspire l'artifice.
MARTIAN
Vous, que veut le tyran pour fils obstinément.
HÉRACLIUS
Vous, qui depuis quatre ans la servez en amant.
MARTIAN
Vous saurez mieux que moi surprendre sa tendresse.
HÉRACLIUS
Vous saurez mieux que moi la traiter de maîtresse.
MARTIAN
Vous aviez commencé tantôt d'y consentir.

---

17. L'idée du « mariage blanc » va être le principe de cette
autre *Pulchérie*, qui donne son nom à l'avant-dernière pièce
de Corneille.

PULCHÉRIE

Ah! princes, votre cœur ne peut se démentir,
Et vous l'avez tous deux trop grand, trop magnanime,
Pour souffrir sans horreur l'ombre même d'un crime.
Je vous connaissais trop pour juger autrement
Et de votre conseil et de l'événement,
Et je n'y déférais que pour vous voir dédire.
Toute fourbe est honteuse aux cœurs nés pour l'empire,
Princes, attendons tout, sans consentir à rien.

HÉRACLIUS

Admirez cependant quel malheur est le mien.
L'obscure vérité que de mon sang je signe,
Du grand nom qui me perd ne peut me rendre digne :
On n'en croit pas ma mort, et je perds mon trépas,
Puisque mourant pour lui je ne le sauve pas.

MARTIAN

Voyez d'autre côté quelle est ma destinée,
Madame : dans le cours d'une seule journée,
Je suis Héraclius, Léonce et Martian;
Je sors d'un empereur, d'un tribun, d'un tyran.
De tous trois ce désordre en un jour me fait naître,
Pour me faire mourir enfin sans me connaître.

PULCHÉRIE

Cédez, cédez tous deux aux rigueurs de mon sort :
Il a fait contre vous un violent effort.
Votre malheur est grand, mais quoi qu'il en succède,
La mort qu'on me refuse en sera le remède,
Et moi... Mais que nous veut ce perfide?

Scène VI : Héraclius, Martian,
Pulchérie, Amintas.

AMINTAS

Mon bras
Vient de laver ce nom dans le sang de Phocas.

HÉRACLIUS

Que nous dis-tu?

AMINTAS

[traîtres,
Qu'à tort vous nous prenez pour
Qu'il n'est plus de tyran, que vous êtes les maîtres.

HÉRACLIUS

De quoi?

AMINTAS

De tout l'empire.

MARTIAN

Et par toi?

AMINTAS

Non, Seigneur :
Un autre en a la gloire, et j'ai part à l'honneur.

HÉRACLIUS

Et quelle heureuse main finit notre misère?

AMINTAS

Princes, l'auriez-vous cru? c'est la main d'Exupère.

MARTIAN

Lui qui me trahissait!

AMINTAS

C'est de quoi s'étonner :
Il ne vous trahissait que pour vous couronner.

HÉRACLIUS

N'a-t-il pas des mutins dissipé la furie?   1835

AMINTAS

Son ordre excitait seul cette mutinerie.

MARTIAN

Il en a pris les chefs, toutefois?

AMINTAS

Admirez
Que ces prisonniers même avec lui conjurés
Sous cette illusion couraient à leur vengeance.
Tous contre ce barbare étant d'intelligence,   1840
Suivis d'un gros d'amis nous passons librement
Au travers du palais à son appartement.
La garde y restait faible, et sans aucun ombrage;
Crispe même à Phocas porte notre message :
Il vient; à ses genoux on met les prisonniers,   1845
Qui tirent pour signal leurs poignards les premiers.
Le reste, impatient dans sa noble colère,
Enferme la victime, et soudain Exupère :
« Qu'on arrête, dit-il; le premier coup m'est dû;
C'est lui qui me rendra l'honneur presque perdu. »   1850
Il frappe, et le tyran tombe aussitôt sans vie,
Tant de nos mains la sienne est promptement suivie.
Il s'élève un grand bruit, et mille cris confus
Ne laissent discerner que « Vive Héraclius! »
Nous saisissons la porte, et les gardes se rendent.   1855
Mêmes cris aussitôt de tous côtés s'entendent,
Et de tant de soldats qui lui servaient d'appui,
Phocas, après sa mort, n'en a pas un pour lui.

PULCHÉRIE

Quel chemin Exupère a pris pour sa ruine!

AMINTAS

Le voici qui s'avance avecque Léontine.   1860

Scène VII : Héraclius, Martian, Léontine,
Pulchérie, Eudoxe, Exupère,
Amintas, troupe.

HÉRACLIUS, à Léontine.

Est-il donc vrai, Madame, et changeons-nous de sort?
Amintas nous fait-il un fidèle rapport?

LÉONTINE

Seigneur, un tel succès à peine est concevable,
Et d'un si grand dessein la conduite admirable...

HÉRACLIUS, à Exupère.

Perfide généreux, hâte-toi d'embrasser   1865
Deux princes impuissants à te récompenser.

EXUPÈRE, à Héraclius.

Seigneur, il me faut grâce ou de l'un ou de l'autre :
J'ai répandu son sang, si j'ai vengé le vôtre.

MARTIAN

Qui que ce soit des deux, il doit se consoler
De la mort d'un tyran qui voulait l'immoler.   1870
Je ne sais quoi pourtant dans mon cœur en murmure.

HÉRACLIUS

Peut-être en vous par là s'explique la nature,
Mais, Prince, votre sort n'en sera pas moins doux :
Si l'empire est à moi, Pulchérie est à vous.
Puisque le père est mort, le fils est digne d'elle.   1875

A Léontine.

Terminez donc, Madame, enfin notre querelle.
LÉONTINE
Mon témoignage seul peut-il en décider?
MARTIAN
Quelle autre sûreté pourrions-nous demander?
LÉONTINE
Je vous puis être encor suspecte d'artifice.
1880 Non, ne m'en croyez pas : croyez l'Impératrice.
    A Pulchérie, lui donnant un billet.
Vous connaissez sa main, Madame, et c'est à vous
Que je remets le sort d'un frère et d'un époux.
Voyez ce qu'en mourant me laissa votre mère.
PULCHÉRIE
J'en baise en soupirant le sacré caractère.
LÉONTINE
1885 Apprenez d'elle enfin quel sang vous a produits,
Princes.
HÉRACLIUS, *à Eudoxe.*
    Qui que je sois, c'est à vous que je suis.

BILLET DE CONSTANTINE
PULCHÉRIE, lit.

   Parmi tant de malheurs mon bonheur est étrange :
Après avoir donné son fils au lieu du mien,
Léontine à mes yeux, par un second échange,
1890 *Donne encore à Phocas mon fils au lieu du sien.*
   Vous qui pourrez douter d'un si rare service,
Sachez qu'elle a deux fois trompé notre tyran :
Celui qu'on croit Léonce est le vrai Martian,
Et le faux Martian est vrai fils de Maurice.
                 CONSTANTINE.

PULCHÉRIE, *à Héraclius.*
Ah! vous êtes mon frère!
HÉRACLIUS, *à Pulchérie.*
          Et c'est heureusement
Que le trouble éclairci vous rend à votre amant.
LÉONTINE, *à Héraclius.*
Vous en saviez assez pour éviter l'inceste,
Et non pas pour vous rendre un tel secret funeste.
    A Martian.
Mais pardonnez, Seigneur, à mon zèle parfait
Ce que j'ai voulu faire, et ce qu'un autre a fait.
MARTIAN
Je ne m'oppose point à la commune joie,
Mais souffrez des soupirs que la nature envoie.
Quoique jamais Phocas n'ait mérité d'amour,
Un fils ne peut moins rendre à qui l'a mis au jour :
Ce n'est pas tout d'un coup qu'à ce titre on renonce.
HÉRACLIUS
Donc, pour mieux l'oublier, soyez encor Léonce.
Sous ce nom glorieux aimez ses ennemis,
Et meure du tyran jusqu'au nom de son fils!
    A Eudoxe.
Vous, Madame, acceptez et ma main et l'empire
En échange d'un cœur pour qui le mien soupire.
EUDOXE, *à Héraclius.*
Seigneur, vous agissez en prince généreux.
HÉRACLIUS, *à Exupère et Amintas.*
Et vous dont la vertu me rend ce trouble heureux,
Attendant les effets de ma reconnaissance,
Reconnaissons, amis, la céleste puissance :
Allons lui rendre hommage, et d'un esprit content
Montrer Héraclius au peuple qui l'attend.

ANDROMÈDE
TRAGÉDIE

Les années 1647-1650 sont des années critiques pour le théâtre. La Fronde, profonde crise politique, n'y joue qu'un rôle accessoire. Alors qu'elle se prolongera jusqu'en 1653, elle ne ralentira en rien la production de Corneille à partir de 1650.

Au silence des trois années qui suivent Héraclius, il n'y a pas d'explication satisfaisante : le retard apporté à la représentation d'Andromède ne suffit pas. Andromède est une pièce de commande, achevée pour l'hiver 1647. Les « difficultés » des théâtres à Paris, en 1648, n'expliquent pas que Corneille n'ait pas composé une autre pièce dans l'intervalle. Il est sûr d'autre part qu'il ne traverse aucune crise de conscience : le théâtre sera pour lui toujours légitime, et il multiplie les poèmes amicaux. Forme-t-il à son métier d'auteur le jeune Thomas, qui va faire jouer sa première pièce en 1649? Étant donné la libre inspiration du cadet par rapport à l'œuvre de son aîné, la chose est des plus douteuses.

Il est plus probable que Corneille espère et prépare une situation officielle, dont l'occasion ne lui sera fournie qu'en février 1650 quand il sera nommé procureur aux États de Normandie, en remplacement de Baudry, suspect pour son attachement aux Longueville, impliqués dans la Fronde. Occasion malheureuse, puisqu'après avoir vendu ses charges d'avocat, il verra dès l'année suivante Baudry rétabli dans ses fonctions.

Andromède, retardée plus de deux saisons consécutives, est enfin jouée en janvier 1650 *. C'est le nouveau genre à la mode, une tragédie à machines, qui annonce l'opéra. Dès 1639, sous Richelieu, on en avait vu quelques exemples isolés; Mazarin, dès 1643, fait jouer sans succès un opéra italien. Toujours en italien, l'Orfeo de L. Rossi, en 1647, est néanmoins un succès : le premier ministre commande à son poète officiel et au musicien-auteur à la mode, d'Assouci, d'acclimater le genre en France. On a d'ailleurs cette fois l'élément du succès, le prodigieux metteur en scène-machiniste Torelli. Mais Monsieur Vincent, qui fait partie du conseil de conscience et ne semble pas jusqu'ici avoir condamné le théâtre, s'inquiète — à bon droit, semble-t-il, l'opéra ayant certes un caractère autrement profane que la comédie. On renvoie le saint à ses bonnes œuvres et Mazarin implante la tragédie musicale, en attendant que l'Académie de Musique fasse les beaux jours de la cour de Louis XIV.

Sans forcer son talent ni renier sa veine dramatique, Corneille se joue à l'aise dans cette galanterie tendre, au lyrisme assoupli par le vers libre. Malgré quelques-uns des plus beaux vers sortis de sa plume, il est heureux qu'il n'ait pas eu l'occasion d'orienter trop souvent son talent en ce sens...

A M. M. M. M. [1]

MADAME,

C'est vous rendre un hommage bien secret que de vous le rendre ainsi, et je m'assure que vous aurez de la peine vous-même à reconnaître que c'est à vous à qui je dédie cet ouvrage. Ces quatre lettres hiéroglyphiques vous embarrasseront aussi bien que les autres, et vous ne vous apercevrez jamais qu'elles parlent de vous, jusqu'à ce que je vous les explique; alors vous

---

* Théâtre du Petit Bourbon : 26 janvier 1650. Privilège : 2 avril 1650. Achevé d'imprimer : 13 août 1651.
1. On s'interroge encore sur la personne que masquent ces amusantes initiales. Le mot de Madame exclut l'hypothèse de Mlle Madeleine (Béjart), c'est-à-dire Mme Modène (elle ne fut d'ailleurs que la maîtresse de M. de Modène), lancée par Paul Lacroix. Le texte très précis qui suit exclut qu'il s'agisse d'un personnage imaginaire.

m'avouerez sans doute que je suis fort exact à ma parole, et fort ponctuel à l'exécution de vos commandements. Vous l'avez voulu, et j'obéis. Vous me l'avez promis, et je m'acquitte. C'est peut-être vous en dire trop pour un homme qui se veut cacher quelque temps à vous-même, et pour peu que vous fassiez de réflexion sur mes dernières visites, vous devinerez à demi que c'est à vous que ce compliment s'adresse. N'achevez pas, je vous prie, et laissez-moi la joie de vous surprendre par la confidence que je vous en dois. Je vous en conjure par tout le mérite de mon obéissance, et ne vous dis point en quoi les belles qualités d'Andromède approchent de vos perfections, ni quel rapport ses aventures ont avec les vôtres; ce serait vous faire un miroir où vous vous verriez trop aisément, et vous ne pourriez plus rien ignorer de ce que j'ai à vous dire. Préparez-vous simplement à la recevoir, non pas tant comme un des plus beaux spectacles que la France ait vus, que comme une marque respecteuse de l'attachement inviolable à votre service, dont fait vœu, MADAME, votre très humble, très obéissant et très obligé serviteur,

CORNEILLE[2].

ARGUMENT
TIRÉ DU QUATRIÈME ET DU CINQUIÈME LIVRE
DES MÉTAMORPHOSES D'OVIDE[3]

« Cassiope, femme de Céphée, roi d'Éthiopie, fut si vaine de sa beauté qu'elle osa la préférer à celle des Néréides, dont ces nymphes irritées firent sortir de la mer un monstre, qui fit de si étranges ravages sur les terres de l'obéissance du Roi son mari, que les forces humaines ne pouvant donner aucun remède à des misères si grandes, on recourut à l'oracle de Jupiter Ammon. La réponse qu'en reçurent ces malheureux princes fut un commandement d'exposer à ce monstre Andromède, leur fille unique, pour en être dévorée. Il fallut exécuter ce triste arrêt, et cette illustre victime fut attachée à un rocher, où elle n'attendait que la mort, lorsque Persée, fils de Jupiter et de Danaé, passant par hasard, jeta les yeux sur elle : il revenait de la conquête glorieuse de la tête de Méduse, qu'il portait sous son bouclier, et volait au milieu de l'air au moyen des ailes qu'il avait attachées aux deux pieds, de la façon qu'on nous peint Mercure. Ce fut d'elle-même qu'il apprit la cause de sa disgrâce, et l'amour que ses premiers regards lui donnèrent lui fit en même temps former le dessein de combattre ce monstre, pour conserver des jours qui lui étaient devenus précieux. Avant que d'entrer au combat, il eut loisir de tirer parole de ses parents que les fruits en seraient pour lui, et reçut les effets de cette promesse sitôt qu'il eut tué le monstre.

Le Roi et la Reine donnèrent avec grande joie leur fille à son libérateur, mais la magnificence des noces fut troublée par la violence que voulut faire Phinée, frère du Roi, et oncle de la Princesse, à qui elle avait été promise avant son malheur. Il se jeta dans le palais royal avec une troupe de gens armés, et Persée s'en défendit quelque temps sans autre secours que celui de sa valeur et de quelques amis généreux : mais se voyant près de succomber sous le nombre, il se servit enfin de cette tête de Méduse, qu'il tira de sous son bouclier ; et l'exposant aux yeux de Phinée et des assassins qui le suivaient, cette fatale vue les convertit en autant de statues de pierre, qui servirent d'ornement au même palais qu'ils voulaient teindre du sang de ce héros. »

Voilà comme Ovide raconte cette fable, où j'ai changé beaucoup de choses, tant par la liberté de l'art que par la nécessité des ordres du théâtre, et pour lui donner plus d'agrément.

En premier lieu, j'ai cru plus à propos de faire Cassiope vaine de la beauté de sa fille que de la sienne propre, d'autant qu'il est fort extraordinaire qu'une femme dont la fille est en âge d'être mariée ait encore d'assez beaux restes pour s'en vanter si hautement, et qu'il n'est pas vraisemblable que cet orgueil de Cassiope pour elle-même eût attendu si tard à éclater, vu que c'est dans la jeunesse que la beauté étant plus parfaite et le jugement moins formé, donnent plus de lieu à des vanités de cette nature, et non pas alors que cette même beauté commence d'être sur le retour, et que l'âge a mûri l'esprit de la personne qui s'en serait enorgueillie en un autre temps.

Ensuite, j'ai supposé que l'oracle d'Ammon n'avait pas condamné précisément Andromède à être dévorée par le monstre, mais qu'il avait ordonné seulement qu'on lui exposât tous les mois une fille, qu'on tirât au sort pour voir celle qui lui devait être livrée, et que cet ordre ayant déjà été exécuté cinq fois, on était au jour qu'il le fallait suivre pour la sixième.

J'ai introduit Persée comme un chevalier errant qui s'est arrêté depuis un mois dans la cour de Céphée, et non pas comme se rencontrant par hasard dans le temps qu'Andromède est attachée au rocher. Je lui ai donné de l'amour pour elle, qu'il n'ose découvrir, parce qu'il l'a vue promise à Phinée, mais qu'il nourrit toutefois d'un peu d'espoir, parce qu'il voit son mariage différé jusques à la fin des malheurs publics. Je l'ai fait plus généreux qu'il n'est dans Ovide, où il n'entreprend la délivrance de cette princesse qu'après que ses parents l'ont assuré qu'elle l'épouserait sitôt qu'il l'aurait délivrée. J'ai changé aussi la qualité de Phinée, que j'ai fait seulement neveu du Roi, dont Ovide le nomme frère, le mariage de deux cousins me semblant plus supportable dans nos façons de vivre que celui de l'oncle et de la nièce, qui eût pu sembler un peu plus étrange à mes auditeurs.

Les peintres, qui cherchent à faire paraître leur art dans les nudités, ne manquent jamais à nous représenter Andromède nue au pied du rocher où elle est attachée, quoique Ovide n'en parle point. Ils me pardonneront si je ne les ai pas suivis en cette invention, comme j'ai fait en celle du cheval Pégase, sur lequel ils montent Persée pour combattre le monstre, quoique Ovide ne lui donne que des ailes aux talons. Ce changement donne lieu à une machine toute extraordinaire et merveilleuse, et empêche que Persée ne soit pris pour Mercure ; outre qu'ils le mettent pas en cet équipage sans fondement, vu que le même Ovide raconte que sitôt que Persée eut coupé la monstrueuse tête de Méduse, Pégase tout ailé sortit de cette Gorgone, et que Persée s'en put saisir dès lors pour faire ses courses par le milieu de l'air.

Nos globes célestes, où l'on marque pour constellation Céphée, Cassiope, Persée et Andromède, m'ont donné jour à les faire enlever tous quatre au ciel sur la fin de la pièce, pour y faire les noces de ces amants, comme si la terre n'en était pas digne.

Au reste, comme Ovide ne nomme point la ville où il fait arriver cette aventure, je ne me suis non plus enhardi à la nommer : il dit pour toute chose que Céphée régnait en Éthiopie, sans désigner sous quel climat. La topographie moderne de ces contrées-là n'est pas fort connue, et celle du temps de Céphée encore moins. Je me contenterai donc de vous dire qu'il fallait que Céphée régnât en quelque pays maritime, que sa

---

2. L'édition de 1656 porte *T*. Corneille. S'il ne s'agit pas d'un lapsus, c'est peut-être à partir de là qu'il faudrait chercher Mme M.M.M.M.

3. La vogue de ce texte ne se ralentit ni à la Renaissance ni à l'époque classique, férue de mythographie et de symbolique emblématique. L'histoire d'Andromède se rattache au vaste cycle des vengeances de Vénus (Aphrodite) délaissée pour la pure Diane (Artémis) que Racine utilise encore dans *Phèdre*. Mais Corneille ne s'intéresse pas aux ingénieux commentaires des mythologues : il n'y voit qu'une belle histoire héroïque et amoureuse, susceptible de spectacles merveilleux. C'est là que s'alimenta et s'alimentera longtemps l'opéra italien ou français.

4. Curieuse formule, qui annonce un lecteur des romans de chevalerie français et espagnols, dont la vogue facilita le succès des longs romans épisodiques de Mlle de Scudéry et de La Calprenède, à l'époque même d'*Andromède*.

ville capitale fût sur les bords de la mer, et que ses peuples fussent blancs, quoique Éthiopiens. Ce n'est pas que les Mores les plus noirs n'ayent leurs beautés à leur mode, mais il n'est pas vraisemblable que Persée, qui était Grec et né dans Argos, fût devenu amoureux d'Andromède, si elle eût été de leur teint. J'ai pour moi le consentement de tous les peintres et surtout l'autorité du grand Héliodore, qui ne fonde la blancheur de sa divine Chariclée que sur un tableau d'Andromède. Ma scène sera donc, s'il vous plaît, dans la ville capitale de Céphée, proche la mer, et pour le nom, vous le lui donnerez tel qu'il vous plaira.

Vous trouverez cet ordre gardé dans les changements de théâtre, que chaque acte, aussi bien que le prologue, a sa décoration particulière, et du moins une machine volante, avec un concert de musique que je n'ai employée qu'à satisfaire les oreilles des spectateurs, tandis que leurs yeux sont arrêtés à voir descendre ou remonter une machine, ou s'attachent à quelque chose qui leur empêche de prêter attention à ce que pourraient dire les acteurs, comme fait le combat de Persée contre le monstre; mais je me suis bien gardé de faire rien chanter qui fût nécessaire à l'intelligence de la pièce, parce que communément les paroles qui se chantent étant mal entendues des auditeurs, pour la confusion qu'y apporte la diversité des voix qui les prononcent ensemble, elles auraient fait une grande obscurité dans le corps de l'ouvrage, si elles avaient eu à instruire l'auditeur de quelque chose d'important. Il n'en va pas de même des machines, qui ne sont pas dans cette tragédie comme des agréments détachés; elles en font ·le nœud et le dénouement, et y sont si nécessaires que vous n'en sauriez retrancher aucune que vous ne fassiez tomber tout l'édifice. J'ai été assez heureux à les inventer et à leur donner place dans la tissure de ce poème, mais aussi faut-il que j'avoue que le sieur Torelli⁵ s'est surmonté lui-même à en exécuter les desseins, et qu'il a eu des inventions admirables pour les faire agir à propos : de sorte que s'il m'est dû quelque gloire pour avoir introduit cette Vénus dans le premier acte, qui fait le nœud de cette tragédie par l'oracle ingénieux qu'elle prononce, il lui en est dû bien davantage pour l'avoir fait venir de si loin, et descendre au milieu de l'air dans cette magnifique étoile, avec tant d'art et de pompe qu'elle remplit tout le monde d'étonnement et d'admiration. Il en faut dire autant des autres que j'ai introduites, et dont il a inventé l'exécution, qui en a rendu le spectacle si merveilleux qu'il sera malaisé d'en faire un plus beau de cette nature. Pour moi, je confesse ingénument que, quelque effort d'imagination que j'aye fait depuis, je n'ai pu découvrir encore un sujet capable de tant d'ornements et où les machines pussent être distribuées avec tant de justesse; je n'en désespère pas toutefois, et peut-être que le temps en fera éclater quelqu'un assez brillant et assez heureux pour me faire dédire de ce que j'avance. En attendant, recevez celui-ci comme le plus achevé qui aye encore paru sur nos théâtres, et souffrez que la beauté de la représentation supplée au manque des beaux vers, que vous n'y trouverez pas en si grande quantité que dans *Cinna* ou dans *Rodogune*, parce que mon principal

but ici a été de satisfaire la vue par l'éclat et la diversité du spectacle, et non pas de toucher l'esprit par la force du raisonnement, ou le cœur par la délicatesse des passions. Ce n'est pas que j'en aye fui ou négligé aucunes occasions; mais il s'en est rencontré si peu que j'aime mieux avouer que cette pièce n'est que pour les yeux.

EXAMEN (1660)

Le sujet de cette pièce est si connu par ce qu'en dit Ovide aux 4. et 5. livres de ses *Métamorphoses* qu'il n'est point besoin d'en importuner le lecteur. Je me contenterai de lui rendre compte de ce que j'y ai changé, tant par la liberté de l'art, que par la nécessité de l'ordre du théâtre, et pour donner plus d'éclat à sa représentation.

En premier lieu, j'ai cru plus à propos de faire Cassiope vaine de la beauté de sa fille que de la sienne propre, d'autant qu'il est fort extraordinaire qu'une femme dont la fille est en âge d'être mariée ait encore d'assez beaux restes pour s'en vanter par la bouche de Cassiope pour elle-même eût attendu si tard à éclater, vu que c'est dans la jeunesse que la beauté est plus parfaite, et que le jugement étant moins formé donne plus de lieu à des vanités de cette nature, et non pas alors que cette même beauté commence d'être sur le retour, et que l'âge a mûri l'esprit de la personne qui s'en serait enorgueillie en un autre temps.

Ensuite, j'ai supposé que l'oracle d'Ammon n'avait pas condamné précisément Andromède à être dévorée par le monstre, mais qu'il avait ordonné seulement qu'on lui exposât tous les mois une fille, qu'on jetât le sort pour voir celle qui lui devait être livrée; et que cet ordre ayant déjà été exécuté cinq fois, on était au jour qu'il le fallait suivre pour la sixième, qui par là devient un jour illustre, remarquable, et attendu non seulement par tous les acteurs de la tragédie, mais par tous les sujets du roi.

J'ai introduit Persée comme une chevalier errant qui s'est arrêté depuis un mois dans la cour de Céphée, et non pas comme se rencontrant par hasard dans le temps qu'Andromède est attachée au rocher. Je lui ai donné de l'amour pour elle, qu'il n'ose découvrir, parce qu'il la voit promise à Phinée, mais qu'il nourrit toutefois d'un peu d'espoir, parce qu'il voit son mariage différé jusqu'à la fin des malheurs publics. Je l'ai fait plus généreux qu'il n'est dans Ovide, où il n'entreprend la délivrance de cette princesse qu'après que ses parents l'ont assuré qu'elle l'épouserait sitôt qu'il l'aurait délivrée. J'ai changé aussi la qualité de Phinée, que j'ai fait seulement neveu du Roi, dont Ovide le nomme frère, le mariage de deux cousins me semblant plus supportable dans nos façons de vivre que celui de l'oncle et de la nièce, qui eût paru un peu plus étrange à mes auditeurs.

Les peintres, qui cherchent à faire voir leur art dans les nudités, ne manquent jamais à nous représenter Andromède nue au pied du rocher où elle est attachée, quoique Ovide n'en parle point. Ils me pardonneront si je ne les ai pas suivis en cette invention, comme j'ai fait en celle du cheval Pégase, sur lequel ils montent Persée pour combattre le monstre, quoique Ovide ne lui donne que des ailes aux talons. Ce changement donne lieu à une machine toute extraordinaire, merveilleuse⁶, et empêche que Persée ne soit pris pour

5. Torrelli, écrit d'ordinaire Torelli (1607-1678), célèbre à Venise pour ses machines de théâtre dans une ville où le théâtre conservait depuis cinquante ans une vigueur et une avance incomparables, fut appelé à Paris par Mazarin en 1644 et connut un premier succès avec *la Finta pazza* de Giulio Strozzi. Il monta aussi l'*Orphée* avec les machines d'*Andromède*, mais retourna en Italie en 1663.

6. En 1682, au témoignage de Donneau de Visé, on produisit même un cheval vivant sur la scène.

Mercure; outre qu'ils ne le mettent pas en cet équipage sans fondement, vu que le même Ovide raconte que sitôt que Persée eut coupé la monstrueuse tête de Méduse, Pégase tout ailé sortit de cette Gorgone, et que Persée s'en put saisir dès lors pour faire ses courses par le milieu de l'air.

Nos globes célestes, où l'on marque pour constellations Céphée, Cassiope, Persée et Andromède, m'ont donné jour à les faire enlever tous quatre au ciel sur la fin de la pièce, pour y faire les noces de ces amants, comme si la terre n'en était pas digne.

Au reste, comme Ovide ne nomme point la ville où il fait arriver cette aventure, je ne me suis non plus enhardi à la nommer. Il dit pour toute chose que Céphée régnait en Éthiopie, sans désigner sous quel climat. La topographie moderne de ces contrées-là n'est pas fort connue, et celle du temps de Céphée encore moins. Je me contenterai donc de vous dire qu'il fallait que Céphée régnât en quelque pays maritime, et que sa ville capitale fût sur le bord de la mer.

Je sais bien[7] qu'au rapport de Pline[8] les habitants de Joppé, qu'on nomme aujourd'hui Jaffa dans la Palestine, ont prétendu que cette histoire s'était passée chez eux : ils envoyèrent à Rome des os de poisson d'une grandeur extraordinaire, qu'ils disaient être du monstre à qui Andromède avait été exposée. Ils montraient un rocher proche de leur ville, où ils assuraient qu'elle avait été attachée, et encore maintenant ils se vantent de ces marques d'antiquité à nos pèlerins qui vont en Jérusalem, et prennent terre en leur port. Il se peut faire que cela parte d'une affectation autrefois assez ordinaire aux peuples du paganisme, qui s'attribuaient à haute gloire d'avoir chez eux ces vestiges de la vieille fable, que l'erreur commune y faisait passer pour l'histoire. Ils se croyaient par là bien fondés à se donner cette prérogative d'être d'une origine plus ancienne que leurs voisins, et prenaient avidement toute sorte d'occasions de satisfaire à cette ambition. Ainsi il n'a fallu que la rencontre par hasard de ces os monstrueux sur la mer avait jetés sur leurs rivages, pour leur donner lieu de s'emparer de cette fiction, et de placer la scène de cette aventure au pied de leurs rochers. Pour moi, je me suis attaché à Ovide, qui la fait arriver en Éthiopie, où il met le royaume de Céphée par ces vers :

Æthiopum populos, Cepheaque conspicit arva ;
Illic immeritam maternae pendere linguae
Andromedam pœnas, etc[9].

Il se pouvait faire que Céphée eût conquis cette ville de Joppé, et la Syrie même, où elle est située. Pline l'assure au 29. chapitre du 6. livre, par cette raison que l'histoire d'Andromède s'y est passée : *Æthiopiam imperitasse Syriae Cephei regis aetate, patet Andromedae fabulis*[10]. Mais ceux qui voudront contester cette opinion peuvent répondre que ce n'est que prouver une erreur par une autre erreur, et éclaircir une chose douteuse par une encore plus incertaine. Quoi qu'il en soit, celle d'Ovide ne peut subsister avec celle-là,

et quelques bons yeux qu'eût Persée, il est impossible qu'il découvrît d'une seule vue l'Éthiopie et Joppé, ce qu'il aurait dû faire, si ce qu'entend le poète par *Cephea arva* n'était autre chose que son territoire.

Le même Ovide, dans quelqu'une de ses épîtres, ne fait pas Andromède blanche, mais basanée :

Andromede patriae fusca colore suae[11].

Néanmoins, dans la Métamorphose, il nous en donne une autre idée à former, lorsqu'il dit que, n'eût été ses cheveux qui voltigeaient au gré du vent, et les larmes qui lui coulaient des yeux, Persée l'eût prise pour une statue de marbre :

Marmoreum ratus esset opus[12],

ce qui semble ne se pouvoir entendre que du marbre blanc, étant assez inouï que l'on compare la beauté d'une fille à une autre sorte de marbre. D'ailleurs, pour la préférer à celle des Néréides que jamais on n'a fait noires, il fallait que son teint eût quelque rapport avec le leur, et que par conséquent elle n'eût pas celui que communément nous donnons aux Éthiopiens. Disons donc qu'elle était blanche, puisque à moins que cela il n'aurait pas été vraisemblable que Persée, qui était né dans la Grèce, fût devenu amoureux d'elle. Nous aurons de ce parti le consentement de tous les peintres, et l'autorité du grand Héliodore, qui n'a fondé la blancheur de sa Chariclée que sur un tableau d'Andromède[13]. Pline, au huitième chapitre de son cinquième livre, fait mention de certains peuples d'Afrique qu'il appelle *Leuco-Æthiopes*[14]. Si l'on s'arrête à l'étymologie de leur nom, ces peuples devaient être blancs, et nous en pouvons faire les sujets de Céphée, pour donner à cette tragédie toute la justesse dont elle a besoin touchant la couleur des personnages qu'elle introduit sur la scène.

Vous y trouverez cet ordre gardé dans les changements de théâtre, que chaque acte, aussi bien que le prologue, a sa décoration particulière, et du moins une machine volante, avec un concert de musique que je n'ai employée qu'à satisfaire les oreilles des spectateurs, tandis que leurs yeux sont arrêtés à voir descendre ou remonter une machine, ou s'attachent à quelque chose qui les empêche de prêter attention à ce que pourraient dire les acteurs, comme fait le combat de Persée contre le monstre. Mais je me suis bien gardé de faire rien chanter qui fût nécessaire à l'intelligence de la pièce, parce que communément les paroles qui se chantent étant mal entendues des auditeurs, pour la confusion qu'y apporte la diversité des voix qui les prononcent ensemble, elles auraient fait une grande obscurité dans le corps de l'ouvrage, si elles avaient eu à les instruire de quelque chose qui fût important. Il n'en va pas de même des machines, qui ne sont pas dans cette tragédie comme des agréments détachés; elles en font en quelque sorte le nœud et le dénouement, et y sont si nécessaires que vous n'en sauriez retrancher aucune que vous ne fassiez tomber tout l'édifice.

---

7. Cette précision n'existait pas dans l'*Argument* de 1650.
8. *Histoire naturelle*, liv. V, chap. 14.
9. « Il regarde les peuples de l'Éthiopie et les terres de Céphée. C'est là qu'Andromède subit l'injuste châtiment prononcé par sa mère » (*Métamorphoses*, IV, v. 669-671).
10. Corneille cite le texte inexactement, donc de mémoire : « L'Éthiopie gouvernait la Syrie, à l'époque du roi Céphée : la fable d'Andromède en est la preuve. »

11. « Andromède, à la peau sombre, de la teinte de sa race. »
12. « La jugeant une œuvre de marbre. »
13. « Vous ayant enfantée blanche, qui est couleur étrange aux Éthiopiens; quant à moi, j'en connus bien la cause, que c'était pour avoir en tout droit devant mes yeux la portraiture d'Andromeda toute nue » (Héliodore, *Histoire éthiopique*, trad. d'Amyot, 1547).
14. C'est-à-dire : Éthiopiens blancs.

Les diverses décorations dont les pièces de cette nature ont besoin, nous obligeant à placer les parties de l'action en divers lieux particuliers, nous forcent de pousser un peu au delà de l'ordinaire l'étendue du lieu général qui les renferme ensemble et en constitue l'unité. Il est malaisé qu'une ville y suffise : il y faut ajouter quelques dehors voisins, comme est ici le rivage de la mer. C'est la seule décoration que la fable m'a fournie : les quatre autres sont de pure invention. Il aurait été superflu de les spécifier dans les vers, puisqu'elles sont présentes à la vue, et je ne tiens pas qu'il soit besoin qu'elles soient si propres à ce qui s'y passe, qu'il ne se soit pu passer ailleurs aussi commodément; il suffit qu'il n'y ait pas de raison pourquoi il se doive plutôt passer ailleurs qu'au lieu où il se passe. Par exemple, le premier acte est une place publique proche du temple, où se doit jeter le sort pour savoir quelle victime on doit ce jour-là livrer au monstre : tout ce qui s'y dit se dirait aussi bien dans un palais ou dans un jardin; mais il se dit aussi bien dans cette place qu'en ce jardin ou dans ce palais. Nous pouvons choisir un lieu selon le vraisemblable ou le nécessaire, et il suffit qu'il n'y aye aucune répugnance du côté de l'action au choix que nous en faisons, pour le rendre vraisemblable, puisque cette action ne nous présente pas toujours un lieu nécessaire, comme est la mer et ses rochers au troisième acte, où l'on voit l'exposition d'Andromède, et le combat de Persée contre le monstre, qui ne pouvait se faire ailleurs. Il faut néanmoins prendre garde à choisir d'ordinaire un lieu découvert, à cause des apparitions des Dieux qu'on introduit. Andromède, au second acte, serait aussi bien dans son cabinet que dans le jardin, où je la fais s'entretenir avec ses nymphes et avec son amant; mais comment se ferait l'apparition d'Éole dans ce cabinet? et comment les vents l'en pourraient-ils enlever, à moins de la faire passer par la cheminée, comme nos sorciers? Par cette raison, il y peut avoir quelque chose à dire à celle de Junon, au quatrième acte qui se passe dans la salle du palais royal; mais comme ce n'est qu'une apparition simple d'une déesse, qui peut se montrer et disparaître où et quand il lui plaît, et ne fait que parler aux acteurs, rien n'empêche qu'elle ne se soit faite dans un lieu fermé. J'ajoute que quand il y aurait quelque contradiction de ce côté-là, la disposition de nos théâtres serait cause qu'elle ne serait pas sensible aux spectateurs. Bien qu'ils représentent en effet des lieux fermés, comme une chambre ou une salle, ils ne sont fermés par haut que de nuages; et quand on voit descendre le char de Junon du milieu de ces nuages, qui ont été continuellement en vue, on ne fait pas une réflexion assez prompte ni assez sévère sur le lieu, qui devrait être fermé d'un lambris, pour y trouver quelque manque de justesse.

L'oracle de Vénus, au premier acte, est inventé avec assez d'artifice pour porter les esprits dans un sens contraire à sa vraie intelligence, mais il ne le faut pas prendre pour le vrai nœud de la pièce : autrement il serait achevé dès le troisième, où l'on en verrait le dénouement. L'action principale est le mariage de Persée avec Andromède : son nœud consiste en l'obstacle qui s'y rencontre du côté de Phinée, à qui elle est promise, et son dénouement en la mort de ce malheureux amant, après laquelle il n'y a plus d'obstacle. Je puis toutefois dire à ceux qui voudront prendre absolument cet oracle de Vénus pour le nœud de cette tragédie, que le troisième acte n'en éclaircit que les premiers vers, et que les derniers ne se font entendre que par l'apparition de Jupiter et des autres Dieux, qui termine la pièce.

La diversité de la mesure et de la croisure des vers que j'y ai mêlés me donne occasion de tâcher à les justifier, et particulièrement les stances dont je me suis servi en beaucoup d'autres poèmes, et contre qui je vois quantité de gens d'esprit et savants au théâtre témoigner aversion[15]. Leurs raisons sont diverses. Les uns ne les improuvent pas tout à fait, mais ils disent que c'est trop mendier l'acclamation populaire en faveur d'une antithèse, ou d'un trait spirituel qui ferme chacun de leurs couplets, et que cette affectation est une espèce de bassesse qui ravale trop la dignité de la tragédie. Je demeure d'accord que c'est quelque espèce de fard, mais puisqu'il embellit notre ouvrage, et aide à mieux atteindre le but de notre art, qui est de plaire, pourquoi devons-nous renoncer à cet avantage? Les anciens se servaient sans scrupule, et même dans les choses extérieures, de tout ce qui les pouvait faire arriver : Euripide vêtait ses héros malheureux d'habits déchirés, afin qu'ils fissent plus de pitié, et Aristophane fait commencer sa comédie des *Grenouilles* par Xanthias monté sur un âne, afin d'exciter plus aisément l'auditeur à rire. Cette objection n'est donc pas d'assez d'importance pour nous interdire l'usage d'une chose qui tout à la fois nous donne de la gloire, et de la satisfaction à nos spectateurs.

Il est vrai qu'il faut leur plaire selon les règles, et c'est ce qui rend l'objection des autres plus considérable, en ce qu'ils veulent trouver quelque chose d'irrégulier dans cette sorte de vers. Ils disent que bien qu'on parle en vers sur le théâtre, on est présumé ne parler qu'en prose, qu'il n'y a que cette sorte de vers que nous appelons alexandrins à qui l'usage laisse tenir nature de prose, que les stances ne sauraient passer que pour vers, et que, par conséquent, nous n'en pouvons mettre avec vraisemblance en la bouche d'un acteur, s'il n'a eu le loisir d'en faire, ou d'en faire faire par un autre, et de les apprendre par cœur.

J'avoue que les vers qu'on récite sur le théâtre sont présumés être prose : nous ne parlons pas d'ordinaire en vers, et sans cette fiction leur mesure et leur rime sortiraient du vraisemblable. Mais par quelle raison peut-on dire que les vers alexandrins tiennent nature de prose, et que ceux des stances n'en peuvent faire autant? Si nous en croyons Aristote, il faut se servir au théâtre des vers qui sont les moins vers, et qui se mêlent au langage commun, sans y penser, plus souvent que les autres. C'est par cette raison que les poètes tragiques ont choisi l'ïambique plutôt que l'hexamètre qu'ils ont laissé aux épopées, parce qu'en parlant sans dessein d'en faire, il se mêle dans notre discours plus d'ïambiques que d'hexamètres. Par cette même raison les vers des stances sont moins vers que les alexandrins, parce que parmi notre langage commun il se coule plus de ces vers inégaux, les uns courts, les autres longs, avec des rimes croisées et éloignées les unes des autres, que de ceux dont la mesure est toujours égale et les rimes toujours mariées. Si nous nous en rapportons à nos poètes grecs, ils ne se sont pas tellement arrêtés aux ïambiques, qu'ils ne se soient servis d'anapestiques, de trochaïques, et d'hexamètres même, quand ils l'ont jugé à propos. Sénèque en a fait autant qu'eux, et les Espagnols, ses compatriotes, changent aussi souvent de genre de vers que de scène. Mais l'usage de France

<hr />

15. En particulier d'Aubignac, qui prétendait être le meilleur théoricien de son temps et à qui Corneille répond déjà plus haut, à propos de l'unité de lieu.

est autre, à ce qu'on prétend, et ne souffre que les alexandrins à tenir lieu de prose. Sur quoi je ne puis m'empêcher de demander qui sont les maîtres de cet usage, et qui peut l'établir sur le théâtre, que ceux qui l'ont occupé avec gloire depuis trente ans, dont pas un ne s'est défendu de mêler des stances dans quelques-uns des poèmes qu'ils y ont donnés ; je ne dis pas dans tous, car il ne s'en offre pas d'occasions en tous, et elles n'ont pas bonne grâce à exprimer tout : la colère, la fureur, la menace, et tels autres mouvements violents, ne leur sont pas propres, mais les déplaisirs, les irrésolutions, les inquiétudes, les douces rêveries, et généralement tout ce qui peut souffrir à un acteur de prendre haleine, et de penser à ce qu'il doit dire ou résoudre, s'accommode merveilleusement avec leurs cadences inégales, et avec les pauses qu'elles font faire à la fin de chaque couplet. La surprise agréable que fait à l'oreille ce changement de cadences imprévu, rappelle puissamment les attentions égarées, mais il faut éviter le trop d'affectation. C'est par là que les stances du *Cid* sont inexcusables et les mots de *peine* et *Chimène*, qui font la dernière rime de chaque strophe, marquent un jeu du côté du poète, qui n'a rien de naturel du côté de l'acteur. Pour s'en écarter moins, il serait bon de ne régler point toutes les strophes sur la même mesure, ni sur les mêmes croisures de rimes, ni sur le même nombre de vers. Leur inégalité en ces trois articles approcherait davantage du discours ordinaire, et sentirait l'emportement et les élans d'un esprit qui n'a que sa passion pour guide, et non pas la régularité d'un auteur qui les arrondit sur le même tour. J'y ai hasardé celles de la Paix dans le prologue de la *Toison d'Or*, et tout le dialogue de celui de cette pièce, qui ne m'a pas mal réussi. Dans tout ce que je fais dire aux Dieux dans les machines, on trouvera le même ordre, ou le même désordre. Mais je ne pourrais approuver qu'un acteur, touché fortement de ce qui lui vient d'arriver dans la tragédie, se donnât la patience de faire des stances, ou prît soin d'en faire faire par un autre, et de les apprendre par cœur, pour exprimer son déplaisir devant les spectateurs. Ce sentiment étudié ne les toucherait pas beaucoup, parce que cette étude marquerait un esprit tranquille et un effort de mémoire plutôt qu'un effet de passion, outre que ce ne serait plus le sentiment présent de la personne qui parlerait, mais tout au plus celui qu'elle aurait eu en composant ces vers, et qui serait assez ralenti par cet effort de mémoire, pour faire que l'état de son âme ne répondît plus à ce qu'elle prononcerait. L'auditeur ne s'y laisserait pas émouvoir, et le verrait trop prémédité pour le croire véritable ; du moins c'est l'opinion de Perse, avec lequel je finis cette remarque :

Nec nocte paratum
Plorabit, qui me volet incurvasse querela[16].

DESSEIN[17]
DE LA TRAGÉDIE *D'ANDROMÈDE*
REPRÉSENTÉE SUR LE THÉÂTRE ROYAL
DE BOURBON[18] ; CONTENANT L'ORDRE
DES SCÈNES, LA DESCRIPTION DES THÉÂTRES
ET DES MACHINES, ET LES PAROLES QUI
SE CHANTENT EN MUSIQUE[19].

PROLOGUE

... En haut paraît d'un côté le Soleil naissant, dans un char tout lumineux tiré par les quatre chevaux qu'Ovide lui donne ; et de l'autre, sur un des sommets de la montagne, Melpomène, la muse de la tragédie, qui lui emprunte ses rayons pour éclairer le théâtre qu'elle a préparé pour divertir le Roi. C'est ce qui fait tomber leur discours sur les louanges de notre jeune monarque, par le commandement duquel cet ouvrage a été entrepris. Après que l'un et l'autre en ont fait quelques éloges, le Soleil invite Melpomène à voler dans son char, pour apprendre en un seul jour à toute la terre les rares qualités que le ciel a départies à ce jeune prince. Cette muse y vole, et ayant pris place auprès du Soleil, ils commencent un air à sa louange, dont les derniers vers sont répétés par le chœur de musique. En voici les paroles :

Cieux, écoutez ; écoutez, mers profondes...

Cet air chanté, le Soleil part avec rapidité, enlevant Melpomène avec lui, pour aller publier la même chose au reste de l'univers.

ACTE I.

... C'est sur ce pompeux théâtre que

Scène I.

La reine Cassiope paraît conduite par Persée, chevalier inconnu, comme passant par cette place pour aller au temple jeter le sort pour la sixième fois ; et en attendant que le Roi la joigne, elle raconte à ce héros l'histoire de ses malheurs. Persée l'ayant apprise de sa bouche, en attribue la cause, non pas à ce qu'elle a préféré la beauté d'Andromède à celle des Néréides, mais à ce qu'elle l'a promise à Phinée, qui n'est qu'un homme mortel. Il ajoute que les Dieux, amoureux de cette princesse, vengent l'injustice qu'on lui a rendue, et que sans doute Jupiter même, épris d'une beauté si merveilleuse, la réserve pour lui, ou du moins la destine à quelqu'un de ses fils, parlant obscurément de lui-même ; sur quoi :

---

16. « Qu'il ne pleure pas des larmes préparées la nuit, qui voudra que sa plainte m'émeuve » (*Perse*, Satire I, 90-91).
17. Ce texte, sous le titre de *Dessein de la tragédie d'Andromède*, fut imprimé à Rouen, le 3 mars 1650, avec privilège du 12 octobre 1649. Le privilège est donc antérieur à la représentation (janvier 1650), la vente immédiatement postérieure à celle-ci.

18. Ce théâtre, à la place de l'actuelle colonnade du Louvre, était une salle réservée aux spectacles royaux sans troupe fixe. De 1653 à 1660, Molière reçut l'autorisation d'y donner des spectacles, en alternance avec la troupe italienne. Pour les spectacles donnés avant 1653, on ignore donc qui les joua : c'est le cas d'*Andromède*.
19. Le *Dessein* donne intégralement la description des décorations et les paroles de tous les textes chantés. Des points de suspension remplacent ici les parties communes avec le texte de la pièce.

Scène II.

Le Roi sort, contestant avec Phinée sur le sujet d'Andromède, que cet amant prétend ne devoir plus être exposée au sort. Persée même se joint avec lui, et soutient qu'il suffit de différer son mariage jusques à la fin des malheurs publics; mais le Roi persiste toujours à leur maintenir que l'oracle n'ayant point excepté sa fille, ce n'est pas à eux à lui donner ce privilège, qui serait un attentat contre la volonté des Dieux. Sur leur dispute, le ciel s'ouvre, et fait voir un éloignement où paraît une déité dans une étoile, que la Reine reconnaît incontinent pour Vénus, à qui elle avait offert un sacrifice pour la Princesse, dont tous les auspices avaient été favorables. Cette déesse s'avance peu à peu jusques au milieu du théâtre, sans que les yeux découvrent à quoi est suspendue cette étoile qui la porte, et cependant qu'elle s'avance, le chœur de la musique chante cet hymne :

Scène III.

Reine de Paphe et d'Amathonte...

Vénus, au milieu de l'air, apprend à ces princes que leurs malheurs vont finir, qu'on ne jettera plus le sort que cette fois, qu'Andromède aura dans ce jour-là même l'époux digne d'elle et leur ordonne d'aller préparer les noces, où les Dieux veulent assister. Phinée, qui prend cet oracle pour lui, va tout impatient porter cette bonne nouvelle à sa maîtresse, et cependant que Vénus remonte au ciel, le chœur chante encore cet hymne de réjouissance :

Ainsi toujours sur tes autels...

Vénus disparue, le Roi s'en va faire jeter le sort, et donne ordre à la Reine de faire préparer la pompe des noces.

Scène IV.

Persée, demeuré seul avec la Reine et ses filles, lui témoigne sa passion pour Andromède, et ses déplaisirs de la voir si près d'être possédée par un autre. Il lui avoue qu'il est de haute naissance, et même au-dessus de Phinée, sans se déclarer toutefois. La Reine tâche à le consoler, et s'étant retirés ensemble, l'acte finit.

ACTE II.

... Du milieu d'une de ces allées.

Scène I.

Andromède sort toute enjouée et ravie des bonnes nouvelles que Phinée lui vient d'apporter. Attendant qu'il la revienne voir, elle demande aux nymphes qui l'accompagnent qui d'entre elles oblige cet illustre inconnu (c'est Persée dont elle entend parler) à demeurer si longtemps dans la cour de son père. Elle en montre dès lors une si haute estime, qu'elle avoue même que si son cœur n'eût point été donné avant sa venue, elle eût eu peine à le défendre des mérites de ce cavalier. Comme toutes ses nymphes l'assurent qu'il n'a fait aucune offre de service à pas une d'elles, elle se persuade que quelqu'une en fait la fine, et qu'infailliblement ce héros est amoureux. Elle dit qu'elle le remarque assez par ces inquiétudes qui paraissent dans son discours quand il l'entretient, qu'il rêve, qu'il s'égare, qu'il soupire à tous moments. Elle en dirait davantage si ce discours n'était interrompu par une voix qui chante derrière un de ces arbres. Cette princesse la reconnaît incontinent pour celle d'un page de Phinée. On lui fait

silence, et il poursuit à faire entendre la passion qu'a son maître pour Andromède, et son impatience de la posséder, qu'il explique en ces termes :

> *Qu'elle est lente cette journée...*

Scène II.

Phinée se montre avec le même page qui vient de chanter pour lui; et après les premières civilités, Andromède lui fait rendre le change de sa galanterie par une de ses filles, qui lui témoigne par ces paroles que son amour pour ce prince n'est pas moindre que celui qu'il a pour elle :

> *Phinée est plus aimé qu'Andromède n'est belle...*

Cet air chanté, le page de Phinée et cette nymphe font un dialogue en musique sur le bonheur de ces deux amants, dont chaque couplet a pour refrain l'oracle que Vénus a prononcé en leur faveur, chanté par les deux voix unies, et répété par le chœur entier de la musique, en cette forme :

LE PAGE.
> *Heureux amant !*

LA NYMPHE.
> *Heureuse amante !...*

Scène III.

La joie de ces amants est troublée par une fâcheuse nouvelle que Timante leur apporte, que le sort est tombé sur Andromède. Phinée d'abord n'en veut rien croire; mais après que ce funeste message l'a assuré que le Roi va bientôt venir pour livrer lui-même cette précieuse victime aux ministres des Dieux, il proteste qu'il ne le souffrira jamais, et s'emporte avec beaucoup de violence. Andromède montre assez de résolution, accompagnée toutefois de beaucoup de déplaisir de se voir séparée d'un amant si cher, dans le même temps que l'oracle de Vénus lui avait fait espérer d'être unie avec lui par un illustre hyménée.

Scène IV.

Le Roi entre, suivi de Persée.

Cette princesse lui témoigne beaucoup de générosité : dans sa douleur, elle lui avoue qu'il est juste que la cause des malheurs le fasse finir, et que tout son regret est que la tranquillité publique dont il va jouir lui a coûté d'autre sang que le sien, et qu'elle n'a pas été la seule que le ciel ait choisie pour rendre le calme à ses États par sa mort. Le Roi l'exhorte à obéir aux Dieux avec courage. Phinée s'y oppose; et plus le Roi lui représente la nécessité de céder aux arrêts du ciel, plus il s'emporte dans les impiétés et dans les blasphèmes. Il passe jusques à protester qu'il ne connaît ni rois ni Dieux qu'Andromède, et quoiqu'il entende rouler le tonnerre, il défie ces mêmes Dieux de le lancer sur lui. Cependant

Scène V.

Au milieu de ce tonnerre qui gronde et des éclairs qui brillent continuellement, Éole descend dans un nuage avec huit vents qui l'accompagnent. Quatre de ces vents sont à ses deux côtés, en sorte toutefois que les deux plus proches sont portés sur le même nuage que lui, et les deux plus éloignés sont comme volants en l'air tout contre ce même nuage. Les quatre autres paraissent deux à deux, au milieu de l'air, sur les ailes du théâtre, deux à la main gauche et deux à la droite. Éole demeure à la même hauteur sans descendre plus bas, et c'est de là qu'il interrompt les blasphèmes de Phinée, et que lui ayant dit impérieusement que les

Dieux savent bien se faire obéir, il commande à ces vents d'exécuter les ordres de Neptune, dont il est le premier ministre. Ce commandement produit aussitôt un spectacle étrange et merveilleux tout ensemble : les deux vents qui étaient à ses côtés suspendus en l'air s'envolent, l'un à gauche et l'autre à droite; deux autres remontent avec lui vers le ciel sur le même nuage qui les vient d'apporter; deux autres qui étaient à sa main gauche sur les ailes du théâtre s'avancent au milieu de l'air, où ayant fait un tour, ainsi que deux tourbillons, ils passent au côté droit du théâtre, d'où les deux derniers fondent sur Andromède, et l'ayant saisie chacun par un bras, l'enlèvent de l'autre côté jusque dans les nues. Le Roi s'écrie d'étonnement; Phinée court après cette princesse, que les vents emportent, et

Scène VI.

Persée, demeuré seul avec ce déplorable père, l'assure qu'il la va secourir. Ce monarque l'en veut détourner sur l'impossibilité de l'entreprise, en laquelle vingt amants avaient succombé pour Nérée il n'y avait qu'un mois; mais ce héros, loin de s'étonner, lui dit hautement qu'il trouvera des chemins inconnus aux hommes, pour faire en sorte que l'oracle de Vénus ait son effet, et l'expliquant à son avantage, il ajoute que les vents n'arrachent point Andromède à Phinée pour la perdre, mais seulement pour la rendre à un époux plus digne d'elle. Après cela, il quitte le Roi sans se faire connaître davantage, et ce monarque se retire pour aller faire des vœux qu'il ne croit pas qu'on veuille exaucer.

ACTE III.
Scène I.

... Timante vient sur le rivage, suivi d'un gros de peuple qui cherche ce que sa princesse est devenue. Ils la découvrent, comme ces vents se retirent après l'avoir attachée, et lui entendant pousser quelques soupirs, ils prêtent silence à ses plaintes. Andromède les continue; mais elle n'a plus cette fermeté de courage qu'elle avait montrée en la présence de son père et de son amant. L'abandonnement où elle se voit, et les approches d'une mort aussi infaillible qu'épouvantable, ébranlent son grand cœur, et sa faiblesse paraîtrait toute entière si elle n'était interrompue par les désespoirs de la Reine.

Scène II.

Cette déplorable mère se fait voir toute furieuse, et sa fureur garde encore le caractère de la vanité qui l'a précipitée en des malheurs si grands. Après avoir accusé les Dieux d'injustice de punir sa fille des crimes dont sa mère est seule coupable, elle en impute la cause à leur jalousie, et à la juste crainte qu'ils doivent avoir qu'Andromède n'eût plus d'autels qu'eux s'ils la laissaient vivre. Elle leur reproche ensuite leur aveuglement ou stupidité, de ce qu'ils ne sont pas tous assez amoureux de sa fille pour la sauver; elle soutient que Jupiter a changé de forme pour des beautés moindres; elle dit la même chose de Neptune, d'Apollon et des autres; il n'est pas jusques aux Tritons qu'elle ne fasse criminels de n'avoir point d'amour pour elle, et de n'écraser pas leur monstre à ses pieds en dépit de leurs Néréides.

Scène III.

Il semble que ses impiétés hâtent ce monstre de paraître; on le voit dans l'éloignement, bondissant au milieu des flots, et cependant qu'il s'avance, la Reine, au défaut des Dieux, appelle Phinée au secours. Andromède l'excuse d'une voix languissante, et veut persuader à sa mère qu'il est mort de douleur, puisqu'il ne se présente pas pour la défendre. Le dernier recours de cette désespérée est à cet illustre inconnu, qu'elle avait entendu se vanter d'une si haute naissance et de tant d'amour pour la princesse sa fille. Elle la lui offre, quoiqu'elle ne le voie pas. Cependant le monstre approche et personne ne vient au secours. Elle veut se jeter dans la mer, pour être au moins dévorée la première; mais comme elle s'élance,

Scène IV.

Timante la retient et lui fait voir Persée monté sur le cheval Pégase, qui fond du haut des nues pour combattre ce monstre. Elle l'encourage au combat par l'assurance qu'elle lui donne qu'Andromède sera pour lui, s'il en sort victorieux. Le peuple, pour l'encourager aussi de sa part, l'anime par ces paroles qu'il chante durant son combat, et qui ne sont qu'une répétition des promesses de la Reine :

Chœur de musique.

Courage, enfant des Dieux! elle est votre conquête...

Cet air chanté, on voit Persée victorieux, le monstre mort, la Reine ravie, et Andromède qui commence à respirer. Après quelques civilités, Persée, suivant le pouvoir qu'il avait obtenu de son père Jupiter, commande aux vents de rendre Andromède au lieu même d'où ils l'ont enlevée. Ils obéissent aussitôt, et on les voit reporter cette princesse au-dessus des flots par le même chemin qu'ils l'avaient apportée au commencement de cet acte. Ensuite Persée revole en haut sur son cheval ailé, et après avoir fait un caracol admirable au milieu de l'air, il tire du même côté qu'on a vu disparaître la Princesse. Tandis qu'il vole, tout le rivage retentit de cris de joie et de ce chant de victoire :

Le monstre est mort, crions victoire...

Scène V.

Sitôt que cette musique a cessé, la Reine et le peuple se retirent, et trois Néréides s'élèvent au milieu des flots. Leur entretien n'est que de l'affront qu'elles viennent de recevoir par la mort du monstre qui les vengeait, et par la délivrance de leur victime; elles en veulent aller faire leurs plaintes au palais de Neptune, mais

Scène VI.

Ce Dieu les prévient et se fait voir sur une conque de nacre tirée par deux chevaux marins. Il leur témoigne d'abord qu'il est encore plus en colère qu'elles, de ce que Jupiter, son frère, l'envoie braver jusque dans son empire par un de ses fils; il leur promet d'intéresser Pluton et Junon avec lui pour les venger, et les assure qu'il a su du Destin qu'Andromède n'aurait jamais de mari en terre : si bien que ces nymphes, consolées par cette assurance qu'il leur donne, se replongent avec lui dans la mer, et l'acte finit.

ACTE IV.

... C'est dans cette salle qu'Andromède reçoit les adorations de son libérateur :

Scène I.

J'appelle ainsi les submissions que lui fait ce héros. Vénus a prononcé pour lui; le Roi et la Reine viennent de se déclarer en sa faveur; cependant il est si généreux qu'il renonce à tous ces avantages, et lui en fait un sacrifice pour remettre tout à son choix et ne l'obtenir que d'elle-même. Il mourra de douleur s'il la voit possédée par un autre; mais il préfère cette mort à la gloire de la posséder contre son inclination. Cette mort même lui sera douce, si elle épargne quelques soupirs à sa princesse, et la défaite d'un obstacle à ses contentements. Ce grand respect achève de la gagner; mais comme elle est prête de lui avouer qu'elle n'est pas insensible pour lui, ce même respect ne peut souffrir qu'elle décide de sa fortune qu'il ne soit parti. Il ne veut pas que sa vue entretienne dans son esprit le souvenir du service qu'il lui vient de rendre; il craint que sa présence ne l'oblige à faire par civilité quelque violence à ses sentiments, et ne soit cause que la reconnaissance l'emporte au préjudice de l'amour; il la conjure de ne penser qu'à se satisfaire, sans prendre aucun soin de lui, et après lui avoir protesté de nouveau qu'il mourra trop content pourvu qu'elle vive contente, il la quitte sans lui donner le loisir de lui répondre autre chose, sinon qu'un homme qui a tout mérité doit tout espérer.

Scène II.

Andromède s'étonne avec ses filles du prompt changement qu'elle reconnaît en son cœur, et ne peut comprendre comme en moins d'un jour elle peut aimer si fortement un autre que Phinée. Une d'elles l'assure qu'il n'est pas plus difficile aux Dieux de changer son cœur, qu'il leur a été de changer son destin, et lui dit que l'estime qu'elle a témoignée pour ce héros dès le second acte était un principe de l'amour qu'elle ressent maintenant pour lui, ou plutôt un amour secret dont elle ne s'apercevait pas, et qui n'attendait que l'occasion de pouvoir éclater avec honneur. Une autre prend le parti de Phinée, et ne fait qu'irriter cette Princesse. Enfin

Scène III.

Ce malheureux amant se présente devant elle, et n'en reçoit que des mépris. Elle lui reproche qu'il a mauvaise grâce de prétendre qu'elle lui doive encore de l'amour après l'avoir abandonnée dans le péril. Il peut bien (à ce qu'elle dit) la céder à Persée, après qu'il l'a cédée au monstre. Il a beau s'excuser sur l'impossibilité de l'entreprise, et s'appuyer sur l'exemple des vingt amants qui, voulant secourir Nérée, furent tous dévorés par le monstre; elle en prend occasion de le maltraiter davantage, et s'estime d'autant plus malheureuse que cette Nérée, en ce que vingt amants n'ont pas voulu lui survivre, et qu'elle n'en avait qu'un qui n'a pas daigné hasarder sa vie pour la garantir. Il devait courir à sa perte, quoique certaine, et se faisant dévorer à ses yeux, lui rendre la mort souhaitable, d'horrible qu'elle lui était. Elle eût aimé les approches de ce monstre, qu'elle eût pris pour un vivant sépulcre, où son amour eût été ravi de l'aller rejoindre; elle eût refusé même le secours de Persée, et quand il l'aurait sauvée malgré elle, elle se fût aussitôt immolée de sa propre main aux mânes d'un amant si généreux. Enfin elle le quitte dédaigneusement, après l'avoir assuré que quand même l'amour lui parlerait encore en sa faveur, elle ne peut disposer des conquêtes de Persée.

Scène IV.

Phinée, piqué jusqu'au vif du changement et des reproches d'Andromède, se résout à la violence contre

Persée. Ammon lui représente en vain que ce héros est fils de Jupiter, et qu'il doit craindre la foudre de son père. Rien ne l'ébranle, il espère même que quelques-uns des Dieux se mettront de son parti, et que du moins Junon prendra sa querelle contre un bâtard de son Jupiter.

Scène V.

Il n'est pas trompé dans cette espérance : cette déesse paraît dans un char tiré par deux paons, et si bien enrichi qu'il paraît digne de la majesté de la Déesse qui daigne s'y faire porter. Ce char lui fait faire trois tours au milieu de l'air, cependant qu'elle assure Phinée non seulement de son secours, mais aussi de celui de Neptune et de Pluton. Cette promesse opiniâtre ce prince dans sa résolution et raffermit le courage de ses amis étonnés. La Déesse regagne le ciel avec un mouvement rapide, et cet amant disgracié quitte la place au Roi, qui entre dans cette salle.

Scène VI.

Ce monarque est suivi de la Reine, de Persée, d'Andromède et de toute sa cour. Timante lui porte la parole au nom de son peuple, dont tous les déplaisirs sont changés en allégresse, qu'il exprime par ce chant nuptial :

Vivez, vivez, heureux amants...

Ces acclamations terminées, ces princes se séparent pour aller sacrifier chacun de son côté, le Roi à Jupiter, la Reine et la Princesse aux Néréides, et Persée à Junon; les derniers pour apaiser la jalousie et le ressentiment de ces déités mal favorables à leurs intentions, et le premier pour obtenir de ce monarque du ciel son consentement au mariage qu'ils se proposent de faire, et le prier de ne s'offenser pas de cette union de son sang avec celui des rois d'Éthiopie.

ACTE V.
Scène I.

... Phinée y paraît le premier, mais un peu refroidi de la violence de ses derniers sentiments. Ammon a beau lui donner avis que Persée est presque seul dans le temple de Junon, et qu'il peut aisément l'immoler à cette déesse, qui ne manquera pas d'agréer cette victime : la seule pensée que ce sacrifice déplairait à la divinité qu'il adore lui fait rejeter ou du moins retarder l'exécution de ce dessein. Il veut faire encore un effort auprès d'elle avant que de courir à sa vengeance. Il s'imagine qu'elle l'aime encore dans l'âme, que quatre ans de service ne sont pas si aisément effacés, et que le trouble où elle était au sortir du péril, le commandement de ses parents, et sa reconnaissance envers son libérateur, ont plus agi que son inclination, en tout ce qu'elle a fait à son préjudice. Il espère que ses soupirs et ses larmes pourront encore toucher un cœur qui a été longtemps à lui, et s'il peut gagner sur elle que son mariage se diffère d'un jour ou deux, il ne doute point qu'ensuite il n'ait assez de pouvoir pour le rompre tout à fait. Il ne quitte pas toutefois la résolution de se venger sur son rival, s'il ne peut rien obtenir d'Andromède, et dans cette pensée il congédie Ammon à la vue de la Reine et de cette princesse, et l'envoie tenir ses amis tous prêts pour en venir aux extrémités, s'il en est besoin.

Scène II.

Il fait de nouvelles submissions à ce cher objet, et en est d'autant plus maltraité qu'elles sont deux à le mépriser. Il mourra content, pourvu qu'Andromède lui veuille dire seulement qu'elle change forcée, et qu'il y a plus d'obéissance que d'amour en son changement; mais il perd temps, et cette faible satisfaction lui est refusée. La Reine surtout l'outrage avec excès, en lui reprochant qu'il a renoncé lâchement au pouvoir qu'Andromède lui avait donné dans son cœur, et qu'il a mieux aimé sortir de la place que de la défendre; mais ce reproche l'irrite bien moins que l'estime qu'elle fait de Persée. Ce nom seul rejette la fureur dans son âme : il s'oppose violemment à ce qu'elle dit de son mérite, et ravale autant qu'il peut sa victoire, qu'il ne saurait croire glorieuse, puisqu'elle était sans péril pour lui et que ce cheval ailé le mettait hors des atteintes de ce monstre. La Reine lui réplique que les Dieux n'auraient pas manqué de le favoriser d'un pareil secours, s'ils avaient vu en lui autant de vertu qu'en ce héros. Andromède prend la parole, et proteste à ce malheureux qu'elle veut oublier la victoire de son rival, et le péril dont il l'a garantie, pour ne juger de l'un et de l'autre que par ce qui s'est passé depuis le combat. Elle fait voir la différence de leur mérite par celle qui se rencontre entre les respects extraordinaires de ce héros victorieux et les violences de Phinée, qui veut l'obtenir malgré les Dieux, malgré ses parents, et malgré elle. Elle passe ensuite à de nouveaux dédains, par lesquels elle achève de mettre au désespoir ce furieux, qui se retire en menaçant, et fait place au Roi qui sort du temple.

Scène III.

Le Roi et la Reine s'entre-rendent compte de leurs sacrifices, dont ils n'ont rapporté que des présages heureux et des auspices favorables.

Scène IV.

Aglante, une des filles de la Reine, trouble leur joie en leur apprenant que Persée a été environné par les amis de son rival, comme il sortait du temple de Junon, et que ceux qui l'accompagnaient se sont incontinent rendus, à la réserve de deux ou trois, sur qui Phinée a crié main basse en arrivant. Le Roi tâche à remettre l'esprit de ces princesses par cette considération que les Dieux ne laissent point leur ouvrage imparfait, et qu'ils feront encore un miracle pour ce héros. Il leur parle en vain jusqu'à ce que

Scène V.

Phorbas arrive, et leur apporte une autre nouvelle, qui les réjouit. Il leur dit que ce héros, prêt à succomber sous le nombre, s'est enfin servi de sa monstrueuse tête de Méduse, dont la vue a aussitôt converti en pierre tous ces assassins.

Scène VI.

Persée le suit, et à peine a-t-il ouvert la bouche pour demander pardon au Roi de la perte d'un prince de son sang, à laquelle il a été forcé par sa violence, que ce monarque ne peut souffrir cette submission, et l'assure que cet attentat l'avait dégradé du rang que sa naissance lui donnait. Loin de se fâcher de son malheur, il ne témoigne que joie de sa punition, et convie ce héros avec ces princesses à venir dans ce temple achever leur bonheur par un mariage si désiré; mais sitôt qu'ils se présentent pour y entrer, les portes se ferment d'elles-mêmes; et comme ils sont étonnés de ce nouveau prodige,

Scène VII.

Mercure descend au milieu de l'air, pour leur dire que ce n'est qu'une marque de bonheur plus grand, qu'ils vont apprendre de Jupiter même et regagne aussitôt le ciel avec la même vitesse qu'il était descendu. Après quoi le chœur de la musique redouble ses vœux par cet hymne, qu'il adresse à ce Dieu, qu'ils attendent tous avec impatience :

Maître des Dieux, hâte-toi de paraître...

Scène VIII.

Jupiter demeure au milieu de l'air, d'où il apprend à ces princes et à leurs deux fils, et que cet honneur n'est pas digne des noces de son fils, et que cet honneur appartient au ciel, où ils doivent servir de nouvelles constellations. Junon, pour marque de son consentement, fait prendre place au Roi et à ce héros auprès d'elle; Neptune fait le même honneur à la Reine et à sa fille, et tous ensemble remontent dans ce ciel qui les attend, cependant que le peuple, pour acclamation publique, chante ces vers qui viennent d'être prononcés par Jupiter :

Allez, amants, allez sans jalousie...

Voilà une simple et nue description, tant des machines que des théâtres, qui ont ravi tout le monde à la représentation d'*Andromède*. Toute la gloire en est due au sieur Torelli, qui s'est surpassé lui-même en l'exécution des desseins que je lui ai proposés, et je me suis souvent étonné comme il s'est pu si heureusement démêler sans confusion d'un si grand embarras. Ceux qui en voudront un récit plus étendu et plus riche, le trouveront dans l'Extraordinaire qu'en a dressé le sieur Renaudot [20] avec beaucoup d'éloquence et de doctrine. Aussi l'a-t-il fait pour être conservé dans ses mémoires, et porter jusqu'aux étrangers la nouvelle de la pompe où nous savons faire monter les spectacles publics. J'ai dressé ce discours seulement en attendant l'impression de la pièce entière, pour servir à soulager la plupart de mes spectateurs, qui pour mieux satisfaire la vue par les grâces de la perspective, se placent dans les loges les plus éloignées, où beaucoup de vers échappant à leur oreille ne leur laissent pas bien comprendre la suite de mon dessein. J'y ai mêlé les paroles qui se chantent en musique, et qu'il est impossible d'entendre quand plusieurs voix ensemble les prononcent, et j'ai cru être d'autant plus obligé à donner ceci sans aucuns ornements de l'éloquence, que c'est en faire un mauvais usage, que de les employer à décrire et exagérer l'excellence de son propre travail, n'y ayant rien de si bienséant à un homme qui parle de soi-même que la modestie.

---

20. *La Gazette* de Renaudot, créée depuis 1631, donnait de temps en temps un « extraordinaire » (nous dirions un numéro spécial). Celui-ci forme le n° 27 des fascicules, ordinaires et extraordinaires, de 1650.

ACTEURS

DIEUX DANS LES MACHINES :
JUPITER. JUNON. NEPTUNE.
MERCURE. LE SOLEIL. VÉNUS.
MELPOMÈNE. EOLE [21].
CYMODOCE, ÉPHYRE, CYDIPPE, *néréides*.
HUIT VENTS.

HOMMES [22] :
CÉPHÉE, *roi d'Éthiopie, père d'Andromède.*
CASSIOPE, *reine d'Éthiopie.*
ANDROMÈDE, *fille de Céphée et de Cassiope.*
PHINÉE, *prince d'Éthiopie.*
PERSÉE, *fils de Jupiter et de Danaé.*
TIMANTE, *capitaine des gardes du roi.*
AMMON, *ami de Phinée.*
AGLANTE, CÉPHALIE, LIRIOPE, *nymphes
d'Andromède.*
UN PAGE DE PHINÉE.
CHŒUR DU PEUPLE.
SUITE DU ROI [23].

*La scène est en Éthiopie, dans la ville capitale
du royaume de Céphée, proche de la mer* [24].

PROLOGUE

DÉCORATION DU PROLOGUE [25]

*L'ouverture du théâtre présente de front aux yeux
des spectateurs une vaste montagne, dont les sommets
inégaux, s'élevant les uns sur les autres, portent le
faîte jusque dans les nues. Le pied de cette montagne
est percé à jour par une grotte profonde qui laisse voir
la mer en éloignement. Les deux côtés du théâtre sont
occupés par une forêt d'arbres touffus et entrelacés
les uns dans les autres. Sur un des sommets de la
montagne paraît Melpomène, la muse de la tragédie,
et à l'opposite dans le ciel, on voit le Soleil s'avancer
dans un char tout lumineux, tiré par les quatre chevaux
qu'Ovide lui donne.*

Le Soleil, Melpomène.

MELPOMÈNE

Arrête un peu ta course impétueuse :
Mon théâtre, Soleil, mérite bien tes yeux,
Tu n'en vis jamais en ces lieux

La pompe plus majestueuse.
J'ai réuni, pour la faire admirer,   5
Tout ce qu'ont de plus beau la France et l'Italie,
De tous leurs arts mes sœurs l'ont embellie :
Prête-moi tes rayons pour la mieux éclairer,
Daigne à tant de beautés, par ta propre lumière,
Donner un parfait agrément,   10
Et rends cette merveille entière
En lui servant toi-même d'ornement.

LE SOLEIL

Charmante muse de la scène,
Chère et divine Melpomène,
Tu sais de mon destin l'inviolable loi :   15
Je donne l'âme à toutes choses,
Je fais agir toutes les causes;
Mais quand je puis le plus, je suis le moins à moi;
Par une puissance plus forte
Le char que je conduis m'emporte;   20
Chaque jour sans repos doit et naître et mourir.
J'en suis esclave alors que j'y préside,
Et ce frein que je tiens aux chevaux que je guide
Ne règle que leur route, et les laisse courir.

MELPOMÈNE

La naissance d'Hercule et le festin d'Atrée [26]   25
T'ont fait rompre ces lois,
Et tu peux faire encor ce qu'on t'a vu deux fois
Faire en même contrée.
Je dis plus : tu le dois en faveur du spectacle
Qu'au monarque des lis je prépare aujourd'hui.   30
Le ciel n'a fait que miracles en lui :
Lui voudrais-tu refuser un miracle?

LE SOLEIL

Non, mais je le réserve à ces bienheureux jours
Qu'ennoblira sa première victoire :
Alors j'arrêterai mon cours,   35
Pour être plus longtemps le témoin de sa gloire.
Prends cependant le soin de le bien divertir,
Pour lui faire avec joie attendre les années
Qui feront éclater les belles destinées
Des peuples que son bras lui doit assujettir.   40
Calliope [27] ta sœur déjà d'un œil avide
Cherche dans l'avenir les faits de ce grand roi,
Dont les hautes vertus lui donneront emploi
Pour plus d'une *Iliade* et plus d'une *Énéide.*

MELPOMÈNE

Que je porte d'envie à cette illustre sœur,   45
Quoique j'aye à craindre pour elle
Que sous ce grand fardeau sa force ne chancelle!
Mais quel qu'en soit enfin le mérite et l'honneur,
J'aurai du moins cet avantage,
Que déjà je le vois, que déjà je lui plais,   50
Et que de ses vertus, et que de ses hauts faits
Déjà dans ses pareils je lui trace une image.

21. On sait que ce rôle fut tenu en 1651 par le frère du
poète Tristan, J.B. Vauselle, devenu acteur par occasion.
22. C'est-à-dire humains. En 1651, Molière jouait Persée,
la De Brie, Vénus, Du Parc, Jupiter...
23. Cette liste est incomplète. Outre la suite de la reine,
de Persée, etc., il manque Phorbas qui fait le récit scène 5
de l'acte V.
24. Cf. la notice et l'*Examen* ci-dessus : un lieu par acte.
25. Les décorations d'*Andromède* (six planches) ont été
gravées par Chauveau. On ignore dans quelles conditions
elles furent publiées.

26. Le Soleil s'arrête pour ce double prodige : Hercule
à peine né étouffant de ses mains les deux énormes serpents
envoyés par Junon. Atrée servant en festin, par vengeance,
les propres enfants de son frère Thyeste. C'est l'origine de la
fatalité pesant sur les Atrides (Agamemnon, Oreste).
27. Première du moins par le rang. Corneille l'évoque ici
selon sa qualité non de muse de l'éloquence, mais de l'inspiration prophétique.

Je lui montre Pompée, Alexandre, César,
Mais comme des héros attachés à son char,
55 Et tout ce haut éclat où je les fais paraître
Lui peint plus qu'ils n'étaient, et moins qu'il ne doit
        LE SOLEIL   [être.
Il en effacera les plus glorieux noms,
Dès qu'il pourra lui-même animer son armée,
Et tout ce que d'eux tous a dit la Renommée
60 Te fera voir en lui le plus grand des Bourbons.
Son père et son aïeul tout rayonnants de gloire,
Ces grands rois qu'en tous lieux a suivis la Victoire,
Lui voyant emporter sur eux le premier rang,
En deviendraient jaloux s'il n'était pas leur sang.
65 Mais vole dans mon char, muse, je veux t'apprendre
Tout l'avenir d'un roi qui t'est si précieux.
        MELPOMÈNE
Je sais déjà ce qu'on doit en attendre,
Et je lis chaque jour son destin dans les cieux.
        LE SOLEIL
Viens donc, viens avec moi faire le tour du monde,
70   Qu'unissant ensemble nos voix,
Nous fassions résonner sur la terre et sur l'onde
Qu'il est et le plus jeune [28] et le plus grand des rois.
        MELPOMÈNE
Soleil, j'y vole, attends-moi donc, de grâce.
        LE SOLEIL
Viens, je t'attends, et te fais place.
Melpomène vole dans le char du Soleil, et y ayant pris
place auprès de lui, ils unissent leurs voix, et chantent
cet air à la louange du Roi. Le dernier vers de chaque
couplet est répété par le chœur de la musique.
75   Cieux, écoutez; écoutez, mers profondes,
       Et vous, antres et bois,
   Affreux déserts, rochers battus des ondes,
   Redites après nous d'une commune voix :
   « Louis est le plus jeune et le plus grand des rois. »

80   La majesté qui déjà l'environne
       Charme tous ses François;
   Il est lui seul digne de sa couronne,
   Et quand même le ciel l'aurait mise à leur choix,
   Il serait le plus jeune et le plus grand des rois.

85   C'est à vos soins, Reine, qu'on doit la gloire
       De tant de grands exploits;
   Ils sont partis suivis de la victoire,
   Et l'ordre merveilleux dont vous donnez ses lois
   Le rend et le plus jeune et le plus grand des rois.
        LE SOLEIL
90   Voilà ce que je dis sans cesse
       Dans tout mon large tour.
   Mais c'est trop retarder le jour,
   Allons, muse, l'heure me presse,
       Et ma rapidité
95 Doit regagner le temps que sur cette province,
       Pour contempler ce prince,
   Je me suis arrêté.
Le Soleil part avec rapidité, et enlève Melpomène

28. Louis XIV a alors douze ans.

avec lui dans son char, pour aller publier ensemble la
même chose au reste de l'univers.

ACTE PREMIER

DÉCORATION DU PREMIER ACTE

   Cette grande masse de montagnes et ces rochers
élevés les uns sur les autres qui la composaient, ayant
disparu en un moment par un merveilleux artifice,
laissent voir en leur place la ville capitale du royaume
de Céphée, ou plutôt la place publique de cette ville.
Les deux côtés et le fond du théâtre sont des palais
magnifiques, tous différents de structure, mais qui
gardent admirablement l'égalité et les justesses de la
perspective. Après que les yeux ont eu loisir de se
satisfaire à considérer leur beauté, la reine Cassiope
paraît comme passant par cette place pour aller au
temple : elle est conduite par Persée, encore inconnu,
mais qui passe pour un cavalier de grand mérite qu'elle
entretient des malheurs publics, attendant que le Roi
la rejoigne pour aller à ce temple de compagnie.

       Scène I : Cassiope, Persée,
        suite de la reine.

        CASSIOPE
Généreux inconnu, qui chez tous les monarques
Portez de vos vertus les éclatantes marques,
Et dont l'aspect suffit pour convaincre nos yeux
Que vous sortez du sang ou des rois ou des Dieux,
Puisque vous avez vu le sujet de ce crime
Que chaque mois expie une telle victime,
Cependant qu'en ce lieu nous attendrons le Roi,
Soyez-y juste juge entre les Dieux et moi.
Jugez de mon forfait, jugez de leur colère,
Jugez s'ils ont eu droit d'en punir une mère,
S'ils ont dû faire agir leur haine au même instant.
        PERSÉE
J'en ai déjà jugé, Reine, en vous imitant,
Et si de vos malheurs la cause ne procède
Que d'avoir fait justice aux beautés d'Andromède,
Si c'est là ce forfait digne d'un tel courroux,
Je veux être à jamais coupable comme vous. [trême,
Mais comme un bruit confus m'apprend ce mal ex-
Ne le puis-je, Madame, apprendre de vous-même
Pour mieux renouveler ce crime glorieux
Où soudain la raison est complice des yeux ?
        CASSIOPE
Écoutez : la douleur se soulage à se plaindre,
Et quelques maux qu'on souffre ou que l'on aye à
Ce qu'un cœur généreux en montre de pitié [craindre,
Semble en notre faveur en prendre la moitié.
   Ce fut ce-même jour qui conclut l'hyménée
De ma chère Andromède avec l'heureux Phinée.
Nos peuples, tout ravis de ces illustres nœuds,
Sur les bords de la mer dressèrent force jeux :
Elle en donnait les prix. Dispensez ma tristesse
De vous dépeindre ici la publique allégresse,

On décrit mal la joie au milieu des malheurs,
Et sa plus douce idée est un sujet de pleurs.
30 O jour, que ta mémoire encore m'est cruelle!
Andromède jamais ne me parut si belle,
Et voyant ses regards s'épandre sur les eaux
Pour jouir et juger d'un combat de vaisseaux :
« Telle, dis-je, Vénus sortit du sein de l'onde,
35 Et promit à ses yeux la conquête du monde,
Quand elle eut consulté sur leur éclat nouveau
Les miroirs vagabonds de son flottant berceau. »
A ce fameux spectacle on vit les Néréides
Lever leurs moites fronts de leur palais liquides,
40 Et pour nouvelle pompe à ces nobles ébats
A l'envi de la terre étaler leurs appas.
Elles virent ma fille, et leurs regards à peine
Rencontrèrent les siens sur cette humide plaine,
Que par des traits plus forts se sentant effacer,
45 Éblouis et confus je les vis s'abaisser,
Examiner les leurs, et sur tous leurs visages
En chercher d'assez vifs pour braver nos rivages.
Je les vis se choisir jusqu'à cinq et six fois,
Et rougir aussitôt nous comparant leur choix.
50 Et cette vanité qu'en toutes les familles
On voit si naturelle aux mères pour leurs filles,
Leur cria par ma bouche : « En est-il parmi vous,
O nymphes! qui ne cède à des attraits si doux?
Et pourrez-vous nier, vous autres immortelles,
55 Qu'entre nous la nature en forme de plus belles? »
Je m'emportais sans doute, et c'en était trop dit :
Je les vis s'en cacher de honte et de dépit,
J'en vis dedans leurs yeux les vives étincelles :
L'onde qui les reçut s'en irrita pour elles,
60 J'en vis enfler la vague, et la mer en courroux
Rouler à gros bouillons ses flots jusques à nous.
C'eût été peu des flots : la soudaine tempête,
Qui trouble notre joie et dissipe la fête,
Enfante en moins d'une heure et pousse sur nos bords
65 Un monstre contre nous armé de mille morts.
Nous fuyons, mais en vain; il suit, il brise, il tue,
Chaque victime est morte aussitôt qu'abattue.
Nous ne voyons qu'horreur, que sang de toutes parts,
Son haleine est poison, et poison ses regards :
70 Il ravage, il désole et nos champs et nos villes,
Et contre sa fureur il n'est aucuns asiles.
Après beaucoup d'efforts et de vœux superflus,
Ayant souffert beaucoup, et craignant encor plus,
Nous courons à l'oracle en de telles alarmes,
75 Et voici ce qu'Ammon [29] répondit à nos larmes :
« Pour apaiser Neptune, exposez tous les mois
Au monstre qui le venge une fille à son choix,
Jusqu'à ce que le calme à l'orage succède :
Le sort vous montrera
Celle qu'il agréera.
Différez cependant les noces d'Andromède. »
Comme dans un grand mal un moindre semble doux,
Nous prenons pour faveur ce reste de courroux.
Le monstre disparu nous rend un peu de joie :
On ne le voit qu'aux jours qu'on lui livre sa proie.

29. Divinité orientale, identifiée avec Zeus-Jupiter.

Mais ce remède enfin n'est qu'un amusement :
Si l'on souffre un peu moins, on craint également,
Et toutes nous tremblons devant une infortune
Qui toutes nous menace avant qu'en frapper une.
La peur s'en renouvelle au bout de chaque mois; 190
J'en ai cru de frayeur déjà mourir cinq fois.
Déjà nous avons vu cinq beautés dévorées,
Mais des beautés, hélas! dignes d'être adorées,
Et de qui tous les traits, pleins d'un céleste feu,
Ne cédaient qu'à ma fille, et lui cédaient bien peu, 195
Comme si choisissant de plus belle en plus belle,
Le sort par ces degrés tâchait d'approcher d'elle,
Et que pour élever ses traits jusques à nous,
Il essayât sa force et mesurât ses coups.
Rien n'a pu jusqu'ici toucher ce dieu barbare, 200
Et le sixième choix aujourd'hui se prépare :
On va le faire au temple, et je sens malgré moi
Des mouvements secrets redoubler mon effroi.
Je fis hier à Vénus offrir un sacrifice,
Qui jamais à mes vœux ne parut si propice, 205
Et toutefois mon cœur à force de trembler,
Semble prévoir le coup qui le doit accabler.
Vous donc, qui connaissez et mon crime et sa peine,
Dites-moi s'il a pu mériter tant de haine,
Et si le ciel devait tant de sévérité 210
Aux premiers mouvements d'un peu de vanité.

PERSÉE

Oui, Madame, il est juste, et j'avouerai moi-même
Qu'en le blâmant tantôt j'ai commis un blasphème.
Mais vous ne voyez pas, dans votre aveuglement,
Quel grand crime il punit d'un si grand châtiment. 215
Les nymphes de la mer ne lui sont pas si chères
Qu'il veuille s'abaisser à suivre leurs colères,
Et quand votre mépris en fit comparaison,
Il voyait mieux que vous que vous aviez raison.
Il venge, et c'est de là que votre mal procède, 220
L'injustice rendue aux beautés d'Andromède.
Sous les lois d'un mortel votre choix l'asservit!
Cette injure est sensible aux Dieux qu'elle ravit,
Aux Dieux qu'elle captive, et ces rivaux célestes
S'opposent à des nœuds à sa gloire funestes 225
En sauvent les appas qui les ont éblouis,
Punissent vos sujets qui s'en sont réjouis.
Jupiter, résolu de l'ôter à Phinée,
Exprès par son oracle en défend l'hyménée.
A sa flamme peut-être il veut la réserver, 230
Ou s'il peut se résoudre enfin à s'en priver,
A quelqu'un de ses fils sans doute il la destine,
Et voilà de vos maux la secrète origine.
Faites cesser l'offense, et le même moment
Fera cesser ici son juste châtiment. 235

CASSIOPE

Vous montrez pour ma fille une trop haute estime,
Quand pour la mieux flatter vous me faites un crime,
Dont la civilité me force de juger
Que vous ne m'accusez qu'afin de m'obliger.
Si quelquefois les Dieux pour des beautés mortelles 240
Quittent de leur seul séjour les clartés éternelles,
Ces mêmes Dieux aussi, de leur grandeur jaloux,
Ne font pas chaque jour ce miracle pour nous,

Et quand pour l'espérer je serais assez folle,
245 Le Roi, dont tout dépend, est homme de parole :
Il a promis sa fille, et verra tout périr
Avant qu'à se dédire il veuille recourir.
Il tient cette alliance et glorieuse et chère :
Phinée est de son sang, il est fils de son frère.

PERSÉE

250 Reine, le sang des Dieux vaut bien celui des rois...
Mais nous en parlerons encor quelque autre fois.
Voici le Roi qui vient.

*Scène II : Céphée, Cassiope, Phinée, Persée,
suite du Roi et de la Reine.*

CÉPHÉE

N'en parlons plus, Phinée,
Et laissons d'Andromède aller la destinée.
Votre amour fait pour elle un inutile effort :
255 Je la dois comme une autre au triste choix du sort.
Elle est cause du mal, puisqu'elle l'est du crime :
Peut-être qu'il la veut pour dernière victime,
Et que nos châtiments deviendraient éternels,
S'ils ne pouvaient tomber sur les vrais criminels.

PHINÉE

260 Est-ce un crime en ces lieux, Seigneur, que d'être belle ?

CÉPHÉE

Elle a rendu par là sa mère criminelle.

PHINÉE

C'est donc un crime ici que d'avoir de bons yeux
Qui sachent bien juger d'un tel présent des cieux ?

CÉPHÉE

Qui veut bien en juger n'a point le privilège
265 D'aller jusqu'au blasphème et jusqu'au sacrilège.

CASSIOPE

Ce blasphème, Seigneur, de quoi vous m'accusez...

CÉPHÉE

Madame, après les maux que vous avez causés,
C'est à vous à pleurer, et non à vous défendre.
Voyez, voyez quel sang vous avez fait répandre,
270 Et ne laissez paraître, en cette occasion,
Que larmes, que soupirs, et que confusion.
A Phinée.
Je vous le dis encore, elle la crut trop belle,
Et peut-être le sort j'en veut punir en elle.
Dérober Andromède à cette élection,
275 C'est dérober sa mère à sa punition.

PHINÉE

Déjà cinq fois, Seigneur, à ce choix exposée,
Vous voyez que cinq fois le sort l'a refusée.

CÉPHÉE

Si le courroux du ciel n'en veut point à ses jours,
Ce qu'il a fait cinq fois il le fera toujours.

PHINÉE

280 Le tenter si souvent, c'est lasser sa clémence.
Il pourra vous punir de trop de confiance :
Vouloir toujours faveur, c'est trop lui demander,
Et c'est un crime enfin que de tant hasarder.
Mais quoi ? n'est-il, Seigneur, ni bonté paternelle,
285 Ni tendresse du sang qui vous parle pour elle ?

CÉPHÉE

Ah ! ne m'arrachez point mon sentiment secret.
Phinée, il est tout vrai, je l'expose à regret.
J'aime que votre amour en sa faveur me presse,
La nature en mon cœur avec lui s'intéresse,
Mais elle ne saurait mettre d'accord en moi
Les tendresses d'un père et les devoirs d'un roi,
Et par une justice à moi-même sévère,
Je vous refuse en roi ce que je veux en père [30].

PHINÉE

Quelle est cette justice, et quelles sont ces lois
Dont l'aveugle rigueur s'étend jusques aux rois ?

CÉPHÉE

Celles que font les Dieux, qui, tous rois que nous [sommes,
Punissent nos forfaits ainsi que ceux des hommes,
Et qui ne nous font part de leur sacré pouvoir
Que pour le mesurer aux règles du devoir.
Que diraient mes sujets si je me faisais grâce,
Et si, durant qu'au monstre on expose leur race,
Ils voyaient, par un droit tyrannique et honteux,
Le crime en ma maison, et la peine sur eux ?

PHINÉE

Heureux sont les sujets, heureuses les provinces
Dont le sang peut payer pour celui de leurs princes !

CÉPHÉE

Mais heureux est le prince, heureux sont ses projets,
Quand il se fait justice ainsi qu'à ses sujets !
Notre oracle, après tout, n'excepte point ma fille :
Ses termes généraux comprennent ma famille,
Et ne confondre pas ce qu'il a confondu,
C'est se mettre au-dessus du dieu qui l'a rendu.

PERSÉE

Seigneur, s'il m'est permis d'entendre votre oracle,
Je crois qu'à sa prière il donne peu d'obstacle ;
Il parle d'Andromède, il la nomme, il suffit,
Arrêtez-vous pour elle à ce qu'il vous en dit :
La séparer longtemps d'un amant si fidèle,
C'est tout le châtiment qu'il semble vouloir d'elle.
Différez son hymen sans l'exposer au choix.
Le ciel assez souvent, doux aux crimes des rois,
Quand il leur a montré quelque légère haine,
Répand sur leurs sujets le reste de leur peine.

CÉPHÉE

Vous prenez mal l'oracle, et pour l'expliquer mieux,
Sachez... Mais quel éclat vient de frapper mes yeux ?
D'où partent ces longs traits de nouvelles lumières ?

*Le ciel s'ouvre durant cette contestation du Roi avec
Phinée, et fait voir dans un profond éloignement
l'étoile de Vénus qui sert de machine pour apporter
cette déesse jusqu'au milieu du théâtre. Elle s'avance
lentement sans que l'œil puisse découvrir à quoi elle est
suspendue, et cependant le peuple a loisir de lui adresser
ses vœux par cet hymne que chantent les musiciens.*

PERSÉE

Du ciel qui vient d'ouvrir ses luisantes barrières,
D'où quelque déité vient, ce semble, ici-bas
Terminer elle-même entre vous ces débats.

30. On voit tout ce que doit à *Andromède*, non seulement
par la donnée initiale, mais par les vers de Corneille, l'*Iphigénie* de Racine.

476

CASSIOPE

Ah! je la reconnais, la déesse d'Éryce [31];
C'est elle, c'est Vénus, à mes vœux si propice :
30 Je vois dans ses regards mon bonheur renaissant,
Peuple, faites des vœux, tandis qu'elle descend.

Scène III : Vénus, Céphée, Cassiope, Persée,
Phinée, chœur de musique,
suite du roi et de la reine.

CHŒUR

Reine de Paphe et d'Amathonte [32],
Mère d'Amour, et fille de la mer,
Peux-tu voir sans un peu de honte
5 *Que contre nous elle ait voulu s'armer,*
Et que du même sein qui fut ton origine
Sorte notre ruine?

Peux-tu voir que de la même onde
Il ose naître un tel monstre après toi?
0 *Que d'où vient tant de bien au monde*
Il vienne enfin tant de mal et d'effroi,
Et que l'heureux berceau de ta beauté suprême
Enfante l'horreur même?

Venge l'honneur de ta naissance
5 *Qu'on a souillé par un tel attentat,*
Rends-lui sa première innocence,
Et tu rendras le calme à tout l'État,
Et nous dirons enfin que d'où le mal procède
Part aussi le remède [33].

CASSIOPE

0 Peuple, elle veut parler : silence à la Déesse,
Silence, et préparez vos cœurs à l'allégresse.
Elle a reçu nos vœux, et les daigne exaucer,
Écoutez-en l'effet qu'elle va prononcer.

VÉNUS, *au milieu de l'air.*

Ne tremblez plus, mortels, ne tremble plus, ô mère!
5 On va jeter le sort pour la dernière fois,
Et le ciel ne veut plus qu'un choix
Pour apaiser de tout point sa colère.
Andromède ce soir aura l'illustre époux
Qui seul est digne d'elle, et dont seule elle est digne.
0 Préparez son hymen, où, pour faveur insigne,
Les Dieux ont résolu de se joindre avec vous.

PHINÉE, *à Céphée.*

Souffrez que sans tarder je porte à ma princesse,
Seigneur, l'heureux arrêt qu'a donné la Déesse.

CÉPHÉE

Allez, l'impatience est trop juste aux amants.

CASSIOPE, *voyant remonter Vénus.*

Suivons-la dans le ciel par nos remercîments,

Et d'une voix commune adorant sa puissance,
Montrons à ses faveurs notre reconnaissance.

CHŒUR

Ainsi toujours sur tes autels
Tous les mortels
Offrent leurs cœurs en sacrifice 370
Ainsi le zéphir en tout temps
Sur tes palais de Cythère et d'Éryce
Fasse régner les grâces du printemps!

Daigne affermir l'heureuse paix
Qu'à nos souhaits 375
Vient de promettre ton oracle,
Et fais pour ces jeunes amants,
Pour qui tu viens de faire ce miracle,
Un siècle entier de doux ravissements.

Dans nos campagnes et nos bois 380
Toutes nos voix
Béniront tes douces atteintes,
Et dans les rochers d'alentour,
La même Écho qui redisait nos plaintes
Ne redira que des soupirs d'amour. 385

CÉPHÉE

C'est assez... la Déesse est déjà disparue.
Ses dernières clartés se perdent dans la nue,
Allons jeter le sort pour la dernière fois,
Malheureux le dernier que foudroiera son choix,
Et dont en ce grand jour la perte domestique 390
Souillera de ses pleurs l'allégresse publique!
Madame, cependant, songez à préparer
Cet hymen que les Dieux veulent tant honorer :
Rendez-en l'appareil digne de ma puissance,
Et digne, s'il se peut, d'une telle présence. 395

CASSIOPE

J'obéis avec joie, et c'est me commander
Ce qu'avec passion j'allais vous demander.

Scène IV : Cassiode, Persée, suite de la reine.

CASSIOPE

Eh bien! vous le voyez, ce n'était pas un crime,
Et les Dieux ont trouvé cet hymen légitime,
Puisque leur ordre exprès nous le fait achever, 400
Et que par leur présence ils doivent l'approuver.
Mais quoi, vous soupirez?

PERSÉE

J'en ai bien lieu, Madame.

CASSIOPE

Le sujet?

PERSÉE

Votre joie.

CASSIOPE

Elle vous gêne l'âme?

PERSÉE

Après ce que j'ai dit, douter d'un si beau feu,
Reine, c'est ou m'entendre ou me croire bien peu. 405
Mais ne me forcez pas du moins à vous le dire,
Quand mon âme en frémit et mon cœur en soupire.
Pouvais-je avoir des yeux et ne pas l'adorer,
Et pourrais-je la perdre et n'en pas soupirer?

31. Aphrodite-Vénus recevait un culte dans tout le bassin
méditerranéen : Asie mineure, Grèce, Cyclades, Sicile. C'est
ce dernier sanctuaire, sur l'Eryx, dit d'Aphrodite Erycine
qu'évoque Corneille. Le choix n'est pas heureux pour une
action qui se situe en Éthiopie. La rime seule en est cause.
32. Paphos et Amathonte sont bien cette fois les sanc-
tuaires les plus fameux, ceux de Chypre, où l'on plaçait la
naissance marine de la déesse.
33. Pour plus de clarté, tous les textes chantés sont en
italiques.

CASSIOPE

410 Quel espoir formiez-vous, puisqu'elle était promise,
Et qu'en vain son bonheur domptait votre franchise?

PERSÉE

Vouloir que la raison règne sur un amant,
C'est être plus que lui dedans l'aveuglement.
Un cœur digne d'aimer court à l'objet aimable,
415 Sans penser au succès dont sa flamme est capable;
Il s'abandonne entier, et n'examine rien :
Aimer est tout son but, aimer est tout son bien,
Il n'est difficulté ni péril qui l'étonne.
« Ce qui n'est point à moi n'est encore à personne,
420 Disais-je, et ce rival qui possède sa foi,
S'il espère un peu plus, n'obtient pas plus que moi. »
Voilà durant vos maux de quoi vivait ma flamme,
Et les douces erreurs dont je flattais mon âme.
Pour nourrir des désirs d'un beau feu trop contents,
425 C'était assez d'espoir que d'espérer au temps;
Lui qui fait chaque jour tant de métamorphoses,
Pouvait en ma faveur faire beaucoup de choses.
Mais enfin la Déesse a prononcé ma mort,
Et je suis ce dernier sur qui tombe le sort.
430 J'étais indigne d'elle et de son hyménée,
Et toutefois, hélas! je valais bien Phinée.

CASSIOPE

Vous plaindre, en cet état, c'est tout ce que je puis.

PERSÉE

Vous vous plaindrez peut-être apprenant qui je suis.
Vous ne vous trompiez point touchant mon origine,
435 Lorsque vous la jugiez ou royale ou divine :
Mon père est... Mais pourquoi contre vous l'animer?
Puisqu'il nous faut mourir, mourons sans le nommer;
Il vengerait ma mort, si j'avais fait connaître
De quel illustre sang j'ai la gloire de naître,
440 Et votre grand bonheur serait mal assuré,
Si vous m'aviez connu sans m'avoir préféré.
C'est trop perdre de temps, courons à votre joie,
Courons à ce bonheur que le ciel vous envoie,
J'en veux être témoin, afin que mon tourment
445 Puisse par ce poison finir plus promptement.

CASSIOPE

Le temps vous fera voir pour souverain remède
Le peu que vous perdez en perdant Andromède,
Et les Dieux, dont pour nous vous voyez la bonté,
Vous rendront bientôt plus qu'ils ne vous ont ôté.

PERSÉE

450 Ni le temps ni les Dieux ne feront ce miracle.
Mais allons : à votre heur je ne mets point d'obstacle,
Reine, c'est l'affaiblir, que de le retarder,
Et les Dieux ont parlé, c'est à moi de céder.

ACTE SECOND

DÉCORATION DU SECOND ACTE

*Cette place publique s'évanouit en un instant pour
faire place à un jardin délicieux, et ces grands palais
sont changés en autant de vases de marbre blanc, qui
portent alternativement, les uns des statues d'où*
*sortent autant de jets d'eau, les autres des myrtes, des
jasmins et d'autres arbres de cette nature. De chaque
côté se détache un rang d'orangers dans de pareils
vases, qui viennent former un admirable berceau
jusqu'au milieu du théâtre, et le séparent ainsi en
trois allées, que l'artifice ingénieux de la perspective
fait paraître longues de plus de mille pas. C'est là
qu'on voit Andromède avec ses nymphes qui cueillent
des fleurs, et en composent une guirlande dont cette
princesse veut couronner Phinée, pour le récompenser,
par cette galanterie, de la bonne nouvelle qu'il lui
vient d'apporter.*

Scène I : Andromède, chœur des nymphes.

ANDROMÈDE

Nymphes, notre guirlande est encor mal ornée,
Et devant qu'il soit peu nous reverrons Phinée,
Que de ma propre main j'en voulais couronner
Pour les heureux avis qu'il vient de me donner.
Toutefois la faveur ne serait pas bien grande,
Et mon cœur après tout vaut bien une guirlande.
Dans l'état où le ciel nous a mis aujourd'hui,
C'est l'unique présent qui soit digne de lui.
Quittez, Nymphes, quittez ces peines inutiles,
L'augure déplairait de tant de fleurs stériles :
Il faut à notre hymen des présages plus doux.
Dites-moi cependant laquelle d'entre vous...
Mais il faut me le dire, et sans faire les fines.

AGLANTE

Quoi? Madame.

ANDROMÈDE

                    A tes yeux je vois que tu devines.
Dis-moi donc d'entre vous laquelle a retenu
En ces lieux jusqu'ici cet illustre inconnu,
Car enfin ce n'est point sans un peu de mystère
Qu'un tel héros s'attache à la cour de mon père :
Quelque chaîne l'arrête et le force à tarder.
Qu'on ne perde point temps à s'entre-regarder :
Parlez, et d'un seul mot éclaircissez mes doutes.
Aucune ne répond, et vous rougissez toutes!
Quoi! toutes, l'aimez-vous? Un si parfait amant
Vous a-t-il su charmer toutes également?
Il n'en faut point rougir, il est digne qu'on l'aime,
Si je n'aimais ailleurs, peut-être que moi-même,
Oui, peut-être, à le voir si bien fait, si bien né,
Il aurait eu mon cœur, s'il n'eût été donné.
Mais j'aime trop Phinée, et le change est un crime.

AGLANTE

Ce héros vaut beaucoup, puisqu'il a votre estime,
Mais il sait ce qu'il vaut, et n'a jusqu'à ce jour
A pas une de nous daigné montrer d'amour.

ANDROMÈDE

Que dis-tu?

AGLANTE

              Pas fait même une offre de service.

ANDROMÈDE

Ah! c'est de quoi rougir toutes avec justice,
Et la honte à vos fronts doit bien cette couleur,
Si tant de si beaux yeux ont pu manquer son cœur.

CÉPHALIE

90 Où les vôtres, Madame, épandent leur lumière,
Cette honte pour nous est assez coutumière.
Les plus vives clartés s'éteignent auprès d'eux,
Comme auprès du soleil meurent les autres feux,
Et pour peu qu'on vous voie et qu'on vous considère,
95 Vous ne vous laissez point de conquêtes à faire.

ANDROMÈDE

Vous êtes une adroite; achevez, achevez :
C'est peut-être en effet vous qui le captivez,
Car il aime, et j'en vois la preuve trop certaine.
Chaque fois qu'il me parle il semble être à la gêne,
00 Son visage et sa voix changent à tout propos,
Il hésite, il s'égare au bout de quatre mots,
Ses discours vont sans ordre, et plus je les écoute,
Plus j'entends des soupirs dont l'ignore la route.
Où vont-ils, Céphalie, où vont-ils? répondez.

CÉPHALIE

5 C'est à vous d'en juger, vous qui les entendez.

UN PAGE, *chantant sans être vu.*
Qu'elle est lente, cette journée!

ANDROMÈDE

Taisons-nous : cette voix me parle pour Phinée;
Sans doute il n'est pas loin, et veut à son retour
Que des accents si doux m'expliquent son amour.

PAGE

Qu'elle est lente, cette journée
Dont la fin me doit rendre heureux!
Chaque moment à mon cœur amoureux
Semble durer plus d'une année.
O ciel! quel est l'heur d'un amant,
Si quand il en a l'assurance,
Sa juste impatience
Est un nouveau tourment?

Je dois posséder Andromède :
Juge, Soleil, quel est mon bien!
Vis-tu jamais amour égal au mien?
Vois-tu beauté qui ne lui cède?
Puis donc que la longueur du jour
De mon nouveau mal est la source,
Précipite ta course,
Et tarde ton retour.

Tu luis encore, et ta lumière
Semble se plaire à m'affliger.
Ah! mon amour te va bien obliger
A quitter soudain ta carrière.
Viens, Soleil, viens voir la beauté
Dont le divin éclat me dompte,
Et tu fuiras de honte
D'avoir moins de clarté.

Scène II : *Phinée, Andromède,*
chœur des nymphes, suite de Phinée.

PHINÉE

Ce n'est pas mon dessein, Madame, de surprendre,
Puisque avant que d'entrer je me suis fait entendre.

ANDROMÈDE

Vos vœux pour les cacher n'étaient pas criminels,
Puisqu'ils suivent des Dieux les ordres éternels.

PHINÉE

Que me direz-vous donc de leur galanterie?

ANDROMÈDE

Que je vais vous payer de votre flatterie.

PHINÉE

Comment?

ANDROMÈDE   540

En vous donnant de semblables témoins,
Si vous aimez beaucoup, que je n'aime pas moins.
Approchez, Liriope, et rendez-lui son change.
C'est vous, c'est votre voix que je veux qui me venge.
De grâce, écoutez-la, nous avons écouté,
Et demandons silence après l'avoir prêté.   545

LIRIOPE, *chante.*

Phinée est plus aimé qu'Andromède n'est belle,
Bien qu'ici-bas tout cède à ses attraits.
Comme il n'est point de si doux traits,
Il n'est point de cœur si fidèle.
De mille appas son visage semé   550
La rend une merveille,
Mais quoiqu'elle soit sans pareille,
Phinée est encor plus aimé.

Bien que le juste ciel fasse voir que sans crime
On la préfère aux nymphes de la mer,   555
Ce n'est que de savoir aimer
Qu'elle-même veut qu'on l'estime.
Chacun, d'amour pour elle consumé,
D'un cœur lui fait un temple,
Mais quoiqu'elle soit sans exemple,   560
Phinée est encor plus aimé.

Enfin, si ses beaux yeux passent pour un miracle,
C'est un miracle aussi que son amour,
Pour qui Vénus en ce beau jour
A prononcé ce digne oracle :   565
Le ciel lui-même, en la voyant, charmé,
La juge incomparable,
Mais quoiqu'il l'ait faite adorable,
Phinée est encor plus aimé.

Cet air chanté, le page de Phinée et cette nymphe
font un dialogue en musique, dont chaque couplet a
pour refrain l'oracle que Vénus a prononcé au premier
acte en faveur de ces deux amants, chanté par les
deux voies unies, et répété par le chœur entier de la
musique.

PAGE

Heureux amant!

LIRIOPE

Heureuse amante!   570

PAGE

Ils n'ont qu'une âme.

LIRIOPE

Ils n'ont tous deux qu'un cœur.

PAGE

Joignons nos voix pour chanter leur bonheur.

LIRIOPE

Joignons nos voix pour bénir leur attente.

PAGE ET LIRIOPE

Andromède ce soir aura l'illustre époux
575 *Qui seul est digne d'elle, et dont seule elle est digne.*
Préparons son hymen, où, pour faveur insigne,
Les Dieux ont résolu de se joindre avec nous.

CHŒUR

Préparons son hymen, où, pour faveur insigne,
Les Dieux ont résolu de se joindre avec nous.

PAGE

580 *Le ciel le veut* [34].

LIRIOPE

Vénus l'ordonne.

PAGE

L'amour les joint.

LIRIOPE

L'hymen va les unir.

PAGE

Douce union que chacun doit bénir!

LIRIOPE

Heureuse amour qu'un tel succès couronne!

PAGE ET LIRIOPE

Andromède ce soir aura l'illustre époux
585 *Qui seul est digne d'elle, et dont seule elle est digne.*
Préparons son hymen, où, pour faveur insigne,
Les Dieux ont résolu de se joindre avec nous.

CHŒUR

Préparons son hymen, où, pour faveur insigne,
Les Dieux ont résolu de se joindre avec nous.

ANDROMÈDE

590 Il n'en faut point mentir, leur accord m'a surprise.

PHINÉE

Madame, c'est ainsi que tout me favorise,
Et que tous vos sujets soupirent en ces lieux
Après l'heureux effet de cet arrêt des Dieux,
Que leurs souhaits unis...

Scène III : Phinée, Andromède, Timante,
chœur des nymphes, suite de Phinée.

TIMANTE

Ah! Seigneur, ah! Madame.

PHINÉE

595 Que nous veux-tu, Timante, et qui trouble ton âme?

TIMANTE

Le pire des malheurs.

PHINÉE

Le Roi serait-il mort?

TIMANTE

Non, Seigneur, mais enfin le triste choix du sort
Vient de tomber... Hélas! pourrai-je vous le dire?

ANDROMÈDE

Est-ce sur quelque objet pour qui ton cœur soupire?

TIMANTE

600 Soupirer à vos yeux du pire de ses coups,
N'est-ce pas dire assez qu'il est tombé sur vous?

---

34. Les vers 580-590 forment un deuxième couplet, sur le modèle des vers 570-580.

PHINÉE

Qui te fait nous donner de si vaines alarmes?

TIMANTE

Si vous n'en croyez pas mes soupirs et mes larmes,
Vous en croirez le Roi, qui bientôt à vos yeux
La va livrer lui-même aux ministres des Dieux.

PHINÉE

C'est nous faire, Timante, un conte ridicule,
Et je tiendrais le Roi bien simple et bien crédule,
Si plus qu'une déesse il en croyait le sort.

TIMANTE

Le Roi non plus que vous ne l'a pas cru d'abord,
Il a fait par trois fois essayer sa malice,
Et l'a vu par trois fois faire même injustice :
Du vase par trois fois ce beau nom est sorti.

PHINÉE

Et toutes les trois fois le sort en a menti.
Le ciel a fait pour vous une autre destinée :
Son ordre est immuable, il veut notre hyménée,
Il le veut, il y met le bonheur de ces lieux,
Et ce n'est pas au sort à démentir les Dieux.

ANDROMÈDE

Assez souvent le ciel par quelque fausse joie
Se plaît à prévenir les maux qu'il nous envoie.
Du moins il m'a rendu quelques moments bien doux
Par ce flatteur espoir que j'allais être à vous.
Mais puisque ce n'était qu'une trompeuse attente,
Gardez mon souvenir, et je mourrai contente.

PHINÉE

Et vous mourrez contente! Et j'ai pu mériter
Qu'avec contentement vous puissiez me quitter!
Détacher sans regret votre âme de la mienne!
Vouloir que je le voie, et que je m'en souvienne!
Et mon fidèle amour qui reçut votre foi
Vous trouve indifférente entre la mort et moi!
Oui, je m'en souviendrai, vous le voulez, Madame,
J'accepte le supplice où vous livrez mon âme,
Mais quelque peu d'amour que vous me fassiez voir,
Le mien n'oubliera pas les lois de son devoir.
Je dois malgré le sort, je dois malgré vous-même,
Si vous aimez si mal, vous montrer comme on aime,
En faire reconnaître aux yeux qui m'ont charmé
Que j'étais digne au moins d'être un peu mieux aimé.
Vous l'avouerez bientôt, et j'aurai cette gloire,
Qui dans tout l'avenir suivra notre mémoire,
Que pour se voir quitter avec contentement,
Un amant tel que moi n'en est pas moins amant.

ANDROMÈDE [proches]

C'est donc trop peu pour moi que des malheurs si
Si vous ne les croissez par d'injustes reproches!
Vous quitter sans regret! Les Dieux me sont témoins
Que j'en montrerais plus si je vous aimais moins.
C'est pour vous trop aimer que je parais tout autre :
J'étouffe ma douleur pour n'aigrir pas la vôtre,
Je retiens mes soupirs de peur de vous fâcher,
Et me montre insensible afin de moins toucher.
Hélas! si vous savez faire voir comme on aime,
Du moins vous voyez mal quand l'amour est extrême,
Oui, Phinée, et je doute, en courant à la mort,
Lequel m'est plus cruel, ou de vous, ou du sort.

PHINÉE

Hélas! qu'il était grand quand je l'ai cru s'éteindre,
695 Votre amour, et qu'à tort ma flamme osait s'en plain-
Princesse, vous pouvez me quitter sans regret : [dre!
Vous ne perdez en moi qu'un amant indiscret,
Qu'un amant téméraire, et qui même a l'audace
D'accuser votre amour quand vous lui faites grâce,
700 Mais pour moi, dont la perte est sans comparaison,
Qui perds en vous perdant et lumière et raison,
Je n'ai que ma douleur qui m'aveugle et me guide :
Dessus toute mon âme elle seule préside,
Elle y règne, et je cède entier à son transport,
705 Mais je ne cède pas aux caprices du sort.
    Que le Roi par scrupule à sa rigueur défère,
Qu'une indigne équité le fasse injuste père,
La Reine et mon amour sauront bien empêcher
Qu'un choix si criminel ne coûte un sang si cher.
710 J'ose tout, je puis tout après un tel oracle.

TIMANTE

La Reine est hors d'état d'y joindre aucun obstacle :
Surprise comme vous d'un tel événement,
Elle en a de douleur perdu tout sentiment,
Et sans doute le Roi livrera la Princesse
715 Avant qu'on l'ait pu voir sortir de sa faiblesse.

PHINÉE

Eh bien! mon amour seul saura jusqu'au trépas,
Malgré tous...

ANDROMÈDE

    Le Roi vient : ne vous emportez pas.

*Scène IV : Céphée, Phinée, Andromède,
Persée, Timante, chœur des nymphes,
suite du roi et de Phinée.*

CÉPHÉE

Ma fille, si tu sais les nouvelles funestes
De ce dernier effort des colères célestes,
Si tu sais de ton sort l'impitoyable cours,
Qui fait le plus cruel du plus beau de nos jours,
Épargne ma douleur, juges-en par sa cause,
Et va sans me forcer à te dire autre chose.

ANDROMÈDE

Seigneur, je vous l'avoue, il est bien rigoureux
De tout perdre au moment qu'on se doit croire
Et le coup qui surprend un espoir légitime [heureux,
Porte plus d'une mort au cœur de la victime.
Mais enfin il est juste, et je le dois bénir :
La cause des malheurs les doit faire finir.
Le ciel, qui se repent sitôt de ses caresses,
Verra plus de constance en moi qu'en ses promesses :
Heureuse, si mes jours un peu précipités
Satisfont à ces Dieux pour moi seule irrités,
Si je suis la dernière à leur courroux offerte,
Si le salut public peut naître de ma perte!
Malheureuse pourtant de ce qu'un si grand bien
Vous a déjà coûté d'autre sang que le mien,
Et que je ne suis pas la première et l'unique
Qui rende à votre État la sûreté publique!

PHINÉE

Quoi, vous vous obstinez encore à me trahir?

ANDROMÈDE

Je vous plains, je me plains, mais je dois obéir [35].

PHINÉE

Honteuse obéissance à qui votre amour cède!

CÉPHÉE

Obéissance illustre, et digne d'Andromède!
Son nom comblé par là d'un immortel honneur...

PHINÉE

Je l'empêcherai bien, ce funeste bonheur.   705
Andromède est à moi, vous me l'avez donnée,
Le ciel pour notre hymen a pris cette journée,
Vénus l'a commandé : qui me la peut ôter?
Le sort auprès des Dieux se doit-il écouter?
Ah! si j'en vois ici les infâmes ministres   710
S'apprêter aux effets de ses ordres sinistres...

CÉPHÉE

Apprenez que le sort n'agit que sous les Dieux,
Et souffrez comme moi le bonheur de ces lieux.
Votre perte n'est rien au prix de ma misère :
Vous n'êtes qu'amoureux, Phinée, et je suis père.   715
Il est d'autres objets dignes de votre foi,
Mais il n'est point ailleurs d'autres filles pour moi.
Songez donc mieux qu'un père à ces affreux ravages
Que partout de ce monstre épandirent les rages,
Et n'en rappelez pas l'épouvantable horreur,   720
Pour trop croire et trop suivre une aveugle fureur.

PHINÉE

Que de nouveau ce monstre entré dessus vos terres
Fasse à tous vos sujets d'impitoyables guerres,
Le sang de tout un peuple est trop bien employé
Quand celui de ses rois en peut être payé,   725
Et je ne connais point d'autre perte publique
Que celle où vous condamne un sort si tyrannique.

CÉPHÉE

Craignez ces mêmes Dieux qui président au sort.

PHINÉE

                               [d'accord.
Qu'entre eux-mêmes ces Dieux se montrent donc
Quelle crainte après tout me pourrait y résoudre?   730
S'ils m'ôtent Andromède, ont-ils quelque autre foudre?
Il n'est plus de respect qui puisse rien sur moi.
Andromède est mon sort, et mes Dieux, et mon roi,
Punissez un impie, et perdez un rebelle,
Satisfaites le sort en m'exposant pour elle :   735
J'y cours, mais autrement je jure ses beaux yeux,
Et mes uniques rois, et mes uniques Dieux...

*Ici le tonnerre commence à rouler avec un si grand
bruit, et accompagné d'éclairs redoublés avec tant de
promptitude, que cette feinte donne de l'épouvante
aussi bien que de l'admiration, tant elle approche
du naturel. On voit cependant descendre Éole avec
huit vents, dont quatre sont à ses deux côtés, en sorte
toutefois que les deux plus proches sont portés sur le
même nuage que lui, et les deux plus éloignés sont
comme volants en l'air tout contre ce même nuage.
Les quatre autres paraissent deux à deux au milieu
de l'air sur les ailes du théâtre, deux à la main gauche
et deux à la droite : ce qui n'empêche pas Phinée de
continuer ses blasphèmes.*

---

35. Réminiscence directe d'*Horace*.

Scène V : Éole, huit [36] vents, Céphée, Persée,
Phinée, Andromède, chœur de nymphes,
suite du roi et de Phinée.

CÉPHÉE

Arrêtez, ce nuage enferme une tempête
Qui peut-être déjà menace votre tête.
740 N'irritez plus les Dieux déjà trop irrités.

PHINÉE

Qu'il crève, ce nuage, et que ces déités...

CÉPHÉE

Ne les irritez plus, vous dis-je, et prenez garde...

PHINÉE

A les trop irriter qu'est-ce que je hasarde ?
Que peut craindre un amant quand il voit tout perdu ?
745 Tombe, tombe sur moi leur foudre, s'il m'est dû !
Mais s'il est quelque main assez lâche et traîtresse
Pour suivre leur caprice et saisir ma princesse,
Seigneur, encore un coup, je jure ses beaux yeux,
Et mes uniques rois, et mes uniques Dieux...

ÉOLE, *au milieu de l'air.*

750 Téméraire mortel, n'en dis pas davantage,
Tu n'obliges que trop les Dieux à te haïr :
Quoi que pense attenter l'orgueil de ton courage,
Ils ont trop de moyens pour se faire obéir.
        Connais-moi pour ton infortune,
755   Je suis Éole, roi des vents.
        Partez, mes orageux suivants,
        Faites ce qu'ordonne Neptune.

Ce commandement d'Éole produit un spectacle
étrange et merveilleux tout ensemble. Les deux vents
qui étaient à ses côtés suspendus en l'air s'envolent,
l'un à gauche et l'autre à droite; deux autres remontent
avec lui dans le ciel sur le même nuage qui les vient
d'apporter; deux autres, qui étaient à sa main gauche
sur les ailes du théâtre, s'avancent au milieu de l'air,
où ayant fait un tour, ainsi que deux tourbillons, ils
passent au côté droit du théâtre, d'où les deux derniers
fondent sur Andromède et l'ayant saisie chacun par
un bras, ils l'enlèvent de l'autre côté jusque dans les
nues.

ANDROMÈDE

O Ciel !

CÉPHÉE

Ils l'ont saisie, et l'enlèvent en l'air.

PHINÉE

Ah! ne présumez pas ainsi me la voler :
760 Je vous suivrai partout malgré votre surprise.

Scène VI : Céphée, Persée,
suite du roi.

PERSÉE

Seigneur, un tel péril ne veut point de remise,
Mais espérez encor, je vole à son secours,
Et vais forcer le sort à prendre un autre cours.

36. Tel est bien le nombre assigné par la mythologie et la rose
des vents, sur la tour octogonale d'Athènes le sommet de
chaque pan représente la figure allégorique de chacun d'eux.

CÉPHÉE

Vingt amants pour Nérée en firent l'entreprise,
Mais il n'est point d'effort que ce monstre ne brise,   7
Tous voulurent sauver ses attraits adorés,
Tous furent avec elle à l'instant dévorés.

PERSÉE

Le ciel aime Andromède, il veut son hyménée,
Seigneur, et si les vents l'arrachent à Phinée,
Ce n'est que pour la rendre à quelque illustre époux   7
Qui soit plus digne d'elle, et plus digne de vous :
A quelque autre par là les Dieux l'ont réservée.
Vous saurez qui je suis quand je l'aurai sauvée.
Adieu : par des chemins aux hommes inconnus
Je vais mettre en effet l'oracle de Vénus.   7
Le temps nous est trop cher pour le perdre en paroles.

CÉPHÉE

Moi, qui ne puis former d'espérances frivoles,
Pour ne voir point courir ce grand cœur au trépas,
Je vais faire des vœux qu'on n'écoutera pas.

ACTE TROISIÈME

DÉCORATION DU TROISIÈME ACTE

Il se fait ici une si étrange métamorphose qu'il
semble qu'avant que de sortir de ce jardin Persée ait
découvert cette monstrueuse tête de Méduse [37] qu'il
porte partout sous son bouclier. Les myrtes et les
jasmins qui le composaient sont devenus des rochers
affreux, dont les masses inégalement escarpées et
bossues suivent si parfaitement le caprice de la nature,
qu'il semble qu'elle ait plus contribué que l'art à les
placer ainsi des deux côtés du théâtre : c'est en quoi
l'artifice de l'ouvrier est merveilleux, et se fait voir
d'autant plus qu'il prend soin de se cacher. Les vagues
s'emparent de toute la scène, à la réserve de cinq ou
six pieds qu'elles laissent pour leur servir de rivage;
elles sont dans une agitation continuelle, et composent
comme un golfe enfermé entre ces deux rangs de
falaises; on en voit l'embouchure se dégorger dans la
pleine mer, qui paraît si vaste et d'une si grande
étendue qu'on jurerait que les vaisseaux qui flottent
près de l'horizon, dont la vue est bornée, sont éloignés
de plus de six lieues de ceux qui les considèrent. Il
n'y a personne qui ne juge que cet horrible spectacle
est le funeste appareil de l'injustice des Dieux et du
supplice d'Andromède; aussi la voit-on au haut des
nues, d'où les deux vents qui l'ont enlevée l'apportent
avec impétuosité et l'attachent au pied d'un de ces
rochers.

37. Premier exploit de Persée : il avait été condamné à cette
épreuve par Polydectes, roi de l'île de Sériphos, épris de
Danaé, mère de Persée, qu'il avait recueillie. Méduse est
l'une des trois Gorgones, qui changeaient en pierre ceux qu
les regardaient. Persée la tua, en fixant son image dans son
bouclier.

Scène I : Andromède au pied d'un rocher ;
deux vents qui l'y attachent, Timante,
chœur de peuple sur le rivage.

TIMANTE

810 Allons voir, chers amis, ce qu'elle est devenue,
La Princesse, et mourir s'il se peut à sa vue.

CHŒUR

La voilà que ces vents achèvent d'attacher,·
En infâmes bourreaux, à ce fatal rocher.

TIMANTE

Oui, c'est elle sans doute. Ah ! l'indigne spectacle !

CHŒUR

815 Si le ciel n'est injuste, il lui doit un miracle.
Les vents s'envolent.

TIMANTE

Il en fera voir un, s'il en croit nos désirs.

ANDROMÈDE

O Dieux !

TIMANTE

Avec respect écoutons ses soupirs,
Et puissent les accents de ses premières plaintes
Porter dans tous nos cœurs de mortelles atteintes !

ANDROMÈDE

820 Affreuse image du trépas
Qu'un triste honneur m'avait fardée,
Surprenantes horreurs, épouvantable idée,
Qui tantôt ne m'ébranliez pas,
Que l'on vous conçoit mal quand on vous envisage
Avec un peu d'éloignement !
Qu'on vous méprise alors, qu'on vous brave aisément !
Mais que la grandeur du courage
Devient d'un difficile usage
Lorsqu'on touche au dernier moment !

Ici seule, et de toutes parts
A mon destin abandonnée,
Ici que je n'ai plus ni parents, ni Phinée,
Sur qui détourner mes regards,
L'attente à la mort de tout mon cœur s'empare,
Il n'a qu'elle à considérer ;
Et quoi que de ce monstre il s'ose figurer,
Ma constance qui s'y prépare
Le trouve d'autant plus barbare
Qu'il diffère à me dévorer.

Étrange effet de mes malheurs !
Mon âme traînante, abattue,
N'a qu'un moment à vivre, et ce moment me tue
A force de vives douleurs.
Ma frayeur a pour moi mille mortelles feintes,
Cependant que la mort me fuit :
Je pâme au moindre vent, je meurs au moindre bruit,
Et mes espérances éteintes
N'attendent la fin de mes craintes
Que du monstre qui les produit.

Qu'il tarde à suivre mes désirs !
Et que sa cruelle paresse
A ce cœur dont ma flamme est encor la maîtresse
Coûte d'amers et longs soupirs !

O toi, dont jusqu'ici la douleur m'a suivie,
Va-t'en, souvenir indiscret,   825
Et cessant de me faire un entretien secret
De ce prince qui m'a servie,
Laisse-moi sortir de la vie
Avec un peu moins de regret.

C'est assez que tout l'univers   830
Conspire à faire mes supplices,
Ne les redouble point, toi qui fus mes délices,
En me montrant ce que je perds.
Laisse-moi...

Scène II : Cassiope, Andromède, Timante,
chœur de peuple.

CASSIOPE

Me voici, qui seule ai fait le crime,
Me voici, justes Dieux, prenez votre victime ;   835
S'il est quelque justice encore parmi vous,
C'est à moi seule, à moi qu'est dû votre courroux.
Punir les innocents, et laisser les coupables,
Inhumains ! est-ce en être, est-ce en être capables ?
A moi tout le supplice, à moi tout le forfait.   840
Que faites-vous, cruels ? qu'avez-vous presque fait ?
Andromède est ici votre plus rare ouvrage,
Andromède est ici votre plus digne image,
Elle rassemble en soi vos attraits divisés :
On vous connaîtra moins si vous la détruisez.   845
Ah ! je découvre enfin d'où provient tant de haine :
Vous en êtes jaloux plus que je n'en fus vaine ;
Si vous la laissiez vivre, envieux tout-puissants,
Elle aurait plus que vous et d'autels et d'encens,
Chacun préférerait le portrait au modèle,   850
Et bientôt l'univers n'adorerait plus qu'elle.

ANDROMÈDE

En l'état où je suis le sort m'est-il trop doux,
Si vous ne me donnez de quoi craindre pour vous ?
Faut-il encor ce comble à des malheurs extrêmes ?
Qu'espérez-vous, Madame, à force de blasphèmes ?   855

CASSIOPE

Attirer et leur monstre et leur foudre sur moi,
Mais je ne les irrite, hélas ! que contre toi :
Sur ton sang innocent retombent tous mes crimes,
Seule tu leur tiens lieu de mille autres victimes,
Et pour punir ta mère ils n'ont, ces cruels Dieux,   860
Ni monstre dans la mer, ni foudre dans les cieux.
Aussi savent-ils bien que se prendre à ta vie,
C'est percer de mon cœur la plus tendre partie.
Que je souffre bien plus en te voyant périr,
Et qu'ils me feraient grâce en me faisant mourir.   865
Ma fille, c'est donc là cet heureux hyménée,
Cette illustre union par Vénus ordonnée,
Qu'avecque tant de pompe il fallait préparer,
Et que ces mêmes Dieux devaient tant honorer !
Ce que nos yeux ont vu n'était-ce donc qu'un songe,   870
Déesse, ou ne vins-tu que pour dire un mensonge ?
Nous aurais-tu parlé sans l'aveu du Destin ?
Est-ce ainsi qu'à nos maux le ciel trouve une fin ?
Est-ce ainsi qu'Andromède en reçoit les caresses ?

875 Si contre elle l'Envie émeut quelques déesses,
L'Amour en sa faveur n'arme-t-il point de Dieux?
Sont-ils tous devenus, ou sans cœur, ou sans yeux?
Le maître souverain de toute la nature
Pour de moindres beautés a changé de figure,
880 Neptune a soupiré pour de moindres appas,
Elle en montre à Phœbus que Daphné n'avait pas,
Et l'Amour en Psyché voyait bien moins de charmes,
Quand pour elle il daigna se blesser de ses armes.
Qui dérobe à tes yeux le droit de tout charmer,
885 Ma fille? Au vif éclat qu'ils sèment dans la mer,
Les tritons amoureux, malgré leurs Néréides,
Devraient déjà sortir de leurs grottes humides,
Aux fureurs de leur monstre à l'envi s'opposer,
Contre ce même écueil eux-mêmes l'écraser,
890 Et de ses os brisés, de sa rage étouffée,
Au pied de ton rocher t'élever un trophée.

ANDROMÈDE, *voyant venir le monstre de loin.*

Renouveler le crime, est-ce pour les fléchir?
Vous hâtez mon supplice au lieu de m'affranchir.
Vous appelez le monstre. Ah! du moins à sa vue
895 Quittez la vanité qui m'a déjà perdue.
Il n'est mortel ni dieu qui m'ose secourir.
Il vient : consolez-vous, et me laissez mourir.

CASSIOPE

Je le vois, c'en est fait. Parais du moins, Phinée,
Pour sauver la beauté qui t'était destinée.
900 Parais, il en est temps, viens en dépit des Dieux
Sauver ton Andromède, ou périr à ses yeux.
L'amour te le commande, et l'honneur t'en convie :
Peux-tu, si tu la perds, aimer encor la vie?

ANDROMÈDE

Il n'a manque d'amour, ni manque de valeur,
905 Mais sans doute, Madame, il est mort de douleur,
Et comme il a du cœur et sait que je l'adore,
Il périrait ici, s'il respirait encore.

CASSIOPE

Dis plutôt que l'ingrat n'ose te mériter.
Toi donc, qui plus que lui t'osais tantôt vanter,
910 Viens, amant inconnu, dont la haute origine,
Si nous t'en voulons croire, est royale ou divine,
Viens en donner la preuve, et par un prompt secours,
Fais-nous voir quelle foi l'on doit à tes discours,
Supplante ton rival par une illustre audace,
915 Viens à droit de conquête en occuper la place :
Andromède est à toi si tu l'oses gagner.
Quoi? lâches, le péril vous la fait dédaigner!
Il éteint en tous deux ces flammes sans secondes!
Allons, mon désespoir, jusqu'au milieu des ondes
920 Faire servir l'effort de nos bras impuissants
D'exemple et de reproche à leurs feux languissants,
Faisons ce que tous deux devraient faire avec joie,
Détournons sa fureur dessus une autre proie,
Heureuse si mon sang la pouvait assouvir!
925 Allons. Mais qui m'arrête? Ah! c'est mal me servir.

On voit ici Persée descendre du haut des nues.

Scène III : *Andromède, attachée au rocher; Persée, en l'air, sur le cheval Pégase; Cassiope, Timante et le chœur, sur le rivage.*

TIMANTE, *montrant Persée à Cassiope, et l'empêchant de se jeter à la mer.*

Courez-vous à la mort quand on vole à votre aide?
Voyez par quels chemins on secourt Andromède.
Quel héros, ou quel dieu sur ce cheval ailé...

CASSIOPE

Ah! c'est cet inconnu par mes cris appelé,
C'est lui-même, Seigneur, que mon âme étonnée...

PERSÉE, *en l'air, sur le Pégase.*

Reine, voyez par là si je vaux bien Phinée,
Si j'étais moins que lui digne de votre choix,
Et si le sang des Dieux cède à celui des rois.

CASSIOPE

Rien n'égale, Seigneur, un amour si fidèle.
Combattez donc pour vous en combattant pour elle :
Vous ne trouverez point de sentiments ingrats.

PERSÉE, *à Andromède.*

Adorable princesse, avouez-en mon bras.

CHŒUR DE MUSIQUE, *cependant que Persée combat le monstre.*

Courage, enfant des Dieux! elle est votre conquête,
Et jamais amant ni guerrier
Ne vit ceindre sa tête
D'un si beau myrte ou d'un si beau laurier.

UNE VOIX, *seule.*

Andromède est le prix qui suit votre victoire :
Combattez, combattez,
Et vos plaisirs et votre gloire
Rendront jaloux les Dieux dont vous sortez.

LE CHŒUR, *répète.*

Courage, enfant des Dieux! elle est votre conquête,
Et jamais amant ni guerrier
Ne vit ceindre sa tête
D'un si beau myrte ou d'un si beau laurier.

TIMANTE, *à la Reine.*

Voyez de quel effet notre attente est suivie,
Madame : elle est sauvée, et le monstre est sans vie.

PERSÉE, *ayant tué le monstre.*

Rendez grâces au dieu qui m'en a fait vainqueur.

CASSIOPE

O ciel! que ne vous puis-je assez ouvrir mon cœur!
L'oracle de Vénus enfin s'est fait entendre :
Voilà ce dernier choix qui nous devait tout rendre,
Et vous êtes, Seigneur, l'incomparable époux
Par qui le sang des Dieux se doit joindre avec nous.
Ne pense plus, ma fille, à ton ingrat Phinée :
C'est à ce grand héros que le sort t'a donnée,
C'est pour lui que le ciel te destine aujourd'hui,
Il est digne de toi, rends-toi digne de lui.

PERSÉE

Il faut la mériter par mille autres services,
Un peu d'espoir suffit pour de tels sacrifices.
Princesse, cependant quittez ces tristes lieux,
Pour rendre à votre cour tout l'éclat de vos yeux.
Ces vents, ces mêmes vents qui vous ont enlevée,
Vont rendre de tout point ma victoire achevée :

L'ordre que leur prescrit mon père Jupiter
Jusqu'en votre palais les force à vous porter,
70 Les force à vous remettre où tantôt leur surprise...

ANDROMÈDE

D'une frayeur mortelle à peine encor remise,
Pardonnez, grand héros, si mon étonnement
N'a pas la liberté d'aucun remercîment.

PERSÉE

Venez, tyrans des mers, réparer votre crime,
75 Venez restituer cette illustre victime,
Méritez votre grâce, impétueux mutins,
Par votre obéissance au maître des destins.

Les vents obéissent aussitôt à ce commandement de
Persée, et on les voit en un moment détacher cette
princesse, et la reporter par-dessus les flots jusqu'aux
lieux d'où ils l'avaient apportée au commencement
de cet acte. En même temps Persée revole en haut
sur son cheval ailé; et, après avoir fait un caracol
admirable au milieu de l'air, il tire du même côté qu'on
a vu disparaître la Princesse : tandis qu'il vole, tout le
rivage retentit de cris de joie et de chants de victoire.

CASSIOPE, *voyant Persée revoler en*
haut après sa victoire.

Peuple, qu'à pleine voix l'allégresse publique
Après un tel miracle en triomphe s'explique,
0 Et fasse retentir sur ce rivage heureux
L'immortelle valeur d'un bras si généreux.

CHŒUR

Le monstre est mort, crions victoire,
Victoire tous, victoire à pleine voix;
5 *Que nos campagnes et nos bois*
Ne résonnent que de sa gloire.
Princesse, elle vous donne enfin l'illustre époux
Qui seul était digne de vous.

Vous êtes sa digne conquête.
Victoire tous, victoire à son amour!
C'est lui qui nous rend ce beau jour,
C'est lui qui nous calme la tempête;
Et c'est lui qui vous donne enfin l'illustre époux
Qui seul était digne de vous.

CASSIOPE, *après que Persée est disparu.*

Dieux! j'étais sur ces bords immobile de joie.
Allons voir où ces vents ont reporté leur proie,
Embrasser ce vainqueur, et demander au Roi
L'effet du juste espoir qu'il a reçu de moi [38].

Scène IV : Cymodoce, Éphyre, Cydippe.
Ces trois néréides s'élèvent du milieu des flots.

CYMODOCE

Ainsi notre colère est de tout point bravée,
Ainsi notre victime à nos yeux enlevée
Va croître les douceurs de ses contentements

38. Comme l'a noté Corneille dans l'*Examen*, la pièce
romanesque s'achève ici. Mais il va introduire une rapide
tragédie de la jalousie, qui donne une réalité plus humaine
à cette allégorie lyrique et justifie l'appellation de tragédie,
maintenue par l'auteur. Au lieu des six airs répartis dans la
première partie, un seul air interviendra jusqu'aux deux
chœurs qui achèvent la pièce.

Par le juste mépris de nos ressentiments.

ÉPHYRE

Toute notre fureur, toute notre vengeance
Semble avec son destin être d'intelligence,
N'agir qu'en sa faveur, et ses plus rudes coups
Ne font que lui donner un plus illustre époux. 1005

CYDIPPE

Le sort, qui jusqu'ici nous a donné le change,
Immole à ses beautés le monstre qui nous venge;
Du même sacrifice, et dans le même lieu,
De victime qu'elle est, elle devient le dieu.

Cessons dorénavant, cessons d'être immortelles, 1010
Puisque les immortels trahissent nos querelles,
Qu'une beauté commune est plus chère à leurs yeux,
Car son libérateur est sans doute un des Dieux.
Autre qu'un dieu n'eût pu nous ôter cette proie,
Autre qu'un dieu n'eût pu prendre une telle voie, 1015
Et ce cheval ailé fût péri mille fois,
Avant que de voler sous un indigne poids.

CYMODOCE

Oui, c'est sans doute un dieu qui vient de la défendre,
Mais il n'est pas, mes sœurs, encor temps de nous
Et puisqu'un dieu pour elle ose nous outrager, [rendre, 1020
Il faut trouver aussi des dieux à nous venger.
Du sang de notre monstre encore toutes teintes,
Au palais de Neptune allons porter nos plaintes,
Lui demander raison de l'immortel affront
Qu'une telle défaite imprime à notre front. 1025

CYDIPPE

Je crois qu'il nous prévient, les ondes en bouillonnent,
Les conques des tritons dans ces rochers résonnent,
C'est lui-même, parlons.

Scène V : Neptune, les trois Néréides.

NEPTUNE, *dans son char formé d'une grande conque*
de nacre, et tiré par deux chevaux marins.
           Je sais vos déplaisirs,
Mes filles, et je viens au bruit de vos soupirs,
De l'affront qu'on vous fait plus que vous en colère. 1030
C'est moi que tyrannise un superbe de frère [39],
Qui dans mon propre État m'osant faire la loi,
M'envoie un de ses fils pour triompher de moi.
Qu'il règne dans le ciel, qu'il règne sur la terre,
Qu'il gouverne à son gré l'éclat de son tonnerre, 1035
Que même du Destin il soit indépendant,
Mais qu'il me laisse à moi gouverner mon trident.
C'est bien assez pour lui d'un si grand avantage,
Sans me venir braver encor dans mon partage.
Après cet attentat sur l'empire des mers, 1040
Même honte à leur tour menace les enfers.
Aussi leur souverain prendra notre querelle :
Je vais l'intéresser avec Junon pour elle,
Et tous trois, assemblant notre pouvoir en un,
Nous saurons bien dompter notre tyran commun. 1045
Adieu : consolez-vous, nymphes trop outragées,
Je périrai moi-même ou vous serez vengées,

39. Zeus, qui était venu séduire Danaé. Neptune ne recule
pas devant la tournure énergique et familière : *un superbe*
de frère.

Et j'ai su du Destin, qui se ligue avec nous,
Qu'Andromède ici-bas n'aura jamais d'époux.
Il fond au milieu de la mer.

CYMODOCE

1050 Après le doux espoir d'une telle promesse,
Reprenons, chères sœurs, une entière allégresse.
Les Néréides se plongent aussi dans la mer.

ACTE QUATRIÈME

DÉCORATION DU QUATRIÈME ACTE

Les vagues fondent sous le théâtre, et ces hideuses masses de pierres dont elles battaient le pied font place à la magnificence d'un palais royal. On ne le voit pas tout entier, on n'en voit que le vestibule, ou plutôt la grande salle, qui doit servir aux noces de Persée et d'Andromède. Deux rangs de colonnes de chaque côté, l'un de rondes, et l'autre de carrées, en font les ornements : elles sont enrichies de statues de marbre blanc d'une grandeur naturelle, et leurs bases, corniches, amortissements, étalent tout ce que peut la justesse de l'architecture. Le frontispice suit le même ordre, et par trois portes dont il est percé, il fait voir trois allées de cyprès où l'œil s'enfonce à perte de vue.

*Scène I : Andromède, Persée,
chœur de nymphes, suite de Persée.*

PERSÉE

Que me permettez-vous, Madame, d'espérer ?
Mon amour jusqu'à vous a-t-il lieu d'aspirer ?
Et puis-je, en cette illustre et charmante journée,
1055 Prétendre jusqu'au cœur que possédait Phinée ?

ANDROMÈDE

Laissez-moi l'oublier, puisqu'on me donne à vous,
Et s'il l'a possédé, n'en soyez point jaloux.
Le choix du Roi l'y mit, le choix du Roi l'en chasse,
Ce même choix du Roi vous y donne sa place,
1060 N'exigez rien de plus : je ne sais point haïr,
Je ne sais point aimer, mais je sais obéir.
Je sais porter ce cœur à tout ce qu'on m'ordonne,
Il suit aveuglément la main qui vous le donne,
De sorte, grand héros, qu'après le choix du Roi,
1065 Ce que vous demandez est plus à vous qu'à moi.

PERSÉE

Que je puisse abuser ainsi de sa puissance,
Hasarder vos plaisirs sur votre obéissance,
Et de libérateur de vos rares beautés
M'élever en tyran dessus vos volontés !
1070 Princesse, mon bonheur vous aurait mal servie,
S'il vous faisait esclave en vous rendant la vie,
Et s'il n'avait sauvé des jours si précieux
Que pour les attacher sous un joug odieux.
C'est aux courages bas, c'est aux amants vulgaires,
1075 A faire agir pour eux l'autorité des pères.
Souffrez à mon amour des chemins différents.
J'ai vu parler pour moi les Dieux et vos parents,
Je sens que mon espoir s'enfle de leur suffrage ;

Mais je n'en veux enfin tirer autre avantage
Que de pouvoir ici faire hommage à vos yeux
Du choix de vos parents et du vouloir des Dieux.
Ils vous donnent à moi, je vous rends à vous-même,
Et comme enfin c'est vous, et non pas moi que j'aime,
J'aime mieux m'exposer à perdre un bien si doux
Que de vous obtenir d'un autre que de vous.
Je garde cet espoir et hasarde le reste,
Et me soit votre choix ou propice ou funeste,
Je bénirai l'arrêt qu'en feront vos désirs,
Si ma mort vous épargne un peu de déplaisirs.
Remplissez mon espoir ou trompez mon attente,
Je mourrai sans regret, si vous vivez contente,
Et mon trépas n'aura que d'aimables moments,
S'il vous ôte un obstacle à vos contentements.

ANDROMÈDE

C'est trop d'être vainqueur dans la même journée
Et de ma retenue et de ma destinée.
Après que par le Roi vos vœux sont exaucés,
Vous parler d'obéir c'était vous dire assez,
Mais vous voulez douter, afin que je m'explique,
Et que votre victoire en devienne publique.
Sachez donc...

PERSÉE

                    Non, Madame : où j'ai tant d'intérêt,
Ce n'est pas devant moi qu'il faut faire l'arrêt.
L'excès de vos bontés pourrait en ma présence
Faire à vos sentiments un peu de violence.
Ce bras vainqueur du monstre, et qui vous rend le jour,
Pourrait en ma faveur séduire votre amour,
La pitié de mes maux pourrait même surprendre
Ce cœur trop généreux pour s'en vouloir défendre,
Et le moyen qu'un cœur ou séduit ou surpris
Fût juste en ses faveurs, ou juste en ses mépris ?
De tout ce que j'ai fait ne voyez que ma flamme,
De tout ce qu'on vous dit ne croyez que votre âme,
Ne me répondez point, et consultez-la bien,
Faites votre bonheur sans aucun soin du mien.
Je lui voudrais du mal s'il retranchait du vôtre,
S'il vous pouvait coûter un soupir pour quelque autre,
Et si quittant pour moi quelques destins meilleurs,
Votre devoir laissait votre tendresse ailleurs.
Je vous le dis encor dans ma plus douce attente,
Je mourrai trop content si vous vivez contente,
Et si l'heur de ma vie ayant sauvé vos jours,
La gloire de ma mort assure vos amours.
Adieu : je vais attendre ou triomphe ou supplice,
L'un comme effet de grâce, et l'autre de justice.

ANDROMÈDE

A ces profonds respects qu'ici vous me rendez
Je ne réplique point, vous, me le défendez.
Mais quoique votre amour me condamne au silence,
Je vous dirai, Seigneur, malgré votre défense,
Qu'un héros tel que vous ne saurait ignorer
Qu'ayant tout mérité, l'on doit tout espérer.

Scène II : Andromède, chœur des nymphes.

ANDROMÈDE

Nymphes, l'auriez-vous cru, qu'en moins d'une journée

J'aimasse de la sorte un autre que Phinée ?
Le Roi l'a commandé, mais de mon sentiment
Je m'offrais en secret à son commandement.
Ma flamme impatiente invoquait sa puissance,
35 Et courait au-devant de mon obéissance.
Je fais plus : au seul nom de mon premier vainqueur,
L'amour à la colère abandonne mon cœur,
Et ce captif rebelle, ayant brisé sa chaîne,
Va jusques au dédain, s'il n'en passe à la haine.
40 Que direz-vous d'un change et si prompt et si grand,
Qui dans ce même cœur moi-même me surprend ?

AGLANTE

Que pour faire un bonheur promis par tant d'oracles,
Cette grande journée est celle des miracles,
Et qu'il n'est pas aux Dieux besoin de plus d'effort
45 A changer votre cœur qu'à changer votre sort.
Cet empire absolu qu'ils ont dessus nos âmes
Éteint comme il leur plaît et rallume nos flammes,
Et verse dans nos cœurs, pour se faire obéir,
Des principes secrets d'aimer et de haïr.
50 Nous le voyions dessus le vôtre en cette haute estime
Que vous nous témoigniez pour ce bras magnanime ;
Au défaut de l'amour que Phinée emportait,
Il lui donnait dès lors tout ce qui lui restait.
Dès lors ces mêmes Dieux, dont l'ordre s'exécute,
55 Le penchaient du côté qu'ils préparaient sa chute,
Et cette haute estime attendant ce beau jour
N'était qu'un beau degré pour monter à l'amour.

CÉPHALIE

Un digne amour succède à cette haute estime :
Si je puis toutefois vous le dire sans crime,
60 C'est hasarder beaucoup que croire entièrement
L'impétuosité d'un si prompt changement. [charmes,
Comme pour vous Phinée eut toujours quelques
Peut-être il ne lui faut qu'un soupir et deux larmes
Pour dissiper un peu de cette avidité
65 Qui d'un si gros torrent suit la rapidité.
Deux amants que sépare une légère offense
Rentrent d'un seul coup d'œil en pleine intelligence.
Vous reverrez en lui ce qui le fit aimer,
Les mêmes qualités qu'il vous plut estimer...

ANDROMÈDE

Et j'y verrai de plus cette âme lâche et basse
Jusqu'à m'abandonner à toute ma disgrâce,
Cet ingrat trop aimé qui n'osa me sauver,
Qui me voyant périr, voulut se conserver,
Et crut s'être acquitté devant ce que nous sommes
En querellant les Dieux et menaçant les hommes.
S'il eût... Mais le voici : voyons si ses discours
Rompront de ce torrent ou grossiront le cours.

Scène III : Andromède, Phinée, Ammon,
chœur de nymphes, suite de Phinée.

PHINÉE

Sur un bruit qui m'étonne, et que je ne puis croire,
Madame, mon amour, jaloux de votre gloire,
Vient savoir s'il est vrai que vous soyez d'accord,
Par un change honteux, de l'arrêt de ma mort.
Je ne suis point surpris que le Roi, que la Reine,

Suivent les mouvements d'une faiblesse humaine :
Tout ce qui me surprend, ce sont vos volontés.
On vous donne à Persée, et vous y consentez !   1185
Et toute votre foi demeure sans défense,
Alors que de mon bien on fait sa récompense !

ANDROMÈDE

Oui, j'y consens, Phinée, et j'y dois consentir,
Et quel que soit ce bien qu'il a su garantir,
Sans vous faire injustice on en fait son salaire,   1190
Quand il a fait pour moi ce que vous deviez faire.
De quel front osez-vous me nommer votre bien,
Vous qu'on a vu tantôt n'y prétendre plus rien ?
Quoi ? vous consentirez qu'un monstre me dévore,
Et ce monstre étant mort je suis à vous encore !   1195
Quand je sors de péril vous revenez à moi !
Vous avez de l'amour, et je vous dois ma foi !
C'était de sa fureur qu'il me fallait défendre,
Si vous vouliez garder quelque droit d'y prétendre :
Ce demi-dieu n'a fait, quoi que vous prétendiez,   1200
Que m'arracher au monstre à qui vous me cédiez.
Quittez donc cette vaine et téméraire idée ;
Ne me demandez plus, quand vous m'avez cédée.
Ce doit être pour vous même chose aujourd'hui,
Ou de me voir au monstre, ou de me voir à lui.   1205

PHINÉE

Qu'ai-je oublié pour vous de ce que j'ai pu faire ?
N'ai-je pas des Dieux même attiré la colère ?
Lorsque je vis Éole armé pour m'en punir,
Fut-il en mon pouvoir de vous mieux retenir ?
N'eurent-ils pas besoin d'un éclat de tonnerre,   1210
Ses ministres ailés, pour me jeter par terre ?
Et voyant mes efforts avorter sans effets,
Quels pleurs n'ai-je versés, et quels vœux n'ai-je faits ?

ANDROMÈDE

Vous avez donc pour moi daigné verser des larmes,
Lorsque pour me défendre un autre a pris les armes ! 1215
Et dedans mon péril vos sentiments ingrats
S'amusaient à des vœux quand il fallait des bras !

PHINÉE

Que pouvais-je de plus, ayant vu pour Nérée
De vingt amants armés la troupe dévorée ?
Devais-je encor promettre un succès à ma main,   1220
Qu'on voyait au-dessus de tout l'effort humain ?
Devais-je me flatter de l'espoir d'un miracle ?

ANDROMÈDE

Vous deviez l'espérer sous la foi d'un oracle :
Le ciel l'avait promis par un arrêt si doux !
Il l'a fait par un autre, et l'aurait fait par vous.   1225
Mais quand vous auriez cru votre perte assurée,
Du moins ces vingt amants dévorés pour Nérée
Vous laissaient un exemple et noble et glorieux,
Si vous n'eussiez pas craint de périr à mes yeux.
Ils voyaient de leur mort la même certitude,   1230
Mais avec plus d'amour et moins d'ingratitude,
Tous voulurent mourir pour leur objet mourant.
Que leur amour du vôtre était bien différent !
L'effort de leur courage a produit vos alarmes,
Vous a réduit aux vœux, vous a réduit aux larmes,   1235
Et quoique plus heureuse en un semblable sort,
Je vois d'un œil jaloux la gloire de sa mort.

487

Elle avait vingt amants qui voulurent la suivre,
Et je n'en avais qu'un, qui m'a voulu survivre.
1240 Encor ces vingt amants qui vous ont alarmé,
N'étaient pas tous aimés, et vous étiez aimé :
Ils n'avaient la plupart qu'une faible espérance,
Et vous, Phinée, une entière assurance,
Vous possédiez mon cœur, vous possédiez ma foi,
1245 N'était-ce point assez pour mourir avec moi ?
Pouviez-vous...

PHINÉE

Ah ! de grâce, imputez-moi, Madame,
Les crimes les plus noirs dont soit capable une âme,
Mais ne soupçonnez point ce malheureux amant
De vous pouvoir jamais survivre un seul moment.
1250 J'épargnais à mes yeux un funeste spectacle,
Où mes bras impuissants n'avaient pu mettre obstacle,
Et tenais ma main prête à servir ma douleur
Au moindre et premier bruit qu'eût fait votre malheur.

ANDROMÈDE

Et vos respects trouvaient une digne matière
1255 A me laisser l'honneur de périr la première !
Ah ! c'était à mes yeux qu'il fallait y courir,
Si vous aviez pour moi cette ardeur de mourir.
Vous ne me deviez pas envier cette joie
De voir offrir au monstre une première proie,
1260 Vous m'auriez de la mort adouci les horreurs,
Vous m'auriez fait du monstre adorer les fureurs,
Et lui voyant ouvrir ce gouffre épouvantable,
Je l'aurais regardé comme un port favorable,
Comme un vivant sépulcre où mon cœur amoureux
1265 Eût brûlé de rejoindre un amant généreux.
J'aurais désavoué la valeur de Persée,
En me sauvant la vie il m'aurait offensée,
Et de ce même bras qu'il m'aurait conservé
Je vous immolerais ce qu'il m'aurait sauvé.
1270 Ma mort aurait déjà couronné votre perte,
Et la bonté du ciel ne l'aurait pas soufferte.
C'est à votre refus que les Dieux ont remis
En de plus dignes mains ce qu'ils m'avaient promis.
Mon cœur eût mieux aimé le tenir de la vôtre,
1275 Mais je vis par un autre et vivrai pour un autre.
Vous n'avez aucun lieu d'en devenir jaloux,
Puisque sur ce rocher, j'étais morte pour vous.
Qui pouvait le souffrir peut me voir sans envie
Vivre pour un héros de qui je tiens la vie,
1280 Et quand l'amour encor me parlerait pour lui,
Je ne puis disposer des conquêtes d'autrui.
Adieu.

Scène IV : Phinée, Ammon, suite de Phinée.

PHINÉE

Vous voulez donc que j'en fasse la mienne,
Cruelle, et que ma foi de mon bras vous obtienne ?
Eh bien ! nous l'irons voir, ce bienheureux vainqueur,
1285 Qui triomphant d'un monstre, a dompté votre cœur.
C'était trop peu pour lui d'une seule victoire,
S'il n'eût dedans ce cœur triomphé de ma gloire !
Mais si sa main au monstre arrache un bien si cher,
La mienne à son bonheur saura bien l'arracher,

Et vainqueur de tous deux en une seule tête,
De ce qui fut mon bien je ferai ma conquête.
La force me rendra ce que ne peut l'amour.
Allons-y, chers amis, et montrons dès ce jour...

AMMON

Seigneur, auparavant d'une âme plus remise
Daignez voir le succès d'une telle entreprise.
Savez-vous que Persée est fils de Jupiter,
Et qu'ainsi vous avez le foudre à redouter ?

PHINÉE

Je sais que Danaé fut son indigne mère :
L'or qui plut dans son sein l'y forma d'adultère [40],
Mais le pur sang des rois n'est pas moins précieux
Ni moins chéri du ciel que les crimes des Dieux.

AMMON

Mais vous ne savez pas, Seigneur, que son épée
De l'horrible Méduse a la tête coupée,
Que sous son bouclier il la porte en tous lieux,
Et que c'est fait de vous, s'il en frappe vos yeux.

PHINÉE

On dit que ce prodige est pire qu'un tonnerre,
Qu'il ne faut que le voir pour n'être plus que pierre,
Et que naguère Atlas, qui ne s'en put cacher,
A cet aspect fatal devint un grand rocher [41].
Soit une vérité, soit un conte, n'importe ;
Si la valeur ne peut, que le nombre l'emporte.
Puisque Andromède enfin voulait me voir périr,
Ou triompher d'un monstre afin de l'acquérir,
Que fière de se voir l'objet de tant d'oracles,
Elle veut que pour elle on fasse des miracles,
Cette tête est un monstre aussi bien que celui
Dont cet heureux rival la délivre aujourd'hui,
Et nous aurons ainsi dans un seul adversaire
Et monstres à combattre, et miracles à faire.
Peut-être quelques Dieux prendront notre parti,
Quoique de leur monarque il se dise sorti,
Et Junon pour le moins prendra notre querelle
Contre l'amour furtif d'un époux infidèle.

*Junon se fait voir dans un char superbe, tiré par
deux paons, et si bien enrichi, qu'il paraît digne de
l'orgueil de la déesse qui s'y fait porter. Elle se promène au milieu de l'air, dont nos poètes lui attribuent
l'empire, et y fait plusieurs tours, tantôt à droite et
tantôt à gauche, cependant qu'elle assure Phinée de sa
protection.*

*Scène V : Junon, dans son char, au milieu de l'air ;
Phinée, Ammon, suite de Phinée.*

JUNON

N'en doute point, Phinée, et cesse d'endurer.

PHINÉE

Elle-même paraît pour nous en assurer.

JUNON

Je ne serai pas seule : ainsi que moi Neptune

---

40. *D'adultère : par* adultère. Jupiter, pour échapper à
la jalouse Junon, se métamorphosait en cygne avec Léda,
en pluie d'or avec Danaé.
41. Le rocher est Gibraltar, et au-delà l'océan qui porte
son nom, l'Atlantique.

S'intéresse en ton infortune;
Et déjà la noire Alecton,
Du fond des enfers déchaînée,
330　A, par les ordres de Pluton,
De mille cœurs pour toi la fureur mutinée :
Fort de tant de seconds, ose, et sers mon courroux
Contre l'indigne sang de mon perfide époux.

PHINÉE
Nous te suivons, Déesse, et dessous tes auspices
335 Nous franchirons sans peur les plus noirs précipices.
Que craindrons-nous, amis ? Nous avons dieux pour
Oracle pour oracle, et la faveur des cieux, 　[dieux,
D'un contre-poids égal dessus nous balancée,
N'est pas entièrement du côté de Persée.

JUNON
340 Je te le dis encore, ose, et sers mon courroux
Contre l'indigne sang de mon perfide époux.

AMMON
Sous tes commandements nous y courons, Déesse,
Le cœur plein d'espérance, et l'âme d'allégresse.
Allons, Seigneur, allons assembler vos amis,
345 Courons au grand succès qu'elle vous a promis :
Aussi bien le Roi vient, il faut quitter la place,
De peur...

PHINÉE
　　　Non, demeurez pour voir ce qui se passe,
Et songez à m'en faire un fidèle rapport,
Tandis que je m'apprête à cet illustre effort.

Scène VI : Céphée, Cassiope, Andromède,
Persée, Ammon, Timante, chœur de peuple.

TIMANTE
350 Seigneur, le souvenir des plus âpres supplices,
Quand un tel bien les suit, n'a jamais que délices.
Si d'un mal sans pareil nous vous vîmes surpris,
Nous bénissons le ciel d'un tel mal à ce prix,
Et voyant quel époux il donne à la Princesse,
5 La douleur s'en termine en ces chants d'allégresse.

CHŒUR, *chante* [42].
Vivez, vivez, heureux amants,
Dans les douceurs que l'amour vous inspire;
Vivez heureux, et vivez longtemps,
Qu'au bout d'un siècle entier on puisse encor vous dire :
0　　　*« Vivez, heureux amants. »*

Que les plaisirs les plus charmants
Fassent les jours d'une si belle vie;
Qu'ils soient sans tache, et que tous leurs moments
Fassent redire même à la voix de l'Envie :
5　　　*« Vivez, heureux amants. »*

Que les peuples les plus puissants
Dans nos souhaits à pleins vœux nous secondent;

Qu'aux Dieux pour vous ils prodiguent l'encens,
Et des bouts de la terre à l'envi nous répondent :
　　　« Vivez, heureux amants. »　　　1370

CÉPHÉE
Allons, amis, allons dans ce comble de joie,
Rendre grâces au ciel de l'heur qu'il nous envoie.
Allons dedans le temple avecque mille vœux
De cet illustre hymen achever les beaux nœuds.
Allons sacrifier à Jupiter son père,　　　1375
Le prier de souffrir ce que nous pensons faire,
Et ne s'offenser pas que ce noble lien
Fasse un mélange heureux de son sang et du mien.

CASSIOPE
Souffrez qu'auparavant par d'autres sacrifices
Nous nous rendions des eaux les déités propices.　1380
Neptune est irrité; les nymphes de la mer
Ont de nouveaux sujets encor de s'animer,
Et comme mon orgueil fit naître leur colère,
Par mes submissions je dois les satisfaire.
Sur leurs sables, témoins de tant de vanités,　1385
Je vais sacrifier à leurs divinités,
Et conduisant ma fille à ce même rivage,
De ces mêmes beautés leur rendre un plein hommage,
Joindre nos vœux au sang des taureaux immolés,
Puis nous vous rejoindrons au temple où vous allez. 1390

PERSÉE
Souffrez qu'en même temps de ma fière marâtre
Je tâche d'apaiser la haine opiniâtre,
Qu'un pareil sacrifice et de semblables vœux
Tirent d'elle l'aveu qui peut me rendre heureux.
Vous savez que Junon à ce lien préside [43],　1395
Que sans elle l'hymen marche d'un pied timide,
Et que sa jalousie aime à persécuter
Quiconque ainsi que moi sort de son Jupiter.

CÉPHÉE
Je suis ravi de voir qu'au milieu de vos flammes
De si dignes respects règnent dessus vos âmes.　1400
　Allez, j'immolerai pour vous à Jupiter,
Et je ne vois plus rien enfin à redouter.
Des dieux les moins bénins l'éternelle puissance
Ne veut de nous qu'amour et que reconnaissance,
Et jamais leur courroux ne montre de rigueurs　1405
Que n'abatte aussitôt l'abaissement des cœurs.

ACTE CINQUIÈME

DÉCORATION DU CINQUIÈME ACTE

L'architecte ne s'est pas épuisé en la structure de ce
palais royal. Le temple qui lui succède a tant d'avantage
sur lui, qu'il fait mépriser ce qu'on admirait : aussi
est-il juste que la demeure des Dieux l'emporte sur
celle des hommes, et l'art du sieur Torelli est ici
d'autant plus merveilleux qu'il fait paraître une grande
diversité en ces deux décorations, quoiqu'elles soient

42. Ainsi dans le texte de 1682. Cette forme bizarre vient
des variations, probablement hâtives, depuis l'édition primitive
à celle de 1664. De 1650 à 1663, tous les chœurs chantés portaient : « Chœur de musique », formule claire, mais impropre.
En 1663, il n'y a que le mot *Chœur* et en marge : *Il chante.*
La suppression des textes en marge en 1664 donne cette bizarrerie, négligée par Corneille dans la révision postérieure.

43. Corneille emploie intentionnellement une formule
ambiguë, car ce n'est pas à la cérémonie nuptiale qu'elle
préside, mais à la naissance des enfants, sous le nom de Junon
Lucine.

presque la même chose. On voit encore en celle-ci deux rangs de colonnes comme en l'autre, mais d'un ordre si différent, qu'on n'y remarque aucun rapport. Celles-ci sont de porphyre, et tous les accompagnements qui les soutiennent et qui les finissent, de bronze ciselé, dont la gravure représente quantité de dieux et de déesses. La réflexion des lumières sur ce bronze en fait sortir un jour tout extraordinaire. Un grand et superbe dôme couvre le milieu de ce temple magnifique; il est partout enrichi du même métal, et au devant de ce dôme, l'artifice de l'ouvrier jette une galerie tout brillante d'or et d'azur. Le dessous de cette galerie laisse voir le dedans du temple par trois portes d'argent ouvragées à jour : on y verrait Céphée sacrifiant à Jupiter pour le mariage de sa fille, n'était que l'attention que les spectateurs prêteraient à ce sacrifice les détournerait de celle qu'ils doivent à ce qui se passe dans le parvis que représente le théâtre.

Scène I : Phinée, Ammon.

AMMON

Vos amis rassemblés brûlent tous de vous suivre,
Et Junon dans son temple entre vos mains le livre.
Ce rival, presque seul au pied de son autel,
1410 Semble attendre à genoux l'honneur du coup mortel.
Là, comme la Déesse agréera la victime,
Plus les lieux seront saints, moindre en sera le crime,
Et son aveu changeant de nom à l'attentat,
Ce sera sacrifice au lieu d'assassinat.

PHINÉE

1415 Que me sert que Junon, que Neptune propice,
Que tous les Dieux ensemble aiment ce sacrifice,
Si la seule déesse à qui je fais des vœux
Ne m'en voit que d'un œil d'autant plus rigoureux,
Et si ce coup, sensible au cœur de l'inhumaine,
1420 D'un injuste mépris fait une juste haine?
  Ami, quelque fureur qui puisse m'agiter,
Je cherche à l'acquérir, et non à l'irriter,
Et m'immoler l'objet de sa nouvelle flamme,
Ce n'est pas le chemin de rentrer dans son âme.

AMMON

1425 Mais, Seigneur, vous touchez à ce moment fatal
Qui pour jamais la donne à cet heureux rival.
En cette extrémité que prétendez-vous faire?

PHINÉE

Tout hormis l'irriter, tout hormis lui déplaire :
Soupirer à ses pieds, pleurer à ses genoux,
1430 Trembler devant sa haine, adorer son courroux.

AMMON

Quittez, quittez, Seigneur, un respect si funeste,
Otez-vous ce rival, et hasardez le reste.
En dût-elle à jamais dédaigner vos soupirs,
La vengeance elle seule a de si doux plaisirs...

PHINÉE

1435 N'en cherchons les douceurs, ami, que les dernières.
Rarement un amant les peut goûter entières,
Et quand de sa vengeance elles sont tout le fruit,
Ce sont fausses douceurs que l'amertume suit.
La mort de son rival, les pleurs de son ingrate,

Ont bien je ne sais quoi qui dans l'abord le flatte,
Mais de ce cher objet s'en voyant plus haï,
Plus il s'en est flatté, plus il s'en croit trahi.
Sous d'éternels regrets son âme est abattue,
Et sa propre vengeance incessamment le tue.
Ce n'est pas que je veuille enfin la négliger :
Si je ne puis fléchir, je cours à me venger,
Mais souffre à mon amour, mais souffre à ma faiblesse
Encore un peu d'effort auprès de ma princesse.
Un amant véritable espère jusqu'au bout,
Tant qu'il voit un moment qui peut lui rendre tout.
L'inconstante, peut-être encor tout étonnée,
N'était pas bien à soi quand elle s'est donnée;
Et la reconnaissance a fait plus que l'amour
En faveur d'une main qui lui rendait le jour.
Au sortir du péril, pâle encore et tremblante,
L'image de la mort devant les yeux errante,
Elle a cru tout devoir à son libérateur,
Mais souvent le devoir ne donne pas le cœur.
Il agit rarement sans un peu d'imposture,
Et fait peu de présents dont ce cœur ne murmure.
Peut-être, ami, peut-être après ce grand effroi
Son amour en secret aura parlé pour moi :
Les traits mal effacés de tant d'heureux services,
Les douceurs d'un beau feu qui furent ses délices,
D'un regret amoureux touchant son souvenir,
Auront en ma faveur surpris quelque soupir,
Qui s'échappant d'un cœur qu'elle force à ma perte,
M'en aura pu laisser la porte encore ouverte.
Ah! si ce triste hymen se pouvait éloigner!

AMMON

Quoi! vous voulez encor vous faire dédaigner?
Sous ce honteux espoir votre fureur se dompte?

PHINÉE

Que veux-tu? ne sois point le témoin de ma honte :
Andromède revient, va trouver mes amis,
Va préparer leurs bras à ce qu'ils m'ont promis.
Ou mes nouveaux respects fléchiront l'inhumaine,
Ou ses nouveaux mépris animeront ma haine,
Et tu verras mes feux, changés en juste horreur,
Armer mes désespoirs, et hâter ma fureur.

AMMON

Je vous plains, mais enfin j'obéis, et vous laisse.

Scène II : Cassiope, Andromède, Phinée, suite de la reine.

PHINÉE

Une seconde fois, adorable princesse,
Malgré de vos rigueurs l'impérieuse loi...

ANDROMÈDE

Quoi, vous voyez la Reine, et vous parlez à moi!

PHINÉE

C'est de vous seule aussi que j'ai droit de me plaindre :
Je serais trop heureux de la voir vous contraindre,
Et n'accuserais plus votre infidélité,
Si vous vous excusiez sur son autorité.
  Au nom de cette amour autrefois si puissante,
Aidez un peu la mienne à vous faire innocente :
Dites-moi que votre âme à regret obéit,

Qu'un rigoureux devoir malgré vous me trahit,
Donnez-moi lieu de dire : « Elle-même elle en pleure,
Elle change forcée, et son cœur me demeure »;
Et soudain, de la Reine embrassant les genoux,
Vous m'y verrez mourir sans me plaindre de vous.
Mais que lui puis-je, hélas! demander pour remède,
Quand la main qui me tue est celle d'Andromède,
Et que son cœur léger en court au changement
Qu'avec la vanité d'y courir justement?

            CASSIOPE

Et quel droit sur ce cœur pouvait garder Phinée,
Quand Persée a trouvé la place abandonnée,
Et n'a fait autre chose, en prenant son parti,
Que s'emparer d'un lieu dont vous étiez sorti?
Mais sorti, le dirai-je, et pourrez-vous l'entendre?
Oui, sorti lâchement, de peur de le défendre.
Ainsi nous n'avons fait que le récompenser
D'un bien où votre bras venait de renoncer,
Que vous cédiez au monstre, à lui-même, à tout autre :
Si c'est une injustice, examinons la vôtre.
     La voyant exposée aux rigueurs de son sort,
Vous vous étiez déjà consolé de sa mort,
Et quand par un héros le ciel l'a garantie,
Vous ne vous pouvez plus consoler de sa vie.

            PHINÉE

Ah! Madame...

            CASSIOPE

       Eh bien! soit, vous avez soupiré
Autant que l'a pu faire un cœur désespéré.
Jamais aucun tourment n'égala votre peine,
Certes, quelque douleur dont votre âme fût pleine,
Ce désespoir illustre et ces nobles regrets
Lui devaient un peu plus que des soupirs secrets.
A ce défaut, Persée...

            PHINÉE

         Ah! c'en est trop, Madame;
Ce nom rend, malgré moi, la fureur à mon âme;
Je me force au respect, mais toujours le vanter,
C'est me forcer moi-même à ne rien respecter.
Qu'a-t-il fait, après tout, si digne de vous plaire,
Qu'avec un tel secours tout autre n'eût pu faire?
Et tout héros qu'il est, qu'eût-il osé pour vous,
S'il n'eût eu que sa flamme et son bras comme nous?
Mille et mille auraient fait des actions plus belles,
Si le ciel comme à lui leur eût prêté des ailes,
Et vous les auriez vus encor plus généreux,
S'ils eussent vu le monstre et le péril sous eux :
On s'expose aisément quand on n'a rien à craindre.
Combattre un ennemi qui ne pouvait l'atteindre,
Voir sa victoire sûre et daigner l'accepter,
C'est tout le rare exploit dont il se peut vanter,
Et je ne comprends point ni quelle en est la gloire,
Ni quel grand prix mérite une telle victoire.

            CASSIOPE

Et votre aveuglement sera bien moins compris,
Qui d'un sujet d'estime en fait un de mépris.
     Le ciel, qui mieux que nous connaît ce que nous
Mesure ses faveurs au mérite des hommes; [sommes,
Et d'un pareil secours vous auriez eu l'appui,
S'il eût pu voir en vous mêmes vertus qu'en lui.

Ce sont grâces d'en haut rares et singulières,
Qui n'en descendent point pour des âmes vulgaires,
Ou pour en mieux parler, la justice des cieux   1545
Garde ce privilège au digne sang des Dieux :
C'est par là que leur roi vient d'avouer sa race.

           ANDROMÈDE

Je dirai plus, Phinée; et pour vous faire grâce,
Je ne veux rien devoir à cet heureux secours
Dont ce vaillant guerrier a conservé mes jours :   1550
Je veux fermer les yeux sur toute cette gloire,
Oublier mon péril, oublier sa victoire,
Et, quel qu'en soit enfin le mérite ou l'éclat,
Ne juger entre vous que depuis le combat.
     Voyez ce qu'il a fait, lorsque après ces alarmes,   1555
Me voyant toute acquise au bonheur de ses armes,
Ayant pour lui les Dieux, ayant pour lui le Roi,
Dans sa victoire même il s'est vaincu pour moi.
Il m'a sacrifié tout ce haut avantage,
De toute sa conquête il m'a fait un hommage,   1560
Il m'en a fait un don, et fort de tant de voix,
Au péril de tout perdre, il met tout à mon choix.
Il veut tenir pour grâce un si juste salaire,
Il réduit son bonheur à ne me point déplaire,
Préférant mes refus, préférant son trépas   1565
A l'effet de ses vœux qui ne me plairait pas.
     En usez-vous de même, et votre violence
Garde-t-elle pour moi la même déférence?
Vous avez contre vous et les Dieux et le Roi,
Et vous voulez encor m'obtenir malgré moi!   1570
Sous ombre d'une foi qui se tient en réserve,
Je dois à votre amour ce qu'un autre conserve;
A moins que d'être ingrate à mon libérateur,
A moins que d'adorer un lâche adorateur,
Que d'être à mes parents, aux Dieux mêmes rebelle,   1575
Vous crierez après moi sans cesse : « A l'infidèle! »
     C'était aux yeux du monstre, au pied de ce rocher,
Que l'effet de ma foi se devait rechercher;
Mon âme, encor pour vous de même ardeur pressée,
Vous eût tendu la main au mépris de Persée,   1580
Et cru plus glorieux qu'on m'eût vue aujourd'hui
Expirer avec vous que régner avec lui.
Mais puisque vous m'avez envié cette joie,
Cessez de m'envier ce que le ciel m'envoie,
Et souffrez que je tâche enfin à mériter,   1585
Au refus de Phinée, un fils de Jupiter.

            PHINÉE

Je perds donc temps, Madame, et votre âme obstinée
N'a plus amour, ni foi, ni pitié pour Phinée?
Un peu de vanité qui flatte vos parents,
Et d'un rival adroit les respects apparents,   1590
Font plus en un moment, avec leurs artifices,
Que n'ont fait en six ans ma flamme et mes services?
Je ne vous dirai point que de pareils respects
A tout autre que vous pourraient être suspects,
Que qui peut se priver de la personne aimée   1595
N'a qu'une ardeur civile et fort mal allumée,
Que dans ma violence on doit voir plus d'amour.
C'est un présent des cieux, faites-lui votre cour,
Plus fidèle qu'à moi, tenez-lui mieux parole.
J'en vais rougir pour vous, cependant qu'il me vole,   1600

Mais ce rival peut-être, après m'avoir volé,
Ne sera pas toujours sur ce cheval ailé.
ANDROMÈDE
Il n'en a pas besoin s'il n'a que vous à craindre.
PHINÉE
Il peut avec le temps être le plus à plaindre.
ANDROMÈDE
1605 Il porte à son côté de quoi l'en garantir.
PHINÉE
Vous l'attendez ici, je vais l'en avertir.
CASSIOPE
Son amour peut sans vous nous rendre cet office.
PHINÉE
Le mien s'efforcera pour ce dernier service.
Vous pouvez cependant divertir vos esprits
1610 A rendre compte au Roi de vos justes mépris.

Scène III : Céphée, Cassiope, Andromède,
suite du roi et de la reine.

CÉPHÉE
Que faisait là Phinée? Est-il si téméraire
Que ce que font les Dieux il pense à le défaire?
CASSIOPE
Après avoir prié, soupiré, menacé,
Il vous a vu, Seigneur, et l'orage a passé.
CÉPHÉE
1615 Et vous prêtiez l'oreille à ses discours frivoles?
CASSIOPE
Un amant qui perd tout peut perdre des paroles,
Et l'écouter sans trouble et sans rien hasarder,
C'est la moindre faveur qu'on lui puisse accorder.
Mais, Seigneur, dites-nous si Jupiter propice
1620 Se déclare en faveur de votre sacrifice,
Si de notre famille il se rend le soutien,
S'il consent l'union de notre sang au sien.
CÉPHÉE
Jamais les feux sacrés et la mort des victimes
N'ont daigné mieux répondre à des vœux légitimes.
1625 Tous auspices heureux, et le grand Jupiter
Par des signes plus clairs ne pouvait l'accepter,
A moins qu'y joindre encor l'honneur de sa présence,
Et de sa propre bouche assurer l'alliance.
CASSIOPE
Les nymphes de la mer nous en ont fait autant,
1630 Toutes ont hors des flots paru presque à l'instant,
Et leurs bénins regards envoyés au rivage
Avecque notre encens ont reçu notre hommage.
Après le sacrifice honoré de leurs yeux,
Où Neptune à l'envi mêlait ses demi-dieux,
1635 Toutes ont témoigné d'un penchement de tête
Consentir au bonheur que le ciel nous apprête,
Et nos submissions désarmant leurs dédains,
Toutes ont pour adieu battu l'onde des mains.
Que si même bonheur suit les vœux de Persée,
1640 Qu'il ait vu de Junon sa prière exaucée,
Nous n'avons plus à craindre aucun sinistre effet.
CÉPHÉE
Les Dieux ne laissent point leur ouvrage imparfait,
N'en doutez point, Madame, aussi bien que Neptune,

Junon consentira notre bonne fortune.
Mais que nous veut Aglante?   16

Scène IV : Céphée, Cassiope, Andromède,
Aglante, suite du roi et de la reine.

AGLANTE
                        Ah! Seigneur, au secours!
Du généreux Persée on attaque les jours.
Presque au sortir du temple une troupe mutine
Vient de l'environner, et déjà l'assassine.
Phinée en les joignant, furieux et jaloux,
Leur a crié : « Main basse! à lui seul! donnez tous! » 1
Ceux qui l'accompagnaient tout aussitôt se rendent,
Clyte et Nylée encor vaillamment le défendent,
Mais ce sont vains efforts de peu d'autres suivis,
Et je viens toute en pleurs vous en donner avis.
CASSIOPE
Dieux! est-ce là l'effet de tant d'heureux présages?   1
Allez, gardes, allez signaler vos courages,
Allez perdre ce traître, et punir ce voleur
Qui prétend sous le nombre accabler la valeur.
CÉPHÉE
Modérez vos frayeurs, et vous, séchez vos larmes.
Le ciel n'a pas besoin du secours de nos armes :   1
Il a de ce héros trop pris les intérêts,
Pour n'avoir pas pour lui des miracles tout prêts,
Et peut-être bientôt sur ce lâche adversaire
Vous entendrez tomber la foudre de son père.
Jugez de l'avenir par ce qui s'est passé,   1
Les Dieux achèveront ce qu'ils ont commencé.
Oui, les Dieux à leur sang doivent ce privilège :
Y mêler notre main, c'est faire un sacrilège.
CASSIOPE
Seigneur, sur cet espoir hasarder ce héros,
C'est trop...   1

Scène V : Céphée, Cassiope, Andromède, Phorbas,
Aglante, suite du roi et de la reine.

PHORBAS
                    Mettez, grand roi, votre esprit en repos.
La tête de Méduse a puni tous ces traîtres.
CÉPHÉE
Le ciel n'est point menteur, et les Dieux sont nos
PHORBAS   [maîtres.
Aussitôt que Persée a pu voir son rival :
« Descendons, a-t-il dit, en un combat égal;
Quoique j'aye en ma main un entier avantage,
Je ne veux que mon bras, ne prends que ton courage.
— Prends, prends cet avantage, et j'userai du mien »,
Dit Phinée, et soudain, sans plus répondre rien,
Les siens donnent en foule, et leur troupe pressée
Fait choir Ménale et Clyte aux pieds du grand Persée.
Il s'écrie aussitôt : « Amis, fermez les yeux,
Et sauvez vos regards de ce présent des cieux :
J'atteste qu'on m'y force, et n'en fais plus d'excuse. »
Il découvre à ces mots la tête de Méduse.
Soudain j'entends des cris qu'on ne peut achever;
J'entends gémir les uns, les autres se sauver,

J'entends le repentir succéder à l'audace,
J'entends Phinée enfin qui lui demande grâce.
« Perfide, il n'est plus temps », lui dit Persée. Il fuit :
90 J'entends comme à grands pas ce vainqueur le poursuit,
Comme il court se venger de qui l'osait surprendre,
Je l'entends s'éloigner, puis je cesse d'entendre.
Alors, ouvrant les yeux par son ordre fermés,
Je vois tous ces méchants en pierre transformés,
95 Mais l'un plein de fureur et l'autre plein de crainte,
En porte sur le front la marque encore empreinte,
Et tel voulait frapper, dont le coup suspendu
Demeure en sa statue à demi descendu,
Tant cet affreux prodige...

> Scène VI : *Céphée, Cassiode, Andromède,*
> *Persée, Phorbas, Aglante, suite*
> *du roi et de la reine.*

CÉPHÉE, *à Persée.*
                    Est-il puni, ce lâche,
0 Cet impie ?

PERSÉE
          Oui, Seigneur, et si sa mort vous fâche,
Si c'est de votre sang avoir fait peu d'état...

CÉPHÉE
Il n'est plus de ma race après cet attentat :
Ce crime l'en dégrade, et ce coup téméraire
Efface de mon sang l'illustre caractère.
5 Perdons-en la mémoire, et faisons-la céder
A l'heur de vous revoir et de vous posséder,
Vous que le juste ciel, remplissant son oracle,
Par miracle nous donne, et nous rend par miracle.
0 Entrons dedans ce temple, où l'on n'attend que vous
Pour nous unir aux Dieux par des liens si doux.
Entrons sans différer.

Les portes se ferment comme ils veulent entrer.
                    Mais quel nouveau prodige
Dans cet excès de joie à craindre nous oblige
Qui nous ferme la porte et nous défend d'entrer
Où tout notre bonheur se devait rencontrer ?

PERSÉE
5 Puissant maître du foudre, est-il quelque tempête
Que le Destin jaloux à dissiper m'apprête ?
Quelle nouvelle épreuve attaque ma vertu ?
Après ce qu'elle a fait la désavouerais-tu ?
Ou si c'est que le prix dont tu la vois suivie
0 Au bonheur de ton fils te fait porter envie ?

> Scène VII : *Mercure, Céphée, Cassiope,*
> *Andromède, Persée, Phorbas, Aglante,*
> *suite du roi et de la reine.*

MERCURE, *au milieu de l'air.*
Roi, Reine, et vous Princesse, et vous heureux vain-
          Que Jupiter mon père   [queur,
          Tient pour mon digne frère,
Ne craignez plus du sort la jalouse rigueur.
          Ces portes du temple fermées,
          Dont vos âmes sont alarmées,
Vous marquent des faveurs où tout le ciel consent :

Tous les Dieux sont d'accord de ce bonheur suprême,
          Et leur monarque tout-puissant
          Vous le vient apprendre lui-même.   1730
Mercure revole en haut après avoir parlé.

CASSIOPE
Redoublons donc nos vœux, redoublons nos ferveurs,
Pour mériter du ciel ces nouvelles faveurs.

CHŒUR DE MUSIQUE
Maître des Dieux, hâte-toi de paraître,
Et de verser sur ton sang et nos rois
    Les grâces que garde ton choix   1735
    A ceux que tu fais naître.

Fais choir sur eux de nouvelles couronnes,
Et fais-nous voir, par un heur accompli,
    Qu'ils ont tous dignement rempli
    Le rang que tu leur donnes.   1740

Tandis qu'on chante, Jupiter descend du ciel dans
un trône tout éclatant d'or et de lumières, enfermé
dans un nuage qui l'environne. A ses deux côtés, deux
autres nuages apportent jusqu'à terre Junon et Neptune,
apaisés par les sacrifices des amants; ils se déploient
en rond autour de celui de Jupiter, et, occupant toute
la face du théâtre, ils font le plus agréable spectacle de
toute cette représentation.

> Scène VIII : *Jupiter, Junon, Neptune, Céphée,*
> *Cassiope, Andromède, Persée, Phorbas,*
> *Aglante, suite du roi et de la reine.*

JUPITER, *dans son trône au milieu de l'air.*
Des noces de mon fils la terre n'est pas digne,
          La gloire en appartient aux cieux,
          Et c'est là ce bonheur insigne   [Dieux.
Qu'en vous fermant mon temple ont annoncé les
Roi, Reine, et vous amants, venez sans jalousie   1745
          Vivre à jamais en ce brillant séjour,
          Où le nectar et l'ambrosie
Vous seront comme à nous prodigués chaque jour.
          Et quand la nuit aura tendu ses voiles,
          Vos corps semés de nouvelles étoiles [44],   1750
          Du haut du ciel éclairant aux mortels,
          Leur apprendront qu'il vous faut des autels.

JUNON, *à Persée.*
Junon même y consent, et votre sacrifice
A calmé les fureurs de son esprit jaloux.

NEPTUNE, *à Cassiope.*
          Neptune n'est pas moins propice,   1755
Et vos encens désarment son courroux.

JUNON
          Venez, héros, et vous Céphée,
Prendre là-haut vos places de ma main.

NEPTUNE
          Reine, venez, que ma haine étouffée
Vous conduise elle-même à cet heur souverain.   1760

PERSÉE
Accablé et surpris d'une faveur si grande...

---

44. Cassiope, Céphée, Persée et Andromède forment une
seule constellation.

JUNON

Arrêtez là votre remercîment :
L'obéissance est le seul compliment
Qu'agrée un Dieu quand il commande.

Sitôt que Junon a dit ces vers, elle fait prendre place au Roi et à Persée auprès d'elle. Neptune fait le même honneur à la Reine et à la princesse Andromède ; et tous ensemble remontent dans le ciel qui les attend, cependant que le peuple, pour acclamation publique, chante ces vers qui viennent d'être prononcés par Jupiter.

CHŒUR

*Allez, amants, allez sans jalousie
Vivre à jamais en ce brillant séjour,
Où le nectar et l'ambrosie
Vous seront comme aux Dieux prodigués chaque jour :
Et quand la nuit aura tendu ses voiles,
Vos corps semés de nouvelles étoiles,
Du haut du ciel éclairant aux mortels,
Leur apprendront qu'il vous faut des autels.*

DON SANCHE D'ARAGON[1]
COMÉDIE HÉROIQUE[2]

En 1647, *Rotrou fait imprimer une tragi-comédie,* Dom Bernard de Cabrère, *tirée de deux pièces espagnoles, qu'il croit toutes deux de Lope de Vega; l'une narrant sa bonne fortune* (Prospera fortuna de Dom Sanche de Cabrera), *l'autre sa malchance* (Adversa fortuna). *Rotrou en dégage admirablement le comique, alors qu'il y a une tragédie sous-jacente. Il y a grande chance que ce fut le point de départ de* Don Sanche *et de la réflexion de Corneille sur la « comédie héroïque », distincte à la fois de la tragédie et de la tragi-comédie.*

En 1649, *l'éternel rival de Corneille, Rotrou, fait jouer, à peu près en même temps que* Don Sanche, *une autre tragi-comédie venue d'Espagne,* Dom Lope de Cardone, *qui met en scène* Don Pèdre d'Aragon, *se passe à Saragosse et comporte aussi un Don Sanche et un Dom Lope de fantaisie.*

Le nom de Don Sanche n'était pas inconnu des spectateurs: un roman de P. de Juvenel, Dom Pelage, *l'avait popularisé en 1645. Scudéry l'avait mis en scène dans le VIIe dialogue fictif de ses* Discours politiques des rois (1643).

Bien que Corneille l'appelle : « poème d'une espèce nouvelle », et invente le terme de comédie héroïque, c'est une tragédie à fin heureuse, comme Rodogune *et* Héraclius. *En outre, comme le* Menteur *et sa* Suite, *elle a une source espagnole* El palacio confuso (*le Palais perturbé*) *de Lope de Rueda et Mira de Mescua.*

Si Don Sanche se rattache donc bien à la production antérieure du poète, la pièce marque une évolution dans sa conception même de la tragédie : il est pour le héros d'autres périls plus graves que la mort, capables de susciter l'admiration et la pitié, qui demeurent la fin de la tragédie : c'est la solitude intérieure, l'incompréhension et l'injustice du monde dans lequel il vit. Le thème est esquissé à la fin d'Horace. Il devient ici l'âme du tragique et le sera dans Sertorius, Pulchérie et Suréna.

Le fil conducteur de la pièce, c'est la notion aristocratique du héros. Carlos, fils de pêcheur, n'eût pas accompli les exploits de Don Sanche. Néanmoins, la thèse intervient si tard qu'on s'y méprit sans cesse. Dès 1650, Corneille nous apprend qu'elle · subit « le refus d'un illustre suffrage ». On pensa que c'était Condé, choqué de cet aventurier fier de ses œuvres, tenant tête aux princes du sang. On croit plutôt que ce fut Anne d'Autriche, craignant qu'un parallèle pût se glisser dans les esprits entre Cromwell et Don Sanche. D'autres enfin imaginent que ce fut Mazarin, plus inquiet que flatté de se reconnaître en ce favori couvert de titres par une reine sans époux, secrètement amoureuse de sa personne...

Sous Louis XV, en plein conflit du Roi et du Parlement, on applaudit la scène (II, 1) où Isabelle reconnaît l'autorité du son Conseil. Sous le Consulat, Carlos devient le symbole de l'ascension du Tiers-État...

Don Sanche *apparaît donc comme la pièce la plus subversive de tout le théâtre cornélien, et en tout cas, comme la moins comprise. La signification en apparaît pourtant mieux, si l'on songe qu'elle fut jouée en pleine Fronde et que Corneille va s'engager pleinement en faveur du pouvoir officiel, en acceptant la seule charge politique de sa carrière (Cf.* Chronologie*).*

A MONSIEUR DE ZUYLICHEM[3]
CONSEILLER ET SECRÉTAIRE
DE MONSEIGNEUR LE PRINCE D'ORANGE

MONSIEUR,

Voici un poème d'une espèce nouvelle, et qui n'a point d'exemple chez les Anciens. Vous connaissez l'humeur de nos Français : ils aiment la nouveauté;

et je hasarde *non tam meliora quam nova,* sur l'espérance de les mieux divertir. C'était l'humeur des Grecs dès le temps d'Eschyle, *Apud quos*

---

1. On ne sait quand situer cette histoire, ni historique ni tout à fait imaginaire. Cf. note 14. - Représentée en 1649. Privilège : 11 avril 1650. Achevé d'imprimer : 14 mai 1650.

2. Le terme n'a pas été employé avant Corneille, qui tient à maintenir ses distances à l'égard de la trop fantaisiste et trop romanesque tragi-comédie à la mode. L'assise historique reste solide et Corneille reprend l'usage de l'*Argument,* délaissé par tous les auteurs depuis quinze ans, pour en fournir la preuve. D'autre part, il n'abandonne rien du contenu idéologique des grandes tragédies.

3. Cf. la note 5 du *Menteur,* page 337.

Illecebris erat et grata novitate morandus
Spectator[4]

et si je ne me trompe, c'était aussi celle des Romains,

Vel qui praetextas, vel qui docuere togatas.
Nec minimum meruere decus, vestigia Graeca
Ausi deserere...[5]

Ainsi j'ai du moins des exemples d'avoir entrepris une chose qui n'en a point. Je vous avouerai toutefois qu'après l'avoir faite, je me suis trouvé fort embarrassé à lui choisir un nom. Je n'ai jamais pu me résoudre à celui de tragédie, n'y voyant que les personnages qui en fussent dignes. Cela eût suffi au bonhomme Plaute, qui n'y cherchait point d'autre finesse : parce qu'il y a des dieux et des rois dans son *Amphitryon*, il veut que c'en soit une, et parce qu'il y a des valets qui bouffonnent, il veut que ce soit aussi une comédie, et lui donne l'un et l'autre nom, par un composé qu'il forme exprès, de peur de ne lui donner pas tout ce qu'il croit lui appartenir[6]. Mais c'est trop déférer aux personnages, et considérer trop peu l'action. Aristote en use autrement dans la définition qu'il fait de la tragédie, où il décrit les qualités que doit avoir celle-ci, et les effets qu'elle doit produire, sans parler aucunement de ceux-là, et j'ose m'imaginer que ceux qui ont restreint cette sorte de poème aux personnes illustres n'en ont décidé que sur l'opinion qu'ils ont eue qu'il n'y avait que la fortune des rois et des princes qui fût capable d'une action telle que ce grand maître de l'art nous prescrit. Cependant quand il examine lui-même les qualités nécessaires au héros de la tragédie, il ne touche point du tout à sa naissance, et ne s'attache qu'aux incidents de sa vie et à ses mœurs. Il demande un homme qui ne soit ni tout méchant ni tout bon, il le demande persécuté par quelqu'un de ses plus proches, il demande qu'il tombe en danger de mourir par une main obligée à le conserver, et je ne vois point pourquoi cela ne puisse arriver qu'à un prince, et que dans un moindre rang on soit à couvert de ces malheurs. L'histoire dédaigne de les marquer, à moins qu'ils aient accablé quelqu'une de ces grandes têtes, et c'est sans doute pourquoi jusqu'à présent la tragédie s'y est arrêtée. Elle a besoin de son appui pour les événements qu'elle traite, et comme ils n'ont de l'éclat que parce qu'ils sont hors de la vraisemblance ordinaire, ils ne seraient pas croyables sans son autorité, qui agit avec empire, et semble commander de croire ce qu'elle veut persuader. Mais je ne comprends point ce qui lui défend de descendre plus bas, quand il s'y rencontre des actions qui méritent qu'elle prenne soin de les imiter[7], et je ne puis croire que l'hospitalité violée en la personne des filles de Scédase, qui n'était qu'un paysan de Leuctres, soit moins digne d'elle que l'assassinat d'Agamemnon par sa femme, ou la vengeance de cette mort par Oreste

sur sa propre mère; quitte pour chausser le cothurne un peu plus bas :

Et tragicus plerumque dolet sermone pedestri[8].

Je dirai plus, MONSIEUR : la tragédie doit exciter de la pitié et de la crainte, et cela est de ses parties essentielles, puisqu'il entre dans sa définition. Or s'il est vrai que ce dernier sentiment ne s'excite en nous par sa représentation que quand nous voyons souffrir nos semblables, et leurs infortunes nous en font appréhender de pareilles, n'est-il pas vrai aussi qu'il y pourrait être excité plus fortement par la vue des malheurs arrivés aux personnes de notre condition, à qui nous ressemblons tout à fait, que par l'image de ceux qui font trébucher de leurs trônes les plus grands monarques, avec qui nous n'avons aucun rapport qu'en tant que nous sommes susceptibles des passions qui les ont jetés dans ce précipice, ce qui ne se rencontre pas toujours? Que si vous trouvez quelque apparence en ce raisonnement, et ne désapprouvez pas qu'on puisse faire une tragédie entre des personnes médiocres, quand leurs infortunes ne sont pas au-dessous de sa dignité, permettez-moi de conclure, *a simili*, que nous pouvons faire une comédie entre des personnes illustres, quand nous nous en proposons quelque aventure qui ne s'élève point au-dessus de sa portée. Et certes, après avoir lu dans Aristote que la tragédie est une imitation des actions et non pas des hommes, je pense avoir quelque droit de dire la même chose de la comédie, et de prendre pour maxime que c'est par la seule considération des actions, sans aucun égard aux personnages, qu'on doit déterminer de quelle espèce est un poème dramatique. Voilà, MONSIEUR, bien du discours, dont il n'était pas besoin pour vous attirer à mon parti, et gagner votre suffrage en faveur du titre que j'ai donné à *Don Sanche*. Vous savez mieux que moi tout ce que je vous dis, mais comme j'en fais confidence au public, j'ai cru que vous ne vous offenseriez pas que je vous fisse souvenir des choses dont je lui dois quelque lumière. Je continuerai donc, s'il vous plaît, et lui dirai que *Don Sanche* est une véritable comédie, quoique tous les acteurs soient ou rois ou grands d'Espagne, puisqu'on n'y voit naître aucun péril par qui nous puissions être portés à la pitié ou à la crainte. Notre aventurier Carlos n'y court aucun risque. Deux de ses rivaux sont trop jaloux de leur rang pour se commettre avec lui, et trop généreux pour lui dresser quelque supercherie. Le mépris qu'ils en font sur l'incertitude de son origine, ne détruit point en eux l'estime de sa valeur et se change en respect sitôt qu'ils le peuvent soupçonner d'être ce qu'il est véritablement, quoiqu'il ne le sache pas. Le troisième lui la partie avec lui, mais elle est incontinent rompue par la Reine, et quand même elle s'achèverait par la perte de sa vie, la mort d'un ennemi par un ennemi n'a rien de pitoyable ni de terrible, et par conséquent rien de tragique. Il a de grands déplaisirs, et qui semblent vouloir quelque pitié de nous, lorsqu'il dit lui-même à une de ses maîtresses,

Je plaindrais un amant qui souffrirait mes peines,

mais nous ne voyons autre chose dans les comédies que des amants qui vont mourir, s'ils ne possèdent ce qu'ils aiment, et de semblables douleurs ne préparant aucun effet tragique, on ne peut dire qu'elles aillent au-dessus de la comédie. Il tombe dans l'unique malheur qu'il appréhende : il est découvert pour fils d'un pêcheur, mais en cet état même, il n'a garde de nous demander

---

4. « Chez qui le spectateur devait être retenu par des attraits et une agréable nouveauté. » (Horace, *Art poétique*, v. 223-224).

5. « Les inventeurs des comédies en « robe prétexte », ou en toge n'ont pas de moindres mérites, pour avoir osé quitter les pas des Grecs. » (Horace, *Art poétique*, v. 286-288.)

6. C'est l'origine admise par tous les théoriciens du terme de tragi-comédie.

7. Le théâtre n'a pas attendu le drame bourgeois du XVIIIe siècle pour en composer. Sans parler d'une large part du théâtre italien au XVIe siècle ni de Shakespeare, qui s'inspire d'ailleurs de nouvelles italiennes, Alexandre Hardy en France l'avait fait, entre autres avec *Gésippe*, *Elmire*, *Corine*, tragi-comédies ou pastorales, et ce *Scédase* que cite justement Corneille, songeant vraisemblablement à Hardy.

8. « Et le tragique émeut souvent en langage ordinaire. » (Horace, *Art poétique*, v. 95.)

notre pitié, puisqu'il s'offense de celle de ses rivaux. Ce n'est point un héros à la mode d'Euripide, qui les habillait de lambeaux pour mendier les larmes des spectateurs : celui-ci soutient sa disgrâce avec tant de fermeté qu'il nous imprime plus d'admiration et de son grand courage que de compassion de son infortune. Nous la craignons pour lui avant qu'elle arrive, mais cette crainte n'a sa source que dans l'intérêt que nous prenons d'ordinaire à ce qui touche le premier acteur, et se peut ranger *inter communia utriusque dramatis*[9] aussi bien que la reconnaissance qui fait le dénouement de cette pièce. La crainte tragique ne devance pas le malheur du héros, elle le suit; elle n'est pas pour lui, elle est pour nous, et se produisant par une prompte application que la vue de ses malheurs nous fait faire sur nous-mêmes, elle purge en nous les passions que nous en voyons être la cause. Enfin je ne vois rien en ce poème qui puisse mériter le nom de tragédie si nous ne voulons nous contenter de la définition qu'en donne Averroès[10], qui l'appelle simplement « un art de louer ». En ce cas, nous ne lui pourrons dénier ce titre sans nous aveugler volontairement, et ne vouloir pas voir que toutes ses parties ne sont qu'une peinture des puissantes impressions que les rares qualités d'un honnête homme font sur toutes sortes d'esprits, qui est une façon de louer assez ingénieuse et hors du commun des panégyriques. Mais j'aurais mauvaise grâce de me prévaloir d'un auteur arabe, que je ne connais que sur la foi d'une traduction latine, et puisque sa paraphrase abrège le texte d'Aristote en cet article, au lieu de l'étendre, je ferai mieux d'en croire ce dernier, qui ne permet point à cet ouvrage de prendre un nom plus relevé que celui de comédie. Ce n'est pas que je n'aye hésité quelque temps sur ce que je n'y voyais rien qui pût émouvoir à rire. Cet agrément a été jusqu'ici tellement de la pratique de la comédie, que beaucoup ont cru qu'il était aussi de son essence, et je serais encore dans ce scrupule, si je n'en avais été guéri par votre Heinsius[11], de qui je viens d'apprendre heureusement que *movere risum non constituit comœdiam, sed plebis aucupium est, et abusus*[12]. Après l'autorité d'un si grand homme, je serais coupable de chercher d'autres raisons et de craindre d'être mal fondé à soutenir que la comédie se peut passer du ridicule. J'ajoute à celle-ci l'épithète de héroïque, pour satisfaire aucunement à la dignité de ses personnages, qui pourrait sembler profanée par la bassesse d'un titre que jamais on n'a appliqué si haut. Mais, après tout, MONSIEUR, ce n'est qu'un *interim*, jusqu'à ce que vous m'ayez appris comme j'ai dû l'intituler. Je ne vous l'adresse que pour vous l'abandonner entièrement, et si vos Elzéviers[13] se saisissent de ce poème, comme ils ont fait de quelques-uns des miens qui l'ont précédé, ils peuvent le faire voir à vos provinces sous le titre que vous lui jugerez plus convenable, et nous exécuterons ici l'arrêt que vous en aurez donné. J'attends de vous

cette instruction avec impatience, pour m'affermir dans mes premières pensées, ou les rejeter comme de mauvaises tentations. Elles flotteront jusque-là, et si vous ne me pouvez accorder la gloire d'avoir appuyé une nouveauté, vous me laisserez du moins celle d'avoir passablement défendu un paradoxe. Mais quand même vous m'ôteriez toutes les deux, je m'en consolerai fort aisément, parce que je suis très assuré que vous ne m'en sauriez ôter un qui m'est beaucoup plus précieuse, c'est celle d'être toute ma vie, MONSIEUR, votre très humble et très obéissant serviteur,

CORNEILLE.

ARGUMENT

Don Fernand, roi d'Aragon[14], chassé de ses États par la révolte de don Garcie d'Ayala, comte de Fuensalida, n'avait plus sous son obéissance que la ville de Catalaïud[15] et le territoire des environs, lorsque la reine Donne[16] Léonor, sa femme, accoucha d'un fils, qui fut nommé don Sanche. Ce déplorable prince, craignant qu'il ne demeurât exposé aux fureurs de ce rebelle, le fit aussitôt enlever par don Raymond de Moncade, son confident, afin de le faire nourrir secrètement. Ce cavalier, trouvant dans le village de Bubierça[17] la femme d'un pêcheur nouvellement accouchée d'un enfant mort, lui donna celui-ci à nourrir, sans lui dire qui il était, mais seulement qu'un jour le roi et la reine d'Aragon le feraient Grand lorsqu'elle leur ferait présenter par lui un petit écrin qu'en même temps il lui donna. Le mari de cette pauvre femme était pour lors à la guerre, si bien que revenant au bout d'un an, il prit aisément cet enfant pour sien, et l'éleva comme s'il en eût été le père. La Reine ne put jamais savoir du Roi où il avait fait porter son fils :

14. Corneille n'a pas dit d'où il tenait une histoire à la fois aussi précise et aussi fantaisiste. Il n'y eut jamais de Fernand (ou Ferdinand) roi d'Aragon chassé de ses États par un don Garcie et son fils don Ramire. Aucun des nombreux Sanche qui régnèrent sur la Castille ou l'Aragon n'épousa jamais d'Isabelle, héritière de la Castille par la mort d'un frère. Pour les noms, ils s'accordent en partie avec Sanche II de Castille (1065-1072), fils de Ferdinand (mais roi de Castille, non d'Aragon) et qui avait une sœur Elvire. Mais ce prince ambitieux est un sinistre personnage, qui dépouille ses frère et sœur, cohéritiers du pouvoir, avant d'être lui-même obscurément. Le caractère héroïque de notre Don Sanche, se rapporterait plutôt à Sanche Ramirez (1063-1094), fils de Ramire, premier roi d'Aragon, qu'il ne faut pas confondre avec Ramire le moine, héritier contesté de l'Aragon (1134-1137) à la mort d'Alfonse Ier d'Aragon, le premier prince de la reconquête. Jaca la montagnarde, où meurent les usurpateurs, est bien la première capitale de l'Aragon jusqu'à ce qu'Alfonse le Batailleur reconquière Saragosse en 1117. L'allusion à la prise de Séville, au vers 80, semble se rapporter à la reconquête de Ferdinand le Saint, en 1063. Il semble que Corneille ait parlé de *pièce toute d'invention*, à propos de la seule histoire de Carlos, dont le nom et l'histoire personnelle viennent de la pièce de Lope, et le dénouement de l'histoire transposée à Carlos, du roman de *Don Pélage*.

15. *Catalayud:* pour Calatayud, dans la province de Saragosse, fondée au VIIIe siècle par le Maure Ayoub, reprise en 1118 par Alfonse Ier qui remit le château à Don Bernard de Cabrère, héros de la pièce de Lope de Vega adaptée par Rotrou.

16. Corneille francise ainsi la forme *doña*, dans toutes les éditions de 1663 à 1682. Avant cette date, il se contente de l'abréviation D.

17. Bubierça : petite ville à une quinzaine de kilomètres de Saragosse, très loin dans les terres; on ne voit guère comment elle abrite des pêcheurs.

---

9. « Parmi les choses communes de l'un ou l'autre genre de drame. »

10. C'est le fameux philosophe arabe du XIIe siècle, né à Cordoue et mort en Afrique. Il ne s'occupa d'*Art poétique* qu'en commentateur de toute l'œuvre d'Aristote, et Corneille fait exception en le citant comme autorité : il s'en excuse d'ailleurs aussitôt.

11. Cf. note 10, p. 291.

12. « Susciter le rire n'est pas l'âme de la comédie, mais une passion du peuple, et un abus. » (*Dissertation sur Plaute et Térence*.)

13. La fameuse famille d'éditeurs de Leyde, dont l'atelier disparut en 1655.

et tout ce qu'elle en tira, après beaucoup de prières, ce fut qu'elle le reconnaîtrait un jour quand on lui présenterait cet écrin, où il aurait mis leurs deux portraits, avec un billet de sa main et quelques autres pièces de remarque; mais voyant qu'elle continuait toujours à en vouloir savoir davantage, il arrêta sa curiosité tout d'un coup, et lui dit qu'il était mort. Il soutint après cela cette malheureuse guerre encore trois ou quatre ans, ayant toujours quelque nouveau désavantage, et mourut enfin de déplaisir et de fatigue, laissant ses affaires désespérées, et la Reine grosse, à qui il conseilla d'abandonner entièrement l'Aragon et de se réfugier en Castille : elle exécuta ses ordres, et y accoucha d'une fille nommée donne Elvire, qu'elle y éleva jusques à l'âge de vingt ans. Cependant le jeune prince don Sanche, qui se croyait fils d'un pêcheur, dès qu'il en eut atteint seize, se dérobe de ses parents et se jette dans les armées du roi de Castille, qui avait de grandes guerres contre les Maures, et de peur d'être connu pour ce qu'il pensait être, il quitte le nom de Sanche qu'on lui avait laissé, et prend celui de Carlos. Sous ce faux nom, il fait tant de merveilles qu'il entre en grande considération auprès du roi don Alphonse, à qui il sauve la vie en un jour de bataille; mais comme ce monarque était prêt de le récompenser, il est surpris de la mort, et ne lui laisse autre chose que les favorables regards de la reine donne Isabelle, sa sœur et son héritière, et de la jeune princesse d'Aragon, donne Elvire, que l'admiration de ses belles actions avait portées toutes deux jusques à l'aimer, mais d'un amour étouffé par le souvenir de ce qu'elles devaient à la dignité de leur naissance. Lui-même avait conçu aussi de la passion pour toutes deux, sans oser prétendre à pas une, se croyant si fort indigne d'elles. Cependant tous les grands de Castille, ne voyant point de rois voisins qui pussent épouser leur reine, prétendent à l'envi l'un de l'autre à son mariage, et étant près de former une guerre civile pour ce sujet, les États du royaume la supplient de choisir un mari, pour éviter les malheurs qu'ils en prévoyaient devoir naître. Elle s'en excuse comme ne connaissant pas assez particulièrement le mérite de ces prétendants, et leur commande de choisir eux-mêmes les trois qu'ils en jugent les plus dignes, les assurant que s'il se rencontre quelqu'un entre ces trois que pour elle puisse prendre quelque inclination, elle l'épousera. Ils obéissent, et lui nomment don Manrique de Lare, don Lope de Gusman, et don Alvar de Lune, qui bien que passionné pour la princesse donne Elvire, eût cru faire une lâcheté et offenser sa reine, s'il eût rejeté l'honneur qu'il recevait de son pays par cette nomination. D'autre côté, les Aragonois, ennuyés de la tyrannie de don Garcie et de don Ramire, son fils, les chassent de Saragosse, et les ayant assiégés dans la forteresse de Jaca, envoient des députés à leurs princesses, réfugiées en Castille, pour les prier de revenir prendre possession d'un royaume qui leur appartient. Depuis leur départ, ces deux tyrans ayant été tués en la prise de Jaca, don Raymond, qu'ils y tenaient prisonnier depuis six ans, apprend à ces peuples que don Sanche, leur prince, était vivant, et part aussitôt pour le chercher à Bubierça, où il apprend que le pêcheur, qui le croyait son fils, l'avait perdu depuis huit ans, et l'était allé chercher en Castille, sur quelques nouvelles qu'il en avait eues par un soldat qui avait servi sous lui contre les Maures. Il pousse aussitôt de ce côté-là, et joint les députés comme ils étaient près d'arriver. C'est par son arrivée que l'aventurier Carlos est reconnu pour le prince don Sanche; après quoi la reine donne

Isabelle se donne à lui, du consentement même des trois que ses États lui avaient nommés, et don Alvar en obtient la princesse donne Elvire, qui par cette reconnaissance se trouve être sa sœur.

EXAMEN (1660)

Cette pièce est toute d'invention, mais elle n'est pas toute de la mienne. Ce qu'a de fastueux le premier acte est tiré d'une comédie espagnole[18], intitulée El Palacio confuso; et la double reconnaissance qui finit le cinquième est prise du roman de don Pélage[19]. Elle eut d'abord grand éclat sur le théâtre, mais une disgrâce particulière fit avorter toute sa bonne fortune. Le refus d'un illustre suffrage[20] dissipa les applaudissements que le public lui avait donnés trop libéralement, et anéantit si bien tous les arrêts que Paris et le reste de la Cour avaient prononcés en sa faveur qu'au bout de quelque temps elle se trouva reléguée dans les provinces, où elle conserve encore son premier lustre.

Le sujet n'a pas grand artifice. C'est un inconnu, assez honnête homme pour se faire aimer de deux reines. L'inégalité des conditions met un obstacle au bien qu'elles lui veulent durant quatre actes et demi, et quand il faut de nécessité finir la pièce, un bon homme semble tomber des nues pour faire développer le secret de sa naissance, qui le rend mari de l'une, en le faisant reconnaître pour frère de l'autre[21] :

Haec eadem a summo expectes minimoque poeta[22].

Don Raymond et ce pêcheur ne suivent point la règle que j'ai voulu établir, de n'introduire aucun acteur qui ne fût insinué dès le premier acte, ou appelé par quelqu'un de ceux qu'on a connus. Il m'était aisé d'y faire dire à la Reine donne Léonor ce qu'elle dit à l'entrée du quatrième, mais si elle eût fait savoir qu'elle eût eu un fils, et que le Roi son mari lui eût appris en mourant que don Raymond avait un secret à lui révéler, on eût trop tôt deviné que Carlos était ce prince. On peut dire de don Raymond qu'il vient avec les députés d'Aragon dont il est parlé au premier acte, et qu'ainsi il satisfait aucunement à cette règle, mais ce n'est que par hasard qu'il vient avec eux. C'était le pêcheur qu'il était allé chercher, et non pas eux, et il ne les joint sur le chemin qu'à cause de ce qu'il a appris chez ce pêcheur, qui de son côté vient en Castille, sans y être amené par aucun incident dont on aye parlé dans la protase, et il n'a point de raison d'arriver ce jour-là plutôt qu'un autre, sinon que la pièce n'aurait pu finir si elle n'y fût arrivé.

L'unité de jour y est si peu violentée, qu'on peut soutenir que l'action ne demande pour sa durée que

---

18. Cette pièce semble être l'œuvre commune de Lope et de Mira de Mescua (1574-1644), Lope étant l'auteur du premier acte. On a vu qu'Héraclius doit quelque chose à une pièce du même auteur. Corneille, lui, se sert seulement du nom de Carlos et du début de la pièce.

19. Seule ressemblance avec ce roman : au livre V, 2e partie, Dom Pelage, élevé sous le nom de Théobalde, est reconnu par la princesse Benilde, qui depuis la mort de son mari se tenait à Tolède avec sa fille Ormisinde — comme Leonor est à Valladolid avec sa fille Elvire.

20. Voyez la notice, à la fin.

21. Ce résumé ironique et péjoratif méconnaît les réelles qualités de la pièce, mais montre bien la place que Corneille assignait à Don Sanche au moment du grand bilan de 1660, l'une des dernières.

22. « On en attendrait tout autant d'un excellent ou du dernier des poètes. » (Juvénal, Satires, I, 14.)

le temps de sa représentation. Pour celle de lieu, j'ai déjà dit que je n'en parlerais plus sur les pièces qui restent à examiner en ce volume. Les sentiments du second acte. ont autant ou plus de délicatesse qu'aucuns que j'aye mis sur le théâtre. L'amour des deux reines pour Carlos y paraît très visible, malgré le soin et l'adresse que toutes les deux apportent à le cacher dans leurs différents caractères, dont l'un marque plus d'orgueil, et l'autre plus de tendresse. La confidence qu'y fait celle de Castille avec Blanche est assez ingénieuse, et par une réflexion sur ce qui s'est passé au premier acte, elle prend occasion de faire savoir aux spectateurs sa passion pour ce brave inconnu, qu'elle a si bien vengé du mépris qu'en ont fait les comtes. Ainsi on ne peut dire qu'elle choisisse sans raison ce jour-là plutôt qu'un autre pour lui en confier le secret, puisqu'il paraît qu'elle le sait déjà, et qu'elles ne font que raisonner ensemble sur ce qu'on vient de voir représenter.

ACTEURS

D. ISABELLE, *reine de Castille* [23].
D. LÉONOR, *reine d'Aragon.*
D. ELVIRE, *princesse d'Aragon.*
BLANCHE, *dame d'honneur de la reine de Castille.*
CARLOS, *cavalier inconnu, qui se trouve être*
D. *Sanche, roi d'Aragon.*
D. RAYMOND DE MONCADE *favori*
du défunt roi d'Aragon.
D. LOPE DE GUSMAN, D. MANRIQUE DE LARE [24],
D. ALVAR DE LUNE [25], *grands de Castille.*

La scène est à Valladolid [26].

ACTE PREMIER

Scène I : D. Léonor, D. Elvire.

D. LÉONOR

Après tant de malheurs, enfin le ciel propice
S'est résolu, ma fille, à nous faire justice :
Notre Aragon, pour nous presque tout révolté,
Enlève à nos tyrans [27] ce qu'ils nous ont ôté, '
Brise les fers honteux de leurs injustes chaînes,
Se remet sous nos lois, et reconnaît ses reines,
Et par ses députés [28] qu'aujourd'hui l'on attend,
Rend d'un si long exil le retour éclatant.
Comme nous, la Castille attend cette journée
Qui lui doit de sa reine assurer l'hyménée :
Nous l'allons voir ici faire choix d'un époux.
Que ne puis-je, ma fille, en dire autant de vous!
Nous allons en des lieux sur qui vingt ans d'absence
Nous laissent une faible et douteuse puissance :
Le trouble règne encore où vous devez régner,
Le peuple vous rappelle, et peut vous dédaigner,
Si vous ne lui portez, au retour de Castille,

Que l'avis d'une mère et le nom d'une fille.
D'un mari valeureux les ordres et le bras
Sauraient bien mieux que nous assurer vos États,   20
Et par des actions nobles, grandes et belles,
Dissiper les mutins, et dompter les rebelles [29].
Vous ne pouvez manquer d'amants dignes de vous;
On aime votre sceptre, on vous aime, et sur tous,
Du comte don Alvar la vertu non commune   25
Vous aima dans l'exil et durant l'infortune.
Qui vous aima sans sceptre et se fit votre appui,
Quand vous le recouvrez, est bien digne de lui.

D. ELVIRE

Ce comte est généreux, et me l'a fait paraître,
Aussi le ciel pour moi l'a voulu reconnaître,   30
Puisque les Castillans l'ont mis entre les trois
Dont à leur grande reine ils demandent le choix,
Et comme ses rivaux lui cèdent en mérite,
Un espoir à présent plus doux le sollicite :
Il règnera sans nous. Mais, Madame, après tout,   35
Savez-vous à quel choix l'Aragon se résout,
Et quels troubles nouveaux j'y puis faire renaître,
S'il voit que je lui mène un étranger pour maître?
Montons, de grâce, au trône, et de là beaucoup mieux
Sur le choix d'un époux nous baisserons les yeux.   40

D. LÉONOR

Vous les abaissez trop : une secrète flamme
A déjà malgré moi fait ce choix dans votre âme.
De l'inconnu Carlos l'éclatante valeur
Aux mérites du comte a fermé votre cœur.
Tout est illustre en lui, moi-même je l'avoue.   45
Mais son sang, que le ciel n'a formé que de boue,
Et dont il cache exprès la source obstinément...

D. ELVIRE

Vous pourriez en juger plus favorablement.
Sa naissance inconnue est peut-être sans tache,
Vous la présumez basse à cause qu'il la cache,   50
Mais combien a-t-on vu de princes déguisés
Signaler leur vertu sous des noms supposés,
Dompter des nations, gagner des diadèmes,
Sans qu'aucun les connût, sans se connaître eux-

D. LÉONOR   [mêmes!

Quoi! voilà donc enfin de quoi vous vous flattez!   55

D. ELVIRE

J'aime et prise en Carlos ses rares qualités.
Il n'est point d'âme noble en qui tant de vaillance

---

23. Sœur et héritière du trône de Castille après la mort de son frère. (Cf. l'*Argument*.)
24. Frère du roi défunt.
25. Il y eut un Alvaro de Luna décapité en 1454 à Valladolid.
26. Valladolid partagea avec Burgos le rôle de capitale de la vieille Castille durant plusieurs siècles, et encore lorsque Ferdinand et Isabelle réunirent les couronnes de Castille et d'Aragon (1471).
27. L'*Argument* les précise : don Garcie d'Ayala et son fils Ramire.
28. Les Cortès d'Aragon demeurèrent toujours distincts de ceux de Castille.

29. Condensé imprécis, mais juste de l'histoire des luttes intestines entre Léon, Navarre, Castille, Portugal et Aragon, royaumes distincts de la péninsule.

N'arrache cette estime et cette bienveillance,
Et l'innocent tribut de ces affections
60 Que doit toute la terre aux belles actions,
N'a rien qui déshonore une jeune princesse.
En cette qualité, je l'aime et le caresse,
En cette qualité, ses devoirs assidus
Me rendent les respects à ma naissance dus.
65 Il fait sa cour chez moi comme un autre peut faire.
Il a trop de vertus pour être téméraire,
Et si jamais ses vœux s'échappaient jusqu'à moi,
Je sais ce que je suis, et ce que je me dois.

D. LÉONOR
Daigne le juste ciel vous donner le courage
70 De vous en souvenir et le mettre en usage!

D. ELVIRE
Vos ordres sur mon cœur sauront toujours régner.

D. LÉONOR
Cependant ce Carlos vous doit accompagner,
Doit venir jusqu'aux lieux de votre obéissance,
Vous rendre ces respects dus à votre naissance,
75 Vous faire, comme ici, sa cour tout simplement?

D. ELVIRE
De ses pareils la guerre est l'unique élément :
Accoutumés d'aller de victoire en victoire,
Ils cherchent en tous lieux les dangers et la gloire.
La prise de Séville, et les Mores défaits,
80 Laissent à la Castille une profonde paix :
S'y voyant sans emploi, sa grande âme inquiète
Veut bien de don Garcie achever la défaite,
Et contre les efforts d'un reste de mutins
De toute sa valeur hâter nos bons destins.

D. LÉONOR
85 Mais quand il vous aura dans le trône affermie,
Et jeté sous vos pieds la puissance ennemie,
S'en ira-t-il soudain aux climats étrangers
Chercher tout de nouveau la gloire et les dangers?

D. ELVIRE
Madame, la Reine entre.

Scène II : D. Isabelle, D. Léonor,
D. Elvire, Blanche.

D. LÉONOR
Aujourd'hui donc, Madame,
90 Vous allez d'un héros rendre heureuse la flamme,
Et d'un mot satisfaire aux plus ardents souhaits
Que poussent vers le ciel vos fidèles sujets.

D. ISABELLE
Dites, dites plutôt qu'aujourd'hui, grandes reines,
Je m'impose à vos yeux la plus dure des gênes,
95 Et fais dessus moi-même un illustre attentat
Pour me sacrifier au repos de l'État.
Que c'est un sort fâcheux et triste que le nôtre,
De ne pouvoir régner que sous les lois d'un autre,
Et qu'un sceptre soit cru d'un si grand poids pour
100 Que pour le soutenir il nous faille un époux! [nous,
    A peine ai-je deux mois porté le diadème,
Que de tous les côtés j'entends dire qu'on m'aime,
Si toutefois sans crime et sans m'en indigner
Je puis nommer amour une ardeur de régner.

L'ambition des grands à cet espoir ouverte
Semble pour m'acquérir s'apprêter à ma perte,
Et pour trancher le cours de leurs dissensions,
Il faut fermer la porte à leurs prétentions.
Il m'en faut choisir un, eux-mêmes m'en convient,
Mon peuple m'en conjure, et mes États m'en prient,
Et même par mon ordre ils m'en proposent trois,
Dont mon cœur à leur gré peut faire un digne choix.
Don Lope de Gusman, Don Manrique de Lare,
Et don Alvar de Lune, ont un mérite rare.
Mais que me sert ce choix qu'on fait en leur faveur,
Si pas un d'eux enfin n'a celui de mon cœur?

D. LÉONOR
On vous les a nommés, mais sans vous les prescrire.
On vous obéira, quoi qu'il vous plaise élire :
Si le cœur a choisi, vous pouvez faire un roi.

D. ISABELLE
Madame, je suis reine, et dois régner sur moi.
Le rang que nous tenons, jaloux de notre gloire,
Souvent dans un tel choix nous défend de nous croire,
Jette sur nos désirs un joug impérieux,
Et dédaigne l'avis et du cœur et des yeux.
Qu'on ouvre. Juste ciel, vois ma peine, et m'inspire
Et ce que je dois faire, et ce que je dois dire.

Scène III : D. Isabelle, D. Léonor, D. Elvire,
Blanche, D. Lope, D. Manrique, D. Alvar,
Carlos.

D. ISABELLE
Avant que de choisir je demande un serment,
Comtes, qu'on agréera mon choix aveuglément,
Que les deux méprisés, et tous les trois peut-être,
De ma main, quel qu'il soit, accepteront un maître.
Car enfin je suis libre à disposer de moi :
Le choix de mes États ne m'est point une loi,
D'une troupe importune il m'a débarrassée,
Et d'eux tous sur vous trois détourné ma pensée,
Mais sans nécessité de l'arrêter sur vous.
J'aime à savoir par là qu'on vous préfère à tous,
Vous m'en êtes plus chers et plus considérables,
J'y vois de vos vertus les preuves honorables,
J'y vois la haute estime où sont vos grands exploits,
Mais quoique mon dessein soit d'y borner mon choix,
Le ciel en un moment quelquefois nous éclaire.
Je veux, en le faisant, pouvoir ne le pas faire,
Et que vous avouiez que pour devenir roi,
Quiconque me plaira n'a besoin que de moi.

D. LOPE
C'est une autorité qui vous demeure entière :
Votre État avec vous n'agit que par prière,
Et ne vous a pour nous fait voir ses sentiments
Que par obéissance à vos commandements.
Ce n'est point ni son choix ni l'éclat de ma race
Qui me font, grande reine, espérer cette grâce :
Je l'attends de vous seule et de votre bonté,
Comme on attend un bien qu'on n'a pas mérité,
Et dont, sans regarder service ni famille,
Vous pouvez faire part au moindre de Castille.
C'est à nous d'obéir, et non d'en murmurer,

Mais vous nous permettrez toutefois d'espérer
Que vous ne ferez choir cette faveur insigne,
Ce bonheur d'être à vous, que sur le moins indigne,
Et que votre vertu vous fera trop savoir
0 Qu'il n'est pas bon d'user de tout votre pouvoir.
Voilà mon sentiment.

D. ISABELLE

Parlez, vous, don Manrique.

D. MANRIQUE

Madame, puisqu'il faut qu'à vos yeux je m'explique,
Quoique votre discours nous ait fait des leçons
Capables d'ouvrir l'âme à de justes soupçons,
5 Je vous dirai pourtant, comme à ma souveraine,
Que pour faire un vrai roi vous le fassiez en reine,
Que vous laisser borner, c'est vous-même affaiblir
La dignité du rang qui le doit ennoblir,
Et qu'à prendre pour loi le choix qu'on vous propose,
) Le roi que vous feriez vous devrait peu de chose,
Puisqu'il tiendrait les noms de monarque et d'époux
Du choix de vos États aussi bien que de vous. [ronne,
Pour moi, qui vous aimai sans sceptre et sans cou-
Qui n'ai jamais eu d'yeux que pour votre personne,
Que même le feu Roi daigna considérer
Jusqu'à souffrir ma flamme et me faire espérer,
J'oserai me promettre un sort assez propice
De cet aveu d'un frère et quatre ans de service,
Et sur ce doux espoir dussé-je me trahir,
Puisque vous le voulez, je jure d'obéir.

D. ISABELLE

C'est comme il faut m'aimer. Et don Alvar de Lune?

D. ALVAR

Je ne vous ferai point de harangue importune.
Choisissez hors des trois, tranchez absolument;
Je jure d'obéir, Madame, aveuglément.

D. ISABELLE

Sous les profonds respects de cette déférence
Vous nous cachez peut-être un peu d'indifférence;
Et comme votre cœur n'est pas sans autre amour,
Vou savez des deux parts faire bien votre cour.

D. ALVAR

Madame...

D. ISABELLE

C'est assez; que chacun prenne place.

Ici les trois reines prennent chacune un fauteuil, et
après que les trois comtes et le reste des grands qui sont
présents se sont assis sur des bancs préparés exprès,
Carlos, y voyant une place vide, s'y veut seoir, et don
Manrique l'en empêche.

D. MANRIQUE

Tout beau, tout beau, Carlos! d'où vous vient cette
Et quel titre en ce rang a pu vous établir? [audace?

CARLOS

J'ai vu la place vide, et cru la bien remplir.

D. MANRIQUE

Un soldat bien remplir une place de comte!

CARLOS

Seigneur, ce que je suis ne me fait point de honte.
Depuis plus de six ans il ne s'est fait combat
Qui ne m'ait bien acquis ce grand nom de soldat :

J'en avais pour témoin le feu Roi votre frère,
Madame; et par trois fois...

D. MANRIQUE

Nous vous avons vu faire,
Et savons mieux que vous ce que peut votre bras.

D. ISABELLE

Vous en êtes instruits, et je ne la suis pas :   200
Laissez-le me l'apprendre. Il importe aux monarques
Qui veulent aux vertus rendre de dignes marques,
De les savoir connaître, et ne pas ignorer
Ceux d'entre leurs sujets qu'ils doivent honorer.

D. MANRIQUE

Je ne me croyais pas être ici pour l'entendre.   205

D. ISABELLE

Comte, encore une fois, laissez-le me l'apprendre.
Nous aurons temps pour tout, et vous, parlez, Carlos.

CARLOS

Je dirai qui je suis, Madame, en peu de mots.
On m'appelle soldat : je fais gloire de l'être;
Au feu Roi par trois fois je le fis bien paraître.   210
L'étendard de Castille, à ses yeux enlevé,
Des mains des ennemis par moi seul fut sauvé :
Cette seule action rétablit la bataille,
Fit rechasser le More au pied de sa muraille,
Et rendant le courage aux plus timides cœurs,   215
Rappela les vaincus, et défit les vainqueurs.
Ce même roi me vit dedans l'Andalousie
Dégager sa personne en prodiguant ma vie,
Quand tout percé de coups, sur un monceau de morts,
Je lui fis si longtemps bouclier de mon corps,   220
Qu'enfin autour de lui ses troupes ralliées,
Celles qui l'enfermaient furent sacrifiées,
Et le même escadron qui vint le secourir
Le ramena vainqueur, et moi prêt à mourir.
Je montai le premier sur les murs de Séville,   225
Et tins la brèche ouverte aux troupes de Castille.
Je ne vous parle point d'assez d'autres exploits,
Qui n'ont pas pour témoins eu les yeux de mes rois.
Tel me voit et m'entend, et me méprise encore,
Qui gémirait sans moi dans les prisons du More.   230

D. MANRIQUE

Nous parlez-vous, Carlos, pour don Lope et pour moi?

CARLOS

Je parle seulement de ce qu'a vu le Roi,
Seigneur, et qui voudra parle à sa conscience.
Voilà dont le feu Roi me promit récompense,
Mais la mort le surprit comme il la résolvait.   235

D. ISABELLE

Il se fût acquitté de ce qu'il vous devait,
Et moi, comme héritant son sceptre et sa couronne,
Je prends sur moi sa dette, et je vous la fais bonne.
Seyez-vous, et quittons ces petits différends.

D. LOPE

Souffrez qu'auparavant il nomme ses parents.   240
Nous ne constestons point l'honneur de sa vaillance,
Madame, et s'il en faut notre reconnaissance,
Nous avouerons tous deux qu'en ces combats derniers
L'un et l'autre, sans lui, nous étions prisonniers.
Mais enfin la valeur, sans l'éclat de la race,   245
N'eut jamais aucun droit d'occuper cette place.

CARLOS

Se pare qui voudra des noms de ses aïeux :
Moi, je ne veux porter que moi-même en tous lieux,
Je ne veux rien devoir à ceux qui m'ont fait naître,
250 Et suis assez connu sans les faire connaître.
Mais pour en quelque sorte obéir à vos lois,
Seigneur, pour mes parents je nomme mes exploits :
Ma valeur est ma race, et mon bras est mon père.

D. LOPE

Vous le voyez, Madame, et la preuve en est claire;
255 Sans doute il n'est pas noble.

D. ISABELLE

       Eh bien! je l'anoblis,
Quelle que soit sa race et de qui qu'il soit fils.
Qu'on ne conteste plus.

D. MANRIQUE

       Encore un mot, de grâce.

D. ISABELLE

Don Manrique, à la fin, c'est prendre trop d'audace.
Ne puis-je l'anoblir si vous n'y consentez?

D. MANRIQUE

260 Oui, mais ce rang n'est dû qu'aux hautes dignités,
Tout autre qu'un marquis ou comte le profane.

D. ISABELLE, *à Carlos.*

Eh bien! seyez-vous donc, marquis de Santillane,
Comte de Pennafiel, gouverneur de Burgos.
Don Manrique, est-ce assez pour faire seoir Carlos?
265 Vous reste-t-il encor quelque scrupule en l'âme?

Don Manrique et Don Lope se lèvent, et Carlos se
sied.

D. MANRIQUE

Achevez, achevez, faites-le roi, Madame :
Par ces marques d'honneur l'élever jusqu'à nous,
C'est moins nous l'égaler que l'approcher de vous.
Ce préambule adroit n'était pas sans mystère,
270 Et ces nouveaux serments qu'il nous a fallu faire
Montraient bien dans votre âme un tel choix préparé.
Enfin vous le pouvez, et nous l'avons juré.
Je suis prêt d'obéir, et loin d'y contredire,
Je laisse entre ses mains et vous et votre empire.
275 Je sors avant ce choix, non que j'en sois jaloux,
Mais de peur que mon front n'en rougisse pour vous.

D. ISABELLE

Arrêtez, insolent; votre reine pardonne
Ce qu'une indigne crainte imprudemment soupçonne,
Et pour la démentir, veut bien vous assurer
280 Qu'au choix de ses États, elle veut demeurer,
Que vous tenez encor même rang dans son âme,
Qu'elle prend vos transports pour un excès de flamme,
Et qu'au lieu d'en punir le zèle injurieux,
Sur un crime d'amour elle ferme les yeux.

D. MANRIQUE

285 Madame, excusez donc si quelque antipathie...

D. ISABELLE

Ne faites point ici de fausse modestie :
J'ai trop vu votre orgueil pour le justifier,
Et sais bien les moyens de vous humilier.
Soit que j'aime Carlos, soit que par simple estime
290 Je rende à ses vertus un honneur légitime,
Vous devez respecter, quels que soient mes desseins,

Ou le choix de mon cœur, ou l'œuvre de mes mains,
Je l'ai fait votre égal, et quoiqu'on s'en mutine,
Sachez qu'à plus encor ma faveur le destine.
Je veux qu'aujourd'hui même il puisse plus que moi : 2
J'en ai fait un marquis, je veux qu'il fasse un roi.
S'il a tant de valeur que vous-mêmes le dites,
Il sait quelle est la vôtre, et connaît vos mérites,
Et jugera de vous avec plus de raison
Que moi, qui n'en connais que la race et le nom. 3
Marquis, prenez ma bague, et la donnez pour marque
Au plus digne des trois, que j'en fasse un monarque.
Je vous laisse y penser tout ce reste du jour.
Rivaux ambitieux, faites-lui votre cour :
Qui me rapportera l'anneau que je lui donne 3
Recevra sur-le-champ ma main et ma couronne.
Allons, reines, allons, et laissons-les juger
De quel côté l'amour avait su m'engager.

Scène IV : D. Manrique, D. Lope,
D. Alvar, Carlos.

D. LOPE

Eh bien! seigneur marquis, nous direz-vous, de grâce,
Ce que, pour vous gagner, il est besoin qu'on fasse?
Vous êtes notre juge, il faut vous adoucir.

CARLOS

Vous y pourriez peut-être assez mal réussir.
Quittez ces contre-temps de froide raillerie.

D. MANRIQUE

Il n'en est pas saison, quand il faut qu'on vous prie.

CARLOS

Ne raillons, ni prions, et demeurons amis.
Je sais ce que la Reine en mes mains a remis.
J'en userai fort bien : vous n'avez rien à craindre,
Et pas un de vous trois n'aura lieu de se plaindre.
Je n'entreprendrai point de juger entre vous
Qui mérite le mieux le nom de son époux :
Je serais téméraire, et m'en sens incapable,
Et peut-être quelqu'un m'en tiendrait récusable.
Je m'en récuse donc, afin de vous donner
Un juge que sans honte on ne peut soupçonner :
Ce sera votre épée et votre bras lui-même.
Comtes, de cet anneau dépend le diadème,
Il vaut bien un combat, vous avez tous du cœur,
Et je le garde...

D. LOPE

       A qui. Carlos?

CARLOS

       A mon vainqueur.
Qui pourra me l'ôter l'ira rendre à la Reine :
Ce sera du plus digne une preuve certaine.
Prenez entre vous l'ordre et du temps et du lieu :
Je m'y rendrai sur l'heure, et vais l'attendre. Adieu.

Scène V : D. Manrique, D. Lope, D. Alvar.

D. LOPE

Vous voyez l'arrogance.

D. ALVAR
                    Ainsi les grands courages
Savent en généreux repousser les outrages.
            D. MANRIQUE
5 Il se méprend pourtant, s'il pense qu'aujourd'hui
Nous daignions mesurer notre épée avec lui.
            D. ALVAR
Refuser un combat!
            D. LOPE
                    Des généraux d'armée,
Jaloux de leur honneur et de leur renommée,
Ne se commettent point contre un aventurier.
            D. ALVAR
10 Ne mettez point si bas un si vaillant guerrier :
Qu'il soit ce qu'en voudra présumer votre haine,
Il doit être pour nous ce qu'a voulu la Reine.
            D. LOPE
La Reine qui nous brave, et sans égard au sang,
Ose souiller ainsi l'éclat de notre rang!
            D. ALVAR
15 Les rois de leurs faveurs ne sont jamais comptables,
Ils font comme il leur plaît, et défont nos semblables.
            D. MANRIQUE
Envers les majestés vous êtes bien discret.
Voyez-vous cependant qu'elle l'aime en secret?
            D. ALVAR
Dites, si vous voulez, qu'ils sont d'intelligence,
Qu'elle a de sa valeur si haute confiance
Qu'elle espère par là faire approuver son choix,
Et se rendre avec gloire au vainqueur de tous trois,
Qu'elle nous hait dans l'âme autant qu'elle l'adore :
C'est à nous d'honorer ce que la Reine honore.
            D. MANRIQUE
Vous la respectez fort, mais y prétendez-vous?
On dit que l'Aragon a des charmes si doux...
            D. ALVAR
Qu'ils me soient doux ou non, je ne crois pas sans
Pouvoir de mon pays désavouer l'estime,   [crime
Et puisqu'il m'a jugé digne d'être son roi,
Je soutiendrai partout l'état qu'il fait de moi.
Je vais donc disputer, sans que rien me retarde,
Au marquis don Carlos cet anneau qu'il nous garde,
Et si sur sa valeur le puis emporter,
J'attendrai de vous deux qui voudra me l'ôter :
Le champ vous sera libre.
            D. LOPE
                    A la bonne heure, comte.
Nous vous irons alors le disputer sans honte,
Nous ne dédaignons point un si digne rival,
Mais pour votre marquis, qu'il cherche son égal.

ACTE SECOND

Scène I : D. Isabelle, Blanche.

            D. ISABELLE
Blanche, as-tu rien connu d'égal à ma misère?
Tu vois tous mes désirs condamnés à se taire,

Mon cœur faire un beau choix sans l'oser accepter,
Et nourrir un beau feu sans l'oser écouter.
Vois par là que c'est, Blanche, que d'être reine :
Comptable de moi-même au nom de souveraine,
Et sujette à jamais du trône où je me vois,   375
Je puis tout pour tout autre et ne puis rien pour moi.
    O sceptres! s'il est vrai que tout vous soit possible,
Pourquoi ne pouvez-vous rendre un cœur insensible?
Pourquoi permettez-vous qu'il soit d'autres appas,
Ou que l'on ait des yeux pour ne les croire pas?   380
            BLANCHE
Je présumais tantôt que vous les alliez croire :
J'en ai plus d'une fois tremblé pour votre gloire.
Ce qu'à vos trois amants vous avez fait jurer
Au choix de don Carlos semblait tout préparer.
Je le nommais pour vous, mais enfin par l'issue   385
Ma crainte s'est trouvée heureusement déçue,
L'effort de votre amour a su se modérer,
Vous l'avez honoré sans vous déshonorer,
Et satisfait ensemble, en trompant mon attente,
La grandeur d'une reine et l'ardeur d'une amante.   390
            D. ISABELLE
Dis que pour honorer sa générosité,
Mon amour s'est joué de mon autorité,
Et qu'il a fait servir, en trompant ton attente,
Le pouvoir de la Reine au courroux de l'amante.
    D'abord par ce discours, qui t'a semblé suspect,   395
Je voulais seulement essayer leur respect,
Soutenir jusqu'au bout la dignité de reine,
Et comme enfin ce choix me donnait de la peine,
Perdre quelques moments, choisir un peu plus tard :
J'allais nommer pourtant, et nommer au hasard.   400
Mais tu sais quel orgueil ont lors montré les comtes,
Combien d'affronts pour lui, combien pour moi de
Certes, il est bien dur à qui se voit régner   [honte.
De montrer quelque estime, et la voir dédaigner.
Sous ombre de venger sa grandeur méprisée,   405
L'amour à la faveur trouve une pente aisée.
A l'intérêt du sceptre aussitôt attaché,
Il agit d'autant plus qu'il se croit bien caché,
Et s'ose imaginer qu'il ne fait rien paraître
Que ce change de nom ne fasse méconnaître.   410
J'ai fait Carlos marquis, et comte, et gouverneur,
Il doit à ses jaloux tous ces titres d'honneur :
M'en voulant faire avare, ils m'en faisaient prodige;
Ce torrent grossissait, rencontrant cette digue :
C'était plus les punir que le favoriser,   415
L'amour me parlait trop, j'ai voulu l'amuser;
Par ces profusions j'ai cru le satisfaire,
Et l'ayant satisfait, l'obliger à se taire.
Mais, hélas! en mon cœur il avait tant d'appui
Que je n'ai pu jamais prononcer contre lui,   420
Et n'ai mis en ses mains ce don du diadème
Qu'afin de l'obliger à s'exclure lui-même.
Ainsi, pour apaiser les murmures du cœur,
Mon refus a porté les marques de faveur,
Et revêtant de gloire un invisible outrage,   425
De peur d'en faire un roi je l'ai fait davantage :
Outre qu'indifférente aux vœux de tous les trois
J'espérais que l'amour pourrait suivre son choix,

Et que le moindre d'eux, de soi-même estimable,
430 Recevrait de sa main la qualité d'aimable.
     Voilà, Blanche, où j'en suis, voilà ce que j'ai fait,
Voilà les vrais motifs dont tu voyais l'effet.
Car mon âme pour lui, quoique ardemment pressée,
Ne saurait se permettre une indigne pensée,
435 Et je mourrais encore avant que m'accorder
Ce qu'en secret mon cœur ose me demander.
Mais enfin je vois bien que je me suis trompée
De m'en être remise à qui porte une épée,
Et trouve occasion, dessous cette couleur,
440 De venger le mépris qu'on fait de sa valeur.
Je devais par mon choix étouffer cent querelles,
Et l'ordre que j'y tiens en forme de nouvelles,
Et jette entre les grands, amoureux de mon rang,
Une nécessité de répandre du sang.
445 Mais j'y saurai pourvoir.

                    BLANCHE
                         C'est un pénible ouvrage
D'arrêter un combat qu'autorise l'usage,
Que les lois ont réglé, que les rois vos aïeux
Daignaient assez souvent honorer de leurs yeux :
On ne s'en dédit point sans quelque ignominie,
450 Et l'honneur aux grands cœurs est plus cher que la vie.

                    D. ISABELLE
Je sais ce que tu dis, et n'irai pas de front
Faire un commandement qu'ils prendraient pour
Lorsque le déshonneur souille l'obéissance,   [affront.
Les rois peuvent douter de leur toute-puissance :
455 Qui la hasarde alors n'en sait pas bien user,
Et qui veut tout pouvoir ne doit pas tout oser.
Je romprai ce combat feignant de le permettre,
Et je le tiens rompu si je puis le remettre.
Les reines d'Aragon pourront même m'aider.
460 Voici déjà Carlos que je viens de mander.
Demeure, et tu verras avec combien d'adresse
Ma gloire de mon âme est toujours la maîtresse.

          Scène II : D. Isabelle, Carlos, Blanche.

                    D. ISABELLE
Vous avez bien servi, marquis, et jusqu'ici
Vos armes ont pour vous dignement réussi :
465 Je pense avoir aussi bien payé vos services.
     Malgré vos envieux et leurs mauvais offices,
J'ai fait beaucoup pour vous, et tout ce que j'ai fait
Ne vous a pas coûté seulement un souhait.
Si cette récompense est pourtant si petite
470 Qu'elle ne puisse aller jusqu'à votre mérite,
S'il vous en reste encor quelque autre à souhaiter,
Parlez, et donnez-moi moyen de m'acquitter.

                    CARLOS
Après tant de faveurs à pleines mains versées,
Dont mon cœur n'eût osé concevoir les pensées,
475 Surpris, troublé, confus, accablé de bienfaits,
Que j'osasse former encor quelques souhaits !

                    D. ISABELLE
Vous êtes donc content, et j'ai lieu de me plaindre.

                    CARLOS
De moi ?

                    D. ISABELLE
De vous, marquis. Je vous parle sans feindre :
Écoutez. Votre bras a bien servi l'État,
Tant que vous n'avez eu que le nom de soldat ;
Dès que je vous fais grand, sitôt que je vous donne
Le droit de disposer de ma propre personne,
Ce même bras s'apprête à troubler son repos,
Comme si le marquis cessait d'être Carlos,
Ou que cette grandeur ne fût qu'un avantage
Qui dût à sa ruine armer votre courage.
Les trois comtes en sont les plus fermes soutiens :
Vous attaquez en eux ses appuis et les miens :
C'est son sang le plus pur que vous voulez répandre,
Et vous pouvez juger l'honneur qu'on leur doit rendre,
Puisque ce même État, me demandant un roi,
Les a jugés eux trois les plus dignes de moi.
     Peut-être un peu d'orgueil vous a mis dans la tête
Qu'à venger leur mépris ce prétexte est honnête :
Vous en avez suivi la première chaleur.
Mais leur mépris va-t-il jusqu'à votre valeur ?
N'en ont-ils pas rendu témoignage à ma vue ?
Ils ont fait peu d'état d'une race inconnue,
Ils ont douté d'un sort que vous voulez cacher :
Quand un doute si juste aurait dû vous toucher,
J'avais pris quelque soin de vous venger moi-même.
Remettre entre vos mains le don du diadème,
Ce n'était pas, marquis, vous venger à demi.
Je vous ai fait leur juge, et non leur ennemi,
Et si sous votre choix j'ai voulu les réduire,
C'est pour vous faire honneur et non pour les détruire.
C'est votre seul avis, non leur sang que je veux,
Et c'est m'entendre mal que vous armer contre eux.
     N'auriez-vous point pensé que si ce grand courage
Vous pouvait sur tous trois donner quelque avantage,
On dirait que l'État, me cherchant un époux,
N'en aurait pu trouver de comparable à vous ?
Ah ! si je vous croyais si vain, si téméraire...

                    CARLOS
Madame, arrêtez là votre juste colère.
Je suis assez coupable, et n'ai osé trop osé,
Sans choisir pour me perdre un crime supposé.
Je ne me défends point des sentiments d'estime
Que vos moindres sujets auraient pour vous sans crime.
Lorsque je vois en vous les célestes accords
Des grâces de l'esprit et des beautés du corps,
Je puis, de tant d'attraits l'âme toute ravie,
Sur l'heur de votre époux jeter un œil d'envie,
Je puis contre le ciel en ~~cret murmurer
De n'être pas né roi pour pouvoir espérer,
Et les yeux éblouis de cet éclat suprême,
Baisser soudain la vue et rentrer en moi-même.
Mais que je laisse aller d'ambitieux soupirs,
Un ridicule espoir, de criminels désirs !
Je vous aime, Madame, et vous estime en reine,
Et quand j'aurais des feux dignes de votre haine,
Si votre âme, sensible à ces indignes feux,
Se pouvait oublier jusqu'à souffrir mes vœux,
Si par quelque malheur que je ne puis comprendre,
Du trône jusqu'à moi je la voyais descendre,
Commençant aussitôt à vous moins estimer,

Je cesserais sans doute aussi de vous aimer.
    L'amour que j'ai pour vous est tout à votre gloire :
Je ne vous prétends point pour fruit de ma victoire.
Je combats vos amants, sans dessein d'acquérir
Que l'heur d'en faire voir le plus digne, et mourir,
Et tiendrais mon destin assez digne d'envie,
S'il le faisait connaître aux dépens de ma vie.
Serait-ce à vos faveurs répondre pleinement
Que hasarder ce choix à mon seul jugement ?
Il vous doit un époux, à la Castille un maître :
Je puis en mal juger, je puis les mal connaître.
Je sais qu'ainsi que moi le démon des combats
Peut donner au moins digne et vous et vos États ;
Mais du moins, si le sort des armes journalières
En laisse par ma mort de mauvaises lumières,
Elle m'en ôtera la honte et le regret.
Et même si votre âme en aime un en secret,
Et que ce triste choix rencontre mal le vôtre,
Je ne vous verrai point, entre les bras d'un autre,
Reprocher à Carlos par de muets soupirs
Qu'il est l'unique auteur de tous vos déplaisirs.

              D. ISABELLE

Ne cherchez point d'excuse à douter de ma flamme,
Marquis, je puis aimer, puisque enfin je suis femme.
Mais, si j'aime, c'est mal faire votre cour
Qu'exposer au trépas l'objet de mon amour,
Et toute votre ardeur se serait modérée
A m'avoir dans ce doute assez considérée.
Je le veux éclaircir, et vous mieux éclairer,
Afin de vous apprendre à me considérer.
    Je ne le cèle point : j'aime, Carlos, oui, j'aime,
Mais l'amour de l'État, plus fort que de moi-même,
Cherche, au lieu de l'objet le plus doux à mes yeux,
Le plus digne héros de régner en ces lieux,
Et craignant que mes feux osassent me séduire,
J'ai voulu m'en remettre à vous pour m'en instruire.
Mais je crois qu'il suffit que cet objet d'amour
Perde le trône et moi sans perdre encor le jour,
Et mon cœur qu'on lui vole en souffre assez d'alarmes,
Sans que sa mort pour moi me demande des larmes.

              CARLOS

Ah ! si le ciel tantôt me daignait inspirer
En quel heureux amant je vous dois révérer,
Que par une facile et soudaine victoire...

              D. ISABELLE

Ne pensez qu'à défendre et vous et votre gloire.
Quel qu'il soit, les respects qui l'auraient épargné
Lui donneraient un prix qu'il aurait mal gagné,
Et céder à mes feux plutôt qu'à son mérite.
Ne serait que me rendre au juge que j'évite.
    Je n'abuserai point du pouvoir absolu,
Pour défendre un combat entre vous résolu.
Je blesserais par là l'honneur de tous les quatre :
Les lois vous l'ont permis, je vous verrai combattre,
C'est à moi, comme reine, à nommer le vainqueur.
Dites-moi, cependant, qui montre plus de cœur ?
Qui des trois le premier éprouve la fortune ?

              CARLOS

Don Alvar.

              D. ISABELLE

Don Alvar !

              CARLOS

              Oui, don Alvar de Lune.

              D. ISABELLE

On dit qu'il aime ailleurs.

              CARLOS

              On le dit, mais enfin
Lui seul jusqu'ici tente un si noble destin.

              D. ISABELLE

Je devine à peu près quel intérêt l'engage,
Et nous verrons demain quel sera son courage.

              CARLOS

Vous ne m'avez donné que ce jour pour ce choix.   595

              D. ISABELLE

J'aime mieux au lieu d'un vous en accorder trois.

              CARLOS

Madame, son cartel marque cette journée.

              D. ISABELLE

C'est peu que son cartel, si je ne l'ai donnée ;
Qu'on le fasse venir pour la voir différer.
Je vais pour vos combats faire tout préparer.   600
Adieu : souvenez-vous surtout de ma défense,
Et vous aurez demain l'honneur de ma présence.

Scène III : Carlos.

Consens-tu qu'on diffère, honneur, le consens-tu ?
Cet ordre n'a-t-il rien qui souille ma vertu ?
N'ai-je point à rougir de cette déférence   605
Que d'un combat illustre achète la licence ?
Tu murmures, ce semble ? Achève, explique-toi.
La Reine a-t-elle droit de te faire la loi ?
Tu n'es point son sujet, l'Aragon m'a vu naître.
O ciel ! je m'en souviens, et j'ose encor paraître !   610
Et je puis, sous les noms de comte et de marquis,
D'un malheureux pêcheur reconnaître le fils !
    Honteuse obscurité, qui seule me fais craindre !
Injurieux destin, qui seul me rends à plaindre !
Plus on m'en fait sortir, plus je crains d'y rentrer,   615
Et crois ne t'avoir fui que pour te rencontrer.
Ton cruel souvenir sans fin me persécute,
Du rang où l'on m'élève il me montre la chute.
Lasse-toi désormais de me faire trembler :
Je parle à mon honneur, ne viens point le troubler.   620
Laisse-le sans remords m'approcher des couronnes,
Et ne viens point m'ôter plus que tu ne me donnes.
Je n'ai plus rien à toi : la guerre a consumé
Tout cet indigne sang dont tu m'avais formé,
J'ai quitté jusqu'au nom que je tiens de ta haine,   625
Et ne puis... Mais voici ma véritable reine.

Scène IV : D. Elvire, Carlos.

              D. ELVIRE

Ah ! Carlos, car j'ai peine à vous nommer marquis,
Non qu'un titre si beau ne vous soit bien acquis,
Non qu'avecque justice il ne vous appartienne,

630 Mais parce qu'il vous vient d'autre main que la
Et que je présumais n'appartenir qu'à moi [mienne,
D'élever votre gloire au rang où je la vois.
Je me consolerais toutefois avec joie
Des faveurs que sans moi le ciel sur vous déploie,
635 Et verrais sans envie agrandir un héros
Si le marquis tenait ce qu'a promis Carlos,
S'il avait comme lui son bras à mon service.
Je venais à la Reine en demander justice :
Mais puisque je vous vois, vous m'en ferez raison.
640   Je vous accuse donc, non pas de trahison,
Pour un cœur généreux cette tache est trop noire,
Mais d'un peu seulement de manque de mémoire.

CARLOS

Moi, Madame ?

D. ELVIRE

      Ecoutez mes plaintes en repos.
Je me plains du marquis, et non pas de Carlos :
645 Carlos de tout son cœur me tiendrait sa parole,
Mais ce qu'il m'a donné, le marquis me le vole.
C'est lui seul qui dispose ainsi du bien d'autrui,
Et prodigue son bras quand il n'est plus à lui.
Carlos se souviendrait que sa haute vaillance
650 Doit ranger don Garcie à mon obéissance,
Qu'elle doit affermir mon sceptre dans ma main,
Qu'il doit m'accompagner peut-être dès demain.
Mais ce Carlos n'est plus, le marquis lui succède,
Qu'une autre soif de gloire, un autre objet possède,
655 Et qui du même bras que m'engageait sa foi,
Entreprend trois combats pour une autre que moi.
Hélas ! si ces honneurs dont vous comble la Reine
Réduisent mon espoir en une attente vaine,
Si les nouveaux desseins que vous en concevez
660 Vous ont fait oublier ce que vous me devez,
Rendez-lui ces honneurs qu'un tel oubli profane,
Rendez-lui Pennafiel, Burgos, et Santillane :
L'Aragon a de quoi vous payer ces refus,
Et vous donner encor quelque chose de plus.

CARLOS

665 Et Carlos, et marquis, je suis à vous, Madame :
Le changement de rang ne change point mon âme,
Mais vous trouverez bon que, par ces trois défis,
Carlos tâche à payer ce que doit le marquis.
Vous réserver mon bras noirci d'une infamie,
670 Attirerait sur vous la fortune ennemie,
Et vous hasarderait, par cette lâcheté,
Au juste châtiment qu'il aurait mérité.
Quand deux occasions pressent un grand courage,
L'honneur à la plus proche avidement l'engage,
675 Et lui fait préférer, sans le rendre inconstant,
Celle qui se présente à celle qui l'attend.
Ce n'est pas toutefois, Madame, qu'il l'oublie,
Mais bien que je vous doive immoler don Garcie,
J'ai vu que vers la Reine on perdait le respect,
680 Que d'un indigne amour son cœur était suspect ;
Pour m'avoir honoré je l'ai vue outragée,
Et ne puis m'acquitter qu'après l'avoir vengée.

D. ELVIRE

C'est me faire une excuse où je ne comprends rien,
Sinon que son service est préférable au mien,

Qu'avant que de me suivre on doit mourir pour elle,
Et qu'étant son sujet, il faut m'être infidèle.

CARLOS

Ce n'est point en sujet que je cours au combat :
Peut-être suis-je né dedans quelque autre État.
Mais par un zèle entier et pour l'une et pour l'autre,
J'embrasse également son service et le vôtre,
Et les plus grands périls n'ont rien de hasardeux
Que j'ose refuser pour aucune des deux.
Quoique engagé demain à combattre pour elle,
S'il fallait aujourd'hui venger votre querelle,
Tout ce que je lui dois ne m'empêcherait pas
De m'exposer pour vous à plus de trois combats.
Je voudrais toutes deux pouvoir vous satisfaire,
Vous sans manquer vers elle, elle sans vous déplaire.
Cependant je ne puis servir elle ni vous
Sans de l'une ou de l'autre allumer le courroux.
Je plaindrais un amant qui souffrirait mes peines,
Et tel pour deux beautés que je suis pour deux reines
Se verrait déchiré par un égal amour,
Tel que sont mes respects dans l'une et l'autre cour :
L'âme d'un tel amant, tristement balancée,
Sur d'éternels soucis voit flotter sa pensée,
Et ne pouvant résoudre à quels vœux se borner,
N'ose rien acquérir, ni rien abandonner.
Il n'aime qu'avec trouble, il ne voit qu'avec crainte,
Tout ce qu'il entreprend donne sujet de plainte,
Ses hommages partout ont de fausses couleurs,
Et son plus grand service est un grand crime ailleurs.

D. ELVIRE

Aussi sont-ce d'amour les premières maximes,
Que partager son âme est le plus grand des crimes.
Un cœur n'est à personne alors qu'il est à deux,
Aussitôt qu'il les offre il dérobe ses vœux,
Ce qu'il a de constance, à choisir trop timide,
Le rend vers l'une ou l'autre incessamment perfide,
Et comme il n'est enfin ni rigueurs, ni mépris
Qui d'un pareil amour ne soient un digne prix,
Il ne peut mériter d'aucun œil qui le charme,
En servant, un regard, en mourant, une larme.

CARLOS

Vous seriez bien sévère envers un tel amant.

D. ELVIRE

Allons voir si la Reine agirait autrement,
S'il en devrait attendre un plus léger supplice.
Cependant don Alvar le premier entre en lice,
Et vous savez l'amour qu'il m'a toujours fait voir.

CARLOS

Je sais combien sur lui vous avez de pouvoir.

D. ELVIRE

Quand vous le combattrez, pensez à ce que j'aime,
Et ménagez son sang comme le vôtre même.

CARLOS

Quoi ? m'ordonneriez-vous qu'ici j'en fisse un roi ?

D. ELVIRE

Je vous dis seulement que vous pensiez à moi.

ACTE TROISIÈME

Scène I : D. Elvire, D. Alvar.

D. ELVIRE

Vous pouvez donc m'aimer, et d'une âme bien saine
Entreprendre un combat pour acquérir la Reine!
Quel astre agit sur vous avec tant de rigueur,
Qu'il force votre bras à trahir votre cœur?
L'honneur, me dites-vous, vers l'amour vous excuse.
Ou cet honneur se trompe, ou cet amour s'abuse,
Et je ne comprends point, dans un si mauvais tour,
Ni quel est cet honneur, ni quel est cet amour.
Tout l'honneur d'un amant, c'est d'être amant fidèle :
Si vous m'aimez encor, que prétendez-vous d'elle,
Et si vous l'acquérez, que voulez-vous de moi?
Aurez-vous droit alors de lui manquer de foi?
La mépriserez-vous quand vous l'aurez acquise?

D. ALVAR

Qu'étant né son sujet jamais je la méprise!

D. ELVIRE

Que me voulez-vous donc? Vaincu par don Carlos,
Aurez-vous quelque grâce à troubler mon repos?
En serez-vous plus digne, et par cette victoire,
Répandra-t-il sur vous un rayon de sa gloire?

D. ALVAR

Que j'ose présenter ma défaite à vos yeux!

D. ELVIRE

Que me veut donc enfin ce cœur ambitieux?

D. ALVAR

Que vous preniez pitié de l'état déplorable
Où votre long refus réduit un misérable.
  Mes vœux mieux écoutés, par un heureux effet,
M'auraient su garantir de l'honneur qu'on m'a fait,
Et l'État par son choix ne m'eût pas mis en peine
De manquer à ma gloire, ou d'acquérir ma Reine.
Votre refus m'expose à cette dure loi
D'entreprendre un combat qui n'est que contre moi :
J'en crains également l'une et l'autre fortune.
Et le moyen aussi que j'en souhaite aucune?
Ni vaincu, ni vainqueur, je ne puis être à vous :
Vaincu j'en suis indigne, et vainqueur son époux,
Et le destin m'y traite avec tant d'injustice
Que son plus beau succès me tient lieu de supplice.
Aussi, quand mon devoir ose la disputer,
Je ne veux l'acquérir que pour vous mériter,
Que pour montrer qu'en vous j'adorais la personne,
Et me pouvais ailleurs promettre une couronne.
Fasse le juste ciel que j'y puisse, ou mourir,
Ou ne la mériter que pour vous acquérir!

D. ELVIRE

Ce sont vœux superflus de vouloir un miracle
Où votre gloire oppose un invincible obstacle,
Et la Reine pour moi vous saura bien payer
Du temps qu'un peu d'amour vous fit mal employer.
Ma couronne est douteuse, et la sienne affermie;
L'avantage du change en ôte l'infamie.
Allez, n'en perdez pas la digne occasion,
Poursuivez-la sans honte et sans confusion.
La légèreté même où tant d'honneur engage

Est moins légèreté que grandeur de courage,
Mais gardez que Carlos ne me venge de vous.

D. ALVAR

Ah! laissez-moi, Madame, adorer ce courroux.   785
J'avais cru jusqu'ici mon combat magnanime,
Mais je suis trop heureux s'il passe pour un crime,
Et si, quand de vos lois l'honneur me fait sortir,
Vous m'estimez assez pour vous en ressentir.
De ce crime vers vous quels que soient les supplices,   790
Du moins il m'a valu plus que tous mes services,
Puisqu'il me fait connaître, alors qu'il vous déplaît,
Que vous daignez en moi prendre quelque intérêt.

D. ELVIRE

Le crime, don Alvar, dont je semble irritée,
C'est qu'on me persécute après m'avoir quittée,
Et pour vous dire encor quelque chose de plus,   795
Je me fâche d'entendre accuser mes refus.
  Je suis reine sans sceptre, il n'en ai que le titre,
Le pouvoir m'en est dû, le temps en est l'arbitre.
Si vous m'avez servie en généreux amant
Quand j'ai reçu du ciel le plus dur traitement,   800
J'ai tâché d'y répondre avec toute l'estime
Que pouvait en attendre un cœur si magnanime.
Pouvais-je en cet exil davantage sur moi?
Je ne veux point d'époux que je n'en fasse un roi,
Et je n'ai pas une âme assez basse et commune   805
Pour en faire un appui de ma triste fortune.
C'est chez moi, don Alvar, dans la pompe et l'éclat,
Que me le doit choisir le bien de mon État.
Il fallait arracher mon sceptre à mon rebelle,
Le remettre en ma main pour le recevoir d'elle.   810
Je vous aurais peut-être alors considéré
Plus que ne m'a permis un sort si déploré,
Mais une occasion plus prompte et plus brillante
A surpris cependant votre amour chancelante;
Et soit que votre cœur s'y trouvât disposé,   815
Soit qu'un si long refus l'y laissât exposé,
Je ne vous blâme point de l'avoir acceptée,
De plus constants que vous l'auraient bien écoutée.
Quelle qu'en soit pourtant la cause ou la couleur,
Vous pouviez l'embrasser avec moins de chaleur,   820
Combattre le dernier, et par quelque apparence,
Témoigner que l'honneur vous faisait violence.
De cette illusion l'artifice secret
M'eût forcée à vous plaindre et vous perdre à regret,
Mais courir au-devant, et vouloir bien qu'on voie   825
Que vos vœux mal reçus m'échappent avec joie!

D. ALVAR

Vous auriez donc voulu que l'honneur d'un tel choix
Eût montré votre amant le plus lâche des trois,
Que pour lui cette gloire eût eu trop peu d'amorces,
Jusqu'à ce qu'un rival eût épuisé ses forces?   830
Que...

D. ELVIRE

        Vous achèverez au sortir du combat,
Si toutefois Carlos vous en laisse en état.
Voilà vos deux rivaux avec qui je vous laisse,
Et vous dirai demain pour qui je m'intéresse.

D. ALVAR

Hélas! pour le bien voir je n'ai que trop de jour.   835

Scène II : D. Manrique, D. Lope, D. Alvar.

D. MANRIQUE

Qui vous traite le mieux, la fortune ou l'amour?
La Reine charme-t-elle auprès de donne Elvire?

D. ALVAR

Si j'emporte la bague, il faudra vous le dire.

D. LOPE

Carlos vous nuit partout, du moins à ce qu'on croit.

D. ALVAR

840 Il fait plus d'un jaloux, du moins à ce qu'on voit.

D. LOPE

Il devrait par pitié vous céder l'une ou l'autre.

D. ALVAR

Plaignant mon intérêt, n'oubliez pas le vôtre.

D. MANRIQUE

De vrai, la presse est grande à qui le fera roi.

D. ALVAR

Je vous plains fort tous deux, s'il vient à bout de moi.

D. MANRIQUE

845 Mais si vous le vainquez, serons-nous fort à plaindre?

D. ALVAR

Quand je l'aurai vaincu, vous aurez fort à craindre.

D. LOPE

Oui, de vous voir longtemps hors de combat pour nous.

D. ALVAR

Nous aurons essuyé les plus dangereux coups.

D. MANRIQUE

L'heure nous tardera d'en voir l'expérience.

D. ALVAR

850 On pourra vous guérir de cette impatience.

D. LOPE

De grâce, faites donc que ce soit promptement.

Scène III : D. Isabelle, D. Manrique,
D. Lope, D. Alvar.

D. ISABELLE

Laissez-moi, don Alvar, leur parler un moment :
Je n'entreprendrai rien à votre préjudice,
Et mon dessein ne va qu'à vous faire justice,
855 Qu'à vous favoriser plus que vous ne voulez.

D. ALVAR

Je ne sais qu'obéir alors que vous parlez.

Scène IV : D. Isabelle, D. Manrique, D. Lope.

D. ISABELLE

Comtes, je ne veux plus donner lieu qu'on murmure
Que choisir par autrui c'est me faire une injure,
Et puisque de ma main le choix sera plus beau,
860 Je veux choisir moi-même, et reprendre l'anneau.
Je ferai plus pour vous. Des trois qu'on me propose,
J'en exclus don Alvar : vous en savez la cause.
Je ne veux point gêner un cœur plein d'autres feux,
Et vous ôte un rival pour le rendre à ses vœux.
865 Qui n'aime que par force aime qu'on le néglige,
Et mon refus du moins autant que vous l'oblige.
    Vous êtes donc les seuls que je veux regarder,
Mais avant qu'à choisir j'ose me hasarder,

Je voudrais voir en vous quelque preuve certaine
Qu'en moi c'est moi qu'on aime, et non l'éclat de reine.
L'amour n'est, ce dit-on, qu'une union d'esprits,
Et je tiendrais des deux celui-là mieux épris
Qui favoriserait ce que je favorise,
Et ne mépriserait que ce que je méprise,
Qui prendrait en m'aimant même cœur, mêmes yeux :
Si vous ne m'entendez, je vais m'expliquer mieux.
    Aux vertus de Carlos j'ai paru libérale,
Je voudrais en tous deux voir une estime égale,
Qu'il trouvât même honneur, même justice en vous,
Car ne présumez pas que je prenne un époux
Pour m'exposer moi-même à ce honteux outrage
Qu'un roi fait de ma main détruise mon ouvrage.
N'y pensez l'un ni l'autre, à moins qu'un digne effet
Suive de votre part ce que pour lui j'ai fait,
Et que par cet aveu je demeure assurée
Que tout ce qui m'a plu doit être de durée.

D. MANRIQUE

Toujours Carlos, Madame, et toujours son bonheur
Fait dépendre de lui le nôtre et votre cœur!
Mais puisque c'est par là qu'il faut enfin vous plaire,
Vous-même apprenez-nous ce que nous pouvons faire.
    Nous l'estimons tous deux un des braves guerriers
A qui jamais la guerre ait donné des lauriers,
Notre liberté même est due à sa vaillance,
Et quoiqu'il ait tantôt montré quelque insolence,
Dont nous a dû piquer l'honneur de notre rang,
Vous avez suppléé l'obscurité du sang.
Ce qu'il vous plaît qu'il soit, il est digne de l'être,
Nous lui devons beaucoup, et l'allions reconnaître,
L'honorer en soldat, et lui faire du bien,
Mais après vos faveurs nous ne pouvons plus rien.
Qui pouvait pour Carlos ne peut rien pour un comte,
Il n'est rien en nos mains qu'il en reçût sans honte,
Et vous avez pris soin de le payer pour nous.

D. ISABELLE

Il en est en vos mains des présents assez doux,
Qui purgeraient vos noms de toute ingratitude,
Et mon âme pour lui de toute inquiétude;
Il en est dont sans honte il serait possesseur,
En un mot, vous avez l'un et l'autre une sœur,
Et je veux que le roi qu'il me plaira de faire
En recevant ma main, le fasse son beau-frère,
Et que par cet hymen son destin affermi
Ne puisse en mon époux trouver son ennemi.
    Ce n'est pas, après tout, que j'en craigne la haine,
Je sais qu'en cet État je serai toujours reine,
Et qu'un tel roi jamais, quel que soit son projet,
Ne sera sous ce nom que mon premier sujet,
Mais je ne me plais pas à contraindre personne,
Et moins que tous un cœur à qui le mien se donne.
Répondez donc tous deux : n'y consentez-vous pas?

D. MANRIQUE

Oui, Madame, aux plus longs et plus cruels trépas,
Plutôt qu'à voir jamais de pareils hyménées
Ternir en un moment l'éclat de mille années.
Ne cherchez point par là cette union d'esprits :
Votre sceptre, Madame, est trop cher à ce prix
Et jamais...

D. ISABELLE
Ainsi donc vous me faites connaître
Que ce que je l'ai fait, il est digne de l'être,
Que je puis suppléer l'obscurité du sang?

D. MANRIQUE
Oui, bien pour l'élever jusques à notre rang.
Jamais un souverain ne doit compte à personne
Des dignités qu'il fait, et des grandeurs qu'il donne :
S'il est d'un sort indigne ou l'auteur ou l'appui,
Comme il le fait lui seul, la honte est toute à lui.
Mais disposer d'un sang que j'ai reçu sans tache!
Avant que le souiller il faut qu'on me l'arrache :
J'en dois compte aux aïeux dont il est hérité,
A toute leur famille, à la postérité.

D. ISABELLE
Et moi, Manrique, et moi, qui n'en dois aucun conte,
J'en disposerai seule, et j'en aurai la honte.
Mais quelle extravagance a pu vous figurer
Que je me donne à vous pour vous déshonorer,
Qu'un sceptre en vos mains porte quelque infamie?
Si je suis jusque-là de moi-même ennemie,
En quelle qualité, de sujet ou d'amant,
M'osez-vous expliquer ce noble sentiment?
Ah! si vous n'apprenez à parler d'autre sorte...

D. LOPE
Madame, pardonnez à l'ardeur qui l'emporte,
Il devait s'excuser avec plus de douceur.
Nous avons, en effet, l'un et l'autre une sœur,
Mais si j'ose en parler avec quelque franchise,
A d'autres qu'au marquis l'une et l'autre est promise.

D. ISABELLE
A qui, don Lope?

D. MANRIQUE
A moi, Madame...

D. ISABELLE
Et l'autre?

D. LOPE
A moi

D. ISABELLE
J'ai donc tort parmi vous de vouloir faire un roi.
Allez, heureux amants, allez voir vos maîtresses,
Et parmi les douceurs de vos dignes caresses,
N'oubliez pas de dire à ces jeunes esprits
Que vous faites du trône un généreux mépris.
Je vous l'ai déjà dit, je ne force personne,
Et rends grâce à l'État des amants qu'il me donne.

D. LOPE
Ecoutez-nous, de grâce.

D. ISABELLE
Et que me direz-vous,
Que la constance est belle au jugement de tous,
Qu'il n'est point de grandeurs qui la doivent séduire?
Quelques autres que vous m'en sauront mieux ins-   [truire,
Et si cette vertu ne se doit point forcer,
Peut-être qu'à mon tour je saurai l'exercer.

D. LOPE
Exercez-la, Madame, et souffrez qu'on s'explique.
Vous connaîtrez du moins don Lope et don Manrique,
Qu'un vertueux amour qu'ils ont tous deux pour vous,
Ne pouvant rendre heureux sans en faire un jaloux,

Porte à tarir ainsi la source des querelles
Qu'entre les grands rivaux on voit si naturelles.   970
Ils se sont l'un à l'autre attachés par ces nœuds
Qui n'auront leur effet que pour le malheureux :
Il me devra sa sœur, s'il faut qu'il vous obtienne,
Et si je suis à vous, le lui devrai la mienne.
Celui qui doit vous perdre, ainsi malgré son sort,   975
A s'approcher de vous fait encor son effort,
Ainsi, pour consoler l'une ou l'autre infortune,
L'une et l'autre est promise, et nous n'en devons
Nous ignorons laquelle et vous la choisirez, [qu'une :
Puisque enfin c'est le choix du roi que vous ferez.   980
Jugez donc si Carlos en peut être beau-frère,
Et si vous devez rompre un nœud si salutaire,
Hasarder un repos à votre État si doux,
Qu'affermit sous vos lois la concorde entre nous.

D. ISABELLE
Et ne savez-vous point qu'étant ce que vous êtes,   985
Vos sœurs, par conséquent, mes premières sujettes,
Les donner sans mon ordre, et même malgré moi,
C'est dans mon propre État m'oser faire la loi?

D. MANRIQUE
Agissez donc enfin, Madame, en souveraine,
Et souffrez qu'on s'excuse, ou commandez en reine :   990
Nous vous obéirons, mais sans y consentir,
Et pour vous dire tout avant que de sortir,
Carlos est généreux, il connaît sa naissance.
Qu'il se juge en secret sur cette connaissance,
Et s'il trouve son sang digne d'un tel honneur,   995
Qu'il vienne, nous tiendrons l'alliance à bonheur,
Qu'il choisisse des deux, et l'épouse, s'il l'ose.
Nous n'avons plus, Madame, à vous dire autre chose :
Mettre en un tel hasard le choix de leur époux,
C'est jusqu'où nous pouvons nous abaisser pour vous,   1000
Mais, encore une fois, que Carlos y regarde,
Et pense à quels périls cet hymen le hasarde.

D. ISABELLE
Vous-même, gardez bien, pour le trop dédaigner,
Que je ne montre enfin comme je sais régner.

Scène V : D. Isabelle.

Quel est ce mouvement qui tous deux les mutine,   1005
Lorsque l'obéissance au trône les destine,
Est-ce orgueil, est-ce envie, est-ce animosité,
Défiance, mépris ou générosité?
N'est-ce point que le ciel ne consent qu'avec peine
Cette triste union d'un sujet à sa reine,   1010
Et jette un prompt obstacle aux plus aisés desseins
Qui laissent choir mon sceptre en leurs indignes mains?
Mes yeux n'ont-ils horreur d'une telle bassesse
Que pour s'abaisser trop lorsque je les abaisse?
Quel destin à ma gloire oppose mon ardeur,   1015
Quel destin à ma flamme oppose ma grandeur?
Si ce n'est que par là que je m'en puis défendre,
Ciel, laisse-moi donner ce que je n'ose prendre,
Et puisque enfin pour moi tu n'as point fait de rois,
Souffre de mes sujets le moins indigne choix.   1020

Scène VI : D. Isabelle, Blanche.

D. ISABELLE

Blanche, j'ai perdu temps.

BLANCHE

Je l'ai perdu de même.

D. ISABELLE

Les comtes à ce prix fuyent le diadème.

BLANCHE

Et Carlos ne veut point de fortune à ce prix.

D. ISABELLE

Rend-il haine pour haine, et mépris pour mépris?

1025 Non, Madame, au contraire, il estime ces dames
Dignes des plus grands cœurs et des plus belles

D. ISABELLE   [flammes.

Et qui l'empêche donc d'aimer et de choisir?

BLANCHE

Quelque secret obstacle arrête son désir.
Tout le bien qu'il en dit ne passe point l'estime :
1030 Charmantes qu'elles sont, les aimer, c'est un crime.
Il ne s'excuse point sur l'inégalité,
Il semble plutôt craindre une infidélité,
Et ses discours obscurs, sous un confus mélange,
M'ont fait voir malgré lui comme une horreur du
1035 Comme une aversion qui n'a pour fondement [change,
Que les secrets liens d'un autre attachement.

D. ISABELLE

Il aimerait ailleurs!

BLANCHE

Oui, si je ne m'abuse,
Il aime en lieu plus haut que n'est ce qu'il refuse,
Et si je ne craignais votre juste courroux,
1040 J'oserais deviner, Madame, que c'est vous.

D. ISABELLE

Ah! ce n'est pas pour moi qu'il est si téméraire,
Tantôt dans ses respects j'ai trop vu le contraire :
Si l'éclat de mon sceptre avait pu le charmer,
Il ne m'aurait jamais défendu de l'aimer.
1045 S'il aime en lieu si haut, il aime donne Elvire,
Il doit l'accompagner jusque dans son empire,
Et fait à mes amants ces défis généreux,
Non pas pour m'acquérir, mais pour se venger d'eux.
Je l'ai donc agrandi pour le voir disparaître,
1050 Et qu'une reine, ingrate à l'égal de ce traître,
M'enlève, après vingt ans de refuge en ces lieux,
Ce qu'avait mon État de plus doux à mes yeux!
Non, j'ai pris trop de soin de conserver sa vie,
Qu'il combatte, qu'il meure, et j'en serai ravie.
1055 Je saurai par sa mort à quels vœux m'engager,
Et j'aimerai des trois qui m'en saura venger.

BLANCHE

Que vous peut offenser sa flamme ou sa retraite,
Puisque vous n'aspirez qu'à vous en voir défaite?
Je ne sais pas s'il aime ou donne Elvire ou vous,
1060 Mais je ne comprends point ce mouvement jaloux.

D. ISABELLE

Tu ne le comprends point, et c'est ce qui m'étonne :
Je veux donner son cœur, non que son cœur le donne,
Je veux que son respect l'empêche de m'aimer,

Non des flammes qu'une autre a su mieux allumer.
Je veux bien plus : qu'il m'aime, et qu'un juste silence
Fasse à des feux pareils pareille violence,
Que l'inégalité lui donne même ennui,
Qu'il souffre autant pour moi que je souffre pour lui,
Que par le seul dessein d'affermir sa fortune,
Et non point par amour, il se donne à quelqu'une,
Que par mon ordre seul il s'y laisse obliger,
Que ce soit m'obéir, et non me négliger,
Et que voyant ma flamme à l'honorer trop prompte,
Il m'ôte de péril sans me faire de honte.
Car enfin il l'a vue, et la connaît trop bien,
Mais il aspire au trône, et ce n'est pas au mien;
Il me préfère une autre, et cette préférence
Forme de son respect la trompeuse apparence :
Faux respect qui me brave, et veut régner sans moi!

BLANCHE

Pour aimer donne Elvire, il n'est pas encor roi.

D. ISABELLE

Elle est reine, et peut tout sur l'esprit de sa mère.

BLANCHE

Si ce n'est un faux bruit, le ciel lui rend un frère.
Don Sanche n'est point mort, et vient ici, dit-on,
Avec les députés qu'on attend d'Aragon :
C'est ce qu'en arrivant leurs gens ont fait entendre.

D. ISABELLE

Blanche, s'il est ainsi, que d'heur j'en dois attendre!
L'injustice du ciel, faute d'autres objets,
Me forçait d'abaisser mes yeux sur mes sujets,
Ne voyant point de prince égal à ma naissance,
Qui ne fût sous l'hymen, ou More, ou dans l'enfance;
Mais s'il lui rend un frère, il m'envoie un époux.
Comtes, je n'ai plus d'yeux pour Carlos ni pour
Et devenant par là reine de ma rivale,   [vous,
J'aurai droit d'empêcher qu'elle ne se ravale,
Et ne souffrirai pas qu'elle ait plus de bonheur
Que ne m'en ont permis ces tristes lois d'honneur.

BLANCHE

La belle occasion que votre jalousie,
Douteuse encor qu'elle est, a promptement saisie!

D. ISABELLE

Allons l'examiner, Blanche, et tâchons de voir
Quelle juste espérance on peut en concevoir.

ACTE QUATRIÈME

Scène I : D. Léonor, D. Manrique, D. Lope.

D. MANRIQUE

Quoique l'espoir d'un trône et l'amour d'une reine
Soient des biens que jamais on ne céda sans peine,
Quoiqu'à l'un de nous deux elle ait promis sa foi,
Nous cessons de prétendre où nous voyons un roi.
Dans notre ambition nous savons nous connaître,
Et bénissant le ciel qui nous donne un tel maître,
Ce prince qu'il vous rend après tant de travaux
Trouve en nous des sujets et non pas des rivaux :
Heureux si l'Aragon, joint avec la Castille,
Du sang de deux grands rois ne fait qu'une famille!

Nous vous en conjurons, loin d'en être jaloux,
Comme étant l'un et l'autre à l'État plus qu'à nous,
Et tous impatients d'en voir la force unie
Des Mores, nos voisins, dompter la tyrannie,
Nous renonçons sans honte à ce choix glorieux,
Qui d'une grande reine abaissait trop les yeux.

D. LÉONOR

La générosité de votre déférence,
Comtes, flatte trop tôt ma nouvelle espérance :
D'un avis si douteux j'attends fort peu de fruit,
Et ce grand bruit enfin peut-être n'est qu'un bruit.
Mais jugez-en tous deux et m'en daignez apprendre
Ce qu'avecque raison mon cœur en doit attendre.
    Les troubles d'Aragon vous sont assez connus,
Je vous en ai souvent tous deux entretenus,
Et ne vous redis point quelles longues misères
Chassèrent don Fernand du trône de ses pères.
Il y voyait déjà monter ses ennemis,
Ce prince malheureux, quand j'accouchai d'un fils :
On le nomma don Sanche, et pour cacher sa vie
Aux barbares fureurs du traître don Garcie,
A peine eus-je loisir de lui dire un adieu
Qu'il le fit enlever sans me dire en quel lieu,
Et je n'en pus jamais savoir que quelques marques,
Pour reconnaître un jour le sang de nos monarques.
Trop inutiles soins contre un si mauvais sort!
Lui-même au bout d'un an m'apprit qu'il était mort.
Quatre ans après il meurt et me laisse une fille
Dont je vins par son ordre accoucher en Castille.
Il me souvient toujours de ses derniers propos;
Il mourut dans mes bras avec ces tristes mots :
« Je meurs, et je vous laisse en un sort déplorable :
Le ciel vous puisse un jour être plus favorable!
Don Raymond a pour vous des secrets importants,
Et vous les apprendra quand il en sera temps.
Fuyez dans la Castille. » A ces mots il expire,
Et jamais don Raymond ne me voulut rien dire.
Je partis sans lumière en ces obscurités,
Mais le voyant venir avec ses députés,
Et que c'est par leurs gens que ce grand bruit éclate
(Voyez qu'en sa faveur aisément on se flatte!),
J'ai cru que du secret le temps était venu,
Et que don Sanche était ce mystère inconnu,
Qu'il l'amenait ici reconnaître sa mère.
Hélas! que c'est en vain que mon amour l'espère!
A ma confusion ce bruit s'est éclairci.
Bien loin de l'amener, ils le cherchent ici :
Voyez quelle apparence, et si cette province
A jamais su le nom de ce malheureux prince.

D. LOPE

Si vous croyez au nom, vous croirez son trépas,
Et qu'on cherche don Sanche où don Sanche n'est pas,
Mais si vous en voulez croire la voix publique,
Et que notre pensée avec elle s'explique,
Ou le ciel pour jamais a repris ce héros,
Ou cet illustre prince est le vaillant Carlos
Nous le dirons tous deux, quoique suspects d'envie,
C'est un miracle pur que le cours de sa vie.
Cette haute vertu qui charme tant d'esprits,
Cette fière valeur qui brave nos mépris,

Ce port majestueux, qui tout inconnu même,
A plus d'accès que nous auprès du diadème,   1170
Deux reines qu'à l'envi nous voyons l'estimer,
Et qui peut-être ont peine à ne le pas aimer,
Ce prompt consentement d'un peuple qui l'adore :
Madame, après cela j'ose le dire encore,
Ou le ciel pour jamais a repris ce héros,   1175
Ou cet illustre prince est le vaillant Carlos.
Nous avons méprisé sa naissance inconnue,
Mais à ce peu de jour nous recouvrons la vue,
Et verrions à regret qu'il fallût aujourd'hui
Céder notre espérance à tout autre qu'à lui.   1180

D. LÉONOR

Il en a le mérite et non pas la naissance,
Et lui-même il en donne assez de connaissance,
Abandonnant la Reine à choisir parmi vous
Un roi pour la Castille, et pour elle un époux.

D. MANRIQUE

Et ne voyez-vous pas que sa valeur s'apprête   1185
A faire sur tous trois cette illustre conquête?
Oubliez-vous déjà qu'il a dit à vos yeux
Qu'il ne veut rien devoir au nom de ses aïeux?
Son grand cœur se dérobe à ce haut avantage,
Pour devoir sa grandeur entière à son courage.   1190
Dans une cour si belle et si pleine d'appas,
Avez-vous remarqué qu'il aime en lieu plus bas?

D. LÉONOR

Le voici : nous saurons ce que lui-même en pense.

Scène II : D. Léonor, Carlos,
D. Manrique, D. Lope.

CARLOS

Madame, sauvez-moi d'un honneur qui m'offense :
Un peuple opiniâtre à m'arracher mon nom   1195
Veut que je sois don Sanche, et prince d'Aragon.
Puisque par sa présence il faut que ce bruit meure,
Dois-je être, en l'attendant, le fantôme d'une heure?
Ou si c'est une erreur qui lui promet ce roi,
Souffrez-vous qu'elle abuse et de vous et de moi?   1200

D. LÉONOR

Quoi que vous présumiez de la voix populaire,
Par de secrets rayons le ciel souvent l'éclaire :
Vous apprendrez par là du moins les vœux de tous,
Et quelle opinion les peuples ont de vous.

D. LOPE

Prince, ne cachez plus ce que le ciel découvre,   1205
Ne fermez pas nos yeux quand sa main nous les ouvre :
Vous devez être las de nous faire faillir.
Nous ignorons quel fruit vous en vouliez cueillir,
Mais nous avions pour vous une estime assez haute
Pour n'être pas forcés à commettre une faute,   1210
Et notre honneur, au vôtre en aveugle opposé,
Méritait par pitié d'être désabusé,
Notre orgueil n'est pas tel qu'il s'attache aux personnes,
Ou qu'il ose oublier ce qu'il doit aux couronnes,
Et s'il n'a pas eu d'yeux pour un roi déguisé,   1215
Si l'inconnu Carlos s'en est vu méprisé,
Nous respectons don Sanche, et l'acceptons pour
Sitôt qu'à notre reine il se fera connaître,   [maître,

Et sans doute son cœur nous en avouera bien.
1220 Hâtez cette union de votre sceptre au sien,
Seigneur, et d'un soldat quittant la fausse image,
Recevez, comme roi, notre premier hommage.

CARLOS

Comtes, ces faux respects dont je me vois surpris
Sont plus injurieux encor que vos mépris.
1225 Je pense avoir rendu mon nom assez illustre
Pour n'avoir pas besoin qu'on lui donne un faux lustre.
Reprenez vos honneurs où je n'ai point de part.
J'imputais ce faux bruit aux fureurs du hasard,
Et doutais qu'il pût être une âme assez hardie
1230 Pour ériger Carlos en roi de comédie,
Mais puisque c'est un jeu de votre belle humeur,
Sachez que les vaillants honorent la valeur,
Et que tous vos pareils auraient quelque scrupule
A faire de la mienne un éclat ridicule.
1135 Si c'est votre dessein d'en réjouir ces lieux,
Quand vous m'aurez vaincu vous me raillerez mieux :
La raillerie est belle après une victoire,
On la fait avec grâce aussi bien qu'avec gloire.
Mais vous précipitez un peu trop ce dessein :
1240 La bague de la Reine est encore en ma main,
Et l'inconnu Carlos, sans nommer sa famille,
Vous sert encor d'obstacle au trône de Castille.
Ce bras, qui vous sauva de la captivité,
Peut s'opposer encore à votre avidité.

D. MANRIQUE

1245 Pour n'être que Carlos, vous parlez bien en maître,
Et tranchez bien du prince en déniant de l'être.
Si nous avons tantôt jusqu'au bout défendu
L'honneur qu'à notre rang nous voyions être dû,
Nous saurons bien encor jusqu'au bout le défendre,
1250 Mais ce que nous devons, nous aimons à le rendre.
    Que vous soyez don Sanche ou qu'un autre le soit,
L'un et l'autre de nous lui rendra ce qu'il doit.
Pour le nouveau marquis, quoique l'honneur l'irrite,
Qu'il sache qu'on l'honore autant qu'il le mérite,
1255 Mais que, pour nous combattre, il faut que le bon sang
Aide un peu sa valeur à soutenir ce rang.
Qu'il n'y prétende point, à moins qu'il se déclare,
Non que nous demandions qu'il soit Guzman ou Lare :
Qu'il soit noble, il suffit pour nous traiter d'égal,
1260 Nous le verrons tous deux comme un digne rival,
Et si don Sanche enfin n'est qu'une attente vaine,
Nous lui disputerons cet anneau de la Reine.
Qu'il souffre cependant, quoique brave guerrier,
Que notre bras dédaigne un simple aventurier.
1265   Nous vous laissons, Madame, éclaircir ce mystère.
Le sang a des secrets qu'entend mieux une mère,
Et dans les différends qu'avec lui nous avons,
Nous craignons d'oublier ce que nous vous devons.

Scène III : D. Léonor, Carlos.

CARLOS

Madame, vous voyez comme l'orgueil me traite.
1270 Pour me faire un honneur, on veut que je l'achète,
Mais s'il faut qu'il m'en coûte un secret de vingt ans,
Cet anneau dans mes mains pourra briller longtemps.

D. LÉONOR

Laissons là ce combat, et parlons de don Sanche.
Ce bruit est grand pour vous, toute la cour y penche :
De grâce, dites-moi, vous connaissez-vous bien?

CARLOS

Plût à Dieu qu'en mon sort je ne connusse rien!
Si j'étais quelque enfant épargné des tempêtes,
Livré dans un désert à la merci des bêtes,
Exposé par la crainte ou par l'inimitié,
Rencontré par hasard et nourri par pitié,
Mon orgueil à ce bruit prendrait quelque espérance
Sur votre incertitude et sur mon ignorance.
Je me figurerais ces destins merveilleux,
Qui tiraient du néant les héros fabuleux,
Et me revêtirais des brillantes chimères
Qu'osa former pour eux le loisir de nos pères,
Car enfin je suis vain, et mon ambition
Ne peut s'examiner sans indignation
Je ne puis regarder sceptre ni diadème,
Qu'ils n'emportent mon âme au-delà d'elle-même :
Inutiles élans d'un vol impétueux
Que pousse vers le ciel un cœur présomptueux,
Que soutiennent en l'air quelques exploits de guerre,
Et qu'un coup d'œil sur moi rabat soudain à terre!
    Je ne suis point don Sanche, et connais mes parents.
Ce bruit me donne en vain un nom que je vous rends,
Gardez-le pour ce prince : une heure ou deux peut-être
Avec vos députés vous le feront connaître.
Laissez-moi cependant à cette obscurité
Qui ne fait que justice à ma témérité.

D. LÉONOR

En vain donc je me flatte, et ce que j'aime à croire
N'est qu'une illusion que me fait votre gloire?
Mon cœur vous en dédit : un secret mouvement
Qui le penche vers vous malgré moi vous dément :
Mais je ne puis juger quelle source l'anime,
Si c'est l'ardeur du sang, ou l'effort de l'estime,
Si la nature agit, ou si c'est le désir,
Si c'est vous reconnaître, ou si c'est vous choisir.
Je veux bien toutefois étouffer ce murmure
Comme de vos vertus une aimable imposture,
Condamner, pour vous plaire, un bruit qui m'est si doux,
Mais où sera mon fils s'il ne vit point en vous? [doux.
On veut qu'il soit ici, je n'en vois aucun signe :
On connaît, hormis vous, quiconque en serait digne,
Et le vrai sang des rois, sous le sort abattu,
Peut cacher sa naissance et non pas sa vertu.
Il porte sur le front un luisant caractère
Qui parle malgré lui de tout ce qu'il veut taire,
Et celui que le ciel sur le vôtre avait mis
Pouvait seul m'éblouir si vous l'eussiez permis.
    Vous ne l'êtes donc point, puisque vous me le dites,
Mais vous êtes à craindre avec tant de mérites.
Souffrez que j'en demeure à cette obscurité.
Je ne condamne point votre témérité;
Mon estime, au contraire, est pour vous si puissante
Qu'il ne tiendra qu'à vous que mon cœur n'y consente :
Votre sang avec moi n'a qu'à se déclarer,
Et je vous donne après liberté d'espérer.
Que si même à ce prix vous cachez votre race,

30 Ne me refusez point du moins une autre grâce,
Ne vous préparez plus à nous accompagner,
Nous n'avons plus besoin de secours pour régner.
Le mort de don Garcie a puni tous ses crimes,
Et rendu l'Aragon à ses rois légitimes.
35 N'en cherchez plus la gloire, et quels que soient vos
Ne me contraignez point à plus que je ne veux. [vœux,
Le prix de la valeur doit avoir ses limites,
Et je vous crains enfin avec tant de mérites.
C'est assez vous en dire. Adieu : pensez-y bien,
40 Et faites-vous connaître, ou n'aspirez à rien.

Scène IV : Carlos, Blanche.

BLANCHE

Qui ne vous craindra point, si les reines vous crai-
                        CARLOS   [gnent?
Elles se font raison lorsqu'elles me dédaignent.

BLANCHE

Dédaigner un héros qu'on reconnaît pour roi!

CARLOS

N'aide point à l'envie à se jouer de moi,
45 Blanche, si tu te plais à seconder sa haine,
Du moins respecte en moi l'ouvrage de ta Reine.

BLANCHE

La Reine même en vous ne voit plus aujourd'hui
Qu'un prince que le ciel nous montre malgré lui.
Mais c'est trop la tenir dedans l'incertitude,
Ce silence vers elle est une ingratitude,
Ce qu'a fait pour Carlos sa générosité
Méritait de don Sanche une civilité.

CARLOS

Ah! nom fatal pour moi, que tu me persécutes,
Et prépares mon âme à d'effroyables chutes!

Scène V : D. Isabelle, Carlos, Blanche.

CARLOS

Madame, commandez qu'on me laisse en repos,
Qu'on ne confonde plus don Sanche avec Carlos.
C'est faire au nom d'un prince une trop longue injure,
Je ne veux que celui de votre créature,
Et si le sort jaloux, qui semble me flatter,
Veut m'élever plus haut pour m'en précipiter,
Souffrez qu'en m'éloignant je dérobe ma tête
A l'indigne revers que sa fureur m'apprête.
Je le vois de trop loin pour l'attendre en ce lieu,
Souffrez que je l'évite en vous disant adieu,
Souffrez...

D. ISABELLE

Quoi! ce grand cœur redoute une couronne!
Quand on le croit monarque, il frémit, il s'étonne!
Il veut fuir cette gloire, et se laisse alarmer
De ce que sa vertu force d'en présumer!

CARLOS

Ah! vous ne voyez pas que cette erreur commune
N'est qu'une trahison de ma bonne fortune,
Que déjà mes secrets sont à demi trahis.
Je lui cachais en vain ma race et mon pays,
En vain sous un faux nom je me faisais connaître,

Pour lui faire oublier ce qu'elle m'a fait naître :
Elle a déjà trouvé mon pays et mon nom.   1375
Je suis Sanche, Madame, et né dans l'Aragon,
Et je crois déjà voir sa malice funeste
Détruire votre ouvrage on découvrant le reste,
Et faire voir ici, par un honteux effet,
Quel comte et quel marquis votre faveur a fait.   1380

D. ISABELLE

Pourrais-je alors manquer de force ou de courage
Pour empêcher le sort d'abattre mon ouvrage?
Ne me dérobez point ce qu'il ne peut ternir,
Et la main qui l'a fait saura le soutenir.
Mais vous vous en formez une vaine menace   1385
Pour faire un beau prétexte à l'amour qui vous chasse.
Je ne demande plus d'où partait ce dédain,
Quand j'ai voulu vous faire un hymen de ma main.
Allez dans l'Aragon suivre votre princesse,
Mais allez-y du moins sans feindre une faiblesse,   1390
Et puisque ce grand cœur s'attache à ses appas,
Montrez, en la suivant, que vous ne fuyez pas.

CARLOS

Ah! Madame, plutôt apprenez tous mes crimes,
Ma tête est à vos pieds, s'il vous faut des victimes.
Tout chétif que je suis, je dois vous avouer   1395
Qu'en me plaignant du sort j'ai de quoi m'en louer :
S'il m'a fait en naissant quelque désavantage,
Il m'a donné d'un roi le nom et le courage,
Et depuis que mon cœur est capable d'aimer,
A moins que d'une reine, il n'a pu s'enflammer.   1400
Voilà mon premier crime, et je ne puis vous dire
Qui m'a fait infidèle, ou vous, ou donne Elvire,
Mais je sais que ce cœur, des deux parts engagé,
Se donnant à vous deux, ne s'est point partagé,
Toujours prêt d'embrasser son service et le vôtre,   1405
Toujours prêt à mourir et pour l'une et pour l'autre.
Pour n'en adorer qu'une, il eût fallu choisir,
Et ce choix eût été du moins quelque désir.
Quelque espoir outrageux d'être mieux reçu d'elle,
Et j'ai cru moins de crime à paraître infidèle.   1410
Qui n'a rien à prétendre en peut bien aimer deux,
Et perdre en plus d'un lieu des soupirs et des vœux :
Voilà mon second crime, et quoique ma souffrance
Jamais à ce beau feu n'ait permis d'espérance,
Je ne puis sans mourir d'un désespoir jaloux,   1415
Voir dans les bras d'un autre, ou donne Elvire, ou vous.
Voyant que votre choix m'apprêtait ce martyre,
Je voulais m'y soustraire en suivant donne Elvire,
Et languir auprès d'elle, attendant que le sort
Par un semblable hymen m'eût envoyé la mort.   1420
Depuis, l'occasion que vous-même avez faite,
M'a fait quitter le soin d'une telle retraite.
Ce trouble a quelque temps amusé ma douleur :
J'ai cru par ces combats reculer mon malheur.
Le coup de votre perte est devenu moins rude,   1425
Lorsque j'en ai vu l'heure en quelque incertitude,
Et que j'ai pu me faire une si douce loi
Que ma mort vous donnât un plus vaillant que moi.
Mais je n'ai plus, Madame, aucun combat à faire.
Je vois pour vous don Sanche un époux nécessaire,   1430
Car ce n'est point l'amour qui fait l'hymen des rois :

Les raisons de l'État règlent toujours leur choix;
Leur sévère grandeur jamais ne se ravale,
Ayant devant les yeux un prince qui l'égale,
1435 Et puisque le saint nœud qui le fait votre époux
Arrête comme sœur donne Elvire avec vous,
Que je ne puis la voir sans voir ce qui me tue.
Permettez que j'évite une fatale vue,
Et que je porte ailleurs les criminels soupirs
1440 D'un reste malheureux de tant de déplaisirs.

D. ISABELLE

Vous m'en dites assez pour mériter ma haine,
Si je laissais agir les sentiments de reine :
Par un trouble secret je les sens confondus.
Partez, je le consens, et ne les troublez plus.
1445 Mais non : pour fuir don Sanche, attendez qu'on le voie;
Ce bruit peut être faux, et me rendre ma joie.
Que dis-je? Allez, marquis, j'y consens de nouveau,
Mais avant de partir donnez-lui mon anneau :
Si ce n'est toutefois une faveur trop grande
1450 Que pour tant de faveurs une Reine demande.

CARLOS

Vous voulez que je meure, et je dois obéir,
Dût cette obéissance à mon sort me trahir.
Je recevrai par grâce un si juste supplice,
S'il en rompt la menace et prévient la malice,
1455 Et souffre que Carlos en donnant cet anneau,
Emporte ce faux nom et sa gloire au tombeau :
C'est l'unique bonheur où ce coupable aspire.

D. ISABELLE

Que n'êtes-vous don Sanche! Ah ciel! qu'osé-je dire?
Adieu, ne croyez pas ce soupir indiscret.

CARLOS

1460 Il m'en a dit assez pour mourir sans regret.

ACTE CINQUIÈME

Scène I : D. Alvar, D. Elvire.

D. ALVAR

Enfin, après un sort à mes vœux si contraire,
Je dois bénir le ciel qui vous renvoie un frère.
Puisque de notre reine il doit être l'époux,
Cette heureuse union me laisse tout à vous.
1465 Je me vois affranchi d'un honneur tyrannique,
D'un joug que m'imposait cette faveur publique,
D'un choix qui me forçait à vouloir être roi :
Je n'ai plus de combat à faire contre moi,
Plus à craindre le prix d'une triste victoire,
1470 Et l'infidélité que vous faisait ma gloire
Consent que mon amour, de ses lois dégagé,
Vous rende un inconstant qui n'a jamais changé.

D. ELVIRE

Vous êtes généreux, mais votre impatience
Sur un bruit incertain prend trop de confiance;
1475 Et cette prompte ardeur de rentrer dans mes fers
Me console trop tôt d'un trône que je perds.
Ma perte n'est encor qu'une rumeur confuse
Qui du nom de Carlos, malgré Carlos, abuse,

Et vous ne savez pas, à vous en bien parler,
Par quelle offre et quels vœux on peut m'en consoler.
Plus que vous ne pensez la couronne m'est chère :
Je perds plus qu'on ne croit, si Carlos est mon frère.
Attendez les effets que produiront ces bruits,
Attendez que je sache au vrai ce que je suis,
Si le ciel m'ôte ou laisse enfin le diadème,
S'il vous faut m'obtenir d'un frère ou de moi-même,
Si par l'ordre d'autrui je vous dois écouter,
Ou si j'ai seulement mon cœur à consulter.

D. ALVAR

Ah! ce n'est qu'à ce cœur que le mien vous demande,
Madame, c'est lui seul que je veux qui m'entende,
Et mon propre bonheur m'accablerait d'ennui,
Si je n'étais à vous que par l'ordre d'autrui.
Pourrais-je de ce frère implorer la puissance,
Pour ne vous obtenir que par obéissance,
Et par un lâche abus de son autorité,
M'élever en tyran sur votre volonté?

D. ELVIRE

Avec peu de raison vous craignez qu'il arrive
Qu'il ait des sentiments que mon âme ne suive :
Le digne sang des rois n'a point d'yeux que leurs yeux,
Et leurs premiers sujets obéissent le mieux.
Mais vous êtes étrange avec vos déférences,
Dont les submissions cherchent des assurances,
Vous ne craignez d'agir contre ce que je veux
Que pour tirer de moi que j'accepte vos vœux,
Et vous obstineriez dans ce respect extrême
Jusques à me forcer à dire : « Je vous aime ».
Ce mot est un peu rude à prononcer pour nous,
Souffrez qu'à m'expliquer j'en trouve de plus doux.
Je vous dirai beaucoup, sans pourtant rien dire.
Je sais depuis quel temps vous aimez donne Elvire,
Je sais ce que je dois, je sais ce que je puis,
Mais, encore une fois, sachons ce que je suis,
Et si vous n'aspirez qu'au seul bonheur de me plaire,
Tâchez d'approfondir ce dangereux mystère.
Carlos a tant de lieu de vous considérer,
Que s'il devient mon roi, vous devez espérer.

D. ALVAR

Madame...

D. ELVIRE

En ma faveur donnez-vous cette peine,
Et me laissez, de grâce, entretenir la Reine.

D. ALVAR

J'obéis avec joie, et ferai mon pouvoir
A vous dire bientôt ce qui s'en peut savoir.

Scène II : D. Léonor, D. Elvire.

D. LÉONOR

Don Alvar me fuit-il?

D. ELVIRE

Madame, à ma prière,
Il va dans tous ces bruits chercher quelque lumière.
J'ai craint, en vous voyant, un secours pour ses feux,
Et de défendre mal mon cœur contre vous deux.

D. LÉONOR

Ne pourra-t-on jamais gagner votre courage?

D. ELVIRE
Il peut tout obtenir, ayant votre suffrage.

D. LÉONOR
Je lui puis donc enfin promettre votre foi?

D. ELVIRE
Oui, si vous lui gagnez celui du nouveau roi.

D. LÉONOR
Et si ce bruit est faux? si vous demeurez Reine?

D. ELVIRE
30 Que vous puis-je répondre, en étant incertaine?

D. LÉONOR
En cette incertitude on peut faire espérer.

D. ELVIRE
On peut attendre aussi pour en délibérer :
On agit autrement quand le pouvoir suprême...

Scène III : D. Isabelle, D. Léonor, D. Elvire.

D. ISABELLE
J'interromps vos secrets, mais j'y prends part moi-
5 Et j'ai tant d'intérêt de connaître ce fils,   [même,
Que j'ose demander ce qui s'en est appris.

D. LÉONOR
Vous ne m'en voyez pas davantage éclaircie.

D. ISABELLE
Mais de qui tenez-vous la mort de don Garcie,
Vu que depuis un mois qu'il vient des députés,
0 On parlait seulement de peuples révoltés?

D. LÉONOR
Je vous puis sur ce point aisément satisfaire :
Leurs gens m'en ont donné la raison assez claire.
    On assiégeait encore, alors qu'ils sont partis,
Dedans leur dernier fort don Garcie et son fils.
On l'a pris tôt après, et soudain par sa prise
Don Raymond prisonnier recouvrant sa franchise [30],
Les voyant tous deux morts, publie à haute voix
Que nous avions un roi du vrai sang de nos rois,
Que Don Sanche vivait, et part en diligence
Pour rendre à l'Aragon le bien de sa présence.
Il joint nos députés hier sur la fin du jour,
Et leur dit que ce prince était en votre cour.
    C'est tout ce que j'ai pu tirer d'un domestique :
Outre qu'avec ces gens rarement on s'explique,
Comme ils entendent mal, leur rapport est confus,
Mais bientôt don Raymond vous dira le surplus.
Que vous veut cependant Blanche tout étonnée?

*Scène IV : D. Isabelle, D. Léonor,
D. Elvire, Blanche.*

BLANCHE
Ah! Madame!

D. ISABELLE
        Qu'as-tu?

BLANCHE
            La funeste journée!
Votre Carlos...

30. Don Raymond de Moncade était prisonnier des rebelles
depuis six ans, à Jaca, forteresse aragonaise près du col
du Somport.

D. ISABELLE
Eh bien?

BLANCHE
        Son père est en ces lieux,
Et n'est...

D. ISABELLE
    Quoi?

BLANCHE
        Qu'un pêcheur.

D. ISABELLE
            Qui te l'a dit?

BLANCHE
                Mes yeux. 1560

D. ISABELLE
Tes yeux?

BLANCHE
    Mes propres yeux.

D. ISABELLE
            Que j'ai peine à les croire!

D. LÉONOR
Voudriez-vous, Madame, en apprendre l'histoire?

D. ELVIRE
Que le ciel est injuste!

D. ISABELLE
            Il l'est, et nous fait voir
Par cet injuste effet son absolu pouvoir,
Qui du sang le plus vil tire une âme si belle,   1565
Et forme une vertu qui n'a lustre que d'elle.
Parle, Blanche, et dis-nous comme il voit ce malheur.

BLANCHE
Avec beaucoup de honte, et plus encor de cœur.
Du haut de l'escalier je le voyais descendre,
En vain de ce faux bruit il se voulait défendre.   1570
Votre cour, obstinée à lui changer de nom,
Murmurait tout autour : « Don Sanche d'Aragon! »
Quand un chétif vieillard le saisit et l'embrasse.
Lui qui le reconnaît frémit de sa disgrâce,
Puis laissant la nature à ses pleins mouvements,   1575
Répond avec tendresse à ses embrassements.
Ses pleurs mêlent aux siens une fierté sincère.
On n'entend que soupirs : « Ah! mon fils! —
                            [Ah! mon père!
— Oh! jour trois fois heureux! moment trop attendu!
— Tu m'as rendu la vie! » et : « Vous m'avez perdu! » 1580
    Chose étrange! à ces cris de douleur et de joie,
Un grand peuple accouru ne veut pas qu'on les croie,
Il s'aveugle soi-même, et ce pauvre pêcheur,
En dépit de Carlos, passe pour imposteur.
Dans les bras de ce fils on lui fait mille hontes :   1585
C'est un fourbe, un méchant suborné par les comtes.
Eux-mêmes (admirez leur générosité)
S'efforcent d'affermir cette incrédulité.
Non qu'ils prennent sur eux de si lâches pratiques,
Mais ils en font auteur un de leurs domestiques,   1590
Qui pensant bien leur plaire, a si mal à propos
Instruit ce malheureux pour affronter Carlos.
Avec avidité cette histoire est reçue :
Chacun la tient trop vraie aussitôt qu'elle est sue,
Et pour plus de croyance à cette trahison,   1595
Les comtes font traîner ce bonhomme en prison.

Carlos rend témoignage en vain contre soi-même,
Les vérités qu'il dit cèdent au stratagème,
Et dans le déhonneur qui l'accable aujourd'hui,
1600 Ses plus grands envieux l'en sauvent malgré lui.
Il tempête, il menace, et bouillant de colère,
Il crie à pleine voix qu'on lui rende son père :
On tremble devant lui sans croire son courroux,
Et rien... Mais le voici qui vient s'en plaindre à vous.

Scène V : D. Isabelle, D. Léonor, D. Elvire,
Blanche, Carlos, D. Manrique, D. Lope.

CARLOS

1605 Eh bien! Madame, enfin on connaît ma naissance :
Voilà le digne fruit de mon obéissance.
J'ai prévu ce malheur, et l'aurais évité,
Si vos commandements ne m'eussent arrêté.
Ils m'ont livré, Madame, à ce moment funeste;
1610 Et l'on m'arrache encor le seul bien qui me reste!
On me vole mon père, on le fait criminel!
On attache à son nom un opprobre éternel!
   Je suis fils d'un pêcheur, mais non pas d'un infâme;
La bassesse du sang ne va point jusqu'à l'âme,
1615 Et je renonce aux noms de comte et de marquis
Avec bien plus d'honneur qu'aux sentiments de fils :
Rien n'en peut effacer le sacré caractère.
De grâce, commandez qu'on me rende mon père.
Ce doit leur être assez de savoir qui je suis,
1620 Sans m'accabler encor par de nouveaux ennuis.

D. MANRIQUE

Forcez ce grand courage à conserver sa gloire,
Madame, et l'empêchez lui-même de se croire.
Nous n'avons pu souffrir qu'un bras qui tant de fois
A fait trembler le More et triompher nos rois,
1625 Reçût de sa naissance une tache éternelle :
Tant de valeur mérite une source plus belle.
Aidez ainsi que nous le peuple à s'abuser,
Il aime son erreur, daignez l'autoriser :
A tant de beaux exploits rendez cette justice,
1630 Et de notre pitié soutenez l'artifice.

CARLOS

Je suis bien malheureux, si je vous fais pitié :
Reprenez votre orgueil et votre inimitié.
Après que ma fortune a soûlé votre envie,
Vous plaignez aisément mon entrée à la vie,
1635 Et me croyant par elle à jamais abattu,
Vous exercez sans peine une haute vertu.
Peut-être elle ne fait qu'une embûche à la mienne.
La gloire de mon nom vaut bien qu'on la retienne,
Mais son plus bel éclat serait trop acheté,
1640 Si je le retenais par une lâcheté.
Si ma naissance est basse, elle est du moins sans tache :
Puisque vous la savez, je veux bien qu'on la sache.
   Sanche, fils d'un pêcheur, et non d'un imposteur,
De deux comtes jadis fut le libérateur;
1645 Sanche, fils d'un pêcheur, mettait naguère en peine
Deux illustres rivaux sur le choix de leur reine;
Sanche, fils d'un pêcheur, tient encore en sa main
De quoi faire bientôt tout l'heur d'un souverain;
Sanche enfin, malgré lui, dedans cette province,

Quoique fils d'un pêcheur, a passé pour un prince.
   Voilà ce qu'a pu faire et qu'à fait à vos yeux
Un cœur que ravalait le nom de ses aïeux.
La gloire qui m'en reste après cette disgrâce
Éclate encore assez pour honorer ma race,
Et paraîtra plus grande à qui comprendra bien
Qu'à l'exemple du ciel j'ai fait beaucoup de rien.

D. LOPE

Cette noble fierté désavoue un tel père,
Et par un témoignage à soi-même contraire,
Obscurcit de nouveau ce qu'on voit éclairci.
Non, le fils d'un pêcheur ne parle point ainsi,
Et son âme paraît si dignement formée
Que j'en crois plus que l'erreur que j'ai semée.
Je le soutiens, Carlos, vous n'êtes point son fils :
La justice du ciel ne peut l'avoir permis.
Les tendresses du sang vous font une imposture,
Et je démens pour vous la voix de la nature.
   Ne vous repentez point de tant de dignités
Dont il vous plut orner ses rares qualités :
Jamais plus digne main ne fit plus digne ouvrage,
Madame, il les relève avec ce grand courage,
Et vous ne leur pouviez trouver plus haut appui,
Puisque même le sort est au-dessous de lui.

D. ISABELLE

La générosité qu'en tous les trois j'admire
Me met en un état de n'avoir que leur dire,
Et dans la nouveauté de ces événements,
Par un illustre effort prévient mes sentiments.
   Ils paraîtront en vain, comtes, s'ils vous excitent
A lui rendre l'honneur que ses hauts faits méritent,
Et ne dédaigner pas l'illustre et rare objet
D'une haute valeur qui part d'un sang abjet.
Vous courez au-devant avec tant de franchise
Qu'autant que du pêcheur je m'en trouve surprise.
   Et vous, que par mon ordre ici j'ai retenu,
Sanche, puisqu'à ce nom vous êtes reconnu,
Miraculeux héros dont la gloire refuse
L'avantageuse erreur d'un peuple qui s'abuse,
Parmi les déplaisirs que vous en recevez,
Puis-je vous consoler d'un sort que vous bravez,
Puis-je vous demander ce que je vous vois faire?
Je vous tiens malheureux d'être né d'un tel père,
Mais je vous tiens ensemble heureux au dernier point
D'être né d'un tel père, et de n'en rougir point,
Et de ce qu'un grand cœur, mis dans l'autre balance,
Emporte encor si haut une telle naissance.

Scène VI : D. Isabelle, D. Léonor, D. Elvire,
Carlos, D. Manrique, D. Lope, D. Alvar,
Blanche.

D. ALVAR

Princesses, admirez l'orgueil d'un prisonnier,
Qu'en faveur de son fils on veut calomnier.
   Ce malheureux pêcheur, par promesse ni crainte,
Ne saurait se résoudre à souffrir une feinte.
J'ai voulu lui parler, et n'en fais que sortir;
J'ai tâché, mais en vain, de lui faire sentir
Combien mal à propos sa présence importune

D'un fils si généreux renverse la fortune,
Et qu'il le perd d'honneur, à moins que d'avouer
Que c'est un lâche tour qu'on le force à jouer;
5 J'ai même à ces raisons ajouté la menace :
Rien ne peut l'ébranler, Sanche est toujours sa race,
Et quant à ce qu'il perd de fortune et d'honneur,
Il dit qu'il a de quoi le faire grand seigneur,
Et que plus de cent fois il a su de sa mine
0 (Voyez qu'il est crédule et simple au fond de l'âme)
Que voyant ce présent, qu'en mes mains il a mis,
La reine d'Aragon agrandirait son fils.

A D. Léonor.

Si vous le recevez avec autant de joie,
Madame, que par moi ce vieillard vous l'envoie,
5 Vous donnerez sans doute à cet illustre fils
Un rang encor plus haut que celui de marquis.
Ce bonhomme m'en paraît l'âme toute comblée.

*Don Alvar présente à D. Léonor un petit écrin qui
s'ouvre sans clef, au moyen d'un ressort secret.*

D. ISABELLE

Madame, à cet aspect vous paraissez troublée.

D. LÉONOR

J'ai bien sujet de l'être en recevant ce don,
Madame : j'en saurai si mon fils vit ou non;
Et c'est où le feu Roi, déguisant sa naissance,
D'un sort si précieux mit la reconnaissance.
Disons ce qu'il enferme avant que de l'ouvrir.
Ah! Sanche, si par là je puis le découvrir,
Vous pouvez être sûr d'un entier avantage
Dans les lieux dont le ciel a fait notre partage;
Et qu'après ce trésor que vous m'aurez rendu,
Vous recevrez le prix qui vous en sera dû.
Mais à ce doux transport c'est déjà trop permettre.
Trouvons notre bonheur avant que d'en promettre.
Ce présent donc enferme un tissu de cheveux
Que reçut don Fernand pour arrhes de mes vœux,
Son portrait et le mien, deux pierres les plus rares,
Que forme le soleil sous les climats barbares,
Et pour un témoignage encore plus certain,
Un billet que lui-même écrivit de sa main.

UN GARDE

Madame, don Raymond vous demande audience.

D. LÉONOR

Qu'il entre. Pardonnez à mon impatience,
Si l'ardeur de le voir et de l'entretenir
Avant votre congé l'ose faire venir.

D. ISABELLE

Vous pouvez commander dans toute la Castille,
Et je ne vous vois plus qu'avec des yeux de fille.

*Scène VII : D. Isabelle, D. Léonor, D. Elvire,
Carlos, D. Manrique, D. Lope, D. Alvar,
Blanche, D. Raymond.*

D. LÉONOR

Laissez-là, don Raymond, la mort de nos tyrans,
Et rendez seulement don Sanche à ses parents.
Vit-il, peut-il braver nos fières destinées?

D. RAYMOND

Sortant d'une prison de plus de six années,

Je l'ai cherché, Madame, où pour les mieux braver,
Par l'ordre du feu Roi je le fis élever,
Avec tant de secret que même un second père,
Qui l'estime son fils, ignore ce mystère. 1750
Ainsi qu'en votre cour Sanche y fut son vrai nom,
Et l'on n'en retrancha que cet illustre don.
Là, j'ai su qu'à seize ans son généreux courage
S'indigna des emplois de son faux parentage,
Qu'impatient déjà d'être si mal tombé, 1755
A sa fausse bassesse il s'était dérobé,
Que déguisant son nom et cachant sa famille,
Il avait fait merveille aux guerres de Castille,
D'où quelque sien voisin, depuis peu de retour,
L'avait vu plein de gloire, et fort bien en la cour, 1760
Que du bruit de son nom elle était toute pleine,
Qu'il était connu même et chéri de la Reine :
Si bien que ce pêcheur, d'aise tout transporté,
Avait couru chercher ce fils si fort vanté.

D. LÉONOR

Don Raymond, si vos yeux pouvaient le reconnaître... 1765

D. RAYMOND

Oui, je le vois, Madame. Ah! Seigneur, ah! mon maître!

D. LOPE

Nous l'avions bien jugé : grand prince, rendez-vous.
La vérité paraît, cédez aux vœux de tous.

D. LÉONOR

Don Sanche, voulez-vous être seul incrédule?

CARLOS

Je crains encor du sort un revers ridicule. 1770
Mais, Madame, voyez si le billet du Roi
Accorde à don Raymond ce qu'il vous dit de moi.

D. LÉONOR, *ouvre l'écrin, et en tire
un billet qu'elle lit.*

*Pour tromper un tyran je vous trompe vous-même :
Vous reverrez ce fils que je vous fais pleurer :
Cette erreur lui peut rendre un jour le diadème; 1775
Et je vous l'ai caché pour le mieux assurer.*

*Si ma feinte vers vous passe pour criminelle,
Pardonnez-moi les maux qu'elle vous fait souffrir,
De crainte que les soins de l'amour maternelle
Par leurs empressements le fissent découvrir. 1780*

*Nugne, un pauvre pêcheur, s'en croit être le père ;
Sa femme en son absence accouchant d'un fils mort,
Elle reçut le vôtre, et sut si bien se taire,
Que le père et le fils en ignorent le sort.*

*Elle-même l'ignore, et d'un si grand échange 1785
Elle sait seulement qu'il n'est pas de son sang,
Et croit que ce présent par un miracle étrange,
Doit un jour par vos mains lui rendre son vrai rang.*

*A ces marques, un jour, daignez le reconnaître,
Et puisse l'Aragon, retournant sous vos lois, 1790
Apprendre ainsi que vous, de moi qui l'ai vu naître,
Que Sanche, fils de Nugne, est le sang de ses rois!*

DON FERNAND D'ARAGON.

D. LÉONOR, *après avoir lu.*

Ah! mon fils, s'il en faut encore davantage,
Croyez-en vos vertus et votre grand courage.

CARLOS, *à D. Léonor.*

1795 Ce serait mal répondre à ce rare bonheur
Que vouloir me défendre encor d'un tel honneur.

A D. Isabelle.

Je reprends toutefois Nugne pour mon vrai père,
Si vous ne m'ordonnez, Madame, que j'espère.

D. ISABELLE

C'est trop peu d'espérer, quand tout vous est acquis.
1800 Je vous avais fait tort en vous faisant marquis,
Et vous n'aurez pas lieu désormais de vous plaindre
De ce retardement où j'ai su vous contraindre.
Et pour moi, que le ciel destinait pour un roi,
Digne de la Castille et digne encor de moi,
1805 J'avais mis cette bague en des mains assez bonnes
Pour la rendre à don Sanche, et joindre nos couronnes.

CARLOS

Je ne m'étonne plus de l'orgueil de mes vœux,
Qui, sans le partager, donnaient mon cœur à deux :
Dans les obscurités d'une telle aventure,
1810 L'amour se confondait avecque la nature.

D. ELVIRE

Le nôtre y répondait sans faire honte au rang,
Et le mien vous payait ce que devait le sang.

CARLOS, *à D. Elvire.*

Si vous m'aimez encor, et m'honorez en frère,
Un époux de ma main pourrait-il vous déplaire?

D. ELVIRE

Si don Alvar de Lune est cet illustre époux,
Il vaut bien à mes yeux tout ce qui n'est point vous.

CARLOS, *à D. Elvire.*

Il honorait en moi la vertu toute nue.

A D. Manrique et à D. Lope.

Et vous, qui dédaigniez ma naissance inconnue,
Comtes, et les premiers en cet événement
Jugiez en ma faveur si véritablement,
Votre dédain fut juste autant que son estime :
C'est la même vertu sous une autre maxime.

D. RAYMOND, *à D. Isabelle.*

Souffrez qu'à l'Aragon il daigne se montrer.
Nos députés, Madame, impatients d'entrer...

D. ISABELLE

Il vaut mieux leur donner audience publique,
Afin qu'aux yeux de tous ce miracle s'explique.
Allons, et cependant qu'on mette en liberté
Celui par qui tant d'heur nous vient d'être apporté,
Et qu'on l'amène ici, plus heureux qu'il ne pense,
Recevoir de ses soins la digne récompense.

NICOMÈDE [1]

TRAGÉDIE

Nicomède *renoue avec la grande tragédie politique abandonnée depuis* Cinna *et la* Mort de Pompée. *Entre la mort de Louis XIII et l'adolescence de Louis XIV, Corneille a jugé autrement de sa fonction d'auteur dramatique. Mais, historiographe officiel avec les* Triomphes de Louis le Juste *(1649), lié au peintre attitré de la Cour, Le Brun, chargé du grand divertissement royal qu'était* Andromède, *il se souvient qu'il peut mieux remplir ce rôle, comme il l'a déjà fait. Il a senti toutefois, dès la présentation* Au lecteur, *en quoi* Nicomède *différait de son œuvre antérieure. « La tendresse et les passions n'ont aucune part en celle-ci... La grandeur du courage y règne seule. » Mais* Nicomède *n'est pas un renouvellement, c'est un aboutissement de son génie propre. Techniquement, le savant agencement des coups de théâtre, les débats ironiques ou cinglants, donnent à l'œuvre sa valeur et expliquent la prédilection de Corneille pour cette tragédie.*

Elle demeure toutefois sa pièce politique la plus complète. Louis XIV n'avait que treize ans à la création de Nicomède *et ce serait beaucoup s'avancer de prétendre que Corneille choisit pour lui de traiter ce sujet. Si ce ne fut pas la raison exclusive ou dominante, il y songea du moins. Ce n'est pas hasard si Molière, en 1658, joue* Nicomède, *quand il paraît pour la première fois devant toute la Cour et son* prince de vingt ans, qui avait déjà fait savoir, alors, qu'il gouvernerait seul. Molière se contentera pour sa part, un peu plus tard, de faire l'éducation amoureuse du jeune roi, avec la* Princesse d'Élide.

*Corneille, à son ordinaire, explique pour les doctes les sources, Justin, Appien, Diodore de Sicile ; les transformations apportées à l'histoire, la qualité de la forme : l'intérêt de ces remarques est mince, au regard de la lucide explication sur soi-même qui les précède. L'*Examen *de 1660 approfondit et tente de justifier ce pathétique de la seule admiration dont il découvre l'intérêt et les dangers.*

La pièce, jouée à l'Hôtel de Bourgogne, très probablement dans l'hiver 1650-1651, sans qu'on en connaisse exactement la date ni la distribution, obtint un grand succès et l'un des plus durables par le nombre et les reprises qu'on en fit du vivant de l'auteur en France. Il ne paraît pas qu'il en ait été de même à l'étranger. Une traduction anglaise de 1670 semble n'avoir pas eu grand succès. La Hollande, si attentive à la production antérieure de Corneille, n'en publie une traduction qu'après sa mort. L'opéra joué à Venise en 1677, s'il est une marque d'estime indubitable, ne témoigne guère d'une grande fidélité aux intentions de l'œuvre.

AU LECTEUR [2]

Voici une pièce d'une constitution assez extraordinaire : aussi est-ce la vingt et unième que j'ai fait voir sur le théâtre, et après y avoir fait réciter quarante mille vers, il est bien malaisé de trouver quelque chose de nouveau, sans s'écarter un peu du grand chemin, et se mettre au hasard de s'égarer. La tendresse et les passions, qui doivent être l'âme des tragédies, n'ont aucune part en celle-ci : la grandeur du courage y règne seule, et regarde son malheur d'un œil si dédaigneux qu'il n'en saurait arracher une plainte. Elle y est combattue par la politique, et n'oppose à ses artifices qu'une prudence généreuse, qui marche à visage découvert, qui prévoit le péril sans s'émouvoir, et ne veut point d'autre appui que celui de sa vertu, et de l'amour qu'elle imprime dans les cœurs de tous les peuples. L'histoire qui m'a prêté de quoi la faire paraître en ce haut degré est tirée de Justin [3], et voici comme il la raconte à la fin de son trente-quatrième livre.

« En même temps Prusias, roi de Bithynie, prit dessein de faire assassiner son fils Nicomède, pour avancer ses autres fils [4], qu'il avait eus d'une autre femme, et qu'il faisait élever à Rome, mais ce dessein fut découvert à ce jeune prince par ceux même qui l'avaient entrepris ; ils firent plus, ils l'exhortèrent à rendre la pareille à un père si cruel, et faire retomber sur sa tête les embûches qu'il lui avait préparées, et n'eurent pas grande peine à le persuader. Sitôt donc qu'il fut entré dans le royaume de son père, qui l'avait appelé auprès

1. Le privilège, pris par Corneille pour *Nicomède* et deux tragédies de Thomas, est du 12 mars 1651, l'achevé d'imprimer du 29 novembre 1651.

2. A partir de *Nicomède*, Corneille renonce à toute dédicace.

3. L'historien latin déjà utilisé.

4. Corneille les ramène au seul Attale, dont le nom ne figure pas dans Justin, pas plus d'ailleurs que celui d'Arsinoé.

NICOMÈDE

de lui, il fut proclamé roi, et Prusias, chassé du trône, et délaissé même de ses domestiques, quelque soin qu'il prît à se cacher, fut enfin tué par ce fils, et perdit la vie par un crime aussi grand que celui qu'il avait commis en donnant les ordres de l'assassiner[5]. »

J'ai ôté de ma scène l'horreur d'une catastrophe si barbare, et n'ai donné ni au père ni au fils aucun dessein de parricide. J'ai fait ce dernier amoureux de Laodice afin que l'union d'une couronne voisine donnât plus d'ombrage aux Romains, et leur fît prendre plus de soin d'y mettre un obstacle de leur part. J'ai approché de cette histoire celle de la mort d'Annibal, qui arriva un peu auparavant chez ce même roi, et dont le nom n'est pas un petit ornement à mon ouvrage. J'en ai fait Nicomède disciple, pour lui prêter plus de valeur et plus de fierté contre les Romains, et prenant l'occasion de l'ambassade où Flaminius[6] fut envoyé par eux vers ce roi, leur allié, pour demander qu'on remît entre leurs mains ce vieil ennemi de leur grandeur, je l'ai chargé d'une commission secrète de traverser ce mariage, qui leur devait donner de la jalousie. J'ai fait que pour gagner l'esprit de la Reine, qui, suivant l'ordinaire des secondes femmes, avait tout pouvoir sur celui de son vieux mari, il lui ramène un de ses fils, que mon auteur m'apprend avoir été nourris à Rome. Cela fait deux effets, car d'un côté, il obtient la perte d'Annibal par le moyen de cette mère ambitieuse, et de l'autre, il oppose à Nicomède un rival appuyé de toute la faveur des Romains, jaloux de sa gloire et de sa grandeur naissante.

Les assassins qui découvrirent à ce prince les sanglants desseins de son père m'ont donné jour à d'autres artifices pour le faire tomber dans les embûches que sa belle-mère lui avait préparées; et pour la fin, je l'ai réduite en sorte que tous mes personnages y agissent avec générosité, et que les uns rendant ce qu'ils doivent à leur vertu, et les autres demeurant dans la fermeté de leur devoir, laissent un exemple assez illustre, et une conclusion assez agréable.

La représentation n'en a point déplu, et comme ce ne sont pas les moindres vers qui soient partis de ma main, j'ai sujet d'espérer que la lecture n'ôtera rien à cet ouvrage de la réputation qu'il s'est acquise jusqu'ici, et ne le fera point juger indigne de suivre ceux qui l'ont précédé. Mon principal but a été de peindre la politique des Romains au dehors, et comme ils agissaient impérieusement avec les rois leurs alliés, leurs maximes pour les empêcher de s'accroître, et les soins qu'ils prenaient de traverser leur grandeur, quand elle commençait à leur devenir suspecte à force de s'augmenter et de se rendre considérable par de nouvelles conquêtes[7]. C'est important que j'ai donné à leur république en la personne de son ambassadeur Flaminius, qui rencontre un prince intrépide, qui voit sa perte assurée sans s'ébranler, et brave l'orgueilleuse masse de leur puissance, lors même qu'il en est accablé.

5. Livre XXXIV, chap. 4. Corneille traduit exactement, en abrégeant légèrement.

6. Titus Quintus Flaminius vint en ambassade en 183 av. J.-C. ce qui semble dater la pièce de Corneille, mais Prusias cesse de régner en 148 : c'est donc cette date qu'il faut retenir comme le moment de la pièce. Mais il n'a voir avec Caius Flaminius, le vaincu de Trasimène, que Corneille donne pour père à son personnage.

7. Cet important passage apporte une singulière atténuation à la légende de « l'âme romaine » de Corneille. S'il en loue à diverses reprises les vertus privées, il n'en approuve jamais la politique ni au-dehors (Nicomède, Sophonisbe), ni au-dedans (Cinna, Pompée, Sertorius).

Ce héros de ma façon sort un peu des règles de la tragédie, en ce qu'il ne cherche point à faire pitié par l'excès de ses malheurs, mais le succès a montré que la fermeté des grands cœurs, qui n'excite que de l'admiration dans l'âme du spectateur, est quelquefois aussi agréable que la compassion que notre art nous commande de mendier pour leurs misères. Il est bon de hasarder un peu et ne s'attacher pas toujours si servilement à ses préceptes, ne fût-ce que pour pratiquer celui de notre Horace :

Et mihi res, non me rebus, submittere conor[8].

Mais il faut que l'événement justifie cette hardiesse, et dans une liberté de cette nature on demeure coupable, à moins que d'être fort heureux.

EXAMEN

Voici une pièce d'une constitution assez extraordinaire : aussi est-ce la vingt et unième que j'ai mise sur le théâtre; et après y avoir fait réciter quarante mille vers, il est bien malaisé de trouver quelque chose de nouveau, sans s'écarter un peu du grand chemin, et se mettre au hasard de s'égarer. La tendresse et les passions, qui doivent être l'âme des tragédies, n'ont aucune part en celle-ci : la grandeur du courage y règne seule, et regarde son malheur d'un œil si dédaigneux qu'il n'en saurait arracher une plainte. Elle y est combattue par la politique, et n'oppose à ses artifices qu'une prudence généreuse, qui marche à visage découvert, qui prévoit le péril sans s'émouvoir, et qui ne veut point d'autre appui que celui de sa vertu, et de l'amour qu'elle imprime dans les cœurs de tous les peuples.

L'histoire qui m'a prêté de quoi la faire paraître en ce haut degré est tirée du trente-quatrième livre de Justin. J'ai ôté de ma scène l'horreur de sa catastrophe, où le fils fait assassiner son père ni à Prusias ni à Nicomède aucun dessein de parricide. J'ai fait ce dernier amoureux de Laodice, reine d'Arménie, afin que l'union d'une couronne voisine à la sienne donnât plus d'ombrage aux Romains, et leur fît prendre plus de soin d'y mettre un obstacle de leur part. J'ai approché de cette histoire celle de la mort d'Annibal, qui arriva un peu auparavant chez ce même roi, et dont le nom n'est pas un petit ornement à mon ouvrage. J'en ai fait Nicomède disciple, pour lui prêter plus de valeur et plus de fierté contre les Romains, et prenant l'occasion de l'ambassade où Flaminius fut envoyé par eux vers ce roi, leur allié, pour demander qu'on remît entre leurs mains ce vieil ennemi de leur grandeur, je l'ai chargé d'une commission secrète de traverser ce mariage, qui leur devait donner de la jalousie. J'ai fait que pour gagner l'esprit de la Reine, qui, suivant l'ordinaire des secondes femmes, avait tout pouvoir sur celui de son vieux mari, il lui ramène un de ses fils, que mon auteur m'apprend avoir été nourris à Rome. Cela fait deux effets, car, d'un côté, il obtient la perte d'Annibal par le moyen de cette mère ambitieuse, et de l'autre, il oppose à Nicomède un rival appuyé de toute la faveur des Romains, jaloux de sa gloire et de sa grandeur naissante.

Les assassins qui découvrirent à ce prince les sanglants desseins de son père m'ont donné jour à d'autres artifices pour le faire tomber dans les embûches que sa belle-mère lui avait préparées, et pour la fin, je l'ai réduite en sorte que tous mes personnages y agissent

8. « Je m'efforce de soumettre les choses à moi, non moi aux choses. » (Épîtres, I, 1, vers 19.)

avec générosité, et que les uns rendant ce qu'ils doivent à la vertu, et les autres demeurant dans la fermeté de leur devoir, laissent un exemple assez illustre et une conclusion assez agréable.

La représentation n'en a point déplu, et ce ne sont pas les moindres vers qui soient partis de ma main. Mon principal but a été de peindre la politique des Romains au dehors, et comme ils agissaient impérieusement avec les rois leurs alliés; leurs maximes pour les empêcher de s'accroître, et les soins qu'ils prenaient de traverser leur grandeur quand elle commençait à leur devenir suspecte à force de s'augmenter et de se rendre considérable par de nouvelles conquêtes. C'est le caractère que j'ai donné à leur république en la personne de son ambassadeur Flaminius à qui j'oppose un prince intrépide, qui voit sa perte assurée sans s'ébranler, et qui brave l'orgueilleuse masse de leur puissance, lors même qu'il en est accablé. Ce héros de ma façon sort un peu des règles de la tragédie, en ce qu'il ne cherche point à faire pitié par l'excès de ses infortunes, mais le succès a montré que la fermeté des grands cœurs, qui n'excite que de l'admiration dans l'âme du spectateur, est quelquefois aussi agréable que la compassion que notre art nous ordonne d'y produire par la représentation de leurs malheurs. Il en fait naître toutefois quelqu'une, mais elle ne va pas jusques à tirer des larmes. Son effet se borne à mettre les auditeurs dans les intérêts de ce prince, et à leur faire former des souhaits pour ses prospérités.

Dans l'admiration qu'on a pour sa vertu, je trouve une manière de purger les passions dont n'a point parlé Aristote, et qui est peut-être plus sûre que celle qu'il prescrit à la tragédie par le moyen de la pitié et de la crainte. L'amour qu'elle nous donne pour cette vertu que nous admirons, nous imprime de la haine pour le vice contraire. La grandeur de courage de Nicomède nous laisse une aversion de la pusillanimité, et la généreuse reconnaissance d'Héraclius, qui expose sa vie pour Martian, à qui il est redevable de la sienne, nous jette dans l'horreur de l'ingratitude.

Je ne veux point dissimuler que cette pièce est une de celles pour qui j'ai le plus d'amitié. Aussi n'y remarquerai-je que ce défaut de la fin, qui va trop vite, comme je l'ai dit ailleurs, et où l'on peut même trouver quelque inégalité de mœurs en Prusias et Flaminius, qui après avoir pris la fuite sur la mer, s'avisent tout d'un coup de rappeler leur courage, et viennent se ranger auprès de la reine Arsinoé, pour mourir avec elle et la défendant. Flaminius y demeure en assez méchante posture, voyant réunir toute la famille royale, malgré les soins qu'il avait pris de la diviser, et les instructions qu'il en avait apportées de Rome. Il s'y voit enlever par Nicomède les affections de cette reine et du prince Attale, qu'il avait choisis pour instruments à traverser sa grandeur, et semble n'être revenu que pour être témoin du triomphe qu'il remporte sur lui. D'abord j'avais fini la pièce sans les faire revenir, et m'étais contenté de faire témoigner par Nicomède à sa belle-mère grand déplaisir de ce que la fuite du Roi ne lui permettait pas de lui rendre ses obéissances. Cela ne démentait point l'effet historique, puisqu'il laissait sa mort en incertitude, mais le goût des spectateurs, que nous avons accoutumés à voir rassembler tous nos personnages à la conclusion de cette sorte de poèmes, fut cause de ce changement, où je me résolus pour leur donner plus de satisfaction, bien qu'avec moins de régularité.

ACTEURS

PRUSIAS, *roi de Bithynie* [9].
FLAMINIUS, *ambassadeur de Rome.*
ARSINOÉ, *seconde femme de Prusias* [10].
LAODICE, *reine d'Arménie.*
NICOMÈDE, *fils aîné de Prusias,
sorti du premier lit* [11].
ATTALE, *fils de Prusias et d'Arsinoé.*
ARASPE, *capitaine des gardes de Prusias.*
CLÉONE, *confidente d'Arsinoé.*

La scène est à Nicomédie [12].

9. Il régna de 192 à 148. Comme le rappelle Corneille, c'est chez lui que s'empoisonna Hannibal, pour ne pas être livré aux Romains. Le royaume perdit son indépendance en 75 av. J.-C., quand Nicomède III l'abandonna à Rome.
10. Arsinoé, Attale, Laodice, Araspe et Cléone sont des noms imaginés par Corneille.
11. Nicomède II, surnommé Épiphane, roi de 148 à 91 av. J.-C. Son fils lui succéda et fut l'allié des Romains contre Mithridate. Racine s'en souvenait-il ironiquement, quand il choisit en 1673 de mettre à son tour en scène un farouche défenseur de l'indépendance, Mithridate ?
12. C'était la capitale depuis Nicomède Ier (278-250 av. J.-C.). Elle remplaça l'ancienne Pruse (aujourd'hui Brousse.)

ACTE PREMIER

Scène I : Nicomède, Laodice.

LAODICE

Après tant de hauts faits, il m'est bien doux, seigneur,
De voir encor mes yeux régner sur votre cœur,
De voir, sous les lauriers qui vous couvrent la tête,
Un si grand conquérant être encor ma conquête,
Et de toute la gloire acquise à ses travaux   5
Faire un illustre hommage à ce peu que je vaux.
Quelques biens toutefois que le ciel me renvoie,
Mon cœur épouvanté se refuse à la joie :
Je vous vois à regret, tant mon cœur amoureux
Trouve la cour pour vous un séjour dangereux.   10
Votre marâtre y règne, et le Roi votre père
Ne voit que par ses yeux, seule la considère,
Pour souveraine loi n'a que sa volonté :
Jugez après cela de votre sûreté.
La haine pour vous elle a si naturelle   15
A mon occasion encor se renouvelle.
Votre frère son fils, depuis peu de retour...

NICOMÈDE

Je le sais, ma princesse, et qu'il vous fait la cour,
Je sais que les Romains, qui l'avaient en otage,
L'ont enfin renvoyé pour un plus digne ouvrage,   20
Que ce don à sa mère était le prix fatal

Dont leur Flaminius marchandait Annibal,
Que le Roi par son ordre eût livré ce grand homme,
S'il n'eût par le poison lui-même évité Rome,
25 Et rompu par sa mort les spectacles pompeux
Où l'effroi de son nom le destinait chez eux.
Par mon dernier combat je voyais réunie
La Cappadoce entière avec la Bithynie [13],
Lorsqu'à cette nouvelle, enflammé de courroux
30 D'avoir perdu mon maître et de craindre pour vous,
J'ai laissé mon armée aux mains de Théagène,
Pour voler en ces lieux, au secours de ma reine.
Vous en aviez besoin, Madame, et je le vois,
Puisque Flaminius obsède encor le Roi.
35 Si de son arrivée Annibal fut la cause,
Lui mort, ce long séjour prétend quelque autre chose,
Et je ne vois que vous qui le puisse arrêter,
Pour aider à mon frère à vous persécuter.

LAODICE

Je ne veux point douter que sa vertu romaine
40 N'embrasse avec chaleur l'intérêt de la Reine :
Annibal, qu'elle vient de lui sacrifier,
L'engage en sa querelle et m'en fait défier.
Mais, Seigneur, jusqu'ici j'aurais tort de m'en plaindre,
Et quoi qu'il entreprenne, avez-vous lieu de craindre?
45 Ma gloire et mon amour peuvent bien peu sur moi,
S'il faut votre présence à soutenir ma foi,
Et si je puis tomber en cette frénésie
De préférer Attale au vainqueur de l'Asie,
Attale, qu'en otage ont nourri les Romains,
50 Ou plutôt qu'en esclave ont façonné leurs mains,
Sans lui rien mettre au cœur qu'une crainte servile
Qui tremble à voir une aigle, et respecte un édile [14]!

NICOMÈDE

Plutôt, plutôt la mort, que mon esprit jaloux
Forme des sentiments si peu dignes de vous.
55 Je crains la violence, et non votre faiblesse,
Et si Rome une fois contre nous s'intéresse...

LAODICE

Je suis Reine, Seigneur, et Rome a beau tonner,
Elle ni votre Roi n'ont rien à m'ordonner :
Si de mes jeunes ans il est dépositaire,
60 C'est pour exécuter les ordres de mon père,
Il m'a donnée à vous, et nul autre que moi
N'a droit de l'en dédire, et me choisir un Roi.
Par son ordre et le mien, la reine d'Arménie
Est due à l'héritier du roi de Bithynie,
65 Et ne prendra jamais un cœur assez abject
Pour se laisser réduire à l'hymen d'un sujet.
Mettez-vous en repos.

NICOMÈDE

                    Et le puis-je, Madame,
Vous voyant exposée aux fureurs d'une femme,
Qui pouvant tout ici, se croira tout permis
70 Pour se mettre en état de voir régner son fils?
Il n'est rien de si saint qu'elle ne fasse enfreindre.

13. Conquête éphémère, en réalité postérieure à la mort
de Prusias.
14. Curieux propos dans la bouche d'une reine barbare, qui
semble plutôt l'écho des réflexions critiques de Cicéron, dans
le De Natura Deorum.

Qui livrait Annibal pourra bien vous contraindre,
Et saura vous garder même fidélité
Qu'elle a gardée aux droits de l'hospitalité.

LAODICE

Mais ceux de la nature ont-ils un privilège
Qui vous assure d'elle après ce sacrilège?
Seigneur, votre retour, loin de rompre ses coups,
Vous expose vous-même, et m'expose après vous.
Comme il est fait sans ordre, il passera pour crime,
Et vous serez bientôt la première victime
Que la mère et le fils, ne pouvant m'ébranler,
Pour m'ôter mon appui se voudront immoler.
Si j'ai besoin de vous de peur qu'on ne me contraigne,
J'ai besoin que le Roi, qu'elle-même vous craigne.
Retournez à l'armée, et pour me protéger
Montrez cent mille bras tout prêts à me venger.
Parlez la force en main, et hors de leur atteinte :
S'ils vous tiennent ici, tout est pour eux sans crainte,
Et ne vous flattez point ni sur votre grand cœur,
Ni sur l'éclat d'un nom cent et cent fois vainqueur.
Quelque haute valeur que puisse être la vôtre, [autre,
Vous n'avez en ces lieux que deux bras comme un
Et fussiez-vous du monde et l'amour et l'effroi,
Quiconque entre au Palais porte sa tête au Roi.
Je vous le dis encor, retournez à l'armée,
Ne montrez à la cour que votre renommée,
Assurez votre sort pour assurer le mien,
Faites que l'on vous craigne, et je ne craindrai rien.

NICOMÈDE

Retourner à l'armée! Ah! sachez que la Reine
La sème d'assassins achetés par sa haine.
Deux s'y sont découverts, que j'amène avec moi
Afin de la convaincre et détromper le Roi.
Quoiqu'il soit son époux, il est encor mon père,
Et quand il forcera la nature à se taire,
Trois sceptres à son trône attachés par mon bras
Parleront au lieu d'elle, et ne se tairont pas.
Que si notre fortune à ma perte animée,
La prépare à la cour aussi bien qu'à l'armée,
Dans ce péril égal qui me suit en tous lieux
M'envierez-vous l'honneur de mourir à vos yeux?

LAODICE

Non, je ne vous dis plus désormais que je tremble,
Mais que, s'il faut périr, nous périrons ensemble.
   Armons-nous de courage, et nous ferons trembler
Ceux dont les lâchetés pensent nous accabler.
Le peuple ici vous aime, et hait ces cœurs infâmes,
Et c'est être bien fort que régner sur tant d'âmes.
Mais votre frère Attale adresse ici ses pas.

NICOMÈDE

Il ne m'a jamais vu, ne me découvrez pas.

Scène II : Laodice, Nicomède, Attale.

ATTALE

Quoi! Madame, toujours un front inexorable?
Ne pourrai-je surprendre un regard favorable,
Un regard désarmé de toutes ces rigueurs,
Et tel qu'il est enfin quand il gagne les cœurs?

LAODICE
Si ce front est mal propre à m'acquérir le vôtre,
Quand j'en aurai dessein, j'en saurai prendre un autre.
ATTALE
Vous ne l'acquerrez point, puisqu'il est tout à vous.
LAODICE
Je n'ai donc pas besoin d'un visage plus doux.
ATTALE
Conservez-le, de grâce, après l'avoir su prendre.
LAODICE
C'est un bien mal acquis que j'aime mieux vous rendre.
ATTALE
Vous l'estimez trop peu pour le vouloir garder.
LAODICE
Je vous estime trop pour vouloir rien farder.
Votre rang et le mien ne sauraient le permettre :
Pour garder votre cœur je n'ai pas où le mettre,
La place est occupée, et je vous l'ai tant dit,
Prince, que ce discours vous dût être interdit :
On le souffre d'abord, mais la suite importune.
ATTALE
Que celui qui l'occupe a de bonne fortune,
Et que serait heureux qui pourrait aujourd'hui
Disputer cette place et l'emporter sur lui !
NICOMÈDE
La place à l'emporter coûterait bien des têtes,
Seigneur : ce conquérant garde bien ses conquêtes,
Et l'on ignore encor parmi ses ennemis
L'art de reprendre un fort qu'une fois il a pris.
ATTALE
Celui-ci toutefois peut s'attaquer de sorte
Que, tout vaillant qu'il est, il faudra qu'il en sorte.
LAODICE
Vous pourriez vous méprendre.
ATTALE
               Et si le Roi le veut ?
LAODICE
Le Roi, juste et prudent, ne veut que ce qu'il peut.
ATTALE
Et que ne peut ici la grandeur souveraine ?
LAODICE
Ne parlez pas si haut : s'il est Roi, je suis Reine,
Et vers moi tout l'effort de son autorité
N'agit que par prière et par civilité.
ATTALE
Non, mais agir ainsi souvent c'est beaucoup dire
Aux reines comme vous qu'on voit dans son empire,
Et si ce n'est assez des prières d'un Roi,
Rome qui m'a nourri vous parlera pour moi.
NICOMÈDE
Rome, Seigneur !
ATTALE
           Oui, Rome, en êtes-vous en doute ?
NICOMÈDE
Seigneur, je crains pour vous qu'un Romain vous
                           [écoute,
Et si Rome savait de quels feux vous brûlez,
Bien loin de vous prêter l'appui dont vous parlez,
Elle s'indignerait de voir sa créature
A l'éclat de son nom faire une telle injure,
Et vous dégraderait peut-être dès demain

Du titre glorieux de citoyen romain.
Vous l'a-t-elle donné pour mériter sa haine,
En le déshonorant par l'amour d'une reine,
Et ne savez-vous plus qu'il n'est princes ni rois   165
Qu'elle daigne égaler à ses moindres bourgeois ?
Pour avoir tant vécu chez ces cœurs magnanimes,
Vous en avez bientôt oublié les maximes.
Reprenez un orgueil digne d'elle et de vous,
Remplissez mieux un nom sous qui nous tremblons 170
Et sans plus l'abaisser à cette ignominie   [tous,
D'idolâtrer en vain la reine d'Arménie,
Songez qu'il faut du moins, pour toucher votre cœur,
La fille d'un tribun ou celle d'un préteur,
Que Rome vous permet cette haute alliance,   175
Dont vous aurait exclu le défaut de naissance,
Si l'honneur souverain de son adoption
Ne vous autorisait à tant d'ambition.
Forcez, rompez, brisez de si honteuses chaînes,
Aux rois qu'elle méprise abandonnez les reines,   180
Et concevez enfin des vœux plus élevés,
Pour mériter les biens qui vous sont réservés.
ATTALE
Si cet homme est à vous, imposez-lui silence,
Madame, et retenez une telle insolence.
Pour voir jusqu'à quel point elle pourrait aller,   185
J'ai forcé ma colère à le laisser parler,
Mais je crains qu'elle échappe et que, s'il continue,
Je ne m'obstine plus à tant de retenue.
NICOMÈDE
Seigneur, si j'ai raison, qu'importe à qui je sois ?
Perd-elle de son prix pour emprunter ma voix ?   190
Vous-même, amour à part, je vous en fais arbitre.
   Ce grand nom de Romain est un précieux titre,
Et la Reine et le Roi l'ont assez acheté
Pour ne se plaire pas à le voir rejeté,
Puisqu'ils se sont privés, pour ce nom d'importance, 195
Des charmantes douceurs d'élever votre enfance.
Dès l'âge de quatre ans ils vous ont éloigné :
Jugez si c'est pour voir ce titre dédaigné,
Pour vous voir renoncer, par l'hymen d'une reine,
A la part qu'ils avaient à la grandeur romaine.   200
D'un si rare trésor l'un et l'autre jaloux...
ATTALE
Madame, encore un coup, cet homme est-il à vous ?
Et pour vous divertir est-il si nécessaire
Que vous ne lui puissiez ordonner de se taire ?
LAODICE
Puisqu'il vous a déplu vous traitant de Romain,   205
Je veux bien vous traiter de fils de souverain.
   En cette qualité vous devez reconnaître
Qu'un prince votre aîné doit être votre maître,
Craindre de lui déplaire et savoir que le sang
Ne vous empêche pas de différer de rang,   210
Lui garder le respect qu'exige sa naissance,
Et loin de lui voler son bien en son absence...
ATTALE
Si l'honneur d'être à vous est maintenant son bien,
Dites un mot, Madame, et ce sera le mien,
Et si l'âge à mon rang fait quelque préjudice,   215
Vous en corrigerez la fatale injustice.

Mais si je lui dois tant en fils de souverain,
Permettez qu'une fois je vous parle en Romain.
   Sachez qu'il n'en est point que le ciel n'ait fait naître
220 Pour commander aux rois, et pour vivre sans maître,
Sachez que mon amour est un noble projet
Pour éviter l'affront de me voir son sujet,
Sachez...

LAODICE

   Je m'en doutais, Seigneur, que ma couronne
Vous charmait bien du moins autant que ma personne,
225 Mais telle que je suis, et ma couronne et moi,
Tout est à cet aîné qui sera votre Roi,
Et s'il était ici, peut-être en sa présence
Vous penseriez deux fois à lui faire une offense.

ATTALE

Que ne puis-je l'y voir! mon courage amoureux...

NICOMÈDE

230 Faites quelques souhaits qui soient moins dangereux,
Seigneur : s'il les savait, il pourrait bien lui-même
Venir d'un tel amour venger l'objet qu'il aime.

ATTALE

Insolent! est-ce enfin le respect qui m'est dû?

NICOMÈDE

Je ne sais de nous deux, Seigneur, qui l'a perdu.

ATTALE

235 Peux-tu bien me connaître et tenir ce langage?

NICOMÈDE

Je sais à qui je parle, et c'est mon avantage
Que n'étant point connu, Prince, vous ne savez
Si je vous dois respect, ou si vous m'en devez.

ATTALE

Ah! Madame, souffrez que ma juste colère...

LAODICE

240 Consultez-en, Seigneur, la Reine votre mère.
Elle entre.

Scène III : Nicomède, Arsinoé, Laodice,
Attale, Cléone.

NICOMÈDE

   Instruisez mieux le Prince votre fils,
Madame, et dites-lui, de grâce, qui je suis :
Faute de me connaître, il s'emporte, il s'égare,
Et ce désordre est mal dans une âme si rare.
245 J'en ai pitié.

ARSINOÉ

   Seigneur, vous êtes donc ici?

NICOMÈDE

Oui, Madame, j'y suis, et Métrobate aussi.

ARSINOÉ

Métrobate! ah, le traître!

NICOMÈDE

   Il n'a rien dit, Madame,
Qui vous doive jeter aucun trouble dans l'âme.

ARSINOÉ

Mais qui cause, Seigneur, ce retour surprenant?
250 Et votre armée?

NICOMÈDE

   Elle est sous un bon lieutenant,
Et quant à mon retour, peu de chose le presse.
   J'avais ici laissé mon maître et ma maîtresse :
Vous m'avez ôté l'un, vous, dis-je, ou les Romains,
Et je viens sauver l'autre et d'eux et de vos mains.

ARSINOÉ

C'est ce qui vous amène?

NICOMÈDE

   Oui, Madame, et j'espère 2
Que vous m'y servirez auprès du Roi mon père.

ARSINOÉ

Je vous y servirai comme vous l'espérez.

NICOMÈDE

De votre bon vouloir nous sommes assurés.

ARSINOÉ

Il ne tiendra qu'au Roi qu'aux effets je ne passe.

NICOMÈDE

Vous voulez à tous deux nous faire cette grâce? 2

ARSINOÉ

Tenez-vous assuré que je n'oublierai rien.

NICOMÈDE

Je connais votre cœur, ne doutez pas du mien.

ATTALE

Madame, c'est donc là le prince Nicomède?

NICOMÈDE

Oui, c'est moi qui viens voir s'il faut que je vous cède.

ATTALE

Ah! Seigneur, excusez si vous connaissant mal... 2

NICOMÈDE

Prince, faites-moi voir un plus digne rival.
Si vous aviez dessein d'attaquer cette place,
Ne vous départez point d'une si noble audace,
Mais comme à son secours je n'amène que moi,
Ne la menacez plus de Rome ni du Roi. 2
Je la défendrai seul, attaquez-la de même,
Avec tous les respects qu'on doit au diadème.
Je veux bien mettre à part, avec le nom d'aîné,
Le rang de votre maître où je suis destiné,
Et nous verrons ainsi qui fait mieux un brave homme, 2
Des leçons d'Annibal, ou de celles de Rome.
Adieu, pensez-y bien, je vous laisse y rêver.

Scène IV : Arsinoé, Attale, Cléone.

ARSINOÉ

Quoi! tu faisais excuse à qui m'osait braver!

ATTALE

Que ne peut point, Madame, une telle surprise?
Ce prompt retour me perd, et rompt votre entreprise. 2

ARSINOÉ

Tu l'entends mal, Attale; il la met dans ma main.
Va trouver de ma part l'ambassadeur romain,
Dedans mon cabinet amène-le sans suite,
Et de ton heureux sort laisse-moi la conduite.

ATTALE

Mais, Madame, s'il faut...

ARSINOÉ

   Va, n'appréhende rien,
Et pour avancer tout, hâte cet entretien.

Scène V : Arsinoé, Cléone.

CLÉONE

Vous lui cachez, Madame, un dessein qui le touche !

ARSINOÉ

Je crains qu'en l'apprenant son cœur ne s'effarouche,
Je crains qu'à la vertu par les Romains instruit
290 De ce que je prépare il ne m'ôte le fruit,
Et ne conçoive mal qu'il n'est fourbe ni crime
Qu'un trône acquis par là ne rende légitime.

CLÉONE

J'aurais cru les Romains un peu moins scrupuleux,
Et la mort d'Annibal m'eût fait mal juger d'eux.

ARSINOÉ

95 Ne leur impute pas une telle injustice :
Un Romain seul l'a faite, et par mon artifice.
Rome l'eût laissé vivre, et sa légalité
N'eût point forcé les lois de l'hospitalité.
Savante à ses dépens de ce qu'il savait faire,
00 Elle le souffrait mal auprès d'un adversaire.
Mais quoique, par ce triste et prudent souvenir,
De chez Antiochus elle l'ait fait bannir,
Elle aurait vu couler sans crainte et sans envie
Chez un prince allié les restes de sa vie :
05 Le seul Flaminius, trop piqué de l'affront
Que son père défait lui laisse sur le front [15],
Car je crois que tu sais que quand l'aigle romaine
Vit choir ses légions aux bords de Trasimène,
Flaminius son père en était général,
10 Et qu'il y tomba mort de la main d'Annibal,
Ce fils donc, qu'a pressé la soif de sa vengeance,
S'est aisément rendu de mon intelligence :
L'espoir d'en voir l'objet entre ses mains remis
A pratiqué pour lui le retour de mon fils,
5 Par lui j'ai jeté Rome en haute jalousie
De ce que Nicomède a conquis dans l'Asie,
Et de voir Laodice unir tous ses États,
Par l'hymen de ce prince, à ceux de Prusias :
Si bien que le sénat prenant un juste ombrage
0 D'un empire si grand sous un si grand courage,
Il s'en est fait nommer lui-même ambassadeur,
Pour rompre cet hymen et borner sa grandeur,
Et voilà le seul point où Rome s'intéresse.

CLÉONE

Attale à ce dessein entreprend sa maîtresse !
5 Mais que n'agissait Rome avant que le retour
De cet amant si cher affermît son amour ?

ARSINOÉ

Irriter un vainqueur en tête d'une armée
Prête à suivre en tous lieux sa colère allumée,
C'était trop hasarder, et j'ai cru pour le mieux
0 Qu'il fallait de son fort l'attirer en ces lieux.
Métrobate l'a fait, par des terreurs paniques,
Feignant lui trahir mes ordres tyranniques,
Et pour l'assassiner se disant suborné,
Il l'a, grâces aux Dieux, doucement amené.
5 Il vient s'en plaindre au Roi, lui demander justice,
Et sa plainte le jette au bord du précipice.
Sans prendre aucun souci de m'en justifier,

15. Cf. la note 6.

Je saurai m'en servir à me fortifier.
Tantôt en le voyant j'ai fait de l'effrayée,
J'ai changé de couleur, je me suis écriée :   340
Il a cru me surprendre, et l'a cru bien en vain,
Puisque son retour même est l'œuvre de ma main.

CLÉONE

Mais quoi que Rome fasse et qu'Attale prétende,
Le moyen qu'à ses yeux Laodice se rende ?

ARSINOÉ

Et je n'engage aussi mon fils en cet amour   345
Qu'à dessein d'éblouir le Roi, Rome et la cour.
Je n'en veux pas, Cléone, au sceptre d'Arménie,
Je cherche à m'assurer celui de Bithynie,
Et si ce diadème une fois est à nous,
Que cette Reine après se choisisse un époux.   350
Je ne la vais presser que pour la voir rebelle,
Que pour aigrir les cœurs de son amant et d'elle.
Le Roi, que le Romain poussera vivement,
De peur d'offenser Rome agira chaudement,
Et ce prince, piqué d'une juste colère,   355
S'emportera sans doute, et bravera son père.
S'il est prompt et bouillant, le Roi ne l'est pas moins,
Et comme à l'échauffer j'appliquerai mes soins,
Pour peu qu'à de tels coups cet amant soit sensible,
Mon entreprise est sûre, et sa perte infaillible. 360
Voilà mon cœur ouvert, et tout ce qu'il prétend.
Mais dans mon cabinet Flaminius m'attend.
Allons, et garde bien le secret de la Reine.

CLÉONE

Vous me connaissez trop pour vous en mettre en peine.

ACTE SECOND

Scène I : Prusias, Araspe.

PRUSIAS

Revenir sans mon ordre, et se montrer ici !   365

ARASPE

Sire, vous auriez tort d'en prendre aucun souci,
Et la haute vertu du prince Nicomède
Pour ce qu'on peut en craindre est un puissant remède,
Mais tout autre que lui devrait être suspect :
Un retour si soudain manque un peu de respect,   370
Et donne lieu d'entrer en quelque défiance
Des secrètes raisons de tant d'impatience.

PRUSIAS

Je ne les vois que trop, et sa témérité
N'est qu'un pur attentat sur mon autorité :
Il n'en veut plus dépendre, et croit que ses conquêtes 375
Au-dessus de son bras ne laissent point de têtes,
Qu'il est lui seul sa règle, et que sans se trahir
Des héros tels que lui ne sauraient obéir [16].

16. La situation *anarchique* du héros est une des grandes
difficultés de la politique de Corneille. Il l'avait posée dès
Horace, et la reprendra plus complètement avec *Sertorius* et
Suréna. En pleine Fronde, on pouvait trouver une résonance
toute particulière à un texte où Corneille semble prendre parti
pour Condé et les princes, qui vont être précisément arrêtés
quelques semaines plus tard. Mais comme on est sûr de la
position de Corneille hostile à la Fronde, ce rapprochement
possible avec son texte a dû lui échapper.

ARASPE

C'est d'ordinaire ainsi que ses pareils agissent :
380 A suivre leur devoir leurs hauts faits se ternissent,
Et ces grands cœurs, enflés du bruit de leurs combats,
Souverains dans l'armée et parmi leurs soldats,
Font du commandement une douce habitude,
Pour qui l'obéissance est un métier bien rude.

PRUSIAS

385 Dis tout, Araspe, dis que le nom de sujet
Réduit toute leur gloire en un rang trop abjet,
Que bien que leur naissance au trône les destine,
Si son ordre est trop lent, leur grand cœur s'en mutine,
Qu'un père garde trop un bien qui leur est dû,
390 Et qui perd de son prix étant trop attendu,
Qu'on voit naître de là mille sourdes pratiques
Dans le gros de son peuple et dans ses domestiques,
Et que si l'on ne va jusqu'à trancher le cours
De son règne ennuyeux et de ses tristes jours,
395 Du moins une insolente et fausse obéissance,
Lui laissant un vain titre, usurpé sa puissance.

ARASPE

C'est ce que de tout autre il faudrait redouter,
Seigneur, et qu'en tout autre il faudrait arrêter,
Mais ce n'est pas pour vous un avis nécessaire :
400 Le Prince est vertueux, et vous êtes bon père.

PRUSIAS

Si je n'étais bon père, il serait criminel :
Il doit son innocence à l'amour paternel.
C'est lui seul qui l'excuse et qui le justifie,
Ou lui seul qui me trompe et qui me sacrifie,
405 Car je dois craindre enfin que sa haute vertu
Contre l'ambition n'ait en vain combattu,
Qu'il ne force en son cœur la nature à se taire,
Qui se lasse d'un roi peut se lasser d'un père,
Mille exemples sanglants nous peuvent l'enseigner,
410 Il n'est rien qui ne cède à l'ardeur de régner,
Et depuis qu'une fois elle nous inquiète,
La nature est aveugle, et la vertu muette.
    Te le dirai-je, Araspe? il m'a trop bien servi;
Augmentant mon pouvoir, il me l'a tout ravi :
415 Il n'est plus mon sujet qu'autant qu'il le veut être,
Et qui me fait régner en effet est mon maître.
Pour paraître à mes yeux son mérite est trop grand :
On n'aime point à voir ceux à qui l'on doit tant.
Tout ce qu'il a fait parle au moment qu'il m'approche,
420 Et sa seule présence est un secret reproche.
Elle me dit toujours qu'il m'a fait trois fois roi,
Que je tiens plus de lui qu'il ne tiendra de moi,
Et que si je lui laisse un jour une couronne,
Ma tête en porte trois que sa valeur me donne.
425 J'en rougis dans mon âme, et ma confusion.
Qui renouvelle et croît à chaque occasion.
Sans cesse offre à mes yeux cette vue importune,
Que qui m'en donne trois peut bien m'en ôter une,
Qu'il n'a qu'à l'entreprendre, et peut tout ce qu'il veut :
430 Juge, Araspe, où j'en suis s'il veut tout ce qu'il peut.

ARASPE

Pour tout autre que lui je sais comme s'explique
La règle de la vraie et saine politique.
    Aussitôt qu'un sujet s'est rendu trop puissant,

Encor qu'il soit sans crime, il n'est pas innocent [17].
On n'attend point alors qu'il ose tout permettre,
C'est un crime d'État que d'en pouvoir commettre,
Et qui sait bien régner l'empêche prudemment
De mériter un juste et plus grand châtiment,
Et prévient, par un ordre à tous deux salutaire,
Ou les maux qu'il prépare, ou ceux qu'il pourra faire [18].
Mais, Seigneur, pour le Prince, il a trop de vertu [19],
Je vous l'ai déjà dit.

PRUSIAS

                        Et m'en répondras-tu?
Me seras-tu garant de ce qu'il pourra faire
Pour venger Annibal, ou pour perdre son frère,
Et le prends-tu pour homme à voir d'un œil égal
Et l'amour de son frère, et la mort d'Annibal?
Non, ne nous flattons point, il court à sa vengeance,
Il en a le prétexte, il en a la puissance,
Il est l'astre naissant qu'adorent mes États,
Il est le dieu du peuple, et celui des soldats.
Sûr de ceux-ci, sans doute il vient soulever l'autre,
Fondre avec son pouvoir sur le reste du nôtre.
Mais ce peu qui m'en reste encor que languissant,
N'est pas peut-être encor tout à fait impuissant.
Je veux bien toutefois agir avec adresse,
Joindre beaucoup d'honneur à bien peu de rudesse,
Le chasser avec gloire, et mêler doucement
Le prix de son mérite à mon ressentiment.
Mais s'il ne m'obéit, ou s'il ose s'en plaindre,
Quoi qu'il ait fait pour moi, quoi que j'en voie à [craindre,
Dussé-je voir par là tout l'État hasardé...

ARASPE

Il vient.

Scène II : Prusias, Nicomède, Araspe.

PRUSIAS

    Vous voilà, Prince! et qui vous a mandé?

NICOMÈDE

La seule ambition de pouvoir en personne
Mettre à vos pieds, Seigneur, encore une couronne,
De jouir de l'honneur de vos embrassements,
Et d'être le témoin de vos contentements.
Après la Cappadoce heureusement unie
Aux royaumes du Pont et de la Bithynie,
Je viens remercier et mon père et mon Roi
D'avoir eu la bonté de s'y servir de moi,
D'avoir choisi mon bras pour une telle gloire,
Et fait tomber sur moi l'honneur de sa victoire.

PRUSIAS

Vous pouviez vous passer de mes embrassements,
Me faire par écrit de tels remercîments,

---

17. Ces deux vers peuvent exactement résumer d'avance le sens de *Agésilas* et de *Suréna*.
18. Cette « justice » préventive vient tout droit de Machiavel, ce que souligne ironiquement Corneille dans la formule du vers 432 :
              La règle de la vraie et saine politique.
19. Aux conseillers de *la Mort de Pompée* tranquillement cyniques, Corneille substitue un type nouveau de conseiller insinuant, qui feint de défendre celui qu'il veut perdre. Araspe annonce le Narcisse de *Britannicus*..

5 Et vous ne deviez pas envelopper d'un crime
Ce que votre victoire ajoute à votre estime.
Abandonner mon camp en est un capital,
Inexcusable en tous, et plus au général,
Et tout autre que vous, malgré cette conquête,
0 Revenant sans mon ordre, eût payé de sa tête.

NICOMÈDE

J'ai failli, je l'avoue, et mon cœur imprudent
A trop cru les transports d'un désir trop ardent :
L'amour que j'ai pour vous a commis cette offense,
Lui seul à mon devoir fait cette violence.
5 Si le bien de vous voir m'était moins précieux,
Je serais innocent, mais si loin de vos yeux,
Que j'aime mieux, Seigneur, en perdre un peu d'estime
Et qu'un bonheur si grand me coûte un petit crime,
Qui ne craindra jamais la plus sévère loi,
0 Si l'amour juge en vous ce qu'il a fait en moi.

PRUSIAS

La plus mauvaise excuse est assez pour un père,
Et sous le nom d'un fils toute faute est légère,
Je ne veux voir en vous que mon unique appui,
Recevez tout l'honneur qu'on vous doit aujourd'hui.
5 L'ambassadeur romain me demande audience :
Il verra ce qu'en vous je prends de confiance,
Vous l'écouterez, Prince, et répondrez pour moi.
Vous êtes aussi bien le véritable roi;
Je n'en suis plus que l'ombre, et l'âge ne m'en laisse
0 Qu'un vain titre d'honneur qu'on rend à ma vieillesse.
Je n'ai plus que deux jours peut-être à le garder :
L'intérêt de l'État vous doit seul regarder.
Prenez-en aujourd'hui la marque la plus haute,
Mais gardez-vous aussi d'oublier votre faute,
5 Et comme elle fait brèche au pouvoir souverain,
Pour la bien réparer, retournez dès demain.
Remettez en éclat la puissance absolue,
Attendez-la de moi comme je l'ai reçue,
Inviolable, entière, et n'autorisez pas
0 De plus méchants que vous à la mettre plus bas.
Le peuple qui vous voit, la cour qui vous contemple,
Vous désobéiraient sur votre propre exemple.
Donnez-leur-en un autre, et montrez à leurs yeux
Que nos premiers sujets obéissent le mieux.

NICOMÈDE

5 J'obéirai, Seigneur, et plus tôt qu'on ne pense,
Mais je demande un prix de mon obéissance.
La reine d'Arménie est due à ses États,
Et j'en vois les chemins ouverts par nos combats.
Il est temps qu'en son ciel cet astre aille reluire :
0 De grâce, accordez-moi l'honneur de l'y conduire.

PRUSIAS

Il n'appartient qu'à vous, et cet illustre emploi
Demande un Roi lui-même, ou l'héritier d'un roi.
Mais pour la renvoyer jusqu'en son Arménie,
Vous savez qu'il y faut quelque cérémonie :
5 Tandis que je ferai préparer son départ,
Vous irez dans mon camp l'attendre de ma part.

NICOMÈDE

Elle est prête à partir sans plus grand équipage.

PRUSIAS

Je n'ai garde à son rang de faire un tel outrage.

Mais l'ambassadeur entre, il le faut écouter,
Puis nous verrons quel ordre on y doit apporter.   530

Scène III : Prusias, Nicomède,
Flaminius, Araspe.

FLAMINIUS

Sur le point de partir, Rome, Seigneur, me mande
Que je vous fasse encor pour elle une demande.
Elle a nourri vingt ans un prince votre fils,
Et vous pouvez juger les soins qu'elle en a pris
Par les hautes vertus et les illustres marques   535
Qui font briller en lui le sang de vos monarques.
Surtout il est instruit en l'art de bien régner :
C'est à vous de le croire, et de le témoigner.
Si vous faites état de cette nourriture,
Donnez ordre qu'il règne : elle vous en conjure,   540
Et vous offenseriez l'estime qu'elle en fait
Si vous le laissiez vivre et mourir en sujet.
Faites donc aujourd'hui que je lui puisse dire
Où vous lui destinez un souverain empire.

PRUSIAS

Les soins qu'ont pris de lui le peuple et le sénat   545
Ne trouveront en moi jamais un père ingrat.
Je crois que pour régner il en a les mérites,
Et n'en veux point douter après ce que vous dites,
Mais vous voyez, Seigneur, le Prince son aîné,
Dont le bras généreux trois fois m'a couronné,   550
Il ne fait que sortir encor d'une victoire,
Et pour tant de hauts faits je lui dois quelque gloire :
Souffrez qu'il ait l'honneur de répondre pour moi.

NICOMÈDE

Seigneur, c'est à vous seul de faire Attale Roi.

PRUSIAS

C'est votre intérêt seul que sa demande touche.   555

NICOMÈDE

Le vôtre toutefois m'ouvrira seul la bouche.
De quoi se mêle Rome, et d'où prend le sénat,
Vous vivant, vous régnant, ce droit sur votre État?
Vivez, régnez, Seigneur, jusqu'à la sépulture,
Et laissez faire après, ou Rome, ou la nature.   560

PRUSIAS

Pour de pareils amis il faut se faire effort.

NICOMÈDE

Qui partage vos biens aspire à votre mort,
Et de pareils amis, en bonne politique...

PRUSIAS

Ah! ne me brouillez point avec la République,
Portez plus de respect à de tels alliés.   565

NICOMÈDE

Je ne puis voir sous eux les rois humiliés,
Et quel que soit ce fils que Rome vous renvoie,
Seigneur, je lui rendrais son présent avec joie.
S'il est si bien instruit en l'art de commander,
C'est un rare trésor qu'elle devrait garder,   570
Et conserver chez soi sa chère nourriture,
Ou pour le consulat, ou pour la dictature.

FLAMINIUS

Seigneur, dans ce discours qui nous traite si mal,
Vous voyez un effet des leçons d'Annibal.

NICOMÈDE

Ou laissez-moi parler, Sire, ou faites-moi taire.
Je ne sais pas répondre autrement pour un Roi 62:
A qui dessus son trône on veut faire la loi.

PRUSIAS

Vous m'offensez moi-même en parlant de la sorte,
Et vous devez dompter l'ardeur qui vous emporte.

NICOMÈDE

Quoi! je verrai, Seigneur, qu'on borne vos États, 63
Qu'au milieu de ma course on m'arrête le bras,
Que de vous menacer on a même l'audace,
Et je ne rendrai point menace pour menace!
Et je remercierai qui me dit hautement
Qu'il ne m'est plus permis de vaincre impunément!

PRUSIAS, à Flaminius.

Seigneur, vous pardonnez aux chaleurs de son âge. 63
Le temps et la raison pourront le rendre sage.

NICOMÈDE

La raison et le temps m'ouvrent assez les yeux,
Et l'âge ne fera que me les ouvrir mieux.
    Si j'avais jusqu'ici vécu comme ce frère,
Avec une vertu qui fût imaginaire 64
(Car je l'appelle ainsi quand elle est sans effets,
Et l'admiration de tant d'hommes parfaits
Dont il a vu dans Rome éclater le mérite,
N'est pas grande vertu si l'on ne les imite),
Si j'avais donc vécu dans ce même repos 64
Qu'il a vécu dans Rome auprès de ses héros,
Elle me laisserait la Bithynie entière,
Telle que tout le temps l'aîné la tient d'un père,
Et s'empresserait moins à le faire régner,
Si vos armes sous moi n'avaient su rien gagner. 65
Mais parce qu'elle voit avec la Bithynie
Par trois sceptres conquis trop de puissance unie,
Il faut la diviser, et dans ce beau projet,
Ce Prince est trop bien né pour vivre mon sujet!
Puisqu'il peut la servir à me faire descendre, 65
Il a plus de vertus que n'en eut Alexandre,
Et je lui dois quitter, pour le mettre en mon rang,
Le bien de mes aïeux, ou le prix de mon sang.
Grâces aux immortels, l'effort de mon courage
Et ma grandeur future ont mis Rome en ombrage : 66
Vous pouvez l'en guérir, Seigneur, et promptement,
Mais n'exigez d'un fils aucun consentement :
Le maître qui prit soin d'instruire ma jeunesse
Ne m'a jamais appris à faire une bassesse.

FLAMINIUS

A ce que je puis voir, vous avez combattu, 66
Prince, par intérêt, plutôt que par vertu.
Les plus rares exploits que vous ayez pu faire
N'ont jeté qu'un dépôt sur la tête d'un père :
Il n'est que gardien de leur illustre prix,
Et ce n'est que pour vous que vous avez conquis, 6'
Puisque cette grandeur à son trône attachée
Sur nul autre que vous ne peut être épanchée.
Certes, je vous croyais un peu plus généreux :
Quand les Romains le sont, ils ne font rien pour eux.
Scipion, dont tantôt vous vantiez le courage, 6'
Ne voulait point régner sur les murs de Carthage,
Et de tout ce qu'il fit pour l'empire romain

Ce perfide ennemi de la grandeur romaine 575
N'en a mis en son cœur que mépris et que haine.

NICOMÈDE

Non, mais il m'a surtout laissé ferme en ce point,
D'estimer beaucoup Rome, et ne la craindre point.
On me croit son disciple, et je le tiens à gloire,
Et quand Flaminius attaque sa mémoire, 580
Il doit savoir qu'un jour il me fera raison
D'avoir réduit mon maître au secours du poison,
Et n'oublier jamais qu'autrefois ce grand homme
Commença par son père à triompher de Rome.

FLAMINIUS

Ah! c'est trop m'outrager! 585

NICOMÈDE

                N'outragez plus les morts.

PRUSIAS

Et vous, ne cherchez point à former de discords :
Parlez, et nettement, sur ce qu'il me propose.

NICOMÈDE

Eh bien! s'il est besoin de répondre autre chose,
Attale doit régner, Rome l'a résolu,
Et puisqu'elle a partout un pouvoir absolu, 590
C'est aux rois d'obéir alors qu'elle commande.
Attale a le cœur grand, l'esprit grand, l'âme grande,
Et toutes les grandeurs dont se fait un grand roi,
Mais c'est trop que d'en croire un Romain sur sa foi.
Par quelque grand effet voyons s'il en est digne, 595
S'il a cette vertu, cette valeur insigne :
Donnez-lui votre armée, et voyons ses grands coups,
Qu'il en fasse pour lui ce que j'ai fait pour vous;
Qu'il règne avec éclat sur sa propre conquête,
Et que de sa victoire il couronne sa tête. 600
Je lui prête mon bras, et veux dès maintenant,
S'il daigne s'en servir, être son lieutenant.
L'exemple des Romains m'autorise à le faire :
Le fameux Scipion le fut bien de son frère,
Et lorsque Antiochus fut par eux détrôné, 605
Sous les lois du plus jeune on vit marcher l'aîné.
Les bords de l'Hellespont, ceux de la mer Égée,
Les restes de l'Asie à nos côtés rangée,
Offrent une matière à son ambition...

FLAMINIUS

Rome prend tout ce reste en sa protection, 610
Et vous n'y pouvez plus étendre vos conquêtes,
Sans attirer sur vous d'effroyables tempêtes.

NICOMÈDE

J'ignore sur ce point les volontés du Roi,
Mais peut-être qu'un jour je dépendrai de moi,
Et nous verrons alors l'effet de ces menaces. 615
    Vous pouvez cependant faire munir ces places,
Préparer un obstacle à mes nouveaux desseins,
Disposer de bonne heure un secours de Romains,
Et si Flaminius en est le capitaine,
Nous pourrons lui trouver un lac de Trasimène [20]. 620

PRUSIAS

Prince, vous abusez trop tôt de ma bonté :
Le rang d'ambassadeur doit être respecté,
Et l'honneur souverain qu'ici je vous défère...

20. Cf. la note 6.

Il n'en eut que la gloire et le nom d'Africain.
Mais on ne voit qu'à Rome une vertu si pure,
Le reste de la terre est d'une autre nature.
    Quant aux raisons d'État qui vous font concevoir
Que nous craignons en vous l'union du pouvoir,
Si vous en consultiez des têtes bien sensées,
Elles vous déferaient de ces belles pensées :
Par respect pour le Roi je ne dis rien de plus.
Prenez quelque loisir de rêver là-dessus,
Laissez moins de fumée à vos feux militaires,
Et vous pourrez avoir des visions plus claires.

NICOMÈDE

Le temps pourra donner quelque décision
Si la pensée est belle, ou si c'est vision.
Cependant...

FLAMINIUS

                Cependant, si vous trouvez des charmes
A pousser plus avant la gloire de vos armes,
Nous ne la bornons point, mais comme il est permis
Contre qui que ce soit de servir ses amis,
Si vous ne le savez, je veux bien vous l'apprendre,
Et vous en donne avis pour ne vous pas surprendre.
    Au reste, soyez sûr que vous posséderez
Tout ce qu'en votre cœur déjà vous dévorez :
Le Pont sera pour vous avec la Galatie,
Avec la Cappadoce, avec la Bithynie.
Ce bien de vos aïeux, ces prix de votre sang,
Ne mettront point Attale en votre illustre rang,
Et puisque leur partage est pour vous un supplice,
Rome n'a pas dessein de vous faire injustice.
Ce prince régnera sans rien prendre sur vous.
    A Prusias.
La Reine d'Arménie a besoin d'un époux,
Seigneur; l'occasion ne peut être plus belle :
Elle vit sous vos lois, et vous disposez d'elle.

NICOMÈDE

Voilà le vrai secret de faire Attale roi,
Comme vous l'avez dit, sans rien prendre sur moi.
La pièce est délicate, et ceux qui l'ont tissue
A de si longs discours font une digne issue.
Je n'y réponds qu'un mot, étant sans intérêt.
    Traitez cette princesse en Reine comme elle est :
Ne touchez point en elle aux droits du diadème,
Ou pour les maintenir je périrai moi-même.
Je vous en donne avis, et que jamais les rois,
Pour vivre en nos États, ne vivent sous nos lois;
Qu'elle seule en ces lieux d'elle-même dispose.

PRUSIAS

N'avez-vous, Nicomède, à lui dire autre chose?

NICOMÈDE

Non, Seigneur, si ce n'est que la Reine²¹, après tout,
Sachant ce que je puis, me pousse trop à bout.

PRUSIAS

Contre elle, dans ma cour, que peut votre insolence?

NICOMÈDE

Rien du tout, que garder ou rompre le silence.
Une seconde fois avisez, s'il vous plaît,   725
A traiter Laodice en Reine comme elle est :
C'est moi qui vous en prie.

Scène IV : Prusias, Flaminius, Araspe.

FLAMINIUS

            Eh quoi! toujours obstacle?

PRUSIAS

De la part d'un amant ce n'est pas grand miracle.
Cet orgueilleux esprit, enflé de ses succès,
Pense bien de son cœur nous empêcher l'accès,   730
Mais il faut que chacun suive sa destinée.
L'amour entre les rois ne fait pas l'hyménée,
Et les raisons d'État, plus fortes que ses nœuds,
Trouvent bien les moyens d'en éteindre les feux.

FLAMINIUS

Comme elle a de l'amour, elle aura du caprice.   735

PRUSIAS

Non, non : je vous réponds, Seigneur, de Laodice;
Mais enfin elle est Reine, et cette qualité
Semble exiger de nous quelque civilité.
J'ai sur elle après tout une puissance entière,
Mais j'aime à la cacher sous le nom de prière.   740
Rendons-lui donc visite, et comme ambassadeur,
Proposez cet hymen vous-même à sa grandeur.
Je seconderai Rome, et veux vous introduire.
Puisqu'elle est en nos mains, l'amour ne vous peut
Allons de sa réponse à votre compliment   [nuire. 745
Prendre l'occasion de parler hautement.

ACTE TROISIÈME

Scène I : Prusias, Flaminius, Laodice.

PRUSIAS

Reine, puisque ce titre a pour vous tant de charmes,
Sa perte nous devrait donner quelques alarmes :
Qui tranche trop du Roi ne règne pas longtemps.

LAODICE

J'observerai, Seigneur, ces avis importants,   750
Et si jamais je règne, on verra la pratique
D'une si salutaire et noble politique.

PRUSIAS

Vous vous mettez fort mal au chemin de régner.

LAODICE

Seigneur, si je m'égare, on peut me l'enseigner.

PRUSIAS

Vous méprisez trop Rome, et vous devriez faire   755
Plus d'estime d'un Roi qui vous tient lieu de père.

LAODICE

Vous verriez qu'à tous deux je rends ce que je doi,
Si vous vouliez mieux voir ce que c'est qu'être Roi.
    Recevoir ambassade en qualité de Reine,
Ce serait à vos yeux faire la souveraine,   760
Entreprendre sur vous, et dedans votre État
Sur votre autorité commettre un attentat :

---

21. Ambiguïté : il s'agit ici d'Arsinoé. Corneille est gêné
de ces deux *reines* et s'efforce d'appeler autant qu'il peut
Laodice princesse.

Je la refuse donc, Seigneur, et me dénie
L'honneur qui ne m'est dû que dans mon Arménie.
765 C'est là que sur mon trône avec plus de splendeur
Je puis honorer Rome en son ambassadeur,
Faire réponse en Reine, et comme le mérite
Et de qui l'on me parle, et qui m'en sollicite.
Ici c'est un métier que je n'entends pas bien,
770 Car hors de l'Arménie enfin je ne suis rien,
Et ce grand nom de Reine ailleurs ne m'autorise
Qu'à n'y voir point de trône à qui je sois soumise,
A vivre indépendante, et n'avoir en tous lieux
Pour souverains que moi, la raison, et les Dieux.

PRUSIAS

775 Ces Dieux, vos souverains, et le Roi votre père,
De leur pouvoir sur vous m'ont fait dépositaire,
Et vous pourrez peut-être apprendre une autre fois
Ce que c'est en tous lieux que la raison des rois.
Pour en faire l'épreuve allons en Arménie.
780 Je vais vous y remettre en bonne compagnie,
Partons, et dès demain, puisque vous le voulez,
Préparez-vous à voir vos pays désolés,
Préparez-vous à voir par toute votre terre
Ce qu'ont de plus affreux les fureurs de la guerre,
785 Des montagnes de morts, des rivières de sang.

LAODICE

Je perdrai mes États et garderai mon rang,
Et ces vastes malheurs où mon orgueil me jette
Me feront votre esclave et non votre sujette :
Ma vie est en vos mains, mais non ma dignité.

PRUSIAS

790 Nous ferons bien changer ce courage indompté,
Et quand vos yeux, frappés de toutes ces misères,
Verront Attale assis au trône de vos pères,
Alors peut-être, alors vous le prierez en vain
Que pour y remonter il vous donne la main.

LAODICE

795 Si jamais jusque-là votre guerre m'engage,
Je serai bien changée et d'âme et de courage.
Mais peut-être, Seigneur, vous n'irez pas si loin.
Les Dieux de ma fortune auront un peu de soin,
Ils vous inspireront, ou trouveront un homme
800 Contre tant de héros que vous prêtera Rome.

PRUSIAS

Sur un présomptueux vous fondez votre appui,
Mais il court à sa perte, et vous traîne avec lui.
Pensez-y bien, Madame, et faites-vous justice :
Choisissez d'être Reine, ou d'être Laodice,
805 Et pour dernier avis que vous aurez de moi,
Si vous voulez régner, faites Attale roi.
Adieu.

Scène II : Flaminius, Laodice.

FLAMINIUS

Madame, enfin une vertu parfaite...

LAODICE

Suivez le Roi, Seigneur, votre ambassade est faite,
Et je vous dis encor, pour ne vous point flatter,
810 Qu'ici je ne la dois ni la veux écouter.

FLAMINIUS

Et je vous parle aussi, dans ce péril extrême,
Moins en ambassadeur qu'en homme qui vous aime,
Et qui, touché du sort que vous vous préparez,
Tâche à rompre le cours des maux où vous courez.
J'ose donc comme ami vous dire en confidence
Qu'une vertu parfaite a besoin de prudence,
Et doit considérer, pour son propre intérêt,
Et les temps où l'on vit, et les lieux où l'on est.
La grandeur de courage en une âme royale
N'est sans cette vertu qu'une vertu brutale,
Que son mérite aveugle, et qu'un faux jour d'honneur
Jette en un tel divorce avec le vrai bonheur,
Qu'elle-même se livre à ce qu'elle doit craindre,
Ne se fait admirer que pour se faire plaindre,
Que pour nous pouvoir dire, après un grand soupir :
« J'avais droit de régner, et n'ai su m'en servir. »
Vous irritez un Roi dont vous voyez l'armée
Nombreuse, obéissante, à vaincre accoutumée,
Vous êtes en ses mains, vous vivez dans sa cour.

LAODICE

Je ne sais si l'honneur eut jamais un faux jour,
Seigneur, mais je veux bien vous répondre en amie.
Ma prudence n'est pas tout à fait endormie,
Et sans examiner par quel destin jaloux
La grandeur de courage est si mal avec vous,
Je veux vous faire voir que celle que j'étale
N'est pas tant qu'il vous semble une vertu brutale,
Que si j'ai droit au trône, elle s'en veut servir,
Et sait bien repousser qui me le veut ravir.
Je vois sur la frontière une puissante armée,
Comme vous l'avez dit, à vaincre accoutumée,
Mais par quelle conduite, et sous quel général ?
Le Roi, s'il s'en fait fort, pourrait s'en trouver mal,
Et s'il voulait passer de son pays au nôtre,
Je lui conseillerais de s'assurer d'une autre.
Mais je vis dans sa cour, je suis dans ses États,
Et j'ai peu de raison de ne le craindre pas.
Seigneur, dans sa cour même, et hors de l'Arménie,
La vertu trouve appui contre la tyrannie.
Tout son peuple a des yeux pour voir quel attentat
Font sur le bien public les maximes d'État :
Il connaît Nicomède, il connaît sa marâtre,
Il en sait, il en voit la haine opiniâtre,
Il voit la servitude où le Roi s'est soumis,
Et connaît d'autant mieux ses dangereux amis.
Pour moi, que vous croyez au bord du précipice,
Bien loin de mépriser Attale par caprice,
J'évite les mépris qu'il recevrait de moi,
S'il tenait de ma main la qualité de Roi.
Je le regarderais comme une âme commune,
Comme un homme mieux né pour une autre fortune,
Plus mon sujet qu'époux, et le nœud conjugal
Ne le tirerait pas de ce rang inégal.
Mon peuple à mon exemple en ferait peu d'estime.
Ce serait trop, Seigneur, pour un cœur magnanime,
Mon refus lui fait grâce, et malgré ses désirs,
J'épargne à sa vertu d'éternels déplaisirs.

FLAMINIUS

Si vous me dites vrai, vous êtes ici Reine,

Sur l'armée et la cour je vous vois souveraine,
Le Roi n'est qu'une idée, et n'a de son pouvoir
Que ce que par pitié vous lui laissez avoir.
Quoi, même vous allez jusques à faire grâce!
Après cela, Madame, excusez mon audace,
Souffrez que Rome enfin vous parle par ma voix :
Recevoir ambassade est encor de vos droits,
Ou si ce nom vous choque ailleurs qu'en Arménie,
Comme simple Romain souffrez que je vous die
Qu'être allié de Rome, et s'en faire un appui,
C'est l'unique moyen de régner aujourd'hui,
Que c'est par là qu'on tient ses voisins en contrainte,
Ses peuples en repos, ses ennemis en crainte,
Qu'un prince est dans son trône à jamais affermi
Quand il est honoré du nom de son ami,
Qu'Attale avec ce titre est plus Roi, plus monarque
Que tous ceux dont le front ose en porter la marque,
Et qu'enfin...

LAODICE

　　　　　Il suffit, je vois bien ce que c'est.
Tous les rois ne sont rois qu'autant comme il vous plaît.
Mais si de leurs États Rome à son gré dispose,
Certes pour son Attale elle fait peu de chose,
Et qui tient en sa main tant de quoi lui donner
A mendier pour lui devrait moins s'obstiner.
Pour un Prince si cher sa réserve m'étonne :
Que ne me l'offre-t-elle avec une couronne!
C'est trop m'importuner en faveur d'un sujet,
Moi qui tiendrais un Roi pour un indigne objet,
S'il venait par votre ordre, et si votre alliance
Souillait entre ses mains la suprême puissance.
Ce sont des sentiments que je ne puis trahir,
Je ne veux point de Rois qui sachent obéir,
Et puisque vous voyez mon âme tout entière,
Seigneur, ne perdez plus menace ni prière.

FLAMINIUS

Puis-je ne pas vous plaindre en cet aveuglement?
Madame, encore un coup, pensez-y mûrement,
Songez mieux ce qu'est Rome et ce qu'elle peut faire,
Et si vous vous aimez, craignez de lui déplaire.
Carthage étant détruite, Antiochus défait,
Rien de nos volontés ne peut troubler l'effet :
Tout fléchit sur la terre, et tout tremble sur l'onde,
Et Rome est aujourd'hui la maîtresse du monde.

LAODICE

La maîtresse du monde! Ah! vous me feriez peur,
S'il ne s'en fallait pas l'Arménie et mon cœur,
Si le grand Annibal n'avait qui lui succède,
S'il ne revivait pas au prince Nicomède,
Et s'il n'avait laissé dans de si dignes mains
L'infaillible secret de vaincre les Romains.
Un si vaillant disciple aura bien le courage
D'en mettre jusqu'au bout les leçons en usage :
L'Asie en fait l'épreuve, où trois sceptres conquis
Font voir en quelle école il en a tant appris.
Ce sont des coups d'essai, mais si grands que peut-être
Le Capitole a droit d'en craindre un coup de maître,
Et qu'il ne puisse un jour...

FLAMINIUS

　　　　　Ce jour est encor loin,

Madame, et quelques-uns vous diront, au besoin,
Quels dieux du haut en bas renversent les profanes,
Et que même au sortir de Trébie et de Cannes [22],
Son ombre épouvanta votre grand Annibal.　　　　925
Mais le voici, ce bras à Rome si fatal.

Scène III : Nicomède, Laodice, Flaminius.

NICOMÈDE

Ou Rome à ses agents donne un pouvoir bien large,
Ou vous êtes bien long à faire votre charge.

FLAMINIUS

Je sais quel est mon ordre, et si j'en sors ou non,
C'est à d'autres qu'à vous que j'en rendrai raison.　　930

NICOMÈDE

Allez-y donc, de grâce, et laissez à ma flamme
Le bonheur à son tour d'entretenir Madame.
Vous avez dans son cœur fait de si grandes progrès,
Et vos discours pour elle ont de si grands attraits,
Que sans de grands efforts je n'y pourrai détruire　　935
Ce que votre harangue y voulait introduire.

FLAMINIUS

Les malheurs où la plonge une indigne amitié
Me faisaient lui donner un conseil par pitié.

NICOMÈDE

Lui donner de la sorte un conseil charitable,
C'est être ambassadeur et tendre et pitoyable.　　940
　　Vous a-t-il conseillé beaucoup de lâchetés,
Madame?

FLAMINIUS

　　　　Ah! c'en est trop, et vous vous emportez,

NICOMÈDE

Je m'emporte?

FLAMINIUS

　　　　　Sachez qu'il n'est point de contrée
Où d'un ambassadeur la dignité sacrée...

NICOMÈDE

Ne nous vantez plus tant son rang et sa splendeur :　　945
Qui fait le conseiller n'est plus ambassadeur,
Il excède sa charge, et lui-même y renonce.
Mais dites-moi, Madame, a-t-il eu sa réponse?

LAODICE

Oui Seigneur.

NICOMÈDE

　　　　　Sachez donc que je ne vous prends plus
Que pour l'agent d'Attale, et pour Flaminius,　　950
Et si vous me fâchiez, j'ajouterais peut-être
Que pour l'empoisonneur d'Annibal, de mon maître.
Voilà tous les honneurs que vous aurez de moi.
S'ils ne vous satisfont, allez vous plaindre au Roi.

FLAMINIUS

Il me fera justice, encor qu'il soit bon père,　　955
Ou Rome à son refus se la saura bien faire.

NICOMÈDE

Allez de l'un et l'autre embrasser les genoux.

---

22. Deux victoires d'Hannibal en territoire italien : La
Trébie, sur le consul Sempronius en 218, Cannes en ·216 sur
Varron et Paul Émile. La victoire du lac Trasimène se situe
entre ces deux batailles, en 217.

FLAMINIUS

Les effets répondront. Prince, pensez à vous.

Scène IV : Nicomède, Laodice.

NICOMÈDE

Cet avis est plus propre à donner à la Reine.
960 Ma générosité cède enfin à sa haine :
Je l'épargnais assez pour ne découvrir pas
Les infâmes projets de ses assassinats,
Mais enfin on m'y force, et tout son crime éclate.
J'ai fait entendre au roi Zénon et Métrobate,
965 Et comme leur rapport a de quoi l'étonner,
Lui-même il prend le soin de les examiner.

LAODICE

Je ne sais pas, Seigneur, quelle en sera la suite,
Mais je ne comprends point toute cette conduite,
Ni comme à cet éclat la Reine vous contraint.
970 Plus elle vous doit craindre, et moins elle vous craint,
Et plus vous la pouvez accabler d'infamie,
Plus elle vous attaque en mortelle ennemie.

NICOMÈDE

Elle prévient ma plainte, et cherche adroitement
A la faire passer pour un ressentiment,
975 Et ce masque trompeur de fausse hardiesse
Nous déguise sa crainte et couvre sa faiblesse.

LAODICE

Les mystères de cour souvent sont si cachés
Que les plus clairvoyants y sont bien empêchés,
Lorsque vous n'étiez point ici pour me défendre,
980 Je n'avais contre Attale aucun combat à rendre.
Rome ne songeait point à troubler notre amour,
Bien plus, on ne vous souffre ici que ce seul jour,
Et dans ce même jour Rome, en votre présence,
Avec chaleur pour lui presse mon alliance.
985 Pour moi, je ne vois goutte en ce raisonnement,
Qui n'attend point le temps de votre éloignement,
Et j'ai devant les yeux toujours quelque nuage
Qui m'offusque la vue et m'y jette un ombrage.
Le roi chérit sa femme, il craint Rome, et pour vous,
990 S'il ne voit vos hauts faits d'un œil un peu jaloux,
Du moins, à dire tout, je ne saurais vous taire
Qu'il est trop bon mari pour être assez bon père.
Voyez quel contre-temps Attale prend ici !
Qui l'appelle avec nous? quel projet? quel souci?
995 Je conçois mal, Seigneur, ce qu'il faut que j'en pense,
Mais j'en romprai le coup, s'il y faut ma présence.
Je vous quitte.

Scène V : Nicomède, Attale, Laodice.

ATTALE

Madame, un si doux entretien
N'est plus charmant pour vous quand j'y mêle le mien.

LAODICE

Votre importunité, que j'ose dire extrême,
1000 Me peut entretenir en un autre moi-même !
Il connaît tout mon cœur, et répondra pour moi,
Comme à Flaminius il a fait pour le Roi.

Scène VI : Nicomède, Attale.

ATTALE

Puisque c'est la chasser, Seigneur, je me retire.

NICOMÈDE

Non, non, j'ai quelque chose aussi bien à vous dire,
Prince. J'avais mis bas, avec le nom d'aîné,   10
L'avantage du trône où je suis destiné;
Et voulant seul ici défendre ce que j'aime,
Je vous avais prié de l'attaquer de même,
Et de ne mêler point surtout dans vos desseins
Ni le secours du Roi, ni celui des Romains.   10
Mais ou vous n'avez pas la mémoire fort bonne,
Ou vous n'y mettez rien de ce qu'on vous ordonne.

ATTALE

Seigneur, vous me forcez à m'en souvenir mal,
Quand vous n'achevez pas de rendre tout égal :
Vous vous défaites bien de quelques droits d'aînesse, 1
Mais vous défaites-vous du cœur de la Princesse,
De toutes les vertus qui vous en font aimer,
Des hautes qualités qui savent tout charmer,
De trois sceptres conquis, du gain de six batailles,
Des glorieux assauts de plus de cent murailles?   1
Avec de tels seconds rien n'est pour vous douteux.
Rendez donc la Princesse égale entre nous deux :
Ne lui laissez plus voir ce long amas de gloire
Qu'à pleines mains sur vous a versé la victoire,
Et faites qu'elle puisse oublier une fois   1
Et vos rares vertus, et vos fameux exploits;
Ou contre son amour, contre votre vaillance,
Souffrez Rome et le Roi dedans l'autre balance :
Le peu qu'ils ont gagné vous fait assez juger
Qu'ils n'y mettront jamais qu'un contre-poids léger. 1

NICOMÈDE

C'est n'avoir pas perdu tout votre temps à Rome,
Que vous savoir ainsi défendre en galant homme :
Vous avez de l'esprit, si vous n'avez du cœur.

Scène VII : Arsinoé, Nicomède,
Attale, Araspe.

ARASPE

Seigneur, le Roi vous mande.

NICOMÈDE

Il me mande?

ARASPE

Oui, Seigneur.

ARSINOÉ

Prince, la calomnie est aisée à détruire.

NICOMÈDE

J'ignore à quel sujet vous m'en venez instruire,
Moi qui ne doute point de cette vérité,
Madame.

ARSINOÉ

Si jamais vous n'en aviez douté,
Prince, vous n'auriez pas, sous l'espoir qui vous flatte,
Amené de si loin Zénon et Métrobate.

NICOMÈDE

Je m'obstinais, Madame, à tout dissimuler,
Mais vous m'avez forcé de les faire parler.

ARSINOÉ

La vérité les force, et mieux que vos largesses.
Ces hommes du commun tiennent mal leurs promesses :
45 Tous deux en ont plus dit qu'ils n'avaient résolu.

NICOMÈDE

J'en suis fâché pour vous, mais vous l'avez voulu.

ARSINOÉ

Je le veux bien encor, et je n'en suis fâchée
Que d'avoir vu par là votre vertu tachée,
Et qu'il faille à vos titres d'honneur
50 La noble qualité de mauvais suborneur.

NICOMÈDE

Je les ai subornés contre vous à ce conte ?

ARSINOÉ

J'en ai le déplaisir, vous en aurez la honte.

NICOMÈDE

Et vous pensez par là leur ôter tout crédit ?

ARSINOÉ

Non, Seigneur : je me tiens à ce qu'ils en ont dit.

NICOMÈDE

55 Qu'ont-ils dit qui vous plaise, et que vous vouliez
ARSINOÉ   [croire ?

Deux mots de vérité qui vous comblent de gloire.

NICOMÈDE

Peut-on savoir de vous ces deux mots importants ?

ARASPE

Seigneur, le Roi s'ennuie, et vous tardez longtemps.

ARSINOÉ

Vous les saurez de lui, c'est trop le faire attendre.

NICOMÈDE

60 Je commence, Madame, enfin à vous entendre :
Son amour conjugal, chassant le paternel,
Vous fera l'innocente, et moi le criminel.
Mais...

ARSINOÉ

Achevez, Seigneur, ce mais, que veut-il dire ?

NICOMÈDE

Deux mots de vérité qui font que je respire.

ARSINOÉ

65 Peut-on savoir de vous ces deux mots importants ?

NICOMÈDE

Vous les saurez du Roi, je tarde trop longtemps.

Scène VIII : Arsinoé, Attale.

ARSINOÉ

Nous triomphons, Attale, et ce grand Nicomède
Voit quelle digne issue à ses fourbes succède.
Les deux accusateurs que lui-même a produits,
Que pour l'assassiner je dois avoir séduits,
Pour me calomnier subornés par lui-même,
N'ont su bien soutenir un si noir stratagème.
Tous deux m'ont accusée, et tous deux avoué
L'infâme et lâche tour qu'un prince m'a joué.
Qu'en présence des rois les vérités sont fortes,
Que pour sortir d'un cœur elles trouvent de portes,
Qu'on en voit le mensonge aisément confondu !
Tous deux voulaient me perdre, et tous deux l'ont
ATTALE   [perdu.

Je suis ravi de voir qu'une telle imposture

Ait laissé votre gloire et plus grande et plus pure,   1080
Mais pour l'examiner et bien voir ce que c'est,
Si vous pouviez vous mettre un peu hors d'intérêt,
Vous ne pourriez jamais sans un peu de scrupule,
Avoir pour deux méchants une âme si crédule,
Ces perfides tous deux se sont dits aujourd'hui   1085
Et subornés par vous, et subornés par lui :
Contre tant de vertus, contre tant de victoires,
Doit-on quelque croyance à des âmes si noires ?
Qui se confesse traître est indigne de foi.

ARSINOÉ

Vous êtes généreux, Attale, et je le voi,   1090
Même de vos rivaux la gloire vous est chère.

ATTALE

Si je suis son rival, je suis aussi son frère ;
Nous ne sommes qu'un sang, et ce sang dans mon cœur
A peine à le passer pour calomniateur.

ARSINOÉ

Et vous en avez moins à me croire assassine,   1095
Moi dont la perte est sûre, à moins que sa ruine ?

ATTALE

Si contre lui j'ai peine à croire ces témoins,
Quand ils vous accusaient je les croyais bien moins.
Votre vertu, Madame, est au-dessus du crime.
Souffrez donc que pour lui je garde un peu d'estime : 1100
La sienne dans la cour lui fait mille jaloux,
Dont quelqu'un a voulu le perdre auprès de vous,
Et ce lâche attentat n'est qu'un trait de l'envie
Qui s'efforce à noircir une si belle vie.
Pour moi, si par soi-même on peut juger d'autrui,   1105
Ce que je sens en moi, je le présume en lui.
Contre un si grand rival j'agis à force ouverte,
Sans blesser son honneur, sans pratiquer sa perte.
J'emprunte du secours, et le fais hautement,
Je crois qu'il n'agit pas moins généreusement,   1110
Qu'il n'a que les desseins où sa gloire l'invite,
Et n'oppose à mes vœux que son propre mérite.

ARSINOÉ

Vous êtes peu du monde, et savez mal la cour.

ATTALE

Est-ce autrement qu'en Prince on doit traiter l'amour ?

ARSINOÉ

Vous le traitez, mon fils, et parlez en jeune homme.   1115

ATTALE

Madame, je n'ai vu que des vertus à Rome.

ARSINOÉ

Le temps vous apprendra par de nouveaux emplois
Quelles vertus il faut à la suite des rois.
Cependant, si le Prince est encor votre frère,
Souvenez-vous aussi que je suis votre mère,   1120
Et malgré les soupçons que vous avez conçus,
Venez savoir du Roi ce qu'il croit là-dessus.

ACTE QUATRIÈME

Scène I : Prusias, Arsinoé, Araspe.

PRUSIAS

Faites venir le Prince, Araspe.

Araspe rentre.
                                    Et vous, Madame,
Retenez des soupirs dont vous me percez l'âme.
1125 Quel besoin d'accabler mon cœur de vos douleurs,
Quand vous y pouvez tout sans le secours des pleurs,
Quel besoin que ces pleurs prennent votre défense?
Douté-je de son crime ou de votre innocence,
Et reconnaissez-vous que tout ce qu'il m'a dit
1130 Par quelque impression ébranle mon esprit?

ARSINOÉ
Ah! Seigneur, est-il rien qui répare l'injure
Que fait à l'innocence un moment d'imposture?
Et peut-on voir mensonge assez tôt avorté
Pour rendre à la vertu toute sa pureté?
1135 Il en reste toujours quelque indigne mémoire
Qui porte une souillure à la plus haute gloire.
Combien en votre cour est-il de médisants?
Combien le Prince a-t-il d'aveugles partisans,
Qui sachant une fois qu'on m'a calomniée,
1140 Croiront que votre amour m'a seul justifiée?
Et si la moindre tache en demeure à mon nom,
Si le moindre du peuple en conserve un soupçon,
Suis-je digne de vous, et de telles alarmes
Touchent-elles trop peu pour mériter mes larmes?

PRUSIAS
1145 Ah! c'est trop de scrupule, et trop mal présumer
D'un mari qui vous aime et qui vous doit aimer.
La gloire est plus solide après la calomnie,
Et brille d'autant mieux qu'elle s'en vit ternie.
Mais voici Nicomède, et je veux qu'aujourd'hui...

Scène II : Prusias, Arsinoé, Nicomède,
Araspe, gardes.

ARSINOÉ
1150 Grâce, grâce, Seigneur, à notre unique appui!
Grâce à tant de lauriers en sa main si fertiles!
Grâce à ce conquérant, à ce preneur de villes!
Grâce...

NICOMÈDE
              De quoi, Madame, est-ce d'avoir conquis
Trois sceptres, que ma perte expose à votre fils?
1155 D'avoir porté si loin vos armes dans l'Asie,
Que même votre Rome en a pris jalousie?
D'avoir trop soutenu la majesté des rois,
Trop rempli votre cour du bruit de mes exploits,
Trop du grand Annibal pratiqué les maximes?
1160 S'il faut grâce pour moi, choisissez de mes crimes,
Les voilà tous, Madame, et si vous y joignez
D'avoir cru des méchants par quelque autre gagnés,
D'avoir une âme ouverte, une franchise entière,
Qui dans leur artifice a manqué de lumière,
1165 C'est gloire et non pas crime à qui ne voit le jour
Qu'au milieu d'une armée et loin de votre cour,
Qui n'a que la vertu de son intelligence,
Et vivant sans remords, marche sans défiance.

ARSINOÉ
Je m'en dédis, Seigneur : il n'est point criminel.
1170 S'il m'a voulu noircir d'un opprobre éternel,
Il n'a fait qu'obéir à la haine ordinaire

Qu'imprime à ses pareils le nom de belle-mère.
De cette aversion son cœur préoccupé
M'impute tous les traits dont il se sent frappé.
Que son maître Annibal, malgré la foi publique,   117
S'abandonne aux fureurs d'une terreur panique,
Que ce vieillard confie et gloire et liberté
Plutôt au désespoir qu'à l'hospitalité,
Ces terreurs, ces fureurs sont de mon artifice.
Quelque appas que lui-même il trouve en Laodice,   118
C'est moi qui fais qu'Attale a les yeux comme lui,
C'est moi qui force Rome à lui servir d'appui.
De cette seule main part tout ce qui le blesse,
Et pour venger ce maître et sauver sa maîtresse,   118
S'il a tâché, Seigneur, de m'éloigner de vous,
Tout est trop excusable en un amant jaloux.
Ce faible et vain effort ne touche point mon âme.
Je sais que tout mon crime est d'être votre femme,
Que ce nom seul l'oblige à me persécuter,
Car enfin, hors de là, que peut-il m'imputer?   118
Ma voix, depuis dix ans qu'il commande une armée,
A-t-elle refusé d'enfler sa renommée,
Et lorsqu'il l'a fallu puissamment secourir,
Que la moindre longueur l'aurait laissé périr,
Quel autre a mieux pressé les secours nécessaires?   118
Qui l'a mieux dégagé de ses destins contraires?
A-t-il eu près de vous un plus soigneux agent
Pour hâter les renforts et d'hommes et d'argent?
Vous le savez, Seigneur, et pour reconnaissance,
Après l'avoir servi de toute ma puissance,   1
Je vois qu'il a voulu me perdre auprès de vous,
Mais tout est excusable en un amant jaloux :
Je vous l'ai déjà dit.

PRUSIAS
                  Ingrat, que peux-tu dire?
NICOMÈDE
Que la Reine a pour moi des bontés que j'admire.
Je ne vous dirai point que ces puissants secours   1
Dont elle a conservé mon honneur et mes jours,
Et qu'avec tant de pompe à vos yeux elle étale,
Travaillaient par ma main à la grandeur d'Attale,
Que par mon propre bras elle amassait pour lui,
Et préparait dès lors ce qu'on voit aujourd'hui.
Par quelques sentiments qu'elle aye été poussée,
J'en laisse le ciel juge, il connaît sa pensée,
Il sait pour mon salut comme elle a fait des vœux,
Il lui rendra justice, et peut-être à tous deux.
    Cependant, puisque enfin l'apparence est si belle,
Elle a parlé pour moi, je dois parler pour elle,
Et pour son intérêt vous faire souvenir
Que vous laissez longtemps deux méchants à punir.
Envoyez Métrobate et Zénon au supplice.
Sa gloire attend de vous ce digne sacrifice :
Tous deux l'ont accusée, et s'ils s'en sont dédits
Pour la faire innocente et charger votre fils,
Ils n'ont rien fait pour eux, et leur mort est trop juste
Après s'être joués d'une personne auguste.
L'offense une fois faite à ceux de notre rang
Ne se répare point que par des flots de sang :
On n'en fut jamais quitte ainsi pour s'en dédire.
Il faut sous les tourments que l'imposture expire,

Ou vous exposeriez tout votre sang royal
30 A la légèreté d'un esprit déloyal.
L'exemple est dangereux et hasarde nos vies,
S'il met en sûreté de telles calomnies.

ARSINOÉ

Quoi! Seigneur, les punir de la sincérité
Qui soudain dans leur bouche a mis la vérité,
5 Qui vous a contre moi sa fourbe découverte,
Qui vous rend votre femme et m'arrache à ma perte,
Qui vous a retenu d'en prononcer l'arrêt,
Et couvrir tout cela de mon seul intérêt!
C'est être trop adroit, Prince, et trop bien l'entendre.

PRUSIAS

0 Laisse là Métrobate, et songe à te défendre :
Purge-toi d'un forfait si honteux et si bas.

NICOMÈDE

M'en purger, moi, Seigneur! vous ne le croyez pas!
Vous ne savez que trop qu'un homme de ma sorte,
Quand il se rend coupable, un peu plus haut se porte,
5 Qu'il lui faut un grand crime à tenter son devoir,
Où sa gloire se sauve à l'ombre du pouvoir.
Soulever votre peuple, et jeter votre armée
Dedans les intérêts d'une reine opprimée,
Venir, le bras levé, la tirer de vos mains,
0 Malgré l'amour d'Attale et l'effort des Romains,
Et fondre en vos pays contre leur tyrannie
Avec tous vos soldats et toute l'Arménie,
C'est ce que pourrait faire un homme tel que moi,
S'il pouvait se résoudre à vous manquer de foi.
5 La fourbe n'est le jeu que des petites âmes,
Et c'est là proprement le partage des femmes.
Punissez donc, Seigneur, Métrobate et Zénon,
Pour la Reine ou pour moi, faites-vous-en raison.
A ce dernier moment la conscience presse,
0 Pour rendre compte aux Dieux tout respect humain [cesse,
Et ces esprits légers, approchant des abois,
Pourraient bien se dédire une seconde fois.

ARSINOÉ

Seigneur...

NICOMÈDE

Parlez, Madame, et dites quelle cause
A leur juste supplice obstinément s'oppose,
Ou laissez-nous penser qu'aux portes du trépas
Ils auraient des remords qui ne vous plairaient pas.

ARSINOÉ

Vous voyez à quel point sa haine m'est cruelle,
Quand je le justifie, il me fait criminelle.
Mais sans doute, Seigneur, ma présence l'aigrit,
Et mon éloignement remettra son esprit,
Il rendra quelque calme à son cœur magnanime,
Et lui pourra sans doute épargner plus d'un crime.
Je ne demande point que par compassion
Vous assuriez un sceptre à ma protection,
Ni que pour garantir la personne d'Attale,
Vous partagiez entre eux la puissance royale,
Si vos amis de Rome en ont pris quelque soin,
C'était sans mon aveu, je n'en ai pas besoin.
Je n'aime point si mal que de ne vous pas suivre,
Sitôt qu'entre mes bras vous cesserez de vivre,
Et sur votre tombeau mes premières douleurs

Verseront tout ensemble et mon sang et mes pleurs.

PRUSIAS

Ah! Madame.

ARSINOÉ

Oui, Seigneur, cette heure infortunée
Par vos derniers soupirs clora ma destinée,
Et puisque ainsi jamais il ne sera mon Roi,   1285
Qu'ai-je à craindre de lui, que peut-il contre moi?
Tout ce que je demande en faveur de ce gage,
De ce fils qui déjà lui donne tant d'ombrage,
C'est que chez les Romains il retourne achever
Des jours que dans leur sein vous fîtes élever,   1290
Qu'il retourne y traîner, sans péril et sans gloire,
De votre amour pour moi l'impuissante mémoire.
Ce grand Prince vous sert, et vous servira mieux
Quand il n'aura plus rien qui lui blesse les yeux,
Et n'appréhendez point Rome ni sa vengeance :   1295
Contre tout son pouvoir il a trop de vaillance.
Il sait tous les secrets du fameux Annibal,
De ce héros à Rome en tous lieux si fatal
Que l'Asie et l'Afrique admirent l'avantage
Qu'en tire Antiochus, et qu'en reçut Carthage.   1300
Je me retire donc, afin qu'en liberté
Les tendresses du sang pressent votre bonté,
Et je ne veux plus voir ni qu'en votre présence
Un Prince que j'estime indignement m'offense,
Ni que je sois forcée à vous mettre en courroux   1305
Contre un fils si vaillant et si digne de vous.

Scène III : Prusias, Nicomède, Araspe.

PRUSIAS

Nicomède, en deux mots, ce désordre me fâche.
Quoi qu'on t'ose imputer, je ne te crois point lâche,
Mais donnons quelque chose à Rome, qui se plaint,
Et tâchons d'assurer la Reine qui te craint.   1310
J'ai tendresse pour toi, j'ai passion pour elle,
Et je ne veux pas voir cette haine éternelle,
Ni que des sentiments que j'aime à voir durer
Ne règnent dans mon cœur que pour le déchirer.
J'y veux mettre d'accord l'amour et la nature,   1315
Etre père et mari dans cette conjoncture...

NICOMÈDE

Seigneur, voulez-vous bien vous en fier à moi?
Ne soyez l'un ni l'autre.

PRUSIAS

Et que dois-je être?

NICOMÈDE

Roi.

Reprenez hautement ce noble caractère,
Un véritable roi n'est ni mari ni père,   1320
Il regarde son trône, et rien de plus : régnez.
Rome vous craindra plus que vous ne la craignez.
Malgré cette puissance et si vaste et si grande,
Vous pouvez déjà voir comme elle m'appréhende,
Combien en me perdant elle espère gagner,   1325
Parce qu'elle prévoit que je saurai régner.

PRUSIAS

Je règne donc, ingrat, puisque tu me l'ordonnes.
Choisis, ou Laodice, ou mes quatre couronnes.

NICOMÈDE
Ton Roi fait ce partage entre ton frère et toi :
1330 Je ne suis plus ton père, obéis à ton Roi.
NICOMÈDE
Si vous étiez aussi le roi de Laodice,
Pour l'offrir à mon choix avec quelque justice,
Je vous demanderais le loisir d'y penser.
Mais enfin pour vous plaire, et ne pas l'offenser,
1335 J'obéirai, Seigneur, sans répliques frivoles,
A vos intentions, et non à vos paroles.
A ce frère si cher transportez tous mes droits,
Et laissez Laodice en liberté du choix.
Voilà quel est le mien.
PRUSIAS
          Quelle bassesse d'âme,
1340 Quelle fureur t'aveugle en faveur d'une femme?
Tu la préfères, lâche, à ces prix glorieux
Que ta valeur unit au bien de tes aïeux!
Après cette infamie es-tu digne de vivre?
NICOMÈDE
Je crois que votre exemple est glorieux à suivre :
1345 Ne préférez-vous pas une femme à ce fils
Par qui tous ces États aux vôtres sont unis?
PRUSIAS
Me vois-tu renoncer pour elle au diadème?
NICOMÈDE
Me voyez-vous pour l'autre y renoncer moi-même?
Que cédé-je à mon frère en cédant vos États?
1350 Ai-je droit d'y prétendre avant votre trépas?
Pardonnez-moi ce mot, il est fâcheux à dire,
Mais un monarque enfin comme un autre homme
Et vos peuples alors, ayant besoin d'un Roi, [expire,
Voudront choisir peut-être entre ce Prince et moi.
1355   Seigneur, nous n'avons pas si grande ressemblance
Qu'il faille de bons yeux pour y voir différence,
Et ce vieux droit d'aînesse est souvent si puissant
Que pour remplir un trône il rappelle un absent.
Que si leurs sentiments se règlent sur les vôtres,
1360 Sous le joug de vos lois j'en ai bien rangé d'autres,
Et dussent vos Romains en être encor jaloux,
Je ferai bien pour moi ce que j'ai fait pour vous.
PRUSIAS
J'y donnerai bon ordre.
NICOMÈDE
              Oui, si leur artifice
De votre sang par vous se fait un sacrifice.
1365 Autrement vos États à ce Prince livrés
Ne seront en ses mains qu'autant que vous vivrez.
Ce n'est point en secret que je vous le déclare :
Je le dis à lui-même, afin qu'il s'y prépare.
Le voilà qui m'entend.
PRUSIAS
            Va, sans verser mon sang,
1370 Je saurai bien, ingrat, l'assurer en ce rang,
Et demain...

Scène IV : Prusias, Nicomède, Attale,
Flaminius, Araspe, gardes.

FLAMINIUS
Si pour moi vous êtes en colère,

Seigneur, je n'ai reçu qu'une offense légère :
Le sénat en effet pourra s'en indigner,
Mais j'ai quelques amis qui sauront le gagner.
PRUSIAS
Je lui ferai raison, et dès demain Attale
Recevra de ma main la puissance royale :
Je le fais roi de Pont, et mon seul héritier.
Et quant à ce rebelle, à ce courage fier,
Rome entre vous et lui jugera de l'outrage,
Je veux qu'au lieu d'Attale il lui serve d'otage,
Et pour l'y mieux conduire, il vous sera donné,
Sitôt qu'il aura vu son frère couronné.
NICOMÈDE
Vous m'enverrez à Rome!
PRUSIAS
              On t'y fera justice.
Va, va lui demander ta chère Laodice.
NICOMÈDE
J'irai, j'irai, Seigneur, vous le voulez ainsi ;
Et j'y serai plus Roi que vous n'êtes ici.
FLAMINIUS
Rome sait vos hauts faits, et déjà vous adore.
NICOMÈDE
Tout beau, Flaminius! je n'y suis pas encore :
La route en est mal sûre, à tout considérer
Et qui m'y conduira pourra bien s'égarer.
PRUSIAS
Qu'on le ramène, Araspe, et redoublez sa garde.
Toi, rends grâces à Rome, et sans cesse regarde
Que comme son pouvoir est la source du tien,
En perdant son appui tu ne seras plus rien.
  Vous, Seigneur, excusez si me trouvant en peine
De quelques déplaisirs, que m'a fait voir la Reine,
Je vais l'en consoler, et vous laisse avec lui.
Attale, encore un coup, rends grâce à ton appui.

Scène V : Flaminius, Attale.

ATTALE
Seigneur, que vous dirai-je après des avantages
Qui sont même trop grands pour les plus grands cou-
Vous n'avez point de borne, et votre affection [rages!
Passe votre promesse et mon ambition.
Je l'avouerai pourtant, le trône de mon père
Ne fait pas le bonheur que plus je considère :
Ce qui touche mon cœur, ce qui charme mes sens,
C'est Laodice acquise à mes yeux innocents.
La qualité de Roi qui me rend digne d'elle...
FLAMINIUS
Ne rendra pas son cœur à vos vœux moins rebelle.
ATTALE
Seigneur, l'occasion fait un cœur différent :
D'ailleurs, c'est l'ordre exprès de son père mourant,
Et par son propre aveu la reine d'Arménie
Est due à l'héritier du roi de Bithynie.
FLAMINIUS
Ce n'est pas loi pour elle, et Reine comme elle est.
Cet ordre, à bien parler, n'est que ce qu'il lui plaît.
Aimerait-elle en vous l'éclat d'un diadème   [aime?
Qu'on vous donne aux dépens d'un grand Prince qu'elle

En vous qui la privez d'un si cher protecteur,
En vous qui de sa chute êtes l'unique auteur?
ATTALE
Ce Prince hors d'ici, Seigneur, que fera-t-elle?
-20 Qui contre Rome et nous soutiendra sa querelle?
Car j'ose me promettre encor votre secours.
FLAMINIUS
Les choses quelquefois prennent un autre cours;
Pour ne vous point flatter, je n'en veux pas répondre.
ATTALE
Ce serait bien, Seigneur, de tout point me confondre,
25 Et je serais moins Roi qu'un objet de pitié,
Si le bandeau royal m'ôtait votre amitié.
Mais je m'alarme trop, et Rome est plus égale :
N'en avez-vous pas l'ordre?
FLAMINIUS
Oui, pour le prince Attale,
Pour un homme en son sein nourri dès le berceau,
30 Mais pour le Roi de Pont il faut ordre nouveau.
ATTALE
Il faut ordre nouveau! Quoi, se pourrait-il faire
Qu'à l'œuvre de ses mains Rome devînt contraire,
Que ma grandeur naissante y fît quelques jaloux?
FLAMINIUS
Que présumez-vous, Prince, et que me dites-vous?
ATTALE
5 Vous-même dites-moi comme il faut que j'explique
Cette inégalité de votre République.
FLAMINIUS
Je vais vous l'expliquer, et veux bien vous guérir
D'une erreur dangereuse où vous semblez courir.
Rome, qui vous servait auprès de Laodice,
0 Pour vous donner son trône eût fait une injustice :
Son amitié pour vous lui faisait cette loi,
Mais par d'autres moyens elle vous a fait Roi,
Et le soin de sa gloire à présent la dispense
De se porter pour vous à cette violence.
5 Laissez donc cette Reine en pleine liberté,
Et tournez vos désirs de quelque autre côté.
Rome de votre hymen prendra soin d'elle-même.
ATTALE
Mais s'il arrive enfin que Laodice m'aime?
FLAMINIUS
Ce serait mettre encor Rome dans le hasard
0 Que l'on crût artifice ou force de sa part :
Cet hymen jetterait une ombre sur sa gloire.
Prince, n'y pensez plus, si vous m'en pouvez croire,
Ou si de mes conseils vous faites peu d'état,
N'y pensez plus du moins sans l'aveu du sénat.
ATTALE
A voir quelle froideur à tant d'amour succède,
Rome ne m'aime pas : elle hait Nicomède,
Et lorsqu'à mes désirs elle a feint d'applaudir,
Elle a voulu le perdre et non pas m'agrandir.
FLAMINIUS
Pour ne vous faire pas de réponse trop rude
Sur ce beau coup d'essai de votre ingratitude,
Suivez votre caprice, offensez vos amis :
Vous êtes souverain, et tout vous est permis.
Mais puisque enfin ce jour vous doit faire connaître

Que Rome vous a fait ce que vous allez être,
Que perdant son appui, vous ne serez plus rien, 1465
Que le Roi vous l'a dit, souvenez-vous-en bien.

Scène VI : Attale.

Attale, était-ce ainsi que régnaient tes ancêtres?
Veux-tu le nom de Roi pour avoir tant de maîtres?
Ah! ce titre à ce prix déjà m'est importun :
S'il nous en faut avoir, du moins n'en ayons qu'un. 1470
Le ciel nous l'a donné trop grand, trop magnanime,
Pour souffrir qu'aux Romains il serve de victime.
Montrons-leur hautement que nous avons des yeux,
Et d'un si rude joug affranchissons ces lieux.
Puisque à leurs intérêts tout ce qu'ils font s'applique, 1475
Que leur vaine amitié cède à leur politique,
Soyons à notre tour de leur grandeur jaloux,
Et comme ils font pour eux faisons aussi pour nous.

ACTE CINQUIÈME

Scène I : Arsinoé, Attale.

ARSINOÉ
J'ai prévu ce tumulte, et n'en vois rien à craindre :
Comme un moment l'allume, un moment peut l'étein- 1480
Et si l'obscurité laisse croître ce bruit, [dre,
Le jour dissipera les vapeurs de la nuit.
Je me fâche bien moins qu'un peuple se mutine,
Que de voir que ton cœur dans son amour s'obstine,
Et d'une indigne ardeur lâchement embrasé 1485
Ne rend point de mépris à qui t'a méprisé.
Venge-toi d'une ingrate, et quitte une cruelle,
A présent que le sort t'a mis au-dessus d'elle.
Son trône, et non ses yeux, avait dû te charmer :
Tu vas régner sans elle, à quel propos l'aimer? 1490
Porte, porte ce cœur à de plus douces chaînes.
Puisque te voilà Roi, l'Asie a d'autres Reines,
Qui loin de te donner des rigueurs à souffrir,
T'épargneront bientôt la peine de t'offrir.
ATTALE
Mais, Madame...
ARSINOÉ
Eh bien! soit, je veux qu'elle se rende. 1495
Prévois-tu les malheurs qu'ensuite j'appréhende?
Sitôt que d'Arménie elle t'aura fait Roi,
Elle t'engagera dans sa haine pour moi.
Mais, ô Dieux! pourra-t-elle y borner sa vengeance,
Pourras-tu dans son lit dormir en assurance, 1500
Et refusera-t-elle à son ressentiment
Le fer ou le poison pour venger son amant?
Qu'est-ce qu'en sa fureur une femme n'essaie?
ATTALE
Que de fausses raisons pour me cacher la vraie!
Rome, qui n'aime pas à voir un puissant Roi, 1505
L'a craint en Nicomède, et le craindrait en moi.
Je ne dois plus prétendre à l'hymen d'une Reine,
Si je ne veux déplaire à notre souveraine,
Et puisque la fâcher ce serait me trahir,
Afin qu'elle me souffre, il vaut mieux obéir. 1510

Je sais par quels moyens sa sagesse profonde
S'achemine à grands pas à l'empire du monde.
Aussitôt qu'un État devient un peu trop grand,
Sa chute doit guérir l'ombrage qu'elle en prend.
1515 C'est blesser les Romains que faire une conquête,
Que mettre trop de bras sous une seule tête,
Et leur guerre est trop juste, après cet attentat
Que fait sur leur grandeur un tel crime d'État.
Eux, qui pour gouverner sont les premiers des hommes,
1520 Veulent que sous leur ordre on soit ce que nous sommes,
Veulent sur tous les rois un si haut ascendant
Que leur empire seul demeure indépendant.
　　Je les connais, Madame, et j'ai vu cet ombrage
Détruire Antiochus et renverser Carthage,
1525 De peur de choir comme eux, je veux bien m'abaisser,
Et cède à des raisons que je ne puis forcer.
D'autant plus justement mon impuissance y cède,
Que je vois qu'en leurs mains on livre Nicomède.
Un si grand ennemi leur répond de ma foi,
1530 C'est un lion tout prêt à déchaîner sur moi.
　　　　　ARSINOÉ
C'est de quoi je voulais vous faire confidence,
Mais vous me ravissez d'avoir cette prudence.
Le temps pourra changer, cependant prenez soin
D'assurer des jaloux dont vous avez besoin.

　　　　Scène II : Flaminius, Arsinoé, Attale.

　　　　　ARSINOÉ
1535 Seigneur, c'est remporter une haute victoire
Que de rendre un amant capable de me croire :
J'ai su le ramener aux termes du devoir.
Et sur lui la raison a repris son pouvoir.
　　　　　FLAMINIUS
Madame, voyez donc si vous serez capable
1540 De rendre également ce peuple raisonnable.
Le mal croît, il est temps d'agir de votre part,
Ou quand vous le voudrez, vous le voudrez trop tard.
Ne vous figurez plus que ce soit le confondre
Que de le laisser faire et ne lui point répondre.
1545 Rome autrefois a vu de ces émotions,
Sans embrasser jamais vos résolutions.
Quand il fallait calmer toute une populace,
Le Sénat n'épargnait promesse ni menace,
Et rappelait par là son escadron mutin
1550 Et du mont Quirinal et du mont Aventin,
Dont il l'aurait vu faire une horrible descente,
S'il eût traité longtemps sa fureur d'impuissante
Et l'eût abandonnée à sa confusion,
Comme vous semblez faire en cette occasion.
　　　　　ARSINOÉ
1555 Après ce grand exemple en vain on délibère :
Ce qu'a fait le Sénat montre ce qu'il faut faire,
Et le Roi... Mais il vient...

　　　Scène III : Prusias, Arsinoé, Flaminius, Attale.

　　　　　PRUSIAS
　　　　　　　Je ne puis plus douter,
Seigneur, d'où vient le mal que je vois éclater :

Ces mutins ont pour chefs les gens de Laodice.
　　　　　FLAMINIUS
J'en avais soupçonné déjà son artifice.　　　　　15
　　　　　ATTALE
Ainsi votre tendresse et vos soins sont payés !
　　　　　FLAMINIUS
Seigneur, il faut agir, et si vous m'en croyez...

　　　Scène IV : Prusias, Arsinoé, Flaminius,
　　　　　　Attale, Cléone.

　　　　　CLÉONE
Tout est perdu, Madame, à moins d'un prompt remède.
Tout le peuple à grands cris demande Nicomède,
Il commence lui-même à se faire raison,　　　　　15
Et vient de déchirer Métrobate et Zénon.
　　　　　ARSINOÉ
Il n'est donc plus à craindre, il a pris ses victimes,
Sa fureur sur leur sang va consumer ses crimes,
Elle s'applaudira de cet illustre effet,　　　　　15
Et croira Nicomède amplement satisfait.
　　　　　FLAMINIUS
Si ce désordre était sans chefs et sans conduite,
Je voudrais, comme vous, en craindre moins la suite :
Le peuple par leur mort pourrait s'être adouci.
Mais un dessein formé ne tombe pas ainsi,
Il suit toujours son but jusqu'à ce qu'il l'emporte,　15
Le premier sang versé rend sa fureur plus forte,
Il l'amorce, il l'acharne, il en éteint l'horreur,
Et ne lui laisse plus ni pitié ni terreur.

　　　Scène V : Prusias, Arsinoé, Flaminius,
　　　　　　Attale, Cléone, Araspe.

　　　　　ARASPE
Seigneur, de tous côtés le peuple vient en foule,
De moment en moment votre garde s'écoule,　　　　1
Et suivant les discours qu'ici même j'entends,
Le Prince entre mes mains ne sera pas longtemps :
Je n'en puis plus répondre.
　　　　　PRUSIAS
　　　　　　　Allons, allons le rendre,
Ce précieux objet d'une amitié si tendre.
Obéissons, Madame, à ce peuple sans foi,　　　　　1
Qui las de m'obéir, en veut faire son Roi,
Et du haut d'un balcon, pour calmer la tempête,
Sur ses nouveaux sujets faisons voler sa tête.
　　　　　ATTALE
Ah, Seigneur !
　　　　　PRUSIAS
　　　　　　C'est ainsi qu'il lui sera rendu :
A qui le cherche ainsi, c'est ainsi qu'il est dû.　　　1
　　　　　ATTALE
Ah ! Seigneur, c'est tout perdre, et livrer à sa rage
Tout ce qui de plus près touche votre courage,
Et j'ose dire ici que votre Majesté
Aura peine elle-même à trouver sûreté.
　　　　　PRUSIAS
Il faut donc se résoudre à tout ce qu'il m'ordonne,　1
Lui rendre Nicomède avecque ma couronne :

Je n'ai point d'autre choix, et s'il est le plus fort,
Je dois à son idole ou mon sceptre ou la mort.

FLAMINIUS

Seigneur, quand ce dessein aurait quelque justice,
0 Est-ce à vous d'ordonner que ce Prince périsse?
Quel pouvoir sur ses jours vous demeure permis?
C'est l'otage de Rome, et non plus votre fils :
Je dois m'en souvenir, quand son père l'oublie.
C'est attenter sur vous qu'ordonner de sa vie,
5 J'en dois compte au sénat, et n'y puis consentir.
Ma galère est au port toute prête à partir,
Le palais y répond par la porte secrète,
Si vous le voulez perdre, agréez ma retraite,
Souffrez que mon départ fasse connaître à tous
0 Que Rome a des conseils plus justes et plus doux,
Et ne l'exposez pas à ce honteux outrage
De voir à ses yeux même immoler son otage.

ARSINOÉ

Me croirez-vous, Seigneur, et puis-je m'expliquer?

PRUSIAS

Ah! rien de votre part ne saurait me choquer :
5 Parlez.

ARSINOÉ

Le ciel m'inspire un dessein dont j'espère
Et satisfaire Rome et ne vous pas déplaire.
S'il est prêt à partir, il peut en ce moment
Enlever avec lui son otage aisément :
Cette porte secrète ici nous favorise.
0 Mais pour faciliter d'autant mieux l'entreprise,
Montrez-vous à ce peuple, et flattant son courroux,
Amusez-le du moins à débattre avec vous :
Faites-lui perdre temps, tandis qu'en assurance
La galère s'éloigne avec son espérance.
5 S'il force le palais, et ne l'y trouve plus
Vous ferez comme lui le surpris, le confus,
Vous accuserez Rome, et promettrez vengeance
Sur quiconque sera de son intelligence.
Vous enverrez après, sitôt qu'il sera jour,
0 Et vous lui donnerez l'espoir d'un prompt retour,
Où mille empêchements que vous ferez vous-même
Pourront de toutes parts aider au stratagème.
Quelque aveugle transport qu'il témoigne aujourd'hui,
Il n'attentera rien tant qu'il craindra pour lui,
5 Tant qu'il présumera son effort inutile.
Ici la délivrance en paraît trop facile,
Et s'il l'obtient, Seigneur, il faut fuir vous et moi :
S'il le voit à sa tête, il en fera son Roi;
Vous le jugez vous-même.

PRUSIAS

Ah! j'avouerai, Madame,
0 Que le ciel a versé ce conseil dans votre âme.
Seigneur, se peut-il voir rien de mieux concerté?

FLAMINIUS

Il vous assure et vie, et gloire, et liberté,
Et vous avez d'ailleurs Laodice en otage.
Mais qui perd temps ici perd tout son avantage.

PRUSIAS

5 Il n'en faut donc plus perdre : allons-y de ce pas.

ARSINOÉ

Ne prenez avec vous qu'Araspe et trois soldats,

Peut-être un plus grand nombre aurait quelque infidèle.
J'irai chez Laodice, et m'assurerai d'elle.
Attale, où courez-vous?

ATTALE

Je vais de mon côté
De ce peuple mutin amuser la fierté,   1650
A votre stratagème en ajouter quelque autre.

ARSINOÉ

Songez que ce n'est qu'un que mon sort et le vôtre.
Que vos seuls intérêts me mettent en danger.

ATTALE

Je vais périr, Madame, ou vous en dégager.

ARSINOÉ

Allez donc. J'aperçois la reine d'Arménie.   1655

Scène VI : Arsinoé, Laodice, Cléone.

ARSINOÉ

La cause de nos maux doit-elle être impunie?

LAODICE

Non, Madame, et pour peu qu'elle ait d'ambition,
Je vous réponds déjà de sa punition.

ARSINOÉ

Vous qui savez son crime, ordonnez de sa peine.

LAODICE

Un peu d'abaissement suffit pour une Reine :   1660
C'est déjà trop de voir son dessein avorté.

ARSINOÉ

Dites, pour châtiment de sa témérité,
Qu'il lui faudrait du front tirer le diadème.

LAODICE

Parmi les généreux il n'en va pas de même :
Ils savent oublier quand ils ont le dessus,   1665
Et ne veulent que voir leurs ennemis confus.

ARSINOÉ

Ainsi qui peut vous croire aisément se contente!

LAODICE

Le ciel ne m'a pas fait l'âme plus violente.

ARSINOÉ

Soulever des sujets contre leur souverain,
Leur mettre à tous le fer et la flamme en la main,   1670
Jusque dans le palais pousser leur insolence,
Vous appelez cela fort peu de violence?

LAODICE

Nous nous entendons mal, Madame, et je le voi,
Ce que je dis pour vous, vous l'expliquez pour moi.
Je suis hors de souci pour ce qui me regarde,   1675
Et je viens vous chercher pour vous prendre en ma
Pour ne hasarder pas en vous la majesté   garde,
Au manque de respect d'un grand peuple irrité.
Faites venir le Roi, rappelez votre Attale,
Que je conserve en eux la dignité royale :   1680
Ce peuple en sa fureur peut les connaître mal.

ARSINOÉ

Peut-on voir un orgueil à votre orgueil égal?
Vous, par qui seule ici tout ce désordre arrive,
Vous, qui dans ce palais vous voyez ma captive,
Vous, qui me répondrez au prix de votre sang   1685
De tout ce qu'un tel crime attente sur mon rang,
Vous me parlez encore avec la même audace

Que si j'avais besoin de vous demander grâce!
LAODICE
Vous obstiner, Madame, à me parler ainsi,
1690 C'est ne vouloir pas voir que je commande ici,
Que quand il me plaira, vous serez ma victime.
Et ne m'imputez point ce grand désordre à crime :
Votre peuple est coupable, et dans tous vos sujets
Ces cris séditieux sont autant de forfaits,
1695 Mais pour moi qui suis Reine, et qui dans nos querel-
Pour triompher de vous, vous ai fait ces rebelles, [les,
Par le droit de la guerre il fut toujours permis
D'allumer la révolte entre ses ennemis.
M'enlever mon époux, c'est vous faire la mienne.
ARSINOÉ
1700 Je la suis donc, Madame, et quoi qu'il en advienne,
Si ce peuple une fois enfonce le palais,
C'est fait de votre vie, et je vous le promets.
LAODICE
Vous tiendrez mal parole, ou bientôt sur ma tombe
Tout le sang de vos rois servira d'hécatombe.
1705 Mais avez-vous encor parmi votre maison
Quelque autre Métrobate, ou quelque autre Zénon?
N'appréhendez-vous point que tous vos domestiques
Ne soient déjà gagnés par mes sourdes pratiques?
En savez-vous quelqu'un si prêt à se trahir,
1710 Si las de voir le jour, que de vous obéir?
    Je ne veux point régner sur votre Bithynie :
Ouvrez-moi seulement les chemins d'Arménie,
Et pour voir tout d'un coup vos malheurs terminés,
Rendez-moi cet époux qu'en vain vous retenez.
ARSINOÉ
1715 Sur le chemin de Rome il vous faut l'aller prendre,
Flaminius l'y mène et pourra vous le rendre.
Mais hâtez-vous, de grâce, et faites bien ramer,
Car déjà sa galère a pris le large en mer.
LAODICE
Ah! si je le croyais!...
ARSINOÉ
                N'en doutez point, Madame.
LAODICE
1720 Fuyez donc les fureurs qui saisissent mon âme :
Après le coup fatal de cette indignité,
Je n'ai plus ni respect ni générosité.
    Mais plutôt demeurez pour me servir d'otage,
Jusqu'à ce que ma main de ses fers le dégage.
1725 J'irai jusque dans Rome en briser les liens,
Avec tous vos sujets, avecque tous les miens.
Aussi bien Annibal nommait une folie
De présumer la vaincre ailleurs qu'en Italie.
Je veux qu'elle me voie au cœur de ses États
1730 Soutenir ma fureur d'un million de bras,
Et sous mon désespoir rangeant sa tyrannie...
ARSINOÉ
Vous voulez donc enfin régner en Bithynie,
Et dans cette fureur qui vous trouble aujourd'hui,
Le Roi pourra souffrir que vous régniez pour lui?
LAODICE
1735 J'y régnerai, Madame, et sans lui faire injure.
Puisque le Roi veut bien n'être Roi qu'en peinture,
Que lui doit importer qui donne ici la loi,

Et qui règne pour lui des Romains ou de moi?
Mais un second otage entre mes mains se jette.

Scène VII : Arsinoé, Laodice, Attale, Cléone.

ARSINOÉ
Attale, avez-vous su comme ils ont fait retraite?
ATTALE
Ah! Madame.
ARSINOÉ
        Parlez.
ATTALE
            Tous les Dieux irrités
Dans les derniers malheurs nous ont précipités.
Le Prince est échappé.
LAODICE
                Ne craignez plus, Madame :
La générosité déjà rentre en mon âme.
ARSINOÉ
Attale, prenez-vous plaisir à m'alarmer?
ATTALE
Ne vous flattez point tant que de le présumer.
Le malheureux Araspe, avec sa faible escorte,
L'avait déjà conduit à cette fausse porte,
L'ambassadeur de Rome était déjà passé,
Quand dans le sein d'Araspe un poignard enfoncé
Le jette aux pieds du Prince. Il s'écrie, et sa suite,
De peur d'un pareil sort, prend aussitôt la fuite.
ARSINOÉ
Et qui dans cette porte a pu le poignarder?
ATTALE
Dix ou douze soldats qui semblaient la garder.
Et ce Prince...
ARSINOÉ
            Ah! mon fils, qu'il est partout de traîtres!
Qu'il est peu de sujets fidèles à leurs maîtres!
Mais de qui savez-vous un désastre si grand?
ATTALE
Des compagnons d'Araspe, et d'Araspe mourant.
Mais écoutez encor ce qui me désespère.
    J'ai couru me ranger auprès du Roi mon père.
Il n'en était plus temps : ce monarque étonné
A ses frayeurs déjà s'était abandonné,
Avait pris un esquif pour tâcher de rejoindre
Ce Romain, dont l'effroi peut-être n'est pas moindre.

Scène VIII [23] : Prusias, Flaminius, Arsinoé, Laodice, Attale, Cléone.

PRUSIAS
Non, non, nous revenons l'un et l'autre en ces lieux
Défendre votre gloire, ou mourir à vos yeux.
ARSINOÉ
Mourons, mourons, Seigneur, et dérobons nos vies
A l'absolu pouvoir des fureurs ennemies,

23. Corneille nous apprend lui-même dans l'*Examen* de 1660 que, dans la version primitive, Prusias et Flaminius ne réapparaissaient pas et que Arsinoé recevait Nicomède, sans cette étonnante conversion finale : Arsinoé n'est pas, en effet, comme Attale, une généreuse qui s'ignore.

N'attendons pas leur ordre, et montrons-nous jaloux
70 De l'honneur qu'ils auraient à disposer de nous.

LAODICE
Ce désespoir, Madame, offense un si grand homme
Plus que vous n'avez fait en l'envoyant à Rome.
Vous devez le connaître, et puisqu'il a ma foi,
Vous devez présumer qu'il est digne de moi.
75 Je le désavouerais, s'il n'était magnanime,
S'il manquait à remplir l'effort de mon estime,
S'il ne faisait paraître un cœur toujours égal.
Mais le voici : voyez si je le connais mal.

*Scène IX : Prusias, Nicomède, Arsinoé, Laodice,
Flaminius, Attale, Cléone.*

NICOMÈDE
Tout est calme, Seigneur : un moment de ma vue
A soudain apaisé la populace émue.

PRUSIAS
Quoi ! me viens-tu braver jusque dans mon palais,
Rebelle ?

NICOMÈDE
C'est un nom que je n'aurai jamais.
Je ne viens point ici montrer à votre haine
Un captif insolent d'avoir brisé sa chaîne.
Je viens en bon sujet vous rendre le repos
Que d'autres intérêts troublaient mal à propos.
Non que je veuille à Rome imputer quelque crime :
Du grand art de régner elle suit la maxime,
Et son ambassadeur ne fait que son devoir,
Quand il veut entre nous partager le pouvoir.
Mais ne permettez pas qu'elle vous y contraigne :
Rendez-moi votre amour, afin qu'elle vous craigne,
Pardonnez à ce peuple un peu trop de chaleur
Qu'à sa compassion a donné mon malheur,
Pardonnez un forfait qu'il a cru nécessaire,
Et qui ne produira qu'un effet salutaire.
Faites-lui grâce aussi, Madame, et permettez
Que jusques au tombeau j'adore vos bontés.
Je sais par quel motif vous m'êtes si contraire :
Votre amour maternel veut voir régner mon frère,
Et je contribuerai moi-même à ce dessein,
Si vous pouvez souffrir qu'il soit Roi de ma main.
Oui, l'Asie à mon bras offre encore des conquêtes,
Et pour l'en couronner mes mains sont toutes prêtes :
Commandez seulement, choisissez en quels lieux,
Et j'en apporterai la couronne à vos yeux.

ARSINOÉ
Seigneur, faut-il si loin pousser votre victoire,
Et qu'ayant en vos mains et mes jours et ma gloire,
La haute ambition d'un si puissant vainqueur
Veuille encor triompher jusque dedans mon cœur ?
Contre tant de vertu je ne puis le défendre,

Il est impatient lui-même de se rendre,
Joignez cette conquête à trois sceptres conquis,
Et je croirai gagner en vous un second fils.

PRUSIAS
Je me rends donc aussi, Madame, et je veux croire   1815
Qu'avoir un fils si grand est ma plus grande gloire.
Mais parmi les douceurs qu'enfin nous recevons,
Faites-nous savoir, Prince, à qui nous vous devons.

NICOMÈDE
L'auteur d'un si grand coup m'a caché son visage,
Mais il m'a demandé mon diamant pour gage,   1820
Et me le doit ici rapporter dès demain.

ATTALE
Le voulez-vous, Seigneur, reprendre de ma main ?

NICOMÈDE
Ah ! laissez-moi toujours à cette digne marque
Reconnaître en mon sang un vrai sang de monarque.
Ce n'est plus des Romains l'esclave ambitieux,   1825
C'est le libérateur d'un sang si précieux.
Mon frère, avec mes fers vous en brisez bien d'autres :
Ceux du Roi, de la Reine, et les siens et les vôtres.
Mais pourquoi vous cacher en sauvant tout l'État ?

ATTALE
Pour voir votre vertu dans son plus haut éclat,   1830
Pour la voir seule agir contre notre injustice,
Sans la préoccuper par ce faible service,
Et me venger enfin ou sur vous ou sur moi,
Si j'eusse mal jugé de tout ce que je voi.
Mais, Madame...

ARSINOÉ
Il suffit : voilà le stratagème   1835
Que vous m'aviez promis pour moi contre moi-même.
A Nicomède.
Et j'ai l'esprit, Seigneur, d'autant plus satisfait,
Que mon sang rompt le cours du mal que j'avais fait.

NICOMÈDE, *à Flaminius.*
Seigneur, à découvert, toute âme généreuse
D'avoir votre amitié doit se tenir heureuse,   1840
Mais nous n'en voulons plus avec ces dures lois
Qu'elle jette toujours sur la tête des rois :
Nous vous la demandons hors de la servitude,
Ou le nom d'ennemi nous semblera moins rude.

FLAMINIUS, *à Nicomède.*
C'est de quoi le sénat pourra délibérer ;   1845
Mais cependant pour lui j'ose vous assurer,
Prince, qu'à ce défaut vous aurez son estime,
Telle que doit l'attendre un cœur si magnanime,
Et qu'il croira se faire un illustre ennemi,
S'il ne vous reçoit pas pour généreux ami.   1850

PRUSIAS
Nous autres, réunis sous de meilleurs auspices,
Préparons à demain de justes sacrifices,
Et demandons aux Dieux, nos dignes souverains,
Pour comble de bonheur l'amitié des Romains.

PERTHARITE, ROI DES LOMBARDS *
TRAGÉDIE

Si extraordinaire que cela nous paraisse, aucun témoignage direct ne demeure de la représentation de la vingt-deuxième pièce de Corneille, pas plus que des vingt et une qui l'ont précédée. C'est par une anecdote de Tallemant des Réaux qu'on sait qu'elle avait été jouée avant le carnaval de 1652 et n'avait pas réussi. On n'est pas même absolument sûr qu'elle fut montée par l'Hôtel de Bourgogne.

Les raisons de l'échec nous échappent : indifférence du public pour un sujet et une époque qui le touchaient peu ? Ou au contraire nombreux « refus d'illustres suffrages ? » Ni les contemporains ni Corneille ne s'en sont expliqués. L'usurpation de Cromwell ne pouvait pas ne pas être présente à tous les esprits, mais trois ans après l'exécution de Charles Ier et les relations diplomatiques nouées avec l'Angleterre, l'évocation ne pouvait que déplaire.

La pièce fut imprimée seize mois après le privilège accordé pour la publication (24 décembre 1651), phénomène unique dans l'histoire des œuvres de Corneille.

L'histoire de ce roi lombard est placée sous le signe de l'extraordinaire, sinon du miracle[1] : c'est pourquoi elle a séduit les écrivains qui recherchaient dans l'histoire l'action providentielle : Paul le Diacre, source de Corneille, Baronius, Paul Jove, Platina, pour ne citer que les historiens très lus encore au XVIIe siècle.

Corneille met au centre de son sujet le problème de la légitimité du pouvoir. L'usurpateur, même généreux, ne peut effacer sa tache initiale : il doit s'admettre tel qu'il est, tyran et, s'il le veut, agir comme tel. De là l'offre effroyable et logique de Rodélinde : qu'il tue le prince légitime et elle l'épouse ! Le goût du temps ne pouvait plus supporter une telle mentalité, et ce fut sûrement l'une des raisons de l'échec. Le sujet pouvait d'ailleurs se passer de cette scène. Pertharite n'en reste pas moins une excellente tragédie et, en tout cas, l'une des pièces maîtresses de la pensée politique de Corneille.

Pour expliquer le silence de celui-ci après Pertharite, il n'y a pas lieu de parler de « découragement ». Certes il est dépité, et l'avertissement Au lecteur nous le dit. Mais on continue à le jouer en province et il vient d'imprimer une troisième édition de ses Œuvres antérieures. Surtout, il travaille déjà à la traduction de l'Imitation de J.-C., dont le premier livre, en circulation depuis novembre 1651, annonce un prodigieux succès. Sa correspondance, à cette date (quatre lettres pour quatre mois, seule période où l'on soit aussi riche) nous le montre très informé des polémiques et des publications en cours. Sa vie privée, famille et finances, est alors particulièrement stable. Thomas prend visiblement la relève avec des succès prometteurs. On constate en outre, de 1652 à 1656, un silence quasi général des auteurs dramatiques, dont on saisit mal la cause et qui suffirait à expliquer celui de Corneille. En 1656, le Timocrate de Thomas est le plus grand succès du siècle. On voit revenir le prolifique abbé Boyer, apparaître Quinault. Corneille se fera encore prier deux ans avant de récrire pour la scène.

AU LECTEUR

La mauvaise réception que le public a faite à cet ouvrage, m'avertit qu'il est temps que je sonne la retraite, et que des préceptes de mon Horace je ne songe plus à pratiquer que celui-ci :

Solve senescentem mature sanus equum, ne
Peccet ad extremum ridendus et ilia ducat[2].

Il vaut mieux que je prenne congé de moi-même que d'attendre qu'on me le donne tout à fait, et il est juste qu'après vingt années de travail, je commence à m'apercevoir que je deviens trop vieux pour être encore à la mode. J'en remporte cette satisfaction, que je laisse le théâtre français en meilleur état que je ne l'ai trouvé, et du côté de l'art et du côté des mœurs : les grands génies qui lui ont prêté leurs veilles de mon

---

* Privilège : 24 déc. 1651. Achevé d'imprimer : 30 avril 1653.

1. En 661, le roi Aribert avait partagé son royaume entre ses deux fils : Pertharite devait régner à Milan, Godebert à Pavie. Les frères rivaux cherchèrent appui près de leurs puissants voisins. Mais Garibalde, duc de Turin, s'allia au duc de Bénévent, Grimoald, qui tua Godebert et s'empara de son royaume, puis marcha sur Milan, où Rodélinde, femme de Pertharite et son fils Cunibert furent faits prisonniers. Pertharite, se confiant en la générosité de Grimoald revint puis, grâce à Unulphe, s'échappa et recouvra son royaume après neuf ans d'exil.

2. Dételle à temps, en sage, ton cheval vieillissant,
De peur qu'il ne finisse par faire des bêtises, ridicule, et ne flanche.
(Epitres, I, 1, vers 8-9.)

temps y ont beaucoup contribué[3], et je me flatte jusqu'à penser que mes soins n'y ont pas nui : il en viendra de plus heureux après nous qui le mettront sa perfection, et achèveront de l'épurer : je le souhaite de tout mon cœur. Cependant agréez que je joigne ce malheureux poème aux vingt et un qui l'ont précédé avec plus d'éclat ; ce sera la dernière importunité que je vous ferai de cette nature : non que j'en fasse une résolution si forte qu'elle ne se puisse rompre, mais il y a grande apparence que j'en demeurerai là. Je ne vous dirai rien touchant la justification de *Pertharite* : ce n'est pas ma coutume de m'opposer au jugement du public, mais vous ne serez pas fâché que je vous fasse voir à mon ordinaire les originaux dont j'ai tiré cet événement, afin que vous puissiez séparer le faux d'avec le vrai, et les embellissements de nos feintes d'avec la pureté de l'histoire. Celui qui l'a écrite le premier a été Paul Diacre, à la fin de son quatrième livre[4], et au commencement du cinquième, *des Gestes des Lombards* ; et pour n'y mêler rien du mien, je vous en donne la traduction fidèle qu'en a faite Antoine du Verdier[5] dans ses *Diverses leçons* ; j'y ajoute un mot d'Erycus Puteanus[6], pour quelques circonstances en quoi ils diffèrent, et je le laisse en latin de peur de corrompre la beauté de son langage par la faiblesse de mes expressions. Flavius Blondus[7], dans son *Histoire de la décadence de l'Empire romain*, parle encore de Pertharite ; mais comme il le fait chasser de son royaume étant encore enfant, sans nommer Rodélinde[8] qu'à la fin de sa vie, je n'ai pas cru qu'il fût à propos de vous produire un témoin qui ne dit rien de ce que je traite.

ANTOINE DU VERDIER
LIVRE IV DE SES DIVERSES LEÇONS, CHAPITRE XII.

Pertharite fut fils d'Aripert[9], roi des Lombards, lequel, après la mort du père régna à Milan, et Gondebert son frère, à Pavie ; et étant survenue quelque noise et querelle entre les deux frères, Gondebert envoya

Garibalde, duc de Turin, par devers Grimoald, *comte*[10] de Bénévent, capitaine généreux, le priant de le vouloir secourir contre Pertharite, avec la promesse de lui donner une sienne sœur en mariage. Mais Garibalde, usant de trahison envers son seigneur, persuada à Grimoald d'y venir pour occuper le royaume, qui par la discorde des frères étoit en fort mauvais état, et prochain de sa ruine. Ce qu'entendant Grimoald se dépouilla de sa comté de Bénévent, de laquelle il fit comte son fils, et avec le plus de force qu'il put assembler, se mit en chemin pour aller à Pavie ; et par toutes les cités où il passa s'acquit plusieurs amis, pour s'en aider à prendre le royaume. Étant arrivé à Pavie, et parlé qu'il eut à Gondebert, il le tua par l'intelligence et moyen de Garibalde, et occupa le royaume. Pertharite entendant ces nouvelles, abandonna Rodélinde sa femme et un sien petit fils, lesquels Grimoald confina à Bénévent, et s'enfuit et retira vers Cacan, roi des Avariens ou Huns. Grimoald ayant confirmé et établi son royaume à Pavie, entendant que Pertharite s'étoit sauvé vers Cacan, lui envoya ambassadeurs pour lui faire entendre que s'il gardoit Pertharite en son royaume, il ne jouiroit plus de la paix qu'il avoit eue avec les Lombards, et qu'il auroit un roi pour ennemi. Suivant laquelle ambassade, le roi des Avariens appela en secret Pertharite, lui disant qu'il allât là par où il voudroit, afin que par lui les Avariens ne tombassent en l'inimitié des Lombards : ce qu'ayant entendu Pertharite, s'en retournant en Italie, vint trouver Grimoald, soy fiant en sa clémence, et comme il fut près de la ville de Lodi, il envoya devant un sien gentilhomme nommé Unulphe, auquel il se fioit grandement, pour advertir Grimoald de sa venue. Unulphe se présentant au nouveau roi, lui donna avis comme Pertharite avoit recours à sa bonté, à laquelle il se venoit librement soumettre, s'il lui plaisoit l'accepter. Quoi entendant Grimoald, lui promit et jura de ne faire aucun déplaisir à son maître, lequel pouvoit venir sûrement, quand il voudroit, sur sa foi. Unulphe ayant rapporté telle réponse à son seigneur Pertharite, iceluy vint se présenter devant Grimoald, et se prosterner à ses pieds, lequel le reçut gracieusement et le baisa. Quoi fait, Pertharite lui dit : « Je vous suis serviteur, et sachant que vous êtes très chrétien et ami de piété, bien que je pusse vivre entre les païens, néanmoins, me confiant en votre douceur et débonnaireté, me suis venu rendre à vos pieds ». Lors Grimoald, usant de ses serments accoutumés, lui promit, disant : « Par celui qui m'a fait naître, puisque vous avez recours à ma foi, vous ne souffrirez mal aucun en chose qui soit, et donnerai ordre que vous pourrez honnêtement vivre ». Ce dit, lui ayant fait donner un bon logis, commanda qu'il fût entretenu selon sa qualité, et que toutes choses à lui nécessaires lui fussent abondamment baillées. Or comme Pertharite eut pris congé du Roi, et se fut retiré en son logis advint que soudain les citoyens de Pavie à grandes troupes accoururent pour le voir et saluer, comme l'ayant auparavant connu et honoré. Mais voici de combien peut nuire une mauvaise langue. Quelques flatteurs et malins, ayant pris garde aux caresses faites par le peuple à Pertharite, vinrent trouver Grimoald, et lui firent entendre que si bientôt il ne faisoit tuer Pertharite, il étoit en branle de perdre le royaume et la vie, lui assurant qu'à cette fin tous ceux de la ville lui faisoient la cour. Grimoald, homme

---

3. Corneille enfin apaisé, et conscient qu'on ne lui cherche plus de querelles byzantines, associe généreusement ses rivaux ou amis. On songe surtout à Rotrou, Du Ryer, Desfontaines, Tristan, voire Scudéry, Gilbert ou Magnon.

4. Paul Diacre ou mieux Paul le diacre (vers 740-790) fut chancelier de Didier, roi lombard. Sa *Geste des Lombards*, en latin, va jusqu'à la mort de Liutprand en 744.

5. Du Verdier de Vauprivas (1544-1600) a pris ce titre de *Diverses leçons* à l'ouvrage du célèbre espagnol Pierre Messie (Pero Mexia, 1542). C'est plutôt une nouvelle traduction de cet ouvrage qu'il ajoute des extraits compilés de divers auteurs grecs et latins.

6. Le belge Van De Putte, plus connu sous son nom francisé de Henri Dupuy, successeur de Juste Lipse à Louvain, né en 1574, venait de mourir en 1646. Corneille le cite avec ses inexactitudes : Erycus pour *Erycius*. Le titre exact de l'ouvrage est *Historiae insubricae (Histoire des Insubres)*, au lieu de *barbaricae*.

7. Fl. Blondo (1388-1463), l'un des meilleurs historiens italiens de son temps, contemporain du grand âge humaniste florentin et vénitien. Son *Histoire de la décadence de l'Empire romain* va jusqu'en 1440. Secrétaire de la Curie romaine, on se doute qu'il a une philosophie providentielle de l'histoire. Très lu pendant tout au long du XVIe siècle, il l'était moins en France au XVIIe siècle. Si Corneille ne lui doit rien pour *Pertharite*, il l'a utilisé en bien d'autres cas sans le dire.

8. Corneille a partout écrit Rodélinde, sauf dans l'*Examen*. Nous unifions en adoptant Rodélinde.

9. Du Verdier, médiocre historien, écrit : *Albert* et *Partharite*. Corneille vérifie ses sources.

10. Le latin n'a que le mot *dux*. Du Verdier traduit correctement par *duc*. Corneille semble n'avoir préféré *comte* que pour éviter la confusion avec Garibalde, *duc* de Turin.

facile à croire, et bien souvent trop de léger, s'étonna aucunement, et atteint de défiance, ayant mis en oubli sa promesse, s'enflamma subitement de colère, et dès lors jura la mort de l'innocent Pertharite, commençant à prendre avis en soi par quel moyen et en quelle sorte il lui pourroit le lendemain ôter la vie, pour ce que lors étoit trop tard; et à ce soir lui envoya diverses sortes de viandes, et vins des plus friands en grande abondance pour le faire enivrer, afin que par trop boire et manger, et étant enseveli en vin et à dormir, il ne pût penser aucunement à son salut. Mais un gentil-homme qui avoit jadis été serviteur du père de Pertharite, qui lui portoit de la viande de la part du Roi, baissant la tête sous la table, comme s'il lui eût voulu faire la révérence et embrasser le genouil, lui fit savoir secrète-ment que Grimoald avoit délibéré de le faire mourir : dont Pertharite commanda à l'instant à son échanson qu'il ne lui versât autre breuvage durant le repas qu'un peu d'eau dans sa coupe d'argent. Tellement qu'étant Pertharite invité par les courtisans, qui lui présentoient les viandes de diverses sortes, de faire brindes[11], et ne laisser rien dans sa coupe pour l'amour du Roi; lui, pour l'honneur et révérence de Grimoald, promettoit de la vider du tout, et toutefois ce n'étoit qu'eau qu'il buvoit. Les gentilhommes et serviteurs rapportèrent à Grimoald comme Pertharite haussoit le gobelet, et buvoit à sa bonne grâce démesurément; de quoi se réjouissant, Grimoald dit en riant : « Cet yvrongne boive son saoul seulement, car demain il rendra le vin mêlé avec son sang ». Le soir même il envoya ses gardes entourer la maison de Pertharite, afin qu'il ne s'en pût fuir : lequel, après qu'il eût soupé, et que tous furent sortis de la chambre, lui demeuré seul avec Unulphe et le page qui avoit accoutumé le vêtir, lesquels étoient les deux plus fidèles serviteurs qu'il eût, leur découvrit comme Grimoald avoit entrepris de le faire mourir : pour à quoi obvier, Unulphe lui chargea sur les épaules les couvertes d'un lit, une coutre, et une peau d'ours qui lui couvroit le dos et le visage; et comme si c'eust été quelque rustique ou faquin, commença de grande affection à le chasser à grands coups de bâton hors de la chambre, et à lui faire plusieurs outrages et vilenies, tellement que chassé et ainsi battu, il se laissoit choir souvent en terre : ce que voyant les gardes de Grimoald qui étoient en sentinelle à l'entour de la maison, demandèrent à Unulphe que c'étoit : « C'est, répondit-il, un maraud de valet que j'ai, qui, outre mon commandement, m'avoit dressé mon lit en la chambre de cet yvrongne Pertharite, lequel est telle-ment rempli de vin qu'il dort comme mort; et partant je le frappe ». Eux entendant ces paroles, les croyant véritables, se réjouirent tous, et pensant que Pertharite fût un valet, lui firent place et à Unulphe, et les laissèrent aller. La même nuit Pertharite arriva en la ville d'Ast, et de là passa les monts, et vint en France. Or comme il fut sorti, et Unulphe après, le fidèle page avoit diligem-ment fermé la porte après lui, et demeura seul dedans la chambre, là où le lendemain les messagers du Roi vinrent pour mener Pertharite au palais; et ayant frappé à l'huis, le page prioit d'attendre : « Pour Dieu, ayez pitié de lui, et laissez-le achever de dormir; car étant encore lassé du chemin, il dort de profond sommeil ». Ce que lui ayant accordé, le rapportèrent à Grimoald, lequel dit que tant mieux, et commanda que quoi que ce fût, on y retournât, et qu'ils l'amenassent :

auquel commandement les soldats revinrent heurter de plus fort à l'huis de la chambre, et le page les pria de permettre qu'il reposât encore un peu; mais ils crioient et tempêtoient de tant plus, disant : « N'aura meshuy dormi assez cet yvrongne? » et en un même temps rompirent à coups de pieds la porte, et entrés dedans cherchèrent Pertharite dans le lit; mais ne le trouvant point, demandèrent au page où il étoit, lequel leur dit qu'il s'en étoit fui. Lors ils prirent le page par les cheveux, et le menèrent en grande furie au palais; et comme ils furent devant le Roi, dirent que Pertharite avoit fait vie[12], à quoi le page avoit tenu la main, dont il méritoit la mort. Grimoald demanda par ordre par quel moyen Pertharite s'étoit sauvé; et le page lui conta le fait de la sorte qu'il étoit advenu. Grimoald connois-sant la fidélité de ce jeune homme, voulut qu'il fût un de ses pages, l'exhortant à lui garder celle foi qu'il avoit à Pertharite, lui promettant en outre de lui faire beaucoup de bien. Il fit venir en après Unulphe devant lui, auquel il pardonna de même, lui recommandant sa foi et sa prudence. Quelques jours après, il lui demanda s'il ne vouloit pas être bientôt avec Pertharite : à quoi Unulphe avec serment, répondit que plutôt il auroit voulu mourir avec Pertharite que vivre en tout autre lieu en tout plaisir et délices. Le Roi fit pareille demande au page, à savoir-non[13] s'il trouvoit meilleur de demeurer avec soi au palais que de vivre avec Pertharite en exil; mais le page lui ayant répondu comme Unulphe avoit fait, le Roi, prenant en bonne part leurs paroles, et louant la foi de tous deux, commanda à Unulphe demander tout ce qu'il voudroit de sa maison, et qu'il s'en allât en toute sûreté trouver Pertharite. Il licencia et donna congé de même au page, lequel avec Unulphe, portans avec eux, par la courtoisie et libéralité du Roi, ce qui leur étoit de besoin pour leur voyage, s'en allèrent en France trouver leur désiré seigneur Pertharite.

ERYCUS PUTEANUS
HISTORIAE BARBARICAE, LIB. II, Nº XV.

Tam tragico nuncio obstupefactus Pertharitus, am-pliusque tyrannum quam fratrem timens, fugam ad Cacanum Hunnorum regem arripuit, Rodelinda uxore et filio Cuniperto Mediolani relictis : sed jam magna sui parte miser, et in carissimis pignoribus captus, cum a rege hospite rejiceretur, ad hostem redire statuit, et cujus sævitiam timuerat, clementiam experiri. Quid votis obesset? non regnum, sed incolumitas quærebatur. Etenim Pertharitus, quasi pati jam fortunæ contumeliam posset, fratre occiso, supplex esse sustinuit : et quia amplius putavit Grimoaldus, reddere vitam, quam regnum eripere, facilis fuit. Longe tamen aliud fata ordiebantur : ut nec securus esset, qui parcere voluit; nec liber a discrimine, qui salutem duntaxat pactus erat. Atque interea rex novus, destinatis nuptiis potentiam firmaturus, desponsam sibi virginem tori sceptrique sociam assumit. Et sic in familia Ariperti regium permanere nomen videbatur : quippe post filios gener diadema sumpserat. Venit igitur Ticinum Pertharitus, et, suæ oblitus appellationis, sororem reginam salutavit. Plenus mutuæ benevolentiæ hic congressus fuit, ac plane redire ad felicitatem profugus videbatur, nisi quod non

---

11. *Porter la santé de quelqu'un.* Le terme est fréquent chez Rabelais.

12. *Via :* voie. *Faire chemin :* prendre la route, fuir.
13. On a vu que Corneille a mis cette expression populaire dans la bouche de la lingère de *la Galerie du palais.*

imperaret. Domus et familia quasi proximam nupero splendori vitam acturo datur. Quid fit? Visendi et salutandi causa cum frequentes confluerent, partim Longobardi, partim Insubres, humanitatis regem pœnituit. Sic officia nocuere : et quia in exemplum benignitas miserantis valuit, extincta est. A populo coli, et regnum moliri, juxta habitum. Itaque, ut rex metu solveretur, secundum parricidium non exhorruit. Nuper manu, nunc imperio, cruentus, morti Pertharitum destinat. Sed nihil insidiæ nihil percussores immissi potuere : elapsus est. Amico et ingeniosa Unulphi fraude beneficium salutis stetit, qui inclusum et obsessum ursina pelle circumtegens et tanquam pro mancipio pellens, cubiculo ejecit. Dolum ingesta quoque verbera vestiebant ; et quia nox erat, falli satellites potuere. Facinus quemadmodum regi displicuit, ita fidei exemplum laudatum est[14].

EXAMEN (1660)

Le succès de cette tragédie a été si malheureux que pour m'épargner le chagrin de m'en souvenir, je n'en dirai presque rien. Le sujet est écrit par Paul Diacre,

aux 4. et 5. livres des *Gestes des Lombards*, et depuis lui, par Erycus Puteanus, au second livre de son *Histoire des invasions de l'Italie par les Barbares*. Ce qui l'a fait avorter au théâtre a été l'événement extraordinaire qui me l'avait fait choisir. On n'y a pu supporter qu'un roi dépouillé de son royaume, après avoir fait tout son possible pour y rentrer, se voyant sans forces et sans amis, en cède à son vainqueur les droits inutiles, afin de retirer sa femme prisonnière de ses mains : tant les vertus de bon mari sont peu à la mode! On n'y a pas aimé la surprise avec laquelle Pertharite se présente au troisième acte, quoique le bruit de son retour soit épandu dès le premier, ni que Grimoald reporte toutes ses affections à Edüige, sitôt qu'il a reconnu que la vie de Pertharite, qu'il avait cru mort jusque-là, le mettait dans l'impossibilité de réussir auprès de Rodelinde. J'ai parlé ailleurs de l'inégalité de l'emploi des personnages, qui donne à Rodelinde le premier rang dans les trois premiers actes, et le réduit au second ou au troisième dans les deux derniers. J'ajoute ici, malgré sa disgrâce, que les sentiments en sont assez vifs et nobles, les vers assez bien tournés, et que la façon dont le sujet s'explique dans la première scène ne manque pas d'artifice.

ACTEURS [15]

PERTHARITE, *roi des Lombards.*
GRIMOALD, *comte de Bénévent, ayant conquis le royaume des Lombards sur Pertharite.*
GARIBALDE, *duc de Turin.*
UNULPHE, *seigneur lombard.*
RODELINDE[16], *femme de Pertharite.*
EDUIGE[17], *sœur de Pertharite.*
SOLDATS.

La scène est à Milan.

ACTE PREMIER

Scène I : Rodélinde, Unulphe.

RODÉLINDE

Oui, l'honneur qu'il me rend ne fait que m'outrager,
Je vous le dis encor, rien ne peut me changer :

Ses conquêtes pour moi sont des objets de haine,
L'hommage qu'il m'en fait renouvelle ma peine,
Et comme son amour redouble mon tourment,   5
Si je le hais vainqueur, je le déteste amant.

Voilà quelle je suis, et quelle je veux être,
Et ce que vous direz au comte votre maître.

UNULPHE

Dites au Roi, Madame.

RODÉLINDE

Ah! je ne pense pas
Que de moi Grimoald exige un cœur si bas.   10
S'il m'aime, il doit aimer cette digne arrogance
Qui brave ma fortune et remplit ma naissance.

Si d'un Roi malheureux et la fuite et la mort
L'assurent dans son trône à titre du plus fort,
Ce n'est point à sa veuve à traiter de monarque 15

14. « Pertharite, stupéfait d'une nouvelle si tragique et craignant plus le tyran que son frère, s'enfuit chez Cacan, roi des Huns, laissant à Milan sa femme Rodelinde et Cunipert son fils. Mais, malheureux au plus intime de lui-même, prisonnier en ce qu'il avait de plus cher, repoussé d'ailleurs du roi dont il était l'hôte, il résolut de retourner vers son ennemi, et d'éprouver la clémence de celui dont il avait craint la cruauté. Quel obstacle à ses vœux? Ce n'était plus un royaume, mais la vie qu'il demandait. En effet, comme s'il pouvait désormais, après le meurtre de son frère, subir les outrages de la fortune, Pertharite accepta de se rendre suppliant, et Grimoald, pensant faire plus, en lui accordant la vie, qu'il ne lui avait ôté en lui arrachant son royaume, se montra facile. Toutefois l'ordre des destins était bien autre : il ne devait y avoir ni sécurité pour qui voulait faire grâce ni salut pour qui n'exigeait que la vie. Cependant le nouveau roi, voulant consolider sa puissance par le mariage projeté, prend pour compagne de son lit et de son trône la jeune princesse qui lui était fiancée. Ainsi la dignité royale semblait demeurer dans la famille d'Aripert puisque le diadème passait de ses fils à son gendre.

Pertharite s'en vint donc à Pavie, et, oublieux de son titre, salua reine sa sœur. Une bienveillance mutuelle régna dans cette entrevue, et, au commandement près, le proscrit semblait revenu à son ancienne prospérité. On lui donne une maison et des gens, pour que sa vie ne s'éloigne pas trop de sa récente splendeur. Qu'arrive-t-il? Lombards et Insubres accourent en foule pour le voir et le saluer. Le roi se repentit de son humanité; ces marques d'honneur lui nuirent et la bonté pitoyable de Grimoald, dont on suivait l'exemple, s'éteignit : être honoré du peuple, c'était aspirer au trône. En conséquence, pour s'affranchir de ses craintes, le roi ne recula pas devant un second parricide. Jadis une main, cette fois un ordre sanglant voue Pertharite à la mort. Mais pièges et assassins apostés ne firent rien : il échappa. Une amicale et ingénieuse ruse d'Unulphe fut la voie du salut. Celui-ci revêtit d'une peau d'ours, et, le chassant comme un esclave, l'expulsa de la chambre, où il était enfermé et gardé : il alla jusqu'à le frapper pour colorer sa ruse, comme il était nuit, les gardes purent être trompés. Quelque déplaisir qu'en eût le roi, il loua cet exemple de fidélité. »

15. Corneille restreint le nombre des acteurs au maximum et supprime en particulier tous les confidents.
16. On a vu (note 8) qu'il faut lire Rodélinde.
17. Seul nom inventé par Corneille, qui l'écrit toujours Edüige.

Un prince qui ne l'est qu'à cette triste marque.
Qu'il ne se flatte point d'un espoir décevant :
Il est toujours pour moi comte de Bénévent,
Toujours l'usurpateur du sceptre de nos pères,
20 Et toujours, en un mot, l'auteur de mes misères,

UNULPHE

C'est ne connaître pas la source de vos maux,
Que de les imputer à ses nobles travaux.
Laissez à sa vertu le prix qu'elle mérite,
Et n'en accusez plus que votre Pertharite :
25 Son ambition seule...

RODÉLINDE

Unulphe, oubliez-vous
Que vous parlez à moi, qu'il était mon époux?

UNULPHE

Non, mais vous oubliez que bien que la naissance
Donnât à son aîné la suprême puissance,
Il osa toutefois partager avec lui
30 Un sceptre dont son bras devait être l'appui,
Qu'on vit alors deux rois en votre Lombardie,
Pertharite à Milan, Gundebert à Pavie,
Dont ce dernier, piqué par un tel attentat,
Voulut entre ses mains réunir son État,
35 Et ne put voir longtemps en celles de son frère...

RODÉLINDE

Dites qu'il fut rebelle aux ordres de son père,
Le Roi, qui connaissait ce qu'ils valaient tous deux,
Mourant entre leurs bras, fit ce partage entre eux :
Il vit en Pertharite une âme trop royale
40 Pour ne pas lui laisser une fortune égale,
Et vit en Gundebert un cœur assez abjet
Pour ne mériter pas son frère pour sujet.
Ce n'est pas attenter aux droits d'une couronne
Qu'en conserver la part qu'un père nous en donne;
45 De son dernier vouloir c'est se faire des lois,
Honorer sa mémoire, et défendre son choix.

UNULPHE

Puisque vous le voulez, j'excuse son courage,
Mais condamnez du moins l'auteur de ce partage,
Dont l'amour indiscret pour des fils généreux,
50 Les faisant tous deux rois, les a perdus tous deux.
Ce mauvais politique avait dû reconnaître
Que le plus grand État ne peut souffrir qu'un maître,
Que les rois n'ont qu'un trône et qu'une majesté,
Que leurs enfants entre eux n'ont point d'égalité,
55 Et qu'enfin la naissance a son ordre infaillible
Qui fait de leur couronne un point indivisible [18].

RODÉLINDE

Et toutefois le ciel par les événements
Fit voir qu'il approuvait les justes sentiments.
Du jaloux Gundebert l'ambitieuse haine
60 Fondant sur Pertharite, y trouva tôt sa peine.
Une bataille entre eux vidait leur différend,
Il en sortit défait, il en sortit mourant,
Son trépas nous laissait toute la Lombardie,
Dont il nous enviait une faible partie,

Et j'ai versé des pleurs qui n'auraient pas coulé
Si votre Grimoald ne s'en fût point mêlé.
Il lui promit vengeance, et sa main plus vaillante
Rendit après sa mort sa haine triomphante :
Quand nous croyions le sceptre en la nôtre affermi,
Nous changeâmes de sort en changeant d'ennemi,
Et le voyant régner où régnaient les deux frères,
Jugez à qui je puis imputer nos misères.

UNULPHE

Excusez un amour que vos yeux ont éteint :
Son cœur pour Edüige en était lors atteint,
Et pour gagner la sœur à ses désirs trop chère,
Il fallut épouser les passions du frère.
Il arma ses sujets, plus pour la conquérir,
Qu'à dessein de vous nulre ou de le secourir.
Alors qu'il arriva, Gundebert rendait l'âme,
Et sut en ce moment abuser de sa flamme.
« Bien, dit-il, que je touche à la fin de mes jours,
Vous n'avez pas en vain amené du secours,
Ma mort vous va laisser ma sœur et ma querelle,
Si vous l'osez aimer, vous combattrez pour elle. »
Il la proclame Reine, et sans retardement
Les chefs et les soldats ayant prêté serment
Il en prend d'elle un autre, et de mon prince même :
« Pour montrer à tous deux à quel point je vous
Je vous donne, dit-il, Grimoald pour époux,   [aime,
Mais à condition qu'il soit digne de vous,
Et vous ne croirez point, ma sœur, qu'il vous mérite,
Qu'il n'ait vengé ma mort et détruit Pertharite,
Qu'il n'ait conquis Milan, qu'il n'y donne la loi.
A la main d'une Reine, il faut celle d'un Roi. »
Voilà ce qu'il voulut, voilà ce qu'ils jurèrent,
Voilà sur quoi tous deux contre vous s'animèrent.
Non que souvent mon Prince, impatient amant,
N'ait voulu prévenir l'effet de son serment,
Mais contre son amour la Princesse obstinée
A toujours opposé la parole donnée,
Si bien que ne voyant autre espoir de guérir,
Il a fallu sans cesse et vaincre et conquérir.
Enfin, après deux ans, Milan par sa conquête
Lui donnait Edüige en couronnant sa tête,
Si ce même Milan dont elle était le prix
N'eût fait perdre à ses yeux ce qu'ils avaient conquis.
Avec un autre sort il prit un cœur tout autre.
Vous fûtes sa captive, et le fîtes le vôtre,
Et la princesse alors par un bizarre effet,
Pour l'avoir voulu Roi, le perdit tout à fait.
Nous le vîmes quitter ses premières pensées,
N'avoir plus pour l'hymen ces ardeurs empressées,
Éviter Edüige, à peine lui parler,
Et sous divers prétextes à son tour reculer [19].
Ce n'est pas que longtemps il n'ait tâché d'éteindre
Un feu dont vos vertus avaient lieu de se plaindre,
Et tant que dans sa fuite a vécu votre époux,
N'étant plus à sa sœur, il n'osait être à vous.
Mais sitôt que sa mort eut rendu légitime
Cette ardeur qui n'était jusque-là qu'un doux crime..

---

18. Profession de foi cornélienne, qui n'est pas évidemment dans les histoires que suit Corneille, encore qu'elle eût été un thème constant de leurs commentateurs.

19. Voltaire avait déjà remarqué que c'est la donnée d'Andromaque et la critique a montré que Racine a bien utilisé Pertharite.

Scène II : Rodélinde, Edüige, Unulphe.

ÉDUIGE

Madame, si j'étais d'un naturel jaloux,
Je m'inquiéterais de le voir avec vous,
Je m'imaginerais, ce qui pourrait bien être,
Que ce fidèle agent vous parle pour son maître;
Mais comme mon esprit n'est pas si peu discret   5
Qu'il vous veuille envier la douceur du secret,
De cette opinion j'aime mieux me défendre,
Pour mettre en votre choix celle que je dois prendre,
La régler par votre ordre, et croire avec respect
Tout ce qu'il vous plaira d'un entretien suspect.   10

RODÉLINDE

Le secret n'est pas grand qu'aisément on devine,
Et l'on peut croire alors tout ce qu'on s'imagine,
Oui, Madame, son maître, a de fort mauvais yeux,
Et s'il m'en pouvait croire, il en userait mieux.

ÉDUIGE

Il a beau s'éblouir alors qu'il vous regarde,   15
Il vous échappera si vous n'y prenez garde.
Il lui faut obéir, tout amoureux qu'il est,
Et vouloir ce qu'il veut, quand et comme il lui plaît.

RODÉLINDE

Avez-vous reconnu par votre expérience
Qu'il faille déférer à son impatience?   20

ÉDUIGE

Vous ne savez que trop ce que c'est que sa foi.

RODÉLINDE

Autre est celle d'un comte, autre celle d'un Roi,
Et comme un nouveau rang forme une âme nouvelle,
D'un comte déloyal il fait un roi fidèle.

ÉDUIGE

Mais quelquefois, Madame, avec facilité   25
On croit des maris morts qui sont pleins de santé,
Et lorsqu'on se prépare aux seconds hyménées,
On voit par leur retour des veuves étonnées.

RODÉLINDE

Qu'avez-vous vu, Madame, ou que vous a-t-on dit?

ÉDUIGE

Ce mot un peu trop tôt vous alarme l'esprit.   30
Je ne vous parle pas de votre Pertharite,
Mais il se pourra faire enfin qu'il ressuscite,
Qu'il rende à vos désirs leur juste possesseur,
Et c'est dont je vous donne avis en bonne sœur [20].

RODÉLINDE

N'abusez point d'un nom que votre orgueil rejette.   35
Si vous étiez ma sœur, vous seriez ma sujette,
Mais un sceptre vaut mieux que les titres du sang,
Et la nature cède à la splendeur du rang.

ÉDUIGE

La nouvelle vous fâche, et du moins importune
L'espoir déjà formé d'une bonne fortune.   40
Consolez-vous, Madame : il peut n'en être rien,
Et souvent on nous dit ce qu'on ne sait pas bien.

RODÉLINDE

Il sait mal ce qu'il dit, quiconque vous fait croire
Qu'aux feux de Grimoald je trouve quelque gloire.
Il est vaillant, il règne, et comme il faut régner,   165
Mais toutes ses vertus me le font dédaigner.
Je hais dans sa valeur l'effort qui le couronne,
Je hais dans sa bonté les cœurs qu'elle lui donne,
Je hais dans sa prudence un grand peuple charmé,
Je hais dans sa justice un tyran trop aimé,   170
Je hais ce grand secret d'assurer sa conquête,
D'attacher fortement ma couronne à sa tête,
Et le hais d'autant plus que je vois moins de jour
A détruire un vainqueur qui règne avec amour.

ÉDUIGE

Cette haine qu'en vous sa vertu même excite   175
Est fort ingénieuse à voir tout son mérite,
Et qui nous parle ainsi d'un objet odieux
En dirait bien du mal s'il plaisait à ses yeux.

RODÉLINDE

Qui hait brutalement permet tout à sa haine :
Il s'emporte, il se jette où sa fureur l'entraîne,   180
Il ne veut avoir d'yeux que pour ses faux portraits,
Mais qui hait par devoir ne s'aveugle jamais :
C'est sa raison qui hait, qui toujours équitable,
Voit en l'objet haï ce qu'il a d'estimable,
Et verrait en l'aimé ce qu'il y faut blâmer,   185
Si ce même devoir lui commandait d'aimer.

ÉDUIGE

Vous en savez beaucoup.

RODÉLINDE

                                      Je sais comme il faut vivre.

ÉDUIGE

Vous êtes donc, Madame, un grand exemple à suivre.

RODÉLINDE

Pour vivre l'âme saine, on n'a qu'à m'imiter.

ÉDUIGE

Et qui veut vivre aimé n'a qu'à vous en conter?   190

RODÉLINDE

J'aime en vous un soupçon qui vous sert de supplice :
S'il me fait quelque outrage, il m'en fait bien justice.

ÉDUIGE

Quoi, vous refuseriez Grimoald pour époux?

RODÉLINDE

Si je veux l'accepter, m'en empêcherez-vous?
Ce qui jusqu'à présent vous donne tant d'alarmes,   195
Sitôt qu'il me plaira, vous coûtera des larmes,
Et quelque grand pouvoir que vous preniez sur moi,
Je n'ai qu'à dire un mot pour vous faire la loi.
N'aspirez point, Madame, où je voudrai prétendre :
Tout son cœur est à moi, si je daigne le prendre,   200
Consolez-vous pourtant : il m'en fait l'offre en vain,
Je veux bien sa couronne, et ne veux point sa main.
Faites, si vous pouvez, revivre Pertharite,
Pour l'opposer aux feux dont votre amour s'irrite.
Produisez un fantôme, ou semez un faux bruit,   205
Pour remettre en vos fers un Prince qui vous fuit.
J'aiderai votre feinte, et ferai mon possible
Pour tromper avec vous ce monarque invincible,
Pour renvoyer chez vous les vœux qu'on vient m'offrir,
Et n'avoir plus chez moi d'importuns à souffrir.   210

20. Molière, qui savait par cœur Corneille, se souvient aussi de ces brillants duels entre femmes. Cette scène en particulier ressemble fort à l'entrevue de Célimène et d'Arsinoé dans le Misanthrope.

ÉDUIGE

Qui croit déjà ce bruit un tour de mon adresse,
De son effet sans doute aurait peu d'allégresse,
Et loin d'aider la feinte avec sincérité,
Pourrait fermer les yeux même à la vérité.

RODELINDE

215 Après m'avoir fait perdre époux et diadème,
C'est trop que d'attenter jusqu'à ma gloire même,
Qu'ajouter l'infamie à de si rudes coups.
Connaissez-moi, Madame, et désabusez-vous.
Je ne vous cèle point qu'ayant l'âme royale,
220 L'amour du sceptre encor me fait votre rivale,
Et que je ne puis voir d'un cœur lâche et soumis
La sœur de mon époux déshériter mon fils.
Mais que dans mes malheurs jamais je me dispose
A les vouloir finir m'unissant à leur cause,
225 A remonter au trône, où vont tous mes désirs,
En épousant l'auteur de tous mes déplaisirs!
Non, non, vous présumez en vain que je m'apprête
A faire de ma main sa dernière conquête :
Unulphe peut vous dire en fidèle témoin
230 Combien à me gagner il perd d'art et de soin.
Si malgré la parole et donnée et reçue,
Il cessa d'être à vous au moment qu'il m'eût vue,
Aux cendres d'un mari tous mes feux réservés
Lui rendent les mépris que vous en recevez.

Scène III : Grimoald, Rodélinde, Edüige,
Garibalde, Unulphe.

RODÉLINDE

235 Approche, Grimoald, et dis à ta jalouse,
A qui du moins ta foi doit le titre d'épouse,
Si depuis que pour moi je t'ai vu soupirer,
Jamais d'un seul coup d'œil je t'ai fait espérer,
Ou si tu veux laisser pour éternelle gêne
240 A cette ambitieuse une frayeur si vaine,
Dis-moi de mon époux le déplorable sort :
Il vit, il vit encor, si j'en crois son rapport.
De ses derniers honneurs les magnifiques pompes
Ne sont qu'illusions avec quoi tu me trompes,
245 Et ce riche tombeau que lui fait son vainqueur
N'est qu'un appas superbe à surprendre mon cœur.

GRIMOALD

Madame, vous savez ce qu'on m'est venu dire,
Qu'allant de ville en ville et d'empire en empire
Contre Edüige et moi mendier du secours,
250 Auprès du roi des Huns il a fini ses jours,
Et si depuis sa mort j'ai tâché de vous rendre...

RODÉLINDE

Qu'elle soit vraie ou non, tu n'en dois rien attendre.
Je dois à sa mémoire, à moi-même, à son fils,
Ce que je dus aux nœuds qui nous avaient unis.
255 Ce n'est qu'à le venger que tout mon cœur s'applique,
Et puisqu'il faut enfin que tout ce cœur s'explique,
Si je puis une fois échapper de tes mains,
J'irai porter partout de si justes desseins :
J'irai dessus ses pas aux deux bouts de la terre
260 Chercher des ennemis à te faire la guerre,
Ou s'il me faut languir prisonnière en ces lieux,

Mes vœux demanderont cette vengeance aux cieux,
Et ne cesseront point jusqu'à ce que leur foudre
Sur mon trône usurpé brise ta tête en poudre.
Madame, vous voyez avec quels sentiments
Je mets ce grand obstacle à nos contentements.
Adieu : si sous pouvez, conservez ma couronne,
Et regagnez un cœur que je vous abandonne.

Scène IV : Grimoald, Edüige, Garibalde,
Unulphe.

GRIMOALD

Qu'avez-vous dit, Madame, et que supposez-vous
Pour la faire douter du sort de son époux?
Depuis quand et de qui savez-vous qu'il respire?

ÉDUIGE

Ce confident si cher pourra vous le redire.

GRIMOALD

M'auriez-vous accusé d'avoir feint son trépas?

ÉDUIGE

Ne vous alarmez point, elle ne m'en croit pas.
Son destin est plus doux veuve que mariée,
Et de croire sa mort vous l'avez trop priée.

GRIMOALD

Mais enfin?

ÉDUIGE

Mais enfin, chacun sait ce qu'il sait,
Et quand il sera temps nous en verrons l'effet.
Épouse-la, parjure, et fais-en une infâme :
Qui ravit un État peut ravir une femme,
L'adultère et le rapt sont du droit des tyrans.

GRIMOALD

Vous me donniez jadis des titres différents.
Quand pour vous acquérir je gagnais des batailles,
Que mon bras de Milan foudroyait les murailles,
Que je semais partout la terreur et l'effroi,
J'étais un grand héros, j'étais un digne Roi;
Mais depuis que je règne en prince magnanime,
Qui chérit la vertu, qui sait punir le crime,
Que le peuple sous moi voit ses destins meilleurs,
Je ne suis qu'un tyran, parce que j'aime ailleurs,
Ce n'est plus la valeur, ce n'est plus la naissance
Qui donne quelque droit à la toute-puissance :
C'est votre amour lui seul qui fait des conquérants,
Suivant qu'ils sont à vous, des rois ou des tyrans,
Si ce titre odieux s'acquiert à vous déplaire,
Je n'ai qu'à vous aimer, si je veux m'en défaire,
Et ce même moment, de lâche usurpateur,
Me fera vrai monarque en vous rendant mon cœur.

ÉDUIGE

Ne prétends plus au mien après ta perfidie.
J'ai mis entre tes mains toute la Lombardie,
Mais ne t'aveugle point dans ton nouveau souci :
Ce n'est que sous mon nom que tu règnes ici,
Et le peuple bientôt montrera par sa haine
Qu'il n'adorait en toi que l'amant de sa Reine,
Qu'il ne respectait qu'elle, et ne veut point d'un Roi
Qui commence par elle à violer sa foi.

GRIMOALD

Si vous étiez, Madame, au milieu de Pavie,

Dont vous fit Reine un frère en sortant de la vie,
Ce discours, quoique même un peu hors de saison,
0 Pourrait avoir du moins quelque ombre de raison.
Mais ici, dans Milan, dont j'ai fait ma conquête,
Où ma seule valeur a couronné ma tête,
Au milieu d'un État où tout le peuple à moi
5 Ne saurait craindre en vous que l'amour de son Roi,
La menace impuissante est de mauvaise grâce :
Avec tant de faiblesse il faut la voix plus basse.
J'y règne, et régnerai malgré votre courroux,
J'y fais à tous justice, et commence par vous.

                         ÉDUIGE
Par moi?

                         GRIMOALD
        Par vous, Madame.

                         ÉDUIGE
                              Après la foi reçue,
) Après deux ans d'amour si lâchement déçue!

                         GRIMOALD
Dites après deux ans de haine et de mépris,
Qui de toute ma flamme ont été le seul prix.

                         ÉDUIGE
Appelles-tu mépris une amitié sincère?

                         GRIMOALD
Une amitié fidèle à la haine d'un frère,
Un long orgueil armé d'un frivole serment,
Pour s'opposer sans cesse au bonheur d'un amant.
    Si vous m'aviez aimé, vous n'auriez pas eu honte
D'attacher votre sort à la valeur d'un comte.
Jusqu'à ce qu'il fût Roi vous plaire à le gêner,
C'était vouloir vous vendre, et non pas vous donner.
Je me suis donc fait Roi pour plaire à votre envie,
J'ai conquis votre cœur au péril de ma vie,
Mais alors qu'il m'est dû, je suis en liberté
De vous laisser un bien que j'ai trop acheté.
Et votre ambition est justement punie
Quand j'affranchis un Roi de votre tyrannie.
    Un Roi doit pouvoir tout, et je ne suis pas Roi,
S'il ne m'est pas permis de disposer de moi.
C'est quitter, c'est trahir les droits du diadème,
Que sur le haut d'un trône être esclave moi-même,
Et dans ce même trône où vous m'avez voulu,
Sur moi comme sur tous je dois être absolu :
C'est le prix de mon sang, souffrez que j'en dispose,
Et n'accusez que vous du mal que je vous cause.

                         ÉDUIGE
Pour un grand conquérant que tu te défends mal,
Et quel étrange Roi tu fais de Grimoald!
    Ne dis plus que ce rang veut que tu m'abandonnes,
Et que la trahison est un droit des couronnes,
Mais si tu veux trahir, trouve du moins, ingrat,
De plus belles couleurs dans les raisons d'État.
Dis qu'un usurpateur doit amuser la haine
Des peuples mal domptés, en épousant leur Reine,
Leur faire présumer qu'il veut rendre à son fils
Un sceptre sur le père injustement conquis,
Qu'il ne veut gouverner que durant son enfance,
Qu'il ne veut qu'en dépôt la suprême puissance,
Qu'il ne veut autre titre, en leur donnant la loi,
Que d'époux de la Reine et de tuteur du Roi;

Dis que sans cet hymen ta puissance t'échappe,
Qu'un vieil amour des rois la détruit et la sape,   360
Dis qu'un tyran qui règne en pays ennemi
N'y saurait voir son trône autrement affermi.
De cette illusion l'apparence plausible
Rendrait ta lâcheté peut-être moins visible,
Et l'on pourrait donner à la nécessité   365
Ce qui n'est qu'un effet de ta légèreté.

                         GRIMOALD
J'embrasse un bon avis, de quelque part qu'il vienne.
Unulphe, allez trouver la Reine, de la mienne,
Et tâchez par cette offre à vaincre sa rigueur.
    Madame, c'est à vous que je devrai son cœur,   370
Et pour m'en revancher, je prendrai soin moi-même
De faire choix pour vous d'un mari qui vous aime,
Qui soit digne de vous, et puisse mériter
L'amour que, malgré moi, vous voulez me porter.

                         ÉDUIGE
Traître, je n'en veux point que la mort ne me donne,   375
Point qui n'ait par ton sang affermi ma couronne.

                         GRIMOALD
Vous pourrez à ce prix en trouver aisément.
Remettez la Princesse à son appartement,
Duc, et tâchez à rompre un dessein sur ma vie
Qui me ferait trembler si j'étais à Pavie.   380

                         ÉDUIGE
Crains-moi, crains-moi partout : et Pavie, et Milan,
Tout lieu, tout bras est propre à punir un tyran,
Et tu n'as point de fort où vivre en assurance,
Si de ton sang versé je suis la récompense.

                         GRIMOALD
Dissimulez du moins ce violent courroux :   385
Je deviendrais tyran, mais ce serait pour vous.

                         ÉDUIGE
Va, je n'ai point le cœur assez lâche pour feindre.

                         GRIMOALD
Allez-donc, et craignez, si vous me faites craindre.

ACTE SECOND

Scène I : Edüige, Garibalde.

                         ÉDUIGE
Je l'ai dit à mon maître, et je vous le redis,
Je me dois cette joie après de tels mépris,   390
Et mes ardents souhaits de voir punir son change
Assurent ma conquête à quiconque me venge.
Suivez le mouvement d'un si juste courroux,
Et sans perdre de vœux obtenez-moi de vous.
Pour gagner mon amour il faut servir ma haine :   395
A ce prix est le sceptre, à ce prix une Reine,
Et Grimoald puni rendra digne de moi
Quiconque ose m'aimer, ou se veut faire Roi.

                         GARIBALDE
Mettre à ce prix vos feux et votre diadème,
C'est ne connaître pas votre haine et vous-même,   400
Et qui, sous cet espoir, voudrait vous obéir,
Chercherait le moyen de se faire haïr.
Grimoald inconstant n'a plus pour vous de charmes,

Mais Grimoald puni vous coûterait des larmes.
405 A cet objet sanglant, l'effort de la pitié
Reprendrait tous les droits d'une vieille amitié
Et son crime en son rang éteint avec sa vie
Passerait en celui qui vous aurait servie.   [mort,
    Quels que soient ses mépris, peignez-vous bien sa
410 Madame, et votre cœur n'en sera pas d'accord.
Quoi qu'un amant volage excite de colère,
Son change est odieux, mais sa personne est chère,
Et ce qu'a joint l'amour a beau se désunir,
Pour le rejoindre mieux il ne faut qu'un soupir.
415 Ainsi n'espérez pas que jamais on s'assure
Sur les bouillants transports qu'arrache son parjure.
Si le ressentiment de sa légèreté
Aspire à la vengeance avec sincérité,
En quelques dignes mains qu'il veuille la remettre,
420 Il vous faut vous donner, et non pas vous promettre,
Attacher votre sort, avec le nom d'époux,
A la valeur du bras qui s'armera pour vous.
Tant qu'on verra ce prix en quelque incertitude,
L'oserait-on punir de son ingratitude?
425 Votre haine tremblante est un mauvais appui
A quiconque pour vous entreprendrait sur lui,
Et quelque doux espoir qu'offre cette colère,
Une plus forte haine en serait le salaire.
Donnez-vous donc, Madame, et faites qu'un vengeur
430 N'ait plus à redouter le désaveu du cœur.

ÉDUIGE

Que vous m'êtes cruel en faveur d'un infâme,
De vouloir, malgré moi, lire au fond de mon âme,
Où mon amour trahi, que j'éteins à regret,
Lui fait contre ma haine un partisan secret!
435 Quelques justes arrêts que ma bouche prononce,
Ce sont de vains efforts où tout mon cœur renonce.
Ce lâche malgré moi l'ose encor protéger.
Et veut mourir du coup qui m'en pourrait venger.
Vengez-moi toutefois, mais d'une autre manière :
440 Pour conserver mes jours, laissez-lui la lumière.
Quelque mort que je doive à son manque de foi,
Otez-lui Rodélinde, et c'est assez pour moi.
Faites qu'elle aime ailleurs, et punissez son crime
Par ce désespoir même où son change m'abîme;
445 Faites plus : s'il est vrai que je puis tout sur vous,
Ramenez cet ingrat tremblant à mes genoux,
Le repentir au cœur, les pleurs sur le visage,
De tant de lâchetés me faire un plein hommage,
Implorer le pardon qu'il ne mérite pas,
450 Et remettre en mes mains sa vie et son trépas.

GARIBALDE

Ajoutez-y, Madame, encor qu'à vos yeux même
Cette odieuse main perce un cœur qui vous aime,
Et que l'amant fidèle, au volage immolé,
Expie au lieu de lui ce qu'il a violé.
455 L'ordre en sera moins rude, et moindre le supplice,
Que celui qu'à mes yeux prescrit votre injustice,
Et le trépas en soi n'a rien de rigoureux
A l'égal de vous rendre un rival plus heureux.

ÉDUIGE

Duc, vous vous alarmez faute de me connaître :
460 Mon cœur n'est pas si bas qu'il puisse aimer un traître.

Je veux qu'il se repente, et se repente en vain,
Rendre haine pour haine, et dédain pour dédain.
Je veux qu'en vain son âme, esclave de la mienne,
Me demande sa grâce, et jamais ne l'obtienne,
Qu'il soupire sans fruit, et pour le punir mieux,   4
Je veux même à mon tour vous aimer à ses yeux.

GARIBALDE

Le pourrez-vous, Madame, et savez-vous vos forces?
Savez-vous de l'amour quelles sont les amorces,
Savez-vous ce qu'il peut, et qu'un visage aimé   4
Est toujours trop aimable à ce qu'il a charmé?
Si vous ne m'abusez, votre cœur vous abuse.
L'inconstance jamais n'a de mauvaise excuse,
Et comme l'amour seul fait le ressentiment,
Le moindre repentir obtient grâce à l'amant.

ÉDUIGE

Quoi qu'il puisse arriver, donnez-vous cette gloire   4
D'avoir sur cet ingrat rétabli ma victoire;
Sans songer qu'à me plaire exécutez mes lois,
Et pour l'événement laissez tout à mon choix.
Souffrez qu'en liberté je l'aime ou le néglige :
L'amant est trop payé quand son service oblige,   4
Et quiconque en aimant aspire à d'autres prix
N'a qu'un amour servile et digne de mépris.
Le véritable amour jamais n'est mercenaire,
Il n'est jamais souillé de l'espoir du salaire,
Il ne veut que servir, et n'a point d'intérêt   4
Qu'il n'immole à celui de l'objet qui lui plaît.
    Voyez donc Grimoald, tâchez à le réduire :
Faites-moi triompher au hasard de vous nuire,
Et si je prends pour lui des sentiments plus doux,
Vous m'aurez faite heureuse, et c'est assez pour vous.   4
Je verrai par l'effort de votre obéissance
Où doit aller celui de ma reconnaissance.
Cependant, s'il est vrai que j'ai pu vous charmer,
Aimez-moi plus que vous, ou cessez de m'aimer :
C'est par là seulement qu'on mérite Éduïge.
Je veux bien qu'on espère, et non pas qu'on exige,
Je ne veux rien devoir, mais lorsqu'on me sert bien,
On peut attendre tout de qui ne promet rien.

Scène II : Garibalde.

Quelle confusion, et quelle tyrannie
M'ordonne d'espérer ce qu'elle me dénie,
Et de quelle façon est-ce écouter des vœux,
Qu'obliger un amant à travailler contre eux!
Simple, ne prétends pas sur cet espoir frivole,
Que je tâche à te rendre un cœur que je te vole.
Je t'aime, mais enfin je m'aime plus que toi,
C'est moi seul qui le porte à ce manque de foi,
Auprès d'un autre objet c'est moi seul qui l'engage :
Je ne détruirai pas moi-même mon ouvrage.
Il m'a choisi pour toi, de peur qu'un autre époux
Avec trop de chaleur n'embrasse ton courroux,
Mais lui-même il se trompe en l'amant qu'il te donne.
Je t'aime et puissamment, mais moins que la couronne,
Et mon ambition, qui tâche à te gagner,
Ne cherche en ton hymen que le droit de régner.
De tes ressentiments s'il faut que je l'obtienne,

Je saurai joindre encor cent haines à la tienne,
L'ériger en tyran par mes propres conseils,
De sa perte par lui dresser les appareils,
Mêler si bien l'adresse avec un peu d'audace,
Qu'il ne faille qu'oser pour me mettre en sa place,
Et comme en t'épousant j'en aurai droit de toi,
Je t'épouserai, lors, mais pour me faire Roi.
Mais voici Grimoald.

Scène III : Grimoald, Garibalde.

GRIMOALD

         Eh bien! quelle espérance,
Duc, et qu'obtiendrons-nous de ta persévérance?

GARIBALDE

Ne me commandez plus, Seigneur, de l'adorer,
Ou ne lui laissez plus aucun lieu d'espérer.

GRIMOALD

Quoi de tout mon pouvoir je l'avais irritée
Pour faire que ta flamme en fût mieux écoutée,
Qu'un dépit redoublé, la pressant contre moi,
La rendît plus facile à recevoir ta foi,
Et fît tomber ainsi par ses ardeurs nouvelles
Le dépôt de sa haine en des mains si fidèles :
Cependant son espoir à mon trône attaché
Par aucun de nos soins n'en peut être arraché!
Mais as-tu bien promis ma tête à sa vengeance,
Ne l'as-tu point offerte avecque négligence,
Avec quelque froideur qui l'ait fait soupçonner
Que tu la promettais sans la vouloir donner?

GARIBALDE

Je n'ai rien oublié de ce qui peut séduire
Un vrai ressentiment qui voudrait vous détruire,
Mais son feu mal éteint ne se peut déguiser :
Son plus ardent courroux brûle de s'apaiser,
Et je n'obtiendrai point, Seigneur, qu'elle m'écoute,
Jusqu'à ce qu'elle ait vu votre hymen hors de doute,
Et que de Rodélinde étant l'illustre époux
Vous chassiez de son cœur tout espoir d'être à vous.

GRIMOALD

Hélas! je mets en vain toute chose en usage,
Ni prières ni vœux n'ébranlent son courage,
Malgré tous mes respects je vois de jour en jour
Croître sa résistance autant que mon amour,
Et si l'offre d'Unulphe à présent ne la touche,
Si l'intérêt d'un fils ne la rend moins farouche,
Désormais je renonce à l'espoir d'amollir
Un cœur que tant d'efforts ne font qu'enorgueillir.

GARIBALDE

Non, non, Seigneur, il faut que cet orgueil vous cède,
Mais un mal violent veut un pareil remède.
Montrez-vous tout ensemble amant et souverain,
Et sachez commander, si vous priez en vain.
Que sert ce grand pouvoir qui suit le diadème,
Si l'amant couronné n'en use pour soi-même?
Un Roi n'est pas moins roi pour se laisser charmer,
Et doit faire obéir qui ne veut pas aimer.

GRIMOALD

Porte, porte aux tyrans tes damnables maximes :
Je hais l'art de régner qui se permet des crimes.

De quel front donnerais-je un exemple aujourd'hui   565
Que mes lois dès demain puniraient en autrui?
Le pouvoir absolu n'a rien de redoutable
Dont à sa conscience un Roi ne soit comptable.
L'amour l'excuse mal, s'il règne injustement
Et l'amant couronné n'agit qu'en amant.   570

GARIBALDE

Si vous n'osez forcer, du moins faites-vous craindre.
Daignez, pour être heureux, un moment vous contrain-
Et si l'offre d'Unulphe en reçoit des mépris,   [dre,
Menacez hautement de la mort de son fils.

GRIMOALD

Que par ces lâchetés j'ose me satisfaire!   575

GARIBALDE

Si vous n'osez parler, du moins laissez-nous faire :
Nous saurons vous servir, Seigneur, et malgré vous.
Prêtez-nous seulement un moment de courroux,
Et permettez après qu'on l'explique et qu'on feigne
Ce que vous n'osez dire, et qu'il faut qu'elle craigne. 580
Vous désavouerez tout. Après de tels projets,
Les rois impunément dédisent leurs sujets [21].

GRIMOALD

Sachons ce qu'il a fait avant que de résoudre
Si je dois en tes mains laisser gronder ce foudre.

Scène IV : Grimoald, Garibalde, Unulphe.

GRIMOALD

Que faut-il faire, Unulphe? est-il temps de mourir? 585
N'as-tu vu pour ton Roi nul espoir de guérir?

UNULPHE

Rodélinde, Seigneur, enfin plus raisonnable,
Semble avoir dépouillé cet orgueil indomptable.
Elle a reçu votre offre avec tant de douceur...

GRIMOALD

Mais l'a-t-elle acceptée, as-tu touché son cœur?   590
A-t-elle montré joie, en paraît-elle émue?
Peut-elle s'abaisser jusqu'à souffrir ma vue?
Qu'a-t-elle dit enfin?

UNULPHE

         Beaucoup, sans dire rien.
Elle a paisiblement souffert mon entretien,
Son âme à mes discours surprise, mais tranquille... 595

GRIMOALD

Ah! c'est m'assassiner d'un discours inutile.
Je ne veux rien savoir de sa tranquillité,
Dis seulement un mot de sa facilité.
Quand veut-elle à son fils donner mon diadème?

UNULPHE

Elle en veut apporter la réponse elle-même.   600

GRIMOALD

Quoi tu n'as su pour moi plus avant l'engager?

UNULPHE

Seigneur, c'est assez dire à qui veut bien juger :
Vous n'en sauriez avoir une preuve plus claire.
Qui demande à vous voir ne veut pas vous déplaire.
Ses refus se seraient expliqués avec moi,   605
Sans chercher la présence et le courroux d'un Roi.

21. Maxime spécifiquement machiavélique.

GRIMOALD

Mais touchant cet époux qu'Edüige ranime?...

UNULPHE

De ce discours en l'air elle fait peu d'estime :
L'artifice est si lourd qu'il ne peut l'émouvoir,
610 Et d'une main suspecte il n'a point de pouvoir.

GARIBALDE

Edüige elle-même est mal persuadée
D'un retour dont elle aime à vous donner l'idée,
Et ce n'est qu'un faux jour qu'elle a voulu jeter
Pour lui troubler la vue, et vous inquiéter.
615 Mais déjà Rodélinde apporte sa réponse.

GRIMOALD

Ah! j'entends mon arrêt sans qu'on me le prononce.
Je vais mourir, Unulphe, et ton zèle pour moi
T'abuse le premier, et m'abuse après toi.

UNULPHE

Espérez mieux, Seigneur.

GRIMOALD

　　　　　　　Tu le veux, et j'espère.
620 Mais que cette douceur va devenir amère,
Et que ce peu d'espoir où tu me viens forcer
Rendra rudes les coups dont on va me percer!

Scène V : Grimoald, Rodélinde,
Garibalde, Unulphe.

GRIMOALD

Madame, il est donc vrai que votre âme sensible
A la compassion s'est rendue accessible,
625 Qu'elle fait succéder dans ce cœur plus humain
La douceur à la haine et l'estime au dédain,
Et que laissant agir une bonté cachée,
A de si longs mépris elle s'est arrachée?

RODÉLINDE

Ce cœur dont tu te plains, de ta plainte est surpris :
630 Comte, je n'eus pour toi jamais aucun mépris,
Et ma haine elle-même aurait cru faire un crime
De t'avoir dérobé ce qu'on te doit d'estime.
　　Quand je vois ta conduite en mes propres États
Achever sur les cœurs l'ouvrage de ton bras,
635 Avec ces mêmes cœurs qu'un si grand art te donne
Je dis que la vertu règne dans ta personne.
Avec eux je te loue, et je doute avec eux
Si sous leur vrai monarque ils le seraient plus heureux,
Tant ces hautes vertus qui fondent ta puissance
640 Réparent ce qui manque à l'heur de ta naissance!
Mais quoi qu'on en ait vu d'admirable et de grand,
Ce que m'en dit Unulphe aujourd'hui me surprend.
　　Un vainqueur dans le trône, un conquérant qu'on
Faisant justice à tous, se la fait à soi-même,　　[aime
645 Se croit usurpateur sur ce trône conquis!
Et ce qu'il ôte au père, il veut le rendre au fils!
Comte, c'est un effort à dissiper la gloire
Des noms les plus fameux dont se pare l'histoire,
Et que le grand Auguste ayant osé tenter,
650 N'osa prendre du cœur jusqu'à l'exécuter.
Je viens donc y répondre, et de toute mon âme
Te rendre pour mon fils...

GRIMOALD

　　　　　　Ah! c'en est trop, Madame,
Ne vous abaissez point à des remercîments.
C'est moi qui vous dois tout, et si mes sentiments...

RODÉLINDE

Souffre les miens, de grâce, et permets que je mette
Cet effort merveilleux en sa gloire parfaite,
Et que ma propre main tâche d'en arracher
Tout ce mélange impur dont tu le veux tacher.
Car enfin cet effort est de telle nature
Que la source en doit être à nos yeux toute pure :
La vertu doit régner dans un si grand projet,
En être seule cause, et l'honneur seul objet,
Et depuis qu'on le souille ou d'espoir de salaire,
Ou de chagrin d'amour, ou de souci de plaire,
Il part indignement d'un courage abattu
Où la passion règne, et non pas la vertu.
　　Comte, penses-y bien, et pour m'avoir aimée,
N'imprime point de tache à tant de renommée.
Ne crois que ta vertu : laisse-la seule agir,
De peur qu'un tel effort ne te donne à rougir.
On publierait de toi que les yeux d'une femme
Plus que ta propre gloire auraient touché ton âme,
On dirait qu'un héros si grand, si renommé,
Ne serait qu'un tyran s'il n'avait point aimé.

GRIMOALD

Donnez-moi cette honte, et je la tiens à gloire :
Faites de vos mépris ma dernière victoire,
Et souffrez qu'on impute à ce bras trop heureux
Que votre seul amour l'a rendu généreux.
Souffrez que cet amour, par un effort si juste,
Ternisse le grand nom et les hauts faits d'Auguste,
Qu'il ait plus de pouvoir que ses vertus n'ont eu.
Qui n'adore que vous n'aime que la vertu;
Cet effort merveilleux est de telle nature
Qu'il ne saurait partir d'une source plus pure,
Et la plus noble enfin des belles passions
Ne peut faire de tache aux grandes actions.

RODÉLINDE

Comte, ce qu'elle jette à tes yeux de poussière
Pour voir ce que tu fais les laisse dans lumière.
A ces conditions rendre un sceptre conquis,
C'est asservir la mère en couronnant le fils,
Et pour en bien parler, ce n'est pas tant le rendre,
Qu'au prix de mon honneur indignement le vendre.
Ta gloire en pourrait croître, et tu le veux ainsi,
Mais l'éclat de la mienne en serait obscurci.
　　Quel que soit ton amour, quel que soit ton mérite,
La défaite et la mort de mon cher Pertharite,
D'un sanglant caractère ébauchant tes hauts faits,
Les peignent à mes yeux comme autant de forfaits,
Et ne pouvant les voir que d'un œil d'ennemie,
Je n'y puis prendre part sans entière infamie.
Ce sont des sentiments que je ne puis trahir.
Je te dois estimer, mais je te dois haïr,
Je dois agir en veuve autant qu'en magnanime,
Et porter cette haine aussi loin que l'estime.

GRIMOALD

Ah! forcez-vous, de grâce, à des termes plus doux
Pour des crimes qui seuls m'ont fait digne de vous :

Par eux seuls ma valeur en tête d'une armée
A des plus grands héros atteint la renommée.
Par eux seuls j'ai vaincu, par eux seuls j'ai régné,
Par eux seuls ma justice a tant de cœurs gagné,
Par eux seuls j'ai paru digne du diadème,
Par eux seuls je vous vois, par eux seuls je vous aime,
Et par eux seuls enfin mon amour tout parfait
Ose faire pour vous ce qu'on n'a jamais fait.

RODÉLINDE

Tu ne fais que pour toi, s'il t'en faut récompense,
Et je te dis encor que toute ta vaillance,
T'ayant fait vers moi seule à jamais criminel,
A mis entre nous deux un obstacle éternel.
  Garde donc ta conquête, et me laisse ma gloire,
Respecte d'un époux et l'ombre et la mémoire,
Tu l'as chassé du trône et non pas de mon cœur.

GRIMOALD

Unulphe, c'est donc là toute cette douceur?
C'est là comme son âme, enfin plus raisonnable,
Semble avoir dépouillé cet orgueil indomptable!

GARIBALDE

Seigneur, souvenez-vous qu'il est temps de parler.

GRIMOALD

Oui, l'affront est trop grand pour le dissimuler :
Elle en sera punie, et, puisqu'on me méprise,
Je deviendrai tyran de qui me tyrannise,
Et ne souffrirai plus qu'une indigne fierté
Se joue impunément de mon trop de bonté.

RODÉLINDE

Eh bien! deviens tyran : renonce à ton estime,
Renonce au nom de juste, au nom de magnanime...

GRIMOALD

La vengeance est plus douce enfin que ces vains noms :
S'ils me font malheureux, à quoi me sont-ils bons?
Je me ferai justice en domptant qui me brave,
Qui ne veut point régner mérite d'être esclave.
Allez, sans irriter plus longtemps mon courroux,
Attendre ce qu'un maître ordonnera de vous.

RODÉLINDE

Qui ne craint point la mort craint peu quoi qu'il [ordonne.

GRIMOALD

Vous la craindrez peut-être en quelque autre personne?

RODÉLINDE

Quoi! tu voudrais...

GRIMOALD

            Allez, et ne me pressez point,
On vous pourra trop tôt éclaircir sur ce point;
  Rodélinde rentre.
Voilà tous les efforts qu'enfin j'ai pu me faire.
Toute ingrate qu'elle est, je tremble à lui déplaire,
Et ce peu que j'ai fait, suivi d'un désaveu,
Gêne autant ma vertu comme il trahit mon feu.
Achève, Garibalde : Unulphe est trop crédule,
Il prend trop aisément un espoir ridicule,
Menace, puisque enfin c'est perdre temps qu'offrir,
Toi qui m'as trop flatté, viens m'aider à souffrir.

ACTE TROISIÈME

Scène I : Garibalde, Rodélinde.

GARIBALDE

Ce n'est plus seulement l'offre d'un diadème
Que vous fait pour un fils un prince qui vous aime,
Et de qui le refus ne puisse être imputé
Qu'à fermeté de haine ou magnanimité :   755
Il y va de sa vie, et la juste colère
Où jettent cet amant les mépris de la mère,
Veut punir sur le sang de ce fils innocent
La dureté d'un cœur si peu reconnaissant.   [donne,
C'est à vous d'y penser : tout le choix qu'on vous
C'est d'accepter pour lui la mort ou la couronne.   760
Son sort est en vos mains : aimer ou dédaigner
Le va faire périr ou le faire régner.

RODÉLINDE

S'il me faut faire un choix d'une telle importance,
On me donnera bien le loisir que j'y pense.

GARIBALDE

Pour en délibérer vous n'avez qu'un moment.   765
J'en ai l'ordre pressant, et sans retardement,
Madame, il faut résoudre, et s'expliquer sur l'heure :
Un mot est bientôt dit. Si vous voulez qu'il meure,
Prononcez-en l'arrêt, et j'en prendrai la loi
Pour faire exécuter les volontés du Roi.   770

RODÉLINDE

Un mot est bientôt dit, mais dans un tel martyre
On n'a pas bientôt vu quel mot c'est qu'il faut dire,
Et le choix qu'on m'ordonne est pour moi si fatal
Qu'à mes yeux des deux parts le supplice est égal.
Puisqu'il faut obéir, fais-moi venir ton maître.   775

GARIBALDE

Quel choix avez-vous fait?

RODÉLINDE

            Je lui ferai connaître
Que si...

GARIBALDE

        C'est avec moi qu'il vous faut achever :
Il est las désormais de s'entendre braver,
Et si je ne lui porte une entière assurance
Que vos désirs enfin suivent son espérance,   780
Sa vue est un honneur qui vous est défendu.

RODÉLINDE

Que me dis-tu, perfide, ai-je bien entendu?
Tu crains donc qu'une femme, à force de se plaindre,
Ne sauve une vertu que tu tâches d'éteindre,
Ne remette un héros au rang de ses pareils,   785
Dont tu veux l'arracher par tes lâches conseils?
  Oui, je l'épouserai, ce trop aveugle maître,
Tout cruel, tout tyran que tu le forces d'être.
Va, cours l'en assurer, mais penses-y deux fois.
Crains-moi, crains son amour, s'il accepte mon choix.   790
Je puis beaucoup sur lui, j'y pourrai davantage,
Et régnerai peut-être après cet esclavage.

GARIBALDE

Vous régnerez, Madame, et je serai ravi
De mourir glorieux pour l'avoir bien servi.

RODÉLINDE

795 Va, je lui ferai voir que de pareils services
Sont dignes seulement des plus cruels supplices,
Et que de tous les maux dont les rois sont auteurs,
Ils s'en doivent venger sur de tels serviteurs [22].
      Tu peux en attendant lui donner cette joie,
800 Que pour gagner mon cœur il a trouvé la voie,
Que ton zèle insolent et ton mauvais destin
A son amour barbare en ouvrent le chemin.
Dis-lui, puisqu'il le faut, qu'à l'hymen je m'apprête,
Mais fuis-nous, s'il s'achève, et tremble pour ta tête.

GARIBALDE

805 Je veux bien à ce prix vous donner un grand Roi.

RODÉLINDE

Qu'à ce prix donc il vienne, et m'apporte sa foi.

Scène II : Rodélinde, Edüige.

ÉDUIGE

Votre félicité sera mal assurée
Dessus un fondement si peu de durée,
Vous avez toutefois de si puissants appas...

RODÉLINDE

810 Je sais quelques secrets que vous ne savez pas,
Et si j'ai moins que vous d'attraits et de mérite,
J'ai des moyens plus sûrs d'empêcher qu'on me quitte.

ÉDUIGE

Mon exemple...

RODÉLINDE

      Souffrez que je n'en craigne rien,
Et par votre malheur ne jugez pas du mien.
815 Chacun à ses périls peut suivre sa fortune,
Et j'ai quelques soucis que l'exemple importune.

ÉDUIGE

Ce n'est pas mon dessein de vous importuner.

RODÉLINDE

Ce n'est pas mon dessein aussi de vous gêner,
Mais votre jalousie un peu trop inquiète
820 Se donne malgré moi cette gêne secrète.

ÉDUIGE

Je ne suis point jalouse, et l'infidélité...

RODÉLINDE

Eh bien! soit jalousie ou curiosité,
Depuis quand sommes-nous en telle intelligence
Que tout mon cœur vous doive entière confidence?

ÉDUIGE

825 Je n'en prétends aucune, et c'est assez pour moi
D'avoir bien entendu comme il l'accepte un Roi.

RODÉLINDE

On n'entend pas toujours ce qu'on croit bien entendre.

ÉDUIGE

De vrai, dans un discours difficile à comprendre,
Je ne devine point, et n'en ai pas l'esprit :
830 Mais l'esprit n'a que faire où l'oreille suffit.

RODÉLINDE

Il faudrait que l'oreille entendît la pensée.

---

22. Cf. *la Mort de Pompée.* Et *Britannicus :
Poursuis, Néron, avec de tels ministres...* (vers 1672)

ÉDUIGE

J'entends assez la vôtre : on vous aura forcée,
On vous aura fait peur, ou de la mort d'un fils,
Ou de ce qu'un tyran se croit être permis,
Et l'on fera courir quelque mauvaise excuse   83
Dont la cour s'éblouisse et le peuple s'abuse.
Mais cependant ce cœur que vous m'abandonniez...

RODÉLINDE

Il n'est pas temps encor que vous vous en plaigniez :
Comme il m'a fait des lois, j'ai des lois à lui faire.

ÉDUIGE

Il les acceptera pour ne vous pas déplaire;   84
Prenez-en sa parole, il sait bien la garder.

RODÉLINDE

Pour remonter au trône on peut tout hasarder,
Laissez-m'en, quoi qu'il fasse, ou la gloire ou la honte,
Puisque ce n'est qu'à moi que j'en dois rendre compte.
Si votre cœur souffrait ce que souffre le mien,   8
Vous ne vous plairiez pas en un tel entretien,
Et votre âme à ce prix voyant un diadème,
Voudrait en liberté se consulter soi-même.

ÉDUIGE

Je demande pardon si je vous fais souffrir,   8
Et vais me retirer pour ne vous plus aigrir.

RODÉLINDE

Allez, et demeurez dans cette erreur confuse :
Vous ne méritez pas que je vous désabuse.

ÉDUIGE

Ce cher amant sans moi vous entretiendra mieux,
Et je n'ai plus besoin de rapport de mes yeux.

Scène III : Grimoald, Rodélinde, Garibalde.

RODÉLINDE

Je me rends, Grimoald, mais non pas à la force :   8
Le titre que tu prends m'est une douce amorce,
Et s'empare si bien de mon affection,
Qu'elle ne veut de toi qu'une condition.
Si je n'ai pu t'aimer et juste et magnanime,
Quand tu deviens tyran je t'aime dans le crime;   8
Et pour moi ton hymen est un souverain bien,
S'il rend ton nom infâme aussi bien que le mien.

GRIMOALD

Que j'aimerai, Madame, une telle infamie
Qui vous fera cesser d'être mon ennemie!
Achevez, achevez, et sachons à quel prix   8
Je puis mettre une borne à de si longs mépris :
Je ne veux qu'une grâce, et disposez du reste.
Je crains pour Garibalde une haine funeste,
Je la crains pour Unulphe : à cela près, parlez.

RODÉLINDE

Va, porte cette crainte à des cœurs ravalés.   8
Je ne m'abaisse point aux faiblesses des femmes
Jusques à me venger de ces petites âmes.
Si leurs mauvais conseils me forcent de régner,
Je les en dois haïr, et sais les dédaigner.
Le ciel, qui punit tout, choisira pour leur peine
Quelque moyen plus bas que cette illustre haine.
Qu'ils vivent cependant, et que leur lâcheté
A l'ombre d'un tyran trouve sa sûreté.

Ce que je veux de toi porte le caractère
D'une vertu plus haute et digne de te plaire.
  Tes offres n'ont point eu d'exemples jusqu'ici,
Et ce que je demande est sans exemple aussi.
Mais je veux qu'il te donne une marque infaillible
Que l'intérêt d'un fils ne me rend point sensible,
Que je veux être à toi sans le considérer,
Sans regarder en lui que craindre ou qu'espérer.

GRIMOALD

Madame, achevez donc de m'accabler de joie.
Par quels heureux moyens faut-il que je vous croie?
Expliquez-vous, de grâce, et j'atteste les cieux
Que tout suivra sur l'heure un bien si précieux.

RODÉLINDE

Après un tel serment j'obéis et m'explique.
Je veux donc d'un tyran un acte tyrannique :
Puisqu'il en veut le nom, qu'il le soit tout à fait,
Que toute sa vertu meure en un grand forfait,
Qu'il renonce à jamais aux glorieuses marques
Qui le mettaient au rang des plus dignes monarques,
Et pour le voir méchant, lâche, impie, inhumain,
Je veux voir ce fils même immolé de sa main.

GRIMOALD

Juste ciel!

RODÉLINDE

    Que veux-tu pour marque plus certaine
Que l'intérêt d'un fils n'amollit point ma haine,
Que je me donne à toi sans le considérer,
Sans regarder en lui que craindre ou qu'espérer?
  Tu trembles, tu pâlis, il semble que tu n'oses
Toi-même exécuter ce que tu me proposes!
S'il le faut du secours, je n'y recule pas,
Et veux bien te prêter l'exemple de mon bras.
Fais, fais venir ce fils, qu'avec toi je l'immole.
Dégage ton serment, je tiendrai ma parole.
Il faut bien que le crime unisse à l'avenir
Ce que trop de vertus empêchaient de s'unir.
Qui tranche du tyran doit se résoudre à l'être.
Pour remplir ce grand nom as-tu besoin d'un maître,
Et faut-il qu'une mère, aux dépens de son sang,
T'apprenne à mériter cet effroyable rang?
N'en souffre pas la honte, et prends toute la gloire
Que cet illustre effort attache à ta mémoire.
Fais voir à tes flatteurs, qui le font trop oser,
Que tu sais mieux que moi l'art de tyranniser,
Et par une action aux seuls tyrans permise,
Deviens le vrai tyran de qui te tyrannise.
A ce prix je me donne, à ce prix je me rends,
Ou si tu l'aimes mieux, à ce prix je me vends,
Et consens à ce prix que ton amour m'obtienne,
Puisqu'il souille ta gloire aussi bien que la mienne.

GRIMOALD

Garibalde, est-ce là ce que tu m'avais dit?

GARIBALDE

Avec votre jalouse elle a changé d'esprit,
Et je l'avais laissée à l'hymen toute prête,
Sans que son déplaisir menaçât que ma tête.
Mais ces fureurs enfin ne sont qu'illusion,
Pour vous donner, Seigneur, quelque confusion :
Ne vous étonnez point, vous l'en verrez dédire.

GRIMOALD

Vous l'ordonnez, Madame, et je dois y souscrire :
J'en ferai ma victime, et ne suis point jaloux
De vous voir sur ce fils porter les premiers coups.
Quelque honneur qui par là s'attache à ma mémoire, 935
Je veux bien avec vous en partager la gloire,
Et que tout l'avenir ait de quoi m'accuser
D'avoir appris de vous l'art de tyranniser.
  Vous devriez pourtant régler mieux ce courage,
N'en pousser point l'effort jusqu'aux bords de la rage, 940
Ne lui permettre rien qui sentît la fureur,
Et le faire admirer sans en donner d'horreur.
Faire la furieuse et la désespérée,
Paraître avec éclat mère dénaturée,
Sortir hors de vous-même, et montrer à grand bruit 945
A quelle extrémité mon amour vous réduit,
C'est mettre avec trop d'art la douleur en parade.
Qui fait le plus de bruit n'est pas le plus malade :
Les plus grands déplaisirs sont les moins éclatants,
Et l'on sait qu'un grand cœur se possède en tout temps 950
Vous le savez, Madame, et que les grandes âmes
Ne s'abaissent jamais aux faiblesses des femmes,
Ne s'aveuglent jamais ainsi hors de saison,
Que leur désespoir même agit avec raison,
Et que...

RODÉLINDE

    C'en est assez : sois-moi juge équitable, 955
Et dis-moi si le mien agit en raisonnable,
Si je parle en aveugle, ou si j'ai de bons yeux.
Tu veux rendre à mon fils le bien de ses aïeux,
Et toute ta vertu jusque-là t'abandonne,
Que tu mets en mon choix sa mort ou ta couronne! 960
Quand j'aurai satisfait tes vœux désespérés,
Dois-je croire ses jours beaucoup plus assurés?
Cette offre, ou si tu veux, ce don du diadème
N'est à le bien nommer qu'un faible stratagème.
Faire un Roi d'un enfant pour être son tuteur, 965
C'est quitter pour ce nom celui d'usurpateur,
C'est choisir pour régner un favorable titre,
C'est du sceptre et de lui te faire seul arbitre,
Et mettre sur le trône un fantôme pour Roi
Jusques au premier fils qui te naîtra de moi, 970
Jusqu'à ce qu'on nous craigne, et que le temps arrive
De remettre en ses mains la puissance effective.
Qui veut bien l'immoler à son affection
L'immolerait sans peine à son ambition.
On se lasse bientôt de l'amour d'une femme, 975
Mais la soif de régner règne toujours sur l'âme,
Et comme la grandeur a d'éternels appas,
L'Italie est sujette à de soudains trépas,
Il est des moyens sourds pour lever un obstacle,
Et faire un nouveau Roi sans bruit et sans miracle, 980
Quitte pour te forcer à deux ou trois soupirs,
Et peindre alors ton front d'un peu de déplaisirs.
La porte à ma vengeance en serait moins ouverte :
Je perdrais avec lui tout le fruit de sa perte.
Puisqu'il faut qu'il périsse, il vaut mieux tôt que tard, 985
Que sa mort soit un crime, et non pas un hasard,
Que cette ombre innocente à toute heure m'anime,
Me demande à toute heure une grande victime,

Que ce jeune monarque, immolé de ta main,
990 Te rende abominable à tout le genre humain,
Qu'il t'excite partout des haines immortelles,
Que de tous tes sujets il fasse des rebelles,
Je t'épouserai lors, et m'y viens d'obliger,
Pour mieux servir ma haine, et pour mieux me venger,
995 Pour moins perdre de vœux contre ta barbarie,
Pour être à tous moments maîtresse de ta vie,
Pour avoir l'accès libre à pousser ma fureur,
Et mieux choisir la place à te percer le cœur.
　　Voilà mon désespoir, voilà ses justes causes :
1000 A ces conditions prends ma main si tu l'oses.

GRIMOALD

Oui, je la prends, Madame, et veux auparavant...

Scène IV : Pertharite, Grimoald, Rodélinde,
Garibalde, Unulphe.

UNULPHE

Que faites-vous, Seigneur? Pertharite est vivant :
Ce n'est plus un bruit sourd, le voilà qu'on amène;
Des chasseurs l'ont surpris dans la forêt prochaine,
1005 Où, caché dans un fort, il attendait la nuit.

GRIMOALD

Je vois trop clairement quelle main le produit.

RODÉLINDE

Est-ce donc vous, Seigneur, et les bruits infidèles
N'ont-ils semé de vous que de fausses nouvelles?

PERTHARITE

Oui, cet époux si cher à vos chastes désirs,
1010 Qui vous a tant coûté de pleurs et de soupirs...

GRIMOALD

Va, fantôme insolent, retrouver qui t'envoie,
Et ne te mêle point d'attenter à ma joie.
Il est encore ici des supplices pour toi,
Si tu viens y montrer la vaine ombre d'un Roi.
1015 Pertharite n'est plus.

PERTHARITE

　　　　　　Pertharite respire,
Il te parle, il te voit régner dans son empire.
Que ton ambition ne s'effarouche pas
Jusqu'à me supposer toi-même un faux trépas :
Il est honteux de feindre où l'on peut toutes choses.
1020 Je suis mort; je suis mort, si tu l'oses,
Si toute ta vertu peut demeurer d'accord
Que le droit de régner me rend digne de mort.
　　Je ne viens point ici par de noirs artifices
De mon cruel destin forcer les injustices,
1025 Pousser des assassins contre tant de valeur,
Et t'immoler en lâche à mon trop de malheur.
Puisque le sort trahit ce droit de ma naissance,
Jusqu'à te faire un don de ma toute-puissance,
Règne sur mes États que le ciel t'a soumis :
1030 Peut-être un autre temps me rendra des amis.
Use mieux cependant de la faveur céleste :
Ne me dérobe pas le seul bien qui me reste,
Un bien où je te suis un obstacle éternel,
Et dont le seul désir est pour toi criminel.
1035 Rodélinde n'est pas du droit de ta conquête :
Il faut, pour être à toi, qu'il m'en coûte la tête.

Puisqu'on m'a découvert, elle dépend de toi,
Prends-la comme tyran, ou l'attaque en vrai Roi.
J'en garde hors du trône encor les caractères.
Et ton bras t'a saisi de celui de mes pères.
Je veux bien qu'il supplée au défaut de ton sang,
Pour mettre entre nous deux égalité de rang.
Si Rodélinde enfin tient ton âme charmée,
Pour voir qui la mérite, il ne faut point d'armée.
Je suis roi, je suis seul, j'en suis maître, et tu peux
Par un illustre effort faire place à tes vœux.

GRIMOALD

L'artifice grossier n'a rien qui m'épouvante.
Edüige à fourber n'est pas assez savante;
Quelque adresse qu'elle aye, elle t'a mal instruit,
Et d'un si haut dessein elle a fait trop de bruit.
Elle en fait avorter l'effet par la menace,
Et ne te produit plus que de mauvaise grâce.

PERTHARITE

Quoi! je passe à tes yeux pour un homme attitré [23]?

GRIMOALD

Tu l'avoueras toi-même ou de force ou de gré,
Il faut plus de secret alors qu'on veut surprendre,
Et l'on ne surprend point quand on se fait attendre.

PERTHARITE

Parlez, parlez, Madame, et faites voir à tous
Que vous avez des yeux pour connaître un époux.

GRIMOALD

Tu veux qu'en ta faveur j'écoute ta complice!
Eh bien! parlez, Madame, achevez l'artifice.
Est-ce là votre époux?

RODÉLINDE

　　　　　　Toi qui veux en douter,
Par quelle illusion m'oses-tu consulter?
Si tu démens tes yeux, croiras-tu mon suffrage,
Et ne peux-tu sans moi connaître son visage?
Tu l'as vu tant de fois, au milieu des combats,
Montrer à tes périls, ce que pesait son bras,
Et l'épée à la main, disputer en personne,
Contre tout ton bonheur, sa vie et sa couronne.
　　Si tu cherches une aide à traiter d'imposteur
Un Roi qui t'a fermé la porte de mon cœur,
Consulte Garibalde, il tremble à voir son maître :
Qui l'osa bien trahir l'osera méconnaître,
Et tu peux recevoir de son mortel effroi
L'assurance qu'enfin tu n'attends pas de moi.
Un service si haut veut une âme plus basse,
Et tu sais...

GRIMOALD

　　　　　　Oui, je sais jusqu'où va votre audace.
Sous l'espoir de jouir de ma perplexité,
Vous cherchez à me voir l'esprit inquiété,
Et ces discours en l'air que l'orgueil vous inspire
Veulent persuader ce que vous n'osez dire,
Brouiller la populace, et lui faire après vous
En un fourbe impudent respecter votre époux.
Poussez donc jusqu'au bout, devenez plus hardie,
Dites-nous hautement...

　　23. Originellement *mis en embuscade*, puis *suborné* : assassins, faux témoins ou imposteurs. « Attirer et apposter un
accusateur » (Nicot).

RODÉLINDE
Que veux-tu que je die ?
85 Il ne peut être ici que ce que tu voudras :
Tes flatteurs en croiront ce que tu résoudras.
Je n'ai pas pour t'instruire assez de complaisance,
Et puisque son malheur l'a mis en ta puissance,
Je sais ce que je dois, si tu ne me le rends.
90 Achève de te mettre au rang des vrais tyrans.

Scène V : Grimoald, Pertharite,
Garibalde, Unulphe.

GRIMOALD
Que cet événement de nouveau m'embarrasse !
GARIBALDE
Pour un fourbe chez vous la pitié trouve place !
GRIMOALD
Non, l'échafaud bientôt m'en fera la raison.
Que ton appartement lui serve de prison :
95 Je te le donne en garde, Unulphe.
PERTHARITE
Prince, écoute :
Mille et mille témoins te mettront hors de doute.
Tout Milan, tout Pavie...
GRIMOALD
Allez, sans contester :
Vous aurez tout loisir de vous faire écouter.
A Garibalde.
Toi, va voir Edüige, et jette dans son âme
00 Un si flatteur espoir du retour de ma flamme,
Qu'elle-même, déjà s'assurant de ma foi,
Te nomme l'imposteur qu'elle en déguise en Roi.

Scène VI : Garibalde.

Quel revers imprévu, quel éclat de tonnerre
Jette en moins d'un moment tout mon espoir par terre !
5 Ce funeste retour, malgré tout mon projet,
Va rendre Grimoald à son premier objet,
Et s'il traite ce prince en héros magnanime,
N'ayant plus de tyran, je n'ai plus de victime :
Je n'ai rien à venger, et ne puis le trahir,
0 S'il m'ôte les moyens de le faire haïr.
N'importe toutefois, ne perdons pas courage ;
Forçons notre fortune à changer de visage.
Obstinons Grimoald, par maxime d'État,
A le croire imposteur, ou craindre un attentat,
5 Accablons son esprit de terreurs chimériques,
Pour lui faire embrasser des conseils tyranniques.
De son trop de vertu sachons le dégager,
Et perdons Pertharite afin de le venger.
Peut-être qu'Edüige, à regret plus sévère,
0 N'osera l'accepter teint du sang de son frère,
Et que l'effet suivra notre prétention
Du côté de l'amour et de l'ambition.
Tâchons, quoi qu'il en soit, d'en achever l'ouvrage,
Et pour régner un jour mettons tout en usage.

ACTE QUATRIÈME

Scène I : Grimoald, Garibalde.

GARIBALDE
Je ne m'en dédis point, Seigneur, ce prompt retour   1125
N'est qu'une illusion qu'on fait à votre amour.
Je ne l'ai vu que trop aux discours d'Edüige :
Comme sensiblement votre change l'afflige,
Et qu'avec le feu Roi ce fourbe a du rapport,
Sa flamme au désespoir fait ce dernier effort.   1130
Rodélinde, comme elle, aime à vous mettre en peine,
L'une sert son amour et l'autre sert sa haine,
Ce que l'une produit, l'autre ose l'avouer,
Et leur inimitié s'accorde à vous jouer.
L'imposteur cependant, quoi qu'on lui donne à feindre, 1135
Le soutient d'autant mieux qu'il ne voit rien à craindre,
Car soit que ses discours puissent vous émouvoir
Jusqu'à rendre Edüige à son premier pouvoir,
Soit que malgré sa fourbe et vaine et languissante,
Rodélinde sur vous reste toute-puissante,   1140
A l'une ou l'autre enfin votre âme à l'abandon
Ne lui pourra jamais refuser ce pardon.
GRIMOALD
Tu dis vrai, Garibalde, et déjà je le donne
A qui voudra des deux partager ma couronne :
Non que j'espère encore amollir ce rocher,   1145
Que ni respects ni vœux n'ont jamais su toucher.
Si j'aimai Rodélinde, et si pour n'aimer qu'elle,
Mon âme à qui m'aimait s'est rendue infidèle,
Si d'éternels dédains, si d'éternels ennuis,
Les bravades, la haine, et le trouble où je suis,   1150
Ont été jusqu'ici toute la récompense
De cet amour parjure où mon cœur se dispense,
Il est temps désormais que, par un juste effort
J'affranchisse mon cœur de cet indigne sort.
Prenons l'occasion que nous fait Edüige :   1155
Aimons cette imposture où son amour m'oblige.
Elle plaint un ingrat de tant de maux soufferts,
Et lui prête la main pour le tirer des fers.
Aimons, encore un coup, aimons son artifice,
Aimons-en le secours, et rendons-lui justice.   1160
Soit qu'elle en veuille au trône ou n'en veuille qu'à moi,
Qu'elle aime Grimoald ou qu'elle aime le Roi,
Qu'elle ait beaucoup d'amour ou beaucoup de courage,
Je dois tout à la main qui rompt mon esclavage.
Toi qui ne la servais qu'afin de m'obéir,   1165
Qui tâchais par mon ordre à m'en faire haïr,
Duc, ne t'y force plus, et rends-moi ma parole :
Que je rende à ses feux tout ce que je leur vole,
Et que je puisse ainsi d'une même action
Récompenser sa flamme ou son ambition.   1170
GARIBALDE
Je vous la rends, Seigneur, mais enfin prenez garde
A quels nouveaux périls cet effort vous hasarde,
Et si ce n'est point croire un peu trop promptement
L'impétueux transport d'un premier mouvement.
L'imposteur impuni passera pour monarque,   1175
Tout le peuple en prendra votre bonté pour marque,
Et comme il est ardent après la nouveauté,

Il s'imaginera son rang seul respecté.
Je sais bien qu'aussitôt votre haute vaillance
1180 De ce peuple mutin domptera l'insolence,
Mais tenez-vous fort sûr ce que vous prétendez
Du côté d'Edüige, à qui vous vous rendez?
J'ai pénétré, Seigneur, jusqu'au fond de son âme,
Où je n'ai vu pour vous aucun reste de flamme :
1185 Sa haine seule agit, et cherche à vous ôter
Ce que tous vos désirs s'efforcent d'emporter.
Elle veut, il est vrai, vous rappeler vers elle,
Mais pour faire à son tour l'ingrate et la cruelle,
Pour vous traiter de lâche, et vous rendre soudain
1190 Parjure pour parjure et dédain pour dédain.
Elle veut que votre âme, esclave de la sienne,
Lui demande sa grâce, et jamais ne l'obtienne :
Ce sont ses mots exprès, et pour vous punir mieux,
Elle me veut aimer, et m'aimer à vos yeux :
1195 Elle me l'a promis.

Scène II : Grimoald, Garibalde, Edüige.

ÉDUIGE

Je te l'ai promis, traître!
Oui, je te l'ai promis, et l'aurais fait peut-être,
Si ton âme, attachée à mes commandements,
Eût pu dans ton amour suivre mes sentiments.
J'avais mis mes secrets en bonne confidence!
1200 Vois par là, Grimoald, quelle est ton imprudence,
Et juge, par les miens lâchement déclarés,
Comme les tiens sur lui peuvent être assurés.
Qui trahit sa maîtresse aisément fait connaître
Que sans aucun scrupule il trahirait son maître,
1205 Et que des deux côtés laissant flotter sa foi,
Son cœur n'aime en effet ni son maître ni moi.
Il a son but à part, Grimoald, prends-y garde :
Quelque dessein qu'il ait, c'est toi seul qu'il regarde.
Examine ce cœur, juges-en comme il faut.
1210 Qui m'aime et me trahit aspire encor plus haut.

GARIBALDE

Vous le voyez, Seigneur, avec quelle injustice
On me fait criminel quand je vous rends service.
Mais de quoi n'est capable un malheureux amant
Que la peur de vous perdre agite incessamment,
1215 Madame? Vous voulez que le Roi vous adore,
Et pour l'en empêcher je ferais plus encore :
Je ne m'en défends point, et mon esprit jaloux
Cherche tous les moyens de l'éloigner de vous.
Je ne vous saurais voir entre les bras d'un autre;
1220 Mon amour, si c'est crime, a l'exemple du vôtre,
Que ne faites-vous point pour obliger le Roi
A quitter Rodélinde, et vous rendre sa foi?
Est-il rien en ces lieux que n'ait mis en usage
L'excès de votre ardeur ou de votre courage?
1225 Pour être tout à vous, j'ai fait tous mes efforts,
Mais je n'ai point encor fait revivre les morts.
J'ai dit des vérités dont votre cœur murmure,
Mais je n'ai point été jusques à l'imposture,
Et je n'ai point poussé des sentiments si beaux
1230 Jusqu'à faire sortir les ombres des tombeaux.
Ce n'est point mon amour qui produit Pertharite :

Ma flamme ignore encor cet art qui ressuscite,
Et je ne vois en elle enfin rien à blâmer,
Sinon que je trahis, si c'est trahir qu'aimer.

ÉDUIGE

De quel front et de quoi cet insolent m'accuse?

GRIMOALD

D'un mauvais artifice et d'une faible ruse.
Votre dessein, Madame, était mal concerté :
On ne m'a point surpris quand on s'est présenté.
Vous m'aviez préparé vous-même à m'en défendre,
Et me l'ayant promis, j'avais lieu de l'attendre.
Consolez-vous pourtant, il a fait son effet :
Je suis à vous, Madame, et j'y suis tout à fait.
    Si je vous ai trahie, et si mon cœur volage
Vous a volé longtemps un légitime hommage,
Si pour un autre objet le vôtre en fut banni,
Les maux que j'ai soufferts m'en ont assez puni.
Je recouvre la vue, et reconnais mon crime :
A mes feux rallumés ce cœur s'offre en victime.
Oui, Princesse, et pour être à vous jusqu'au trépas,
Il demande un pardon qu'il ne mérite pas.
Votre propre bonté qui vous en sollicite
Obtient déjà celui de ce faux Pertharite.
Un si grand attentat blesse la majesté,
Mais s'il est criminel, je l'ai moi-même été.
Faites grâce, et j'en fais, oubliez, et j'oublie.
Il reste seulement que lui-même il publie,
Par un aveu sincère, et sans rien déguiser,
Que pour me rendre à vous il voulait m'abuser,
Qu'il n'empruntait ce nom que par votre ordre même.
Madame, assurez-vous par là mon diadème,
Et ne permettez pas que cette illusion
Aux mutins contre nous prête d'occasion.
Faites donc qu'il l'avoue, et que ma grâce offerte,
Tout imposteur qu'il est, le dérobe à sa perte,
Et délivrez par là de ces troubles soudains
Le sceptre qu'avec moi je remets en vos mains.

ÉDUIGE

J'avais eu jusqu'ici ce respect pour ta gloire,
Qu'en te nommant tyran, j'avais peine à me croire :
Je me tenais suspecte, et sentais que mon feu
Faisait de ce reproche un secret désaveu,
Mais tu lèves le masque, et m'ôtes de scrupule.
Je ne puis plus garder ce respect ridicule,
Et je vois clairement, le masque étant levé,
Que jamais on n'a vu tyran plus achevé.
    Tu fais adroitement le doux et le sévère,
Afin que la sœur t'aide à massacrer le frère :
Tu fais plus, et tu veux qu'en trahissant son sort,
Lui-même il se condamne et se livre à la mort,
Comme s'il pouvait être amoureux de la vie
Jusqu'à la racheter par une ignominie,
Ou qu'un frivole espoir de te revoir à moi
Me pût rendre perfide et lâche comme toi.
    Aime-moi, si tu veux, déloyal, mais n'espère
Aucun secours de moi pour t'immoler mon frère.
Si je te menaçais tantôt de son retour,
Si j'en donnais l'alarme à ton nouvel amour,
C'étaient discours en l'air inventés par ma flamme,
Pour brouiller ton esprit et celui de sa femme.

J'avais peine à te perdre, et parlais au hasard,
Pour te perdre du moins quelques moments plus tard,
Et quand par ce retour il a su nous surprendre,
Le ciel m'a plus rendu que je n'osais attendre.

GRIMOALD
Madame...

ÉDUIGE
                    Tu perds temps : je n'écoute plus rien,
Et j'attends ton arrêt pour résoudre le mien.
Agis, si tu le veux, en vainqueur magnanime,
Agis comme tyran, et prends cette victime.
Je suivrai ton exemple, et sur tes actions
Je réglerai ma haine ou mes affections.
Il suffit à présent que je te désabuse,
Pour payer ton amour ou pour punir ta ruse.
Adieu.

Scène III : Grimoald, Garibalde, Unulphe.

GRIMOALD
Que veut Unulphe?

UNULPHE
                    Il est de mon devoir
De vous dire, Seigneur, que chacun le vient voir.
J'ai permis à fort peu de lui rendre visite,
Mais tous l'ont reconnu pour le vrai Pertharite.
Le peuple même parle, et déjà sourdement
On entend des discours semés confusément...

GARIBALDE
Voyez en quels périls vous jette l'imposture :
Le peuple déjà parle, et sourdement murmure.
Le feu va s'allumer, si vous ne l'éteignez.
Pour perdre un imposteur, qu'est-ce que vous craignez?
La haine d'Edüige, elle qui ne prépare
A vos submissions qu'une fierté barbare,
Elle que vos mépris ayant mise en fureur,
Rendent opiniâtre à vous mettre en erreur,
Elle qui n'a plus soif que de votre ruine,
Elle dont la main seule en conduit la machine?
De semblables malheurs se doivent dédaigner,
Et la vertu timide est mal propre à régner.
Epousez Rodélinde, et malgré son fantôme,
Assurez-vous l'État, et calmez le royaume,
Et livrant l'imposteur à ses mauvais destins,
Otez dès aujourd'hui tout prétexte aux mutins.

GRIMOALD
Oui, je te croirai, duc, et dès demain sa tête
Abattue à mes pieds, calmera la tempête.
Qu'on le fasse venir, et qu'on mande avec lui
Celle qui de sa fourbe est le second appui,
La Reine qui me brave et qui par grandeur d'âme
Semble avoir quelque gêne à se nommer sa femme.

GARIBALDE
Ses pleurs vous toucheront.

GRIMOALD
                    Je suis armé contre eux.

GARIBALDE
L'amour vous séduira.

GRIMOALD
                    Je n'en crains point les feux,
Ils ont peu de pouvoir quand l'âme est résolue.

GARIBALDE
Agissez donc, Seigneur, de puissance absolue,
Soutenez votre sceptre avec l'autorité
Qu'imprime au front des rois leur propre majesté.
Un Roi doit pouvoir tout, et ne sait pas bien l'être   1335
Quand au fond de son cœur il souffre un autre maître.

*Scène IV : Grimoald, Pertharite, Rodélinde,
              Garibalde, Unulphe.*

GRIMOALD
Viens, fourbe, viens, méchant, éprouver ma bonté,
Et ne la réduis pas à la sévérité.
Je veux te faire grâce : avoue et me confesse
D'un si hardi dessein qui t'a fourni l'adresse,   1340
Qui des deux l'a formé, qui t'a le mieux instruit.
Tu m'entends, et surtout fais cesser ce faux bruit,
Détrompe mes sujets, ta prison est ouverte,
Sinon, prépare-toi dès demain à ta perte.
N'y force pas ton prince, et sans plus t'obstiner,   1345
Mérite le pardon qu'il cherche à te donner.

PERTHARITE
Que tu perds lâchement de ruse et d'artifice,
Pour trouver à me perdre une ombre de justice,
Et sauver les dehors d'une adroite vertu
Dont aux yeux éblouis tu parais revêtu!   1350
Le ciel te livre exprès une grande victime,
Pour voir si tu peux être et juste et magnanime,
Mais il ne t'abandonne après tout que son sang :
Tu ne lui peux ôter ni son nom ni son rang.
Je mourrai comme Roi né pour le diadème;   1355
Et bientôt mes sujets, détrompés par toi-même,
Connaîtront par ma mort qu'ils n'adorent en toi
Que de fausses couleurs qui te peignent en Roi.
Hâte donc cette mort, elle t'est nécessaire,
Car puisque enfin tu veux la vérité sincère,   1360
Tout ce qu'entre tes mains je forme de souhaits,
C'est d'affranchir bientôt ces malheureux sujets.
Crains-moi, si je t'échappe, et sois sûr de ta perte,
Si par ton mauvais sort la prison m'est ouverte.
Mon peuple aura des yeux pour connaître son Roi,   1365
Et mettra différence entre un tyran et moi :
Il n'a point de fureur que soudain je n'excite.
    Voilà, dedans tes fers, l'espoir de Pertharite,
Voilà des vérités qu'il ne peut déguiser,
Et l'aveu qu'il te faut pour te désabuser.   1370

RODÉLINDE
Veux-tu pour t'éclaircir de plus illustres marques,
Veux-tu mieux voir le sang de nos premiers monarques?
Ce grand cœur...

GRIMOALD
              Oui, Madame, il est fort bien instruit
A montrer de l'orgueil et fourber à grand bruit.
Mais si par son aveu la fourbe reconnue   1375
Ne détrompe aujourd'hui la populace émue,
Qu'il prépare sa tête, et vous-même en ce lieu
Ne pensez qu'à lui dire un éternel adieu.

Laissons-les seuls, Unulphe, et demeure à la porte.
1380 Qu'avant que je l'ordonne aucun n'entre ni sorte.

Scène V: Pertharite, Rodélinde.

PERTHARITE

Madame, vous voyez où l'amour m'a conduit.
J'ai su que de ma mort il courait un faux bruit,
Des désirs du tyran j'ai su la violence,
J'en ai craint sur ce bruit la dernière insolence,
1385 Et n'ai pu faire moins que de tout exposer,
Pour vous revoir encore et vous désabuser.
J'ai laissé hasarder à cette digne envie
Les restes languissants d'une importune vie,
A qui l'ennui mortel d'être éloigné de vous
1390 Semblait à tous moments porter les derniers coups;
Car, je vous l'avouerai, dans l'état déplorable
Où m'abîme du sort la haine impitoyable
Où tous mes alliés me refusent leurs bras,
Mon plus cuisant chagrin est de ne vous voir pas.
1395 Je bénis mon destin, quelques maux qu'il m'envoie,
Puisqu'il peut consentir à ce moment de joie,
Et bien qu'il ose encor de nouveau me trahir,
En un moment si doux je ne le puis haïr.

RODÉLINDE

C'est donc trop peu, Seigneur, pour mon âme affligée,
1400 De toute la misère où je me vois plongée,
C'était peu des rigueurs de ma captivité,
Sans celle où votre amour vous a précipité,
Et pour dernier outrage où son excès m'expose,
Il faut vous voir mourir et m'en savoir la cause!
1405 Je ne vous dirai point que ce moment m'est doux.
Il met à trop haut prix ce qu'il me rend de vous,
Et votre souvenir m'aurait bien su défendre
De tout ce qu'un tyran aurait osé prétendre.
N'attendez point de moi de soupirs ni de pleurs,
1410 Ce sont amusements de légères douleurs.
L'amour que j'ai pour vous hait ces molles bassesses
Où d'un sexe craintif descendent les faiblesses,
Et contre vos malheurs j'ai trop su m'affermir,
Pour ne dédaigner pas l'usage de gémir.
1415 D'un déplaisir si grand la noble violence
Se résout tout entière en ardeur de vengeance,
Et méprisant l'éclat, porte tout son effort
A sauver votre vie, ou venger votre mort.
Je ferai l'un ou l'autre, ou périrai moi-même.

PERTHARITE

1420 Aimez plutôt, Madame, un vainqueur qui vous aime.
Vous avez assez fait pour moi, pour votre honneur.
Il est temps de tourner du côté du bonheur,
De ne plus embrasser des destins trop sévères,
Et de laisser finir mes jours et vos misères.
1425 Le ciel, qui vous destine à régner en ces lieux,
M'accorde au moins le bien de mourir à vos yeux.
J'aime à lui voir briser une importune chaîne
De qui les nœuds rompus vous font heureuse Reine,
Et sous votre destin je veux bien succomber,
1430 Pour remettre en vos mains ce que j'en fis tomber.

RODÉLINDE

Est-ce là donc, Seigneur, la digne récompense

De ce que pour votre ombre on m'a vu de constance?
Quand je vous ai cru mort, et qu'un si grand vainqueur,
Sa conquête à mes pieds, m'a demandé mon cœur,
Quand toute autre en ma place eût peut-être fait gloire
De cet hommage entier de toute sa victoire...

PERTHARITE

Je sais que vous avez dignement combattu :
Le ciel va couronner aussi votre vertu.
Il va vous affranchir de cette inquiétude
Que pouvait de ma mort former l'incertitude,
Et vous mettre sans trouble en pleine liberté
De monter au plus haut de la félicité.

RODÉLINDE

Que dis-tu, cher époux?

PERTHARITE

                    Que je vois sans murmure
Naître votre bonheur de ma triste aventure.
L'amour me ramenait, sans pouvoir rien pour vous,
Que vous envelopper dans l'exil d'un époux,
Vous dérober sans bruit à cette ardeur infâme
Où s'opposent ma vie et le nom de ma femme.
Pour changer avec gloire, il vous faut mon trépas,
Et s'il vous faut régner, je ne le perdrai pas.
Après tant de malheurs que mon amour vous cause,
Il est temps que ma mort vous serve à quelque chose,
Et qu'un victorieux à vos pieds abattu
Cesse de renoncer à toute sa vertu.
D'un conquérant si grand et d'un héros si rare
Vous faites trop longtemps un tyran, un barbare;
Il l'est, mais seulement pour vaincre vos refus.
Soyez à lui, Madame, il ne le sera plus,
Et je tiendrai ma vie heureusement perdue,
Puisque...

RODÉLINDE

            N'achève point un discours qui me tue,
Et ne me force point à mourir de douleur,
Avant qu'avoir pu rompre ou venger ton malheur.
Moi qui l'ai dédaigné dans son char de victoire,
Couronné de vertus encor plus que de gloire,
Magnanime, vaillant, juste, bon, généreux,
Pour m'attacher à l'ombre, au nom d'un malheureux,
Je pourrais à ta vue, aux dépens de ta vie,
Épouser d'un tyran l'horreur et l'infamie,
Et trahir mon bonheur, ma naissance, mon rang,
Pour baiser une main fumante de ton sang;
Ah! tu me connais mieux, cher époux.

PERTHARITE

                                    Non, Madame,
Il ne faut point souffrir ce scrupule en votre âme.
Quand ces devoirs communs ont d'importunes lois,
La majesté du trône en dispense les rois :
Leur gloire est au-dessus des règles ordinaires,
Et cet honneur n'est beau que pour les cœurs vulgaires.
Sitôt qu'un Roi vaincu tombe aux mains du vainqueur,
Il a trop mérité la dernière rigueur.
Ma mort pour Grimoald ne peut avoir de crime :
Le soin de s'affermir lui rend tout légitime.
Quand j'aurai dans ses fers cessé de respirer,
Donnez-lui votre main sans rien considérer,
Épargnez les efforts d'une impuissante haine,

Et permettez au ciel de vous faire encor Reine.

RODÉLINDE

85 Épargnez-moi, Seigneur, ce cruel sentiment,
Vous qui savez...

Scène VI: Pertharite, Rodélinde, Unulphe.

UNULPHE

     Madame, achevez promptement :
Le Roi, de plus en plus se rendant intraitable,
Mande vers lui ce Prince, ou faux, ou véritable.

PERTHARITE

Adieu, puisqu'il le faut, et croyez qu'un époux
0 A tous les sentiments qu'il doit avoir de vous.
Il voit tout votre amour, et tout votre mérite,
Et mourant sans regret, à regret il vous quitte.

RODÉLINDE

Adieu, puisqu'on m'y force, et recevez ma foi
Que l'on me verra digne et de vous et de moi.

PERTHARITE

5 Ne vous exposez point au même précipice.

RODÉLINDE

Le ciel hait les tyrans, et nous fera justice.

PERTHARITE

Hélas! s'il était juste, il vous aurait donné
Un plus puissant monarque, ou moins infortuné.

ACTE CINQUIÈME

Scène I: Unulphe, Édüige.

ÉDUIGE

Quoi? Grimoald s'obstine à perdre ainsi mon frère!
D'imposture et de fourbe il traite sa misère,
Et feignant de me rendre et son cœur et sa foi,
Il n'a point d'yeux pour lui ni d'oreilles pour moi!

UNULPHE

Madame, n'accusez que le duc qui l'obsède :
Le mal, s'il en est cru, deviendra sans remède,
Et si le Roi suivait ses conseils violents,
Vous n'en verriez déjà que des effets sanglants.

ÉDUIGE

Jadis pour Grimoald il quitta Pertharite,
Et s'il le laisse vivre, il craint ce qu'il mérite.

UNULPHE

Ajoutez qu'il vous aime, et veut par tous moyens
Rattacher ce vainqueur à ses derniers liens,
Que Rodélinde à lui, par amour ou par force,
Assure entre vous deux un éternel divorce,
Et s'il peut une fois jusque-là l'irriter,
Par force ou par amour il croit vous emporter.
Mais vous n'avez, Madame, aucun sujet de crainte.
Ce héros est à vous sans réserve et sans feinte,
Et...

ÉDUIGE

S'il quitte sans feinte un objet si chéri,
Sans doute au fond de l'âme il connaît son mari.
Mais s'il le connaissait, en dépit de ce traître,
Qui pourrait l'empêcher de le faire paraître?

UNULPHE

Sur le trône conquis il craint quelque attentat,
Et ne le méconnaît que par raison d'État.
C'est un aveuglement qu'il a cru nécessaire,
Et comme Garibalde animait sa colère,
De ses mauvais conseils sans cesse combattu,   1525
Il donnait lieu de craindre enfin pour sa vertu.
Mais, Madame, il n'est plus en état de le croire.
Je n'ai pu voir longtemps ce péril pour sa gloire.
Quelque fruit que le duc espère en recueillir,
Je viens d'ôter au Roi les moyens de faillir :   1530
Pertharite, en un mot, n'est plus en sa puissance.
Mais ne présumez pas que j'aye eu l'imprudence
De laisser à sa fuite un libre et plein pouvoir
De se montrer au peuple et d'oser l'émouvoir.
Pour fuir en sûreté, je lui prête main-forte,   1535
Ou plutôt je lui donne une fidèle escorte,
Qui sous cette couleur de lui servir d'appui,
Le met hors du royaume, et me répond de lui.
J'empêche ainsi le duc d'achever son ouvrage,
Et j'en donne à mon Roi ma tête pour otage.   1540
Votre bonté, Madame, en prendra quelque soin.

ÉDUIGE

Oui, je serai pour toi criminelle au besoin :
Je prendrai, s'il le faut, sur moi toute la faute.

UNULPHE

Ou je connais fort mal une vertu si haute,
Ou, s'il revient à soi, lui-même tout ravi   1545
M'avouera le premier que je l'ai bien servi.

Scène II: Grimoald, Édüige, Unulphe.

GRIMOALD

Que voulez-vous enfin, Madame, que j'espère?
Qu'ordonnez-vous de moi?

ÉDUIGE

     Que fais-tu de mon frère?
Qu'ordonnes-tu de lui? prononce ton arrêt.

GRIMOALD

Toujours d'un imposteur prendrez-vous l'intérêt?   1550

ÉDUIGE

Veux-tu suivre toujours le conseil tyrannique
D'un traître qui te livre à la haine publique?

GRIMOALD

Qu'en faveur de ce fourbe à tort vous m'accusez!
Je vous offre sa grâce, et vous la refusez.

ÉDUIGE

Cette offre est un supplice aux princes qu'on opprime.   1555
Il ne faut point de grâce à qui se voit sans crime,
Et tes yeux, malgré moi ne te font pas voir
Que c'est à lui d'en faire, et non d'en recevoir.
Ne t'obstine donc plus à t'aveugler toi-même.
Sois tel que je t'aimais, si tu veux que je t'aime,   1560
Sois tel que tu parus quand tu conquis Milan :
J'aime encor son vainqueur, mais non pas son tyran.
Rends-toi cette vertu pleine, haute, sincère,
Qui t'affermit si bien au trône de mon frère,
Rends-lui du moins son nom, si tu me rends ton cœur.   1565
Qui peut feindre pour lui peut feindre pour la sœur,
Et tu ne vois en moi qu'une amante incrédule,

Quand je vois qu'avec lui ton âme dissimule.
Quitte, quitte en vrai Roi les vertus des tyrans,
1570 Et ne me cache plus un cœur que tu me rends.
GRIMOALD
Lisez-y donc vous-même : il est à vous, Madame ;
Vous en voyez le trouble aussi bien que la flamme.
Sans plus me demander ce que vous connaissez,
De grâce, croyez-en tout ce que vous pensez.
1575 C'est redoubler ensemble et mes maux et ma honte
Que de forcer ma bouche à vous en rendre conte.
Quand je n'aurais point d'yeux, chacun en a pour moi.
Garibalde lui seul a méconnu son Roi,
Et par un intérêt qu'aisément je devine,
1580 Ce lâche, tant qu'il peut, par ma main l'assassine.
Mais que plutôt le ciel me foudroie à vos yeux,
Que je songe à répandre un sang si précieux !
    Madame, cependant mettez-vous en ma place :
Si je le reconnais, que faut-il que j'en fasse ?
1585 Le tenir dans les fers avec le nom de Roi,
C'est soulever pour lui ses peuples contre moi.
Le mettre en liberté, c'est le mettre à leur tête,
Et moi-même hâter l'orage qui s'apprête.
Puis-je m'assurer d'eux et souffrir son retour,
1590 Puis-je occuper son trône et le voir dans ma cour ?
Un Roi, quoique vaincu, garde son caractère :
Aux fidèles sujets sa vue est toujours chère,
Au moment qu'il paraît, les plus grands conquérants,
Pour vertueux qu'ils soient, ne sont que des tyrans,
1595 Et dans le fond des cœurs sa présence fait naître
Un mouvement secret qui les rend à leur maître.
    Ainsi mon mauvais sort a de quoi me punir
Et de le délivrer et de le retenir.
Je vois dans mes prisons sa personne enfermée
1600 Plus à craindre pour moi qu'en tête d'une armée.
Là, mon bras animé de toute ma valeur
Chercherait avec gloire à lui percer le cœur.
Mais, ici sans défense, hélas ! qu'en puis-je faire ?
Si je pense régner, sa mort m'est nécessaire ;
1605 Mais soudain ma vertu s'arme si bien pour lui,
Qu'en mille bataillons il aurait moins d'appui.
Pour conserver sa vie et m'assurer l'empire,
Je fais ce que je puis à le faire dédire :
Des plus cruels tyrans j'emprunte le courroux
1610 Pour tirer cet aveu de la Reine ou de vous ;
Mais partout je perds temps, partout même constance
Rend à tous mes efforts pareille résistance.
Encor s'il ne fallait qu'éteindre ou dédaigner
En des troubles si grands la douceur de régner,
1615 Et que pour vous aimer et ne vous point déplaire
Ce grand titre de Roi ne fût pas nécessaire,
Je me vaincrais moi-même, et lui rendant l'État,
Je mettrais ma vertu dans son plus haut éclat.
Mais je vous perds, Madame, en quittant la couronne :
1620 Puisqu'il vous faut un Roi, c'est vous que j'abandonne,
Et dans ce cœur tout plein de vos yeux combattu
Tout mon amour s'oppose à toute ma vertu.
    Vous pour qui je m'aveugle avec tant de lumières,
Si vous êtes sensible encore à mes prières,
1625 Daignez servir de guide à mon aveuglement,
Et faites le destin d'un frère et d'un amant.

Mon amour de tous deux vous fait la souveraine :
Ordonnez-en vous-même, et prononcez en Reine.
Je périrai content, et tout me sera doux,
Pourvu que vous croyiez que je suis tout à vous.
ÉDUIGE
Que tu me connais mal, si tu connais mon frère !
Tu crois donc qu'à ce point la couronne m'est chère,
Que j'ose mépriser un comte généreux
Pour m'attacher au sort d'un tyran trop heureux ?
Aime-moi si tu veux, mais crois-moi magnanime,
Avec tout cet amour garde-moi ton estime,
Crois-moi quelque tendresse encor pour mon vrai sang,
Qu'une haute vertu me plaît mieux qu'un haut rang,
Et que vers Gundebert je crois ton serment quitte,
Quand tu n'aurais qu'un jour régné pour Pertharite.
Milan, qui l'a vu fuir, et t'a nommé son Roi,
De la haine d'un mort a dégagé ma foi.
A présent je suis libre, et comme vraie amante
Je secours malgré moi ta vertu chancelante,
Et dérobe mon frère à ta soif de régner,
Avant que tout ton cœur s'en soit laissé gagner.
Oui, j'ai brisé ses fers, j'ai corrompu ses gardes,
J'ai mis en sûreté tout ce que tu hasardes.
Il fuit, et tu n'as plus à traiter d'imposteur
De tes troubles secrets le redoutable auteur.
Il fuit, et tu n'as plus à craindre de tempête.
Secourant ta vertu, j'assure ta conquête,
Et les soins que j'ai pris... Mais la Reine survient.

Scène III : Grimoald, Rodélinde,
Éduige, Unulphe.

GRIMOALD, *à Rodélinde.*
Que tardez-vous, Madame, et quel soin vous retient ?
Suivez de votre époux le nom, ou l'image.
De ceux qui m'ont trahi croissez l'indigne nombre,
Et délivrez mes yeux, trop aisés à charmer,
Du péril de vous voir et de vous trop aimer.
Suivez : votre captif [24] ne vous tient plus captive.
RODÉLINDE
Rends-le moi donc, tyran, afin que je le suive.
A quelle indigne feinte oses-tu recourir,
De m'ouvrir sa prison quand tu l'as fait mourir !
Lâche, présumes-tu qu'un faux bruit de sa fuite
Cache de tes fureurs la barbare conduite ?
Crois-tu qu'on n'ait point d'yeux pour voir ce que tu fais,
Et jusque dans ton cœur découvrir tes forfaits. [*fais*,*
ÉDUIGE
Madame...
RODÉLINDE
        Eh bien ! Madame, êtes-vous sa complice ?
Vous chargez-vous pour lui de toute l'injustice,
Et sa main qu'il vous tend vous plaît-elle à ce prix ?
ÉDUIGE
Vous la vouliez tantôt teinte du sang d'un fils,
Et je puis l'accepter teinte du sang d'un frère,
Si je veux être sœur comme vous étiez mère.

24. Fâcheuse « pointe ». Le premier *captif* est pris au sens d'amoureux, le second au sens propre.

RODÉLINDE

Ne me reprochez point une juste fureur
Où des feux d'un tyran me réduisait l'horreur,
Et puisque de sa foi vous êtes ressaisie,
Faites cesser l'aigreur de votre jalousie.

ÉDUIGE

Ne me reprochez point des sentiments jaloux,
Quand je hais les tyrans autant ou plus que vous.

RODÉLINDE

Vous pouvez les haïr quand Grimoald vous aime !

ÉDUIGE

J'aime en lui sa vertu plus que son diadème,
Et voyant quels motifs le font encor agir,
Je ne vois rien en lui qui me fasse rougir.

RODÉLINDE, à Grimoald.

Rougis-en donc toi seul, toi qui caches ton crime,
Qui t'immolant un Roi, dérobes ta victime,
Et d'un grand ennemi déguisant tout le sort,
Le fait fourbe en sa vie et fuir après sa mort.
De tes fausses vertus les brillantes pratiques
N'élevaient que pour toi ces tombeaux magnifiques :
C'étaient de vains éclats de générosité,
Pour rehausser ta gloire avec impunité.
Tu n'accablais son nom de tant d'honneurs funèbres
Que pour ensevelir sa mort dans les ténèbres,
Et lui tendre avec pompe un piège illustre et beau,
Pour le priver un jour des honneurs du tombeau.
Soûle-toi de son sang, mais rends-moi ce qui reste,
Attendant ma vengeance, ou le courroux céleste,
Que je puisse...

GRIMOALD, à Édüige.

Ah ! Madame, où me réduisez-vous
Pour un fourbe qu'elle aime à nommer son époux ?
Votre pitié ne sert qu'à me couvrir de honte,
Si quand vous me l'ôtez, il m'en faut rendre conte,
Et si la cruauté de mon triste destin
De ce que vous sauvez me nomme l'assassin.

UNULPHE

Seigneur, je crois savoir la route qu'il a prise,
Et si Sa Majesté veut que je l'y conduise,
Au péril de ma tête en moins d'une heure ou deux,
Je m'offre de la rendre à l'objet de ses vœux.
Allons, allons, Madame, et souffrez que je tâche...

RODÉLINDE, à Unulphe.

O d'un lâche tyran ministre encor plus lâche,
Qui sous un faux semblant d'un peu d'humanité
Penses contre mes pleurs faire sa sûreté !
Que ne dis-tu plutôt que ses justes alarmes
Aux yeux des bons sujets veulent cacher mes larmes,
Qu'il lui faut me bannir, de crainte que mes cris
Du peuple et de la cour émeuvent les esprits ?
Traître, si tu n'étais de son intelligence,
Pourrait-il refuser ta tête à sa vengeance ?
Que devient, Grimoald, que devient ton courroux ?
Tes ordres en sa garde avaient mis mon époux.
Il a brisé ses fers, il sait où va sa fuite.
Si je le veux rejoindre, il s'offre à ma conduite,
Et quand son sang devrait te répondre du sien,
Il te voit, il te parle, et n'appréhende rien !

GRIMOALD, à Rodélinde.

Quand ce qu'il fait pour vous hasarderait ma vie,
Je ne puis le punir de vous avoir servie.
Si j'avais cependant quelque peur que vos cris   1725
De la cour et du peuple émussent les esprits,
Sans vous prier de fuir pour finir mes alarmes,
J'aurais trop de moyens de leur cacher vos larmes.
Mais vous êtes, Madame, en pleine liberté.
Vous pouvez faire agir toute votre fierté,   1730
Porter dans tous les cœurs ce qui règne en votre âme,
Le vainqueur du mari ne peut craindre la femme.
Mais que veut ce soldat ?

Scène IV : Grimoald, Rodélinde, Edüige,
Unulphe, soldat.

SOLDAT

Vous avertir, Seigneur,
D'un grand malheur ensemble et d'un rare bonheur.
Garibalde n'est plus, et l'imposteur infâme   1735
Qui tranche ici du Roi lui vient d'arracher l'âme,
Mais ce même imposteur est en votre pouvoir.

GRIMOALD

Que dis-tu, malheureux ?

SOLDAT

Ce que vous allez voir.

GRIMOALD

O ciel ! en quel état ma fortune est réduite,
S'il m'est pas permis de jouir de sa fuite !   1740
Faut-il que de nouveau mon cœur embarrassé
Ne puisse... Mais dis-nous comment tout s'est passé.

SOLDAT

Le duc, ayant appris quelles intelligences
Dérobaient un tel fourbe à vos justes vengeances,
L'attendait à main-forte, et lui fermant le pas :   1745
« A lui seul, nous dit-il, mais ne le blessons pas.
Réservons tout son sang aux rigueurs des supplices,
Et laissons par leur fuir ses lâches complices. »
Ceux qui le conduisaient, du grand nombre étonnés,
Et par mes compagnons soudain environnés,   1750
Acceptent la plupart ce qu'on leur facilite,
Et s'écartent sans bruit de ce faux Pertharite.
Lui, que l'ordre reçu nous forçait d'épargner
Jusqu'à baisser l'épée, et le trop dédaigner,
S'ouvre en son désespoir parmi nous un passage,   1755
Jusque sur notre chef pousse toute sa rage,
Et lui plonge trois fois un poignard dans le sein,
Avant qu'aucun de nous ait pu voir son dessein.
Nos bras étaient levés pour l'en punir sur l'heure,
Mais le duc par nos mains ne consent pas qu'il meure, 1760
Et son dernier soupir est un ordre nouveau
De garder tout son sang à celle d'un bourreau.
Ainsi ce fugitif retombe dans sa chaîne,
Et vous pouvez, Seigneur, ordonner de sa peine :
Le voici.

GRIMOALD

Quel combat pour la seconde fois !   1765

Scène V : Pertharite, Grimoald, Rodélinde,
Édüige, Unulphe, soldats.

PERTHARITE

Tu me revois, tyran qui méconnais les rois,
Et j'ai payé pour toi d'un si rare service
Celui qui rend ma tête à ta fausse justice.
Pleure, pleure ce bras qui t'a si bien servi,
1770 Pleure ce bon sujet que le mien t'a ravi,
Hâte-toi de venger ce ministre fidèle,
C'est toi qu'à sa vengeance en mourant il appelle.
Signale ton amour, et parais aujourd'hui,
S'il fut digne de toi, plus digne encor de lui.
1775 Mais cesse désormais de traiter d'imposture
Les traits que sur mon front imprime la nature.
Milan m'a vu passer, et partout en passant
J'ai vu couler ses pleurs pour son prince impuissant :
Tu lui déguiserais en vain ta tyrannie.
1780 Pousses-en jusqu'au bout l'insolente manie,
Et quoi que ta fureur te prescrive pour moi,
Ordonne de mes jours comme de ceux d'un Roi.

GRIMOALD

Oui, tu l'es en effet, et j'ai su te connaître,
Dès le premier moment que je t'ai vu paraître.
1785 Si j'ai fermé les yeux, si j'ai voulu gauchir,
Des maximes d'État j'ai voulu t'affranchir,
Et ne voir pas ma gloire indignement trahie
Par la nécessité de m'immoler ta vie.
De cet aveuglement les soins mystérieux
1790 Empruntaient les dehors d'un tyran furieux,
Et forçaient ma vertu d'en souffrir l'artifice,
Pour t'arracher ton nom par l'effroi du supplice.
Mais mon dessein n'était que de t'intimider,
Ou d'obliger quelqu'un à te faire évader.
1795 Unulphe a bien compris en serviteur fidèle,
Ce que ma violence attendait de son zèle,
Mais un traître pressé par d'autres intérêts
A rompu tout l'effet de mes désirs secrets.
Ta main, grâces au ciel, nous en a fait justice.
1800 Cependant ton retour m'est un nouveau supplice,
Car enfin que veux-tu que je fasse de toi?
Puis-je porter ton sceptre et te traiter de Roi?
Ton peuple qui t'aimait, pourra-t-il te connaître,
Et souffrir à tes yeux les lois d'un autre maître,
1805 Toi-même pourras-tu, sans entreprendre rien,
Me voir jusqu'au trépas possesseur de ton bien?
Pourras-tu négliger l'occasion offerte,
Et refuser ta main ou ton ordre à ma perte?
Si tu n'étais qu'un lâche, on aurait quelque espoir
1810 Qu'enfin tu pourrais vivre, et ne rien émouvoir.
Mais qui me croit tyran, et hautement me brave,
Quelque faible qu'il soit, n'a point le cœur d'esclave,
Et montre une grande âme au-dessus du malheur,
Qui manque de fortune, et non pas de valeur.
Je vois donc malgré moi ma victoire asservie
A te rendre le sceptre, ou prendre encor ta vie,
Et plus l'ambition trouble ce grand effort,
Plus ceux de ma vertu me refusent ta mort.
Mais c'est trop retenir ma vertu prisonnière :
Je lui dois comme à toi liberté toute entière,
Et mon ambition a beau s'en indigner,
Cette vertu triomphe, et tu t'en vas régner.
Milan, revois ton prince, et reprends ton vrai maître,
Qu'en vain pour t'aveugler j'ai voulu méconnaître,
Et vous que d'imposteur à regret j'ai traité...

PERTHARITE

Ah! c'est porter trop loin la générosité.
Rendez-moi Rodélinde, et gardez ma couronne,
Que pour sa liberté sans regret j'abandonne :
Avec ce cher objet tout destin m'est trop doux.

GRIMOALD

Rodélinde et Milan et mon cœur sont à vous,
Et je vous remettrais toute la Lombardie,
Si comme dans Milan je régnais dans Pavie.
Mais vous n'ignorez pas, Seigneur, que le feu Roi
En fit Reine Édüige, et lui donnant ma foi,
Je promis...

ÉDUIGE, à Grimoald.

Si ta foi t'oblige à la défendre,
Ton exemple m'oblige encor plus à la rendre,
Et je mériterais un nouveau changement,
Si mon cœur n'égalait celui de mon amant.

PERTHARITE, à Édüige.

Son exemple, ma sœur, en vain vous y convie.
Avec ce grand héros je vous laisse Pavie,
Et me croirais moi-même aujourd'hui malheureux,
Si je voyais sans sceptre un bras si généreux.

RODÉLINDE, à Grimoald.

Pardonnez si ma haine a trop cru l'apparence :
Je présumais beaucoup de votre violence,
Mais je n'aurais osé, Seigneur, en présumer
Que vous m'eussiez forcée enfin à vous aimer.

GRIMOALD, à Rodélinde.

Vous m'avez outragé sans me faire injustice.

RODÉLINDE

Qu'une amitié si ferme aujourd'hui nous unisse,
Que l'un et l'autre État en admire les nœuds,
Et doute avec raison qui règne de vous deux.

PERTHARITE

Pour en faire admirer la chaîne fortunée,
Allons mettre en éclat cette grande journée,
Et montrer à ce peuple, heureusement surpris,
Que des hautes vertus la gloire est le seul prix.

ŒDIPE
TRAGÉDIE

On comprend mal Œdipe si l'on considère le silence de Corneille durant sept ans comme une rupture avec sa production antérieure. Un modèle aussi illustre que l'Œdipe de Sophocle gêne en outre l'interprétation: il est des chefs-d'œuvre qu'on ne refait pas, et ce fut l'erreur de Corneille quand Fouquet le décida à revenir au théâtre. Œdipe est d'abord une pièce politique, sur le thème de l'usurpateur, comme Pertharite. Le chrétien Corneille entend d'autre part, en pleine querelle du jansénisme, protester contre cette fatalité effrayante, et il insère un long développement sur le libre arbitre. Il va donc transformer Œdipe de victime en coupable. Le thème de l'inceste est soigneusement rejeté au second plan. Il donne par contraste à la très cornélienne Dircé « seule héritière de sa couronne » (Au lecteur) un rôle central. Il exténue toute l'horreur de la tragédie grecque, qui atteignait si bien le but qu'elle se fixait: terreur et pitié. Ainsi Corneille refuse un impossible parallèle avec ses modèles, Sophocle et Sénèque: « Comme j'ai pris une autre route que la leur, il m'a été impossible de me rencontrer avec eux. »

L'Hôtel de Bourgogne monta la pièce [1]. La ville et la Cour firent un grand succès à Œdipe et à Floridor, dans la plénitude de son talent. Après les libéralités de Fouquet, le roi donne à Corneille « de véritables et solides marques de son approbation » (Au lecteur). Corneille était regagné au théâtre pour quinze ans. La joie éclate dans la lettre qu'il adresse de Rouen à son ami, l'abbé de Pure, en même temps qu'un exemplaire de la pièce. Deux ans plus tard, Somaize puise dans les vers du « Criminel innocent » de « Théocrite l'aîné », (= l'Œdipe de Corneille), des exemples pour justifier les images de la langue des précieuses, ce qui réjouit d'Aubignac dans sa rancune tenace contre Corneille. Dans sa Troisième dissertation... (1663), il prétend ne reconnaître plus la belle langue noble des chefs-d'œuvre d'antan. Il va de soi que, quoi qu'on pense du sujet, c'est le dernier point par où attaquer Corneille. Œdipe est d'une facture typiquement cornélienne, qui ne marque ni fléchissement ni dangereuse innovation linguistique.

VERS PRÉSENTÉS A MONSEIGNEUR
LE PROCUREUR GÉNÉRAL FOUQUET
SURINTENDANT DES FINANCES [2]

Laisse aller ton essor jusqu'à ce grand génie
Qui te rappelle au jour dont les ans t'ont bannie,
Muse, et n'oppose plus un silence obstiné
A l'ordre surprenant que sa main t'a donné.
De ton âge importun la timide faiblesse
A trop et trop longtemps déguisé ta paresse,
Et fourni de couleurs à la raison d'État

1. Le 24 janvier 1659. Privilège : 10 février 1659. Achevé d'imprimer : 26 mars 1659.
2. Nicolas Fouquet (1615-1680), robin devenu, grâce à Mazarin, surintendant en 1653, type de parvenu intelligent qui paya de vingt ans de prison, plutôt que des combinaisons financières qui n'avaient rien que d'ordinaire en son temps, un faste de nouveau riche et une candide vanité, qui fit sourciller le jeune Louis XIV, en visite au château de Vaux-le-Vicomte. Corneille a conté dans l'*Avertissement au lecteur* la crise du mécénat après la Fronde. Ce fut au début un peu l'œuvre du hasard. Fouquet s'adjoignit en 1653, comme premier commis, c'est-à-dire comme factotum, Pellisson, qui fit bénéficier des libéralités du financier toute la gent littéraire. Les habiles amuseurs, comme Boisrobert ou Scarron, une fois en place, tentèrent de limiter le nombre des protégés et virent d'un œil chagrin arriver Molière et les Corneille.

Qui mutine ton cœur contre le siècle ingrat,
L'ennui de voir toujours ses louanges frivoles
Rendre à tes longs travaux paroles pour paroles,
Et le stérile honneur d'un éloge impuissant
Terminer son accueil le plus reconnaissant.
Ce légitime ennui qu'au fond de l'âme excite
L'excusable fierté d'un peu de vrai mérite,
Par un juste dégoût ou par ressentiment,
Lui pouvait de tes vers envier l'agrément.
Mais aujourd'hui qu'on voit un héros magnanime
Témoigner pour ton nom une toute autre estime,
Et répandre l'éclat de sa propre bonté
Sur l'endurcissement de ton oisiveté,
Il te serait honteux d'affermir ton silence
Contre une si pressante et douce violence,
Et tu ferais un crime à lui dissimuler
Que ce qu'il fait pour toi te condamne à parler.
Oui, généreux appui de tout notre Parnasse,
Tu me rends ma vigueur lorsque tu me fais grâce,
Et je veux bien apprendre à tout notre avenir
Que tes regards bénins ont su me rajeunir.
Je m'élève sans crainte avec de si bons guides :
Depuis que je t'ai vu, je ne vois plus mes rides,
Et plein d'une plus claire et noble vision,
Je prends mes cheveux gris pour cette illusion.

565

Je sens le même feu, je sens la même audace,
Qui fit plaindre le Cid, qui fit combattre Horace,
Et je me trouve encor la main qui crayonna
L'âme du grand Pompée et l'esprit de Cinna.
Choisis-moi seulement quelque nom dans l'histoire
Pour qui tu veuilles place au temple de la Gloire,
Quelque nom favori qu'il te plaise arracher
A la nuit de la tombe, aux cendres du bûcher.
Soit qu'il faille ternir ceux d'Enée et d'Achille
Par un noble attentat sur Homère et Virgile,
Soit qu'il faille obscurcir par un dernier effort
Ceux que j'ai sur la scène affranchis de la mort :
Tu me verras le même, et je te ferai dire,
Si jamais pleinement ta grande âme m'inspire,
Que dix lustres et plus n'ont pas tout emporté
Cet assemblage heureux de force et de clarté,
Ces prestiges secrets de l'aimable imposture
Qu'à l'envi m'ont prêtée et l'art et la nature.
N'attends pas toutefois que j'ose m'enhardir
Ou jusqu'à te dépeindre, ou jusqu'à t'applaudir :
Ce serait présumer que d'une seule vue
J'aurais vu de ton cœur la plus vaste étendue,
Qu'un moment suffirait à mes débiles yeux
Pour démêler en toi ces dons brillants des cieux
De qui l'inépuisable et perçante lumière,
Sitôt que tu parais, fait baisser la paupière.
J'ai déjà vu beaucoup en ce moment heureux :
Je t'ai vu magnanime, affable, généreux,
Et ce qu'on voit à peine après dix ans d'excuses,
Je t'ai vu tout d'un coup libéral pour les Muses.
Mais pour te voir entier, il faudrait un loisir
Que tes délassements daignassent me choisir :
C'est lors que je verrais la saine politique
Soutenir par tes soins la fortune publique,
Ton zèle infatigable à servir ton grand Roi,
Ta force et ta prudence à régir ton emploi;
C'est lors que je verrais ton courage intrépide
Unir la vigilance à la vertu solide;
Je verrais cet illustre et haut discernement
Qui te met au-dessus de tant d'accablement,
Et tout ce dont l'aspect d'un astre salutaire
Pour le bonheur des lis t'a fait dépositaire.
Jusque-là ne crains pas que je gâte un portrait
Dont je ne puis encor tracer qu'un premier trait.
Je dois être témoin de toutes ces merveilles
Avant que d'en permettre une ébauche à mes veilles,
Et ce flatteur espoir fera tous mes plaisirs,
Jusqu'à ce que l'effet succède à mes désirs.
Hâte-toi cependant de rendre un vol sublime
Au génie amorti que ta bonté ranime,
Et dont l'impatience attend pour se borner
Tout ce que tes faveurs lui voudront ORDONNER.

AU LECTEUR

Ce n'est pas sans raison que je fais marcher ces vers à la tête de l'*Œdipe*, puisqu'ils sont cause que je vous donne l'*Œdipe*. Ce fut par eux que je tâchai de témoigner à M. le procureur général quelque sentiment de reconnaissance pour une faveur signalée que j'en venais de recevoir, et bien qu'ils fussent remplis de cette présomption si naturelle à ceux de notre métier, qui manquent rarement d'amour-propre, il me fit cette nouvelle grâce d'accepter les offres qu'ils lui faisaient de ma part, et de me proposer trois sujets pour le théâtre, dont il me laissa le choix. Chacun sait que ce grand ministre n'est pas moins le surintendant des belles-lettres que des finances, que sa maison est aussi ouverte aux gens d'esprit qu'aux gens d'affaires et que soit à Paris, soit à la campagne, c'est dans les bibliothèques[3] qu'on attend ces précieux moments qu'il dérobe aux occupations qui l'accablent, pour en gratifier ceux qui ont quelque talent d'écrire avec succès. Ces vérités sont connues de tout le monde, mais tout le monde ne sait pas que sa bonté s'est étendue jusqu'à ressusciter les muses ensevelies dans un long silence et qui étaient comme mortes au monde, puisque le monde les avait oubliées. C'est donc à moi à le publier après qu'il a daigné m'y faire revivre si avantageusement. Non que de là j'ose prendre l'occasion de faire ses éloges : nos dernières années n'ont produit peu de livres considérables, ou pour la profondeur de la doctrine, ou pour la pompe et la netteté de l'expression, ou pour les agréments et la justesse de l'art, dont les auteurs ne se soient mis sous une protection si glorieuse, et ne lui ayent rendu les hommages que nous devons tous à ce concert éclatant et merveilleux de rares qualités et de vertus extraordinaires qui laissent une admiration continuelle à ceux qui ont le bonheur de l'approcher. Les téméraires efforts que j'y pourrais faire après eux ne serviraient qu'à montrer combien je suis au-dessous d'eux : la matière est inépuisable, mais nos esprits sont bornés, et au lieu de travailler à la gloire de mon protecteur, je ne travaillerais qu'à ma honte. Je me contenterai de vous dire simplement que si le public a reçu quelque satisfaction de ce poème, et s'il en reçoit encore de ceux de cette nature et de ma façon qui pourront le suivre, c'est à lui qu'il en doit imputer le tout, puisque sans ses commandements je n'aurais jamais fait l'*Œdipe*, et que cette tragédie a plu assez au Roi pour lui faire recevoir de véritables et solides marques de son approbation; je veux dire ses libéralités, que j'ose nommer des ordres tacites, mais pressants, de consacrer aux divertissements de Sa Majesté ce que l'âge et les vieux travaux m'ont laissé d'esprit et de vigueur.

Au reste, je ne vous dissimulerai point qu'après avoir arrêté mon choix sur ce sujet, dans la confiance que j'aurais pour moi les suffrages de tous les savants, qui l'ont regardé comme le chef-d'œuvre de l'antiquité, et que les pensées de ces grands génies qui l'ont traité en grec et en latin me faciliteront les moyens d'en venir à bout assez tôt pour le faire représenter dans le carnaval[4], je n'ai pas laissé de trembler quand je l'ai envisagé de près et un peu plus à loisir que je n'avais fait en le choisissant. J'ai reconnu que ce qui avait passé pour miraculeux dans ces siècles éloignés pourrait sembler horrible au nôtre, et que cette éloquente et curieuse description de la manière dont ce malheureux prince se crève les yeux, et le spectacle de ces mêmes yeux crevés, dont le sang lui distille sur le visage, qui occupe tout le cinquième acte chez ces incomparables originaux, ferait soulever la délicatesse de nos dames, qui composent la plus belle partie de notre auditoire, et dont le dégoût attire aisément la censure de ceux qui les accompagnent; et qu'enfin, l'amour n'ayant point

3. A Vaux-le-Vicomte, comme à sa maison de Saint-Mandé, Fouquet avait réuni de splendides bibliothèques : 30 000 volumes à Saint-Mandé, chiffre incroyable pour un particulier à cette date. Les plus belles comptaient 10 000 volumes environ. Compte tenu du nombre des in-folios, il faut, pour une comparaison avec nos modernes bibliothèques, multiplier ce chiffre au moins par six ou sept.
4. La « commande » de Fouquet doit remonter à l'automne 1658. Corneille devança largement la date qu'il s'était fixée puisque la pièce « ouvrage de deux mois », nous dit Corneille, fut jouée en janvier, et avait dû être mise en répétitions dès le début de décembre.

de part dans ce sujet, ni les femmes d'emploi, il était dénué des principaux ornements qui nous gagnent d'ordinaire la voix publique. J'ai tâché de remédier à ces désordres au moins mal que j'ai pu, en épargnant d'un côté à mes auditeurs ce dangereux spectacle, et y ajoutant de l'autre l'heureux épisode des amours de Thésée et de Dircé, que je fais fille de Laïus, et seule héritière de sa couronne, supposé que son frère, qu'on avait exposé aux bêtes sauvages, en eût été dévoré comme on le croyait; j'ai retranché le nombre des oracles, qui pouvait être importun, et donner trop de jour à Œdipe pour se connaître; j'ai rendu la réponse de Laïus, évoqué par Tirésie, assez obscure dans sa clarté pour faire un nouveau nœud, et qui peut-être n'est pas moins beau que celui de nos anciens; j'ai cherché même des raisons pour justifier ce qu'Aristote y trouve sans raison, et qu'il n'excuse que parce qu'il arrive au commencement de la fable; et j'ai fait en sorte qu'Œdipe, encore qu'il se souvienne d'avoir combattu trois hommes au lieu même où fut tué Laïus, et dans le même temps de sa mort, bien loin de s'en croire l'auteur, la croit avoir vengée sur trois brigands à qui le bruit commun l'attribue. Cela m'a fait perdre l'avantage que je m'étais promis de n'être souvent que le traducteur de ces grands hommes qui m'ont précédé. Comme j'ai pris une autre route que la leur, il m'a été impossible de me rencontrer avec eux; mais, en récompense, j'ai eu le bonheur de faire avouer à la plupart de mes auditeurs que je n'ai fait aucune pièce de théâtre où il se trouve tant d'art qu'en celle-ci, bien que ce ne soit qu'un ouvrage de deux mois, que l'impatience française m'a fait précipiter, par un juste empressement d'exécuter les ordres favorables que j'avais reçus.

EXAMEN (1660)

La mauvaise fortune de *Pertharite* m'avait assez dégoûté du théâtre pour m'obliger à faire retraite, et à m'imposer un silence que je garderais encore, si M. le procureur général Fouquet me l'eût permis[5]. Comme il n'était pas moins surintendant des belles-lettres que des finances, je ne pus me défendre des ordres qu'il daigna me donner de mettre sur notre scène un des trois sujets[6] qu'il me proposa. Il m'en laissa le choix, et je m'arrêtai à celui-ci, dont le bonheur me vengea bien de la déroute de l'autre, puisque le Roi s'en satisfit assez pour me faire recevoir des marques solides de son approbation par ses libéralités, que je pris pour des commandements tacites de consacrer aux divertissements de Sa Majesté ce que l'âge et les vieux travaux m'avaient laissé d'esprit et de vigueur.

Je ne déguiserai point qu'après avoir fait le choix de ce sujet, sur cette confiance que j'aurais pour moi les suffrages de tous les savants, qui le regardent encore comme le chef-d'œuvre de l'antiquité, et les pensées de Sophocle et de Sénèque, qui l'ont traité en leurs langues, me faciliteraient les moyens d'en venir à bout, je tremblai quand je l'envisageai de près : je reconnus que ce qui avait passé pour merveilleux en leurs siècles pourrait sembler horrible au nôtre, que cette éloquente et curieuse description de la manière dont ce malheureux prince se crève les yeux, qui occupe tout leur cinquième

acte, ferait soulever la délicatesse de nos dames, dont le dégoût attire aisément celui du reste de l'auditoire, et qu'enfin, l'amour n'ayant point de part en cette tragédie, elle était dénuée des principaux agréments qui sont en possession de gagner la voix publique.

Ces considérations m'ont fait cacher aux yeux un si dangereux spectacle, et introduire l'heureux épisode de Thésée et de Dircé. J'ai retranché le nombre des oracles qui pouvait être importun, et donner à Œdipe trop de soupçon de sa naissance[7]. J'ai rendu la réponse de Laïus, évoqué par Tirésie, assez obscure dans sa clarté apparente pour en faire une fausse application à cette princesse; j'ai rectifié ce qu'Aristote y trouve sans raison, et qu'il n'excuse que parce qu'il arrive avant le commencement de la pièce, et j'ai fait en sorte qu'Œdipe, loin de se croire l'auteur de la mort du Roi son prédécesseur, s'imagine l'avoir vengée sur trois brigands, à qui le bruit commun l'attribue, et ce n'est pas un petit artifice qu'il s'en convainque lui-même lorsqu'il en veut convaincre Phorbas.

Ces changements m'ont fait perdre l'avantage que je m'étais promis, de n'être souvent que le traducteur de ces grands génies qui m'ont précédé. La différente route que j'ai prise m'a empêché de me rencontrer avec eux, et de me parer de leur travail; mais, en récompense, j'ai eu le bonheur de faire avouer qu'il n'est point sorti de pièce de ma main où il se trouve tant d'art qu'en celle-ci. On m'y a fait deux objections : l'une, que Dircé, au troisième acte, manque de respect envers sa mère, ce qui ne peut être une faute de théâtre, puisque nous ne sommes pas obligés de rendre parfaits ceux que nous y faisons voir; outre que cette princesse considère encore tellement ces devoirs de la nature, que bien qu'elle aye lieu de regarder cette mère comme une personne qui s'est emparée d'un trône qui lui appartient, elle lui demande pardon de cette échappée, et la condamne aussi bien que les plus rigoureux de mes juges. L'autre objection regarde la guérison publique, sitôt qu'Œdipe s'est puni. La narration s'en fait par Cléante et par Dymas, et l'on veut qu'il eût pu suffire de l'un des deux pour le faire : à quoi je réponds que ce miracle s'étant fait tout d'un coup, un seul homme n'en pouvait savoir assez tôt tout l'effet, et qu'il a fallu donner à l'un le récit de ce qui s'était passé dans la ville, et à l'autre, de ce qu'il avait vu dans le palais. Je trouve plus à dire à Dircé, qui les écoute, et devrait avoir couru auprès de sa mère, sitôt qu'on lui en a dit la mort; mais on peut répondre que si les devoirs de la nature nous appellent auprès de nos parents quand ils meurent, nous nous retirons d'ordinaire d'auprès d'eux quand ils sont morts, afin de nous épargner ce funeste spectacle, et qu'ainsi Dircé a pu n'avoir aucun empressement de voir sa mère, à qui son secours ne pouvait plus être utile, puisqu'elle était morte : outre que si elle y eût couru, Thésée l'aurait suivie, et il ne me serait demeuré personne pour entendre ces récits. C'est une incommodité de la représentation qui doit faire souffrir quelque manquement à l'exacte vraisemblance. Les anciens avaient leurs chœurs qui ne sortaient point du théâtre, et étaient toujours prêts d'écouter tout ce qu'on leur voulait apprendre, mais cette facilité était compensée par tant d'autres importunités de leur part, que nous ne devons point nous repentir du retranchement que nous en avons fait.

5. Dans l'édition de 1664, trois ans après l'arrestation du surintendant, et au moment où va s'ouvrir son retentissant procès, Corneille maintient le texte de cet *Examen*.

6. On n'en connaît que deux : *Œdipe*, et *Camma*, réalisé par Thomas Corneille, représenté seulement en 1661.

7. Nouvelle attaque contre l'*Œdipe* de Sophocle, au nom de la vraisemblance : le fils de Laïus met en effet bien du temps à reconnaître que c'est lui que visent les oracles successifs.

ACTEURS

ŒDIPE, *roi de Thèbes, fils et mari de Jocaste.*
THÉSÉE, *prince d'Athènes et amant de Dircé* [8].
JOCASTE, *reine de Thèbes, femme
et mère d'Œdipe.*
DIRCÉ, *princesse de Thèbes, fille de Laïus
et de Jocaste, sœur d'Œdipe et
amante de Thésée* [9].
CLÉANTE, DYMAS, *confidents d'Œdipe.*
PHORBAS, *vieillard thébain* [10].
IPHICRATE, *vieillard de Corinthe* [11].
NÉRINE, *dame d'honneur de la Reine.*
MÉGARE, *fille d'honneur de Dircé.*
PAGE.

La scène est à Thèbes.

ACTE PREMIER

Scène I : Thésée, Dircé, Mégare.

THÉSÉE

N'écoutez plus, Madame, une pitié cruelle,
Qui d'un fidèle amant vous ferait un rebelle :
La gloire d'obéir n'a rien qui me soit doux,
Lorsque vous m'ordonnez de m'éloigner de vous.
5 Quelque ravage affreux qu'étale ici la peste,
L'absence aux vrais amants est encor plus funeste,
Et d'un si grand péril l'image s'offre en vain,
Quand ce péril douteux épargne un mal certain.

DIRCÉ

Le trouvez-vous douteux quand toute votre suite
10 Par cet affreux ravage à Phædime est réduite,
De qui même le front déjà pâle et glacé,
Porte empreint le trépas dont il est menacé?
Seigneur, toutes ces morts dont il vous environne
Sont des avis pressants que de grâce il vous donne,
15 Et tant lever le bras avant que de frapper,
C'est vous dire assez haut qu'il est temps d'échapper.

THÉSÉE

Je le vois comme vous, mais alors qu'il m'assiège,
Vous laisse-t-il, Madame, un plus grand privilège?
Ce palais par la peste est-il plus respecté
20 Et l'air auprès du trône est-il moins infecté?

DIRCÉ

Ah! Seigneur, quand l'amour tient une âme alarmée,
Il l'attache aux périls de la personne aimée.
Je vois aux pieds du Roi chaque jour des mourants,
J'y vois tomber du ciel les oiseaux expirants,
25 Je me vois exposée à ces vastes misères,
J'y vois mes sœurs, la Reine, et les princes mes frères :

---

8. Le personnage de Thésée, très différent de celui de Corneille, figure dans *Œdipe à Colone.*
9. Il y eut bien, à une autre époque, une Dircé reine de Thèbes qui épousa un Lycus auquel Corneille fait allusion au vers 1411.
10. Phorbas vient de l'*Œdipe* de Sénèque.
11. Désignation trop vague : il est en réalité « chef du Conseil ».

Je sais qu'en ce moment je puis les perdre tous,
Et mon cœur toutefois ne tremble que pour vous,
Tant de cette frayeur les profondes atteintes
Repoussent fortement toutes les autres craintes!

THÉSÉE

Souffrez donc que l'amour me fasse même loi,
Que je tremble pour vous quand vous tremblez pour moi,
Et ne m'imposez pas cette indigne faiblesse [moi,
De craindre autres périls que ceux de ma princesse;
J'aurais en ma faveur le courage bien bas,
Si je fuyais des maux que vous ne fuyez pas.
Votre exemple est pour moi la seule règle à suivre;
Éviter vos périls, c'est vouloir vous survivre :
Je n'ai que cette honte à craindre sous les cieux.
Ici je puis mourir, mais mourir à vos yeux;
Et si malgré la mort de tous côtés errante,
Le destin me réserve à vous y voir mourante,
Mon bras sur moi du moins enfoncera les coups
Qu'aura son insolence élevés jusqu'à vous,
Et saura me soustraire à cette ignominie
De souffrir après vous quelques moments de vie,
Qui, dans le triste état où le ciel nous réduit,
Seraient de mon départ l'infâme et le seul fruit.

DIRCÉ

Quoi? Dircé par sa mort deviendrait criminelle
Jusqu'à forcer Thésée à mourir après elle,
Et ce cœur intrépide au milieu du danger,
Se défendrait si mal d'un malheur si léger!
M'immoler une vie à tous si précieuse,
Ce serait rendre à tous ma mémoire odieuse,
Et par toute la Grèce animer trop d'horreur
Contre une ombre chérie avec tant de fureur.
Ces infâmes brigands dont vous l'avez purgée,
Ces ennemis publics dont vous l'avez vengée,
Après votre trépas à l'envi renaissants,
Pilleraient sans frayeur les peuples impuissants;
Et chacun maudirait, en les voyant paraître,
La cause d'une mort qui les ferait renaître.

Oserai-je, Seigneur, vous dire hautement
Qu'un tel excès d'amour n'est pas d'un tel amant?
S'il est vertu pour nous, que le ciel n'a formées
Que pour le doux emploi d'aimer et d'être aimées,
Il faut qu'en vos pareils les belles passions
Ne soient que l'ornement des grandes actions.
Ces hauts emportements qu'un beau feu leur inspire
Doivent les élever, et non pas les détruire,
Et quelque désespoir que leur cause un trépas,
Leur vertu seule a droit de faire agir leurs bras.
Ces bras, que craint le crime à l'égal du tonnerre,
Sont des dons que le ciel fait à toute la terre,
Et l'univers en eux perd un trop grand secours,
Pour souffrir que l'amour soit maître de leurs jours.

Faites voir, si je meurs, une entière tendresse,
Mais vivez après moi pour toute notre Grèce,
Et laissez à l'amour conserver par pitié
De ce tout désuni la plus digne moitié.
Vivez pour faire vivre en tous lieux ma mémoire,
Pour porter en tous lieux vos soupirs et ma gloire,
Et faire partout dire : « Un si vaillant héros
Au malheur de Dircé donne encor des sanglots;

85 Il en garde en son âme encor toute l'image,
Et rend à sa chère ombre encor ce triste hommage. »
Cet espoir est le seul dont j'aime à me flatter,
Et l'unique douceur que je veux emporter.

THÉSÉE

Ah! Madame, vos yeux combattent vos maximes :
90 Si j'en crois leur pouvoir, vos conseils sont des crimes.
Je ne vous ferai point ce reproche odieux,
Que si vous aimiez bien, vous conseilleriez mieux :
Je dirai seulement qu'auprès de ma princesse
Aux seuls devoirs d'amant un héros s'intéresse,
95 Et que de l'univers fût-il le seul appui,
Aimant un tel objet, il ne doit rien qu'à lui.
Mais ne contestons point et sauvons l'un et l'autre :
L'hymen justifiera ma retraite et la vôtre.
Le Roi me pourrait-il en refuser l'aveu,
00 Si vous en avouez l'audace de mon feu?
Pourrait-il s'opposer à cette illustre envie
D'assurer sur un trône une si belle vie,
Et ne point consentir que des destins meilleurs
Vous exilent d'ici pour commander ailleurs?

DIRCÉ   [maître,

5 Le Roi, tout roi qu'il est, Seigneur, n'est pas mon
Et le sang de Laïus, dont j'eus l'honneur de naître,
Dispense trop mon cœur de recevoir la loi
D'un trône que sa mort n'a dû laisser qu'à moi.
Mais comme enfin le peuple et l'hymen de ma mère
0 Ont mis entre ses mains le sceptre de mon père,
Et qu'en ayant ici toute l'autorité
Je ne puis rien pour vous contre sa volonté,
Pourra-t-il trouver bon qu'on parle d'hyménée
Au milieu d'une ville à périr condamnée,
5 Où le courroux du ciel, changeant l'air en poison,
Donne lieu de trembler pour toute sa maison?

MÉGARE

Madame.
Elle lui parle à l'oreille.

DIRCÉ

Adieu, Seigneur : la Reine, qui m'appelle,
M'oblige à vous quitter pour me rendre auprès d'elle,
Et d'ailleurs le Roi vient.

THÉSÉE

Que ferai-je?

DIRCÉ

Parlez.

0 Je ne puis plus vouloir que ce que vous voulez.

Scène II : Œdipe, Thésée, Cléante.

ŒDIPE

Au milieu des malheurs que le ciel nous envoie,
Prince, nous croiriez-vous capable d'une joie,
Et que nous voyant tous sur les bords du tombeau,
Nous pussions d'un hymen allumer le flambeau?
5 C'est choquer la raison peut-être et la nature,
Mais mon âme en secret s'en forme un doux augure
Que Delphes, dont j'attends réponse en ce moment,
M'enverra de nos maux le plein soulagement.

THÉSÉE

Seigneur, si j'avais cru que parmi tant de larmes
La douceur d'un hymen pût avoir quelques charmes, 130
Que vous en eussiez pu supporter le dessein,
Je vous aurais fait voir un beau feu dans mon sein,
Et tâché d'obtenir cet aveu favorable
Qui peut faire un heureux d'un amant misérable.

ŒDIPE

Je l'avais bien jugé, qu'un intérêt d'amour   135
Fermait ici vos yeux aux périls de ma cour,
Mais je croirais me faire à moi-même un outrage
Si je vous obligeais d'y tarder davantage,
Et si trop de lenteur à seconder vos feux
Hasardait plus longtemps un cœur si généreux.   140
Le mien sera ravi que de si nobles chaînes
Unissent les États de Thèbes et d'Athènes.
Vous n'avez qu'à parler, vos vœux sont exaucés :
Nommez ce cher objet, grand Prince, et c'est assez.
Un gendre tel que vous m'est plus qu'un nouveau 145
Et vous pouvez choisir d'Ismène ou d'Antigone, [trône,
Car je n'ose penser que le fils d'un grand roi,
Un si fameux héros, aime ailleurs que chez moi,
Et qu'il veuille en ma cour, au mépris de mes filles,
Honorer de sa main de communes familles.   150

THÉSÉE

Seigneur, il est tout vrai : j'aime en votre palais.
Chez vous est la beauté qui fait tous mes souhaits :
Vous l'aimez à l'égal d'Antigone et d'Ismène :
Elle tient même rang chez vous et chez la Reine,
En un mot, c'est leur sœur, la princesse Dircé,   155
Dont les yeux...

ŒDIPE

Quoi! ses yeux, Prince, vous ont blessé?
Je suis fâché pour vous que la Reine sa mère
Ait su vous prévenir pour un fils de son frère.
Ma parole est donnée, et je n'y puis plus rien,
Mais je crois qu'après tout ses sœurs la valent bien. 160

THÉSÉE

Antigone est parfaite, Ismène est admirable;
Dircé, si vous voulez, n'a rien de comparable :
Elles sont l'une et l'autre un chef-d'œuvre des cieux,
Mais où le cœur est pris on charme en vain les yeux.
Si vous avez aimé, vous avez su connaître   165
Que l'amour de son choix veut être le seul maître,
Que s'il ne choisit pas toujours le plus parfait,
Il attache du moins les cœurs au choix qu'il fait,
Et qu'entre cent beautés dignes de notre hommage,
Celle qu'il nous choisit plaît toujours davantage. 170
Ce n'est pas offenser deux si charmantes sœurs,
Que voir en leur aînée aussi quelques douceurs.
J'avouerai, s'il le faut, que c'est un pur caprice,
Un pur aveuglement qui leur fait injustice,
Mais ce serait trahir tout ce que je leur doi,   175
Que leur promettre un cœur quand il n'est plus à moi.

ŒDIPE

Mais c'est m'offenser, moi, Prince, que de prétendre
A des honneurs plus hauts que le nom de mon gendre.
Je veux toutefois être encor de vos amis,
Mais ne demandez plus un bien que j'ai promis.   180
Je vous l'ai déjà dit que pour cet hyménée

Aux vœux du prince Æmon [12] ma parole est donnée.
Vous avez attendu trop tard à m'en parler,
Et je vous offre assez de quoi vous consoler.
185 La parole des rois doit être inviolable.

THÉSÉE

Elle est toujours sacrée et toujours adorable,
Mais ils ne sont jamais esclaves de leur voix,
Et le plus puissant roi doit quelque chose aux rois.
Retirer sa parole à leur juste prière,
190 C'est honorer en eux son propre caractère,
Et si le prince Æmon ose encor vous parler,
Vous lui pouvez offrir de quoi se consoler.

ŒDIPE   [foudre,

Quoi! Prince, quand les Dieux tiennent en main leur
Qu'ils ont le bras levé pour vous réduire en poudre,
195 J'oserais violer un serment solennel,
Dont j'ai pris à témoin leur pouvoir éternel?

THÉSÉE

C'est pour un grand monarque un peu bien du scru-

ŒDIPE   [pule.

C'est en votre faveur être un peu bien crédule
De présumer qu'un Roi, pour contenter vos yeux,
200 Veuille pour ennemis les hommes et les Dieux.

THÉSÉE

Je n'ai qu'un mot à dire après un si grand zèle :
Quand vous donnez Dircé, Dircé se donne-t-elle?

ŒDIPE

Elle sait son devoir.

THÉSÉE

         Savez-vous quel il est?

ŒDIPE

L'aurait-elle réglé suivant votre intérêt?
205 A me désobéir l'auriez-vous résolue?

THÉSÉE

Non, je respecte trop la puissance absolue,
Mais lorsque vous voudrez sans elle en disposer,
N'aura-t-elle aucun droit, Seigneur, de s'excuser?

ŒDIPE

Le temps vous fera voir ce que c'est qu'une excuse.

THÉSÉE

210 Le temps me fera voir jusques où je m'abuse,
Et ce sera lui seul qui saura m'éclaircir
De ce que pour Æmon vous ferez réussir.
Je porte peu d'envie à sa bonne fortune,
Mais je commence à voir que vous importune.
215 Adieu : faites, Seigneur, de grâce un juste choix,
Et si vous êtes Roi, considérez les rois.

Scène III : Œdipe, Cléante.

ŒDIPE

Si je suis Roi, Cléante! et que me croit-il être?
Cet amant de Dircé déjà me parle en maître!
Vois, vois ce qu'il ferait s'il était son époux [13].

CLÉANTE

Seigneur, vous avez lieu d'en être un peu jaloux.
Cette princesse est fière, et comme sa naissance
Croit avoir quelque droit à la toute-puissance,
Tout est au-dessous d'elle, à moins que de régner,
Et sans doute qu'Æmon s'en verra dédaigner.

ŒDIPE

Le sang a peu de droits dans le sexe imbécile,
Mais c'est un grand prétexte à troubler une ville,
Et lorsqu'un tel orgueil se fait un fort appui,
Le roi le plus puissant doit tout craindre de lui.
Toi qui, né dans Argos et nourri dans Mycènes,
Peux être mal instruit de nos secrètes haines,
Vois-les jusqu'en leur source, et juge entre elle et moi
Si je règne sans titre, et si j'agis en Roi [14].

On t'a parlé du Sphinx, dont l'énigme funeste
Ouvrit plus de tombeaux que n'en ouvre la peste,
Ce monstre à voix humaine, aigle, femme et lion,
Se campait fièrement sur le mont Cythéron,
D'où chaque jour ici devait fondre sa rage,
A moins qu'on n'éclaircît un si sombre nuage.
Ne porter qu'un faux jour dans son obscurité,
C'était de ce prodige enfler la cruauté,
Et les membres épars des mauvais interprètes
Ne laissaient dans ces murs que des bouches muettes.
Mais comme aux grands périls le salaire enhardit,
Le peuple offre le sceptre, et la Reine son lit.
De cent cruelles morts cette offre est tôt suivie :
J'arrive, je l'apprends, j'y hasarde ma vie.
Au pied du roc affreux, semé d'os blanchissants,
Je demande l'énigme et j'en cherche le sens,
Et ce qu'aucun mortel n'avait encor pu faire,
J'en dévoile l'image et perce le mystère.
Le monstre, furieux de se voir entendu,
Venge aussitôt sur lui tant de sang répandu,
Du roc s'élance en bas, et s'écrase lui-même.
La Reine tint parole, et j'eus le diadème.
Dircé fournissait lors à peine un lustre entier [15],
Et me vit sur le trône avec un œil altier.
J'en vis frémir son cœur, j'en vis couler ses larmes,
J'en pris pour l'avenir dès lors quelques alarmes,
Et si l'âge en secret a pu la révolter,
Vois ce que mon départ n'en doit point redouter.
La mort du Roi mon père à Corinthe m'appelle,
J'en attends aujourd'hui la funeste nouvelle,
Et je hasarde tout à quitter les Thébains,
Sans mettre ce dépôt en de fidèles mains.
Æmon serait pour moi digne de la princesse :
S'il a de la naissance, il a quelque faiblesse,
Et le peuple du moins pourrait se partager,
Si dans quelque attentat il osait l'engager.
Mais un prince voisin, tel que tu vois Thésée,
Ferait de ma couronne une conquête aisée,
Si d'un pareil hymen le dangereux lien
Armait pour lui son peuple et soulevait le mien.
Athènes est trop proche, et durant une absence,

---

12. C'est le fils de Créon, dans *Antigone*. Corneille a-t-il choisi ce nom pour suggérer un parallèle entre Créon le tyran et Œdipe?
13. Vers presque textuellement déjà dans la bouche de Prusias, dans *Nicomède*.

14. On voit comme dévie le problème d'*Œdipe* : de l'identité de sa personne chez les Anciens à la légitimité de son pouvoir dans Corneille.
15. C'est-à-dire était âgée de quatre ans.

L'occasion qui flatte anime l'espérance,
75 Et quand tous mes sujets me garderaient leur foi,
Désolés comme ils sont, que pourraient-ils pour moi?
La Reine a pris le soin d'en parler à sa fille.
Æmon est de son sang, et chef de sa famille [16],
Et l'amour d'une mère a souvent plus d'effet
80 Que n'ont... Mais la voici : sachons ce qu'elle a fait.

Scène IV : Œdipe, Jocaste, Cléante, Nérine.

JOCASTE

J'ai perdu temps, Seigneur, et cette âme embrasée
Met trop de différence entre Æmon et Thésée.
Aussi je l'avouerai, bien que l'un soit mon sang,
Leur mérite diffère encor plus que leur rang,
85 Et l'on a peu d'éclat auprès d'une personne
Qui joint à de hauts faits celui d'une couronne.

ŒDIPE

Thésée est donc, Madame, un dangereux rival?

JOCASTE

Æmon est fort à plaindre, ou je devine mal.
J'ai tout mis en usage auprès de la Princesse :
90 Conseil, autorité, reproche, amour, tendresse.
J'en ai tiré des pleurs, arraché des soupirs,
Et n'ai pu de son cœur ébranler les désirs.
J'ai poussé le dépit de m'en voir séparée
Jusques à la nommer fille dénaturée.
95 « Le sang royal n'a point ces bas attachements
Qui font les déplaisirs de ces éloignements,
Et les âmes, dit-elle, au trône destinées
Ne doivent aux parents que les jeunes années. »

ŒDIPE

Et ces mots ont soudain calmé votre courroux?

JOCASTE

100 Pour les justifier elle ne veut que vous :
Votre exemple lui prête une preuve assez claire
Que le trône est plus doux que le sein d'une mère.
Pour régner en ces lieux vous avez tout quitté.

ŒDIPE

Mon exemple et sa faute ont peu d'égalité.
105 C'est loin de ses parents qu'un homme apprend à
Hercule m'a donné ce grand exemple à suivre, [vivre.
Et c'est pour l'imiter que par tous nos climats
J'ai cherché comme lui la gloire et les combats.
Mais bien que la pudeur par des ordres contraires
110 Attache de plus près les filles à leurs mères,
La vôtre aime une audace où vous la soutenez.

JOCASTE

Je la condamnerai, si vous la condamnez,
Mais à parler sans fard, si j'étais en sa place,
J'en userais comme elle et j'aurais même audace,
115 Et vous-même, Seigneur, après tout, dites-moi,
La condamneriez-vous si vous n'étiez son Roi?

ŒDIPE

Si je condamne en roi son amour ou sa haine,

Vous devez comme moi les condamner en Reine.

JOCASTE

Je suis Reine, Seigneur, mais je suis mère aussi :
Aux miens, comme à l'État, je dois quelque souci. 320
Je sépare Dircé de la cause publique,
Je vois qu'ainsi que vous elle a sa politique.
Comme vous agissez en monarque prudent,
Elle agit de sa part en cœur indépendant,
En amante à bon titre, en princesse avisée, 325
Qui mérite ce trône où l'appelle Thésée.
Je ne puis vous flatter, et croirais vous trahir,
Si je vous promettais qu'elle pût obéir.

ŒDIPE

Pourrait-on mieux défendre un esprit si rebelle?

JOCASTE　　　　　　　　　　　　　　[qu'elle;
Parlons-en comme il faut : nous nous aimons plus 330
Et c'est trop nous aimer que voir d'un œil jaloux
Qu'elle nous rend le change, et s'aime plus que nous.
Un peu trop de lumière à nos désirs s'oppose.
Peut-être avec le temps nous pourrions quelque chose,
Mais n'espérons jamais qu'on change en moins d'un 335
Quand la raison soutient le parti de l'amour. [jour,

ŒDIPE

Souscrivons donc, Madame, à tout ce qu'elle ordonne.
Couronnons cet amour de ma propre couronne,
Cédons de bonne grâce, et d'un esprit content
Remettons à Dircé tout ce qu'elle prétend [17]. 340
A mon ambition Corinthe peut suffire,
Et pour les plus grands cœurs c'est assez d'un empire.
Mais vous souvenez-vous que vous avez deux fils [18]
Que le courroux du ciel a fait naître ennemis,
Et qu'il vous en faut craindre un exemple barbare, 345
A moins que pour régner leur destin les sépare?

JOCASTE

Je ne vois rien encor fort à craindre pour eux :
Dircé les aime en sœur, Thésée est généreux,
Et si pour un grand cœur c'est assez d'un empire,
A son ambition Athènes doit suffire. 350

ŒDIPE

Vous mettez une borne à cette ambition!

JOCASTE

J'en prends, quoi qu'il en soit, peu d'appréhension,
Et Thèbes et Corinthe ont des bras comme Athènes.
Mais nous touchons peut-être à la fin de nos peines :
Dymas est de retour, et Delphes a parlé. 355

ŒDIPE

Que son visage montre un esprit désolé!

Scène V : Œdipe, Jocaste, Dymas,
Cléante, Nérine.

ŒDIPE

Eh bien! quand verrons-nous finir notre infortune?
Qu'apportez-vous, Dymas, quelle réponse?

---

16. Hémon, fils de Créon, est neveu de Jocaste. C'est par ce biais qu'Œdipe songe à faire cesser à la génération suivante ce que Dircé regarde comme une usurpation.

17. Mêmes propos dans la bouche de Prusias, de Phocas et de Grimoald.
18. Etéocle et Polynice, les frères ennemis, dont Racine fera le sujet de sa première pièce.

DYMAS

Aucune.

ŒDIPE

Quoi! les Dieux sont muets?

DYMAS

Ils sont muets et sourds.

360 Nous avons par trois fois imploré leur secours,
Par trois fois redoublé nos vœux et nos offrandes :
Ils n'ont pas daigné même écouter nos demandes.
A peine parlions-nous, qu'un murmure confus,
Sortant du fond de l'antre expliquait leur refus,
365 Et cent voix tout à coup, sans être articulées,
Dans une nuit subite à nos soupirs mêlées,
Faisaient avec horreur soudain connaître à tous
Qu'ils n'avaient plus ni d'yeux ni d'oreilles pour nous.

ŒDIPE

Ah! Madame.

JOCASTE

Ah! Seigneur, que marque un tel silence?

ŒDIPE

370 Que pourrait-il marquer qu'une juste vengeance?
Les Dieux, qui tôt ou tard savent se ressentir,
Dédaignent de répondre à qui les fait mentir.
Ce fils dont ils avaient prédit les aventures,
Exposé par votre ordre, a trompé leurs augures,
375 Et ce sang innocent, et ces Dieux irrités,
Se vengent maintenant de vos impiétés.

JOCASTE

Devions-nous l'exposer à son destin funeste,
Pour le voir parricide et pour le voir inceste?
Et des crimes si noirs étouffés au berceau
380 Auraient-ils su pour moi faire un crime nouveau?
Non, non : de tant de maux Thèbes n'est assiégée
Que pour la mort du Roi, que l'on n'a pas vengée.
Son ombre incessamment me frappe encor les yeux,
Je l'entends murmurer à toute heure, en tous lieux,
385 Et se plaindre en mon cœur de cette ignominie
Qu'imprime à son grand nom cette mort impunie.

ŒDIPE

Pourrions-nous en punir des brigands inconnus,
Que peut-être jamais en ces lieux on n'a vus?
Si vous m'avez dit vrai, peut-être ai-je moi-même
390 Sur trois de ces brigands vengé le diadème.
Au lieu même, au temps même, attaqué seul par trois,
J'en laissai deux sans vie, et mis l'autre aux abois [19].
Mais ne négligeons rien, et du royaume sombre
Faisons par Tirésie évoquer sa grande ombre.
395 Puisque le ciel se tait, consultons les enfers :
Sachons à qui de nous sont dus les maux soufferts,
Sachons-en, s'il se peut, la cause et le remède :
Allons tout de ce pas réclamer tous son aide.
J'irai revoir Corinthe avec moins de souci,
400 Si je laisse plein calme et pleine joie ici.

ACTE SECOND

Scène I : Œdipe, Dircé, Cléante, Mégare.

ŒDIPE

Je ne le cèle point, cette hauteur m'étonne.
Æmon a du mérite, on chérit sa personne;
Il est prince, et de plus étant offert par moi...

DIRCÉ

Je vous ai déjà dit, Seigneur, qu'il n'est pas Roi.

ŒDIPE

Son hymen toutefois ne vous fait point descendre :   40
S'il n'est pas dans le trône, il a droit d'y prétendre,
Et, comme il est sorti de même sang que vous,
Je crois vous faire honneur d'en faire votre époux.

DIRCÉ

Vous pouvez donc sans honte en faire votre gendre :
Mes sœurs en l'épousant n'auront point à descendre; 41
Mais pour moi, vous savez qu'il est ailleurs des rois,
Et même en votre cour, dont je puis faire choix.

ŒDIPE

Vous le pouvez, Madame, et n'en voudrez pas faire
Sans en prendre mon ordre et celui d'une mère.

DIRCÉ

Pour la Reine, il est vrai qu'en cette qualité   41
Le sang peut lui devoir quelque civilité :
Je m'en suis acquittée, et ne puis bien comprendre,
Étant ce que je suis, quel ordre je dois prendre.

ŒDIPE

Celui qu'un vrai devoir prend des fronts couronnés,
Lorsqu'on tient auprès d'eux le rang que vous tenez. 42
Je pense être ici Roi.

DIRCÉ

Je sais ce que vous êtes,
Mais si vous me comptez au rang de vos sujettes,
Je ne sais si celui qu'on vous a pu donner
Vous asservit un front qu'on a dû couronner [20].
Seigneur, quoi qu'il en soit, j'ai fait choix de Thésée; 4
Je me suis à ce choix moi-même autorisée.
J'ai pris l'occasion que m'ont faite les Dieux
De fuir l'aspect d'un trône où vous blessez mes yeux,
Et de vous épargner cet importun ombrage
Qu'à des rois comme vous peut donner mon visage.

ŒDIPE

Le choix d'un si grand Prince est bien digne de vous,
Et je l'estime trop pour en être jaloux,
Mais le peuple au milieu des colères célestes
Aime encor de Laïus les adorables restes,
Et ne pourra souffrir qu'on lui vienne arracher   4
Ces gages d'un grand Roi qu'il tint jadis si cher.

DIRCÉ

De l'air dont jusqu'ici ce peuple m'a traitée,
Je dois craindre fort peu de m'en voir regrettée.
S'il eût eu pour son Roi quelque ombre d'amitié,
Si mon sexe ou mon âge eût ému sa pitié,   4
Il n'aurait jamais eu cette lâche faiblesse
De livrer en vos mains l'État et sa princesse,

---

19. Corneille a expliqué cette ingénieuse déformation de la
légende qu'il s'est permise (cf. l'*Examen* et la note 7). Œdipe
se croit non le meurtrier du roi, mais le vengeur involontaire
des assassins du roi.

20. C'est-à-dire : si *le rang* qu'on a pu vous donner
Vous asservit un front (le mien) *qu'on a dû* (aurait dû) *couronner*.

Et me verra toujours éloigner sans regret,
Puisque c'est l'affranchir d'un reproche secret.

ŒDIPE

Quel reproche secret lui fait votre présence,
Et quel crime a commis cette reconnaissance
Qui par un sentiment et juste et relevé
L'a consacré lui-même à qui l'a conservé?
Si vous aviez du Sphinx vu le sanglant ravage...

DIRCÉ

Je puis dire, Seigneur, que j'ai vu davantage :
J'ai vu ce peuple ingrat que l'énigme surprit
Vous payer assez bien d'avoir eu de l'esprit [21].
Il pouvait toutefois avec quelque justice
Prendre sur lui le prix d'un si rare service,
Mais quoiqu'il ait osé vous payer de mon bien,
En vous faisant son Roi, vous a-t-il fait le mien?
En se donnant à vous, eut-il droit de me vendre?

ŒDIPE

Ah! c'est trop me forcer, Madame, à vous entendre.
La jalouse fierté qui vous enfle le cœur
Me regarde toujours comme un usurpateur :
Vous voulez ignorer cette juste maxime,
Que le dernier besoin peut faire un Roi sans crime,
Qu'un peuple sans défense et réduit aux abois...

DIRCÉ

Le peuple est trop heureux quand il meurt pour ses
Mais, Seigneur, la matière est un peu délicate; [rois.
Vous pouvez vous flatter, peut-être je me flatte.
Sans rien approfondir, parlons à cœur ouvert.
   Vous régnez en ma place, et les dieux l'ont souffert :
Je dis plus, ils vous ont saisi de ma couronne.
Je n'en murmure point, comme eux je vous la donne [22],
J'oublierai qu'à moi seule ils devaient la garder,
Mais si vous attentez jusqu'à me commander,
Jusqu'à prendre sur moi quelque pouvoir de maître,
Je me souviendrai lors de ce que je dois être,
Et si je ne le suis pour vous faire la loi,
Je le serai du moins pour me choisir un Roi.
Après cela, Seigneur, je n'ai rien à vous dire :
J'ai fait choix de Thésée, et ce mot doit suffire.

ŒDIPE

Et je veux à mon tour, Madame, à cœur ouvert,
Vous apprendre en deux mots que ce grand choix vous
Qu'il vous remplit le cœur d'une attente frivole, [perd,
Qu'au prince Æmon pour vous j'ai donné ma parole,
Que je perdrai le sceptre, ou saurai la tenir.
Puissent, si je la romps, tous les Dieux m'en punir!
Puisse de plus de maux m'accabler leur colère
Qu'Apollon n'en prédit jadis pour votre frère!

DIRCÉ

N'insultez point au sort d'un enfant malheureux,
Et faites des serments qui soient plus généreux.
On ne sait pas toujours ce qu'un serment hasarde,
Et vous ne voyez pas ce que le ciel vous garde.

ŒDIPE

On se hasarde à tout quand un serment est fait.

DIRCÉ

Ce n'est pas de vous seul que dépend son effet.

ŒDIPE

Je suis Roi, je puis tout.

DIRCÉ

                           Je puis fort peu de chose,
Mais enfin de mon cœur moi seule je dispose,
Et jamais sur ce cœur on n'avancera rien   495
Qu'en me donnant un sceptre, ou me rendant le mien.

ŒDIPE

Il est quelques moyens de vous faire dédire.

DIRCÉ

Il en est de braver le plus injuste empire;
Et de quoi qu'on me menace en de tels différends,
Qui ne craint point la mort ne craint point les tyrans. 500
Ce mot m'est échappé, je n'en fais point d'excuse.
J'en ferai, si le temps m'apprend que je m'abuse.
Rendez-vous cependant maître de tout mon sort,
Mais n'offrez à mon choix que Thésée ou la mort.

ŒDIPE

On pourra vous guérir de cette frénésie.   505
Mais il faut aller voir ce qu'a fait Tirésie :
Nous saurons au retour encor vos volontés.

DIRCÉ

Allez savoir de lui ce que vous méritez.

Scène II : Dircé, Mégare.

DIRCÉ

Mégare, que dis-tu de cette violence?
Après s'être emparé des droits de ma naissance, 510
Sa haine opiniâtre à croître mes malheurs.
M'ose encore envier ce qui me vient d'ailleurs.
Elle empêche le ciel de m'être enfin propice,
De réparer vers moi ce qu'il eut d'injustice,
Et veut lier les mains au destin adouci   515
Qui m'offre en d'autres lieux ce qu'on me vole ici.

MÉGARE

Madame je ne sais ce que je dois vous dire :
La raison vous anime, et l'amour vous inspire,
Mais je crains qu'il n'éclate un peu plus qu'il ne faut,
Et que cette raison ne parle un peu trop haut.   520
Je crains qu'elle n'irrite un peu trop la colère
D'un Roi qui jusqu'ici vous a traitée en père,
Et qui vous a rendu tant de preuves d'amour
Qu'il espère de vous quelque chose à son tour.

DIRCÉ

S'il a cru m'éblouir par de fausses caresses,   525
J'ai vu sa politique en former les tendresses,
Et ces amusements de ma captivité
Ne me font rien devoir à qui m'a tout ôté.

MÉGARE

Vous voyez que d'Æmon il a pris la querelle,
Qu'il l'estime, chérit.

DIRCÉ

                        Politique nouvelle.   530

MÉGARE

Mais comment pour Thésée en viendrez-vous à bout?
Il le méprise, hait.

---

21. Les piques ironiques, utilisées surtout dans *Nicomède*, restent une des constantes du style tragique cornélien.
22. Autre réminiscence de *Pertharite* : cf. vers 1027-1030.

DIRCÉ

Politique partout.
Si la flamme d'Æmon en est favorisée,
Ce n'est pas qu'il l'estime ou méprise Thésée,
535 C'est qu'il craint dans son cœur que le droit souverain
(Car enfin il m'est dû) ne tombe en bonne main,
Comme il connaît le mien, sa peur de me voir Reine
Dispense à mes amants sa faveur ou sa haine,
Et traiterait ce Prince ainsi que ce héros,
540 S'il portait la couronne ou de Sparte ou d'Argos.

MÉGARE

Si vous en jugez bien, que vous êtes à plaindre!

DIRCÉ

Il fera de l'éclat, il voudra me contraindre.
Mais quoi qu'il me prépare à souffrir dans sa cour,
Il éteindra ma vie avant que mon amour.

MÉGARE

545 Espérons que le ciel vous rendra plus heureuse.
Cependant je vous trouve assez peu curieuse :
Tout le peuple, accablé de mortelles douleurs,
Court voir ce que Laïus dira de nos malheurs,
Et vous ne suivez point le Roi chez Tirésie,
550 Pour savoir ce qu'en juge une ombre si chérie?

DIRCÉ

J'ai tant d'autres sujets de me plaindre de lui
Que je fermais les yeux à ce nouvel ennui.
Il aurait fait trop peu de menacer la fille,
Il faut qu'il soit tyran de toute la famille,
555 Qu'il porte sa fureur jusqu'aux âmes sans corps,
Et trouble insolemment jusqu'aux cendres des morts.
Mais ces mânes sacrés qu'il arrache au silence
Se vengeront sur lui de cette violence,
Et les Dieux des enfers, justement irrités,
560 Puniront l'attentat de ses impiétés.

MÉGARE

Nous ne savons pas bien comme agit l'autre monde,
Il n'est point d'œil perçant dans cette nuit profonde,
Et quand les Dieux vengeurs laissent tomber leur [bras,
Il tombe assez souvent sur qui n'y pense pas.

DIRCÉ

565 Dût leur décret fatal me choisir pour victime,
Si j'ai part au courroux, je n'en veux point au crime :
Je veux m'offrir sans tache à leur bras tout-puissant,
Et n'avoir à verser que du sang innocent.

Scène III : Dircé, Nérine, Mégare.

NÉRINE

Ah! Madame, il en faut de la même innocence
570 Pour apaiser du ciel l'implacable vengeance :
Il faut une victime et pure et d'un tel rang,
Que chacun la voudrait racheter de son sang.

DIRCÉ

Nérine, que dis-tu? serait-ce bien la Reine?
Le ciel ferait-il choix d'Antigone, ou d'Ismène?
575 Voudrait-il Étéocle, ou Polynice, ou moi?
Car tu me dis assez que ce n'est pas le Roi,
Et si le ciel demande une victime pure,
Appréhender pour lui, c'est lui faire une injure.

Serait-ce enfin Thésée? Hélas! si c'était lui...
Mais, nomme, et dis quel sang le ciel veut aujourd'hui. 5

NÉRINE

L'ombre du grand Laïus, qui lui sert d'interprète,
De honte ou de dépit sur ce nom est muette.
Je n'ose vous nommer ce qu'elle nous a tu,
Mais, préparez, Madame, une haute vertu :
Prêtez à ce récit une âme généreuse,
Et vous-même jugez si la chose est douteuse.

DIRCÉ

Ah! ce sera Thésée, ou la Reine.

NÉRINE

Écoutez,
Et tâchez d'y trouver quelques obscurités.
Tirésie a longtemps perdu ses sacrifices
Sans trouver ni les Dieux ni les ombres propices,
Et celle de Laïus évoqué par son nom
S'obstinait au silence aussi bien qu'Apollon.
Mais la Reine en la place à peine est arrivée,
Qu'une épaisse vapeur s'est du temple élevée,
D'où cette ombre aussitôt sortant jusqu'en plein jour
A surpris tous les yeux du peuple et de la cour.
L'impérieux orgueil de son regard sévère
Sur son visage pâle avait peint la colère.
Tout menaçait en elle, et des restes de sang
Par un prodige affreux lui dégouttaient du flanc [23].
A ce terrible aspect la Reine s'est troublée,
La frayeur a couru dans toute l'assemblée,
Et de vos deux amants j'ai vu les cœurs glacés
A ces funestes mots que l'ombre a prononcés :
« Un grand crime impuni cause votre misère,
Par le sang de ma race il se doit effacer,
Mais à moins que de le verser,
Le ciel ne se peut satisfaire,
Et la fin de vos maux ne se fera point voir
Que mon sang n'ait fait son devoir. »
Ces mots dans tous les cœurs redoublent les alarmes,
L'ombre qui disparaît laisse la Reine en larmes,
Thésée au désespoir, Æmon tout hors de lui;
Le Roi même arrivant partage leur ennui,
Et d'une voix commune ils refusent une aide
Qui fait trouver le mal plus doux que le remède.

DIRCÉ

Peut-être craignent-ils que mon cœur révolté
Ne leur refuse un sang qu'ils n'ont pas mérité,
Mais ma flamme à la mort m'avait trop résolue
Pour ne pas y courir quand les Dieux l'ont voulue.
Tu m'as fait sans raison concevoir de l'effroi,
Je n'ai point dû trembler, s'ils ne veulent que moi.
Ils m'ouvrent une porte à sortir d'esclavage,
Que tient trop précieuse un généreux courage :
Mourir pour sa patrie est un sort plein d'appas
Pour quiconque à des fers préfère le trépas.
Admire, peuple ingrat, qui m'as déshéritée,
Quelle vengeance en prend ta princesse irritée,
Et connais dans la fin de tes longs déplaisirs
Ta véritable Reine à ses derniers soupirs.

---

23. On reconnaît sans peine le réalisme sanglant cher à Sénèque. Cf. *Œdipe*, acte III, vers 619 et suivants.

Vois comme à tes malheurs je suis toute asservie :
L'un m'a coûté mon trône, et l'autre veut ma vie.
Tu t'es sauvé du Sphinx aux dépens de mon rang,
Sauve-toi de la peste aux dépens de mon sang.
Mais après avoir vu dans la fin de ta peine
Que pour toi le trépas semble doux à ta Reine,
Fais-toi de son exemple une adorable loi :
Il est encor plus doux de mourir pour son Roi.

MÉGARE

Madame, aurait-on cru que cette ombre d'un père,
D'un Roi dont vous tenez la mémoire si chère,
Dans votre injuste perte eût pris tant d'intérêt
Qu'elle vînt elle-même en prononcer l'arrêt?

DIRCÉ

N'appelle point injuste un trépas légitime :
Si j'ai causé sa mort, puis-je vivre sans crime?

NÉRINE

Vous, Madame?

DIRCÉ

   Oui, Nérine, et tu l'as pu savoir.
L'amour qu'il me portait eut sur lui tel pouvoir
Qu'il voulut sur mon sort faire parler l'oracle.
Mais, comme à ce dessein la Reine mit obstacle,
De peur que cette voix des destins ennemis
Ne fût aussi funeste à la fille qu'au fils,
Il se déroba d'elle, ou plutôt prit la fuite,
Sans vouloir que Phorbas et Nicandre pour suite.
Hélas! sur le chemin il fut assassiné.
Ainsi se vit pour moi son destin terminé,
Ainsi j'en fus la cause.

MÉGARE

   Oui, mais trop innocente
Pour vous faire un supplice où la raison consente,
Et jamais des tyrans les plus barbares lois...

DIRCÉ

Mégare, tu sais mal ce que l'on doit aux rois.
Un sang si précieux ne saurait se répandre
Qu'à l'innocente cause on n'ait droit de s'en prendre,
Et de quelque façon que finisse leur sort,
On n'est point innocent quand on cause leur mort [24].
C'est ce crime impuni qui demande un supplice,
C'est par là que mon père a part au sacrifice,
C'est ainsi qu'un trépas qui me comble d'honneur
Assure sa vengeance et fait votre bonheur,
Et que tout l'avenir chérira la mémoire
D'un châtiment si juste où brille tant de gloire.

Scène IV : *Thésée, Dircé, Mégare,*
Nérine.

DIRCÉ

Mais que vois-je? Ah! Seigneur, quels que soient vos
Que venez-vous me dire en l'état où je suis? [ennuis,

THÉSÉE

Je viens prendre de vous l'ordre qu'il me faut suivre :
Mourir s'il faut mourir, et vivre s'il faut vivre.

DIRCÉ

Ne perdez point d'efforts à m'arrêter au jour :
Laissez faire l'honneur.

THÉSÉE

   Laissez agir l'amour.

DIRCÉ

Vivez, Prince, vivez.

THÉSÉE

   Vivez donc, ma princesse.   675

DIRCÉ

Ne me ravalez point jusqu'à cette bassesse.
Retarder mon trépas, c'est faire tout périr :
Tout meurt, si je ne meurs.

THÉSÉE

   Laissez-moi donc mourir.

DIRCÉ

Hélas! qu'osez-vous dire?

THÉSÉE

   Hélas! qu'allez-vous faire?

DIRCÉ

Finir les maux publics, obéir à mon père,   680
Sauver tous mes sujets.

THÉSÉE

   Par quelle injuste loi
Faut-il les sauver tous pour ne perdre que moi?
Eux dont le cœur ingrat porte les justes peines
D'un rebelle mépris qu'ils ont fait de vos chaînes,
Qui dans les mains d'un autre ont mis tout votre bien! 685

DIRCÉ

Leur devoir violé doit-il rompre le mien?
Les exemples abjets de ces petites âmes
Règlent-ils de leurs rois les glorieuses trames,
Et quel fruit un grand cœur pourrait-il recueillir
A recevoir du peuple un exemple à faillir?   690
Non, non, s'il m'en faut un, je ne veux que le vôtre,
L'amour que j'ai pour vous n'en reçoit aucun autre.
Pour le bonheur public n'avez-vous pas toujours
Prodigué votre sang et hasardé vos jours?
Quand vous avez défait le Minotaure en Crète,   695
Quand vous avez puni Damaste et Périphète,
Sinnis, Phæa, Scirron [25], que faisiez-vous, Seigneur,
Que chercher à périr pour le commun bonheur?
Souffrez que pour la gloire une chaleur égale
D'une amante aujourd'hui vous fasse une rivale.   700
Le ciel offre à mon bras par où me signaler :
S'il ne sait pas combattre, il saura m'immoler,
Et si cette chaleur ne m'a point abusée,
Je deviendrai par là digne du grand Thésée.
Mon sort en ce point seul du vôtre est différent,   705
Que je ne puis sauver mon peuple qu'en mourant,
Et qu'au salut du vôtre un bras si nécessaire
A chaque jour pour lui d'autres combats à faire.

24. Nouvelle réminiscence de *Pertharite*, et de possibles
allusions à Cromwell à travers Grimoald.

25. Allusions aux exploits de Thésée, tirés probablement
du récit de sa *Vie*, par Plutarque. — Comparer avec ceux de
la *Phèdre* de Racine :
 Procuste, Cercyon et Scirron et Sinis...
 Et la Crête fumant du sang du Minotaure.
Périphète ou le Porte-massue, brigand tué à Epidaure. Damaste
est un autre nom de Procruste ou Procuste, que préfère Racine :
le fameux lit, à la mesure duquel il allongeait ou raccourcissait
ses hôtes, est passé en proverbe.

THÉSÉE

J'en ai fait et beaucoup, et d'assez généreux,
710 Mais celui-ci, Madame, est le plus dangereux.
J'ai fait trembler partout, et devant vous je tremble.
L'amant et le héros s'accordent mal ensemble.
Mais enfin après vous tous deux veulent courir,
Le héros ne peut vivre où l'amant doit mourir,
715 La fermeté de l'un par l'autre est épuisée,
Et si Dircé n'est plus, il n'est plus de Thésée.

DIRCÉ

Hélas! c'est maintenant, c'est lorsque je vous voi
Que ce même combat est dangereux pour moi.
Ma vertu la plus forte à votre aspect chancelle :
720 Tout mon cœur applaudit à sa flamme rebelle,
Et l'honneur, qui charmait ses plus noirs déplaisirs,
N'est plus que le tyran de mes plus chers désirs.
Allez, Prince, et du moins par pitié de ma gloire
Gardez-vous d'achever une indigne victoire,
725 Et si jamais l'honneur a su vous animer...

THÉSÉE

Hélas! à votre aspect je ne sais plus qu'aimer.

DIRCÉ

Par un pressentiment j'ai déjà su vous dire
Ce que ma mort sur vous se réserve d'empire.
Votre bras de la Grèce est le plus ferme appui :
730 Vivez pour le public, comme je meurs pour lui.

THÉSÉE

Périsse l'univers, pourvu que Dircé vive,
Périsse le jour même avant qu'elle s'en prive!
Que m'importe la perte ou le salut de tous?
Ai-je rien à sauver, rien à perdre que vous?
735 Si votre amour, Madame, était encor le même,
Si vous saviez encore aimer comme on vous aime...

DIRCÉ

Ah! faites moins d'outrage à ce cœur affligé
Que pressent les douleurs où vous l'avez plongé.
Laissez vivre du peuple un pitoyable reste
740 Aux dépens d'un moment que m'a laissé la peste,
Qui peut-être à vos yeux viendra trancher mes jours,
Si mon sang répandu ne lui tranche le cours.
Laissez-moi me flatter de cette triste joie
Que si je ne mourais vous en seriez la proie,
745 Et que ce sang aimé que répandront mes mains,
Sera versé pour vous plus que pour les Thébains.
Des Dieux mal obéis la majesté suprême
Pourrait en ce moment s'en venger sur vous-même,
Et j'aurais cette honte, en ce funeste sort,
750 D'avoir prêté mon crime à faire votre mort.

THÉSÉE

Et ce cœur généreux me condamne à la honte
De voir que ma princesse en amour me surmonte,
Et de n'obéir pas à cette aimable loi
De mourir avec vous quand vous mourez pour moi!
755 Pour moi, comme pour vous, soyez plus magnanime :
Voyez mieux qu'il y va même de votre estime,
Que le choix d'un amant si peu digne de vous
Souillerait cet honneur qui vous semble si doux,
Et que de ma princesse on dirait d'âge en âge
760 Qu'elle eut de mauvais yeux pour un si grand courage.

DIRCÉ

Mais, Seigneur, je vous sauve en courant au trépas,
Et mourant avec moi vous ne me sauvez pas.

THÉSÉE

La gloire de ma mort n'en deviendra pas moindre :
Si ce n'est vous sauver, ce sera vous rejoindre.
Séparer deux amants, c'est tous deux les punir,
Et dans le tombeau même il est doux de s'unir.

DIRCÉ

Que vous m'êtes cruel de jeter dans mon âme
Un si honteux désordre avec des traits de flamme !
Adieu, Prince : vivez, je vous l'ordonne ainsi,
La gloire de ma mort est trop douteuse ici,
Et je hasarde trop une si noble envie
A voir l'unique objet pour qui j'aime la vie.

THÉSÉE

Vous fuyez, ma princesse, et votre adieu fatal...

DIRCÉ

Prince, il est temps de fuir quand on se défend mal.
Vivez, encore un coup : c'est moi qui vous l'ordonne.

THÉSÉE

Le véritable amour ne prend loi de personne,
Et si ce fier honneur s'obstine à nous trahir,
Je renonce, Madame, à vous plus obéir.

ACTE TROISIÈME

Scène I : Dircé.

Impitoyable soif de gloire,
Dont l'aveugle et noble transport
Me fait précipiter ma mort
Pour faire vivre ma mémoire,
Arrête pour quelques moments
Les impétueux sentiments
De cette inexorable envie,
Et souffre qu'en ce triste et favorable jour,
Avant que te donner ma vie,
Je donne un soupir à l'amour.

Ne crains pas qu'une ardeur si belle
Ose te disputer un cœur
Qui de ton illustre rigueur
Est l'esclave le plus fidèle.
Ce regard tremblant et confus,
Qu'attire un bien qu'il n'attend plus,
N'empêche pas qu'il ne se dompte.
Il est vrai qu'il murmure, et se dompte à regret;
Mais s'il m'en faut rougir de honte,
Je n'en rougirai qu'en secret.

L'éclat de cette renommée
Qu'assure un si brillant trépas
Perd la moitié de ses appas
Quand on aime et qu'on est aimée.
L'honneur, en monarque absolu,
Soutient ce qu'il a résolu

Contre les assauts qu'on te livre.
Il est beau de mourir pour en suivre les lois,
    Mais il est assez doux de vivre
    Quand l'amour a fait un beau choix.

    Toi qui faisais toute la joie
    Dont sa flamme osait me flatter,
    Prince que j'ai peine à quitter,
    A quelques honneurs qu'on m'envoie,
    Accepte ce faible retour
    Que vers toi d'un si juste amour
    Fait la douloureuse tendresse.
Sur les bords de la tombe où tu me vois courir,
    Je crains les maux que je te laisse,
    Quand je fais gloire de mourir.

    J'en fais gloire, mais je me cache
    Un comble affreux de déplaisirs,
    Je fais taire tous mes désirs,
    Mon cœur à soi-même s'arrache.
    Cher Prince, dans un tel aveu,
    Si tu peux voir quel est mon feu,
    Vois combien il se violente.
Je meurs l'esprit content, l'honneur m'en fait la loi,
    Mais j'aurais vécu plus contente,
    Si j'avais pu vivre pour toi.

Scène II : Jocaste, Dircé.

DIRCÉ

Tout est-il prêt, Madame, et votre Tirésie
Attend-il aux autels la victime choisie?

JOCASTE

Non, ma fille, et du moins nous aurons quelques jours
A demander au ciel un plus heureux secours.
On prépare à demain exprès d'autres victimes.
Le peuple ne veut pas que vous payiez ses crimes :
Il aime mieux périr qu'être ainsi conservé,
Et le Roi même, encor que vous l'ayez bravé,
Sensible à vos malheurs autant qu'à ma prière,
Vous offre sur ce point liberté tout entière.

DIRCÉ

C'est assez vainement qu'il m'offre un si grand bien,
Quand le ciel ne veut pas que je lui doive rien,
Et ce n'est pas à lui de mettre des obstacles
Aux ordres souverains que donnent ses oracles.

JOCASTE

L'oracle n'a rien dit.

DIRCÉ

            Mais mon père a parlé,
L'ordre de nos destins par lui s'est révélé,
Et des morts de son rang les ombres immortelles
Servent souvent aux Dieux de truchements fidèles.

JOCASTE

Laissez la chose en doute, et du moins hésitez
Tant qu'on ait par leur bouche appris leurs volontés.

DIRCÉ

Exiger qu'avec nous ils s'expliquent eux-mêmes,
C'est trop nous asservir ces majestés suprêmes.

JOCASTE

Ma fille, il est toujours assez tôt de mourir.

DIRCÉ

Madame, il n'est jamais trop tôt de secourir,
Et pour un mal si grand qui réclame notre aide,
Il n'est point de trop sûr ni de trop prompt remède.
Plus nous le différons, plus le mal devient grand.   855
J'assassine tous ceux que la peste surprend,
Aucun n'en peut mourir qui ne me laisse un crime :
Je viens d'étouffer seule et Sostrate et Phædime,
Et durant ce refus des remèdes offerts,
La Parque se prévaut des moments que je perds.   860
Hélas! si sa fureur dans ces pertes publiques
Enveloppait Thésée après ses domestiques!
Si nos retardements...

JOCASTE

            Vivez pour lui, Dircé :
Ne lui dérobez point un cœur si bien placé.
Avec tant de courage ayez quelque tendresse,   865
Agissez en amante aussi bien qu'en Princesse,
Vous avez liberté tout entière en ces lieux :
Le Roi n'y prend pas garde, et je ferme les yeux.
C'est vous en dire assez : l'amour est un doux maître,
Et quand son choix est beau, son ardeur doit paraître.   870

DIRCÉ

Je n'ose demander si de pareils avis
Portent des sentiments que vous ayez suivis.
Votre second hymen put avoir d'autres causes;
Mais j'oserai vous dire, à bien juger des choses,
Que pour avoir reçu la vie en votre flanc,   875
J'y dois avoir sucé fort peu de votre sang.
Celui du grand Laïus, dont je m'y suis formée,
Trouve bien qu'il est doux d'aimer et d'être aimée :
Mais il ne peut trouver qu'on soit digne du jour
Quand aux soins de sa gloire on préfère l'amour.   880
Je sais sur les grands cœurs ce qu'il se fait d'empire,
J'avoue, et hautement, que le mien en soupire, [cœurs,
Mais quoi qu'un si beau choix puisse avoir de dou-
Je garde un autre exemple aux princesses mes sœurs.

JOCASTE

Je souffre tout de vous en l'état où vous êtes.   885
Si vous ne savez pas même ce que vous faites,
Le chagrin inquiet du trouble où je vous voi
Vous peut faire oublier que vous parlez à moi,
Mais quittez ces dehors d'une vertu sévère,
Et souvenez-vous mieux que je suis votre mère.   890

DIRCÉ

Ce chagrin inquiet, pour se justifier,
N'a qu'à prendre chez vous l'exemple d'oublier.
Quand vous mîtes le sceptre en une autre famille,
Vous souvint-il assez que j'étais votre fille?

JOCASTE

Vous n'étiez qu'un enfant.

DIRCÉ

             J'avais déjà des yeux,   895
Et sentais dans mon cœur le sang de mes aïeux.
C'était ce même sang dont vous m'avez fait naître
Qui s'indignait dès lors qu'on lui donnât un maître,
Et que vers soi Laïus aime mieux rappeler
Que de voir qu'à vos yeux on l'ose ravaler.   900

Il oppose ma mort à l'indigne hyménée
Où par raison d'État, il me voit destinée.
Il la fait glorieuse, et je meurs plus pour moi
Que pour ces malheureux qui se sont fait un Roi.
905 Le ciel en ma faveur prend ce cher interprète,
Pour m'épargner l'affront de vivre encor sujette,
Et s'il a quelque foudre, il saura le garder
Pour qui m'a fait des lois où j'ai dû commander.

JOCASTE

Souffrez qu'à ses éclairs votre orgueil se dissipe :
910 Ce foudre vous menace un peu plus tôt qu'Œdipe,
Et le Roi n'a pas lieu d'en redouter les coups,
Quand parmi tout son peuple ils n'ont choisi que vous.

DIRCÉ

Madame, il se peut faire encor qu'il me prévienne.
S'il sait ma destinée, il ignore la sienne :
915 Le ciel pourra venger ses ordres retardés.
Craignez ce changement que vous lui demandez,
Souvent on l'entend mal quand on le croit entendre :
L'oracle le plus clair se fait le moins comprendre.
Moi-même je le dis sans comprendre pourquoi,
920 Et ce discours en l'air m'échappe malgré moi.
Pardonnez cependant à cette humeur hautaine,
Je veux parler en fille, et je m'explique en Reine.
Vous qui l'êtes encor, vous savez ce que c'est,
Et jusqu'où nous emporte un si haut intérêt.
925 Si je n'en ai le rang, j'en garde la teinture.
Le trône a d'autres droits que ceux de la nature.
J'en parle trop peut-être alors qu'il faut mourir.
Hâtons-nous d'empêcher ce peuple de périr,
Et sans considérer quel fut vers moi son crime,
930 Puisque le ciel le veut, donnons-lui sa victime.

JOCASTE

Demain ce juste ciel pourra s'expliquer mieux.
Cependant vous laissez bien du trouble en ces lieux,
Et si votre vertu pouvait croire mes larmes,
Vous nous épargneriez cent mortelles alarmes.

DIRCÉ

935 Dussent avec vos pleurs tous vos Thébains s'unir,
Ce que n'a pu l'amour, rien ne doit l'obtenir.

Scène III: Œdipe, Jocaste, Dircé.

DIRCÉ

A quel propos, Seigneur, voulez-vous qu'on diffère,
Qu'on dédaigne un remède à tous si salutaire?
Chaque instant que je vis vous enlève un sujet,
940 Et l'État s'affaiblit par l'affront qu'on me fait.
Cette ombre de pitié n'est qu'un comble d'envie :
Vous m'avez envié le bonheur de ma vie;
Et je vous vois par là jaloux de tout mon sort,
Jusques à m'envier la gloire de ma mort.

ŒDIPE

945 Qu'on perd de temps, Madame, alors qu'on vous

DIRCÉ   [fait grâce!

Le ciel m'en a trop fait pour souffrir qu'on m'en fasse.

JOCASTE

Faut-il voir votre esprit obstinément aigri,
Quand ce qu'on fait pour vous doit l'avoir attendri?

DIRCÉ

Faut-il voir son envie à mes vœux opposée,
Quand il ne s'agit plus d'Æmon ni de Thésée?

ŒDIPE

Il s'agit de répandre un sang si précieux,
Qu'il faut un second ordre et plus exprès des Dieux.

DIRCÉ

Doutez-vous qu'à mourir je ne sois toute prête,
Quand les Dieux par mon père ont demandé ma tête?

ŒDIPE

Je vous connais, Madame, et je n'ai point douté
De cet illustre excès de générosité,
Mais la chose après tout n'est pas encor si claire,
Que cet ordre nouveau ne nous soit nécessaire.

DIRCÉ

Quoi! mon père tantôt parlait obscurément?

ŒDIPE

Je n'en ai rien connu que depuis un moment.
C'est un autre que vous peut-être qu'il menace.

DIRCÉ

Si l'on ne m'a trompée, il n'en veut qu'à sa race.

ŒDIPE

Je sais qu'on vous a fait un fidèle rapport;
Mais vous pourriez mourir et perdre votre mort,
Et la Reine sans doute était bien inspirée
Alors que par ses pleurs elle l'a différée.

JOCASTE

Je ne reçois qu'en trouble un si confus espoir.

ŒDIPE

Ce trouble augmentera peut-être avant ce soir.

JOCASTE

Vous avancez des mots que je ne puis comprendre.

ŒDIPE

Vous vous plaindrez fort peu de ne les point entendre
Nous devons bientôt voir le mystère éclairci.
Madame, cependant vous êtes libre ici.
La Reine vous l'a dit, ou vous a dû le dire,
Et si vous m'entendez, ce mot vous doit suffire.

DIRCÉ

Quelque secret motif qui vous aye excité
A ce tardif excès de générosité,
Je n'emporterai point de Thèbes dans Athènes
La colère des Dieux et l'amas de leurs haines,
Qui pour premier objet pourraient choisir l'époux
Pour qui j'aurais osé mériter leur courroux.
Vous leur faites demain offrir un sacrifice?

ŒDIPE

J'en espère pour vous un destin plus propice.

DIRCÉ

J'y trouverai ma place et ferai mon devoir.
Quant au reste, Seigneur, je n'en veux rien savoir :
J'y prends si peu de part, que sans m'en mettre en peine
Je vous laisse expliquer votre énigme à la Reine.
Mon cœur doit être las d'avoir tant combattu,
Et fuit un piège adroit qu'on tend à sa vertu.

Scène IV: Jocaste, Œdipe, suite.

ŒDIPE

Madame, quand des Dieux la réponse funeste,

De peur d'un parricide et de peur d'un inceste,
Sur le mont Cythéron fit exposer ce fils
Pour qui tant de forfaits avaient été prédits,
Sûtes-vous faire choix d'un ministre fidèle ?

JOCASTE

Aucun pour le feu Roi n'a montré plus de zèle,
Et quand par des voleurs il fut assassiné,
Ce digne favori l'avait accompagné.
Par lui seul on a su cette noire aventure,
On le trouva percé d'une large blessure,
Si baigné dans son sang, et si près de mourir,
Qu'il fallut une année et plus pour l'en guérir.

ŒDIPE

Est-il mort ?

JOCASTE

Non, Seigneur : la perte de son maître
Fut cause qu'en la cour il cessa de paraître,
Mais il respire encore, assez vieil et cassé ;
Et Mégare, sa fille, est auprès de Dircé.

ŒDIPE

Où fait-il sa demeure ?

JOCASTE

Au pied de cette roche
Que de ces tristes murs nous voyons la plus proche.

ŒDIPE

Tâchez de lui parler.

JOCASTE

J'y vais tout de ce pas.
Qu'on me prépare un char pour aller chez Phorbas.
Son dégoût de la cour pourrait sur un message
S'excuser par caprice et prétexter son âge.
Dans une heure au plus tard je saurai vous revoir.
Mais que dois-je lui dire, et qu'en faut-il savoir ?

ŒDIPE

Un bruit court depuis peu qu'il vous a mal servie,
Que ce fils qu'on croit mort est encor plein de vie.
L'oracle de Laïus par là devient douteux,
Et tout ce qu'il a dit peut s'étendre sur deux.

JOCASTE

Seigneur, ou sur ce bruit je suis fort abusée,
Ou ce n'est qu'un effet de l'amour de Thésée :
Pour sauver ce qu'il aime et vous embarrasser,
Jusques à votre oreille il l'aura fait passer,
Mais Phorbas aisément convaincra d'imposture
Quiconque ose à sa foi faire une telle injure.

ŒDIPE

L'innocence de l'âge aura pu l'émouvoir.

JOCASTE

Je l'ai toujours connu ferme dans son devoir ;
Mais si déjà ce bruit vous met en jalousie,
Vous pouvez consulter le devin Tirésie,
Publier sa réponse et traiter d'imposteur
De cette illusion le téméraire auteur.

ŒDIPE

Je viens de le quitter, et de là vient ce trouble
Qu'en mon cœur alarmé chaque moment redouble.
« Ce prince, m'a-t-il dit, respire en votre cour :
Vous pourrez le connaître avant la fin du jour,
Mais il pourra vous perdre en se faisant connaître.
Puisse-t-il ignorer quel sang lui donna l'être ! »

Voilà ce qu'il m'a dit d'un ton si plein d'effroi   1035
Qu'il l'a fait rejaillir jusqu'en l'âme d'un Roi.
Ce fils, qui devait être inceste et parricide,
Doit avoir un cœur lâche, un courage perfide,
Et par un sentiment facile à deviner,
Il ne se cache ici que pour m'assassiner :   1040
C'est par là qu'il aspire à devenir monarque,
Et vous le connaîtrez bientôt à cette marque.

Quoi qu'il en soit, Madame, allez trouver Phorbas :
Tirez-en, s'il se peut, les clartés qu'on n'a pas.
Tâchez en même temps de voir aussi Thésée :   1045
Dites-lui qu'il peut faire une conquête aisée,
Qu'il ose pour Dircé, que je n'en verrai rien.
J'admire un changement si confus que le mien :
Tantôt dans leur hymen je croyais voir ma perte,
J'allais pour l'empêcher jusqu'à la force ouverte,   1050
Et sans savoir pourquoi, je voudrais que tous deux
Fussent, loin de ma vue, au comble de leurs vœux,
Que les emportements d'une ardeur mutuelle
M'eussent débarrassé de son amant et d'elle.
Bien que de leur vertu rien ne me soit suspect,   1055
Je ne sais quelle horreur me trouble à leur aspect.
Ma raison le repousse, et ne m'en peut défendre,
Moi-même en cet état je ne me puis comprendre,
Et l'énigme du Sphinx fut moins obscur pour moi
Que le fond de mon cœur ne l'est dans cet effroi :   1060
Plus je le considère, et plus je m'en irrite.
Mais ce prince paraît, souffrez que je l'évite ;
Et si vous vous sentez l'esprit moins interdit,
Agissez avec lui comme je vous l'ai dit.

Scène V : Jocaste, Thésée.

JOCASTE

Prince, que faites-vous ? quelle pitié craintive,   1065
Quel faux respect des Dieux tient votre flamme oisive ?
Avez-vous oublié comme il faut secourir ?

THÉSÉE

Dircé n'est plus, Madame, en état de périr :
Le ciel vous rend un fils, et ce n'est qu'à ce prince
Qu'est dû le triste honneur de sauver sa province.   1070

JOCASTE

C'est trop vous assurer sur l'éclat d'un faux bruit.

THÉSÉE

C'est une vérité dont je suis mieux instruit.

JOCASTE

Vous le connaissez donc ?

THÉSÉE

A l'égal de moi-même.

JOCASTE

De quand ?

THÉSÉE

De ce moment.

JOCASTE

Et vous l'aimez ?

THÉSÉE

Je l'aime
Jusqu'à mourir du coup dont il sera percé.   1075

JOCASTE

Mais cette amitié cède à l'amour de Dircé ?

THÉSÉE

Hélas! cette princesse à mes désirs si chère
En un fidèle amant trouve un malheureux frère,
Qui mourrait de douleur d'avoir changé de sort,
1080 N'était le prompt secours d'une plus digne mort,
Et qu'assez tôt connu pour mourir au lieu d'elle
Ce frère malheureux meurt en amant fidèle.

JOCASTE

Quoi? vous seriez mon fils?

THÉSÉE

Et celui de Laïus.

JOCASTE

Qui vous a pu le dire?

THÉSÉE

Un témoin qui n'est plus,
1085 Phædime, qu'à mes yeux vient de ravir la peste :
Non qu'il m'en ait donné la preuve manifeste,
Mais Phorbas, ce vieillard qui m'exposa jadis,
Répondra mieux que lui de ce que je vous dis,
Et vous éclaircira touchant une aventure
1090 Dont je n'ai pu tirer qu'une lumière obscure.
     Ce peu qu'en ont pour moi les soupirs d'un mourant
Du grand droit de régner serait mauvais garant.
Mais ne permettez pas que le Roi me soupçonne,
Comme si ma naissance ébranlait sa couronne,
1095 Quelque honneur, quelques droits qu'elle ait pu m'ac-
Je ne viens disputer que celui de mourir.   [quérir,

JOCASTE

Je ne sais si Phorbas avouera votre histoire,
Mais, qu'il l'avoue ou non, j'aurai peine à vous croire.
Avec votre mourant Tirésie est d'accord,
1100 A ce que dit le Roi, que mon fils n'est point mort.
C'est déjà quelque chose, et toutefois mon âme
Aime à tenir suspecte une si belle flamme.
Je ne sens point pour vous l'émotion du sang,
Je vous trouve en mon cœur toujours en même rang,
1105 J'ai peine à voir un fils où j'ai cru voir un gendre,
La nature avec vous refuse de s'entendre [26],
Et me dit en secret, sur votre emportement,
Qu'il a bien peu d'un frère, et beaucoup d'un amant;
Qu'un frère a pour des sœurs une ardeur plus remise,
1110 A moins que sous ce titre un amant se déguise,
Et qu'il cherche en mourant la gloire et la douceur
D'arracher à la mort ce qu'il nomme sa sœur.

THÉSÉE

Que vous connaissez mal ce que peut la nature!
Quand d'un parfait amour elle a pris la teinture,
1115 Et que le désespoir d'un illustre projet
Se joint aux déplaisirs d'en voir périr l'objet,
Il est doux de mourir pour une sœur si chère.
Je l'aimais en amant, je l'aime encore en frère,
C'est sous un autre nom le même empressement :
1120 Je ne l'aime pas moins, mais je l'aime autrement.
L'ardeur sur la vertu fortement établie
Par ces retours du sang ne peut être affaiblie,

Et ce sang qui prêtait sa tendresse à l'amour
A droit d'en emprunter les forces à son tour.

JOCASTE

Eh bien! soyez mon fils, puisque vous voulez l'être,
Mais donnez-moi la marque où je dois le connaître.
Vous n'êtes point ce fils, si vous n'êtes méchant :
Le ciel sur sa naissance imprima ce penchant,
J'en vois quelque partie en ce désir inceste,
Mais pour ne plus douter, vous chargez-vous du reste?
Etes-vous l'assassin et d'un père et d'un Roi?

THÉSÉE

Ah! Madame, ce mot me fait pâlir d'effroi.

JOCASTE

C'était là de mon fils la noire destinée :
Sa vie à ces forfaits par le ciel condamnée
N'a pu se dégager de cet astre ennemi,
Ni de son ascendant s'échapper à demi.
Si ce fils vit encore, il a tué son père :
C'en est l'indubitable et le seul caractère;
Et le ciel, qui prit soin de nous en avertir,
L'a dit trop hautement pour se voir démentir.
     Sa mort seule pouvait le dérober au crime.
Prince, renoncez donc à toute votre estime :
Dites que vos vertus sont crimes déguisés,
Recevez tout le sort que vous vous imposez,
Et pour remplir un nom dont vous êtes avide,
Acceptez ceux d'inceste et de fils parricide.
J'en croirai ces témoins que le ciel m'a prescrits,
Et ne vous puis donner mon aveu qu'à ce prix.

THÉSÉE

Quoi? la nécessité des vertus et des vices
D'un astre impérieux doit suivre les caprices,
Et Delphes, malgré nous, conduit nos actions
Au plus bizarre effet de ses prédictions?
L'âme est donc toute esclave : une loi souveraine
Vers le bien ou le mal incessamment l'entraîne,
Et nous ne recevons ni crainte ni désir
De cette liberté qui n'a rien à choisir,
Attachés sans relâche à cet ordre sublime,
Vertueux sans mérite, et vicieux sans crime.
Qu'on massacre les rois, qu'on brise les autels,
C'est la faute des Dieux, et non pas des mortels.
De toute la vertu sur la terre épandue,
Tout le prix à ces dieux, toute la gloire est due;
Ils agissent en nous quand nous pensons agir;
Alors qu'on délibère on ne fait qu'obéir;
Et notre volonté n'aime, hait, cherche, évite,
Que suivant que d'en haut leur bras la précipite.
     D'un tel aveuglement daignez me dispenser [27].
Le ciel, juste à punir, juste à récompenser,
Pour rendre aux actions leur peine ou leur salaire,
Doit nous offrir son aide, et puis nous laisser faire.
N'enfonçons toutefois ni votre œil ni le mien
Dans ce profond abîme où nous ne voyons rien :
Delphes a pu vous faire une fausse réponse,
L'argent put inspirer la voix qui les prononce,

---

26. Il n'est pas vrai que Corneille fasse toujours jouer
facilement la secrète voix du sang. Si elle se trouve juste chez
Leonor (*Don Sanche*) et chez Jocaste, elle se trompe obstinément en Phocas (*Héraclius*).

27. Cette célèbre défense du libre arbitre, placée au centre
de la pièce, a contribué à son succès : profession de foi de
Corneille à la fois contre la fatalité antique et la position janséniste, au demeurant mal comprise.

175 Cet organe des Dieux put se laisser gagner
A ceux que ma naissance éloignait de régner,
Et par tous les climats on n'a que trop d'exemples
Qu'il est ainsi qu'ailleurs des méchants dans les temples.
    Du moins puis-je assurer que dans tous mes combats
180 Je n'ai jamais souffert de seconds que mon bras,
Que je n'ai jamais vu ces lieux de la Phocide
Où fut par des brigands commis ce parricide,
Que la fatalité des plus pressants malheurs
Ne m'aurait pu réduire à suivre des voleurs,
185 Que j'en ai trop puni pour en croître le nombre...
            JOCASTE
Mais Laïus a parlé, vous en avez vu l'ombre :
De l'oracle avec elle on voit tant de rapport
Qu'on ne peut qu'à ce fils en imputer la mort,
Et c'est le dire assez qu'ordonner qu'on efface
190 Un grand crime impuni par le sang de sa race.
Attendons toutefois ce qu'en dira Phorbas :
Autre que lui n'a vu ce malheureux trépas,
Et de ce témoin seul dépend la connaissance
Et de ce parricide et de votre naissance.
195 Si vous êtes coupable, évitez-en les yeux,
Et de peur d'en rougir, prenez d'autres aïeux.
            THÉSÉE
Je le verrai, Madame, et sans inquiétude.
Ma naissance confuse a quelque incertitude,
Mais pour ce parricide, il est plus que certain
200 Que ce ne fut jamais un crime de ma main.

ACTE QUATRIÈME

Scène I: Thésée, Dircé, Mégare.

            DIRCÉ
Oui, déjà sur ce bruit l'amour m'avait flattée :
Mon âme avec plaisir s'était inquiétée,
Et ce jaloux honneur qui ne consentait pas
Qu'un frère me ravît un glorieux trépas,
5 Après cette douceur fièrement refusée,
Ne me refusait point de vivre pour Thésée,
Et laissait doucement corrompre sa fierté
A l'espoir renaissant de ma perplexité.
Mais si je vois en vous ce déplorable frère,
10 Quelle faveur du ciel voulez-vous que j'espère,
S'il n'est pas en sa main de m'arrêter au jour
Sans faire soulever et l'honneur et l'amour?
S'il dédaigne mon sang, il accepte le vôtre;
Et si quelque miracle épargne l'un et l'autre,
15 Pourra-t-il détacher de mon sort le plus doux
L'amertume de vivre, et n'être point à vous?
            THÉSÉE
Le ciel choisit souvent de secrètes conduites
Qu'on ne peut démêler qu'après de longues suites,
Et de mon sort douteux l'obscur événement
Ne défend pas l'espoir d'un second changement.
Je chéris ce premier qui vous est salutaire,
Je ne puis en amant ce que je puis en frère,
J'en garderai le nom tant qu'il faudra mourir.
Mais si jamais d'ailleurs on peut vous secourir,

Peut-être que le ciel me faisant mieux connaître,   1225
Sitôt que vous vivrez, je cesserai de l'être,
Car je n'aspire point à calmer son courroux,
Et ne veux ni mourir ni vivre que pour vous.
            DIRCÉ
Cet amour mal éteint sied mal au cœur d'un frère :
Où le sang doit parler, c'est à lui de se taire,   1230
Et sitôt que sans crime il ne peut plus durer,
Pour ses feux les plus vifs il est temps d'expirer.
            THÉSÉE
Laissez-lui conserver ces ardeurs empressées
Qui vous faisaient l'objet de toutes mes pensées.
J'ai mêmes yeux encore, et vous mêmes appas :   1235
Si mon sort est changé, mon souhait ne l'est pas.
Mon cœur n'écoute point ce que le sang veut dire :
C'est d'amour qu'il gémit, c'est d'amour qu'il soupire
Et pour pouvoir sans crime en goûter la douceur,
Il se révolte exprès contre le nom de sœur.   1240
De mes plus chers désirs ce partisan sincère
En faveur de l'amant tyrannise le frère,
Et partage à tous deux le digne empressement
De mourir comme frère et vivre comme amant.
            DIRCÉ
O du sang de Laïus preuves trop manifestes!   1245
Le ciel, vous destinant à des flammes incestes,
A su de votre esprit déraciner l'horreur
Que doit faire à l'amour le sacré nom de sœur.
Mais si sa flamme y garde une place usurpée,
Dircé dans votre erreur n'est point enveloppée :   1250
Elle se défend mieux de ce trouble intestin,
Et si c'est votre sort, ce n'est pas son destin.
Non qu'enfin sa vertu vous regarde en coupable;
Puisque le ciel vous force, il vous rend excusable,
Et l'amour pour les sens est un si doux poison,   1255
Qu'on ne peut pas toujours écouter la raison.
Moi-même, en qui l'honneur n'accepte aucune grâce,
J'aime en ce douteux sort tout ce qui m'embarrasse,
Je ne sais quoi m'y plaît qui n'ose s'exprimer,
Et ce confus mélange a de quoi me charmer.   1260
Je n'aime plus qu'en sœur, et malgré moi j'espère.
Ah! Prince, s'il se peut, ne soyez point mon frère,
Et laissez-moi mourir avec les sentiments
Que la gloire permet aux illustres amants.
            THÉSÉE
Je vous ai déjà dit, Princesse, que peut-être,   1265
Sitôt que vous vivrez, je cesserai de l'être :
Faut-il que je m'explique, et toute votre ardeur
Ne peut-elle sans moi lire au fond de mon cœur?
Puisqu'il est tout à vous, pénétrez-y, Madame :
Vous verrez que sans crime il conserve sa flamme.   1270
Si je suis descendu jusqu'à vous abuser,
Un juste désespoir m'aurait fait plus oser,
Et l'amour, pour défendre une si chère vie,
Peut faire vanité d'un peu de tromperie.
J'en ai tiré ce fruit, que ce nom décevant   1275
A fait connaître ici que ce Prince est vivant.
Phorbas l'a confessé, Tirésie a lui-même
Appuyé de sa voix cet heureux stratagème :
C'est par lui qu'on a su qu'il respire en ces lieux. [yeux,
Souffrez donc qu'un moment je trompe encor leurs   1280

Et puisque dans ce jour ce frère doit paraître,
Jusqu'à ce qu'on l'ait vu permettez-moi de l'être.

DIRCÉ

Je pardonne un abus que l'amour a formé,
Et rien ne peut déplaire alors qu'on est aimé.
1285 Mais hasardiez-vous tant sans aucune lumière?

THÉSÉE

Mégare m'avait dit le secret de son père,
Il m'a valu l'honneur de m'exposer pour tous,
Mais je n'en abusais que pour mourir pour vous.
Le succès a passé cette triste espérance.
1290 Ma flamme en vos périls ne voit plus d'apparence.
Si l'on peut à l'oracle ajouter quelque foi,
Ce fils a de sa main versé le sang du Roi,
Et son ombre, en parlant de punir un grand crime,
Dit assez que c'est lui qu'elle veut pour victime.

DIRCÉ

1295 Prince, quoi qu'il en soit, n'empêchez plus ma mort,
Si par le sacrifice on n'éclaircit mon sort.
La Reine qui paraît fait que je me retire :
Sachant ce que je sais, j'aurais peur d'en trop dire,
Et comme enfin ma gloire a d'autres intérêts,
1300 Vous saurez mieux sans moi ménager vos secrets :
Mais puisque vous voulez que mon esprit revive,
Ne tenez pas longtemps la vérité captive.

Scène II : Jocaste, Thésée, Nérine.

JOCASTE

Prince, j'ai vu Phorbas, et tout ce qu'il m'a dit
A ce que vous croyez peut donner du crédit.
1305 Un passant inconnu, touché de cette enfance
Dont un astre envieux condamnait la naissance,
Sur le mont Cythéron reçut de lui mon fils,
Sans qu'il lui demandât son nom ni son pays,
De crainte qu'à son tour il ne conçut l'envie
1310 D'apprendre dans quel sang il conservait la vie.
Il l'a revu depuis, et presque tous les ans,
Dans le temple d'Élide offrir quelques présents.
Ainsi chacun des deux connaît l'autre au visage,
Sans s'être l'un à l'autre expliqués davantage.
1315 Il a bien su de lui que ce fils conservé
Respire encor le jour dans un rang élevé,
Mais je demande en vain qu'à mes yeux il le montre,
A moins que ce vieillard avec lui se rencontre.
Si Phædime après lui vous eut en son pouvoir,
1320 De cet inconnu même il put vous recevoir,
Et voyant à Trézène une mère affligée,
De la perte du fils qu'elle avait eu d'Égée,
Vous offrir en sa place, elle vous accepter.
Tout ce qui sur ce point pourrait faire douter,
1325 C'est qu'il vous a souffert dans une flamme inceste,
Et n'a parlé de rien qu'en mourant de la peste.
Mais d'ailleurs Tirésie a dit que dans ce jour
Nous pourrons voir ce Prince, et qu'il vit dans la cour;
Quelques moments après on vous a vu paraître :
1330 Passons outre. A Phorbas ajouteriez-vous foi?
S'il n'a pas vu mon fils, il vit la mort du Roi,
Il connaît l'assassin : voulez-vous qu'il vous voie?

THÉSÉE

Je le verrai, Madame, et l'attends avec joie,
Sûr, comme je l'ai dit, qu'il n'est point de malheurs 13.
Qui m'eussent pu réduire à suivre des voleurs.

JOCASTE

Ne vous assurez point sur cette conjecture,
Et souffrez qu'elle cède à la vérité pure.
Honteux qu'un homme seul eût triomphé de trois,
Qu'il en eût tué deux et mis l'autre aux abois,   13
Phorbas nous supposa ce qu'il nous en fit croire,
Et parla de brigands pour sauver quelque gloire.
Il me vient d'avouer sa faiblesse à genoux.
« D'un bras seul, m'a-t-il dit, partirent tous les coups,
Un bras seul à tous trois nous ferma le passage,   13
Et d'une seule main ce grand crime est l'ouvrage. »

THÉSÉE

Le crime n'est pas grand s'il fut seul contre trois,
Mais jamais sans forfait on ne se prend aux rois,
Et fussent-ils cachés sous un habit champêtre,
Leur propre majesté les doit faire connaître.   13
L'assassin de Laïus est digne du trépas :
Bien que seul contre trois, il ne le connût pas.
Pour moi, je l'avouerai, que jamais ma vaillance
A mon bras contre trois n'a commis ma défense.
L'œil de votre Phorbas aura beau me chercher   13
Jamais dans la Phocide on ne m'a vu marcher.
Qu'il vienne : à ses regards sans crainte je m'expose,
Et c'est un imposteur s'il vous dit autre chose.

JOCASTE

Faites entrer Phorbas. Prince, pensez-y bien.

THÉSÉE

S'il est homme d'honneur, je n'en dois craindre rien. 13

JOCASTE

Vous voudrez, mais trop tard, en éviter la vue.

THÉSÉE

Qu'il vienne : il tarde trop, cette lenteur me tue,
Et si je le pouvais sans perdre le respect,
Je me plaindrais un peu de me voir trop suspect.

Scène III : Jocaste, Thésée,
Phorbas, Nérine.

JOCASTE

Laissez-moi lui parler, et prêtez-nous silence.   13
Phorbas, envisagez ce Prince en ma présence :
Le reconnaissez-vous?

PHORBAS

                        Je crois vous l'avoir dit
Que je ne l'ai point vu depuis qu'on le perdit,
Madame : un si long temps laisse mal reconnaître
Un Prince qui pour lors ne faisait que de naître,   1
Et si je vois en lui l'effet de mon secours,
Je n'y puis voir les traits d'un enfant de deux jours.

JOCASTE

Je sais, ainsi que vous, que les traits de l'enfance
N'ont avec ceux d'un homme aucune ressemblance,
Mais comme ce héros, s'il est sorti de moi,   1
Doit avoir de sa main versé le sang du Roi,
Seize ans n'ont pas changé tellement son visage
Que vous n'en conserviez quelque imparfaite image.

PHORBAS

Hélas! j'en garde encor si bien le souvenir
1380 Que je l'aurai présent durant tout l'avenir.
Si pour connaître un fils il vous faut cette marque,
Ce Prince n'est point né de notre grand monarque.
Mais désabusez-vous, et sachez que sa mort
Ne fut jamais d'un fils le parricide effort.

JOCASTE

1385 Et de qui donc, Phorbas? Avez-vous connaissance
Du nom du meurtrier, savez-vous sa naissance?

PHORBAS

Et de plus sa demeure et son rang. Est-ce assez?

JOCASTE

Je saurai le punir si vous le connaissez.
Pourrez-vous le convaincre?

PHORBAS

Et par sa propre bouche.

JOCASTE

1390 A nos yeux?

PHORBAS

A vos yeux. Mais peut-être il vous touche,
Peut-être y prendrez-vous un peu trop d'intérêt,
Pour m'en croire aisément quand j'aurai dit qui c'est.

THÉSÉE

Ne nous déguisez rien, parlez en assurance,
Que le fils de Laïus en hâte la vengeance.

JOCASTE

1395 Il n'est pas assuré, Prince, que ce soit vous,
Comme il l'est que Laïus fut jadis mon époux,
Et d'ailleurs si le ciel vous choisit pour victime,
Vous me devez laisser à punir ce grand crime.

THÉSÉE

Avant que de mourir, un fils peut le venger.

PHORBAS

1400 Si vous l'êtes ou non, je ne le puis juger,
Mais je sais que Thésée est si digne de l'être
Qu'au seul nom qu'il en prend je l'accepte pour maître.
Seigneur, vengez un père, ou ne soutenez plus
Que nous voyons en vous le vrai sang de Laïus.

JOCASTE

1405 Phorbas, nommez ce traître, et nous tirez de doute,
Et j'atteste à vos yeux le ciel qui nous écoute,
Que pour cet assassin il n'est point de tourments
Qui puissent satisfaire à mes ressentiments.

PHORBAS

Mais si je vous nommais quelque personne chère,
1410 Æmon votre neveu, Créon votre seul frère,
Ou le prince Lycus, ou le Roi votre époux,
Me pourriez-vous en croire, ou garder ce courroux?

JOCASTE

De ceux que vous nommez je sais trop l'innocence.

PHORBAS

Peut-être qu'un des quatre a fait plus qu'il ne pense,
1415 Et j'ai lieu de juger qu'un trop cuisant ennui...

JOCASTE

Voici le Roi qui vient : dites tout devant lui.

Scène IV : Œdipe, Jocaste, Thésée,
Phorbas, suite.

ŒDIPE

Si vous trouvez un fils dans le prince Thésée,
Mon âme en son effroi s'était bien abusée :
Il ne choisira point de chemin criminel,
1420 Quand il voudra rentrer au trône paternel,
Madame, et ce sera du moins à force ouverte
Qu'un si vaillant guerrier entreprendra ma perte.
Mais dessus ce vieillard plus je porte les yeux,
Plus je crois l'avoir vu jadis en d'autres lieux :
1425 Ses rides me font peine à le bien reconnaître.
Ne m'as-tu jamais vu?

PHORBAS

Seigneur, cela peut être.

ŒDIPE

Il y pourrait avoir entre quinze et vingt ans.

PHORBAS

J'ai de confus rapports d'environ même temps.

ŒDIPE

Environ ce temps-là fis-tu quelque voyage?

PHORBAS

Oui, Seigneur, en Phocide, et là, dans un passage... 1430

ŒDIPE

Ah! je te reconnais, ou je suis fort trompé.
C'est un de mes brigands à la mort échappé,
Madame, et vous pouvez lui choisir des supplices :
S'il n'a tué Laïus, il fut un des complices.

JOCASTE

C'est un de vos brigands! Ah, que me dites-vous? 1435

ŒDIPE

Je le laissai pour mort, et tout percé de coups.

PHORBAS

Quoi! vous m'auriez blessé, moi, Seigneur?

ŒDIPE

Oui, perfide
Tu fis, pour ton malheur, ma rencontre en Phocide,
Et tu fus un des trois que je sus arrêter
1440 Dans ce passage étroit qu'il fallut disputer.
Tu marchais le troisième : en faut-il davantage?

PHORBAS

Si de mes compagnons vous peigniez le visage,
Je n'aurais rien à dire, et ne pourrais nier.

ŒDIPE

Seize ans, à ton avis, m'ont fait les oublier!
1445 Ne le présume pas : une action si belle
En laisse au fond de l'âme une idée immortelle,
Et si dans un combat on ne perd point de temps
A bien examiner les traits des combattants,
Après que celui-ci m'eut tout couvert de gloire,
1450 Je sus tout à loisir contempler ma victoire,
Mais tu nieras encore, et n'y connaîtras rien.

PHORBAS

Je serai convaincu, si vous les peignez bien :
Les deux que je suivis sont connus de la Reine.

ŒDIPE

Madame, jugez donc si sa défense est vaine.
Le premier de ces trois que mon bras sut punir 1455
A peine méritait un léger souvenir :

Petit de taille, noir, le regard un peu louche,
Le front cicatrisé, la mine assez farouche,
Mais homme, à dire vrai, de si peu de vertu,
1460 Que dès le premier coup je le vis abattu.
  Le second, je l'avoue, avait un grand courage,
Bien qu'il parût déjà dans le penchant de l'âge :
Le front assez ouvert, l'œil perçant, le teint frais
(On en peut voir en moi la taille et quelques traits),
1465 Chauve sur le devant, mêlé sur le derrière,
Le port majestueux, et la démarche fière.
Il se défendit bien, et me blessa deux fois,
Et tout mon cœur s'émut de le voir aux abois.
Vous pâlissez, Madame?

JOCASTE

      Ah! Seigneur, puis-je apprendre
1470 Que vous ayez tué Laïus après Nicandre,
Que vous ayez blessé Phorbas de votre main,
Sans en frémir d'horreur, sans en pâlir soudain?

ŒDIPE

Quoi! c'est là ce Phorbas qui vit tuer son maître?

JOCASTE

Vos yeux, après seize ans, l'ont trop su reconnaître,
1475 Et ses deux compagnons que vous avez dépeints
De Nicandre et du Roi portent les traits empreints.

ŒDIPE

Mais ce furent brigands, dont le bras...

JOCASTE

                    C'est un conte
Dont Phorbas au retour voulut cacher sa honte.
Une main seule, hélas! fit ces funestes coups,
1480 Et, par votre rapport, ils partirent de vous.

PHORBAS

J'en fus presque sans vie un peu plus d'une année,
Avant ma guérison on vit votre hyménée
Je guéris, et mon cœur, en secret mutiné
De connaître quel Roi vous nous aviez donné,
1485 S'imposa cet exil dans un séjour champêtre,
Attendant que le ciel me fit un autre maître.

THÉSÉE

Seigneur, je suis le frère ou l'amant de Dircé,
Et son père ou le mien, de votre main percé...

ŒDIPE

Prince, je vous entends, il faut venger ce père,
1490 Et ma perte à l'État semble être nécessaire,
Puisque de nos malheurs la fin ne se peut voir,
Si le sang de Laïus ne remplit son devoir :
C'est ce que Tirésie avait voulu me dire.
Mais ce reste du jour souffrez que je respire :
1495 Le plus sévère honneur ne saurait murmurer
De ce peu de moments que j'ose différer,
Et ce coup surprenant permet à votre haine
De faire cette grâce aux larmes de la Reine.

THÉSÉE

Nous nous verrons demain, Seigneur, et résoudrons...

ŒDIPE

1500 Quand il en sera temps, Prince, nous répondrons,
Et s'il faut, après tout, qu'un grand crime s'efface
Par le sang que Laïus a transmis à sa race,
Peut-être aurez-vous peine à reprendre son rang,
Qu'il ne vous ait coûté quelque peu de ce sang.

THÉSÉE

Demain chacun de nous fera sa destinée.   15

Scène V: Œdipe, Jocaste, suite.

JOCASTE

Que de maux nous promet cette triste journée!
J'y dois voir ou ma fille ou mon fils s'immoler,
Tout le sang de ce fils de votre main couler,
Ou de la sienne enfin le vôtre se répandre,
Et ce qu'oracle aucun n'a fait encore attendre,   15
Rien ne m'affranchira de voir sans cesse en vous,
Sans cesse en un mari, l'assassin d'un époux.
Puis-je plaindre à ce mort la lumière ravie,
Sans haïr le vivant, sans détester ma vie?
Puis-je de ce vivant plaindre l'aveugle sort,   1
Sans détester ma vie et sans trahir le mort?

ŒDIPE

Madame, votre haine est pour moi légitime,
Et cet aveugle sort m'a fait vers vous un crime,
Dont ce Prince demain me punira pour vous,   15
Ou mon bras vengera ce fils et cet époux,
Et m'offrant pour victime à votre inquiétude,
Il vous affranchira de toute ingratitude.
Alors sans balancer vous plaindrez tous les deux,
Vous verrez sans rougir alors vos derniers feux,
Et permettrez sans honte à vos douleurs pressantes 1
Pour Laïus et pour moi des larmes innocentes.

JOCASTE

Ah! Seigneur, quelque bras qui puisse vous punir,
Il n'effacera rien dedans mon souvenir :
Je vous verrai toujours, sa couronne à la tête,
De sa place en mon lit faire votre conquête,
Je me verrai toujours vous placer en son rang,
Et baiser votre main fumante de son sang,
Mon ombre même un jour dans les royaumes sombres
Ne recevra des Dieux pour bourreaux que vos ombres,
Et sa confusion l'offrant à toutes deux,   1
Elle aura pour tourments tout ce qui fit mes feux.
  Oracles décevants, qu'osiez-vous me prédire?
Si sur notre avenir vos dieux ont quelque empire,
Quelle indigne pitié divise leur courroux?
Ce qu'elle épargne au fils retombe sur l'époux,
Et comme si leur haine, impuissante ou timide,
N'osait le faire ensemble inceste et parricide,
Elle partage à deux un sort si peu commun,
Afin de me donner deux coupables pour un.

ŒDIPE

O partage inégal de ce courroux céleste!
Je suis le parricide, et ce fils est l'inceste.
Mais mon crime est entier, et le sien imparfait,
Le sien n'est qu'en désirs, et le mien en effet.
Ainsi, quelques raisons qui puissent me défendre,
La veuve de Laïus ne saurait les entendre,
Et les plus beaux exploits passent pour trahisons,
Alors qu'il faut du sang, et non pas des raisons.

JOCASTE

Ah! je n'en vois que trop qui me déchirent l'âme :
La veuve de Laïus est toujours votre femme,

55 Et n'oppose que trop, pour vous justifier,
   A la moitié du mort celle du meurtrier.
   Pour toute autre que moi votre erreur est sans crime,
   Toute autre admirerait votre bras magnanime,
   Et toute autre, réduite à punir votre erreur,
60 La punirait du moins sans trouble et sans horreur.
   Mais, hélas! mon devoir aux deux partis m'attache :
   Nul espoir d'aucun d'eux, nul effort ne m'arrache,
   Et je trouve toujours dans mon esprit confus
   Et tout ce que je suis et tout ce que je fus.
65 Je vous dois de l'amour, je vous dois de la haine :
   L'un et l'autre me plaît, l'un et l'autre me gêne,
   Et mon cœur qui doit tout et ne voit rien permis
   Souffre tout à la fois deux tyrans ennemis.
       La haine aurait l'appui d'un serment qui me lie,
70 Mais je le romps exprès pour en être punie,
   Et pour finir des maux qu'on ne peut soulager,
   J'aime à donner aux Dieux un parjure à venger.
   C'est votre foudre, ô ciel, qu'à mon secours j'appelle,
   Œdipe est innocent, je me fais criminelle :
75 Par un juste supplice osez me désunir
   De la nécessité d'aimer et de punir.

                         OEDIPE
   Quoi! vous ne voyez pas que sa fausse justice
   Ne sait plus ce que c'est que d'un juste supplice,
   Et que par un désordre à confondre mon sens
80 Son injuste rigueur n'en veut qu'aux innocents?
   Après avoir choisi ma main pour ce grand crime,
   C'est le sang de Laïus qu'il choisit pour victime,
   Et le bizarre éclat de son discernement
   Sépare le forfait d'avec le châtiment.
85 C'est un sujet nouveau d'une haine implacable,
   De voir sur votre sang la peine du coupable,
   Et les Dieux vous en font une éternelle loi,
   S'ils punissent en lui ce qu'ils ont fait par moi.
   Voyez comme les fils de Jocaste et d'Œdipe
90 D'une si juste haine ont tous deux le principe.
   A voir leurs actions, à voir leur entretien,
   L'un n'est que votre sang, l'autre n'est que le mien,
   Et leur antipathie inspire à leur colère
   Des préludes secrets de ce qu'il vous faut faire.

                         JOCASTE
95 Pourrez-vous me haïr jusqu'à cette rigueur
   De souhaiter pour vous même haine en mon cœur?

                         OEDIPE
   Toujours de vos vertus j'adorerai les charmes,
   Pour ne haïr qu'en moi la source de vos larmes.

                         JOCASTE
   Et je me forcerai toujours à vous blâmer,
100 Pour ne haïr qu'en moi ce qui vous fit m'aimer.
   Mais finissons, de grâce, un discours qui me tue :
   L'assassin de Laïus doit me blesser la vue,
   Et malgré ce courroux par sa mort allumé,
   Je sens qu'Œdipe enfin sera toujours aimé.

                         OEDIPE
105 Que fera cet amour?

                         JOCASTE
                   Ce qu'il doit à la haine.
                         OEDIPE
   Qu'osera ce devoir?

                         JOCASTE
                         Croître toujours ma peine.
                         OEDIPE
   Faudra-t-il pour jamais me bannir de vos yeux?
                         JOCASTE
   Peut-être que demain nous le saurons des Dieux.

               ACTE CINQUIÈME

         Scène I : Œdipe, Dymas, suite.

                         DYMAS
   Seigneur, il est trop vrai que le peuple murmure,
   Qu'il rejette sur vous sa funeste aventure,   1610
   Et que de tous côtés on n'entend que mutins
   Qui vous nomment l'auteur de leurs mauvais destins.
   D'un devin suborné les infâmes prestiges
   De l'ombre, disent-ils, ont fait tous les prodiges :
   L'or mouvait ce fantôme, et pour perdre Dircé,   1615
   Vos présents lui dictaient ce qu'il a prononcé :
   Tant ils conçoivent mal qu'un si grand Roi consente
   A venger son trépas sur sa race innocente,
   Qu'il assure son sceptre, aux dépens de son sang,
   A ce bras impuni qui lui perça le flanc,   1620
   Et que par cet injuste et cruel sacrifice,
   Lui-même de sa mort il se fasse justice!

                         OEDIPE
   Ils ont quelque raison de tenir pour suspect
   Tout ce qui s'est montré tantôt à leur aspect,
   Et je n'ose blâmer cette horreur que leur donne   1625
   L'assassin de leur Roi qui porte sa couronne.
   Moi-même, au fond du cœur, de même horreur frappé,
   Je veux fuir le remords de son trône occupé,
   Et je dois cette grâce à l'amour de la Reine,
   D'épargner ma présence aux devoirs de sa haine,   1630
   Puisque de notre hymen les liens mal tissus
   Par ces mêmes devoirs semblent être rompus.
   Je vais donc à Corinthe achever mon supplice,
   Mais ce n'est pas au peuple à se faire justice :
   L'ordre que tient le ciel à lui choisir des rois   1635
   Ne lui permet jamais d'examiner son choix,
   Et le devoir aveugle y doit toujours souscrire,
   Jusqu'à ce que d'en haut on veuille s'en dédire.
   Pour chercher mon repos, je veux bien me bannir,
   Mais s'il me bannissait, je saurais l'en punir,   1640
   Ou si je succombais sous sa troupe mutine,
   Je saurais l'accabler du moins sous ma ruine.

                         DYMAS
   Seigneur, jusques ici ses plus grands déplaisirs
   Pour armes contre vous n'ont pris que des soupirs,
   Et cet abattement que lui cause la peste   1645
   Ne souffre à son murmure aucun dessein funeste.
   Mais il faut redouter que Thésée et Dircé
   N'osent pousser plus loin ce qu'il a commencé.
   Phorbas même est à craindre, et pourrait le réduire
   Jusqu'à se vouloir mettre en état de vous nuire.   1650

                         OEDIPE
   Thésée a trop de cœur pour une trahison,
   Et d'ailleurs j'ai promis de lui faire raison.

Pour Dircé, son orgueil dédaignera sans doute
L'appui tumultueux que ton zèle redoute.
1655 Phorbas est plus à craindre, étant moins généreux,
Mais il nous est aisé de nous assurer d'eux.
Fais-les venir tous trois, que je lise en leur âme
S'ils prêteraient la main à quelque sourde trame.
Commence par Phorbas : je saurai démêler
1660 Quels desseins...

PAGE

           Un vieillard demande à vous parler.
Il se dit de Corinthe, et presse.

ŒDIPE

               Il vient me faire
Le funeste rapport du trépas de mon père :
Préparons nos soupirs à ce triste récit.
Qu'il entre... Cependant fais ce que je t'ai dit.

Scène II : Œdipe, Iphicrate, suite.

ŒDIPE

1665 Eh bien! Polybe est mort?

IPHICRATE

           Oui, Seigneur.

ŒDIPE

              Mais vous-même
Venir me consoler de ce malheur suprême,
Vous qui, chef du conseil, devriez maintenant,
Attendant mon retour, être mon lieutenant!
Vous, à qui tant de soins d'élever mon enfance
1670 Ont acquis justement toute ma confiance!
Ce voyage me trouble autant qu'il me surprend.

IPHICRATE

Le roi Polybe est mort : ce malheur est bien grand,
Mais comme enfin, Seigneur, il est suivi d'un pire,
Pour l'apprendre de moi faites qu'on se retire.

Œdipe fait un signe de tête à sa suite, qui l'oblige à
se retirer.

ŒDIPE

1675 Ce jour est donc pour moi le grand jour des malheurs,
Puisque vous apportez un comble à mes douleurs.
J'ai tué le feu Roi jadis sans le connaître,
Son fils qu'on croyait mort vient ici de renaître,
Son peuple mutiné me voit avec horreur,
1680 Sa veuve mon épouse en est dans la fureur.
Le chagrin accablant qui me dévore l'âme
Me fait abandonner et peuple, et sceptre, et femme,
Pour remettre à Corinthe un esprit éperdu,
Et par d'autres malheurs je m'y vois attendu!

IPHICRATE

1685 Seigneur, il faut ici faire tête à l'orage,
Il faut faire ici ferme et montrer du courage.
Le repos à Corinthe en effet serait doux,
Mais il n'est plus de sceptre à Corinthe pour vous.

ŒDIPE

Quoi! l'on s'est emparé de celui de mon père?

IPHICRATE

1690 Seigneur, on n'a rien fait que ce qu'on a dû faire,
Et votre amour en moi ne voit plus qu'un banni,
De son amour pour vous trop doucement puni.

ŒDIPE

Quelle énigme!

IPHICRATE

          Apprenez avec quelle justice
Ce Roi vous a dû rendre un si mauvais office :
Vous n'étiez point son fils.

ŒDIPE

           Dieu! qu'entends-je?

IPHICRATE

                 A regret 169
Ses remords en mourant ont rompu le secret.
Il vous gardait encore une amitié fort tendre,
Mais le compte qu'aux Dieux la mort force de rendre
A porté dans son cœur un si pressant effroi
Qu'il a remis Corinthe aux mains de son vrai Roi.   170

ŒDIPE

Je ne suis point son fils! et qui suis-je, Iphicrate?

IPHICRATE

Un enfant exposé, dont le mérite éclate,
Et de qui par pitié j'ai dérobé les jours
Aux ongles des lions, aux griffes des vautours.

ŒDIPE

Et qui m'a fait passer pour le fils de ce Prince?   170

IPHICRATE

Le manque d'héritiers ébranlait sa province.
Les trois que lui donna le conjugal amour
Perdirent en naissant la lumière du jour,
Et la mort du dernier me fit prendre l'audace
De vous offrir au Roi, qui vous mit en sa place.   17
Ce que l'on se promit de ce fils supposé
Réunit sous ses lois un État divisé.
Mais, comme cet abus finit avec sa vie,
Sa mort de mon supplice aurait été suivie,
S'il n'eût donné cet ordre à son dernier moment,   17
Qu'un juste et prompt exil fût mon seul châtiment.

ŒDIPE

Ce revers serait dur pour quelque âme commune,
Mais je me fis toujours maître de ma fortune,
Et puisqu'elle a repris l'avantage du sang,
Je ne dois plus qu'à moi tout ce que j'eus de rang.   172
Mais n'as-tu point appris de qui j'ai reçu l'être?

IPHICRATE

Seigneur, je ne puis seul vous le faire connaître.
Vous fûtes exposé jadis par un Thébain,
Dont la compassion vous remit en ma main,
Et qui, sans m'éclaircir touchant votre naissance,   17
Me chargea seulement d'éloigner votre enfance.
J'en connais le visage et l'ai revu souvent,
Sans nous être tous deux expliqués plus avant :
Je lui dis qu'en éclat j'avais mis votre vie,
Et lui cachai toujours mon nom et ma patrie,   17
De crainte, en les sachant, que son zèle indiscret
Ne vînt mal à propos troubler notre secret.
Mais comme de sa part il connaît mon visage,
Si je le trouve ici, nous saurons davantage.

ŒDIPE

Je serais donc Thébain à ce compte?

IPHICRATE

               Oui, Seigneur.   17

ŒDIPE

Je ne sais si je dois le tenir à bonheur :
Mon cœur, qui se soulève, en forme un noir augure
Sur l'éclaircissement de ma triste aventure.
Où me reçûtes-vous?

IPHICRATE

Sur le mont Cythéron.

ŒDIPE

1740 Ah! que vous me frappez par ce funeste nom!
Le temps, le lieu, l'oracle, et l'âge de la Reine,
Tout semble concerté pour me mettre à la gêne.
Dieux! serait-il possible? Approchez-vous, Phorbas.

Scène III : Œdipe, Iphicrate, Phorbas.

IPHICRATE

Seigneur, voilà celui qui vous mit en mes bras,
1745 Permettez qu'à vos yeux je montre un peu de joie.
Se peut-il faire, ami, qu'encor je te revoie!

PHORBAS

Que j'ai lieu de bénir ton retour fortuné!
Qu'as-tu fait de l'enfant que je t'avais donné?
Le généreux Thésée a fait gloire de l'être,
1750 Mais sa preuve est obscure, et tu dois le connaître.
Parle.

IPHICRATE

Ce n'est point lui, mais il vit en ces lieux.

PHORBAS

Nomme-le donc, de grâce.

IPHICRATE

Il est devant tes yeux.

PHORBAS

Je ne vois que le Roi.

IPHICRATE

C'est lui-même.

PHORBAS

Lui-même!

IPHICRATE

Oui, le secret n'est plus d'une importance extrême :
1755 Tout Corinthe le sait, nomme-lui ses parents.

PHORBAS

En fussions-nous tous trois à jamais ignorants!

IPHICRATE

Seigneur, lui seul enfin peut dire qui vous êtes.

ŒDIPE

Hélas! je le vois trop, et vos craintes secrètes,
Qui vous ont empêchés de vous entr'éclaircir,
1760 Loin de tromper l'oracle, ont fait tout réussir.
Voyez où m'a plongé votre fausse prudence :
Vous cachiez ma retraite, il cachait ma naissance,
Vos dangereux secrets, par un commun accord,
M'ont livré tout entier aux rigueurs de mon sort.
1765 Ce sont eux qui m'ont fait l'assassin de mon père,
Ce sont eux qui m'ont fait le mari de ma mère.
D'une indigne pitié le fatal contre-temps
Confond dans mes vertus ces forfaits éclatants.
Elle fait voir en moi, par un mélange infâme,
1770 Le frère de mes fils et le fils de ma femme.
Le ciel l'avait prédit : vous avez achevé;
Et vous avez tout fait quand vous m'avez sauvé.

PHORBAS

Oui, Seigneur, j'ai tout fait, sauvant votre personne :
M'en punissent les Dieux si je me le pardonne!

Scène IV : Œdipe, Iphicrate.

ŒDIPE

Que n'obéissais-tu, perfide, à mes parents,   1775
Qui se faisaient pour moi d'équitables tyrans?
Que ne lui disais-tu ma naissance et l'oracle,
Afin qu'à mes destins il pût mettre un obstacle?
Car, Iphicrate, en vain j'accuserais ta foi :
Tu fus dans ces destins aveugle comme moi,   1780
Et tu ne m'abusais que pour ceindre ma tête
D'un bandeau dont par là tu faisais ma conquête.

IPHICRATE

Seigneur, comme Phorbas avait mal obéi,
Que l'ordre de son Roi par là se vit trahi,
Il avait lieu de craindre, en me disant le reste,   1785
Que son crime par moi devenu manifeste...

ŒDIPE

Cesse de l'excuser. Que m'importe, en effet,
S'il est coupable ou non de tout ce que j'ai fait!
En ai-je moins de trouble, ou moins d'horreur en
[l'âme?

Scène V : Œdipe, Dircé, Iphicrate.

ŒDIPE

Votre frère est connu, le savez-vous, Madame?   1790

DIRCÉ

Oui, Seigneur, et Phorbas m'a tout dit en deux mots.

ŒDIPE

Votre amour pour Thésée est dans un plein repos.
Vous n'appréhendez plus que le titre de frère
S'oppose à cette ardeur qui vous était si chère :
Cette assurance entière a de quoi vous ravir,   1795
Ou plutôt votre haine a de quoi s'assouvir.
Quand le ciel de mon sort l'aurait faite l'arbitre,
Elle ne m'eût choisi rien de pis que ce titre.

DIRCÉ

Ah! Seigneur, pour Æmon j'ai su mal obéir,
Mais je n'ai point été jusques à vous haïr.   1800
La fierté de mon cœur, qui me traitait de Reine,
Vous cédait en ces lieux la couronne sans peine,
Et cette ambition que me prêtait l'amour
Ne cherchait qu'à régner dans un autre séjour.
Cent fois de mon orgueil l'éclat le plus farouche   1805
Aux termes odieux a refusé ma bouche,
Pour vous nommer tyran il fallait cent efforts :
Ce mot ne m'a jamais échappé sans remords.
D'un sang respectueux la puissance inconnue
A mes soulèvements mêlait de la retenue,   1810
Et cet usurpateur dont j'abhorrais la loi,
S'il m'eût donné Thésée, eût eu le nom de Roi.

ŒDIPE

C'était ce même sang dont la pitié secrète
De l'ombre de Laïus me faisait l'interprète.
Il ne pouvait souffrir qu'un mot mal entendu   1815
Détournât sur ma sœur un sort qui m'était dû,

Et que votre innocence immolée à mon crime
Se fît de nos malheurs l'inutile victime.

DIRCÉ

Quel crime avez-vous fait que d'être malheureux?

ŒDIPE

1820 Mon souvenir n'est plein que d'exploits généreux,
Cependant je me trouve inceste et parricide,
Sans avoir fait un pas que sur les pas d'Alcide,
Ni recherché partout que lois à maintenir,
Que monstres à détruire et méchants à punir.
1825 Aux crimes malgré moi l'ordre du ciel m'attache :
Pour m'y faire tomber à moi-même il me cache,
Il offre, en m'aveuglant sur ce qu'il a prédit,
Mon père à mon épée, et ma mère à mon lit.
Hélas! qu'il est bien vrai qu'en vain on s'imagine
1830 Dérober notre vie à ce qu'il nous destine!
Les soins de l'éviter font courir au-devant,
Et l'adresse à le fuir y plonge plus avant.
Mais si les Dieux m'ont fait la vie abominable,
Ils m'en font par pitié la sortie honorable,
1835 Puisque enfin leur faveur mêlée à leur courroux
Me condamne à mourir pour le salut de tous,
Et qu'en ce même temps qu'il faudrait que ma vie
Des crimes qu'ils m'ont faits traînât l'ignominie,
L'éclat de ces vertus que je ne tiens pas d'eux
1840 Reçoit pour récompense un trépas glorieux.

DIRCÉ

Ce trépas glorieux comme vous me regarde :
Le juste choix du ciel peut-être me le garde.
Il fit tout votre crime, et le malheur du Roi
Ne vous rend pas, Seigneur, plus coupable que moi.
1845 D'un voyage fatal qui seul causa sa perte
Je fus l'occasion, elle vous fut offerte.
Votre bras contre trois disputa le chemin,
Mais ce n'était qu'un bras qu'empruntait le destin,
Puisque votre vertu qui servit sa colère,
1850 Ne put voir en Laïus ni de Roi ni de père.
Ainsi j'espère encor que demain, par son choix,
Le ciel épargnera le plus grand de nos rois.
L'intérêt des Thébains et de votre famille
Tournera son courroux sur l'orgueil d'une fille
1855 Qui n'a rien que l'État doive considérer,
Et qui contre son Roi n'a fait que murmurer.

ŒDIPE

Vous voulez que le ciel, pour montrer à la terre
Qu'on peut innocemment mériter le tonnerre,
Me laisse de sa haine étaler en ces lieux
1860 L'exemple le plus noir et le plus odieux!
Non, non : vous le verrez demain au sacrifice
Par le choix que j'attends couvrir son injustice,
Et par la peine due à son propre forfait,
Désavouer ma main de tout ce qu'elle a fait.

Scène VI : Œdipe, Thésée, Dircé,
Iphicrate.

ŒDIPE

1865 Est-ce encor votre bras qui doit venger son père?
Son amant en a-t-il plus de droit que son frère,
Prince?

THÉSÉE

Je vous en plains, et ne puis concevoir,
Seigneur...

ŒDIPE

La vérité ne se fait que trop voir.
Mais nous pourrons demain être tous deux à plaindre,
Si le ciel fait le choix qu'il nous faut tous deux crain- 18
S'il me choisit, ma sœur, donnez-lui votre foi : [dre.
Je vous en prie en frère, et vous l'ordonne en Roi.
Vous, Seigneur, si Dircé garde encor sur votre âme
L'empire que lui fit une si belle flamme,
Prenez soin d'apaiser les discords de mes fils, 18
Qui par les nœuds du sang vous deviendront unis :
Vous voyez où des Dieux nous a réduits la haine.
Adieu : laissez-moi seul en consoler la Reine,
Et ne m'enviez pas un secret entretien
Pour affermir son cœur sur l'exemple du mien. 18

Scène VII : Thésée, Dircé.

DIRCÉ

Parmi de tels malheurs que sa constance est rare!
Il ne s'emporte point contre un sort si barbare.
La surprenante horreur de cet accablement
Ne coûte à sa grande âme aucun égarement,
Et sa haute vertu, toujours inébranlable, 18
Le soutient au-dessus de tout ce qui l'accable.

THÉSÉE

Souvent, avant le coup qui doit nous accabler,
La nuit qui l'enveloppe a de quoi nous troubler :
L'obscur pressentiment d'une injuste disgrâce
Combat avec effroi sa confuse menace. 18
Mais quand ce coup tombé vient d'épuiser le sort
Jusqu'à n'en pouvoir craindre un plus barbare effort,
Ce trouble se dissipe, et cette âme innocente,
Qui brave impunément la fortune impuissante,
Regarde avec dédain ce qu'elle a combattu, 18
Et se rend tout entière à toute sa vertu.

Scène VIII : Thésée, Dircé, Nérine.

NÉRINE

Madame...

DIRCÉ

Que veux-tu, Nérine?

NÉRINE

Hélas! la Reine...

DIRCÉ

Que fait-elle?

NÉRINE

Elle est morte, et l'excès de sa peine,
Par un prompt désespoir...

DIRCÉ

Jusques où portez-vous,
Impitoyables Dieux, votre injuste courroux! 19

THÉSÉE

Quoi! même aux yeux du Roi son désespoir la tue?
Ce monarque n'a pu...

NÉRINE

Le Roi ne l'a point vue,

Et quant à son trépas, ses pressantes douleurs
L'ont cru devoir sur l'heure à de si grands malheurs.
05 Phorbas l'a commencé, sa main a fait le reste.

DIRCÉ

Quoi! Phorbas...

NÉRINE

        Oui, Phorbas, par son récit funeste,
Et par son propre exemple, a su l'assassiner.
  Ce malheureux vieillard n'a pu se pardonner :
Il s'est jeté d'abord aux genoux de la Reine,
10 Où, détestant l'effet de sa prudence vaine :
« Si j'ai sauvé ce fils pour être votre époux,
Et voir le Roi son père expirer sous ses coups,
A-t-il dit, la pitié qui me fit le ministre
De tout ce que le ciel eut pour vous de sinistre,
15 Fait place au désespoir d'avoir si mal servi,
Pour venger sur mon sang votre ordre mal suivi.
L'inceste où malgré vous tous deux je vous abîme
Recevra de ma main sa première victime :
J'en dois le sacrifice à l'innocente erreur. »   [reur. »
20 Qui vous rend l'un pour l'autre un objet plein d'hor-
  Cet arrêt qu'à nos yeux lui-même il se prononce
Est suivi d'un poignard qu'en ses flancs il enfonce.
La Reine, à ce malheur si peu prémédité,
Semble le recevoir avec stupidité.
25 L'excès de sa douleur la fait croire insensible,
Rien n'échappe au dehors qui la rende visible,
Et tous ses sentiments, enfermés dans son cœur,
Ramassent en secret leur dernière vigueur.
Nous autres cependant, autour d'elle rangées,
30 Stupides ainsi qu'elle, ainsi qu'elle affligées,
Nous n'osons rien permettre à nos fiers déplaisirs,
Et nos pleurs par respect attendent ses soupirs.
  Mais enfin tout à coup, sans changer de visage,
Du mort qu'elle contemple elle imite la rage,
35 Se saisit du poignard, et de sa propre main
A nos yeux comme lui s'en traverse le sein.
On dirait que du ciel l'implacable colère
Nous arrête les bras pour lui laisser tout faire.
Elle tombe, elle expire avec ces derniers mots :
40 « Allez dire à Dircé qu'elle vive en repos,
Que de ces lieux maudits en hâte elle s'exile :
Athènes a pour elle un glorieux asile,
Si toutefois Thésée est assez généreux
Pour n'avoir point d'horreur d'un sang si malheu-   [reux. »

THÉSÉE

45 Ah! ce doute m'outrage, et si jamais vos charmes...

DIRCÉ

Seigneur, il n'est saison que de verser des larmes.
La Reine, en expirant, a donc pris soin de moi!
Mais tu ne me dis point ce qu'elle a dit du Roi?

NÉRINE

Son âme en s'envolant, jalouse de sa gloire,
50 Craignait d'en emporter la honteuse mémoire,
Et n'osant le nommer son fils ni son époux,
Sa dernière tendresse a toute été pour vous.

DIRCÉ

Et je puis vivre encore après l'avoir perdue!

Scène IX : Thésée, Dircé, Cléante,
     Dymas, Nérine.

*Cléante sort d'un côté et Dymas de l'autre, environ
quatre vers après Cléante.*

CLÉANTE

La santé dans ces murs tout d'un coup répandue
Fait crier au miracle et bénir hautement   1955
La bonté de nos Dieux d'un si prompt changement.
Tous ces mourants, Madame, à qui déjà la peste
Ne laissait qu'un soupir, qu'un seul moment de reste,
En cet heureux moment rappelés des abois,
Rendent grâces au ciel d'une commune voix,   1960
Et l'on ne comprend point quel remède il applique
A rétablir sitôt l'allégresse publique.

DIRCÉ

Que m'importe qu'il montre un visage plus doux,
Quand il fait des malheurs qui ne sont que pour nous?
Avez-vous vu le Roi, Dymas?

DYMAS

              Hélas! Princesse!   1965
On ne doit qu'à son sang la publique allégresse.
Ce n'est plus que pour lui qu'il faut verser des pleurs.
Ses crimes inconnus avaient fait nos malheurs,
Et sa vertu souillée à peine s'est punie,
Qu'aussitôt de ces lieux, la peste s'est bannie.   1970

THÉSÉE

L'effort de son courage a su nous éblouir :
D'un si grand désespoir il cherchait à jouir,
Et de sa fermeté n'empruntait les miracles
Que pour mieux éviter toutes sortes d'obstacles.

DIRCÉ

Il s'est rendu par là maître de tout son sort.   1975
Mais achève, Dymas, le récit de sa mort,
Achève d'accabler une âme désolée.

DYMAS

Il n'est point mort, Madame, et la sienne, ébranlée
Par les confus remords d'un innocent forfait,
Attend l'ordre des Dieux pour sortir tout à fait.   1980

DIRCÉ

Que nous disais-tu donc?

DYMAS

              Ce que j'ose encor dire,
Qu'il vit et ne vit plus, qu'il est mort et respire,
Et que son sort douteux, qui seul reste à pleurer,
Des morts et des vivants semble le séparer.
  J'étais auprès de lui sans aucunes alarmes.   1985
Son cœur semblait calmé, je le voyais sans armes,
Quand soudain, attachant ses deux mains sur ses yeux
« Prévenons, a-t-il dit, l'injustice des Dieux,
Commençons à mourir avant qu'ils nous l'ordonnent,
Qu'ainsi que mes forfaits mes supplices étonnent.   1990
Ne voyons plus le ciel après sa cruauté,
Pour nous venger de lui dédaignons sa clarté,
Refusons-lui nos yeux, et gardons quelque vie
Qui montre encore à tous quelle est sa tyrannie. »
Là, ses yeux arrachés par ses barbares mains,   1995
Font distiller un sang qui rend l'âme aux Thébains.
Ce sang si précieux touche à peine la terre,
Que le courroux du ciel ne leur fait plus la guerre;

Et trois mourants guéris au milieu du palais
2000 De sa part tout d'un coup nous annoncent la paix.
Cléante vous a dit que par toute la ville...
             THÉSÉE
Cessons de nous gêner d'une crainte inutile.
A force de malheurs le ciel fait assez voir
Que le sang de Laïus a rempli son devoir :
2005 Son ombre est satisfaite; et ce malheureux crime
Ne laisse plus douter du choix de sa victime.
             DIRCÉ
Un autre ordre demain peut nous être donné.

Allons voir cependant ce Prince infortuné,
Pleurer auprès de lui notre destin funeste,
Et remettons aux Dieux à disposer du reste [28].

28. Corneille en cette fin simple, pitoyable et majestueuse, semble ne pas voir qu'Œdipe, redevenu soudain généreux dans le malheur ne soutient plus le caractère tyrannique qu'il lui a prêté jusque-là. Mais il ne pouvait se dispenser de rester fidèle en ce point à son célèbre modèle. Il en résulte surtout une gêne sur l'interprétation générale de la pièce : le poids d'une injuste fatalité pèse de nouveau pleinement sur l'auteur de crimes involontaires.

LA CONQUÊTE DE LA TOISON D'OR

*TRAGÉDIE**

Entre Œdipe *et la* Toison d'or, *Corneille s'est surtout consacré à la mise au point de la grande publication de 1660 : ses* Œuvres *en trois volumes, accompagnées des trois* Discours. *La révision s'est certainement faite durant les années d'interruption, en même temps que la traduction de l'*Imitation, *au moment où il croyait qu'il ne composerait plus pour la scène. En même temps que Fouquet apparaît un autre Mécène, qui avait de plus le mérite d'être normand: le marquis de Sourdéac.*

Tallemant en a laissé un portrait parmi ses « extravagants »: « C'est un original... il travaille de la main admirablement: il n'y a pas meilleur serrurier au monde... C'est un homme riche et qui n'a point d'enfants. » Ce bizarre voulut satisfaire sa double passion du bricolage et de la scène, et contribua par là à la naissance de l'opéra français. Le succès sans précédent de la Toison d'or *épuisa en quatre ans le décor à machines construit pour l'occasion. Dix ans plus tard, associé à Perrin, fondateur de l'Académie de Musique, Sourdéac monta les deux premiers opéras français:* Pomone *de Perrin et* Circé *de Thomas Corneille. On sait comment Lulli confisqua à son profit ces premiers essais et se fit donner le privilège exclusif des spectacles en musique. Le succès de Sourdéac ne fut pas étranger au retour en Italie de Torelli, machiniste d'*Andromède. *Sourdéac se donna la primeur de la pièce qu'il avait commandée à Corneille et convia, en son château de Neubourg, la troupe du Marais, spécialisée depuis 1649 en ce genre de spectacle. Somptueusement traités par le marquis, les hôtes de marque affluèrent au Neubourg. Le Marais hérita la machinerie et donna la pièce en spectacle régulier à partir de février 1661. On en fit des reprises en 1664 et 1683.*

Corneille eût pu se faire gloire et argent avec ce genre à la mode. Il n'en fut rien. S'il collabora à Psyché *avec Molière, c'est encore, comme pour* Andromède *et la* Toison d'or, *par occasion.*

Il ne faut pas chercher le moindre lien entre la tragédie de Médée *et cette pièce, bien que Jason en soit un personnage commun.* Médée *est une tragédie refaite sur Sénèque. Pour cette féerie mythologique, Corneille s'inspire scrupuleusement des poètes des Argonautes: Ovide, Apollonios de Rhodes et surtout Valerius Flaccus. Il rouvre le vieux bréviaire des mythographes, Noël Conti.*

Toutefois, s'il existe d'inévitables ressemblances avec Andromède, *elles demeurent superficielles.*

Corneille montrera au contraire dans Psyché *tout ce qu'il peut mettre de sien dans un sujet imposé. Seul le prologue, étranger à la pièce, célébrant le mariage espagnol, s'intègre aux innombrables poèmes que Corneille composera à chaque grande victoire du nouveau règne. Mais il faut mettre à l'actif du poète le courage avec lequel il trace le sévère tableau de la France épuisée par la guerre, qu'on eut le bon goût, non seulement de ne pas censurer, mais encore d'applaudir.*

La seule signification possible de la pièce serait la fin de l'optimisme cornélien, dont les tragédies suivantes vont fournir des exemples tirés de l'histoire.

... Dans les rigueurs de mon sort déplorable,
Tout peut être innocent, tout peut être coupable :
Je ne cherche qu'en vain à qui les imputer,
Et ne discernant rien, j'ai tout à redouter.

(vers 1982-85.)

Si c'en est bien là le sens, c'est un étrange choix pour l'y mettre qu'une féerie mythologique!

EXAMEN[1]

L'antiquité n'a rien fait passer jusqu'à nous qui soit si généralement connu que le voyage des Argonautes, mais comme les historiens qui en ont voulu démêler la vérité d'avec la fable qui l'enveloppe ne s'accordent pas en tout, et que les poètes qui l'ont embelli de leurs fictions n'ont pas pris la même route, j'ai cru que pour en faciliter l'intelligence entière, il

avait fait imprimer à part un volume in-4° des *Desseins de la Toison d'or* qui comporte la description des décorations, le schéma de chaque acte, et la musique, comme pour *Andromède*.

* Jouée au château de Neubourg en novembre 1660, puis au Marais le 19 février 1661. Privilège du 27 janvier 1661. Achevé d'imprimer : 10 mai 1661.

1. La grande édition collective de 1660 est intervenue : il n'y a plus désormais devant chaque pièce qu'un *Examen*, qui est encore appelé *Argument* dans l'édition de 1661. Corneille

était à propos d'avertir le lecteur de quelques particularités où je me suis attaché, qui peut-être ne sont pas connues de tout le monde. Elles sont pour la plupart tirées de Valérius Flaccus[2], qui en a fait un poème épique en latin, et de qui entre autres choses j'ai emprunté la métamorphose de Junon en Chalciope.

Phryxus était fils d'Athamas, roi de Thèbes, et de Néphélé, qu'il répudia pour épouser Ino. Cette seconde femme persécuta si bien ce jeune prince, qu'il fut obligé de s'enfuir sur un mouton dont la laine était d'or, que sa mère lui donna après l'avoir reçu de Mercure. Il le sacrifia à Mars, sitôt qu'il fut abordé à Colchos, et lui en appendit la dépouille dans une forêt qui lui était consacrée. Aætes, fils du Soleil, et roi de cette province, lui donna pour femme Chalciope, sa fille aînée, dont il eut quatre fils, et mourut quelque temps après. Son ombre apparut ensuite à ce monarque, et lui révéla que le destin de son État dépendait de cette Toison, qu'en même temps qu'il la perdrait, il perdrait aussi son royaume, et qu'il était résolu dans le ciel que Médée, son autre fille, aurait un époux étranger. Cette prédiction fit deux effets. D'un côté, Aætes, pour conserver cette toison, qu'il voyait si nécessaire à sa propre conservation, voulut en rendre la conquête impossible par le moyen des charmes de Circé sa sœur et de Médée sa fille. Ces deux savantes magiciennes firent en sorte qu'on ne pouvait s'en rendre maître qu'après avoir dompté deux taureaux dont l'haleine était toute de feu, et leur avoir fait labourer le champ de Mars, où ensuite, il fallait semer des dents de serpents, dont naissaient aussitôt autant de gens d'armes, qui tous ensemble attaquaient le téméraire qui se hasardait à une si dangereuse entreprise; et pour dernier péril, il fallait combattre un dragon qui ne dormait jamais, et qui était le plus fidèle et le plus redoutable gardien de ce trésor. D'autre côté, les rois voisins, jaloux de la grandeur d'Aætes, s'armèrent pour cette conquête, et entre autres, Persès, son frère, roi de la Chersonèse Taurique, et fils du Soleil, comme lui. Comme il s'appuya du secours des Scythes, Aætes emprunta celui de Styrus, roi d'Albanie, à qui il promit Médée pour satisfaire à l'ordre qu'il croyait en avoir reçu du ciel par cette ombre de Phryxus. Ils donnaient bataille, et la victoire penchait du côté de Persès, lorsque Jason arriva suivi de ses Argonautes, dont la valeur le fit tourner du parti contraire; et en moins d'un mois, ces héros firent emporter tant d'avantages au roi de Colchos sur ses ennemis qu'ils furent contraints de prendre la fuite et d'abandonner leur camp. C'est ici que commence la pièce; mais avant que d'en venir au détail, il faut dire un mot de Jason, et du dessein qui l'amenait à Colchos.

Il était fils d'Æson, roi de Thessalie, sur qui Pélias, son frère, avait usurpé ce royaume. Ce tyran était fils de Neptune et de Tyro, fille de Salmonée, qui épousa ensuite Créthéus, père d'Æson[3], que je viens de nommer. Cette usurpation, lui donnant la défiance ordinaire à ceux de sa sorte, lui rendit suspect le courage de Jason, son neveu, et légitime héritier de ce royaume. Un oracle qu'il reçut le confirma dans ses soupçons, si bien que pour l'éloigner, ou plutôt pour le perdre, il lui commanda d'aller conquérir la Toison d'or, dans la croyance que ce prince y périrait et le laisserait, par sa mort, paisible

possesseur de l'État dont il s'était emparé. Jason, par le conseil de Pallas, fit bâtir pour ce fameux voyage le navire Argo, où s'embarquèrent avec lui quarante des plus vaillants de toute la Grèce. Orphée fut du nombre, avec Zéthès et Calaïs, fils du vent Borée et d'Orithye, princesse de Thrace, qui étaient nés avec des ailes, comme leur père, et qui par ce moyen délivrèrent Phinée, en passant, des Harpies qui fondaient sur ses viandes sitôt que sa table était servie, et leur donnèrent la chasse par le milieu de l'air. Ces héros, durant leur voyage, reçurent beaucoup de faveurs de Junon et de Pallas, et prirent terre à Lemnos, dont était reine Hypsipyle, où ils tardèrent deux ans, pendant lesquels Jason fit l'amour à cette reine, et lui donna parole de l'épouser à son retour : ce qui ne l'empêcha pas de s'attacher auprès de Médée, et de lui faire les mêmes protestations, sitôt qu'il fut arrivé à Colchos, et qu'il eut vu le besoin qu'il en avait. Ce nouvel amour lui réussit si heureusement qu'il eut d'elle des charmes qui lui firent surmonter tous ces périls, et enlever la Toison d'or, malgré le dragon qui la gardait, et qu'elle assoupit. Un auteur que cite le mythologiste Noël le Comte[4], et qu'il appelle Denys le Milésien[5], dit qu'elle lui porta la Toison jusque dans son navire, et c'est sur son rapport que je me suis autorisé à changer la fin ordinaire de cette fable, pour la rendre plus surprenante et plus merveilleuse. Je l'aurais été assez par la liberté qu'en donne la poésie en de pareilles rencontres, mais j'ai cru en encore plus le droit en marchant sur les pas d'un autre que si j'avais inventé ce changement.

C'est avec un fondement semblable que j'ai introduit Absyrte en âge d'homme, bien que la commune opinion n'en fasse qu'un enfant, que Médée déchira par morceaux. Ovide et Sénèque le disent, mais Apollonius Rhodius[6] le fait son aîné, et si nous voulons l'en croire, Aætes l'avait eu d'Astérodie avant qu'il épousât la mère de cette princesse, qu'il nomme Idye, fille de l'Océan. Il dit que d'après la fuite des Argonautes, la vieillesse d'Aætes ne lui permettant pas de les poursuivre, ce prince monta sur mer, et les joignit autour d'une île située à l'embouchure du Danube et qu'il appelle Peucé. Ce fut là que Médée, se voyant perdue avec tous ces Grecs, qu'elle voyait trop faibles pour lui résister, feignit de les vouloir trahir, et ayant attiré ce frère trop crédule à conférer avec elle de nuit dans le temple de Diane, elle le fit tomber dans une embuscade de Jason, où il fut tué. Valérius Flaccus dit les mêmes choses d'Absyrte que cet auteur grec[7], et c'est sur l'autorité de l'un et de l'autre que je me suis enhardi à quitter l'opinion commune, après l'avoir suivie quand j'ai mis Médée sur le théâtre. C'est me contredire moi-même en quelque sorte; mais Sénèque, dont je l'ai tirée, m'en donne l'exemple, lorsque, après avoir fait mourir Jocaste dans l'Œdipe, il la fait revivre dans la Thébaïde, pour

<hr/>

2. Valerius Flaccus a composé un poème épique en huit chants : *les Argonautiques*. La métamorphose de Junon est au chant VI, vers 476-506.

3. Toutes ces précisions généalogiques, comme celles qui précèdent, se trouvent dans Noël Conti, qui va être nommé.

4. Noël Conti (Natalis Comes en latin) publia en 1552, sous le titre de *Mythologie*, une compilation méthodique des mythographes anciens et modernes *(la Généalogie des dieux* de Boccace entre autres)* qui précisait pour chaque personnage légendaire ses origines, ses exploits, ses attributs, la valeur allégorique de sa personne ou de ses actes.

5. Denys de Milet (Vᵉ siècle avant J.-C.) œuvre perdue. L'attribution des fragments dont parle Noël Conti est erronée.

6. Apollonios de Rhodes composa en grec un poème qui porte aussi le titre d'*Argonautiques*. Idye : cf. Chant I, vers 241; Peucé : cf. Chant IV, vers 303 et suivants.

7. Cf. le chant VIII (fin) qui est d'un Bolonais du XVᵉ siècle : Jean-Baptiste Pio. Corneille s'était familiarisé avec toute cette légende dans les copieuses notes que le jésuite espagnol Del Rio avait jointes à son édition du théâtre de Sénèque en 1600.

se trouver au milieu de ses deux fils, comme ils sont près de commencer le funeste duel où ils s'entre-tuent,

si toutefois ces deux pièces sont véritablement d'un même auteur[8].

ACTEURS DU PROLOGUE

La France [9], La Victoire, Mars, La Paix, L'Hyménée, La Discorde, L'Envie, quatre Amours.

ACTEURS DE LA TRAGÉDIE

Jupiter, Junon, Pallas, Iris, L'Amour, Le Soleil.
Aæte, *roi de Colchos, fils du Soleil.*
Absyrte, *fils d'Aæte.*
Chalciope, *fille d'Aæte, veuve de Phryxus.*
Médée, *fille d'Aæte, amante de Jason.*
Hypsipyle, *reine de Lemnos.*
Jason, *prince de Thessalie, chef des Argonautes.*
Pélée, Iphite, Orphée, *argonautes.*
Zéthès, Calais, *argonautes ailés, fils de Borée et d'Orithye.*
Glauque, *Dieu marin.*
Deux Tritons, Deux Sirènes, Quatre Vents.

La scène est à Colchos.

PROLOGUE

DÉCORATION DU PROLOGUE.

L'heureux mariage de Sa Majesté, et la paix qu'il lui a plu donner à ses peuples, ayant été les motifs de la réjouissance publique pour laquelle cette tragédie a été préparée, non seulement il était juste qu'ils servissent de sujet au prologue qui la précède, mais il était même absolument impossible d'en choisir une plus illustre matière.

L'ouverture du théâtre fait voir un pays ruiné par les guerres, et terminé dans son enfoncement par une ville qui n'en est pas mieux traitée, ce qui marque le pitoyable état où la France était réduite avant cette faveur du ciel, qu'elle a si longtemps souhaitée, et dont la bonté de son généreux monarque la fait jouir à présent.

Scène I : La France, La Victoire.

LA FRANCE

Doux charme des héros, immortelle Victoire,
Ame de leur vaillance, et source de leur gloire,

Vous qu'on fait si volage, et qu'on voit toutefois
Si constante à me suivre, et si ferme en ce choix,
Ne vous offensez pas si j'arrose de larmes   5
Cette illustre union qu'ont avec vous mes armes,
Et si vos faveurs même obstinent mes soupirs
A pousser vers la Paix mes plus ardents désirs.
Vous faites qu'on m'estime aux deux bouts de la terre,
Vous faites qu'on m'y craint, mais il vous faut la   10
[guerre,
Et quand je vois quel prix me coûtent vos lauriers [10],
J'en vois avec chagrin couronner mes guerriers.

LA VICTOIRE

Je ne me repens point, incomparable France,
De vous avoir suivie avec tant de constance :
Je vous prépare encor mêmes attachements,   15
Mais j'attendais de vous d'autres remercîments.
Vous lassez-vous de moi qui vous comble de gloire,
De moi qui de vos fils assure la mémoire,
Qui fais marcher partout l'effroi devant leurs pas?

LA FRANCE

Ah! Victoire, pour fils n'ai-je que des soldats?   20
La gloire qui les couvre, à moi-même funeste,
Sous mes plus beaux succès fait trembler tout le reste.
Ils ne vont aux combats que pour me protéger,
Et n'en sortent vainqueurs que pour me ravager.
S'ils renversent des murs, s'ils gagnent des batailles,   25
Ils prennent droit par là de ronger mes entrailles :
Leur retour me punit de mon trop de bonheur,
Et mes bras triomphants me déchirent le cœur.
A vaincre tant de fois mes forces s'affaiblissent,
L'État est florissant, mais les peuples gémissent,   30
Leurs membres décharnés courbent sous mes hauts faits,
Et la gloire du trône accable les sujets [11].
Voyez autour de moi que de tristes spectacles!
Voilà ce qu'en mon sein enfantent vos miracles.
Quelque encens que je doive à cette fermeté,   35
Qui vous fait en tous lieux marcher à mon côté,
Je me lasse de voir mes villes désolées,
Mes habitants pillés, mes campagnes brûlées.
Mon Roi, que vous rendez le plus puissant des rois,
En goûte moins le fruit de ses propres exploits :   40
Du même œil dont il voit ses plus nobles conquêtes,
Il voit ce qu'il leur faut sacrifier de têtes.
De ce glorieux trône où brille sa vertu,
Il tend sa main auguste à son peuple abattu,
Et comme à tous moments la commune misère   45

8. Ce dernier membre de phrase est ajouté en 1664 : Corneille a retrouvé dans Heinsius ou dans Del Rio des incertitudes sur la paternité des dix pièces transmises sous le nom de Sénèque, qui ne fait plus de doute pour nous. On croyait encore au XVIIe siècle que Sénèque le tragique et Sénèque le philosophe étaient deux auteurs différents.

9. Le 7 novembre 1659 : Traité des Pyrénées, entre l'Espagne et la France, signé dans l'île des Faisans. Clause particulière : mariage de Louis XIV avec Marie-Thérèse, qui fut célébré à Saint-Jean-de-Luz le 9 juin 1660.

10. Corneille le ressentira personnellement dans peu : en 1668, son gendre est tué à Candie; en 1674, son second fils meurt à vingt-neuf ans au siège de Grave.

11. Ce texte courageux ne déplut en 1660. En 1690, Campistron rétablit ces vers dans son *Tiridate* et ils furent censurés par la police : la situation était plus sévère et le mécontentement grondait.

Rappelle en son grand cœur les tendresses de père,
Ce cœur se laisse vaincre aux vœux que j'ai formés,
Pour faire respirer ce que vous opprimez.

LA VICTOIRE

France, j'opprime donc ce que je favorise !
50 A ce nouveau reproche excusez ma surprise :
J'avais cru jusqu'ici qu'à vos seuls ennemis
Ces termes odieux pouvaient être permis,
Qu'eux seuls de ma conduite avaient droit de se plaindre.

LA FRANCE

Vos dons sont à chérir, mais leur suite est à craindre :
55 Pour faire deux héros ils font cent malheureux,
Et ce dehors brillant que mon nom reçoit d'eux
M'éclaire à voir les maux qu'à ma gloire il attache,
Le sang dont il m'épuise, et les nerfs qu'il m'arrache.

LA VICTOIRE

Je n'ose condamner de si justes ennuis,
60 Quand je vois quels malheurs malgré moi je produis,
Mais ce dieu dont la main m'a chez vous affermie
Vous pardonnera-t-il d'aimer son ennemie ?
Le voilà qui paraît, c'est lui-même, c'est Mars,
Qui vous lance du ciel de farouches regards.
65 Il menace, il descend : apaisez sa colère
Par le prompt désaveu d'un souhait téméraire.

Le ciel s'ouvre et fait voir Mars en posture menaçante,
un pied en l'air, et l'autre porté sur son étoile. Il des-
cend ainsi à un des côtés du théâtre, qu'il traverse en
parlant, et sitôt qu'il a parlé, il remonte au même lieu
dont il est parti.

Scène II : Mars, La France, La Victoire.

MARS

France ingrate, tu veux la paix !
Et pour toute reconnaissance
D'avoir en tant de lieux étendu ta puissance,
70 Tu murmures de mes bienfaits !
Encore un lustre ou deux, et sous tes destinées
J'aurais rangé le sort des têtes couronnées.
Ton État n'aurait eu pour bornes que ton choix,
Et tu devais tenir pour assuré présage,
75 Voyant toute l'Europe apprendre ton langage,
Que toute cette Europe allait prendre tes lois.
Tu renonces à cette gloire :
La Paix a pour toi plus d'appas,
Et tu dédaignes la Victoire
80 Que j'ai de ma main propre attachée à tes pas !
Vois dans quels fers sous moi la Discorde et l'Envie
Tiennent cette Paix asservie.
La Victoire t'a dit comme on peut m'apaiser,
J'en veux bien faire encor ta compagne éternelle,
85 Mais sache que je la rappelle,
Si tu manques d'en bien user.

Avant que de disparaître, ce dieu, en colère contre
la France, lui fait voir la Paix, qu'elle demande avec
tant d'ardeur, prisonnière dans son palais, entre les
mains de la Discorde et de l'Envie, qu'il lui a données
pour gardes. Ce palais a pour colonnes des canons,
qui ont pour bases des mortiers, et des boulets pour
chapiteaux ; le tout accompagné, pour ornement,

de trompettes, de tambours, et autres instruments de
guerre entrelacés ensemble et découpés à jour, qui
font comme un second rang de colonnes. Le lambris
est composé de trophées d'armes, et de tout ce qui peut
désigner et embellir la demeure de ce dieu des batailles.

Scène III : La Paix, La Discorde, L'Envie,
La France, La Victoire.

LA PAIX

En vain à tes soupirs il est inexorable :
Un dieu plus fort que lui me va rejoindre à toi,
     A cette Reine incomparable [12]
Dont les soins et l'exemple ont formé ton grand Roi.
Ses tendresses de sœur, ses tendresses de mère,
Peuvent tout sur un fils, peuvent tout sur un frère.
Bénis, France, bénis ce pouvoir fortuné ;
Bénis le choix qu'il fait d'une reine comme elle [13] :
Cent rois en sortiront, dont la gloire immortelle
Fera trembler sous toi l'univers étonné,
Et dans tout l'avenir sur leur front couronné
     Portera l'image fidèle
     De celui qu'elle t'a donné.

     Ce dieu dont le pouvoir suprême
Étouffe d'un coup d'œil les plus vieux différends,
Ce dieu par qui l'amour plaît à la vertu même,
Et qui borne souvent l'espoir des conquérants,
     Le blond et pompeux Hyménée
Prépare en ta faveur l'éclatante journée
     Où sa main doit briser mes fers.
Ces monstres insolents dont je suis prisonnière,
Prisonniers à leur tour au fond de leurs enfers,
Ne pourront mêler d'ombre à sa vive lumière.
     A tes cantons les plus déserts
     Je rendrai leur beauté première,
Et dans ces doux torrents d'une allégresse entière
Tu verras s'abîmer tes maux les plus amers.

Tu vois comme déjà ces deux autres puissances
Que Mars semblait plonger en d'immortels discords
Ont malgré ses fureurs assemblé sur tes bords
     Les sublimes intelligences
Qui de leurs grands États meuvent les vastes corps.
     Les surprenantes harmonies
     De ces miraculeux génies
Savent tout balancer, savent tout soutenir.
Leur prudence était due à cet illustre ouvrage,
     Et jamais on n'eût pu fournir
Aux intérêts divers de la Seine et du Tage,
Ni zèle plus savant en l'art de réunir,
Ni savoir mieux instruit du commun avantage.

Par ces organes seuls ces dignes potentats
     Se font eux-mêmes leurs arbitres ;
Aux conquêtes par eux ils donnent d'autres titres,
     Et des bornes à leurs États.
Ce dieu même qu'attend ma longue impatience

12. Anne d'Autriche, la reine-mère, sœur de Philippe IV,
mère de Louis XIV.
13. Marie-Thérèse, fille de Philippe IV.

N'a droit de m'affranchir que par leur conférence :
Sans elle son pouvoir serait mal reconnu.
5 Mais enfin je le vois, leur accord me l'envoie.
　　France, ouvre ton cœur à la joie,
Et vous, monstres, fuyez: ce grand jour est venu.

L'Hyménée paraît, couronné de fleurs, portant en
sa main droite un dard semé de lis et de roses, et en
la gauche le portrait de la Reine peint sur son bouclier.

Scène IV : L'Hyménée, La Paix, La Discorde, L'Envie,
La France, La Victoire, Chœur de musique.

LA DISCORDE

En vain tu le veux croire, orgueilleuse captive :
Pourrions-nous fuir le secours qui t'arrive?

L'ENVIE

10 Pourrions-nous craindre un dieu qui contre nos fureurs
Ne prend pour armes que des fleurs?

L'HYMÉNÉE

Oui, monstres, oui, craignez cette main vengeresse,
Mais craignez encor plus cette grande princesse
　　Pour qui je viens allumer mon flambeau.
15 Pourriez-vous soutenir les traits de son visage?
　　Fuyez, monstres, à son image,
Fuyez, et que l'enfer qui fut votre berceau
　　Vous serve à jamais de tombeau.
Et vous, noirs instruments d'un indigne esclavage,
20 Tombez, fers odieux, à ce divin aspect,
　　Et pour lui rendre un prompt hommage,
Anéantissez-vous de honte ou de respect.

Il présente ce portrait aux yeux de la Discorde et
de l'Envie, qui trébuchent aussitôt aux enfers, et
ensuite il le présente aux chaînes qui tiennent la Paix
prisonnière, lesquelles tombent et se brisent tout à
l'heure.

LA PAIX

Dieu des sacrés plaisirs, vous venez de me rendre
Un bien dont les Dieux même ont lieu d'être jaloux;
25 Mais ce n'est pas assez, il est temps de descendre,
Et de remplir les vœux qu'en terre on fait pour nous.

L'HYMÉNÉE

Il en est temps, Déesse, et c'est trop faire attendre
　　Les effets d'un espoir si doux.
Vous donc, mes ministres fidèles,
30 Venez, Amours, et prêtez-nous vos ailes.

Quatre Amours descendent du ciel, deux de chaque
côté, et s'attachent à l'Hyménée et à la Paix pour les
apporter en terre.

LA FRANCE

Peuple, fais voir ta joie à ces divinités
Qui vont tarir le cours de tes calamités.

CHŒUR DE MUSIQUE

(L'Hyménée, la Paix, et les quatre Amours descendent
cependant qu'il chante.)

Descends, Hymen, et ramène sur terre
　　Les délices avec la paix,
35 Descends, objet divin de nos plus doux souhaits,
　　Et par tes feux éteins ceux de la guerre.

Après que l'Hyménée et la Paix sont descendus, les
quatre Amours remontent au ciel, premièrement de droit
fil tous quatre ensemble, et puis se séparant deux à deux
et croisant leur vol, en sorte que ceux qui sont au côté
droit se retirent à gauche dans les nues, et ceux qui sont
au gauche se perdent dans celles du côté droit.

Scène V : L'Hyménée, La Paix, La France,
La Victoire.

LA FRANCE, *à la Paix.*

Adorable souhait des peuples gémissants
Féconde sûreté des travaux innocents,
Infatigable appui du pouvoir légitime,
Qui dissipez le trouble et détruisez le crime,　　170
Protectrice des arts, mère des beaux loisirs,
Est-ce une illusion qui flatte mes désirs?
Puis-je en croire mes yeux, et dans chaque province
De votre heureux retour faire bénir mon prince?

LA PAIX

France, apprends que lui-même il aime à le devoir　175
A ces yeux dont tu vois le souverain pouvoir.
Par un effort d'amour réponds à leurs miracles,
Fais éclater ta joie en de pompeux spectacles,
Ton théâtre a souvent d'assez riches couleurs
Pour n'avoir pas besoin d'emprunter rien ailleurs.　180
Ose donc, et fais voir que ta reconnaissance...

LA FRANCE

De grâce, voyez mieux quelle est mon impuissance.
Est-il effort humain qui jamais ait tiré
Des spectacles pompeux d'un sein si déchiré?
Il faudrait que vos soins par le cours des années...　185

L'HYMÉNÉE

Ces traits divins n'ont pas de forces si bornées.
Mes roses et mes lis par eux en un moment
A ces lieux désolés vont servir d'ornement.
Promets, et tu verras l'effet de ma parole.

LA FRANCE

J'entreprendrai beaucoup, mais ce qui m'en console,　190
C'est que sous votre aveu...

L'HYMÉNÉE

　　　　　　　　　Va, n'appréhende rien :
Nous serons à l'envi nous-mêmes ton soutien.
Porte sur ton théâtre une chaleur si belle,
Que des plus heureux temps l'éclat s'y renouvelle :
Nous en partagerons la gloire et le souci.　　195

LA VICTOIRE

Cependant la Victoire est inutile ici :
Puisque la paix y règne, il faut qu'elle s'exile.

LA PAIX

Non, Victoire, avec moi tu n'es pas inutile,
Si la France en repos n'a plus où t'employer,
Du moins à ses amis elle peut t'envoyer.　　200
D'ailleurs mon jeu plus grand calme aime l'inquiétude
Des combats de prudence, et des combats d'étude.
Il ouvre un champ plus large à ces guerres d'esprits,
Tous les peuples sans cesse en disputent le prix,
Et comme il fait monter à la plus haute gloire,　205
Il est peu que la France ait toujours la Victoire.
Fais-lui donc cette grâce, et prends part comme nous
A ce qu'auront d'heureux des spectacles si doux.

LA VICTOIRE

J'y consens, et m'arrête aux rives de la Seine,
210 Pour rendre un long hommage à l'une et l'autre Reine,
Pour y prendre à jamais les ordres de son Roi.
Puissé-je en obtenir, pour mon premier emploi,
Ceux d'aller jusqu'aux bouts de ce vaste hémisphère
Arborer les drapeaux de son généreux frère [14],
215 D'aller d'un si grand prince, en mille et mille lieux,
Égaler le grand nom au nom de ses aïeux,
Le conduire au-delà de leurs fameuses traces,
Faire un appui de Mars du favori des Grâces,
Et sous d'autres climats couronner ses hauts faits
220 Des lauriers qu'en ceux-ci lui dérobe la Paix!

L'HYMÉNÉE

Tu vas voir davantage, et les Dieux, qui m'ordonnent
Qu'attendant tes lauriers mes myrtes le couronnent,
Lui vont donner un prix de toute autre valeur
Que ceux que tu promets avec tant de chaleur.
225 Cette illustre conquête a pour lui plus de charmes
Que celles que tu veux assurer à ses armes,
Et son œil, éclairé par mon sacré flambeau,
Ne voit point de trophée ou si noble ou si beau.
Ainsi, France, à l'envi l'Espagne et l'Angleterre
230 Aiment à t'enrichir quand tu finis la guerre
Et la Paix, qui succède à ses tristes efforts,
Te livre par ma main leurs plus rares trésors.

LA PAIX

Allons sans plus tarder mettre ordre à tes spectacles,
Et pour les commencer par de nouveaux miracles,
235 Toi que rend tout-puissant ce chef-d'œuvre des cieux,
Hymen, fais-lui changer la face de ces lieux.

L'HYMÉNÉE, *seul.*

Naissez à cet aspect, fontaines, fleurs, bocages,
Chassez de ces débris les funestes images,
Et formez des jardins tels qu'en quatre mots
240 Le grand art de Médée en fit naître à Colchos.

*Tout le théâtre se change en un jardin magnifique à
la vue du portrait de la Reine, que l'Hyménée lui présente.*

ACTE PREMIER

DÉCORATION DU PREMIER ACTE

*Ce grand jardin, qui en fait la scène, est composé de
trois rangs de cyprès, à côté desquels on voit alternativement en chaque châssis des statues de marbre blanc à
l'antique, qui versent de gros jets d'eau dans de grands
bassins, soutenus par des tritons, qui leur servent de
piédestal, ou trois vases qui portent, l'un des orangers
et les deux autres diverses fleurs en confusion, chantournées et découpées à jour. Les ornements de ces vases
et de ces bassins sont rehaussés d'or, et ces statues
portent sur leurs têtes des corbeilles d'or treillissées et*

14. Le frère cadet de Louis XIV, né en 1640, avait pris le
titre de Monsieur à la mort de Gaston d'Orléans. Il épousa le
31 mars 1661 la sœur de Charles II, rétabli sur le trône en 1660.
Ces vers ont dû être ajoutés au moment de l'impression
(l'achevé d'imprimer est du 10 mai).

*remplies de pareilles fleurs. Le théâtre est fermé par
une grande arcade de verdure, ornée de festons de fleurs
avec une grande corbeille d'or sur le milieu, qui en est
remplie comme les autres. Quatre autres arcades qui la
suivent composent avec elle un berceau qui laisse voir
plus loin un autre jardin de cyprès, entremêlés avec
quantité d'autres statues à l'antique, et la perspective
du fond borne la vue par un parterre encore plus éloigné,
au milieu duquel s'élève une fontaine avec divers autres
jets d'eau, qui ne font pas le moindre agrément de ce
spectacle.*

Scène I : Chalciope, Médée.

MÉDÉE

Parmi ces grands sujets d'allégresse publique,
Vous portez sur le front un air mélancolique,
Votre humeur paraît sombre, et vous semblez, ma
Murmurer en secret contre notre bonheur.   [sœur,
La veuve de Phryxus et la fille d'Aæte
Plaint-elle de Persès la honte et la défaite?
Vous faut-il consoler de ces illustres coups
Qui partent d'un héros parent de votre époux?
Et le vaillant Jason pourrait-il vous déplaire
Alors que dans son trône il rétablit mon père?

CHALCIOPE

Vous m'offensez, ma sœur : celles de notre rang
Ne savent point trahir leur pays ni leur sang,
Et j'ai vu les combats de Persès et d'Aæte
Toujours avec des yeux de fille et de sujette.
Si mon front porte empreints quelques troubles secrets,
Sachez que je n'en ai que pour vos intérêts.
J'aime autant que je dois cette haute victoire,
Je veux bien que Jason en ait toute la gloire,
Mais à tout dire enfin, je crains que ce vainqueur
N'en étende les droits jusque sur votre cœur.
Je sais que sa brigade, à peine descendue,
Rétablit à nos yeux la bataille perdue,
Que Persès triomphait, que Styrus était mort,
Styrus que pour époux vous envoyait le sort.
Jason de tant de maux borna soudain la course :
Il en dompta la force, il en tarit la source,
Mais avouez aussi qu'un héros si charmant
Vous console bientôt de la mort d'un amant.
L'éclat qu'a répandu le bonheur de ses armes
A vos yeux éblouis ne permet plus de larmes,
Il sait les détourner des horreurs d'un cercueil,
Et la peur d'être ingrate étouffe votre deuil.
Non que je blâme en vous quelques soins de lui
Tant que la guerre ici l'a rendu nécessaire,   [plaire,
Mais je ne voudrais pas que cet empressement
D'un soin étudié fît un attachement :
Car enfin, aujourd'hui que la guerre est finie,
Votre facilité se trouverait punie,
Et son départ subit ne vous laisserait plus
Qu'un cœur embarrassé de soucis superflus.

MÉDÉE

La remontrance est douce, obligeante, civile,
Mais à parler sans feinte elle est fort inutile :
Si je n'ai point d'amour, je n'y prends point de part,

Et si j'aime Jason, l'avis vient un peu tard.
  Quoi qu'il en soit, ma sœur, nommeriez-vous un
Un vertueux amour qui suivrait tant d'estime? [crime
Alors que ses hauts faits lui gagnent tous les cœurs,
Faut-il que ses soupirs excitent mes rigueurs,
Que contre ses exploits moi seule je m'irrite,
Et fonde mes dédains sur son trop de mérite?
Mais, s'il m'en doit bientôt coûter un repentir,
D'où pouvez-vous savoir qu'il soit prêt à partir ?

CHALCIOPE

Je le sais de mes fils, qu'une ardeur de jeunesse
Emporte malgré moi jusqu'à le suivre en Grèce,
Pour voir en ces beaux lieux la source de leur sang,
Et de Phryxus leur père y reprendre le rang.
Déjà tous ces héros au départ se disposent :
Ils ont peine à souffrir que leurs bras se reposent.
Comme la gloire à tous fait leur plus cher souci,
N'ayant plus à combattre, ils n'en ont plus ici;
Ils brûlent d'en chercher dessus quelque autre rive,
Tant leur valeur rougit sitôt qu'elle est oisive.
Jason veut seulement une grâce du Roi.

MÉDÉE

Cette grâce, ma sœur, n'est sans doute que moi.
Ce n'est plus avec vous qu'il faut que je déguise :
Du chef de ces héros j'asservis la franchise,
De tout ce qu'il a fait de grand, de glorieux,
Il rend un plein hommage au pouvoir de mes yeux.
Il a vaincu Persès, il a servi mon père,
Il a sauvé l'État, sans chercher qu'à me plaire.
Vous l'avez vu peut-être, et vos yeux sont témoins
De combien chaque jour il y donne de soins,
Avec combien d'ardeur...

CHALCIOPE

                Oui, je l'ai vu moi-même,
Que pour plaire à vos yeux il prend un soin extrême,
Mais je n'ai pas moins vu combien il vous est doux
De vous montrer sensible aux soins qu'il prend pour
Je vous vois chaque jour avec inquiétude   [vous.
Chercher ou sa présence ou quelque solitude,
Et dans ces grands jardins sans cesse repasser
Le souvenir des traits qui vous ont su blesser.
En un mot, vous l'aimez, et ce que j'appréhende...

MÉDÉE

Je suis prête à l'aimer, si le Roi le commande,
Mais jusque-là, ma sœur, je ne fais que souffrir
Les soupirs et les vœux qu'il prend soin de m'offrir.

CHALCIOPE

Quittez ce faux devoir dont l'ombre vous amuse.
Vous irez plus avant si le Roi le refuse,
Et quoi que votre erreur vous fasse présumer,
Vous obéirez mal s'il vous défend d'aimer.
Je sais... Mais le voici, que le Prince accompagne.

Scène II : Aæte, Absyrte, Chalciope, Médée.

AÆTE

Enfin nos ennemis nous cèdent la campagne,
Et des Scythes défaits le camp abandonné
Nous est de leur déroute un gage fortuné,
Un fidèle témoin d'une victoire entière.

Mais comme la fortune est souvent journalière,   335
Il en faut redouter de funestes retours,
Ou se mettre en état de triompher toujours.
  Vous savez de quel poids et de quelle importance
De ce peu d'étrangers s'est fait voir l'assistance.
Quarante, qui l'eût cru? quarante à leur abord   340
D'une armée abattue ont relevé le sort,
Du côté des vaincus rappelé la victoire,
Et fait d'un jour fatal un jour brillant de gloire.
  Depuis cet heureux jour que n'ont point fait leurs
Leur chef nous a paru le démon des combats, [bras?
Et trois fois sa valeur, d'un noble effet suivie,   345
Au péril de son sang a dégagé ma vie.
Que ne lui dois-je point, et que ne dois-je à tous?
Ah! si nous les pouvions arrêter parmi nous,
Que ma couronne alors se verrait assurée,
Qu'il faudrait craindre peu pour la Toison dorée,   350
Ce trésor où les Dieux attachent nos destins,
Et que veulent ravir tant de jaloux voisins! [charmes
  N'y peux-tu rien, Médée, et n'as-tu point de
Qui fixent en ces lieux le bonheur de leurs armes?
N'est-il herbes, parfums, ni chants mystérieux,   355
Qui puissent nous unir ces bras victorieux?

ABSYRTE

Seigneur, il est en vous d'avoir cet avantage :
Le charme qu'il y faut est tout sur son visage,
Jason l'aime, et je crois que l'offre de son cœur
N'en serait pas reçue avec trop de rigueur.   360
Un favorable aveu pour ce digne hyménée
Rendrait ici sa course heureusement bornée,
Son exemple aurait force, et ferait qu'à l'envi
Tous voudraient imiter le chef qu'ils ont suivi.
Tous sauraient comme lui, pour faire une maîtresse, 365
Perdre le souvenir des beautés de leur Grèce,
Et tous ainsi que lui permettraient à l'amour
D'obstiner des héros à grossir votre cour.

AÆTE

Le refus d'un tel heur aurait trop d'injustice.
Puis-je d'un moindre prix payer un tel service?   370
Le ciel, qui veut pour elle un époux étranger,
Sous plus digne joug ne saurait l'engager.
Oui, j'y consens, Absyrte, et tiendrai même à grâce
Que du roi d'Albanie il remplisse la place,
Que la mort de Styrus permette à votre sœur   375
L'incomparable choix d'un si grand successeur.
Ma fille, si jamais les droits de la naissance...

CHALCIOPE

Seigneur, je vous réponds de son obéissance,
Mais je ne réponds pas que vous trouviez les Grecs
Dans la même pensée et les mêmes respects.   380
Je les connais un peu, veuve d'un de leurs princes :
Ils ont aversion pour toutes nos provinces,
Et leur pays natal leur imprime un amour
Qui partout les rappelle et presse leur retour.
Ainsi n'espérez pas qu'il soit des hyménées   385
Qui puissent à la vôtre unir leurs destinées.
Ils les accepteront, si leur sort rigoureux
A fait de leur patrie un lieu mal sûr pour eux,
Mais le péril passé, leur soudaine retraite
Vous fera bientôt voir que rien ne les arrête,   390

Et qu'il n'est point de nœud qui les puisse obliger
A vivre sous les lois d'un monarque étranger.
    Bien que Phryxus m'aimât avec quelque tendresse,
Je l'ai vu mille fois soupirer pour sa Grèce,
395 Et quelque illustre rang qu'il tînt dans vos États,
S'il eût eu l'accès libre en ces heureux climats,
Malgré ces beaux dehors d'une ardeur empressée,
Il m'eût fallu l'y suivre, ou m'en voir délaissée.
Il semble après sa mort qu'il revive en ses fils,
400 Comme ils ont même sang, ils ont mêmes esprits :
La Grèce en leur idée est un séjour céleste,
Un lieu seul digne d'eux : par là jugez du reste.

        AÆTE
Faites-les-moi venir, que de leur propre voix
J'apprenne les raisons de cet injuste choix.
405 Et quant à ces guerriers que nos Dieux tutélaires
Au salut de l'État rendent si nécessaires,
Si pour les obliger à vivre mes sujets
Il n'est point dans ma cour d'assez dignes objets,
Si ce nom sur leur front jette tant d'infamie
410 Que leur gloire en devienne implacable ennemie,
Subornons cette gloire, et voyons dès demain
Ce que pourra sur eux le nom de souverain.
Le trône a ses liens ainsi que l'hyménée,
Et quand ce double nœud tient une âme enchaînée,
415 Quand l'ambition marche au secours de l'amour,
Elle étouffe aisément tous ces soins du retour.
Elle triomphera de cette idolâtrie
Que tous ces grands guerriers gardent pour leur patrie.
Leur Grèce a des climats et plus doux et meilleurs,
420 Mais commander ici vaut bien servir ailleurs.
Partageons avec eux l'éclat d'une couronne
Que la bonté du ciel par leurs mains nous redonne.
D'un bien qu'ils ont sauvé je leur dois quelque part :
Je le perdais sans eux, sans eux il court hasard,
425 Et c'est toujours prudence, en un péril funeste,
D'offrir une moitié pour conserver le reste.

        ABSYRTE
Vous les connaissez mal : ils sont trop généreux
Pour vous rendre à ce prix le besoin qu'on a d'eux.
Après ce grand secours, ce serait pour salaire
430 Prendre une part du vol qu'on tâchait à vous faire,
Vous piller un peu moins sous couleur d'amitié,
Et vous laisser enfin ce reste par pitié.
C'est là, Seigneur, c'est là cette haute infamie
Dont vous verriez leur gloire implacable ennemie.
435 Le trône a des splendeurs dont les yeux éblouis
Peuvent réduire une âme à l'oubli du pays,
Mais aussi la Scythie, ouverte à nos conquêtes,
Offre assez de matière à couronner leurs têtes.
Qu'ils règnent, mais par nous, et sur nos ennemis.
440 C'est là qu'il faut trouver un sceptre à nos amis,
Et lors d'un sacré nœud l'inviolable étreinte
Tirera notre appui d'où partait notre crainte,
Et l'hymen unira par des liens plus doux
Des rois sauvés par eux à des rois faits par nous.

        AÆTE
445 Vous regardez trop tôt comme votre héritage
Un trône dont en vain vous craignez le partage.
J'ai d'autres yeux, Absyrte, et vois un peu plus loin.

Je veux bien réserver ce remède au besoin,
Ne faire point cette offre à moins que nécessaire,
Mais s'il y faut venir, rien ne m'en peut distraire.
Les voici : parlons-leur, et pour les arrêter,
Ne leur refusons rien qu'ils daignent souhaiter.

    Scène III : Aæte, Absyrte, Médée, Jason,
       Pélée, Iphite, Orphée, Argonautes.

        AÆTE
Guerriers par qui mon sort devient digne d'envie,
Héros à qui je dois et le sceptre et la vie,
Après tant de bienfaits et d'un si haut éclat,
Voulez-vous me laisser la honte d'être ingrat ?
Je ne vous fais point d'offre, et dans ces lieux sauvage
Je ne découvre rien digne de vos courages.
Mais si dans mes États, mais si dans mon palais
Quelque chose avait pu mériter vos souhaits,
Le choix qu'en aurait fait cette valeur extrême
Lui donnerait un prix qu'il n'a pas de lui-même,
Et je croirais devoir à ce précieux choix
L'heur de vous rendre un peu de ce que je vous dois

        JASON
Si nos bras, animés par vos destins propices,
Vous ont rendu, Seigneur, quelques faibles services,
Et s'il en est encore, après un sort si doux,
Que vos commandements puissent vouloir de nous,
Vous avez en vos mains un trop digne salaire,
Et pour ce qu'on a fait·et pour ce qu'on peut faire
Et s'il nous est permis de vous le demander...

        AÆTE
Attendez tout d'un Roi qui veut tout accorder :
J'en jure le dieu Mars, et le Soleil mon père,
Et me puisse à vos yeux accabler leur colère,
Si mes serments font vous n'ont de si prompts effets
Que vos vœux dès ce jour se verront satisfaits !

        JASON
Seigneur, j'ose vous dire, après cette promesse,
Que vous voyez la fleur des princes de la Grèce,
Qui vous demandent tous d'une commune voix
Un trésor qui jadis fut celui de ses rois :
La Toison d'or, Seigneur, que Phryxus, votre gendre
Phryxus, notre parent...

        AÆTE
        Ah ! que viens-je d'entendre
        MÉDÉE
Ah ! perfide.

        JASON
    A ce mot vous paraissez surpris !
Notre peu de secours se met à trop haut prix,
Mais enfin, je l'avoue, un si précieux gage
Est l'unique motif de tout notre voyage.
Telle est la dure loi que nous font nos tyrans,
Que lui seul nous peut rendre au sein de nos parents
Et telle est leur rigueur, que, sans cette conquête,
Le retour au pays nous coûterait la tête.

        AÆTE
Ah ! si vous ne pouvez y rentrer autrement,
Dure, dure à jamais votre bannissement !
Princes, tel est mon sort, que la Toison ravie

Me doit coûter le sceptre, et peut-être la vie.
De sa perte dépend celle de tout l'État.
En former un désir, c'est faire un attentat,
Et si jusqu'à l'effet vous pouvez le réduire,
Vous ne m'avez sauvé que pour mieux me détruire.

JASON

Qui vous l'a dit, Seigneur? quel tyrannique effroi
Fait cette illusion aux destins d'un grand Roi?

AÆTE

Votre Phryxus lui-même a servi d'interprète
A ces ordres des Dieux dont l'effet m'inquiète :
Son ombre en mots exprès nous les a fait savoir.

JASON

A des fantômes vains donnez moins de pouvoir.
Une ombre est toujours ombre, et des nuits éternelles
Il ne sort point de jours qui ne soient infidèles.
Ce n'est point à l'enfer à disposer des Rois,
Et les ordres du ciel n'empruntent point sa voix.
Mais vos bontés par là cherchent à faire grâce
Au trop d'ambition dont vous voyez l'audace,
Et c'est pour colorer un trop juste refus
Que vous faites parler cette ombre de Phryxus.

AÆTE

Quoi? de mon noir destin la triste certitude
Ne serait qu'un prétexte à mon ingratitude?
Et quand je vous dois tout, je voudrais essayer
Un mauvais artifice à ne vous rien payer?
Quoi que vous en croyiez, quoi que vous puissiez dire,
Pour vous désabuser partageons mon empire.
Cette offre peut-elle être un refus coloré,
Et répond-elle mal à ce que j'ai juré?

JASON

D'autres l'accepteraient avec pleine allégresse,
Mais elle n'ouvre pas les chemins de la Grèce,
Et ces héros, sortis ou des Dieux ou des Rois,
Ne sont pas mes sujets pour vivre sous mes lois.
C'est à l'heur du retour que leur courage aspire,
Et non pas à l'honneur de me faire un empire.

AÆTE

Rien ne peut donc changer ce rigoureux désir?

JASON

Seigneur, nous n'avons pas le pouvoir de choisir.
Ce n'est que perdre temps qu'en parler davantage,
Et vous savez à quoi le serment vous engage.

AÆTE

Téméraire serment qui me fait une loi
Dangereuse pour vous, ou funeste pour moi!
La Toison est à vous si vous pouvez la prendre,
Car ce n'est pas de moi qu'il vous la faut attendre.
Comme votre Phryxus l'a consacrée à Mars,
Ce dieu même lui fait d'effroyables remparts,
Contre tout l'effort de la valeur humaine
Ne peut être suivi que d'une mort certaine.
Il faut pour l'emporter quelque chose au-dessus,
J'ouvrirai la carrière, et ne puis rien de plus :
Il y va de ma vie ou de mon diadème,
Mais je tremble pour vous autant que pour moi-même.
Je croirais faire un crime à vous le déguiser,
Il est en votre choix d'en bien ou mal user,
Ma parole est donnée, il faut que je la tienne,

Mais votre perte est sûre à moins que de la mienne.
Adieu : pensez-y bien. Toi, ma fille, dis-lui
A quels affreux périls il se livre aujourd'hui.

Scène IV : *Médée, Jason, Argonautes.*

MÉDÉE

Ces périls sont légers.

JASON

Ah! divine princesse!

MÉDÉE

Il n'y faut que du cœur, des forces, de l'adresse.   550
Vous en avez, Jason, mais peut-être, après tout,
Ce que vous en avez n'en viendra pas à bout.

JASON

Madame, si jamais...

MÉDÉE

Ne dis rien, téméraire.
Tu ne savais que trop quel choix pouvait me plaire.
Celui de la Toison m'a fait voir tes mépris :   555
Tu la veux, tu l'auras, mais apprends à quel prix.
    Pour voir cette dépouille au dieu Mars consacrée,
A tous dans sa forêt il permet libre entrée,
Mais pour la conquérir qui s'ose hasarder
Trouve un affreux dragon commis à la garder.   560
Rien n'échappe à sa vue, et le sommeil sans force
Fait avec sa paupière un éternel divorce.
Le combat contre lui ne te sera permis
Qu'après deux fiers taureaux par ta valeur soumis :
Leurs yeux sont tout de flamme, et leur brûlante   565
D'un long embrasement couvre toute la plaine. [haleine
    Va leur faire souffrir le joug et l'aiguillon,
Ouvrir du champ de Mars le funeste sillon :
C'est ce qu'il te faut faire, et dans ce champ horrible
Jeter une semence encore plus terrible,   570
Qui soudain produira des escadrons armés
Contre la même main qui les aura semés.
Tous, sitôt qu'ils naîtront, en voudront à ta vie :
Je vais moi-même à tous redoubler leur furie.
Juge par là, Jason, de la gloire où tu cours,   575
Et cherche où tu pourras des bras et du secours.

Scène V : *Jason, Pélée, Iphite,*
Orphée, Argonautes.

JASON

Amis, voilà l'effet de votre impatience
Si j'avais eu sur vous un peu plus de croyance,
L'amour m'aurait livré ce précieux dépôt,
Et vous l'avez perdu pour le vouloir trop tôt.   580

PÉLÉE

L'amour vous est bien doux, et votre espoir tranquille,
Qui vous fit consumer deux ans chez Hypsipyle,
En consumerait quatre avec plus de raison
A cajoler Médée et gagner la Toison
Après que nos exploits l'ont si bien méritée,   585
Un mot seul, un souhait dût l'avoir emportée,
Mais puisqu'on la refuse au service rendu,
Il faut avoir de force un bien qui nous est dû.

JASON

De Médée en courroux dissipez donc les charmes :
590 Combattez ce dragon, ces taureaux, ces gendarmes.

IPHITE

Les Dieux nous ont sauvés de mille autres dangers,
Et sont les mêmes dieux en ces bords étrangers
Pallas nous a conduits, et Junon de nos têtes
A parmi tant de mers écarté les tempêtes.
595 Ces grands secours unis auront leur plein effet,
Et ne laisseront point leur ouvrage imparfait.
Voyez si je m'abuse, amis, quand je l'espère :
Regardez de Junon briller la messagère :
Iris nous vient du ciel dire ses volontés.
600 En attendant son ordre, adorons ses bontés.
Prends ton luth, cher Orphée, et montre à la Déesse
Combien ce doux espoir charme notre tristesse.

Scène VI : Iris, sur l'arc-en-ciel ; Junon
et Pallas, chacune dans son char ;
Jason, Orphée, Argonautes.

ORPHÉE chante.

Femme et sœur du maître des Dieux,
De qui le seul regard fait nos destins propices,
605 Nous as-tu jusqu'ici guidés sous tes auspices,
Pour nous voir périr en ces lieux?
Contre des bras mortels tout ce qu'ont pu nos armes,
Nous l'avons fait dans les combats :
Contre les monstres et les charmes
610 C'est à toi maintenant de nous prêter ton bras.

IRIS

Princes, ne perdez pas courage;
Les deux mêmes divinités
Qui vous ont garantis sur les flots irrités
Prennent votre défense en ce climat sauvage.
Ici Junon et Pallas se montrent dans leurs chars.
615 Les voici toutes deux, qui de leur propre voix
Vous apprendront sous quelles lois
Le destin vous promet cette illustre conquête;
Elles sauront vous la faciliter :
Écoutez leurs conseils, et tenez l'âme prête
620 A les exécuter.

JUNON

Tous vos bras et toutes vos armes
Ne peuvent rien contre les charmes
Que Médée en fureur verse sur la Toison :
L'amour seul aujourd'hui peut faire ce miracle,
625 Et dragon ni taureaux ne vous feront obstacle,
Pourvu qu'elle s'apaise en faveur de Jason.
Prête à descendre en terre afin de l'y réduire,
J'ai pris et le visage et l'habit de sa sœur.
Rien ne vous peut servir si vous n'avez son cœur,
630 Et si vous le gagnez, rien ne vous saurait nuire.

PALLAS

Pour vous secourir en ces lieux
Junon change de forme et va descendre en terre;
Et pour vous protéger Pallas remonte aux cieux,
Où Mars et quelques autres dieux
635 Vont presser contre vous le maître du tonnerre.
Le Soleil, de son fils embrassant l'intérêt,

Voudra faire changer l'arrêt
Qui vous laisse espérer la Toison demandée;
Mais quoi qu'il puisse faire, assurez-vous qu'enfin
L'amour fera votre destin,
Et vous donnera tout, s'il vous donne Médée.
Ici, tout d'un temps, Iris disparaît ; Pallas remonte au
ciel, et Junon descend en terre, en traversant toutes
deux le théâtre, et faisant croiser leurs chars.

JASON

Eh bien! si mes conseils...

PÉLÉE

N'en parlons plus, Jason.
Cet oracle l'emporte, et vous aviez raison.
Aimez, le ciel l'ordonne, et c'est l'unique voie
Qu'après tant de travaux il ouvre à notre joie.
N'y perdons point de temps, et sans plus de séjour
Allons sacrifier au tout-puissant Amour.

ACTE SECOND

DÉCORATION DU SECOND ACTE

La rivière du Phase et le paysage qu'elle traverse
succèdent à ce grand jardin, qui disparaît tout d'un
coup. On voit tomber de gros torrents des rochers qui
servent de rivage à ce fleuve, et l'éloignement qui borne
la vue présente aux yeux divers coteaux dont cette campagne est fermée.

Scène I : Jason, Junon, sous le visage de Chalciope.

JUNON

Nous pouvons à l'écart, sur ces rives du Phase,
Parler en sûreté du feu qui vous embrase.
Souvent votre Médée y vient prendre le frais,
Et pour y mieux rêver s'échappe du palais.
Il faut venir à bout de cette humeur altière :
De sa sœur tout exprès j'ai pris l'image entière,
Mon visage a même air, ma voix a même ton,
Vous m'en voyez la taille, et l'habit et le nom,
Et je la cache à tous sous un épais nuage,
De peur que son abord ne trouble mon ouvrage.
Sous ces déguisements j'ai déjà rétabli
Presque en toute sa force un amour affaibli.
L'horreur de vos périls, que redoublent les charmes,
Dans cette âme inquiète excite mille alarmes :
Elle blâme déjà son trop d'emportement,
C'est à vous d'achever un si doux changement.
Un soupir poussé juste, en suite d'une excuse,
Perce un cœur bien avant quand lui-même il s'accuse,
Et qu'un secret retour le force à ressentir
De sa fureur trop prompte un tendre repentir.

JASON

Déesse, quels encens...

JUNON

Traitez-moi de princesse,
Jason, et laissez là l'encens et la Déesse.
Quand vous serez en Grèce il y faudra penser,
Mais ici vos devoirs s'en doivent dispenser.

Par ce respect suprême ils m'y feraient connaître,
Laissez-y-moi passer pour ce que je feins d'être,
Jusqu'à ce que le cœur de Médée adouci...

JASON

Madame, puisqu'il faut ne vous nommer qu'ainsi,
Vos ordres me seront des lois inviolables,
J'aurai pour les remplir des soins infatigables,
Et mon amour plus fort...

JUNON

Je sais que vous aimez,
Que Médée a des traits dont vos sens sont charmés.
Mais cette passion est-elle en vous si forte
Qu'à tous autres objets elle ferme la porte?
Ne souffre-t-elle plus l'image du passé?
Le portrait d'Hypsipyle est-il tout effacé?

JASON

Ah!

JUNON

Vous en soupirez!

JASON

Un reste de tendresse
M'échappe encore au nom d'une belle princesse,
Mais comme assez souvent la distance des lieux
Affaiblit dans le cœur ce qu'elle cache aux yeux,
Les charmes de Médée ont aisément la gloire
D'abattre dans le mien l'effet de sa mémoire.

JUNON

Peut-être elle n'est pas si loin que vous pensez.
Ses vœux de vous attendre enfin se sont lassés,
Et n'ont pu résister à cette impatience
Dont tous les vrais amants ont trop d'expérience.
L'ardeur de vous revoir l'a hasardée aux flots,
Elle a pris après vous la route de Colchos;
Et moi, pour empêcher que sa flamme importune
Ne rompît sur ces bords toute votre fortune,
J'ai soulevé les vents, qui brisant son vaisseau,
Dans les flots mutinés ont ouvert son tombeau.

JASON

Hélas!

JUNON

N'en craignez point une funeste issue :
Dans son propre palais Neptune l'a reçue.
Comme il craint pour Pélie, à qui votre retour
Doit coûter la couronne, et peut-être le jour,
Il va tâcher d'y mettre un obstacle pour elle,
Il vous la renverra, plus pompeuse et plus belle,
Rattacher votre cœur à des liens si doux,
Ou du moins exciter des sentiments jaloux
Qui vous rendent Médée à tel point inflexible
Que le pouvoir du charme en demeure invincible,
Et que vous périssiez en le voulant forcer,
Ou qu'à votre conquête il faille renoncer.
Dès son premier abord une soudaine flamme
D'Absyrte à ses beautés livrera toute l'âme.
L'Amour me l'a promis : vous l'en verrez charmé,
Mais vous serez sans doute encor le plus aimé.
Il faut donc prévenir ce dieu qui l'a sauvée,
Emporter la Toison avant son arrivée.
Votre amante paraît : agissez en amant
Qui veut en effet vaincre, et vaincre promptement.

Scène II : Jason, Junon, Médée.

MÉDÉE

Que faites-vous, ma sœur, avec ce téméraire?   720
Quand son orgueil m'outrage, a-t-il de quoi vous plaire
Et vous a-t-il réduite à lui servir d'appui,
Vous qui parliez tantôt et si haut contre lui?

JUNON

Je suis toujours sincère, et dans l'idolâtrie
Qu'en tous ces héros grecs je vois pour leur patrie,   725
Si votre cœur était encore à se donner,
Je ferais mes efforts à vous en détourner.
Je vous dirais encor ce que j'ai su vous dire,
Mais l'amour sur tous deux a déjà trop d'empire :
Il vous aime, et je vois qu'avec les mêmes traits...   730

MÉDÉE

Que dites-vous, ma sœur? il ne m'aima jamais.
A quelque complaisance il a pu se contraindre,
Mais s'il feignit d'aimer, il a cessé de feindre,
Et me l'a bien fait voir en demandant au Roi,
En ma présence même, un autre prix que moi.   735

JUNON

Ne condamnons personne avant que de l'entendre.
Savez-vous les raisons dont il se peut défendre?
Il m'en a dit quelqu'une, et je ne puis nier
Non pas qu'elle suffise à le justifier,
(Il est trop criminel), mais que du moins son crime   740
N'est pas du tout si noir qu'il l'est dans votre estime,
Et si vous la saviez, peut-être à votre tour
Vous trouveriez moins lieu d'accuser son amour.

MÉDÉE

Quoi! ce lâche tantôt ne m'a pas regardée,
Il n'a montré qu'orgueil, que mépris pour Médée,   745
Et je pourrais encor l'entendre discourir!

JASON

Le discours siérait mal à qui cherche à mourir.
J'ai mérité la mort si j'ai pu vous déplaire,
Mais cessez contre moi d'armer votre colère.
Vos taureaux, vos dragons sont ici superflus,   750
Dites-moi seulement que vous ne m'aimez plus :
Ces deux mots suffiront pour réduire en poussière...

MÉDÉE

Va, quand il me plaira, j'en sais bien la manière,
Et si ma bouche encor n'en fulmine l'arrêt,
Rends grâces à ma sœur qui prend ton intérêt.   755
Par quel art, par quel charme as-tu pu la séduire,
Elle qui ne cherchait tantôt qu'à te détruire?
D'où vient que mon cœur même à demi révolté
Semble vouloir s'entendre avec ta lâcheté,
Et de tes actions favorable interprète,   760
Ne te peint à mes yeux que tel qu'il te souhaite?
Par quelle illusion lui fais-tu cette loi,
Serais-tu dans mon art plus grand maître que moi?
Tu mets dans tous mes sens le trouble et le divorce :
Je veux ne t'aimer plus, et n'en ai pas la force.   765
Achève d'éblouir un si juste courroux,
Qu'offusquent malgré moi des sentiments trop doux,
Car enfin, et ma sœur l'a bien pu reconnaître,
Tout violent qu'il est, l'amour seul l'a fait naître,
Il va jusqu'à la haine, et toutefois, hélas!   770

Je te haïrais peu, si je ne t'aimais pas.
Mais parle, et si tu peux, montre quelque innocence.

JASON

Je renonce, Madame, à toute autre défense.
Si vous m'aimez encore, et si l'amour en vous
775 Fait naître cette haine, anime ce courroux,
Puisque de tous les deux sa flamme est triomphante,
Le courroux est propice et la haine obligeante.
Oui, puisque cet amour vous parle encor pour moi,
Il ne vous permet pas de douter de ma foi,
780 Et pour vous faire voir mon innocence entière,
Il éclaire vos yeux de toute sa lumière :
De ses rayons divins le vif discernement
Du chef de ces héros sépare votre amant.
    Ces princes, qui pour vous ont exposé leur vie,
785 Sans qui votre province allait être asservie,
Eux qui de vos destins rompant le cours fatal,
Tous mes égaux qu'ils sont, m'ont fait leur général,
Eux qui de leurs exploits, eux qui de leur victoire,
Ont répandu sur moi la plus brillante gloire,
790 Eux tous ont par ma voix seul tout le prix de leur sang :
C'étaient eux qui parlaient, ce n'était pas Jason.
Il ne voulait que vous, mais pouvait-il dédire
Ces guerriers dont le bras a sauvé votre empire,
Et par une bassesse indigne de son rang,
795 Demander pour lui seul tout le prix de leur sang ?
Pouvais-je les trahir, moi qui de leurs suffrages
De ce rang où je suis tiens tous les avantages ?
Pouvais-je avec honneur à ce qu'il a d'éclat
Joindre le nom de lâche et le titre d'ingrat ?
800 Auriez-vous pu m'aimer couvert de cette honte ?

JUNON   [prompte ?

Ma sœur, dites le vrai, n'étiez-vous point trop
Qu'a-t-il fait qu'un cœur noble et vraiment généreux...

MÉDÉE

Ma sœur, je le voulais seulement amoureux.
En qui saurait aimer serait-ce donc un crime,
805 Pour montrer plus d'amour, de perdre un peu d'estime ?
Et malgré les douceurs d'un espoir si charmant,
Faut-il que le héros fasse taire l'amant ?
Quel que soit ce devoir, ou ce noble caprice,
Tu me devais, Jason, en faire un sacrifice.
810 Peut-être j'aurais pu t'en entendre blâmer,
Mais non pas t'en haïr, non pas t'en moins aimer.
Tout oblige en amour, quand l'amour en est cause.

JUNON

Voyez à quoi pour vous cet amour la dispose.
N'abusez point, Jason, des bontés de ma sœur,
815 Qui semble se résoudre à vous rendre son cœur,
Et laissez à vos Grecs, au péril de leur vie,
Chercher cette Toison si chère à leur envie.

JASON

Quoi ! les abandonner en ce pas dangereux ?

MÉDÉE

N'as-tu point assez fait d'avoir parlé pour eux ?

JASON

820 Je suis leur chef, Madame, et pour cette conquête
Mon honneur me condamne à marcher à leur tête :
J'y dois périr comme eux, s'il leur faut y périr,
Et bientôt à leur tête on m'y verrait courir,

Si j'aimais assez mal pour essayer mes armes
A forcer des périls qu'ont préparés vos charmes,
Et si le moindre espoir de vaincre malgré vous
N'était un attentat contre votre courroux.
Oui, ce que nos destins m'ordonnent que j'obtienne,
Je le veux de vos mains, et non pas de la mienne.
Si ce trésor par vous ne m'est point accordé
Mon bras me punira d'avoir trop demandé,
Et mon sang à vos yeux, sur ce triste rivage,
De vos justes refus étalera l'ouvrage.
Vous m'en verrez, Madame, accepter la rigueur,
Votre nom en la bouche et votre image au cœur,
Et mon dernier soupir, par un pur sacrifice,
Sauver toute ma gloire et vous rendre justice.
Quel heur de pouvoir dire en terminant mon sort :
« Un respect amoureux a seul causé ma mort ! »
Quel heur de voir ma mort charger la renommée
De tout ce digne excès dont vous êtes aimée,
Et dans tout l'avenir...

MÉDÉE

Va, ne me dis plus rien ;
Je ferai mon devoir, comme tu fais le tien.
L'honneur doit m'être cher, si la gloire t'est chère :
Je ne trahirai point mon pays et mon père.
Le destin de l'État dépend de la Toison,
Et je commence enfin à connaître Jason.
    Ces paniques terreurs pour ta gloire flétrie
Nous déguisent en vain l'amour de ta patrie,
L'impatiente ardeur d'en voir le doux climat
Sous ces fausses couleurs ne fait que trop d'éclat.
Mais, s'il faut la Toison pour t'en ouvrir l'entrée,
Va traîner ton exil de contrée en contrée,
Et ne présume pas, pour te voir trop aimé,
Abuser en tyran de mon cœur enflammé.
Puisque le tien s'obstine à braver ma colère,
Que tu me fais des lois, à moi qui t'en dois faire,
Je reprends cette foi que tu crains d'accepter,
Et préviens un ingrat qui cherche à me quitter.

JASON   [connaître

Moi, vous quitter, Madame ! ah ! que c'est mal
Le pouvoir du beau feu que vos yeux ont fait naître
Que nos héros en Grèce emportent leur butin,
Jason auprès de vous attache son destin.
Donnez-leur la Toison qu'ils ont presque achetée,
Ou si leur sang versé l'a trop peu méritée,
Joignez-y tout le mien, et laissez-moi l'honneur
De leur voir de ma main tenir tout leur bonheur.
Que si le souvenir de vous avoir servie
Me réserve pour vous quelque reste de vie,
Soit qu'il faille à Colchos borner notre séjour,
Soit qu'il vous plaise ailleurs éprouver mon amour,
Sous les climats brûlants, sous les zones glacées,
Les routes me plairont que vous m'aurez tracées :
J'y baiserai partout les marques de vos pas.
Point pour moi de patrie où vous ne serez pas,
Point pour moi...

MÉDÉE

Quoi ! Jason, tu pourrais pour Médée
Étouffer de ta Grèce et l'amour et l'idée ?

JASON

Je le pourrai, Madame, et de plus...

Scène III : Absyrte, Junon, Jason, Médée.

ABSYRTE

Ah! mes sœurs,
Quel miracle nouveau va ravir tous nos cœurs!
Sur ce fleuve mes yeux ont vu de cette roche
Comme un trône flottant qui de nos bords s'approche.
Quatre monstres marins courbent sous ce fardeau :
Quatre nains emplumés le soutiennent sur l'eau,
Et découpant les airs par un battement d'ailes,
Lui servent de rameurs et de guides fidèles.
Sur cet amas brillant de nacre et de coral,
Qui sillonne les flots de ce mouvant cristal,
L'opale étincelante à la perle mêlée
Renvoie un jour pompeux vers la voûte étoilée.
Les nymphes de la mer, les tritons, tout autour,
Semblent au dieu caché faire à l'envi leur cour,
Et sur ces flots heureux, qui tressaillent de joie,
Par mille bonds divers ils lui tracent la voie.
Voyez du fond des eaux s'élever à nos yeux,
Par un commun accord, ces moites demi-dieux.
Puissent-ils sur ces bords arrêter ce miracle!
Admirez avec moi ce merveilleux spectacle.
Le voilà qui les suit. Voyez-le s'avancer.

JASON, *à Junon.*

Ah! Madame!

JUNON

Voyez sans vous embarrasser.

*Ici l'on voit sortir du milieu du Phase le dieu Glauque
avec deux tritons et deux sirènes qui chantent, cependant
qu'une grande conque de nacre, semée de branches de
coral et de pierres précieuses, portée par quatre dau-
phins, et soutenue par quatre vents en l'air, vient insensiblement s'arrêter au milieu de ce même fleuve. Tandis
qu'elles chantent, le devant de cette conque merveilleuse
fond dans l'eau, et laisse voir la reine Hypsipyle assise
comme dans un trône; et soudain Glauque commande
aux vents de s'envoler, aux tritons et aux sirènes de
disparaître, et au fleuve de retirer une partie de ses eaux
pour laisser prendre terre à Hypsipyle. Les tritons, le
fleuve, les vents et les sirènes obéissent, et Glauque se
perd lui-même au fond de l'eau, sitôt qu'il a parlé; de
quoi Absyrte donne la main à Hypsipyle pour sortir de
cette conque, qui s'abîme aussitôt dans le fleuve.*

*Scène IV : Absyrte, Junon, Médée, Jason,
Glauque, sirènes, tritons, Hypsipyle.*

CHANT DES SIRÈNES

*Telle Vénus sortit du sein de l'onde,
Pour faire régner dans le monde
Les jeux et les plaisirs, les grâces et l'amour,
Telle tous les matins l'Aurore
Sur le sein émaillé de Flore
Verse la rosée et le jour.
Objet divin, qui vas de ce rivage
Bannir ce qu'il a de sauvage,*

*Pour y faire régner les grâces et l'amour,
Telle et plus adorable encore
Que n'est Vénus, que n'est l'Aurore,* 910
Tu vas y faire un nouveau jour.

ABSYRTE

Quelle beauté, mes sœurs, dans ce trône enfermée,
De son premier coup d'œil a mon âme charmée?
Quel cœur pourrait tenir contre de tels appas?

HYPSIPYLE

Juste ciel, il me voit et ne s'avance pas! 915

GLAUQUE

Allez, Tritons, allez, Sirènes,
Allez, Vents, et rompez vos chaînes;
Neptune est satisfait,
Et l'ordre qu'il vous donne a son entier effet.
Jason, vois les bontés de ce même Neptune, 920
Qui pour achever ta fortune,
A sauvé du naufrage, et renvoie à tes vœux
La princesse qui seule est digne de ta flamme.
A son aspect rallume tous tes feux,
Et pour répondre aux siens, rends-lui toute ton âme. 925
Et toi, qui jusques à Colchos
Dois à tant de beautés un assuré passage,
Fleuve, pour un moment retire un peu tes flots,
Et laisse approcher ton rivage.

ABSYRTE

Princesse, en qui du ciel les merveilleux efforts 930
Se sont plu d'animer ses plus rares trésors,
Souffrez qu'au nom du Roi dont je tiens la naissance,
Je vous offre en ces lieux une entière puissance :
Régnez dans ses États, régnez dans son palais,
Et pour premier hommage à vos divins attraits... 935

HYPSIPYLE

Faites moins d'honneur, Prince, à mon peu de mérite :
Je ne cherche en ces lieux qu'un ingrat qui m'évite.
Au lieu de m'aborder, Jason, vous pâlissez!
Dites-moi pour le moins si vous me connaissez.

JASON

Je sais bien qu'à Lemnos vous étiez Hypsipyle, 940
Mais ici...

HYPSIPYLE

Qui vous rend de la sorte immobile?
Ne suis-je plus la même arrivant à Colchos?

JASON

Oui, mais je n'y suis pas le même qu'à Lemnos.

HYPSIPYLE

Dieux! que viens-je d'ouïr?

JASON

J'ai d'autres yeux, Ma-
Voyez cette Princesse, elle a toute mon âme, [dame : 945
Et pour vous épargner les discours superflus,
Ici je ne connais et ne vois rien de plus.

HYPSIPYLE

O faveurs de Neptune, où m'avez-vous conduite?
Et s'il commence ainsi, quelle sera la suite?

MÉDÉE

Non, non, Madame, non, je ne veux rien d'autrui : 950
Reprenez votre amant, je vous laisse avec lui.
Ne m'offre plus un cœur dont une autre est maî-
Volage, et reçois mieux cette grande Princesse. [tresse,

Adieu : des yeux si beaux valent bien la Toison.
JASON, *à Junon.*
955 Ah! Madame, voyez qu'avec peu de raison...
JUNON
Suivez sans perdre temps, je saurai vous rejoindre.
Madame, on vous trahit, mais votre heur n'est pas
[moindre.
Mon frère, qui s'apprête à vous conduire au Roi,
N'a pas moins de mérite, et tiendra mieux sa foi.
960 Si je le connais bien, vous avez qui vous venge,
Et si vous m'en croyez, vous gagnerez au change.
Je vous laisse en résoudre, et prends quelques mo-
Pour rétablir le calme entre ces deux amants. [ments

Scène V: Absyrte, Hypsipyle.

ABSYRTE
Madame, si j'osais, dans le trouble où vous êtes,
965 Montrer à vos beaux yeux des peines plus secrètes,
Si j'osais faire voir à ces divins tyrans
Ce qu'ont déjà soumis de si doux conquérants,
Je mettrais à vos pieds le trône et la couronne
Où le ciel me destine et que le sang me donne.
970 Mais puisque vos douleurs font taire mes désirs,
Ne vous offensez pas du moins de mes soupirs,
Et tant que le respect m'imposera silence,
Expliquez-vous par eux toute leur violence.
HYPSIPYLE
Prince, que voulez-vous d'un cœur préoccupé
975 Sur qui domine encor l'ingrat qui l'a trompé?
Si c'est à mon amour une peine cruelle
Où je cherche un amant de voir un infidèle,
C'est un nouveau supplice à mes tristes appas
De faire une conquête où je n'en cherche pas.
980 Non que je vous méprise, et que votre personne
N'eût de quoi me toucher plus que votre couronne :
Le ciel me donne un sceptre en des climats plus doux,
Et de tous vos États je ne voudrais que vous.
Mais ne vous flattez point sur ces marques d'estime
985 Qu'en mon cœur, tel qu'il est, votre présence imprime :
Quand l'univers entier vous connaîtrait pour Roi,
Que pourrais-je pour vous, si je ne suis à moi?
ABSYRTE
Vous y serez, Madame, et pourrez toute chose :
Le change de Jason déjà vous y dispose,
990 Et pour peu qu'il soutienne encor cette rigueur,
Le dépit malgré vous vous rendra votre cœur.
D'un si volage amant que pourriez-vous attendre?
HYPSIPYLE
L'inconstance me l'ôte, elle peut me le rendre.
ABSYRTE
Quoi vous pourriez l'aimer, s'il rentrait sous vos lois
995 En devenant perfide une seconde fois?
HYPSIPYLE
Prince, vous savez mal combien charme un courage
Le plus frivole espoir de reprendre un volage,
De le voir malgré lui dans nos fers retombé,
Échapper à l'objet qui nous l'a dérobé,
1000 Et sur une rivale et confuse et trompée
Ressaisir avec gloire une place usurpée.

Si le ciel en courroux m'en refuse l'honneur,
Du moins je servirai d'obstacle à son bonheur.
Cependant éteignez une flamme inutile :
Aimez en d'autres lieux, et plaignez Hypsipyle,
Et s'il vous reste encor quelque bonté pour moi,
Aidez contre un ingrat ma plainte auprès du Roi.
ABSYRTE
Votre plainte, Madame, aurait pour toute issue
Un nouveau déplaisir de la voir mal reçue.
Le Roi le veut pour gendre, et ma sœur pour époux.
HYPSIPYLE
Il me rendra justice, un Roi la doit à tous,
Et qui la sacrifie aux tendresses de père
Est d'un pouvoir si saint mauvais dépositaire [15].
ABSYRTE
A quelle rude épreuve engagez-vous ma foi,
De me forcer d'agir contre ma sœur et moi!
Mais n'importe, le temps et quelque heureux service
Pourront à mon amour vous rendre plus propice.
Tandis [16], souvenez-vous que jusqu'à se trahir
Ce Prince malheureux cherche à vous obéir.

ACTE TROISIÈME

DÉCORATION DU TROISIÈME ACTE

*Nos théâtres n'ont encore rien fait paraître de si
brillant que le palais du roi Aæte qui sert de décoration
à cet acte. On y voit de chaque côté deux rangs de
colonnes de jaspe torses, et environnées de pampres
d'or à grands feuillages, chantournées, et découpées
à jour, au milieu desquelles sont des statues d'or à
l'antique, de grandeur naturelle. Les frises, les festons,
les corniches et les chapiteaux sont pareillement d'or,
et portent pour finissement des vases de porcelaine
d'où sortent de gros bouquets de fleurs aussi au naturel.
Les bases et les piédestaux sont enrichis de basses-
tailles [17], où sont peintes diverses fables de l'antiquité.
Un grand portique doré, soutenu par quatre autres
colonnes dans le même ordre, fait la face du théâtre,
et est suivi de cinq ou six autres de même manière,
qui forment, par le moyen de ces colonnes, comme cinq
galeries, où la vue s'enfonçant découvre ce même
jardin de cyprès qui a paru au premier acte.*

Scène I : Aæte, Jason.

AÆTE
Je vous devais assez pour vous donner Médée,
Jason, et si tantôt vous l'aviez demandée,
Si vous m'aviez parlé comme vous me parlez,
Vous auriez obtenu le bien que vous voulez.
Mais en est-il saison au jour d'une conquête
Qui doit faire tomber mon trône ou votre tête?
Et vous puis-je accepter pour gendre, et vous chérir,

---

15. Réminiscence indirecte de *Nicomède*.
16. Adverbial : *cependant, en attendant.* Il y avait longtemps
que Corneille n'avait employé ce mot.
17. Bas-reliefs.

S'il vous faut dans une heure ou me perdre ou périr?
Prétendre à la Toison par l'hymen de ma fille,
C'est pour m'assassiner s'unir à ma famille,
Et si vous abusez de ce que j'ai promis,
Vous êtes le plus grand de tous mes ennemis.
Je ne m'en puis dédire, et le serment me lie.
Mais si tant de périls vous laissent quelque vie,
Après avoir perdu ce Roi que vous bravez,
Allez porter vos vœux à qui vous les devez.
Hypsipyle vous aime, elle est Reine, elle est belle :
Fuyez notre vengeance, et régnez avec elle.

                    JASON
Quoi! parler de vengeance, et d'un œil de courroux
Voir l'immuable ardeur de m'attacher à vous!
Vous présumer perdu sur la foi d'un scrupule
Qu'embrasse aveuglément votre âme trop crédule,
Comme si sur la peau d'un chétif animal
Le ciel avait écrit tout votre sort fatal!
Ce que l'ombre a prédit, si vous daignez l'entendre,
Ne met aucun obstacle aux prières d'un gendre.
Me donner la Princesse, et pour dot la Toison,
Ce n'est que l'assurer dedans votre maison,
Puisque par les doux nœuds de ce bonheur suprême
Je deviendrai soudain une part de vous-même,
Et que ce même bras qui vous a pu sauver
Sera toujours armé pour vous la conserver.

                    AÆTE
Vous prenez un peu tard une mauvaise adresse :
Nos esprits sont plus lourds que ceux de votre Grèce,
Mais j'ai d'assez bons yeux, dans un si juste effroi,
Pour démêler sans peine un gendre d'avec moi.
Je sais que l'union d'un époux à ma fille
De mon sang et du sien forme une autre famille,
Et que si de moi-même elle fait quelque part,
Cette part de moi-même a ses destins à part.
   Ce que l'ombre a prédit se fait assez entendre :
Cessez de vous forcer à devenir mon gendre,
Ce serait un honneur qui ne vous plairait pas,
Puisque la Toison seule a pour vous des appas,
Et que si mon malheur vous l'avait accordée,
Vous n'auriez jamais fait aucun vœu pour Médée.

                    JASON
C'est faire trop d'outrage à mon cœur enflammé.
Dès l'abord je la vis, dès l'abord je l'aimai,
Et mon amour n'est pas un amour politique
Que le besoin colore, et que la crainte explique.
Mais n'ayant que moi-même à vous parler pour moi,
Je n'osais espérer d'être écouté d'un Roi,
Ni que sur ma parole il me crût de naissance
A porter mes désirs jusqu'à son alliance.
Maintenant qu'une Reine a fait voir que mon sang
N'est pas fort au-dessous de cet illustre rang,
Qu'un refus de son sceptre après votre victoire
Montre qu'on peut m'aimer sans hasarder sa gloire,
J'ose, un peu moins timide, offrir avec ma foi
Ce que veut une Reine à la fille d'un Roi.

                    AÆTE
Et cette même Reine est un exemple illustre
Qui met tous vos hauts faits en leur plus digne lustre.
L'état où la réduit votre fidélité

Nous instruit hautement de cette vérité,
Que ma fille avec vous serait fort assurée
Sur les gages douteux d'une foi parjurée.   1085
Ce trône refusé, dont vous faites le vain,
Nous doit donner à tous horreur de votre main.
Il ne faut pas ainsi se jouer des couronnes :
On doit toujours respect au sceptre, à nos personnes.
Mépriser cette Reine en présence d'un Roi,   1090
C'est manquer de prudence aussi bien que de foi.
Le ciel nous unit tous en ce grand caractère :
Je ne puis être Roi sans être aussi son frère,
Et si vous étiez né mon sujet ou mon fils,
J'aurais déjà puni l'orgueil d'un tel mépris.   1095
Mais l'unique pouvoir que sur vous je puis prendre,
C'est de vous ordonner de la voir, de l'entendre.
La voilà : pensez bien que tel est votre sort,
Que vous n'avez qu'un choix, Hypsipyle ou la mort,
Car à vous en parler avec pleine franchise,   1100
Ma perte dépend bien de la Toison conquise,
Mais je ne dois pas craindre en ces périls nouveaux
Que votre vie échappe aux feux de nos taureaux.

          Scène II : Aæte, Hypsipyle, Jason.

                    AÆTE
Madame, j'ai parlé, mais toutes mes paroles
Ne sont auprès de lui que des discours frivoles.   1105
C'est à vous d'essayer ce que pourront vos yeux :
Comme ils ont plus de force, ils réussiront mieux.
Arrachez-lui du sein cette funeste envie
Qui dans ce même jour lui va coûter la vie.
Je vous devrai beaucoup, si vous touchez son cœur   1110
Jusques à le sauver de sa propre fureur.
Devant ce que je dois au secours de ses armes,
Rompre son mauvais sort, c'est épargner nos larmes.

          Scène III : Hypsipyle, Jason.

                    HYPSIPYLE
Eh bien! Jason, la mort a-t-elle de tels biens
Qu'elle soit plus aimable à vos yeux que les miens,   1115
Et sa douceur pour vous serait-elle moins pure
Si vous n'y joigniez l'heur de mourir en parjure?
Oui, ce glorieux titre est si doux à porter
Que de tout votre sang il le faut acheter.
Le mépris qui succède à l'amitié passée   1120
D'une seule douleur m'aurait trop peu blessée :
Pour mieux punir ce cœur d'avoir su vous chérir,
Il faut vous voir ensemble et changer et périr,
Il faut que le tourment d'être trop tôt vengée
Se mêle au déplaisir de me voir outragée,   1125
Que l'amour, au dépit ne cédant qu'à moitié,
Sitôt qu'il est banni, rentre par la pitié,
Et que ce même feu, que je devrais éteindre,
M'oblige à vous haïr, et m'en force à vous plaindre.
   Je ne t'empêche pas, volage, de changer,   1130
Mais du moins, en changeant, laisse-moi me venger.
C'est être trop cruel, c'est trop croître l'offense
Que m'ôter à la fois ton cœur et ma vengeance.
Le supplice où tu cours la va trop tôt finir.

1135 Ce n'est pas me venger, ce n'est que te punir,
     Et toute sa rigueur n'a rien qui me soulage,
     S'il n'est de mon souhait et le choix et l'ouvrage.
        Hélas! si tu pouvais le laisser à mon choix,
     Ton supplice, il serait de rentrer sous mes lois,
1140 De m'attacher à toi d'une chaîne plus forte,
     Et de prendre en ta main le sceptre que je porte.
     Tu n'as qu'à dire un mot, ton crime est effacé :
     J'ai déjà, si tu veux, oublié le passé.
     Mais qu'inutilement je me montre si bonne
1145 Quand tu cours à la mort de peur qu'on te pardonne!
     Quoi! tu ne réponds rien, et mes plaintes en l'air
     N'ont rien d'assez puissant pour te faire parler?

                    JASON

     Que voulez-vous, Madame, ici que je vous die?
     Je ne connais que trop quelle est ma perfidie;
1150 Et l'état où je suis ne saurait consentir
     Que j'en fasse une excuse, ou montre un repentir :
     Après ce que j'ai fait, après ce qui se passe,
     Tout ce que je dirais aurait mauvaise grâce.
     Laissez dans le silence un coupable obstiné,
1155 Qui se plaît dans son crime, et n'en est point gêné.

                  HYPSIPYLE

     Parle toutefois, parle, et non plus pour me plaire,
     Mais pour rendre la force à ma juste colère,
     Parle, pour m'arracher ces tendres sentiments
     Que l'amour enracine au cœur des vrais amants.
1160 Repasse mes bontés et tes ingratitudes,
     Joins-y, si tu le peux, des coups encor plus rudes,
     Ce sera m'obliger, ce sera m'obéir.
     Je te devrai beaucoup, si je te puis haïr,
     Et si de tes forfaits la peinture étendue
1165 Ne laisse plus flotter ma haine suspendue.

                    JASON

     Que dirai-je, après tout, que ce que vous savez?
     Madame, rendez-vous ce que vous devez.
     Il n'est pas glorieux pour une grande Reine
     De montrer de l'amour, et de voir de la haine,
1170 Et le sexe et le rang se doivent souvenir
     Qu'il leur sied bien d'attendre, et non de prévenir,
     Et que c'est profaner la dignité suprême
     Que de lui laisser dire : « On me trahit, et j'aime. »

                  HYPSIPYLE

     Je le puis dire, ingrat, sans blesser mon devoir :
1175 C'est mon époux en toi que le ciel me fait voir,
     Du moins si la parole et reçue et donnée
     A des nœuds assez forts pour faire un hyménée.
        Ressouviens-t'en, volage, et des chastes douceurs
     Qu'un mutuel amour répandit dans nos cœurs.
1180 Je te laissai partir afin que la conquête
     Remît sous mon empire une plus digne tête,
     Et qu'une Reine eût droit d'honorer de son choix
     Un héros que son bras eût fait égal aux rois.
     J'attendais ton retour pour pouvoir avec gloire
1185 Récompenser ta flamme et payer ta victoire,
     Et quand jusques ici je t'apporte ma foi,
     Je trouve en arrivant que tu n'es plus à moi!
     Hélas! je ne craignais que tes beautés de Grèce,
     Et je vois qu'une Scythe a rompu ta promesse,
1190 Et qu'un climat barbare a des traits assez doux

Pour m'avoir de mes bras enlevé mon époux!
Mais, dis-moi, ta Médée est-elle si parfaite?
Ce que cherche Jason vaut-il ce qu'il rejette?
Malgré ton cœur changé, j'en fais juge tes yeux.
Tu soupires en vain, il faut t'expliquer mieux :
Ce soupir échappé me dit bien quelque chose,
Toute autre l'entendrait, mais sans toi je ne l'ose.
Parle donc et sans feinte : où porte-t-il ta foi?
Va-t-il vers ma rivale, ou revient-il vers moi?

                    JASON

Osez autant qu'une autre, entendez-le, Madame,
Ce soupir qui vers vous pousse toute mon âme,
Et concevez par là jusqu'où vont mes malheurs,
De soupirer pour vous, et de prétendre ailleurs.
Il me faut la Toison : il y va de la vie
De tous ces demi-dieux que brûle même envie;
Il y va de ma gloire, et j'ai beau soupirer,
Sous cette tyrannie il me faut expirer.
J'en perds tout mon bonheur, j'en perds toute ma joie,
Mais pour sortir d'ici je n'ai que cette voie,
Et le même intérêt qui vous fit consentir,
Malgré tout votre amour, à me laisser partir,
Le même me dérobe ici votre couronne.
Pour faire ma conquête, il faut que je me donne,
Que pour l'objet aimé, j'affecte des mépris,
Que je m'offre en esclave, et me vende à ce prix :
Voilà ce que mon cœur vous dit quand il soupire.
Ne me condamnez plus, Madame, à le redire :
Si vous m'aimez encor, de pareils entretiens
Peuvent aigrir vos maux et redoublent les miens,
Et cet aveu d'un crime où le destin m'attache
Grossit l'indignité des remords que je cache.
Pour me les épargner, vous voyez qu'en ces lieux
Je fuis votre présence, et j'évite vos yeux.   [et belle,
L'amour vous montre aux miens toujours charmante
Chaque moment allume une flamme nouvelle,
Mais ce qui de mon cœur fait les plus chers désirs,
De mon change forcé fait tous les déplaisirs,
Et dans l'affreux supplice où me tient votre vue,
Chaque coup d'œil me perce, et chaque instant me tue.
Vos bontés n'ont pour moi que des traits rigoureux :
Plus je me vois aimé, plus je suis malheureux,
Plus vous me faites voir d'amour et de mérite,
Plus vous haussez le prix des trésors que je quitte,
Et l'excès de ma perte allume une fureur
Qui me donne moi-même à moi-même en horreur.
Laissez-moi m'affranchir de la secrète rage
D'être en dépit de moi déloyal et volage,
Et puisqu'ici le ciel vous offre un autre époux
D'un rang pareil au vôtre, et plus digne de vous,
Ne vous obstinez point à gêner une vie
Que de tant de malheurs vous voyez poursuivie.
Oubliez un ingrat qui jusques au trépas,
Tout ingrat qu'il paraît, ne vous oubliera pas :
Apprenez à quitter un lâche qui vous quitte.

                  HYPSIPYLE

Tu te confesses lâche, et veux que je t'imite,
Et quand tu fais effort pour te justifier,
Tu veux que je t'oublie, et ne peux m'oublier!
Je vois ton artifice et ce que tu médites;

Tu veux me conserver alors que tu me quittes,
250 Et par les attentats d'un flatteur entretien
Me dérober ton cœur, et retenir le mien :
Tu veux que je te perde, et que je te regrette,
Que j'approuve en pleurant la perte que j'ai faite,
255 Que je t'estime et t'aime avec ta lâcheté,
Et me prenne de tout à la fatalité.
    Le ciel l'ordonne ainsi : ton change est légitime,
Ton innocence est sûre au milieu de ton crime,
Et quand tes trahisons pressent leur noir effet,
Ta gloire, ton devoir, ton destin à tout fait.
60   Reprends, reprends, Jason, tes premières rudesses :
Leur coup m'est bien plus doux que tes fausses ten-
                                                [dresses,
Tes remords impuissants aigrissent mes douleurs,
Ne me rends point ton cœur, quand tu te vends ail-
                                                [leurs.
D'un cœur qu'on ne voit pas l'offre est lâche et bar-
                                                [bare,
65 Quand de tout ce qu'on voit un autre objet s'empare,
Et c'est faire un hommage et ridicule et vain
De présenter le cœur et retirer la main.
                        JASON
L'un et l'autre est à vous, si...
                        HYPSIPYLE
                                N'achève pas, traître.
70 Ce que tu veux cacher se ferait trop paraître :
Un véritable amour ne parle point ainsi.
                        JASON
Trouvez donc les moyens de nous tirer d'ici.
La Toison emportée, il agira, Madame,
Ce véritable amour qui vous donne mon âme.
75 Sinon... Mais, Dieux! que vois-je? O ciel! je suis perdu,
Si j'ai tant de malheur qu'elle m'aye entendu.

Scène IV : Médée, Hypsipyle.

                        MÉDÉE
Vous l'avez vu, Madame, êtes-vous satisfaite?
                        HYPSIPYLE
Vous en pouvez juger par sa prompte retraite.
                        MÉDÉE
Elle marque le trouble où son cœur est réduit;
Mais j'ignore, après tout, s'il vous quitte ou me fuit.
                        HYPSIPYLE
0 Vous pouvez donc, Madame, ignorer quelque chose?
                        MÉDÉE
Je sais que, s'il me fuit, vous en êtes la cause.
                        HYPSIPYLE
Moi, je n'en sais pas tant, mais j'avoue entre nous
Que s'il faut qu'il me quitte, il a besoin de vous.
                        MÉDÉE
Ce que vous en pensez me donne peu d'alarmes.
                        HYPSIPYLE
5 Je n'ai que des attraits, et vous avez des charmes [18].
                        MÉDÉE
C'est beaucoup en amour que de savoir charmer.

---

18. Corneille n'a pas fui ce mauvais calembour. *Charmes :*
sa beauté, et aussi les philtres de la magicienne.

                        HYPSIPYLE
Et c'est beaucoup aussi que de se faire aimer.
                        MÉDÉE
Si vous en avez l'art, j'ai celui d'y contraindre.
                        HYPSIPYLE
A faute d'être aimée, on peut se faire craindre.
                        MÉDÉE
Il vous aima jadis?
                        HYPSIPYLE
                Peut-être il m'aime encor,   1290
Moins que vous toutefois, ou que la Toison d'or.
                        MÉDÉE
Du moins, quand je voudrai flatter son espérance,
Il saura de nous deux faire la différence.
                        HYPSIPYLE
J'en vois la différence assez grande à Colchos;
Mais elle serait autre et plus grande à Lemnos.   1295
Les lieux aident au choix, et peut-être qu'en Grèce
Quelque troisième objet surprendrait sa tendresse [19].
                        MÉDÉE
J'appréhende assez peu qu'il me manque de foi.
                        HYPSIPYLE
Vous êtes plus adroite et plus belle que moi :
Tant qu'il aura des yeux vous n'avez rien à craindre. 1300
J'allume peu de feux qu'un autre [20] puisse éteindre,
Et puisqu'il me promet un cœur ferme et constant...
                        HYPSIPYLE
Autrefois à Lemnos il m'en promit autant.
                        MÉDÉE
D'un amant qui s'en va de quoi sert la parole?
                        HYPSIPYLE
A montrer qu'on vous peut voler ce qu'on me vole. 1305
Ces beaux feux qu'en mon île il n'osait démentir...
                        MÉDÉE
Eurent un peu de tort de le laisser partir.
                        HYPSIPYLE
Comme vous en aurez, si jamais ce volage
Porte à quelque autre objet ce qu'il vous rend d'hom-
                                                [mage.
                        MÉDÉE
Les captifs mal gardés ont droit de nous quitter.   1310
                        HYPSIPYLE
J'avais quelque mérite, et n'ai pu l'arrêter.
                        MÉDÉE
J'en ai peu, mais enfin s'il fait plus que le vôtre?
                        HYPSIPYLE
Vous avez lieu de croire en valoir bien un autre,
Mais prenez moins d'appui sur un cœur usurpé :
Il peut vous échapper, puisqu'il m'est échappé.   1315
                        MÉDÉE
Votre esprit n'est rempli que de mauvais augures.
                        HYPSIPYLE
On peut sur le passé former ses conjectures.
                        MÉDÉE
Le passé mal conduit n'est qu'un miroir trompeur,

---

19. Mot cruel qui a valeur prophétique : ce sera Créuse.
20. *Une* autre, dans les éditions de 1661 et 1663, semble
plus correct. Il faut alors admettre qu'une coquille de 1664,
reproduite dans les deux éditions postérieures, ait échappé à
l'attention de Corneille. La remarque vaut pour le vers 1313.

Où l'œil bien éclairé ne fonde espoir ni peur.

HYPSIPYLE

1320 Si j'ai conçu pour vous des craintes mal fondées...

MÉDÉE

Laissons faire Jason, et gardons nos idées.

HYPSIPYLE

Avec sincérité je dois vous avouer
Que j'ai quelque sujet encor de m'en louer.

MÉDÉE

Avec sincérité je dois aussi vous dire
1325 Qu'assez malaisément on sort de mon empire,
Et que quand jusqu'à moi j'ai permis d'aspirer,
On ne s'abaisse plus à vous considérer.
Profitez des avis que ma pitié vous donne.

HYPSIPYLE

A vous dire le vrai, cette hauteur m'étonne.
1330 Je suis Reine, Madame, et les fronts couronnés...

MÉDÉE

Et moi je suis Médée, et vous m'importunez.

HYPSIPYLE

Cet indigne mépris que de mon rang vous faites...

MÉDÉE

Connaissez-moi, Madame, et voyez où vous êtes.
Si Jason pour vos yeux ose encor soupirer,
1335 Il peut chercher des bras à vous en retirer.
Adieu : souvenez-vous, au lieu de vous en plaindre,
Qu'à défaut d'être aimée, on peut se faire craindre.

*Ce palais doré se change en un palais d'horreur sitôt
que Médée [21] a dit le premier de ces cinq derniers vers,
et qu'elle a donné un coup de baguette. Tout ce qu'il
y a d'épouvantable en la nature y sert de Termes [22].
L'éléphant, le rhinocéros, le lion, l'once [23], les tigres,
les léopards, les panthères, les dragons, les serpents,
tous avec leurs antipathies [24] à leurs pieds, y lancent
des regards menaçants. Une grotte obscure borne la
vue, au travers de laquelle l'œil ne laisse pas de découvrir un éloignement merveilleux que fait la perspective.
Quatre monstres ailés et quatre rampants enferment
Hypsipyle, et semblent prêts à la dévorer.*

Scène V : Hypsipyle.

HYPSIPYLE

Que vois-je? où suis-je? ô Dieux! quels abîmes ouverts
Exhalent jusqu'à moi les vapeurs des enfers!
1340 Que d'yeux étincelants sous d'horribles paupières
Mêlent au jour qui fuit d'effroyables lumières!
O toi, qui crois par là te faire redouter,
Si tu l'as espéré, cesse de t'en flatter.
Tu perds de ton grand art la force ou l'imposture,

21. Dans l'édition originale, ce texte est placé au début de
l'acte, avec l'indication : Deuxième décoration du IIIe acte.
22. Les dieux Termes, bornes des champs des Romains,
sont représentés sans bras ni jambes. C'est un anachronisme
en cette Grèce préhistorique.
23. Once : *leopardus oncia*, variété asiatique, elle passait à
l'époque classique pour un animal fabuleux.
24. *Antipathies* : c'est l'unique emploi de ce mot chez
Corneille. Le sens n'est pas clair : il faut comprendre soit avec
leurs couleurs contraires, soit avec des animaux considérés
comme leurs contraires.

A t'armer contre moi de toute la nature.
L'amour au désespoir ne peut craindre la mort :
Dans un pareil naufrage elle ouvre un heureux port.
Hâtez, monstres, hâtez votre approche fatale.
Mais immoler ainsi ma vie à ma rivale!
Cette honte est pour moi pire que le trépas.
Je ne veux plus mourir, monstres, n'avancez pas.

UNE VOIX, *derrière le théâtre.*

Monstres, n'avancez pas, une Reine l'ordonne,
Respectez ses appas.
Suivez les lois qu'elle vous donne :
Monstres, n'avancez pas.

Les monstres s'arrêtent sitôt que cette voix chante.

HYPSIPYLE

Quel favorable écho, pendant que je soupire,
Répète mes frayeurs avec un tel empire?
Et d'où vient que frappés par ces divins accents,
Ces monstres tout à coup deviennent impuissants?

LA VOIX

C'est l'amour qui fait ce miracle,
Et veut plus faire en ta faveur.
N'y mets donc point d'obstacle :
Aime qui t'aime, et donne cœur pour cœur.

HYPSIPYLE

Quel prodige nouveau! Cet amas de nuages
Vient-il dessus ma tête éclater en orages?
Vous qui nous gouvernez, Dieux, quel est votre but?
M'annoncez-vous par là ma perte ou mon salut?
Le nuage descend, il s'arrête, il s'entr'ouvre,
Et je vois... Mais, ô Dieux, qu'est-ce que j'y décou-
Serait-ce bien le Prince?   [vre?

*Un nuage descend jusqu'à terre, et, s'y séparant
en deux moitiés, qui se perdent chacune de son côté,
il laisse sur le théâtre le prince Absyrte.*

Scène VI : Absyrte, Hypsipyle.

ABSYRTE

Oui, Madame, c'est lui
Dont l'amour vous apporte un ferme et sûr appui.
Le même qui pour vous courant à son supplice,
Contre un ingrat trop cher a demandé justice,
Le même vient encor dissiper votre peur.
J'ai parlé contre moi, j'agis contre ma sœur,
Et sitôt que je vois quelque espoir de vous plaire,
Je ne me connais plus, je cesse d'être frère.
Monstres, disparaissez, fuyez de ces beaux yeux
Que vous avez en vain obsédés en ces lieux.

*Tous les monstres s'envolent ou fondent sous terre, et
Absyrte continue.*

Et vous, divin objet, n'en ayez plus d'alarmes.
Pour détruire le reste, il faudrait d'autres charmes.
Contre ceux qu'on pressait de vous faire périr,
Je n'avais que les airs par où vous secourir,
Et d'un art tout-puissant les forces inconnues
Ne me laissaient ouvert que le milieu des nues,
Mais le mien, quoique moindre, a pleine autorité
De nous faire sortir d'un séjour enchanté.
Allons, Madame.

HYPSIPYLE

Allons, prince trop magnanime,
Prince digne en effet de toute mon estime.

ABSYRTE

90 N'aurez-vous rien de plus pour des vœux si constants?
Et ne pourrai-je...

HYPSIPYLE

Allons et laissez faire au temps.

ACTE QUATRIÈME

DÉCORATION DU QUATRIÈME ACTE

*Ce théâtre horrible fait place à un plus agréable :
c'est le désert où Médée a coutume de se retirer pour
faire ses enchantements. Il est tout de rochers qui
laissent sortir de leurs fentes quelques filaments d'herbes
rampantes et quelques arbres moitié verts et moitié
secs ; ces rochers sont d'une pierre blanche et luisante,
de sorte que comme l'autre théâtre était fort chargé
d'ombres, le changement subit de l'un à l'autre fait
qu'il semble qu'on passe de la nuit au jour* [25].

Scène I : Absyrte, Médée.

MÉDÉE

Qui donne cette audace à votre inquiétude,
Prince, de me troubler jusqu'en ma solitude?
Avez-vous oublié que dans ces tristes lieux
5 Je ne souffre que moi, les ombres, et les Dieux,
Et qu'étant par mon art consacrés au silence,
Aucun ne peut sans crime y mêler sa présence?

ABSYRTE

De vos bontés, ma sœur, c'est sans doute abuser,
Mais l'ardeur d'un amant a droit de tout oser.
0 C'est elle qui m'amène en ces lieux solitaires,
Où votre art fait agir ses plus secrets mystères,
Vous demander un charme à détacher un cœur,
A dérober une âme à son premier vainqueur.

MÉDÉE

Hélas! cet art, mon frère, impuissant sur les âmes,
5 Ne sait que c'est d'éteindre ou d'allumer des flammes
Et s'il a sur le reste un absolu pouvoir,
Loin de charmer les cœurs, il n'y saurait rien voir.
Mais n'avancez-vous rien sur celui d'Hypsipyle?
Son péril, son effroi vous est-il inutile?
0 Après ce stratagème entre nous concerté,
Elle vous croit devoir et vie et liberté,
Et son ingratitude au dernier point éclate,
Si d'une ombre d'espoir cet effroi ne vous flatte.

ABSYRTE

Elle croit qu'en votre art aussi savant que vous,
Je prends plaisir pour elle à rabattre vos coups,
Et sans rien soupçonner de tout notre artifice,
Elle doit tout, dit-elle, à ce rare service,

Mais à moins toutefois que de perdre l'espoir,
Du côté de l'amour rien ne peut l'émouvoir.

MÉDÉE

L'espoir qu'elle conserve aura peu de durée,   1420
Puisque Jason en veut à la Toison dorée,
Et qu'à la conquérir faire le moindre effort,
C'est se livrer soi-même et courir à la mort.
Oui, mon frère, prenez un esprit plus tranquille,
Si la mort d'un rival vous assure Hypsipyle,   1425
Et croyez...

ABSYRTE

Ah! ma sœur, ce serait me trahir
Que de perdre Jason sans le faire haïr.
L'âme de cette Reine, à la douleur ouverte,
A toute la famille imputerait sa perte,
Et m'envelopperait dans même juste courroux   1430
Qu'elle aurait pour le Roi, qu'elle prendrait pour vous.
Faites donc qu'il vous aime, afin qu'on le haïsse,
Qu'on regarde sa mort comme un digne supplice.
Non je ne le souhaite : il s'est vu trop aimé
Pour n'en présumer pas votre esprit alarmé.   1435
Je ne veux pas non plus chercher jusqu'en votre âme
Les sentiments qu'y laisse une si belle flamme :
Arrêtez seulement ce héros sous vos lois,
Et disposez du reste, à votre choix.
S'il doit mourir, qu'il meure en amant infidèle,   1440
S'il doit vivre, qu'il vive en esclave rebelle,
Et qu'on n'aye aucun lieu, dans l'un ni l'autre sort,
Ni de l'aimer vivant, ni de le plaindre mort.
C'est ce que je demande à cette amitié pure
Qu'avec le jour pour moi vous donna la nature.   1445

MÉDÉE

Puis-je m'en faire aimer sans l'aimer à mon tour,
Et pour un cœur sans foi me souffrir de l'amour?
Puis-je l'aimer, mon frère, au moment qu'il n'aspire
Qu'à ce trésor fatal dont dépend votre empire?
Ou si par nos taureaux il se fait déchirer,   1450
Voulez-vous que je l'aime, afin de le pleurer?

ABSYRTE

Aimez, ou n'aimez pas, il suffit qu'il vous aime.
Et quant à ces périls pour notre diadème,
Je ne suis pas de ceux dont le crédule esprit
S'attache avec scrupule à ce qu'on leur prédit.   1455
Je sais qu'on n'entend point de telles prophéties
Qu'après que par l'effet elles sont éclaircies,
Et que quoi qu'il en soit, le sceptre de Lemnos
A de quoi réparer la perte de Colchos.
Ces climats désolés où même la nature   1460
Ne tient que de votre art ce qu'elle a de verdure,
Où nos plus beaux jardins n'ont ni roses ni lis
Dont par votre savoir ils ne soient embellis,
Sont-ils à comparer à ces charmantes îles
Où nos maux trouveraient de glorieux asiles?   1465
Tomber à bas d'un trône est un sort rigoureux,
Mais quitter l'un pour l'autre est un échange heureux.

MÉDÉE

Un amant tel que vous, pour gagner ce qu'il aime,
Changerait sans remords d'air et de diadème,
Comme j'ai d'autres yeux, j'ai d'autres sentiments,   1470
Et ne me règle pas sur vos attachements.

---

25. Effet contraire à l'antre sombre de *Médée* dans la pièce
qui porte son nom. Ce n'est pas une officine infernale, mais un
lieu de recueillement, qui convient aux belles stances rêveuses
de la scène suivante.

Envoyez-moi ma sœur, que je puisse avec elle
Pourvoir au doux succès d'une flamme si belle.
Ménagez cependant un si cher intérêt :
1475 Faites effort à plaire autant comme on vous plaît.
Pour Jason, je saurai de sorte m'y conduire,
Que soit qu'il vive ou meure, il ne pourra vous nuire.
Allez sans perdre temps, et laissez-moi rêver
Aux beaux commencements que je veux achever.

Scène II : Médée.

MÉDÉE

1480   Tranquille et vaste solitude,
Qu'à votre calme heureux j'ose en vain recourir,
Et que la rêverie est mal propre à guérir
D'une peine qui plaît la flatteuse habitude!
J'en viens soupirer seule au pied de vos rochers,
1485 Et j'y porte avec moi dans mes vœux les plus chers
        Mes ennemis les plus à craindre :
Plus je crois les dompter, plus je leur obéis,
Ma flamme s'en redouble, et plus je veux l'éteindre,
        Plus moi-même je m'y trahis.

1490   C'est en vain que toute alarmée
J'envisage à quels maux expose un inconstant :
L'amour tremble à regret dans mon esprit flottant,
Et timide à l'aimer, je meurs d'en être aimée.
Ainsi j'adore et crains son manquement de foi,
1495 Je m'offre et me refuse à ce que je prévois,
        Son change me plaît et m'étonne.
Dans l'espoir le plus doux j'ai tout à soupçonner,
Et bien que tout mon cœur obstinément se donne,
        Ma raison n'ose me donner.

1500   Silence, raison importune;
Est-il temps de parler quand mon cœur s'est donné?
Du bien que tu lui veux ce lâche est si gêné
Que ton meilleur avis lui tient lieu d'infortune.
Ce que tu mets d'obstacle à ses désirs mutins
1505 Anime leur révolte et le livre aux destins,
        Contre qui tu prends sa défense,
Ton effort odieux ne sert qu'à les hâter,
Et ton cruel secours lui porte par avance
        Tous les maux qu'il doit redouter.

1510   Parle toutefois pour sa gloire,
Donne encor quelques lois à qui te fait la loi,
Tyrannise un tyran qui triomphe de toi,
Et par un faux trophée usurpe sa victoire.
S'il est vrai que l'amour te vole tout mon cœur,
1515 Exile de mes yeux cet insolent vainqueur,
        Dérobe-lui tout mon visage,
Et si mon âme cède à mes feux trop ardents,
Sauve tout le dehors du honteux esclavage
        Qui t'enlève tout le dedans.

Scène III : Junon, Médée.

MÉDÉE

1520 L'avez-vous vu, ma sœur, cet amant infidèle?
Que répond-il aux pleurs d'une Reine si belle?

Souffre-t-il par pitié qu'ils en fassent un Roi?
A-t-il encor le front de vous parler de moi?
Croit-il qu'un tel exemple ait su si peu m'instruire,
Qu'il lui laisse encor lieu de me pouvoir séduire?

JUNON

Modérez ces chaleurs de votre esprit jaloux,
Prenez des sentiments plus justes et plus doux,
Et sans vous emporter souffrez que je vous die...

MÉDÉE

Qu'il pense m'acquérir par cette perfidie?
Et que ce qu'il fait voir de tendresse et d'amour,
Si j'ose l'accepter, m'en garde une à mon tour?
Un volage, ma sœur, a beau faire et beau dire,
On peut toujours douter pour qui son cœur soupire :
Sa flamme à tous moments peut prendre un autre
                                            [cours,
Et qui change une fois peut changer tous les jours.
Vous, qui vous préparez à prendre sa défense,
Savez-vous, après tout, s'il m'aime ou s'il m'offense?
Lisez-vous dans son cœur pour voir ce qui s'y fait,
Et si j'ai de ses feux l'apparence ou l'effet?

JUNON

Quoi? vous vous offensez d'Hypsipyle quittée,
D'Hypsipyle pour vous à vos yeux maltraitée!
Vous, son plus cher objet, vous de qui hautement
En sa présence même il s'est nommé l'amant!
C'est mal vous acquitter de la reconnaissance
Qu'une autre croirait due à cette préférence.
Voyez mieux qu'un héros si grand, si renommé,
Aurait peu fait pour vous, s'il n'avait rien aimé.
   En ces tristes climats qui n'ont que vous d'aimable,
Où rien ne s'offre aux yeux qui vous soit comparable,
Un cœur qu'un autre objet ne peut vous disputer
Vous porte peu de gloire à se laisser dompter.
Mais Hypsipyle est belle, et joint au diadème
Un amour assez fort pour mériter qu'on l'aime,
Et quand, malgré son trône et malgré sa beauté,
Et malgré son amour, vous l'avez emporté,
Que ne devez-vous point à l'illustre victoire
Dont ce choix obligeant vous assure la gloire?
Peut-il de vos attraits faire mieux voir le prix,
Que par le don d'un cœur qu'Hypsipyle avait pris?
Pouvez-vous sans chagrin refuser un hommage
Qu'une autre lui demande avec tant d'avantage?
Pouvez-vous d'un tel don faire si peu d'état,
Sans vouloir être ingrate, et l'être avec éclat?
Si c'est votre dessein, en faisant la cruelle,
D'obliger ce héros à retourner vers elle,
Vous en pourrez avoir un succès assez prompt
Sinon...

MÉDÉE
        Plutôt la mort qu'un si honteux affront.
Je ne souffrirai point qu'Hypsipyle me brave,
Et m'enlève ce cœur que j'ai vu mon esclave.
Je voudrais avec vous en vain le déguiser.
Quand je l'ai vu pour moi tantôt la mépriser,
Qu'à ses yeux, sans nous mettre un moment en ba-
Il m'a si hautement donné la préférence,   [lance,
J'ai senti des transports que mon esprit discret
Par un soudain adieu n'a cachés qu'à regret.

Je ne croirai jamais qu'il soit douceur égale
A celle de se voir immoler sa rivale,
Qu'il soit pareille joie, et je mourrais, ma sœur
S'il fallait qu'à son tour elle eût même douceur.

JUNON

Quoi! pour vous cette honte est un malheur extrême?
Ah! vous l'aimez encor.

MÉDÉE

           Non, mais je veux qu'il m'aime.
Je veux, pour éviter un si mortel ennui
Le conserver à moi, sans me donner à lui,
L'arrêter sous mes lois, jusqu'à ce qu'Hypsipyle
Lui rende de son cœur la conquête inutile,
Et que le prince Absyrte, ayant reçu sa foi,
L'ait mise hors d'état de triompher de moi.
Lors, par un juste exil punissant l'infidèle,
Je n'aurai plus de peur qu'il me traite comme elle,
Et je saurai sur lui nous venger toutes deux,
Sitôt qu'il n'aura plus à qui porter ses vœux.

JUNON

Vous vous promettez plus que vous ne voudrez faire,
Et vous n'en croirez pas toute cette colère.

MÉDÉE

Je ferai plus encor que je ne me promets,
Si vous pouvez, ma sœur, quitter ses intérêts.

JUNON   [traindre,

Quelque chers qu'ils me soient, je veux bien m'y con-
Et pour mieux vous ôter tout sujet de me craindre,
Le voilà qui paraît, je vous laisse avec lui.
Vous me rappellerez s'il a besoin d'appui.

Scène IV: Jason, Médée.

MÉDÉE

Etes-vous prêt, Jason, d'entrer dans la carrière?
Faut-il du champ de Mars vous ouvrir la barrière,
Vous donner nos taureaux pour tracer des sillons
D'où naîtront contre vous de soudains bataillons?
Pour dompter ces taureaux et vaincre ces gensdarmes,
Avez-vous d'Hypsipyle emprunté quelques charmes?
Je ne demande point quel est votre souci,
Mais si vous la cherchez, elle n'est pas ici,
Et tandis qu'en ces lieux vous perdez votre peine,
Mon frère vous pourrait enlever cette Reine.
Jason, prenez-y garde, il faut moins s'éloigner
D'un objet qu'un rival s'efforce de gagner,
Et prêter un peu moins les faveurs de l'absence
A ce qui peut entre eux naître d'intelligence.
Mais j'ai tort, je l'avoue, et je raisonne mal :
Vous êtes trop aimé pour craindre un tel rival,
Vous n'avez qu'à paraître, et sans autre artifice,
Un coup d'œil détruira ce qu'il rend de service.

JASON

Qu'un si cruel reproche à mon cœur serait doux
S'il avait pu partir d'un sentiment jaloux,
Et si par cette injuste et douteuse colère
Je pouvais m'assurer de ne vous pas déplaire!
Sans raison toutefois j'ose m'en défier :
Il ne me faut que vous pour me justifier.
Vous avez trop bien vu l'effet de vos mérites

Pour garder un soupçon de ce que vous me dites, 1625
Et du change nouveau que vous me supposez
Vous me défendez mieux que vous ne m'accusez.
   Si vous avez pour moi vu l'amour d'Hypsipyle,
Vous n'avez pas moins vu sa constance inutile :
Que ses plus doux attraits, pour qui j'avais brûlé, 1630
N'ont rien que mon amour ne vous aye immolé;
Que toute sa beauté rehausse votre gloire,
Et que son sceptre même enfle votre victoire :
Ce sont des vérités que vous vous dites mieux,
Et j'ai tort de parler où vous avez des yeux. 1635

MÉDÉE

Oui, j'ai des yeux, ingrat, meilleurs que tu ne penses,
Et vois jusqu'en ton cœur tes fausses préférences.
   Hypsipyle à ma vue a reçu des mépris,
Mais quand je n'y suis plus, qu'est-ce que tu lui dis?
Explique, explique encor ce soupir tout de flamme 1640
Qui vers ce cher objet poussait toute ton âme,
Et fais-moi concevoir jusqu'où vont tes malheurs
De soupirer pour elle et de prétendre ailleurs.
Redis-moi les raisons dont tu l'as apaisée,
Dont jusqu'à me braver tu l'as autorisée : 1645
Qu'il te faut la Toison pour revoir tes parents,
Qu'à ce prix je te plais, qu'à ce prix tu te vends.
Je tenais cher le don d'une amour si parfaite,
Mais puisque tu te vends, va chercher qui t'achète,
Perfide, et porte ailleurs cette vénale foi 1650
Qu'obtiendrait ma rivale à même prix que moi.
Il est, il est encor des âmes toutes prêtes
A recevoir mes lois et grossir mes conquêtes,
Il est encor des rois dont je fais le désir;
Et si parmi tes Grecs il me plaît de choisir, 1655
Il en est d'attachés à ma seule personne,
Qui n'ont jamais su l'art d'être à qui plus leur donne,
Qui trop contents d'un cœur dont tu fais peu de cas,
Méritent la Toison qu'ils ne demandent pas,
Et que pour toi mon âme, hélas! trop enflammée, 1660
Aurait pu te donner, si tu m'avais aimée.

JASON

Ah! si le pur amour peut mériter ce don,
A qui peut-il, Madame, être dû qu'à Jason?
Ce refus surprenant que vous m'avez vu faire,
D'une vénale ardeur n'est pas le caractère. 1665
Le trône qu'à vos yeux j'ai traité de mépris
En serait pour tout autre un assez digne prix;
Et rejeter pour vous l'offre d'un diadème,
Si ce n'est vous aimer, j'ignore comme on aime.
   Je ne me défends point d'une civilité 1670
Que du bandeau royal voulait la majesté.
Abandonnant pour vous une Reine si belle,
J'ai poussé par pitié quelques soupirs vers elle :
J'ai voulu qu'elle eût lieu de se dire en secret
Que je change par force et la quitte à regret, 1675
Que satisfaite ainsi de son propre mérite,
Elle se consolât de tout ce qui l'irrite,
Et que l'appas flatteur de cette illusion
La vengeât un moment de sa confusion.
Mais quel crime ont commis ces compliments frivoles? 1680
Des paroles enfin ne sont que des paroles,
Et quiconque possède un cœur comme le mien

Doit se mettre au-dessus d'un pareil entretien.
Je n'examine point, après votre menace,
1685 Quelle foule d'amants brigue chez vous ma place.
Cent rois si vous voulez, vous consacrent leurs vœux.
Je le crois, mais aussi je suis Roi si je veux,
Et je n'avance rien touchant le diadème
Dont il faille chercher de témoins que vous-même.
1690 Si par le choix d'un roi vous pouvez me punir,
Je puis vous imiter, je puis vous prévenir,
Et si je me bannis par là de ma patrie,
Un exil couronné peut faire aimer la vie.
Mille autres en ma place, au lieu de s'alarmer...

MÉDÉE

1695 Eh bien! je t'aimerai, s'il ne faut que t'aimer :
Malgré tous ces héros, malgré tous ces monarques,
Qui m'ont de leur amour donné d'illustres marques,
Malgré tout ce qu'ils ont et de cœur et de foi,
Je te préfère à tous, si tu ne veux que moi.
1700 Fais voir, en renonçant à ta chère patrie,
Qu'un exil avec moi peut faire aimer la vie,
Ose prendre à ce prix le nom de mon époux.

JASON

Oui, Madame, à ce prix tout exil m'est trop doux,
Mais je veux être aimé, je veux pouvoir le croire,
1705 Et vous ne m'aimez pas, si vous n'aimez ma gloire.
L'ordre de mon destin l'attache à la Toison :
C'est d'elle que dépend tout l'honneur de Jason.
Ah! si le ciel l'eût mise au pouvoir d'Hypsipyle,
Que j'en aurais trouvé la conquête facile!
1710 Ma passion pour vous a beau m'abandonner,
Elle m'offre encor tout ce qu'elle peut donner;
Malgré mon inconstance, elle aime sans réserve.

MÉDÉE

Et moi je n'aime point, à moins que je te serve?
Cherche un autre prétexte à lui rendre ta foi :
1715 J'aurai soin de la gloire aussi bien que de toi.
Si ce noble intérêt te donne tant d'alarmes,
Tiens, voilà de quoi vaincre et taureaux et gensdar-
Laisse à tes compagnons combattre le dragon : [mes,
Ils veulent comme toi leur part à la Toison;
1720 Et comme ainsi qu'à toi la gloire leur est chère,
Ils ne sont pas ici pour te regarder faire.
Zéthès et Calaïs, ces héros emplumés,
Qu'aux routes des oiseaux leur naissance a formés,
Y préparent déjà leurs ailes enhardies
1725 D'avoir pour coup d'essai triomphé des Harpies [26],
Orphée avec ses chants se promet le bonheur
D'assoupir...

JASON

Ah! Madame, ils auront tout l'honneur,
Ou du moins j'aurais part moi-même à leur défaite,
Si je laisse comme eux la conquête imparfaite :
1730 Il me la faut entière, et je veux vous devoir...

MÉDÉE

Va, laisse quelque chose, ingrat, en mon pouvoir :
J'en ai déjà trop fait pour une âme infidèle.

26. Apollonios raconte comment les deux fils de Borée
poursuivirent les Harpyes qui avaient attaqué le navire Argo
et ne cessèrent le massacre que sur un ordre de Zeus. Cf. aussi
Noël Conti, liv. VII, chap. 6.

Adieu. Je vois ma sœur : délibère avec elle,
Et songe qu'après tout ce cœur que je te rends,
S'il accepte un vainqueur, ne veut point de tyrans,
Que s'il aime ses fers, il hait tout esclavage;
Qu'on perd souvent l'acquis à vouloir davantage,
Qu'il faut subir la loi de qui peut obliger,
Et que qui veut un don ne doit pas l'exiger.
Je ne te dis plus rien : va rejoindre Hypsipyle,
Va reprendre auprès d'elle un destin plus tranquille;
Ou si tu peux, volage, encor la dédaigner,
Choisis en d'autres lieux qui te fasse régner.
Je n'ai pour t'acheter sceptres ni diadèmes,
Mais telle que je suis, crains-moi, si tu ne m'aimes.

Scène V : Junon, Jason, l'Amour.
L'Amour est dans le ciel de Vénus.

JUNON

A bien examiner l'éclat de ce grand bruit,
Hypsipyle vous sert plus qu'elle ne vous nuit.
Ce n'est pas qu'après tout ce courroux ne m'étonne :
Médée à sa fureur un peu trop s'abandonne.
L'Amour tient assez mal ce qu'il m'avait promis,
Et peut-être avez-vous trop de dieux ennemis.
Tous veulent à l'envi faire la destinée
Dont se doit signaler cette grande journée :
Tous se sont assemblés exprès chez Jupiter,
Pour en résoudre l'ordre, ou pour le contester,
Et je vous plains, si ceux qui daignaient vous défendre,
Au plus nombreux parti sont forcés de se rendre.
Le ciel s'ouvre, et pourra nous donner quelque jour :
C'est celui de Vénus, j'y vois encor l'Amour,
Et puisqu'il n'en est pas, toute cette assemblée
Par sa rébellion pourra se voir troublée.
Il veut parler à nous : écoutez quel appui
Le trouble où je vous vois peut espérer de lui.

Le ciel s'ouvre et fait voir le palais de Vénus, composé
de Termes à face humaine et revêtus de gazes d'or, qui
lui servent de colonnes; le lambris n'en est pas moins
riche. L'Amour y paraît seul, et sitôt qu'il a parlé, il
s'élance en l'air, et traverse le théâtre en volant, non
pas d'un côté à l'autre, comme se font les vols ordinaires,
mais d'un bout à l'autre, en tirant vers les spectateurs,
ce qui n'a point encore été pratiqué en France de cette
manière.

L'AMOUR

Cessez de m'accuser, soupçonneuse déesse :
Je sais tenir promesse.
C'est en vain que les Dieux s'assemblent chez leur Roi,
Je vais bien leur faire connaître
Que je suis, quand je veux, leur véritable maître,
Et que de ce grand jour le destin est à moi.
Toi, si tu sais aimer, ne crains rien de funeste :
Obéis à Médée, et j'aurai soin du reste.

JUNON

Ces favorables mots vous ont rendu le cœur.

JASON

Mon espoir abattu reprend d'eux sa vigueur.
Allons, Déesse, allons, et sûrs de l'entreprise,
Reportons à Médée une âme plus soumise.

JUNON

Allons, je veux encor seconder vos projets,
Sans remonter au ciel qu'après leurs pleins effets.

ACTE CINQUIÈME

DÉCORATION DU CINQUIÈME ACTE

*Ce dernier spectacle présente à la vue une forêt
épaisse, composée de divers arbres entrelacés ensemble,
et si touffus qu'il est aisé de juger que le respect qu'on
porte au dieu Mars, à qui elle est consacrée, fait qu'on
n'ose en couper aucune branche, ni même brosser* [27]
*au travers : les trophées d'armes appendus au haut de
la plupart de ces arbres marquent encore plus particulièrement qu'elle appartient à ce dieu. La Toison d'or
est sur le plus élevé, qu'on voit seul de son rang, au
milieu de cette forêt, et la perspective du fond fait
paraître en éloignement la rivière du Phase, avec le
navire Argo, qui semble n'attendre plus que Jason et sa
conquête pour partir.*

Scène I : Absyrte, Hypsipyle.

ABSYRTE

Voilà ce prix fameux où votre ingrat aspire,
Ce gage où les destins attachent notre empire,
30 Cette Toison enfin, dont Mars est si jaloux :
Chacun impunément la peut voir comme nous.
Ce monstrueux dragon, dont les fureurs la gardent,
Semble exprès se cacher aux yeux qui la regardent ;
Il laisse agir sans crainte un curieux désir,
35 Et ne fond que sur ceux qui s'en veulent saisir.
Lors, d'un cri qui suffit à punir tout leur crime,
Sous leur pied téméraire il ouvre un noir abîme,
A moins qu'on n'ait déjà mis au joug nos taureaux,
Et fait mordre la terre aux escadrons nouveaux
40 Que des dents d'un serpent la semence animée
Doit opposer sur l'heure à qui l'aura semée :
Sa voix perdant alors cet effroyable éclat,
Contre les ravisseurs le réduit au combat.
Telles furent les lois que Circé par ses charmes
45 Sut faire à ce dragon, aux taureaux, aux gensdarmes.
Circé, sœur de mon père, et fille du Soleil,
Circé, de qui ma sœur tient cet art sans pareil
Dont tantôt à vous perdre eût abusé sa rage,
Si ce peu que du ciel j'en eus pour mon partage,
50 Et que je vous consacre aussi bien que mes jours,
Par le milieu des airs n'eût porté du secours.

HYPSIPYLE

Je n'oublierai jamais que sa jalouse envie
Se fût sans vos bontés sacrifié ma vie,
Et pour dire encor plus, ce penser m'est si doux
55 Que si j'étais à moi, je voudrais être à vous.
Mais un reste d'amour retient dans l'impuissance
Ces sentiments d'estime et de reconnaissance.

27. « Courir à travers les bois et les pays de bruyères et de
bro*ssailles* » (Furetière, 1690).

J'ai peine, je l'avoue, à me le pardonner,
Mais enfin je dois tout, et n'ai rien à donner.
Ce qu'à vos yeux surpris Jason m'a fait d'outrage   1810
N'a pas encor rompu cette foi qui m'engage,
Et malgré les mépris qu'il en montre aujourd'hui,
Tant qu'il peut être à moi, je suis encore à lui.
Mon espoir chancelant dans mon âme inquiète
Ne veut pas lui prêter l'exemple qu'il souhaite,   1815
Ni que cet infidèle ait de quoi se vanter
Qu'il ne se donne ailleurs qu'afin de m'imiter.
Pour changer avec gloire il faut qu'il me prévienne,
Que sa foi violée ait dégagé la mienne,
Et que l'hymen ait joint aux mépris qu'il en fait   1820
D'un entier changement l'irrévocable effet.
Alors par son parjure à moi-même rendue,
Mes sentiments d'estime auront plus d'étendue,
Et dans la liberté de faire un second choix,
Je saurai mieux penser à ce que je vous dois.   1825

ABSYRTE

Je ne sais si ma sœur voudra prendre assurance [tance,
Sur des serments trompeurs que rompt son incons-
Mais je suis sûr qu'à moins qu'elle rompe son sort,
Ce que ferait l'hymen vous l'aurez par sa mort.
Il combat nos taureaux, et telle est leur furie   1830
Qu'il faut qu'il y périsse, ou lui doive la vie.

HYPSIPYLE

Il combat vos taureaux ! Ah ! que me dites-vous ?

ABSYRTE

Qu'il n'en peut plus sortir que mort, ou son époux.

HYPSIPYLE

Ah ! Prince, votre sœur peut croire encor qu'il m'aime,
Et sur ce faux soupçon se venger elle-même.   1835
Pour bien rompre le coup d'un malheur si pressant,
Peut-être que son art n'est pas assez puissant :
De grâce en ma faveur joignez-y tout le vôtre,
Et si...

ABSYRTE

Quoi ! vous voulez qu'il vive pour une autre ?

HYPSIPYLE

Oui, qu'il vive, et laissons tout le reste au hasard. 1840

ABSYRTE

Ah ! Reine, en votre cœur il garde trop de part,
Et s'il faut vous parler avec une âme ouverte,
Vous montrez trop d'amour pour empêcher sa perte.
Votre rivale et moi nous en sommes d'accord ;
A moins que vous m'aimiez, votre Jason est mort.   1845
Ma sœur n'a pas pour vous un sentiment si tendre
Qu'elle aime à le sauver afin de le rendre,
Et je ne suis pas homme à servir mon rival,
Quand vous rendez pour moi mon secours si fatal.
Je ne le vois que trop, pour prix de mes services,   1850
Vous destinez mon âme à de nouveaux supplices.
C'est m'immoler à lui que de le secourir,
Et lui sauver le jour, c'est me faire périr.
Puisqu'il faut qu'un des deux cesse aujourd'hui de
Je vais hâter sa perte, où lui-même il se livre : [vivre, 1855
Je veux bien qu'on l'impute à mon dépit jaloux,
Mais vous, qui m'y forcez, ne l'imputez qu'à vous.

HYPSIPYLE

Ce reste d'intérêt que je prends à sa vie

Donne trop d'aigreur, Prince, à votre jalousie.
1860 Ce qu'on a bien aimé l'on ne peut le haïr
Jusqu'à le vouloir perdre, ou jusqu'à le trahir.
Ce vif ressentiment qu'excite l'inconstance
N'emporte pas toujours jusques à la vengeance,
Et quand même on la cherche, il arrive souvent
1865 Qu'on plaint mort un ingrat qu'on détestait vivant.
    Quand je me défendais sur la foi qui m'engage,
Je voulais à vos feux épargner cet ombrage,
Mais puisque le péril a fait parler l'amour,
Je veux bien qu'il éclate et se montre en plein jour.
1870 Oui, j'aime encor Jason, et l'aimerai sans doute
Jusqu'à l'hymen fatal que ma flamme redoute,
Je regarde son cœur encor comme mon bien,
Et donnerais encor tout mon sang pour le sien.
Vous m'aimez, et j'en suis assez persuadée
1875 Pour me donner à vous, s'il se donne à Médée.
Mais si par jalousie ou par raison d'État,
Vous le laissez tous deux périr dans ce combat,
N'attendez rien de moi que ce qu'ose la rage
Quand elle est une fois maîtresse d'un courage,
1880 Que les pleines fureurs d'un désespoir d'amour.
Vous me faites trembler, tremblez à votre tour :
Prenez soin de sa vie, ou perdez cette Reine,
Et si je crains sa mort, craignez aussi ma haine.

Scène II : Aæte, Absyrte, Hypsipyle.

AÆTE

Ah! Madame, est-ce là cette fidélité
1885 Que vous gardez aux droits de l'hospitalité?
Quand pour vous je m'oppose aux destins de ma fille,
A l'espoir de mon fils, aux vœux de ma famille,
Quand je presse un héros de vous rendre sa foi,
Vous prêtez à son bras des charmes contre moi.
1890 De sa témérité vous vous faites complice
Pour renverser un trône où je vous fais justice :
Comme si c'était peu de posséder Jason,
Si pour don nuptial il n'avait la Toison,
Et que sa foi vous fût indignement offerte,
1895 A moins que son destin éclatât par ma perte!

HYPSIPYLE

Je ne sais pas, Seigneur, à quel point vous réduit
Cette témérité de l'ingrat qui me fuit,
Mais je sais que mon cœur ne joint à son envie
Qu'un timide souhait en faveur de sa vie,
1900 Et que si je savais ce grand art de charmer,
Je ne m'en servirais que pour m'en faire aimer.

AÆTE

Ah! je n'ai que trop cru vos plaintes ajustées
A des illusions entre vous concertées,
Et les dehors trompeurs d'un dédain préparé
1905 N'ont que trop ébloui mon œil mal éclairé.
Oui, trop d'ardeur pour vous et trop peu de lumière
M'ont conduit en aveugle à ma ruine entière.
Ce pompeux appareil que soutenaient les vents,
Ces tritons tout autour rangés comme suivants,
1910 Montraient bien qu'en ces lieux vous n'étiez abordée
Que par un art plus fort que celui de Médée.
D'un naufrage affecté l'histoire sans raison

Déguisait le secours amené pour Jason,
Et vos pleurs ne semblaient m'en demander vengeance
Que pour mieux faire place à votre intelligence.   1

HYPSIPYLE

Que ne sont vos soupçons autant de vérités,
Et que ne puis-je ici ce que vous m'imputez!

ABSYRTE

Qu'a fait Jason, Seigneur, et quel mal vous menace,
Quand nous voyons encor la Toison en sa place?

AÆTE

Nos taureaux sont domptés, nos gensdarmes défaits,   1
Absyrte : après cela crains les derniers effets.

ABSYRTE

Quoi! son bras...

AÆTE

            Oui, son bras, secondé par ses charmes,
A dompté nos taureaux et défait nos gensdarmes :
Juge si le dragon pourra faire plus qu'eux!
    Ils ont poussé d'abord de gros torrents de feux,   1
Ils l'ont enveloppé d'une épaisse fumée,
Dont sur toute la plaine une nuit s'est formée.
Mais après ce nuage en l'air évaporé,
On les a vus au joug et le champ labouré :
Lui, sans aucun effroi, comme maître paisible,   1
Jetait dans les sillons cette semence horrible,
D'où s'élève aussitôt un escadron armé,
Par qui de tous côtés il se trouve enfermé.
Tous n'en veulent qu'à lui, mais son âme plus fière
Ne daigne contre eux tous s'armer que de poussière.   1
A peine il la répand, qu'une commune erreur
D'eux tous, l'un contre l'autre anime la fureur;
Ils s'entr'immolent tous au commun adversaire :
Tous pensent le percer, quand ils percent leurs frères.
Leur sang partout regorge, et Jason au milieu   1
Reçoit ce sacrifice en posture d'un dieu.
Et la terre, en courroux de n'avoir pu lui nuire,
Rengloutit l'escadron qu'elle vient de produire.
    On va bientôt, Madame, achever à vos yeux
Ce qu'ébauche par là votre abord en ces lieux.   1
Soit Jason, soit Orphée, ou les fils de Borée,
Ou par eux ou par lui ma perte est assurée;
Et l'on va faire hommage à votre heureux secours
Du destin de mon sceptre et de mes tristes jours.

HYPSIPYLE

Connaissez mieux, Seigneur, la main qui vous offense,   1
Et lorsque je perds tout, laissez-moi l'innocence.
L'ingrat qui me trahit est secouru d'ailleurs.
Ce n'est que de chez vous que partent vos malheurs,
Chez vous en est la source, et Médée elle-même
Rompt son art par son art, pour plaire à ce qu'elle   1

ABSYRTE   [aime.

Ne l'en accusez point, elle hait trop Jason.
De sa haine, Seigneur, vous savez la raison :
La Toison préférée aigrit trop son courage
Pour craindre qu'il en tienne un si grand avantage;
Et si contre son art ce Prince a réussi,   1
C'est qu'on le sait en Grèce autant ou plus qu'ici.

AÆTE

Ah! que tu connais mal jusqu'à quelle manie
D'un amour déréglé passe la tyrannie!

Il n'est rang, ni pays, ni père, ni pudeur,
1965 Qu'épargne de ses feux l'impérieuse ardeur.
Jason plut à Médée, et peut encor lui plaire,
Peut-être es-tu toi-même ennemi de ton père,
Et consens que ta sœur, par ce présent fatal,
S'assure d'un amant qui serait ton rival.
1970 Tout mon sang révolté trahit mon espérance :
Je trouve ma ruine où fut mon assurance;
Le destin ne me perd que par l'ordre des miens,
Et mon trône est brisé par ses propres soutiens.

ABSYRTE

Quoi! Seigneur, vous croiriez qu'une action si noire...

AÆTE

1975 Je sais ce qu'il faut craindre, et non ce qu'il faut croire.
Dans cette obscurité tout me devient suspect :
L'amour aux droits du sang garde peu de respect.
Ce même amour d'ailleurs peut forcer cette Reine
A répondre à nos soins par des effets de haine,
1980 Et Jason peut avoir lui-même en ce grand art
Des secrets dont le ciel ne nous fit point de part.
Ainsi, dans les rigueurs de mon sort déplorable,
Tout peut être innocent, tout peut être coupable :
Je ne cherche qu'en vain à qui les imputer;
1985 Et, ne discernant rien, j'ai tout à redouter.

HYPSIPYLE

La vérité, Seigneur, se va faire connaître :
A travers ces rameaux je vois venir mon traître.

Scène III : Aæte, Absyrte, Hypsipyle, Jason,
Orphée, Zéthès, Calaïs.

HYPSIPYLE

Parlez, parlez, Jason; dites sans feinte au Roi
Qui vous seconde ici de Médée ou de moi :
1990 Dites, est-ce elle ou moi qui contre lui conspire?
Est-ce pour elle ou moi que votre cœur soupire?

JASON

La demande est, Madame, un peu hors de saison :
Je vous y répondrai quand j'aurai la Toison.
Seigneur, sans différer permettez que j'achève :
1995 La gloire où je prétends ne souffre point de trêve,
Elle veut que du ciel je presse le secours,
Et ce qu'il m'en promet ne descend pas toujours.

AÆTE

Hâtez à votre gré ce secours de descendre,
Mais encore une fois gardez de vous méprendre.

JASON

2000 Par ce qu'ont vu vos yeux jugez ce que je puis :
Tout me paraît facile en l'état où je suis,
Et si la force enfin répond mal au courage,
Il en est parmi nous qui peuvent davantage.
Souffrez donc que l'ardeur dont je me sens brûler...

Scène IV : Aæte, Absyrte, Hypsipyle, Médée,
Jason, Orphée, Zéthès, Calaïs.

MÉDÉE, *sur le dragon, élevée en l'air*
à la hauteur d'un homme.

2005 Arrête, déloyal, et laisse-moi parler :
Que je rende un plein lustre à ma gloire ternie

Par l'outrageux éclat que fait la calomnie.
Qui vous l'a dit, Madame, et sur quoi fondez-vous
Ces dignes visions de votre esprit jaloux?
2010 Si Jason entre nous met quelque différence
Qui flatte malgré moi sa crédule espérance,
Faut-il sur votre exemple aussitôt présumer
Qu'on n'en peut être aimée et ne le pas aimer?
Connaissez mieux Médée, et croyez-la trop vaine
2015 Pour vouloir d'un captif marqué d'une autre chaîne.
Je ne puis empêcher qu'il vous manque de foi,
Mais je vaux bien un cœur qui n'ait aimé que moi,
Et j'aurai soutenu des revers bien funestes
Avant que je me daigne enrichir de vos restes.

HYPSIPYLE

2020 Puissiez-vous conserver ces nobles sentiments!

MÉDÉE

N'en croyez plus, Seigneur, que les événements.
Ce ne sont plus ici ces taureaux, ces gensdarmes
Contre qui son audace a pu trouver des charmes :
Ce n'est point le dragon dont il est menacé,
2025 C'est Médée elle-même, et tout l'art de Circé.
Fidèle gardien des destins de ton maître,
Arbre, que tout exprès mon charme avait fait naître,
Tu nous défendrais mal contre ceux de Jason,
Retourne en ton néant, et rends-moi la Toison.

Elle prend la Toison en sa main, et la met sur le col
du dragon. L'arbre où elle était suspendue disparaît, et
se retire derrière le théâtre, après quoi Médée continue
en parlant à Jason.

Ce n'est qu'avec le jour qu'elle peut m'être ôtée. 2030
Viens donc, viens, téméraire, elle est à ta portée;
Viens teindre de mon sang cet or qui t'est si cher,
Qu'à travers tant de mers on te force à chercher.
Approche, il n'est plus temps que l'amour te retienne :
2035 Viens m'arracher la vie, ou m'apporter la tienne,
Et sans perdre un moment en de vains entretiens,
Voyons qui peut le plus de tes Dieux ou des miens.

AÆTE

A ce digne courroux je reconnais ma fille [28] :
C'est mon sang dans ses yeux, c'est son aïeul qui brille,
2040 C'est le Soleil mon père. Avancez donc, Jason,
Et sur cette ennemie emportez la Toison.

JASON

Seigneur, contre ses yeux qui voudrait se défendre?
Il ne faut point combattre où l'on aime à se rendre.
Oui, Madame, à vos pieds je mets les armes bas,
2045 J'en fais un prompt hommage à vos divins appas,
Et renonce avec joie à ma plus haute gloire.
S'il faut par ce combat acheter la victoire,
Je l'abandonne, Orphée, aux charmes de ta voix,
Qui traîne les rochers, qui fait marcher les bois,
2050 Assoupis le dragon, enchante la Princesse.
Et vous, héros ailés, ménagez votre adresse :
Si pour cette conquête il vous reste du cœur,
Tournez sur le dragon toute votre vigueur.

---

28. Circé est aussi fille d'Aëtès, donc sœur de Médée, selon
la version la plus courante. Denys de Milet, que cite Corneille
après N. Conti, en fait la fille de Persée.

Je vais dans le navire attendre une défaite,
2055 Qui vous fera bientôt imiter ma retraite.

ZÉTHÈS

Montrez plus d'espérance, et souvenez-vous mieux
Que nous avons dompté des monstres à vos yeux.

Scène V : *Aæte, Absyrte, Hypsipyle, Médée,*
Zéthès, Calaïs, Orphée.

CALAIS

Élevons-nous, mon frère, au-dessus des nuages,
Du sang dont nous sortons prenons les avantages,
2060 Surtout obéissons aux ordres de Jason :
Respectons la Princesse, et donnons au dragon.
Ici Zéthès et Calaïs s'élèvent au plus haut des nuages
en croisant leur vol.

MÉDÉE, *en s'élevant aussi.*

Donnez où vous pourrez; ce vain respect m'outrage :
Du sang dont vous sortez prenez tout l'avantage.
Je vais voler moi-même au-devant de vos coups,
2065 Et n'avais que Jason à craindre parmi vous.
Et toi, de qui la voix inspire l'âme aux arbres,
Enchaîne les lions, et déplace les marbres,
D'un pouvoir si divin fais un meilleur emploi :
N'en détruis point la force à l'essayer sur moi.
2070 Mais je n'en parle ainsi que de peur que ses charmes
Ne prêtent un miracle à l'effort de leurs armes.
Ne m'en crois pas, Orphée, et prends l'occasion
De partager leur gloire ou leur confusion.

ORPHÉE, *chante.*

Hâtez-vous, enfants de Borée,
2075   Demi-dieux, hâtez-vous,
Et faites voir qu'en tous lieux, contre tous,
A vos exploits la victoire assurée
Suit l'effort de vos moindres coups.

MÉDÉE, *voyant qu'aucun des deux*
ne descend pour la combattre.

Vos demi-dieux, Orphée, ont peine à vous entendre :
2080 Ils ont volé si haut qu'ils n'en peuvent descendre;
De ce nuage épais sachez les dégager,
Et pratiquez mieux l'art de les encourager.

ORPHÉE

Il chante ce second couplet cependant que Zéthès et
Calaïs fondent l'un après l'autre sur le dragon, et le
combattent au milieu de l'air. Ils se relèvent aussitôt
qu'ils ont tâché de lui donner une atteinte, et tournent
face en même temps pour revenir à la charge. Médée est
au milieu des deux, qui pare leurs coups, et fait tourner
le dragon vers l'un et vers l'autre, suivant qu'ils se pré-
sentent.

Combattez, race d'Orithye,
        Demi-dieux, combattez,
2085   Et faites voir que vos bras indomptés
Se font partout une heureuse sortie
Des périls les plus redoutés.

ZÉTHÈS

Fuyons, sans plus tarder, la vapeur infernale
Que ce dragon affreux de son gosier exhale :
2090 La valeur ne peut rien contre un air empesté.

Fais comme nous, Orphée, et fuis de ton côté.
Zéthès, Calaïs et Orphée s'enfuient.

MÉDÉE

Allez, vaillants guerriers, envoyez-moi Pélée,
Mopse, Iphite, Échion, Eurydamas, Oilée,
Et tout ce reste enfin pour qui votre Jason
Avec tant de chaleur demandait la Toison.   20..
Aucun d'eux ne paraît! ces âmes intrépides
Règlent sur mes vaincus leurs démarches timides;
Et malgré leur ardeur pour un exploit si beau,
Leur effroi les renferme au fond de leur vaisseau.   21..
Ne laissons pas ainsi la victoire imparfaite :
Par le milieu des airs, courons à leur défaite,
Et nous-même portons à leur témérité
Jusque dans ce vaisseau ce qu'elle a mérité.
Médée s'élève encore plus haut sur le dragon.

AÆTE

Que fais-tu? la Toison ainsi que toi s'envole!
Ah! perfide, est-ce ainsi que tu me tiens parole,   21..
Toi qui me promettais, même aux yeux de Jason,
Qu'on t'ôterait le jour avant que la Toison?

MÉDÉE, *en s'envolant.*

Encor tout de nouveau je vous en fais promesse,
Et vais vous la garder au milieu de la Grèce.
Du pays et du sang l'amour rompt les liens,   21..
Et les dieux de Jason sont plus forts que les miens.
Ma sœur avec ses fils m'attend dans le navire,
Je la suis, et ne fais que ce qu'elle m'inspire.
De toutes deux, Madame ici vous tiendra lieu.
Consolez-vous, Seigneur, et pour jamais adieu.   21..
Elle s'envole avec la Toison.

Scène VI : *Aæte, Absyrte, Hypsipyle, Junon.*

AÆTE

Ah! Madame; ah! mon fils; ah! sort inexorable.
Est-il sur terre un père, un Roi plus déplorable?
Mes filles toutes deux contre moi se ranger,
Toutes deux à ma perte à l'envi s'engager!

JUNON, *dans son char.*

On vous abuse, Aæte, et Médée elle-même,   2..
Dans l'amour qui la force à suivre ce qu'elle aime,
        S'abuse comme vous.
Chalciope n'a point de part en cet ouvrage :
Dans un coin du jardin sous un épais nuage,
Je l'enveloppe encor d'un sommeil assez doux,   2..
Cependant qu'en sa place ayant pris son visage,
Dans l'esprit de sa sœur j'ai porté les grands coups
Qui donnent à Jason ce dernier avantage.
Junon a tout fait seule, et je remonte aux cieux
        Presser le souverain des Dieux   2..
        D'approuver ce qu'il m'a plu faire.
        Mettez votre esprit en repos;
        Si le destin vous est contraire
Lemnos peut réparer la perte de Colchos.
Junon remonte au ciel dans ce même char.

AÆTE

Qu'ai-je fait, que le ciel contre moi s'intéresse   2..
Jusqu'à faire descendre en terre une déesse?

ABSYRTE

La désavouerez-vous, Madame, et votre cœur
Dédira-t-il sa voix qui parle en ma faveur?

AÆTE

Absyrte, il n'est plus temps de parler de ta flamme.
40 Qu'as-tu pour mériter quelque part en son âme?
Et que lui peut offrir ton ridicule espoir,
Qu'un sceptre qui m'échappe, un trône prêt à choir?
Ne songeons qu'à punir le traître et sa complice.
45 Nous aurons Dieux pour Dieux à nous faire justice;
Et déjà le Soleil, pour nous prêter secours,
Fait ouvrir son palais, et détourne son cours.

*Le ciel s'ouvre, et fait paraître le palais du Soleil, où
l'on le voit dans son char tout brillant de lumière
s'avancer vers les spectateurs, et sortant de ce palais,
s'élever en haut pour parler à Jupiter, dont le palais
s'ouvre aussi quelques moments après. Ce maître des
Dieux y paraît sur son trône, avec Junon à son côté.
Ces trois théâtres, qu'on voit tout à la fois, font un
spectacle tout à fait agréable et majestueux. La sombre
verdure de la forêt épaisse, qui occupe le premier, relève
d'autant plus la clarté des deux autres, par l'opposition
de ses ombres. Le palais du Soleil, qui fait le second, a
ses colonnes toutes d'oripeau, et son lambris doré, avec
divers grands feuillages à l'arabesque. Le rejaillissement des lumières qui portent sur ces dorures produit
un jour merveilleux, qu'augmente celui qui sort du trône
de Jupiter, qui n'a pas moins d'ornement. Ses marches
ont deux bouts et au milieu des aigles d'or, entre
lesquelles on voit peintes en basse-taille toutes les
amours de ce dieu. Les deux côtés font voir chacun un
rang de piliers enrichis de diverses pierres précieuses,
environnées chacune d'un cercle ou d'un carré d'or. Au
haut de ces piliers sont d'autres grandes aigles d'or qui
soutiennent de leur bec le plafond de ce palais, composé
de riches étoffes de diverses couleurs, qui font comme
autant de courtines, dont les aigles laissent pendre les
bouts en forme d'écharpe. Jupiter a un autre grand aigle
à ses pieds, qui porte son foudre, et Junon est à sa
gauche, avec un paon aussi à ses pieds, de grandeur et
de couleur naturelle.*

*Scène VII : Le Soleil, Jupiter, Junon, Aæte,
Hypsipyle, Absyrte.*

AÆTE

Ame de l'univers, auteur de ma naissance,
Dont nous voyons partout éclater la puissance,
Souffriras-tu qu'un Roi qui tient de toi le jour
0 Soit lâchement trahi par un indigne amour?
A ces Grecs vagabonds refuse ta lumière,
De leurs climats chéris détourne ta carrière,
N'éclaire point leur fuite après qu'ils m'ont détruit,
Et répands sur leur route une éternelle nuit.
5 Fais plus, montre-toi père, et pour venger ta race,
Donne-moi tes chevaux à conduire en ta place.
Prête-moi tes feux l'éclat étincelant,
Que j'embrase leur Grèce avec ton char brûlant,
Que d'un de tes rayons lançant sur eux le foudre,
0 Je les réduise en cendre, et leur butin en poudre,

Et que par mon courroux leur pays désolé
Ait horreur à jamais du bras qui m'a volé.
Je vois que tu m'entends, et ce coup d'œil m'annonce
Que ta bonté m'apprête une heureuse réponse.
Parle donc, et fais voir aux destins ennemis   2165
De quelle ardeur tu prends les intérêts d'un fils.

LE SOLEIL

Je plains ton infortune, et ne puis davantage :
Un noir destin s'oppose à tes justes desseins,
Et depuis Phaéton, ce brillant attelage
Ne peut passer en d'autres mains :   2170
Sous un ordre éternel qui gouverne ma route,
Je dispense en esclave et les nuits et les jours.
Mais enfin ton père t'écoute,
Et joint ses vœux aux tiens pour un plus fort secours.

*Ici s'ouvre le ciel de Jupiter, et le Soleil continue en
lui adressant sa parole.*

Maître absolu des destinées,   2175
Change leurs dures lois en faveur de mon sang,
Et laisse-lui garder son rang
Parmi les têtes couronnées.
C'est toi qui règles les États,
C'est toi qui dépars les couronnes,   2180
Et quand le sort jaloux met un monarque à bas,
Il détruit ton ouvrage, et fait des attentats
Qui dérobent ce que tu donnes.

JUNON

Je ne mets point d'obstacle à de si justes vœux,
Mais laissez ma puissance entière;   2185
Et si l'ordre du sort se rompt à sa prière,
D'un hymen que j'ai fait ne rompez pas les nœuds,
Comme je ne veux point détruire son Aæte,
Ne détruisez pas mes héros :
Assurez à ses jours gloire, sceptre, repos;   2190
Assurez-lui tous les biens qu'il souhaite;
Mais de la même main assurez à Jason
Médée et la Toison.

JUPITER

Des arrêts du destin l'ordre est invariable,
Rien ne saurait le rompre en faveur de ton fils,   2195
Soleil, et ce trésor surpris
Lui rend de ses États la perte inévitable.
Mais la même légèreté
Qui donne Jason à Médée
Servira de supplice à l'infidélité   2200
Où pour lui contre un père elle s'est hasardée.
Persès dans la Scythie arme un bras souverain;
Sitôt qu'il paraîtra, quittez ces lieux, Aæte,
Et par une prompte retraite,
Épargnez tout le sang qui coulerait en vain.   2205
De Lemnos faites votre asile;
Le ciel veut qu'Hypsipyle
Réponde aux vœux d'Absyrte, et qu'un sceptre dotal
Adoucisse le cours d'un peu de temps fatal.
Car enfin de votre perfide   2210
Doit sortir un Médus qui vous doit rétablir :
A rentrer dans Colchos il sera votre guide,
Et mille grands exploits qui doivent l'ennoblir,
Feront de tous vos maux les assurés remèdes,
Et donneront naissance à l'empire des Mèdes.   2215

Le palais de Jupiter et celui du Soleil se referment [29].

LE SOLEIL

Ne vous permettez plus d'inutiles soupirs,
Puisque le ciel répare et venge votre perte,
  Et qu'une autre cóuronne offerte
Ne peut plus vous souffrir de justes déplaisirs.
2220 Adieu. J'ai trop longtemps détourné ma carrière,
Et trop perdu pour vous en ces lieux de moments
  Qui devaient ailleurs ma lumière.
  Allez, heureux amants,
Pour qui Jupiter montre une faveur entière,
2225 Hâtez-vous d'obéir à ses commandements.

29. Ces trois « palais » de Vénus, de Jupiter et du Soleil, correspondent à trois des « maisons » du Zodiaque, dont Corneille se garde de tirer une quelconque signification astrologique.

Il disparaît en baissant, comme pour fondre dans la mer.

HYPSIPYLE

J'obéis avec joie à tout ce qu'il m'ordonne :
Un Prince si bien né vaut mieux qu'une couronne.
Sitôt que je le vis, il en eut mon aveu,
Et ma foi pour Jason nuisait seule à son feu.
Mais à présent, Seigneur, cette foi dégagée...

AÆTE

Ah! Madame, ma perte est déjà trop vengée,
Et vous faites trop voir comme un cœur généreux
Se plaît à relever un destin malheureux.
  Allons ensemble, allons sous de si doux auspices
Préparer à demain de pompeux sacrifices,
Et par nos vœux unis répondre au doux espoir
Que daigne un Dieu si grand nous faire concevoir.

SERTORIUS
TRAGÉDIE*

Le succès de la Toison d'or valut au Marais de monter la nouvelle tragédie de Corneille. Une lettre à de Pure (cf. page 861) nous permet d'en suivre à peu près la genèse : dès le 3 novembre 1661 près de trois actes sont terminés et il est déjà décidé que Mlle des Œillets jouerait Viriate.

Depuis le succès de Timocrate (1656) de Thomas Corneille, la tragédie à l'antique est de nouveau bien accueillie : Quinault, Gilbert, l'abbé Boyer donnent des pièces romaines. C'est encore Appien et deux Vies de Plutarque, *Pompée et Sylla, qui sont les références historiques de Corneille. Il semble que, décidément préoccupé du problème de la légitimité du pouvoir, il ait scruté la vie de Sylla, qui inspirera à Montesquieu un excellent dialogue politique. Il y rencontre Sertorius qui, fuyant la dictature, installe un second sénat en Espagne. Comme Grimoald, et plus pur que lui encore, Sertorius est généreux, farouche défenseur de la liberté. Mais peut-on emporter la patrie à la semelle de ses souliers, et de qui tient-il son pouvoir ?*

Tous les critiques anciens et modernes restent perplexes sur la signification exacte de la pièce. Les partisans de la critique historique, qui lui cherchent une explication dans les événements contemporains, se trouvent bien embarrassés, quand ils veulent y voir une allusion à la Fronde. Sertorius serait Condé, ce qui serait déjà un peu forcer les choses. Mais il faudrait alors que Sylla fût Mazarin et Pompée Louis XIV. En outre, en 1662, Corneille composerait une pièce bien anachronique...

Sertorius nous paraît se rattacher aux inquiétudes politiques de Corneille depuis Héraclius. Mais elle inaugure une manière nouvelle : l'exposé d'une situa-tion historique délicate, à laquelle les hommes ne peuvent apporter de solution.

Avec Sertorius, l'esthétique tragique ne fait pas que changer, elle renonce à ce qui en était jusqu'ici l'âme ou l'ornement : « Vous n'y trouverez ni tendresses d'amour ni emportements de passions ni descriptions pompeuses ni narrations pathétiques. » (Au lecteur.)

*Le public hostile ou indifférent à Corneille ne pouvait se rallier à cette esthétique. De son côté, le clan cornélien, encore nombreux, fut déconcerté : ce fut lui qui fit naître la légende d'un Corneille en déclin. Sertorius fut un succès d'estime. Othon, qui va plus loin en ce sens, sera en fait, au-delà de l'hommage rendu à l'auteur, un échec. Boileau ne soulèvera aucune protestation quand il écrira douze ans plus tard dans l'*Art poétique, *en visant* Othon :

> Vos froids raisonnements ne feront qu'attiédir
> Un spectateur toujours paresseux d'applaudir
> Et qui, des vains efforts de votre rhétorique
> Justement fatigué s'endort, ou vous critique.
>
> *(Chant III, vers 21-24.)*

Le nom de Corneille est encore assez prestigieux en 1662 pour masquer cette désaffection du public. Dès que la pièce fut publiée, et même quinze jours avant la date permise, Molière monte Sertorius, fin juin. L'Hôtel de Bourgogne en fit autant, et ce fut même l'occasion du passage de Mlle des Œillets à la troupe rivale. Au demeurant, malgré l'hostilité tenace de d'Aubignac, les doctes qui font encore autorité, approuvent : Chapelain nous l'apprend dans une lettre à Conrart. Corneille poursuivra donc.

AU LECTEUR[1]

Ne cherchez point dans cette tragédie les agréments qui sont en possession de faire réussir au théâtre les poèmes de cette nature : vous n'y trouverez ni tendresses d'amour, ni emportements de passions, ni descriptions pompeuses, ni narrations pathétiques. Je puis dire toutefois qu'elle n'a point déplu, et que la dignité des noms illustres, la grandeur de leurs intérêts et la nouveauté de quelques caractères ont suppléé au manque de ces grâces. Le sujet est simple et du nombre de ces événements connus, où il ne nous est pas permis de rien changer, qu'autant que la nécessité indispensable de les réduire dans la règle nous force d'en resserrer les temps et les lieux. Comme il ne m'a fourni aucune femme, j'ai été obligé de recourir à l'invention

* Jouée au Marais le 25 février 1662. Privilège : 11 mai 1662. Achevé : 8 juillet 1662.
1. Les *Examens* accompagnaient l'édition de 1660, c'est-à-dire les vingt-trois premières pièces. Dans les quatre recueils collectifs de 1662 à 1682, Corneille ne donne pas le texte et va jusqu'à supprimer les *Avis au lecteur*, qui continueront de figurer dans les éditions séparées de chaque pièce. Le dernier de ces avis a six lignes !

pour en introduire deux, assez compatibles l'une et l'autre avec les vérités historiques à qui je me suis attaché. L'une a vécu de ce temps-là : c'est la première femme de Pompée, qu'il répudia pour entrer dans l'alliance de Sylla par le mariage d'Emilie, fille de sa femme. Ce divorce est constant par le rapport de tous ceux qui ont écrit la vie de Pompée, mais aucun d'eux ne nous apprend ce que devint cette malheureuse, qu'ils appellent tous Antistie, à la réserve d'un Espagnol, évêque de Gironne qui lui donne le nom d'Aristie, que j'ai préféré, comme plus doux à l'oreille[2]. Leur silence m'ayant laissé liberté entière de lui faire un refuge, j'ai cru ne lui en pouvoir choisir un avec plus de vraisemblance que chez les ennemis de ceux qui l'avaient outragée : cette retraite en a d'autant plus, qu'elle produit un effet véritable par les lettres des principaux de Rome que je lui fais porter à Sertorius, et que Perpenna remit entre les mains de Pompée, qui en usa comme je le marque. L'autre femme est une pure idée de mon esprit, mais qui ne laisse pas d'avoir aussi quelque fondement dans l'histoire. Elle nous apprend que les Lusitaniens appelèrent Sertorius d'Afrique pour être leur chef contre le parti de Sylla ; mais elle ne nous dit point s'ils étaient en république, ou sous une monarchie. Il n'y a donc rien qui répugne à leur donner une reine, et je ne la pouvais faire sortir d'un sang plus considérable que celui de Viriatus, dont e lui fais porter le nom, le plus grand homme que l'Espagne ait opposé aux Romains, et le dernier qui leur ait fait tête dans ces provinces avant Sertorius. Il n'était pas roi en effet, mais il en avait toute l'autorité, et les préteurs et consuls que Rome envoya pour le combattre, et qu'il défit souvent, l'estimèrent assez pour faire des traités de paix avec lui, comme avec un souverain et juste ennemi. Sa mort arriva soixante et huit ans avant celle que je traite, de sorte qu'il aurait pu être aïeul ou bisaïeul de cette reine que je fais parler ici.

Il fut défait par le consul Q. Servilius[3], et non par Brutus, comme je l'ai fait dire à cette princesse, sur la foi de cet évêque espagnol que je viens de citer, et qui m'a jeté dans l'erreur après lui. Elle est aisée à corriger par le changement d'un mot dans ce vers unique qui en parle, et qu'il faut rétablir ainsi :

Et de Servilius l'astre prédominant.
(vers 439.)

Je sais bien que Sylla, dont je parle tant dans ce poème, était mort six ans avant Sertorius ; mais à le prendre à la rigueur, il est permis de presser les temps pour faire l'unité de jour, et pourvu qu'il n'y aye point d'impossibilité formelle, je puis faire arriver en six jours, voire en six heures, ce qui s'est passé en six ans. Cela posé, rien n'empêche que Sylla ne meure avant Sertorius, sans rien détruire de ce que je dis ici, puisqu'il a pu mourir depuis qu'Arcas est parti de Rome pour apporter la nouvelle de la démission de sa dictature : ce qu'il fait en même temps que Sertorius est assassiné.

Je dis de plus que bien que nous devions être assez scrupuleux observateurs de l'ordre des temps, néanmoins, pourvu que ceux que nous faisons parler se soient connus, et ayent eu ensemble quelques intérêts à démêler, nous ne sommes pas obligés à nous attacher si précisément à la durée de leur vie. Sylla était mort quand Sertorius fut tué, mais il pouvait vivre encore sans miracle ; et l'auditeur qui communément n'a qu'une teinture superficielle de l'histoire, s'offense rarement d'une pareille prolongation qui ne sort point de la vraisemblance[4]. Je ne voudrais pas toutefois faire une règle générale de cette licence, sans y mettre quelque distinction. La mort de Sylla n'apporta aucun changement aux affaires de Sertorius en Espagne, et lui fut de si peu d'importance qu'il est malaisé, en lisant la vie de ce héros chez Plutarque[5], de remarquer lequel des deux est mort le premier, si l'on n'en est instruit d'ailleurs. Autre chose est de celles qui renversent les États, détruisent les partis, et donnent une autre face aux affaires, comme a été celle de Pompée, qui ferait révolter tout l'auditeur contre un auteur, s'il avait l'impudence de la mettre après celle de César. D'ailleurs, il fallait colorer et excuser en quelque sorte la guerre que Pompée et les autres chefs romains continuaient contre Sertorius, car il est assez malaisé de comprendre pourquoi l'on s'y obstinait, après que la république semblait être rétablie par la démission volontaire et à la mort de son tyran. Sans doute que son esprit de souveraineté, qu'il avait fait revivre dans Rome, n'y était pas mort avec lui, et que Pompée et beaucoup d'autres, aspirant dans l'âme à prendre sa place, craignaient que Sertorius ne leur y fût un puissant obstacle, ou par l'amour qu'il avait toujours pour sa patrie, ou par la grandeur de sa réputation et le mérite de ses actions, qui lui eussent fait donner la préférence, si ce grand ébranlement de la république l'eût mise en état de se pouvoir passer de maître. Pour ne pas déshonorer Pompée par cette jalousie secrète de son ambition, qui semait dès lors ce qu'on a vu depuis éclater si hautement, et qui peut-être était le véritable motif de cette guerre, je me suis persuadé qu'il était plus à propos de faire vivre Sylla, afin d'en attribuer l'injustice à la violence de sa domination. Cela m'a servi de plus à arrêter l'effet de ce puissant amour que je lui fais conserver pour son Aristie, avec qui il n'eût pu se défendre de renouer, s'il n'eût eu rien à craindre du côté de Sylla, dont le nom odieux, mais illustre, donne un grand poids aux raisonnements de la politique, qui fait l'âme de toute cette tragédie.

Le même Pompée semble s'écarter un peu de la prudence d'un général d'armée, lorsque, sur la foi de Sertorius, il vient conférer avec lui dans une ville dont ce chef du parti contraire était maître absolu, mais c'est une confiance de généreux à généreux[6], et de Romain à Romain, qui lui donne quelque droit de ne craindre aucune supercherie de la part d'un si grand homme. Ce n'est pas que je ne veuille bien accorder aux critiques qu'il n'a pas assez pourvu à sa propre sûreté, mais il m'était impossible de garder l'unité de lieu sans lui faire faire cette échappée, qu'il faut imputer à l'incommodité de la règle, plus qu'à moi, qui l'ai bien vue.

---

2. Corneille en effet l'explique dans la lettre à de Pure (cf. page 861).

3. Cet évêque de Gérone (Johannes Gerundensis) auteur d'une brève *Chronique d'Espagne* en latin, ne nous renseigne pas sur le sens à donner à cette occupation romaine de Sertorius. Ce texte a été réédité avec Mariana, dont l'*Histoire d'Espagne* bien connue a été plusieurs fois utilisée par lui.

3. Consul en même temps que Loelius en 140 av. J.-C. On voit que dans les quelques mois qui séparent la création de l'impression, Corneille ou bien a revu ses sources historiques de plus près, ou en a reçu avis d'un ami ou d'un ennemi : d'Aubignac ne publiera sa critique sur *Sertorius* que l'année suivante.

4. Corneille s'était montré plus scrupuleux, dans les *Discours*, envers l'histoire de personnages connus : or Sylla est du nombre.

5. Voir Plutarque : *Vie de Pompée*, chap. 4 et 9 ; *Vie de Sylla*, chap. 33 ; et *Vie de Sertorius*.

6. Thème déjà développé dans *la Mort de Pompée* ou *Pertharite*.

Si vous ne voulez la pardonner à l'impatience qu'il avait de voir sa femme, dont je le fais encore si passionné, et à la peur qu'elle ne prît un autre mari, faute de savoir ses intentions pour elle, vous la pardonnerez au plaisir qu'on a pris à cette conférence, que quelques-uns des premiers dans la cour et pour la naissance et pour l'esprit ont estimée autant qu'une pièce entière. Vous n'en serez pas désavoué par Aristote, qui souffre qu'on mette quelquefois des choses sans raison sur le théâtre, quand il y a apparence qu'elles seront bien reçues, et qu'on a lieu d'espérer que les avantages que le poème en tirera pourront mériter cette grâce.

ACTEURS [7]

SERTORIUS, *général du parti de Marius en Espagne.*
PERPENNA, *lieutenant de Sertorius.*
AUFIDE, *tribun de l'armée de Sertorius.*
POMPÉE, *général du parti de Sylla.*
ARISTIE, *femme de Pompée.*
VIRIATE, *reine de Lusitanie, à présent Portugal.*
THAMIRE, *dame d'honneur de Viriate.*
CELSUS, *tribun du parti de Pompée.*
ARCAS, *affranchi d'Aristius, frère d'Aristie.*

La scène est à Nertobrige, ville d'Aragon, conquise par Sertorius, à présent Catalayud [8].

ACTE PREMIER

Scène I : Perpenna, Aufide.

PERPENNA

D'où me vient ce désordre, Aufide, et que veut dire
Que mon cœur sur mes vœux garde si peu d'empire?
L'horreur que malgré moi me fait la trahison
Contre tout mon espoir révolte ma raison;
5 Et de cette grandeur sur le crime fondée,
Dont jusqu'à ce moment m'a trop flatté l'idée,
L'image toute affreuse, au point d'exécuter,
Ne trouve plus en moi de bras à lui prêter.
En vain l'ambition qui presse mon courage,
10 D'un faux brillant d'honneur pare son noir ouvrage;
En vain pour me soumettre à ses lâches efforts,
Mon âme a secoué le joug de cent remords :
Cette âme, d'avec soi tout à coup divisée,
Reprend de ces remords la chaîne mal brisée,
15 Et de Sertorius le surprenant bonheur
Arrête une main prête à lui percer le cœur.

AUFIDE

Quel honteux contre-temps de vertu délicate
S'oppose au beau succès de l'espoir qui vous flatte?
Et depuis quand, Seigneur, la soif du premier rang
20 Craint-elle de répandre un peu de mauvais sang?
Avez-vous oublié cette grande maxime,

Que la guerre civile est le règne du crime,
Et qu'aux lieux où le crime a plein droit de régner,
L'innocence timide est seule à dédaigner?
L'honneur et la vertu sont des noms ridicules :   25
Marius ni Carbon n'eurent point de scrupules.
Jamais Sylla, jamais...

PERPENNA

        Sylla ni Marius
N'ont jamais épargné le sang de leurs vaincus :
Tour à tour, la victoire, autour d'eux en furie,
A poussé leur courroux jusqu'à la barbarie,   30
Tour à tour le carnage et les proscriptions
Ont sacrifié Rome à leurs dissensions.   [maîtres
Mais leurs sanglants discords qui nous donnent des
Ont fait des meurtriers, et n'ont point fait de traîtres :
Leurs plus vastes fureurs jamais n'ont consenti   35
Qu'aucun versât le sang de son propre parti,
Et dans l'un ni dans l'autre aucun n'a pris l'audace
D'assassiner son chef pour monter en sa place.

AUFIDE

Vous y renoncez donc, et n'êtes plus jaloux
De suivre les drapeaux d'un chef moindre que vous? 40
Ah! s'il faut obéir, ne faisons plus la guerre :
Prenons le même joug qu'a pris toute la terre.
Pourquoi tant de périls, pourquoi tant de combats?
Si nous voulons servir, Sylla nous tend les bras.
C'est mal vivre en Romain que prendre loi d'un 45
                [homme,
Mais, tyran pour tyran, il vaut mieux vivre à Rome.

PERPENNA

Vois mieux ce que tu dis quand tu parles ainsi.
Du moins la liberté respire encore ici :
De notre république à Rome anéantie,
On y voit refleurir la plus noble partie,   50
Et cet asile ouvert aux illustres proscrits,
Réunit du sénat le précieux débris.
Par lui Sertorius gouverne ces provinces,
Leur impose tribut, fait des lois à leurs princes,
Maintient de nos Romains le reste indépendant;   55
Mais comme tout parti demande un commandant,
Ce bonheur imprévu qui partout l'accompagne,
Ce nom qu'il s'est acquis chez les peuples d'Espagne...

AUFIDE

Ah! c'est ce nom acquis, avec trop de bonheur
Qui rompt votre fortune, et vous ravit l'honneur : 60
Vous n'en sauriez douter, pour peu qu'il vous souvienne
Du jour que votre armée alla joindre la sienne,
Lors...

PERPENNA

N'envenime point le cuisant souvenir

---

7. Les quatre premiers sont cités dans Plutarque. Corneille vient de s'expliquer longuement dans l'*Avis au lecteur* sur les deux personnages féminins. Les trois derniers sont inventés.
8. Catalayud ou plutôt Ca*la*yud nous ramène à *Don Sanche d'Aragon*. La critique moderne n'est pas d'accord sur l'identification de cette ville avec Nertobrige, comme le fait Corneille. Catalayud serait Bilbilis; Almuña ou Rilha Nertobrige.

Que le commandement devait m'appartenir.
65 Je le passais en nombre aussi bien qu'en noblesse,
Il succombait sans moi sous sa propre faiblesse.
Mais sitôt qu'il parut, je vis en moins de rien
Tout mon camp déserté pour repeupler le sien.
Je vis par mes soldats mes aigles arrachées
70 Pour se ranger sous lui voler vers ses tranchées,
Et pour en colorer l'emportement honteux,
Je les suivis de rage, et m'y rangeai comme eux.
    L'impérieuse aigreur de l'âpre jalousie
Dont en secret dès lors mon âme fut saisie,
75 Grossit de jour en jour sous une passion
Qui tyrannise encor plus que l'ambition :
J'adore Viriate, et cette grande Reine,
Des Lusitaniens l'illustre souveraine,
Pourrait par son hymen me rendre sur les siens
80 Ce pouvoir absolu qu'il m'ôte sur les miens.
Mais elle-même, hélas ! de ce grand nom charmée,
S'attache au bruit heureux que fait sa renommée,
Cependant qu'insensible à ce qu'elle a d'appas
Il me dérobe un cœur qu'il ne demande pas.
85 De son astre opposé telle est la violence,
Qu'il me vole partout même sans qu'il y pense,
Et que toutes les fois qu'il m'enlève mon bien,
Son nom fait tout pour lui sans qu'il en sache rien.
    Je sais qu'il peut aimer et nous cacher sa flamme,
90 Mais je veux sur ce point lui découvrir mon âme,
Et s'il peut me céder ce trône où je prétends,
J'immolerai ma haine à mes désirs contents,
Et je n'envierai plus le rang dont il s'empare,
S'il m'en assure autant chez ce peuple barbare,
95 Qui formé par nos soins, instruit de notre main,
Sous notre discipline est devenu romain.

AUFIDE

Lorsqu'on fait des projets d'une telle importance,
Les intérêts d'amour entrent-ils en balance?
Et si ces intérêts vous sont enfin si doux,
100 Viriate, lui mort, n'est-elle pas à vous?

PERPENNA

Oui, mais de cette mort la suite m'embarrasse.
Aurai-je sa fortune aussi bien que sa place?
Ceux dont il a gagné la croyance et l'appui
Prendront-ils même joie à m'obéir qu'à lui,
105 Et pour venger sa trame indignement coupée,
N'arboreront-ils point l'étendard de Pompée?

AUFIDE

C'est trop craindre, et trop tard : c'est dans votre festin
Que ce soir par votre ordre on tranche son destin.
La trêve a dispersé l'armée à la campagne,
110 Et vous en commandez ce qui nous accompagne.
L'occasion nous rit dans un si grand dessein,
Mais tel bras n'est à nous que jusques à demain :
Si vous rompez le coup, prévenez les indices,
Perdez Sertorius ou perdez vos complices.
115 Craignez ce qu'il faut craindre : il en est parmi nous
Qui pourraient bien avoir mêmes remords que vous,
Et si vous différez... Mais le tyran arrive.
Tâchez d'en obtenir l'objet qui vous captive,
Et je prierai les dieux que dans cet entretien
120 Vous ayez assez d'heur pour n'en obtenir rien.

Scène II : Sertorius, Perpenna.

SERTORIUS

Apprenez un dessein qui me vient de surprendre.
Dans deux heures Pompée en ce lieu se doit rendre :
Il veut sur nos débats conférer avec moi,
Et pour toute assurance il ne prend que ma foi.

PERPENNA

La parole suffit entre les grands courages,
D'un homme tel que vous la foi vaut cent otages.
Je n'en suis point surpris, mais ce qui me surprend,
C'est de voir que Pompée ait pris le nom de Grand,
Pour faire encore à votre entière déférence,
Sans vouloir de lieu neutre à cette conférence.
C'est avoir beaucoup fait que d'avoir jusque-là
Fait descendre l'orgueil des héros de Sylla.

SERTORIUS

S'il est plus fort que nous, ce n'est plus en Espagne,
Où nous forçons les siens de quitter la campagne,
Et de se retrancher dans l'empire douteux
Que lui souffre à regret une province ou deux,
Qu'à sa fortune lasse il craint que je n'enlève,
Sitôt que le printemps aura fini sa trêve.
    C'est l'heureuse union de vos drapeaux aux miens
Qui fait ces beaux succès qu'à toute heure j'obtiens,
C'est à vous que je dois ce que j'ai de puissance :
Attendez tout aussi de ma reconnaissance.
Je reviens à Pompée, et pense deviner
Quels motifs jusqu'ici peuvent nous l'amener.
    Comme il trouve avec nous peu de gloire à prétendre,
Et qu'au lieu d'attaquer il a peine à défendre,
Il voudrait qu'un accord avantageux ou non
L'affranchît d'un emploi qui ternit ce grand nom,
Et chatouillé d'ailleurs par l'espoir qui le flatte,
De faire avec plus d'heur la guerre à Mithridate,
Il brûle d'être à Rome, afin d'en recevoir
Du maître qu'il s'y donne et l'ordre et le pouvoir.

PERPENNA

J'aurais cru qu'Aristie ici réfugiée,
Que forcé par ce maître il a répudiée,
Par un reste d'amour l'attirât en ces lieux
Sous une autre couleur lui faire ses adieux,
Car de son cher tyran l'injustice fut telle,
Qu'il ne lui permit pas de prendre congé d'elle.

SERTORIUS

Cela peut être encore : ils s'aimaient chèrement,
Mais il pourrait ici trouver du changement.
L'affront pique à tel point le grand cœur d'Aristie
Que sa première flamme en haine convertie,
Elle cherche bien moins un asile chez nous
Que la gloire d'y prendre un plus illustre époux.
C'est ainsi qu'elle parle, et m'offre l'assistance
De ce que Rome encore a de gens d'importance,
Dont les uns ses parents, les autres ses amis,
Si je veux l'épouser, ont pour moi tout promis.
Leurs lettres en font foi, qu'elle me vient de rendre.
Voyez avec loisir ce que j'en dois attendre :
Je veux bien m'en remettre à votre sentiment.

PERPENNA

Pourriez-vous bien, Seigneur, balancer un moment,

A moins d'une secrète et forte antipathie
Qui vous montre un supplice en l'hymen d'Aristie?
5 Voyant ce que pour dot Rome lui veut donner,
Vous n'avez aucun lieu de rien examiner.

SERTORIUS

Il faut donc, Perpenna, vous faire confidence
Et de ce que je crains, et de ce que je pense.
J'aime ailleurs. À mon âge il sied si mal d'aimer
0 Que je le cache même à qui m'a su charmer.
Mais tel que je puis être, on m'aime, ou pour mieux
La reine Viriate à mon hymen aspire :   [dire,
Elle veut que ce choix de son ambition
De son peuple avec nous commence l'union,
5 Et qu'ensuite à l'envi mille autres hyménées
De nos deux nations l'une à l'autre enchaînées
Mêlent si bien le sang et l'intérêt commun
Qu'ils réduisent bientôt les deux peuples en un.
C'est ce qu'elle prétend pour digne récompense
0 De nous avoir servis avec cette constance
Qui n'épargne ni biens ni sang de ses sujets
Pour affermir ici nos généreux projets :
Non qu'elle me l'ait dit, ou quelque autre pour elle,
Mais j'en vois chaque jour quelque marque fidèle;
5 Et comme ce dessein n'est plus pour moi douteux,
Je ne puis l'ignorer qu'autant que je le veux.
    Je crains donc de l'aigrir si j'épouse Aristie,
Et que de ses sujets la meilleure partie,
Pour venger ce mépris et servir son courroux,
0 Ne tourne obstinément ses armes contre nous.
Auprès d'un tel malheur, pour nous irréparable,
Ce qu'on promet pour l'autre est peu considérable,
Et sous un faux espoir de nous mieux établir,
Ce renfort accepté pourrait nous affaiblir.
5   Voilà ce qui retient mon esprit en balance.
Je n'ai pour Aristie aucune répugnance,
Et la Reine à le point n'asservit pas mon cœur,
Qu'il ne fasse encor tout pour le commun bonheur.

PERPENNA

Cette crainte, Seigneur, dont votre âme est gênée,
0 Ne doit pas d'un moment retarder l'hyménée.
Viriate, il est vrai, pourra s'en émouvoir.
Mais que sert sa colère où manque le pouvoir?
Malgré sa jalousie et ses vaines menaces,
N'êtes-vous pas toujours le maître de ses places?
5 Les siens, dont vous craignez le vif ressentiment,
Ont-ils dans votre armée aucun commandement?
Des plus nobles d'entre eux, et des plus grands courages
N'avez-vous pas les fils dans Osca[9] pour otages?
Tous leurs chefs sont romains, et leurs propres soldats
0 Dispersés dans nos rangs ont fait tant de combats
Que la vieille amitié qui les attache aux nôtres
Leur fait aimer nos lois et n'en vouloir point d'autres.
Pourquoi donc tant les craindre, et pourquoi refuser?...

SERTORIUS

Vous-même, Perpenna, pourquoi tant déguiser?
5 Je vois ce qu'on m'a dit : vous aimez Viriate,
Et votre amour caché dans vos raisons éclate.

---

9. Aujourd'hui Husca, dans la province de Tarragone.
Détail tiré du chapitre 14 de Plutarque. C'est là et non à
Nertobrige que fut tué Sertorius.

Mais les raisonnements sont ici superflus :
Dites que vous l'aimez, et je ne l'aime plus.
Parlez : je vous dois tant que ma reconnaissance
Ne peut être sans honte un moment en balance.   230

PERPENNA

L'aveu que vous voulez à mon cœur est si doux
Que j'ose...

SERTORIUS

            C'est assez : je parlerai pour vous.

PERPENNA

Ah! Seigneur, c'en est trop et...

SERTORIUS

                            Point de repartie.
Tous mes vœux sont déjà du côté d'Aristie,
Et je l'épouserai, pourvu qu'en même jour   235
La Reine se résolve à payer votre amour.
Car quoi que vous disiez, je dois craindre sa haine,
Et fuirais à ce prix cette illustre Romaine.
La voici : laissez-moi ménager son esprit,
Et voyez cependant de quel air on m'écrit.   240

Scène III : Sertorius, Aristie.

ARISTIE

Ne vous offensez pas si dans mon infortune
Ma faiblesse me force à vous être importune.
Non pas pour mon hymen : les suites d'un tel choix
Méritent qu'on y pense un peu plus d'une fois,
Mais vous pouvez, Seigneur, joindre à mes espérances 245
Contre un péril nouveau nouvelles assurances.
J'apprends qu'un infidèle, autrefois mon époux,
Vient jusque dans ces murs conférer avec vous.
L'ordre de son tyran et sa flamme inquiète
Me pourront envier l'honneur de ma retraite :   250
L'un en prévoit la suite, et l'autre en craint l'éclat,
Et tous les deux contre elle ont leur raison d'État.
Je vous demande donc sûreté tout entière
Contre la violence et contre la prière,
Si par l'une ou par l'autre il veut se ressaisir   255
De ce qu'il ne peut voir ailleurs sans déplaisir.

SERTORIUS

Il en a lieu, Madame : un si rare mérite
Semble croître de prix quand par force on le quitte.
Mais vous avez ici sûreté contre tous,
Pourvu que vous puissiez en trouver contre vous,   260
Et que contre un ingrat dont l'amour fut si tendre,
Lorsqu'il vous parlera, vous sachiez vous défendre.
On a peine à haïr ce qu'on a bien aimé,
Et le feu mal éteint est bientôt rallumé.

ARISTIE

L'ingrat, par son divorce en faveur d'Émilie,   265
M'a livrée aux mépris de toute l'Italie.
Vous savez à quel point mon courage est blessé,
Mais s'il se dédisait d'un outrage forcé,
S'il chassait Émilie et me rendait ma place,
J'aurais peine, Seigneur, à lui refuser grâce,   270
Et tant que je serai maîtresse de ma foi,
Je me dois toute à lui, s'il revient tout à moi [10].

---

10. Comparer avec Hypsipyle (*la Toison d'or*, vers 1860-1872).

SERTORIUS

En vain donc je me flatte, en vain j'ose, Madame,
Promettre à mon esprit quelque part en votre âme :
275 Pompée en est encor l'unique souverain.
Tous vos ressentiments n'offrent que votre main,
Et quand par ses refus j'aurai droit d'y prétendre,
Le cœur, toujours à lui, ne voudra pas se rendre.

ARISTIE

Qu'importe de mon cœur, si je sais mon devoir,
280 Et si mon hyménée enfle votre pouvoir?
Vous ravaleriez-vous jusques à la bassesse
D'exiger de ce cœur des marques de tendresse,
Et de les préférer à ce qu'il fait d'effort
Pour braver mon tyran et relever mon sort?
285 Laissons, Seigneur, laissons pour les petites âmes
Ce commerce rampant de soupirs et de flammes,
Et ne nous unissons que pour mieux soutenir
La liberté que Rome est prête à voir finir.
Unissons ma vengeance à votre politique,
290 Pour sauver des abois toute la République :
L'hymen seul peut unir des intérêts si grands.
Je sais que c'est beaucoup que ce que je prétends.
Mais, dans ce dur exil que mon tyran m'impose,
Le rebut de Pompée est encor quelque chose,
295 Et j'ai des sentiments trop nobles ou trop vains
Pour le porter ailleurs qu'au plus grand des Romains.

SERTORIUS

Ce nom ne m'est pas dû, je suis...

ARISTIE

                              Ce que vous faites
Montre à tout l'univers, Seigneur, ce que vous êtes.
Mais quand même ce nom semblerait trop pour vous,
300 Du moins mon infidèle est d'un rang au-dessous :
Il sert dans son parti, vous commandez au vôtre;
Vous êtes chef de l'un, et lui sujet dans l'autre,
Et son divorce enfin, qui m'arrache sa foi,
L'y laisse par Sylla plus opprimé que moi,
305 Si votre hymen m'élève à la grandeur sublime,
Tandis qu'en l'esclavage un autre hymen l'abîme.
Mais, Seigneur, je m'emporte, et l'excès d'un tel
Me fait vous en parler avec trop de chaleur.   [heur
Tout mon bien est encor dedans l'incertitude,
310 Je n'en conçois l'espoir qu'avec inquiétude,
Et je craindrai toujours d'avoir trop prétendu,
Tant que de cet espoir vous m'ayez répondu.
Vous me pouvez d'un mot assurer ou confondre.

SERTORIUS

Mais, Madame, après tout, que puis-je vous répondre?
315 De quoi vous assurer, si vous-même parlez
Sans être sûre encor de ce que vous voulez?
De votre illustre hymen je sais les avantages,
J'adore les grands noms que j'en ai pour otages,
Et vois que leur secours, nous rehaussant le bras,
320 Aurait bientôt jeté la tyrannie à bas.
Mais cette attente aussi pourrait se voir trompée
Dans l'offre d'une main qui se garde à Pompée,
Et qui n'étale ici la grandeur d'un tel bien
Que pour me tout promettre et ne me donner rien.

ARISTIE

325 Si vous vouliez ma main par choix de ma personne,

Je vous dirais, Seigneur : « Prenez, je vous la donne;
Quoi que veuille Pompée, il le voudra trop tard. »
Mais comme en cet hymen l'amour n'a point de part,
Qu'il n'est qu'un pur effet de noble politique
Souffrez que je vous die, afin que je m'explique,
Que quand j'aurais pour dot un million de bras,
Je vous donne encor plus en ne l'achevant pas.
Si je réduis Pompée à chasser Émilie,
Peut-il, Sylla régnant, regarder l'Italie?
Ira-t-il se livrer à son juste courroux?
Non, non, si je le gagne, il faut qu'il vienne à vous.
Ainsi par mon hymen vous avez assurance
Que mille vrais Romains prendront votre défense.
Mais si j'en romps l'accord qui lui rendre mes vœux,
Vous aurez ces Romains et Pompée avec eux,
Vous aurez ses amis par ce nouveau divorce,
Vous aurez du tyran la principale force,
Son armée, ou du moins ses plus braves soldats,
Qui de leur général voudront suivre les pas :
Vous marcherez vers Rome à communes enseignes.
Il sera temps alors, Sylla, que tu me craignes.
Tremble, et crois voir bientôt trébucher ta fierté,
Si je puis t'enlever ce que tu m'as ôté.
Pour faire de Pompée un gendre de ta femme,
Tu l'as fait un parjure, un méchant, un infâme,
Mais s'il me laisse encor quelques droits sur son cœur,
Il reprendra sa foi, sa vertu, son honneur :
Pour rentrer dans mes fers il brisera tes chaînes,
Et nous t'accablerons sous nos communes haines.
J'abuse trop, Seigneur, d'un précieux loisir.
Voilà vos intérêts : c'est à vous de choisir.
Si votre amour trop prompt veut borner sa conquête,
Je vous le dis encor, ma main est toute prête.
Je vous laisse y penser : surtout souvenez-vous
Que ma gloire en ces lieux me demande un époux,
Qu'elle ne peut souffrir que ma fuite m'y range
En captive de guerre, au péril d'un échange,
Qu'elle veut un grand homme à recevoir ma foi,
Qu'après vous et Pompée il n'en est point pour moi,
Et que...

SERTORIUS

Vous le verrez, et saurez sa pensée.

ARISTIE

Adieu, Seigneur : j'y suis la plus intéressée,
Et j'y vais préparer mon reste de pouvoir.

SERTORIUS

Moi, je vais donner ordre à le bien recevoir.
Dieux, souffrez qu'à mon tour avec vous je m'explique.
Que c'est un sort cruel d'aimer par politique,
Et que ses intérêts sont d'étranges malheurs,
S'ils font donner la main quand le cœur est ailleurs !

ACTE SECOND

Scène I : Viriate, Thamire.

VIRIATE

Thamire, il faut parler, l'occasion nous presse :
Rome jusqu'en ces murs m'envoie une maîtresse,

875 Et l'exil d'Aristie, enveloppé d'ennuis,
Est prêt à l'emporter sur tout ce que je suis.
En vain de mes regards l'ingénieux langage
Pour découvrir mon cœur a tout mis en usage,
En vain par le mépris des vœux de tous nos rois
880 J'ai cru faire éclater l'orgueil d'un autre choix :
Le seul pour qui je tâche à le rendre visible,
Ou n'ose en rien connaître, ou demeure insensible,
Et laisse à ma pudeur des sentiments confus,
Que l'amour-propre obstine à douter du refus.
885 Épargne-m'en la honte, et prends soin de lui dire,
A ce héros si cher... Tu le connais, Thamire,
Car d'où pourrait mon trône attendre un ferme appui,
Et pour qui mépriser tous nos rois que pour lui ?
Sertorius, lui seul digne de Viriate,
890 Mérite que pour lui tout mon amour éclate.
Fais-lui, fais-lui savoir le glorieux dessein
De m'affermir au trône en lui donnant la main :
Dis-lui... Mais j'aurais tort d'instruire ton adresse,
Moi qui connais ton zèle à servir ta princesse.

                         THAMIRE
895 Madame, en ce héros tout est illustre et grand,
Mais à parler sans fard, votre amour me surprend.
Il est assez nouveau qu'un homme de son âge
Ait des charmes si forts pour un jeune courage,
Et que d'un front ridé les replis jaunissants
900 Trouvent l'heureux secret de captiver les sens.

                         VIRIATE
Ce ne sont pas les sens que mon amour consulte,
Il hait des passions l'impétueux tumulte,
Et son feu, que j'attache aux soins de ma grandeur,
Dédaigne tout mélange avec leur folle ardeur.
905 J'aime en Sertorius ce grand art de la guerre
Qui soutient un banni contre toute la terre,
J'aime en lui ces cheveux tous couverts de lauriers,
Ce front qui fait trembler les plus braves guerriers,
Ce bras qui semble avoir la victoire en partage.
910 L'amour de la vertu n'a jamais d'yeux pour l'âge,
Le mérite a toujours des charmes éclatants,
Et quiconque peut tout est aimable en tout temps.

                         THAMIRE
Mais, Madame, nos rois, dont l'amour vous irrite,
N'ont-ils tous ni vertu, ni pouvoir, ni mérite,
915 Et dans votre parti se peut-il qu'aucun d'eux
N'ait signalé son nom par des exploits fameux ?
Celui des Turdétans, celui des Celtibères,
Soutiendraient-ils si mal le sceptre de vos pères ?

                         VIRIATE
Contre des rois comme eux j'aimerais leur soutien,
920 Mais contre des Romains tout leur pouvoir n'est rien.
Rome seule aujourd'hui peut résister à Rome :
Il faut pour la braver qu'elle nous prête un homme,
Et que son propre sang en faveur de ces lieux
Balance les destins et partage les Dieux.
925 Depuis qu'elle a daigné protéger nos provinces,
Et de son amitié faire honneur à leurs princes,
Sous un si haut appui nos rois humiliés
N'ont été que sujets sous le nom d'alliés;
Et ce qu'ils ont osé contre leur servitude
930 N'en a rendu le joug que plus fort et plus rude.

Qu'a fait Mandonius, qu'a fait Indibilis [11],
Qu'y plonger plus avant leurs trônes avilis,
Et voir leur fier amas de puissance et de gloire
Brisé contre l'écueil d'une seule victoire ?
Le grand Viriatus, de qui je tiens le jour,   435
D'un sort plus favorable eut un pareil retour.
Il défit trois préteurs, il gagna dix batailles,
Il repoussa l'assaut de plus de cent murailles,
Et de Servilius l'astre prédominant
Dissipa tout d'un coup ce bonheur étonnant.   440
Ce grand roi fut défait, il en perdit la vie,
Et laissait sa couronne à jamais asservie,
Si pour briser les fers de son peuple captif,
Rome n'eût envoyé ce noble fugitif.
Depuis que son courage à nos destins préside,   445
Un bonheur si constant de nos armes décide
Que deux lustres de guerre assurent nos climats
Contre ces souverains de tant de potentats,
Et leur laissent à peine, au bout de dix années,
Pour se couvrir de nous, l'ombre des Pyrénées.   450
Nos rois, sans ce héros, l'un de l'autre jaloux,
Du plus heureux sans cesse auraient rompu les coups :
Jamais ils n'auraient pu choisir entre eux un maître.

                         THAMIRE
Mais consentiront-ils qu'un Romain puisse l'être ?

                         VIRIATE
Il n'en prend pas le titre, et les traite d'égal.   455
Mais, Thamire, après tout, il est leur général :
Ils combattent sous lui, sous son ordre ils s'unissent,
Et tous ces rois de nom en effet obéissent,
Tandis que de leur rang l'inutile fierté
S'applaudit d'une vaine et fausse égalité.   460

                         THAMIRE
Je n'ose rien vous dire après cet avantage
Et voudrais comme vous faire grâce à son âge,
Mais enfin ce héros, sujet au cours des ans,
A trop longtemps vaincu pour vaincre encor long-
Et sa mort...   [temps,

                         VIRIATE
              Jouissons, en dépit de l'envie,   465
Des restes glorieux de son illustre vie :
Sa mort me laissera pour ma protection
La splendeur de son ombre et l'éclat de son nom.
Sur ces deux grands appuis ma couronne affermie
Ne redoutera point de puissance ennemie.   470
Ils feront plus pour moi que ne feraient cent rois,
Mais nous en parlerons encor quelque autre fois.
Je l'aperçois qui vient.

         Scène II [12] : Sertorius, Viriate, Thamire.

                         SERTORIUS
              Que direz-vous, Madame,
Du dessein téméraire où s'échappe mon âme ?
N'est-ce point oublier ce qu'on vous doit d'honneur, 475

11. Princes tour à tour alliés et ennemis des Scipions.
Indibilis mourut les armes à la main en 205 av. J.-C.
12. Cette scène, mais sur une donnée autrement meilleure,
n'en reprend pas moins d'assez près la scène entre Hypsipyle
et Absyrte (*la Toison d'or*, acte V, scène 2).

Que demander à voir le fond de votre cœur?
VIRIATE
Il est si peu fermé, que chacun y peut lire,
Seigneur, peut-être plus que je ne puis vous dire :
Pour voir ce qui s'y passe, il ne faut que des yeux.
SERTORIUS
480 J'ai besoin toutefois qu'il s'explique un peu mieux.
Tous vos rois à l'envi briguent votre hyménée,
Et comme vos bontés font notre destinée,
Par ces mêmes bontés j'ose vous conjurer,
En faisant ce grand choix, de nous considérer.
485 Si vous prenez un prince inconstant, infidèle,
Ou qui pour le parti n'ait pas assez de zèle,
Jugez en quel état nous nous verrons réduits,
Si je pourrai longtemps encor ce que je puis,
Si mon bras...
VIRIATE
            Vous formez des craintes que j'admire.
490 J'ai mis tous mes États si bien sous votre empire
Que quand il me plaira faire choix d'un époux,
Quelque projet qu'il fasse, il dépendra de vous.
Mais pour vous mieux ôter cette frivole crainte,
Choisissez-le vous-même, et parlez-moi sans feinte :
495 Pour qui de tous ces rois êtes-vous sans soupçon?
A qui d'eux pouvez-vous confier ce grand nom?
SERTORIUS
Je voudrais faire un choix qui pût aussi vous plaire,
Mais à ce froid accueil que je vous vois leur faire,
Il semble que pour tous sans aucun intérêt...
VIRIATE
500 C'est peut-être, Seigneur, qu'aucun d'eux ne me plaît,
Et que de leur haut rang la pompe la plus vaine
S'efface au seul aspect de la grandeur romaine.
SERTORIUS
Si donc je vous offrais pour époux un Romain...
VIRIATE
Pourrais-je refuser un don de votre main?
SERTORIUS
505 J'ose après cet aveu vous faire offre d'un homme
Digne d'être avoué de l'ancienne Rome.
Il en a la naissance, il en a le grand cœur,
Il est couvert de gloire, il est plein de valeur;
De toute votre Espagne il a gagné l'estime,
510 Libéral, intrépide, affable, magnanime,
Enfin, c'est Perpenna sur qui vous emportez...
VIRIATE
J'attendais votre nom après ces qualités :
Les éloges brillants que vous daignez y joindre
Ne me permettaient pas d'espérer rien de moindre.
515 Mais certes le détour est un peu surprenant :
Vous donnez une reine à votre lieutenant!
Si vos Romains ainsi choisissent des maîtresses,
A vos derniers tribuns il faudra des princesses.
SERTORIUS
Madame...
VIRIATE
            Parlons net sur ce choix d'un époux.
520 Etes-vous trop pour moi? suis-je trop peu pour vous?
C'est m'offrir, et ce mot peut blesser les oreilles,
Mais un pareil amour sied bien à mes pareilles;

Et je veux bien, Seigneur, qu'on sache désormais
Que j'ai d'assez bons yeux pour voir ce que je fais.
Je le dis donc tout haut, afin que l'on m'entende :   52
Je veux bien un Romain, mais je veux qu'il commande,
Et ne trouverais pas vos rois à dédaigner,
N'était qu'ils savent mieux obéir que régner.
Mais si de leur puissance ils vous laissent l'arbitre,
Leur faiblesse du moins en conserve le titre :   5.
Ainsi ce noble orgueil qui vous préfère à tous
En préfère le moindre à tout autre qu'à vous.
Car enfin, pour remplir l'honneur de ma naissance,
Il me faudrait un roi de titre et de puissance,
Mais comme il n'en est plus, je pense m'en devoir   5:
Ou le pouvoir sans nom, ou le nom sans pouvoir.
SERTORIUS
J'adore ce grand cœur qui rend ce qu'il doit rendre
Aux illustres aïeux dont on vous voit descendre.
A de moindres pensers son orgueil abaissé
Ne soutiendrait pas bien ce qu'ils vous ont laissé.   5.
Mais puisque pour remplir la dignité royale
Votre haute naissance en demande une égale,
Perpenna parmi nous est le seul dont le sang
Ne mêlerait point d'ombre à la splendeur du rang :
Il descend de nos rois et de ceux d'Étrurie.   5·
Pour moi qu'un sang moins noble a transmis à la vie,
Je n'ose m'éblouir d'un peu de nom fameux
Jusqu'à déshonorer le trône par mes vœux.
Cessez de m'estimer jusqu'à lui faire injure,
Je ne veux que le nom de votre créature :   5.
Un si glorieux titre a de quoi me ravir,
Il m'a fait triompher en voulant vous servir,
Et malgré tout le peu que le ciel m'a fait naître...
VIRIATE
Si vous prenez ce titre, agissez moins en maître,
Ou m'apprenez du moins, Seigneur, par quelle loi   5
Vous n'osez m'accepter, et disposez de moi.
Accordez le respect que mon trône vous donne
Avec cet attentat sur ma propre personne.
Voir toute mon estime, et n'en pas mieux user,
C'en est un qu'aucun art ne saurait déguiser.   5
Ne m'honorez donc plus jusqu'à me faire injure;
Puisque vous le voulez, soyez ma créature,
Et me laissant en reine ordonner de vos vœux,
Portez-les jusqu'à moi, parce que je le veux.
    Pour votre Perpenna, que sa haute naissance
N'affranchit point encor de votre obéissance,
Fût-il du sang des Dieux aussi bien que des rois,
Ne lui promettez plus la gloire de mon choix.
Rome n'attache point le grade à la noblesse.
Votre grand Marius naquit dans la bassesse,   5
Et c'est pourtant le seul que le peuple romain
Ait jusques à sept fois choisi pour souverain.
Ainsi pour estimer chacun à sa manière,
Au sang d'un Espagnol je ferais grâce entière.
Mais parmi les Romains je prends garde au sang,   5
Quand j'y vois la vertu prendre le plus haut rang.
Vous, si vous haïssez comme eux le nom de reine,
Regardez-moi, Seigneur, comme dame romaine :
Le droit de bourgeoisie à nos peuples donné
Ne perd rien de son prix sur un front couronné.

Sous ce titre adoptif, étant ce que vous êtes,
Je pense bien valoir une de mes sujettes,
Et si quelque Romaine a causé vos refus,
Je suis tout ce qu'elle est, et reine encor de plus.
85 Peut-être la pitié d'une illustre misère...

SERTORIUS

Je vous entends, Madame, et pour ne vous rien taire,
J'avouerai qu'Aristie...

VIRIATE

Elle nous a tout dit :
Je sais ce qu'elle espère et ce qu'on vous écrit.
Sans y perdre de temps, ouvrez votre pensée.

SERTORIUS

90 Au seul bien de la cause elle est intéressée;
Mais puisque pour ôter l'Espagne à nos tyrans,
Nous prenons, vous et moi, des chemins différents,
De grâce, examinez le commun avantage,
Et jugez ce que doit un généreux courage.
95 Je trahirais, Madame, et vous et vos États,
De voir un tel secours, et ne l'accepter pas,
Mais ce même secours deviendrait notre perte
S'il nous ôtait la main que vous m'avez offerte,
Et qu'un destin jaloux de nos communs desseins
00 Jetât ce grand dépôt en de mauvaises mains.
Je tiens Sylla perdu, si vous laissiez unie
A ce puissant renfort votre Lusitanie.
Mais vous pouvez enfin dépendre d'un époux,
Et le seul Perpenna peut m'assurer de vous.
05 Voyez ce qu'il a fait : je lui dois tant, Madame,
Qu'une juste prière en faveur de sa flamme...

VIRIATE

Si vous lui devez tant, ne me devez-vous rien,
Et lui faut-il payer vos dettes de mon bien?
Après que ma couronne a garanti vos têtes,
10 Ne mérité-je point de part en vos conquêtes?
Ne vous ai-je servi que pour servir toujours,
Et m'assurer des fers par mon propre secours?
Ne vous y trompez pas : si Perpenna m'épouse,
Du pouvoir souverain je deviendrai jalouse,
15 Et le rendrai moi-même assez entreprenant
Pour ne vous pas laisser un roi pour lieutenant.
Je vous avouerai plus : à qui que je me donne,
Je voudrai hautement soutenir ma couronne,
Et c'est ce qui me force à vous considérer,
0 De peur de perdre tout, s'il nous faut séparer.
Je ne vois que vous seul qui des mers aux montagnes
Sous un même étendard puisse unir nos Espagnes.
Mais ce que je propose en est le seul moyen,
Et quoi qu'ait fait pour vous ce cher concitoyen,
5 S'il vous a secouru contre la tyrannie,
Il en est bien payé d'avoir sauvé sa vie.
Les malheurs du parti l'accablaient à tel point
Qu'il se voyait perdu s'il ne vous eût pas joint,
Et même, si j'en veux croire la renommée,
0 Ses troupes, malgré lui, grossirent votre armée.
Rome offre un grand secours, du moins on vous l'écrit :
Mais s'armât-elle toute en faveur d'un proscrit,
Quand nous sommes aux bords d'une pleine victoire,
Quel besoin avons-nous d'en partager la gloire?
Encore une campagne, et nos seuls escadrons

Aux aigles de Sylla font repasser les monts.
Et ces derniers venus auront droit de nous dire
Qu'ils auront en ces lieux établi notre empire!
Soyons d'un tel honneur l'un et l'autre jaloux,
Et quand nous pouvons tout, ne devons rien qu'à 640
[nous...

SERTORIUS

L'espoir le mieux fondé n'a jamais trop de forces,
Le plus heureux destin surprend par les divorces,
Du trop de confiance il aime à se venger,
Et dans ce grand dessein rien n'est à négliger.
Devons-nous exposer à tant d'incertitude   645
L'esclavage de Rome et notre servitude,
De peur de partager avec d'autres Romains
Un honneur où le ciel veut peut-être leurs mains?
Notre gloire, il est vrai, deviendra sans seconde,
Si nous faisons sans eux la liberté du monde,   650
Mais si quelque malheur suit tant d'heureux combats,
Quels reproches cruels ne nous ferons-nous pas!
D'ailleurs, considérez que Perpenna vous aime,
Qu'il est ou qu'il se croit digne du diadème,
Qu'il peut ici beaucoup, qu'il s'est vu de tout temps 655
Qu'en gouvernant le mieux on fait des mécontents,
Que piqué du mépris, il osera peut-être...

VIRIATE

Tranchez le mot, Seigneur, je vous ai fait mon maître,
Et je dois obéir malgré mon sentiment :
C'est à quoi se réduit tout ce raisonnement.   660
Faites, faites entrer ce héros d'importance,
Que je fasse un essai de mon obéissance,
Et si vous le craignez, craignez autant du moins
Un long et vain regret d'avoir prêté vos soins.

SERTORIUS

Madame, croiriez-vous...

VIRIATE

Ce mot doit vous suffire.   665
J'entends ce qu'on me dit, et ce qu'on me veut dire.
Allez, faites-lui place, et ne présumez pas...

SERTORIUS

Je parle pour un autre, et toutefois, hélas!
Si vous saviez...

VIRIATE

Seigneur, que faut-il que je sache,
Et quel est le secret que ce soupir me cache?   670

SERTORIUS

Ce soupir redoublé...

VIRIATE

N'achevez point, allez :
Je vous obéirai plus que vous ne voulez.

Scène III : Viriate, Thamire.

THAMIRE

Sa dureté m'étonne, et je ne puis, Madame...

VIRIATE

L'apparence t'abuse : il m'aime au fond de l'âme.

THAMIRE

Quoi! quand pour un rival il s'obstine au refus...   675

VIRIATE

Il veut que je l'amuse, et ne veut rien de plus.

THAMIRE

Vous avez des clartés que mon insuffisance...

VIRIATE

Parlons à ce rival : le voilà qui s'avance.

Scène IV : Viriate, Perpenna,
Aufide, Thamire.

VIRIATE

Vous m'aimez, Perpenna, Sertorius le dit.
680 Je crois sur sa parole, et lui dois tout crédit.
Je sais donc votre amour, mais tirez-moi de peine :
Par où prétendez-vous mériter une reine ?
A quel titre lui plaire, et par quel charme un jour
Obliger sa couronne à payer votre amour ?

PERPENNA

685 Par de sincères vœux, par d'assidus services,
Par de profonds respects, par d'humbles sacrifices,
Et si quelques effets peuvent justifier...

VIRIATE

Eh bien ! qu'êtes-vous prêt de lui sacrifier ?

PERPENNA

Tous mes soins, tout mon sang, mon courage, ma vie.

VIRIATE

690 Pourriez-vous la servir dans une jalousie ?

PERPENNA

Ah ! Madame...

VIRIATE

A ce mot en vain le cœur vous bat :
Elle n'est pas d'amour, elle n'est que d'État.
J'ai de l'ambition, et mon orgueil de reine
Ne peut voir sans chagrin une autre souveraine,
695 Qui sur mon propre trône à mes yeux s'élevant,
Jusque dans mes États prenne le pas devant.
Sertorius y règne, et dans tout notre empire
Il dispense des lois où j'ai voulu souscrire.
Je ne m'en repens point, il en a bien usé,
700 Je rends grâces au ciel qui l'a favorisé.
Mais pour vous dire enfin de quoi je suis jalouse,
Quel rang puis-je garder auprès de son épouse ?
Aristie y prétend, et l'offre qu'elle lui fait,
Ou que l'on fait pour elle, en assure l'effet.
705 Délivrez nos climats de cette vagabonde,
Qui vient par son exil troubler un autre monde,
Et forcez-la sans bruit d'honorer d'autres lieux
De cet illustre objet qui me blesse les yeux.
Assez d'autres États lui prêteront asile.

PERPENNA

710 Quoi que vous m'ordonniez, tout me sera facile ;
Mais quand Sertorius ne l'épousera pas,
Un autre hymen vous met dans le même embarras,
Et qu'importe, après tout, d'une autre ou d'Aristie,
Si...

VIRIATE

Rompons, Perpenna, rompons cette partie,
715 Donnons ordre au présent, et quant à l'avenir,
Suivant l'occasion nous saurons y fournir.
Le temps est un grand maître, il règle bien des choses.
Enfin je suis jalouse, et vous en dis les causes.
Voulez-vous me servir ?

PERPENNA

Si je le veux ? J'y cours,
Madame, et meurs déjà d'y consacrer mes jours.
Mais pourrai-je espérer que ce faible service
Attirera sur moi quelque regard propice,
Que le cœur attendri fera suivre...

VIRIATE

Arrêtez !
Vous porteriez trop loin des vœux précipités.
Sans doute un tel service aura droit de me plaire,
Mais laissez-moi, de grâce, arbitre du salaire :
Je ne suis point ingrate, et sais ce que dois,
Et c'est vous dire assez pour la première fois.
Adieu.

Scène V : Perpenna, Aufide.

AUFIDE

Vous le voyez, Seigneur, comme on vous joue.
Tout son cœur est ailleurs ; Sertorius l'avoue
Et fait auprès de vous l'officieux rival,
Cependant que la Reine...

PERPENNA

Ah ! n'en juge point mal.
A lui rendre service elle m'ouvre une voie
Que tout mon cœur embrasse avec excès de joie.

AUFIDE

Vous ne voyez donc pas que son esprit jaloux
Ne cherche à se servir de vous que contre vous,
Et que rompant le cours d'une flamme nouvelle,
Vous forcez ce rival à retourner vers elle ?

PERPENNA

N'importe, servons-la, méritons son amour :
La force et la vengeance agiront à leur tour.
Hasardons quelques jours sur l'espoir qui nous flatte,
Dussions-nous pour tout fruit ne faire qu'une ingrate !

AUFIDE

Mais, Seigneur...

PERPENNA

Épargnons les discours superflus,
Songeons à la servir, et ne contestons plus :
Cet unique souci tient mon âme occupée.
Cependant de nos murs on découvre Pompée ;
Tu sais qu'on me l'a dit : allons le recevoir,
Puisque Sertorius m'impose ce devoir.

ACTE TROISIÈME

Scène I[13] : Sertorius, Pompée, suite.

SERTORIUS

Seigneur, qui des mortels eût jamais osé croire
Que la trêve à tel point dût rehausser ma gloire,

13. Cf. dans la lettre à l'abbé de Pure (page 861) les craintes de Corneille sur la longueur de cette scène : deux cent cinquante-deux vers (huit supprimés dans la version définitive). Déjà la scène toute politique entre Sertorius et Viriate en avait près de deux cents. Avec bonhomie, Corneille appelle la forte analyse politique qui oppose les deux hommes des « picoteries ».

Qu'un nom à qui la guerre a fait trop applaudir
Dans l'ombre de la paix trouvât à s'agrandir?
Certes, je doute encor si ma vue est trompée,
Alors que dans ces murs je vois le grand Pompée,
55 Et quand il lui plaira, je saurai quel bonheur
Comble Sertorius d'un tel excès d'honneur.

POMPÉE

Deux raisons, mais, Seigneur, faites qu'on se retire,
Afin qu'en liberté je puisse vous les dire.
    L'inimitié qui règne entre nos deux partis
60 N'y rend pas de l'honneur tous les droits amortis.
Comme le vrai mérite a ses prérogatives,
Qui prennent le dessus des haines les plus vives,
L'estime et le respect sont de justes tributs
Qu'aux plus fiers ennemis arrachent les vertus,
65 Et c'est ce que vient rendre à la haute vaillance,
Dont je ne fais ici que trop d'expérience,
L'ardeur de voir de près un si fameux héros,
Sans lui voir en la main piques ni javelots,
Et le front désarmé de ce regard terrible
70 Qui dans nos escadrons guide un bras invincible.
    Je suis jeune et guerrier, et tant de fois vainqueur
Que mon trop de fortune a pu m'enfler le cœur,
Mais (et ce franc aveu sied bien aux grands courages)
J'apprends plus contre vous par mes désavantages,
75 Que les plus beaux succès qu'ailleurs j'aye emportés,
Ne m'ont encore appris par mes prospérités.
Je vois ce qu'il faut faire, à voir ce que vous faites :
Les sièges, les assauts, les savantes retraites,
Bien camper, bien choisir à chacun son emploi,
80 Votre exemple est partout une étude pour moi.
Ah! si je vous pouvais rendre à la République,
Que je croirais lui faire un présent magnifique,
Et que j'irais, Seigneur, à Rome avec plaisir,
Puisque la trêve enfin m'en donne le loisir,
85 Si j'y pouvais porter quelque faible espérance
D'y conclure un accord d'une telle importance!
Près de l'heureux Sylla ne puis-je rien pour vous,
Et près de vous, Seigneur, ne puis-je rien pour tous?

SERTORIUS

Vous me pourriez sans doute épargner quelque peine,
90 Si vous vouliez avoir l'âme toute romaine,
Mais avant que d'entrer en ces difficultés,
Souffrez que je réponde à vos civilités.
    Vous ne me donnez rien par cette haute estime
Que vous n'ayez déjà dans le degré sublime.
95 La victoire attachée à vos premiers exploits,
Un triomphe avant l'âge où le souffrent nos lois,
Avant la dignité qui permet d'y prétendre,
Font trop voir quels respects l'univers vous doit rendre.
Si dans l'occasion je ménage un peu mieux
100 L'assiette du pays et la faveur des lieux,
Si mon expérience en prend quelque avantage,
Le grand art de la guerre attend quelquefois l'âge,
Le temps y fait beaucoup, et de mes actions
S'il vous a plus tirer quelques instructions,
105 Mes exemples un jour ayant fait place aux vôtres,
Ce que je vous apprends, vous l'apprendrez à d'autres,
Et ceux qu'aura ma mort saisis de mon emploi,
S'instruiront contre vous, comme vous contre moi.

Quant à l'heureux Sylla, je n'ai rien à vous dire.
Je vous ai montré l'art d'affaiblir son empire, 810
Et si je puis jamais y joindre des leçons
Dignes de vous apprendre à repasser les monts,
Je suivrai d'assez près votre illustre retraite
Pour traiter avec lui sans besoin d'interprète,
Et sur les bords du Tibre, une pique à la main, 815
Lui demander raison pour le peuple romain.

POMPÉE

De si hautes leçons, Seigneur, sont difficiles,
Et pourraient vous donner quelques soins inutiles,
Si vous faisiez dessein de me les expliquer
Jusqu'à m'avoir appris à les bien pratiquer. 820

SERTORIUS

Aussi me pourriez-vous épargner quelque peine,
Si vous vouliez avoir l'âme toute romaine :
Je vous l'ai déjà dit.

POMPÉE

              Ce discours rebattu
Lasserait une austère et farouche vertu.
Pour moi, qui vous honore assez pour me contraindre 825
A fuir obstinément tout sujet de m'en plaindre,
Je ne veux rien comprendre en ses obscurités.

SERTORIUS

Je sais qu'on n'aime point de telles vérités,
Mais, Seigneur, étant seuls, je parle avec franchise :
Bannissant les témoins, vous me l'avez permise, 830
Et je garde avec vous la même liberté
Que si votre Sylla n'avait jamais été.
    Est-ce être tout Romain qu'être chef d'une guerre
Qui veut tenir aux fers les maîtres de la terre?
Ce nom, sans vous et lui, nous serait encor dû, 835
C'est par lui, c'est par vous que nous l'avons perdu,
C'est vous qui sous le joug traînez des cœurs si braves :
Ils étaient plus que rois, ils sont moindres qu'esclaves,
Et la gloire qui suit vos plus nobles travaux
Ne fait qu'approfondir l'abîme de leurs maux. 840
Leur misère est le fruit de votre illustre peine,
Et vous pensez avoir l'âme toute romaine!
Vous avez hérité ce nom de vos aïeux,
Mais s'il vous était cher, vous le rempliriez mieux!

POMPÉE

Je crois le bien remplir quand tout mon cœur s'applique 845
Aux soins de rétablir un jour la République,
Mais vous jugez, Seigneur, de l'âme par le bras,
Et souvent l'un paraît ce que l'autre n'est pas.
    Lorsque deux factions divisent un empire,
Chacun suit au hasard la meilleure ou la pire, 850
Suivant l'occasion ou la nécessité
Qui l'emporte vers l'un ou vers l'autre côté.
Le plus juste parti, difficile à connaître,
Nous laisse en liberté de nous choisir un maître,
Mais quand ce choix est fait, on ne s'en dédit plus. 855
J'ai servi sous Sylla du temps de Marius,
Et servirai sous lui tant qu'un destin funeste
De nos divisions soutiendra quelque reste.
Comme je ne vois pas dans le fond de son cœur,
J'ignore quels projets peut former son bonheur. 860
S'il les pousse trop loin, moi-même je l'en blâme,
Je lui prête mon bras sans engager mon âme,

Je m'abandonne au cours de sa félicité,
Tandis que tous mes vœux sont pour la liberté.
865 Et c'est ce qui me force à garder une place
Qu'usurperaient sans moi l'injustice et l'audace,
Afin que, Sylla mort, ce dangereux pouvoir
Ne tombe qu'en des mains qui sachent leur devoir.
Enfin je sais mon but, et vous savez le vôtre.

SERTORIUS

870 Mais cependant, Seigneur, vous servez comme un autre,
Et nous, qui jugeons tout sur la foi de nos yeux,
Et laissons le dedans à pénétrer aux Dieux,
Nous craignons votre exemple, et doutons si dans Rome
Il n'instruit point le peuple à prendre loi d'un homme,
875 Et si votre valeur, sous le pouvoir d'autrui,
Ne sème point pour vous lorsqu'elle agit pour lui.
Comme je vous estime, il m'est aisé de croire
Que de la liberté vous feriez votre gloire,
Que votre âme en secret lui donne tous ses vœux;
880 Mais si je m'en rapporte aux esprits soupçonneux,
Vous aidez aux Romains à faire essai d'un maître,
Sous ce flatteur espoir qu'un jour vous pourrez l'être.
La main qui les opprime, et que vous soutenez,
Les accoutume au joug que vous leur destinez,
885 Et doutant s'ils voudront se faire à l'esclavage,
Aux périls de Sylla vous tâtez leur courage.

POMPÉE

Le temps détrompera ceux qui parlent ainsi,
Mais justifiera-t-il ce que l'on voit ici?
Permettez qu'à mon tour je parle avec franchise.
890 Votre exemple à la fois m'instruit et m'autorise :
Je juge, comme vous, sur la foi de mes yeux,
Et laisse le dedans à pénétrer aux Dieux.
Ne vit-on pas ici sous les ordres d'un homme,
N'y commandez-vous pas comme Sylla dans Rome?
895 Du nom de dictateur, du nom de général,
Qu'importe, si des deux le pouvoir est égal?
Les titres différents ne font rien à la chose :
Vous imposez des lois ainsi qu'il en impose,
Et s'il est périlleux de s'en faire haïr,
900 Il ne serait pas sûr de vous désobéir.
Pour moi, si quelque jour je suis ce que vous êtes,
J'en userai peut-être alors comme vous faites.
Jusque-là...

SERTORIUS

Vous pourriez en douter jusque-là,
Et me faire un peu moins ressembler à Sylla.
905 Si je commande ici, le sénat me l'ordonne,
Mes ordres n'ont encore assassiné personne.
Je n'ai pour ennemis que ceux du bien commun,
Je leur fais bonne guerre, et n'en proscris pas un.
C'est un asile ouvert que mon pouvoir suprême,
910 Et si l'on m'obéit, ce n'est qu'autant qu'on m'aime.

POMPÉE

Et votre empire en est d'autant plus dangereux,
Qu'il rend de vos vertus les peuples amoureux,
Qu'en assujettissant vous avez l'art de plaire,
Qu'on croit n'être en vos fers qu'esclave volontaire,
915 Et que la liberté trouvera peu de jour
A détruire un pouvoir que fait régner l'amour.
Ainsi parlent, Seigneur, les âmes soupçonneuses;

Mais n'examinons point ces questions fâcheuses,
Ni si c'est un sénat qu'un amas de bannis
Que cet asile ouvert sous vous a réunis.
Une seconde fois, n'est-il aucune voie
Par où je puisse à Rome emporter quelque joie?
Elle serait extrême à trouver les moyens
De rendre un si grand homme à ses concitoyens.
Il est doux de revoir les murs de la patrie :
C'est elle par ma voix, Seigneur, qui vous en prie;
C'est Rome...

SERTORIUS

Le séjour de votre potentat,
Qui n'a que ses fureurs pour maximes d'État?
Je n'appelle plus Rome un enclos de murailles
Que ses proscriptions comblent de funérailles;
Ces murs, dont le destin fut autrefois si beau,
N'en sont que la prison, ou plutôt le tombeau;
Mais pour revivre ailleurs dans sa première force,
Avec les faux Romains elle a fait plein divorce,
Et comme autour de moi j'ai tous ses vrais appuis,
Rome n'est plus dans Rome, elle est toute où je suis.
Parlons pourtant d'accord : je ne sais qu'une voie
Qui puisse avec honneur nous donner cette joie.
Unissons-nous ensemble, et le tyran est bas :
Rome à ce grand dessein ouvrira tous ses bras.
Ainsi nous ferons voir l'amour de la patrie,
Pour qui vont les grands cœurs jusqu'à l'idolâtrie,
Et nous épargnerons ces flots de sang romain
Que versent tous les ans votre bras et ma main.

POMPÉE

Ce projet, qui pour vous est tout brillant de gloire,
N'aurait-il rien pour moi d'une action trop noire?
Moi qui commande ailleurs, puis-je servir sous vous?

SERTORIUS

Du droit de commander je ne suis point jaloux;
Je ne l'ai qu'en dépôt, et je vous l'abandonne,
Non jusqu'à vous servir de ma seule personne :
Je prétends un peu plus, mais dans cette union
De votre lieutenant m'envierez-vous le nom?

POMPÉE

De pareils lieutenants n'ont des chefs qu'en idée.
Leur nom retient pour eux l'autorité cédée,
Ils n'en quittent que l'ombre, et l'on ne sait que c'est
De suivre ou d'obéir que suivant qu'il leur plaît.
Je sais une autre voie, et plus noble et plus sûre.
Sylla, si vous voulez, quitte sa dictature,
Et déjà de lui-même il s'en serait démis,
S'il voyait qu'en ces lieux il n'eût plus d'ennemis.
Mettez les armes bas, je réponds de l'issue :
J'en donne ma parole après l'avoir reçue.
Si vous êtes Romain, prenez l'occasion.

SERTORIUS

Je ne m'éblouis point de cette illusion.
Je connais le tyran, j'en vois le stratagème :
Quoi qu'il semble promettre, il est toujours lui-même.
Vous qu'à sa défiance il a sacrifié,
Jusques à vous forcer d'être son allié...

POMPÉE

Hélas! ce mot me tue, et je le dis sans feinte,
C'est l'unique sujet qu'il m'a donné de plainte.

J'aimais mon Aristïe, il m'en vient d'arracher.
Mon cœur frémit encore à me le reprocher,
Vers tant de biens perdus sans cesse il me rappelle,
Et je vous rends, Seigneur, mille grâces pour elle,
75 A vous, à ce grand cœur dont la compassion
Daigne ici l'honorer de sa protection.

SERTORIUS

Protéger hautement les vertus malheureuses,
C'est le moindre devoir des âmes généreuses :
Aussi fais-je encor plus, je lui donne un époux.

POMPÉE

0 Un époux? Dieux, qu'entends-je? Et qui, Seigneur?

SERTORIUS

Moi.

POMPÉE

Vous!

Seigneur, toute son âme est à moi dès l'enfance :
N'imitez point Sylla par cette violence;
Mes maux sont assez grands, sans y joindre celui
De voir tout ce que j'aime entre les bras d'autrui.

SERTORIUS

5 Tout est encore à vous. Venez, venez, Madame,
Faire voir quel pouvoir j'usurpe sur votre âme,
Et montrer, s'il se peut, à tout le genre humain
La force qu'on vous fait pour me donner la main.

POMPÉE

C'est elle-même, ô ciel !

SERTORIUS

Je vous laisse avec elle,
0 Et sais que tout son cœur vous est encor fidèle.
Reprenez votre bien, ou ne vous plaignez plus
Si j'ose m'enrichir, Seigneur, de vos refus.

Scène II : Pompée, Aristie.

POMPÉE

Me dit-on vrai, Madame, et serait-il possible...

ARISTIE

Oui, Seigneur, il est vrai que j'ai le cœur sensible;
5 Suivant qu'on m'aime ou hait, j'aime ou hais à mon
Et ma gloire soutient ma haine et mon amour. [tour,
Mais si de mon amour elle est la souveraine,
Elle n'est pas toujours maîtresse de ma haine :
Je ne la suis pas même, et je hais quelquefois
0 Et moins que je ne veux et moins que je ne dois.

POMPÉE

Cette haine a pour moi toute son étendue,
Madame, et la pitié ne l'a point suspendue.
La générosité n'a pu la modérer.

ARISTIE

Vous ne voyez donc pas qu'elle a peine à durer?
5 Mon feu, qui n'est éteint que parce qu'il doit l'être,
Cherche en dépit de moi le vôtre pour renaître;
Et je sens qu'à vos yeux mon courroux chancelant
Trébuche, perd sa force, et meurt en vous parlant.
M'aimeriez-vous encor, Seigneur?

POMPÉE

Si je vous aime !

Demandez si je vis, ou si je suis moi-même :
Votre amour est ma vie, et ma vie est à vous.

ARISTIE

Sortez de mon esprit, ressentiments jaloux;
Noirs enfants du dépit, ennemis de ma gloire,
Tristes ressentiments, je ne veux plus vous croire.
Quoi qu'on m'ait fait d'outrage, il ne m'en souvient 1015
Plus de nouvel hymen, plus de Sertorius;   [plus.
Je suis au grand Pompée, et puisqu'il m'aime encore,
Puisqu'il me rend son cœur, de nouveau je l'adore.
Plus de Sertorius. Mais, Seigneur, répondez :
Faites parler ce cœur qu'enfin vous me rendez;   1020
Plus de Sertorius. Hélas ! quoi que je die,
Vous ne me dites point, Seigneur : « Plus d'Émilie. »
Rentrez dans mon esprit, jaloux ressentiments,
Fiers enfants de l'honneur, nobles emportements;
C'est vous que je veux croire, et Pompée infidèle   1025
Ne saurait plus souffrir que ma haine chancelle.
Il l'affermit pour moi. Venez, Sertorius,
Il me rend toute à vous par ce muet refus.
Donnons ce grand témoin à ce grand hyménée;
Son âme, toute ailleurs, n'en sera point gênée.   1030
Il le verra sans peine, et cette dureté
Passera, chez Sylla pour magnanimité.

POMPÉE

Ce qu'il vous fait d'injure également m'outrage,
Mais enfin je vous aime, et ne puis davantage.
Vous, si jamais ma flamme eut pour vous quelque appas, 1035
Plaignez-vous, haïssez, mais ne vous donnez pas;
Demeurez en état d'être toujours ma femme,
Gardez jusqu'au tombeau l'empire de mon âme.
Sylla n'a que son temps, il est vieil et cassé :
Son règne passera, s'il n'est déjà passé,   1040
Ce grand pouvoir lui pèse, il s'apprête à le rendre,
Comme à Sertorius, je veux bien vous l'apprendre.
Ne vous jetez donc point, Madame, en d'autres bras,
Plaignez-vous, haïssez, mais ne vous donnez pas.
Si vous voulez ma main, n'engagez point la vôtre.   1045

ARISTIE

Mais quoi? n'êtes-vous pas entre les bras d'une autre?

POMPÉE

Non, puisqu'il vous en faut confier le secret,
Émilie à Sylla n'obéit qu'à regret.
Des bras d'un autre époux ce tyran qui l'arrache
Ne rompt point dans son cœur le saint nœud qui l'at- 1050
Elle porte en ses flancs un fruit de cet amour, [tache,
Que bientôt chez moi-même elle va mettre au jour.
Et dans ce triste état, sa main qu'il m'a donnée
N'a fait que l'éblouir par un feint hyménée,
Tandis que tout entière à son cher Glabrion,   1055
Elle paraît ma femme, et n'en a que le nom [14].

ARISTIE

Et ce nom seul est tout pour celles de ma sorte.
Rendez-le moi, Seigneur, ce grand nom qu'elle porte.
J'aimais votre tendresse et vos empressements,
Mais je suis au-dessus de ces attachements,   1060
Et tout me sera doux, si ma trame coupée
Me rend à mes aïeux en femme de Pompée,
Et que sur mon tombeau ce grand titre gravé
Montre à tout l'avenir que je l'ai conservé.

14. Détail tiré de Plutarque, *Vie de Sylla*, chap. 33.

1065 J'en fais toute ma gloire et toutes mes délices;
Un moment de sa perte a pour moi des supplices.
Vengez-moi de Sylla, qui me l'ôte aujourd'hui,
Ou souffrez qu'on me venge et de vous et de lui;
Qu'un autre hymen me rende un titre qui l'égale,
1070 Qu'il me relève autant que Sylla me ravale,
Non que je puisse aimer aucun autre que vous,
Mais pour venger ma gloire il me faut un époux,
Il m'en faut un illustre, et dont la renommée...

POMPÉE
Ah! ne vous lassez point d'aimer et d'être aimée.
1075 Peut-être touchons-nous au moment désiré
Qui saura réunir ce qu'on a séparé.
Ayez plus de courage et moins d'impatience :
Souffrez que Sylla meure, ou quitte sa puissance...

ARISTIE
J'attendrai de sa mort ou de son repentir
1080 Qu'à me rendre l'honneur vous daigniez consentir?
Et je verrai toujours votre cœur plein de glace,
Mon tyran impuni, ma rivale en ma place,
Jusqu'à ce qu'il renonce au pouvoir absolu,
Après l'avoir gardé tant qu'il l'aura voulu?

POMPÉE
1085 Mais tant qu'il pourra tout, que pourrai-je, Madame?

ARISTIE
Suivre en tous lieux, Seigneur, l'exil de votre femme,
La ramener chez vous avec vos légions,
Et rendre un heureux calme à nos divisions.
Que ne pourrez-vous point en tête d'une armée,
1090 Partout, hors de l'Espagne, à vaincre accoutumée,
Et quand Sertorius sera joint avec vous,
Que pourra le tyran? qu'osera son courroux?

POMPÉE
Ce n'est pas s'affranchir qu'un moment le paraître,
Ni secouer le joug que de changer de maître.
1095 Sertorius pour vous est un illustre appui;
Mais en faire le mien, c'est me ranger sous lui;
Joindre nos étendards, c'est grossir son empire.
Perpenna, qui l'a joint, saura que vous en dire.
Je sers; mais jusqu'ici l'ordre vient de si loin,
1100 Qu'avant qu'on le reçoive il n'en est plus besoin;
Et ce peu que j'y rends de vaine déférence,
Jaloux du vrai pouvoir, ne sert qu'en apparence.
Je crois n'avoir plus même à servir qu'un moment;
Et quand Sylla prépare un si doux changement,
1105 Pouvez-vous m'ordonner de me bannir de Rome,
Pour la remettre au joug sous les lois d'un autre
Moi qui ne suis jaloux de mon autorité   [homme;
Que pour lui rendre un jour toute sa liberté;
Non, non : si vous m'aimez comme j'aime à le croire,
1110 Vous saurez accorder votre amour et ma gloire,
Céder avec prudence au temps prêt à changer,
Et ne me perdre pas au lieu de vous venger.

ARISTIE
Si vous m'avez aimée, et qu'il vous en souvienne,
Vous mettrez votre gloire à me rendre la mienne;
1115 Mais il est temps qu'un mot termine ces débats.
Me voulez-vous, Seigneur? ne me voulez-vous pas?
Parlez : que votre choix règle ma destinée.
Suis-je encore à l'époux à qui l'on m'a donnée?

Suis-je à Sertorius? C'est assez consulté :
Rendez-moi mes liens, ou pleine liberté...

POMPÉE
Je le vois bien, Madame, il faut rompre la trêve,
Pour briser en vainqueur cet hymen, s'il s'achève,
Et vous savez si peu l'art de vous secourir
Que pour vous en instruire, il faut vous conquérir.

ARISTIE
Sertorius sait vaincre et garder ses conquêtes.

POMPÉE
La vôtre, à la garder, coûtera bien des têtes.
Comme elle fermera la porte à tout accord,
Rien ne la peut jamais assurer que ma mort.
Oui, j'en jure les Dieux, s'il faut qu'il vous obtienne,
Rien ne peut empêcher sa perte que la mienne,
Et peut-être tous deux, l'un par l'autre percés,
Nous vous ferons connaître à quoi vous nous forcez.

ARISTIE
Je ne suis pas, Seigneur, d'une telle importance :
D'autres soins éteindront cette ardeur de vengeance.
Ceux de vous agrandir vous porteront ailleurs,
Où vous pourrez trouver quelques destins meilleurs;
Ceux de servir Sylla, d'aimer son Émilie,
D'imprimer du respect à toute l'Italie,
De rendre à votre Rome un jour sa liberté,
Sauront tourner vos pas de quelque autre côté.
Surtout ce privilège acquis aux grandes âmes,
De changer à leur gré de maris et de femmes,
Mérite qu'on l'étale au bout de l'univers,
Pour en donner l'exemple à cent climats divers.

POMPÉE
Ah! c'en est trop, Madame, et de nouveau je jure...

ARISTIE
Seigneur, les vérités font-elles quelque injure?

POMPÉE
Vous oubliez trop tôt que je suis votre époux.

ARISTIE
Ah! si ce nom vous plaît, je suis encore à vous :
Voilà ma main, Seigneur.

POMPÉE
           Gardez-la-moi, Madame.

ARISTIE
Tandis que vous avez à Rome une autre femme?
Que par un autre hymen vous me déshonorez?
Me punissent les Dieux que vous avez jurés,
Si, passé ce moment, et hors de votre vue,
Je vous garde une foi que vous avez rompue!

POMPÉE
Qu'allez-vous faire? hélas!

ARISTIE
           Ce que vous m'enseignez.

POMPÉE
Éteindre un tel amour!

ARISTIE
          Vous-même l'éteignez.

POMPÉE
La victoire aura droit de le faire renaître.

ARISTIE
Si ma haine est trop faible, elle la fera croître.

POMPÉE
Pourrez-vous me haïr ?
ARISTIE
J'en fais tous mes souhaits.
POMPÉE
Ô Adieu donc pour deux jours.
ARISTIE
Adieu pour tout jamais.

ACTE QUATRIÈME

Scène I : Sertorius, Thamire.

SERTORIUS
Pourrai-je voir la Reine ?
THAMIRE
Attendant qu'elle vienne,
Elle m'a commandé que je vous entretienne,
Et veut demeurer seule encor quelques moments.
SERTORIUS
Ne m'apprendrez-vous point où vont ses sentiments,
Ce que doit Perpenna concevoir d'espérance ?
THAMIRE
Elle ne m'en fait pas beaucoup de confidence,
Mais j'ose présumer qu'offert de votre main
Il aura peu de peine à fléchir son dédain :
Vous pouvez tout sur elle.
SERTORIUS
Ah ! j'y puis peu de chose,
Si jusqu'à l'accepter mon malheur la dispose ;
Ou pour en parler mieux, j'y suis trop et trop peu.
THAMIRE
Elle croit fort vous plaire en secondant son feu.
SERTORIUS
Me plaire ?
THAMIRE
Oui, mais, Seigneur, d'où vient cette sur-
Et de quoi s'inquiète un cœur qui la méprise ? [prise ?
SERTORIUS
N'appelez point mépris un violent respect
Que sur mes plus doux vœux fait régner son aspect.
THAMIRE
Il est peu de respects qui ressemblent au vôtre,
S'il ne sait que trouver des raisons pour un autre,
Et je préférerais un peu d'emportement
Aux plus humbles devoirs d'un tel accablement.
SERTORIUS
Il n'en est rien parti capable de me nuire,
Qu'un soupir échappé ne dût soudain détruire,
Mais la Reine, sensible à de nouveaux désirs,
Entendait mes raisons, et non pas mes soupirs.
THAMIRE
Seigneur, quand un Romain, quand un héros soupire,
Nous n'entendons pas bien ce qu'un soupir veut dire,
Et je vous servirais de meilleur truchement,
Si vous vous expliquiez un peu plus clairement.
Je sais qu'en ce climat, que vous nommez barbare,
L'amour, par un soupir quelquefois se déclare ;

Mais la gloire, qui fait toutes vos passions,
Vous met trop au-dessus de ces impressions :
De tels désirs trop bas pour les grands cœurs de Rome..
SERTORIUS   [homme [15] :
Ah ! pour être Romain, je n'en suis pas moins
J'aime, et peut-être plus qu'on n'a jamais aimé ;   1195
Malgré mon âge et moi, mon cœur s'est enflammé.
J'ai cru pouvoir me vaincre, et toute mon adresse
Dans mes plus grands efforts m'a fait voir ma fai-
Ceux de la politique et ceux de l'amitié   [blesse.
M'ont mis en un état à me faire pitié.   1200
Le souvenir m'en tue, et ma vie incertaine
Dépend d'un peu d'espoir que j'attends de la Reine,
Si toutefois...
THAMIRE
Seigneur, elle a de la bonté :
Mais je vois son esprit fortement irrité,
Et si vous m'ordonnez de vous parler sans feindre,   1205
Vous pouvez espérer, mais vous avez à craindre.
N'y perdez point de temps, et ne négligez rien ;
C'est peut-être un dessein mal ferme que le sien.
La voici. Profitez des avis qu'on vous donne,
Et gardez bien surtout qu'elle ne m'en soupçonne.   1210

Scène II : Sertorius, Viriate, Thamire.

VIRIATE
On m'a dit qu'Aristie a manqué son projet,
Et que Pompée échappe à cet illustre objet.
Serait-il vrai, Seigneur ?
SERTORIUS
Il est trop vrai, Madame.
Mais bien qu'il l'abandonne, il l'adore dans l'âme,
Et rompra, m'a-t-il dit, la trêve dès demain,   1215
S'il voit qu'elle s'apprête à me donner la main.
VIRIATE
Vous vous alarmez peu d'une telle menace ?
SERTORIUS
Ce n'est pas en effet ce qui plus m'embarrasse.
Mais vous, pour Perpenna qu'avez-vous résolu ?
VIRIATE
D'obéir sans remise au pouvoir absolu,   1220
Et si d'une offre en l'air votre âme encor frappée
Veut bien s'embarrasser du rebut de Pompée,
Il ne tiendra qu'à vous que dès demain tous deux
De l'un et l'autre hymen nous n'assurions les nœuds,
Dût se rompre la trêve, et dût la jalousie   1225
Jusqu'au dernier éclat pousser sa frénésie.
SERTORIUS
Vous pourrez dès demain...
VIRIATE
Dès ce même moment.
Ce n'est pas obéir qu'obéir lentement ;
Et quand l'obéissance a de l'exactitude,
Elle voit que sa gloire est dans la promptitude.   1230
SERTORIUS
Mes prières pouvaient souffrir quelques refus.

15. *Ah ! pour être dévôt, je n'en suis pas moins homme.*
Le *Tartuffe* est postérieur (1667).

VIRIATE

Je les prendrai toujours pour ordres absolus :
Qui peut ce qui lui plaît commande alors qu'il prie.
D'ailleurs Perpenna m'aime avec idolâtrie;
1235 Tant d'amour, tant de rois d'où son sang est venu,
Le pouvoir souverain dont il est soutenu [16],
Valent bien tous ensemble un trône imaginaire
Qui ne peut subsister que par l'heur de vous plaire.

SERTORIUS

Je n'ai donc qu'à mourir en faveur de ce choix.
1240 J'en ai reçu la loi de votre propre voix;
C'est un ordre absolu qu'il est temps que j'entende.
Pour aimer un Romain, vous voulez qu'il commande,
Et comme Perpenna ne le peut sans me mort,
Pour remplir votre trône, il lui faut tout mon sort.
1245 Lui donner votre main, c'est m'ordonner, Madame,
De lui céder ma place au camp et dans votre âme.
Il est, il est trop juste, après un tel bonheur,
Qu'il l'ait dans notre armée, ainsi qu'en votre cœur :
J'obéis sans murmure, et veux bien que ma vie...

VIRIATE

1250 Avant que par cet ordre elle vous voit ravie,
Puis-je me plaindre à vous d'un retour inégal
Qui tient moins d'un ami qu'il ne fait d'un rival?
Vous trouvez ma faveur et trop prompte et trop pleine !
L'hymen où je m'apprête est pour vous une gêne !
1255 Vous m'en parlez enfin comme si vous m'aimiez !

SERTORIUS

Souffrez, après ce mot, que je meure à vos pieds.
J'y veux bien immoler tout mon bonheur au vôtre,
Mais je ne vous puis voir entre les bras d'un autre,
Et c'est assez vous dire à quelle extrémité
1260 Me réduit mon amour que j'ai mal écouté.
Bien qu'un si digne objet le rendît excusable,
J'ai cru honteux d'aimer quand on n'est plus aimable :
J'ai voulu m'en défendre à voir mes cheveux gris,
Et me suis répondu longtemps de vos mépris.
1265 Mais j'ai vu dans votre âme ensuite une autre idée,
Sur qui mon espérance aussitôt s'est fondée,
Et je me suis promis bien plus qu'à tous vos rois,
Quand j'ai vu que l'amour n'en ferait point le choix.
J'allais me déclarer sans l'offre d'Aristie :
1270 Non que ma passion s'en soit vue alentie,
Mais je n'ai point douté qu'il ne fût d'un grand cœur
De tout sacrifier pour le commun bonheur.
L'amour de Perpenna s'est joint à ces pensées,
Vous avez vu le reste, et mes raisons forcées.
1275 Je m'étais figuré que de tels déplaisirs
Pourraient ne me coûter que deux ou trois soupirs,
Et pour m'en consoler j'envisageais l'estime
Et d'ami généreux et de chef magnanime;
Mais près d'un coup fatal, je sens par mes ennuis
1280 Que je me promettais bien plus que je ne puis.
Je me rends donc, Madame; ordonnez de ma vie,
Encor tout de nouveau je vous la sacrifie.
Aimez-vous Perpenna?

VIRIATE

Je sais vous obéir,

16. Rappel ironique des paroles de Sertorius lui-même.

Mais je ne sais que c'est d'aimer ni de haïr,
Et la part que tantôt vous aviez dans mon âme
Fut un don de ma gloire, et non pas de ma flamme.
Je n'en ai point pour lui, je n'en ai point pour vous :
Je ne veux point d'amant, mais je veux un époux,
Mais je veux un héros, qui par son hyménée
Sache élever si haut le trône où je suis née
Qu'il puisse de l'Espagne être l'heureux soutien,
Et laisser de vrais rois de mon sang et du sien.
Je le trouvais en vous, n'eût été la bassesse
Qui pour ce cher rival contre moi s'intéresse,
Et dont, quand je vous mets au-dessus de cent rois,
Une répudiée a mérité le choix.
Je l'oublierai pourtant, et veux vous faire grâce.
M'aimez-vous?

SERTORIUS

Oserais-je en prendre encor l'audace?

VIRIATE

Prenez-la, j'y consens, Seigneur, et dès demain,
Au lieu de Perpenna, donnez-moi votre main.

SERTORIUS

Que se tiendrait heureux un amour moins sincère
Qui n'aurait d'autre but que de se satisfaire,
Et qui se remplirait de sa félicité
Sans prendre aucun souci de votre dignité !
Mais quand vous oubliez ce que j'ai pu vous dire,
Puis-je oublier les soins d'agrandir votre empire,
Que votre grand projet est celui de régner?

VIRIATE

Seigneur, vous faire grâce, est-ce m'en éloigner?

SERTORIUS

Ah ! Madame, est-il temps que cette grâce éclate?

VIRIATE

C'est cet éclat, Seigneur, que cherche Viriate.

SERTORIUS

Nous perdons tout, Madame, à le précipiter :
L'amour de Perpenna le fera révolter.
Souffrez qu'un peu de temps doucement le ménage,
Qu'auprès d'un autre objet un autre amour l'engage.
Des amis d'Aristie assurons le secours
A force de promettre, en différant toujours.
Détruire tout l'espoir qui les tient en haleine,
C'est les perdre, c'est mettre un jaloux hors de peine,
Dont l'esprit ébranlé ne se doit pas guérir
De cette impression qui peut nous l'acquérir.
Pourrions-nous venger Rome après de telles pertes,
Pourrions-nous l'affranchir des misères souffertes,
Et de ses intérêts un si haut abandon...

VIRIATE

Et que m'importe à moi si Rome souffre ou non?
Quand j'aurai de ses maux effacé l'infamie,
J'en obtiendrai pour fruit le nom de son amie !
Je vous verrai consul m'en apporter les lois,
Et m'abaisser vous-même au rang des autres rois !
Si vous m'aimez, Seigneur, nos mers et nos montagnes
Doivent borner vos vœux, ainsi que nos Espagnes :
Nous pouvons nous y faire un assez beau destin,
Sans chercher d'autre gloire au pied de l'Aventin.
Affranchissons le Tage, et laissons faire au Tibre.
La liberté n'est rien quand tout le monde est libre,

5 Mais il est beau de l'être, et voir tout l'univers
Soupirer sous le joug et gémir dans les fers;
Il est beau d'étaler cette prérogative
Aux yeux du Rhône esclave et de Rome captive,
Et de voir envier aux peuples abattus
0 Ce respect que le sort garde pour les vertus.
    Quant au grand Perpenna, s'il est si redoutable,
Remettez-moi le soin de le rendre traitable :
Je sais l'art d'empêcher les grands cœurs de faillir.

SERTORIUS

Mais quel fruit pensez-vous en pouvoir recueillir?
5 Je le sais comme vous, et vois quelles tempêtes
Cet ordre surprenant formera sur nos têtes.
Ne cherchons point, Madame, à faire des mutins,
Et ne nous brouillons point avec nos bons destins.
Rome nous donnera sans eux assez de peine.
0 Avant que de souscrire à l'hymen d'une reine,
Et nous n'en fléchirons jamais la dureté,
A moins qu'elle nous doive et gloire et liberté.

VIRIATE

Je vous avouerai plus, Seigneur : loin d'y souscrire,
Elle en prendra pour vous une haine où j'aspire,
5 Un courroux implacable, un orgueil endurci,
Et c'est par où je veux vous arrêter ici.
Qu'ai-je à faire dans Rome? et pourquoi, je vous prie...

SERTORIUS

Mais nos Romains, Madame, aiment tous leur patrie,
Et de tous leurs travaux l'unique et doux espoir,
0 C'est de vaincre bientôt assez pour la revoir.

VIRIATE

Pour les enchaîner tous sur les rives du Tage,
Nous n'avons qu'à laisser Rome dans l'esclavage :
Ils aimeront à vivre et sous vous et sous moi,
Tant qu'ils n'auront qu'un choix d'un tyran ou d'un

SERTORIUS   [roi.

5 Ils ont pour l'un et l'autre une pareille haine,
Et n'obéiront point au mari d'une reine.

VIRIATE

Qu'ils aillent donc chercher des climats à leur choix,
Où le gouvernement n'ait ni tyrans ni rois.
Nos Espagnols, formés à votre art militaire,
Achèveront sans eux ce qui nous reste à faire.
    La perte de Sylla n'est pas ce que je veux,
Rome attire encor moins la fierté de mes vœux,
L'hymen où je prétends ne peut trouver d'amorces
Au milieu d'une ville où règnent les divorces,
Et du haut de mon trône on ne voit point d'attraits
Où l'on n'est roi qu'un an, pour n'être rien après.
Enfin pour achever, j'ai fait pour vous plus qu'elle :
Elle vous a banni, j'ai pris votre querelle,
Je conserve des jours qu'elle veut vous ravir,
Prenez le diadème, et laissez-la servir.
Il est beau de tenter des choses inouïes,
Dût-on voir par l'effet ses volontés trahies.
Pour moi, d'un grand Romain je veux faire un grand
Vous, s'il y faut périr, périssez avec moi :   [roi.
C'est gloire de se perdre en servant ce qu'on aime.

SERTORIUS

Mais porter dès l'abord les choses à l'extrême,
Madame, et sans besoin faire des mécontents !

Soyons heureux plus tard pour l'être plus longtemps.
Une victoire ou deux jointes à quelque adresse...

VIRIATE

Vous savez que l'amour n'est pas ce qui me presse, 1390
Seigneur, mais, après tout, il faut le confesser,
Tant de précaution commence à me lasser.
Je suis reine, et qui sait porter une couronne,
Quand il a prononcé, n'aime point qu'on raisonne.
Je vais penser à moi, vous penserez à vous.   1395

SERTORIUS

Ah! si vous écoutez cet injuste courroux...

VIRIATE

Je n'en ai point, Seigneur, mais mon inquiétude
Ne veut plus dans mon sort aucune incertitude :
Vous me direz demain où je dois l'arrêter.
Cependant je vous laisse avec qui consulter.   1400

Scène III : Sertorius, Perpenna, Aufide.

PERPENNA, *à Aufide.*

Dieux ! qui peut faire ainsi disparaître la Reine?

AUFIDE, *à Perpenna.*

Lui-même a quelque chose en l'âme qui le gêne,
Seigneur, et notre abord le rend tout interdit.

SERTORIUS

De Pompée en ces lieux savez-vous ce qu'on dit?
L'avez-vous mis fort loin au-delà de la porte?   1405

PERPENNA

Comme assez près des murs il avait son escorte,
Je me suis dispensé de le mettre plus loin.
Mais de votre secours, Seigneur, j'ai grand besoin.
Tout son visage montre une fierté si haute...

SERTORIUS

Nous n'avons rien conclu, mais ce n'est pas ma faute, 1410
Et vous savez...

PERPENNA

                Je sais qu'en de pareils débats...

SERTORIUS

Je n'ai point cru devoir mettre les armes bas.
Il n'est pas encor temps.

PERPENNA

                        Continuez, de grâce;
Il n'est pas encor temps que l'amitié se lasse.

SERTORIUS

Votre intérêt m'arrête autant comme le mien :   1415
Si je m'en trouvais mal, vous ne seriez pas bien.

PERPENNA

De vrai, sans votre appui je serais fort à plaindre,
Mais je ne vois pour vous aucun sujet de craindre.

SERTORIUS

Je serais le premier dont on serait jaloux,
Mais ensuite le sort pourrait tomber sur vous.   1420
Le tyran après moi vous craint plus qu'aucun autre,
Et ma tête abattue ébranlerait la vôtre.
Nous ferons bien tous deux d'attendre plus d'un an.

PERPENNA

Que parlez-vous, Seigneur, de tête, et de tyran?

SERTORIUS

Je parle de Sylla, vous le devez connaître.   1425

PERPENNA

Et je parlais des feux que la Reine a fait naître.

SERTORIUS

Nos esprits étaient donc également distraits.
Tout le mien s'attachait aux périls de la paix,
Et je vous demandais quel bruit fait par la ville
1430 De Pompée et de moi l'entretien inutile.
Vous le saurez, Aufide?

AUFIDE

A ne rien déguiser,
Seigneur, ceux de sa suite en ont su mal user;
J'en crains parmi le peuple un insolent murmure.
Ils ont dit que Sylla quitte sa dictature,
1435 Que vous seul refusez les douceurs de la paix,
Et voulez une guerre à ne finir jamais.
Déjà de nos soldats l'âme préoccupée
Montre un peu trop de joie à parler de Pompée,
Et si l'erreur s'épand jusqu'en nos garnisons,
1440 Elle y pourra semer de dangereux poisons.

SERTORIUS

Nous en romprons le coup avant qu'elle grossisse,
Et ferons par nos soins avorter l'artifice.
D'autres plus grands périls le ciel m'a garanti.

PERPENNA

Ne ferions-nous point mieux d'accepter le parti,
1445 Seigneur? Trouvez-vous l'offre ou honteuse ou mal sûre?

SERTORIUS

Sylla peut en effet quitter sa dictature,
Mais il peut faire aussi des consuls à son choix,
De qui la pourpre esclave agira sous ses lois,
Et quand nous n'en craindrons aucuns ordres sinistres,
1450 Nous périrons par ceux de ses lâches ministres.
Croyez-moi, pour des gens comme vous deux et moi,
Rien n'est si dangereux que trop de bonne foi.
Sylla par politique a pris cette mesure
De montrer aux soldats l'impunité fort sûre :
1455 Mais pour Cinna, Carbon, le jeune Marius [17],
Il a voulu leur tête, et les a tous perdus.
Pour moi, que tout mon camp sur ce bruit m'abandonne,
Qu'il ne reste pour moi que ma seule personne,
Je me perdrai plutôt dans quelque affreux climat,
1460 Qu'aller, tant qu'il vivra, briguer le consulat.
Vous...

PERPENNA

Ce n'est pas, Seigneur, ce qui me tient en peine,
Exclu du consulat par l'hymen d'une reine,
Du moins si vos bontés m'obtiennent ce bonheur,
Je n'attends plus de Rome aucun degré d'honneur,
1465 Et banni pour jamais dans la Lusitanie,
J'y crois en sûreté les restes de ma vie.

SERTORIUS

Oui, mais je ne vois pas encor de sûreté
A ce que vous et moi nous avions concerté.
Vous savez que la Reine est d'une humeur si fière...
1470 Mais peut-être le temps la rendra moins altière.
Adieu, dispensez-moi de parler là-dessus.

17. Cinna en 84 av. J.-C. au cours d'une révolte militaire;
Carbon exécuté en 82; la même année le fils de Marius préfère
se tuer.

PERPENNA

Parlez, Seigneur : mes vœux sont-ils si mal reçus?
Est-ce en vain que je l'aime, en vain que je soupire?

SERTORIUS

Sa retraite a plus dit que je ne puis vous dire.

PERPENNA

Elle m'a dit beaucoup, mais, Seigneur, achevez,
Et ne me cachez point ce que vous en savez.
Ne m'auriez-vous rempli que d'un espoir frivole?

SERTORIUS

Non, je vous l'ai cédée, et vous tiendrai parole.
Je l'aime, et vous la donne encor malgré mon feu,
Mais je crains que ce don n'ait jamais son aveu,
Qu'il n'attire sur nous d'impitoyables haines.
Que vous dirai-je enfin? L'Espagne a d'autres reines,
Et vous pourriez vous faire un destin bien plus doux,
Si vous faisiez pour moi ce que je fais pour vous.
Celle des Vacéens, celle des Ilergètes,
Rendraient vos volontés bien plus tôt satisfaites :
La Reine avec chaleur saurait vous y servir.

PERPENNA

Vous me l'avez promise, et me l'allez ravir !

SERTORIUS

Que sert que je promette et que je vous la donne,
Quand son ambition l'attache à ma personne?
Vous savez les raisons de cet attachement,
Je vous en ai tantôt parlé confidemment;
Je vous en fais encor la même confidence.
Faites à votre amour un peu de violence,
J'ai triomphé du mien : j'y suis encor tout prêt,
Mais s'il faut du parti ménager l'intérêt,
Faut-il pousser à bout une Reine obstinée,
Qui veut faire à son choix toute sa destinée,
Et de qui le secours, depuis plus de dix ans,
Nous a mieux soutenus que tous nos partisans?

PERPENNA

La trouvez-vous, Seigneur, en état de vous nuire?

SERTORIUS

Non, elle ne peut pas tout à fait nous détruire,
Mais si vous m'enchaînez à ce que j'ai promis,
Dès demain elle traite avec nos ennemis.
Leur camp n'est que trop proche, ici chacun murmure :
Jugez ce qu'il faut craindre en cette conjoncture.
Voyez quel prompt remède on y peut apporter,
Et quel fruit nous aurons de la violenter.

PERPENNA

C'est à moi de me vaincre, et la raison l'ordonne;
Mais d'un si grand dessein tout mon cœur qui frissonne...

SERTORIUS

Ne vous contraignez point : dût m'en coûter le jour,
Je tiendrai ma promesse en dépit de l'amour.

PERPENNA

Si vos promesses n'ont l'aveu de Viriate...

SERTORIUS

Je ne puis de sa part rien dire qui vous flatte.

PERPENNA

Je dois donc me contraindre, et j'y suis résolu.
Oui, sur tous mes désirs, je me rends absolu :
J'en veux, à votre exemple, être aujourd'hui le maître,
Et malgré cet amour que j'ai laissé trop croître,

Vous direz à la Reine...
SERTORIUS
Eh bien ! je lui dirai ?
PERPENNA
20 Rien, Seigneur, rien encor ; demain j'y penserai.
Toutefois la colère où s'emporte son âme
Pourrait dès cette nuit commencer quelque trame.
Vous lui direz, Seigneur, tout ce que vous voudrez,
Et je suivrai l'avis que pour moi vous prendrez.
SERTORIUS
25 Je vous admire et plains.
PERPENNA
Que j'ai l'âme accablée !
SERTORIUS
Je partage les maux dont je la vois comblée.
Adieu : j'entre un moment pour calmer son chagrin,
Et me rendrai chez vous à l'heure du festin.

Scène IV : Perpenna, Aufide.

AUFIDE
Ce maître si chéri fait pour vous des merveilles :
30 Votre flamme en reçoit des faveurs sans pareilles !
Son nom seul, malgré lui, vous avait tout volé,
Et la Reine se rend sitôt qu'il a parlé.
Quels services faut-il que votre espoir hasarde,
Afin de mériter l'amour qu'elle vous garde ?
35 Et dans quel temps, Seigneur, purgerez-vous ces lieux
De cet illustre objet qui lui blesse les yeux ?
Elle n'est point ingrate, et les lois qu'elle impose,
Pour se faire obéir, promettent peu de chose :
Mais on n'a qu'à laisser le salaire à son choix,
40 Et courir sans scrupule exécuter ses lois.
Vous ne me dites rien ? Apprenez-moi, de grâce,
Comment vous résolvez que le festin se passe ?
Dissimulerez-vous ce manquement de foi ?
Et voulez-vous...
PERPENNA
Allons en résoudre chez moi.

ACTE CINQUIÈME

Scène I : Aristie, Viriate.

ARISTIE
Oui, Madame, j'en suis comme vous ennemie.
Vous aimez les grandeurs, et je hais l'infamie.
Je cherche à me venger, vous à vous établir,
Mais vous pourrez me perdre et moi, vous affaiblir,
Si le cœur mieux ouvert ne met d'intelligence
Votre établissement avecque ma vengeance.
On m'a volé Pompée, et moi pour le braver,
Cet ingrat que sa foi n'ose me conserver,
Je cherche un autre époux qui le passe ou l'égale,
Mais je n'ai pas dessein d'être votre rivale,
Et n'ai point dû prévoir, ni que vers un Romain
Une Reine jamais daignât pencher sa main,
Ni qu'un héros, dont l'âme a paru si romaine,
Démentît ce grand nom par l'hymen d'une reine.

J'ai cru dans sa naissance et votre dignité
Pareille aversion et contraire fierté.   1560
Cependant on me dit qu'il consent l'hyménée,
Et qu'en vain il s'oppose au choix de la journée,
Puisque si dès demain il n'a tout son éclat,
Vous allez du parti séparer votre État.
Comme je n'ai pour but que d'en grossir les forces, 1565
J'aurais grand déplaisir d'y causer des divorces,
Et de servir Sylla mieux que tous ses amis
Quand je lui veux partout faire des ennemis.
Parlez donc : quelque espoir que vous m'ayez vu
Si vous y prétendez, je cesse d'y prétendre. [prendre, 1570
Un reste d'autre espoir, et plus juste et plus doux,
Saura voir sans chagrin Sertorius à vous.
Mon cœur veut à toute heure immoler à Pompée
Tous les ressentiments de ma place usurpée,
Et comme son amour eut peine à me trahir,   1575
J'ai voulu me venger, et n'ai pu le haïr.
Ne me déguisez rien, non plus que je déguise.
VIRIATE
Viriate à son tour vous doit même franchise,
Madame, et d'ailleurs même on vous en a trop dit,
Pour vous dissimuler ce que j'ai dans l'esprit.   1580
J'ai fait venir exprès Sertorius d'Afrique
Pour sauver mes États d'un pouvoir tyrannique,
Et mes voisins domptés m'apprenaient que sans lui
Nos rois contre Sylla n'étaient qu'un vain appui.
Avec un seul vaisseau ce grand héros prit terre,   1585
Avec mes sujets seuls il commença la guerre,
Je mis entre ses mains mes places et mes ports,
Et je lui confiai mon sceptre et mes trésors.
Dès l'abord il sut vaincre, et j'ai vu la victoire
Enfler de jour en jour sa puissance et sa gloire.   1590
Nos rois lassés du joug et vos persécutés,
Avec tant de chaleur l'ont joint de tous côtés
Qu'enfin il a poussé nos armes fortunées
Jusques à vous réduire au pied des Pyrénées.
Mais après l'avoir mis au point où je le vois,   1595
Je ne puis voir que lui qui soit digne de moi,
Et regardant sa gloire ainsi que mon ouvrage,
Je périrai plutôt qu'une autre la partage.
Mes sujets valent bien que j'aime à leur donner
Des monarques d'un sang qui sache gouverner,   1600
Qui sache faire tête à vos tyrans du monde,
Et rendre notre Espagne en lauriers si féconde
Qu'on voie un jour le Pô redouter ses efforts,
Et le Tibre lui-même en trembler pour ses bords.
ARISTIE
Votre dessein est grand, mais à quoi qu'il aspire... 1605
VIRIATE
Il m'a dit les raisons que vous me voulez dire.
Je sais qu'il serait bon de taire et différer
Ce glorieux hymen qu'il me fait espérer :
Mais la paix qu'aujourd'hui l'on offre à ce grand homme
Ouvre trop les chemins et les portes de Rome.   1610
Je vois que s'il y rentre, il est perdu pour moi,
Et je l'en veux bannir par le don de ma foi.
Si je hasarde trop de m'être déclarée,
J'aime mieux ce péril que ma perte assurée,
Et si tous vos proscrits osent s'en désunir,   1615

Nos bons destins sans eux pourront nous soutenir.
Mes peuples aguerris sous votre discipline
N'auront jamais au cœur de Rome qui domine,
Et ce sont des Romains dont l'unique souci
1620 Est de combattre, vaincre, et triompher ici.
Tant qu'ils verront marcher ce héros à leur tête,
Ils iront sans frayeur de conquête en conquête.
Un exemple si grand dignement soutenu
Saura... Mais que nous veut ce Romain inconnu?

Scène II : Aristie, Viriate, Arcas

ARISTIE
1625 Madame, c'est Arcas, l'affranchi de mon frère :
Sa venue en ces lieux cache quelque mystère.
Parle, Arcas, et dis-nous...

ARCAS
          Ces lettres mieux que moi
Vous diront un succès qu'à peine encor je croi.

ARISTIE, *lit.*
Chère sœur, pour ta joie il est temps que tu saches
1630 *Que nos maux et les tiens vont finir en effet.*
Sylla marche en public sans faisceaux et sans haches,
Prêt à rendre raison de tout ce qu'il a fait.
Il s'est en plein sénat démis de sa puissance,
Et si vers toi Pompée a le moindre penchant,
1635 *Le ciel vient de briser sa nouvelle alliance,*
Et la triste Emilie est morte en accouchant.
Sylla même consent, pour calmer tant de haines,
Qu'un feu qui fut si beau rentre en sa dignité,
Et que l'hymen te rende à tes premières chaînes,
1640 *En même temps qu'à Rome il rend sa liberté.*
                QUINTUS ARISTIUS.
Le ciel s'est donc lassé de m'être impitoyable!
Ce bonheur, comme à toi, me paraît incroyable.
Cours au camp de Pompée, et dis-lui, cher Arcas...

ARCAS
          Il a cette nouvelle, et revient sur ses pas.
1645 De la part de Sylla chargé de lui remettre
Sur ce grand changement une pareille lettre,
A deux milles d'ici j'ai su le rencontrer.

ARISTIE
Quel amour, quelle joie a-t-il daigné montrer?
Que dit-il? que fait-il?

ARCAS
           Par votre expérience
1650 Vous pouvez bien juger de son impatience;
Mais rappelé vers vous par un transport d'amour
Qui ne lui permet pas d'achever son retour,
L'ordre que pour son camp ce grand effet demande
L'arrête à le donner, attendant qu'il s'y rende.
1655 Il me suivra de près, et m'a fait avancer
Pour vous dire un miracle où vous n'osiez penser.

ARISTIE
Vous avez lieu d'en prendre une allégresse égale,
Madame, vous voilà sans crainte et sans rivale.

VIRIATE
Je n'en ai plus en vous, et je n'en puis douter;
1660 Mais il m'en reste une autre et plus à redouter,

Rome, que ce héros aime plus que lui-même,
Et qu'il préférerait sans doute au diadème,
Si contre cet amour...

Scène III : *Viriate, Aristie, Thamire, Arcas.*

THAMIRE
          Ah! Madame.

VIRIATE
                   Qu'as-tu,
Thamire, et d'où te vient ce visage abattu?
Que nous disent tes pleurs?

THAMIRE
              Que vous êtes perdue,
Que cet illustre bras qui vous a défendue...

VIRIATE
Sertorius?

THAMIRE
        Hélas! ce grand Sertorius...

VIRIATE
N'achèveras-tu point?

THAMIRE
           Madame, il ne vit plus.

VIRIATE
Il ne vit plus? ô ciel! Qui te l'a dit, Thamire?

THAMIRE
Ses assassins font gloire eux-mêmes de le dire.
Ces tigres, dont la rage, au milieu du festin,
Par l'ordre d'un perfide a tranché son destin,
Tout couverts de son sang, courent parmi la ville
Émouvoir les soldats et le peuple imbécile,
Et Perpenna par eux proclamé général
Ne vous fait que trop voir d'où part ce coup fatal.

VIRIATE
Il m'en fait voir ensemble et l'auteur et la cause.
Par cet assassinat, c'est de moi qu'on dispose :
C'est mon trône, c'est moi qu'on prétend conquérir,
Et c'est mon juste choix qui seul l'a fait périr.
Madame, après sa perte, et parmi ces alarmes,
N'attendez point de moi de soupirs ni de larmes :
Ce sont amusements que dédaigne aisément
Le prompt et noble orgueil d'un vif ressentiment.
Qui pleure l'affaiblit, qui soupire l'exhale;
Il faut plus de fierté dans une âme royale,
Et ma douleur, soumise aux soins de le venger...

ARISTIE
Mais vous vous aveuglez au milieu du danger.
Songez à fuir, Madame.

THAMIRE
            Il n'est plus temps : Aufide,
Des portes du palais saisi pour ce perfide,
En fait votre prison, et lui répond de vous.
Il vient, dissimulez un si juste courroux,
Et jusqu'à ce qu'un temps plus favorable arrive,
Daignez vous souvenir que vous êtes captive.

VIRIATE
Je sais ce que je suis, et le serai toujours,
N'eussé-je que le ciel et moi pour mon secours.

Scène IV : Perpenna, Aristie, Viriate,
Thamire, Arcas.

PERPENNA

Sertorius est mort; cessez d'être jalouse,
Madame, du haut rang qu'aurait pris son épouse,
Et n'appréhendez plus, comme de son vivant,
Qu'en vos propres États elle ait le pas devant.
Si l'espoir d'Aristie a fait ombrage au vôtre,
Je puis vous assurer et d'elle et de toute autre,
Et que ce coup heureux saura vous maintenir
Et contre le présent et contre l'avenir.
C'était un grand guerrier, mais dont le sang ni l'âge
Ne pouvaient avec vous faire un digne assemblage,
Et malgré ces défauts, ce qui vous en plaisait,
C'était sa dignité qui vous tyrannisait.
Le nom de général vous le rendait aimable,
A vos rois, à moi-même il était préférable,
Vous vous éblouissiez du titre et de l'emploi,
Et je viens vous offrir et l'un et l'autre en moi,
Avec des qualités où votre âme hautaine
Trouvera mieux de quoi mériter une Reine.
Un Romain qui commande et sort du sang des rois
(Je laisse l'âge à part) peut espérer son choix,
Surtout quand d'un affront son amour l'a vengée,
Et que d'un choix abjet son bras l'a dégagée.

ARISTIE

Après t'être immolé chez toi ton général,
Toi, que faisait trembler l'ombre d'un tel rival,
Lâche, tu viens ici braver encor des femmes,
Vanter insolemment tes détestables flammes,
T'emparer d'une Reine en son propre palais,
Et demander sa main pour prix de tes forfaits !
Crains les Dieux, scélérat, crains les Dieux, ou Pompée,
Crains leur haine ou son bras, leur foudre ou son épée,
Et quelque noir orgueil qui te puisse aveugler,
Apprends qu'il m'aime encore, et commence à trembler.
Tu le verras, méchant, plus tôt que tu ne penses :
Attends, attends de lui tes dignes récompenses.

PERPENNA

S'il en croit votre ardeur, je suis sûr du trépas,
Mais peut-être, Madame, il ne l'en croira pas,
Et quand il me verra commander une armée,
Contre lui tant de fois à vaincre accoutumée,
Il se rendra facile à conclure une paix
Qui faisait dès tantôt ses plus ardents souhaits.
J'ai même entre mes mains un assez bon otage,
Pour faire mes traités avec quelque avantage.
Cependant vous pourriez, pour votre heur et le mien,
Ne parler pas si haut à qui ne vous dit rien.
Ces menaces en l'air vous donnent trop de peine.
Après ce que j'ai fait, laissez faire la Reine,
Et sans blâmer des vœux qui ne vont point à vous,
Songez à regagner le cœur de votre époux.

VIRIATE

Oui, Madame, en effet, c'est à moi de répondre,
Et mon silence ingrat a droit de me confondre.
Ce généreux exploit, ces nobles sentiments
Méritent de ma part de hauts remercîments :
Les différer encor, c'est lui faire injustice.

Il m'a rendu sans doute un signalé service,   1750
Mais il n'en sait encor la grandeur qu'à demi :
Le grand Sertorius fut son parfait ami.
Apprenez-le, Seigneur (car je me persuade
Que nous devons ce titre à votre nouveau grade,
Et pour le peu de temps qu'il pourra vous durer,   1755
Il me coûtera peu de vous le déférer) :
Sachez donc que pour vous il osa me déplaire,
Ce héros, qu'il osa mériter ma colère,
Que malgré son amour, que malgré mon courroux,
Il a fait tous efforts pour me donner à vous,   1760
Et qu'à moins qu'il vous plût lui rendre sa parole,
Tout mon dessein n'était qu'une attente frivole,
Qu'il s'obstinait pour vous au refus de ma main.

ARISTIE

Et tu peux lui plonger un poignard dans le sein !
Et ton bras...

VIRIATE

Permettez, Madame, que j'estime   1765
La grandeur de l'amour par la grandeur du crime.
Chez lui-même, à sa table, au milieu d'un festin,
D'un si parfait ami devenir l'assassin,
Et de son général se faire un sacrifice,
Lorsque son amitié lui rend un tel service,   1770
Renoncer à la gloire, accepter pour jamais
L'infamie et l'horreur qui suit les grands forfaits,
Jusqu'en mon cabinet porter sa violence,
Pour obtenir ma main m'y tenir sans défense :
Tout cela d'autant plus fait voir ce que je doi   1775
A cet excès d'amour qu'il daigne avoir pour moi,
Tout cela montre une âme au dernier point charmée.
Il serait moins coupable à m'avoir moins aimée,
Et comme je n'ai point les sentiments ingrats,
Je lui veux conseiller de ne m'épouser pas.   1780
Ce serait en son lit mettre son ennemie,
Pour être à tous moments maîtresse de sa vie [18],
Et je me résoudrais à cet excès d'honneur,
Pour mieux choisir la place à lui percer le cœur.
Seigneur, voilà l'effet de ma reconnaissance.   1785
Du reste, ma personne est en votre puissance :
Vous êtes maître ici, commandez, disposez,
Et recevez enfin ma main, si vous l'osez.

PERPENNA

Moi ! si je l'oserai ? Vos conseils magnanimes
Pouvaient perdre moins d'art à m'étaler mes crimes : 1790
J'en connais mieux que vous toute l'énormité,
Et pour la bien connaître, ils m'ont assez coûté.
On ne s'attache point, sans un remords bien rude,
A tant de perfidie et tant d'ingratitude.
Pour vous je l'ai dompté, pour vous je l'ai détruit : 1795
J'en ai l'ignominie, et j'en aurai le fruit.
Menacez mes forfaits et proscrivez ma tête :
De ces mêmes forfaits vous serez la conquête,
Et n'eût tout mon bonheur que deux jours à durer,
Vous n'avez dès demain qu'à vous y préparer.   1800
J'accepte votre haine et l'ai bien méritée,
J'en ai prévu la suite, et j'en sais la portée.
Mon triomphe...

18. Situation déjà présentée dans *Pertharite*, reprise dans
Attila.

Scène V : Perpenna, Aristie, Viriate,
Aufide, Arcas, Thamire.

AUFIDE

Seigneur, Pompée est arrivé,
Nos soldats mutinés, le peuple soulevé.
1805 La porte s'est ouverte à son nom, à son ombre.
Nous n'avons point d'amis qui ne cèdent au nombre :
Antoine et Manlius, déchirés par morceaux,
Tous morts et tous sanglants ont encor des bourreaux.
On cherche avec chaleur le reste des complices,
1810 Que lui-même il destine à de pareils supplices.
Je défendais mon poste : il l'a soudain forcé,
Et de sa propre main vous me voyez percé;
Maître absolu de tout, il change ici la garde.
Pensez à vous, je meurs, la suite vous regarde [19].

ARISTIE

1815 Pour quelle heure, Seigneur, faut-il se préparer
A ce rare bonheur qu'il vient vous assurer?
Avez-vous en vos mains un assez bon otage
Pour faire vos traités avec grand avantage?

PERPENNA

C'est prendre en ma faveur un peu trop de souci,
1820 Madame, et j'ai de quoi le satisfaire ici.

Scène VI [20] : Pompée, Perpenna, Viriate,
Aristie, Celsus, Arcas, Thamire.

PERPENNA

Seigneur, vous aurez su ce que je viens de faire.
Je vous ai de la paix immolé l'adversaire,
L'amant de votre femme, et ce rival fameux
Qui s'opposait partout au succès de vos vœux.
1825 Je vous rends Aristie, et finis cette crainte
Dont votre âme tantôt se montrait trop atteinte,
Et je vous affranchis de ce jaloux ennui
Qui ne pouvait la voir entre les bras d'autrui.
Je fais plus : je vous livre une fière ennemie,
1830 Avec tout son orgueil et sa Lusitanie;
Je vous en ai fait maître, et de tous ces Romains
Que déjà leur bonheur a remis en vos mains.
Comme en un grand dessein, et qui veut promptitude,
On ne s'explique pas avec la multitude,
1835 Je n'ai point cru, Seigneur, devoir apprendre à tous
Celui d'aller demain me rendre auprès de vous,
Mais j'en porte sur moi d'assurés témoignages,
Ces lettres de ma foi vous seront de bons gages,
Et vous reconnaîtrez, par leurs perfides traits,
1840 Combien Rome pour vous a d'ennemis secrets,
Qui tous, pour Aristie enflammés de vengeance,
Avec Sertorius étaient d'intelligence.
Lisez...
Il lui donne les lettres qu'Aristie avait apportées de
Rome à Sertorius.

19. En réalité Aufide fut le seul à échapper et finit ses
jours haï de tout le monde (Plutarque, dernier chapitre).
20. Scène renouvelée de la Mort de Pompée, entre César
et Ptolomée, comme l'est toute la fin de la pièce.

ARISTIE
Quoi? scélérat! quoi! lâche! oses-tu bien...

PERPENNA

Madame, il est ici votre maître et le mien,   1
Il faut en sa présence un peu de modestie,
Et si je vous oblige à quelque repartie,
La faire sans aigreur, sans outrages mêlés,
Et ne point oublier devant qui vous parlez.
Vous voyez là, Seigneur, deux illustres rivales,   1
Que cette perte anime à des haines égales.
Jusques au dernier point elles m'ont outragé :
Mais puisque je vous vois, je suis assez vengé.
Je vous regarde aussi comme un dieu tutélaire,
Et ne puis... Mais, ô Dieux! Seigneur, qu'allez-vous

POMPÉE, après avoir   [faire?
brûlé les lettres sans les lire.

Montrer d'un tel secret ce que je veux savoir.   1
Si vous m'aviez connu, vous l'auriez su prévoir.
Rome en deux factions trop longtemps partagée
N'y sera point pour moi de nouveau replongée,
Et quand Sylla lui rend sa gloire et son bonheur,
Je n'y remettrai point le carnage et l'horreur.   1
Oyez, Celsus.
Il lui parle à l'oreille.
Surtout empêchez qu'il ne nomme
Aucun des ennemis qu'elle m'a faits à Rome.
A Perpenna.
Vous, suivez ce tribun, j'ai quelques intérêts
Qui demandent ici des entretiens secrets.

PERPENNA

Seigneur, se pourrait-il qu'après un tel service...

POMPÉE

J'en connais l'importance, et lui rendrai justice.
Allez.

PERPENNA

Mais cependant leur haine...

POMPÉE

C'est assez.
Je suis maître, je parle, allez, obéissez.

Scène VII : Pompée, Viriate, Aristie,
Thamire, Arcas.

POMPÉE

Ne vous offensez pas d'ouïr parler en maître,
Grande Reine, ce n'est que pour punir un traître.   1
Criminel envers vous d'avoir trop écouté
L'insolence où montait sa noire lâcheté,
J'ai cru devoir sur l i prendre ce haut empire,
Pour me justifier avant que vous rien dire,
Mais je n'abuse point d'un si facile accès,
Et je n'ai jamais su dérober mes succès.
Quelque appui que son crime aujourd'hui vous en-
Je vous offre la paix, et ne romps point la trêve,   [lève,
Et ceux de nos Romains qui sont auprès de vous
Peuvent y demeurer sans craindre mon courroux.
Si de quelque péril je vous ai garantie,
Je ne veux pour tout prix enlever qu'Aristie,
A qui devant vos yeux, enfin maître de moi,
Je rapporte avec joie et ma main et ma foi.

385 Je ne dis rien du cœur, il tint toujours pour elle.

ARISTIE

Le mien savait vous rendre une ardeur mutuelle,
Et pour mieux recevoir ce don renouvelé,
Il oubliera, Seigneur, qu'on me l'avait volé.

VIRIATE

Moi, j'accepte la paix que vous m'avez offerte
390 C'est tout ce que je puis, Seigneur, après ma perte :
Elle est irréparable, et comme je ne voi
Ni chefs dignes de vous, ni rois dignes de moi,
Je renonce à la guerre ainsi qu'à l'hyménée,
Mais j'aime encor l'honneur du trône où je suis née.
395 D'une juste amitié je sais garder les lois,
Et ne sais point régner comme règnent nos rois.
S'il faut que sous votre ordre ainsi qu'eux je domine,
Je m'ensevelirai sous ma propre ruine.
Mais si je puis régner sans honte et sans époux,
400 Je ne veux d'héritiers que votre Rome, ou vous.
Vous choisirez, Seigneur, ou si votre alliance
Ne peut voir mes États sous ma seule puissance,
Vous n'avez qu'à garder cette place en vos mains,
Et je m'y tiens déjà captive des Romains.

POMPÉE

05 Madame, vous avez l'âme trop généreuse
Pour n'en pas obtenir une paix glorieuse,
Et l'on verra chez eux mon pouvoir abattu,
Ou j'y ferai toujours honorer la vertu.

Scène VIII : Pompée, Aristie, Viriate,
Celsus, Arcas, Thamire.

POMPÉE

En est-ce fait, Celsus ?

CELSUS

Oui, Seigneur : le perfide
A vu plus de cent bras punir son parricide,   1910
Et livré par votre ordre à ce peuple irrité,
Sans rien dire...

POMPÉE

Il suffit. Rome est en sûreté,
Et ceux qu'à me haïr j'avais trop su contraindre,
N'y craignant rien de moi, n'y donnent rien à craindre.
Vous, Madame, agréez pour notre grand héros   1915
Que ses mânes vengés goûtent un plein repos.
Allons donner votre ordre à des pompes funèbres,
A l'égal de son nom illustres et célèbres,
Et dresser un tombeau, témoin de son malheur,
Qui le soit de sa gloire et de notre douleur.   1920

SOPHONISBE
TRAGÉDIE*

Au moment où la Des Œillets passe à l'Hôtel de Bourgogne, Corneille s'intéresse à Mlle Marotte et la fait entrer au Marais (cf. Lettre à de Pure, page 861). On ignore quels rôles Mlle Des Œillets a pu remplir ensuite dans les pièces de Corneille : c'est dire que celui-ci ne la considère pas comme une actrice exceptionnelle pour qui on écrit des rôles. Elle joua Sophonisbe, mais rien ne prouve que Corneille ait choisi le sujet à son intention. Il satisfait plutôt un vieux désir, celui de refaire à son goût la pièce de Mairet qui, en 1634, restaura la tragédie antique en France. Il a de l'estime pour cette pièce et évite de refaire les scènes réussies de Mairet. Derrière ces politesses, on sent qu'il juge que Mairet a gâché le sujet : dans sa pièce Massinisse y est ennobli à l'extrême; Sophonisbe est réellement amoureuse de Massinisse et reçoit avec joie le poison de sa main. Syphax est le grand sacrifié.

C'est à partir de lui que Corneille refait une pièce qui vaut autant par l'exactitude des mœurs que par les faits historiques. Les Romains y sont aussi machiavéliques que dans Nicomède, ce qui donne une teinte singulièrement ironique au fameux vers de Lélius :

> Une telle fierté devait naître romaine

et pour bien le souligner, Corneille ajoute immédiatement :

> Mais allons consoler un prince généreux,

c'est-à-dire ce Massinisse très Numide, versatile et emporté, proie facile de la lucidité romaine, tel que Corneille le prend de Tite-Live, avec une tendance à le charger. Sophonisbe elle-même n'est pas un pur modèle de reine et d'amoureuse.

Le jugement de Donneau de Visé, sévère à première vue, rend bien l'impression que fait non seulement Sophonisbe, mais Sertorius et Othon : « Rien n'y attache, personne n'y fait assez de pitié pour être plaint et aimé ni assez d'horreur pour exciter beaucoup de haine, mais plusieurs s'y font railler et mépriser tout ensemble. » Comme le critique reconnaît qu'elle est « pleine de beaux endroits » il suffisait de peu de chose pour qu'il y reconnût la nouvelle manière tragique de Corneille. Mais le sujet de Sophonisbe n'offrait pas l'admirable problème de Sertorius et ne faisait pas reprendre, avec une action différente, celui de Nicomède. Il avait en outre trop de modèles illustres. Bien que Corneille l'ait rejeté d'avance, le parallèle littéraire s'impose au spectateur dérouté par la manière dont l'illustre héroïne est ici traitée. Corneille s'est libéré, en écrivant Sophonisbe, d'un complexe de jeunesse à l'égard du grand succès de Mairet.

La pièce, bien servie par les acteurs, fut néanmoins un succès. Floridor dans Massinisse, la Des Œillets dans Sophonisbe, étaient bien appuyés — par contraste peut-être — par Montfleury dans Syphax et la Beauchâteau dans Éryxe.

AU LECTEUR

Cette pièce m'a fait connaître qu'il n'y a rien de si pénible que de mettre sur le théâtre un sujet qu'un autre y a déjà fait réussir : mais aussi j'ose dire qu'il n'y a rien de si glorieux quand on s'en acquitte dignement. C'est un double travail d'avoir tout ensemble à éviter les ornements dont s'est saisi celui qui nous a prévenus, et à faire effort pour en trouver d'autres qui puissent tenir leur place. Depuis trente ans que M. Mairet a fait admirer sa Sophonisbe sur notre théâtre[1],

elle y dure encore; et il ne faut point de marque plus convaincante de son mérite que cette durée, qu'on peut nommer une ébauche ou plutôt des arrhes de l'immortalité qu'elle assure à son illustre auteur, et certainement il faut avouer qu'elle a des endroits inimitables et qu'il serait dangereux de retâter après lui. Le démêlé de Scipion avec Massinisse, et les désespoirs de ce prince, sont de ce nombre[2] : il est impossible de penser rien de plus juste, et très difficile de l'exprimer plus heureusement. L'un et l'autre sont de son invention : je n'y pouvais toucher sans un larcin, et si j'avais été d'humeur à me le permettre, le peu d'espérance de l'égaler me l'aurait défendu. J'ai cru plus à propos de respecter sa gloire et ménager la mienne,

* Représentée à l'Hôtel de Bourgogne en janvier 1663. Privilège : 4 mars 1663. Achevé : 10 avril 1663.

1. Jean Mairet (1604-1686) vivait encore. Le témoignage élogieux de Corneille atteste que la querelle du Cid est bien oubliée. Outre la Sophonisbe, qui avait fait date, il a composé la pastorale de Silvie, qui marque le dernier éclat d'un genre agonisant vers 1630. Soliman est une intéressante tragédie

orientale, mais l'insuccès de ses diverses tragi-comédies dont Corneille s'était moqué pendant la querelle du Cid le fit se retirer de la scène dès la mort de Richelieu.

2. Acte IV, scène 5. Acte V, scènes 2-3, 8 et 9.

par une scrupuleuse exactitude à m'écarter de sa route, pour ne laisser aucun lieu de dire, ni que je sois demeuré au-dessous de lui, ni que j'aye prétendu m'élever au-dessus, puisqu'on ne peut faire aucune comparaison entre des choses où l'on ne voit aucune concurrence. Si j'ai conservé les circonstances qu'il a changées, et changé celles qu'il a conservées, ç'a été par le seul dessein de faire autrement, sans ambition de faire mieux. C'est ainsi qu'en usaient nos anciens, qui traitaient d'ordinaire les mêmes sujets. La mort de Clytemnestre en peut servir d'exemple ; nous la voyons encore chez Eschyle, chez Sophocle, et chez Euripide, tuée par son fils Oreste ; mais chacun d'eux a choisi de diverses manières pour arriver à cet événement, qu'aucun des trois n'a voulu changer, quelque cruel et dénaturé qu'il fût, et c'est sur quoi notre Aristote en a établi le précepte. Cette noble et laborieuse émulation a passé de leur siècle jusqu'au nôtre, au travers de plus de deux mille ans qui les séparent. Feu M. Tristan[3] a renouvelé *Mariane* et *Panthée* sur les pas du défunt sieur Hardy[4]. Le grand éclat que M. de Scudéry[5] a donné à sa *Didon* n'a point empêché que M. de Boisrobert n'en ait fait voir une autre trois ou quatre ans après, sur une disposition qui lui en avait été donnée, à ce qu'il disait, par M. l'abbé d'Aubignac. A peine la *Cléopâtre* de Benserade a paru, qu'elle a été suivie du *Marc-Antoine* de M. Mairet[6] qui n'est pas le même sujet sous un autre titre. Sa *Sophonisbe* même n'a pas été la première ni ennobli les théâtres de ces derniers temps : celle du Tricin[7] l'avait précédée en Italie, et celle du sieur de Mont-Chrestien[8] en France ; et je voudrais que quelqu'un se voulût divertir à retoucher le *Cid* ou *les Horaces*, avec autant de retenue pour ma conduite et pour mes pensées que j'en ai eu pour celles de M. Mairet.

Vous trouverez en cette tragédie les caractères tels que chez Tite-Live ; vous y verrez Sophonisbe avec le même attachement aux intérêts de son pays, et la même haine pour Rome qu'il lui attribue. Je lui efface un peu d'amour, mais elle règne sur lui, et ne daigne l'écouter qu'autant qu'il peut servir à ces passions dominantes qui règnent sur elle, et à qui elle sacrifie toutes les ten-

3. Tristan l'Hermite de Soliers (1604-1655) fit jouer sa *Mariane* en 1636 : on a vu que ce fut un triomphe de Mondory (cf. notice p. 173). *Panthée* (1637), *la Mort de Sénèque* (1644) jouée par Molière, *la Mort de Crispe* (1645) que Racine utilisa pour *Phèdre*, la comédie du *Parasite* (1653) ne sont qu'une part de la production littéraire de ce compatriote avec qui Corneille semble avoir été lié.

4. Alexandre Hardy était le maître incontesté du théâtre français au début du siècle. La jeune école de 1628, Mairet, Du Ryer, Rotrou et Corneille lui-même, tout en le considérant comme démodé, lui emprunte beaucoup.

5. Georges de Scudéry (1601-1667) était encore vivant lui aussi. Les rancunes semblent aussi apaisées de son côté ; sa sœur Madeleine fréquente les ruelles précieuses, où Corneille avait bonne presse.

6. Erreur de Corneille, semble-t-il, bien qu'on ignore la date précise de ces deux pièces. Mairet fit jouer *Marc-Antoine* plusieurs années avant que Benserade ne donnât *Cléopâtre* (vers 1635).

7. C'est en effet l'Italien Trissino qui donna, dès 1515, la première et peut-être la meilleure *Sophonisbe*, qui eut une innombrable postérité en Angleterre, en Espagne, en Hollande, en Allemagne et surtout en Italie et en France. Elle eut surtout le mérite d'être la première tragédie régulière, ressuscitée de l'antique.

8. La formation dramatique de Corneille se fit dans les pièces latines des jésuites et les tragédies de Garnier, Hardy et Montchrestien. La *Sophonisbe* de ce dernier, combinée de deux pièces italiennes, du Trissin et de G. Caretto, date de 1596 et fut plusieurs fois rééditée, entre autres à Rouen.

dresses de son cœur, Massinisse, Syphax, sa propre vie. Elle en fait son unique bonheur, et soutient sa gloire avec une fierté si noble et si élevée que Lélius est contraint d'avouer lui-même qu'elle méritait d'être née Romaine. Elle n'avait point abandonné Syphax après deux défaites ; elle était prête à s'ensevelir avec lui sous les ruines de sa capitale, s'il y fût revenu s'enfermer avec elle après la perte d'une troisième bataille, mais elle voulait qu'il mourût plutôt que d'accepter l'ignominie des fers et du triomphe où le réservaient les Romains ; et elle avait d'autant plus le droit d'attendre de lui cet effort de magnanimité, qu'elle s'était résolue à prendre ce parti pour elle, et qu'en Afrique c'était la coutume des rois de porter toujours sur eux du poison très violent, pour s'épargner la honte de tomber vivants entre les mains de leurs ennemis. Je ne sais si ceux qui l'ont blâmée de traiter avec trop de hauteur ce malheureux prince après sa disgrâce ont assez conçu la mortelle horreur qu'a dû exciter en cette grande âme la vue de ces fers qu'il lui apporte à partager ; mais du moins ceux qui ont eu peine à souffrir qu'elle eût deux maris vivants ne se sont pas souvenus que les lois de Rome voulaient que le mariage se rompît par la captivité. Celles de Carthage nous sont fort peu connues, mais il y a lieu de présumer, par l'exemple même de Sophonisbe, qu'elles étaient encore plus faciles à ces ruptures. Asdrubal, son père, l'avait mariée à Massinisse avant que d'emmener ce jeune prince en Espagne, où il commandait les armées de cette république, et néanmoins, durant le séjour qu'ils y firent, les Carthaginois la marièrent de nouveau à Syphax, sans user d'autre formalité ni envers ce premier mari ni envers ce père, qui demeura extrêmement surpris et irrité de l'outrage qu'ils avaient fait à sa fille et à son gendre. C'est ainsi que mon auteur appelle Massinisse, et c'est là-dessus que je le fais se fonder ici pour se ressaisir de Sophonisbe sans l'autorité des Romains, comme d'une femme qui était déjà à lui, et qu'il avait épousée avant qu'elle fût à Syphax.

On[9] s'est mutiné toutefois contre ces deux maris, et je m'en suis étonné d'autant plus que l'année dernière je ne m'aperçus point qu'on se scandalisât de voir, dans le *Sertorius*, Pompée mari de deux femmes vivantes, dont l'une venait chercher un second mari aux yeux mêmes de ce premier. Je ne vois aucune apparence d'imputer cette inégalité de sentiments à l'ignorance du siècle, qui ne peut avoir oublié en moins d'un an cette facilité que les anciens avaient donnée aux divorces, dont il était si bien instruit alors, mais il y aurait quelque lieu de s'en prendre à ceux qui, sachant mieux la *Sophonisbe* de M. Mairet que celle de Tite-Live, se sont hâtés de condamner en la mienne tout ce qui n'était pas de leur connaissance, et n'ont pu faire cette réflexion que la mort de Syphax était une fiction de M. Mairet, dont je ne pouvais me servir sans faire un pillage sur lui, et comme un attentat sur sa gloire. Sa *Sophonisbe* est à lui, c'est son bien, qu'il ne faut pas lui envier ; mais celle de Tite-Live est à tout le monde. Le Tricin et Mont-Chrestien, qui l'ont fait revivre avant nous, n'ont assassiné aucun de ces deux rois : j'ai cru qu'il m'était permis de n'être pas cruel, et de garder la même fidélité à une histoire assez connue parmi ceux qui ont quelque teinture des livres, pour nous convier à ne la démentir pas.

J'accorde qu'au lieu d'envoyer du poison à Sophonisbe, Massinisse devait soulever les troupes qu'il

9. Cet *on* désigne Donneau de Visé et d'Aubignac.

commandait dans l'armée, s'attaquer à la personne de Scipion, se faire blesser par ses gardes, et tout percé de leurs coups, venir rendre les derniers soupirs aux pieds de cette princesse[10] : c'eût été un amant parfait, mais ce n'eût pas été Massinisse. Que sait-on même si la prudence de Scipion n'avait point donné de si bons ordres qu'aucun de ces emportements ne fût en son pouvoir? Je le marque assez pour en faire naître quelque pensée en l'esprit de l'auditeur judicieux et désintéressé, dont je laisse l'imagination libre sur cet article. S'il aime les héros fabuleux, il croira que Lélius et Éryxe, entrant dans le camp, y trouveront celui-ci mort de douleur, ou de sa main. Si les vérités lui plaisent davantage, il ne fera aucun doute qu'il ne s'y soit consolé aussi aisément que l'histoire nous en assure. Ce que je fais dire de son désespoir à Mézétulle s'accommode avec l'une et l'autre de ces idées, et je n'ai peut-être encore fait rien de plus adroit pour le théâtre, que de tirer le rideau sur des déplaisirs qui devaient être si grands, et eurent si peu de durée.

Quoi qu'il en soit, comme je ne sais que les règles d'Aristote et d'Horace, et ne les sais pas même trop bien, je ne hasarde pas volontiers en dépit d'elles ces agréments surnaturels et miraculeux qui défigurent quelquefois nos personnages autant qu'ils les embellissent[11], et détruisent l'histoire au lieu de la corriger. Ces grands coups de maître passent ma portée : je les laisse à ceux qui en savent plus que moi, et j'aime mieux qu'on me reproche d'avoir fait mes femmes trop héroïnes,

par une ignorante et basse affectation de les faire ressembler aux originaux qui en sont venus jusqu'à nous, que de m'entendre louer d'avoir efféminé mes héros par une docte et sublime complaisance au goût de nos délicats, qui veulent de l'amour partout[12], et ne permettent qu'à lui de faire auprès d'eux la bonne ou mauvaise fortune de nos ouvrages.

Éryxe n'a point ici l'avantage de cette ressemblance qui fait la principale perfection des portraits : c'est une reine de ma façon, de qui ce poème reçoit un grand ornement, et qui pourrait toutefois y passer en quelque sorte pour inutile, n'était qu'elle sert des motifs vraisemblables aux historiques, et sert tout ensemble d'aiguillon à Sophonisbe pour précipiter son mariage, et de prétexte aux Romains pour n'y point consentir. Les protestations d'amour que semble lui faire Massinisse au commencement de leur premier entretien ne sont qu'un équivoque, dont le sens caché regarde cette autre reine. Ce qu'elle y répond fait voir qu'elle s'y méprend la première, et tant d'autres ont voulu s'y méprendre après elle, que je me suis cru obligé de vous en avertir.

Quand je ferai joindre cette tragédie à mes recueils, je pourrai l'examiner plus au long, comme j'ai fait les autres[13] : cependant je vous demande pour sa lecture un peu de cette faveur qui doit toujours pencher du côté de ceux qui travaillent pour le public, avec une attention sincère qui vous empêche d'y voir ce qui n'y est pas, et vous y laisse voir tout ce que j'y fais dire.

ACTEURS [14]

SYPHAX, *roi de Numidie.*
MASSINISSE, *autre roi de Numidie.*
LÉLIUS, *lieutenant de Scipion, consul de Rome.*
LÉPIDE, *tribun romain.*
BOCCHAR, *lieutenant de Syphax.*
MÉZÉTULLE, *lieutenant de Massinisse.*
ALBIN, *centenier romain.*
SOPHONISBE, *fille d'Asdrubal, général des Carthaginois, et reine de Numidie.*
ÉRYXE, *reine de Gétulie.*
HERMINIE, *dame d'honneur de Sophonisbe.*
BARCÉE, *dame d'honneur d'Eryxe.*
PAGE *de Sophonisbe.*
GARDES.

La scène est à Cyrthe [15], *capitale du royaume de Syphax, dans le palais du Roi.*

ACTE PREMIER

Scène I : Sophonisbe, Bocchar, Herminie.

BOCCHAR

Madame, il était temps qu'il nous vînt du secours :
Le siège était formé, s'il eût tardé deux jours;
Les travaux commencés à force ouverte
Tracer autour des murs l'ordre de votre perte,
Et l'orgueil des Romains se promettait l'éclat
D'asservir par leur prise et vous et tout l'État.
Syphax a dissipé, par sa seule présence,
De leur ambition la plus fière espérance,
Ses troupes, se montrant au lever du soleil,
Ont de votre ruine arrêté l'appareil.
A peine une heure ou deux elles ont pris haleine,
Qu'il les range en bataille au milieu de la plaine.
L'ennemi fait de même, et l'on voit des deux parts
Nos sillons hérissés de piques et de dards,
Et l'une et l'autre armée étaler même audace,
Égale ardeur de vaincre, et pareille menace.
L'avantage du nombre est dans notre parti,
Ce grand feu des Romains en paraît ralenti,
Du moins de Lélius la prudence inquiète
Sur le point du combat nous envoie un trompette.

10. Cette savoureuse ironie ne vise que le seul d'Aubignac qui avait déjà souhaité de telles délicatesses dans *Horace*.
11. Remarque capitale sur la signification de l'héroïsme cornélien : il est tellement fondé sur la plénitude de ce que peut l'homme dans son rôle historique que Corneille lui-même l'oppose aux héros « fabuleux ».
12. Voltaire suggère ici avec vraisemblance le nom de Quinault dont « l'*Astrate*, jouée dans le même temps que *Sophonisbe*, avait attiré tout Paris, tandis que Sophonisbe était négligée » (*Commentaire sur Corneille*, 1764).
13. *Sophonisbe* parut dans le recueil de 1666, sans le commentaire promis.

14. Herminie est empruntée au Trissin. Lépide, Barcée, Albin, Éryxe sont des créations de Corneille. Tous les autres, à des titres divers, viennent de Tite-Live où Mézétulle et Bocchar sont seulement cités, sans jouer de rôle particulier dans l'histoire de la reine de Numidie.
15. Cirta, aujourd'hui Constantine.

On le mène à Syphax, à qui sans différer
De sa part il demande une heure à conférer.
Les otages reçus pour cette conférence,
Au milieu des deux camps l'un et l'autre s'avance,
25 Et si le ciel répond à nos communs souhaits,
Le champ de la bataille enfantera la paix.
    Voilà ce que le Roi m'a chargé de vous dire,
Et que de tout son cœur à la paix il aspire,
Pour ne plus perdre aucun de ces moments si doux
30 Que la guerre lui vole en l'éloignant de vous.

SOPHONISBE

Le roi m'honore trop d'une amour si parfaite.
Dites-lui que j'aspire à la paix qu'il souhaite,
Mais que je le conjure, en cet illustre jour,
De penser à sa gloire encor plus qu'à l'amour.

Scène II : Sophonisbe, Herminie.

HERMINIE

35 Madame, ou j'entends mal une telle prière,
Ou vos vœux pour la paix n'ont pas votre âme entière :
Vous devez pourtant craindre un vainqueur irrité.

SOPHONISBE

J'ai fait à Massinisse une infidélité.
Accepté par mon père, et nourri dans Carthage,
40 Tu vis en tous les deux l'amour croître avec l'âge.
Il porta dans l'Espagne et mon cœur et ma foi,
Mais durant cette absence on disposa de moi.
J'immolai ma tendresse au bien de ma patrie :
Pour lui gagner Syphax, j'eusse immolé ma vie.
45 Il était aux Romains, et je l'en détachai;
J'étais à Massinisse, et je m'en arrachai.
J'en eus de la douleur, j'en sentis de la gêne,
Mais je servais Carthage, et m'en revoyais Reine,
Car afin que le change eût pour moi quelque appas,
50 Syphax de Massinisse envahit les États,
Et mettait à mes pieds l'une et l'autre couronne,
Quand l'autre était réduit à sa seule personne.
Ainsi contre Carthage et contre ma grandeur
Tu me vis n'écouter ni ma foi ni mon cœur.

HERMINIE

55 Et vous ne craignez point qu'un amant ne se venge,
S'il faut qu'en son pouvoir sa victoire vous range ?

SOPHONISBE

Nous vaincrons, Herminie, et nos destins jaloux
Voudront faire à leur tour quelque chose pour nous.
Mais si de ce héros je tombe en la puissance,
60 Peut-être aura-t-il peine à suivre sa vengeance,
Et que ce même amour qu'il m'a plu de trahir
Ne se trahira pas jusques à me haïr.
    Jamais à ce qu'on aime on n'impute d'offense,
Quelque doux souvenir prend toujours sa défense,
65 L'amant excuse, oublie, et son ressentiment
A toujours, malgré lui, quelque chose d'amant.
Je sais qu'il peut s'aigrir, quand il voit qu'on le quitte
Par l'estime qu'on prend pour un autre mérite,
Mais lorsqu'on lui préfère un prince à cheveux gris,
70 Ce choix fait sans amour est pour lui sans mépris,
Et l'ordre ambitieux d'un hymen politique
N'a rien que ne pardonne un courage héroïque.

Lui-même il s'en console, et trompe sa douleur
A croire que la main n'a point donné le cœur.
    J'ai donc peu de sujet de craindre Massinisse, 75
J'en ai peu de vouloir que la guerre finisse,
J'espère en la victoire, ou du moins en l'appui
Que son reste d'amour me saura faire en lui.
Mais le reste du mien, plus fort qu'on ne présume,
Trouvera dans la paix une prompte amertume, 80
Et d'un chagrin secret la sombre et dure loi
M'y fait voir des malheurs qui ne sont que pour moi.

HERMINIE

J'ai peine à concevoir que le ciel vous envoie
Des sujets de chagrin dans la commune joie,
Et par quel intérêt un tel reste d'amour 85
Vous fera des malheurs en ce bienheureux jour.

SOPHONISBE

Ce reste ne va point à regretter sa perte,
Dont je prendrais encor l'occasion offerte,
Mais il est assez fort pour devenir jaloux
De celle dont la paix le doit faire l'époux. 90
Éryxe, ma captive, Éryxe, cette reine
Qui des Gétuliens naquit la souveraine,
Eut aussi bien que moi des yeux pour ses vertus,
Et trouva de la gloire à choisir mon refus.
    Ce fut pour empêcher ce fâcheux hyménée 95
Que Syphax fit la guerre à cette infortunée,
La surprit dans sa ville, et fit en ma faveur
Ce qu'il n'entreprenait que pour venger sa sœur,
Car tu sais qu'il l'offrit à ce généreux prince,
Et lui voulut pour dot remettre sa province. 100

HERMINIE

Je comprends encor moins que vous peut importer
A laquelle des deux il daigne s'arrêter.
Ce fut, s'il m'en souvient, votre prière expresse
Qui lui fit par Syphax offrir cette princesse,
Et je ne puis trouver matière à vos douleurs 105
Dans la perte d'un cœur que vous donniez ailleurs.

SOPHONISBE

Je le donnais, ce cœur où ma rivale aspire :
Ce don, s'il l'eût souffert, eût marqué mon empire,
Eût montré qu'un amant si maltraité par moi
Prenait encor plaisir à recevoir ma loi. 110
Après m'avoir perdue, il aurait fait connaître
Qu'il voulait m'être encor tout ce qu'il pouvait m'être,
Se rattacher à moi par les liens du sang,
Et tenir de ma main la splendeur de son rang.
Mais s'il épouse Éryxe, il montre un cœur rebelle 115
Qui me néglige autant qu'il veut brûler pour elle,
Qui brise tous mes fers, et brave hautement
L'éclat de sa disgrâce et de mon changement.

HERMINIE

Certes, si je l'osais, je nommerais caprice
Ce trouble ingénieux à vous faire un supplice, 120
Et l'obstination des soucis superflus
Dont vous gêne ce cœur quand vous n'en voulez plus.

SOPHONISBE

Ah ! que de notre orgueil tu sais mal la faiblesse,
Quand tu veux que son choix n'ait rien qui m'intéresse !
Des cœurs que la vertu renonce à posséder, 125
La conquête toujours semble douce à garder :

Sa rigueur n'a jamais le dehors si sévère,
Que leur perte au-dedans ne lui devienne amère;
Et de quelque façon qu'elle nous fasse agir,
130 Un esclave échappé nous fait toujours rougir [16].
Qui rejette un beau feu n'aime point qu'on l'éteigne,
On se plaît à régner sur ce que l'on dédaigne,
Et l'on ne s'applaudit d'un illustre refus
Qu'alors qu'on est aimée après qu'on n'aime plus.
135 Je veux donc, s'il se peut, que l'heureux Massinisse
Prenne tout autre hymen pour un affreux supplice,
Qu'il m'adore en secret, qu'aucune nouveauté
N'ose le consoler de ma déloyauté;
Ne pouvant être à moi, qu'il ne soit à personne,
140 Ou qu'il souffre du moins que mon seul choix le donne.
Je veux penser encor que j'en puis disposer,
Et c'est de quoi la paix me va désabuser.
Juge si j'aurai lieu d'en être satisfaite,
Et par ce que je crains vois ce que je souhaite.
145 Mais Éryxe déjà commence mon malheur,
Et me vient par sa joie avancer ma douleur.

Scène III : *Sophonisbe, Éryxe,*
Herminie, Barcée.

ÉRYXE

Madame, une captive[17] oserait-elle prendre
Quelque part au bonheur que l'on nous vient
SOPHONISBE   [d'apprendre?
Le bonheur n'est pas grand tant qu'il est incertain.

ÉRYXE

150 On me dit que le Roi tient la paix en sa main,
Et je n'ose douter qu'il ne l'ait résolue.

SOPHONISBE

Pour être proposée, elle n'est pas conclue,
Et les grands intérêts qu'il y faut ajuster
Demandent plus d'une heure à les bien concerter.

ÉRYXE

155 Alors que des deux chefs la volonté conspire...

SOPHONISBE

Que sert la volonté d'un chef qu'on peut dédire!
Il faut l'aveu de Rome, et que d'autre côté
Le sénat de Carthage accepte le traité.

ÉRYXE

Lélius le propose, et l'on ne doit pas croire
160 Qu'au désaveu de Rome il hasarde sa gloire.
Quant à votre sénat, le Roi n'en dépend point.

SOPHONISBE

Le Roi n'a pas une âme infidèle à ce point :
Il sait à quoi l'honneur, à quoi sa foi l'engage;
Et je l'en dédirais, s'il traitait sans Carthage.

16. C'est par de tels vers que Corneille projette des ombres
sur son héroïne. Il suffit de comparer Sophonisbe à Pauline.
Dans la même situation, celle-ci domine mal un amour profond pour Sévère. Cette exigence de servitude amoureuse
sur un ancien soupirant relève plus de l'orgueil égoïste que
de l'amour. Les spectateurs pouvaient s'en rendre d'autant
mieux compte que La Rochefoucauld élaborait alors et lisait
dans les salons ses *Maximes*, à partir de ces mêmes sujets
traités avec passion dans toutes les ruelles parisiennes.
17. La différence des conditions blesse autant Sophonisbe
que la rivalité amoureuse. Ce sera encore la situation d'Hermione en présence d'Andromaque (1667).

ÉRYXE

On ne m'avait pas dit qu'il fallût votre aveu.   1

SOPHONISBE

Qu'on vous l'ait dit ou non, il m'importe assez peu.

ÉRYXE

Je le crois, mais enfin donnez votre suffrage,
Et je vous répondrai de celui de Carthage.

SOPHONISBE

Avez-vous en ces lieux quelque commerce ?

ÉRYXE

Aucun.

SOPHONISBE

D'où le savez-vous donc ?

ÉRYXE

D'un peu de sens commun :   1
On y doit être las de perdre des batailles,
Et d'avoir à trembler pour ses propres murailles.

SOPHONISBE

Rome nous aurait donc appris l'art de trembler.
Annibal...

ÉRYXE

Annibal a pensé l'accabler,
Mais ce temps-là n'est plus, et la valeur d'un homme...   1

SOPHONISBE

On ne voit point d'ici ce qui se passe à Rome.
En ce même moment peut-être qu'Annibal
Lui fait tout de nouveau craindre un assaut fatal,
Et que c'est pour sortir enfin de ces alarmes
Qu'elle nous fait parler de mettre bas les armes.   1

ÉRYXE

Ce serait pour Carthage un bonheur signalé :
Mais, Madame, les Dieux vous l'ont-ils révélé ?
A moins que de leur voix, l'âme la plus crédule
D'un miracle pareil ferait quelque scrupule.

SOPHONISBE

Des miracles pareils arrivent quelquefois :   1
J'ai vu Rome en état de tomber sous nos lois,
La guerre est journalière et sa vicissitude
Laisse tout l'avenir dedans l'incertitude.

ÉRYXE

Le passé le prépare, et le soldat vainqueur
Porte aux nouveaux combats plus de force et de cœur.   1

SOPHONISBE

Et si j'en était crue, on aurait le courage
De ne rien écouter sur ce désavantage,
Et d'attendre un succès hautement emporté
Qui remît notre gloire en plus d'égalité.

ÉRYXE

On pourrait fort attendre.

SOPHONISBE

Et durant cette attente
Vous pourriez n'avoir pas l'âme la plus contente.

ÉRYXE

J'ai déjà grand chagrin de voir que de vos mains
Mon sceptre a su passer en celles des Romains,
Et qu'aujourd'hui, de l'air dont s'y prend Massinisse,
Le vôtre a grand besoin que la paix l'affermisse.

SOPHONISBE

Quand de pareils chagrins voudront paraître au jour,
Si l'honneur vous est cher, cachez tout votre amour,

Et voyez à quel point votre gloire est flétrie
D'aimer un ennemi de sa propre patrie,
205 Qui sert des étrangers dont par un juste accord
Il pouvait nous aider à repousser l'effort.

ÉRYXE

Dépouillé par votre ordre, ou par votre artifice,
Il sert vos ennemis pour s'en faire justice,
10 Mais si de les servir il doit être honteux,
Syphax sert, comme lui, des étrangers comme eux.
Si nous les voulions tous bannir de notre Afrique,
Il faudrait commencer par votre république,
Et renvoyer à Tyr, d'où vous êtes sortis,
Ceux par qui nos climats sont presque assujettis.
15 Nous avons lieu d'avoir pareille jalousie
Des peuples de l'Europe et de ceux de l'Asie,
Ou si le temps a pu vous naturaliser,
Le même cours du temps les peut favoriser.
J'ose vous dire plus : si le destin s'obstine
20 A vouloir qu'en ces lieux leur victoire domine,
Comme vos Tyriens passent pour Africains,
Au milieu de l'Afrique il naîtra des Romains,
Et si de ce qu'on voit nous croyons le présage,
Il en pourra bien naître au milieu de Carthage
25 Pour qui notre amitié n'aura rien de honteux,
Et qui sauront passer pour Africains comme eux [18].

SOPHONISBE

Vous parlez un peu haut.

ÉRYXE

Je suis amante et reine.

SOPHONISBE

Et captive, de plus.

ÉRYXE

On va briser ma chaîne,
0 Et la captivité ne peut abattre un cœur
Qui se voit assuré de celui du vainqueur :
Il est tel dans vos fers que sous mon diadème.
N'outragez plus ce prince, il a ma foi, je l'aime;
J'ai la sienne, et j'en sais soutenir l'intérêt.
5 Du reste, si la paix vous plaît, ou vous déplaît,
Ce n'est pas mon dessein d'en pénétrer la cause :
La bataille et la paix sont pour moi même chose.
L'une ou l'autre aujourd'hui finira mes ennuis,
Mais l'une vous peut mettre en l'état où je suis.

SOPHONISBE

Je pardonne au chagrin d'un si long esclavage,
0 Qui peut avec raison vous aigrir le courage,
Et voudrais vous servir malgré ce grand courroux.

ÉRYXE

Craignez que je ne puisse en dire autant de vous.
Mais le Roi vient. Adieu, je n'ai pas l'imprudence
De m'offrir pour troisième à votre conférence,
5 Et d'ailleurs, s'il vous vient demander votre aveu,
Soit qu'il l'obtienne ou non, il m'importe fort peu.

---

18. Cette considération sur les races et le droit de conquête
n'est ni dans Tite-Live ni dans les *Sophonisbe* antérieures.
Corneille seul, à partir d'une situation particulière, dégage
la philosophie politique de l'histoire. On retrouve d'ailleurs
ces mêmes idées dans les nombreux traités des années 1600-
1650, qui formaient le fond de la bibliothèque de l'honnête
homme.

*Scène IV : Syphax, Sophonisbe,
Herminie, Bocchar.*

SOPHONISBE

Eh bien! Seigneur, la paix, l'avez-vous résolue?

SYPHAX

Vous en êtes encor la maîtresse absolue,
Madame, et je n'ai pris trêve pour un moment,
Qu'afin de tout remettre à votre sentiment. 250
On m'offre le plein calme, on m'offre de me rendre
Ce que dans mes États la guerre a fait surprendre,
L'amitié des Romains que pour vous j'ai trahis.

SOPHONISBE

Et que vous offre-t-on, Seigneur, pour mon pays?

SYPHAX

Loin d'exiger de moi que j'y porte mes armes, 255
On me laisse aujourd'hui tout entier à vos charmes :
On demande en neutre en ces dissensions,
Je laisse aller le sort de vos deux nations.

SOPHONISBE

Et ne pourrait-on point vous en faire l'arbitre?

SYPHAX

Le ciel semblait m'offrir un si glorieux titre, 260
Alors qu'on vit dans Cyrthe entrer d'un pas égal,
D'un côté Scipion, et de l'autre Asdrubal.
Je vis ces deux héros, jaloux de mon suffrage,
Le briguer, l'un pour Rome, et l'autre pour Carthage;
Je les vis à ma table, et sur un même lit [19], 265
Et comme ami commun, j'aurais eu tout crédit.
Votre beauté, Madame, emporta la balance :
De Carthage pour vous j'embrassai l'alliance,
Et comme on ne veut point d'arbitre intéressé,
C'est beaucoup aux vainqueurs d'oublier le passé. 270
En l'état où je suis, deux batailles perdues,
Mes villes, la plupart surprises ou rendues,
Mon royaume d'argent et d'hommes affaibli,
C'est beaucoup de me voir tout d'un coup rétabli.
Je reçois sans combat le prix de la victoire, 275
Je rentre sans péril en ma première gloire,
Et ce qui plus que tout a lieu de m'être doux,
Il m'est permis enfin de vivre auprès de vous.

SOPHONISBE

Quoi que vous résolviez, c'est à moi d'y souscrire :
J'oserai toutefois m'enhardir à vous dire 280
Qu'avec plus de plaisir je verrais ce traité,
Si je voyais pour vous ou gloire ou sûreté.
Mais, Seigneur, m'aimez-vous encor?

SYPHAX

Si je vous aime?

SOPHONISBE

Oui, m'aimez-vous encor, Seigneur?

SYPHAX

Plus que moi-même.

SOPHONISBE

Si mon amour égal rend vos jours fortunés, 285
Vous souvient-il encor de qui vous le tenez?

SYPHAX

De vos bontés, Madame.

---

19. « Sur un même lit (à table) Scipion et Asdrubal, selon
le désir du roi, s'étendirent » (Tite-Live, liv. XXVIII, chap. 18).

SOPHONISBE

Ah! cessez, je vous prie,
De faire en ma faveur outrage à ma patrie.
Un autre avait le choix de mon père et le mien,
290 Elle seule pour vous rompit ce doux lien.
Je brûlais d'un beau feu, je promis de l'éteindre,
J'ai tenu ma parole, et j'ai su m'y contraindre.
• Mais vous ne tenez pas, Seigneur, à vos amis
Ce qu'acceptant leur don vous leur avez promis,
295 Et pour ne pas user vers vous d'un mot trop rude,
Vous montrez pour Carthage un peu d'ingratitude.
    Quoi! vous qui lui devez ce bonheur de vos jours,
Vous que mon hyménée engage à son secours,
Vous que votre serment attache à sa défense,
300 Vous manquez de parole et de reconnaissance,
Et pour remercîment de me voir en vos mains,
Vous la livrez vous-même en celles des Romains!
Vous brisez le pouvoir dont vous m'avez reçue,
Et je serai le prix d'une amitié rompue.
305 Moi qui pour en étreindre à jamais les grands nœuds,
Ai d'un amour si juste éteint les plus beaux feux,
Moi que vous protestez d'aimer plus que vous-même!
Ah! Seigneur, le dirai-je? est-ce ainsi que l'on m'aime?

SYPHAX

Si vous m'aimiez, Madame, il vous serait bien doux
310 De voir comme je veux ne vous devoir qu'à vous.
Vous ne vous plairiez pas à montrer dans votre âme
Les restes odieux d'une première flamme,
D'un amour dont l'hymen qu'on a vu nous unir
Devrait avoir éteint jusques au souvenir.
315 Vantez-moi vos appas, montrez avec courage
Ce prix impérieux dont m'achète Carthage,
Avec tant de hauteur prenez son intérêt
Qu'il me faille en esclave agir comme il lui plaît,
Au moindre soin des miens traitez-moi d'infidèle,
320 Et ne me permettez de régner que sous elle :
Mais épargnez ce comble aux malheurs que je crains,
D'entendre aussi vanter ces beaux feux mal éteints,
Et de vous en voir l'âme encor toute obsédée,
En ma présence même en caresser l'idée.

SOPHONISBE

325 Je m'en souviens, Seigneur, lorsque vous oubliez
Quels vœux mon changement vous a sacrifiés,
Et saurai l'oublier, quand vous ferez justice
A ceux qui vous ont fait un si grand sacrifice.
    Au reste, pour ouvrir tout mon cœur avec vous,
330 Je n'aime point Carthage à l'égal d'un époux.
Mais bien que moins soumise à son destin qu'au vôtre,
Je crains également et pour l'un et pour l'autre,
Et ce que je vous suis ne saurait empêcher
Que le plus malheureux ne me soit le plus cher.
335 Jouissez de la paix qui vous vient d'être offerte,
Tandis que j'irai plaindre et partager sa perte :
J'y mourrai sans regret, si mon dernier moment
Vous laisse en quelque état de régner sûrement.
Mais, Carthage détruite, avec quelle apparence
340 Oserez-vous garder cette fausse espérance?
Rome, qui vous redoute et vous flatte aujourd'hui,
Vous craindra-t-elle encor, vous voyant sans appui,
Elle qui de la paix ne jette les amorces

Que par le seul besoin de séparer vos forces,
Et qui dans Massinisse, et voisin et jaloux,   34?
Aura toujours de quoi se brouiller avec vous?
Tous deux vous devront tout. Carthage abandonnée
Vaut pour l'un et pour l'autre une grande journée.
Mais un esprit aigri n'est jamais satisfait
Qu'il n'ait vengé l'injure en dépit du bienfait.   35?
Pensez-y : votre armée est la plus forte en nombre,
Les Romains ont tremblé dès qu'ils en ont vu l'ombre,
Utique a l'assiéger retient leur Scipion,
Un temps bien pris peut tout : pressez l'occasion.
De ce chef éloigné la valeur peu commune   35?
Peut-être à sa personne attache leur fortune :
Il tient auprès de lui la fleur de leurs soldats,
En tout événement Cyrthe vous tend les bras,
Vous tiendrez, et longtemps, dedans cette retraite.
Mon père cependant répare sa défaite,   36?
Hannon a de l'Espagne amené du secours,
Annibal vient lui-même ici dans peu de jours.
Si tout cela vous semble un léger avantage,
Renvoyez-moi, Seigneur, me perdre avec Carthage :
J'y périrai sans vous, vous régnerez sans moi.   36?
Vous préserve le ciel de ce que je prévoi,
Et daigne son courroux, me prenant seule en butte,
M'exempter par ma mort de pleurer votre chute!

SYPHAX

A des charmes si forts joindre celui des pleurs,
Soulever contre moi ma gloire et vos douleurs!   37?
C'est trop, c'est trop, Madame, il faut vous satisfaire:
Le plus grand des malheurs serait de vous déplaire,
Et tous mes sentiments veulent bien se trahir
A la douceur de vaincre ou de vous obéir.
La paix eût sur ma tête assuré ma couronne :   37?
Il faut la refuser, Sophonisbe l'ordonne,
Il faut servir Carthage et hasarder l'État.
Mais que deviendrez-vous, si je meurs au combat?
Qui sera votre appui, si le sort des batailles
Vous rend un corps sans vie au pied de nos murailles? 38?

SOPHONISBE

Je vous répondrais bien qu'après votre trépas
Ce que je deviendrai ne vous regarde pas,
Mais j'aime mieux, Seigneur, pour vous tirer de peine,
Vous dire que je sais vivre et mourir en reine.

SYPHAX

N'en parlons plus, Madame. Adieu, pensez à moi,   38?
Et je saurai, pour vous, vaincre ou mourir en roi.

ACTE SECOND

Scène I : *Éryxe, Barcée.*

ÉRYXE

Quel désordre, Barcée, ou plutôt quel supplice,
M'apprêtait la victoire à revoir Massinisse,
Et de mon destin l'obscure trahison
Sur mes souhaits remplis a versé de poison!   3?
Syphax est prisonnier, Cyrthe toute éperdue
A ce triste spectacle aussitôt s'est rendue.
Sophonisbe, en dépit de toute sa fierté,

Va gémir à son tour dans la captivité :
5 Le ciel finit la mienne, et je n'ai plus de chaînes
Que celles qu'avec gloire on voit porter aux reines,
Et lorsqu'aux mêmes fers je crois voir mon vainqueur,
Je doute, en le voyant, si j'ai part en son cœur.
    En vain l'impatience à le chercher m'emporte,
0 En vain de ce palais je cours jusqu'à la porte,
Et m'ose figurer, en cet heureux moment,
Sa flamme impatiente et forte également :
Je l'ai vu, mais surpris, mais troublé de ma vue.
5 Il n'était point lui-même alors qu'il m'a reçue,
Et ses yeux égarés marquaient un embarras
A faire assez juger qu'il ne me cherchait pas.
J'ai vanté ma victoire, et je me suis flattée
Jusqu'à m'imaginer que j'étais écoutée,
Mais quand pour me répondre il s'est fait un effort,
0 Son compliment au mien n'a point eu de rapport,
Et j'ai trop vu par là qu'un si profond silence
Attachait sa pensée ailleurs qu'à ma présence,
Et que l'emportement d'un entretien secret
Sous un front attentif cachait l'esprit distrait.
BARCÉE
5 Les soins d'un conquérant vous donnent trop d'alarmes.
C'est peu que devant lui Cyrthe ait mis bas les armes,
Qu'elle se soit rendue, et qu'un commun effroi
L'ait fait à tout son peuple accepter pour son roi.
Il lui faut s'assurer des places et des portes,
0 Pour en demeurer maître y poster ses cohortes
Ce devoir se préfère aux soucis les plus doux,
Et s'il en était quitte, il serait tout à vous.
ÉRYXE
Il me l'a dit lui-même alors qu'il m'a quittée,
Mais j'ai trop vu d'ailleurs son âme inquiétée,
5 Et de quelque couleur que tu couvres ses soins,
Sa nouvelle conquête en occupe le moins.
Sophonisbe, en un mot, est captive et pleurante,
L'emporte sur Éryxe et reine et triomphante,
Et si je m'en rapporte à l'accueil différent,
) Sa disgrâce peut plus qu'un sceptre qu'on me rend.
    Tu l'as pu remarquer : du moment qu'il l'a vue,
Ses troubles ont cessé, sa joie est revenue ;
Ces charmes à Carthage autrefois adorés
Ont soudain réuni ses regards égarés.
5 Tu l'as vue étonnée, et tout ensemble altière,
Lui demander l'honneur d'être sa prisonnière,
Le prier fièrement qu'elle pût en ses mains
Éviter le triomphe et les fers des Romains.
Son orgueil, que ses pleurs semblaient vouloir dédire,
0 Trouvait l'art en pleurant d'augmenter son empire,
Et sûre du succès, dont cet art répondait,
Elle priait bien moins qu'elle ne commandait.
Aussi sans balancer il a donné parole
Qu'elle ne serait point traînée au Capitole,
5 Qu'il en saurait trouver un moyen assuré ;
En lui tendant la main sur l'heure il l'a juré,
Et n'eût pas borné là son ardeur renaissante,
Mais il s'est souvenu qu'enfin j'étais présente,
Et les ordres qu'aux siens il avait à donner
) Ont servi de prétexte à nous abandonner.
    Que dis-je ? pour moi seule affectant cette fuite,

Jusqu'au fond du palais des yeux il l'a conduite,
Et si tu t'en souviens, j'ai toujours soupçonné
Que cet amour jamais ne fut déraciné.
Chez moi, dans Hyarbée [20], où le mien trop facile   455
Prêtait à sa déroute un favorable asile,
Détrôné, vagabond, et sans appui que moi,
Quand j'ai voulu parler contre ce cœur sans foi,
Et qu'à cette infidèle imputant sa misère,
J'ai cru surprendre un mot de haine ou de colère,   460
Jamais son feu secret n'a manqué de détours
Pour me forcer moi-même à changer de discours ;
Ou si je m'obstinais à le faire répondre,
J'en tirais pour tout fruit de quoi mieux me confondre,
Et je m'en arrachais que de profonds hélas,   465
Et qu'enfin son amour ne la méritait pas.
Juge, par ces soupirs que produisait l'absence,
Ce qu'à leur entrevue a produit la présence.
BARCÉE
Elle a produit sans doute un effet de pitié,
Où se mêle peut-être une ombre d'amitié.   470
Vous savez qu'un cœur noble et vraiment magnanime,
Quand il bannit l'amour, aime à garder l'estime,
Et que bien qu'offensé par le choix d'un mari,
Il n'insulte jamais à ce qu'il a chéri.   [plaindre,
Mais quand bien vous auriez tout lieu de vous en 475
Sophonisbe après tout n'est point pour vous à craindre :
Eût-elle tout son cœur, elle l'aurait en vain,
Puisqu'elle est hors d'état de recevoir sa main,
Il vous la doit, Madame.
ÉRYXE
             Il me la doit, Barcée.
Mais que sert une main par le devoir forcée,   480
Et qu'en aurait le don pour moi de précieux,
S'il faut que son esclave ait son cœur à mes yeux ?
    Je sais bien que des rois la fière destinée
Souffre peu que l'amour règle leur hyménée,
Et que leur union souvent, pour leur malheur, 485
N'est que du sceptre au sceptre, et non du cœur au cœur.
Mais je suis au-dessus de cette erreur commune :
J'aime en lui sa personne autant que sa fortune,
Et je n'exigeai qu'il reprît ses États
Que de peur que mon peuple en fît trop peu de cas. 490
Des actions des rois ce téméraire arbitre
Dédaigne insolemment ceux qui n'ont que le titre.
Jamais d'un roi sans trône il n'eût souffert la loi,
Et ce mépris peut-être eût passé jusqu'à moi.
Il fallait qu'il lui vît sa couronne à la tête, 495
Et que ma main devînt sa dernière conquête,
Si nous voulions régner avec l'autorité
Que le juste respect doit à la dignité.
    J'aime donc Massinisse, et prétends qu'il m'aime :
Je l'adore, et je veux qu'il m'adore de même, 500
Et pour moi son hymen serait un long ennui,
S'il n'était tout à moi, comme moi toute à lui.
Ne t'étonne donc point de cette jalousie
Dont, à ce froid abord, mon âme s'est saisie ;
Laisse-la-moi souffrir, sans me la reprocher, 505
Sers-la, si tu le peux, et m'aide à la cacher.

---

20. Nom forgé sur le nom d'Iarbas, roi de Gétulie ?

Pour juste aux yeux de tous qu'en puisse être la cause,
Une femme jalouse à cent mépris s'expose;
Plus elle fait de bruit, moins on en fait d'état,
510 Et jamais ses soupçons n'ont qu'un honteux éclat.
Je veux donner aux miens une route diverse,
A ces amants suspects laisser libre commerce,
D'un œil indifférent en regarder le cours,
Fuir toute occasion de troubler leur discours,
515 Et d'un hymen douteux éviter le supplice,
Tant que je douterai du cœur de Massinisse.
Le voici : nous verrons, par son empressement,
Si je me suis trompée en ce pressentiment.

Scène II : Massinisse, Éryxe, Barcée,
Mézétulle.

MASSINISSE

Enfin, maître absolu des murs et de la ville,
520 Je puis vous rapporter un esprit plus tranquille,
Madame, et voir céder en ce reste du jour
Le soin de la victoire aux douceurs de l'amour.
Je n'aurais plus de lieu d'aucune inquiétude,
N'était que je ne puis sortir d'ingratitude,
525 Et que dans mon bonheur il n'est pas bien en moi
De m'acquitter jamais de ce que je vous dois.
   Les forces qu'en mes mains vos bontés ont remises
Vous ont laissée en proie à de lâches surprises,
Et me rendaient ailleurs ce qu'on m'avait ôté,
530 Tandis qu'on vous ôtait et sceptre et liberté.
Ma première victoire a fait votre esclavage,
Celle-ci, qui le brise, est encor votre ouvrage,
Mes bons destins par vous ont eu tout leur effet,
Et je suis seulement ce que vous m'avez fait.
535 Que peut donc tout l'effort de ma reconnaissance,
Lorsque je tiens de vous ma gloire et ma puissance,
Et que vous puis-je offrir que votre propre bien,
Quand je vous offrirai votre sceptre et le mien?

ÉRYXE

Quoi qu'on puisse devoir, aisément on s'acquitte,
540 Seigneur, quand on se donne avec tant de mérite :
C'est un rare présent qu'un véritable roi,
Qu'a rendu sa victoire enfin digne de moi.
Si dans quelques malheurs pour vous je suis tombée,
Nous pourrons en parler un jour dans Hyarbée,
545 Lorsqu'on nous y verra dans un rang souverain,
La couronne à la tête, et le sceptre à la main.
Ici nous ne savons encor ce que nous sommes :
Je tiens tout fort douteux tant qu'il dépend des hom-
Et n'ose m'assurer que nos amis jaloux   [mes,
550 Consentent l'union des deux trônes en nous.
Ce qu'avec leurs héros vous avez de pratique
Vous a dû mieux qu'à moi montrer leur politique.
Je ne vous en dis rien : un souci plus pressant,
Et si je l'ose dire, assez embarrassant,
555 Où même ainsi que vous la pitié m'intéresse,
Vous doit inquiéter touchant votre promesse :
Dérober Sophonisbe au pouvoir des Romains,
C'est un pénible ouvrage, et digne de vos mains;
Vous devez y penser.

MASSINISSE
                    Un peu trop téméraire,
Peut-être ai-je promis plus que je ne puis faire.   56
Les pleurs de Sophonisbe ont surpris ma raison,
L'opprobre du triomphe est pour elle un poison,
Et j'ai cru que le ciel l'avait assez punie,
Sans la livrer moi-même à tant d'ignominie.
Madame, il est bien dur de voir déshonorer   56
L'autel où tant de fois on s'est plu d'adorer,
Et l'âme ouverte aux biens que le ciel lui renvoie
Ne peut rien refuser dans ce comble de joie.
Mais quoi que ma promesse ait de difficultés,
L'effet en est aisé, si vous y consentez.   57

ÉRYXE

Si j'y consens! bien plus, Seigneur, je vous en prie.
Voyez s'il faut agir de force ou d'industrie,
Et concertez ensemble en toute liberté
Ce que dans votre esprit vous avez projeté.
Elle vous cherche exprès.

Scène III : Massinisse, Éryxe, Sophonisbe,
Barcée, Herminie, Mézétulle.

ÉRYXE
                    Tout a changé de face,   5
Madame, et les destins vous ont mise en ma place.
Vous me deviez servir malgré tout mon courroux,
Et je fais à présent même chose pour vous :
Je vous l'avais promis, et je vous tiens parole.

SOPHONISBE

Je vous suis obligée, et ce qui m'en console,   5
C'est que tout peut changer une seconde fois,
Et je vous rendrai lors tout ce que je vous dois.

ÉRYXE

Si le ciel jusque-là vous en laisse incapable,
Vous pourrez quelque temps être ma redevable,
Non tant d'avoir parlé, d'avoir prié pour vous,   5
Comme de vous céder un entretien si doux.
Voyez si c'est vous rendre un fort méchant office
Que vous abandonner le prince Massinisse.

SOPHONISBE

Ce n'est pas mon dessein de vous le dérober.

ÉRYXE

Peut-être en ce dessein pourriez-vous succomber;   5
Mais, Seigneur, quel qu'il soit, je n'y mets point d'obs-
                                            [tacles :
Un héros, comme un dieu, peut faire des miracles,
Et s'il faut mon aveu pour en venir à bout,
Soyez sûr de nouveau que je consens à tout.
Adieu.

Scène IV : Massinisse, Sophonisbe,
Herminie, Mézétulle.

SOPHONISBE
       Pardonnez-vous à cette inquiétude   5
Que fait de mon destin la triste incertitude,
Seigneur? et cet espoir que vous m'avez donné
Vous fera-t-il aimer d'en être importuné?
   Je suis Carthaginoise, et d'un sang que vous-même

N'avez que trop jugé digne du diadème :
Jugez par là l'excès de ma confusion
A me voir attachée au char de Scipion,
Et si ce qu'entre nous on vit d'intelligence
Ne vous convaincra point d'une indigne vengeance,
Si vous écoutez plus de vieux ressentiments,
Que le sacré respect de vos derniers serments.
Je fus ambitieuse, inconstante et parjure :
Plus votre amour fut grand, plus grande en est l'injure,
Mais plus il a paru, plus il vous fait de lois
Pour défendre l'honneur de votre premier choix,
Et plus l'injure est grande, et d'autant mieux éclate
La générosité de servir une ingrate
Que votre bras lui-même a mise hors d'état
D'en pouvoir dignement reconnaître l'éclat.

MASSINISSE

Ah! si vous m'en devez quelque reconnaissance,
Cessez de vous en faire une fausse impuissance;
De quelque dur revers que vous sentiez les coups,
Vous pouvez plus pour moi que je ne puis pour vous.
Je dis plus : je ne puis pour vous aucune chose,
A moins qu'à m'y servir ce revers vous dispose.
J'ai promis, mais sans vous j'aurai promis en vain,
J'ai juré, mais l'effet dépend de votre main,
Autre qu'elle en ces lieux ne peut briser vos chaînes,
En un mot le triomphe est un supplice aux reines.
La femme du vaincu ne se peut éviter,
Mais celle du vainqueur n'a rien à redouter.
De l'une il est aisé que vous deveniez l'autre
Votre main par mon sort peut relever le vôtre, [ment,
Mais vous n'avez qu'une heure, ou plutôt qu'un mo-
Pour résoudre votre âme à ce grand changement.
Demain Lélius entre, et je ne suis plus maître,
Et quelque amour en moi que vous voyiez renaître,
Quelques charmes en vous qui puissent me ravir,
Je ne puis vous plaindre, et non pas vous servir.
C'est vous parler sans doute avec trop de franchise,
Mais le péril...

SOPHONISBE

De grâce, excusez ma surprise.
Syphax encor vivant, voulez-vous qu'aujourd'hui...

MASSINISSE

Vous me fûtes promise auparavant qu'à lui,
Et cette foi donnée et reçue à Carthage,
Quand vous voudrez m'aimer, d'avec lui vous dégage.
Si de votre personne il s'est vu possesseur,
Il en fut moins l'époux que l'heureux ravisseur,
Et sa captivité qui rompt cet hyménée
Laisse votre main libre et la sienne enchaînée.
Rendez-vous à vous-même, et s'il vous peut venir
De notre amour passé quelque doux souvenir,
Si ce doux souvenir peut avoir quelque force...

SOPHONISBE

Quoi vous pourriez m'aimer après un tel divorce,
Seigneur, et recevoir de ma légèreté
Ce que vous déroba tant d'infidélité?

MASSINISSE

N'attendez point, Madame, ici que je vous die
Que je ne vous impute aucune perfidie,
Que mon peu de mérite et mon trop de malheur

Ont seuls forcé Carthage à forcer votre cœur,
Que votre changement n'éteignit point ma flamme,   655
Qu'il ne vous ôta point l'empire de mon âme,
Et que si j'ai porté la guerre en vos États,
Vous étiez la conquête où prétendait mon bras.
Quand le temps est trop cher pour le perdre en paroles,
Toutes ces vérités sont des discours frivoles :   660
Il faut ménager mieux ce moment de pouvoir.
Demain Lélius entre, il le peut dès ce soir;
Avant son arrivée assurez votre empire.
Je vous aime, Madame, et c'est assez vous dire.
Je n'examine point quels sentiments pour moi   665
Me rendront les effets d'une première foi.
Que votre ambition, que votre amour choisisse,
L'opprobre est d'un côté, de l'autre Massinisse.
Il faut aller à Rome ou me donner la main,
Ce grand choix ne se peut différer à demain,   670
Le péril presse autant que mon impatience,
Et quoi que mes succès m'offrent de confiance,
Avec tout mon amour, je ne puis rien pour vous,
Si demain Rome en moi ne trouve votre époux.

SOPHONISBE

Il faut donc qu'à mon tour je parle avec franchise,   675
Puisqu'un péril si grand ne veut point de remise.
L'hymen que vous m'offrez peut rallumer mes feux
Et pour briser mes fers rompre tous autres nœuds.
Mais, avant qu'il vous rende à votre prisonnière,
Je veux que vous voyiez son âme tout entière,   680
Et ne puissiez un jour vous plaindre avec sujet
De n'avoir pas bien vu ce que vous aurez fait.
Quand j'épousai Syphax, je n'y fus point forcée :
De quelques traits pour vous que l'amour m'eût
                                                  [blessée,
Je vous quittai sans peine, et tous mes vœux trahis   685
Cédèrent avec joie au bien de mon pays.
En un mot, j'ai reçu du ciel pour mon partage
L'aversion de Rome et l'amour de Carthage.
Vous aimez Lélius, vous aimez Scipion,
Vous avez lieu d'aimer toute leur nation;   690
Aimez-la, j'y consens, mais laissez-moi ma haine.
Tant que vous serez Roi, souffrez que je sois Reine,
Avec la liberté d'aimer et de haïr,
Et sans nécessité de craindre ou d'obéir.
Voilà quelle je suis, et quelle je veux être.   695
J'accepte votre hymen, mais pour vivre sans maître,
Et ne quitterais point l'époux que j'avais pris,
Si Rome se pouvait éviter qu'à ce prix.
A ces conditions me voulez-vous pour femme?

MASSINISSE

A ces conditions prenez toute mon âme,   700
Et s'il vous faut encor quelques nouveaux serments...

SOPHONISBE

Ne perdez point, Seigneur, ces précieux moments,
Et puisque sans contrainte il m'est permis de vivre,
Faites tout préparer : je m'apprête à vous suivre.

MASSINISSE

J'y vais, mais de nouveau gardez que Lélius...   705

SOPHONISBE

Cessez de vous gêner par des soins superflus;
J'en connais l'importance, et vous rejoins au temple.

Scène V : Sophonisbe, Herminie.

SOPHONISBE

Tu vois, mon bonheur passe et l'espoir et l'exemple,
Et c'est, pour peu qu'on aime, une extrême douceur
710 De pouvoir accorder sa gloire avec son cœur.
Mais c'en est une ici bien autre, et sans égale,
D'enlever, et si tôt, ce prince à ma rivale,
De lui faire tomber le triomphe des mains,
Et prendre sa conquête aux yeux de ses Romains.
715 Peut-être avec le temps j'en aurai l'avantage
De l'arracher à Rome, et le rendre à Carthage.
Je m'en réponds déjà sur le don de sa foi :
Il est à mon pays puisqu'il est tout à moi.
A ce nouvel hymen c'est ce qui me convie,
720 Non l'amour, non la peur de me voir asservie :
L'esclavage aux grands cœurs n'est point à redouter;
Alors qu'on sait mourir, on sait tout éviter,
Mais comme enfin la vie est bonne à quelque chose,
Ma patrie elle-même à ce trépas s'oppose,
725 Et m'en désavouerait, si j'osais me ravir
Les moyens que l'amour m'offre de la servir.
Le bonheur surprenant de cette préférence
M'en donne une assez juste et flatteuse espérance.
Que ne pourrai-je point si, dès qu'il m'a pu voir,
730 Mes yeux d'une autre reine ont détruit le pouvoir!
Tu l'as vu comme moi, qu'aucun retour vers elle
N'a montré qu'avec peine il lui fût infidèle :
Il ne l'a point nommée, et pas même un soupir
N'en a fait soupçonner le moindre souvenir.

HERMINIE

735 Ce sont grandes douceurs que le ciel vous renvoie,
Mais il manque le comble à cet excès de joie,
Dont vous vous sentiriez encor bien mieux saisir,
Si vous voyiez qu'Éryxe en eût du déplaisir.
Elle est indifférente, ou plutôt insensible :
740 A vous servir contre elle elle fait son possible.
Quand vous prenez plaisir à troubler son discours,
Elle en prend à laisser au vôtre un libre cours,
Et ce héros enfin que votre soin obsède
Semble ne vous offrir que ce qu'elle vous cède.
745 Je voudrais qu'elle vît un peu plus son malheur,
Qu'elle en fît hautement éclater la douleur,
Que l'espoir inquiet de se voir son épouse
Jetât un plein désordre en son âme jalouse,
Que son amour pour lui fût sans bonté pour vous.

SOPHONISBE

750 Que tu te connais mal en sentiments jaloux!
Alors qu'on l'est si peu qu'on ne pense pas l'être,
On n'y réfléchit point, on laisse tout paraître;
Mais quand on l'est assez pour s'en apercevoir,
On met tout son possible à n'en laisser rien voir.
755 Éryxe, qui connaît et qui hait sa faiblesse,
La renferme au dedans, et s'en rend la maîtresse,
Mais cette indifférence où tant d'orgueil se joint
Ne part que d'un dépit jaloux au dernier point,
Et sa fausse bonté se trahit elle-même
760 Par l'effort qu'elle fait à se montrer extrême :
Elle est étudiée, et ne l'est pas assez
Pour échapper entière aux yeux intéressés.

Allons, sans perdre temps, l'empêcher de nous nuire,
Et prévenir l'effet qu'elle pourrait produire.

ACTE TROISIÈME

Scène I : Massinisse, Mézétulle.

MÉZÉTULLE

Oui, Seigneur, j'ai donné vos ordres à la porte,   765
Que jusques à demain aucun n'entre, ne sorte,
A moins que Lélius vous dépêche quelqu'un.
Au reste, votre hymen fait le bonheur commun :
Cette illustre conquête est une autre victoire,
Que prennent les vainqueurs pour un surcroît de gloire,   770
Et qui fait aux vaincus bannir tout leur effroi,
Voyant régner leur Reine avec leur nouveau Roi.
Cette union à tous promet des biens solides,
Et réunit sous vous tous les cœurs des Numides.

MASSINISSE

Mais Éryxe?

MÉZÉTULLE

                J'ai mis des gens à l'observer,   775
Et suis allé moi-même après eux la trouver,
De peur qu'un contre-temps de jalouse colère
Allât jusqu'aux autels en troubler le mystère.
D'abord qu'elle a tout su, son visage étonné
Aux troubles du dedans sans doute a trop donné :   780
Du moins à ce grand coup elle a paru surprise,
Mais un moment après, entièrement remise,
Elle a voulu sourire, et m'a dit froidement :
« Le Roi n'use pas mal de mon consentement;
Allez, et dites-lui que pour reconnaissance... »   785
Mais, Seigneur, devers vous elle-même s'avance,
Et vous expliquera mieux que je n'aurais fait
Ce qu'elle ne m'a pas expliqué tout à fait.

MASSINISSE

Cependant cours au temple, et presse un peu la Reine
D'y terminer des vœux dont la longueur me gêne,   790
Et dis-lui que c'est trop importuner les Dieux,
En un temps où sa vue est si chère à mes yeux.

Scène II : Massinisse, Éryxe, Barcée.

ÉRYXE

Comme avec vous, Seigneur, je ne sus jamais feindre,
Souffrez pour un moment que j'ose ici m'en plaindre,
Non d'un amour éteint, ni d'un espoir déçu,   795
L'un fut mal allumé, l'autre fut mal conçu,
Mais d'avoir cru mon âme et si faible et si basse
Qu'elle pût m'imputer votre hymen à disgrâce,
Et d'avoir envié cette joie à mes yeux
D'en être les témoins, aussi bien que les Dieux.   800
Ce plein aveu promis avec tant de franchise
Me préparait assez à voir tout sans surprise,
Et sûr que vous étiez de mon consentement,
Vous me deviez ma part en cet heureux moment.
J'aurais un peu plus tôt été désabusée,   80

Et près du précipice où j'étais exposée,
Il m'eût été, Seigneur, et m'est encor bien doux
D'avoir pu vous connaître avant que d'être à vous.
Aussi n'attendez point de reproche ou d'injure :
Je ne vous nommerai ni lâche, ni parjure.
Quel outrage m'a fait votre manque de foi,
De me voler un cœur qui n'était pas à moi ?
J'en connais le haut prix, j'en vois tout le mérite,
Mais jamais un tel vol n'aura rien qui m'irrite,
Et vous vivrez sans trouble et vos contentements,
S'ils n'ont à redouter que mes ressentiments.

                    MASSINISSE
J'avais assez prévu qu'il vous serait facile
De garder dans ma perte un esprit si tranquille :
Le peu d'ardeur pour moi que vos désirs ont eu
Doit s'accorder sans peine avec cette vertu.
Vous avez feint d'aimer, et permis l'espérance,
Mais cet amour traînant n'avait que l'apparence,
Et quand par votre hymen vous pouviez m'acquérir,
Vous m'avez renvoyé pour vaincre ou pour périr.
J'ai vaincu par votre ordre, et vois avec surprise
Que je n'en ai pour fruit qu'une froide remise,
Et quelque espoir douteux d'obtenir votre choix
Quand nous serons chez vous l'un et l'autre en vrais rois.
Dites-moi donc, Madame, aimiez-vous ma personne
Ou le pompeux éclat d'une double couronne,
Et lorsque vous prêtiez des forces à mon bras,
Était-ce pour unir nos mains ou nos États ?
Je vous l'ai déjà dit, que toute ma vaillance
Tient d'un si grand secours sa gloire et sa puissance :
Je saurai m'acquitter de ce qui vous est dû,
Et je vous rendrai plus que vous n'avez perdu.
Mais comme en mon malheur ce favorable office
En voulait à mon sceptre, et non à Massinisse,
Vous pouvez sans chagrin, dans mes destins meilleurs,
Voir mon sceptre en vos mains, et Massinisse ailleurs.
Prenez ce sceptre aimé pour l'attacher au vôtre,
Ma main tant refusée est bonne pour une autre,
Et son ambition a de quoi s'arrêter
En celui de Syphax qu'elle vient d'emporter.
Si vous m'aviez aimé, vous n'auriez pas eu honte
D'en montrer une estime et plus haute et plus prompte,
Ni craint de ravaler l'honneur de votre rang
Pour trop considérer le mérite et le sang.
La naissance suffit quand la personne est chère :
Un prince détrôné garde son caractère,
Mais à vos yeux charmés par de plus forts appas,
Ce n'est point être Roi que de ne régner pas.
Vous en vouliez en moi l'effet comme le titre,
Et quand de votre amour la fortune est l'arbitre,
Le mien, au-dessus d'elle et de tous ses revers,
Reconnaît son objet dans les pleurs, dans les fers.
Après m'être fait Roi pour plaire à votre envie,
Aux dépens de mon sang, aux périls de ma vie,
Mon sceptre reconquis me met en liberté
De vous laisser un bien que j'ai trop acheté,
Et ce serait trahir les droits du diadème,
Que sur le haut d'un trône être esclave moi-même.
Un Roi doit pouvoir tout, et je ne suis pas Roi,
S'il ne m'est pas permis de disposer de moi.

                    ÉRYXE
Il est beau de trancher du Roi comme vous faites,   865
Mais n'a-t-on aucun lieu de douter si vous l'êtes ?
Et n'est-ce point, Seigneur, vous y prendre un peu mal,
Que d'en faire l'épreuve en gendre d'Asdrubal ?
Je sais que les Romains vous rendront la couronne,
Vous en avez parole, et leur parole est bonne :   870
Ils vous nommeront Roi, mais vous devez savoir
Qu'ils sont plus libéraux du nom que du pouvoir,
Et que sans leur appui ce plein droit de tout faire
N'est que pour qui ne veut que ce qui doit leur plaire.
Vous verrez qu'ils auront pour vous trop d'amitié   875
Pour vous laisser méprendre au choix d'une moitié.
Ils ont trop de part en votre destinée
Pour ne pas l'affranchir d'un pareil hyménée,
Et ne se croiraient pas assez de vos amis,
S'ils n'en désavouaient les Dieux qui l'ont permis.   880

                    MASSINISSE
Je m'en dédis, Madame, et s'il vous est facile
De garder dans ma perte un cœur vraiment tranquille,
Du moins votre grande âme avec tous ses efforts,
N'en conserve pas bien les fastueux dehors.
Lorsque vous étouffez d'injure et la menace,   885
Vos illustres froideurs laissent rompre leur glace,
Et cette fermeté de sentiments contraints
S'échappe adroitement du côté des Romains.
Si tant de retenue a pour vous quelque gêne,
Allez jusqu'en leur camp solliciter leur haine,   890
Traitez-y mon hymen de lâche et noir forfait,
N'épargnez point les pleurs pour en rompre l'effet,
Nommez-y-moi cent fois ingrat, parjure, traître :
J'ai mes raisons pour eux, et je les dois connaître.

                    ÉRYXE
Je les connais, Seigneur, sans doute moins que vous,   895
Et les connais assez pour craindre leur courroux.
Ce grand titre de Roi, que seul je considère,
Étend sur moi l'affront qu'en vous ils vont lui faire,
Et rien ici n'échappe à ma tranquillité
Que par les intérêts de notre dignité :   900
Dans votre peu de foi c'est tout ce qui me blesse.
Vous allez hautement montrer notre faiblesse,
Dévoiler notre honte, et faire voir à tous
Quels fantômes d'État on fait régner en nous.
Oui, vous allez forcer nos peuples de connaître   905
Qu'ils n'ont que le sénat pour véritable maître,
Et que ceux qu'avec pompe ils ont vu couronner
En reçoivent les lois qu'ils semblent leur donner.
C'est là mon déplaisir. Si je n'étais pas Reine,
Ce que je perds en vous me ferait peu de peine,   910
Mais je ne puis souffrir qu'un si dangereux choix
Détruise en un moment ce peu qui reste aux Rois,
Et qu'en un si grand cœur l'impuissance de l'être
Ait ménagé si mal l'honneur de le paraître.
Mais voici cet objet si charmant à vos yeux,   915
Dont le cher entretien vous divertira mieux.

*Scène III : Massinisse, Sophonisbe, Éryxe,
Mézétulle, Herminie, Barcée.*

ÉRYXE

Une seconde fois tout a changé de face [21],
Madame, et c'est à moi de vous quitter la place.
Vous n'aviez pas dessein de me le dérober ?

SOPHONISBE

920 L'occasion qui plaît souvent fait succomber.
Vous puis-je en cet état rendre quelque service ?

ÉRYXE

L'occasion qui plaît semble toujours propice,
Mais ce qui vous et moi nous doit mettre en souci,
C'est que ni vous ni moi ne commandons ici.

SOPHONISBE

925 Si vous y commandiez, je pourrais être à plaindre.

ÉRYXE

Peut-être en auriez-vous quelque peu moins à craindre.
Ceux dont avant deux jours nous y prendrons des lois
Regardent d'un autre œil la majesté des Rois.
Étant ce que je suis, je redoute un exemple ;
930 Et Reine, c'est mon sort en vous que je contemple.

SOPHONISBE

Vous avez du crédit, le Roi n'en manque point,
Et si chez les Romains l'un à l'autre se joint...

ÉRYXE

Votre félicité sera longtemps parfaite,
S'ils la laissent durer autant que je souhaite.
935 Seigneur, en cet adieu recevez-en ma foi,
Ou me donnez quelqu'un qui réponde de moi.
La gloire de mon rang, qu'en vous deux je respecte,
Ne saurait consentir que je vous sois suspecte.
Faites-moi donc justice, et ne m'imputez rien
940 Si le ciel à mes vœux ne s'accorde pas bien.

*Scène IV : Massinisse, Sophonisbe,
Mézétulle, Herminie.*

MASSINISSE

Comme elle voit ma perte aisément réparable,
Sa jalousie est faible, et son dépit traitable.
Aucun ressentiment n'éclate en ses discours.

SOPHONISBE

Non ; mais le fond du cœur n'éclate pas toujours.
945 Qui n'est point irritée, ayant trop de quoi l'être,
L'est souvent d'autant plus qu'on le voit moins pa-
Et cachant son dessein pour le mieux assurer, [raître,
Cherche à prendre ce temps qu'on perd à murmurer.
Ce grand calme prépare un dangereux orage :
950 Prévenez les effets de sa secrète rage,
Prévenez de Syphax l'emportement jaloux,
Avant qu'il ait aigri vos Romains contre vous,
Et portez dans leur camp la première nouvelle
De ce que vient de faire un amour si fidèle.
955 Vous n'y hasardez rien, s'ils respectent en vous,
Comme nous l'espérons, le nom de mon époux,
Mais je m'attirerais la dernière infamie,

21. Cette phrase rythme la pièce et justifie le propos d'Éryxe :
Je tiens tout fort douteux tant qu'il dépend des hommes (v. 548).

S'ils brisaient malgré vous le saint nœud qui nous lie,
Et qu'ils pussent noircir de quelque indignité
Mon trop de confiance en votre autorité.   9
Si dès qu'ils paraîtront, vous n'êtes plus le maître,
C'est d'eux qu'il faut savoir ce que je vous puis être,
Et puisque Lélius doit entrer dès demain...

MASSINISSE

Ah ! je n'ai pas reçu le cœur avec la main.
Si votre amour...

SOPHONISBE

　　　　Seigneur, je parle avec franchise.   9
Vous m'avez épousée, et je vous suis acquise :
Voyons si vous pourrez me garder plus d'un jour.
Je me rends au pouvoir, et non pas à l'amour,
Et de quelque façon qu'à présent je vous nomme,
Je ne suis point à vous, s'il faut aller à Rome.   9

MASSINISSE

A qui donc ? à Syphax, Madame ?

SOPHONISBE

　　　　　　　　　D'aujourd'hui,
Puisqu'il porte des fers, je ne suis plus à lui.
En dépit des Romains on voit que je vous aime,
Mais jusqu'à leur aveu je ne suis toute à moi-même,
Et pour obtenir plus que mon cœur et ma foi,   9
Il faut m'obtenir d'eux aussi bien que de moi.
Le nom d'époux suffit pour me tenir parole,
Pour me faire éviter l'aspect du Capitole.
N'exigez rien de plus, perdez quelques moments
Pour mettre en sûreté l'effet de vos serments ;   9
Afin que vos lauriers me sauvent du tonnerre,
Allez aux dieux du ciel joindre ceux de la terre.
Mais que nous veut Syphax que ce Romain conduit ?

*Scène V : Syphax, Massinisse, Sophonisbe,
Lépide, Herminie, Mézétulle, Gardes.*

LÉPIDE

Touché de cet excès du malheur qui le suit,
Madame, par pitié Lélius vous l'envoie,   9
Et donne à ses douleurs ce mélange de joie
Avant qu'on le conduise au camp de Scipion.

MASSINISSE

J'aurai pour ses malheurs même compassion.
Adieu : cet entretien ne veut point ma présence ;
J'en attendrai l'issue avec impatience,   9
Et j'ose en espérer quelques plus douces lois
Quand vous aurez mieux vu le destin de deux Rois.

SOPHONISBE

Je sais ce que je suis et ce que je dois faire,
Et prends pour seul objet ma gloire à satisfaire.

*Scène VI : Syphax, Sophonisbe, Lépide,
Herminie, gardes.*

SYPHAX

Madame, à cet excès de générosité,   9
Je n'ai presque plus d'yeux pour ma captivité,
Et malgré de mon sort la disgrâce éclatante,
Je suis encore heureux quand je vous vois constante.
Un rival triomphant veut place en votre cœur,

Et vous osez pour moi dédaigner ce vainqueur ! [22]
Vous préférez mes fers à toute sa victoire,
Et savez hautement soutenir votre gloire !
Je ne vous dirai point aussi que vos conseils
5 M'ont fait choir de ce rang si cher à nos pareils,
Ni que pour les Romains votre haine implacable
A rendu ma déroute à jamais déplorable :
Puisqu'en vain Massinisse attaque votre foi,
Je règne dans votre âme, et c'est assez pour moi.

SOPHONISBE

Qui vous dit qu'à ses yeux vous y régniez encore,
0 Que pour vous je dédaigne un vainqueur qui m'adore ?
Et quelle indigne loi m'y pourrait obliger,
Lorsque vous m'apportez des fers à partager ?

SYPHAX

Ce soin de votre gloire, et de lui satisfaire...

SOPHONISBE

Quand vous l'entendrez bien, vous dira le contraire.
5 Ma gloire est d'éviter les fers que vous portez,
D'éviter le triomphe où vous vous soumettez :
Ma naissance ne voit que cette honte à craindre.
Enfin, détrompez-vous, il siérait mal de feindre :
Je suis à Massinisse, et le peuple en ces lieux
0 Vient de voir notre hymen à la face des Dieux.
Nous sortons de leur temple.

SYPHAX

Ah ! que m'osez-vous dire ?

SOPHONISBE

Que Rome sur mes jours n'aura jamais d'empire.
J'ai su m'en affranchir par une autre union,
Et vous suivrez sans moi le char de Scipion.

SYPHAX

5 Le croirai-je, grands Dieux ! et le voudra-t-on croire,
Alors que l'avenir en apprendra l'histoire ?
Sophonisbe servie avec tant de respect,
Elle que j'adorai dès le premier aspect,
Qui s'est vue à toute heure et partout obéie,
0 Insulte lâchement à ma gloire trahie,
Met le comble à mes maux par sa déloyauté,
Et d'un crime si noir fait encor vanité !

SOPHONISBE

Le crime n'est pas grand d'avoir l'âme assez haute
Pour conserver un rang que le destin vous ôte :
5 Ce n'est point un honneur qui rebute en deux jours,
Et qui règne un moment aime à régner toujours.
Mais si l'essai du trône en fait durer l'envie
Dans l'âme la plus haute à l'égal de la vie,
Un Roi né pour la gloire, et digne de son sort,
0 A la honte des fers sait préférer la mort,
Et vous m'aviez promis en partant...

SYPHAX

Ah ! Madame,
Qu'une telle promesse était douce à votre âme !
Ma mort faisait dès lors vos plus ardents souhaits.

SOPHONISBE

Non, mais je vous tiens mieux ce que je vous promets :
5 Je vis encore en Reine, et je mourrai de même.

22. Dans cette situation de comédie, les propos de Syphax
ne deviennent pas comiques. Comme il y a une ironie tragique,
il y a un tragique de la dérision.

SYPHAX

Dites que votre foi tient toute au diadème,
Que les plus saintes lois ne peuvent rien sur vous.

SOPHONISBE

Ne m'attachez point tant au destin d'un époux,
Seigneur, les lois de Rome et celles de Carthage
Vous diront que l'hymen se rompt par l'esclavage,   1050
Que vos chaînes du nôtre ont brisé le lien,
Et qu'étant dans les fers, vous ne m'êtes plus rien.
Ainsi par les lois même en mon pouvoir remise,
Je me donne au monarque à qui je fus promise,
Et m'acquitte envers lui d'une première foi   1055
Qu'il reçut avant vous de mon cœur et de moi.
Ainsi mon changement n'a point de perfidie :
J'étais et suis encore au roi de Numidie,
Et laisse à votre sort son flux et son reflux,
Pour régner malgré lui quand vous ne régnez plus.   1060

SYPHAX

Ah ! s'il est quelques lois qui souffrent qu'on étale
Cet illustre mépris de la foi conjugale,
Cette hauteur, Madame, a d'étranges effets,
Après m'avoir forcé de refuser la paix.
Me les promettiez-vous, alors qu'à ma défaite   1065
Vous montriez dans Cyrthe une sûre retraite,
Et qu'outre le secours de votre général
Vous me vantiez celui d'Hannon et d'Annibal ?
Pour vous avoir trop crue, hélas ! et trop aimée,
Je me vois sans États, je me vois sans armée,   1070
Et par l'indignité d'un soudain changement,
La cause de ma chute en fait l'accablement.

SOPHONISBE

Puisque je vous montrais dans Cyrthe une retraite,
Vous deviez vous y rendre après votre défaite :
S'il eût fallu périr sous un fameux débris,   1075
Je l'eusse appris de vous, ou je vous l'eusse appris,
Moi qui, sans m'ébranler du sort de deux batailles,
Venais de m'enfermer exprès dans ces murailles,
Prête à souffrir un siège, et soutenir pour vous
Quoi que du ciel injuste eût osé le courroux.   1080
    Pour mettre en sûreté quelques restes de vie,
Vous avez du triomphe accepté l'infamie,
Et ce peuple déçu qui vous tendait les mains
N'a revu dans son Roi qu'un captif des Romains.
Vos fers, en leur faveur plus forts que leurs cohortes, 1085
Ont abattu les cœurs, ont fait ouvrir les portes,
Et réduit votre femme à la nécessité
De chercher tous moyens d'en fuir l'indignité,
Quand vos sujets ont cru que sans devenir traîtres
Ils pouvaient après vous se livrer à vos maîtres.   1090
Votre exemple est ma loi : vous vivez et je vi,
Et si vous fussiez mort, je vous aurais suivi.
Mais si je vis encor, ce n'est pas pour vous suivre :
Je vis pour vous punir de trop aimer à vivre,
Je vis peut-être encor pour quelque autre raison   1095
Qui se justifiera dans une autre saison.
Un Romain nous écoute, et quoi qu'on veuille en croire,
Quand il en sera temps je mourrai pour ma gloire.
    Cependant, bien qu'un autre ait le titre d'époux,
Sauvez-moi des Romains, je suis encore à vous,   1100
Et je croirai régner malgré votre esclavage,

Si vous pouvez m'ouvrir les chemins de Carthage.
Obtenez de vos dieux ce miracle pour moi,
Et je romps avec lui pour vous rendre ma foi.
1105 Je l'aimai, mais ce feu, dont je fus la maîtresse,
Ne met point dans mon cœur de honteuse tendresse :
Toute ma passion est pour ma liberté,
Et toute mon horreur pour la captivité.
    Seigneur, après cela je n'ai rien à vous dire :
1110 Par ce nouvel hymen vous voyez où j'aspire,
Vous savez les moyens d'en rompre le lien,
Réglez-vous là-dessus sans vous plaindre de rien.

Scène VII : *Syphax, Lépide, gardes.*

SYPHAX

A-t-on vu sous le ciel plus infâme injustice ?
Ma déroute la jette au lit de Massinisse,
1115 Et pour justifier ses lâches trahisons,
Les maux qu'elle a causés lui servent de raisons !

LÉPIDE

Si c'est avec chagrin que vous souffrez sa perte,
Seigneur, quelque espérance encor vous est offerte :
Si je l'ai bien compris, cet hymen imparfait
1120 N'est encor qu'en parole, et n'a point eu d'effet,
Et comme nos Romains le verront avec peine,
Ils pourront mal répondre aux souhaits de la Reine.
Je vais m'assurer d'elle, et vous dirai de plus
Que j'en viens d'envoyer avis à Lélius :
1125 J'en attends nouvel ordre, et dans peu je l'espère.

SYPHAX

Quoi, prendre tant de soin d'adoucir ma misère !
Lépide, il n'appartient qu'à de vrais généreux
D'avoir cette pitié des princes malheureux :
Autres que les Romains n'en chercheraient la gloire.

LÉPIDE

1130 Lélius fera voir ce qu'il vous en faut croire.
    Vous autres, attendant quel est son sentiment,
Allez garder le Roi dans cet appartement.

ACTE QUATRIÈME

Scène I : *Syphax, Lépide.*

LÉPIDE

Lélius est dans Cyrthe, et s'en est rendu maître.
Bientôt dans ce palais vous le verrez paraître,
1135 Et si vous espérez que parmi vos malheurs
Sa présence ait de quoi soulager vos douleurs,
Vous n'avez avec moi qu'à l'attendre au passage.

SYPHAX

Lépide, que dit-il touchant ce mariage ?
En rompra-t-il les nœuds, en sera-t-il d'accord ?
1140 Fera-t-il mon rival arbitre de mon sort ?

LÉPIDE

Je ne vous réponds point que sur cette matière
Il veuille vous ouvrir son âme toute entière,
Mais vous pouvez juger que puisqu'il vient ici,
Cet hymen comme à vous lui donne du souci.
1145 Sachez-le de lui-même : il entre, et vous regarde.

Scène II : *Lélius, Syphax, Lépide.*

LÉLIUS

Détachez-lui ces fers, il suffit qu'on le garde.
Prince, je vous ai vu tantôt comme ennemi,
Et vous vois maintenant comme ancien ami [23].
Le fameux Scipion, de qui vous fûtes l'hôte,
Ne s'offensera point des fers que je vous ôte,
Et ferait encor plus, s'il nous était permis
De vous remettre au rang de nos plus chers amis.

SYPHAX

Ah ! ne rejetez point dans ma triste mémoire
Le cuisant souvenir de l'excès de ma gloire,
Et ne reprochez point à mon cœur désolé,
A force de bontés, ce qu'il a violé.
Je fus l'ami de Rome, et de ce grand courage
Qu'opposent nos destins aux destins de Carthage :
Toutes deux, et ce fut le plus beau de mes jours,
Par leurs plus grands héros briguèrent mon secours.
J'eus des yeux assez bons pour remplir votre attente.
Mais que sert un bon choix dans une âme inconstante,
Et que peuvent les droits de l'hospitalité
Sur un cœur si facile à l'infidélité ?
J'en suis assez puni par un revers si rude,
Seigneur, sans m'accabler de mon ingratitude.
Il suffit des malheurs qu'on voit fondre sur moi,
Sans me convaincre encor d'avoir manqué de foi,
Et me faire avouer que le sort qui m'opprime,
Pour cruel qu'il me soit, rend justice à mon crime.

LÉLIUS

Je ne vous parle aussi qu'avec cette pitié
Que nous laisse pour vous un reste d'amitié :
Elle n'est pas éteinte, et toutes vos défaites
Ont rempli nos succès d'amertumes secrètes.
Nous ne saurions voir même aujourd'hui qu'à regret
Ce gouffre de malheurs que vous vous êtes fait.
Le ciel m'en est témoin, et vos propres murailles,
Qui nous voyaient enflés du gain de deux batailles,
Ont vu cette amitié porter tous nos souhaits
A regagner la vôtre, et vous rendre la paix.
Par quel motif de haine obstinée à vous nuire
Nous avez-vous forcés vous-même à vous détruire ?
Quel astre, de votre heur et du nôtre jaloux,
Vous a précipité jusqu'à rompre avec nous ?

SYPHAX

Pourrez-vous pardonner, Seigneur, à ma vieillesse,
Si je vous fais l'aveu de toute sa faiblesse ?
    Lorsque je vous aimai, j'étais maître de moi,
Et tant que je le fus, je vous gardai ma foi.
Mais dès que Sophonisbe avec son hyménée,
S'empara de mon âme et de ma destinée,
Je suivis de ses yeux le pouvoir absolu,
Et n'ai voulu depuis que ce qu'elle a voulu.
    Que c'est un imbécile et sévère esclavage
Que celui d'un époux sur le penchant de l'âge,
Quand sous un front ridé, qu'on a droit de haïr,
Il croit se faire aimer à force d'obéir !

---

23. Ce sont exactement, dans la pièce du Trissin, les propos
non de Lélius, mais de Scipion.

De ce mourant amour les ardeurs ramassées
Jettent un feu plus vif dans nos veines glacées,
Et pensent racheter l'horreur des cheveux gris
Par le présent d'un cœur au dernier point soumis [24].
Sophonisbe par là devint ma souveraine,
Régla mes amitiés, disposa de ma haine,
M'anima de sa rage, et versa dans mon sein
De toutes ses fureurs l'implacable dessein.
Sous ces dehors charmants qui paraient son visage,
C'était une Alecton que déchaînait Carthage [25].
Elle avait tout mon cœur, Carthage tout le sien,
Hors de ses intérêts, elle n'écoutait rien,
Et malgré cette paix que vous m'avez offerte,
Elle a voulu pour eux me livrer à ma perte.
Vous voyez son ouvrage en ma captivité,
Voyez-en un plus rare en sa déloyauté.
    Vous la trouverez, Seigneur, cette même furie
Qui seule m'a perdu pour l'avoir trop chérie,
Vous la trouverez, dis-je, au lit d'un autre Roi,
Qu'elle saura séduire et perdre comme moi.
Si vous ne le savez, c'est votre Massinisse,
Qui croit par cet hymen se bien faire justice,
Et que l'infâme vol d'une telle moitié
Le venge pleinement de notre inimitié,
Mais pour peu de pouvoir qu'elle ait sur son courage,
Ce vainqueur se verra l'épousera Carthage;
L'air qu'un si cher objet se plaît à respirer
A des charmes trop forts pour n'y pas attirer.
Dans ce dernier malheur, c'est ce qui me console,
Je lui cède avec joie un poison qu'il me vole,
Et ne vois point de don si propre à m'acquitter
De tout ce que ma haine ose lui souhaiter.

            LÉLIUS
Je connais Massinisse, et ne vois rien à craindre
D'un amour que lui-même il prendra soin d'éteindre.
Il en sait l'importance, et quoi qu'il ait osé,
Si l'hymen fut trop prompt, le divorce est aisé.
Sophonisbe envers vous l'ayant mis en usage,
Le recevra de lui sans changer de visage,
Et ne se promet pas de ce nouvel époux
Plus d'amour ou de foi qu'elle n'en eut pour vous.
Vous, puisque cet hymen satisfait votre haine,
De ce qui le suivra ne soyez point en peine,
Et sans en augurer pour nous ni bien ni mal,
Attendez sans souci la perte d'un rival,
Et laissez-nous celui de voir quel avantage
Pourrait avec le temps en recevoir Carthage.

            SYPHAX
Seigneur, s'il est permis de parler aux vaincus [26],
Souffrez encore un mot, et je ne parle plus.
    Massinisse de soi pourrait fort peu de chose :
Il n'a qu'un camp volant dont le hasard dispose,

Mais joint à vos Romains, joint aux Carthaginois,
Il met dans la balance un redoutable poids,
Et par ma chute enfin sa fortune enhardie
Va traîner après lui toute la Numidie.   1250
Je le hais fortement, mais non pas à l'égal
Des murs que ma perfide eut pour séjour natal.
Le déplaisir de voir que ma ruine en vienne,
Craint qu'ils ne durent trop, s'il faut qu'ils les sou-
Puisse-t-il, ce rival, périr dès aujourd'hui,   [tienne. 1255
Mais puissé-je les voir trébucher avant lui !
    Prévenez donc, Seigneur, l'appui qu'on leur prépare,
Vengez-moi de Carthage avant qu'il se déclare,
Pressez en ma faveur votre propre courroux,
Et gardez jusque-là Massinisse pour vous.   1260
Je n'ai plus rien à dire, et vous en laisse faire.

            LÉLIUS
Nous saurons profiter d'un avis salutaire.
Allez m'attendre au camp : je vous suivrai de près.
Je dois ici l'oreille à d'autres intérêts,
Et ceux de Massinisse...

            SYPHAX
                Il osera vous dire...   1265
            LÉLIUS
Ce que vous m'avez dit, Seigneur, vous doit suffire.
Encore un coup, allez, sans vous inquiéter.
Ce n'est pas devant vous que je dois l'écouter.

    Scène III : Lélius, Massinisse, Mézétulle.

            MASSINISSE
L'avez-vous commandé, Seigneur, qu'en ma présence
Vos tribuns vers la Reine usent de violence ?   1270
            LÉLIUS
Leur ordre est d'emmener au camp les prisonniers,
Et comme elle et Syphax s'en trouvent les premiers,
Ils ont suivi cet ordre en commençant par elle.
Mais par quel intérêt prenez-vous sa querelle ?

            MASSINISSE
Syphax vous l'aura dit, puisqu'il sort d'avec vous.   1275
    Seigneur, elle a reçu son véritable époux,
Et j'ai repris sa foi par force violée
Sur un usurpateur qui me l'avait volée :
Son père et son amour m'en avaient fait le don.

            LÉLIUS
Ce don pour tout effet n'eut qu'un lâche abandon.   1280
Dès que Syphax parut, cet amour sans puissance...

            MASSINISSE
J'étais lors en Espagne, et durant mon absence
Carthage la força d'accepter ce parti,
Mais à présent Carthage en a le démenti.
En reprenant mon bien j'ai détruit son ouvrage,   1285
Et vous fait dès ici triompher de Carthage.

            LÉLIUS
Commencer avant nous un triomphe si haut,
Seigneur, c'est le braver un peu plus qu'il ne faut,
Et mettre entre elle et Rome une étrange balance,
Que de confondre ainsi l'une et l'autre alliance.   1290
Notre ami tout ensemble et gendre d'Asdrubal,
Croyez-moi, ces deux noms s'accordent assez mal,
Et quelque grand dessein que puisse être le vôtre,

---

24. Il ne faut pas identifier Corneille à Syphax; s'il aima
sous des cheveux gris, son attitude envers Marquise Du Parc,
moins galante, fut plus fière. Cf. *Poésies*, p. 882.
25. L'une des Furies infernales. Curieuse et rare image
allégorique, peu vraisemblable dans la bouche d'un Africain,
et de plus désespéré. Corneille transpose les mots de « peste
et de furie » qu'il a trouvés dans Tite-Live.
26. Construction amphibologique : S'il est permis aux
vaincus de parler.

Vous ne pourrez longtemps conserver l'un et l'autre.
1295 Ne vous figurez point qu'une telle moitié
Soit jamais compatible avec notre amitié,
Ni que nous attendions que le même artifice
Qui nous ôta Syphax nous vole Massinisse.
Nous aimons nos amis, et même en dépit d'eux
1300 Nous savons les tirer de ces pas dangereux.
Ne nous forcez à rien qui vous puisse déplaire.

MASSINISSE

Ne m'ordonnez donc rien que je ne puisse faire,
Et montrez cette ardeur de servir vos amis,
A tenir hautement ce qu'on leur a promis.
1305 Du consul et de vous j'ai la parole expresse,
Et ce grand jour a fait que tout obstacle cesse.
Tout ce qui m'appartient me doit être rendu.

LÉLIUS

Et par où cet espoir vous est-il défendu?

MASSINISSE

Quel ridicule espoir en garderait mon âme,
1310 Si votre dureté me refuse ma femme?
Est-il rien plus à moi, rien moins à balancer,
Et du reste par là que me faut-il penser?
Puis-je faire aucun fonds sur la foi qu'on me donne,
Et traité comme esclave, attendre ma couronne?

LÉLIUS

1315 Nous en avons ici les ordres du sénat,
Et même de Syphax il y joint tout l'État,
Mais nous n'en avons point touchant cette captive :
Syphax est son époux, il faut qu'elle le suive.

MASSINISSE

Syphax est son époux! et que suis-je, Seigneur?

LÉLIUS

1320 Consultez la raison plutôt que votre cœur,
Et voyant mon devoir, souffrez que je le fasse.

MASSINISSE

Chargez, chargez-moi donc de vos fers en sa place :
Au lieu d'un conquérant par vos mains couronné,
Traînez à votre Rome un vainqueur enchaîné.
1325 Je suis à Sophonisbe, et mon amour fidèle
Dédaigne et diadème et liberté sans elle :
Je ne veux ni régner, ni vivre qu'en ses bras.
Non, je ne veux...

LÉLIUS

Seigneur, ne vous emportez pas.

MASSINISSE

Résolus à ma perte, hélas! que vous importe
1330 Si ma juste douleur se retient ou s'emporte?
Mes pleurs et mes soupirs vous fléchiront-ils mieux,
Et faut-il à genoux vous parler comme aux Dieux?
Que j'ai mal employé mon sang et mes services,
Quand je les ai prêtés à vos astres propices,
1335 Si j'ai pu tant de fois hâter votre destin,
Sans pouvoir mériter cette part au butin!

LÉLIUS

Si vous avez, Seigneur, hâté notre fortune,
Je veux bien que la proie entre nous soit commune.
Mais pour la partager, est-ce à vous de choisir?
1340 Est-ce avant notre aveu qu'il vous en faut saisir?

MASSINISSE

Ah! si vous aviez fait la moindre expérience

De ce qu'un digne amour donne d'impatience,
Vous sauriez... Mais pourquoi n'en auriez-vous pas fait?
Pour aimer à notre âge en est-on moins parfait?
Les héros des Romains ne sont-ils jamais hommes [27]? 1345
Leur Mars a tant de fois été ce que nous sommes,
Et le maître des Dieux, des rois et des amants,
En ma place aurait eu mêmes empressements [28].
J'aimais, on l'agréait, j'étais ici le maître;
Vous m'aimiez, ou du moins vous le faisiez paraître. 1350
L'amour en cet état daigne-t-il hésiter,
Faute d'un mot d'aveu dont il n'ose douter?
Voir son bien en sa main et ne le point reprendre,
Seigneur, c'est un respect bien difficile à rendre.
Un Roi se souvient-il, en des moments si doux, 1355
Qu'il a dans votre camp des maîtres parmi vous?
Je l'ai dû toutefois, et je m'en tiens coupable.
Ce crime est-il si grand qu'il soit irréparable?
Et sans considérer mes services passés,
Sans excuser l'amour par qui nos cœurs forcés... 1360

LÉLIUS

Vous parlez tant d'amour qu'il faut que je confesse
Que j'ai honte pour vous de voir tant de faiblesse.
N'alléguez point les Dieux : si l'on voit quelquefois
Leur flamme s'emporter en faveur de leur choix,
Ce n'est qu'à leurs pareils à suivre leurs exemples, 1365
Et vous ferez comme eux quand vous aurez des temples.
Comme ils sont dans leur ciel au-dessus du danger,
Ils n'ont là rien à craindre et rien à ménager.
Du reste je sais bien que souvent il arrive
Qu'un vainqueur s'adoucit auprès de sa captive. 1370
Les droits de la victoire ont quelque liberté
Qui ne saurait déplaire à notre âge indompté.
Mais quand à cette ardeur un monarque défère,
Il s'en fait un plaisir et non pas une affaire :
Il repousse l'amour comme un lâche attentat, 1375
Dès qu'il veut prévaloir sur la raison d'État,
Et son cœur, au-dessus de ces basses amorces,
Laisse à cette raison toujours toutes ses forces.
Quand l'amour avec elle a de quoi s'accorder,
Tout est beau, tout succède, on n'a qu'à demander; 1380
Mais pour peu qu'elle en soit ou doive être alarmée,
Son feu qu'elle dédit doit tourner en fumée.
Je vous en parle en vain : cet amour décevant
Dans votre cœur surpris a passé trop avant,
Vos feux vous plaisent trop pour les vouloir éteindre, 1385
Et tout ce que je puis, Seigneur, c'est de vous plaindre.

MASSINISSE

Me plaindre tout ensemble et me tyranniser!

LÉLIUS

Vous l'avouerez un jour, c'est vous favoriser.

MASSINISSE

Quelle faveur, grands Dieux, qui tient lieu de supplice!

LÉLIUS

Quand vous serez à vous, vous lui ferez justice.

MASSINISSE

Ah! que cette justice est dure à concevoir!

27. *Ah! pour être Romain, je n'en suis pas moins homme.*
(*Sertorius*, Acte IV, Scène 1, v. 1194.)
28. Curieux blasphèmes, qui étaient mieux à leur place
dans la bouche de la chrétienne Théodore.

LÉLIUS
Je la conçois assez pour suivre mon devoir.

Scène IV : Lélius, Massinisse, Mézétulle, Albin.

ALBIN
Scipion vient, Seigneur, d'arriver dans vos tentes,
Ravi du grand succès qui prévient ses attentes,
95 Et ne vous croyant pas maître en si peu de jours,
Il vous venait lui-même amener du secours,
Tandis que le blocus laissé devant Utique
Répond de cette place à notre république :
Il me donne ordre exprès de vous en avertir.

LÉLIUS
00 Allez à votre hymen le faire consentir,
Allez le voir sans moi, je l'en laisse seul juge.

MASSINISSE
Oui, contre vos rigueurs il sera mon refuge,
Et j'en rapporterai d'autres ordres pour vous.

LÉLIUS
Je les suivrai, Seigneur, sans en être jaloux.

MASSINISSE
05 Mais avant mon retour, si l'on saisit la Reine...

LÉLIUS
J'en réponds jusque-là, n'en soyez point en peine.
Qu'on la fasse venir. Vous pouvez lui parler,
Pour prendre ses conseils, et pour la consoler.
Gardes, que sans témoins on le laisse avec elle.
10 Vous, pour dernier avis d'une amitié fidèle,
Perdez fort peu de temps en ce doux entretien,
Et jusques au retour ne vous vantez de rien.

*Scène V : Massinisse, Sophonisbe, Mézétulle,
Herminie.*

MASSINISSE
Voyez-la donc, Seigneur, voyez tout son mérite,
Voyez s'il est aisé qu'un héros... Il me quitte,
5 Et d'un premier éclat le barbare alarmé
N'ose exposer son cœur aux yeux qui m'ont charmé.
Il veut être inflexible, et craint de ne plus l'être,
Pour peu qu'il se permît de voir et de connaître.
Allons, allons, Madame, essayer aujourd'hui
0 Sur le grand Scipion ce qu'il a craint pour lui.
Il vient d'entrer au camp; venez-y par vos charmes
Appuyer mes soupirs et secourir mes larmes,
Et que ces mêmes yeux qui m'ont fait tout oser,
Si j'en suis criminel, servent à m'excuser.
5 Puissent-ils, et sur l'heure, avoir là tant de force
Que pour prendre ma place il m'ordonne un divorce,
Qu'il veuille conserver mon bien en me l'ôtant!
J'en mourrai de douleur, mais je mourrai content.
Mon amour, pour vous faire un destin si propice,
Se prépare avec joie à ce grand sacrifice,
Si c'est vous bien servir, l'honneur m'en suffira,
Et si c'est mal aimer, mon bras m'en punira.

SOPHONISBE
Le trouble de vos sens, dont vous n'êtes plus maître,
Vous a fait oublier, Seigneur, à me connaître.
Quoi! j'irais mendier jusqu'au camp des Romains

La pitié de leur chef qui m'aurait en ses mains?
J'irais déshonorer, par un honteux hommage,
Le trône où j'ai pris place, et le sang de Carthage,
Et l'on verrait gémir la fille d'Asdrudal
Aux pieds de l'ennemi pour eux le plus fatal?   1440
Je ne sais si mes yeux auraient là tant de force
Qu'en sa faveur sur l'heure il pressât un divorce,
Mais je ne me vois pas en état d'obéir,
S'il osait jusque là cesser de me haïr,
La vieille antipathie entre Rome et Carthage   1445
N'est pas prête à finir par un tel assemblage.
Ne vous préparez point à rien sacrifier
A l'honneur qu'il aurait de vous justifier.
Pour effet de vos feux et de votre parole,
Je ne veux qu'éviter l'aspect du Capitole,   1450
Que ce soit par l'hymen ou par d'autres moyens,
Que je vive avec vous ou chez nos citoyens,
La chose m'est égale, et je vous tiendrai quitte,
Qu'on nous sépare ou non, pourvu que je l'évite.
Mon amour voudrait plus, mais je règne sur lui,   1455
Et n'ai changé d'époux que pour prendre un appui.
Vous m'avez demandé la faveur de ce titre
Pour soustraire mon sort à son injuste arbitre,
Et puisqu'à m'affranchir il faut que j'aide un Roi,
C'est là tout le secours que vous aurez de moi.   1460
Ajoutez-y des pleurs, mêlez-y des bassesses,
Mais laissez-moi, de grâce, ignorer vos faiblesses,
Et si vous souhaitez que l'effet m'en soit doux,
Ne me donnez point lieu d'en rougir après vous.
Je ne vous cèle point que je serais ravie   1465
D'unir à vos destins les restes de ma vie,
Mais si Rome en vous-même ose braver les rois,
S'il faut d'autres secours, laissez-les à mon choix.
J'en trouverai, Seigneur, et j'en sais qui peut-être
N'auront à redouter ni maîtresse ni maître,   1470
Mais mon amour préfère à cette sûreté
Le bien de vous devoir toute ma liberté.

MASSINISSE
Ah! si je vous pouvais offrir même assurance,
Que je serais heureux de cette préférence!

SOPHONISBE
Syphax et Lélius pourront vous prévenir,   1475
Si vous perdez ici le temps de l'obtenir.
Partez.

MASSINISSE
        M'enviez-vous le seul bien qu'à ma flamme
A souffert jusqu'ici la grandeur de votre âme?
Madame, je vous laisse aux mains de Lélius.
Vous avez pu vous-même entendre ses refus,   1480
Et mon amour ne sait ce qu'il peut se promettre
De celles du consul, où je vais me remettre.
L'un et l'autre est Romain, et peut-être en ce lieu
Ce peu que je vous dis est le dernier adieu.
Je ne vois rien de sûr que cette triste joie;   1485
Ne me l'enviez plus, souffrez que je vous voie,
Souffrez que je vous parle, et vous puisse exprimer
Quelque part des malheurs où l'on peut m'abîmer,
Quelques informes traits de la secrète rage
Que déjà dans mon cœur forme leur sombre image.   1490
Non que je désespère : on m'aime, mais, hélas!

On m'estime, on m'honore, et l'on ne me craint pas.
M'éloigner de vos yeux en cette incertitude,
Pour un cœur tout à vous c'est un tourment bien rude,
1495 Et si j'en ose croire un noir pressentiment,
C'est vous perdre à jamais que vous perdre un moment.
    Madame, au nom des Dieux, rassurez mon courage,
Dites que vous m'aimez, j'en pourrai davantage,
J'en deviendrai plus fort auprès de Scipion.
1500 Montrez pour mon bonheur un peu de passion,
Montrez que votre flamme au même bien aspire,
Ne régnez plus sur elle, et laissez-lui me dire...

SOPHONISBE

Allez, Seigneur, allez, je vous aime en époux,
Et serais à mon tour aussi faible que vous.

MASSINISSE

1505 Faites, faites-moi voir cette illustre faiblesse :
Que ses douceurs...

SOPHONISBE

        Ma gloire en est encor maîtresse.
Adieu. Ce qui m'échappe en faveur de vos feux
Est moins que je ne sens, et plus que je ne veux.
   Elle rentre.

MÉZÉTULLE

Douterez-vous encor, Seigneur, qu'elle vous aime?

MASSINISSE

1510 Mézétulle, il est vrai, son amour est extrême,
Mais cet extrême amour, au lieu de me flatter,
Ne saurait me servir qu'à mieux me tourmenter :
Ce qu'elle m'en fait voir redouble ma souffrance.
Reprenons toutefois un moment de constance,
1515 En faveur de sa flamme espérons jusqu'au bout,
Et pour tout obtenir allons hasarder tout.

ACTE CINQUIÈME

Scène I : Sophonisbe, Herminie.

SOPHONISBE

Cesse de me flatter d'une espérance vaine :
Auprès de Scipion ce prince perd sa peine.
S'il l'avait pu toucher, il serait revenu,
1520 Et puisqu'il tarde tant, il n'a rien obtenu.

HERMINIE

Si tant d'amour pour vous s'impute à trop d'audace,
Il faut un peu de temps pour en obtenir grâce :
Moins on la rend facile, et plus elle a de poids.
Scipion s'en fera prier plus d'une fois,
1525 Et peut-être son âme encore irrésolue...

SOPHONISBE

Sur moi, quoi qu'il en soit, je me rends absolue,
Contre sa dureté j'ai du secours tout prêt,
Et ferai malgré lui moi seule mon arrêt.
    Cependant de mon feu l'importune tendresse
1530 Aussi bien que ma gloire en mon sort s'intéresse,
Veut régner en mon cœur comme ma liberté,
Et n'ose l'avouer de toute sa fierté.
Quelle bassesse d'âme! ô ma gloire! ô Carthage!
Faut-il qu'avec vous deux un homme la partage?
1535 Et l'amour de la vie en faveur d'un époux

Doit-il être en ce cœur aussi puissant que vous?
Ce héros a trop fait de m'avoir épousée,
De sa seule pitié s'il m'eût favorisée,
Cette pitié peut-être en ce triste et grand jour
Aurait plus fait pour moi que cet excès d'amour. 15
Il devait voir que Rome en juste défiance...

HERMINIE

Mais vous lui témoigniez pareille impatience,
Et vos feux rallumés montraient de leur côté
Pour ce nouvel hymen égale avidité.

SOPHONISBE

Ce n'était point l'amour qui la rendait égale, 15
C'était la folle ardeur de braver ma rivale :
J'en faisais mon suprême et mon unique bien.
Tous les cœurs ont leur faible, et c'était là le mien.
La présence d'Éryxe aujourd'hui m'a perdue, 15
Je me serais sans elle un peu mieux défendue,
J'aurais su mieux choisir et les temps et les lieux,
Mais ce vainqueur vers elle eût pu tourner les yeux.
Tout mon orgueil disait à mon âme jalouse
Qu'une heure de remise en eût fait son épouse, 15
Et que pour me braver à son tour hautement,
Son feu se fût saisi de ce retardement.
Cet orgueil dure encore, et c'est lui qui l'invite
Par un message exprès à me rendre visite,
Pour reprendre à ses yeux un si cher conquérant,
Ou s'il me faut mourir, la braver en mourant. 1
    Mais je vois Mézétulle; en cette conjoncture,
Son retour sans ce prince est d'un mauvais augure.
Raffermis-toi, mon âme, et prends des sentiments
A te mettre au-dessus de tous événements.

Scène II : Sophonisbe, Mézétulle, Herminie.

SOPHONISBE

Quand reviendra le Roi?

MÉZÉTULLE

        Pourrai-je bien vous dire 1
A quelle extrémité le porte un dur empire,
Et si je vous le dis, pourrez-vous concevoir
Quel est son déplaisir, quel est son désespoir?
Scipion ne veut pas même qu'il vous revoie.

SOPHONISBE

J'ai donc peu de raison d'attendre cette joie : 1
Quand son maître a parlé, c'est à lui d'obéir.
Il lui commandera bientôt de me haïr,
Et dès qu'il recevra cette loi souveraine,
Je ne dois pas douter un moment de sa haine.

MÉZÉTULLE

Si vous pouviez douter encor de son ardeur,
Si vous n'aviez pas vu jusqu'au fond de son cœur,
Je vous dirais...

SOPHONISBE

    Que Rome à présent l'intimide?

MÉZÉTULLE

Madame, vous savez...

SOPHONISBE

        Je sais qu'il est Numide.
Toute sa nation est sujette à l'amour,
Mais cet amour s'allume et s'éteint en un jour :

J'aurais tort de vouloir qu'il en eût davantage.
MÉZÉTULLE
Que peut en cet état le plus ferme courage ?
Scipion ou l'obsède ou le fait observer ;
Dès demain vers Utique il le veut enlever...
SOPHONISBE
5 N'avez-vous de sa part autre chose à me dire ?
MÉZÉTULLE
Par grâce on a souffert qu'il ait pu vous écrire,
Qu'il l'ait fait sans témoins, et par ce peu de mots,
Qu'ont arrosé ses pleurs, qu'ont suivi ses sanglots,
Il vous fera juger...
SOPHONISBE
Donnez.
MÉZÉTULLE
Avec sa lettre,
Voilà ce qu'en vos mains j'ai charge de remettre.
BILLET DE MASSINISSE A SOPHONISBE
SOPHONISBE lit.
Il ne m'est pas permis de vivre votre époux ;
Mais enfin je vous tiens parole,
Et vous éviterez l'aspect du Capitole,
Si vous êtes digne de vous.
Ce poison que je vous envoie
En est la seule et triste voie
Et c'est tout ce que peut un déplorable Roi
Pour dégager sa foi.
Voilà de son amour une preuve assez ample.
Mais s'il m'aimait encore, il me devait l'exemple :
Plus esclave en son camp que je ne suis ici,
Il devait de son sort prendre même souci.
Quel présent nuptial d'un époux à sa femme !
Qu'au jour d'un hyménée il lui marque de flamme !
Reportez, Mézétulle, à votre illustre Roi
Un secours dont lui-même a plus besoin que moi :
Il ne manquera pas d'en faire un digne usage,
Dès qu'il aura des yeux à voir son esclavage.
Si tous les rois d'Afrique en sont toujours pourvus
Pour dérober leur gloire aux malheurs imprévus,
Comme eux et comme lui j'en dois être munie,
Et quand il me plaira de sortir de la vie,
De montrer qu'une femme a plus de cœur que lui,
On ne me verra point emprunter rien d'autrui.

Scène III : Sophonisbe, Éryxe, page, Herminie,
Barcée, Mézétulle.

SOPHONISBE, *au page.*
Éryxe viendra-t-elle ? As-tu vu cette Reine ?
LE PAGE
Madame, elle est déjà dans la chambre prochaine,
Surprise d'avoir su que vous la vouliez voir.
Vous la voyez, elle entre.
SOPHONISBE
Elle va plus savoir.
Si vous avez connu le prince Massinisse...
ÉRYXE
N'en parlons point, Madame, il vous a fait justice.
SOPHONISBE
Vous n'avez pas connu tout à fait son esprit ;

Pour le connaître mieux, lisez ce qu'il m'écrit.
ÉRYXE, *elle lit bas.*
Du côté des Romains, je ne suis point surprise,
Mais ce qui me surprend, c'est qu'il les autorise,
Qu'il passe plus avant qu'ils ne voudraient aller.   1625
SOPHONISBE
Que voulez-vous, Madame ? il faut s'en consoler.
Allez, et dites-lui que je m'apprête à vivre,
En faveur du triomphe, en dessein de le suivre,
Que puisque son amour ne sait pas mieux agir,
Je m'y réserve exprès pour l'en faire rougir.   1630
Je lui dois cette honte, et Rome, son amie,
En verra sur son front rejaillir l'infamie :
Elle y verra marcher, ce qu'on n'a jamais vu,
La femme du vainqueur à côté du vaincu,
Et mes pas chancelants sous ces pompes cruelles   1635
Couvrir ses plus hauts faits de taches éternelles.
Portez-lui ma réponse, allez.
MÉZÉTULLE
Dans ses ennuis...
SOPHONISBE
C'est trop m'importuner en l'état où je suis.
Ne vous a-t-il chargé de rien dire à la Reine ?
MÉZÉTULLE
Non, Madame.
SOPHONISBE
Allez donc, et sans vous mettre en peine 1640
De ce qu'il me plaira croire ou ne croire pas,
Laissez en mon pouvoir ma vie et mon trépas.

Scène IV : Sophonisbe, Éryxe,
Herminie, Barcée.

SOPHONISBE
Une troisième fois mon sort change de face,
Madame, et c'est mon tour de vous quitter la place.
Je ne m'en défends point, et quel que soit le prix   1645
De ce rare trésor que je vous avais pris,
Quelques marques d'amour que ce héros m'envoie,
Ce que j'en eus pour lui vous le rend avec joie.
Vous le conserverez plus dignement que moi.
ÉRYXE
Madame, pour le moins j'ai su garder ma foi,   1650
Et ce que mon espoir en a reçu d'outrage
N'a pu jusqu'à la plainte emporter mon courage.
Aucun de nos Romains sur mes ressentiments...
SOPHONISBE
Je ne demande point ces éclaircissements,
Et m'en rapporte aux Dieux qui savent toutes choses[29]. 1655
Quand l'effet est certain, il n'importe des causes :
Que ce soit mon malheur, que ce soient nos tyrans,
Que ce soit vous ou lui, je l'ai pris, je le rends.
Il est vrai que l'état où j'ai su vous le prendre
N'est pas du tout le même où je vais vous le rendre : 1660
Je vous l'ai pris vaillant, généreux, plein d'honneur,
Et je vous le rends lâche, ingrat, empoisonneur ;
Je l'ai pris magnanime, et vous le rends perfide,

---

29. Ce vers est déjà dans la bouche du vieil Horace, au
moment où aucun raisonnement humain ne peut plus comprendre l'injustice apparente du Destin.

Je vous le rends sans cœur, et l'ai pris intrépide,
1665 Je l'ai pris le plus grand des princes africains,
Et le rends, pour tout dire, esclave des Romains.

ÉRYXE

Qui me le rend ainsi n'a pas beaucoup d'envie
Que j'attache à l'aimer le bonheur de ma vie.

SOPHONISBE

Ce n'est pas là, Madame, où je prends intérêt.
1670 Acceptez, refusez, aimez-le tel qu'il est,
Dédaignez son mérite, estimez sa faiblesse,
De tout votre destin vous êtes la maîtresse.
Je la serai du mien, et j'ai cru vous devoir
Ce mot d'avis sincère avant que d'y pourvoir.
1675 S'il part d'un sentiment qui flatte mal les vôtres,
Lélius que je vois, vous en peut donner d'autres,
Souffrez que je l'évite, et que dans mon malheur
Je m'ose de sa vue épargner la douleur.

Scène V : Lélius, Eryxe, Lépide, Barcée.

LÉLIUS

Lépide, ma présence est pour elle un supplice.

ÉRYXE

1680 Vous a-t-on dit, Seigneur, ce qu'a fait Massinisse?

LÉLIUS

J'ai su que pour sortir d'une témérité
Dans une autre plus grande il s'est précipité.
Au bas de l'escalier j'ai trouvé Mézétulle,
Sur ce qu'a dit la Reine il est un peu crédule :
1685 Pour braver Massinisse elle a quelque raison
De refuser de lui le secours du poison,
Mais ce refus pourrait n'être qu'un stratagème,
Pour faire, malgré nous, son destin elle-même.
Allez l'en empêcher, Lépide, et dites-lui
1690 Que le grand Scipion veut lui servir d'appui,
Que Rome en sa faveur voudra lui faire grâce,
Qu'un si prompt désespoir sentirait l'âme basse,
Que le temps fait souvent plus qu'on ne s'est promis,
Que nous ferons pour elle agir tous nos amis.
1695 Enfin avec douceur tâchez de la réduire
A venir dans le camp, à s'y laisser conduire,
A se rendre à Syphax, qui même en ce moment
L'aime et l'adore encor malgré son changement.
Nous attendrons ici l'effet de votre adresse,
1700 N'y perdez point de temps.

Scène VI : Lélius, Éryxe, Barcée.

LÉLIUS

                              Et vous, grande Princesse,
Si des restes d'amour ont surpris un vainqueur,
Quand il devait au vôtre et son trône et son cœur,
Nous vous en avons fait assez prompte justice,
Pour obtenir de vous que ce trouble finisse,
1705 Et que vous fassiez grâce à ce prince inconstant,
Qui se voulait trahir lui-même en vous quittant.

ÉRYXE

Vous aurait-il prié, Seigneur, de me le dire?

LÉLIUS

De l'effort qu'il s'est fait, il gémit, il soupire,

Et je crois que son cœur, encore outré d'ennui,
Pour retourner à vous n'est pas assez à lui.
Mais si cette bonté qu'eut pour lui votre flamme
Aidait à sa raison à rentrer dans son âme,
Nous aurions peu de peine à rallumer des feux
Que n'a pas bien éteints cette erreur de ses vœux.

ÉRYXE

Quand d'une telle erreur vous punissez l'audace,
Il vous sied mal pour lui de me demander grâce :
Non que je la refuse à ce perfide tour,
L'hymen des rois doit être au-dessus de l'amour,
Et je sais qu'en un prince heureux et magnanime
Mille infidélités ne sauraient faire un crime.
Mais si tout inconstant il est digne de moi,
Il a cessé de l'être en cessant d'être Roi.

LÉLIUS

Ne l'est-il plus, Madame? et si la Gétulie
Par votre illustre hymen à son trône s'allie,
Si celui de Syphax s'y joint dès aujourd'hui,
En est-il sur la terre un plus puissant que lui?

ÉRYXE

Et de quel front, Seigneur, prend-il une couronne,
S'il ne peut disposer de sa propre personne,
S'il lui faut pour aimer attendre votre choix,
Et que jusqu'en son lit vous lui fassiez des lois?
Un sceptre compatible avec un joug si rude
N'a rien à me donner que de la servitude,
Et si votre prudence ose en faire un vrai Roi,
Il est à Sophonisbe, et ne peut être à moi.
Jalouse seulement de la grandeur royale,
Je la regarde en Reine, et non pas en rivale,
Je vois dans son destin le mien enveloppé,
Et du coup qui la perd tout mon cœur est frappé [30].
Par votre ordre on la quitte, et cet ami fidèle
Me pourrait, au même ordre, abandonner comme elle.
Disposez de mon sceptre, il est entre vos mains :
Je veux bien le porter au gré de vos Romains.
Je suis femme, et mon sexe accablé d'impuissance
Ne reçoit point d'affront par cette dépendance [31].
Mais je n'aurai jamais à rougir d'un époux
Qu'on voie ainsi que moi ne régner que sous vous.

LÉLIUS

Détrompez-vous, Madame, et voyez dans l'Asie
Nos dignes alliés régner sans jalousie,
Avec l'indépendance, avec l'autorité
Qu'exige de leur rang toute la majesté.
Regardez Prusias, considérez Attale [32],
Et ce que souffre en eux la dignité royale.
Massinisse avec vous, et toute autre moitié,
Recevra même honneur et pareille amitié.
Mais quant à Sophonisbe, il m'est permis de dire
Qu'elle est Carthaginoise, et ce mot doit suffire.
Je dirais qu'à la prendre ainsi sans notre aveu,
Tout notre ami qu'il est, il nous bravait un peu.

---

30. Ce discours reprend fidèlement les propos de l'acte III scène 2.
31. Intéressant anachronisme, qui applique à Éryxe les raisons de la loi salique, interdisant le trône aux femmes comme impuissantes à en assurer l'ordre et la majesté.
32. Exemple savoureux, quand on a lu *Nicomède*.

Mais comme je lui veux conserver notre estime,
50 Autant que je le puis je déguise son crime,
Et nomme seulement imprudence d'État
Ce que nous aurions droit de nommer attentat.

Scène VII : Lélius, Éryxe, Lépide, Barcée.

LÉLIUS

Mais Lépide déjà revient de chez la Reine.
Qu'avez-vous obtenu de cette âme hautaine ?

LÉPIDE

5 Elle avait trop d'orgueil pour en rien obtenir :
De sa haine pour nous elle a su se punir.

LÉLIUS

Je l'avais bien prévu, je vous l'ai dit moi-même,
Que ce dessein de vivre était un stratagème,
Qu'elle voudrait mourir ; mais ne pouviez-vous pas...

LÉPIDE

0 Ma présence n'a fait que hâter son trépas.
À peine elle m'a vu, que d'un regard farouche,
Portant je ne sais quoi de sa main à sa bouche :
« Parlez, m'a-t-elle dit, je suis en sûreté,
Et recevrai votre ordre avec tranquillité. »
5 Surpris d'un tel discours, je l'ai pourtant flattée :
J'ai dit qu'en grande Reine elle serait traitée,
Que Scipion et vous en prendriez souci,
Et j'en voyais déjà son regard adouci,
Quand d'un souris amer me coupant la parole :
« Qu'aisément, reprend-elle, une âme se console !
Je sens vers cet espoir tout mon cœur s'échapper,
Mais il est hors d'état de se laisser tromper,
Et d'un poison ami le secourable office
Vient de fermer la porte à tout votre artifice.
Dites à Scipion qu'il peut dès ce moment
Chercher à son triomphe un plus rare ornement.
Pour voir de deux grands Rois la lâcheté punie,
J'ai dû livrer leur femme à cette ignominie,
C'est ce que méritait leur amour conjugal :
Mais j'en ai dû sauver la fille d'Asdrubal.
Leur bassesse aujourd'hui de tous deux me dégage,

Et n'étant plus qu'à moi, je meurs toute à Carthage,
Digne sang d'un tel père, et digne de régner,
Si la rigueur du sort eût voulu m'épargner ! »
A ces mots, la sueur lui montant au visage,   1795
Les sanglots de sa voix saisissent le passage,
Une morte pâleur s'empare de son front [33],
Son orgueil s'applaudit d'un remède si prompt :
De sa haine aux abois la fierté se redouble ;
Elle meurt à mes yeux, mais elle meurt sans trouble, 1800
Et soutient en mourant la pompe d'un courroux
Qui semble moins mourir que triompher de nous.

ÉRYXE

Le dirai-je, Seigneur ? je la plains et l'admire :
Une telle fierté méritait un empire,
Et j'aurais en sa place eu même aversion   1805
De me voir attachée au char de Scipion.
La fortune jalouse et l'amour infidèle
Ne lui laissaient ici que son grand cœur pour elle :
Il a pris le dessus de toutes leurs rigueurs,
Et son dernier soupir fait honte à ses vainqueurs. 1810

LÉLIUS

Je dirai plus, Madame, en dépit de sa haine,
Une telle fierté devait naître romaine.
Mais allons consoler un Prince généreux,
Que sa seule imprudence a rendu malheureux.
Allons voir Scipion, allons voir Massinisse,   1815
Souffrez qu'en sa faveur le temps vous adoucisse,
Et préparez votre âme à le moins dédaigner,
Lorsque vous aurez vu comme il saura régner.

ÉRYXE

En l'état où je suis, je fais ce qu'on m'ordonne,
Mais ne disposez point, Seigneur, de ma personne,   1820
Et si de ce héros les désirs inconstants...

LÉLIUS

Madame, encore un coup, laissons-en faire au temps.

33. Corneille ne s'est jamais contenté d'une évocation
abstraite de la mort. Le goût hypercritique de son époque
et surtout du XVIIIᵉ siècle lui ont reproché ce réalisme (cf.
Attila).

OTHON

TRAGÉDIE [1]

Corneille n'a rien fait jouer dans la saison 1663-1664. L'été précédent, une grande bataille s'est engagée autour de son nom. D'Aubignac attaque dans trois Dissertations *sur* Sophonisbe, Sertorius, Œdipe ét annonce qu'il remontera, pièce par pièce, toute la production cornélienne. Corneille et ses amis dédaignent la controverse. Les meilleures réponses sont l'édition in-folio de son œuvre, en 1663, consécration officielle de tout écrivain aux XVIe et XVIIe siècles, la reprise de Pompée *par* Molière, et la pension que le nouveau Surintendant des arts, Colbert, accorde sur les listes présentées par Costar et Chapelain. Donneau de Visé, un nouveau venu, qui va plus tard puissamment agir sur l'opinion, entre néanmoins en lice et répond à d'Aubignac.

Diverses raisons, autres que le mécontentement, peuvent avoir poussé Corneille à retarder sa pièce. La meilleure semble être qu'il voulait en donner la primeur à la cour et attendit le bon plaisir royal. C'est effectivement la seule de ses pièces, avec la Toison d'or, qui fut créée hors de Paris.

Inquiet, au fond, de présenter une pièce sans héros ni action tragique, plus purement politique encore que Sertorius ou Sophonisbe, Corneille sonde ou prépare l'opinion par de nombreuses lectures. Il ne se trompera pas au très relatif succès que recevra Othon [2] : le grand public lui échappe, et peut-être cela lui est-il indifférent. Mais il y a une ambiguïté calculée dans le début de l'Avis au lecteur : « *Si mes amis ne me trompent, cette pièce égale ou passe la meilleure des miennes. Quantité de suffrages illustres et solides se sont déclarés pour elle.* »

Les contemporains ont vu dans Othon *une double allusion à Louis XIV : « Il ne fait préférer Othon à Pison par les conjurés qu'à cause, disent-ils, qu'Othon gouvernera lui-même... D'ailleurs ce dévot y coule quelques vers pour excuser l'amour du roi. »* Gouvernement personnel, invite de Mlle de la Vallière au refuge de l'amour platonique, il est possible que ces allusions soient volontaires. Elles sont bien discrètes et n'expliquent pas Othon.

Si Corneille avait voulu faire l'éloge d'un grand prince et de l'absolutisme, il eût été bien maladroit de déclarer : « J'ai tâché de faire paraître les vertus de mon héros, sans en dissimuler les vices, et je me suis contenté de les attribuer à une politique de cour où, quand le souverain se plonge dans les débauches et que sa faveur n'est qu'à ce prix, il y a presse à qui sera de la partie. »

Au vrai, parler de Tacite a un sens bien défini au XVIe et au XVIIe siècles. Le tacitisme est une forme de réalisme politique qui procède d'un machiavélisme expurgé.

Corneille dont on a vu la constante hostilité au machiavélisme, admet la peinture de Tacite en ce qu'elle montre bien les « intrigues de cabinet qui se détruisent les unes les autres », et la condamnation implicite d'une cour où règnent flatteurs et mauvais conseillers. Mais il souligne puissamment la stérilité d'une politique fondée sur les seules combinaisons matrimoniales : « On n'a jamais vu de pièce où il se propose tant de mariages pour n'en conclure aucun. »

AU LECTEUR

Si mes amis ne me trompent, cette pièce égale ou passe la meilleure des miennes. Quantité de suffrages illustres et solides se sont déclarés pour elle, et si j'ose y mêler le mien, je vous dirai que vous y trouverez quelque justesse dans la conduite, et un peu de bon sens dans le raisonnement. Quant aux vers, on n'en a point vu de moi que j'aye travaillé avec plus de soin. Le sujet est tiré de Tacite, qui commence ses *Histoires* par celle-ci, et je n'en ai encore mis aucune sur le théâtre à qui j'aye gardé plus de fidélité, et prêté plus d'invention. Les caractères de ceux que j'y fais parler y sont les mêmes que chez cet incomparable auteur, que j'ai traduit tant qu'il m'a été possible. J'ai tâché de faire paraître les vertus de mon héros en tout leur éclat, sans en dissimuler les vices, non plus que lui, et je me suis contenté de les attribuer à une politique de cour,

1. Jouée à Fontainebleau, le 3 août 1664, puis à l'Hôtel de Bourgogne le 5 novembre. Achevé d'imprimer : 3 février 1665.
2. *Othon* est une pièce sans héros et c'est certainement un cas limite dans la production cornélienne. Avec *Agésilas*, le poète va tenter un autre type très audacieux de tragédie.

où, quand le souverain se plonge dans les débauches, et que sa faveur n'est qu'à ce prix, il y a presse à qui sera de la partie. J'y ai conservé les événements, et pris la liberté de changer la manière dont ils arrivent, pour en jeter tout le crime sur un méchant homme[3], qu'on soupçonna dès lors d'avoir donné des ordres secrets pour la mort de Vinius, tant leur intimité était forte et déclarée. Othon avait promis à ce consul d'épouser sa fille, s'il le pouvait faire choisir à Galba pour suc-

cesseur, et comme il se vit empereur sans son ministère, il se crut dégagé de cette promesse, et ne l'épousa point. Je n'ai pas voulu aller plus loin que l'histoire, et je puis dire qu'on n'a point encore vu de pièce où il se propose tant de mariages pour n'en conclure aucun. Ce sont intrigues de cabinet qui se détruisent les unes les autres. J'en dirai davantage quand mes libraires joindront celle-ci aux recueils qu'ils ont faits de celles de ma façon qui l'ont précédée[4].

ACTEURS

GALBA, *empereur de Rome*[5].
VINIUS, *consul*[6].
OTHON, *sénateur romain, amant de Plautine*[7].
LACUS, *préfet du prétoire*[8].
CAMILLE, *nièce de Galba*[9].
PLAUTINE, *fille de Vinius, amante d'Othon*.
MARTIAN, *affranchi de Galba*.
ALBIN, *ami d'Othon*.
ALBIANE, *sœur d'Albin, et dame d'honneur de Camille*.
FLAVIE, *amie de Plautine*.
ATTICUS, RUTILE, *soldats romains*.

La scène est à Rome, dans le palais impérial[10].

ACTE PREMIER

Scène I : Othon, Albin.

ALBIN

Votre amitié, Seigneur, me rendra téméraire,
J'en abuse, et je sais que je vais vous déplaire,
Que vous condamnerez ma curiosité,
Mais je croirais vous faire une infidélité,
Si je vous cachais rien de ce que j'entends dire
De votre amour nouveau sous ce nouvel empire.

On s'étonne de voir qu'un homme tel qu'Othon,
Othon, dont les hauts faits soutiennent le grand nom,
Daigne d'un Vinius se réduire à la fille,
S'attache à ce consul, qui ravage, qui pille, 10
Qui peut tout, je l'avoue, auprès de l'Empereür,
Mais dont tout le pouvoir ne sert qu'à faire horreur,
Et détruit d'autant plus que plus on le voit croître,
Ce que l'on doit d'amour aux vertus de son maître.

OTHON

Ceux qu'on voit s'étonner de ce nouvel amour 15
N'ont jamais bien conçu ce que c'est que la cour.
Un homme tel que moi jamais ne s'en détache,
Il n'est point de retraite ou d'ombre qui le cache,
Et si du souverain la faveur n'est pour lui,
Il faut, ou qu'il périsse, ou qu'il prenne un appui. 20
Quand le monarque agit par sa propre conduite[11],
Mes pareils sans péril se rangent à sa suite,
Le mérite et le sang nous y font discerner.
Mais quand le potentat se laisse gouverner,
Et que de son pouvoir les grands dépositaires 25
N'ont pour raison d'État que leurs propres affaires,
Ces lâches ennemis de tous les gens de cœur
Cherchent à nous pousser avec toute rigueur,
A moins que notre adroite et prompte servitude
Nous dérobe aux fureurs de leur inquiétude. 30
Sitôt que de Galba le sénat eut fait choix,
Dans mon gouvernement j'en établis les lois,
Et je fus le premier qu'on vit au nouveau Prince
Donner toute une armée et toute une province[12] :
Ainsi je me comptais de ses premiers suivants. 35
Mais déjà Vinius avait pris les devants,
Martian l'affranchi, dont tu vois les pillages,
Avait avec Lacus fermé tous les passages :
On n'approchait de lui que sous leur bon plaisir,
J'eus donc pour m'y produire un des trois à choisir. 40
Je les voyais tous trois se hâter sous un maître
Qui, chargé d'un long âge, a peu de temps à l'être,

3. Lacus, qui reprend le rôle du conseiller machiavélique de Photin, dans *la Mort de Pompée*.
4. Comme pour les pièces précédentes, cette promesse ne fut pas tenue.
5. Empereur durant sept mois, à soixante-treize ans, en cette année 68 ap. J.-C. que Tacite analyse sévèrement et qu'on appelle l'année des trois empereurs.
6. La forme républicaine étant conservée, le consul Vinius en détenait l'autorité de principe, avec son collègue. Mais déjà, bien avant Galba, l'Empire était aux mains des favoris, affranchis nantis de fonctions diverses, dont la plus efficace, comme c'est le cas pour Lacus, est celle de préfet du prétoire.
7. Othon, en 69, a trente-sept ans. En même temps que l'amant de Plautine, il est l'ex-mari de Poppée. Il se tuera après trois mois de règne.
8. Tacite, Suétone et Plutarque le nomment Laco. Plutarque n'hésite pas à qualifier Galba d'empereur digne de l'ancienne Rome (*Vie*, chap. 33) et à attribuer son échec à Vinius, Laco et à ses affranchis qui faisaient trafic de tout.
9. Personnage inventé, ainsi que Flavie, Albiane et Rutile. Albin n'a qu'un nom dans Tacite, ainsi que Julius Atticus.
10. A la différence de la pièce de Ghirardelli (1652), expressément nommé par Corneille, où l'action se passe dans un camp au bord du Tibre.

11. Il est injuste de regarder cette apologie du pouvoir personnel comme une flatterie à Louis XIV : Corneille a de tout temps défendu cette position. Mais il se pourrait que Corneille critique de tout-puissants nouveaux ministres, Colbert en particulier, à qui le roi confie une part considérable de son autorité. C'est à cette date précisément qu'on vient de nommer des commissaires exceptionnels pour surveiller les « généralités » du royaume. L'un des griefs des défenseurs de Fouquet, aux côtés desquels on peut ranger Corneille, est qu'on a abattu un des manipulateurs trop puissants des finances de la France pour en rétablir d'autres tout aussi dangereux.
12. Othon remit la Lusitanie, dont il était gouverneur (Tacite, *Hist.*, I, 13).

Et tous trois à l'envi s'empresser ardemment
A qui dévorerait ce règne d'un moment.
45 J'eus horreur des appuis qui restaient seuls à prendre,
J'espérai quelque temps de m'en pouvoir défendre,
Mais quand Nymphidius, dans Rome assassiné,
Fit place au favori qui l'avait condamné,
Que Lacus, par sa mort fut préfet du prétoire,
50 Que pour couronnement d'une action si noire
Les mêmes assassins furent encor percer
Varron, Turpilian, Capiton, et Macer [13],
Je vis qu'il était temps de prendre mes mesures,
Qu'on perdait de Néron toutes les créatures,
55 Et que demeuré seul de toute cette cour,
A moins d'un Protecteur j'aurais bientôt mon tour.
Je choisis Vinius dans cette défiance,
Pour plus de sûreté j'en cherchai l'alliance.
Les autres n'ont ni sœur ni fille à me donner;
60 Et d'eux sans ce grand nœud tout est à soupçonner.

ALBIN

Vos vœux furent reçus?

OTHON

                          Oui : déjà l'hyménée
Aurait avec Plautine uni ma destinée,
Si ces rivaux d'État n'en savaient divertir
Un maître qui sans eux n'ose rien consentir.

ALBIN

65 Ainsi tout votre amour n'est qu'une politique,
Et le cœur ne sent point ce que la bouche explique?

OTHON

Il ne le sentit pas, Albin, du premier jour,
Mais cette politique est devenue amour :   [scrupules
Tout m'en plaît, tout m'en charme, et mes premiers
70 Près d'un si cher objet passent pour ridicules.
Vinius est consul, Vinius est puissant,
Il a de la naissance, et s'il est agissant,
S'il suit des favoris la pente trop commune,
Plautine hait en lui ces soins de sa fortune,
75 Son cœur est noble et grand.

ALBIN

                              Quoi qu'elle ait de vertu,
Vous devriez dans l'âme être un peu combattu.
La nièce de Galba pour dot aura l'Empire,
Et vaut bien que pour elle à ce prix on soupire :
Son oncle doit bientôt lui choisir un époux.
80 Le mérite et le sang font un éclat en vous,
Qui pour y joindre encor celui du diadème...

OTHON

Quand mon cœur se pourrait soustraire à ce que j'aime
Et que pour moi Camille aurait tant de bonté
Que je dusse espérer de m'en voir écouté,
85 Si, comme tu le dis, sa main doit faire un maître,
Aucun de nos tyrans n'est encor las de l'être,
Et ce serait tous trois les attirer sur moi,
Qu'aspirer sans leur ordre à recevoir sa foi.
Surtout de Vinius le sensible courage
90 Ferait tout pour me perdre après un tel outrage,
Et se vengerait même à la face des Dieux,
Si j'avais sur Camille osé tourner les yeux.

13. Cf. Tacite, chap. 18. Corneille abrège.

ALBIN

Pensez-y toutefois, ma sœur est auprès d'elle,
Je puis vous y servir, l'occasion est belle.
Tout autre amant que vous s'en laisserait charmer,
Et je vous dirais plus, si vous osiez l'aimer.

OTHON

Porte à d'autres qu'à moi cette amorce inutile,
Mon cœur tout à Plautine est fermé pour Camille :
La beauté de l'objet, la honte de changer,
Le succès incertain, l'infaillible danger,
Tout fait à tes projets d'invincibles obstacles.

ALBIN

Seigneur, en moins de rien il se fait des miracles :
A ces deux grands rivaux peut-être il serait doux
D'ôter à Vinius un gendre tel que vous,
Et si l'un par bonheur à Galba vous propose...
Ce n'est pas qu'après tout j'en sache aucune chose :
Je leur suis trop suspect pour s'en ouvrir à moi,
Mais si je vous puis dire enfin ce que j'en croi,
Je vous proposerais, si j'étais en leur place.

OTHON

Aucun d'eux ne fera ce que tu veux qu'il fasse,
Et s'ils peuvent jamais trouver quelque douceur
A faire que Galba choisisse un successeur,
Ils voudront par ce choix se mettre en assurance,
Et n'en proposeront que de leur dépendance.
Je sais... Mais Vinius que j'aperçois venir...

Scène II : Vinius, Othon.

VINIUS

Laissez-nous seuls, Albin, je veux l'entretenir.
Je crois que vous m'aimez, Seigneur, et que ma fille
Vous fait prendre intérêt en toute la famille.
Il en faut une preuve, et non pas seulement
Qui consiste aux devoirs dont s'empresse un amant :
Il la faut plus solide, il la faut d'un grand homme,
D'un cœur digne en effet de commander à Rome.
Il faut ne plus l'aimer.

OTHON

                         Quoi! pour preuve d'amour...

VINIUS

Il faut faire encor plus, Seigneur, en ce grand jour :
Il faut aimer ailleurs.

OTHON

                         Ah! que m'osez-vous dire?

VINIUS

Je sais qu'à son hymen tout votre cœur aspire,
Mais elle et vous et moi, nous allons tous périr,
Et votre change seul nous peut tous secourir.
Vous me devez, Seigneur, peut-être quelque chose :
Sans moi, sans mon crédit qu'à leurs desseins j'oppose,
Lacus et Martian vous auraient peu souffert;
Il faut à votre tour rompre un coup qui me perd,
Et qui, si votre cœur ne s'arrache à Plautine,
Vous enveloppera tous deux en ma ruine.

OTHON

Dans le plus doux espoir de mes vœux acceptés,
M'ordonner que je change, et vous-même !

VINIUS

Écoutez.

L'honneur que nous ferait votre illustre hyménée
Des deux que j'ai nommés tient l'âme si gênée
Que jusqu'ici Galba, qu'ils obsèdent tous deux,
A refusé son ordre à l'effet de nos vœux.
L'obstacle qu'ils y font vous peut montrer sans peine
Quelle est pour vous et moi leur envie et leur haine,
Et qu'aujourd'hui, de l'air dont nous nous regardons,
Ils nous perdront bientôt si nous ne les perdons [14].
C'est une vérité qu'on voit trop manifeste,
Et sur ce fondement, Seigneur, je passe au reste.
Galba vieil et cassé qui se voit sans enfants
Croit qu'on méprise en lui la faiblesse des ans,
Et qu'on ne peut aimer à servir sous un maître
Qui n'aura pas loisir de le bien reconnaître.
Il voit de toutes parts du tumulte excité,
Le soldat en Syrie est presque révolté,
Vitellius avance avec la force unie
Des troupes de la Gaule et de la Germanie;
Ce qu'il a de vieux corps le souffre avec ennui,
Tous les prétoriens murmurent contre lui,
De leur Nymphidius l'indigne sacrifice
De qui se l'immola leur demande justice :
Il le sait, et prétend par un jeune Empereur
Ramener les esprits, et calmer leur fureur.
Il espère un pouvoir ferme, plein, et tranquille,
S'il nomme pour César un époux de Camille,
Mais il balance encor sur ce choix d'un époux,
Et je ne puis, Seigneur, m'assurer que sur vous.
J'ai donc pour ce grand choix vanté votre courage,
Et Lacus à Pison a donné son suffrage,
Martian n'a parlé qu'en termes ambigus,
Mais sans doute il ira du côté de Lacus,
Et l'unique remède est de gagner Camille :
Si sa voix est pour nous, la leur est inutile.
Nous serons pareil nombre, et dans l'égalité
Galba pour cette nièce aura de la bonté.
Il a remis exprès à tantôt d'en résoudre,
De nos têtes sur eux détournez cette foudre;
Je vous le dis encor, contre ces grands jaloux
Je ne me puis, Seigneur, assurer que sur vous.
De votre premier choix quoi que je doive attendre,
Je vous aime encor mieux pour maître que pour gendre,
Et je ne vois pour nous qu'un naufrage certain,
S'il nous faut recevoir un Prince de leur main.

OTHON

Ah! Seigneur, sur ce point c'est trop de confiance,
C'est vous tenir trop sûr de mon obéissance.
Je ne prends plus de lois que de ma passion,
Plautine est l'objet seul de mon ambition,
Et si votre amitié me veut détacher d'elle,
La haine de Lacus me serait moins cruelle.
Que m'importe après tout, si tel est mon malheur,
De mourir par son ordre, ou mourir de douleur?

VINIUS

Seigneur, un grand courage, à quelque point qu'il aime,
Sait toujours au besoin se posséder soi-même.

Poppée avait pour vous du moins autant d'appas,
Et quand on vous l'ôta vous n'en mourûtes pas.

OTHON

Non, Seigneur, mais Poppée était une infidèle,
Qui n'en voulait qu'au trône, et qui m'aimait moins
                                                    [qu'elle
Ce peu qu'elle eut d'amour ne fit du lit d'Othon   195
Qu'un degré pour monter à celui de Néron :
Elle ne m'épousa qu'afin de s'y produire,
D'y ménager sa place au hasard de me nuire.
Aussi j'en fus banni sous un titre d'honneur,
Et pour ne plus me voir on me fit gouverneur.   200
Mais j'adore Plautine, et je règne en son âme.
Nous ordonner d'éteindre une si belle flamme,
C'est... je ne l'ose dire. Il est d'autres Romains,
Seigneur, qui sauront mieux appuyer vos desseins,
Il en est dont le cœur pour Camille soupire,   205
Et qui seront ravis de vous devoir l'Empire.

VINIUS

Je veux que cet espoir à d'autres soit permis,
Mais êtes-vous fort sûr qu'ils soient de nos amis?
Savez-vous mieux que moi s'ils plairont à Camille?

OTHON

Et croyez-vous pour moi qu'elle soit plus facile?   210
Pour moi, que d'autres vœux...

VINIUS

                              A ne vous rien celer,
Sortant d'avec Galba, j'ai voulu lui parler,
J'ai voulu sur ce point pressentir sa pensée,
J'en ai nommé plusieurs pour qui je l'ai pressée.
A leurs noms, un grand froid, un front triste, un œil bas, 215
M'ont fait voir aussitôt qu'ils ne lui plaisaient pas :
Au vôtre elle a rougi, puis s'est mise à sourire,
Et m'a soudain quitté sans me vouloir rien dire.
C'est à vous, qui savez ce que c'est que d'aimer,
A juger de son cœur ce qu'on doit présumer.   220

OTHON

Je n'en veux rien juger, Seigneur, et sans Plautine
L'amour m'est un poison, le bonheur m'assassine,
Et toutes les douceurs du pouvoir souverain
Me sont d'affreux tourments, s'il m'en coûte sa main.

VINIUS

De tant de fermeté j'aurais l'âme ravie,   225
Si cet excès d'amour nous assurait la vie,
Mais il nous faut le trône ou renoncer au jour,
Et quand nous périrons que servira l'amour?

OTHON

A de vaines frayeurs un noir soupçon vous livre :
Pison n'est point cruel et nous laissera vivre.   230

VINIUS

Il nous laissera vivre, et je vous ai nommé!
Si de nous voir dans Rome il n'est point alarmé,
Nos communs ennemis, qui prendront sa conduite,
En préviendront pour lui la dangereuse suite,
Seigneur, quand pour l'Empire on s'est vu désigner, 235
Il faut, quoi qu'il arrive, ou périr ou régner.
Le posthume Agrippa [15] vécut peu sous Tibère,

---

14. Maxime machiavélique. Cf. *Le prince*, chap. 6.

15. Tibère fit égorger ce fils d'Agrippa et de Julie, fille
d'Auguste, après l'avoir relégué dans l'île de Planasie (cf.
Tacite, *Annales*, I, 6).

Néron n'épargna point le sang de son beau-frère [16],
Et Pison vous perdra par la même raison,
240 Si vous ne vous hâtez de prévenir Pison.
Il n'est point de milieu qu'en saine politique.

OTHON

Et l'amour est la seule où tout mon cœur s'applique.
Rien ne vous a servi, Seigneur, de me nommer :
Vous voulez que je règne, et je ne sais qu'aimer.
245 Je pourrais savoir plus, si l'astre qui domine
Me voulait faire un jour régner avec Plautine :
Mais dérober son âme à de si doux appas,
Pour attacher sa vie à ce qu'on n'aime pas !

VINIUS

Eh bien ! si cet amour a sur vous tant de force,
250 Régnez : qui fait des lois peut bien faire un divorce.
Du trône on considère enfin ses vrais amis,
Et quand vous pourrez tout, tout vous sera permis.

Scène III : Vinius, Othon, Plautine.

PLAUTINE

Non pas, Seigneur, non pas ; quoi que le ciel m'envoie,
Je ne veux rien tenir d'une honteuse voie,
255 Et cette lâcheté qui me rendrait son cœur,
Sentirait le tyran, et non pas l'Empereur.
A votre sûreté, puisque le péril presse,
J'immolerai ma flamme et toute ma tendresse,
Et je vaincrai l'horreur d'un si cruel devoir
260 Pour conserver le jour à qui me l'a fait voir :
Mais ce qu'à mes désirs je fais de violence
Fuit les honteux appas d'une indigne espérance,
Et la vertu qui dompte et bannit mon amour
N'en souffrira jamais qu'un vertueux retour.

OTHON

265 Ah ! que cette vertu m'apprête un dur supplice !
Seigneur, et le moyen que je vous obéisse ?
Voyez, et s'il se peut, pour voir tout mon tourment,
Quittez vos yeux de père, et prenez-en d'amant.

VINIUS

L'estime de mon sang ne m'est pas interdite :
270 Je lui vois des attraits, je lui vois du mérite,
Je crois qu'elle en a même assez pour engager,
Si quelqu'un nous perdait, quelque autre à nous
Par là nos ennemis la tiendront redoutable,   [venger.
Et sa perte par là devient inévitable.
275 Je vois de plus, Seigneur, que je n'obtiendrai rien,
Tant que votre œil blessé rencontrera le sien,
Que le temps se va perdre en répliques frivoles,
Et pour les éviter j'achève en trois paroles :
Si vous manquez le trône, il faut périr tous trois :
280 Prévenez, attendez cet ordre à votre choix :
Je me remets à vous de ce qui vous regarde,
Mais en ma fille et moi ma gloire se hasarde,
De ses jours et des miens je suis maître absolu,
Et j'en disposerai comme j'ai résolu.
285 Je ne crains point la mort, mais je hais l'infamie
D'en recevoir la loi d'une main ennemie,
Et je saurai verser tout mon sang en Romain,

16. Britannicus.

Si le choix que j'attends ne me retient la main.
C'est dans une heure ou deux que Galba se déclare.
Vous savez l'un et l'autre à quoi je me prépare :
Résolvez-en ensemble.

Scène IV : Othon, Plautine.

OTHON

Arrêtez donc, Seigneur,
Et s'il faut prévenir ce mortel déshonneur,
Recevez-en l'exemple, et jugez si la honte...

PLAUTINE

Quoi ! Seigneur, à mes yeux une fureur si prompte !
Ce noble désespoir, si digne des Romains,
Tant qu'ils ont du courage est toujours en leurs mains,
Et pour vous et pour moi, fût-il digne d'un temple,
Il n'est pas encor temps de m'en donner l'exemple.
Il faut vivre, et l'amour nous y doit obliger [17],
Pour me sauver un père, et pour me protéger.
Quand vous voyez ma vie à la vôtre attachée,
Faut-il que malgré moi votre âme effarouchée,
Pour m'ouvrir le tombeau hâte votre trépas,
Et m'avance un destin où je ne consens pas ?

OTHON

Quand il faut m'arracher tout cet amour de l'âme,
Puis-je que dans mon sang en éteindre la flamme ?
Puis-je sans le trépas...

PLAUTINE

Et vous ai-je ordonné
D'éteindre tout l'amour que je vous ai donné ?
Si l'injuste rigueur de notre destinée
Ne permet plus l'espoir d'un heureux hyménée,
Il est un autre amour dont les vœux innocents
S'élèvent au-dessus du commerce des sens.
Plus la flamme en est pure et plus elle est durable,
Il rend de son objet le cœur inséparable,
Il a de vrais plaisirs dont ce cœur est charmé,
Et n'aspire qu'au bien d'aimer et d'être aimé [18].

OTHON

Qu'un tel épurement demande un grand courage !
Qu'il est même aux plus grands d'un difficile usage !
Madame, permettez que je dise à mon tour
Que tout ce que l'honneur peut souffrir à l'amour,
Un amant le souhaite, il en veut l'espérance,
Et se croit mal aimé s'il n'en a l'assurance.

PLAUTINE

Aimez-moi toutefois sans l'attendre de moi,
Et ne m'enviez point l'honneur que j'en reçoi.
Quelle gloire à Plautine, ô ciel, de pouvoir dire
Que le choix de son cœur fut digne de l'Empire,
Qu'un héros destiné pour maître à l'univers
Voulut borner ses vœux à vivre dans ses fers,
Et qu'à moins que d'un ordre absolu d'elle-même
Il aurait renoncé pour elle au diadème !

17. Mêmes propos dans *Sophonisbe*, vers 720-725, avec un mobile différent.
18. Ces vers peuvent s'appliquer aux amours du roi et de Mlle de La Vallière. Corneille avait déjà esquissé le thème dans *Sertorius*. Il le reprend dans *Tite et Bérénice*, *Pulchérie* et *Suréna*. C'était en outre un des thèmes courants des milieux précieux dont Molière se moque.

OTHON

Ah! qu'il faut aimer peu pour faire son bonheur,
Pour tirer vanité d'un si fatal honneur!
Si vous m'aimiez, Madame, il vous serait sensible
De voir qu'à d'autres vœux mon cœur fût accessible,
35 Et la nécessité de le porter ailleurs
Vous aurait fait déjà partager mes douleurs.
Mais tout mon désespoir n'a rien qui vous alarme :
Vous pouvez perdre Othon sans verser une larme,
Vous en témoignez joie, et vous-même aspirez
40 A tout l'excès des maux qui me sont préparés.

PLAUTINE

Que votre aveuglement a pour moi d'injustice!
Pour épargner vos maux j'augmente mon supplice,
Je souffre, et c'est pour vous que j'ose m'imposer
La gêne de souffrir et de le déguiser.
45 Tout ce que vous sentez, je le sens dans mon âme,
J'ai mêmes déplaisirs, comme j'ai même flamme,
J'ai mêmes désespoirs, mais je sais les cacher,
Et paraître insensible afin de moins toucher.
Faites à vos désirs pareille violence.
50 Retenez-en l'éclat, sauvez-en l'apparence :
Au péril qui nous presse immolez le dehors,
Et pour vous faire aimer montrez d'autres transports.
Je ne vous défends point une douleur muette,
Pourvu que votre front n'en soit point l'interprète,
55 Et que de votre cœur vos yeux indépendants
Triomphent comme moi des troubles du dedans.
Suivez, passez l'exemple, et portez à Camille
Un visage content, un visage tranquille,
Qui lui laisse accepter ce que vous offrirez,
60 Et ne démente rien de ce que vous direz.

OTHON

Hélas, Madame, hélas! que pourrai-je lui dire?

PLAUTINE

Il y va de ma vie, il y va de l'Empire,
Réglez-vous là-dessus. Le temps se perd, Seigneur.
Adieu : donnez la main, mais gardez-moi le cœur,
65 Ou si c'est trop pour moi, donnez et l'un et l'autre,
Emportez mon amour et retirez le vôtre;
Mais dans ce triste état si je vous fais pitié,
Conservez-moi toujours l'estime et l'amitié,
Et n'oubliez jamais, quand vous serez le maître,
70 Que c'est moi qui vous force et qui vous aide à l'être.

OTHON, seul.

Que ne m'est-il permis d'éviter par ma mort
Les barbares rigueurs d'un si cruel effort!

ACTE SECOND

Scène I : Plautine, Flavie.

PLAUTINE

Dis-moi donc, lorsque Othon s'est offert à Camille,
A-t-il paru contraint, a-t-elle été facile?
Son hommage auprès d'elle a-t-il eu plein effet?
Comment l'a-t-elle pris, et comment l'a-t-il fait?

FLAVIE

J'ai tout vu, mais enfin votre humeur curieuse

A vous faire un supplice est trop ingénieuse.
Quelque reste d'amour qui vous parle d'Othon,
Madame, oubliez-en, s'il se peut, jusqu'au nom. 380
Vous vous êtes vaincue en faveur de sa gloire,
Goûtez un plein triomphe après votre victoire :
Le dangereux récit que vous me commandez
Est un nouveau combat où vous vous hasardez.
Votre âme n'en est pas encor si détachée 385
Qu'il puisse aimer ailleurs sans qu'elle en soit tou-
Prenez moins d'intérêt à l'y voir réussir,   [chée;
Et fuyez le chagrin de vous en éclaircir.

PLAUTINE

Je le force moi-même à se montrer volage,
Et regardant son change ainsi que mon ouvrage, 390
J'y prends un intérêt qui n'a rien de jaloux :
Qu'on l'accepte, qu'il règne, et tout m'en sera doux.

FLAVIE

J'en doute, et rarement une flamme si forte
Souffre qu'à notre gré ses ardeurs...

PLAUTINE

                Que t'importe?
Laisse-m'en le hasard, et sans dissimuler, 395
Dis de quelle manière il a su lui parler.

FLAVIE

N'imputez donc qu'à vous si votre âme inquiète
En ressent malgré moi quelque gêne secrète.
Othon à la Princesse a fait un compliment,
Plus en homme de cour qu'en véritable amant. 400
Son éloquence accorte, enchaînant avec grâce
L'excuse du silence à celle de l'audace,
En termes trop choisis accusait le respect
D'avoir tant retardé cet hommage suspect.
Ses gestes concertés, ses regards de mesure 405
N'y laissaient aucun mot aller à l'aventure.
On ne voyait que pompe en tout ce qu'il peignait,
Jusque dans ses soupirs la justesse régnait,
Et suivait pas à pas un effort de mémoire
Qu'il était plus aisé d'admirer que de croire. 410
Camille semblait même assez de cet avis,
Elle aurait mieux goûté des discours moins suivis,
Je l'ai vu dans ses yeux, mais cette défiance
Avait avec son cœur trop peu d'intelligence.
De ses justes soupçons ses souhaits indignés 415
Les ont tout aussitôt détruits ou dédaignés.
Elle a voulu tout croire, et quelque retenue
Qu'ait su garder l'amour dont elle est prévenue,
On a vu par ce peu qu'il laissait échapper
Qu'elle prenait plaisir à se laisser tromper 420
Et que si quelquefois l'horreur de la contrainte
Forçait le triste Othon à soupirer sans feinte,
Soudain l'avidité de régner sur son cœur
Imputait à l'amour ces soupirs de douleur.

PLAUTINE

Et sa réponse enfin?

FLAVIE

             Elle a paru civile, 425
Mais la civilité n'est qu'amour en Camille,
Comme en Othon l'amour n'est que civilité.

PLAUTINE

Et n'a-t-elle rien dit de sa légèreté,

Rien de la foi qu'il semble avoir si mal gardée ?

FLAVIE

430 Elle a su rejeter cette fâcheuse idée,
Et n'a pas témoigné qu'elle sût seulement
Qu'on l'eût vu pour vos yeux soupirer un moment.

PLAUTINE

Mais qu'a-t-elle promis ?

FLAVIE

Que son devoir fidèle
Suivrait ce que Galba voudrait ordonner d'elle,
435 Et de peur d'en trop dire et d'ouvrir trop son cœur,
Elle l'a renvoyé soudain vers l'Empereur.
Il lui parle à présent. Qu'en dites-vous, Madame,
Et de cet entretien que souhaite votre âme ?
Voulez-vous qu'on l'accepte ou qu'il n'obtienne rien ?

PLAUTINE

440 Moi-même, à dire vrai, je ne le sais pas bien.
Comme des deux côtés le coup me sera rude,
J'aimerais à jouir de cette inquiétude,
Et tiendrais à bonheur le reste de mes jours
De n'en sortir jamais et de douter toujours [19].

FLAVIE

445 Mais il faut se résoudre, et vouloir quelque chose.

PLAUTINE

Souffre sans m'alarmer que le ciel en dispose :
Quand son ordre une fois en aura résolu,
Il nous faudra vouloir ce qu'il aura voulu.
Ma raison cependant cède Othon à l'Empire,
450 Il est de mon honneur de ne m'en pas dédire,
Et soit ce grand souhait volontaire ou forcé,
Il est beau d'achever comme on a commencé.
Mais je vois Martian.

Scène II : Martian, Flavie, Plautine.

PLAUTINE

Que venez-vous m'apprendre ?

MARTIAN

Que de votre seul choix l'Empire va dépendre,
455 Madame.

PLAUTINE

Quoi, Galba voudrait suivre mon choix !

MARTIAN

Non, mais de son conseil nous ne sommes que trois,
Et si pour votre Othon vous voulez mon suffrage,
Je vous le viens offrir avec un humble hommage.

PLAUTINE

Avec ?

MARTIAN

Avec des vœux sincères et soumis,
460 Qui feront encor plus si l'espoir m'est permis.

PLAUTINE

Quels vœux et quel espoir ?

MARTIAN

Cet important service,
Qu'un si profond respect vous offre en sacrifice...

PLAUTINE

Eh bien ! il remplira mes désirs les plus doux,

19. « *Racine a encore pris entièrement cette situation dans sa tragédie de Bajazet* » (acte III, scène 1) (Voltaire).

Mais pour reconnaissance enfin que voulez-vous ?

MARTIAN

La gloire d'être aimé.

PLAUTINE

De qui ?

MARTIAN

De vous, Madame.

PLAUTINE

De moi-même ?

MARTIAN

De vous : j'ai des yeux, et mon âme...

PLAUTINE

Votre âme, en me faisant cette civilité,
Devrait l'accompagner de plus de vérité :
On n'a pas grande foi pour tant de déférence,
Lorsqu'on voit que la suite a si peu d'apparence.
L'offre sans doute est belle, et bien digne d'un prix,
Mais en le choisissant vous vous êtes mépris :
Si vous me connaissiez, vous feriez mieux paraître...

MARTIAN

Hélas ! mon mal ne vient que de vous trop connaître.
Mais vous-même, après tout, ne vous connaissez pas,
Quand vous croyez si peu l'effet de vos appas.
Si vous daigniez savoir quel est votre mérite,
Vous ne douteriez point de l'amour qu'il excite.
Othon m'en sert de preuve : il n'avait rien aimé,
Depuis que de Poppée il s'était vu charmé.
Bien que d'entre ses bras Néron l'eût enlevée,
L'image dans son cœur s'en était conservée,
La mort même, la mort n'avait pu l'en chasser :
A vous seule était dû l'honneur de l'effacer,
Vous seule d'un coup d'œil emportâtes la gloire
D'en faire évanouir la plus douce mémoire,
Et d'avoir su réduire à de nouveaux souhaits
Ce cœur impénétrable aux plus charmants objets.
Et vous vous étonnez que pour vous je soupire !

PLAUTINE

Je m'étonne bien plus que vous me l'osiez dire,
Je m'étonne de voir qu'il ne vous souvient plus
Que l'heureux Martian fut l'esclave Icélus,
Qu'il a changé de nom sans changer de visage.

MARTIAN

C'est ce crime du sort qui m'enfle le courage,
Lorsqu'en dépit de lui je suis ce que je suis,
On voit ce que je vaux, voyant ce que je puis.
Un pur hasard sans nous règle notre naissance,
Mais comme le mérite est en notre puissance,
La honte d'un destin qu'on vit mal assorti
Fait d'autant plus d'honneur quand on en est sorti.
Quelque tache en mon sang que laissent mes ancêtres,
Depuis que nos Romains ont accepté des maîtres,
Ces maîtres ont toujours fait choix de mes pareils
Pour les premiers emplois et les secrets conseils :
Ils ont mis en nos mains la fortune publique,
Ils ont soumis la terre à notre politique :
Patrobe, Polyclète, et Narcisse, et Pallas [20],

20. Ces exemples pris aux règnes de Claude et de Néron viennent de Tacite (*Histoires*, I, 49 et *Annales*, XIV, 39). Antonius Felix est appelé par Suétone (*Vie de Claude*) « mari de trois reines ».

Ont déposé des Rois, et donné des États.
On nous élève au trône au sortir de nos chaînes,
Sous Claude on vit Félix le mari de trois Reines,
Et quand l'amour en moi vous présente un époux,
Vous me traitez d'esclave, et d'indigne de vous !
Madame, en quelque rang que vous ayez pu naître,
C'est beaucoup que d'avoir l'oreille du grand maître.
Vinius est consul, et Lacus est préfet,
Je ne suis l'un ni l'autre, et suis plus en effet,
Et de ces consulats, et de ces préfectures,
Je puis, quand il me plaît, faire des créatures.
Galba m'écoute enfin, et c'est être aujourd'hui,
Quoique sans ces grands noms, le premier d'après lui.

PLAUTINE

Pardonnez donc, Seigneur, si je me suis méprise :
Mon orgueil dans vos fers n'a rien qui l'autorise.
Je viens de me connaître, et me vois à mon tour
Indigne des honneurs qui suivent votre amour.
Avoir brisé ces fers fait un degré de gloire
Au-dessus des consuls, des préfets du prétoire,
Et si de cet amour je n'ose être le prix,
Le respect m'en empêche et non plus le mépris.
On m'avait dit pourtant que souvent la nature
Gardait en vos pareils sa première teinture,
Que ceux de nos Césars qui les ont écoutés
Ont tous souillé leurs noms par quelques lâchetés,
Et que pour dérober l'Empire à cette honte
L'univers a besoin qu'un vrai héros y monte.
C'est ce qui me faisait y souhaiter Othon :
Mais à ce que j'apprends ce souhait n'est pas bon,
Laissons-en faire aux Dieux et faites-vous justice,
D'un cœur vraiment romain dédaignez le caprice.
Cent reines à l'envi vous prendront pour époux :
Félix en eut bien trois, et valait moins que vous.

MARTIAN

Madame, encore un coup, souffrez que je vous aime,
Songez que dans ma main j'ai le pouvoir suprême,
Qu'entre Othon et Pison mon suffrage incertain,
Suivant qu'il penchera, va faire un Souverain.
Je n'ai fait jusqu'ici qu'empêcher l'hyménée
Qui d'Othon avec vous eût joint la destinée.
J'aurais pu hasarder quelque chose de plus,
Ne m'y contraignez point à force de refus.
Quand vous cédez Othon, me souffrir en sa place,
Peut-être ce sera faire plus d'une grâce :
Car de vous voir à lui ne l'espérez jamais.

Scène III : Plautine, Lacus, Martian, Flavie.

LACUS

Madame, enfin Galba s'accorde à vos souhaits,
Et j'ai tant fait sur lui, que dès cette journée,
De vous avec Othon il consent l'hyménée.

PLAUTINE

Qu'en dites-vous, Seigneur ? Pourrez-vous bien souffrir
Cet hymen que Lacus de sa part vient m'offrir ?
Le grand maître a parlé, voudrez-vous l'en dédire,
Vous qu'on voit après lui le premier de l'Empire ?
Dois-je me ravaler jusques à cet époux,
Ou dois-je par votre ordre aspirer jusqu'à vous ?

LACUS

Quel énigme est-ce-ci, Madame ?

PLAUTINE

Sa grande âme
Me faisait tout à l'heure un présent de sa flamme;
Il m'assurait qu'Othon jamais ne m'obtiendrait,
Et disait à demi qu'un refus nous perdrait.
Vous m'osez cependant assurer du contraire,   565
Et je ne sais pas bien quelle réponse y faire :
Comme en de certains temps il fait bon s'expliquer,
En d'autres il vaut mieux ne s'y point embarquer.
Grands ministres d'État, accordez-vous ensemble,
Et je pourrai vous dire après ce qui m'en semble.   570

Scène IV : Lacus, Martian.

LACUS

Vous aimez donc Plautine, et c'est là cette foi
Qui contre Vinius vous attachait à moi ?

MARTIAN

Si les yeux de Plautine ont pour moi quelque charme,
Y trouvez-vous, Seigneur, quelque sujet d'alarme ?
Le moment bienheureux qui m'en ferait l'époux   575
Réunirait par moi Vinius avec vous,
Par là de nos trois cœurs l'amitié ressaisie,
En déracinerait et haine et jalousie;
Le pouvoir de tous trois, par tous trois affermi,
Aurait pour nœud commun son gendre en votre ami,   580
Et quoi que contre vous il osât entreprendre...

LACUS

Vous seriez mon ami, mais vous seriez son gendre [21],
Et c'est un faible appui des intérêts de cour
Qu'une vieille amitié contre un nouvel amour.
Quoi que veuille exiger une femme adorée,   585
La résistance est vaine ou de peu de durée;
Elle choisit ses temps, et les choisit si bien
Qu'on se voit hors d'état de lui refuser rien.
Vous-même êtes-vous sûr que ce nœud la retienne
D'ajouter, s'il le faut, votre perte à la mienne ?   590
Apprenez que des cœurs séparés à regret
Trouvent de se rejoindre aisément le secret.
Othon n'a pas pour elle éteint toutes ses flammes,
Il sait comme aux maris on arrache les femmes,
Cet art sur son exemple est commun aujourd'hui,   595
Et son maître Néron l'avait appris de lui.
Après tout, je me trompe, ou près de cette belle...

MARTIAN

J'espère en Vinius, si je n'espère en elle,
Et l'offre pour Othon de lui donner ma voix
Soudain en ma faveur emportera son choix.   600

LACUS

Quoi ! vous nous donneriez vous-même Othon pour
[maître?

MARTIAN

Et quel autre dans Rome est plus digne de l'être ?

LACUS

Ah ! pour en être digne, il l'est, et plus que tous,
Mais aussi, pour tout dire, il en sait trop pour nous.

21. Même réflexion de Lélius à Massinisse dans *Sophonisbe*, vers 1290-1294.

605 Il sait trop ménager ses vertus et ses vices.
Il était sous Néron de toutes ses délices,
Et la Lusitanie a vu ce même Othon
Gouverner en César et juger en Caton.
Tout favori dans Rome, et tout maître en province,
610 De lâche courtisan il s'y montra grand Prince,
Et son âme ployant, attendant l'avenir,
Sait faire également sa cour, et la tenir.
Sous un tel souverain nous sommes peu de chose,
Son soin jamais sur nous tout à fait ne repose,
615 Sa main seule départ ses libéralités,
Son choix seul distribue États et dignités;
Du timon qu'il embrasse il se fait le seul guide,
Consulte et résout seul, écoute et seul décide,
Et quoi que nos emplois puissent faire du bruit
620 Sitôt qu'il nous veut perdre, un coup d'œil nous détruit.
  Voyez d'ailleurs Galba, quel pouvoir il nous laisse,
En quel poste sous lui nous a mis sa faiblesse,
Nos ordres règlent tout, nous donnons, retranchons,
Rien n'est exécuté dès que nous l'empêchons;
625 Comme par un de nous il faut que tout s'obtienne,
Nous voyons notre cour plus grosse que la sienne,
Et notre indépendance irait au dernier point,
Si l'heureux Vinius ne la partageait point :
Notre unique chagrin est qu'il nous la dispute.
630 L'âge met cependant Galba près de sa chute,
De peur qu'il nous entraîne, il faut un autre appui,
Mais il le faut pour nous aussi faible que lui.
Il nous en faut prendre un qui satisfait des titres,
Nous laisse du pouvoir les suprêmes arbitres.
635 Pison a l'âme simple et l'esprit abattu;
S'il a grande naissance, il a peu de vertu,
Non de cette vertu qui déteste le crime,
Sa probité sévère est digne qu'on l'estime;
Elle a tout ce qui fait un grand homme de bien,
640 Mais en un souverain c'est peu de chose, ou rien.
Il faut de la prudence, il faut de la lumière,
Il faut de la vigueur adroite autant que fière,
Qui pénètre, éblouisse, et sème des appas...
Il faut mille vertus enfin qu'il n'aura pas.
645 Lui-même il nous priera d'avoir soin de l'Empire,
En saura seulement ce qu'il nous plaira dire :
Plus nous l'y tiendrons bas, plus il nous mettra haut,
Et c'est là justement le maître qu'il nous faut.

MARTIAN

Mais, Seigneur, sur le trône élever un tel homme,
650 C'est mal servir l'État, et faire opprobre à Rome.

LACUS

Et qu'importe à tous deux de Rome et de l'État?
Qu'importe qu'on leur voie ou plus ou moins d'éclat?
Faisons nos sûretés, et moquons-nous du reste.
Point, point de bien public s'il nous devient funeste.
655 De notre grandeur seule ayons des cœurs jaloux,
Ne vivons que pour nous, et ne pensons qu'à nous.
Je vous le dis encor : mettre Othon sur nos têtes,
C'est nous livrer tous deux à d'horribles tempêtes.
Si nous l'en voulons croire, il nous devra le tout;
660 Mais de ce grand projet s'il vient par nous à bout,
Vinius en aura lui seul tout l'avantage :
Comme il l'a proposé, ce sera son ouvrage,

Et la mort, ou l'exil, ou les abaissements,
Seront pour vous et moi ses vrais remercîments.

MARTIAN

Oui, notre sûreté veut que Pison domine.
Obtenez-en pour moi qu'il m'assure Plautine,
Je vous promets pour lui mon suffrage à ce prix.
La violence est juste après de tels mépris,
Commençons à jouir par là de son empire,
Et voyons s'il est homme à nous oser dédire.

LACUS

Quoi ! votre amour toujours fera son capital
Des attraits de Plautine et du nœud conjugal !
Eh bien ! il faudra voir qui sera plus utile
D'en croire... Mais voici la princesse Camille.

Scène V : Camille, Lacus, Martian, Albiane.

CAMILLE

Je vous rencontre ensemble ici fort à propos,
Et voulais à tous deux vous dire quatre mots.
  Si j'en crois certain bruit que je ne puis vous taire,
Vous poussez un peu loin l'orgueil du ministère :
On dit que sur mon rang vous étendez sa loi,
Et que vous vous mêlez de disposer de moi.

MARTIAN

Nous, Madame?

CAMILLE

              Faut-il que je vous obéisse,
Moi, dont Galba prétend faire une impératrice?

LACUS

L'un et l'autre sait trop quel respect vous est dû.

CAMILLE

Le crime en est plus grand, si vous l'avez perdu.
Parlez, qu'avez-vous dit à Galba l'un et l'autre?

MARTIAN

Sa pensée a voulu s'assurer sur la nôtre,
Et s'étant proposé le choix d'un successeur,
Pour laisser à l'Empire un digne possesseur,
Sur ce don imprévu qu'il fait du diadème,
Vinius a parlé, Lacus a fait de même.

CAMILLE

Et ne savez-vous point, et Vinius, et vous,
Que ce grand successeur doit être mon époux,
Que le don de ma main suit ce don de l'Empire?
Galba, par vos conseils, voudrait-il s'en dédire?

LACUS

Il est toujours le même, et nous avons parlé
Suivant ce qu'à tous deux le ciel a révélé :
En ces occasions, lui qui tient les couronnes
Inspire les avis sur le choix des personnes.
Nous avons cru d'ailleurs pouvoir sans attentat
Faire vos intérêts de ceux de tout l'État :
Vous ne voudriez pas en avoir de contraires.

CAMILLE

Vous n'avez, vous ni lui, pensé qu'à vos affaires,
Et nous offrir Pison, c'est assez témoigner...

LACUS

Le trouvez-vous, Madame, indigne de régner?
Il a de la vertu, de l'esprit, du courage,
Il a de plus...

CAMILLE

De plus, il a votre suffrage,
Et c'est assez de quoi mériter mes refus.
Par respect de son sang, je ne dis rien de plus.

MARTIAN

10 Aimeriez-vous Othon, que Vinius propose,
Othon, dont vous savez que Plautine dispose,
Et qui n'aspire ici qu'à lui donner sa foi?

CAMILLE

Qu'il brûle encor pour elle ou la quitte pour moi,
Ce n'est pas votre affaire, et votre exactitude
Se charge en ma faveur de trop d'inquiétude.

LACUS

15 Mais l'Empereur consent qu'il l'épouse aujourd'hui,
Et moi-même je viens de l'obtenir pour lui.

CAMILLE

Vous en a-t-il prié? dites, ou si l'envie...

LACUS

Un véritable ami n'attend point qu'on le prie.

CAMILLE

Cette amitié me charme, et je dois avouer
20 Qu'Othon a jusqu'ici tout lieu de s'en louer,
Que l'heureux contre-temps d'un si rare service...
Madame...

LACUS

CAMILLE

Croyez-moi, mettez bas l'artifice.
Ne vous hasardez point à faire un Empereur.
Galba connaît l'Empire, et je connais mon cœur.
25 Je sais ce qui m'est propre, il voit ce qu'il doit faire,
Et quel Prince à l'État est le plus salutaire.
Si le ciel vous inspire, il aura soin de nous,
Et saura sur ce point nous accorder sans vous.

LACUS

Si Pison vous déplaît, il en est quelques autres...

CAMILLE

30 N'attachez point ici mes intérêts aux vôtres.
Vous avez de l'esprit, mais j'ai des yeux perçants :
Je vois qu'il vous est doux d'être les tout-puissants
Et je n'empêche point qu'on ne vous continue
Votre toute-puissance au point qu'elle est venue;
35 Mais quant à cet époux, vous me ferez plaisir
De trouver bon qu'enfin je puisse le choisir.
Je m'aime un peu moi-même, et n'ai pas grande envie
De vous sacrifier le repos de ma vie.

MARTIAN

Puisqu'il doit avec vous régir tout l'univers...

CAMILLE

40 Faut-il vous dire encor que j'ai des yeux ouverts?
Je vois jusqu'en vos cœurs, et m'obstine à me taire,
Mais je pourrais enfin dévoiler le mystère.

MARTIAN

Si l'Empereur nous croit...

CAMILLE

Sans doute il vous croira,
Sans doute je prendrai l'époux qu'il m'offrira :
45 Soit qu'il plaise à mes yeux, soit qu'il me choque en
Il sera votre maître, et je serai sa femme,   [l'âme,
Le temps me donnera sur lui quelque pouvoir,
Et vous pourrez alors vous en apercevoir.

Voilà les quatre mots que j'avais à vous dire :
Pensez-y.

Scène VI : Lacus, Martian.

MARTIAN

Ce courroux que Pison nous attire...   750

LACUS

Vous vous en alarmez? Laissons-la discourir,
Et ne nous perdons pas de crainte de périr.

MARTIAN

Vous voyez quel orgueil contre nous l'intéresse.

LACUS

Plus elle m'en fait voir, plus je vois sa faiblesse.
Faisons régner Pison, et malgré ce courroux,   755
Vous verrez qu'elle-même aura besoin de nous.

ACTE TROISIÈME

Scène I : Camille, Albiane.

CAMILLE

Ton frère te l'a dit, Albiane?

ALBIANE

Oui, Madame :
Galba choisit Pison, et vous êtes sa femme,
Ou pour en mieux parler, l'esclave de Lacus,
A moins d'un éclatant et généreux refus.   760

CAMILLE

Et que devient Othon?

ALBIANE

Vous allez voir sa tête
De vos trois ennemis affermir la conquête,
Je veux dire assurer votre main à Pison,
Et l'Empire aux tyrans qui font régner son nom.
Car comme il n'a pour lui qu'une suite d'ancêtres,   765
Lacus et Martian vont être nos vrais maîtres,
Et Pison ne sera qu'un idole sacré
Qu'ils tiendront sur l'autel pour répondre à leur gré.
Sa probité stupide autant comme farouche
A prononcer leurs lois asservira sa bouche,   770
Et le premier arrêt qu'ils lui feront donner
Les défera d'Othon, qui les peut détrôner.

CAMILLE

O Dieux, que je le plains !

ALBIANE

Il est sans doute à plaindre,
Si vous l'abandonnez à tout ce qu'il doit craindre,
Mais comme enfin la mort finira son ennui,   775
Je crains fort de vous voir plus à plaindre que lui.

CAMILLE

L'hymen sur un époux donne quelque puissance.

ALBIANE

Octavie a péri sur cette confiance.
Son sang qui fume encor vous montre à quel destin
Peut exposer vos jours un nouveau Tigellin [22].   780

22. Le favori de Néron, poussé par Poppée, obtint de
l'empereur la mort d'Octavie (Tacite, *Annales*, XIV, 60).

Ce grand choix vous en donne à craindre deux ensemble,
Et pour moi, plus j'y songe, et plus pour vous je

CAMILLE   [tremble.

Quel remède, Albiane ?

ALBIANE

Aimer, et faire voir...

CAMILLE

Que l'amour est sur moi plus fort que le devoir ?

ALBIANE

785 Songez moins à Galba qu'à Lacus, qui vous brave,
Et qui vous fait encor braver par un esclave.
Songez à vos périls, et peut-être à son tour
Ce devoir passera du côté de l'amour.
Bien que nous devions tout aux puissances suprêmes,
790 Madame, nous devons quelque chose à nous-mêmes ;
Surtout quand nous voyons des ordres dangereux,
Sous ces grands souverains, partir d'autres que d'eux.

CAMILLE

Mais Othon m'aime-t-il ?

ALBIANE

S'il vous aime ? ah ! Madame.

CAMILLE

On a cru que Plautine avait toute son âme.

ALBIANE

795 On l'a dû croire aussi, mais on s'est abusé.
Autrement Vinius l'aurait-il proposé ?
Aurait-il pu trahir l'espoir d'en faire un gendre ?

CAMILLE

En feignant de l'aimer que pouvait-il prétendre ?

ALBIANE

De s'approcher de vous, et se faire en la cour
800 Un accès libre et sûr pour un plus digne amour.
De Vinius par là gagnant la bienveillance,
Il a su le jeter dans une autre espérance,
Et le flatter d'un rang plus haut et plus certain,
S'il devenait par vous empereur de sa main.
805 Vous voyez à ces soins que Vinius s'applique,
En même temps qu'Othon auprès de vous s'explique.

CAMILLE

Mais à se déclarer il a bien attendu !

ALBIANE

Mon frère jusque-là vous en a répondu.

CAMILLE

Tandis, tu m'as réduite à faire un peu d'avance,
810 A consentir qu'Albin combattît son silence,
Et même Vinius, dès qu'il me l'a nommé,
A pu voir aisément qu'il pourrait être aimé.

ALBIANE

C'est la gêne où réduit celles de votre sorte
La scrupuleuse loi du respect qu'on leur porte.
815 Il arrête les vœux, captive les désirs,
Abaisse les regards, étouffe les soupirs,
Dans le milieu du cœur enchaîne la tendresse,
Et tel est en aimant le sort d'une Princesse
Que quelque amour qu'elle ait et qu'elle ait pu donner,
820 Il faut qu'elle devine, et force à deviner.
Quelque peu qu'on lui die, on craint de lui trop dire,
A peine on se hasarde à jurer qu'on l'admire,
Et pour apprivoiser ce respect ennemi,
Il faut qu'en dépit d'elle elle s'offre à demi.

Voyez-vous comme Othon saurait encor se taire,
Si je ne l'avais fait enhardir par mon frère ?

CAMILLE

Tu le crois donc, qu'il m'aime ?

ALBIANE

Et qu'il lui serait doux
Que vous eussiez pour lui l'amour qu'il a pour vous.

CAMILLE

Hélas ! que cet amour croit tôt ce qu'il souhaite !
En vain la raison parle, en vain elle inquiète,
En vain la défiance ose ce qu'elle peut,
Il veut croire, et ne croit que parce qu'il le veut.
Pour Plautine ou pour moi je vois du stratagème,
Et m'obstine avec joie à m'aveugler moi-même.
Je plains cette abusée, et c'est moi qui la suis
Peut-être, et qui me livre à d'éternels ennuis.
Peut-être, en ce moment qu'il m'est doux de te croire,
De ses vœux à Plautine il assure la gloire,
Peut-être...

Scène II : Camille, Albin, Albiane.

ALBIN

L'Empereur vient ici vous trouver,
Pour vous dire son choix, et le faire approuver.
S'il vous déplaît, Madame, il faut de la constance,
Il faut une fidèle et noble résistance,
Il faut...

CAMILLE

De mon devoir je saurai prendre soin.
Allez chercher Othon pour en être témoin.

Scène III : Galba, Camille, Albiane.

GALBA

Quand la mort de mes fils[23] désola ma famille,
Ma nièce, mon amour vous prit dès lors pour fille,
Et regardant en vous les restes de mon sang,
Je flattai ma douleur en vous donnant mon rang.
Rome, qui m'a depuis chargé de son Empire
Quand sous le poids de l'âge à peine je respire,
A vu ce même amour me le faire accepter,
Moins pour me seoir si haut que pour vous y porter.
Non que si jusque-là Rome pouvait renaître,
Qu'elle fût en état de se passer de maître,
Je ne me crusse digne, en cet heureux moment,
De commencer par moi son rétablissement :
Mais cet Empire immense est trop vaste pour elle,
A moins qu'une tête un si grand corps chancelle,
Et pour le nom des rois son invincible horreur
S'est d'ailleurs si bien faite aux lois d'un Empereur,
Qu'elle ne peut souffrir, après cette habitude,
Ni pleine liberté, ni pleine servitude.
Elle veut donc un maître, et Néron condamné
Fait voir ce qu'elle veut en un front couronné.
Vindex, Rufus[24], ni moi, n'avons causé sa perte,

---

23. Deux, détail donné par Suétone (*Vie de Galba*, chap. 5).
24. Allusion aux soulèvements des armées romaines, en Gaule, en faveur de Vindex, en Germanie pour Rufus qui battit Vindex.

Ses crimes seuls l'ont faite, et le ciel l'a soufferte,
Pour marque aux souverains, qu'ils doivent par l'effet
Répondre dignement au grand choix qu'il en fait.
Jusques à ce grand coup, un honteux esclavage
D'une seule maison nous faisait l'héritage;
Rome n'en a repris, au lieu de liberté,
Qu'un droit de mettre ailleurs la souveraineté,
Et laisser après moi dans le trône un grand homme,
C'est tout ce qu'aujourd'hui je puis faire pour Rome.
Prendre un si noble soin, c'est en prendre de vous :
Ce maître qu'il lui faut vous est dû pour époux,
Et mon zèle s'unit à l'amour paternelle
Pour vous en donner un digne de vous et d'elle.
Jule [25] et le grand Auguste ont choisi dans leur sang,
Ou dans leur alliance, à qui laisser ce rang.
Moi, sans considérer aucun nœud domestique,
J'ai fait ce choix comme eux, mais dans la République.
Je l'ai fait de Pison : c'est le sang de Crassus,
C'est celui de Pompée, il en a les vertus,
Et ces fameux héros dont il suivra la trace
Joindront de si grands noms aux grands noms de ma [race,
Qu'il n'est point d'hyménée en qui l'égalité
Puisse élever l'Empire à plus de dignité [26].

                    CAMILLE

J'ai tâché de répondre à cet amour de père
Par un tendre respect qui chérit et révère,
Seigneur, et je vois mieux encor par ce grand choix,
Et combien vous m'aimez, et combien je vous dois.
Je sais ce qu'est Pison et quelle est sa noblesse,
Mais si j'ose à vos yeux montrer quelque faiblesse,
Quelque digne qu'il soit et de Rome et de moi,
Je tremble à lui promettre et mon cœur et ma foi,
Et j'avouerai, Seigneur, que pour mon hyménée
Je crois tenir un peu de Rome où je suis née.
Je ne demande point la pleine liberté,
Puisqu'elle en a mis bas l'intrépide fierté,
Mais si vous m'imposez la pleine servitude,
J'y trouverai, comme elle, un joug un peu bien rude.
Je suis trop ignorante en matière d'État
Pour savoir quel doit être un si grand potentat.
Mais Rome dans ses murs n'a-t-elle qu'un seul homme,
N'a-t-elle que Pison qui soit digne de Rome,
Et dans tous ses États n'en saurait-on voir deux
Que puissent vos bontés hasarder à mes vœux?
Néron fit aux vertus une cruelle guerre,
S'il en a dépeuplé les trois parts de la terre,
Et si, pour nous donner de dignes Empereurs,
Pison seul avec vous échappe à ses fureurs.
Il est d'autres héros dans un si vaste Empire,
Il en est qu'après vous on se plairait d'élire,
Et qui sauraient mêler, sans vous faire rougir,
L'art de gagner les cœurs au grand art de régir.
D'une vertu sauvage on craint un dur empire,
Souvent on s'en dégoûte au moment qu'on l'admire,
Et puisque ce grand choix me doit faire un époux,
Il serait bon qu'il eût quelque chose de doux,

Qu'on vît en sa personne également paraître
Les grâces d'un amant et les hauteurs d'un maître,
Et qu'il fût aussi propre à donner de l'amour
Qu'à faire ici trembler sous lui toute sa cour.
Souvent un peu d'amour dans les cœurs des monarques 925
Accompagne assez bien leurs plus illustres marques.
Ce n'est pas qu'après tout je pense à résister :
J'aime à vous obéir, Seigneur, sans contester.
Pour prix d'un sacrifice où mon cœur se dispose,
Permettez qu'un époux me doive quelque chose.   930
Dans cette servitude où se plaît mon désir,
C'est quelque liberté qu'un ou deux à choisir.
Votre Pison peut-être aura de quoi me plaire,
Quand il ne sera plus un mari nécessaire,
Et son amour pour moi sera plus assuré,   935
S'il voit à quels rivaux je l'aurai préféré.

                    GALBA

Ce long raisonnement dans sa délicatesse
A vos tendres respects mêle beaucoup d'adresse;
Si le refus n'est juste, il est doux et civil.
Parlez donc, et sans feinte, Othon vous plairait-il?   940
On me l'a proposé, qu'y trouvez-vous à dire?

                    CAMILLE

L'avez-vous cru d'abord indigne de l'Empire,
Seigneur?

                    GALBA

          Non, mais depuis, consultant ma raison,
J'ai trouvé qu'il fallait lui préférer Pison.
Sa vertu, plus solide et tout inébranlable,   945
Nous fera, comme Auguste, un siècle incomparable,
Où l'autre, par Néron dans le vice abîmé,
Ramènera ce luxe où sa main l'a formé,
Et tous les attentats de l'infâme licence
Dont il osa souiller la suprême puissance.   950

                    CAMILLE

Othon près d'un tel maître a su se ménager,
Jusqu'à ce que le temps ait pu l'en dégager.
Qui sait faire sa cour se fait aux mœurs du Prince,
Mais il fut tout à soi quand il fut en province,
Et sa haute vertu par d'illustres effets   955
Y dissipa soudain ces vices contrefaits.
Chaque jour a sous vous grossi sa renommée,
Mais Pison n'eut jamais de charge ni d'armée,
Et comme il a vécu jusqu'ici sans emploi,
On ne sait ce qu'il vaut que sur sa bonne foi.   960
Je veux croire, en faveur des héros de sa race,
Qu'il en a les vertus, qu'il en suivra la trace,
Qu'il en égalera les plus illustres noms,
Mais j'en croirais bien mieux de grandes actions.
Si dans un long exil il a paru sans vice,   965
La vertu des bannis souvent n'est qu'artifice.
Sans vous avoir servi, vous l'avez ramené,
Mais l'autre est le premier qui vous ait couronné,
Dès qu'il vit deux partis, il se rangea du vôtre :
Ainsi l'un vous doit tout, et vous devez à l'autre.   970

                    GALBA

Vous prendrez donc le soin de m'acquitter vers lui,
Et comme pour l'Empire il faut un autre appui,
Vous croirez que Pison est plus digne de Rome :
Pour ne plus en douter suffit que je le nomme.

---

25. Jules César et non évidemment le fils d'Auguste, Jules
qui mourut en bas âge.
26. Tout ce discours suit de près celui que Tacite prête
à Galba au chap. 16.

CAMILLE

975 Pour Rome et son Empire, après vous je le croi,
Mais je doute si l'autre est moins digne de moi.

GALBA

Doutez-en : un tel doute est bien digne d'une âme
Qui voudrait de Néron revoir le siècle infâme,
Et qui voyant qu'Othon lui ressemble le mieux...

CAMILLE

980 Choisissez de vous-même, et je ferme les yeux.
Que vos seules bontés de tout mon sort ordonnent,
Je me donne en aveugle à qui qu'elles me donnent.
Mais quand vous consultez Lacus et Martian,
Un époux de leur main me paraît un tyran,
985 Et si j'ose tout dire en cette conjoncture,
Je regarde Pison comme leur créature,
Qui régnant par leur ordre et leur prêtant sa voix,
Me forcera moi-même à recevoir leurs lois.
Je ne veux point d'un trône où je sois leur captive,
990 Où leur pouvoir m'enchaîne, et quoi qu'il en arrive,
J'aime mieux un mari qui sache être Empereur,
Qu'un mari qui le soit et souffre un gouverneur.

GALBA

Ce n'est pas mon dessein de contraindre les âmes.
N'en parlons plus : dans Rome il sera d'autres femmes
995 A qui Pison en vain n'offrira pas sa foi :
Votre main est à vous, mais l'Empire est à moi.

Scène IV : Galba, Othon, Camille, Albin, Albiane.

GALBA

Othon, est-il bien vrai que vous aimiez Camille?

OTHON

Cette témérité m'est sans doute inutile,
Mais si j'osais, Seigneur, dans mon sort adouci...

GALBA

1000 Non, non : si vous l'aimez, elle vous aime aussi.
Son amour près de moi vous rend de tels offices
Que je vous en fais don pour prix de vos services.
Ainsi, bien qu'à Lacus j'aye accordé pour vous
Qu'aujourd'hui de Plautine on vous verra l'époux,
1005 L'illustre et digne ardeur d'une flamme si belle
M'en fait révoquer l'ordre, et vous obtient pour elle.

OTHON

Vous m'en voyez de joie interdit et confus.
Quand je me prononçais moi-même un prompt refus,
Que j'attendais l'effet d'une juste colère,
1010 Je suis assez heureux pour ne vous pas déplaire !
Et loin de condamner des vœux trop élevés...

GALBA

Vous savez mal encor combien vous lui devez :
Son cœur de telle force à votre hymen aspire
Que pour mieux être à vous, il renonce à l'Empire.
1015 Choisissez donc ensemble, à communs sentiments,
Des charges dans ma cour, ou des gouvernements;
Vous n'avez qu'à parler.

OTHON

                    Seigneur, si la Princesse...

GALBA

Pison n'en voudra pas dédire ma promesse.
Je l'ai nommé César, pour le faire Empereur :

Vous savez ses vertus, je réponds de son cœur.
Adieu. Pour observer la forme accoutumée,
Je le vais de ma main présenter à l'armée.
Pour Camille, en faveur de cet heureux lien,
Tenez-vous assuré qu'elle aura tout mon bien :
Je la fais dès ce jour mon unique héritière.

Scène V : Othon, Camille, Albin, Albiane.

CAMILLE

Vous pouvez voir par là mon âme tout entière,
Seigneur, et je voudrais en vain la déguiser,
Après ce que pour vous l'amour me fait oser.
Ce que Galba pour moi prend le soin de vous dire...

OTHON

Quoi donc, Madame, Othon vous coûterait l'Empire?
Il sait mieux ce qu'il vaut, et n'est pas d'un tel prix
Qu'il le faille acheter par ce noble mépris.
Il se doit opposer à cet effort d'estime
Où s'abaisse pour lui ce cœur trop magnanime,
Et par un même effort de magnanimité,
Rendre une âme si haute au trône mérité.
D'un si parfait amour quelles que soient les causes...

CAMILLE

Je ne sais point, Seigneur, faire valoir les choses,
Et dans ce prompt succès dont nos cœurs sont charmés,
Vous me devez bien moins que vous ne présumez.
Il semble que pour vous je renonce à l'Empire,
Et qu'un amour aveugle ait su me le prescrire.
Je vous aime, il est vrai, mais si l'Empire est doux,
Je crois m'en assurer quand je me donne à vous.
Tant que vivra Galba, le respect de son âge,
Du moins apparemment, soutiendra son suffrage.
Pison croira régner, mais peut-être qu'un jour
Rome se permettra de choisir à son tour.
A faire un empereur alors quoi qui l'excite,
Qu'elle en veuille la race, ou cherche le mérite,
Notre union aura des voix de tous côtés,
Puisque j'en ai le sang, et vous les qualités.
Sous un nom si fameux qui vous rend préférable,
L'héritier de Galba sera considérable :
On aimera ce titre en un si digne époux,
Et l'Empire est à moi, si l'on me voit à vous.

OTHON

Ah ! Madame, quittez cette vaine espérance
De nous voir quelque jour remettre en la balance.
S'il faut que de Pison on accepte la loi,
Rome, tant qu'il vivra, n'aura plus d'yeux pour moi,
Elle a beau murmurer contre un indigne maître,
Elle en souffre, pour lâche ou méchant qu'il puisse être.
Tibère était cruel, Caligule brutal,
Claude faible, Néron en forfaits sans égal :
Il se perdit lui-même à force de grands crimes,
Mais le reste a passé pour princes légitimes.
Claude même, ce Claude et sans cœur et sans yeux,
A peine les ouvrit qu'il devint furieux,
Et Narcisse et Pallas, l'ayant mis en furie,
Firent sous son aveu régner la barbarie.
Il régna toutefois, bien qu'il se fît haïr,
Jusqu'à ce que Néron se fâchât d'obéir,

Et ce monstre ennemi de la vertu romaine
N'a succombé que tard sous la commune haine.
75 Par ce qu'ils ont osé, jugez sur vos refus
Ce qu'osera Pison gouverné par Lacus.
Il aura peine à voir, lui qui pour vous soupire,
Que votre hymen chez moi laisse un droit à l'Empire.
Chacun sur ce penchant voudra faire sa cour,
80 Et le pouvoir suprême enhardit bien l'amour.
Si Néron, qui m'aimait, osa m'ôter Poppée,
Jugez, pour ressaisir votre main usurpée,
Quel scrupule on aura du plus noir attentat
Contre un rival ensemble et d'amour et d'État.
85 Il n'est point ni d'exil, ni de Lusitanie [27],
Qui dérobe à Pison le reste de ma vie;
Et je sais trop la cour pour douter un moment,
Ou des soins de sa haine, ou de l'événement.

CAMILLE

90 Et c'est là ce grand cœur qu'on croyait intrépide!
Le péril, comme un autre, à mes yeux l'intimide!
Et pour monter au trône, et pour me posséder,
Son espoir le plus beau n'ose rien hasarder!
Il redoute Pison! Dites-moi donc, de grâce,
95 Si d'aimer en lieu même [28] on vous a vu l'audace,
Si pour vous et pour lui le trône eut même appas,
Etes-vous moins rivaux pour ne m'épouser pas?
A quel droit voulez-vous que cette haine cesse
Pour qui lui disputa ce trône et sa maîtresse,
100 Et qu'il veuille oublier, se voyant souverain,
Que vous pouvez dans l'âme en garder le dessein?
Ne vous y trompez plus : il a vu dans cette âme
Et votre ambition et toute votre flamme,
Et peut tout contre vous, à moins que contre lui
Mon hymen chez Galba vous assure un appui.

OTHON

105 Eh bien! il me perdra pour vous avoir aimée,
Sa haine sera douce à mon âme enflammée,
Et tout mon sang n'a rien que je veuille épargner
Si ce n'est que par là que vous pouvez régner [29].
Permettez cependant à cet amour sincère
110 De vous redire encor ce qu'il n'ose vous taire.
En l'état qu'est Pison, il vous faut aujourd'hui
Renoncer à l'Empire, ou le prendre avec lui.
Avant qu'en décider, pensez-y bien, Madame.
C'est votre intérêt seul qui fait parler ma flamme.
115 Il est mille douceurs dans un grade si haut
Où peut-être avez-vous moins pensé qu'il ne faut.
Peut-être en un moment serez-vous détrompée,
Et si j'osais encor vous parler de Poppée,
Je dirais que sans doute elle m'aimait un peu,
120 Et qu'un trône alluma bientôt un autre feu.
Le ciel vous a fait l'âme et plus grande et plus belle,

Mais vous êtes Princesse, et femme enfin comme elle.
L'horreur de voir une autre au rang qui vous est dû,
Et le juste chagrin d'avoir trop descendu,
Presseront en secret cette âme de se rendre   1125
Même au plus faible espoir du pouvoir reprendre.
Les yeux ne veulent pas en tout temps se fermer,
Mais l'Empire en tout temps a de quoi les charmer,
L'amour passe ou languit, et pour fort qu'il puisse être,
De la soif de régner, il n'est pas toujours maître.   1130

CAMILLE

Je ne sais quel amour je vous ai pu donner,
Seigneur, mais sur l'Empire il aime à raisonner :
Je l'y trouve assez fort, et même d'une force
A montrer qu'il connaît tout ce qu'il a d'amorce,
Et qu'à ce qu'il me dit touchant un si grand choix,   1135
Il a daigné penser un peu plus d'une fois.
Je veux croire avec vous qu'il est ferme et sincère,
Qu'il me dit seulement ce qu'il n'ose me taire,
Mais à parler sans feinte...

OTHON

                    Ah, Madame, croyez...

CAMILLE

Oui, j'en croirai Pison à qui vous m'envoyez,   1140
Et vous, pour vous donner quelque peu plus de joie,
Vous en croirez Plautine à qui je vous renvoie.
Je n'en suis point jalouse, et le dis sans courroux :
Vous n'aimez que l'Empire, et je n'aimais que vous.
N'en appréhendez rien, je suis femme, et Princesse, 1145
Sans en avoir pourtant l'orgueil ni la faiblesse,
Et votre aveuglement me fait trop de pitié
Pour l'accabler encor de mon inimitié.

OTHON [30]

Que je vois d'appareils, Albin, pour ma ruine!

ALBIN

Seigneur, tout est perdu, si vous voyez Plautine.   1150

OTHON

Allons-y toutefois : le trouble où je me voi
Ne peut souffrir d'avis que d'un cœur tout à moi.

ACTE QUATRIÈME

Scène I : Othon, Plautine.

PLAUTINE

Que voulez-vous, Seigneur, qu'enfin je vous conseille?
Je sens un trouble égal d'une douleur pareille,
Et mon cœur tout à vous ne s'est pas assez à soi [31]   1155
Pour trouver un remède aux maux que je prévoi :
Je ne sais que pleurer, je ne sais que vous plaindre.
Le seul choix de Pison nous donne tout à craindre,
Mon père vous a dit qu'il ne laisse à tous trois
Que l'espoir de mourir ensemble à notre choix,   1160

---

27. Néron avait exilé Poppée dans l'ancien gouvernement d'Othon.
28. *En même lieu,* c'est-à-dire la même femme.
29. Le tragique propre d'*Othon* vient de ce que tous les personnages parlent le langage cornélien de la générosité... et mentent. Tous suivent en secret, derrière cette façade, leur intérêt ou leur passion, que La Rochefoucauld a ramené dans ses *Maximes* (cette même année 1664) à l'amour-propre. Ceci atténue singulièrement l'opposition traditionnelle entre Corneille et Racine, au moment même où celui-ci, six semaines avant *Othon,* fait jouer sa première pièce, *la Thébaïde.*

30. Après la sortie de Camille, jeu de scène qui n'est pas indiqué.
31. Ce vers reprend le dernier de l'acte précédent : il ne s'est rien passé dans l'entracte. Dans cette pièce, toute en combinaisons verbales, Corneille peut resserrer au maximum l'unité de temps.

Et nous craignons de plus une amante irritée
D'une offre en moins d'un jour reçue et rétractée,
D'un hommage où la suite a si peu répondu,
Et d'un trône qu'en vain pour vous elle a perdu.
1165 Pour vous avec ce trône elle était adorable,
Pour vous elle y renonce, et n'a plus rien d'aimable.
Où ne portera point un si juste courroux
La honte de se voir sans l'Empire et sans vous?
Honte d'autant plus grande et d'autant plus sensible,
1170 Qu'elle s'y promettait un retour infaillible,
Et que sa main par vous croyait tôt regagner
Ce que son cœur pour vous paraissait dédaigner.

OTHON

Je n'ai donc qu'à mourir. Je l'ai voulu, Madame,
Quand je l'ai pu sans crime, en faveur de ma flamme,
1175 Et je le dois vouloir, quand votre arrêt cruel
Pour mourir justement m'a rendu criminel.
Vous m'avez commandé de m'offrir à Camille,
Grâces à nos malheurs ce crime est inutile.
Je mourrai tout à vous, et si pour obéir
1180 J'ai paru mal aimer, j'ai semblé vous trahir,
Ma main, par ce même ordre à vos yeux enhardie,
Lavera dans mon sang ma fausse perfidie.
N'enviez pas, Madame, à mon sort inhumain
La gloire de finir du moins en vrai Romain,
1185 Après qu'il vous a plu de me rendre incapable
Des douceurs de mourir en amant véritable.

PLAUTINE

Bien loin d'en condamner la noble passion,
J'y veux borner ma joie et mon ambition :
Pour de moindres malheurs on renonce à la vie.
1190 Soyez sûr de ma part de l'exemple d'Arrie [32],
J'ai la main aussi ferme et le cœur aussi grand,
Et quand il le faudra, je sais comme on s'y prend.
Si vous daigniez, Seigneur, jusque-là vous contraindre,
Peut-être espérerais-je en voyant tout à craindre.
1195 Camille est irritée et se peut apaiser.

OTHON

Me condamneriez-vous, Madame, à l'épouser?

PLAUTINE

Que n'y puis-je moi-même opposer ma défense!
Mais si vos jours enfin n'ont point d'autre assurance,
S'il n'est point d'autre asile...

OTHON

                              Ah! courons à la mort,
1200 Ou si pour l'éviter il nous faut faire effort,
Subissons de Lacus toute la tyrannie,
Avant que me soumettre à cette ignominie.
J'en saurai préférer les plus barbares coups
A l'affront de me voir sans l'Empire et sans vous,
1205 Aux hontes d'un hymen qui me rendrait infâme,
Puisqu'on fait pour Camille un crime de sa flamme,
Et qu'on lui vole un trône en haine d'une foi
Qu'a voulu son amour ne promettre qu'à moi.
Non que pour moi sans vous ce trône eût aucuns
                                                    [charmes,
1210 Pour vous je le cherchais, mais non pas sans alarmes,

32. Exemple célèbre sous l'empereur Claude. Arrie, femme
de Pétus, après s'être frappée, tendit le poignard à son mari
en disant : « Pétus, ce n'est pas douloureux. »

Et si tantôt Galba ne m'eût point dédaigné,
J'aurais porté le sceptre, et vous auriez régné :
Vos seules volontés, mes dignes souveraines,
D'un Empire si vaste auraient tenu les rênes,
Vos lois...

PLAUTINE

                    C'est donc à moi de vous faire Empereur. 1
Je l'ai pu : les moyens d'abord m'ont fait horreur,
Mais je saurai la vaincre, et me donnant moi-même,
Vous assurer ensemble et vie et diadème,
Et réparer par là le crime d'un orgueil
Qui vous dérobe un trône, et vous ouvre un cercueil.
De Martian pour vous j'aurais eu le suffrage,
Si j'avais pu souffrir son insolent hommage.
Son amour...

OTHON

              Martian se connaîtrait si peu
Que d'oser...

PLAUTINE

              Il n'a pas encore éteint son feu,
Et du choix de Pison quelles que soient les causes, 1
Je n'ai qu'à dire un mot pour brouiller bien des choses.

OTHON

Vous vous ravaleriez jusques à l'écouter?

PLAUTINE

Pour vous j'irai, Seigneur, jusques à l'accepter.

OTHON

Consultez votre gloire, elle saura vous dire...

PLAUTINE

Qu'il est de mon devoir de vous rendre l'Empire. 1

OTHON

Qu'un front encor marqué des fers qu'il a portés...

PLAUTINE

A droit de me charmer, s'il fait vos sûretés.

OTHON

En concevez-vous bien toute l'ignominie?

PLAUTINE

Je n'en puis voir, Seigneur, à vous sauver la vie.

OTHON

L'épouser à ma vue! et pour comble d'ennui... 1.

PLAUTINE

Donnez-vous à Camille, ou je me donne à lui.

OTHON

Périssons, périssons, Madame, l'un pour l'autre,
Avec toute ma gloire, avec toute la vôtre.
Pour nous faire un trépas dont les Dieux soient jaloux,
Rendez-vous toute à moi, comme moi tout à vous, 1.
Ou si pour conserver en vous tout ce que j'aime,
Mon malheur vous obstine à vous donner vous-même,
Du moins de votre gloire ayez un soin égal,
Et ne me préférez qu'un illustre rival.
J'en mourrai de douleur, mais je mourrais de rage, 1
Si vous me préfériez un reste d'esclavage.

Scène II : Vinius, Othon, Plautine.

OTHON

Ah! Seigneur, empêchez que Plautine...

VINIUS

                                        Seigneur,

Vous empêcherez tout, si vous avez du cœur.
Malgré de nos destins la rigueur importune,
50 Le ciel met en vos mains toute notre fortune.
PLAUTINE
Seigneur, que dites-vous?
VINIUS
Ce que je viens de voir,
Que pour être empereur il n'a qu'à le vouloir.
OTHON
Ah! Seigneur, plus d'Empire, à moins qu'avec Plau- [tine.
VINIUS
Saisissez-vous d'un trône où le ciel vous destine,
55 Et pour choisir vous-même avec qui le remplir,
A vos heureux destins aidez à s'accomplir.
L'armée a vu Pison, mais avec un murmure
Qui semblait mal goûter ce qu'on vous fait d'injure.
Galba ne l'a produit qu'avec sévérité,
60 Sans faire aucun espoir de libéralité.
Il pouvait, sous l'appas d'une feinte promesse,
Jeter dans les soldats un moment d'allégresse,
Mais il a mieux aimé hautement protester
Qu'il savait les choisir, et non les acheter.
65 Ces hautes duretés, à contre-temps poussées,
Ont rappelé l'horreur des cruautés passées,
Lorsque d'Espagne à Rome il sema son chemin
De Romains immolés à son nouveau destin,
Et qu'ayant de leur sang souillé chaque contrée,
70 Par un nouveau carnage il y fit son entrée.
Aussi, durant le temps qu'a harangué Pison,
Ils ont de rang en rang fait courir votre nom.
Quatre des plus zélés sont venus me le dire,
Et m'ont promis pour vous les troupes et l'Empire.
75 Courez donc à la place, où vous les trouverez,
Suivez-les dans leur camp, et vous en assurez,
Un temps bien pris peut tout.
OTHON
Si cet astre contraire
Qui m'a...
VINIUS
Sans discourir faites ce qu'il faut faire :
Un moment de séjour peut tout déconcerter,
80 Et le moindre soupçon vous va faire arrêter.
OTHON
Avant que de partir souffrez que je proteste...
VINIUS
Partez, en Empereur vous nous direz le reste.

Scène III : Vinius, Plautine.

VINIUS
Ce n'est pas tout, ma fille, un bonheur plus certain,
Quoi qu'il puisse arriver, met l'Empire en ta main.
PLAUTINE
85 Flatteriez-vous Othon d'une vaine chimère?
VINIUS
Non : tout ce que j'ai dit n'est qu'un rapport sincère.
Je crois te voir régner avec ce cher Othon,
Mais n'espère pas moins du côté de Pison.
Galba te donne à lui. Piqué contre Camille,
90 Dont l'amour a rendu son projet inutile,

Il veut que cet hymen, punissant ses refus,
Réunisse avec moi Martian et Lacus,
Et trompe heureusement les présages sinistres
De la division qu'il voit en ses ministres.
Ainsi des deux côtés on combattra pour toi,   1295
Le plus heureux des chefs t'apportera sa foi,
Sans part à ses périls, tu l'auras à sa gloire,
Et verras à tes pieds l'une ou l'autre victoire.
PLAUTINE
Quoi? mon cœur, par vous-même à ce héros donné,
Pourrait ne l'aimer plus s'il n'est point couronné,   1300
Et s'il faut qu'à Pison son mauvais sort nous livre,
Pour ce même Pison je pourrais vouloir vivre?
VINIUS
Si nos communs souhaits ont un contraire effet,
Tu te peux faire encor l'effort que tu t'es fait,
Et qui vient de donner Othon au diadème,   1305
Pour régner à son tour peut se donner soi-même.
PLAUTINE
Si pour le couronner j'ai fait un noble effort,
Dois-je en faire un honteux pour jouir de sa mort?
Je me privais de lui sans me vendre à personne,
Et vous voulez, Seigneur, que son trépas me donne, 1310
Que mon cœur, entraîné par la splendeur du rang,
Vole après une main fumante de son sang,
Et que de ses malheurs triomphante et ravie,
Je sois l'infâme prix d'avoir tranché sa vie!
Non, Seigneur : nous aurons même sort aujourd'hui, 1315
Vous me verrez régner ou périr avec lui,
Ce n'est qu'à l'un des deux que tout ce cœur aspire.
VINIUS
Que tu vois mal encor ce que c'est que l'Empire!
Si deux jours seulement tu pouvais l'essayer,
Tu ne croirais jamais le pouvoir trop payer,   1320
Et tu verrais périr mille amants avec joie,
S'il fallait tout leur sang pour t'y faire une voie.
Aime Othon, si tu peux t'en faire un sûr appui,
Mais s'il en est besoin, aime-toi plus que lui,
Et sans t'inquiéter où fondra la tempête   1325
Laisse aux Dieux à leur choix écraser une tête.
Prends le sceptre aux dépens de qui succombera,
Et règne sans scrupule avec qui régnera.
PLAUTINE
Que votre politique a d'étranges maximes!
Mon amour, s'il l'osait, y trouverait des crimes.   1330
Je sais aimer, Seigneur, je sais garder ma foi,
Je sais pour un amant faire ce que je dois,
Je sais à son bonheur m'offrir en sacrifice,
Et je saurai mourir si je vois qu'il périsse,
Mais je ne sais point l'art de forcer ma douleur   1335
A pouvoir recueillir les fruits de son malheur.
VINIUS
Tiens pourtant l'âme prête à le mettre en usage,
Change de sentiments, ou du moins de langage,
Et pour mettre d'accord ta fortune et ton cœur,
Souhaite pour l'amant, et te garde au vainqueur.   1340
Adieu, je vois entrer la princesse Camille.
Quelque trouble où tu sois, montre une âme tranquille,
Profite de sa faute, et tiens l'œil mieux ouvert
Au vif et doux éclat du trône qu'elle perd.

Scène IV : Camille, Plautine, Albiane.

CAMILLE

1345 Agréerez-vous, Madame, un fidèle service
Dont je viens faire hommage à mon Impératrice ?

PLAUTINE

Je crois n'avoir pas droit de vous en empêcher,
Mais ce n'est pas ici qu'il vous la faut chercher.

CAMILLE

Lorsque Galba vous donne à Pison pour épouse...

PLAUTINE

1350 Il n'est pas encor temps de vous en voir jalouse.

CAMILLE

Si j'aimais toutefois ou l'Empire ou Pison,
Je pourrais déjà l'être avec quelque raison.

PLAUTINE

Et si j'aimais, Madame, ou Pison ou l'Empire,
J'aurais quelque raison de ne m'en pas dédire,
1355 Mais votre exemple apprend aux cœurs comme le mien
Qu'un généreux mépris quelquefois leur sied bien.

CAMILLE

Quoi ! l'Empire et Pison n'ont rien pour vous d'ai-
PLAUTINE   [mable ?
Ce que vous dédaignez, je le tiens méprisable,
Ce qui plaît à vos yeux aux miens semble aussi doux,
1360 Tant je trouve de gloire à me régler sur vous.

CAMILLE

Donc si j'aimais Othon...

PLAUTINE

                         Je l'aimerais de même,
Si ma main avec moi donnait le diadème.

CAMILLE

Ne peut-on sans le trône être digne de lui ?

PLAUTINE

Je m'en rapporte à vous, qu'il aime d'aujourd'hui.

CAMILLE

1365 Vous pouvez mieux qu'une autre en dire des nouvelles,
Et comme vos ardeurs ont été mutuelles,
Votre exemple ne laisse à personne à douter
Qu'à moins de la couronne on peut le mériter.

PLAUTINE

Mon exemple ne laisse à douter à personne
1370 Qu'il pourra vous quitter à moins de la couronne.

CAMILLE

Il a trouvé sans elle en vos yeux tant d'appas...

PLAUTINE

Toutes les passions ne se ressemblent pas.

CAMILLE

En effet, vous avez un mérite si rare...

PLAUTINE

Mérite à part, l'amour est quelquefois bizarre,
1375 Selon l'objet divers le goût est différent,
Aux unes on se donne, aux autres on se vend.

CAMILLE

Qui connaissait Othon pouvait à la pareille
M'en donner en amie un avis à l'oreille.

PLAUTINE

Et qui l'estime assez pour l'élever si haut
1380 Peut, quand il lui plaira, m'apprendre ce qu'il vaut,
Afin que si mes feux ont ordre de renaître...

CAMILLE

J'en ai fait quelque estime avant que le connaître,
Et vous l'ai renvoyé dès que je l'ai connu.

PLAUTINE

Qui vient de votre part est toujours bien venu.
J'accepte le présent, et crois pouvoir sans honte,
L'ayant de votre main, en tenir quelque conte.

CAMILLE

Pour vous rendre son âme il vous est venu voir ?

PLAUTINE

Pour négliger votre ordre il sait trop son devoir.

CAMILLE

Il vous a tôt quittée, et son ingratitude...

PLAUTINE

Vous met-elle, Madame, en quelque inquiétude ?

CAMILLE

Non, mais j'aime à savoir comment on m'obéit.

PLAUTINE

La curiosité quelquefois nous trahit,
Et par un demi-mot que du cœur elle tire,
Souvent elle dit plus qu'elle ne pense dire.

CAMILLE

La mienne ne dit pas tout ce que vous pensez.

PLAUTINE

Sur tout ce que je pense elle s'explique assez.

CAMILLE

Souvent trop d'intérêt que l'amour force à prendre
Entend plus qu'on ne dit et qu'on ne doit entendre.
Si vous saviez quel est mon plus ardent désir...

PLAUTINE

D'Othon et de Pison je vous donne à choisir.
Mon peu d'ambition vous rend l'un avec joie,
Et pour l'autre, s'il faut que je vous le renvoie,
Mon amour, je l'avoue, en pourra murmurer,
Mais vous savez qu'au vôtre il aime à déférer.

CAMILLE

Je pourrai me passer de cette déférence.

PLAUTINE

Sans doute, et toutefois, si j'en crois l'apparence...

CAMILLE

Brisons là : ce discours deviendrait ennuyeux,

PLAUTINE

Martian, que je vois vous entretiendra mieux.
Agréez ma retraite, et souffrez que j'évite
Un esclave insolent de qui l'amour m'irrite.

Scène V : Camille, Martian, Albiane.

CAMILLE

A ce qu'elle me dit, Martian, vous l'aimez ?

MARTIAN

Malgré ses fiers mépris mes yeux en sont charmés.
Cependant pour l'Empire, il est à vous encore :
Galba s'est laissé vaincre, et Pison vous adore.

CAMILLE

De votre haut crédit, c'est donc un pur effet ?

MARTIAN

Ne désavouez point ce que mon zèle a fait.
Mes soins de l'Empereur ont fléchi la colère,
Et renvoyé Plautine obéir chez son père.

Notre nouveau César la voulait épouser,
420 Mais j'ai su le résoudre à s'en désabuser,
Et Galba, que le sang presse pour sa famille,
Permet à Vinius de mettre ailleurs sa fille.
L'un vous rend la couronne, et l'autre tout son cœur.
Voyez mieux quelle en est la gloire et la douceur,
425 Quelle félicité vous vous étiez ôtée
Par une aversion un peu précipitée,
Et pour vos intérêts daignez considérer...

CAMILLE

Je vois quelle est ma faute, et puis la réparer,
Mais je veux, car jamais on ne m'a vue ingrate,
430 Que ma reconnaissance auparavant éclate,
Et n'accorderai rien qu'on ne vous fasse heureux.
Vous aimez, dites-vous, cet objet rigoureux,
Et Pison dans sa main ne verra point la mienne
Qu'il n'ait réduit Plautine à vous donner la sienne,
435 Si pourtant le mépris qu'elle fait de vos feux
Ne vous a pu contraindre à former d'autres vœux.

MARTIAN

Ah! Madame, l'hymen a de si douces chaînes
Qu'il lui faut peu de temps pour calmer bien des haines,
Et du moins mon bonheur saurait avec éclat
440 Vous venger de Plautine et punir un ingrat.

CAMILLE

Je l'avais préféré, cet ingrat, à l'Empire,
Je l'ai dit, et trop haut pour m'en pouvoir dédire,
Et l'amour, qui m'apprend le faible des amants,
Unit vos plus doux vœux à mes ressentiments,
445 Pour me faire ébaucher ma vengeance en Plautine,
Et l'achever bientôt par sa propre ruine.

MARTIAN

Ah! si vous la voulez, je sais des bras tout prêts,
Et j'ai tant de chaleur pour tous vos intérêts...

CAMILLE

Ah! que c'est me donner une sensible joie!
450 Ces bras que vous m'offrez, faites que je les voie,
Que je leur donne l'ordre et prescrive le temps.
Je veux qu'aux yeux d'Othon vos désirs soient contents,
Que lui-même il ait vu l'hymen de sa maîtresse
Livrer entre vos bras l'objet de sa tendresse,
455 Qu'il ait ce désespoir avant que de mourir :
Après, à son trépas vous me verrez courir.
Jusque-là gardez-vous de rien faire entreprendre,
Du pouvoir qu'on me rend vous devez tout attendre,
Allez vous préparer à ces heureux moments,
460 Mais n'exécutez rien sans mes commandements.

Scène VI : Camille, Albiane.

ALBIANE

Vous voulez perdre Othon! vous le pouvez, Madame!

CAMILLE

Que tu pénètres mal dans le fond de mon âme!
De son lâche rival voyant le noir projet,
J'ai su par cette adresse en arrêter l'effet,
M'en rendre la maîtresse, et je serai ravie
S'il peut savoir les soins que je prends de sa vie.
Va me chercher ton frère, et fais que de ma part
Il apprenne par lui ce qu'il court de hasard,

A quoi va l'exposer son aveugle conduite,
Et qu'il n'est plus pour lui de salut qu'en la fuite.   1470
C'est tout ce qu'à l'amour peut souffrir mon courroux.

ALBIANE

Du courroux à l'amour le retour serait doux.

Scène VII : Camille, Rutile, Albiane.

RUTILE

Ah! Madame, apprenez quel malheur nous menace.
Quinze ou vingt révoltés au milieu de la place
Viennent de proclamer Othon pour Empereur.   1475

CAMILLE

Et de leur insolence Othon n'a point d'horreur,
Lui qui sait qu'aussitôt ces tumultes avortent?

RUTILE

Ils le mènent au camp, ou plutôt ils l'y portent,
Et ce qu'on voit de peuple autour d'eux s'amasser
Frémit de leur audace, et les laisse passer.   1480

CAMILLE

L'Empereur le sait-il?

RUTILE

                          Oui, Madame, il vous mande,
Et pour un prompt remède à ce qu'on appréhende,
Pison de ces mutins va courir sur les pas,
Avec ce qu'on pourra lui trouver de soldats.

CAMILLE

Puisque Othon veut périr, consentons qu'il périsse,   1485
Allons presser Galba pour son juste supplice.
Du courroux à l'amour si le retour est doux,
On repasse aisément de l'amour au courroux.

ACTE CINQUIÈME

Scène I : Galba, Camille, Rutile, Albiane.

GALBA

Je vous le dis encor, redoutez ma vengeance,
Pour peu que vous soyez de son intelligence.   1490
On ne pardonne point en matière d'État :
Plus on chérit la main, plus on hait l'attentat,
Et lorsque la fureur va jusqu'au sacrilège,
Le sexe ni le sang n'ont point de privilège.

CAMILLE

Cet indigne soupçon serait bientôt détruit,   1495
Si vous voyiez du crime où doit aller le fruit.
Othon, qui pour Plautine au fond du cœur soupire,
Othon, qui me dédaigne à moins que de l'Empire,
S'il en fait sa conquête, et vous peut détrôner,
Laquelle de nous deux voudra-t-il couronner?   1500
Pourrais-je de Pison conspirer la ruine,
Qui m'arrachant du trône y porterait Plautine?
Croyez mes intérêts, si vous doutez de moi,
Et sur de tels garants, assuré de ma foi,
Tournez sur Vinius toute la défiance   1505
Dont veut ternir ma gloire une injuste croyance.

GALBA

Vinius par son zèle est trop justifié :
Voyez ce qu'en un jour il m'a sacrifié.

Il m'offre Othon pour vous, qu'il souhaitait pour
1510 Je le rends à sa fille, il aime à le reprendre, [gendre,
Je la veux pour Pison, mon vouloir est suivi,
Je vous mets en sa place, et l'en trouve ravi,
Son ami se révolte, il presse ma colère,
Il donne à Martian Plautine à ma prière :
1515 Et je soupçonnerais un crime dans les vœux
D'un homme qui s'attache à tout ce que je veux ?

CAMILLE

Qui veut également tout ce qu'on lui propose,
Dans le secret du cœur souvent veut autre chose,
Et maître de son âme, il n'a point d'autre foi
1520 Que celle qu'en soi-même il ne donne qu'à soi.

GALBA

Cet hymen toutefois est l'épreuve dernière
D'une foi toujours pure, inviolable, entière.

CAMILLE

Vous verrez à l'effet comment elle agira,
Seigneur, et comme enfin Plautine obéira.
1525 Sûr de sa résistance, et se flattant peut-être
De voir bientôt ici son cher Othon le maître,
Dans l'état où pour vous il a mis l'avenir,
Il promet aisément plus qu'il ne veut tenir.

GALBA

Le devoir désunit l'amitié la plus forte,
1530 Mais l'amour aisément sur ce devoir l'emporte,
Et son feu, qui jamais ne s'éteint qu'à demi,
Intéresse une amante autrement qu'un ami.
J'aperçois Vinius. Qu'on m'amène sa fille,
J'en punirai le crime en toute la famille,
1535 Si jamais je puis voir par où n'en point douter,
Mais aussi jusque-là j'aurais tort d'éclater.

Scène II : Galba, Camille, Vinius,
Lacus, Albiane.

GALBA

Je vois d'ailleurs Lacus. Eh bien ! quelles nouvelles ?
Qu'apprenez-vous tous deux du camp de nos rebelles ?

VINIUS

Que ceux de la marine et les Illyriens
1540 Se sont avec chaleur joints aux prétoriens,
Et que des bords du Nil les troupes rappelées
Seules par leurs fureurs ne sont point ébranlées.

LACUS

Tous ces mutins ne sont que de simples soldats,
Aucun des chefs ne trempe en leurs vains attentats :
1545 Ainsi ne craignez rien d'une masse d'armée
Où déjà la discorde est peut-être allumée.
Sitôt qu'on y saura que le peuple à grands cris
Veut que de ces complots les auteurs soient proscrits,
Que du perfide Othon il demande la tête,
1550 La consternation calmera la tempête,
Et vous n'avez, Seigneur, qu'à vous y faire voir
Pour rendre d'un coup d'œil chacun à son devoir.

GALBA

Irons-nous, Vinius, hâter par ma présence
L'effet d'une si douce et si juste espérance ?

VINIUS

1555 Ne hasardez, Seigneur, que dans l'extrémité

Le redoutable effet de votre autorité.
Alors qu'il réussit, tout fait jour, tout lui cède,
Mais aussi quand il manque, il n'est plus de remède.
Il faut, pour déployer le souverain pouvoir,
Sûreté tout entière, ou profond désespoir,
Et nous ne sommes pas, Seigneur, à rien feindre,
En état d'oser tout, non plus que de tout craindre.
Si l'on court au grand crime avec avidité,
Laissez-en ralentir l'impétuosité :
D'elle-même elle avorte, et la peur des supplices
Arme contre le chef ses plus zélés complices.
Un salutaire avis agit avec lenteur [33].

LACUS

Un véritable Prince agit avec hauteur,
Et je ne conçois point cet avis salutaire,
Quand on couronne Othon, de le regarder faire.
Si l'on court au grand crime avec avidité,
Il en faut réprimer l'impétuosité
Avant que les esprits, qu'un juste effroi balance,
S'y puissent enhardir sur notre nonchalance,
Et prennent le dessus de ces conseils prudents,
Dont on cherche l'effet quand il n'en est plus temps.

VINIUS

Vous détruirez toujours mes conseils par les vôtres,
Le seul ton de ma voix vous en inspire d'autres,
Et tant que vous aurez ce rare et haut crédit,
Je n'aurai qu'à parler pour être contredit.
Pison, dont l'heureux choix est votre digne ouvrage,
Ne serait que Pison s'il eût eu mon suffrage,
Vous n'avez soulevé Martian contre Othon
Que parce que ma bouche a proféré son nom,
Et verriez comme un autre une preuve assez claire
De combien votre avis est le plus salutaire,
Si vous n'aviez fait vœu d'être jusqu'au trépas
L'ennemi des conseils que vous ne donnez pas.

LACUS

Et vous l'ami d'Othon, c'est tout dire, et peut-être
Qui le voulait pour gendre et l'a choisi pour maître
Ne fait encor de vœux qu'en faveur de ce choix,
Pour l'avoir et pour maître et pour gendre à la fois.

VINIUS

J'étais l'ami d'Othon, et le tenais à gloire
Jusqu'à l'indignité d'une action si noire
Que d'autres nommeront l'effet du désespoir
Où l'a, malgré mes soins, plongé votre pouvoir.
Je l'ai voulu pour gendre, et choisi pour l'Empire :
A l'un ni l'autre choix vous n'avez pu souscrire.
Par là de tout l'État le bonheur s'agrandit,
Et vous voyez aussi comme il vous applaudit.

GALBA

Qu'un Prince est malheureux quand de ceux qu'il
Le zèle cherche à prendre une diverse route,   [écoute
Et que l'attachement qu'ils ont au propre sens
Pousse jusqu'à l'aigreur des conseils différents !
Ne me trompé-je point, et puis-je nommer zèle
Cette haine à tous deux obstinément fidèle,
Qui peut-être, en dépit des maux qu'elle prévoit,

33. Exacte amplification du discours indirect de Tacite,
I, chap. 32.

Seule en mes intérêts se consulte et se croit ?
Faites mieux, et croyez, en ce péril extrême,
10 Vous que Lacus me sert, vous que Vinius m'aime :
Ne haïssez qu'Othon, et songez qu'aujourd'hui
Vous n'avez à parler tous deux que contre lui.

VINIUS

J'ose donc vous redire, en serviteur sincère,
Qu'il fait mauvais pousser tant de gens en colère,
15 Qu'il faut donner aux bons, pour s'entre-soutenir,
Le temps de se remettre et de se réunir,
Et laisser aux méchants celui de reconnaître
Quelle est l'impiété de se prendre à son maître.
Pison peut cependant amuser leur fureur,
20 De vos ressentiments leur donner la terreur,
Y joindre avec adresse un espoir de clémence
Au moindre repentir d'une telle insolence,
Et s'il vous faut enfin aller à son secours,
Ce qu'on veut à présent on le pourra toujours.

LACUS

25 J'en doute, et crois parler en serviteur sincère,
Moi qui n'ai point d'amis dans le parti contraire.
Attendrons-nous, Seigneur, que Pison repoussé
Nous vienne ensevelir sous l'État renversé, .
Qu'on descende en la place en bataille rangée,
30 Qu'on tienne en ce palais votre cour assiégée,
Que jusqu'au Capitole Othon aille à vos yeux
De l'Empire usurpé rendre grâces aux Dieux,
Et que le front paré de votre diadème,
Ce traître trop heureux ordonne de vous-même ?
35 Allons, allons, Seigneur, une les armes à la main,
Soutenir le sénat et le peuple romain,
Cherchons aux yeux d'Othon un trépas à leur tête,
Pour lui plus odieux, et pour nous plus honnête,
Et par un noble effort allons lui témoigner...

GALBA

40 Eh bien ! ma nièce, eh bien ! est-il doux de régner ?
Est-il doux de tenir le timon d'un Empire,
Pour en voir les soutiens toujours se contredire ?

CAMILLE

Plus on voit aux avis de contrariétés,
Plus à faire un bon choix on reçoit de clartés.
45 C'est ce que je dirais si je n'étais suspecte,
Mais je suis à Pison, Seigneur, et vous respecte,
Et ne puis toutefois retenir ces deux mots,
Que si l'on m'avait crue on serait en repos.
Plautine qu'on amène aura même pensée :
50 D'une vive douleur elle paraît blessée...

Scène III : Galba, Camille, Vinius, Lacus,
Plautine, Rutile, Albiane.

PLAUTINE

Je ne m'en défends point, Madame, Othon est mort :
De quiconque entre ici c'est le commun rapport,
Et son trépas pour vous n'aura pas tant de charmes,
Qu'à vos yeux comme aux miens il n'en coûte des
                                    [larmes.

GALBA

Dit-elle vrai, Rutile, ou m'en flatté-je en vain ?

RUTILE

Seigneur, le bruit est grand, et l'auteur incertain.

Tous veulent qu'il soit mort, et c'est la voix publique,
Mais comment et par qui, c'est ce qu'aucun n'explique.

GALBA

Allez, allez, Lacus, vous-même prendre soin
De nous en faire voir un assuré témoin,   1660
Et si de ce grand coup l'auteur se peut connaître...

Scène IV : Galba, Vinius, Lacus, Camille,
Plautine, Martian, Atticus,
Rutile, Albiane.

MARTIAN

Qu'on ne le cherche plus, vous le voyez paraître,
Seigneur, c'est par sa main qu'un rebelle puni...

GALBA

Par celle d'Atticus ce grand trouble a fini !

ATTICUS

Mon zèle l'a poussée, et les Dieux l'ont conduite,   1665
Et c'est à vous, Seigneur, d'en arrêter la suite,
D'empêcher le désordre, et borner les rigueurs
Où contre des vaincus s'emportent des vainqueurs.

GALBA

Courons-y. Cependant consolez-vous, Plautine,
Ne pensez qu'à l'époux que mon choix vous destine : 1670
Vinius vous le donne, et vous l'accepterez,
Quand vos premiers soupirs seront évaporés.
    C'est à vous, Martian, que je laisse en garde.
Comme c'est votre main que son hymen regarde,
Ménagez son esprit, et ne l'aigrissez pas.   1675
    Vous pouvez, Vinius, ne suivre point mes pas,
Et la vieille amitié, pour peu qu'il vous en reste...

VINIUS

Ah ! c'est une amitié, Seigneur, que je déteste.
Mon cœur est tout à vous, et n'a point eu d'amis
Qu'autant qu'on les a vus à vos ordres soumis.   1680

GALBA

Suivez, mais gardez-vous de trop de complaisance.

CAMILLE

L'entretien des amants hait toute autre présence,
Madame, et je retourne en mon appartement
Rendre grâces aux dieux d'un tel événement.

Scène V : Martian, Plautine, Atticus, soldats.

PLAUTINE

Allez-y renfermer des pleurs qui vous échappent :   1685
Les désastres d'Othon ainsi que moi vous frappent,
Et si l'on avait cru vos souhaits les plus doux,
Ce grand jour le verrait couronner avec vous.
Voilà, voilà le fruit de m'avoir trop aimée,
Voilà quel est l'effet...

MARTIAN

              Si votre âme enflammée...   1690

PLAUTINE

Vil esclave, est-ce à toi de troubler ma douleur,
Est-ce à toi de vouloir adoucir mon malheur,
A toi de qui l'amour m'ose en offrir un pire ?

MARTIAN

Il est juste d'abord qu'un si grand cœur soupire,
Mais il est juste aussi de ne pas trop pleurer   1695

Une perte facile et prête à réparer.
Il est temps qu'un sujet à son Prince fidèle
Remplisse heureusement la place d'un rebelle;
Un monarque le veut, un père en est d'accord,
1700 Vous devez pour tous deux vous faire un peu d'effort,
Et bannir de ce cœur la honteuse mémoire
D'un amour criminel qui souille votre gloire.

PLAUTINE

Lâche! tu ne vaux pas que pour te démentir
Je daigne m'abaisser jusqu'à te repartir.
1705 Tais-toi, laisse en repos une âme possédée
D'une plus agréable encor que triste idée :
N'interromps plus mes pleurs.

MARTIAN

           Tournez vers moi les yeux.
Après la mort d'Othon, que pouvez-vous de mieux?

PLAUTINE, *cependant que deux soldats entrent
et parlent à Atticus à l'oreille.*

Quelque insolent espoir qu'ait ta folle arrogance,
1710 Apprends que j'en saurai punir l'extravagance,
Et percer de ma main ou ton cœur ou le mien,
Plutôt que de souffrir cet infâme lien.
Connais-toi, si tu peux, ou connais-moi.

ATTICUS

                De grâce,
Souffrez...

PLAUTINE

          De me parler tu prends aussi l'audace,
1715 Assassin d'un héros que je verrais sans toi
Donner des lois au monde, et les prendre de moi,
Toi, dont la main sanglante au désespoir me livre?

ATTICUS

Si vous aimez Othon, Madame, il va revivre,
Et vous verrez longtemps sa vie en sûreté,
1720 S'il ne meurt que des coups dont je me suis vanté.

PLAUTINE

Othon vivrait encore?

ATTICUS

           Il triomphe, Madame,
Et maître de l'État, comme vous de son âme,
Vous l'allez bientôt voir lui-même à vos genoux
Vous faire offre d'un sort qu'il n'aime que pour vous,
1725 Et dont sa passion dédaignerait la gloire,
Si vous ne vous faisiez le prix de sa victoire.
    L'armée à son mérite enfin a fait raison,
On porte devant lui la tête de Pison,
Et Camille tient mal ce qu'elle vient de dire,
1730 Ou rend grâces pour vous aux Dieux d'un autre
Et fatigue le ciel par des vœux superflus   [Empire,
En faveur d'un parti qu'il ne regarde plus.

MARTIAN

Exécrable, ainsi donc ta promesse frivole...

ATTICUS

Qui promet de trahir peut manquer de parole.
1735 Si je n'eusse promis ce lâche assassinat,
Un autre par ton ordre eût commis l'attentat,
Et tout ce que j'ai dit n'était qu'un stratagème
Pour livrer en ses mains Lacus et Galba même.
Galba n'a rien à craindre : on respecte son nom,
1740 Et ce n'est que sous lui que veut régner Othon.

Quant à Lacus et toi, je vois peu d'apparence
Que vos jours à tous deux soient en même assurance,
Si ce n'est que Madame ait assez de bonté
Pour fléchir un vainqueur justement irrité.
    Autour de ce palais nous avions deux cohortes,
Qui déjà pour Othon en ont saisi les portes.
J'y commande, Madame, et mon ordre aujourd'hui
Est de vous obéir, et m'assurer de lui.
Qu'on l'emmène, soldats, il blesse ici la vue!

MARTIAN

Fut-il jamais disgrâce, ô Dieux, plus imprévue!

PLAUTINE, *seule.*

Je me trouble, et ne sais par quel pressentiment
Mon cœur n'ose goûter ce bonheur pleinement.
Il semble avec chagrin se livrer à la joie,
Et bien qu'en ses douceurs mon déplaisir se noie,
Je ne passe de l'une à l'autre extrémité
Qu'avec un reste obscur d'esprit inquiété.
Je sens... Mais que me veut Flavie épouvantée?

Scène VI : Plautine, Flavie.

FLAVIE

Vous dire que du ciel la colère irritée,
Ou plutôt du destin la jalouse fureur...

PLAUTINE

Auraient-ils mis Othon aux fers de l'Empereur,
Et dans ce grand succès la fortune inconstante
Aurait-elle trompé notre plus douce attente?

FLAVIE

Othon est libre, il règne, et toutefois, hélas!...

PLAUTINE

Serait-il si blessé qu'on craignît son trépas?

FLAVIE

Non, partout à sa vue on a mis bas les armes,
Mais enfin son bonheur vous va coûter des larmes.

PLAUTINE

Explique, explique donc ce que je dois pleurer.

FLAVIE

Vous voyez que je tremble à vous le déclarer.

PLAUTINE

Le mal est-il si grand?

FLAVIE

          D'un balcon, chez mon frère,
J'ai vu... Que ne peut-on, Madame, vous le taire?
Ou qu'à voir ma douleur n'avez-vous deviné
Que Vinius...

PLAUTINE

         Eh bien?

FLAVIE

         Vient d'être assassiné!

PLAUTINE

Juste ciel!

FLAVIE

        De Lacus l'inimitié cruelle...

PLAUTINE

O d'un trouble inconnu présage trop fidèle!
Lacus...

FLAVIE

        C'est de sa main que part ce coup fatal.

Tous deux près de Galba marchaient d'un pas égal,
Lorsque tournant ensemble à la première rue,
Ils découvrent Othon maître de l'avenue :
Cet effroi ne les fait reculer quelques pas
780 Que pour voir ce palais saisi par vos soldats,
Et Lacus aussitôt étincelant de rage
De voir qu'Othon partout leur ferme le passage,
Lance sur Vinius un furieux regard,
L'approche sans parler, et tirant un poignard...

PLAUTINE
785 Le traître, hélas ! Flavie, où me vois-je réduite !

FLAVIE
Vous m'entendez, Madame, et je passe à la suite.
Ce lâche sur Galba portant même fureur :
« Mourez, Seigneur, dit-il, mais mourez Empereur,
Et recevez ce coup comme un dernier hommage
790 Que doit à votre gloire un généreux courage. »
Galba tombe, et ce monstre, enfin s'ouvrant le flanc,
Mêle au détestable à leur illustre sang [34].
En vain le triste Othon, à cet affreux spectacle,
Précipite ses pas pour y mettre un obstacle :
795 Tout ce que peut l'effort de ce cher conquérant,
C'est de verser des pleurs sur Vinius mourant,
De l'embrasser tout mort. Mais le voilà, Madame,
Qui vous fera mieux voir les troubles de son âme.

Scène VII : Othon, Plautine, Flavie.

OTHON
Madame, savez-vous les crimes de Lacus ?

PLAUTINE
800 J'apprends en ce moment que mon père n'est plus.
Fuyez, Seigneur, fuyez un objet de tristesse,
D'un jour si beau pour vous goûtez mieux l'allégresse.
Vous êtes Empereur, épargnez-vous l'ennui
De voir qu'un père...

34. En réalité, Tacite nous apprend au contraire (chap. 35)
qu'on ignore le meurtrier de Galba. Lacus ne se tua pas plus
qu'il ne poignarda Vinius. Plutarque déclare : « On massacra
aussi Vinius, quoiqu'il protestât qu'il était complice de la
conjuration » (chap. 32). Pison ne fut tué qu'après Galba,
sur la demande même d'Othon. On conçoit que Corneille
n'ait pas voulu diminuer son héros.

OTHON
Hélas ! je suis plus mort que lui,
Et si votre bonté ne me rend une vie   1805
Qu'en lui perçant le cœur un traître m'a ravie,
Je ne reviens ici qu'en malheureux amant,
Faire hommage à vos yeux de mon dernier moment.
Mon amour pour vous seule a cherché la victoire,
Ce même amour sans vous n'en peut souffrir la gloire, 1810
Et n'accepte le nom de maître des Romains,
Que pour mettre avec moi l'univers en vos mains.
C'est à vous d'ordonner ce qui lui reste à faire.

PLAUTINE
C'est à moi de gémir, et de pleurer mon père :
Non que je vous impute, en ma vive douleur,   1815
Les crimes de Lacus et de notre malheur,
Mais enfin...

OTHON
Achevez, s'il se peut, en amante.
Nos feux...

PLAUTINE
Ne pressez point un trouble qui s'aug- [mente.
Vous voyez mon devoir, et connaissez ma foi.
En ce funeste état répondez-vous pour moi.   1820
Adieu, Seigneur.

OTHON
De grâce, encor une parole,
Madame.

Scène VIII : Othon, Albin.

ALBIN
On vous attend, Seigneur, au Capitole,
Et le sénat en corps vient exprès d'y monter
Pour jurer sur vos lois aux yeux de Jupiter.

OTHON
J'y cours, mais quelque honneur, Albin, qu'on m'y 1825
Comme il n'aurait pour moi rien de doux sans Plautine, [destine,
Souffre du moins que j'aille, en faveur de mon feu,
Prendre pour y courir son ordre ou son aveu,
Afin qu'à mon retour, l'âme un peu plus tranquille,
Je puisse faire effort à consoler Camille,   1830
Et lui jurer moi-même, en ce malheureux jour,
Une amitié fidèle au défaut de l'amour.

AGÉSILAS
TRAGÉDIE *

*Othon n'a pas obtenu l'effet escompté : aucune pièce de Corneille n'aura plus de première représentation à la cour et déjà la pension royale n'est pas régulièrement payée. La première d'*Agésilas *fut retardée pour différentes raisons : la pièce ne dut pas être écrite assez tôt pour être mise en répétition à l'automne. Corneille perd en 1665 l'un de ses fils, âgé de douze ans, de qui les dons littéraires annonçaient un successeur probable de son père. Au moment où sans doute les acteurs répètent* Othon, Racine *arrive à l'Hôtel de Bourgogne avec* Alexandre, *que Molière joue avec succès depuis le début de décembre. Le 20 janvier 1666, Anne d'Autriche meurt. Le deuil officiel prend fin le 21 février :* Agésilas *est créé le 28.*

Tout contribuait d'avance à la chute de la pièce : le deuil sérieux de la cour par-delà sa cessation officielle; le succès du carême de Saint-Germain prêché par Bossuet, mais surtout l'extrême nouveauté de la pièce, en vers libres, curieuse tentative de tragédie, si l'on ose dire, enjouée et prosaïque.

Le thème politique est pourtant fort intéressant et fort sérieux : comment un roi peut se libérer de la tutelle d'un ministre trop populaire. Sans doute l'histoire française, comme les autres, ne manquait pas d'exemples applicables à ceux d'Agésilas et de Ly-

sandre. Les contemporains ne les aperçurent pas, la critique moderne tente timidement une explication qui nous ramène à la Fronde et ferait d'Agésilas une pièce anachronique.

Elle l'est sans doute, mais d'une autre manière. Corneille dans l'Avis au lecteur jette comme un défi cette tragédie singulière. Qui connaissait Agésilas, pense-t-on? L'histoire de ce roi de Sparte est liée à celle de Lysandre, par Plutarque lui-même dont s'inspire Corneille. Tous les historiens politiques des XVIᵉ et XVIIᵉ les mentionnent dans le sens de Corneille. Bayle écrira encore : « Lysandre le plus intrigant, le plus fourbe et le plus factieux de tous les hommes »...

Agésilas n'est pas cependant une tentative isolée de la production cornélienne. Outre l'identité des vues politiques qui le rattachent à Pompée ou Nicomède, un triple amour entravé par la politique l'apparente à Othon. *Mais cette comédie héroïque, qui ne porte pas son nom, est hors de mode.*

C'est le clan cornélien qui suivit le moins Corneille en cette voie. Le fidèle Saint-Evremond préfère décidément la tragédie traditionnelle et salue en l'auteur d'Alexandre le successeur d'un Corneille qui aurait désormais perdu ses moyens.

AU LECTEUR

Il ne faut que parcourir les *Vies d'Agésilas* et de *Lysander* chez Plutarque[1], pour démêler ce qu'il y a d'historique dans cette tragédie. La manière dont je l'ai traitée n'a point d'exemple parmi nos Français, ni dans ces précieux restes de l'antiquité qui sont venus jusqu'à nous, et c'est ce qui me l'a fait choisir[2]. Les premiers qui ont travaillé pour le théâtre, ont travaillé sans exemple, et ceux qui les ont suivis y ont fait voir quelques nouveautés de temps en temps. Nous n'avons

pas moins de privilège. Aussi notre Horace, qui nous recommande tant la lecture des poètes grecs par ces paroles :

> *Vos exemplaria graeca*
> *Nocturna versate manu, versate diurna*[2],

ne laisse pas de louer hautement les Romains d'avoir osé quitter les traces de ces mêmes Grecs, et pris d'autres routes :

> *Nil intentatum nostri liquere poetae;*
> *Nec minimum meruere decus, vestigia graeca*
> *Ausi deserere*[4].

Leurs règles sont bonnes, mais leur méthode n'est pas

* Hôtel de Bourgogne : 28 février 1666. Privilège : 24 mars 1666. Achevé d'imprimer : 3 avril 1666.
1. Pourquoi Corneille n'a-t-il pas cité *la Vie de Galba*, dont il s'est servi pour *Othon* autant que de Tacite? Voulait-il masquer le lien qui existe entre les deux pièces d'*Othon* et d'*Agésilas*, tirées de Plutarque?
2. Raidissement de Corneille, heureux du succès qu'il arrache à un public qui murmurait, déjà quatorze ans plus tôt, depuis *Pertharite* (1652), qu'il est hors de mode et qu'il est temps qu'il prenne sa retraite.

3. « Feuilletez de jour, feuilletez de nuit
Les textes grecs » (*Art poétique*, vers 268-269).
4. « Nos poètes n'ont rien laissé sans le tenter
Et ont mérité une gloire qui n'est pas mince
Ayant osé quitter les pas des Grecs » (*id.* vers 285-287).
Corneille abuse de ces deux derniers vers : c'est la troisième fois qu'il les cite dans une préface.

de notre siècle, et qui s'attacherait à ne marcher que sur leurs pas, ferait sans doute peu de progrès, et divertirait mal son auditoire. On court, à la vérité, quelque risque de s'égarer, et même on s'égare assez souvent, quand on s'écarte du chemin battu ; mais on ne s'égare pas toutes les fois qu'on s'en écarte : quelques-uns en arrivent plus tôt où ils prétendent, et chacun peut hasarder à ses périls.

ACTEURS

AGÉSILAS, *roi de Sparte* [5].
LYSANDER, *fameux capitaine de Sparte* [6].
COTYS, *roi de Paphlagonie* [7].
SPITRIDATE, *grand seigneur persan.*
MANDANE [8], *sœur de Spitridate.*
ELPINICE, AGLATIDE, *filles de Lysander.*
XÉNOCLÈS, *lieutenant d'Agésilas.*
CLÉON, *orateur grec, natif d'Halicarnasse.*

La scène est à Éphèse [9].

ACTE PREMIER

Scène I : Elpinice, Aglatide.

AGLATIDE

Ma sœur, depuis un mois nous voilà dans Éphèse,
Prêtes à recevoir ces illustres époux
Que Lysander, mon père, a su choisir pour nous,
Et ce choix bienheureux n'a rien qui ne vous plaise.
5 Dites-moi toutefois, et parlons librement,
    Vous semble-t-il que votre amant
Cherche avec grande ardeur votre chère présence,
Et trouvez-vous qu'il montre, attendant ce grand jour,
    Cette obligeante impatience
10 Que donne, à ce qu'on dit, le véritable amour ?

ELPINICE

Cotys est roi, ma sœur, et comme sa couronne
    Parle suffisamment pour lui,
Assuré de mon cœur que son trône lui donne,
De le trop demander il s'épargne l'ennui.

5. Agésilas II, frère d'Agis. Il devint roi de Sparte de 399 à 361, par usurpation sur Léotychidas, fils d'Agis, qui aurait dû régner. Agis avait été porté à la scène, après deux pièces italiennes, par Guérin de Bouscal en 1642, ainsi que Cléomène, qui avait installé comme roi Archidamis, frère d'Agis.
6. Lysandre, amiral de la flotte spartiate, était déjà illustre quand il aida Agésilas à monter sur le trône de Sparte. Plutarque conte de lui divers traits de perfidie, d'insolence et de cruauté. Complotant contre Agésilas, ingrat envers lui, il fut tué devant la ville d'Haliarte. Il fut regretté, bien qu'on eût trouvé la preuve du complot par lequel il se serait fait roi.
7. La Paphlagonie est entrée entre le Pont et la Bithynie, théâtre, à une toute autre époque, de *Nicomède*. Cotys et Spitridate sont historiques, mais Plutarque ne leur attribue aucun caractère particulier. Xénoclès et Cléon ne sont que des noms dans les *Vies* d'Agésilas (chap. 16) et de Lysandre (chap. 20).
8. Les trois personnages féminins sont inventés. Mandane était un nom illustre depuis le roman de Mlle de Scudéry. Elpinice est dans Plutarque la sœur de Cimon, vainqueur des Perses en 486, donc un siècle plus tôt.
9. Éphèse, quartier général de Lysandre avant et après sa victoire navale sur Athènes.

Ce me doit être assez qu'en secret il soupire,   15
Que je puis deviner ce qu'il craint de trop dire,
Et que moins son amour a d'importunité,
    Plus il a de sincérité.
Mais vous ne dites rien de votre Spitridate :
Prend-il autant de peine à mériter vos feux   20
    Que l'autre à retenir mes vœux ?

AGLATIDE

C'est environ ainsi que son amour éclate,
Il m'obsède à peu près comme l'autre vous sert.
On dirait que tous deux agissent de concert,
Qu'ils ont juré de n'être importuns l'un ni l'autre :   25
Ils en font grand scrupule, et la sincérité
Dont mon amant se pique à l'exemple du vôtre
Ne met pas son bonheur en l'assiduité.
Ce n'est pas qu'à vrai dire, il ne soit excusable :
Je préparai pour lui, dès Sparte, une froideur   30
    Qui, dès l'abord, était capable
    D'éteindre la plus vive ardeur,
Et j'avoue entre nous qu'alors qu'il me néglige,
Qu'il se montre à son tour si froid, si retenu,
    Loin de m'offenser il m'oblige,   35
Et me remet un cœur qu'il n'eût pas obtenu.

ELPINICE

    J'admire cette antipathie
Qui vous l'a fait haïr avant que de le voir,
Et croirais que sa vue aurait eu le pouvoir
    D'en dissiper une partie   40
Car enfin Spitridate a l'entretien charmant,
L'œil vif, l'esprit aisé, le cœur bon, l'âme belle.
A tant de qualités s'il joignait un vrai zèle...

AGLATIDE

Ma sœur, il n'est pas Roi, comme l'est votre amant.

ELPINICE

Mais au parti des Grecs il unit deux provinces,   45
Et ce Perse vaut bien la plupart de nos Princes.

AGLATIDE

Il n'est pas Roi, vous dis-je, et c'est un grand défaut.
Ce n'est point avec vous que je le dissimule,
    J'ai peut-être le cœur trop haut,
Mais aussi bien que vous je sors du sang d'Hercule,   50
Et lorsqu'on vous destine un Roi pour votre époux,
    J'en veux un aussi bien que vous.
J'aurais quelque chagrin à vous traiter de Reine,
A vous voir dans un trône assise en souveraine,
S'il me fallait ramper dans un degré plus bas,   55
    Et je porte une âme assez vaine
Pour vouloir jusque-là vous suivre pas à pas.
Vous êtes mon aînée, et c'est un avantage
Qui me fait devoir grande civilité,
Aussi veux-je céder le pas devant à l'âge,   60
Mais je ne puis souffrir autre inégalité.

ELPINICE

Vous êtes donc jalouse, et ce trône vous gêne
Où la main de Cotys a droit de me placer!
Mais si je renonçais au rang de souveraine,
65   Voudriez-vous y renoncer?

AGLATIDE

Non, pas si tôt : j'ai quelque vue
Qui me peut encore amuser.
Mariez-vous, ma sœur; quand vous serez pourvue,
On trouvera peut-être un Roi pour m'épouser.
70 J'en aurais un déjà, n'était ce rang d'aînée
Qui demandait pour vous ce qu'il voulait m'offrir,
Ou s'il eût reconnu qu'un père eût pu souffrir
Qu'à l'hymen avant vous on me vît destinée.
Si ce Roi jusqu'ici ne s'est point déclaré,
75 Peut-être qu'après tout il n'a que différé,
Qu'il attend votre hymen pour rompre son silence.
Je pense avoir encor ce qui le sut charmer,
Et s'il faut vous en faire entière confidence,
Agésilas m'aimait, et peut encor m'aimer [10].

ELPINICE

80 Que dites-vous, ma sœur? Agésilas vous aime!

AGLATIDE

Je vous dis qu'il m'aimait, et que sa passion
Pourrait bien être encor la même,
Mais cet amusement de mon ambition
Peut n'être qu'une illusion.
85 Ce Prince tient son trône et sa haute puissance
De ce même héros dont nous tenons le jour,
Et si ce n'était lors que par reconnaissance
Qu'il me témoignait de l'amour,
Puis-je être sans inquiétude
90 Quand il n'a plus pour lui que de l'ingratitude,
Qu'il n'écoute plus rien qui vienne de sa part?
Je ne sais si sa flamme est pour moi faible ou forte,
Mais la reconnaissance morte,
L'amour doit courir grand hasard.

ELPINICE

95 Ah! s'il n'avait voulu que par reconnaissance
Être gendre de Lysander,
Son choix aurait suivi l'ordre de la naissance,
Et Sparte, au lieu de vous, l'eût vu me demander.
Mais pour mettre chez nous l'éclat de sa couronne
100 Attendre que l'hymen m'ait engagée ailleurs,
C'est montrer que le cœur s'attache à la personne.
Ayez, ayez pour lui des sentiments meilleurs,
Ce cœur qu'il vous donna, ce choix qui considère
Autant et plus encor la fille que le père,
105 Feront que le devoir aura bientôt son tour,
Et pour vous faire seoir où vos désirs aspirent,
Vous verrez, et dans peu, comme pour vous conspirent
La reconnaissance et l'amour.

AGLATIDE

Vous voyez cependant qu'à peine il me regarde :

---

10. Ainsi se trouve renouvelée la situation de *Sertorius*,
de *Sophonisbe* et d'*Othon* : deux femmes recherchant le même
homme, l'une aimée pour elle-même, l'autre courtisée par
raison d'État. Ainsi la thèse politique se double de scènes
d'amour et de jalousie, d'une ironie cinglante dans les pièces
précédentes, enjouée ici.

Depuis notre arrivée il ne m'a point parlé,   1
Et quand ses yeux vers moi se tournent par mégarde...

ELPINICE

Comme avec lui mon père a quelque démêlé,
Cette petite négligence,
Qui vous fait douter de sa foi,
Vient de leur mésintelligence,
Et dans le fond de l'âme il vit sous votre loi.   1

AGLATIDE

A tous hasards, ma sœur, comme j'en suis mal sûre,
Si vous me pouviez faire un don de votre amant,
Je crois que je pourrais l'accepter sans murmure.
Vous venez de parler du mien si dignement...

ELPINICE

Aimeriez-vous Cotys, ma sœur?

AGLATIDE

                                  Moi? nullement.

ELPINICE

Pourquoi donc vouloir qu'il vous aime?

AGLATIDE

                    Les hommages qu'Agésilas
Daigna rendre en secret au peu que j'ai d'appas,
M'ont si bien imprimé l'amour du diadème,   1
Que pourvu qu'un amant soit Roi,
Il est trop aimable pour moi.
Mais sans trône on perd temps : c'est la première idée
Qu'à l'amour en mon cœur il ait plu de tracer.   1
Il l'a fidèlement gardée,
Et rien ne peut plus l'effacer.

ELPINICE

Chacune à son humeur : la grandeur souveraine,
Quelque main qui vous l'offre, est digne de vos feux,
Et vous ne ferez point d'heureux
Qui de vous ne fasse une Reine.   1
Moi, je m'éblouis moins de la splendeur du rang,
Son éclat au respect plus qu'à l'amour m'invite,
Cet heureux avantage ou du sort ou du sang
Ne tombe pas toujours sur le plus de mérite.
Si mon cœur, si mes yeux, en étaient consultés,   1
Leur choix irait à la personne,
Et les hautes vertus, les rares qualités
L'emporteraient sur la couronne.

AGLATIDE

Avouez tout, ma sœur : Spitridate vous plaît.

ELPINICE

Un peu plus que Cotys, et si votre intérêt   1
Vous pouvait résoudre à l'échange...

AGLATIDE

Qu'en pouvons-nous ici résoudre vous et moi?
En l'état où le ciel nous range,
Il faut l'ordre d'un père, il faut l'aveu d'un Roi,
Que je plaise à Cotys, et vous à Spitridate.   1

ELPINICE

Pour l'un je ne sais quoi m'en flatte,
Pour l'autre je n'en réponds pas,
Et je craindrais fort que Mandane,
Cette incomparable Persane,
N'eût pour lui des attraits plus forts que vos appas.

AGLATIDE

Ma sœur, Spitridate est son frère,

Et si jamais sur lui vous aviez du pouvoir...
ELPINICE
Le voilà qui nous considère.
AGLATIDE
Est-ce vous ou moi qu'il vient voir ?
50 Voulez-vous que je vous le laisse ?
ELPINICE
Ma sœur, auparavant, engagez l'entretien,
Et s'il s'en offre lieu, jouez d'un peu d'adresse,
Pour votre intérêt et le mien.
AGLATIDE
Il est juste en effet, puisqu'il n'a su me plaire,
55 Que je vous aide à m'en défaire.

Scène II : Spitridate, Elpinice, Aglatide.

ELPINICE
Seigneur, je me retire : entre les vrais amants
Leur amour seul a droit d'être de confidence,
Et l'on ne peut mêler d'agréable présence
A de si précieux moments.
SPITRIDATE
60 Un vertueux amour n'a rien d'incompatible
Avec les regards d'une sœur.
Ne m'enviez point la douceur
De pouvoir à vos yeux convaincre une insensible :
Soyez juge et témoin de l'indigne succès
65 Qui se prépare pour ma flamme ;
Voyez jusqu'au fond de mon âme
D'une si pure ardeur où va le digne excès,
Voyez tout mon espoir au bord du précipice,
Voyez des maux sans nombre et hors de guérison,
70 Et quand vous aurez vu toute cette injustice,
Faites-m'en un peu de raison.
AGLATIDE
Si vous me permettez, Seigneur, de vous entendre,
De l'air dont votre amour commence à m'accuser,
Je crains que pour en bien user
75 Je ne me doive mal défendre.
Je sais bien que j'ai tort, j'avoue et hautement
Que ma froideur doit vous déplaire ;
Mais en cette froideur un heureux changement
Pourrait-il fort vous satisfaire ?
SPITRIDATE
80 En doutez-vous, Madame, et peut-on concevoir... ?
AGLATIDE
Je vous entends, Seigneur, et vois ce qu'il faut voir :
Un aveu plus précis est d'une conséquence
Qui pourrait vous embarrasser,
Et même à notre sexe il est de bienséance
85 De ne pas trop vous en presser.
A Lysander mon père il vous plut de promettre
D'unir par notre hymen votre sang et le sien.
La raison, à peu près, Seigneur, je la pénètre,
Bien qu'aux raisons d'État je ne connaisse rien [11].
90 Vous ne m'aviez point vue, et facile ou cruelle,
Petite ou grande, laide ou belle,

11. Vers très voisins dans la bouche de Camille (*Othon*, vers 730 et 904).

Qu'à votre humeur ou non je pusse m'accorder,
La chose était égale à votre ardeur nouvelle,
Pourvu que vous fussiez gendre de Lysander.
Ma sœur vous aurait plu s'il vous l'eût proposée,   205
J'eusse agréé Cotys s'il me l'eût proposé.
Vous trouvâtes tous deux la politique aisée,
Nous crûmes toutes deux notre devoir aisé.
Comme à traiter cette alliance
Les tendresses des cœurs n'eurent aucune part,   210
Le vôtre avec le mien a peu d'intelligence,
Et l'amour en tous deux pourra naître un peu tard.
Quand il faudra que je vous aime,
Que je vous aurai promis à la face des Dieux,
Vous deviendrez cher à mes yeux,   215
Et j'espère de vous le même.
Jusque-là votre amour assez mal se fait voir,
Celui que je vous garde encor plus mal s'explique :
Vous attendez le temps de votre politique,
Et moi celui de mon devoir.   220
Voilà, Seigneur, quel est mon crime :
Vous m'en vouliez convaincre, il n'en est plus besoin.
J'en ai fait, comme vous, ma sœur juge et témoin.
Que ma froideur lui semble injuste ou légitime,
La raison que vous peut en faire sa bonté   225
Je consens qu'elle vous la fasse,
Et pour vous en laisser tous deux en liberté,
Je veux bien lui quitter la place.

Scène III : Spitridate, Elpinice.

SPITRIDATE
Elle ne s'y fait pas, Madame, un grand effort,
Et ferait grâce entière à mon peu de mérite,   230
Si votre âme avec elle était assez d'accord
Pour se vouloir saisir de ce qu'elle vous quitte.
Pour peu que vous daigniez écouter la raison,
Vous me devez cette justice,
Et prendre autant de part à voir ma guérison,   235
Qu'en ont eu vos attraits à faire mon supplice.
ELPINICE
Quoi ! Seigneur, j'aurais part...
SPITRIDATE
C'est trop dissimuler
La cause et la grandeur du mal qui me possède,
Et je me dois, Madame, au défaut du remède,
La vaine douceur d'en parler.   240
Oui, vos yeux ont part à ma peine,
Ils en font plus de la moitié,
Et s'il n'est point d'amour pour en finir la gêne,
Il est pour l'adoucir des regards de pitié.
Quand je quittai la Perse, et brisai l'esclavage   245
Où, m'envoyant au jour, le ciel m'avait soumis,
Je crus qu'il me fallait parmi ses ennemis
D'un protecteur puissant assurer l'avantage.
Cotys eut, comme moi, besoin de Lysander,
Et quand pour l'attacher lui-même à nos familles,   250
Nous demandâmes ses deux filles,
Ce fut les obtenir que de les demander.
Par déférence au trône, il lui promit l'aînée,
La jeune me fut destinée.

255 Comme nous ne cherchions tous deux que son appui,
Nous acceptâmes tout sans regarder que lui.
J'avais su qu'Aglatide était des plus aimables,
On m'avait dit qu'à Sparte elle savait charmer,
Et sur des bruits si favorables
260 Je me répondais de l'aimer.
Que l'amour aime peu ces folles confiances,
Et que pour affermir son empire en tous lieux,
Il laisse choir souvent de cruelles vengeances
Sur qui promet son cœur sans l'aveu de ses yeux!
265 Ce sont les conseillers fidèles
Dont il prend les avis pour ajuster ses coups,
Leur rapport inégal vous fait plus ou moins belles,
Et les plus beaux objets ne le sont pas pour tous.
A ce moment fatal qui nous permit la vue
270 Et de vous et de cette sœur,
Mon âme devint toute émue,
Et le trouble aussitôt s'empara de mon cœur.
Je le sentis pour elle tout de glace,
Je le sentis tout de flamme pour vous;
275 Vous y régnâtes en sa place,
Et ses regards aux miens n'offrirent rien de doux.
Il faut pourtant l'aimer, du moins il faut le feindre,
Il faut vous voir aimer ailleurs :
Voyez s'il fut jamais un amant plus à plaindre,
280 Un cœur plus accablé de mortelles douleurs.
C'est un malheur sans doute égal au trépas même
Que d'attacher sa vie à ce qu'on n'aime pas,
Et voir en d'autres mains passer tout ce qu'on aime,
C'est un malheur encor plus grand que le trépas.

ELPINICE

285 Je vous en plains, Seigneur, et ne puis davantage,
Je ne sais aimer ni haïr,
Mais dès qu'un père parle, il porte en mon courage
Toute l'impression qu'il faut pour obéir.
Voyez avec Cotys si ses vœux les plus tendres
290 Voudraient rendre à ma sœur l'hommage qu'il me rend,
Tout doit être à mon père assez indifférent,   [rend.
Pourvu que vous et lui vous demeuriez ses gendres.
Mais à vous dire tout, je crains qu'Agésilas
N'y refuse l'aveu qui vous est nécessaire :
295 C'est notre souverain.

SPITRIDATE

S'il en dédit un père,
Peut-être ai-je une sœur qu'il n'en dédira pas.
Ce grand Prince pour elle a tant de complaisance,
Qu'à sa moindre prière il ne refuse rien,
Et si son cœur voulait s'entendre avec le mien...

ELPINICE

300 Reposez-vous, Seigneur, sur mon obéissance,
Et contentez-vous de savoir
Qu'aussi bien que ma sœur j'écoute mon devoir.
Allez trouver Cotys, et sans aucun scrupule...

SPITRIDATE

Perdriez-vous pour moi son trône sans ennui?

ELPINICE

305 Le voilà qui paraît. Quelque ardeur qui vous brûle,
Mettez d'accord mon père, Agésilas et lui.

Scène IV : Cotys, Spitridate.

COTYS

Vous voyez de quel air Elpinice me traite,
Comme elle disparaît, Seigneur, à mon abord.

SPITRIDATE

Si votre âme, Seigneur, en est mal satisfaite,
Mon sort est bien à plaindre autant que votre sort.

COTYS

Ah! s'il n'était honteux de manquer de promesse!

SPITRIDATE

Si la foi sans rougir pouvait se dégager!

COTYS

Qu'une autre de mon cœur serait bientôt maîtresse!

SPITRIDATE

Que je serais ravi, comme vous, de changer!

COTYS

Elpinice pour moi montre une telle glace
Que je me tiendrais sûr de son consentement.

SPITRIDATE

Aglatide verrait qu'une autre prît sa place
Sans en murmurer un moment.

COTYS

Que nous sert qu'en secret l'une et l'autre engagée
Peut-être ainsi que nous porte son cœur ailleurs?
Pour voir notre infortune entre elles partagée,
Nos destins n'en sont pas meilleurs.

SPITRIDATE

Elles aiment ailleurs, ces belles dédaigneuses,
Et peut-être, en dépit du sort,
Il serait un moyen et de les rendre heureuses,
Et de nous rendre heureux par un commun accord.

COTYS

Souffrez donc qu'avec vous tout mon cœur se déploie.
Ah! si vous le vouliez, que mon sort serait doux!
Vous seul me pouvez mettre au comble de ma joie.

SPITRIDATE

Et ma félicité dépend toute de vous.

COTYS

Vous me pouvez donner l'objet qui me possède.

SPITRIDATE

Vous me pouvez donner celui de tous mes vœux :
Elpinice me charme.

COTYS

Et si je vous la cède?

SPITRIDATE

Je céderai de même Aglatide à vos feux.

COTYS

Aglatide, Seigneur! Ce n'est pas là m'entendre,
Et vous ne feriez rien pour moi.

Ne vous devez-vous pas à Lysander pour gendre?

COTYS

Oui, mais l'amour ici me fait une autre loi.

SPITRIDATE

L'amour! il n'en faut point écouter qui le blesse,
Et qui nous ôte son appui.
L'échange des deux sœurs n'a rien qui l'intéresse,
Nous n'en serons pas moins à lui.
Mais de porter ailleurs sa main qui leur est due,

Seigneur, au dernier point ce sera l'irriter,
5   Et sa protection perdue,
    N'avons-nous rien à redouter?
              COTYS
Si je n'en juge mal, sa faveur n'est pas grande,
Seigneur, auprès d'Agésilas :
Il n'obtient presque rien de quoi qu'il lui demande.
              SPITRIDATE
0 Je vois qu'assez souvent il ne l'écoute pas,
    Mais pour un différend frivole,
    Dont nous ignorons le secret,
    Ce Prince avouerait-il un amour indiscret,
    D'un tel manquement de parole?
5 Lui qui lui doit son trône, et cet illustre rang
    D'unique général des troupes de la Grèce,
    Pourrait-il le haïr avec tant de bassesse
    Qu'il pût autoriser ce mépris de son sang?
    Si nous manquons de foi, qu'aura-t-il lieu de croire!
0 En aurions-nous pour lui plus que pour Lysander?
    Pensez-y bien, Seigneur, avant qu'y hasarder
    Nos sûretés et votre gloire.
              COTYS
Et si ce différend, que vous craignez si peu,
Lui fait pour notre hymen refuser un aveu?
              SPITRIDATE
5 Ma sœur n'a qu'à parler, je m'en tiens sûr par elle.
              COTYS
Seigneur, l'aimerait-il?
              SPITRIDATE
              Il la trouve assez belle,
Il en parle avec joie, et se plaît à la voir.
Je tâche d'affermir ces douces apparences,
    Et si vous voulez tout savoir,
0 Je pense avoir de quoi flatter mes espérances :
Prenez-y part, Seigneur, pour l'intérêt commun.
Quand nous aurons tous deux Lysander pour beau-père,
Ce Roi s'allie à vous, s'il devient mon beau-frère,
Et nous aurons ainsi deux appuis au lieu d'un.
              COTYS
5 Et Mandane y consent?
              SPITRIDATE
              Mandane est trop bien née
Pour dédire un devoir qui la met sous ma loi.
              COTYS
Et vous avez donné pour elle votre foi?
              SPITRIDATE
Non, mais à dire vrai, je la tiens pour donnée.
              COTYS
Ah! ne la donnez point, Seigneur, si vous m'aimez,
    Ou si vous aimez Elpinice.
Mandane a tout mon cœur, mes yeux en sont charmés,
Et ce n'est qu'à ce prix que je vous rends justice.
              SPITRIDATE
Elpinice ne rend votre foi qu'à sa sœur,
Et ce n'est qu'à ce prix qu'elle-même se donne.
              COTYS
Hélas! et si l'amour autrement en ordonne,
    Le moyen d'y forcer mon cœur?
              SPITRIDATE
Rendez-vous-en le maître.

              COTYS
          Et l'êtes-vous du vôtre?
              SPITRIDATE
J'y ferai mon effort, si je vous parle en vain,
Et du moins, si ma sœur vous dérobe à toute autre,
    Je serai maître de ma main.   390
              COTYS
Je ne le puis celer, qui que l'on me propose,
Toute autre que Mandane est pour moi même chose.
              SPITRIDATE
Il vous est donc facile, et doit même être doux,
Puisqu'enfin Elpinice aime un autre que vous,
    De lui préférer qui vous aime,   395
    Et du moins vous auriez l'honneur,
    Par un peu d'effort sur vous-même,
    De faire le commun bonheur.
              COTYS
Je ferais trois heureux qui m'empêchent de l'être!
J'ose, j'ose vous faire une plus juste loi :   400
Ou faites mon bonheur dont vous êtes le maître,
Ou demeurez tous trois malheureux comme moi.
              SPITRIDATE
    Eh bien! épousez Elpinice :
    Je renonce à tout mon bonheur,
    Plutôt que de me voir complice   405
D'un manquement de foi qui vous perdrait d'honneur.
              COTYS
    Rendez-vous à votre Aglatide,
    Puisque votre cœur endurci
Veut suivre obstinément un faux devoir pour guide :
Je serai malheureux, vous le serez aussi.   410

ACTE SECOND

Scène I : Spitridate, Mandane.

              SPITRIDATE
Que nous avons, ma sœur, brisé de rudes chaînes!
    En Perse il n'est point de sujets,
    Ce ne sont qu'esclaves abjets,
Qu'écrasent d'un coup d'œil les têtes souveraines :
    Le monarque, ou plutôt le tyran général,   415
    N'y suit pour loi que son caprice,
    N'y veut point d'autre règle et point d'autre justice,
Et souvent même impute à crime capital
    Le plus rare mérite et le plus grand service.
Il abat à ses pieds les plus hautes vertus,   420
S'immole insolemment les plus illustres vies,
Et ne laisse aujourd'hui que les cœurs abattus
    A couvert de ses tyrannies.
Vous autres, s'il vous daigne honorer de son lit,
    Ce sont indignités égales :   425
La gloire s'en partage entre tant de rivales,
Qu'elle est moins un honneur qu'un sujet de dépit.
    Toutes n'ont pas le nom de reines,
    Mais toutes portent mêmes chaînes,
    Et toutes, à parler sans fard,   430
Servent à ses plaisirs sans part à son empire,
Et même en ses plaisirs elles n'ont autre part,

Que celle qu'à son cœur brutalement inspire
            Ou ce caprice, ou le hasard.
435 Voilà, ma sœur, à quoi vous avait destinée,
      A quel infâme honneur vous avait condamnée
      Pharnabaze, son lieutenant :
      Il aurait fait de vous un présent à son Prince,
      Si pour nous affranchir mon soin le prévenant
440 N'eût à sa tyrannie arraché ma province.
            La Grèce a de plus saintes lois,
            Elle a des peuples et des Rois
            Qui gouvernent avec justice [12] :
      La raison y préside, et la sage équité,
445 Le pouvoir souverain par elles limité,
            N'y laisse aucun droit de caprice.
      L'hymen de ses rois même y donne cœur pour cœur,
            Et si vous aviez le bonheur
      Que l'un d'eux vous offrît son trône avec son âme,
450   Vous seriez, par ce nœud charmant,
            Et Reine véritablement,
            Et véritablement sa femme.

                    MANDANE
      Je veux bien l'espérer, tout est facile aux dieux,
            Et peut-être que de bons yeux
455 En auraient déjà vu quelque flatteuse marque :
      Mais il en faut de bons pour faire un si grand choix.
      Si le roi dans la Perse est un peu trop monarque,
      En Grèce il est des rois qui ne sont pas trop rois :
      Il en est dont le peuple est le suprême arbitre,
460 Il en est d'attachés aux ordres d'un sénat,
      Il en est qui ne sont enfin, sous ce grand titre,
            Que premiers sujets de l'État.
      Je ne sais si le ciel pour régner m'a fait naître,
      Et quoi qu'en ma faveur j'aye encor vu paraître,
465   Je doute si l'on m'aime ou non,
            Mais je pourrais être assez vaine
            Pour dédaigner le nom de Reine
      Que m'offrirait un Roi qui n'en eût que le nom.

                    SPITRIDATE
      Vous en savez beaucoup, ma sœur, et vos mérites
470 Vous ouvrent fort les yeux sur ce que vous valez.

                    MANDANE
      Je réponds simplement à ce que vous me dites,
      Et parle en général comme vous me parlez.

                    SPITRIDATE
      Cependant et des rois et de leur différence
      Je vous trouve en effet plus instruite que moi.

                    MANDANE
475 Puisque vous m'ordonnez qu'ici j'espère un Roi,
      Il est juste, Seigneur, que quelquefois j'y pense.

                    SPITRIDATE
      N'y pensez-vous point trop ?

                    MANDANE
                            Je sais que c'est à vous
      A régler mes désirs sur le choix d'un époux :
            Mon devoir n'en fera point d'autre,
480 Mais quand vous daignerez choisir pour une sœur,

      Daignez songer, de grâce, à faire son bonheur
            Mieux que vous n'avez fait le vôtre.
      D'un choix que vous m'aviez vous-même tant loué,
      Votre cœur et vos yeux vous ont désavoué,
      Et si j'ai, comme vous, quelques pentes secrètes,
      Seigneur, si c'est ainsi que vous les rencontrez,
            Jugez, par le trouble où vous êtes,
            De l'état où vous me mettrez.

                    SPITRIDATE
      Je le vois bien, ma sœur, il faut vous laisser faire :
      Qui choisit mal pour soi choisit mal pour autrui,
      Et votre cœur, instruit par le malheur d'un frère,
            A déjà fait son choix sans lui.

                    MANDANE
      Peut-être, mais enfin vous suis-je nécessaire ?
      Parlez : il n'est désirs ni tendres sentiments
      Que je ne sacrifie à vos contentements.
      Faut-il donner ma main pour celle d'Elpinice ?

                    SPITRIDATE
      Que sert de m'en offrir un entier sacrifice,
      Si je n'ose et ne puis même déterminer
      A qui pour mon bonheur vous devez la donner ?
      Cotys me la demande, Agésilas l'espère.

                    MANDANE
      Agésilas, Seigneur ! Et le savez-vous bien ?

                    SPITRIDATE
      Parler de vous sans cesse, aimer votre entretien,
      Vous donner tout crédit, ne chercher qu'à vous plaire...

                    MANDANE
      Ce sont civilités envers une étrangère,
      Qui font beaucoup d'éclat, et ne produisent rien.
            Il jette par là des amorces
      A ceux qui, comme nous, voudront grossir ses forces.
      Mais quelque haut crédit qu'il me donne en sa cour,
      De toute sa conduite il est si bien le maître
      Qu'au simple nom d'hymen vous verriez disparaître
      Tout ce qu'en ses faveurs vous prenez pour amour.

                    SPITRIDATE
      Vous penchez vers Cotys, et savez qu'Elpinice
      Ne veut point être à moi qu'il ne soit à sa sœur !

                    MANDANE
      Je vous réponds de tout, si vous avez son cœur.

                    SPITRIDATE
      Et Lysander pourra souffrir cette injustice ?

                    MANDANE
      Lysander est si mal auprès d'Agésilas
      Que ce sera beaucoup s'il en obtient un gendre,
      Et peut-être sans moi ne l'obtiendra-t-il pas :
      Pour deux, il aurait tort, s'il osait y prétendre.
      Mais, Seigneur, le voici; tâchez de pressentir
      Ce qu'en votre faveur il pourrait consentir.

                    SPITRIDATE
      Ma sœur, vous êtes plus adroite.
      Souffrez que je ménage un moment de retraite :
      J'aurais trop à rougir, pour peu que devant moi
      Vous fissiez deviner de ce manque de foi.

---

12. Cette Grèce politique des *Vies* de Plutarque est celle
de toutes les pièces de théâtre de la première moitié du XVIIe siècle (en particulier Guérin de Bouscal), bien différente, on le
voit, de ce que Racine y cherchera.

Scène II : Lysander, Spitridate,
Mandane, Cléon.

LYSANDER

Quoique en matière d'hyménées
L'importune langueur des affaires traînées
Attire assez souvent de fâcheux embarras,
J'ai voulu qu'à loisir vous puissiez voir mes filles,
Avant que demander l'aveu d'Agésilas
    Sur l'union de nos familles.
Dites-moi donc, Seigneur, ce qu'en jugent vos yeux,
S'ils laissent votre cœur d'accord de vos promesses,
Et si vous y sentez plus d'aimables tendresses
Que de justes désirs de pouvoir choisir mieux.
Parlez avec franchise avant que je m'expose
    A des refus presque assurés,
    Que j'estimerai peu de chose
    Quand vous serez plus déclarés,
Et n'appréhendez point l'emportement d'un père :
Je sais trop que l'amour de ses droits est jaloux,
    Qu'il dispose de nous sans nous,
Que les plus beaux objets ne sont pas sûrs de plaire.
L'aveugle sympathie est ce qui fait agir
    La plupart des feux qu'il excite.
Il ne l'attache pas toujours au vrai mérite :
Et quand il la dénie, on n'a point à rougir.

SPITRIDATE

Puisque vous le voulez, je ne puis me défendre,
Seigneur, de vous parler avec sincérité :
Ma seule ambition est d'être votre gendre,
Mais apprenez, de grâce, une autre vérité.
Ce bonheur que j'attends, cette gloire où j'aspire,
Et qui rendrait mon sort égal au sort des Dieux,
N'a pour objet... Seigneur, je tremble à vous le dire,
    Ma sœur vous l'expliquera mieux.

Scène III : Lysander, Mandane, Cléon.

LYSANDER

Que veut dire, Madame, une telle retraite ?
Se plaint-il d'Aglatide, et la jeune indiscrète
Répondrait-elle mal aux honneurs qu'il lui fait ?

MANDANE

Elle y répond, Seigneur, ainsi qu'il le souhaite,
    Et je l'en vois fort satisfait.
Mais je ne vois pas bien que par les sympathies
    Dont vous venez de nous parler,
    Leurs âmes soient fort assorties,
Ni que l'amour encore ait daigné s'en mêler.
Ce n'est pas qu'il n'aspire à se voir votre gendre,
Qu'il n'y mette sa gloire, et borne ses plaisirs,
Mais puisque par son ordre il me faut vous l'apprendre,
Elpinice est l'objet de ses plus chers désirs.

LYSANDER

Elpinice ! Et sa main n'est plus en ma puissance !

MANDANE

Je sais qu'il n'est plus temps de vous la demander,
Mais je vous répondrais de son obéissance,
    Si Cotys la voulait céder.
Que sait-on si l'amour, dont la bizarrerie

Se joue assez souvent du fond de notre cœur,
N'aura point fait au sien même supercherie ?   575
S'il n'y préfère point Aglatide à sa sœur ?
Cet échange, Seigneur, pourrait-il vous déplaire,
    S'il les rendait tous quatre heureux ?

LYSANDER

Madame, doutez-vous de la bonté d'un père ?

MANDANE

Voyez donc si Cotys sera plus rigoureux :   580
Je vous laisse avec lui, de peur que ma présence
N'empêche une sincère et pleine confiance.
    A Cotys.
Seigneur, ne cachez plus le véritable amour
    Dont l'idée en secret vous flatte.
J'ai dit à Lysander celui de Spitridate,   585
    Dites le vôtre à votre tour.

Scène IV : Lysander, Cotys, Cléon.

COTYS

Puisqu'elle vous l'a dit, pourrais-je vous le taire ?
    Jugez, Seigneur, de mes ennuis :
Une autre qu'Elpinice à mes yeux a su plaire,
Et l'aimer est un crime en l'état où je suis.   590

LYSANDER

Ne traitez point, Seigneur, ce nouveau feu de crime :
Le choix que font les yeux est le plus légitime,
Et comme un beau désir ne peut bien s'allumer
S'ils n'instruisent le cœur de ce qu'il doit aimer,
C'est ôter à l'amour tout ce qu'il a d'aimable,   595
Que les tenir captifs sous une aveugle foi,
    Et le don le plus favorable
    Que ce cœur sans leur ordre ose faire de soi
    Ne fut jamais irrévocable.

COTYS

    Seigneur, ce n'est point par mépris,   600
Ce n'est point qu'Elpinice aux miens n'ait paru belle,
Mais enfin (le dirai-je ?), oui, Seigneur, on m'a pris,
On m'a volé ce cœur que j'apportais pour elle.
D'autres yeux, malgré moi, s'en sont faits les tyrans,
Et ma foi s'est armée en vain pour ma défense,   605
Ce lâche, qui s'est mis de leur intelligence,
Les a soudain reçus en justes conquérants.

LYSANDER

    Laissez-leur garder leur conquête.
Peut-être qu'Elpinice avec plaisir s'apprête
A vous laisser ailleurs trouver un sort plus doux,   610
Quand un autre pour elle a d'autres yeux que vous,
Qu'elle cède ce cœur à celle qui le vole,
Et qu'en ce même instant qu'on vous le surprenait,
Un pareil attentat sur sa propre parole
Lui dérobait celui qu'elle vous destinait.   615
Surtout ne craignez rien du côté d'Aglatide :
Je puis répondre d'elle, et quand j'aurai parlé,
Vous verrez tout son cœur, où mon vouloir préside,
Vous payer de celui qu'elle vous a volé.

COTYS

Ah ! Seigneur, pour ce vol je ne me plains pas d'elle.   620

LYSANDER

Et de qui donc ?

COTYS

L'amour s'y sert d'une autre main.

LYSANDER

L'amour!

COTYS

Oui, cet amour qui me rend infidèle...

LYSANDER

Seigneur, du nom d'amour n'abusez point en vain,
Dites d'Agésilas la haine insatiable :
625 C'est elle dont l'aigreur auprès de vous m'accable,
Et qui de jour en jour s'animant contre moi,
Pour me perdre d'honneur m'enlève votre foi.

COTYS

Ah! s'il y va de votre gloire,
Ma parole est donnée, et dussé-je en mourir,
630 Je la tiendrai, Seigneur, jusqu'au dernier soupir.
Mais quoi que la surprise ait pu vous faire croire,
N'accusez point Agésilas
D'un crime de mon cœur, que même il ne sait pas.
Mandane, qui m'ordonne à vos yeux de le dire,
635 Vous montre assez par là quel souverain empire
L'amour lui donne sur ce cœur.
Ne considérez point si j'aime ou si l'on m'aime,
En matière d'honneur ne voyez que vous-même,
Et disposez de moi comme veut cet honneur.

LYSANDER

640 L'amour le fera mieux; ce que j'en viens d'apprendre
M'offre un sujet de joie où j'en voyais d'ennui.
Épouser la sœur de mon gendre,
C'est le devenir comme lui.
Aglatide d'ailleurs n'est pas si délaissée
645 Que votre exemple n'aide à lui trouver un Roi,
Et pour peu que le ciel réponde à ma pensée,
Ce sera plus de gloire et plus d'appui pour moi.
Aussi ferai-je plus : je veux que de moi-même
Vous teniez cet objet qui vous fait soupirer,
650 Et Spitridate, à moins que de m'en assurer,
N'obtiendra jamais ce qu'il aime.
Je veux dès aujourd'hui savoir d'Agésilas
S'il pourra consentir à ce double hyménée,
Dont ma parole était donnée.
655 Sa haine apparemment ne m'en avouera pas :
Si pourtant par bonheur il m'en laisse le maître,
J'en userai, Seigneur, comme je le promets,
Sinon vous lui ferez connaître
Vous-même quels sont vos souhaits.

COTYS

660 Ah! que Mandane et moi n'avons-nous mille vies,
Seigneur, pour vous les immoler!
Car je ne saurais plus vous le dissimuler,
Nos âmes en seront également ravies.
Souffrez-lui donc sa part en ces ravissements,
665 Et pardonnez, de grâce, à mon impatience...

LYSANDER

Allez : on m'a vu jeune, et par expérience
Je sais ce qui se passe au cœur des vrais amants.

Scène V : Lysander, Cléon.

CLÉON

Seigneur, n'êtes-vous point d'une humeur bien facile
D'applaudir à Cotys sur son manque de foi?

LYSANDER

Je prends pour l'attacher à moi   6
Ce qui s'offre de plus utile.
D'un emportement indiscret
Je ne voyais rien à prétendre :
Vouloir par force en faire un gendre,
Ce n'est qu'en vouloir faire un ennemi secret.   6
Je veux l'acquérir, je veux, s'il m'est possible,
A force d'amitiés si bien le ménager
Que quand je voudrai me venger,
J'en tire un secours infaillible.
Ainsi, je flatte ses désirs,   6
J'applaudis, je défère à ses nouveaux soupirs,
Je me fais l'auteur de sa joie,
Je sers sa passion, et sous cette couleur
Je m'ouvre dans son âme une infaillible voie
A m'en faire à mon tour servir avec chaleur.   6

CLÉON

Oui, mais Agésilas, Seigneur, aime Mandane :
Du moins toute sa cour ose le deviner,
Et promettre à Cotys cette illustre Persane,
C'est lui promettre tout pour ne lui rien donner.

LYSANDER

Qu'à ses vœux mon tyran l'accorde ou la refuse,   6
De la manière dont j'en use,
Il ne peut m'ôter son appui,
Et de quelque façon que la chose se passe,
Ou je fais la première grâce,
Ou j'aigris puissamment ce rival contre lui.   6
J'ai même à souhaiter que son feu se déclare.
Comme notre Sparte il choquera les lois,
C'est une occasion que lui-même il prépare,
Et qui peut la résoudre à mieux choisir ses rois.
Nous avons trop longtemps asservi sa couronne   7
A la vaine splendeur du sang,
Il est juste à son tour que la vertu la donne,
Et que le seul mérite ait droit à ce haut rang [13].
Ma ligue est déjà forte, et ta harangue est prête
A faire éclater la tempête,
Sitôt qu'il aura mis ma patience à bout.
Si pourtant je voyais sa haine enfin bornée
Ne mettre aucun obstacle à ce double hyménée,
Je crois que je pourrais encore oublier tout.
En perdant cet ingrat, je détruis mon ouvrage,
Je vois dans sa grandeur le prix de mon courage,
Le fruit de mes travaux, l'effet de mon crédit.
Un reste d'amitié tient mon âme en balance.
Quand je veux le haïr je me fais violence,
Et me force à regret à ce que je t'ai dit.
Il faut, il faut enfin qu'avec lui je m'explique,

---

13. Sparte a toujours choisi ses rois parmi deux familles :
les Eurytipnides et les Agiatides. Agésilas est issu de la première. Corneille ne partage pas les vues de Lysandre, où
d'ailleurs l'ambition prend un fallacieux masque de générosité.

Que j'en sache qui peut causer
Cette haine si lâche, et qu'il rend si publique,
Et fasse un digne effort à le désabuser.

CLÉON

20 Il n'appartient qu'à vous de former ces pensées,
Mais vous ne songez point avec quels sentiments
Vos deux filles intéressées
Apprendront de tels changements.

LYSANDER

Aglatide est d'humeur à rire de sa perte :
25 Son esprit enjoué ne s'ébranle de rien.   [ouverte,
Pour l'autre, elle a, de vrai, l'âme un peu moins
Mais elle n'eut jamais de vouloir que le mien.
Ainsi je me tiens sûr de leur obéissance.

CLÉON

Quand cette obéissance a fait un digne choix,
30 Le cœur, tombé par là sous une autre puissance,
N'obéit pas toujours une seconde fois.

LYSANDER

Les voici : laisse-nous, afin qu'avec franchise
Leurs âmes s'en ouvrent à moi.

Scène VI : Lysander, Elpinice, Aglatide.

LYSANDER

J'apprends avec quelque surprise,
5 Mes filles, qu'on vous manque à toutes deux de foi.
Cotys aime en secret une autre qu'Elpinice,
Spitridate n'en fait pas moins.

ELPINICE

Si l'on nous fait quelque injustice,
Seigneur, notre devoir s'en remet à vos soins.
10 Je ne sais qu'obéir.

AGLATIDE

J'en sais donc davantage :
Je sais que Spitridate adore d'autres yeux,
Je sais que c'est ma sœur à qui va cet hommage,
Et quelque chose encor qu'elle vous dirait mieux.

ELPINICE

Ma sœur, qu'aurais-je à dire ?

AGLATIDE

A quoi bon ce mystère ?
15 Dites ce qu'à ce nom le cœur vous dit tout bas,
Ou je dirai tout haut qu'il ne vous déplaît pas.

ELPINICE

Moi, je pourrais l'aimer, et sans l'ordre d'un père !

AGLATIDE

Vous ne savez que c'est d'aimer ou de haïr,
Mais vous seriez pour lui fort aise d'obéir.

ELPINICE

20 Qu'il faut souffrir de vous, ma sœur !

AGLATIDE

Le grand supplice
De voir qu'en dépit d'elle on lui rend du service !

LYSANDER

Rendez-lui la pareille. Aime-t-elle Cotys ?
Et s'il fallait changer entre vous de partis...

AGLATIDE

Je n'ai pas besoin d'interprète,
25 Et vous en dirai plus, Seigneur, qu'elle n'en sait.

Cotys pourrait me plaire, et plairait en effet,
Si pour toucher son cœur j'étais assez bien faite,
Mais je suis fort trompée, ou cet illustre cœur
N'est pas plus à moi qu'à ma sœur.

LYSANDER

Peut-être ce malheur d'assez près te menace.   760

AGLATIDE

J'en connais plus de vingt qui mourraient en ma place,
Ou qui sauraient du moins hautement quereller
L'injustice de la fortune,
Mais pour moi, qui n'ai pas une âme si commune,
Je sais l'art de m'en consoler.   765
Il est d'autres Rois dans l'Asie
Qui seront trop heureux de prendre votre appui,
Et déjà je ne sais par quelle fantaisie,
J'en crois voir à mes pieds de plus puissants que lui.

LYSANDER

Donc à moins que d'un Roi tu ne veux plus te rendre ? 770

AGLATIDE

Je crois pour Spitridate avoir déjà fait voir
Que ma sœur n'a rien à m'apprendre
Sur le chapitre du devoir.
Elle sait obéir, et je le sais comme elle.
C'est l'ordre, et je lui garde un cœur assez fidèle   775
Pour en subir toutes les lois,
Mais pour régler ma destinée,
Si vous vous abaissiez jusqu'à prendre ma voix,
Vous arrêteriez votre choix
Sur une tête couronnée,   780
Et ne m'offririez que des Rois.

LYSANDER

C'est mettre un peu haut ta conquête.

AGLATIDE

La couronne, Seigneur, orne bien une tête.
Je me la figurais sur celle de ma sœur,
Lorsque Cotys devait l'y mettre,   785
Et quand j'en contemplais la gloire et la douceur,
Que je ne pouvais me promettre,
Un peu de jalousie et de confusion
Mutinait mes désirs et me soulevait l'âme,
Et comme en cette occasion   790
Mon devoir pour agir n'attendait point ma flamme...

ELPINICE

La gloire d'obéir à votre grand regret
Vous faisait pester en secret :
C'est l'ordre, et du devoir la scrupuleuse idée...

AGLATIDE

Que dites-vous, ma sœur ? qu'osez-vous hasarder,   795
Vous qui tantôt... ?

ELPINICE

Ma sœur, laissez-moi vous aider,
Ainsi que vous m'avez aidée.

AGLATIDE

Pour bien m'aider à dire ici mes sentiments,
Vous vous prenez trop mal aux vôtres,
Et si je suis jamais réduite aux truchements,   800
Il m'en faudra bien chercher d'autres.
Seigneur, quoi qu'il en soit, voilà quelle je suis.
J'acceptais Spitridate avec quelques ennuis ;
De ce petit chagrin le ciel m'a dégagée,

805   Sans que mon âme soit changée.
Mon devoir règne encor sur mon ambition :
Quoi que vous m'ordonniez, j'obéirai sans peine,
      Mais de mon inclination,
      Je mourrai fille, ou vivrai Reine.

ELPINICE

810 Achevez donc, ma sœur : dites qu'Agésilas...

AGLATIDE

      Ah! Seigneur, ne l'écoutez pas :
Ce qu'elle vous veut dire est une bagatelle,
Et même, s'il le faut, je le dirai mieux qu'elle.

LYSANDER

Dis donc. Agésilas...

AGLATIDE

      M'aimait jadis un peu.
815 Du moins lui-même à Sparte il m'en fit confidence,
Et s'il me disait vrai, sa noble impatience
      De vous en demander l'aveu
      N'attendait qu'après l'hyménée
      De cette aimable et chère aînée.
820 Mais s'il attendait là que mon tour arrivé
      Autorisât à ma conquête
La flamme qu'en réserve il tenait toute prête,
Son amour est encore ici plus réservé,
Et soit que dans Éphèse un autre objet me passe,
825 Soit que par complaisance il cède à son rival,
      Il me fait à présent la grâce
      De ne m'en dire bien ni mal.

LYSANDER

D'un pareil changement ne cherche point la cause :
Sa haine pour ton père à cet amour s'oppose,
830 Mais n'importe, il est bon que j'en sois averti.
J'agirai d'autre sorte avec cette lumière,
Et suivant qu'aujourd'hui nous l'aurons plus entière,
      Nous verrons à prendre parti.

Scène VII : Elpinice, Aglatide.

ELPINICE

Ma sœur, je vous admire, et ne saurais comprendre
835 Cet inépuisable enjouement,
Qui d'un chagrin trop juste a de quoi vous défendre,
Quand vous êtes si près de vous voir sans amant.

AGLATIDE

Il est aisé pourtant d'en deviner les causes.
Je sais comme il faut vivre, et m'en trouve fort bien.
840   La joie est bonne à mille choses,
      Mais le chagrin n'est bon à rien [14].
Ne perds-je pas assez, sans doubler l'infortune,
Et perdre encor le bien d'avoir l'esprit égal?
      Perte sur perte est importune,
845 Et je m'aime un peu trop pour me traiter si mal.
Soupirer quand le sort nous rend une injustice,
C'est lui prêter une aide à nous faire un supplice.
Pour moi, qui ne lui puis souffrir tant de pouvoir,

Le bien que je me veux met sa haine à pis faire.
      Mais allons rejoindre mon père :
J'ai quelque chose encore à lui faire savoir.

ACTE TROISIÈME

Scène I : Agésilas [15], Lysander, Xénoclès.

LYSANDER

Je ne suis point surpris qu'à ces deux hyménées
Vous refusiez, Seigneur, votre consentement :
J'aurais eu tort d'attendre un meilleur traitement
Pour le sang odieux dont mes filles sont nées.
Il est le sang d'Hercule en elles comme en vous,
Et méritait par là quelque destin plus doux,
Mais s'il vous peut donner un titre légitime
      Pour être leur maître et leur Roi,
C'est pour l'une et pour l'autre une espèce de crime
      Que de l'avoir reçu de moi.
J'avais cru toutefois que l'exil volontaire
Où l'amour paternel près d'elles m'eût réduit,
Moi qui de mes travaux ne vois plus d'autre fruit
      Que le malheur de vous déplaire,
      Comme il délivrerait vos yeux
      D'une insupportable présence,
A mes jours presque usés obtiendrait la licence
      D'aller finir sous d'autres cieux.
C'était là mon dessein, mais cette même envie,
Qui me fait près de vous un si malheureux sort,
Ne saurait endurer ni l'éclat de ma vie,
      Ni l'obscurité de ma mort.

AGÉSILAS

Ce n'est pas d'aujourd'hui que l'envie et la haine,
      Ont persécuté les héros.
Hercule en sert d'exemple, et l'histoire en est pleine,
Nous ne pouvons souffrir qu'ils meurent en repos [16].
Cependant cet exil, ces retraites paisibles,
Cet unique souhait d'y terminer leurs jours,
Sont des mots bien choisis à remplir leurs discours :
Ils ont toujours leur grâce, ils sont toujours plausibles,
      Mais ils ne sont pas vrais toujours,
Et souvent des périls, ou cachés ou visibles,
Forcent notre prudence à nous mieux assurer
      Qu'ils ne veulent se figurer.
Je ne m'étonne point qu'avec tant de lumières
      Vous ayez prévu mes refus,
Mais je m'étonne fort que les ayant prévus,
Vous n'en ayez pu voir les raisons bien entières.
Vous êtes un grand homme, et de plus mécontent :
J'avouerai plus encor, vous avez lieu de l'être.
Ainsi de ce repos où votre ennui prétend
Je dois prévoir en Roi quel désordre peut naître,
Et regarde en quels lieux il vous plaît de porter

---

14. Corneille a tenté de renouer avec les amoureuses enjouées de ses premières comédies, Cloris, Philis ou Doris. Mais envers ce qui eût été supportable dans une comédie héroïque, les doctes, rigides sur les principes des genres littéraires, ne le pardonnaient pas dans une tragédie.

15. Autre nouveauté technique qui choqua : le héros de la pièce apparaît ici pour la première fois.
16. Après l'ironie éclatante de *Nicomède*, la subtilité polie d'*Othon*, Corneille tente ici un nouveau style tragique : l'ironie aigre. Le lucide Agésilas juge ce procédé mieux approprié à démasquer les ambitieux qui se posent en victimes.

5 Des chagrins qu'en leur temps on peut voir éclater.
   Ceux que prend pour exil ou choisit pour asile
       Ce dessein d'une mort tranquille,
   Des Perses et des Grecs séparent les États.
0 Leurs maîtres ont du cœur, leurs peuples ont des bras,
   Ils viennent de nous joindre avec une puissance
   A beaucoup espérer, à craindre beaucoup d'eux,
   Et c'est mettre en leurs mains une étrange balance,
   Que de mettre à leur tête un guerrier si fameux.
5 C'est vous qui les donnez l'un et l'autre à la Grèce :
   L'un fut ami du Perse, et l'autre son sujet.
   Le service est bien grand, mais aussi je confesse
   Qu'on peut ne pas bien voir tout le fond du projet.
   Votre intérêt s'y mêle en les prenant pour gendres,
0 Et si par des liens et si forts et si tendres
   Vous pouvez aujourd'hui les attacher à vous,
       Vous vous les donnez plus qu'à nous.
   Si malgré le secours, si malgré les services
   Qu'un ami doit à l'autre, un sujet à son Roi,
5 Vous les avez tous deux arrachés à leur foi,
   Sans aucun droit sur eux, sans aucuns bons offices,
       Avec quelle facilité
   N'immoleront-ils point une amitié nouvelle
       A votre courage irrité,
0 Quand vous ferez agir toute l'autorité
   De l'amour conjugale et de la paternelle,
   Et que l'occasion aura d'heureux moments
       Qui flattent vos ressentiments?
       Vous ne nous laissez aucun gage :
5 Votre sang tout entier passe avec vous chez eux.
   Voyez donc ce projet comme je l'envisage,
   Et dites si pour nous il n'a rien de douteux [17].
   Vous avez jusqu'ici fait paraître un vrai zèle,
   Un cœur si généreux, une âme si fidèle,
0 Que par toute la Grèce on vous loue à l'envi,
   Mais le temps quelquefois inspire une autre envie.
   Comme vous, Thémistocle avait fort bien servi,
   Et dans la cour de Perse il a fini sa vie.

             LYSANDER

Si c'est avec raison que je suis mécontent,
Si vous-même avouez que j'ai lieu de me plaindre,
Et si jusqu'à ce point on me croit important
Que mes ressentiments puissent vous être à craindre,
       Oserais-je vous demander
       Ce que vous a fait Lysander
Pour leur donner ici chaque jour de quoi naître,
Seigneur? et s'il est vrai qu'un homme tel que moi,
Quand il est mécontent, peut desservir son Roi,
       Pourquoi me forcez-vous à l'être?
Quelque avis que je donne, il n'est point écouté,

17. C'est là l'explication qui donne la clef politique de la pièce : un roi ne saurait être prisonnier d'un trop puissant sujet. A la cour, il diminue constamment l'autorité royale. Exilé, il crée aux frontières un danger permanent. Le thème existe déjà dans *Nicomède* : mais le sujet est l'héritier du trône; *Sertorius* l'a montré au flanc de la République romaine; c'était le motif central d'*Othon*. Avec *Suréna*, il sera repris d'une autre manière : ce légitime exercice de l'autorité peut conduire le prince à la tyrannie, quand le sujet est réellement loyal et quand le prince va jusqu'à exercer sa contrainte sur la vie privée de son sujet.

Quelque emploi que j'embrasse, il m'est soudain ôté, 945
Me choisir pour appui, c'est courir à sa perte.
Vous changez en tous lieux les ordres que j'ai mis,
Et comme s'il fallait agir à guerre ouverte,
   Vous détruisez tous mes amis,
Ces amis dont pour vous je gagnai les suffrages   950
Quand il fallut aux Grecs élire un général,
Eux qui vous ont soumis les plus nobles courages,
Et fait ce haut pouvoir qui leur est si fatal.
Leur seul amour pour moi les livre à leur ruine,
Il leur coûte l'honneur, l'autorité, le bien :   955
Cependant plus j'y songe, et plus je m'examine,
Moins je trouve, Seigneur, à me reprocher rien.

             AGÉSILAS

Dites tout : vous avez la mémoire trop bonne
Pour avoir oublié que vous me fîtes Roi,
       Lorsqu'on balança ma couronne   960
       Entre Léotychide [18] et moi.
Peut-être n'osez-vous me vanter un service
       Qui ne me rendit que justice,
Puisque nos lois voulaient ce qu'il sut maintenir.
Mais moi qui l'ai reçu, je veux m'en souvenir :   965
Vous m'avez donc fait Roi, vous m'avez de la Grèce
Contre celui de Perse établi général,
Et quand je sens dans l'âme une ardeur qui me presse
       De ne m'en revancher pas mal,
A peine sommes-nous arrivés dans Éphèse,   970
Où de nos alliés j'ai mis le rendez-vous,
Que sans considérer si j'en serai jaloux,
       Ou s'il se peut que je m'en taise,
       Vous vous saisissez par vos mains
       De plus que votre récompense;   975
Et tirant toute à vous la suprême puissance,
       Vous me laissez des titres vains.
On s'empresse à vous voir, on s'efforce à vous plaire,
On croit lire en vos yeux ce qu'il faut qu'on espère;
On pense avoir tout fait quand on vous a parlé.   980
Mon palais près du vôtre est un lieu désolé,
Et le généralat comme le diadème
M'érige sous votre ordre en fantôme éclatant,
En colosse d'État qui de vous seul attend
       L'âme qu'il n'a pas de lui-même,   985
       Et que vous seul faites aller
Où pour vos intérêts il le faut étaler.
Général en idée, et monarque en peinture,
De ces illustres noms pourrais-je faire cas
S'il me fallait porter moins comme Agésilas   990
       Que comme votre créature,
Et montrer avec pompe au reste des humains
En ma propre grandeur l'ouvrage de vos mains?
Si vous m'avez fait Roi, Lysander, je veux l'être.
Soyez-moi bon sujet, je vous serai bon maître,   995
Mais ne prétendez plus partager avec moi
       Ni la puissance ni l'emploi.
Si vous croyez qu'un sceptre accable qui le porte,
A moins qu'il prenne une aide à soutenir son poids,
       Laissez discerner à mon choix   1000

18. Le fils d'Agis, héritier du trône, que Lysandre fit passer pour illégitime (*Vie d'Agésilas*, chap. 3).

Quelle main à m'aider pourrait être assez forte.
Vous aurez bonne part à des emplois si doux,
          Quand vous pourrez m'en laisser faire,
Mais soyez sûr aussi d'un succès tout contraire,
1005 Tant que vous ne voudrez les tenir que de vous.
          Je passe à vos amis qu'il m'a fallu détruire.
Si dans votre vrai rang je voulais vous réduire,
Et d'un pouvoir surpris saper les fondements,
Ils étaient tout à vous, et par reconnaissance
1010   D'en avoir reçu leur puissance,
Ils ne considéraient que vos commandements.
Vous seul les aviez faits souverains dans leurs villes,
Et j'y verrais encor mes ordres inutiles,
A moins que d'avoir mis leur tyrannie à bas,
1015 Et changé comme vous la face des États.
          Chez tous nos Grecs asiatiques [19]
Votre pouvoir naissant trouva des républiques,
Que sous votre cabale il vous plut asservir :
La vieille liberté, si chère à leurs ancêtres,
1020 Y fut partout forcée à recevoir dix maîtres [20],
Et dès qu'on murmurait de se la voir ravir,
On voyait par votre ordre immoler les plus braves
          A l'empire de vos esclaves.
J'ai tiré de ce joug les peuples opprimés,
1025 En leur premier état j'ai remis toutes choses,
Et la gloire d'agir par de plus justes causes
A produit des effets plus doux et plus aimés.
J'ai fait, à votre exemple, ici des créatures,
Mais sans verser de sang, sans causer de murmures,
1030 Et comme vos tyrans prenaient de vous la loi,
Comme ils étaient à vous, les peuples sont à moi.
Voilà quelles raisons ôtent à vos services
          Ce qu'ils vous semblent mériter,
          Et colorent ces injustices
1035 Dont vous avez raison de vous mécontenter.
Si d'abord elles ont quelque chose d'étrange,
Repassez-les deux fois au fond de votre cœur,
Changez, si vous pouvez, de conduite et d'humeur,
          Mais n'espérez pas que je change.

LYSANDER

1040 S'il ne m'est pas permis d'espérer rien de tel,
Du moins, grâces aux Dieux, je ne vois dans vos plaintes
Que des raisons d'État et de jalouses craintes,
Qui me font malheureux, et non pas criminel.
Non, Seigneur, que je veuille être assez téméraire
1045 Pour oser d'injustice accuser mes malheurs :
L'action la plus belle a diverses couleurs,
Et lorsqu'un Roi prononce, un sujet doit se taire.
Je voudrais seulement vous faire souvenir
Que j'ai près de trente ans commandé nos armées
1050 Sans avoir amassé que ces nobles fumées
          Qui gardent les noms de finir.
Sparte, pour qui j'allais de victoire en victoire,
M'a toujours vu pour fruit n'en vouloir que la gloire,

19. Contre Cyrus et le puissant danger de l'Empire perse,
Lysandre voulut réunir toutes les cités grecques sous l'autorité du roi de Sparte.
20. Lysandre, pour maintenir la difficile cohésion des
cités grecques, établit des oligarchies de dix membres ou
plus : ce fut pour Athènes le règne des Trente.

Et faire en son épargne entrer tous les trésors
Des peuples subjugués par mes heureux efforts.
Vous-même le savez, que quoi qu'on m'ait vu faire,
Mes filles n'ont pour dot que le nom de leur père,
Tant il est vrai, Seigneur, qu'en un si long emploi
J'ai fait tout pour l'État, et n'ai rien fait pour moi.
Dans ce manque de bien Cotys et Spitridate,
L'un Roi, l'autre en pouvoir égal peut-être aux rois,
M'ont assez estimé pour y borner leur choix,
Et quand de les pourvoir un doux espoir me flatte,
          Vous semblez m'envier un bien
Qui fait ma récompense, et ne vous coûte rien.

AGÉSILAS

Il nous serait honteux que des mains étrangères
Vous payassent pour nous de ce qui vous est dû.
Tôt ou tard le mérite a ses justes salaires,
Et son prix croît souvent, plus il est attendu.
D'ailleurs n'aurait-on pas quelque lieu de vous dire,
Si je vous permettais d'accepter ces partis,
Qu'amenant avec nous Spitridate et Cotys,
Vous auriez fait pour vous plus que pour notre empire,
Que vos seuls intérêts vous auraient fait agir,
Et pourriez-vous enfin l'entendre sans rougir ?
          Vos filles sont d'un sang que Sparte aime et révère
Assez pour les payer des services de leur père.
Je veux bien en répondre, et moi-même au besoin
J'en ferai mon affaire, et prendrai tout le soin.

LYSANDER

Je n'attendais, Seigneur, qu'un mot si favorable
Pour finir envers vous mes importunités,
Et je ne craindrai plus qu'aucun malheur m'accable,
          Puisque vous avez ces bontés.
Aglatide surtout aura l'âme ravie
          De perdre un époux à ce prix,
Et moi, pour me venger de vos plus durs mépris,
Je veux tout de nouveau vous consacrer ma vie.

Scène II : *Agésilas, Xénoclès.*

AGÉSILAS

D'un peu d'amour que j'eus Aglatide a parlé.
Son père qui l'a su dans son âme s'en flatte,
Et sur ce vain espoir il part tout consolé
Du refus que j'en fais aux vœux de Spitridate :
Tu l'as vu, Xénoclès, tout d'un coup s'adoucir.

XÉNOCLÈS

Oui, mais enfin, Seigneur, il est temps de le dire,
Tout soumis qu'il paraît, apprenez qu'il conspire,
Et par où sa vengeance espère y réussir.
Ce confident choisi, Cléon d'Halicarnasse,
          Dont l'éloquence a tant d'éclat,
Lui vend une harangue à renverser l'État [21],
Et le mettre bientôt lui-même en votre place.
En voici la copie, et je la viens d'avoir
D'un des siens sur qui l'or me donne tout pouvoir,
De l'esclave Damis, qui sert de secrétaire
          A cet orateur mercenaire,
          Et plus mercenaire que lui, ·

21. Cf. *Vie de Lysandre*, chap. 24-25. En réalité, cette
harangue ne fut découverte qu'après la mort de Lysandre.

05 Pour être mieux payé vous les livre aujourd'hui [22].
 On y soutient, Seigneur, que notre république
 Va bientôt voir ses Rois devenir ses tyrans,
 A moins que d'en choisir de trois ans en trois ans,
  Et non plus suivant l'ordre antique
10 Qui règle ce choix par le sang,
 Mais qu'indifféremment elle doit à ce rang
 Élever le mérite et les rares services.
 J'ignore quels sont les complices,
 Mais il pourra d'Éphèse écrire à ses amis,
 15 Et soudain le paquet entre vos mains remis
  Vous instruira de toutes choses.
  Cependant j'ai fait mon devoir.
 Vous voyez le dessein, vous en savez les causes,
 Votre perte en dépend : c'est à vous d'y pourvoir.

AGÉSILAS
 0 A te dire le vrai, l'affaire m'embarrasse :
 J'ai peine à démêler ce qu'il faut que je fasse,
  Tant la confusion de mes raisonnements
  Étonne mes ressentiments.
 Lysander m'a servi : j'aurais une âme ingrate
 5 Si je méconnaissais ce que je tiens de lui.
 Il a servi l'État, et si son crime éclate,
  Il y trouvera de l'appui.
 Je sens que ma reconnaissance
 Ne cherche qu'un moyen de le mettre à couvert,
 0 Mais enfin il y va de toute ma puissance :
  Si je ne le perds, il me perd.
 Ce qu'y veut l'intérêt, la prudence ne l'ose,
 Tu peux juger par là du désordre où je suis.
 Je vois qu'il faut le perdre, et plus je m'y dispose,
 5 Plus je doute si je le puis.
 Sparte est un État populaire,
 Qui ne donne à ses Rois qu'un pouvoir limité [23] :
  On peut y tout dire et tout faire
  Sous ce grand nom de liberté.
) Si je suis souverain en tête d'une armée,
 Je n'ai que ma voix au sénat,
 Il faut y rendre compte, et tant de renommée
  Y peut avoir déjà quelque ligue formée
  Pour autoriser l'attentat.
 Ce prétexte flatteur de la cause publique,
 Dont il le couvrira, si je le mets au jour,
 Tournera bien des yeux vers cette politique
 Qui met chacun en droit de régner à son tour.
 Cet espoir y pourra toucher plus d'un courage,
 Et quand sur Lysander j'aurai fait choir l'orage,
 Mille autres, comme lui jaloux ou mécontents,
 Se promettront plus d'heur à mieux choisir leur
 Ainsi de toutes parts le péril m'environne : [temps.
 Si je veux le punir, j'expose ma couronne,
 Et si je lui fais grâce, ou veux dissimuler,
 Je dois craindre...

XÉNOCLÈS
 Cotys, Seigneur, vous veut parler.

22. Lysandre et Cléon.
23. Sparte comptait deux rois à la fois, comme Rome
deux consuls, pour contrebalancer l'influence d'une autocratie:
ainsi Agésilas était roi de Sparte avec Pausanias (cf. v. 1213)
qui fut banni en 395 av. J.-C.

AGÉSILAS
 Voyons quelle est sa flamme, avant que de résoudre
 S'il nous faudra lancer ou retenir la foudre.

 Scène III : *Agésilas, Cotys, Xénoclès.*

AGÉSILAS
 Si vous n'êtes, Seigneur, plus mon ami qu'amant,
 Vous me voudrez du mal avec quelque justice : 1160
 Mais vous m'êtes trop cher, pour souffrir aisément
 Que vous vous attachiez au père d'Elpinice.
 Non qu'entre un si grand homme et moi
 Ce qu'on voit de froideur prépare aucune haine,
 Mais c'est assez pour voir cet hymen avec peine, 1165
 Qu'un sujet déplaise à son Roi.
 D'ailleurs je n'ai pas cru votre âme fort éprise :
 Sans l'avoir jamais vue, elle vous fut promise,
 Et la foi qui ne tient qu'à la raison d'État
 Souvent n'est qu'un devoir qui gêne, tyrannise, 1170
 Et fait sur tout le cœur un secret attentat.

COTYS
 Seigneur, la personne est aimable :
 Je promis de l'aimer avant que de la voir,
 Et sentis à sa vue un accord agréable
  Entre mon cœur et mon devoir. 1175
 La froideur toutefois que vous montrez au père
 M'en donne un peu pour elle, et me la rend moins
  Non que j'ose après vos refus [chère.
 Vous assurer encor que je ne l'aime plus;
 Comme avec ma parole il nous fallait la vôtre, 1180
 Vous dégagez ma foi, mon devoir, mon honneur,
 Mais si vous en voulez dégager tout mon cœur,
  Il faut l'engager à quelque autre.

AGÉSILAS
 Choisissez, choisissez, et s'il est quelque objet
  A Sparte, ou dans toute la Grèce, 1185
 Qui puisse de ce cœur mériter la tendresse,
  Tenez-vous sûr d'un prompt effet.
 En est-il qui vous touche, en est-il qui vous plaise?

COTYS
 Il en est, oui, Seigneur, il en est dans Éphèse,
 Et pour faire en ce cœur naître un nouvel amour, 1190
 Il ne faut point aller plus loin que votre cour :
 L'éclat et les vertus de l'illustre Mandane...

AGÉSILAS
 Que dites-vous, Seigneur, et quel est ce désir?
 Quand par toute la Grèce on vous donne à choisir,
  Vous choisissez une Persane! 1195
 Pensez-y bien, de grâce, et ne nous forcez pas,
  Nous qui vous aimons, à connaître
 Que pressé d'un amour, qui ne vient pas de naître,
 Vous ne venez à moi que pour suivre ses pas.

COTYS
 Mon amour en ces lieux ne cherchait qu'Elpinice, 1200
 Mes yeux ont rencontré Mandane par hasard,
 Et quand ce même amour, de vos froideurs complice,
 S'est voulu pour vous plaire attacher autre part,
 Les siens ont attiré toute la déférence
 Que j'ai cru devoir rendre à votre aversion, 1205
 Et je l'ai regardée, après votre alliance,

Bien moins Persane de naissance
Que Grecque par adoption.
AGÉSILAS
Ce sont subtilités que l'amour vous suggère,
1210 Dont nous voyons pour nous les succès incertains.
Ne pourriez-vous, Seigneur, d'une amitié si chère
Mettre le grand dépôt en de plus sûres mains ?
Pausanias et moi nous avons des parentes,
Et jamais un vrai Roi ne fait un digne choix
1215   S'il ne s'allie au sang des rois.
COTYS
Quand on aime, on se fait des règles différentes.
Spitridate a du nom et de la qualité,
Sans trône, il a d'un Roi le pouvoir en partage,
Votre Grèce en reçoit un pareil avantage,
1220 Et le sang n'y met pas tant d'inégalité
Que l'amour où sa sœur m'engage
Ravale fort ma dignité.
Se peut-il qu'en l'aimant ma gloire se hasarde
Après l'exemple d'un grand Roi,
1225 Qui, tout grand Roi qu'il est, l'estime et la regarde
Avec les mêmes yeux que moi ?
Si ce bruit n'est point faux, mon mal est sans remède,
Car enfin c'est un Roi dont il me faut l'appui.
Adieu, Seigneur, je la lui cède,
1230   Mais je ne la cède qu'à lui.

Scène IV : Agésilas, Xénoclès.

AGÉSILAS
D'où sait-il, Xénoclès, d'où sait-il que je l'aime ?
Je ne l'ai dit qu'à toi : m'aurais-tu découvert ?
XÉNOCLÈS
Si j'ose vous parler, Seigneur, à cœur ouvert,
Il ne le sait que de vous-même.
1235 L'éclat de ces faveurs dont vous enveloppez
De votre faux secret le chatouilleux mystère,
Dit si haut, malgré vous, ce que vous pensez taire,
Que vous êtes ici le seul que vous trompez.
De si brillants dehors font un grand jour dans l'âme,
1240 Et quelque illusion qui puisse vous flatter,
Plus ils déguisent votre flamme,
Plus au travers du voile ils la font éclater.
AGÉSILAS
Quoi la civilité, l'accueil, la déférence,
Ce que pour le beau sexe on a de complaisance,
1245 Ce qu'on lui rend d'honneur, tout passe pour amour ?
XÉNOCLÈS
Il est bien malaisé qu'aux yeux de votre cour
Il passe pour indifférence,
Et c'est l'en avouer assez ouvertement
Que refuser Mandane aux vœux d'un autre amant.
1250 Mais qu'importe après tout ? Si du plus grand courage
Le vrai mérite a droit d'attendre un plein hommage,
Serait-il honteux de l'aimer ?
AGÉSILAS
Non, et même avec gloire on s'en laisse charmer,
Mais un Roi, que son trône à d'autres soins engage,
1255   Doit n'aimer qu'autant qu'il lui plaît
Et que de sa grandeur y consent l'intérêt[24].

Vois donc si ma peine est légère :
Sparte ne permet point aux fils d'une étrangère
De porter son sceptre en leur main,
Cependant à mes yeux Mandane a su trop plaire,
Je veux cacher ma flamme, et je le veux en vain.
Empêcher son hymen, c'est lui faire injustice,
L'épouser, c'est blesser nos lois,
Et même il n'est pas sûr que j'emporte son choix.
La donner à Cotys, c'est me faire un supplice,
M'opposer à ses vœux, c'est le joindre au parti
Que déjà contre moi Lysander a pu faire,
Et s'il a le bonheur de ne pas lui déplaire,
J'en recevrai peut-être un honteux démenti.
Que ma confusion, que mon trouble est extrême !
Je me défends d'aimer et j'aime,
Et je sens tout mon cœur balancé nuit et jour
Entre l'orgueil du diadème
Et les doux espoirs de l'amour.
En qualité de Roi, j'ai pour ma gloire à craindre,
En qualité d'amant je vois mon sort à plaindre,
Mon trône avec mes vœux ne souffre aucun accord,
Et ce que je me dois me reproche sans cesse
Que je ne suis pas assez fort
Pour triompher de ma faiblesse.
XÉNOCLÈS
Toutefois il est temps ou de vous déclarer,
Ou de céder l'objet qui vous fait soupirer.
AGÉSILAS
Le plus sûr, Xénoclès, n'est pas le plus facile.
Cherche-moi Spitridate, et l'amène en ce lieu,
Et nous verrons après s'il n'est point de milieu
Entre le charmant et l'utile.

ACTE QUATRIÈME

Scène I : Spitridate, Elpinice.

SPITRIDATE
Agésilas me mande, il est temps d'éclater.
Que me permettez-vous, Madame, de lui dire ?
M'en désavouerez-vous si j'ose me vanter
Que c'est pour vous que je soupire,
Que je crois mes soupirs assez bien écoutés
Pour vous fermer le cœur et l'oreille à tous autres,
Et que dans vos regards je vois quelques bontés
Qui semblent m'assurer des vôtres ?
ELPINICE
Que servirait, Seigneur, de vous y hasarder ?
Suis-je moins que ma sœur fille de Lysander,
Et la raison d'État qui rompt votre hyménée
Regarde-t-elle plus la jeune que l'aînée ?
S'il n'eût point à Cotys refusé votre sœur,
J'eusse osé présumer qu'il eût aimé la mienne,
Et m'aurais dit moi-même, avec quelque douceur :
« Il se l'est réservée, et veut bien qu'on m'obtienne. »

24. On voit que le thème de *Bérénice* n'eût pas besoin de
la prétendue suggestion d'Henriette d'Angleterre. Quatre
ans plus tard, le second thème va peu à peu prendre le pas
sur le thème politique de l'acte III.

Mais il aime Mandane, et ce Prince, jaloux
De ce que peut ici le grand nom de mon père,
1345 N'a pour lui qu'une haine obstinée et sévère
Qui ne lui peut souffrir de gendres tels que vous.

SPITRIDATE
Puisqu'il aime ma sœur, cet amour est un gage
Qui me répond de son suffrage :
Ses désirs prendront loi de mes propres désirs,
1330 Et son feu pour les satisfaire
N'a pas moins besoin de me plaire,
Que j'en ai de lui voir approuver mes soupirs.
Madame, on est bien fort quand on parle soi-même,
Et qu'on peut dire au souverain :
1335 « J'aime et je suis aimé, vous aimez comme j'aime,
Achevez mon bonheur, j'ai le vôtre en ma main. »

ELPINICE
Vous ne songez qu'à vous, et dans votre âme éprise
Vos vœux se tiennent sûrs d'un prompt et plein effet.
Mais que fera Cotys, à qui je suis promise ?
1340 Me rendra-t-il ma foi s'il n'est point satisfait ?

SPITRIDATE
La perte de ma sœur lui servira de guide
A tourner ses désirs du côté d'Aglatide.
D'ailleurs que pourra-t-il, si contre Agésilas
Ce grand homme ni moi nous ne le servons pas ?

ELPINICE
1345 Il a parole de mon père
Que vous n'obtiendrez rien à moins qu'il soit content,
Et mon père n'est pas un esprit inconstant
Qui donne une parole incertaine et légère.
Je vous le dis encor, Seigneur, pensez-y bien :
1350 Cotys aura Mandane, ou vous n'obtiendrez rien.

SPITRIDATE
Dites, dites un mot, et ma flamme enhardie...

ELPINICE
Que voulez-vous que je vous die ?
Je suis sujette et fille, et j'ai promis ma foi,
Je dépends d'un amant et d'un père et d'un Roi.

SPITRIDATE
N'importe, ce grand mot produirait des miracles.
Un amant avoué renverse tous obstacles :
Tout lui devient possible, il fléchit les parents,
Triomphe des rivaux, et brave les tyrans,
Dites donc, m'aimez-vous ?

ELPINICE
Que ma sœur est heureuse !

SPITRIDATE
Quand mon amour pour vous la laisse sans amant,
Son destin est-il si charmant
Que vous en soyez envieuse ?

ELPINICE
Elle est indifférente et ne s'attache à rien.

SPITRIDATE
Et vous ?

ELPINICE
Que n'ai-je un cœur qui soit comme le sien !

SPITRIDATE
Le vôtre est-il moins insensible ?

ELPINICE
S'il ne tenait qu'à lui que tout vous fût possible,

Le devoir et l'amour...

SPITRIDATE
Ah ! Madame, achevez :
Le devoir et l'amour, que vous feraient-ils faire ?

ELPINICE
Voyez le Roi, voyez Cotys, voyez mon père :
Fléchissez, triomphez, bravez, 1350
Seigneur, mais laissez-moi me taire.

SPITRIDATE
Venez, ma sœur, venez aider mes tristes feux
A combattre un injuste et rigoureux silence.

ELPINICE
Hélas ! il est si bien de leur intelligence
Qu'il vous dit plus que je ne veux [25]. 1355
J'en dois rougir. Adieu : voyez avec Madame
Le moyen le plus propre à servir votre flamme.
Des trois dont je dépends elle peut tout sur deux :
L'un hautement l'adore, et l'autre au fond de l'âme,
Et son destin lui-même, ainsi que notre sort, 1360
Dépend de les mettre d'accord.

Scène II : Spitridate, Mandane.

SPITRIDATE
Il est temps de résoudre avec quel artifice
Vous pourrez en venir à bout,
Vous, ma sœur, qui tantôt me répondiez de tout,
Si j'avais le cœur d'Elpinice. 1365
Il est à moi, ce cœur, son silence le dit,
Son adieu le fait voir, sa fuite le proteste,
Et si je n'obtiens pas le reste,
Vous manquez de parole, ou du moins de crédit.

MANDANE
Si le don de ma main vous peut donner la sienne, 1370
Je vous sacrifierai tout ce que j'ai promis,
Mais vous, répondez-vous que ce don vous l'obtienne,
Et qu'il mette d'accord de si fiers ennemis ?
Le Roi qui vous refuse à Lysander pour gendre,
Y consentira-t-il si vous m'offrez à lui ? 1375
Et s'il peut à ce prix le permettre aujourd'hui,
Lysander voudra-t-il se rendre ?
Lui qui ne vous remet votre première foi
Qu'en faveur de l'amour que Cotys fait paraître,
Ne vous fait-il pas cette loi 1380
Que sans le rendre heureux vous ne le sauriez être ?

SPITRIDATE
Cotys de cet espoir ose en vain se flatter :
L'amour d'Agésilas à son amour s'oppose.

MANDANE
Et si vous ne pensez à le mieux écouter,
Lysander d'Elpinice en sa faveur dispose. 1385

SPITRIDATE
Ne me cachez rien, vous l'aimez.

MANDANE
Comme vous aimez Elpinice.

SPITRIDATE
Mais vous m'avez promis un entier sacrifice.

25. Aveu voilé, aveu retardé dont Corneille a donné d'autres exemples dans Rodogune ou Sertorius.

MANDANE

Oui, s'il peut être utile aux vœux que vous formez.

SPITRIDATE

1390 Que ne peut point un Roi?

MANDANE

Quels droits n'a point un père?

SPITRIDATE

Inexorable sœur!

MANDANE

Impitoyable frère,

Qui voulez que j'éteigne un feu digne de moi,

Et ne sauriez vous faire une pareille loi!

SPITRIDATE

Hélas! considérez...

MANDANE

Considérez vous-même...

SPITRIDATE

1395 Que j'aime, et que je suis aimé.

MANDANE

Que je suis aimée, et que j'aime.

SPITRIDATE

N'égalez point au mien un feu mal allumé :

Le sexe vous apprend à régner sur vos âmes.

MANDANE

Dites qu'il nous apprend à renfermer nos flammes,

1400 Dites que votre ardeur, à force d'éclater,

S'exhale, se dissipe ou du moins s'exténue,

Quand la nôtre grossit sous cette retenue,

Dont le joug odieux ne sert qu'à l'irriter.

Je vous parle, Seigneur, avec une âme ouverte,

1405 Et si je vous voyais capable de raison,

Si quand l'amour domine elle était de saison...

SPITRIDATE

Ah! si quelque lumière enfin vous est offerte,

Expliquez-vous, de grâce, et pour le commun bien,

Vous ni moi ne négligeons rien.

MANDANE

1410 Notre amour à tous deux ne rencontre qu'obstacles

Presque impossibles à forcer,

Et si pour nous le ciel n'est prodigue en miracles,

Nous espérons en vain nous en débarrasser.

Tirons-nous une fois de cette servitude

1415 Qui nous fait un destin si rude.

Bravons Agésilas, Cotys et Lysander :

Qu'ils s'accordent sans vous s'ils peuvent s'accorder.

Dirai-je tout? cessons d'aimer et de prétendre,

Et nous cesserons d'en dépendre.

SPITRIDATE

1420 N'aimer plus! Ah! ma sœur!

MANDANE

J'en soupire à mon tour,

Mais un grand cœur doit être au-dessus de l'amour.

Quel qu'en soit le pouvoir, quelle qu'en soit l'atteinte,

Deux ou trois soupirs étouffés,

Un moment de murmure, une heure de contrainte,

1425 Un orgueil noble et ferme, et vous en triomphez.

N'avons-nous secoué le joug de notre Prince

Que pour choisir des fers dans une autre province?

Ne cherchons-nous ici que d'illustres tyrans,

Dont les chaînes plus glorieuses

Soumettent nos destins aux obscurs différends

De leurs haines mystérieuses?

Ne cherchons-nous ici que les occasions

De fournir de matière à leurs divisions,

Et de nous imposer un plus rude esclavage

Par la nécessité d'obtenir leur suffrage?

Puisque nous y cherchons tous deux la liberté,

Tâchons de la goûter, Seigneur, en sûreté :

Réduisons nos souhaits à la cause publique,

N'aimons plus que par politique,

Et dans la conjoncture où le ciel nous a mis,

Faisons des protecteurs, sans faire d'ennemis.

A quel propos aimer, quand ce n'est que déplaire

A qui nous peut nuire ou servir?

S'il nous en faut l'appui, pourquoi nous le ravir?

Pourquoi nous attirer sa haine et sa colère?

SPITRIDATE

Oui, ma sœur, et j'en suis d'accord :

Agésilas, ici maître de notre sort,

Peut nous abandonner à la Perse irritée,

Et nous laisser rentrer, malgré tout notre effort,

Sous la captivité que nous avons quittée.

Cotys ni Lysander ne nous soutiendront pas,

S'il faut que sa colère à nous perdre s'applique.

Aimez, aimez-le donc, du moins par politique,

Ce redoutable Agésilas.

MANDANE

Voulez-vous que je le prévienne,

Et qu'en dépit de la pudeur

D'un amour commandé l'obéissante ardeur

Fasse éclater ma flamme auparavant la sienne?

On dit que je lui plais, qu'il soupire en secret,

Qu'il retient, qu'il combat ses désirs à regret,

Et cette vanité qui nous est naturelle

Veut croire ainsi que vous qu'on en juge assez bien.

Mais enfin c'est un feu sans aucune étincelle,

J'en crois ce qu'on en dit, et n'en sais encor rien.

S'il m'aime, un tel silence est la marque certaine

Qu'il craint Sparte et ses dures lois,

Qu'il voit qu'en m'épousant, s'il peut m'y faire Reine,

Il ne peut lui donner des rois,

Que sa gloire...

SPITRIDATE

Ma sœur, l'amour vaincra sans doute.

Ce héros est à vous, quelques lois qu'il redoute,

Et si par la prière il ne les peut fléchir,

Ses victoires auront de quoi l'en affranchir.

Ces lois, ces mêmes lois s'imposeront silence

A l'aspect de tant de vertus,

Ou Sparte l'avouera d'un peu de violence,

Après tant d'ennemis à ses pieds abattus.

MANDANE

C'est vous flatter beaucoup en faveur d'Elpinice,

Que ce Prince après tout ne vous peut accorder

Sans une éclatante injustice,

A moins que vous ayez l'aveu de Lysander.

D'ailleurs en exiger un hymen qui le gêne,

Et lui faire des lois au milieu de sa cour,

N'est-ce point hautement lui demander sa haine,

Quand vous lui promettez l'objet de son amour?

SPITRIDATE

5 Si vous saviez, ma sœur, aimer autant que j'aime...

MANDANE

Si vous saviez, mon frère, aimer comme je fais,
Vous sauriez ce que c'est que s'immoler soi-même,
Et faire violence à de si doux souhaits.
Je vous en parle en vain. Allez, frère barbare,
0 Voir à quoi Lysander se résoudra pour vous,
Et si d'Agésilas la flamme se déclare,
    J'en mourrai, mais je m'y résous.

Scène III : Spitridate, Mandane, Aglatide.

AGLATIDE

Vous me quittez, Seigneur, mais vous croyez-vous
Et que ce soit assez que de me rendre à moi ? [quitte

SPITRIDATE

5 Après tant de froideurs pour mon peu de mérite,
Est-ce vous mal servir que reprendre ma foi ?

AGLATIDE

Non, mais le pouvez-vous, à moins que je la rende ?
Et si je vous la rends, savez-vous à quel prix ?

SPITRIDATE

Je ne crois pas pour vous cette perte si grande
Que vous en souhaitiez d'autres que vos mépris.

AGLATIDE

Moi, des mépris pour vous !

SPITRIDATE

C'est ainsi que j'appelle
Un feu si bien promis, et si mal allumé.

AGLATIDE

Si je ne vous aimais, je vous aurais aimé,
Mon devoir m'en était un garant trop fidèle.

SPITRIDATE

Il ne vous répondait que d'agir un peu tard,
    Et laissait beaucoup au hasard.
Votre ordre cependant vers une autre me chasse,
Et vous avez quitté la place à votre sœur.

AGLATIDE

Si je vous ai donné de quoi remplir la place,
Ne me devez-vous point de quoi remplir mon cœur ?

SPITRIDATE

J'en suis au désespoir, mais je n'ai point de frère
Que je puisse à mon tour vous prier d'accepter.

AGLATIDE

Si vous n'en avez point par qui me satisfaire,
Vous avez une sœur qui vous peut acquitter :
Elle a trop d'un amant et si sa flamme heureuse
Me renvoyait celui dont elle ne veut plus,
    Je ne suis point d'humeur fâcheuse,
Et m'accommoderais bientôt de ses refus.

SPITRIDATE

De tout mon cœur je l'en conjure :
Envoyez-lui Cotys, et même Agésilas,
Ma sœur, et prenez soin d'apaiser ce murmure,
Qui cherche à m'imputer des sentiments ingrats.
Je vous laisse entre vous faire ce grand partage,
Et vais chez Lysander voir quel sera le mien.
Madame, vous voyez, je ne puis davantage,
Et qui fait ce qu'il peut n'est plus garant de rien.

Scène IV : Aglatide, Mandane.

AGLATIDE

Vous pourrez-vous résoudre à payer pour ce frère,
Madame, et de deux Rois daignant en choisir un,
Me donner en sa place, ou le plus importun,
    Ou le moins digne de vous plaire ?   1530

MANDANE

Hélas !

AGLATIDE

Je n'entends pas des mieux
Comme il faut qu'un hélas s'explique,
Et lorsqu'on se retranche au langage des yeux,
    Je suis muette à la réplique [26].

MANDANE

Pourquoi mieux expliquer quel est mon déplaisir ?   1535
    Il ne se fait que trop entendre.

AGLATIDE

Si j'avais comme vous de deux rois à choisir,
Mes déplaisirs auraient peu de chose à prétendre.
    Parlez donc, et de bonne foi :
Acquittez par ce choix Spitridate envers moi.   1540
Ils sont tous deux à vous.

MANDANE

Je n'y suis pas moi-même.

AGLATIDE

Qui des deux est l'aimé ?

MANDANE

Qu'importe lequel j'aime,
Si le plus digne amour, de quoi qu'il soit d'accord,
    Ne peut décider de mon sort ?

AGLATIDE

Ainsi je dois perdre espérance   1545
    D'obtenir de vous aucun d'eux ?

MANDANE

Donnez-moi votre indifférence,
    Et je vous les donne tous deux.

AGLATIDE

C'en serait un peu trop : leur mérite est si rare
    Qu'il en faut être plus avare.   1550

MANDANE

Il est grand, mais bien moins que la félicité
    De votre insensibilité.

AGLATIDE

Ne me prenez point tant pour une âme insensible :
Je l'ai tendre, et qui souffre aisément de beaux feux,
Mais je sais ne vouloir que ce qui m'est possible,   1555
    Quand je ne puis ce que je veux.

MANDANE

Laissez donc faire au ciel, au temps, à la fortune,
Ne voulez que ce qu'ils voudront,
Et sans prendre d'attache ou d'idée importune,
Attendez en repos les cœurs qui se rendront.   1560

26. C'est là sans doute l'origine de l'*Hélas* de Boileau,
autant que la rime avec Agésilas. Voltaire rapporte qu' « on
trouve dans une lettre manuscrite d'un homme de ce temps-là
qu'il s'éleva un murmure très désagréable dans le parterre
à ce vers d'Aglatide ». C'était pourtant la troisième fois que
Corneille utilisait :
    Je n'entends pas des mieux
    Comme il faut qu'un hélas s'explique.

AGLATIDE

Il m'en pourrait coûter mes plus belles années
Avant qu'ainsi deux rois en devinssent le prix,
Et j'aime mieux borner mes bonnes destinées
Au plus digne de vos mépris.

MANDANE

1565 Donnez-moi donc, Madame, un cœur comme le vôtre,
Et je vous les redonne une seconde fois,
Ou si c'est trop de l'un et l'autre,
Laissez-m'en le rebut, et prenez-en le choix.

AGLATIDE

Si vous leur ordonniez à tous deux de m'en croire,
1570 Et que l'obéissance eût pour eux quelque appas,
Peut-être que mon choix satisferait ma gloire,
Et qu'enfin mon rebut ne vous déplairait pas.

MANDANE

Qui peut vous assurer de cette obéissance?
Les rois même en amour savent mal obéir,
1575 Et les plus enflammés s'efforcent de haïr,
Sitôt qu'on prend sur eux un peu trop de puissance.

AGLATIDE

Je vois bien ce que c'est, vous voulez tout garder :
Il est honteux de rendre une de vos conquêtes,
Et quoi qu'au plus heureux le cœur veuille accorder,
1580 L'œil règne avec plaisir sur deux si grandes têtes,
Mais craignez que je n'use aussi de tous mes droits.
Peut-être en ai-je encor de garder quelque empire
Sur l'un et l'autre de ces rois,
Bien qu'à l'envi pour vous l'un et l'autre soupire,
1585 Et si j'en laisse faire à mon esprit jaloux,
Quoique la jalousie assez peu m'inquiète,
Je ne sais s'ils pourront l'un ni l'autre pour vous
Tout ce que votre cœur souhaite.

A Cotys.

Seigneur, vous le savez, ma sœur a votre foi,
1590   Et ne vous la rend que pour moi.
Usez-en comme bon vous semble,
Mais sachez que je me promets
De ne vous la rendre jamais,
A moins d'un Roi qui vous ressemble.

Scène V : Cotys, Mandane.

MANDANE

1595 L'étrange contre-temps que prend sa belle humeur,
Et la froide galanterie
D'affecter par bravade à tourner son malheur
En importune raillerie!
Son cœur l'en désavoue, et murmurant tout bas...

COTYS

1600 Que cette belle humeur soit véritable ou feinte,
Tout ce qu'elle en prétend ne m'alarmerait pas,
Si le pouvoir d'Agésilas
Ne me portait dans l'âme une plus juste crainte.
Pourrez-vous l'aimer?

MANDANE

Non.

COTYS

Pourrez-vous l'épouser?

MANDANE

Vous-même, dites-moi, puis-je m'en excuser?
Et quel bras, quel secours appeler à mon aide,
Lorsqu'un frère me donne, et qu'un amant me cède?

COTYS

N'imputez point à crime une civilité
Qu'ici de général voulait l'autorité.

MANDANE

Souffrez-moi donc, Seigneur, la même déférence
Qu'ici de nos destins demande l'assurance.

COTYS

Vous céder par dépit, et d'un ton menaçant,
Faire voir qu'on pénètre au cœur du plus puissant,
Qu'on sait de ses refus la plus secrète cause,
Ce n'est pas tant céder l'objet de son amour
Que presser un rival de paraître en plein jour,
Et montrer qu'à ses vœux hautement on s'oppose.

MANDANE

Que sert de s'opposer aux vœux d'un tel rival,
      Qui n'a qu'à nous protéger mal
      Pour nous livrer à notre perte?
Serait-il d'un grand cœur de chercher à périr,
      Quand il voit une porte ouverte
A régner avec gloire aux dépens d'un soupir?

COTYS

Ah! le change vous plaît.

MANDANE

      Non, Seigneur, je vous aime,
Mais je dois à mon frère, à ma gloire, à vous-même.
D'un rival si puissant si nous perdons l'appui,
Pourrons-nous du Persan nous défendre sans lui?
L'espoir d'un renouement de la vieille alliance
Flatte en vain votre amour et vos nouveaux desseins.
Si vous ne remettez sa proie entre ses mains,
Oserez-vous y prendre aucune confiance?
      Quant à mon frère et moi, si les Dieux irrités
Nous font jamais rentrer dessous sa tyrannie,
Comme il nous traitera d'esclaves révoltés,
Le supplice l'attend, et moi l'ignominie.
C'est ce que je saurai prévenir par ma mort,
Mais jusque-là, Seigneur, permettez-moi de vivre [27],
Et que par un illustre et rigoureux effort,
Acceptant les malheurs où mon destin me livre,
Un sacrifice entier de mes vœux les plus doux
Fasse la sûreté de mon frère et de vous.

COTYS

      Cette sûreté malheureuse
A qui vous immolez votre amour et le mien
      Peut-elle être si précieuse
Qu'il faille l'acheter de mon unique bien,
Et faut-il que l'amour garde tant de mesure
Avec des intérêts qui lui font tant d'injure?
Laissez, laissez périr ce déplorable Roi,
A qui ces intérêts dérobent votre foi.
Que sert que vous l'aimiez, et que fait votre flamme
Qu'augmenter son ardeur pour croître ses malheurs,
      Si malgré le don de votre âme

27. Même langage chez Plautine : *Othon* (vers 299) et
Sophonisbe (vers 720-25).

Votre raison vous livre ailleurs?
Armez-vous de dédain, rendez s'il est possible,
Votre perte pour lui moins grande ou moins sensible,
Et par pitié d'un cœur trop ardemment épris,
Éteignez-en la flamme à force de mépris.

MANDANE

L'éteindre! Ah! se peut-il que vous m'ayez aimée?

COTYS

Jamais si digne flamme en un cœur allumée...

MANDANE

Non, non, vous m'en feriez des serments superflus :
Vouloir ne plus aimer, c'est déjà n'aimer plus,
Et qui peut n'aimer plus ne fut jamais capable
D'une passion véritable.

COTYS

L'amour au désespoir peut-il encor charmer?

MANDANE

L'amour au désespoir fait gloire encor d'aimer,
Il en fait de souffrir et souffre avec constance,
Voyant l'objet aimé partager la souffrance.
Il regarde ses maux comme un doux souvenir
De l'union des cœurs qui ne saurait finir,
Et comme n'aimer plus quand l'espoir abandonne,
C'est aimer ses plaisirs et non pas la personne,
Il fuit cette bassesse, et s'affermit si bien
Que toute sa douleur ne se reproche rien.

COTYS

Quel indigne tourment, quel injuste supplice
Succède au doux espoir qui m'osait tout offrir!

MANDANE

Et moi, Seigneur, et moi, n'ai-je rien à souffrir,
Ou m'y condamne-t-on avec plus de justice?
Si vous perdez l'objet de votre passion,
Épousez-vous celui de votre aversion?
Attache-t-on vos jours à d'aussi rudes chaînes,
Et souffrez-vous enfin la moitié de mes peines?
Cependant mon amour aura tout son éclat
En dépit du supplice où je suis condamnée,
Et si notre tyran par maxime d'État
Ne s'interdit mon hyménée,
Je veux qu'il ait la joie, en recevant ma main,
D'entendre que du cœur vous êtes souverain,
Et que les déplaisirs dont ma flamme est suivie
Ne cesseront qu'avec ma vie.
Allez, Seigneur, défendre aux vôtres de durer,
Ennuyez-vous de soupirer,
Craignez de trop souffrir, et trouvez en vous-même
L'art de ne plus aimer dès qu'on perd ce qu'on aime.
Je souffrirai pour vous, et ce nouveau malheur,
De tous mes maux le plus funeste,
D'un trait assez perçant armera ma douleur
Pour trancher de mes jours le déplorable reste.

COTYS

Que dites-vous, Madame, et par quel sentiment...

CLÉON

Spitridate, Seigneur, et Lysander vous prient
De vouloir avec eux conférer un moment.

MANDANE

Allez, Seigneur, allez, puisqu'ils vous en convient.
Aimez, cédez, souffrez, ou voyez si les Dieux
Voudront vous inspirer quelque chose de mieux.

ACTE CINQUIÈME

Scène I : *Agésilas, Xénoclès.*

XÉNOCLÈS

Je remets en vos mains et l'une et l'autre lettre
Que l'esclave Damis aux miennes vient de mettre.   1705
Vous y verrez, Seigneur, quels sont les attentats...
Il lui donne deux lettres, dont il lit l'inscription.

AGÉSILAS

AU SÉNATEUR CRATÈS, A L'ÉPHORE ARSIDAS.
Spitridate et Cotys sont de l'intelligence?

XÉNOCLÈS

Non, il s'est caché d'eux en cette conférence,
Il a plaint leur malheur, et de tout son pouvoir;   1710
Mais sa prudence enfin tous deux vous les renvoie,
Sans leur donner aucun espoir
D'obtenir que de vous ce qui ferait leur joie.

AGÉSILAS

Par cette déférence il croit les mieux aigrir,
Et rejetant sur moi ce qu'ils ont à souffrir...   1715

XÉNOCLÈS

Vous avez mandé Spitridate,
Il entre ici.

AGÉSILAS

Gardons qu'à ses yeux rien n'éclate.

Scène II : *Agésilas, Spitridate, Xénoclès.*

AGÉSILAS

Aglatide, Seigneur, a-t-elle encor vos vœux?

SPITRIDATE

Non, Seigneur : mais enfin ils ne vont pas loin d'elle,
Et sa sœur a fait naître une flamme nouvelle   1720
En la place des premiers feux.

AGÉSILAS

Elpinice?

SPITRIDATE

Elle-même.

AGÉSILAS

Ainsi toujours pour gendre
Vous vous donnez à Lysander?

SPITRIDATE

Seigneur, contre l'amour peut-on bien se défendre?
A peine attaque-t-il qu'on brûle de se rendre,   1725
Le plus ferme courage est ravi de céder,
Et j'ai trouvé ma foi plus facile à reprendre
Que mon cœur à redemander.

AGÉSILAS

Si vous considériez...

SPITRIDATE

Seigneur, que considère
Un cœur d'un vrai mérite heureusement charmé?   1730
L'amour n'est plus amour sitôt qu'il délibère,
Et vous le sauriez trop si vous aviez aimé.

AGÉSILAS

Seigneur, j'aimais à Sparte et j'aime dans Éphèse.

L'un et l'autre objet est charmant,
1735 Mais bien que l'un m'ait plu, bien que l'autre me
Ma raison m'en a su défendre également.   [plaise,
SPITRIDATE
La mienne suivrait mieux un plus commun exemple.
Si vous aimez, Seigneur, ne vous refusez rien,
        Ou souffrez que je vous contemple
1740   Comme un cœur au-dessus du mien.
Des climats différents la nature est diverse :
La Grèce a des vertus qu'on ne voit point en Perse.
Permettez qu'un Persan n'ose vous imiter,
Que sur votre partage il craigne d'attenter,
1745   Qu'il se contente à moins de gloire,
Et trouve en sa faiblesse un destin assez doux
Pour ne point envier cette haute victoire,
Que vous seul avez droit de remporter sur vous.
AGÉSILAS
Mais de mon ennemi rechercher l'alliance !
SPITRIDATE
1750 De votre ennemi !
AGÉSILAS
                Non, Lysander ne l'est pas,
Mais il faut vous le dire, il y court à grands pas.
SPITRIDATE
C'en est assez : je dois me faire violence
Et renonce à plus croire ou mes yeux, ou mon cœur.
Ne m'ordonnez-vous rien sur l'hymen de ma sœur ?
1755 Cotys l'aime.
AGÉSILAS
                Il est Roi, je ne suis pas son maître,
Et Mandane ni vous n'êtes pas mes sujets.
L'aime-t-elle ?
SPITRIDATE
                Il se peut. Lui ferai-je connaître
Que vous auriez d'autres projets ?
AGÉSILAS
C'est me connaître mal, je ne contrains personne.
SPITRIDATE
1760 Peut-être qu'elle n'aime encor que sa couronne,
Et je ne sais pas bien où pencherait son choix,
Si le ciel lui donnait à choisir de deux Rois,
Vous l'avez jusqu'ici de tant d'honneurs comblée,
        De tant de faveurs accablée,
1765 Qu'à vos ordres ses vœux sans peine assujettis...
AGÉSILAS
L'ingrate !
SPITRIDATE
            Je réponds de sa reconnaissance,
Et qu'elle ne consent à l'espoir de Cotys,
Que pour le maintenir dans votre dépendance.
Pourrait-elle, Seigneur, davantage pour vous ?
AGÉSILAS
1770 Non, mais qui la pressait de choisir un époux ?
SPITRIDATE
L'occasion d'un Roi, Seigneur, est bien pressante.
Les plus dignes objets ne l'ont pas chaque jour,
        Elle échappe à la moindre attente
        Dont on veut éprouver l'amour.
1775 A moins que de la prendre au moment qu'elle arrive,
On s'expose au péril de l'accepter trop tard,

Et l'asile est si beau pour une fugitive
Qu'elle ne peut sans crime en rien mettre au hasard.
AGÉSILAS
Elle eût peu hasardé peut-être pour attendre.
SPITRIDATE
Voyait-elle en ces lieux un plus illustre espoir ?
AGÉSILAS
Comme l'amour n'entend que ce qu'il veut entendre,
        Il ne voit que ce qu'il veut voir.
Si je l'ai jusqu'ici de tant d'honneurs comblée,
        De tant de faveurs accablée,
Ces faveurs, ces honneurs ne lui disaient-ils rien ?
Elle les entendait trop bien en dépit d'elle :
        Mais l'ingrate, mais la cruelle !...
Seigneur, à votre tour vous m'entendez trop bien.
Qu'elle aille chez Cotys partager sa couronne,
Je n'y mets point d'obstacle, et n'en veux rien savoir,
Soit que l'ambition, soit que l'amour la donne,
        Vous avez tous deux tout pouvoir.
Si pourtant vous m'aimiez...
SPITRIDATE
                        Soyez sûr de mon zèle.
Ma parole à Cotys est encore à donner.
Mais si cet hyménée a de quoi vous gêner,
        Mandane que deviendra-t-elle ?
AGÉSILAS
Allez, encore un coup, allez en d'autres lieux ;
Épargnez par pitié cette gêne à mes yeux ;
Sauvez-moi du chagrin de montrer que je l'aime.
SPITRIDATE
Elle vient recevoir vos ordres elle-même.

Scène III : Agésilas, Spitridate, Mandane, Xénoclès.

AGÉSILAS
O vue, ô sur mon cœur regards trop absolus,
Que vous allez troubler mes vœux irrésolus !
Ne partez pas, Madame. O ciel ! j'en vais trop dire.
MANDANE
Je conçois mal, Seigneur, de quoi vous me parlez.
Moi partir ?
AGÉSILAS
            Oui, partez, encor que j'en soupire.
Que ce mot ne peut-il suffire !
MANDANE
Je conçois encor moins pourquoi vous m'exilez.
AGÉSILAS
J'aime trop à vous voir et je vous ai trop vue :
        C'est, Madame, ce qui me tue.
Partez, partez, de grâce.
MANDANE
                    Où me bannissez-vous ?
AGÉSILAS
Nommez-vous un exil le trône d'un époux ?
MANDANE
Quel trône, et quel époux ?
AGÉSILAS
                        Cotys...
MANDANE
                            Je crois qu'il m'aime,

Mais si je vous regarde ici comme mon Roi
Et comme un protecteur que j'ai choisi moi-même,
5 Puis-je sans votre aveu l'assurer de ma foi ?
Après tant de bontés et de marques d'estime,
A vous moins déférer je croirais faire un crime,
Et mon âme...

             AGÉSILAS
          Ah ! c'est trop déférer, et trop peu.
Quoi ! pour cet hyménée exiger mon aveu !

             MANDANE
Jusque-là mon bonheur n'aura qu'incertitude,
Et bien qu'une couronne éblouisse aisément...

             SPITRIDATE
Ma sœur, il faut parler un peu plus clairement :
Le Roi s'est plaint à moi de votre ingratitude.

             MANDANE
Et je me plains à lui des inégalités
Qu'il me force de voir lui-même en ses bontés.
Tout ce que pour un autre a voulu ma prière,
Vous me l'avez, Seigneur, et sur l'heure accordé,
Et pour mes intérêts ce qu'on a demandé
Prête à de prompts refus une digne matière !

             AGÉSILAS
Si vous vouliez avoir des yeux
Pour voir de ces refus la véritable cause...

             SPITRIDATE
N'est-ce pas assez dire, et faut-il autre chose ?
Voyez mieux sa pensée, ou répondez-y mieux.
Ces refus obligeants veulent qu'on les entende :
Ils sont de ses faveurs le comble, et la plus grande.
Tout Roi qu'est votre amant, perdez-le sans ennui,
Lorsqu'on vous en destine un plus puissant que lui.
M'en désavouerez-vous, Seigneur ?

             AGÉSILAS
                       Non, Spitridate,
C'est inutilement que ma raison me flatte.
Comme vous j'ai mon faible, et j'avoue à mon tour
Qu'un si triste secours défend mal de l'amour.
Je vois par mon épreuve avec quelle injustice
          Je vous refusais Elpinice :
Je cesse de vous faire une si dure loi.
Allez, elle est à vous, si Mandane est à moi.
Ce que pour Lysander je semble avoir de haine
Fera place aux douceurs de cette double chaîne,
          Dont vous serez le nœud commun,
Et cet heureux hymen, accompagné du vôtre,
Nous rendant entre nous garant de l'un vers l'autre,
          Réduira nos trois cœurs en un.
Madame, parlez donc.

             SPITRIDATE
          Seigneur, l'obéissance
      S'exprime assez par le silence,
Trouvez bon que je puisse apprendre à Lysander
La grâce qu'à ma flamme il vous plaît d'accorder.

Scène IV : Agésilas, Mandane, Xénoclès.

             AGÉSILAS
En puis-je pour la mienne espérer une égale,
Madame, ou ne sera-ce en effet qu'obéir ?

             MANDANE
Seigneur, je croirais vous trahir
Et n'avoir pas pour vous une âme assez royale,
Si je vous cachais rien des justes sentiments   1860
Que m'inspire le ciel pour deux Rois mes amants.
J'ai vu que vous m'aimiez, et sans autre interprète
J'en ai cru vos faveurs qui m'ont si peu coûté,
J'en ai cru vos bontés, et l'assiduité
Qu'apporte à me chercher votre ardeur inquiète.   1865
      Ma gloire y voulait consentir,
Mais ma reconnaissance a pris soin de la vôtre.
Vos feux la hasardaient, et pour les amortir
J'ai réduit mes désirs à pencher vers un autre.
      Pour m'épouser, vous le pouvez :   1870
Je ne saurais former de vœux plus élevés,
Mais avant que juger ma conquête assez haute,
De l'œil dont il faut voir ce que vous vous devez,
Voyez ce qu'elle donne, ou plutôt ce qu'elle ôte.
Votre Sparte si haut porte sa royauté   1875
Que tout sang étranger la souille et la profane :
Jalouse de ce trône où vous êtes monté,
      Y faire seoir une Persane,
C'est pour elle une étrange et dure nouveauté,
Et tout votre pouvoir ne peut m'y donner place   1880
Que vous n'y renonciez pour toute votre race.
Vos éphores peut-être oseront encor plus,
Et si votre sénat avec eux se soulève,
Si de me voir leur Reine indignés et confus,
Ils m'arrachent d'un trône où votre choix m'élève...   1885
Pensez bien à la suite avant que d'achever,
Et si ce sont périls que vous deviez braver,
Vous les voyez si bien que j'ai mauvaise grâce
      De vous en faire souvenir.
Mais mon zèle a voulu cette indiscrète audace,   1890
Et moi je n'ai pas cru devoir la retenir.
Que la suite, après tout, vous flatte ou vous traverse,
Ma gloire est sans pareille aux yeux de l'univers,
S'il voit qu'une Persane au vainqueur de la Perse
Donne à son tour des lois, et l'arrête en ses fers.   1895
Comme votre intérêt m'est plus considérable,
Je tâche de vous rendre à des destins meilleurs.
Mon amour peut vous perdre, et je m'attache ailleurs,
      Pour être pour vous moins aimable :
Voilà ce que devait un cœur reconnaissant.   1900
      Quant au reste, parlez en maître,
      Vous êtes ici tout-puissant.

             AGÉSILAS
Quand peut-on être ingrat, si c'est là reconnaître [28],
Et que puis-je sur vous si le cœur n'y consent ?

             MANDANE
Seigneur, il est donné ; la main n'est pas donnée,   1905
Et l'inclination ne fait pas l'hyménée.
Au défaut de ce cœur, je vous offre une foi
Sincère, inviolable, et digne enfin de moi :
Voyez si ce partage aura pour vous des charmes.
Contre l'amour d'un Roi c'est assez raisonner,   1910
J'aime, et vais toutefois attendre sans alarmes
      Ce qu'il lui plaira m'ordonner.

---

28. Intransitivement : se montrer reconnaissant.

Je fais un sacrifice assez noble, assez ample,
    S'il en veut un en ce grand jour,
1915 Et s'il peut se résoudre à vaincre son amour,
J'en donne à son grand cœur un assez haut exemple.
Qu'il écoute sa gloire ou suive son désir,
    Qu'il se fasse grâce ou justice,
Je me tiens prête à tout, et lui laisse à choisir
1920   De l'exemple ou du sacrifice.

Scène V : Agésilas, Xénoclès.

AGÉSILAS

Qu'une Persane m'ose offrir un si grand choix!
Parmi nous qui traitons la Perse de barbare,
    Et méprisons jusqu'à ses Rois,
Est-il plus haut mérite, est-il vertu plus rare?
1925 Cependant mon destin à ce point est amer
Que plus elle mérite, et moins je dois l'aimer,
Et que plus ses vertus sont dignes de l'hommage
Que rend toute mon âme à cet illustre objet,
Plus je la dois fermer à tout autre projet
1930 Qu'à celui d'égaler sa grandeur de courage.

XÉNOCLÈS

Du moins vous rendre heureux, ce n'est plus hasarder.
Puisqu'un si digne amour fait grâce à Lysander,
    Il n'a plus lieu de se contraindre :
Vous devenez par là maître de tout l'État,
1935 Et ce grand homme à vous, vous n'avez plus à craindre
    Ni d'éphores ni de sénat.

AGÉSILAS

Je n'en suis pas encor d'accord avec moi-même.
J'aime, mais après tout je hais autant que j'aime,
Et ces deux passions qui règnent tour à tour
1940 Ont au fond de mon cœur si peu d'intelligence
Qu'à peine immole-t-il la vengeance à l'amour,
Qu'il voudrait immoler l'amour à la vengeance.
Entre ce digne objet et ce digne ennemi,
    Mon âme incertaine et flottante,
1945 Quoi que l'un me promette et quoi que l'autre attente,
Ne se peut ni dompter ni croire qu'à demi
Et plus des deux côtés je la sens balancée,
Plus je vois clairement que si je veux régner,
Moi qui de Lysander vois toute la pensée,
1950 Il le faut tout à fait ou perdre ou regagner,
Qu'il est temps de choisir.

XÉNOCLÈS

                Qu'il serait magnanime
De vaincre et la vengeance et l'amour à la fois!

AGÉSILAS

Il faudrait, Xénoclès, une âme plus sublime.

XÉNOCLÈS

Il ne faut que vouloir : tout est possible aux Rois.

AGÉSILAS

1955 Ah! si je pouvais tout, dans l'ardeur qui me presse
Pour ces deux passions qui partagent mes vœux,
    Peut-être aurais-je la faiblesse
    D'obéir·à toutes les deux.

Scène VI : Agésilas, Lysander, Xénoclès.

LYSANDER

Seigneur, il vous a plu disposer d'Elpinice.
Nous devons, elle et moi, beaucoup à vos bontés,
Et je serai ravi qu'elle vous obéisse,
Pourvu que de Cotys les vœux soient acceptés.
J'en ai donné parole, il y va de ma gloire.
Spitridate, sans lui, ne saurait être heureux,
Et donner mon aveu, s'ils ne le sont tous deux,
C'est faire à mon honneur une tache trop noire.
    Vous pouvez nous parler en Roi.
    Ma fille vous doit plus qu'à moi :
Commandez, elle est prête, et je saurai me taire.
    N'exigez rien de plus d'un père,
Il a tenu toujours vos ordres à bonheur,
    Mais rendez-lui cette justice
De souffrir qu'il emporte au tombeau cet honneur,
Qui fait l'unique prix de trente ans de service.

AGÉSILAS

Oui, vous l'y porterez, et du moins de ma part
Ce précieux honneur ne court aucun hasard.
On a votre parole, et j'ai donné la mienne,
Et pour faire aujourd'hui que l'une et l'autre tienne,
Il faut vaincre un amour qui m'était aussi doux
    Que votre gloire l'est pour vous,
Un amour dont l'espoir ne voyait plus d'obstacle.
Mais enfin il est beau de triompher de soi,
    Et de s'accorder ce miracle,
Quand on peut hautement donner à tous la loi,
Et que le juste soin de combler notre gloire
Demande notre cœur pour dernière victoire.
Un Roi né pour l'éclat des grandes actions
    Dompte jusqu'à ses passions,
Et ne se croit point Roi, s'il ne fait sur lui-même
Le plus illustre essai de son pouvoir suprême [29].
    A Xénoclès.
Allez dire à Cotys que Mandane est à lui,
Que si mes feux aux siens ne l'ont pas accordée,
Pour venger son amour de ce moment d'ennui,
Je veux la lui céder comme il me l'a cédée.
Oyez de plus...
    Il parle à l'oreille à Xénoclès qui s'en va.

Scène VII : Agésilas, Lysander.

AGÉSILAS

          Eh bien! vos mécontentements
Me seront-ils encore à craindre,
Et vous souviendrez-vous des mauvais traitements
Qui vous avaient donné tant de lieu de vous plaindre?

LYSANDER

Je vous ai dit, Seigneur, que j'étais tout à vous,
Et j'y suis d'autant plus, que malgré l'apparence,
Je trouve des bontés qui passent l'espérance
Où je n'avais cru voir que des soupçons jaloux.

29. Discrète leçon à Louis XIV : Mme de Montespan n'a
pas encore remplacé Mlle de La Vallière.

AGÉSILAS
Et que va devenir cette docte harangue
Qui du fameux Cléon doit ennoblir la langue?
LYSANDER
Seigneur...
AGÉSILAS
            Nous sommes seuls, j'ai chassé Xénoclès :
Parlons confidemment. Que venez-vous d'écrire
A l'éphore Arsidas, au sénateur Cratès?
Je vous défère assez pour n'en vouloir rien lire,
Tout est encor fermé. Voyez.
LYSANDER
                  Je suis coupable,
Parce qu'on me trahit, que l'on vous sert trop bien,
Et que par un effort de prudence admirable,
Vous avez su prévoir de quoi serait capable
Après tant de mépris, un cœur comme le mien.
Ce dessein toutefois ne passera pour crime
      Que parce qu'il est sans effet,
      Et ce qu'on va nommer forfait
N'a rien qu'un plein succès n'eût rendu légitime.
Tout devient glorieux pour qui peut l'obtenir,
      Et qui le manque est à punir.
AGÉS'LAS
Non, non, j'aurais plus fait peut-être en votre place :
      Il est naturel aux grands cœurs
De sentir vivement de pareilles rigueurs,
Et vous m'offenseriez de douter de ma grâce.
Comme Roi, je la donne, et comme ami discret
      Je vous assure du secret.
Je remets en vos mains tout ce qui vous peut nuire,
Vous m'avez trop servi pour m'en trouver ingrat,
Et d'un trop grand soutien je priverais l'État
Pour des ressentiments où j'ai su vous réduire.
Ma puissance établie et mes droits conservés
Ne me laissent point d'yeux pour voir votre entreprise,
Dites-moi seulement avec même franchise,
Vous dois-je encor bien plus que vous ne me devez?
LYSANDER
Avez-vous pu, Seigneur, me devoir quelque chose?
Qui sert le mieux son Roi ne fait que son devoir.
En vous de tout l'État j'ai défendu la cause,
Quand je l'ai fait tomber dessous votre pouvoir.
Le zèle est tout de feu quand ce grand devoir presse,
Et comme à le moins suivre on s'en acquitte mal,
Le mien vous servit moins qu'il ne servit la Grèce,
Quand j'en sus ménager les cœurs avec adresse
      Pour vous en faire général.
Je vous dois cependant et la vie et ma gloire,
      Et lorsqu'un dessein malheureux
Peut me coûter le jour et souiller ma mémoire,
La magnanimité de ce cœur généreux...
AGÉSILAS
Reprochez-moi plutôt toutes mes injustices,
Que de plus ravaler de si rares services.
Elles ont fait le crime, et j'en tire ce bien
Que j'ai pu m'acquitter et ne vous dois plus rien.
      A présent que la gratitude
Ne peut passer pour dette en qui s'est acquitté,
Vos services, payés d'un traitement si rude,

Vont recevoir de moi ce qu'ils ont mérité.
S'ils ont su conserver un trône en ma famille,   2055
J'y veux par mon hymen faire seoir votre fille :
C'est ainsi qu'avec vous je puis le partager.
LYSANDER
Seigneur, à ces bontés, que je n'osais attendre,
Que puis-je...
AGÉSILAS
            Jugez-en comme il faut en juger,
      Et surtout commencez d'apprendre   2060
Que les rois sont jaloux du souverain pouvoir,
Qu'ils aiment qu'on leur doive, et ne peuvent devoir,
Que rien à leurs sujets n'acquiert l'indépendance,
Qu'ils règlent à leur choix l'emploi des plus grands
                                             [cœurs,
Qu'ils ont pour qui les sert des grâces, des faveurs,   2065
Et qu'on n'a jamais droit sur leur reconnaissance.
Prenons dorénavant, vous et moi, pour objet,
Les devoirs qu'il faudra l'un et l'autre nous rendre :
      N'oubliez pas ceux d'un sujet,
      Et j'aurai soin de ceux d'un gendre.   2070

*Scène VIII : Agésilas, Lysander, Aglatide
            conduite par Xénoclès.*

AGLATIDE
Sur un ordre, Seigneur, reçu de votre part,
      Je viens, étonnée et surprise
De voir que tout d'un coup un Roi m'en favorise,
Qui me daignait à peine honorer d'un regard.
AGÉSILAS
Sortez d'étonnement. Les temps changent, Madame, 2075
Et l'on n'a pas toujours mêmes yeux ni même âme.
Pourriez-vous de ma main accepter un époux?
AGLATIDE
Si mon père y consent, mon devoir me l'ordonne,
Ce sera trop d'heur de le tenir de vous.
Mais avant que savoir quelle en est la personne,   2080
Pourrais-je vous parler avec la liberté
Que me souffrait à Sparte un feu trop écouté,
Alors qu'il vous plaisait, ou m'aimer ou me dire
Qu'en votre cœur mes yeux s'étaient fait un empire?
Non que j'y pense encor, j'apprends de vous, Seigneur, 2085
Qu'on change avec le temps, d'âme, d'yeux et de cœur.
AGÉSILAS
Rappelez ces beaux jours pour me parler sans feindre,
Mais si vous le pouvez, Madame, épargnez-moi.
AGLATIDE
Ce serait sans raison que j'oserais m'en plaindre :
L'amour doit être libre, et vous êtes mon Roi.   2090
Mais puisque jusqu'à vous vous m'avez fait prétendre,
N'obligez point, Seigneur, cet espoir à descendre,
      Et ne me faites point de lois
Qui profanant l'honneur de votre premier choix.
      J'y trouvais pour moi tant de gloire,   2095
J'en chéris à tel point la flatteuse mémoire,
Que je regarderais comme un indigne époux
Quiconque m'offrirait un moindre rang que vous.
      Si cet orgueil a quelque crime,
Il n'en faut accuser que votre trop d'estime :   2100

Ce sont des sentiments que je ne puis trahir.
Après cela, parlez, c'est à moi d'obéir.

AGÉSILAS

Je parlerai, Madame, avec même franchise.
J'aime à voir cet orgueil que mon choix autorise
2105 A dédaigner les vœux de tout autre qu'un Roi,
J'aime cette hauteur en un jeune courage,
Et vous n'aurez point lieu de vous plaindre de moi,
Si votre heureux destin dépend de mon suffrage.

Scène IX : Agésilas, Lysander, Cotys, Spitridate,
Mandane, Elpinice, Aglatide, Xénoclès.

COTYS

Seigneur, à vos bontés nous venons consacrer,
2110   Et Mandane et moi, notre vie.

SPITRIDATE

De pareilles faveurs, Seigneur, nous font rentrer
        Pour vous faire voir même envie.

AGÉSILAS

        Je vous ai fait justice à tous,
Et je crois que ce jour vous doit être assez doux,
Qui de tous vos souhaits à votre gré décide,
Mais pour le rendre encor plus doux et plus charmant
Sachez que Sparte voit sa Reine en Aglatide,
A qui le ciel en moi rend son premier amant.

AGLATIDE

C'est me faire, Seigneur, des surprises nouvelles.

AGÉSILAS

Rendons nos cœurs, Madame, à des flammes si belles,
Et tous ensemble allons préparer ce beau jour
Qui, par un triple hymen, couronnera l'amour !

ATTILA, ROI DES HUNS
*TRAGÉDIE**

Corneille mécontent de l'échec d'Agésilas abandonne l'Hôtel de Bourgogne. Cet abandon eut été définitif si la troupe n'eut pas été en 1674 la seule en état de jouer Suréna. Molière, de son côté, est brouillé avec l'Hôtel : Racine, sans scrupule, a porté Alexandre à la troupe rivale et entraîné du même coup la Du Parc. La nouvelle pièce, dont Molière offre 2 000 livres, est d'abord une double vengeance contre l'Hôtel dont le chef, Floridor, va contribuer puissamment au succès de Racine, dans les rôles d'Alexandre (1665), Pyrrhus (1667), Néron (1669), Titus (1670).

La pièce n'est montée qu'en début de carême, car Molière est retenu à la cour du 1er décembre au 20 février. Compte tenu de la saison avancée, vingt représentations consécutives témoignent d'un grand succès.

Avec l'histoire du « fléau de Dieu », Corneille ne risque pas le parallèle avec Racine. Il renonce aux innovations des six années antérieures et renoue avec la démonstration d'une politique providentielle de l'histoire. Attila lui fournit toute une série de thèmes connexes, conformes à ses vues antérieures. Attila est un tyran, non le barbare brutal qu'on s'imagine, mais un diplomate consommé, cynique et adroit. La Providence prend un double visage : elle se sert des monstres pour exercer sa justice punitive, qui échappe à l'en-tendement humain, mais elle est capable d'un miracle, en frappant d'une mort imprévue, odieuse et ridicule, celui qui semblait triompher.

D'ailleurs, Rome est déchue de son antique grandeur : tel est le résultat de sa politique extérieure, dépeinte dans Nicomède et Sophonisbe, de ses troubles intérieurs que viennent d'analyser Sertorius et Othon. Ainsi passent les empires. Mais une jeune monarchie vient de naître, celle de Mérovée qui aux vertus romaines ajoutera une meilleure sagesse politique : belle occasion d'une apologie de la France, dans l'ancêtre de ce jeune roi que Corneille admire sincè-rement. Plus artificielle, mais de brûlante actualité, l'apologie du théâtre insérée dans la pièce : le chrétien Corneille se trouve aux côtés de Molière contre l'abu-sive Compagnie du Saint-Sacrement, tout en se sou-mettant à la « censure des puissances, tant ecclésias-tiques que séculières, sous lesquelles Dieu (le) fait vivre »...

On s'étonne qu'une telle querelle ait pu naître. Au demeurant, les nonces pontificaux continuèrent à assister aux représentations dramatiques, y compris celles de Corneille.

Boileau, peu sensible au sens profond du théâtre politique de Corneille, avait prononcé devant Agésilas un « Hélas[1] » au nom du goût. C'est le chrétien autant que l'homme de goût qui s'insurge devant Attila.

AU LECTEUR

Le nom d'Attila est assez connu[2], mais tout le monde n'en connaît pas tout le caractère. Il était plus homme de tête que de main[3], tâchait à diviser ses ennemis, ravageait les peuples indéfendus, pour donner de la terreur aux autres, et tirer tribut de leur épouvante, et s'était fait un tel empire sur les Rois qui l'accompa-gnaient que quand même il leur eût commandé des parricides, ils n'eussent osé lui désobéir. Il est malaisé de savoir quelle était sa religion : le surnom de *Fléau de Dieu*[4], qu'il prenait lui-même, montre qu'il n'en

* Jouée au Palais-Royal, par Molière, le 4 mars 1667. Privi-lège : 25 novembre 1666. Achevé d'imprimer : 20 novembre 1667.
1. *Après Agésilas Hélas ! Mais après Attila, Holà !*
2. Il l'était surtout en Italie. Les historiens de la vallée du Pô maintenaient soigneusement le souvenir de l'arrêt des invasions vers Venise ou l'horreur du siège d'Aquileia. Velez de Guevara et le chanoine Viruès avaient tiré de sa vie deux tragédies espagnoles. Les jésuites, si férus de théâtre historique, l'ont mis sur leurs scènes scolaires, et l'on sait qu'un *Attila* — hélas, perdu — fut joué chez eux à Rouen, en 1644. En France, une pièce obscure d'un inconnu, Cardin, fut imprimée à Caen en 1657. On ignore si elle fut jouée : *le Champ ou le Progrès de Martel* célébrait la victoire des Champs catalauniques. Mais on avait beaucoup lu *la Cour sainte* du Père Caussin, qui l'évoque parmi les grandes figures de son histoire providentielle.
3. C'est ainsi que le présente la source la plus commune qu'utilise aussi Corneille, l'historien wisigoth Jornandès, évêque de Ravenne, dans son histoire latine *Des Goths*. Au chapitre 36 il l'appelle : « Homme subtil, qui combattait par art, avant d'en venir aux armes. »
4. Jamais Attila ne s'est désigné ainsi. La légende de ce surnom apparaît au IXe siècle. C'est le titre de la pièce espa-gnole de Viruès (1560).

croyait pas plusieurs. Je l'estimerais arien[5], comme les Ostrogoths et les Gépides de son armée, n'était la pluralité des femmes que je lui ai retranchée ici. Il croyait fort aux devins, et c'était peut-être tout ce qu'il croyait. Il envoya demander par deux fois à l'empereur Valentinian sa sœur Honorie[6] avec grandes menaces, et en l'attendant, il épousa Ildione[7], dont tous les historiens marquent la beauté, sans parler de sa naissance. C'est ce qui m'a enhardi à la faire sœur d'un de nos premiers rois, afin d'opposer la France naissante au déclin de l'empire. Il est constant qu'il mourut la première nuit de son mariage avec elle. Marcellin[8] dit qu'elle le tua elle-même, et je lui en ai voulu donner l'idée, quoique sans effet. Tous les autres[9] rapportent qu'il avait accoutumé de saigner du nez, et que les vapeurs du vin et des viandes dont il se chargea fermèrent le passage à ce sang, qui, après l'avoir étouffé, sortit avec violence par tous les conduits. Je les ai suivis sur la manière de sa mort, mais j'ai cru plus à propos d'en attribuer la cause à un excès de colère qu'à un excès d'intempérance.

Au reste, on m'a pressé de répondre ici par occasion aux invectives qu'on a publiées depuis quelque temps[10] contre la comédie ; mais je me contenterai d'en dire deux choses, pour fermer la bouche à ces ennemis d'un divertissement si honnête et si utile : l'un, que je sou-mets tout ce que j'ai fait et ferai à l'avenir à la censure des puissances tant ecclésiastiques que séculières, sous lesquelles Dieu me fait vivre : je ne sais s'ils en voudraient faire autant[11] ; l'autre, que la comédie est assez justifiée par cette célèbre traduction de la moitié de celles de Térence[12], que des personnes d'une piété exemplaire et rigide ont donnée au public, et ne l'auraient jamais fait, si elles n'eussent jugé qu'on peut innocemment mettre sur la scène des filles engrossées par leurs amants, et des marchands d'esclaves à prostituer. La nôtre ne souffre point de tels ornements. L'amour en est l'âme pour l'ordinaire, mais l'amour dans le malheur n'excite que la pitié, et est plus capable de purger en nous cette passion que de nous en faire envie[13].

Il n'y a point d'homme, au sortir de la représentation du *Cid*, qui voulût avoir tué comme lui le père de sa maîtresse, pour en recevoir de pareilles douceurs, ni de fille qui souhaitât que son amant eût tué son père, pour avoir la joie de l'aimer en poursuivant sa mort. Les tendresses de l'amour content sont d'une autre nature, et c'est ce qui m'oblige à les éviter. J'espère un jour traiter cette matière plus au long, et faire voir quelle erreur c'est de dire qu'on peut faire parler sur le théâtre toutes sortes de gens, selon toute l'étendue de leurs caractères[14].

ACTEURS

ATTILA, *roi des Huns* [15].
ARDARIC, *roi des Gépides.*
VALAMIR, *roi des Ostrogoths.*
HONORIE, *sœur de l'empereur Valentinian.*
ILDIONE, *sœur de Méroüée* [16], *roi de France.*
OCTAR, *capitaine des Gardes d'Attila* [17].
FLAVIE, *dame d'honneur d'Honorie* [18].
GARDES.

La scène es: au camp d'Attila, dans la Norique [19].

ACTE PREMIER

Scène I : Attila, Octar, suite.

ATTILA

Ils ne sont pas venus, nos deux Rois ? Qu'on leur die
Qu'ils se font trop attendre, et qu'Attila s'ennuie,
Qu'alors que je les mande, ils doivent se hâter.

OCTAR

Mais, Seigneur, quel besoin de les en consulter ?
Pourquoi de votre hymen les prendre pour arbitres,   5
Eux qui n'ont de leur trône ici que de vains titres,
Et que vous ne laissez au nombre des vivants
Que pour traîner partout deux Rois pour vos suivants ?

---

5. C'est-à-dire suivant l'hérésie arienne. C'est à cause de l'histoire de cette hérésie qu'on s'intéressa tant aux Goths au XVIᵉ siècle, et particulièrement en Espagne, où elle avait suscité de graves crises politiques. Le succès européen du sujet dramatique d'*Herménégilde*, persécuté par son père arien Léovigilde, vient de là et explique l'hypothèse de Corneille.

6. Cette petite-fille du grand Théodose déshonorait par ses impudicités son frère, l'empereur Valentinien, qui la fit garder à vue à Byzance, puis à Ravenne. Pour s'en venger, Honorie s'offrit à Attila. Déjà marié à Ildione, il n'en vint pas moins réclamer sa « fiancée » et sa dot, la moitié de l'Empire d'Occident. C'est à cette occasion qu'Attila céda devant le courage tranquille du pape Léon Iᵉʳ, à l'entrevue de Ravenne, scène popularisée par la peinture.

7. Ildico, dans Jornandès (chap. 49), mal connue, probablement fille d'un roi burgonde. Voltaire nous apprend que Corneille l'avait appelée d'abord Hildecone.

8. Marcellin : il s'agit non de l'historien Ammien Marcellin, utilisé ailleurs par Corneille, mais d'un chroniqueur médiéval, le comte Marcellin, selon lequel Ildione aurait poignardé de nuit Attila.

9. On aimerait que Corneille eût précisé ! On voit en tout cas l'étendue de sa curiosité d'historien.

10. Le *Traité de la comédie* de Nicole (1657) et surtout celui, du même titre, du prince de Conti, animateur de la Compagnie du Saint-Sacrement. *Le Cid*, *Cinna*, *Pompée*, *Polyeucte* y étaient expressément mis en cause.

11. Ironie : on est en pleine condamnation des jansénistes.

12. Autre ironie : il s'agit précisément de la traduction de *Port-Royal* attribuée à Lemaître de Saci. Racine n'a fait que reprendre cet argument à Corneille.

13. Corneille s'est expliqué longuement sur la *catarsis* aristotélicienne dans les *Discours* de 1660. Cf. page 830.

14. Cette dissertation que Corneille n'écrivit jamais aurait entraîné une polémique contre Boileau qui dans l'*Art poétique*, défend justement cette thèse.
   Il n'est point de serpent ni de monstres odieux
   Qui par l'art imité ne puissent plaire aux yeux.
Il est curieux de noter que Corneille apparaît ici plus « classique » que le « législateur du Parnasse ».

15. Né vers la fin du IVᵉ siècle, roi des Huns vers trente-cinq ans, mort en 453. Pour Honorie et Ildione, cf. les notes 6 et 7.

16. Corneille a pu trouver son nom dans Grégoire de Tours. Le tréma évite de diphtonguer : Mer-ou-ée. Par souci d'allègement, il n'est pas répété tout au long de la pièce.

17. Dans Jornandès, oncle d'Attila.

18. Seul personnage inventé. Corneille la fait participer à l'action en faisant Octar amoureux d'elle et soutenant pour cette raison Honorie auprès d'Attila.

19. Province romaine, sur le Danube, au nord de l'Illyrie.

ATTILA

J'en puis résoudre seul, Octar, et les appelle,
Non sous aucun espoir de lumière nouvelle :
Je crois voir avant eux ce qu'ils m'éclairciront,
Et m'être déjà dit tout ce qu'ils me diront.
Mais de ces deux partis lequel que je préfère,
Sa gloire est un affront pour l'autre et pour son frère,
Et je veux attirer d'un si juste courroux
Sur l'auteur du conseil les plus dangereux coups,
Assurer une excuse à ce manque d'estime,
Pouvoir, s'il est besoin, livrer une victime,
Et c'est ce qui m'oblige à consulter ces Rois,
Pour faire à leurs périls éclater ce grand choix.
Car enfin j'aimerais un prétexte à leur perte,
J'en prendrais hautement l'occasion offerte,
Ce titre en eux me choque, et je ne sais pourquoi
Un Roi que je commande ose se nommer Roi.
Un nom si glorieux marque une indépendance
Que souille, que détruit la moindre obéissance,
Et je suis las de voir que du bandeau royal
Ils prennent droit tous deux de me traiter d'égal.

OCTAR

Mais, Seigneur, se peut-il que pour ces deux Princesses
Vous ayez mêmes yeux et pareilles tendresses,
Que leur mérite égal dispose sans ennui
Votre âme irrésolue aux sentiments d'autrui ?
Ou si l'une ou l'autre elle a pris quelque pente,
Dont prennent ces deux Rois la route différente,
Voudra-t-elle, aux dépens de ses vœux les plus doux,
Préparer une excuse à ce juste courroux ?
Et pour juste qu'il soit, est-il si fort à craindre
Que le grand Attila s'abaisse à se contraindre ?

ATTILA

Non, mais la noble ardeur d'envahir tant d'États
Doit combattre de tête encor plus que de bras [20],
Entre ses ennemis rompre l'intelligence,
Y jeter du désordre et de la défiance,
Et ne rien hasarder qu'on n'ait de toutes parts,
Autant qu'il est possible, enchaîné les hasards.
    Nous étions aussi forts qu'à présent nous le sommes,
Quand je fondis en Gaule avec cinq cent mille hommes.
Dès lors, s'il t'en souvient, je voulus, mais en vain,
D'avec le Visigoth détacher le Romain.
J'y perdis auprès d'eux des soins qui me perdirent,
Loin de se diviser, d'autant mieux ils s'unirent,
La terreur de mon nom pour nouveaux compagnons
Leur donna les Alains, les Francs, les Bourguignons,
Et n'ayant pu semer entre eux aucuns divorces,
Je me vis en déroute avec toutes mes forces.
J'ai su les rétablir, et cherche à me venger,
Mais je cherche à le faire avec moins de danger.
    De ces cinq nations contre moi trop heureuses,
J'envoie offrir la paix aux deux plus belliqueuses,
Je traite avec chacune, et comme toutes deux
De mon hymen offert ont accepté les nœuds,
Des princesses qu'ensuite elles en font le gage
L'une sera ma femme et l'autre mon otage.

Si j'offense par là l'un des deux souverains,
Il craindra pour sa sœur, qui reste entre mes mains.
Ainsi je les tiendrai l'un et l'autre en contrainte,   65
L'un par mon alliance, et l'autre par la crainte,
Ou si le malheureux s'obstine à s'irriter,
L'heureux en ma faveur saura lui résister,
Tant que de nos vainqueurs terrassés l'un par l'autre
Les trônes ébranlés tombent au pied du nôtre.   70
Quant à l'amour, apprends que mon plus doux souci
N'est... Mais Ardaric entre, et Valamir aussi.

Scène II : Attila, Ardaric, Valamir, Octar.

ATTILA

Rois, amis d'Attila, soutiens de ma puissance,
Qui rangez tant d'États sous mon obéissance,
Et de qui les conseils, le grand cœur et la main,   75
Me rendent formidable à tout le genre humain,
Vous voyez en mon camp les éclatantes marques
Que de ce vaste effroi nous donnent deux monarques.
En Gaule Mérouée, à Rome l'Empereur,
Ont cru par mon hymen éviter ma fureur.   80
La paix avec tous deux en même temps traitée
Se trouve avec tous deux à ce prix arrêtée,
Et presque sur les pas de mes ambassadeurs
Les leurs m'ont amené deux Princesses leurs sœurs.
Le choix m'en embarrasse, il est temps de le faire,   85
Depuis leur arrivée en vain je le diffère,
Il faut enfin résoudre, et quel que soit ce choix,
J'offense un Empereur, ou le plus grand des Rois.
    Je le dis le plus grand, non qu'encor la victoire
Ait porté Mérouée à ce comble de gloire,   90
Mais si de nos devins l'oracle n'est point faux,
Sa grandeur doit atteindre aux degrés les plus hauts,
Et de ses successeurs l'empire inébranlable
Sera de siècle en siècle enfin si redoutable
Qu'un jour toute la terre en recevra des lois,   95
Ou tremblera du moins au nom de leurs François.
    Vous donc, qui connaissez de combien d'importance
Est pour nos grands projets l'une et l'autre alliance,
Prêtez-moi des clartés pour bien voir aujourd'hui
De laquelle ils auront ou plus ou moins d'appui,   100
Qui des deux, honoré par ces nœuds domestiques,
Nous vengera le mieux des Champs catalauniques [21],
Et qui des deux enfin, déchu d'un tel espoir,
Sera le plus à craindre à qui veut tout pouvoir.

ARDARIC

En l'état où le ciel a mis votre puissance,   105
Nous mettrions en vain les forces en balance :
Tout ce qu'on y peut voir ou de plus ou de moins
Ne vaut pas amuser le moindre de vos soins.
L'un et l'autre traité suffit pour nous instruire [nuire.
Qu'ils vous craignent tous deux et n'osent plus vous 110
Ainsi, sans perdre temps à vous inquiéter,

_____

20. Ceci vient de Jornandès (cf. note 3), le commentaire
des trois vers suivants, de Machiavel.

21. Entre Châlons-sur-Marne et Troyes. Attila y fut battu
par le général romain Aétius appelé par saint Aignan, évêque
d'Orléans. Y a-t-il un rapport entre le choix de ce sujet par
Corneille et le fait que Louis XIV était en train de restaurer
cette cathédrale ? Au transept, la rosace représente un Roi
Soleil. Le peintre Le Brun, ami de Corneille, dessine les stalles.

Vous n'avez que vos yeux, Seigneur, à consulter.
Laissez aller ce choix du côté du mérite
Pour qui, sur leur rapport, l'amour vous sollicite :
115 Croyez ce qu'avec eux votre cœur résoudra,
Et de ces potentats s'offense qui voudra.

ATTILA

L'amour chez Attila n'est pas un bon suffrage,
Ce qu'on m'en donnerait me tiendrait lieu d'outrage,
Et tout exprès ailleurs je porterais ma foi,
120 De peur qu'on n'eût par là trop de pouvoir sur moi [22].
Les femmes qu'on adore usurpent un empire
Que jamais un mari n'ose ou ne peut dédire.
C'est au commun des Rois à se plaire en leurs fers,
Non à ceux dont le nom fait trembler l'univers.
125 Que chacun de leurs yeux aime à se faire esclave,
Moi, je ne veux les voir qu'en tyrans que je brave,
Et par quelques attraits qu'ils captivent un cœur,
Le mien en dépit d'eux est tout à ma grandeur.
Parlez donc seulement du choix le plus utile,
130 Du courroux à dompter ou plus ou moins facile,
Et ne me dites point que de chaque côté
Vous voyez comme lui peu d'inégalité.
En matière d'État ne fût-ce qu'un atome,
Sa perte quelquefois importe au royaume,
135 Il n'est scrupule exact qu'il n'y faille garder,
Et le moindre avantage a droit de décider.

VALAMIR

Seigneur, dans le penchant que prennent les affaires,
Les grands discours ici ne sont pas nécessaires,
Il ne faut que des yeux, et pour tout découvrir,
140 Pour décider de tout, on n'a qu'à les ouvrir.
Un grand destin commence, un grand destin s'achève;
L'Empire est prêt à choir, et la France s'élève,
L'une peut avec elle affermir son appui,
Et l'autre en trébuchant l'ensevelir sous lui.
145 Vos devins vous l'ont dit : n'y mettez point d'obsta-
Vous qui n'avez jamais douté de leurs oracles. [cles,
Soutenir un État chancelant et brisé,
C'est chercher par sa chute à se voir écrasé.
Appuyez donc la France, et laissez tomber Rome,
150 Aux grands ordres du ciel prêtez ceux d'un grand
D'un si bel avenir avouez vos devins, [homme,
Avancez les succès, et hâtez les destins.

ARDARIC

Oui, le ciel, par le choix de ces grands hyménées,
A mis entre vos mains le cours des destinées.
155 Mais s'il est glorieux, Seigneur, de le hâter,
Il l'est, et plus encor, de si bien l'arrêter
Que la France, en dépit d'un infaillible augure,
N'aille qu'à pas traînants vers sa grandeur future,
Et que l'aigle, accablé par ce destin nouveau,
160 Ne puisse trébucher que sur votre tombeau.
Serait-il gloire égale à celle de suspendre
Ce que ces deux États du ciel doivent attendre,
Et de vous faire voir aux plus savants devins
Arbitre des succès et maître des destins ?
165 J'ose vous dire plus. Tout ce qu'ils vous prédisent,

Avec pleine clarté dans le ciel ils le lisent,
Mais vous assurent-ils que quelque astre jaloux
N'ait point mis plus d'un siècle entre l'effet et vous ?
Ces éclatants retours que font les destinées
Sont assez rarement l'œuvre de peu d'années,
Et ce qu'on vous prédit touchant ces deux États
Peut être un avenir qui ne vous touche pas.
Cependant regardez ce qu'est encor l'empire :
Il chancelle, il se brise, et chacun le déchire,
De ses entrailles même il produit les tyrans,
Mais il peut encor plus que tous ses conquérants.
Le moindre souvenir des Champs catalauniques
En peut mettre à vos yeux des preuves trop publiques :
Singibar, Gondebaut, Mérouée, et Thierri [23],
Là, sans Aétius, tous quatre auraient péri.
Les Romains firent seuls cette grande journée :
Unissez-les à vous par un digne hyménée.
Puisque déjà sans eux vous pouvez presque tout,
Il n'est rien dont par eux vous ne veniez à bout.
Quand de ces nouveaux Rois ils vous auront fait
                                                  [maître,
Vous verrez à loisir de qui vous voudrez l'être,
Et résoudrez vous seul avec tranquillité
Si vous leur souffrirez encor l'égalité.

VALAMIR

L'empire, je l'avoue, est encor quelque chose,
Mais nous ne sommes plus au temps de Théodose,
Et comme dans sa race il ne revit pas bien [24],
L'empire est quelque chose, et l'Empereur n'est rien,
Ses deux fils n'ont rempli les trônes des deux Romes
Que d'idoles pompeux, que d'ombres au lieu d'hom-
L'imbécile fierté de ces faux souverains, [mes,
Qui n'osait à son aide appeler des Romains,
Parmi des nations qu'ils traitaient de barbares
Empruntait pour régner des personnes plus rares,
Et d'un côté Gainas, de l'autre Stilicon [25],
A ces deux majestés ne laissant que le nom,
On voyait dominer d'une hauteur égale
Un Goth dans un Empire, et dans l'autre un Vandale.
Comme de tous côtés on s'en est indigné,
De tous côtés aussi pour eux on a régné.
Le second Théodose [26] avait pris leur modèle.
Sa sœur à cinquante ans le tenait en tutelle,
Et fut, tant qu'il régna, l'âme de ce grand corps,
Dont elle fait encor mouvoir tous les ressorts.
Pour Valentinian [27], tant qu'a vécu sa mère,
Il a semblé répondre à ce grand caractère :
Il a paru régner, mais on voit aujourd'hui

---

22. A rapprocher des propos d'Alidor (la Place royale).

23. Thierri : Théodoric mourut aux Champs catalauniques. Ces quatre noms sont ceux des alliés d'Aétius.
24. Allusion à Honorie (cf. note 6).
25. Gainas, général goth, vainqueur d'Arcadius, empereur romain. Le Vandale Stilicon avait été mis en scène par Thomas Corneille en 1660.
26. Théodose II, fils d'Arcadius, empereur d'Orient, mort en 450. Sa sœur Pulchérie sera l'héroïne de la pièce de Corneille jouée cinq ans plus tard.
27. C'est le frère d'Honorie. Empereur de 425 à 455, conseillé par sa mère Placidie, morte en 450. Tous ces exemples sont dans la Cour sainte du Père Caussin, qui encourage le rôle des femmes pieuses auprès des souverains. Valamir soutient ici le point de vue contraire.

Qu'il régnait par sa mère, ou sa mère pour lui,
Et depuis son trépas il a trop fait connaître
Que s'il est empereur, Aétius est maître,
15 Et c'en serait la sœur qu'il faudrait obtenir,
Si jamais aux Romains vous vouliez vous unir.
Au reste, un prince faible, envieux, mol, stupide,
Qu'un heureux succès enfle, un douteux intimide,
Qui pour unique emploi s'attache à son plaisir,
20 Et laisse le pouvoir à qui s'en peut saisir.
   Mais le grand Mérouée est un Roi magnanime,
Amoureux de la gloire, ardent après l'estime,
Qui ne permet aux siens d'emploi ni de pouvoir,
Qu'autant que par son ordre ils en doivent avoir.
25 Il sait vaincre et régner, et depuis sa victoire,
S'il a déjà soumis et la Seine et la Loire,   [tants,
Quand vous voudrez aux siens joindre vos combat-
La Garonne et l'Arar [28] ne tiendront pas longtemps.
Alors ces mêmes champs, témoins de notre honte,
30 En verront la vengeance et plus haute et plus prompte,
Et pour glorieux prix d'avoir su vous venger,
Vous aurez avec lui la Gaule à partager,
D'où vous ferez savoir à toute l'Italie
Qu'alors que la prudence à la valeur s'allie,
35 Il n'est rien à l'épreuve, et qu'il est temps qu'enfin
Et du Tibre et du Pô vous fassiez le destin.

                ARDARIC
Prenez-en donc le droit des mains d'une Princesse
Qui l'apporte pour dot à l'ardeur qui vous presse,
Et paraissez plutôt vous saisir de son bien,
40 Qu'usurper des États sur qui on vous doit rien.
Sa mère eut tant de part à la toute-puissance,
Qu'elle fit à l'Empire associer Constance [29],
Et si ce même Empire a quelque attrait pour vous,
La fille a même droit en faveur d'un époux.
45 Allez, la force en main, demander ce partage
Que d'un père mourant lui laissa le suffrage :
Sous ce prétexte heureux vous verrez des Romains
Se détacher de Rome, et vous tendre les mains.
Aétius n'est pas si maître qu'on veut croire,
50 Il a jusque chez lui des jaloux de sa gloire,
Et vous aurez pour vous tous ceux qui dans le cœur
Sont mécontents du Prince, ou las du gouverneur.
Le débris de l'Empire a de belles ruines :
S'il n'a plus de héros, il a des héroïnes.
55 Rome vous en offre une, et part à ce débris :
Pourriez-vous refuser votre main à ce prix ?
Ildione n'apporte ici que sa personne,
Sa dot ne peut s'étendre aux droits d'une couronne,
Ses Francs n'admettent point de femme à dominer,
60 Mais les droits d'Honorie ont de quoi tout donner.
Attachez-les, Seigneur, à vous, à votre race,
Du fameux Théodose assurez-vous la place,
Rome adore la sœur, le frère est sans pouvoir,
On hait Aétius : vous n'avez qu'à vouloir.

                ATTILA
Est-ce comme il me faut tirer d'inquiétude,

Que de plonger mon âme en plus d'incertitude,
Et pour vous prévaloir de mes perplexités,
Choisissez-vous exprès ces contrariétés ?
Plus j'entends raisonner, et moins on détermine,
Chacun dans sa pensée également s'obstine,   270
Et quand par vous je cherche à ne plus balancer,
Vous cherchez l'un et l'autre à mieux m'embarrasser !
Je ne demande point de si diverses routes :
Il me faut des clartés, et non de nouveaux doutes,
Et quand je vous confie un sort tel que le mien,   275
C'est m'offenser tous deux que ne résoudre rien.

                VALAMIR
Seigneur, chacun de nous vous parle comme il pense,
Chacun de ce grand choix vous fait voir l'importance :
Mais nous ne sommes point jaloux de nos avis.
Croyez-le, croyez-moi, nous en serons ravis;   280
Ils sont les purs effets d'une amitié fidèle,
De qui le zèle ardent...

                ATTILA
                       Unissez donc ce zèle,
Et ne me forcez point à voir dans vos débats
Plus que je ne veux voir, et... Je n'achève pas.
Dites-moi seulement ce qui vous intéresse   285
A protéger ici l'une et l'autre princesse.
Leurs frères vous ont-ils, à force de présents,
Chacun de son côté, rendus leurs partisans ?
Est-ce amitié pour l'une, est-ce haine pour l'autre,
Qui forme auprès de moi son avis et le vôtre ?   290
Par quel dessein de plaire ou de vous agrandir...
Mais derechef je veux ne rien approfondir,
Et croire qu'où je suis on n'a pas tant d'audace,
Vous, si vous vous aimez, faites-vous une grâce :
Accordez-vous ensemble, et ne contestez plus,   295
Ou de l'une des deux ménagez un refus,
Afin que nous puissions en cette conjoncture
A son aversion imputer la rupture.
Employez-y tous deux ce zèle et cette ardeur
Que vous dites avoir tous deux pour ma grandeur :   300
J'en croirai les efforts qu'on fera pour me plaire,
Et veux bien jusque-là suspendre ma colère.

Scène III : Ardaric, Valamir.

                ARDARIC
En serons-nous toujours les malheureux objets,
Et verrons-nous toujours qu'il nous traite en sujets ?

                VALAMIR
Fermons les yeux, Seigneur, sur de telles disgrâces, 305
Le ciel en doit un jour effacer jusqu'aux traces,
Mes devins me l'ont dit, et s'il en est besoin,
Je dirai que ce jour peut-être n'est pas loin :
Ils en ont, disent-ils, un assuré présage,
Je vous confierai plus : ils m'ont dit davantage,   310
Et qu'un Théodoric qui doit sortir de moi
Commandera dans Rome, et s'en fera le Roi [30],
Et c'est ce qui m'oblige à parler pour la France,

---

28. Nom ancien de la Saône. Ce nouvel éloge du monarque autoritaire rattache encore ici *Attila* à *Othon* et *Agésilas*.
29. Constance, général romain, épousa en 421 Placidie, mère de Valentinien, par ordre de l'empereur Honorius.

30. Ce Théodoric, neveu de Valamir, sera reconnu roi d'Italie en 493 par l'empereur Athanase.

A presser Attila d'en choisir l'alliance,
315 D'épouser Ildione, afin que par ce choix
Il laisse à mon hymen Honorie et ses droits.
     Ne vous opposez plus aux grandeurs d'Ildione,
Souffrez en ma faveur qu'elle monte à ce trône,
Et si jamais pour vous je puis en faire autant...

ARDARIC

320 Vous le pouvez, Seigneur, et dès ce même instant. [que.
Souffrez qu'à votre exemple en deux mots je m'expli-
Vous aimez, mais ce n'est qu'un amour politique,
Et puisque je vous dois confidence à mon tour,
J'ai pour l'autre princesse un véritable amour,
325 Et c'est ce qui m'oblige à parler pour l'Empire,
Afin qu'on m'abandonne un objet où j'aspire.
     Une étroite amitié l'un à l'autre nous joint,
Mais enfin nos désirs ne compatissent point.
Voyons qui se doit vaincre, et s'il faut que mon âme
330 A votre ambition immole cette flamme,
Ou s'il n'est point plus beau que votre ambition
Elle-même s'immole à cette passion.

VALAMIR

Ce serait pour mon cœur un cruel sacrifice.

ARDARIC

Et l'autre pour le mien serait un dur supplice.
335 Vous aime-t-on ?

VALAMIR

                    Du moins j'ai lieu de m'en flatter.
Et vous, Seigneur ?

ARDARIC

                    Du moins on me daigne écouter.

VALAMIR

Qu'un mutuel amour est un triste avantage,
Quand ce que nous aimons d'un autre est le partage !

ARDARIC

Cependant le tyran prendra pour attentat
340 Cet amour qui fait seul tant de raisons d'État.
Nous n'avons que trop vu jusqu'où va sa colère,
Qui n'a pas épargné le sang même d'un frère [31],
Et combien après lui de rois ses alliés
A son orgueil barbare il a sacrifiés.

VALAMIR

345 Les peuples qui suivaient ces illustres victimes
Suivent encor sous lui l'impunité des crimes,
Et ce ravage affreux qu'il permet aux soldats
Lui gagne tant de cœurs, lui donne tant de bras
Que nos propres sujets sortis de nos provinces
350 Sont en dépit de nous à lui qu'à leurs Princes.

ARDARIC

Il semble à ce discours déjà nous soupçonner,
Et ce sont des soupçons qu'il nous faut détourner.
A ce refus qu'il veut disposons ma Princesse.

VALAMIR

Pour y porter la mienne il faudra peu d'adresse.

ARDARIC

355 Si vous persuadez, quel malheur est le mien !

VALAMIR

Et si l'on vous en croit, puis-je espérer plus rien ?

31. Son frère Vleda, cité par Jornandès et Marcellin.

ARDARIC

Ah ! que ne pouvons-nous être heureux l'un et l'autre !

VALAMIR

Ah ! que n'est mon bonheur plus compatible au vôtre !

ARDARIC

Allons des deux côtés chacun faire un effort.

VALAMIR

Allons, et du succès laissons-en faire au sort.

ACTE SECOND

Scène I : Honorie, Flavie.

FLAVIE   [m'aime ;
Je ne m'en défends point : oui, Madame, Octar
Tout ce que je vous dis, je l'ai su de lui-même.
Ils sont Rois, mais c'est tout : ce titre sans pouvoir
N'a rien presque en tous deux de ce qu'il doit avoir,
Et le fier Attila chaque jour fait connaître
Que s'il n'est pas leur Roi, du moins il est leur maître,
Et qu'ils n'ont en sa cour le rang de ses amis
Qu'autant qu'à son orgueil ils s'y montrent soumis.
Tous deux ont grand mérite, et tous deux grand
                                   [courage,
Mais ils sont, à vrai dire, ici comme en otage,
Tandis que leurs soldats en des quartiers éloignés
Prennent l'ordre sous lui de gens qu'il a gagnés,
Et si de le servir leurs troupes n'étaient prêtes, [têtes,
Ces Rois, tout rois qu'ils sont, répondraient de leurs
     Son frère aîné Vléda, plus rempli d'équité,
Les traitait malgré lui d'entière égalité ;
Il n'a pu le souffrir, et sa jalouse envie,
Pour n'avoir pas d'égaux, s'est immolé sa vie.
Le sang qu'après avoir mis ce prince au tombeau,
On lui voit chaque jour distiller du cerveau,
Punit son parricide, et chaque jour vient faire
Un tribut étonnant à celui de ce frère.
Suivant même qu'il a plus ou moins de courroux,
Ce sang forme un supplice ou plus rude ou plus doux,
S'ouvre une plus féconde ou plus stérile veine,
Et chaque emportement porte avec lui sa peine.

HONORIE   [m'engager
Que me sert donc qu'on m'aime, et pourquoi
A souffrir un amour qui ne peut me venger ?
L'insolent Attila me donne une rivale,
Par ce choix qu'il balance il la fait mon égale,
Et quand pour l'en punir je crois prendre un grand Roi
Je ne prends qu'un grand nom qui ne peut rien pour
Juge que de chagrins au cœur d'une Princesse   [moi.
Qui hait également l'orgueil et la faiblesse,
Et de quel œil je puis regarder un amant
Qui n'aura que pitié de mon ressentiment,
Qui ne saura qu'aimer, et dont tout le service
Ne m'assure aucun bras à me faire justice.
     Jusqu'à Rome Attila m'envoie offrir sa foi,
Pour douter dans son camp entre Ildione et moi.
Hélas ! Flavie, hélas ! si ce doute m'offense,
Que doit faire une indigne et haute préférence,

Et n'est-ce pas alors le dernier des malheurs
Qu'un éclat impuissant d'inutiles douleurs ?
FLAVIE
405 Prévenez-le, Madame, et montrez à sa honte
Combien de tant d'orgueil vous faites peu de conte.
HONORIE
La bravade est aisée, un mot est bientôt dit :
Mais où fuir un tyran que la bravade aigrit ?
Retournerai-je à Rome, où j'ai laissé mon frère
410 Enflammé contre moi de haine et de colère,
Et qui, sans la terreur d'un nom si redouté,
Jamais n'eût mis de borne à ma captivité ?
Moi qui prétends pour dot la moitié de l'empire...
FLAVIE
Ce serait d'un malheur vous jeter dans un pire.
415 Ne vous emportez pas contre vous jusque-là,
Il est d'autres moyens de braver Attila,
Épousez Valamir.
HONORIE
Est-ce comme on le brave
Que d'épouser un Roi dont il fait son esclave ?
FLAVIE
Mais vous l'aimez.
HONORIE
Eh bien ! si j'aime Valamir,
420 Je ne veux point de Rois qu'on force d'obéir ;
Et si tu me dis vrai, quelque rang que je tienne,
Cet hymen pourrait être et sa perte et la mienne.
Mais je veux qu'Attila, pressé d'un autre amour,
Endure un tel insulte au milieu de sa cour.
425 Ildione par là me verrait à sa suite,
A de honteux respects je m'y verrais réduite,
Et le sang des Césars, qu'on adora toujours,
Ferait hommage au sang d'un roi de quatre jours !
Dis-le-moi toutefois : pencherait-il vers elle ?
430 Que t'en a dit Octar ?
FLAVIE
Qu'il la trouve assez belle,
Qu'il en parle avec joie, et fuit à lui parler.
HONORIE
Il me parle, et s'il faut ne rien dissimuler,
Ses discours me font voir du respect, de l'estime,
Et même quelque amour, sans que le nom s'exprime.
FLAVIE
435 C'est un peu plus qu'à l'autre.
HONORIE
Et peut-être bien moins.
FLAVIE
Quoi ? ce qu'à l'éviter il apporte de soins...
HONORIE
Peut-être il ne la fuit que de peur de se rendre,
Et s'il ne me fuit pas, il sait mieux s'en défendre.
Oui, sans doute, il la craint, et toute sa fierté
440 Ménage, pour choisir, un peu de liberté.
FLAVIE
Mais laquelle des deux voulez-vous qu'il choisisse ?
HONORIE
Mon âme des deux parts attend même supplice,
Ainsi que mon amour, ma gloire a ses appas :
Je meurs, s'il me choisit, ou ne me choisit pas

Et... Mais Valamir entre, et sa vue en mon âme   445
Fait trembler mon orgueil, enorgueillit ma flamme.
Flavie, il peut sur moi bien plus que je ne veux :
Pour peu que je l'écoute, il aura tous mes vœux.
Dis-lui... mais il vaut mieux faire effort sur moi-même.

Scène II : Valamir, Honorie, Flavie.

HONORIE   [m'aime,
Le savez-vous, Seigneur, comment je veux qu'on   450
Et puisque jusqu'à moi vous portez vos souhaits,
Avez-vous su connaître à quel prix je me mets ?
Je parle avec franchise, et ne veux point vous taire
Que vos soins me plairaient, s'il ne fallait que plaire.
Mais quand cent et cent fois ils seraient mieux reçus, 455
Il faut pour m'obtenir quelque chose de plus.
Attila m'est promis, j'en ai sa foi pour gage,
La princesse des Francs prétend même avantage,
Et bien que sur le choix il semble hésiter,
Étant ce que je suis j'aurais tort d'en douter.   460
Mais qui promet à deux outrage l'une et l'autre.
J'ai du cœur, on m'offense, examinez le vôtre.
Pourrez-vous m'en venger, pourrez-vous l'en punir ?
VALAMIR
N'est-ce que par le sang qu'on peut vous obtenir,
Et faut-il que ma flamme à ce grand cœur réponde   465
Par un assassinat du plus grand Roi du monde,
D'un Roi que vous avez souhaité pour époux ?
Ne saurait-on sans crime être digne de vous ?
HONORIE
Non, je ne vous dis pas qu'aux dépens de sa tête
Vous vous fassiez aimer, et payiez ma conquête.   470
De l'aimable façon qu'il vous traite aujourd'hui
Il a trop mérité ces tendresses pour lui.
D'ailleurs, s'il faut qu'on l'aime, il est bon qu'on le [craigne,
Mais c'est cet Attila qu'il faut que je dédaigne.
Pourrez-vous hautement me tirer de ses mains,   475
Et braver avec moi le plus fier des humains ?
VALAMIR
Il n'en est pas besoin, Madame : il vous respecte,
Et bien que sa fierté vous puisse être suspecte,
A vos moindres froideurs, à vos moindres dégoûts,
Je sais que ses respects me donneraient à vous.   480
HONORIE
Que j'estime assez peu le sang de Théodose
Pour souffrir qu'en moi-même un tyran en dispose,
Qu'une main qu'il me doit me choisisse un mari,
Et me présente un Roi comme son favori !   [croire
Pour peu que m'aimiez, Seigneur, vous devez   485
Que rien ne m'est sensible à l'égal de ma gloire.
Régnez comme Attila, je vous préfère à lui,
Mais point d'époux qui n'ose en dédaigner l'appui,
Point d'époux qui m'abaisse au rang de ses sujettes.
Enfin, je veux un Roi : regardez si vous l'êtes,   490
Et quoi que sur mon cœur vous ayez d'ascendant,
Sachez qu'il n'aimera qu'un Prince indépendant.
Voyez à quoi, Seigneur, on connaît les monarques :
Ne m'offrez plus de vœux qui n'en portent les marques,
Et soyez satisfait qu'on vous daigne assurer   495
Qu'à tous les rois ce cœur voudrait vous préférer.

Scène III : Valamir, Flavie.

VALAMIR

Quelle hauteur, Flavie, et que faut-il qu'espère
Un Roi dont tous les vœux...

FLAVIE

Seigneur, laissez-la faire :
L'amour sera le maître, et la même hauteur
500 Qui vous dispute ici l'empire de son cœur,
Vous donne en même temps le secours de la haine
Pour triompher bientôt de la fierté romaine.
L'orgueil qui vous dédaigne en dépit de ses feux
Fait haïr Attila de se promettre à deux.
505 Non que cette fierté n'en soit assez jalouse
Pour ne pouvoir souffrir qu'Ildione l'épouse,
A son frère, à ses Francs faites-la renvoyer,
Vous verrez tout ce cœur soudain se déployer,
Suivre ce qui lui plaît, braver ce qui l'irrite,
510 Et livrer hautement la victoire au mérite.
Ne vous rebutez point d'un peu d'emportement,
Quelquefois malgré nous il vient un bon moment,
L'amour fait des heureux lorsque moins on y pense,
Et je vous dis rien sans beaucoup d'apparence.
515 Ardaric vous apporte un entretien plus doux.
Adieu : comme le cœur, le temps sera pour vous.

Scène IV : Ardaric, Valamir.

ARDARIC

Qu'avez-vous obtenu, Seigneur, de la Princesse ?

VALAMIR

Beaucoup et rien : j'ai vu pour moi quelque tendresse,
Mais elle sait d'ailleurs si bien ce qu'elle vaut
520 Que si celle des Francs a le cœur aussi haut,
Si c'est à même prix, Seigneur, qu'elle se donne,
Vous lui pourriez longtemps offrir votre couronne.
Mon rival est haï, je n'en saurais douter,
Tout le cœur est à moi, j'ai lieu de m'en vanter;
525 Au reste des mortels je sais qu'on me préfère,
Et ne sais toutefois ce qu'il faut que j'espère.
Voyez votre Ildione, et puissiez-vous, Seigneur,
Y trouver plus de jour à lire dans son cœur,
Une âme plus tournée à remplir votre attente,
530 Un esprit plus facile! Octar sort de sa tente.
Adieu.

Scène V : Ardaric, Octar.

ARDARIC

Pourrai-je voir la Princesse à mon tour ?

OCTAR

Non, à moins qu'il vous plaise attendre son retour,
Mais, à ce que ses gens, Seigneur, m'ont fait entendre,
Vous n'avez en ce lieu qu'un moment à l'attendre.

ARDARIC

535 Dites-moi cependant : vous fûtes prisonnier
Du roi des Francs, son frère, en ce combat dernier?

OCTAR

Le désordre, Seigneur, des Champs catalauniques

Me donna peu de part aux disgrâces publiques.
Si j'y fus prisonnier de ce Roi généreux,
Il me fit dans sa cour un sort assez heureux. 540
Ma prison y fut libre, et j'y trouvai sans cesse
Une bonté si rare au cœur de la Princesse,
Que de retour ici je pense lui devoir
Les plus sacrés respects qu'un sujet puisse avoir.

ARDARIC

Qu'un monarque est heureux lorsque le ciel lui donne 545
La main d'une si belle et si rare personne!

OCTAR

Vous savez toutefois qu'Attila ne l'est pas,
Et combien son trop d'heur lui cause d'embarras.

ARDARIC

Ah! puisqu'il a des yeux, sans doute il la préfère,
Mais vous vous louez fort aussi du Roi son frère. 550
Ne me déguisez rien : a-t-il des qualités
A se faire admirer ainsi de tous côtés?
Est-ce une vérité que ce que j'entends dire,
Ou si c'est sans raison que l'univers l'admire?

OCTAR

Je ne sais pas, Seigneur, ce qu'on vous en a dit, 555
Mais si pour l'admirer ce que j'ai vu suffit,
Je l'ai vu dans la paix, je l'ai vu dans la guerre,
Porter partout un front de maître de la terre.
J'ai vu plus d'une fois de fières nations
Désarmer son courroux par leurs soumissions. 560
J'ai vu tous les plaisirs de son âme héroïque
N'avoir rien que d'auguste et que de magnifique;
Et ses illustres soins ouvrir à ses sujets
L'école de la guerre au milieu de la paix.
Par ces délassements sa noble inquiétude 565
De ses justes desseins faisait l'heureux prélude,
Et si j'ose le dire, il doit nous être doux
Que ce héros les tourne ailleurs que contre nous.
Je l'ai vu, tout couvert de poudre et de fumée,
Donner le grand exemple à toute son armée, 570
Semer par ses périls l'effroi de toutes parts,
Bouleverser les murs d'un seul de ses regards,
Et sur l'orgueil brisé des plus superbes têtes
De sa course rapide entasser des conquêtes.
Ne me commandez point de peindre un si grand Roi, 575
Ce que j'en ai vu passe un homme tel que moi,
Mais je ne puis, Seigneur, m'empêcher de vous dire
Combien son jeune Prince est digne qu'on l'admire.
Il montre un cœur si haut sous un front délicat
Que dans son premier lustre il est déjà soldat[32] : 580
Le corps attend les ans, mais l'âme est toute prête.
D'un gros de cavaliers il se met à la tête,
Et l'épée à la main, anime l'escadron
Qu'enorgueillit l'honneur de marcher sous son nom.
Tout ce qu'a d'éclatant la majesté du père, 585
Tout ce qu'ont de charmant les grâces de la mère,
Tout brille sur ce front, dont l'aimable fierté
Porte empreints et ce charme et cette majesté.
L'amour et le respect qu'un si jeune mérite...
Mais la Princesse vient, Seigneur, et je vous quitte. 590

32. Après Louis XIV, Corneille loue le dauphin qui a
six ans. Palissot est le premier à en avoir fait la remarque.

Scène VI : *Ardaric, Ildione.*

ILDIONE

On vous a consulté, Seigneur; m'apprendrez-vous
Comment votre Attila dispose enfin de nous?

ARDARIC

Comment disposez-vous vous-même de mon âme?
Attila va choisir, il faut parler, Madame :
595 Si son choix est pour vous, que ferez-vous pour moi?

ILDIONE

Tout ce que peut un cœur qu'engage ailleurs ma foi.
C'est devers vous qu'il penche, et si je ne vous aime,
Je vous plaindrai du moins à l'égal de moi-même :
J'aurai mêmes ennuis, j'aurai mêmes douleurs;
600 Mais je n'oublierai point que je me dois ailleurs.

ARDARIC

Cette foi que peut-être on est près de vous rendre,
Si vous aviez du cœur, vous sauriez la reprendre.

ILDIONE

J'en ai, s'il faut me vaincre, autant qu'on peut avoir,
Et n'en aurai jamais pour vaincre mon devoir.

605 ARDARIC

Mais qui s'engage à deux dégage l'une et l'autre.

ILDIONE

Ce serait ma pensée aussi bien que la vôtre;
Et si je n'étais pas, Seigneur, ce que je suis,
J'en prendrais quelque droit de finir mes ennuis,
Mais l'esclavage fier d'une haute naissance,
610 Où toute autre peut tout, me tient dans l'impuissance
Et victime d'État, je dois sans reculer
Attendre aveuglément qu'on me daigne immoler.

ARDARIC

Attendre qu'Attila, l'objet de votre haine,
Daigne vous immoler à la fierté romaine?

615 ILDIONE

Qu'un pareil sacrifice aurait pour moi d'appas
Et que je souffrirai s'il ne s'y résout pas!

ARDARIC

Qu'il serait glorieux de le faire vous-même,
D'en épargner la honte à votre diadème!
J'entends celui des Francs, qu'au lieu de maintenir...

620 ILDIONE

C'est à mon frère alors de venger et punir,
Mais ce n'est point à moi de rompre une alliance
Dont il vient d'attacher vos Huns avec sa France,
Et me faire par là du gage de la paix
Le flambeau d'une guerre à ne finir jamais.
625 Il faut qu'Attila parle, et puisse être Honorie
La plus considérée, ou moi la moins chérie!
Puisse-t-il se résoudre à me manquer de foi!
C'est tout ce que je puis et pour vous et pour moi.
S'il vous faut des souhaits, je n'en suis point avare,
630 S'il vous faut des regrets, tout mon cœur s'y prépare,
Et veut bien...

ARDARIC

Que feront d'inutiles souhaits
Que laisser à tous deux d'inutiles regrets?
Pouvez-vous espérer qu'Attila vous dédaigne?

ILDIONE

Rome est encor puissante, il se peut qu'il la craigne.

ARDARIC

A moins que pour appui Rome n'ait vos froideurs, 635
Vos yeux l'emporteront sur toutes ses grandeurs :
Je le sens en moi-même, et ne vois point d'empire
Qu'en mon cœur d'un regard ils ne puissent détruire.
Armez-les de rigueurs, Madame, et par pitié
D'un charme si funeste ôtez-leur la moitié : 640
C'en sera trop encore, et pour peu qu'ils éclatent,
Il n'est aucun espoir dont mes désirs se flattent.
Faites donc davantage : allez jusqu'au refus,
Ou croyez qu'Ardaric déjà n'espère plus,
Qu'il ne vit déjà plus, et que votre hyménée 645
A déjà par vos mains tranché sa destinée.

ILDIONE

Ai-je si peu de part en de tels déplaisirs,
Que pour m'y voir en prendre il faille vos soupirs?
Me voulez-vous forcer à la honte des larmes?

ARDARIC

Si contre tant de maux vous m'enviez leurs charmes, 650
Faites quelque autre grâce à mes sens alarmés,
Madame, et pour le moins dites que vous m'aimez.

ILDIONE

Ne vouloir pas m'en croire à moins d'un mot si rude [33],
C'est pour une belle âme un peu d'ingratitude.
De quelques traits pour vous que mon cœur soit frappé, 655
Ce grand mot jusqu'ici ne m'est point échappé.
Mais haïr un rival, endurer d'être aimée,
Comme vous de ce choix avoir l'âme alarmée,
A votre espoir flottant donner tous mes souhaits,
A votre espoir déçu donner tous mes regrets, 660
N'est-ce point dire trop ce qui sied mal à dire?

ARDARIC

Mais vous épouserez Attila.

ILDIONE

                      J'en soupire,
Et mon cœur...

ARDARIC

                Que fait-il, ce cœur, que m'abuser,
Si, même en n'osant rien, il craint de trop oser?
Non, si vous en aviez, vous sauriez la reprendre, 665
Cette foi que peut-être on est prêt de vous rendre.
Je ne m'en dédis point, et ma juste douleur
Ne peut vous dire assez que vous manquez de cœur.

ILDIONE

Il faut donc qu'avec vous tout à fait je m'explique.
Écoutez, et surtout, Seigneur, plus de réplique. 670
Je vous aime : Ce mot me coûte à prononcer,
Mais puisqu'il vous plaît tant, je veux bien m'y forcer.
Permettez toutefois que je vous die encore
Que si votre Attila de ce grand choix m'honore,
Je recevrai sa main d'un œil aussi content 675
Que si je me donnais ce que mon cœur prétend :
Non que de son amour je ne prenne un tel gage
Pour le dernier supplice et le dernier outrage,
Et que le dur effort d'un si cruel moment
Ne redouble ma haine et mon ressentiment, 680
Mais enfin mon devoir veut une déférence

33. Corneille, malgré les attaques de Molière dans *les Précieuses ridicules* (1659), continue à parler le langage des ruelles (cf. vers 889).

Où même il ne soupçonne aucune répugnance.
    Je l'épouserai donc, et réserve pour moi
La gloire de répondre à ce que je me doi.
685 J'ai ma part, comme une autre, à la haine publique
Qu'aime à semer partout son orgueil tyrannique,
Et le hais d'autant plus que son ambition
A voulu s'asservir toute ma nation,
Qu'en dépit des traités et de tout leur mystère
690 Un tyran qui déjà s'est immolé son frère,
Si jamais sa fureur ne redoutait plus rien,
Aurait peut-être peine à faire grâce au mien.
Si donc ce triste choix m'arrache à ce que j'aime,
S'il me livre à l'horreur qu'il me fait de lui-même,
695 S'il m'attache à la main qui veut tout saccager,
Voyez que d'intérêts, que de maux à venger!
Mon amour, et ma haine, et la cause commune
Crieront à la vengeance, en voudront trois pour une,
Et comme j'aurai lors sa vie entre mes mains,
700 Il a lieu de me craindre autant que je vous plains.
Assez d'autres tyrans ont péri par leurs femmes :
Cette gloire aisément touche les grandes âmes,
Et de ce même coup qui brisera mes fers,
Il est beau que ma main venge tout l'univers.
705   Voilà quelle je suis, voilà ce que je pense,
Voilà ce que l'amour prépare à qui l'offense.
Vous, faites-moi justice, et songez mieux, Seigneur
S'il faut me dire encor que je manque de cœur.
        Elle s'en va.
                    ARDARIC
Vous préserve le ciel de l'épreuve cruelle
710 Où veut un cœur si grand mettre une âme si belle!
Et puisse Attila prendre un esprit assez doux
Pour vouloir qu'on vous doive autant à lui qu'à vous!

ACTE TROISIÈME

Scène I : Attila, Octar.

                    ATTILA
Octar, as-tu pris soin de redoubler ma garde?
                    OCTAR
Oui, Seigneur, et déjà chacun s'entre-regarde,
715 S'entre-demande à quoi ces ordres que j'ai mis...
                    ATTILA
Quand on a deux rivaux, manque-t-on d'ennemis?
                    OCTAR
Mais, Seigneur, jusqu'ici vous en doutez encore.
                    ATTILA
Et pour bien éclaircir ce qu'en effet j'ignore,
Je me mets à couvert de ce que de plus noir
720 Inspire à leurs pareils l'amour au désespoir,
Et ne laissant pour arme à leur douleur pressante
Qu'une haine sans force, une rage impuissante,
Je m'assure un triomphe en ce glorieux jour
Sur leurs ressentiments, comme sur leur amour.
725 Qu'en disent nos deux Rois?
                    OCTAR
                        Leurs âmes, alarmées
De voir par ce renfort leurs tentes enfermées,

Affectent de montrer une tranquillité...
                    ATTILA
De leur tente à la mienne ils ont la liberté.
                    OCTAR   [Princesses,
Oui, mais seuls, et sans suite, et quant aux deux   73
Que de leurs actions on laisse encor maîtresses,
On ne permet d'entrer chez elles qu'à leurs gens,
Et j'en bannis par là ces rois et leurs agents.
N'en ayez plus, Seigneur, aucune inquiétude :
Je les fais observer avec exactitude,
Et de quelque côté qu'elles tournent leurs pas,   73
J'ai des yeux tous placés qui ne les manquent pas :
On vous rendra bon compte et des deux Rois et
                    ATTILA   [d'elles.
Il suffit sur ce point : apprends d'autres nouvelles.
Ce grand chef des Romains, l'illustre Aétius,
Le seul que je craignais, Octar, il ne vit plus.   74
                    OCTAR
Qui vous en a défait?
                    ATTILA
                Valentinian même [34].
Craignant qu'il n'usurpât jusqu'à son diadème,
Et pressé des soupçons où j'ai su l'engager,
Lui-même, à ses yeux même, il l'a fait égorger.
Rome perd en lui seul plus de quatre batailles,   74
Je me vois l'accès libre au pied de ses murailles,
Et si j'y fais paraître Honorie et ses droits,
Contre un tel empereur j'aurai toutes les voix,
Tant l'effroi de mon nom, et la haine publique
Qu'attire sur sa tête une mort si tragique,   75
Sauront faire aisément, sans en venir aux mains,
De l'époux d'une sœur un maître des Romains.
                    OCTAR
Ainsi donc votre choix tombe sur Honorie?
                    ATTILA
J'y fais ce que je puis, et ma gloire m'en prie,
Mais d'ailleurs Ildione a pour moi tant d'attraits   75
Que mon cœur étonné flotte plus que jamais.
Je sens combattre encor dans ce cœur qui soupire
Les droits de la beauté contre ceux de l'Empire.
L'effort de ma raison qui soutient mon orgueil
Ne peut non plus que lui soutenir un coup d'œil,   76
Et quand de tout moi-même il m'a rendu le maître,
Pour me rendre à mes fers elle n'a qu'à paraître.
    O beauté, qui te fais adorer en tous lieux,
Cruel poison de l'âme, et doux charme des yeux,
Que devient, quand tu veux, l'autorité suprême,   76
Si tu prends malgré moi l'empire de moi-même,
Et si cette fierté qui fait partout la loi
Ne peut me garantir de la prendre de toi?
Va la trouver pour moi, cette beauté charmante,
Du plus utile choix donne-lui l'épouvante,   77
Pour l'obliger à fuir, peins-lui bien tout l'affront
Que va mon hyménée imprimer sur son front.
Ose plus : fais-lui peur d'une prison sévère
Qui me réponde ici du courroux de son frère,
Et retiens tous ceux que l'espoir de sa foi   77
Pourrait en un moment soulever contre moi.

---

34. Ce meurtre eut lieu en fait un an après la mort d'Attila.

Mais quelle âme en effet n'en serait pas séduite ?
Je vois trop de périls, Octar, en cette fuite :
Ses yeux, mes souverains, à qui tout est soumis,
'80 Me sauraient d'un coup d'œil faire trop d'ennemis.
Pour en sauver mon cœur, prends une autre manière.
Fais-m'en haïr, peins-moi d'une humeur noire et fière,
Dis-lui que j'aime ailleurs, et fais-lui prévenir
La gloire qu'Honorie est prête d'obtenir
85 Fais qu'elle me dédaigne, et me préfère un autre
Qui n'ait pour tout pouvoir qu'un faible emprunt du [nôtre :
Ardaric, Valamir, ne m'importe des deux.
Mais voir en d'autres bras l'objet de tous mes vœux,
Vouloir qu'à mes yeux même un autre le possède !
90 Ah ! le mal est encor plus doux que le remède.
Dis-lui, fais-lui savoir...

OCTAR
    Quoi, Seigneur ?

ATTILA
                    Je ne sai :
Tout ce que j'imagine est d'un fâcheux essai.

OCTAR
A quand remettez-vous, après tout, d'en résoudre ?

ATTILA
Octar, je l'aperçois. Quel nouveau coup de foudre !
5 O raison confondue, orgueil presque étouffé,
Avant ce coup fatal que n'as-tu triomphé !

Scène II : Attila, Ildione, Octar.

ATTILA
Venir jusqu'en ma tente enlever mes hommages,
Madame, c'est trop loin pousser vos avantages :
Ne vous suffit-il point que le cœur soit à vous ?

ILDIONE
) C'est de quoi faire naître un espoir assez doux.
Ce n'est pas toutefois, Seigneur, ce qui m'amène :
Ce sont des nouveautés dont j'ai lieu d'être en peine.
Votre garde est doublée, et par un ordre exprès
Je vois ici deux Rois observés de fort près.

ATTILA
Prenez-vous intérêt ou pour l'un ou pour l'autre ?

ILDIONE
Mon intérêt, Seigneur, c'est d'avoir part au vôtre :
J'ai droit en vos périls de m'en mettre en souci,
Et de plus, je me trompe ou l'on m'observe aussi.
Vous serais-je suspecte ? Et de quoi ?

ATTILA
                    D'être aimée.
Madame, vos attraits, dont j'ai l'âme charmée,
Si j'en crois l'apparence, ont blessé plus d'un Roi ;
D'autres ont un cœur tendre et des yeux comme moi,
Et pour vous et pour moi j'en préviens l'insolence,
Qui pourrait sur vous-même user de violence.

ILDIONE
Il en est des moyens plus doux et plus aisés,
Si je vous charme autant que vous m'en accusez.

ATTILA
Ah ! vous me charmez trop, moi de qui l'âme altière
Cherche à voir sous mes pas trembler la terre entière,
Moi qui veux pouvoir tout, sitôt que je vous voi,

Malgré tout cet orgueil, je ne puis rien sur moi.   820
Je veux, je tâche en vain d'éviter par la fuite
Ce charme dominant qui marche à votre suite :
Mes plus heureux succès ne font qu'enfoncer mieux
L'inévitable trait dont me percent vos yeux.
Un regard imprévu leur fait une victoire,   825
Leur moindre souvenir l'emporte sur ma gloire,
Il s'empare et du cœur et des soins les plus doux,
Et j'oublie Attila dès que je pense à vous.
Que pourrai-je, Madame, après que l'hyménée
Aura mis sous vos lois toute ma destinée ?   830
Quand je voudrai punir, vous saurez pardonner,
Vous refuserez grâce où j'en voudrai donner,
Vous enverrez la paix où je voudrai la guerre,
Vous saurez par mes mains conduire le tonnerre,
Et tout mon amour tremble à s'accorder un bien   835
Qui me met en état de ne pouvoir plus rien.
    Attentez un peu moins sur ce pouvoir suprême,
Madame, et pour un jour cessez d'être vous-même,
Cessez d'être adorable, et laissez-moi choisir
Un objet qui m'en laisse aisément ressaisir.   840
Défendez à vos yeux cet éclat invincible
Avec qui ma fierté devient incompatible,
Prêtez-moi des refus, prêtez-moi des mépris,
Et rendez-moi vous-même à moi-même à ce prix.

ILDIONE
Je croyais qu'on me dût préférer Honorie   845
Avec moins de douceurs et de galanterie
Et je n'attendais pas une civilité
Qui malgré cette honte enflât ma vanité.   [frivoles,
Ses honneurs près des miens ne sont qu'honneurs
Ils n'ont que des effets, j'ai les belles paroles,   850
Et si de son côté vous tournez tous vos soins, [moins.
C'est qu'elle a moins d'attraits, et se fait craindre
L'aurait-on jamais cru, qu'un Attila pût craindre,
Qu'un si léger éclat eût de quoi l'y contraindre,
Et que de ce grand nom qui remplit tout d'effroi   855
Il n'osât hasarder tout l'orgueil contre moi ?
Avant qu'il porte ailleurs ces timides hommages
Que jusqu'ici j'enlève avec tant d'avantages,
Apprenez-moi, Seigneur, pour suivre vos desseins,
Comme il faut dédaigner le plus grand des humains ; 860
Dites-moi quels mépris peuvent le satisfaire.
Ah ! si je lui déplais à force de lui plaire,
Si de son trop d'amour sa haine est tout le fruit,
Alors qu'on la mérite, où se voit-on réduit ?
    Allez, Seigneur, allez où tant d'orgueil aspire. 865
Honorie a pour dot la moitié de l'empire,
D'un mérite penchant c'est un ferme soutien,
Et cet heureux éclat efface tout le mien :
Je n'ai que ma personne.

ATTILA
                    Et c'est plus que l'Empire,
Plus qu'un droit souverain sur tout ce qui respire. 870
Tout ce qu'a cet Empire ou de grand ou de doux,
Je veux mettre ma gloire à le tenir de vous.
Faites-moi l'accepter, et pour reconnaissance
Quels climats voulez-vous sous votre obéissance ?
Si la Gaule vous plaît, vous la partagerez :   875
J'en offre la conquête à vos yeux adorés,

Et mon amour...
ILDIONE

        A quoi que cet amour s'apprête,
La main du conquérant vaut mieux que sa conquête.
ATTILA

Quoi ! vous pourriez m'aimer, Madame, à votre tour ?
880 Qui sème tant d'horreurs fait naître peu d'amour.
Qu'aimeriez-vous en moi ? Je suis cruel, barbare,
Je n'ai que ma fierté, que ma fureur de rare.
On me craint, on me hait, on me nomme en tout lieu
La terreur des mortels et le fléau de Dieu.
885 Aux refus que je veux c'est là trop de matière,
Et si ce n'est assez d'y joindre la prière,
Si rien ne vous résout à dédaigner ma foi,
Appréhendez pour vous comme je fais pour moi.
Si vos tyrans d'appas retiennent ma franchise,
890 Je puis l'être comme eux de qui me tyrannise.
Souvenez-vous enfin que je suis Attila,
Et que c'est dire tout que d'aller jusque-là.
ILDIONE

Il faut donc me résoudre ? Eh bien ! j'ose... De grâce,
Dispensez-moi du reste, il y faut trop d'audace.
895 Je tremble comme un autre à l'aspect d'Attila,
Et ne me puis, Seigneur, oublier jusque-là.
J'obéis : ce mot seul dit tout ce qu'il souhaite,
Si c'est m'expliquer mal, qu'il en soit l'interprète.
J'ai tous les sentiments qu'il lui plaît m'ordonner,
900 J'accepte cette dot qu'il vient de me donner,
Je partage déjà la Gaule avec mon frère,
Et veux tout ce qu'il faut pour ne vous plus déplaire [35].
Mais ne puis-je savoir, pour ne manquer à rien,
A qui vous me donnez, quand j'obéis si bien ?
ATTILA

905 Je n'ose le résoudre, et de nouveau je tremble,
Sitôt que je conçois tant de chagrins ensemble.
C'est trop que de vous perdre et vous donner ailleurs,
Madame, laissez-moi séparer mes douleurs,
Souffrez qu'un déplaisir me prépare pour l'autre,
910 Après mon hyménée on aura soin du vôtre.
Ce grand effort déjà n'est que trop rigoureux,
Sans y joindre celui de faire un autre heureux.   [dre.
Souvent un peu de temps fait plus qu'on n'ose atten-
ILDIONE

J'oserai plus que vous, Seigneur, et sans en prendre,
915 Et puisque de son bien chacun peut ordonner,
Votre cœur est à moi, j'oserai le donner,
Mais je ne le mettrai qu'en la main qu'il souhaite.
Vous, traitez-moi, de grâce, ainsi que je vous traite,
Et quand ce coup pour vous sera moins rigoureux,
920 Avant que me donner consultez-en mes vœux.
ATTILA

Vous aimeriez quelqu'un !
ILDIONE

        Jusqu'à votre hymenée

35. C'est encore la situation de Mandane et d'Aglatide
devant Agésilas. Ce sera celle de Monime devant Mithridate :
Seigneur, vous pouvez tout : ceux par qui je respire
Vous ont cédé sur moi leur souverain empire ;
Et, quand vous userez de ce droit tout-puissant,
Je ne vous répondrai qu'en vous obéissant. (Vers 546-550).

Mon cœur est au monarque à qui l'on m'a donnée,
Mais quand par ce grand choix j'en perdrai tout espoir,
J'ai des yeux qui verront ce qu'il me faudra voir.

Scène III : Attila, Honorie, Ildione, Octar.

HONORIE

Ce grand choix est donc fait, Seigneur, et pour le faire
Vous avez à tel point redouté ma colère
Que vous n'avez pas cru vous en pouvoir sauver
Sans doubler votre garde, et me faire observer ?
Je ne me jugeais pas en ces lieux tant à craindre,
Et d'un tel attentat j'aurais tort de me plaindre,
Quand je vois que la peur de mes ressentiments
En commence déjà les justes châtiments.
ILDIONE   [âme :

Que ces ordres nouveaux ne troublent point votre
C'était moi qu'on craignait, et non pas vous, Madame,
Et ce glorieux choix qui vous met en courroux
Ne tombe pas sur moi, Madame, c'est sur vous.
Il est vrai que sans moi vous n'y pouviez prétendre :
Son cœur, tant qu'il m'eût plu, s'en aurait su défendre,
Il était tout à moi. Ne vous alarmez pas
D'apprendre qu'il était au peu que j'ai d'appas.
Je vous en fais un don : recevez-le pour gage
Ou de mes amitiés ou d'un parfait hommage,
Et forte désormais de vos droits et des miens,
Donnez à ce grand cœur de plus dignes liens.
HONORIE

C'est donc de votre main qu'il passe dans la mienne,
Madame, et c'est de vous qu'il faut que je le tienne ?
ILDIONE

Si vous ne le voulez aujourd'hui de ma main,
Craignez qu'il soit trop tard de le vouloir demain.
Elle l'aimera mieux sans doute de la vôtre,
Seigneur, ou vous ferez ce présent à quelque autre.
Pour lui porter ce cœur que je vous avais pris,
Vous m'avez commandé des refus, des mépris :
Souffrez que des mépris le respect me dispense,
Et voyez pour le reste entière obéissance.
Je vous rends à vous-même, et ne puis rien de plus,
Et c'est à vous de faire accepter mes refus.

Scène IV : Attila, Honorie, Octar.

HONORIE

Accepter ses refus, moi, Seigneur ?
ATTILA

                Vous, Madame.
Peut-il être honteux de devenir ma femme ?
Et quand on vous assure un si glorieux nom,
Peut-il vous importer qui vous en fait le don,
Peut-il vous importer par quelle voie arrive
La gloire dont pour vous Ildione se prive ?
Que ce soit son refus, ou que ce soit mon choix,
En marcherez-vous moins sur la tête des Rois ?   [cesses.
   Mes deux traités de paix m'ont donné deux Prin-
Dont l'une aura ma main, si l'autre eut mes tendresses.
L'une aura ma grandeur, comme l'autre eut mes vœux :
C'est ainsi qu'Attila se partage à vous deux.

N'en murmurez, Madame, ici non plus que l'autre,
970 Sa part le satisfait, recevez mieux la vôtre,
J'en étais idolâtre, et veux vous épouser.
La raison? c'est ainsi qu'il me plaît d'en user.

HONORIE

Et ce n'est pas ainsi qu'il me plaît qu'on en use :
Je cesse d'estimer ce qu'une autre refuse,
975 Et bien que vos traités vous engagent ma foi,
Le rebut d'Ildione est indigne de moi.
Oui, bien que l'univers ou vous serve ou vous craigne,
Je n'ai que des mépris pour ce qu'elle dédaigne.
Quel honneur est celui d'être votre moitié,
980 Qu'elle cède par grâce, et m'offre par pitié?
Je sais ce que le ciel m'a faite au-dessus d'elle,
Et suis plus glorieuse encor qu'elle n'est belle.

ATTILA

J'adore cet orgueil, il est égal au mien,
Madame, et nos fiertés se ressemblent si bien,
985 Que si la ressemblance est par où l'on s'entr'aime,
J'ai lieu de vous aimer comme une autre moi-même.

HONORIE

Ah! si non plus que vous je n'ai point le cœur bas,
Nos fiertés pour cela ne se ressemblent pas.
La mienne est de Princesse, et la vôtre est d'esclave :
990 Je brave les mépris, vous aimez qu'on vous brave,
Votre orgueil a son faible, et le mien toujours fort
Ne peut souffrir d'amour dans ce peu de rapport.
S'il vient de ressemblance, et que d'illustres flammes
Ne puissent que par elle unir les grandes âmes,
995 D'où naîtrait cet amour, quand je vois en tous lieux
De plus dignes fiertés qui me ressemblent mieux?

ATTILA

Vous en voyez ici, Madame, et je m'abuse,
Ou quelque autre m'en vole un cœur qu'on me refuse,
Et cette noble ardeur de me désobéir
1000 En garde la conquête à l'heureux Valamir.

HONORIE

Ce n'est qu'à moi, Seigneur, que j'en dois rendre conte.
Quand je voudrai l'aimer, je le pourrai sans honte :
Il est Roi comme vous.

ATTILA

En effet il est Roi,
J'en demeure d'accord, mais non pas comme moi.
1005 Même splendeur de sang, même titre nous pare,
Mais de quelques degrés le pouvoir nous sépare,
Et du trône où le ciel a voulu m'affermir,
C'est tomber d'assez haut que jusqu'à Valamir.
Chez ses propres sujets ce titre qu'il étale
1010 Ne fait d'entre eux et moi que remplir l'intervalle.
Il reçoit sous ce titre et leur porte mes lois,
Et s'il est Roi des Goths, je suis celui des Rois.

HONORIE

Et j'ai de quoi le mettre au-dessus de ta tête,
Sitôt que de ma main j'aurai fait sa conquête.
Tu n'as pour tout pouvoir que des droits usurpés
Sur des peuples surpris et des Princes trompés,
Tu n'as d'autorité que ce qu'en font les crimes,
Mais il n'aura de moi que des droits légitimes,
Et fût-il sous ta rage à tes pieds abattu,
Il est plus grand que toi, s'il a plus de vertu.

ATTILA

Sa vertu ni vos droits ne sont pas de grands charmes,
A moins que pour appui je leur prête mes armes.
Ils ont besoin de moi, s'ils veulent aller loin,
Mais pour être Empereur je n'en ai plus besoin.
Aétius est mort, l'Empire n'a plus d'homme, 1025
Et je puis trop sans vous me faire place à Rome.

HONORIE

Aétius est mort! Je n'ai plus de tyran,
Je reverrai mon frère en Valentinian,
Et mille vrais héros qu'opprimait ce faux maître
Pour me faire justice à l'envi vont paraître. 1030
Ils défendront l'Empire, et soutiendront mes droits
En faveur des vertus dont j'aurai fait le choix.
Les grands cœurs n'osent rien sous d'aussi grands
                                    [ministres,
Leur plus haute valeur n'a d'effets que sinistres, 1035
Qui s'estiment perdus s'ils ne les perdent tous,
Mais après leur trépas tous ces grands cœurs revivent,
Et pour ne plus souffrir des fers qui les captivent,
Chacun reprend sa place et remplit son devoir.
La mort d'Aétius te le fera trop voir. 1040
Si pour leur maître en toi je leur mène un barbare,
Tu verras quel accueil leur vertu te prépare,
Mais si d'un Valamir j'honore un si haut rang,
Aucun pour me servir n'épargnera son sang.

ATTILA

Vous me faites pitié de si mal vous connaître, 1045
Que d'avoir tant d'amour, et le faire paraître.
Il est honteux, Madame, à des Rois tels que nous,
Quand ils en sont blessés, d'en laisser voir les coups.
Il a droit de régner sur les âmes communes,
Non sur celles qui font et défont les fortunes, 1050
Et si de tout le cœur on ne peut l'arracher,
Il faut s'en rendre maître, ou du moins le cacher.
Je ne vous blâme point d'avoir eu mes faiblesses,
Mais faites même effort sur ces lâches tendresses,
Et comme je vous tiens seule digne de moi, 1055
Tenez-moi seul aussi digne de votre foi.
Vous aimez Valamir, et j'adore Ildione :
Je me garde pour vous, gardez-vous pour mon trône,
Prenez ainsi que moi des sentiments plus hauts,
Et suivez mes vertus ainsi que mes défauts. 1060

HONORIE

Parle de tes fureurs et de leur noir ouvrage,
Il s'y mêle peut-être une ombre de courage,
Mais bien loin qu'avec gloire on te puisse imiter,
La vertu des tyrans est même à détester.
Irai-je à ton exemple assassiner mon frère, 1065
Sur tous mes alliés répandre ma colère,
Me baigner dans leur sang, et d'un orgueil jaloux?...

ATTILA

Si nous nous emportons, j'irai plus loin que vous,
Madame.

HONORIE

Les grands cœurs parlent avec franchise.

ATTILA

Quand je m'en souviendrai, n'en soyez pas surprise, 1070
Et si je vous épouse avec ce souvenir,

Vous voyez le passé, jugez de l'avenir.
Je vous laisse y penser. Adieu, Madame.
          HONORIE
                              Ah! traître!
          ATTILA
Je suis encore amant, demain je serai maître.
1075 Ramenez la Princesse, Octar.
          HONORIE
                    Quoi?
          ATTILA
                              C'est assez,
Vous me direz tantôt tout ce que vous pensez,
Mais pensez-y deux fois avant que me le dire :
Songez que c'est de moi que vous tiendrez l'empire,
Que vos droits sans ma main ne sont que droits en l'air.
          HONORIE
1080 Ciel!
          ATTILA
Allez, et du moins apprenez à parler.
          HONORIE
Apprends, apprends toi-même à changer de langage,
Lorsque au sang des Césars ta parole t'engage.
          ATTILA
Nous en pourrons changer avant la fin du jour.
          HONORIE
Fais ce que tu voudras, tyran, j'aurai mon tour.

ACTE QUATRIÈME

Scène I : Honorie, Octar, Flavie.

          HONORIE
1085 Allez, servez-moi bien. Si vous aimez Flavie,
Elle sera le prix de m'avoir bien servie :
J'en donne ma parole, et sa main est à vous,
Dès que vous m'obtiendrez Valamir pour époux.
          OCTAR
Je voudrais le pouvoir : j'assurerais, Madame,
1090 Sous votre Valamir mes jours avec ma flamme,
Bien qu'Attila me traite assez confidemment,
Ils dépendent sous lui d'un malheureux moment.
Il ne faut qu'un soupçon, un dégoût, un caprice,
Pour en faire à sa haine un soudain sacrifice.
1095 Ce n'est pas un esprit que je porte où je veux :
Faire un peu plus de pente au penchant de ses vœux,
L'attacher un peu plus au parti qu'ils choisissent,
Ce n'est rien qu'avec moi deux mille autres ne puissent,
Mais proposer de front, ou vouloir doucement
1100 Contre ce qu'il résout tourner son sentiment,
Combattre sa pensée en faveur de la vôtre,
C'est ce que nous n'osons, ni moi ni pas un autre,
Et si je hasardais ce contre-temps fatal,
Je me perdrais, Madame, et vous servirais mal.
          HONORIE
1105 Mais qui l'attache à moi, quand pour l'autre il soupire?
          OCTAR
La mort d'Aétius et vos droits sur l'Empire.
Il croit s'en voir par là les chemins aplanis,
Et tous autres souhaits de son cœur sont bannis.

Il aime à conquérir, mais il hait les batailles,
Il veut que son nom seul renverse les murailles,
Et plus grand politique encor que grand guerrier,
Il tient que les combats sentent l'aventurier.
Il veut que de ses gens le déluge effroyable
Atterre impunément les peuples qu'il accable,
Et prodigue de sang, il épargne celui
Que tant de combattants exposeraient pour lui [36].
Ainsi n'espérez pas que jamais il relâche,
Que jamais il renonce à ce choix qui vous fâche.
Si pourtant je vois jour à plus que je n'attends,
Madame, assurez-vous que je prendrai mon temps.

Scène II : Honorie, Flavie.

          FLAVIE
Ne vous êtes-vous point un peu trop déclarée,
Madame, et le chagrin de vous voir préférée
Étouffe-t-il la peur que marquaient vos discours
De rendre hommage au sang d'un Roi de quatre jours?
          HONORIE
Je te l'avais bien dit, que mon âme incertaine
De tous les deux côtés attendait même gêne,
Flavie, et de deux maux qu'on craint également
Celui qui nous arrive est toujours le plus grand.
Celui que nous sentons devient le plus sensible,
D'un choix si glorieux la honte est trop visible,
Ildione a su l'art de m'en faire un malheur,
La gloire en est pour elle, et pour moi la douleur.
Elle garde pour soi tout l'effet du mérite,
Et me livre avec joie aux ennuis qu'elle évite.
Vois avec quel insulte et de quelle hauteur
Son refus en mes mains rejette un si grand cœur,
Cependant que ravie elle assure à son âme
La douceur d'être toute à l'objet de sa flamme,
Car je ne doute point qu'elle n'ait de l'amour :
Ardaric qui s'attache à la voir chaque jour,
Les respects qu'il lui rend, et les soins qu'il se donne...
          FLAVIE
J'ose vous dire plus, Attila l'en soupçonne :
Il est fier et colère, et s'il sait une fois
Qu'Ildione en secret l'honore de son choix,
Qu'Ardaric ait sur elle osé jeter la vue,
Et briguer cette foi qu'à lui seul il croit due,
Je crains qu'un tel espoir, au lieu de s'affermir...
          HONORIE
Que n'ai-je donc mieux tu que j'aimais Valamir!
Mais quand on est bravée et qu'on perd ce qu'on aime,
Flavie, est-on si tôt maîtresse de soi-même?
D'Attila, s'il se peut, tournons l'emportement
Ou contre ma rivale, ou contre son amant,
Accablons leur amour sous ce que j'appréhende,
Promettons à ce prix la main qu'on nous demande,
Et faisons que l'ardeur de recevoir ma foi
L'empêche d'être ici plus heureuse que moi.
Renversons leur triomphe. Étrange frénésie!
Sans aimer Ardaric, j'en conçois jalousie!

---

36. Portrait tiré de son modèle Jornandès (cf. *Au lecteur*, début).

Mais je me venge, et suis, en ce juste projet,
160 Jalouse du bonheur, et non pas de l'objet.

FLAVIE

Attila vient, Madame.

HONORIE

Eh bien! faisons connaître
Que le sang des Césars ne souffre point de maître,
Et peut bien refuser de pleine autorité
Ce qu'une autre refuse avec témérité.

Scène III : Attila, Honorie, Flavie.

ATTILA

165 Tout s'apprête, Madame, et ce grand hyménée
Peut dans une heure ou deux terminer la journée,
Mais sans vous y contraindre, et je ne viens que voir
Si vous avez mieux vu quel est votre devoir.

HONORIE

Mon devoir est, Seigneur, de soutenir ma gloire,
170 Sur qui va s'imprimer une tache trop noire,
Si votre illustre amour pour son premier effet
Ne venge hautement l'outrage qu'on lui fait.
Puis-je voir sans rougir qu'à la belle Ildione
Vous demandiez congé de m'offrir votre trône,
175 Que...?

ATTILA

Toujours Ildione, et jamais Attila!

HONORIE

Si vous me préférez, Seigneur, punissez-la,
Prenez mes intérêts, et pressez votre flamme
De remettre en honneur le nom de votre femme.
Ildione le traite avec trop de mépris,
180 Souffrez-en de pareils, ou rendez-lui son prix.
A quel droit voulez-vous qu'un tel manque d'estime,
S'il est gloire pour elle, en moi devienne un crime,
Qu'après que nos refus ont tous deux éclaté,
Le mien soit punissable où le sien est flatté,
185 Qu'elle brave à vos yeux ce qu'il faut que je craigne,
Et qu'elle me condamne à ce qu'elle dédaigne?

ATTILA

Pour vous justifier mes ordres et mes vœux,
Je croyais qu'il suffit d'un simple : « Je le veux »;
Mais voyez, puisqu'il faut mettre tout en balance,
190 D'Ildione et de vous qui m'oblige ou m'offense.
Quand son refus me sert, le vôtre me trahit,
Il veut me commander, quand le sien m'obéit :
L'un est plein de respect, l'autre est gonflé d'audace,
Le vôtre me fait honte, et le sien me fait grâce.
195 Faut-il après cela qu'aux dépens de son sang
Je mérite l'honneur de vous mettre en mon rang?

HONORIE

Ne peut-on se venger à moins qu'on assassine?
Je ne veux point sa mort, ni même sa ruine :
Il est des châtiments plus justes et plus doux,
200 Qui l'empêcheraient mieux de triompher de nous.
Je dis de nous, Seigneur, car l'offense est commune,
Et ce que vous m'offrez des deux n'en ferait qu'une.
Ildione, pour prix de son manque de foi,
Dispose arrogamment et de vous et de moi!
205 Pour prix de la hauteur dont elle m'a bravée,

A son heureux amant sa main est réservée,
Avec qui, satisfaite, elle goûte l'appas
De m'ôter ce que j'aime, et me mettre en vos bras!

ATTILA

Quel est-il cet amant?

HONORIE

Ignorez-vous encore
Qu'elle adore Ardaric, et qu'Ardaric l'adore?   1210

ATTILA

Qu'on m'amène Ardaric! Mais de qui savez-vous...

HONORIE

C'est une vision de mes soupçons jaloux,
J'en suis mal éclaircie, et votre orgueil l'avoue,
Et quand elle me brave, et quand elle vous joue.
Même, s'il faut vous croire, on ne vous sert pas mal   1215
Alors qu'on vous dédaigne en faveur d'un rival.

ATTILA

D'Ardaric et de moi telle est la différence,
Qu'elle en punit assez la folle préférence.

HONORIE

Quoi? s'il peut moins que vous, ne lui volez-vous pas
Ce pouvoir usurpé sur ses propres soldats?   1220
Un véritable Roi qu'opprime un sort contraire,
Tout opprimé qu'il est, garde son caractère.
Ce nom lui reste entier sous les plus dures lois,
Il est dans les fers même égal aux plus grands rois,
Et la main d'Ardaric suffit à ma rivale   1225
Pour lui donner plein droit de me traiter d'égale.
Si vous voulez punir l'affront qu'elle nous fait,
Réduisez-la, Seigneur, à l'hymen d'un sujet.
Ne cherchez point pour elle une plus dure peine
Que de voir une femme être sa souveraine,   1230
Et je pourrai moi-même alors vous demander
Le droit de m'en servir et de lui commander.

ATTILA

Madame, je saurai lui trouver un supplice.
Agréez cependant pour vous même justice,
Et s'il faut un sujet à qui dédaigne un Roi,   1235
Choisissez dans une heure, ou d'Octar, ou de moi.

HONORIE

D'Octar, ou...

ATTILA

Les grands cœurs parlent avec franchise,
C'est une vérité que vous m'avez apprise :
Songez donc sans murmure à cette illustre choix,
Et remerciez-moi de suivre ainsi vos lois.   1240

HONORIE

Me proposer Octar!

ATTILA

Qu'y trouvez-vous à dire?
Serait-il à vos yeux indigne de l'empire?
S'il est né sans couronne et n'eut jamais d'État,
On monte à ce grand trône encor d'un lieu plus bas.
On a vu des Césars, et même des plus braves,   1245
Qui sortaient d'artisans, de bandoliers [37], d'esclaves :
Le temps et leurs vertus les ont rendus fameux,
Et notre cher Octar a des vertus comme eux.

37. Espagnol bandolero : voleur de grand chemin.

HONORIE

Va, ne me tourne point Octar en ridicule :
1250 Ma gloire pourrait bien l'accepter sans scrupule,
Tyran, et tu devrais du moins te souvenir
Que s'il n'en est pas digne, il peut le devenir.
Au défaut d'un beau sang, il est de grands services,
Il est des vœux soumis, il est des sacrifices,
1255 Il est de glorieux et surprenants effets,
Des vertus de héros, et même des forfaits.
L'exemple y peut beaucoup : instruit par tes maximes,
Il s'est fait de ton ordre une habitude aux crimes,
Comme ta créature, il doit te ressembler.
1260 Quand je l'enhardirai, commence de trembler :
Ta vie est en mes mains, dès qu'il voudra me plaire.
Et rien n'est sûr pour toi, si je veux qu'il espère.
Ton rival entre, adieu : délibère avec lui
Si ce cher Octar m'aime, ou sera ton appui.

Scène IV : Attila, Ardaric.

ATTILA

1265 Seigneur, sur ce grand choix je cesse d'être en peine :
J'épouse dès ce soir la princesse romaine,
Et n'ai plus qu'à prévoir à qui plus sûrement
Je puis confier l'autre et son ressentiment.
Le roi des Bourguignons, par ambassade expresse,
1270 Pour Sigismond[38], son fils, voulait cette Princesse;
Mais nos ambassadeurs furent mieux écoutés.
Pourrait-il nous donner toutes nos sûretés ?

ARDARIC

Son État sert de borne à ceux de Mérouée :
La partie entre eux deux serait bientôt nouée,
1275 Et vous verriez armer d'une pareille ardeur
Un mari pour sa femme, un frère pour sa sœur,
L'union en serait trop facile et trop grande.

ATTILA

Celui des Visigoths faisait même demande.
Comme de Mérouée il est plus écarté,
1280 Leur union aurait moins de facilité :
Le Bourguignon d'ailleurs sépare leurs provinces,
Et servirait pour nous de barre à ces deux Princes.

ARDARIC

Oui, mais bientôt lui-même entre eux deux écrasé
Leur ferait à se joindre un chemin trop aisé,
1285 Et ces deux Rois, par là maîtres de la contrée,
D'autant plus fortement en défendraient l'entrée
Qu'ils auraient plus à perdre, et qu'un juste courroux
N'aurait plus tant de chefs à liguer contre vous.
La princesse Ildione est orgueilleuse et belle :
1290 Il lui faut un mari qui réponde mieux d'elle,
Dont tous les intérêts aux vôtres soient soumis,
Et ne le pas choisir parmi vos ennemis.
D'une fière beauté la haine opiniâtre
Donne à ce qu'elle hait jusqu'au bout à combattre,
1295 Et pour peu que la veuille écouter un époux...

ATTILA

Il lui faut donc, Seigneur, ou Valamir, ou vous.
La pourriez-vous aimer ? Parlez sans flatterie.

38. Jornandès, chap. 58.

J'apprends que Valamir est aimé d'Honorie,
Il peut de mon hymen conserver quelque ennui,
Et je m'assurerais sur vous plus que sur lui.   13

ARDARIC

C'est m'honorer, Seigneur, de trop de confiance.

ATTILA

Parlez donc, pourriez-vous goûter cette alliance ?

ARDARIC

Vous savez que vous plaire est mon plus cher souci.

ATTILA

Qu'on cherche la Princesse, et qu'on l'amène ici :
Je veux que de ma main vous receviez la sienne.   1
Mais dites-moi, de grâce, attendant qu'elle vienne,
Par où me voulez-vous assurer votre foi,
Et que seriez-vous prêt d'entreprendre pour moi ?
Car enfin elle est belle, elle peut tout séduire,
Et vous forcer vous-même à me vouloir détruire.   1

ARDARIC

Faut-il vous immoler l'orgueil de Torismond[39],
Faut-il teindre l'Arar du sang de Sigismond,
Faut-il mettre à vos pieds et l'un et l'autre trône ?

ATTILA

Ne dissimulez point, vous aimez Ildione,
Et proposez bien moins ces glorieux travaux   1
Contre mes ennemis que contre vos rivaux.
Ce prompt emportement et ces subites haines
Sont d'un amour jaloux les preuves trop certaines :
Les soins de cet amour font ceux de ma grandeur,
Et si vous n'aimiez pas, vous auriez moins d'ardeur.
Voyez comme un rival est soudain haïssable,
Comme vers notre amour ce nom le rend coupable,
Comme sa perte est juste encor qu'il n'ose rien;
Et sans aller si loin, délivrez-moi du mien.
Différez à punir une offense incertaine,   1
Et servez ma colère avant que votre haine.
Serait-il sûr pour moi d'exposer ma bonté
A tous les attentats d'un amant supplanté ?
Vous-même pourriez-vous épouser une femme,
Et laisser à ses yeux le maître de son âme ?   1

ARDARIC

S'il était trop à craindre, il faudrait l'en bannir.

ATTILA

Quand il est trop à craindre, il faut le prévenir.
C'est un Roi dont les gens, mêlés parmi les nôtres,
Feraient accompagner son exil de trop d'autres,
Qu'on verrait s'opposer aux soins que nous prendrons, 1
Et de nos ennemis grossir les escadrons.

ARDARIC

Est-ce un crime pour lui qu'une douce espérance
Que vous pourriez ailleurs porter la préférence ?

ATTILA

Oui, pour lui, pour vous-même, et pour tout autre Roi,
C'en est un que prétendre en même lieu que moi.   1
S'emparer d'un esprit dont la foi m'est promise,
C'est surprendre une place entre mes mains remise,
Et vous ne seriez pas moins coupable que lui,

39. Fils de Théodoric, qui combattit près de lui aux Champs
catalauniques. La pièce du Tasse (1587) l'avait rendu célèbre
non pour des raisons politiques, mais comme un nouvel
Œdipe. L'Arar : la Saône.

Si je ne vous voyais d'un autre œil aujourd'hui.
5 A des crimes pareils j'ai dû même justice,
Et ne choisis pour vous qu'un amoureux supplice.
Pour un si cher objet que je mets en vos bras,
Est-ce un prix excessif qu'un si juste trépas ?

ARDARIC

Mais c'est déshonorer, Seigneur, votre hyménée
0 Que vouloir d'un tel sang en marquer la journée.

ATTILA

Est-il plus grand honneur que de voir en mon choix
Qui je veux à ma flamme immoler de deux Rois,
Et que du sacrifice où s'expiera leur crime,
L'un d'eux soit le ministre, et l'autre la victime ?
5 Si vous n'osez par là satisfaire vos feux,
Craignez que Valamir ne soit moins scrupuleux,
Qu'il ne s'impute pas à tant de barbarie
D'accepter à ce prix son illustre Honorie,
Et n'ait aucune horreur de ses vœux les plus doux,
0 Si leur entier succès ne lui coûte que vous,
Car je puis épouser encor votre Princesse,
Et détourner vers lui l'effort de ma tendresse.

Scène V : Attila, Ardaric, Ildione.

ATTILA, *à Ildione.*

Vos refus obligeants ont daigné m'ordonner
De consulter vos vœux avant que vous donner,
5 Je m'en fais une loi. Dites-moi donc, Madame,
Votre cœur d'Ardaric agréerait-il la flamme ?

ILDIONE

C'est à moi d'obéir, si vous le souhaitez,
Mais, Seigneur...

ATTILA

　　　Il y fait quelques difficultés,
Mais je sais que sur lui vous êtes absolue.
0 Achevez d'y porter son âme irrésolue,
Afin que dans une heure, au milieu de ma cour,
Votre hymen et le mien couronnent ce grand jour.

Scène VI : Ardaric, Ildione.

ILDIONE

D'où viennent ces soupirs, d'où naît cette tristesse ?
Est-ce que la surprise étonne l'allégresse,
Qu'elle en suspend l'effet pour le mieux signaler,
Et qu'aux yeux du tyran il faut dissimuler ?
Il est parti, Seigneur ; souffrez que votre joie,
Souffrez que son excès tout entier se déploie,
Qu'il fasse voir aux miens celui de votre amour.

ARDARIC

Vous allez soupirer, Madame, à votre tour,
A moins que votre cœur malgré vous se prépare
A n'avoir rien d'humain non plus que ce barbare.
Il me choisit pour vous : c'est un honneur bien grand,
Mais qui doit faire horreur par le prix qu'il le vend.
A recevoir ma main pourrez-vous être prête,
S'il faut qu'à Valamir il en coûte la tête ?

ILDIONE

Quoi Seigneur !

ARDARIC

Attendez à vous en étonner
Que vous sachiez la main qui doit l'assassiner.
C'est à cet attentat la mienne qu'il destine,
Madame.

ILDIONE

　　　C'est par vous, Seigneur, qu'il l'assassine !　1390

ARDARIC

Il me fait son bourreau pour perdre un autre Roi
A qui fait sa fureur la même offre qu'à moi.
Aux dépens de sa tête il veut qu'on vous obtienne,
On lui donne Honorie aux dépens de la mienne :
Sa cruelle faveur m'en a laissé le choix.　　　1395

ILDIONE

Quel crime voit sa rage à punir en deux Rois ?

ARDARIC

Le crime de tous deux, c'est d'aimer deux Princesses,
C'est d'avoir mieux que lui mérité leurs tendresses.
De vos bontés pour nous il nous fait un malheur,
Et d'un sujet de joie un excès de douleur.　　　1400

ILDIONE

Est-il orgueil plus lâche, ou lâcheté plus noire ?
Il veut que ce qui vous coûte ou la vie ou la gloire,
Et serve de prétexte au choix infortuné
D'assassiner vous-même ou d'être assassiné !
Il vous offre ma main comme un bonheur insigne,　1405
Mais à condition de vous en rendre indigne,
Et si vous refusez par là de m'acquérir,
Vous ne sauriez vous-même éviter de périr !

ARDARIC

Il est beau de périr pour éviter un crime :
Quand on meurt pour sa gloire, on revit dans l'estime　1410
Et triompher ainsi du plus rigoureux sort,
C'est s'immortaliser par une illustre mort.

ILDIONE

Cette immortalité qui triomphe en idée
Veut être, pour charmer, de plus loin regardée,
Et quand à notre amour ce triomphe est fatal,　　1415
La gloire qui le suit nous en console mal.

ARDARIC

Vous vengerez ma mort, et mon âme ravie...

ILDIONE

Ah ! venger une mort n'est pas rendre une vie :
Le tyran immolé me laisse mes malheurs.
Et son sang répandu ne tarit pas mes pleurs.　　1420

ARDARIC

Pour sauver une vie, après tout périssable,
En rendrai-je le reste infâme et détestable ?
Et ne vaut-il pas mieux assouvir sa fureur
Et mériter vos pleurs, que de vous faire horreur ?

ILDIONE

Vous m'en feriez sans doute, après cette infamie,　1425
Assez pour vous traiter en mortelle ennemie,
Mais souvent la fortune a d'heureux changements
Qui président sans nous aux grands événements.
Le ciel n'est pas toujours aux méchants si propice :
Après tant d'indulgence, il a de la justice.　　　1430
Parlez à Valamir, et voyez avec lui
S'il n'est aucun remède à ce mortel ennui.

ARDARIC

Madame...

ILDIONE

Allez, Seigneur : nos maux et le temps pressent,
Et les mêmes périls tous deux vous intéressent.

ARDARIC

1435 J'y vais, mais en l'état qu'est son sort et le mien,
Nous nous plaindrons ensemble et ne résoudrons rien.

Scène VII : Ildione.

Trêve, mes tristes yeux, trêve aujourd'hui de larmes !
Armez contre un tyran vos plus dangereux charmes :
Voyez si de nouveau vous le pourrez dompter,
1440 Et renverser sur lui ce qu'il ose attenter.
Reprenez en son cœur votre place usurpée,
Ramenez à l'autel ma victime échappée,
Rappelez ce courroux que son choix incertain
En faveur de ma flamme allumait dans mon sein.
1445 Que tout semble facile en cette incertitude,
Mais qu'à l'exécuter tout est pénible et rude,
Et qu'aisément le sexe oppose à sa fierté
Sa douceur naturelle et sa timidité !
Quoi ne donner ma foi que pour être perfide,
1450 N'accepter un époux que pour un parricide !
Ciel, qui me vois frémir à ce nom seul d'époux,
Ou rends-moi plus barbare, ou mon tyran plus doux !

ACTE CINQUIÈME

Scène I : Ardaric, Valamir.
Ils n'ont d'épée l'un ni l'autre.

ARDARIC

Seigneur, vos destins seuls ont causé notre perte :
Par eux à tous nos maux la porte s'est ouverte,
1455 Et l'infidèle appas de leur prédiction
A jeté trop d'amorce à notre ambition.
C'est de là qu'est venu cet amour politique
Que prend pour attentat un orgueil tyrannique.
Sans le flatteur espoir d'un avenir si doux,
1460 Honorie aurait eu moins de charmes pour vous.
C'est par là que vos yeux la trouvent adorable,
Et que vous faites naître un amour véritable,
Qui l'attachant à vous excite des fureurs
Que vous voyez passer aux dernières horreurs.
1465 A moins que je vous perde, il faut que je périsse,
On vous fait même grâce, ou pareille injustice :
Ainsi vos seuls devins nous forcent de périr,
Et ce sont tous les droits qu'ils vous font acquérir.

VALAMIR

Je viens de les quitter, et loin de s'en dédire,
1470 Ils assurent ma race encor du même empire.
Ils savent qu'Attila s'aigrit au dernier point,
Et ses emportements ne les émeuvent point.
Quelque loi qu'il nous fasse, ils sont inébranlables,
Le ciel en a donné des arrêts immuables,
1475 Rien n'en rompra l'effet, et Rome aura pour Roi
Ce grand Théodoric qui doit sortir de moi.

ARDARIC

Ils veulent donc, Seigneur, qu'aux dépens de ma tête
Vos mains à ce héros préparent sa conquête ?

VALAMIR

Seigneur, c'est m'offenser encor plus qu'Attila.

ARDARIC

Par où lui pouvez-vous échapper que par là,   1480
Pouvez-vous que par là posséder Honorie,
Et d'où naîtra ce fils, si vous perdez la vie ?

VALAMIR

Je me vois comme vous aux portes du trépas,
Mais j'espère, après tout, ce que je n'entends pas.

Scène II : Ardaric, Valamir, Honorie.

HONORIE

Savez-vous d'Attila jusqu'où va la furie,   1485
Princes, et quelle en est l'affreuse barbarie ?
Cette offre qu'il vous fait d'en rendre l'un heureux
N'est qu'un piège qu'il tend pour vous perdre tous
[deux,
Il veut, sous cet espoir, qu'il donne à l'un et l'autre,
Votre sang ou le sien de la main, ou le sien de la vôtre. 1490
Mais qui le servirait serait bientôt livré
Aux troupes de celui qu'il aurait massacré,
Et par le désaveu de cette obéissance
Ce tigre assouvirait sa rage et leur vengeance.
Octar aime Flavie, et l'en vient d'avertir.   1495

VALAMIR

Euric [40], son lieutenant, ne fait que de sortir :
Le tyran soupçonneux, qui craint ce qu'il mérite,
A pour nous désarmer choisi ce satellite,
Et comme avec justice il nous croit irrités,
Pour nous parler encore il prend ses sûretés.   1500
Pour peu qu'il eût tardé, nous allions dans sa tente
Surprendre et prévenir sa plus barbare attente,
Tandis qu'il nous laissait encor la liberté
D'y porter l'un et l'autre une épée au côté.
Il promet à tous deux de nous la faire rendre,   1505
Dès qu'il saura de nous ce qu'il en doit attendre,
Quel est notre dessein, ou pour en mieux parler,
Dès que nous résoudrons de nous entr'immoler.
Cependant il réduit à l'entière impuissance
Ce noble désespoir qui punit par avance,   1510
Et qui se faisant droit avant que de mourir,
Croit se perdre ainsi, c'est un peu moins périr,
Car nous aurions péri par les mains de sa garde :
Mais la mort est plus belle alors qu'on la hasarde.

HONORIE

Il vient, Seigneur.

Scène III : Attila, Valamir, Ardaric,
Honorie, Octar.

ATTILA

Eh bien ! mes illustres amis,
Contre mes grands rivaux quel espoir m'est permis ?
Pas un n'a-t-il pour soi la digne complaisance

---

40. Euric, dans Jornandès, est en réalité frère de Théodoric.

D'acquérir sa Princesse, en perdant qui m'offense ?
Quoi ? l'amour, l'amitié, tout va d'un froid égal !
520 Pas un ne m'aime assez pour haïr mon rival,
Pas un de son objet n'a l'âme assez ravie
Pour vouloir être heureux aux dépens d'une vie !
Quels amis, quels amants, et quelle dureté !
Daignez, daignez du moins la mettre en sûreté :
525 Si ces deux intérêts n'ont rien qui la fléchisse,
Que l'horreur de mourir, à leur défaut, agisse,
Et si vous n'écoutez l'amitié ni l'amour,
Faites un noble effort pour conserver le jour.

VALAMIR
A l'inhumanité joindre la raillerie,
30 C'est à son dernier point porter la barbarie.
Après l'assassinat d'un frère et de six rois,
Notre tour est venu de subir mêmes lois,
Et nous méritons bien les plus cruels supplices
De nous être exposés aux mêmes sacrifices,
35 D'en avoir pu souffrir chaque jour de nouveaux.
Punissez, vengez-vous, mais cherchez des bourreaux,
Et si vous êtes Roi, songez que nous le sommes.

ATTILA
Vous ? devant Attila vous n'êtes que deux hommes,
Et dès qu'il m'aura plu d'abattre votre orgueil,
40 Vos têtes pour tomber n'attendront qu'un coup d'œil.
Je fais grâce à tous deux de n'en demander qu'une :
Faites-en décider l'épée et la fortune,
Et qui succombera du moins tiendra de moi
L'honneur de ne périr que par la main d'un Roi.
45 Nobles gladiateurs, dont ma colère apprête
Le spectacle pompeux à cette grande fête,
Montrez, montrez un cœur enfin digne du rang.

ARDARIC
Votre main est plus faite à verser de tel sang,
C'est lui faire un affront que d'emprunter les nôtres.

ATTILA
0 Pour me faire justice il s'en trouvera d'autres,
Mais si vous renoncez aux objets de vos vœux,
Le refus d'une tête en pourra coûter deux.
Je révoque ma grâce, et veux bien que vos crimes
De deux Rois mes rivaux me fassent deux victimes,
5 Et ces rares objets si peu dignes de moi
Seront le digne prix de cet illustre emploi.
    A Ardaric.
De celui de vos feux je ferai la conquête
De quiconque à mes pieds abattra votre tête.
    A Honorie.
Et comme vous paierez celle de Valamir,
0 Nous aurons à ce prix des bourreaux à choisir,
Et pour nouveau supplice à de si belles flammes,
Ce choix ne tombera que sur les plus infâmes.

HONORIE
Tu pourrais être lâche et cruel jusque-là !

ATTILA
Encor plus, s'il le faut, mais toujours Attila,
Toujours l'heureux objet de la haine publique,
Fidèle au grand dépôt du pouvoir tyrannique,
Toujours...

HONORIE
Achève, et dis que tu veux en tout lieu

Être l'effroi du monde, et le fléau de Dieu.
Étale insolemment l'épouvantable image
De ces fleuves de sang où se baignait ta rage,   1570
Fais voir...

ATTILA
Que vous perdez de mots injurieux
A me faire un reproche et doux et glorieux !
  Ce Dieu dont vous parlez, de temps en temps sévère,
Ne s'arme pas toujours de toute sa colère,
Mais quand à sa fureur il livre l'univers,   1575
Elle a pour chaque temps des déluges divers.
Jadis, de toutes parts faisant regorger l'onde,
Sous un déluge d'eaux il abîma le monde,
Sa main tient en réserve un déluge de feux
Pour le dernier moment de nos derniers neveux,   1580
Et mon bras, dont il fait aujourd'hui son tonnerre,
D'un déluge de sang couvre pour lui la terre.

HONORIE
Lorsque par les tyrans il punit les mortels,
Il réserve sa foudre à ces grands criminels,
Qu'il donne pour supplice à toute la nature,   1585
Jusqu'à ce que leur rage ait comblé la mesure.
Peut-être qu'il prépare en ce même moment
A de si noirs forfaits l'éclat du châtiment.
Qu'alors que ta fureur à nous perdre s'apprête,
Il tient le bras levé pour te briser la tête,   1590
Et veut qu'un grand exemple oblige de trembler
Quiconque désormais t'osera ressembler.

ATTILA
Eh bien ! en attendant ce changement sinistre,
J'oserai jusqu'au bout lui servir de ministre,
Et faire exécuter toutes ses volontés   1595
Sur vous et sur des Rois contre moi révoltés.
Par des crimes nouveaux je punirai les vôtres,
Et mon tour à périr ne viendra qu'après d'autres.

HONORIE
Ton sang, qui chaque jour, à longs flots distillés,
S'échappe vers ton frère et six rois immolés,   1600
Te dirait-il trop bas que leurs ombres t'appellent ?
Faut-il que ces avis par moi se renouvellent ?
Vois, vois couler ce sang qui te vient avertir,
Tyran, que pour les joindre, il faut bientôt partir.

ATTILA
Ce n'est rien, et pour moi s'il n'est point d'autre fou-   1605
J'aurai pour ce départ du temps à m'y résoudre. [dre,
D'autres vous enverraient leur frayer le chemin,
Mais j'en laisserai faire à votre grand destin,
Et trouverai pour vous quelques autres vengeances,
Quand l'humeur me prendra de punir tant d'offenses. 1610

Scène IV : Attila, Valamir, Ardaric,
Honorie, Ildione, Octar.

ATTILA, *à Ildione.*
Où venez-vous, Madame, et qui vous enhardit
A vouloir voir ma mort qu'ici l'on me prédit ?
Venez-vous de deux Rois soutenir la querelle,
Vous révolter comme eux, me foudroyer comme elle,
Ou mendier l'appui de mon juste courroux   1615
Contre votre Ardaric qui ne veut plus de vous ?

ILDIONE

Il n'en mériterait ni l'amour ni l'estime,
S'il osait espérer m'acquérir par un crime.
D'un si juste refus j'ai de quoi me louer,
1620 Et ne viens pas ici pour l'en désavouer.
Non, Seigneur : c'est du mien que j'y viens me dédire,
Rendre à mes yeux sur vous leur souverain empire,
Rattacher, réunir votre vouloir au mien,
Et reprendre un pouvoir dont vous n'usez pas bien.
1625 Seigneur, est-ce là donc cette reconnaissance
Si hautement promise à mon obéissance ?
J'ai quitté tous les miens dans l'espoir d'être à vous,
Par votre ordre mon cœur quitte un espoir si doux,
Je me réduis au choix qu'il vous a plu me faire
1630 Et votre ordre le met hors d'état de me plaire !
Mon respect qui me livre aux vœux d'un autre Roi
N'y voit pour lui qu'opprobre, et que honte pour moi !
Rendez, rendez-le-moi, cet empire suprême
Qui ne vous laissait plus disposer de vous-même,
1635 Rendez toute votre âme à son premier souhait,
Recevez qui vous aime, et fuyez qui vous hait.
Honorie a ses droits, mais celui de vous plaire
N'est pas, vous le savez, un droit imaginaire,
Et pour vous appuyer, Mérouée a des bras
1640 Qui font taire les droits quand il faut des combats.

ATTILA

Non, je ne puis plus voir cette ingrate Honorie
Qu'avec la même horreur qu'on voit une furie,
Et tout ce que le ciel a formé de plus doux,
Tout ce qu'il peut de mieux, je crois le voir en vous.
1645 Mais dans votre cœur même un autre amour murmure
Lorsque...

ILDIONE

Vous pourriez croire une telle imposture !
Qu'ai-je dit, qu'ai-je fait que de vous obéir,
Et par où jusque-là m'aurais-je pu trahir !

ATTILA

Ardaric est pour vous un époux adorable.

ILDIONE

1650 Votre main lui donnait ce qu'il avait d'aimable,
Et je ne l'ai tantôt accepté pour époux
Que par cet ordre exprès que j'ai reçu de vous.
Vous aviez déjà vu qu'en dépit de ma flamme,
Pour vous faire empereur...

ATTILA

Vous me trompez, Madame,
1655 Mais l'amour par vos yeux me sait si bien dompter
Que je ferme les miens pour n'y plus résister.
N'abusez pas pourtant d'un si puissant empire,
Songez qu'il est encor d'autres biens où j'aspire,
Que la vengeance est douce aussi bien que l'amour ;
1660 Et laissez-moi pouvoir quelque chose à mon tour.

ILDIONE

Seigneur, ensanglanter cette illustre journée !
Grâce, grâce du moins jusqu'après l'hyménée.
A son heureux flambeau souffrez un pur éclat,
Et laissez pour demain les maximes d'État.

ATTILA

1665 Vous le voulez, Madame, il faut vous satisfaire ;
Mais ce n'est que grossir d'autant plus ma colère ;

Et ce que par votre ordre elle perd de moments
Enfle l'avidité de mes ressentiments.

HONORIE

Voyez, voyez plutôt, par votre exemple même, [aime :
Seigneur, jusqu'où s'aveugle un grand cœur quand il 1670
Voyez jusqu'où l'amour, qui vous ferme les yeux,
Force et dompte les rois qui résistent le mieux,
Quel empire il se fait sur l'âme la plus fière ;
Et si vous avez vu la mienne trop altière,
Voyez ce même amour immoler pleinement   16
Son orgueil le plus juste au salut d'un amant,
Et toute sa fierté dans mes larmes éteinte
Descendre à la prière et céder à la crainte.
Avoir su jusque-là réduire mon courroux,
Vous doit être, Seigneur, un triomphe assez doux.   16
Que tant d'orgueil dompté suffise pour victime.
Voudriez-vous traiter votre exemple de crime,
Et quand vous adorez qui ne vous aime pas,
D'un réciproque amour condamner les appas ?

ATTILA

Non, Princesse, il vaut mieux nous imiter l'un l'autre : 16
Vous suivez mon exemple, et je suivrai le vôtre.
Vous condamniez Madame à l'hymen d'un sujet ;
Remplissez au lieu d'elle un si juste projet.
Je vous l'ai déjà dit ; et mon respect fidèle
A cette digne loi que vous faisiez pour elle,   16
N'ose prendre autre règle à punir vos mépris.
Si Valamir vous plaît, sa vie est à ce prix :
Disposez à ce prix d'une main qui m'est due.
Octar, ne perdez pas la Princesse de vue.
Vous, qui me commandez de vous donner ma foi, 16
Madame, allons au temple ; et vous, rois, suivez-moi.

Scène V : Honorie, Octar.

HONORIE

Tu le vois, pour toucher cet orgueilleux courage,
J'ai pleuré, j'ai prié, j'ai tout mis en usage,
Octar, et pour tout fruit de tant d'abaissement,
Le barbare me traite encor plus fièrement.   1
S'il reste quelque espoir, c'est toi seul qu'il regarde.
Prendras-tu bien ton temps ? Tu commandes sa garde :
La nuit et le sommeil vont tout mettre en ton choix,
Et Flavie est le prix du salut de deux Rois.

OCTAR

Ah ! Madame, Attila, depuis votre menace,   1
Met hors de mon pouvoir l'effet de cette audace.
Ce défiant esprit n'agit plus maintenant,
Dans toutes ses fureurs, que par mon lieutenant.
C'est par lui qu'aux deux Rois il fait ôter les armes,
Et deux mots en son âme ont jeté tant d'alarmes   1
Qu'exprès à votre suite il m'attache aujourd'hui,
Pour m'ôter tout moyen de m'approcher de lui.
Pour peu que je vous quitte il y va de ma vie,
Et s'il peut découvrir que j'adore Flavie...

HONORIE

Il le saura de moi, si tu ne veux agir,
Infâme, qui t'en peux excuser sans rougir.
Si tu veux vivre encor, va chercher du courage :
Tu vois ce qu'à toute heure il immole à sa rage,

Et ta vertu, qui craint de trop paraître au jour,
720 Attend, les bras croisés, qu'il t'immole à ton tour.
Fais périr, ou péris, préviens, lâche, ou succombe,
Venge toute la terre, ou grossis l'hécatombe.
Si ta gloire sur toi, si l'amour ne peut rien,
Meurs en traître, ou du moins sers de victime au mien.
725 Mais qui me rend, Seigneur, le bien de votre vue ?

Scène VI : Valamir, Honorie, Octar.

VALAMIR

L'impatient transport d'une joie imprévue :
Notre tyran n'est plus.

HONORIE

Il est mort ?

VALAMIR

Écoutez
Comme enfin l'ont puni ses propres cruautés,
Et comme heureusement le ciel vient de souscrire
30 A ce que nos malheurs vous ont fait lui prédire.
A peine sortions-nous, pleins de trouble et d'horreur
Qu'Attila recommence à saigner de fureur,
Mais avec abondance, et le sang qui bouillonne
Forme un si gros torrent que lui-même il s'étonne.
35 Tout surpris qu'il en est : « S'il ne veut s'arrêter,
Dit-il, on me paiera ce qu'il m'en va coûter. »
Il demeure à ces mots sans parole, sans force,
Tous ses sens d'avec lui font un soudain divorce,
Sa gorge enfle, et du sang dont le cours s'épaissit
40 Le passage se ferme, ou du moins s'étrécit.
De ce sang renfermé la vapeur en furie
Semble avoir étouffé sa colère et sa vie,
Et déjà de son front la funeste pâleur
N'opposait à la mort qu'un reste de chaleur,
5 Lorsqu'une illusion lui présente son frère,
Et lui rend tout d'un coup la vie et la colère :
Il croit le voir suivi des ombres de six rois,
Qu'il se veut immoler une seconde fois ;
Mais ce retour si prompt de sa plus noire audace,
0 N'est qu'un dernier effort de la nature lasse,
Qui prête à succomber sous la mort qui l'atteint,
Jette un plus vif éclat, et tout d'un coup s'éteint.
C'est en vain qu'il fulmine à cette affreuse vue :

Sa rage qui renaît en même temps le tue.
L'impétueuse ardeur de ces transports nouveaux   1755
A son rang prisonnier ouvre tous les canaux ;
Son élancement perce ou rompt toutes les veines,
Et ces canaux ouverts sont autant de fontaines
Par où l'âme et le sang se pressent de sortir,
Pour terminer sa rage et nous en garantir.   1760
Sa vie à longs ruisseaux se répand sur le sable,
Chaque instant l'affaiblit, et chaque effort l'accable,
Chaque pas rend justice au sang qu'il a versé,
Et fait grâce à celui qu'il avait menacé.
Ce n'est plus qu'en sanglots qu'il dit ce qu'il croit dire : 1765
Il frissonne, il chancelle, il trébuche, il expire,
Et sa fureur dernière, épuisant tant d'horreurs,
Venge enfin l'univers de toutes ses fureurs.

Scène VII : Ardaric, Valamir, Honorie,
Ildione, Octar.

ARDARIC

Ce n'est pas tout, Seigneur, la haine générale,
N'ayant plus à le craindre, avidement s'étale.   1770
Tous brûlent de servir sous des ordres plus doux,
Tous veulent à l'envi les recevoir de nous.
Ce bonheur étonnant que le ciel nous renvoie
De tant de nations fait la commune joie ;
La fin de nos périls en remplit tous les vœux,   1775
Et pour être tous quatre au dernier point heureux,
Nous n'avons plus qu'à voir notre flamme avouée
Du souverain de Rome et du grand Mérouée :
La princesse des Francs m'impose cette loi.

HONORIE

Pour moi, je n'en ai plus à prendre que de moi.   1780

ARDARIC

Ne perdons point de temps en ce retour d'affaires,
Allons donner tous deux les ordres nécessaires,
Remplir ce trône vide, et voir sous quelles lois
Tant de peuples voudront nous recevoir pour Rois.

VALAMIR

Me le permettez-vous, Madame, et puis-je croire   1785
Que vous tiendrez enfin ma flamme à quelque gloire ?

HONORIE

Allez, et cependant assurez-vous, Seigneur,
Que nos destins changés n'ont point changé mon cœur.

TITE ET BÉRÉNICE
COMÉDIE HÉROIQUE*

Six mois après Attila, *le succès d'*Andromaque *consacre Racine et tout le public applaudit la vraie tragédie renaissante : le clan cornélien lui-même reconnut les mérites du nouvel auteur, à condition de ne pas instaurer de parallèle inutile et désobligeant avec Corneille. Celui-ci fut surtout sensible à l'installation officielle du jeune poète à la Cour : la première d'*Andromaque *eut lieu au Louvre, dans l'appartement de la reine, honneur que jamais n'avait connu le vieil auteur. Corneille se tait trois ans, sans renoncer à publier des poèmes à la louange du roi. Il semble viser même à la modeste gloire d'auteur officiel des inscriptions gravées sur les monuments publics (cf.* Poésies.)

Sans qu'on en sache exactement l'origine, deux Bérénice *sortent ensemble à la saison théâtrale. Racine devance son rival, à la scène de huit jours, chez l'imprimeur de dix : édition hâtive de part et d'autre et contrairement à l'usage, alors qu'on les joue encore. Mais le succès n'était pas le même : trente représentations consécutives pour Racine, alors qu'après la huitième, Molière fait alterner* Tite et Bérénice *avec le* Bourgeois gentilhomme.

Qu'Henriette d'Angleterre ait donné séparément aux deux rivaux le même sujet semble légendaire; qu'ils aient travaillé à l'insu l'un de l'autre est improbable. Racine semble avoir connu en quel sens Corneille œuvrait, sinon avoir vu le texte de son rival.

En fait, il n'y a de rivalité que dans la mesure où d'un même sujet Corneille a fait une pièce fortement politique, où réapparaissent les thèmes familiers des pièces antérieures, tandis que Racine, selon son génie propre, faisait une pièce fortement centrée sur l'analyse de toutes les nuances de l'amour heureux et malheureux, les deux auteurs tranchant secrètement la raison d'État en sens opposés (cf. la note 19.)

* Jouée au Palais-Royal, le 28 novembre 1670. Privilège : 31 décembre 1670. Achevé d'imprimer : 3 janvier 1671.

L'incontestable perfection de Bérénice *a nui et continue de nuire à la pièce de Corneille. Si l'on écarte ce faux parallèle,* Tite et Bérénice *demeure l'une des grandes œuvres de Corneille.*

Les contemporains y ont tous vu une allusion à la séparation déchirante, onze ans plus tôt, de Louis XIV et de Marie Mancini. Si l'on songe à quel point Corneille est attentif à collaborer pour sa part à la réussite de ce jeune roi, à s'en faire le conseiller historique par le truchement de ses tragédies, depuis son retour au théâtre, il est tout naturel qu'il se soit senti à l'aise dans un tel sujet.

C'est pourquoi il ne le centre pas sur le seul couple fameux, mais donne un rôle considérable à Domitien, frère de Tite et à la fille de ce Corbulon dont les troupes romaines ont fait l'empereur d'un moment. Ainsi l'amour, sans passer au second plan, n'est qu'un des facteurs d'un problème politique. La question du bonheur personnel ne peut, comme toujours chez Corneille, se poser qu'en fonction des devoirs de chef de l'État.

*Il en résulte une pièce âpre et forte, nullement intellectuelle, qui, sur les données politiques d'*Othon *et d'*Agésilas, *aux héros volontairement incolores, nous ramène à* Nicomède *ou* Sertorius, *aux protagonistes puissamment campés.*

Corneille aurait même pu espérer un meilleur succès de sa pièce. En dehors du clan cornélien, qui pouvait y retrouver sans peine le crayon qui traça Pompée *ou* Cinna, *un nouveau public qui venait de découvrir les* Maximes *de La Rochefoucauld (1665) aurait pu déceler sans trop de peine une belle illustration historique de l'ouvrage : l'égoïsme, avoué ou inconscient, est l'unique moteur des âmes, même en amour.*

Mais le public se passionna pour la prétendue rivalité, la critique emboîta le pas : trois Dissertations *qui, même de nos jours, ne nous apprennent rien sur la genèse ni sur le sens des deux* Bérénice, *rédigèrent le faux parallèle.*

ACTEURS [1]

TITE, *empereur de Rome, et amant de Bérénice* [2].
DOMITIAN, *frère de Tite, et amant de Domitie.*
BÉRÉNICE, *reine d'une partie de la Judée* [3].
DOMITIE, *fille de Corbulon.*
PLAUTINE, *confidente de Domitie* [4].
FLAVIAN, *confident de Tite.*
ALBIN, *confident de Domitian.*
PHILON, *ministre d'État, confident de Bérénice.*

La scène est à Rome, dans le palais impérial [5].

ACTE PREMIER

Scène I : Domitie, Plautine.

DOMITIE

Laisse-moi mon chagrin, tout injuste qu'il est :
Je le chasse, il revient, je l'étouffe, il renaît,
Et plus nous approchons de ce grand hyménée,
Plus en dépit de moi je m'en trouve gênée.
5 Il fait toute ma gloire, il fait tous mes désirs :
Ne devrait-il pas faire aussi tous mes plaisirs ?
Depuis plus de six mois la pompe s'en apprête,
Rome s'en fait d'avance en l'esprit une fête,
Et tandis qu'à l'envi tout l'Empire l'attend,
10 Mon cœur dans tout l'Empire est le seul mécontent.

PLAUTINE

Que trouvez-vous, Madame, ou d'amer ou de rude,
A voir qu'un tel bonheur n'ait plus d'incertitude,
Et quand dans quatre jours vous devez y monter,
Quel importun chagrin pouvez-vous écouter ?
15 Si vous n'en êtes pas tout à fait la maîtresse,
Du moins à l'Empereur cachez cette tristesse :
Le dangereux soupçon de n'être pas aimé
Peut le rendre à l'objet dont il fut trop charmé.
Avant qu'il vous aimât, il aimait Bérénice,
20 Et s'il n'en put alors faire une impératrice,
A présent qu'il est maître, et son père au tombeau
Ne peut plus le forcer d'éteindre un feu si beau.

DOMITIE

C'est là ce qui me gêne, et l'image importune
Qui trouble les douceurs de toute ma fortune :
25 J'ambitionne et crains l'hymen d'un Empereur
Dont j'ai lieu de douter si j'aurai tout le cœur.
Ce pompeux appareil, où sans cesse il ajoute,
Recule chaque jour un nœud qui le dégoûte.
Il souffre chaque jour que le gouvernement
30 Vole ce qu'à me plaire il doit d'attachement,
Et ce qu'il en étale agit d'une manière
Qui ne m'assure point d'une âme tout entière.
Souvent même, au milieu des offres de sa foi,
Il semble tout à coup qu'il n'est pas avec moi,
35 Qu'il a quelque plus douce ou noble inquiétude.
Son feu de sa raison est l'effet et l'étude,
Il s'en fait un plaisir bien moins qu'un embarras,
Et s'efforce à m'aimer, mais il ne m'aime pas.

PLAUTINE

A cet effort pour vous qui pourrait le contraindre ?
40 Maître de l'univers, a-t-il un maître à craindre ?

DOMITIE

J'ai quelques droits, Plautine, à l'Empire romain,
Que le choix d'un époux peut mettre en bonne main :
Mon père, avant le sien élu pour cet Empire [6],
Préféra... Tu le sais, et c'est assez t'en dire.
45 C'est par cet intérêt qu'il m'apporte sa foi,
Mais pour le cœur, te dis-je, il n'est pas tout à moi.

PLAUTINE

La chose est bien égale, il n'a pas tout le vôtre :
S'il aime un autre objet, vous en aimez un autre,
Et comme sa raison vous donne tous ses vœux,
50 Votre ardeur pour son sang fait pour lui tous vos feux.

DOMITIE

Ne dis point qu'entre nous la chose soit égale.
Un divorce avec moi n'a rien qui le ravale :
Sans avilir son sort, il me renvoie au mien,
Et du rang qui lui reste, il ne me reste rien.

PLAUTINE

55 Que ce que vous avez d'ambitieux caprice
(Pardonnez-moi ce mot), vous fait un dur supplice !
Le cœur rempli d'amour, vous prenez un époux,
Sans en avoir pour lui, sans qu'il en ait pour vous.
Aimez pour être aimée, et montrez-lui vous-même,
60 En l'aimant comme il faut, comme il faut qu'il vous aime,
Et si vous vous aimez, gagnez sur vous ce point
De vous donner entière, ou ne vous donnez point.

DOMITIE

Si l'amour quelquefois souffre qu'on le contraigne,
Il souffre rarement qu'une autre ardeur l'éteigne,
65 Et quand l'ambition en met l'empire à bas,
Elle en fait son esclave, et ne l'étouffe pas.
Mais un si fier esclave, ennemi de sa chaîne,
La secoue à toute heure, et la porte avec gêne,
Et maître de nos sens, qu'il appelle au secours,
70 Il échappe souvent, et murmure toujours.
Veux-tu que je te fasse un aveu tout sincère ?
Je ne puis aimer Tite, ou n'aimer pas son frère,
Et malgré cet amour, je ne puis m'arrêter
Qu'au degré le plus haut où je puisse monter.
75 Laisse-moi retracer ma vie en ta mémoire :

---

1. C'est la seule pièce de Corneille qui ne comporte aucun
Avis au Lecteur. Ceux des dix dernières pièces sont si courts,
il est vrai, qu'on peut dire qu'à partir de 1670 Corneille offre
le texte seul de son ouvrage sans aucun commentaire.
2. Corneille a joint en tête de l'édition princeps, dans
une traduction latine de 1551, les vingt-cinq lignes de l'historien grec, Xiphilin, abréviateur de la volumineuse *Histoire*
de Dion Cassius, dans lequel il a trouvé le fondement de
son intrigue.
3. La Bérénice de l'histoire, après avoir épousé son oncle
Hérode, puis Polémon, roi de Cilicie, qui la répudia pour
inconduite, avait quarante et un ans lors du siège de Jérusalem, quand elle connut Titus qui en avait vingt-neuf. Elle
devrait donc avoir cinquante et un ans au moment où se
passe la pièce.
4. Ces quatre derniers personnages sont inventés, mais
Plautine est déjà le nom de l'héroïne d'*Othon*, Albin un confident dans *Polyeucte, Sophonisbe* et *Othon*, Flavian le nom
du messager d'Albe dans *Horace.*
5. Lieu absolu, puisque, selon l'histoire, tous y logent.

6. Corbulon, sous Néron, était si populaire que tous pensaient que l'armée en ferait un empereur (*Dion Cassius,* liv.
LXII, chap. 23).

Tu me connais assez pour en savoir l'histoire,
Mais tu n'as pu connaître, à chaque événement,
De mon illustre orgueil quel fut le sentiment.
    En naissant, je trouvai l'Empire en ma famille.
80 Néron m'eut pour parente, et Corbulon pour fille,
Et le bruit qu'en tous lieux fit sa haute valeur,
Autant que ma naissance enfla mon jeune cœur.
De l'éclat des grandeurs par là préoccupée,
Je vis d'un œil jaloux Octavie et Poppée;
85 Et Néron, des mortels et l'horreur et l'effroi,
M'eût paru grand héros, s'il m'eût offert sa foi.
    Après tant de forfaits et de morts entassées,
Les troupes du Levant, d'un tel monstre lassées,
Pour César en sa place élurent Corbulon.
90 Son austère vertu rejeta ce grand nom :
Un lâche assassinat en fut le prompt salaire [7].
Mais mon orgueil, sensible à ces honneurs d'un père,
Prit de tout autre rang une assez forte horreur
Pour me traiter dans l'âme en fille d'Empereur.
95 Néron périt enfin. Trois Empereurs de suite [8]
Virent de leur fortune une assez prompte fuite.
L'Orient de leurs noms fut à peine averti,
Qu'il fit Vespasian chef d'un plus fort parti.
Le ciel l'en avoua : ce guerrier magnanime
100 Par Tite, son aîné, fit assiéger Solyme [9];
Et tandis qu'en Égypte il prit d'autres emplois,
Domitian ici vint dispenser ses lois.
Je le vis et l'aimai. Ne blâme point ma flamme :
Rien de plus grand que lui n'éblouissait mon âme,
105 Je ne voyais point Tite, un hymen me l'ôtait,
Mille soupirs aidaient au rang qui me flattait,
Pour remplir tous nos vœux nous n'attendions qu'un père,
Il vint, mais d'un esprit à nos vœux si contraire
Que quoi qu'on lui pût dire, on n'en put arracher
110 Ce qu'attendait un feu qui nous était si cher.
On n'en sut point la cause, et divers bruits coururent,
Qui tous à notre amour également déplurent.
J'en eus un long chagrin. Tite fit tôt après
De Bérénice à Rome admirer les attraits.
115 Pour elle avec Martie il avait fait divorce [10],
Et cette belle Reine eut sur lui tant de force,
Que pour montrer à tous sa flamme, et hautement,
Il lui fit au palais prendre un appartement.
L'Empereur, bien qu'en l'âme il prévît quelle haine
120 Concevrait tout l'État pour l'époux d'une Reine,
Sembla voir cet amour d'un œil indifférent,
Et laisser un cours libre aux flots de ce torrent.
Mais sous les vains dehors de cette complaisance,
On ménagea ce Prince avec tant de prudence,
125 Qu'en dépit de son cœur, que charmaient tant
Il l'obligea lui-même à revoir ses États. [d'appas,
A peine je le vis sans maîtresse et sans femme,
Que mon orgueil vers lui tourna toute mon âme,
Et s'étant emparé du plus doux de mes soins,

7. En réalité Corbulon devança par son suicide l'ordre de mort que Néron lui fit transmettre à Corinthe, où il l'avait mandé d'Orient (67 av. J.-C.).
8. Galba, Othon et Vitellius (voyez la notice d'*Othon*).
9. Le fameux siège de Jérusalem en l'année 69.
10. C'était sa seconde femme : Marcia Furnilla. Il en avait une fille (cf. Suétone, *Titus*, chap. 4).

Son frère commença de me plaire un peu moins : 1
Non qu'il ne fût toujours maître de ma tendresse,
Mais je la regardais ainsi qu'une faiblesse,
Comme un honteux effet d'un amour éperdu
Qui me volait un rang que je me croyais dû.
Tite à peine sur moi jetait alors la vue : 1
Cent fois avec douleur je m'en suis aperçue [11],
Mais ce qui consolait ce juste et long ennui,
C'est que Vespasian me regardait pour lui.
Je commençais pourtant à n'en plus rien attendre,
Quand je vis en ses yeux quelque chose de tendre.
Il me rendit visite, et fit tout ce qu'on fait
Alors qu'on veut aimer, ou qu'on aime en effet.
Je veux bien avouer que j'y crus le mystère,
Qu'il ne me disait rien que par l'ordre d'un père,
Mais qui ne pencherait à s'en désabuser,
Lorsque, ce père mort, il songe à m'épouser?
Toi qui vois tout mon cœur, juge de son martyre :
L'ambition l'entraîne, et l'amour le déchire.
Quand je crois m'être mise au-dessus de l'amour,
L'amour vers son objet me ramène à son tour :
Je veux régner, et tremble à quitter ce que j'aime,
Et ne me saurais voir d'accord avec moi-même.

PLAUTINE

Ah! si Domitian devenait Empereur,
Que vous auriez bientôt calmé tout ce grand cœur!
Que bientôt... Mais il vient. Ce grand cœur en soupire!

DOMITIE

Hélas! plus je le vois, moins je sais que lui dire.
Je l'aime et le dédaigne, et n'osant m'attendrir,
Je me veux mal des maux que je lui fais souffrir.

Scène II : Domitian, Domitie,
Albin, Plautine.

DOMITIAN

Faut-il mourir, Madame, et si proche du terme,
Votre illustre inconstance est-elle encor si ferme
Que les restes d'un feu que j'avais cru si fort
Puissent dans quatre jours se promettre ma mort?

DOMITIE

Ce qu'on m'offre, Seigneur, me ferait peu d'envie,
S'il en coûtait à Rome une si belle vie,
Et ce n'est pas un mal qui vaille en soupirer
Que de faire une perte aisée à réparer.

DOMITIAN

Aisée à réparer! Un choix qui m'a su plaire,
Et qui ne plaît pas moins à l'Empereur mon frère,
Charme-t-il l'un et l'autre avec si peu d'appas
Que vous sachiez leur prix, et le mettiez si bas?

DOMITIE

Quoi qu'on ait pour soi-même ou d'amour ou d'estime,
Ne s'en croire pas trop n'est pas faire un grand crime.
Mais n'examinons point en cet excès d'honneur,
Si j'ai quelque mérite, ou si j'ai du bonheur.
Telle que je puis être, obtenez-moi d'un frère.

11. Les contemporains ne pouvaient guère ne pas songer à Mme de Montespan, quand Louis XIV, encore amoureux de Mlle de La Vallière, jeta les yeux sur elle. Mme de Montespan, d'ailleurs, ne tenta pas de supplanter sa rivale et vit d'abord avec crainte cet intérêt royal.

DOMITIAN

Hélas! si je n'ai pu vous obtenir d'un père,
Si même je ne puis vous obtenir de vous,
Qu'obtiendrai-je d'un frère amoureux et jaloux?

DOMITIE

Et moi, résisterai-je à sa toute-puissance,
Quand vous n'y répondez qu'avec obéissance?
Moi qui n'ai sous les cieux que vous seul pour soutien,
Que puis-je contre lui, quand vous n'y pouvez rien?

DOMITIAN

Je ne puis rien sans vous, et pourrais tout, Madame,
Si je pouvais encor m'assurer de votre âme.

DOMITIE

Pouvez-vous en douter, après deux ans de pleurs
Qu'à vos yeux j'ai donnés à nos communs malheurs?
Durant un déplaisir si long et si sensible
De voir toujours un père à nos vœux inflexible,
Ai-je écouté quelqu'un de tant de soupirants
Qui m'accablaient partout de leurs regards mourants?
Quel que fût leur amour, quel que fût leur mérite...

DOMITIAN

Oui, vous m'avez aimé jusqu'à l'amour de Tite.
Mais de ces soupirants qui vous offraient leur foi
Aucun ne vous eût mise alors si haut que moi.
Votre âme ambitieuse à mon rang attachée
N'en voyait point en eux dont elle fut touchée :
Ainsi de ces rivaux aucun n'a réussi.
Mais les temps sont changés, Madame, et vous aussi.

DOMITIE

Non, Seigneur, je vous aime, et garde au fond de l'âme
Tout ce que j'eus pour vous de tendresse et de flamme:
L'effort que je me fais me tue autant que vous,
Mais enfin l'Empereur veut être mon époux.

DOMITIAN

Ah! si vous n'acceptez sa main qu'avec contrainte,
Venez, venez, Madame, autoriser ma plainte :
L'Empereur m'aime assez pour quitter vos liens,
Quand je lui porterai vos vœux avec les miens.
Dites que vous m'aimez, et que tout son Empire...

DOMITIE

C'est ce qu'à dire vrai j'aurai peine à lui dire,
Seigneur, et le respect qui n'y peut consentir...

DOMITIAN

Non, votre ambition ne se peut démentir.
Ne la déguisez plus, montrez-la tout entière,
Cette âme que le trône a su rendre si fière,
Cette âme dont j'ai fait les plaisirs les plus doux,
Cette âme...

DOMITIE

Voyez-la cette âme toute à vous,
Voyez-y tout ce feu que vous y fîtes naître,
Et soyez satisfait, si vous le pouvez être.
Je ne veux point, Seigneur, vous le dissimuler,
Mon cœur va tout à vous quand je le laisse aller.
Mais sans dissimuler j'ose aussi vous le dire,
Ce n'est pas mon dessein qu'il m'en coûte l'Empire,
Et je n'ai point une âme à se laisser charmer
Du ridicule honneur de savoir bien aimer.
La passion du trône est seule toujours belle,
Seule à qui l'âme doive une ardeur immortelle.

J'ignorais de l'amour quel est le doux poison,   225
Quand elle s'empara de toute ma raison.
Comme elle est la première, elle est la dominante.
Non qu'à trahir l'amour je ne me violente,
Mais il est juste enfin que des soupirs secrets
Me punissent d'aimer contre mes intérêts.   [prendre, 230
Daignez donc voir, Seigneur, quelle route il faut
Pour ne point m'imposer la honte de descendre.
Tout mon cœur vous préfère à cet heureux rival :
Pour m'avoir toute à vous, devenez son égal.
Vous dites qu'il vous aime, et je ne le puis croire,   235
Si je ne vois sur vous un rayon de sa gloire.
On vous a vus tous deux sortir d'un même flanc,
Ayez mêmes honneurs ainsi que même sang,
Dites-lui que le droit qu'a ce sang à l'Empire...

DOMITIAN

C'est là ce qu'à mon tour j'aurai peine à lui dire,   240
Madame, et le devoir qui n'y peut consentir...

DOMITIE

A mes vives douleurs daignez donc compatir,
Seigneur : j'achète assez le rang d'impératrice,
Sans qu'un reproche injuste augmente mon supplice.

DOMITIAN

Eh bien! dans cet hymen, qui n'en a que pour moi,   245
J'applaudirai moi-même à votre peu de foi.
Je dirai que le ciel doit à votre mérite...

DOMITIE

Non, Seigneur, faites mieux, et quittez qui vous quitte:
Rome a mille beautés dignes de votre cœur,
Mais dans toute la terre il n'est qu'un Empereur.   250
Si mon père avait eu les sentiments du vôtre,
Je vous aurais donné ce que j'attends d'un autre,
Et ma flamme en vos mains eût mis sans balancer
Le sceptre qu'en la mienne il aurait dû laisser.
Laissez à son défaut suppléer la fortune,   255
Et n'ayez pas une âme assez basse et commune
Pour s'opposer au ciel qui me rend par autrui
Ce que trop de vertu me fit perdre par lui.
Pour peu que vous m'aimiez, aimez mes avantages :
Il n'est point d'autre amour digne des grands courages. 260
Voilà toute mon âme. Après cela, Seigneur,
Laissez-moi m'épargner les troubles de mon cœur.
Un plus long entretien ne pourrait rien produire
Qui ne pût malgré moi vous déplaire ou me nuire.

Scène III : Domitian, Albin.

ALBIN

Elle se défend bien, Seigneur, et dans la cour...   265

DOMITIAN

Aucun n'a plus d'esprit, Albin, et moins d'amour.
J'admire, ainsi que toi, dans ce qu'elle m'oppose,
Son adresse à défendre une mauvaise cause,
Et si pour m'assurer que son cœur n'est qu'à moi,
Tant d'esprit agissait en faveur de sa foi,   270
Si sa flamme au secours appliquait cette adresse,
L'Empereur convaincu me rendrait ma maîtresse.

ALBIN

Cependant n'est-ce rien que ce cœur soit à vous?

DOMITIAN

D'un bonheur si mal sûr je ne suis point jaloux,
275 Et trouve peu de jour à croire qu'elle m'aime,
Quand elle ne regarde et n'aime que soi-même.

ALBIN

Seigneur, s'il m'est permis de parler librement,
Dans toute la nature aime-t-on autrement ?
L'amour propre est la source en nous de tous les autres :
280 C'en est le sentiment qui forme tous les nôtres [12].
Lui seul allume, éteint, ou change nos désirs :
Les objets de nos vœux le sont de nos plaisirs.
Vous-même, qui brûlez d'une ardeur si fidèle,
Aimez-vous Domitie, ou vos plaisirs en elle,
285 Et quand vous aspirez à des liens si doux,
Est-ce pour l'amour d'elle, ou pour l'amour de vous ?
De sa possession l'aimable et chère idée
Tient vos sens enchantés et votre âme obsédée,
Mais si vous conceviez quelques destins meilleurs,
290 Vous porteriez bientôt toute cette âme ailleurs.
Sa conquête est pour vous le comble des délices,
Vous ne vous figurez ailleurs que des supplices,
C'est par là qu'elle seule a droit de vous charmer,
Et vous n'aimez que vous, quand vous croyez l'aimer.

DOMITIAN

295 En l'état où je suis, les maux dont je soupire
M'ôtent la liberté de te rien contredire ;
Cherchons-en le remède, au lieu de raisonner
Sur l'amour où le ciel se plaît à m'obstiner.
N'est-il point de secret, n'est-il point d'artifice ?...

ALBIN

300 Oui, Seigneur, il en est. Rappelons Bérénice,
Sous le nom de César pratiquons son retour,
Qui retarde l'hymen, et suspende l'amour.

DOMITIAN

Que je verrais, Albin, ma volage punie,
Si de ces grands apprêts pour la cérémonie,
305 Que depuis si longtemps on dresse à si grand bruit,
Elle n'avait que l'ombre, et qu'une autre eût le fruit !
Qu'elle serait confuse, et que j'aurais de joie !
Mais il faut que le ciel lui-même la renvoie,
Cette belle rivale, et tout notre discours
310 Ne la saurait ici rendre dans quatre jours.

ALBIN

N'importe : en l'attendant préparons sa victoire,
Dans l'esprit d'un rival ranimons sa mémoire,
Retraçons à ses yeux l'image du passé,
Et profitons par là du cœur embarrassé.
315 N'y perdez point de temps : allez, sans plus rien taire,
Tâter jusqu'en ce cœur les tendresses de frère.
Si vous ne l'emportez, il pourra s'ébranler ;
S'il ne rompt cet hymen, il pourra reculer.
Je me trompe, ou son âme y penche d'elle-même.
320 S'il s'émeut, redoublez, dites que l'on vous aime,
Dites qu'un pur respect contraint avec ennui
Une âme toute à vous à se donner à lui.
S'il se trouble, achevez : parlez de Bérénice,
De tant d'amour qu'il traite avec tant d'injustice.

12. Commentaire direct des *Maximes* de La Rochefoucauld.
On a vu que Corneille les utilise dès *Othon*.

Pour lui donner le temps de venir au secours,
Nous aurons quatre mois au lieu de quatre jours.

DOMITIAN

Mais j'aime Domitie, et lui parler contre elle,
C'est me mettre au hasard d'irriter l'infidèle.
Ne me condamne point, Albin, à la trahir,
A joindre à ses mépris le droit de me haïr :
En vain je veux contre elle écouter ma colère,
Tout ingrate qu'elle est, je tremble à lui déplaire.

ALBIN

Seigneur, quelle mesure avez-vous à garder ?
Quand on voit tout perdu, craint-on de hasarder,
Et si l'ambition vers un autre l'entraîne,
Que vous peut importer son amour ou sa haine ?

DOMITIAN

Qu'un salutaire avis fait une douce loi
A qui peut avoir l'âme aussi libre que toi !
Mais celle d'un amant n'est pas comme une autre âme :
Il ne voit, il n'entend, il ne croit que sa flamme,
Du plus puissant remède il se fait un poison,
Et la raison pour lui n'est pas toujours raison.

ALBIN

Et si je vous disais que déjà Bérénice
Est dans Rome, inconnue, et par mon artifice,
Qu'elle surprendra Tite, et qu'elle y vient exprès
Pour de ce grand hymen renverser les apprêts ?

DOMITIAN

Albin, serait-il vrai ?

ALBIN

La nouvelle vous flatte :
Peut-être est-elle fausse, attendez qu'elle éclate,
Surtout à l'Empereur déguisez-la si bien...

DOMITIAN

Va : je lui parlerai comme n'en sachant rien.

ACTE SECOND

Scène I : Tite, Flavian.

TITE

Quoi ? des ambassadeurs que Bérénice envoie
Viennent ici, dis-tu, me témoigner sa joie,
M'apporter son hommage et me féliciter
Sur ce comble de gloire où je viens de monter ?

FLAVIAN

En attendant votre ordre, ils sont au port d'Ostie.

TITE

Ainsi, grâces aux Dieux, sa flamme est amortie,
Et de pareils devoirs sont pour moi des froideurs,
Puisqu'elle s'en rapporte à ses ambassadeurs.
Jusqu'après mon hymen remettons leur venue :
J'aurais trop à rougir si j'y souffrais leur vue,
Et recevais les yeux de ses propres sujets
Pour envieux témoins du vol que je lui fais,
Car mon cœur fut son bien à cette belle Reine,
Et pourrait l'être encor, malgré Rome et sa haine,
Si ce divin objet, qui fut tout mon désir,
Par quelque doux regard s'en venait ressaisir.
Mais du haut de son trône elle aime mieux me rendre

Ces froideurs que pour elle on me força de prendre.
Peut-être, en ce moment que toute ma raison
70 Ne saurait sans désordre entendre son beau nom,
Entre les bras d'un autre un autre amour la livre,
Elle suit mon exemple, et se plaît à le suivre,
Et ne m'envoie ici traiter de souverain
Que pour braver l'amant qu'elle charmait en vain.

FLAVIAN

75 Si vous la revoyiez, je plaindrais Domitie.

TITE

Contre tous ses attraits ma raison endurcie
Ferait de Domitie encor la sûreté,
Mais mon cœur aurait peu de cette dureté.
N'aurais-tu point appris qu'elle fût infidèle,
80 Qu'elle écoutât les Rois qui soupirent pour elle?
Dis-moi que Polémon [13] règne dans son esprit,
J'en aurai du chagrin, j'en aurai du dépit,
D'une vive douleur j'en aurai l'âme atteinte,
Mais j'épouserai l'autre avec moins de contrainte,
85 Car enfin elle est belle, et digne de ma foi;
Elle aurait tout mon cœur, s'il était tout à moi :
La noblesse du sang, la grandeur de courage,
Font avec son mérite un illustre assemblage.
C'est le choix de mon père, et je connais trop bien
90 Qu'à choisir en César ce doit être le mien.
Mais tout mon cœur renonce à lui faire justice,
Dès que mon souvenir lui rend sa Bérénice.

FLAVIAN

Si de tels souvenirs vous sont encor si doux,
L'hyménée a, Seigneur, peu de charmes pour vous.

TITE

Si de tels souvenirs ne me faisaient la guerre,
Serait-il potentat plus heureux sur la terre?
Mon nom par la victoire est si bien affermi,
Qu'on me croit dans la paix un lion endormi :
Mon réveil incertain du monde fait l'étude,
Mon repos en tous lieux jette l'inquiétude,
Et tandis qu'en ma cour les aimables loisirs
Ménagent l'heureux choix des jeux et des plaisirs,
Pour envoyer l'effroi sous l'un et l'autre pôle,
Je n'ai qu'à faire un pas et hausser la parole [14].
Que de félicités, si mes vœux imprudents
N'étaient de mon pouvoir les seuls indépendants?
Maître de l'univers sans l'être de moi-même [15],
Je suis le seul rebelle à ce pouvoir suprême :
D'un feu que je combats je me laisse charmer,
Et n'aime qu'à regret ce que je veux aimer.
En vain de mon hymen Rome presse la pompe,
J'y veux de la lenteur, j'aime qu'on l'interrompe,
Et n'ose résister aux dangereux souhaits
De préparer toujours et n'achever jamais.

---

13. Polémon, dans l'histoire, était le deuxième mari de Bérénice, avant qu'elle connût Titus.
14. On reconnaissait si bien Louis XIV à travers Tite que le poète officiel J.-B. Santeul, lié à Corneille (cf. page 892), se contenta de traduire en latin les huit derniers vers lors de la campagne de Hollande en 1672, et les présenta au roi avec ceux de Corneille.
15. Antithèse du vers d'Auguste :
Je suis maître de moi comme de l'univers.

FLAVIAN

Si ce dégoût, Seigneur, va jusqu'à la rupture,   415
Domitie aura peine à souffrir cette injure :
Ce jeune esprit, qu'entête et le sang de Néron
Et le choix qu'en Syrie on fit de Corbulon,
S'attribue à l'Empire un droit imaginaire,
Et s'en fait, comme vous, un rang héréditaire.   420
Si de votre parole un manque surprenant
La jette entre les bras d'un homme entreprenant,
S'il l'unit à quelque âme assez fière et hautaine
Pour servir son orgueil et seconder sa haine,
Un vif ressentiment lui fera tout oser :   425
En un mot, il vous faut la perdre ou l'épouser.

TITE

J'en sais la politique, et cette loi cruelle
A presque fait l'amour qu'il m'a fallu pour elle.
Réduit au triste choix dont tu viens de parler,
J'aime mieux, Flavian, l'aimer que l'immoler,   430
Et ne puis démentir cette horreur magnanime
Qu'en recevant le jour je conçus pour le crime.
Moi qui seul des Césars me vois en ce haut rang
Sans qu'il en coûte à Rome une goutte de sang,
Moi que du genre humain on nomme les délices,   435
Moi qui ne puis souffrir les plus justes supplices,
Pourrais-je autoriser une injuste rigueur
A perdre une héroïne à qui je dois mon cœur?
Non : malgré les attraits de sa belle rivale,
Malgré les vœux flottants de mon âme inégale,   440
Je veux l'aimer, je l'aime, et sa seule beauté
Pouvait me consoler de ce que j'ai quitté.
Elle seule en ses yeux porte de quoi contraindre
Mes feux à s'assoupir, s'ils ne peuvent s'éteindre,
De quoi flatter mon âme, et forcer mes douleurs   445
A souhaiter du moins de n'aimer plus ailleurs.
Mais je ne vois pas bien que j'en sois encor maître,
Dès que ma flamme expire, un mot la fait renaître,
Et mon cœur malgré moi rappelle un souvenir
Que je n'ose écouter et ne saurais bannir.   450
Ma raison s'en veut faire en vain un sacrifice,
Tout me ramène ici, tout m'offre Bérénice,
Et même je ne sais par quel pressentiment
Je n'ai souffert personne en son appartement.
Mais depuis cet adieu, si cruel et si tendre,   455
Il est demeuré vide, et semble encor l'attendre.
Va, fais porter mon ordre à ses ambassadeurs,
C'est trop entretenir d'inutiles ardeurs,
Il est temps de chercher qui m'en puisse distraire,
Et le ciel à propos envoie ici mon frère.   460

FLAVIAN

Irez-vous au sénat?

TITE

Non, il peut s'assembler
Sur ce déluge ardent qui nous a fait trembler [16],
Et pourvoir sous mon ordre aux affreuses ruines
Dont ses feux ont couvert les campagnes voisines.

---

16. L'éruption du Vésuve en 79, qui détruisit Herculanum et Pompéi (cf. Suétone, *Titus*, chap. 8). L'empereur nomma des magistrats extraordinaires pour pallier le désastre.

Scène II : *Tite, Domitian, Albin.*

DOMITIAN

465 Puis-je parler, Seigneur, et de votre amitié
Espérer une grâce à force de pitié ?
Je me suis jusqu'ici fait trop de violence,
Pour augmenter encor mes maux par mon silence.
Ce que je vais vous dire est digne du trépas ;
470 Mais aussi j'en mourrai, si je ne le dis pas.
Apprenez donc mon crime, et voyez s'il faut faire
Justice d'un coupable, ou grâce aux vœux d'un frère.
    J'ai vu ce que j'aimais choisi pour être à vous,
Et je l'ai vu longtemps sans en être jaloux.
475 Vous n'aimiez Domitie alors que par contrainte,
Vous vous faisiez effort, j'imitais votre feinte,
Et comme aux lois d'un père il fallait obéir,
Je feignais d'oublier, vous de ne point haïr.
Le ciel, qui dans vos mains met sa toute-puissance,
480 Ne met-il point de borne à cette obéissance ?
La faut-il à son ombre, et que ce même effort
Vous déchire encor l'âme et me donne la mort ?

TITE

Souffrez sur cet effort que je vous désabuse.
Il fut grand, et de ceux que tout le cœur refuse :
485 Pour en sauver le mien, je fis ce que je pus,
Mais ce qui fut effort à présent ne l'est plus.
Sachez-en la raison. Sous l'empire d'un père
Je murmurai toujours d'un ordre si sévère,
Et cherchai les moyens de tirer en longueur
490 Cet hymen qui vous gêne et m'arrachait le cœur.
Son trépas a changé toutes choses de face,
J'ai pris ses sentiments lorsque j'ai pris sa place,
Je m'impose à mon tour les lois qu'il m'imposait,
Et me dis après lui tout ce qu'il me disait.
495 J'ai des yeux d'Empereur, et n'ai plus ceux de Tite,
Je vois en Domitie un tout autre mérite,
J'écoute la raison, j'en goûte les conseils,
Et j'aime comme il faut qu'aiment tous mes pareils.
Si dans les premiers jours que vous m'avez vu maître,
500 Votre feu mal éteint avait voulu paraître,
J'aurais pu me combattre et me vaincre pour vous,
Mais si près d'un hymen si souhaité de tous,
Quand Domitie a droit de s'en croire assurée,
Que le jour en est pris, la fête préparée,
505 Je l'aime et lui dois trop pour jeter sur son front
L'éternelle rougeur d'un si mortel affront.
Rome entière et ma foi l'appellent à l'Empire :
Voyez mieux de quel œil on m'en verrait dédire,
Ce qu'ose se permettre une femme en fureur,
510 Et combien Rome entière aurait pour moi d'horreur.

DOMITIAN

Elle n'en aurait point de vous voir pour un frère
Faire autant que pour elle il vous a plu de faire.
Seigneur, à vos bontés laissez un libre cours.
Qui se vainc une fois peut se vaincre toujours :
515 Ce n'est pas un effort que votre âme redoute.

TITE

Qui se vainc une fois sait bien ce qu'il en coûte :
L'effort est assez grand pour en craindre un second.

DOMITIAN

Ah ! si votre grande âme à peine s'en répond,
La mienne, qui n'est pas d'une trempe si belle,
Réduite au même effort, Seigneur, que fera-t-elle ?

TITE

Ce que je fais, mon frère : aimez ailleurs.

DOMITIAN

                                    Hélas !
Ce qui vous fut aisé, Seigneur, ne m'est pas.
Quand vous avez changé, voyiez-vous Bérénice ?
De votre changement son départ fut complice,
Vous l'aviez éloignée, et j'ai devant les yeux,
Je vois presque en vos bras ce que j'aime le mieux.
Jugez de ma douleur par l'excès de la vôtre,
Si vous voyiez la Reine entre les bras d'un autre ;
Contre un rival heureux épargneriez-vous rien,
A moins que d'un respect aussi grand que le mien ?

TITE

Vengez-vous, j'y consens, que rien ne vous retienne.
Je prends votre maîtresse, allez, prenez la mienne.
Épousez Bérénice, et...

DOMITIAN

                        Vous n'achevez point,
Seigneur : me pourriez-vous aimer jusqu'à ce point ?

TITE

Oui, si je ne craignais pour vous l'injuste haine
Que Rome concevrait pour l'époux d'une Reine.

DOMITIAN

Dites, dites, Seigneur, qu'il est bien malaisé
De céder ce qu'adore un cœur bien embrasé,
Ne vous contraignez plus, ne gênez plus votre âme,
Satisfaites en maître une si belle flamme.
Quand vous aurez su dire une fois : « Je le veux »,
D'un seul mot prononcé vous ferez quatre heureux :
Bérénice est toujours digne de votre couche,
Et Domitie enfin vous parle par ma bouche.
Car je ne saurais plus vous le taire, oui, Seigneur,
Vous en voulez la main, et j'en ai tout le cœur :
Elle m'en fit le don dès la première vue,
Et ce don fut l'effet d'une force imprévue,
De cet ordre du ciel qui verse en nos esprits
Les principes secrets de prendre et d'être pris.
Je vous dirais, Seigneur, quelle en est la puissance,
Si vous ne le saviez par votre expérience.
Ne rompez pas des nœuds et si forts et si doux :
Rien ne les peut briser que le trépas, ou vous,
Et c'est un triste honneur pour une si grande âme,
Que d'accabler un frère et contraindre une femme.

TITE

Je ne contrains personne, et de sa propre voix
Nous allons, vous et moi, savoir quel est son choix.

Scène III : *Tite, Domitian, Domitie,*
Albin, Plautine.

TITE

Parlez, parlez, Madame, et daignez nous apprendre
Où porte votre cœur, ce qu'il sent de plus tendre,
Qui le possède entier de mon frère ou de moi ?

DOMITIE

En doutez-vous, Seigneur, quand vous avez ma foi ?

TITE

J'aime à n'en point douter, mais on veut que j'en doute :
On dit que cette foi ne vous donne pas toute,
Que ce cœur reste ailleurs. Parlez en liberté,
Et n'en consultez point cette noble fierté,
Ce digne orgueil du sang que mon rang sollicite :
De tout ce que je suis ne regardez que Tite,
Et pour mieux écouter vos désirs les plus doux,
Entre le Prince et moi ne regardez que vous.

DOMITIE

Qu'avez-vous dit de moi, Prince ?

DOMITIAN

Que dans votre âme
Vous laissez vivre encor notre première flamme,
Et qu'en faveur du rang si vous m'osez trahir,
Ce n'est pas tant aimer, Madame, qu'obéir.
C'est en dire un peu plus que vous n'aviez envie,
Mais il y va de vous, il y va de ma vie,
Et qui se voit si près de perdre tout son bien,
Se fait armes de tout, et ne ménage rien.

DOMITIE

Je ne sais de vous deux, Seigneur, à rien feindre,
Duquel je dois le plus me louer ou me plaindre.
C'est aimer assez mal que remettre tous deux
Au choix de mes désirs le succès de vos vœux,
Et cette liberté par tous les deux offerte
Montre que tous les deux peuvent souffrir ma perte,
Et que tout leur amour est prêt à consentir
Que mon cœur ou ma foi veuille se démentir.
Je me plains de tous deux, et vous plains l'un et l'autre,
Si vous voir tout ce cœur vous m'ouvrez tout le vôtre.
Le Prince n'agit pas en amant fort discret :
S'il ne m'impose rien, il trahit mon secret,
Tout ce qu'il vous en dit m'offense ou vous abuse,
Mais ce que fait l'amour, l'amour aussi l'excuse.
Vous, Seigneur, je croyais que vous m'aimiez assez
Pour m'épargner le trouble où vous m'embarrassez,
Et laisser pour couleur à mon peu de constance
La gloire d'obéir à la toute-puissance :
Vous m'ôtez cette excuse, et me voulez charger
De ce qu'a d'odieux la honte de changer.
Si le Prince en mon cœur garde encor même place,
C'est manquer de respect que vous le dire en face,
Et si mon choix pour vous n'est point violenté,
C'est trop d'ambition et d'infidélité.
Ainsi des deux côtés tout sert à me confondre,
J'ai cent choses à dire, et rien à vous répondre,
Et ne voulant déplaire à pas un de vous deux,
Je veux, ainsi que vous, douter où vont mes vœux.
Ce qui le plus m'étonne en cette déférence
Qui veut du cœur entier une entière assurance,
C'est que dans ce haut rang vous ne vouliez pas voir
Qu'il n'importe du cœur quand on sait son devoir,
Et que de vos pareils les hautes destinées
Ne consultent point sur ces grands hyménées.

TITE

Si le vôtre, Madame, était de moindre prix...
Mais que veut Flavian ?

Scène IV : Tite, Domitian, Domitie,
Plautine, Flavian, Albin.

FLAVIAN

Vous en serez surpris, 615
Seigneur, je vous apporte une grande nouvelle :
La Reine Bérénice...

TITE

Eh bien ! est infidèle,
Et son esprit, charmé par un plus doux souci...

FLAVIAN

Elle est dans ce palais, Seigneur, et la voici.

Scène V : Tite, Domitian, Bérénice, Domitie,
Flavian, Albin, Philon, Plautine.

TITE

O Dieux ! est-ce, Madame, aux reines de surprendre ?
Quel accueil, quels honneurs peuvent-elles attendre, 620
Quand leur surprise envie au souverain pouvoir
Celui de donner ordre à les bien recevoir ?

BÉRÉNICE

Pardonnez-le, Seigneur, à mon impatience.
J'ai fait sous d'autres noms demander audience :
Vous la donniez trop tard à mes ambassadeurs, 625
Je n'ai pu tant attendre à voir tant de grandeurs,
Et quoique par vous-même autrefois exilée,
Sans ordre et sans aveu je me suis rappelée,
Pour être la première à mettre à vos genoux
Le sceptre qu'à présent je ne tiens que de vous, 630
Et prendre sur les Rois cet illustre avantage
De leur donner l'exemple à vous en faire hommage.
Je ne vous dirai point avec quelles langueurs
D'un si cruel exil j'ai souffert les longueurs :
Vous savez trop... 635

TITE

Je sais votre zèle, et l'admire,
Madame, et pour me voir possesseur de l'Empire,
Pour me rendre vos soins, je ne méritais pas
Que rien vous pût résoudre à quitter vos États,
Qu'une si grande Reine en formât la pensée.
Un voyage si long vous doit avoir lassée : 640
Conduisez-la, mon frère, en son appartement ;
Vous, faites-l'y servir aussi pompeusement,
Avec le même éclat qu'elle s'y vit servie
Alors qu'elle faisait le bonheur de ma vie.

Scène VI : Tite, Domitie, Plautine, Philon.

DOMITIE

Seigneur, faut-il ici vous rendre votre foi ? 645
Ne regardez que vous entre la Reine et moi,
Parlez sans vous contraindre, et me daignez apprendre
Où porte votre cœur ce qu'il sent de plus tendre.

TITE

Adieu, Madame, adieu. Dans le trouble où je suis,
Me taire et vous quitter, c'est tout ce que je puis. 650

Scène VII : Domitie, Plautine.

DOMITIE

Se taire et me quitter! Après cette retraite,
Crois-tu qu'un tel arrêt ait besoin d'interprète?

PLAUTINE

Oui, Madame, et ce n'est que dérober au jour,
Que vous cacher le trouble où le met ce retour.

DOMITIE

655 Non, non. Tu l'as voulu, Plautine, que je vinsse
Désavouer ici les vanités du Prince,
Empêcher qu'un amant dont je n'ai pas le cœur
Ne cédât ma conquête à mon premier vainqueur :
Vois la honte qu'ainsi je me suis attirée.
660 Quand sa Reine a paru, m'a-t-il considérée?
A-t-il jeté les yeux sur moi qu'en me quittant?

PLAUTINE

Pensez-vous que sa Reine ait l'esprit plus content?
Avant que vous quitter, lui-même il l'a bannie.

DOMITIE

Oui, mais avec respect, avec cérémonie,
665 Avec des yeux enfin qui l'éloignant des miens,
Lui promettaient assez de plus doux entretiens.
Tu me diras encor que la chose est égale,
Que s'il m'ose quitter, il chasse ma rivale.
Mais pour peu qu'il m'aimât, du moins il m'aurait dit
670 Que je garde en son âme encor même crédit :
Il m'en aurait donné des sûretés nouvelles,
Il m'en aurait laissé quelques marques fidèles.
S'il me voulait cacher le trouble où je le vois,
La plus mauvaise excuse était bonne pour moi.
675 Mais pour toute réponse, il se tait, il me quitte,
Et tu ne peux souffrir que mon cœur s'en irrite!
Tu veux, lorsque lui-même ose se déclarer,
Que je me flatte encore assez pour espérer!
C'est avec le perfide être d'intelligence.
680 Sans me flatter en vain, courons à la vengeance,
Faisons voir ce qu'en moi peut le sang de Néron,
Et que je suis de plus fille de Corbulon.

PLAUTINE

Vous l'êtes, mais enfin c'est n'être qu'une fille,
Que le reste impuissant d'une illustre famille.
685 Contre un tel Empereur où prendrez-vous des bras?

DOMITIE

Contre un tel Empereur nous n'en manquerons pas.
S'il épouse sa Reine, il est l'horreur de Rome.
Trouvons alors, trouvons un grand cœur, un grand
[homme,
Un Romain qui réponde au sang de mes aïeux,
690 Et pour le révolter, laisse faire à mes yeux.
Juge, par le pouvoir de ceux de Bérénice,
Si les miens auront peine à s'en faire justice.
Si ceux-là forcent Tite à me manquer de foi,
Ceux-ci feront briser le joug d'un nouveau Roi,
695 Et si de l'univers les siens charment le maître,
Les miens charmeront ceux qui méritent de l'être.
Dis-le-moi, tu l'as vue, ai-je peu de raison
Quand de mes yeux aux siens je fais comparaison?
Est-elle plus charmante, ai-je moins de mérite?
700 Suis-je moins digne qu'elle enfin du cœur de Tite?

PLAUTINE

Madame...

DOMITIE

Je m'emporte, et mes sens interdits
Impriment leur désordre en tout ce que je dis.
Comment saurais-je aussi ce que je te dois dire,
Si je ne sais pas même à quoi mon âme aspire?
Mon aveugle fureur s'égare à tout propos.
Allons penser à tout avec plus de repos.

PLAUTINE

Vous pourriez hasarder un moment de visite,
Pour voir si ce retour est sans l'aveu de Tite,
Ou si c'est de concert qu'il a fait le surpris.

DOMITIE

Oui, mais auparavant remettons nos esprits.

ACTE TROISIÈME

Scène I : Domitian, Bérénice, Philon.

DOMITIAN

Je vous l'ai dit, Madame, et j'aime à le redire,
Qu'il est beau qu'à vous plaire un Empereur aspire,
Qu'il lui doit être doux qu'un véritable feu
Par de justes soupirs mérite votre aveu.
Serait-ce un crime à moins? Serait-ce vous déplaire,
Après un empereur, de vous offrir son frère,
Et voudriez-vous croire, en faveur de ma foi,
Qu'un frère d'empereur pourrait valoir un Roi?

BÉRÉNICE

Si votre âme, Seigneur, en veut être éclaircie,
Vous pouvez le savoir du savoir de Domitie.
De tous les deux aimée, et douce à tous les deux,
Elle sait mieux que moi comme on change de vœux.
Et sait peut-être mal la route qu'il faut prendre
Pour trouver le secret de les faire descendre,
Quelque facilité qu'elle ait eue à trouver,
Malgré sa flamme et vous, l'art de les élever.
Pour moi, qui n'eus jamais l'honneur d'être Romaine,
Et qu'un destin jaloux n'a fait naître que Reine,
Sans qu'un de vous descende au rang que je remplis,
Ce me doit être assez d'un de vos affranchis,
Et si votre Empereur suit les traces des autres,
Il suffit d'un tel sort pour relever les nôtres.
Mais changeons de discours, et me dites, Seigneur,
Par quel ordre aujourd'hui vous m'offrez votre cœur.
Est-ce pour obliger ou Domitie ou Tite,
N'ose-t-il me quitter à moins que je le quitte,
Et peut-il à son rang si peu se confier,
Qu'il veuille mon exemple à se justifier?
Me donne-t-il à vous alors qu'il m'abandonne?

DOMITIAN

Il vous respecte trop : c'est à vous qu'il me donne,
Et me fait la justice, en m'enlevant mon bien,
De vouloir que je tâche à m'enrichir du sien.
Mais à peine il le veut, qu'il craint pour moi la haine
Que Rome concevrait pour l'époux d'une Reine.
C'est à vous de juger d'où part ce sentiment,
En vain, par politique, il fait ailleurs l'amant,

Il s'y réduit en vain par grandeur de courage :
A ces fausses clartés opposez quelque ombrage,
Et je renonce au jour, s'il ne revient à vous,
50 Pour peu que vous penchiez à le rendre jaloux.

BÉRÉNICE

Peut-être, mais, Seigneur, croyez-vous Bérénice
D'un cœur à s'abaisser jusqu'à cet artifice,
Jusques à mendier lâchement le retour
De ce qu'un grand service a mérité d'amour ?

DOMITIAN

55 Madame, sur ce point je n'ai rien à vous dire.
Mais savez ce que vaut l'Empereur et l'Empire;
Et si vous consentez qu'on vous manque de foi,
Vous pouvez remarquer si je vaux bien un Roi.
J'aperçois Domitie, et lui cède la place.

Scène II : Domitie, Bérénice, Domitian, Philon.

DOMITIE

60 Je vais me retirer, Seigneur, si je vous chasse,
Et j'ai des intérêts que vous servez trop bien
Pour arrêter le cours d'un si long entretien.

DOMITIAN

Je faisais à la Reine une offre de service
Qui peut vous assurer le rang d'impératrice,
65 Madame, et si j'en suis accepté pour époux,
Tite n'aura plus d'yeux pour d'autre que pour vous.
Est-ce vous mal servir ?

DOMITIE

Quoi, Madame, il vous aime ?

BÉRÉNICE

Non, mais il me le dit, Madame.

DOMITIE

Lui ?

BÉRÉNICE

Lui-même.
Est-ce vous offenser que m'offrir vos refus,
70 Et vous doit-il un cœur dont vous ne voulez plus ?

DOMITIE

Je ne sais si je puis vous dire s'il m'offense,
Quand vous vous préparez à prendre sa défense.

BÉRÉNICE

Et moi, je ne sais pas s'il a droit de changer,
Mais je sais que l'amour ne peut désobliger.

DOMITIE

Du moins ce nouveau feu rend justice au mérite.

DOMITIAN

Vous m'avez commandé de quitter qui me quitte,
Vous le savez, Madame, et si c'est vous trahir,
Vous m'avouerez aussi que c'est vous obéir.

DOMITIE

S'il échappe à l'amour un mot qui le trahisse,
A l'effort qu'il se fait veut-il qu'on obéisse ?
Il cherche une révolte, et s'en laisse charmer.
Vous le sauriez, ingrat, si vous saviez aimer,
Et ne vous feriez pas l'indigne violence
De vous offrir ailleurs, et même en ma présence.

DOMITIAN, *à Bérénice.*

Madame, vous voyez ce que je vous ai dit :
La preuve est convaincante, et l'exemple suffit.

BÉRÉNICE

Il suffit pour vous croire, et non pas pour le suivre.

DOMITIE

Allez, sous quelques lois qu'il vous plaise de vivre,
Vivez-y, j'y consens, mais vous pouviez, Seigneur,
Vous hâter un peu moins de m'ôter votre cœur,   790
Attendre que l'honneur de ce grand hyménée
Vous renvoyât la foi que vous m'avez donnée.
Si vous vouliez passer pour véritable amant,
Il fallait espérer jusqu'au dernier moment,
Il vous fallait...   795

DOMITIAN

Eh bien ! puisqu'il faut que j'espère,
Madame, faites grâce à l'Empereur mon frère,
A la Reine, à vous-même enfin, si vous m'aimez
Autant qu'il le paraît à vos yeux alarmés.
Les scrupules d'État, qu'il fallait mieux combattre,
Assez et trop longtemps nous ont gênés tous quatre : 800
Réunissez des cœurs de qui rompt l'union
Cette chimère en Tite, en vous l'ambition.
Vous trouverez au mien encor les mêmes flammes
Qui, dès que je vous vis, charmèrent nos deux âmes.
Dès ce premier moment j'adorai vos appas,   805
Dès ce premier moment je ne vous déplus pas.
Ai-je épargné depuis aucuns soins pour vous plaire ?
Est-ce un crime pour moi que l'aînesse d'un frère,
Et faut-il m'accabler d'un éternel ennui
Pour avoir vu le jour deux lustres après lui,   810
Comme si de mon choix il dépendait de naître
Dans le temps qu'il fallait pour devenir son maître ?

A Bérénice.

Au nom de votre amour et de ce digne amant,
Madame, qui vous aime encor si chèrement,
Prenez quelque pitié d'un amant déplorable,   815
Faites-la partager à cette inexorable,
Dissipez la fierté d'une injuste rigueur,
Pour juge entre elle et moi je ne veux que son cœur :
Je vous laisse avec elle arbitre de ma vie.

A Domitie.

Adieu, Madame, adieu, trop aimable ennemie.   820

Scène III : Bérénice, Domitie, Philon.

BÉRÉNICE

Les intérêts du Prince avancent trop le mien
Pour vous oser, Madame, importuner de rien,
Et l'incivilité de la moindre prière
Semblerait vous presser de me rendre son frère.
Tout ce qu'en sa faveur je crois m'être permis,   825
Après qu'à votre cœur lui-même il s'est remis,
C'est de vous faire voir ce que hasarde une âme
Qui sacrifie au rang les douceurs de sa flamme
Et quel long repentir suit ces nobles ardeurs
Qui soumettent l'amour à l'éclat des grandeurs.   830

DOMITIE

Quand les choses, Madame, auront changé de face,
Je reviendrai savoir ce qu'il faut que je fasse,
Et demander votre ordre avec empressement
Sur le choix ou du Prince ou de quelque autre amant.
Agréez cependant un respect qui m'amène   835

Vous rendre mes devoirs comme à ma souveraine,
Car je n'ose douter que déjà l'Empereur
Ne vous ait redonné bonne part en son cœur.
Vous avez sur vos Rois pris ce digne avantage
840 D'être ici la première à rendre un juste hommage,
Et pour vous imiter, je veux avoir le bien
D'être aussi la première à vous offrir le mien.
Cet exemple qu'aux Rois vous donnez pour un homme,
J'aime pour une Reine à le donner à Rome;
845 Et plus il est nouveau, plus j'ai lieu d'espérer
Que de quelques bontés vous voudrez m'honorer.

BÉRÉNICE

A vous dire le vrai, sa nouveauté m'étonne :
J'aurais eu quelque peine à vous croire si bonne,
Et je recevrais l'offre avec confusion
850 Si je n'y soupçonnais un peu d'illusion.
    Quoi qu'il en soit, Madame, en cette incertitude
Qui nous met l'une et l'autre en quelque inquiétude,
Ce que je puis répondre à vos civilités,
C'est de vous demander pour moi mêmes bontés,
855 Et que celle des deux qui sera satisfaite
Traite l'autre de l'air qu'elle veut qu'on la traite.
J'ai vu Tite se rendre au peu que j'ai d'appas,
Je ne l'espère plus, et n'y renonce pas.
Il peut se souvenir, dans ce grade sublime,
860 Qu'il soumit votre Rome en détruisant Solyme,
Qu'en ce siège pour lui je hasardai mon rang,
Prodiguai mes trésors, et mes peuples leur sang,
Et que s'il me fait part de sa toute-puissance,
Ce sera moins un don qu'une reconnaissance.

DOMITIE

865 Ce sont là de grands droits, et si l'amour s'y joint,
Je dois craindre une chute à n'en relever point.
Tite y peut ajouter que je n'ai point la gloire
D'avoir sur ma patrie étendu sa victoire,
De l'avoir saccagée et détruite à l'envi,
870 Et renversé l'autel du dieu que j'ai servi :
C'est par là qu'il vous doit cette haute fortune.
Mais je commence à voir que je vous importune.
Adieu. Quelque autre fois nous suivrons ce discours.

BÉRÉNICE

Je suis venue ici trop tôt de quatre jours;
875 J'en suis au désespoir et vous en fais excuse.

DOMITIE

Dans quatre jours, Madame, on verra qui s'abuse.

Scène IV : Bérénice, Philon.

BÉRÉNICE

Quel caprice, Philon, l'amène jusqu'ici
M'expliquer elle-même un si cuisant souci ?
Tite après mon départ l'aurait-il maltraitée ?

PHILON

880 Après votre départ il l'a soudain quittée,
Madame, et s'est défait de cet esprit jaloux
Avec un compliment encor plus court qu'à vous.

BÉRÉNICE

Ainsi tout est égal : s'il me chasse, il la quitte,
Mais ce peu qu'il m'a dit ne peut qu'il ne m'irrite [17] :

17. Latinisme : *Ne peut m'empêcher de.*

Il marque trop pour moi son infidélité.
Vois de ses derniers mots quelle est la dureté :
« Qu'on la serve, a-t-il dit, comme elle fut servie
Alors qu'elle faisait le bonheur de ma vie. »
Je ne le fais donc plus! Voilà ce que j'ai craint.
Il fait en liberté ce qu'il faisait contraint.
Cet ordre de sortir, si prompt et si sévère,
N'a plus pour s'excuser l'autorité d'un père :
Il est libre, il est maître, il veut tout ce qu'il fait.

PHILON

Du peu qu'il vous a dit j'attends un autre effet.
Le trouble de vous voir auprès d'une rivale
Voulait pour se remettre un moment d'intervalle,
Et quand il a rompu sitôt vos entretiens,
Je lisais dans ses yeux qu'il évitait les siens,
Qu'il fuyait l'embarras d'une telle présence.
Mais il vient à son tour prendre son audience,
Madame, et vous voyez si j'en sais bien juger.
Songez de quelle sorte il faut le ménager.

Scène V : Tite, Bérénice, Flavian, Philon.

BÉRÉNICE

Me cherchez-vous, Seigneur, après m'avoir chassée ?

TITE

Vous avez su mieux lire au fond de ma pensée,
Madame, et votre cœur connaît assez le mien
Pour me justifier sans que j'explique rien.

BÉRÉNICE

Mais justifiera-t-il le don qu'il vous plaît faire
De ma propre personne au prince votre frère,
Et n'est-ce point assez de me manquer de foi,
Sans prendre encor le droit de disposer de moi?
Pouvez-vous jusque-là me bannir de votre âme,
Le pouvez-vous, Seigneur ?

TITE

                    Le croyez-vous, Madame ?

BÉRÉNICE

Hélas! que j'ai de peur de vous dire que non!
J'ai voulu vous haïr dès que j'ai su ce don :
Mais à de tels courroux l'âme en vain se confie,
A peine je vous vois que je vous justifie.
Vous me manquez de foi, vous me donnez, chassez,
Que de crimes! Un mot les a tous effacés.
Faut-il, Seigneur, faut-il que je ne vous accuse
Que pour dire aussitôt que c'est moi qui m'abuse,
Que pour me voir forcée à répondre pour vous!
Épargnez cette honte à mon esprit jaloux,
Sauvez-moi du désordre où ma bonté m'expose,
Et du moins par pitié dites-moi quelque chose,
Accusez-moi plutôt, Seigneur, à votre tour,
Et m'imputez pour crime un trop parfait amour.
    Vos chimères d'État, vos indignes scrupules,
Ne pourront-ils jamais passer pour ridicules,
En souffrez-vous encor la tyrannique loi,
Ont-ils encor sur vous plus de pouvoir que moi?
Du bonheur de vous voir j'ai l'âme si ravie
Que pour peu qu'il durât, j'oublierais Domitie.
Pourrez-vous l'épouser dans quatre jours? O cieux!
Dans quatre jours! Seigneur, y voudrez-vous mes yeux?

5 Vous plairez-vous à voir qu'en triomphe menée,
Je serve de victime à ce grand hymenée,
Que traînée avec pompe aux marches de l'autel,
J'aille de votre main attendre un coup mortel?
0 M'y verrez-vous mourir sans verser une larme,
Vous y préparez-vous sans trouble et sans alarme,
Et si vous concevez l'excès de ma douleur,
N'en rejaillit-il rien jusque dans votre cœur?

TITE

Hélas! Madame, hélas! pourquoi vous ai-je vue?
Et dans quel contre-temps êtes-vous revenue!
5 Ce qu'on fit d'injustice à de si chers appas
M'avait assez coûté pour ne l'envier pas.   [grâce;
Votre absence et le temps m'avaient fait quelque
J'en craignais un peu moins les malheurs où je passe;
Je souffrais Domitie, et d'assidus efforts
0 M'avaient, malgré l'amour, fait maître du dehors.
La contrainte semblait tourner en habitude;
Le joug que je prenais m'en paraissait moins rude;
Et j'allais être heureux, du moins aux yeux de tous,
Autant qu'on le peut être en n'étant point à vous.
5 J'allais...

BÉRÉNICE

          N'achevez point, c'est là ce qui me tue.
Et je pourrais souffrir votre hymen à ma vue,
Si vous aviez choisi quelque objet sans éclat,
Qui ne pût être à vous que par raison d'État,
0 Qui de ses grands aïeux n'eût reçu rien d'aimable,
Qui n'en eût que le nom qui fût considérable.
« Il s'est assez puni de son manque de foi,
Me dirais-je, et son cœur n'en est pas moins à moi. »
Mais Domitie est belle, elle a tout l'avantage
Qu'ajoute un vrai mérite à l'éclat du visage,
5 Et pour vous épargner les discours superflus,
Elle est digne de vous, si vous ne m'aimez plus.
Elle a toujours charmé le Prince, votre frère,
Elle a gagné sur vous de ne vous plus déplaire,
L'hymen seulement de me faire oublier,
0 Elle aura votre cœur, et l'aura tout entier.
Seigneur, faites-moi grâce : épousez Sulpitie,
Ou Camille, ou Sabine [18], et non pas Domitie;
Choisissez-en quelqu'une enfin dont le bonheur
Ne m'ôte que la main, et me laisse le cœur.

TITE

Domitie aisément souffrirait ce partage,
Ma main satisferait l'orgueil de son courage;
Et pour le cœur, à peine il vous sait en ces lieux,
Qu'il revient tout entier faire hommage à vos yeux.

BÉRÉNICE

N'importe : ayez pitié, Seigneur, de ma faiblesse.
Vous avez un cœur fait à changer de maîtresse,
Vous ne savez que trop l'art de manquer de foi,
Ne l'exercerez-vous jamais que contre moi?

TITE

Domitie est le choix de Rome et de mon père :
Ils crurent à propos de l'ôter à mon frère,
De crainte que ce cœur jeune et présomptueux

18. Aucun de ces noms ne figure dans ses sources historiques. Corneille ne cherchait pas bien loin des noms vraisemblables.

Ne rendît téméraire un Prince impétueux.
Si pour vous obéir je lui suis infidèle,
Rome, qui l'a choisie, y consentira-t-elle?

BÉRÉNICE

Quoi, Rome ne veut pas quand vous avez voulu?
Que faites-vous, Seigneur, du pouvoir absolu?   990
N'êtes-vous dans ce trône, où tant de monde aspire,
Que pour assujettir l'Empereur à l'Empire?
Sur ses plus hauts degrés Rome vous fait la loi,
Elle affermit ou rompt le don de votre foi!
Ah! si j'en puis juger sur ce qu'on voit paraître,   995
Vous en êtes l'esclave encor plus que le maître.

TITE

Tel est le triste sort de ce rang souverain,
Qui ne dispense pas d'avoir un cœur romain,
Ou plutôt des Romains tel est le dur caprice
A suivre obstinément une aveugle injustice,   1000
Qui rejetant d'un Roi le nom plus que les lois,
Accepte un Empereur plus puissant que cent rois.
C'est ce nom seul qui donne à leurs farouches haines
Cette invincible horreur qui passe jusqu'aux Reines,
Jusques à leurs époux, et vos yeux adorés   1005
Verraient de notre hymen naître cent conjurés.
Encor s'il n'y fallait hasarder que ma vie,
Si ma perte aussitôt de la vôtre suivie...

BÉRÉNICE

Non, Seigneur, ce n'est pas aux Reines comme moi
A hasarder leurs jours pour signaler leur foi.   1010
La plus illustre ardeur de périr l'un pour l'autre
N'a rien de glorieux pour mon rang et le vôtre :
L'amour de nos pareils la traite de fureur,
Et ces vertus d'amant ne sont pas d'Empereur.
Mes secours en Judée achevèrent l'ouvrage   1015
Qu'avait des légions ébauché le suffrage :
Il m'est trop précieux pour le mettre au hasard,
Et j'y pouvais, Seigneur, mériter quelque part,
N'était qu'affermissant votre heureuse fortune,
Je n'ai fait qu'empêcher qu'elle nous fût commune.   1020
Si j'eusse eu moins pour elle ou de zèle ou de foi,
Vous seriez moins puissant, mais vous seriez à moi,
Vous n'auriez que le nom de général d'armée,
Mais j'aurais pour époux l'amant qui m'a charmée,
Et je posséderais dans ma cour, en repos,   1025
Au lieu d'un Empereur, le plus grand des héros.

TITE

Eh bien! Madame, il faut renoncer à ce titre,
Qui de toute la terre en vain me fait l'arbitre.
Allons dans vos États m'en donner un plus doux,
Ma gloire la plus haute est celle d'être à vous.   1030
Allons où je n'aurai que vous pour souveraine,
Où vos bras amoureux seront ma seule chaîne,
Où l'hymen en triomphe à jamais l'étreindra,
Et soit de Rome esclave et maître qui voudra [19].

BÉRÉNICE

Il n'est plus temps : ce nom, si sujet à l'envie,   1035

19. Chose étrange, jamais le Titus de Racine n'eût prononcé
de tels vers. C'est lui au contraire le plus cornélien des deux,
sur le plan politique : ... je dois moins encore vous dire
    Que je suis prêt pour vous d'abandonner l'Empire,
    De vous suivre, et d'aller, trop content de mes fers,
    Soupirer avec vous au bout de l'univers (acte V, scène 6).

Ne se quitte jamais, Seigneur, qu'avec la vie,
Et des nouveaux Césars la tremblante fierté
N'ose faire de grâce à ceux qui l'ont porté :
Qui l'a pris une fois est toujours punissable.
1040 Ce fut par là qu'Othon se traita de coupable,
Par là Vitellius mérita le trépas,
Et vous n'auriez partout qu'assassins sur vos pas.

TITE

Que faire donc, Madame ?

BÉRÉNICE

Assurer votre vie,
Et s'il y faut enfin la main de Domitie...
1045 Mais adieu : sur ce point si vous pouvez douter,
Ce n'est pas moi, Seigneur, qu'il en faut consulter.

TITE, *à Bérénice qui se retire.*

Non, Madame, et dût-il m'en coûter trône et vie,
Vous ne me verrez point épouser Domitie.
Ciel, si vous ne voulez qu'elle règne en ces lieux,
1050 Que vous m'êtes cruel de la rendre à mes yeux !

ACTE QUATRIÈME

Scène I : Bérénice, Philon[20].

BÉRÉNICE

Avez-vous su, Philon, quel bruit et quel murmure
Fait mon retour à Rome en cette conjoncture ?

PHILON

Oui, Madame : j'ai vu presque tous vos amis,
Et su d'eux quel espoir vous peut être permis.
1055 Il est peu de Romains qui penchent la balance
Vers l'extrême hauteur ou l'extrême indulgence :
La plupart d'eux embrasse un avis modéré
Par qui votre retour n'est pas déshonoré.
Mais à l'hymen de Tite il vous ferme la porte,
1060 La fière Domitie est partout la plus forte,
La vertu de son père et son illustre sang
A son ambition assure ce haut rang.
Il est peu sur ce point de voix qui se divisent,
Madame, et quant à vous, voici ce qu'ils en disent :
1065 « Elle a bien servi Rome, il le faut avouer,
L'Empereur et l'Empire ont lieu de s'en louer :
On lui doit des honneurs, des titres sans exemples ;
Mais enfin elle est Reine, elle abhorre nos temples,
Et sert un Dieu jaloux qui ne peut endurer
1070 Qu'aucun autre que lui se fasse révérer ;
Elle traite à nos yeux les nôtres de fantômes.
On peut lui prodiguer des villes, des royaumes :
Il est des Rois pour elle, et déjà Polémon
De ce Dieu qu'elle adore invoque le seul nom[21].
1075 Des nôtres pour lui plaire il dédaigne le culte :
Qu'elle règne avec lui sans nous faire d'insulte.
Si ce trône et le sien ne lui suffisent pas,
Rome est prête d'y joindre encor d'autres États,

Et de faire éclater avec magnificence
Un juste et plein effet de sa reconnaissance. »

BÉRÉNICE

Qu'elle répande ailleurs ces effets éclatants,
Et ne m'enlève point le seul où je prétends.
Elle n'a point de part en ce que je mérite :
Elle ne me doît rien, je n'ai servi que Tite.
Si j'ai vu sans douleur mon pays désolé,
C'est à Tite, à lui seul, que j'ai tout immolé ;
Sans lui, sans l'espérance à mon amour offerte,
J'aurais servi Solyme, ou péri dans sa perte,
Et quand Rome s'efforce à m'arracher son cœur,
Elle sert le courroux d'un Dieu juste vengeur.
Mais achevez, Philon, ne dit-on autre chose ?

PHILON

On parle des périls où votre amour l'expose :
« De cet hymen, dit-on, les nœuds si désirés
Serviront de prétexte à mille conjurés ;
Ils pourront soulever jusqu'à son propre frère,
Il se voulut jadis cantonner contre un père,
N'eût été Mucian qui le tint dans Lyon,
Il se faisait le chef de la rébellion,
Avouait Civilis, appuyait ses Bataves,
Des Gaulois belliqueux soulevait les plus braves,
Et les deux bords du Rhin l'auraient pour empereur,
Pour peu qu'eût Céréal écouté sa fureur[22]. »
Il aime Domitie, et règne dans son âme,
Si Tite ne l'épouse, il en fera sa femme.
Vous savez de tous deux quelle est l'ambition :
Jugez ce qui peut suivre une telle union.

BÉRÉNICE

Ne dit-on rien de plus ?

PHILON

Ah ! Madame, je tremble
A vous dire encor...

BÉRÉNICE

Quoi ?

PHILON

Que le sénat s'assemble.

BÉRÉNICE

Quelle est l'occasion qui le fait assembler ?

PHILON

L'occasion n'a rien qui vous doive troubler,
Et ce n'est qu'à dessein de pourvoir aux dommages
Que du Vésuve ardent ont causés les ravages[23],
Mais Domitie aura des amis, des parents,
Qui pourront bien après vous mettre sur les rangs.

BÉRÉNICE

Quoi que sur mes destins ils usurpent d'empire,
Je ne vois pas leur maître en état d'y souscrire.
Philon, laissons-les faire : ils n'ont qu'à me bannir
Pour trouver hautement l'art de me retenir.
Contre toutes leurs voix je ne veux qu'un suffrage,
Et l'ardeur de me nuire achèvera l'ouvrage.

---

20. C'est beaucoup plus tôt (acte II, scène 2) que Racine a placé une scène identique entre Titus et Paulin.
21. Polémon s'était effectivement converti à la religion judaïque pour épouser Bérénice (cf. notes 3 et 13). Ce trait n'est que dans Flavius Josèphe (*Antiquités judaïques*, liv. XX, chap. 7) qu'il faut ajouter aux sources de Corneille.
22. Tiré de Tacite, *Histoires*, IV, chap. 85-86. Cette source commune relie plus étroitement la composition de *Tite* à celle d'*Othon* et permet d'inférer que, si Corneille composait ses pièces seulement juste avant de les faire représenter, il tenait du moins en réserve des sujets entrevus au moment où il travaillait à une tragédie.
23. Suétone, chap. 8 (cf. la note 16).

Ce n'est pas qu'en effet la gloire où je prétends
N'offre trop de prétexte aux esprits mécontents,
Je ne puis jeter l'œil sur ce que je suis née
Sans voir que de périls suivront cet hyménée.
5 Mais pour y parvenir s'il faut trop hasarder,
Je veux donner le bien que je n'ose garder,
Je veux du moins, je veux ôter à ma rivale
Ce miracle vivant, cette âme sans égale.
Qu'en dépit des Romains, leur digne souverain,
10 S'il prend une moitié, la prenne de ma main,
Et pour tout dire enfin, je veux que Bérénice
Ait une créature en leur impératrice.
    Je vois Domitian. Contre tous leurs arrêts
Il n'est pas malaisé d'unir nos intérêts.

Scène II : Domitian, Bérénice, Philon, Albin.

BÉRÉNICE

15 Auriez-vous au sénat, Seigneur, assez de brigue
Pour combattre et confondre une insolente ligue?
S'il ne s'assemble pas exprès pour m'exiler,
J'ai quelques envieux qui pourront en parler.
L'exil m'importe peu, j'y suis accoutumée,
20 Mais vous perdez l'objet dont votre âme est charmée :
L'audacieux décret de mon bannissement
Met votre Domitie aux bras d'un autre amant,
Et vous pouvez juger que s'il faut qu'on m'exile,
Sa conquête pour vous n'en est pas plus facile.
25 Voyez si votre amour se veut laisser ravir
Cet unique secours qui pourrait le servir.

DOMITIAN

On en pourra parler, Madame, et mon ingrate
En a déjà conçu quelque espoir qui la flatte,
Mais je puis dire aussi que le rang que je tiens
30 M'a fait assez d'amis pour opposer aux siens,
Et que si dès l'abord ils ne les font pas taire,
Ils rompront le grand coup qui seul nous peut déplaire.
Non que tout cet espoir ne coure grand hasard,
Si votre amant volage y prend la moindre part :
35 On l'aime, et si son ordre à nos amis s'oppose
Leur plus fidèle ardeur osera peu de chose.

BÉRÉNICE

Ah! Prince, je mourrai de honte et de douleur,
Pour peu qu'il contribue à faire mon malheur,
Mais je n'ai qu'à le voir pour calmer ces alarmes.

DOMITIAN

40 N'y perdez point de temps, portez-y tous vos charmes :
N'en oubliez aucun dans un péril si grand.
Peut-être, ainsi que vous, ce dessein le surprend,
Mais je crains qu'après tout son âme irrésolue,
Ne relâche un peu trop sa puissance absolue,
45 Et ne laisse au sénat décider de ses vœux,
Pour se faire une excuse envers l'une des deux.

BÉRÉNICE [déploie,

Quelques efforts qu'on fasse, et quelque art qu'on
Je vous réponds de tout, pourvu que je le voie,
Et je ne crois pas même au pouvoir de vos dieux
50 De lui faire épouser Domitie à mes yeux.
Si vous l'aimez encor, ce mot vous doit suffire;

Quant au sénat, qu'il m'ôte ou me donne l'Empire,
Je ne vous dirai point à quoi je me résous.
Voici votre inconstante. Adieu, pensez à vous.

Scène III : Domitian, Domitie, Albin, Plautine.

DOMITIE

Prince, si vous m'aimez, l'occasion est belle.   1175

DOMITIAN

Si je vous aime! Est-il un amant plus fidèle!
Mais, Madame, sachons ce que vous souhaitez.

DOMITIE

Vous me servirez mal, puisque vous en doutez.
L'amant digne du cœur de la beauté qu'il aime
Sait mieux ce qu'elle veut que ce qu'il veut lui-même. 1180
Mais puisque j'ai besoin d'expliquer mon courroux,
J'en veux à Bérénice, à l'Empereur, à vous :
A lui, qui n'ose plus m'aimer en sa présence,
A vous, qui vous mettez de leur intelligence,
Et dont tous les amis vont servir un amour   1185
Qui me rend à vos yeux la fable de la cour.
Si vous m'aimez, Seigneur, il faut sauver ma gloire,
M'assurer par vos soins une pleine victoire,
Il faut...

DOMITIAN

        Si vous croyiez votre bonheur douteux,
Votre retour vers moi serait-il si honteux?   1190
Suis-je indigne de vous, suis-je si peu de chose
Que toute votre gloire à mon amour s'oppose?
Ne voit-on plus en moi ce que vous estimiez,
Et suis-je moindre enfin qu'alors que vous m'aimiez?

DOMITIE

Non, mais un autre espoir va m'accabler de honte, 1195
Quand le trône m'attend, si Bérénice y monte.
Délivrez-en mes yeux, et prêtez-moi la main
Du moins à soutenir l'honneur du nom romain.
De quel œil verrez-vous qu'une Reine étrangère...

DOMITIAN

De l'œil dont je verrais que l'Empereur mon frère   1200
En prît d'autres pour vous, ranimât mon espoir,
Et pour se rendre heureux, usât de son pouvoir.

DOMITIE

Ne vous y trompez pas : s'il me donne le change,
Je ne suis point à vous, je suis à qui me venge,
Et trouverai peut-être à Rome assez d'appui   1205
Pour me venger de vous aussi bien que de lui.

DOMITIAN

Et c'est du nom romain la gloire qui vous touche,
Madame, et vous l'avez au cœur comme en la bouche?
Ah! que le nom de Rome est un nom précieux
Alors qu'en la servant on se sert encor mieux,   1210
Qu'avec nos intérêts ce grand devoir conspire,
Et que pour récompense on se promet l'Empire!
Parlons à cœur ouvert, Madame, et dites-moi
Quel fruit je dois attendre enfin d'un tel emploi.

DOMITIE

Voulez-vous pour servir être sûr du salaire,   1215
Seigneur, et n'avez-vous qu'un amour mercenaire?

DOMITIAN

Je n'en connais point d'autre, et ne conçois pas bien

Qu'un amant puisse plaire en ne prétendant rien.

DOMITIE

Que ces précautions sentent les âmes basses !

1220 Les Dieux à qui les sert font espérer des grâces.

DOMITIE

Les exemples des Dieux s'appliquent mal sur nous.

DOMITIAN

Je ne veux donc, Madame, autre exemple que vous.
N'attendez-vous de Tite, et n'avez-vous pour Tite
Qu'une stérile ardeur qui s'attache au mérite ?
1225 De vos destins aux siens pressez-vous l'union
Sans vouloir aucun fruit de tant de passion ?

DOMITIE

Peut-être en ce dessein ne suis-je intéressée
Que par l'intérêt seul de ma gloire blessée.
Croyez-moi généreuse, et soyez généreux,
1230 N'aimez plus, ou n'aimez que comme je le veux.
Je sais ce que je dois à l'amant qui m'oblige,
Mais j'aime qu'on l'attende et non pas qu'on l'exige,
Et qui peut immoler son intérêt au mien,
Peut se promettre tout de qui ne promet rien.
1235 Peut-être qu'en l'état où je suis avec Tite,
Je veux bien le quitter, mais non pas qu'il me quitte.
Vous en dis-je trop peu pour vous l'imaginer,
Et depuis quand l'amour n'ose-t-il deviner ?
Tous mes emportements pour la grandeur suprême
1240 Ne vous déguisent point, Seigneur, que je vous aime,
Et l'on ne voit que trop quel droit j'ai de haïr
Un Empereur sans foi qui meurt de me trahir.
Me condamnerez-vous à voir du sang de Bérénice
M'enlève de hauteur le rang d'impératrice ?
1245 Lui pourrez-vous aider à me perdre d'honneur ?

DOMITIAN

Ne pouvez-vous le mettre à faire mon bonheur ?

DOMITIE

J'ai quelque orgueil encor, Seigneur, je le confesse.
De tout ce qu'il attend rendez-moi la maîtresse,
Et laissez à mon choix l'effet de votre espoir :
1250 Que ce soit une grâce, et non pas un devoir,
Et que...

DOMITIAN

Me faire grâce après tant d'injustice !
De tant de vains détours je vois trop l'artifice,
Et ne saurais douter du choix que vous ferez
Quand vous aurez par moi ce que vous espérez.
1255 Épousez, j'y consens, le rang de souveraine,
Faites l'impératrice en donnant une Reine,
Disposez de sa main, et pour première loi,
Madame, ordonnez-lui d'abaisser l'œil sur moi.

DOMITIE

Cet objet de ma haine a pour vous quelque charme.

DOMITIAN

1260 Son nom seul prononcé vous a mise en alarme :
Me puis-je mieux venger, si vous me trahissez,
Que d'aimer à vos yeux ce que vous haïssez ?

DOMITIE

Parlons à cœur ouvert. Aimez-vous Bérénice ?

DOMITIAN

Autant qu'il faut l'aimer pour vous faire un supplice.

DOMITIE

Ce sera donc le vôtre encor plus que le mien.
Après cela, Seigneur, je ne vous dis plus rien.
S'il n'a pas pour votre âme une assez rude gêne,
J'y puis joindre au besoin une implacable haine.

DOMITIAN

Et moi, dût à jamais croître ce grand courroux,
J'épouserai, Madame, ou Bérénice, ou vous.

DOMITIE

Ou Bérénice, ou moi ! La chose est donc égale,
Et vous ne m'aimez plus qu'autant que ma rivale ?

DOMITIAN

La douleur de vous perdre, hélas !...

DOMITIE

C'en est assez :
Nous verrons cet amour dont vous nous menacez.
Cependant si la Reine, aussi fière que belle,
Sait comme il faut répondre aux vœux d'un infidèle,
Ne me rapportez point l'objet de son dédain
Qu'elle n'ait repassé les rives du Jourdain.

Scène IV : Domitian, Albin.

DOMITIAN

Admire ainsi que moi de quelle jalousie
Au seul nom de la Reine elle a paru saisie ;
Comme s'il importait à ses heureux appas
A qui je donne un cœur dont elle ne veut pas !

ALBIN

Seigneur, telle est l'humeur de la plupart des femmes.
L'amour sous leur empire eût-il rangé mille âmes.
Elles regardent tout comme leur propre bien,
Et ne peuvent souffrir qu'il leur échappe rien.
Un captif mal gardé leur semble une infamie,
Qui l'ose recevoir devient leur ennemie,
Et sans leur faire un vol on ne peut disposer
D'un cœur qu'un autre choix a la force à refuser.
Elles veulent qu'ailleurs par leur ordre il soupire,
Et qu'un don de leur part marque un reste d'empire ;
Domitie a pour vous ces communs sentiments
Que les fières beautés ont pour tous leurs amants,
Et craint, si votre main se donne à Bérénice,
Qu'elle ne porte en vain le nom d'impératrice,
Quand d'un côté l'hymen, et de l'autre l'amour,
Feront à cette Reine un empire en sa cour.
Voilà sa jalousie, et ce qu'elle redoute,
Seigneur. Pour le sénat, n'en soyez point en doute,
Il aime l'Empereur, et l'honore à tel point
Qu'il servira sa flamme, ou n'en parlera point.
Pour le stupide Claude il eut bien la bassesse
D'autoriser l'hymen de l'oncle avec la nièce [24] :
Il ne fera pas moins pour un prince adoré,
Et je l'y tiens déjà, Seigneur, tout préparé.

DOMITIAN

Tu parles du sénat, et je veux parler d'elle,
De l'ingrate qu'un trône a rendue infidèle.
N'est-il point de moyen, ne vois-tu point de jour

24. L'empereur Claude épousa sa nièce Agrippine : c'est
ce qui coûta l'Empire à Britannicus et le donna à Néron.
Tacite, *Annales*, liv. XII, chap. 6-7.

0 A mettre enfin d'accord sa gloire et son amour ?
ALBIN
Tout dépendra de Tite et du secret office
Qu'il peut dans le sénat rendre à sa Bérénice.
L'air dont il agira pour un espoir si doux
Tournera l'assemblée ou pour ou contre vous,
5 Et si sa politique à vos amis s'oppose,
Vous l'avez dit vous-même, ils pourront peu de chose.
Sondez ses sentiments, et réglez-vous sur eux :
Votre bonheur est sûr, s'il consent d'être heureux.
Que si son choix balance, ou flatte mal le vôtre,
0 Demandez Bérénice afin d'obtenir l'autre,
Vous l'avez déjà vu sensible à de tels coups,
Et c'est un grand ressort qu'un peu d'amour jaloux.
Au moindre empressement pour cette belle Reine,
Il vous fera justice et reprendra sa chaîne.
5 Songez à pénétrer ce qu'il a dans l'esprit.
Le voici.

DOMITIAN
Je suivrai ce que ton zèle en dit.

Scène V : Tite, Domitian, Flavian, Albin.

TITE
Avez-vous regagné le cœur de votre ingrate,
Mon frère ?

DOMITIAN
Sa fierté de plus en plus éclate.
Voyez s'il fut jamais orgueil pareil au sien :
0 Il veut que je la serve et ne prétende rien,
Que j'appuie en l'aimant toute son injustice,
Que je fasse de Rome exiler Bérénice.
Mais, Seigneur, à mon tour puis-je vous demander
Ce qu'à vos plus doux vœux il vous plaît d'accorder ?

TITE
5 J'aurai peine à bannir la Reine de ma vue.
Par quels ordres, grands Dieux, est-elle revenue ?
Je souffrais, mais enfin je vivais sans la voir,
J'allais...

DOMITIAN
N'avez-vous pas un absolu pouvoir,
Seigneur ?

TITE
Oui, mais j'en suis comptable à tout le
0 Comme dépositaire, il faut que j'en réponde. [monde.
Un monarque a souvent des lois à s'imposer,
Et qui veut pouvoir tout ne doit pas tout oser.

DOMITIAN
Que refuserez-vous aux désirs de votre âme,
Si le sénat approuve une si belle flamme ?

TITE
5 Qu'il parle du Vésuve, et ne se mêle pas
De jeter dans mon âme un nouvel embarras.
Est-ce à lui d'abuser de mon inquiétude
Jusqu'à mettre une borne à mon incertitude,
Et s'il ose en mon choix prendre quelque intérêt,
0 Me croit-il en état d'en croire son arrêt ?
S'il exile la Reine, y pourrais-je souscrire ?

DOMITIAN
S'il parle en sa faveur, pourrez-vous l'en dédire ?

Ah ! que je vous plaindrais d'avoir si peu d'amour !
TITE
J'en ai trop, et le mets peut-être trop au jour.

DOMITIAN
Si vous en aviez tant, vous auriez peu de peine   1355
A rendre Domitie à sa première chaîne.
TITE
Ah ! s'il ne s'agissait que de vous la céder,
Vous auriez peu de peine à me persuader,
Et pour vous rendre heureux, me rendre à Bérénice
Ne serait pas vous faire un fort grand sacrifice.   1360
Il y va de bien plus.
DOMITIAN
De quoi, Seigneur ?
TITE
De tout.
Il y va d'épouser sa haine jusqu'au bout,
D'en suivre la furie, et d'être le ministre
De ce qu'un noir dépit conçoit de plus sinistre,
Et peut-être l'aigreur de ces inimitiés   1365
Voudra que je vous perde ou que vous me perdiez :
Voilà ce qui peut suivre un si doux hyménée.
Vous voyez dans l'orgueil Domitie obstinée ;
Quand pour moi cet orgueil ose vous dédaigner,
Elle ne m'aime pas : elle cherche à régner,   1370
Avec moi, avec vous, n'importe la manière.
Tout plairait, à ce prix, à son humeur altière,
Tout serait digne d'elle, et le nom d'Empereur
A mon assassin même attacherait son cœur.

Pouvez-vous mieux choisir un frein à sa colère,   1375
Seigneur, que de la mettre entre les mains d'un frère ?
TITE
Non : je ne puis la mettre en de plus sûres mains.
Mais plus vous m'êtes cher, Prince, et plus je vous crains ;
De ceux qu'unit le sang plus douces sont les chaînes,
Plus leur désunion met d'aigreur dans leurs haines ;   1380
L'offense en est plus rude, et le courroux plus grand,
La suite plus barbare, et l'effet plus sanglant.
La nature en fureur s'abandonne à tout faire,
Et cinquante ennemis sont moins haïs qu'un frère.
Je ne réveille point des soupçons assoupis,   1385
Et veux bien oublier le temps de Civilis [25] :
Vous étiez encor jeune, et sans vous bien connaître,
Vous pensiez n'être né que pour vivre sans maître.
Mais les occasions renaissent aisément :
Une femme est flatteuse, un Empire est charmant,   1390
Et comme avec plaisir on s'en laisse surprendre,
On néglige bientôt les soins de s'en défendre.
Croyez-moi, séparez vos intérêts des siens.
DOMITIAN
Eh bien ! j'en briserai les dangereux liens.
Pour votre sûreté j'accepte ce supplice ;   1395
Mais pour m'en consoler, donnez-moi Bérénice.
Dût le sénat, dût Rome en frémir de courroux.
Vous n'osez l'épouser, j'oserai plus que vous ;
Je l'aime, et l'aimerai si votre âme y renonce.
Quoi ! n'osez-vous, Seigneur, me faire de réponse ?   1400

25 Cf. les vers 1095-1102.

TITE
Se donne-t-elle à vous, et ne tient-il qu'à moi?
DOMITIAN
Elle a droit d'imiter qui lui manque de foi.
TITE
Elle n'en a que trop, et toutefois je doute
Que son amour trahi prenne la même route.
DOMITIAN
1405 Mais si pour se venger elle répond au mien?
TITE
Épousez-la, mon frère, et ne m'en dites rien.
DOMITIAN
Et si je regagnais l'esprit de Domitie,
Si pour moi sa fierté se montrait adoucie,
Si mes vœux, si mes soins en étaient mieux reçus,
1410 Seigneur?
TITE, *en rentrant.*
Épousez-la sans m'en parler non plus.
DOMITIAN
Allons, et malgré lui rendons-lui Bérénice.
Albin, de nos projets son amour est complice,
Et puisqu'il l'aime assez pour en être jaloux,
Malgré l'ambition Domitie est à nous.

ACTE CINQUIÈME

Scène I : Tite, Flavian.

TITE
1415 As-tu vu Bérénice, aime-t-elle mon frère,
Et se plaît-elle à voir qu'il tâche de lui plaire?
Me la demande-t-il de son consentement?
FLAVIAN
Ne la soupçonnez point d'un si bas sentiment :
Elle n'en peut souffrir non pas même la feinte.
TITE
1420 As-tu vu dans son cœur encor la même atteinte?
FLAVIAN
Elle veut vous parler, c'est tout ce que j'en sai.
TITE
Faut-il de son pouvoir faire un nouvel essai?
FLAVIAN
M'en croirez-vous, Seigneur? évitez sa présence,
Ou mettez-vous contre elle un peu mieux en défense.
1425 Quel fruit espérez-vous de tout son entretien?
TITE
L'en aimer davangage, et ne résoudre rien.
FLAVIAN
L'irrésolution doit-elle être éternelle?
Vous ne me dites plus que Domitie est belle,
Seigneur, vous qui disiez que ses seules beautés
1430 Qu'elle seule en ses yeux porte de quoi contraindre
Vos feux à s'assoupir, s'ils ne peuvent s'éteindre.
TITE
Je l'ai dit, il est vrai; mais j'avais d'autres yeux,
Et je ne voyais pas Bérénice en ces lieux.
FLAVIAN
1435 Quand aux feux les plus beaux un monarque défère,

Il s'en fait un plaisir et non pas une affaire,
Et regarde l'amour comme un lâche attentat
Dès qu'il veut prévaloir sur la raison d'État.
Son grand cœur, au-dessus des plus dignes amorces,
A ses devoirs pressants laisse toutes leurs forces [26], 1
Et son plus doux espoir n'ose lui demander
Ce que sa dignité ne lui peut accorder.
TITE
Je sais qu'un Empereur doit parler ce langage,
Et quand il l'a fallu, j'en ai dit davantage.
Mais de ces duretés que j'étale à regret,   1
Chaque mot à mon cœur coûte un soupir secret,
Et quand à la raison j'accorde un tel empire,
Je le dis seulement parce qu'il le faut dire,
Et qu'étant au-dessus de tous les potentats,
Il me serait honteux de ne le dire pas.   1
De quoi s'enorgueillit un souverain de Rome,
Si par respect pour elle il doit cesser d'être homme,
Éteindre un feu qui plaît, ou ne le ressentir
Que pour s'en faire honte et pour le démentir?
Cette toute-puissance est bien imaginaire,   1
Qui s'asservit soi-même à la peur de déplaire,
Qui laisse au goût public régler tous ses projets,
Et prend le plus haut rang pour craindre ses sujets.
Je ne me donne point d'empire sur leurs âmes,
Je laisse en liberté leurs soupirs et leurs flammes,   1
Et quand d'un bel objet j'en vois quelqu'un charmé,
J'applaudis au bonheur d'aimer et d'être aimé.
Quand je l'obtiens du ciel, me portent-ils envie?
Qu'ont d'amer pour eux tous les douceurs de ma vie? [27]
Et par quel intérêt...
FLAVIAN
Ils perdraient tout en vous.   1
Vous faites le bonheur et le salut de tous,
Seigneur, et l'univers, de qui vous êtes l'âme...
TITE
Ne perds plus de raisons à combattre ma flamme :
Les yeux de Bérénice inspirent des avis
Qui persuadent mieux que tout ce que tu dis.   1
FLAVIAN
Ne vous exposez donc qu'à ceux de Domitie.
TITE
Je n'ai plus, Flavian, que quatre jours de vie :
Pourquoi prends-tu plaisir à les tyranniser?
FLAVIAN
Mais vous savez qu'il faut la perdre ou l'épouser?
TITE
En vain donc à ses vœux tout mon amour s'oppose,   1
Périr ou faire un crime est pour moi même chose.
Laissons-lui toutefois soulever des mutins,
Hasardons sur la foi de nos heureux destins :
Ils m'ont promis la Reine, et doivent à ses charmes
Tout ce qu'ils ont soumis à l'effort de mes armes;   1
Par elle j'ai vaincu, pour elle il faut périr.

---

26. Corneille ose reprendre presque textuellement six vers
de *Sophonisbe* (1373-1378) adressés par Lélius à Massinissa.

27. Corneille, tout en continuant à donner dans ses tragédies
des exemples de détachement généreux, insiste plus qu'autrefois sur le plaisir de vivre et le droit au bonheur : les personnages des dernières tragédies ont un poids d'humanité plus sensible que dans les chefs-d'œuvre eux-mêmes.

FLAVIAN
Seigneur...
TITE
Oui, Flavian, c'est à faire à mourir [28].
La vie est peu de chose; et tôt ou tard, qu'importe
Qu'un traître me l'arrache, ou que l'âge l'emporte?
Nous mourons à toute heure; et dans le plus doux sort
Chaque instant de la vie est un pas vers la mort [29].
FLAVIAN
Flattez mieux les désirs de votre ambitieuse,
Et ne la changez pas de fière en furieuse.
Elle vient vous parler.
TITE
Dieux! quel comble d'ennuis!

Scène II : Tite, Domitie, Flavian, Plautine.

DOMITIE
Je viens savoir de vous, Seigneur, ce que je suis.
J'ai votre foi pour gage, et mes aïeux pour marques
Du grand droit de prétendre au plus grand des monar-
Mais Bérénice est belle, et des yeux si puissants [ques,
Renversent aisément des droits si languissants.
Ce grand jour qui devait unir mon sort au vôtre
Servira-t-il, Seigneur, au triomphe d'une autre?
TITE
J'ai quatre jours encor pour en délibérer,
Madame; jusque-là laissez-moi respirer.
C'est peu de quatre jours pour un tel sacrifice,
Et s'il faut à vos droits immoler Bérénice,
Je ne vous réponds pas que Rome et tous vos droits
Puissent en quatre jours m'en imposer les lois.
DOMITIE
Il n'en faudrait pas tant, Seigneur, pour vous résoudre
A lancer sur ma tête un dernier coup de foudre,
Si vous ne craigniez point qu'il rejaillît sur vous.
TITE
Suspendez quelque temps encor ce grand courroux.
Puis-je étouffer sitôt une si belle flamme?
DOMITIE
Quoi? vous ne pouvez pas ce que peut une femme?
Que vous me rendez mal ce que vous me devez!
J'ai brisé de beaux fers, Seigneur, vous le savez,
Et mon âme, sensible à l'amour comme une autre,
En étouffe un peut-être aussi fort que le vôtre.
TITE
Peut-être auriez-vous peine à le bien étouffer,
Si votre ambition n'en savait triompher.
Moi qui n'ai que les Dieux au-dessus de ma tête,
Qui ne vois plus de rang digne de ma conquête,
Du trône où je me sieds puis-je aspirer à rien
Qu'à posséder un cœur qui n'aspire qu'au mien?
C'est là de mes pareils la noble inquiétude :
L'ambition remplie y jette leur étude,
Et sitôt qu'à prétendre elle n'a plus de jour,
Elle abandonne un cœur tout entier à l'amour.

DOMITIE
Elle abandonne ainsi le vôtre à cette Reine,
Qui cherche une grandeur encor plus souveraine.
TITE
Non, Madame, je veux que vous sortiez d'erreur.   1525
Bérénice aime Tite, et non pas l'Empereur,
Elle en veut à mon cœur, et non pas à l'Empire.
DOMITIE
D'autres avaient déjà pris soin de me le dire,
Seigneur, et votre Reine a le goût délicat
De n'en vouloir qu'au cœur, et non pas à l'éclat.   1530
Cet amour épuré que Tite seul lui donne
Renoncerait au rang pour être à la personne!
Mais on a beau, Seigneur, raffiner sur ce point,
La personne et le rang ne se séparent point.
Sous les tendres brillants de cette noble amorce   1535
L'ambition cachée attaque, presse, force,
Par là de ses projets elle vient mieux à bout,
Elle ne prétend rien, et s'empare de tout [30].
L'art est grand, mais enfin je ne sais s'il mérite
La bouche d'une Reine et l'oreille de Tite.   1540
Pour moi, j'aime autrement, et tout me charme en vous,
Tout m'en est précieux, Seigneur, tout m'en est doux,
Je ne sais point si j'aime ou l'Empereur ou Tite,
Si je m'attache au rang ou n'en veux qu'au mérite,
Mais je sais qu'en l'état où je suis aujourd'hui   1545
J'applaudis à mon cœur de n'aspirer qu'à lui.
TITE
Mais me le donnez-vous, tout ce cœur qui n'aspire,
En se tournant vers moi, qu'aux honneurs de l'Empire?
Suit-il l'ambition en dépit de l'amour,
Madame, la suit-il sans espoir de retour?   1550
DOMITIE
Si c'est à mon égard ce qui vous inquiète,
Le cœur se rend bientôt quand l'âme est satisfaite :
Nous le défendons mal de qui remplit nos vœux.
Un moment dans le trône éteint tous autres feux,
Et donner tout ce cœur, souvent ce n'est que faire   1555
D'un trésor invisible un don imaginaire.
A l'amour vraiment noble il suffit du dehors,
Il veut bien du dedans ignorer les ressorts,
Il n'a d'yeux que pour voir ce qui s'offre à la vue,
Tout le reste est pour eux une terre inconnue [31],   1560
Et sans importuner le cœur d'un souverain,
Il a tout ce qu'il veut quand il en a la main.
Ne m'ôtez pas la vôtre, et disposez du reste.
Le cœur a quelque chose en soi de tout céleste,
Il n'appartient qu'aux Dieux, et comme c'est leur choix, 1565
Je ne veux point, Seigneur, attenter sur leurs droits.
TITE
Et moi, qui suis des Dieux la plus visible image,
Je veux ce cœur comme eux, et j'en veux tout l'hommage,
Mais vous n'en avez plus, Madame, à me donner,
Vous ne voulez ma main que pour vous couronner :   1570
D'autres pourront un jour vous rendre ce service [32].

28. « *Il y a là de quoi mourir.* » On attendrait plutôt « affaire ».
29. Vers quasi textuel dans la traduction de l'*Imitation de Jésus-Christ*, dont c'est un thème central. Corneille le reprend, amplifié, dans *Suréna* (vers 300-312).

30. Nouvelle maxime de La Rochefoucauld mise en vers.
31. Image fameuse tirée de la carte du Tendre, publiée en 1654 à la suite de la *Clélie* de Mlle de Scudéry.
32. Elle fut impératrice, sous Domitien, qui la répudia pour ses amours avec l'histrion Pâris.

Cependant, pour régler le sort de Bérénice,
Vous pouvez faire agir vos amis au sénat,
Ils peuvent m'y nommer lâche, parjure, ingrat :
1575 J'attendrai son arrêt, et le suivrai peut-être.

DOMITIE

Suivez-le, mais tremblez s'il flatte trop son maître.
Ce grand corps tous les ans change d'âme et de cœurs,
C'est le même sénat, et d'autres sénateurs.
S'il alla pour Néron jusqu'à l'idolâtrie,
1580 Il le traita depuis de traître à sa patrie,
Et réduisit ce Prince indigne de son rang
A la nécessité de se percer le flanc.
Vous êtes son amour, craignez d'être sa haine
Après l'indignité d'épouser une Reine.
1585 Vous avez quatre jours pour en délibérer.
J'attends le coup fatal, que je ne puis parer.
Adieu. Si vous l'osez, contentez votre envie,
Mais en m'ôtant l'honneur n'épargnez pas ma vie.

Scène III : Tite, Flavian.

TITE

L'impérieux esprit ! Conçois-tu, Flavian,
1590 Où pourraient ses fureurs porter Domitian,
Et de quelle importance est pour moi l'hyménée
Où par tous mes désirs je la sens condamnée ?

FLAVIAN

Je vous l'ai déjà dit, Seigneur, pensez-y bien,
Et surtout de la Reine évitez l'entretien.
1595 Redoutez... Mais elle entre, et sa moindre tendresse
De toutes nos raisons va montrer la faiblesse.

Scène IV : Tite, Bérénice, Philon, Flavian.

TITE

Eh bien ! Madame, eh bien ! faut-il tout hasarder,
Et venez-vous ici pour me le commander ?

BÉRÉNICE

De ce qui m'est permis je sais mieux la mesure,
1600 Seigneur, et j'ai pour vous une flamme trop pure
Pour vouloir, en faveur d'un zèle ambitieux,
Mettre au moindre péril des jours si précieux.
Quelque pouvoir sur moi que notre amour obtienne,
J'ai soin de votre gloire, ayez-en de la mienne.
1605 Je ne demande plus que pour de si beaux feux
Votre absolu pouvoir hasarde un : « Je le veux. »
Cet amour le voudrait, mais, comme je suis Reine,
Je sais des souverains la raison souveraine.
Si l'ardeur de vous voir m'a voulue ignorer,
1610 Si mon indigne exil s'est permis d'espérer,
Si j'ai rentré dans Rome avec quelque imprudence,
Tite à ce trop d'ardeur doit un peu d'indulgence.
Souffrez qu'un peu d'éclat, pour prix de tant d'amour,
Signale ma venue, et marque mon retour.
1615 Voudrez-vous que je parte avec l'ignominie
De ne vous avoir vu que pour me voir bannie ?
Laissez-moi la douceur de languir en ces lieux,
D'y soupirer pour vous, d'y mourir à vos yeux [33].

33. Même souhait de la *Bérénice* de Racine (acte IV, scène 5) :
Pourquoi m'enviez-vous l'air que vous respirez.

C'en sera bientôt fait, ma douleur est trop vive
Pour y tenir longtemps votre attente captive,
Et si je tarde trop à mourir de douleur,
J'irai loin de vos yeux terminer mon malheur.
Mais laissez-m'en choisir la funeste journée,
Et du moins jusque-là, Seigneur, pas d'hyménée.
Pour votre ambitieuse avez-vous tant d'amour
Que vous ne le puissiez différer d'un seul jour ?
Pouvez-vous refuser à ma douleur profonde...

TITE

Hélas ! que voulez-vous que la mienne réponde,
Et que puis-je résoudre alors que vous parlez,
Moi qui ne puis vouloir que ce que vous voulez ?
Vous parlez de languir, de mourir à ma vue,
Mais, ô Dieux ! songez-vous que chaque mot me tue,
Et porte dans mon cœur de si sensibles coups
Qu'il ne m'en faut plus qu'un pour mourir avant vous ?
De ceux qui m'ont percé souffrez que je soupire.
Pourquoi partir, Madame, et pourquoi me le dire ?
Ah ! si vous vous forcez d'abandonner ces lieux,
Ne m'assassinez pas de vos cruels adieux.
Je vous suivrais, Madame, et flatté de l'idée
D'oser mourir à Rome, et revivre en Judée,
Pour aller de mes feux vous demander le fruit,
Je quitterais l'Empire et tout ce qui leur nuit.

BÉRÉNICE

Daigne me préserver le ciel...

TITE

                                        De quoi, Madame ?

BÉRÉNICE

De voir tant de faiblesse en une si grande âme !
Si j'avais droit par là de vous moins estimer,
Je cesserais peut-être aussi de vous aimer.

TITE

Ordonnez donc enfin ce qu'il faut que je fasse.

BÉRÉNICE

S'il faut partir demain, je ne veux qu'une grâce :
Que ce soit vous, Seigneur, qui le veuilliez pour moi,
Et non votre sénat qui m'en fasse la loi.
Faites-lui souvenir, quoi qu'il craigne ou projette,
Que je suis son amie, et non pas sa sujette,
Que d'un tel attentat notre rang est jaloux,
Et que tout mon amour ne m'asservit qu'à vous.

TITE

Mais peut-être, Madame...

BÉRÉNICE

                                        Il n'est point de peut-être,
Seigneur : s'il en décide, il se fait voir mon maître,
Et dût-il vous porter à tout ce que je veux,
Je ne l'ai point choisi pour juge de mes vœux.

*Scène V : Tite, Bérénice, Domitian,
Albin, Flavian, Philon.*

Domitian entre.

TITE

Allez dire au sénat, Flavian, qu'il se lève ;
Quoi qu'il ait commencé, je défends qu'il achève.
Soit qu'il parle à présent du Vésuve ou de moi,
Qu'il cesse, et que chacun se retire chez soi.
Ainsi le veut la Reine, et comme amant fidèle,

Je veux qu'il obéisse aux lois que je prends d'elle,
65 Qu'il laisse à notre amour régler notre intérêt.

DOMITIAN

Il n'est plus temps, Seigneur, j'en apporte l'arrêt.

TITE

Qu'ose-t-il m'ordonner?

DOMITIAN

Seigneur, il vous conjure
De remplir tout l'espoir d'une flamme si pure.
Des services rendus à vous, à tout l'État,
70 C'est le prix qu'a jugé lui devoir le sénat;
Et pour ne vous prier que pour une Romaine,
D'une commune voix Rome adopte la Reine,
Et le peuple à grands cris montre sa passion
De voir un plein effet de cette adoption.

TITE

75 Madame...

BÉRÉNICE

Permettez, Seigneur, que je prévienne
Ce que peut votre flamme accorder à la mienne.
Grâces au juste ciel, ma gloire en sûreté
N'a plus à redouter aucune indignité.
J'éprouve du sénat l'amour et la justice,
80 Et n'ai qu'à le vouloir pour être impératrice.
Je n'abuserai point d'un surprenant respect
Qui semble un peu bien prompt pour n'être point sus-
Souvent on se dédit de tant de complaisance. [pect :
Non que vous ne puissiez en fixer l'inconstance :
85 Si nous avons trop vu ses flux et ses reflux
Pour Galba, pour Othon, et pour Vitellius,
Rome, dont aujourd'hui vous êtes les délices,
N'aura jamais pour vous ces insolents caprices.
Mais aussi cet amour qu'a pour vous l'univers
90 Ne vous peut garantir des ennemis couverts.
Un million de bras a beau garder un maître,
Un million de bras ne pare point d'un traître.
Il n'en faut qu'un pour perdre un Prince aimé de tous,
Il n'y faut qu'un brutal qui me haïsse en vous,
95 Aux zèles indiscrets tout paraît légitime,
Et la fausse vertu se fait honneur du crime.
Rome a sauvé ma gloire en me donnant sa voix,
Sauvons-lui, vous et moi, la gloire de ses lois,
Rendons-lui, vous et moi, cette reconnaissance
100 D'en avoir pour vous plaire affaibli la puissance,
De l'avoir immolée à vos plus doux souhaits :
On nous aime, faisons qu'on nous aime à jamais.
D'autres sur votre exemple épouseraient des reines
Qui n'auraient pas, Seigneur, des âmes si romaines,
105 Et lui feraient peut-être avec trop de raison
Haïr votre mémoire et détester mon nom.
Un refus généreux de tant de déférence
Contre tous ces périls nous met en assurance.

TITE

Le ciel de ces périls saura trop nous garder.

BÉRÉNICE

Je les vois de trop près pour vous y hasarder.

TITE

Quand Rome vous appelle à la grandeur suprême...

BÉRÉNICE

Jamais un tendre amour n'expose ce qu'il aime.

TITE

Mais, Madame, tout cède, et nos vœux exaucés...

BÉRÉNICE

Votre cœur est à moi, j'y règne, c'est assez.

TITE

Malgré les vœux publics refuser d'être heureuse,   1715
C'est plus craindre qu'aimer.

BÉRÉNICE

La crainte est amoureuse,
Ne me renvoyez pas, mais laissez-moi partir.
Ma gloire ne peut croître, et peut se démentir.
Elle passe aujourd'hui celle du plus grand homme.
Puisque enfin je triomphe et dans Rome et de Rome. 1720
J'y vois à mes genoux le peuple et le sénat,
Plus j'y craignais de honte, et plus j'y prends d'éclat,
J'y tremblais sous sa haine, et la laisse impuissante,
J'y rentrais exilée, et j'en sors triomphante.

TITE

L'amour peut-il se faire une si dure loi?   1725

BÉRÉNICE

La raison me la fait malgré vous, malgré moi [34]
Si je vous en croyais, si je voulais m'en croire,
Nous pourrions vivre heureux mais avec moins de
Épousez Domitie : il ne m'importe plus   [gloire.
Qui vous enrichissiez d'un si noble refus.   1730
C'est à force d'amour que je m'arrache au vôtre,
Et je serais à vous, si j'aimais comme une autre.
Adieu, Seigneur, je pars.

TITE

Ah! Madame, arrêtez.

DOMITIAN

Est-ce là donc pour moi l'effet de vos bontés,
Madame? Est-ce le prix de vous avoir servie?   1735
J'assure votre gloire, et vous m'ôtez la vie.

TITE

Ne vous alarmez point : quoi que la Reine ait dit,
Domitie est à vous, si j'ai quelque crédit.
Madame, en ce refus un tel amour éclate [35]
Que j'aurais pour vous l'âme au dernier point ingrate, 1740
Et mériterais mal ce qu'on a fait pour moi,
Si je portais ailleurs la main que je vous dois.
Tout est à vous : l'amour, l'honneur, Rome l'ordonne.
Un si noble refus n'enrichira personne.
J'en jure par l'espoir qui nous fut le plus doux :   1745
Tout est à vous, Madame, et ne sera qu'à vous,
Et ce que mon amour doit à l'excès du vôtre
Ne deviendra jamais le partage d'une autre.

BÉRÉNICE

Le mien vous aurait fait déjà ces beaux serments,
S'il n'eût craint d'inspirer de pareils sentiments;   1750
Vous vous devez des fils, et des Césars à Rome,
Qui fassent à jamais revivre un si grand homme.

TITE

Pour revivre en des fils nous n'en mourons pas moins,
Et vous mettez ma gloire au-dessus de ces soins.

---

34. Traduction littérale du fameux *Invitus invitam dimisit*,
de Suétone, que Racine met au début de sa préface.

35. Ainsi, la part de l'amour généreux est plus forte dans
Corneille, où Bérénice prend la décision, que dans Racine,
où c'est Titus qui renonce.

1755 Du levant au couchant, du More jusqu'au Scythe,
Les peuples vanteront et Bérénice et Tite,
Et l'histoire à l'envi forcera l'avenir
D'en garder à jamais l'illustre souvenir.
    Prince, après mon trépas soyez sûr de l'Empire,
1760 Prenez-y part en frère, attendant que j'expire.
Allons voir Domitie, et la fléchir pour vous.
Le premier rang dans Rome est pour elle assez doux,
Et je vais lui jurer qu'à moins que je périsse,
Elle seule y tiendra celui d'impératrice.
1765 Est-ce là vous l'ôter ?

                    DOMITIAN
        Ah! c'en est trop, Seigneur.

                    TITE, *à Bérénice.*
Daignez contribuer à faire son bonheur,
Madame, et nous aider à mettre de cette âme
Toute l'ambition d'accord avec sa flamme.

                    BÉRÉNICE
Allons, Seigneur : ma gloire en croîtra de moitié,
Si je puis remporter chez moi son amitié.   17

                    TITE
Ainsi pour mon hymen la fête préparée
Vous rendra cette foi qu'on vous avait jurée,
Prince, et ce jour, pour vous si noir, si rigoureux,
N'aura d'éclat ici que pour vous rendre heureux.

PSYCHÉ

TRAGÉDIE-BALLET *

Molière est en train de jouer Tite et Bérénice, *quand le roi lui commande une pièce à machines. Corneille s'était illustré deux fois en ce genre. Les décors de Sourdéac dormaient au garde-meuble et Molière n'était pas équipé pour monter ce genre de spectacle. Pour cette triple raison, il fait appel à Corneille qui accepte de travailler sur son canevas. Lulli est chargé de la musique. Quinault s'est fait une spécialité des textes destinés à être chantés : c'est donc lui qui les écrira. On se hâte, on aménage spécialement les Tuileries, où se donnent des spectacles publics, jusqu'à ce que Molière soit en état de reprendre la pièce au Palais-Royal.*

Psyché avait fait l'objet de nombreux poèmes et drames musicaux en Italie au XVIIe siècle. Fr. Brac-

ciolini (1566-1645) avait publié à Paris un poème en trois chants. Le marquis Galeotto del Caretto a composé des Noces de Psyché et de Cupidon. *L'Académie de Lucques avait fait jouer un opéra anonyme en 1654. On n'a pas cherché à savoir ce que la pièce française pouvait devoir à ces textes. Il est en tout cas qu'elle suit de très près une* Psyché *de Diamante Gabrielli, imprimée à Mantoue en 1649. Mais, comme il arrive souvent, Corneille surclasse son modèle et c'est dans* Psyché *qu'il faut chercher les vers les plus fluides et les plus tendres de sa production.*

Il n'y a pas lieu de s'attarder sur le sens d'une pièce dont Corneille n'a pas choisi l'intrigue : il ne l'a d'ailleurs jamais jointe à ses œuvres complètes.

LE LIBRAIRE AU LECTEUR

Cet ouvrage n'est pas tout d'une main. M. Quinault a fait les paroles qui s'y chantent en musique, à la réserve de la plainte italienne. M. de Molière a dressé le plan de la pièce, et réglé la disposition, où il s'est plus attaché aux beautés et à la pompe du spectacle qu'à l'exacte régularité. Quant à la versification, il n'a pas eu le loisir de la faire entière. Le carnaval approchait; et les ordres pressants du Roi, qui se voulait donner ce magnifique divertissement plusieurs fois avant le carême, l'ont mis dans la nécessité de souffrir un peu de secours. Ainsi il n'y a que le Prologue, le premier acte, la première scène du second, et la première du troisième, dont les vers soient de lui. M. Corneille a employé une quinzaine au reste; et par ce moyen Sa Majesté s'est trouvée servie dans le temps qu'elle l'avait ordonné.

PERSONNAGES [1]

JUPITER   VÉNUS   L'AMOUR
LE ZÉPHIRE.
ÆGIALE, *grâce.*
PHAÈNE, *grâce.*
LE ROI, *père de Psyché.*
PSYCHÉ.
AGLAURE, *sœur de Psyché.*
CYDIPPE, *sœur de Psyché.*

CLÉOMÈNE, *prince, amant de Psyché.*
AGÉNOR, *prince, amant de Psyché.*
LYCAS, *capitaine des gardes.*
LE DIEU D'UN FLEUVE.
DEUX PETITS AMOURS.

PROLOGUE [2]

La scène représente, sur le devant, un lieu champêtre et dans l'enfoncement, un rocher percé à jour, à travers duquel on voit la mer en éloignement.

Flore paraît au milieu du théâtre, accompagnée de

---

* Jardin royal des Tuileries : 17 janvier 1671. Palais-Royal : 24 juillet 1671. Privilège : 31 décembre 1670. Achevé d'imprimer : 6 octobre 1671.

1. Leur nom, leur répartition correspond de près à ceux de Diamante Gabrielli, qui en compte plus, en raison des moyens techniques supérieurs en Italie.

2. Comme beaucoup de pièces mythologiques, la pièce s'apparente à un type de pastorale italienne que la fin du XVIe siècle a inventée sous le nom de « fable maritime ».

753

PSYCHÉ

Vertumne, dieu des arbres et des fruits, et de Palœ-
mon, dieu des eaux. Chacun de ces dieux conduit
une troupe de divinités : l'un mène à sa suite des
dryades et des sylvains; et l'autre, des dieux des
fleuves et des naïades. Flore chante ce récit pour
inviter Vénus à descendre en terre :

Ce n'est plus le temps de la guerre [3] :
    Le plus puissant des rois
    Interrompt ses exploits,
    Pour donner la paix à la terre.
5   Descendez, mère des Amours,
    Venez nous donner de beaux jours.

Vertumne et Palœmon, avec les divinités qui les
accompagnent, joignent leurs voix à celle de Flore,
et chantent ces paroles :

  CHŒUR DES DIVINITÉS *de la terre et des eaux,*
    composé de Flore, nymphes, Palœmon,
  Vertumne, sylvains, faunes, dryades et naïades.

  Nous goûtons une paix profonde,
  Les plus doux jeux sont ici-bas.
  On doit ce repos plein d'appas
10   Au plus grand roi du monde.
  Descendez, mère des Amours,
  Venez nous donner de beaux jours.

Il se fait ensuite une entrée de ballet, composée de
deux dryades, quatre sylvains, deux fleuves et deux
naïades : après laquelle Vertumne et Palœmon chan-
tent ce dialogue :

      VERTUMNE
  Rendez-vous, beautés cruelles,
  Soupirez à votre tour.
      PALŒMON
15 Voici la reine des belles,
  Qui vient inspirer l'amour.
      VERTUMNE
  Un bel objet, toujours sévère,
  Ne se fait jamais bien aimer.
      PALŒMON
  C'est la beauté qui commence de plaire,
20 Mais la douceur achève de charmer.
    TOUS DEUX ENSEMBLE
  C'est la beauté qui commence de plaire,
  Mais la douceur achève de charmer.
      VERTUMNE
  Souffrons tous qu'Amour nous blesse;
  Languissons, puisqu'il le faut.
      PALŒMON
25 Que sert un cœur sans tendresse?
  Est-il un plus grand défaut?
      VERTUMNE
  Un bel objet, toujours sévère,
  Ne se fait jamais bien aimer.
      PALŒMON
  C'est la beauté qui commence de plaire,
30 Mais la douceur achève de charmer.
    FLORE *répond au dialogue de Vertumne*
      et de Palœmon par ce menuet,
    et les autres divinités y mêlent leurs danses.

3. Texte et musique de Lulli.

    Est-on sage,
    Dans le bel âge,
    Est-on sage
  De n'aimer pas?
    Que, sans cesse,   35
    L'on se presse
  De goûter les plaisirs ici-bas.
    La sagesse
    De la jeunesse,
  C'est de savoir jouir de ses appas.   40

    L'Amour charme
    Ceux qu'il désarme;
    L'Amour charme,
    Cédons-lui tous.
    Notre peine   45
    Serait vaine
  De vouloir résister à ses coups;
    Quelque chaîne
    Qu'un amant prenne,
  La liberté n'a rien qui soit si doux.   50

Vénus descend du ciel dans une grande machine,
avec l'Amour son fils, et deux petites Grâces nom-
mées Ægiale et Phaène; et les divinités de la terre
et des eaux recommencent de joindre toutes leurs
voix, et continuent par leurs danses de lui témoigner
la joie qu'elles ressentent à son abord.

    CHŒUR *de toutes les divinités*
      de la terre et des eaux.

  Nous goûtons une paix profonde,
  Les plus doux jeux sont ici-bas;
  On doit ce repos plein d'appas
    Au plus grand roi du monde.
  Descendez, mère des Amours,   5:
  Venez nous donner de beaux jours.

    VÉNUS, *dans sa machine.*

Cessez, cessez pour moi tous vos chants d'allégresse;
De si rares honneurs ne m'appartiennent pas;
Et l'hommage qu'ici votre bonté m'adresse
Doit être réservé pour de plus doux appas.   6
    C'est une trop vieille méthode
    De me venir faire sa cour;
    Toutes les choses ont leur tour,
    Et Vénus n'est plus à la mode.
    Il est d'autres attraits naissants   6
    Où l'on va porter ses encens.
Psyché, Psyché la belle, aujourd'hui tient ma place;
Déjà tout l'univers s'empresse à l'adorer;
    Et c'est trop peu dans ma disgrâce
Je trouve encor quelqu'un qui me daigne honorer.   7
On ne balance point entre nos deux mérites;
A quitter mon parti tout s'est licencié,
Et du nombreux amas de Grâces favorites
Dont je traînais partout les soins et l'amitié,
Il ne m'en est resté que deux des plus petites,
    Qui m'accompagnent par pitié.
    Souffrez que ces demeures sombres
Prêtent leur solitude au trouble de mon cœur,
    Et me laissez, parmi leurs ombres,
    Cacher ma honte et ma douleur.

Flore et les autres déités se retirent, et Vénus, avec sa suite, sort de sa machine.

ÆGIALE

Nous ne savons, Déesse, comment faire,
Dans ce chagrin qu'on voit vous accabler.
Notre respect veut se taire,
Notre zèle veut parler.

VÉNUS

85 Parlez, mais si vos soins aspirent à me plaire,
Laissez tous vos conseils pour une autre saison,
Et ne parlez de ma colère
Que pour dire que j'ai raison.
C'était là, c'était là la plus sensible offense
90 Que ma divinité pût jamais recevoir :
Mais j'en aurai la vengeance,
Si les Dieux ont du pouvoir.

PHAÈNE

Vous avez plus que nous de clarté, de sagesse,
Pour juger ce qui peut être digne de vous :
95 Mais, pour moi, j'aurais cru qu'une grande déesse
Devrait moins se mettre en courroux.

VÉNUS

Et c'est là la raison de ce courroux extrême.
Plus mon rang a d'éclat, plus l'affront est sanglant ;
Et si je n'étais pas dans ce degré suprême,
100 Le dépit de mon cœur serait moins violent.
Moi, la fille du dieu qui lance le tonnerre,
Mère du dieu qui fait aimer,
Moi, les plus doux souhaits du ciel et de la terre,
Et qui ne suis venue au jour que pour charmer,
105 Moi qui, par tout ce qui respire,
Ai vu de tant de vœux encenser mes autels,
Et qui de la beauté, par des droits immortels,
Ai tenu de tout temps le souverain empire,
Moi, dont les yeux ont mis deux grandes déités
110 Au point de me céder le prix de la plus belle,
Je me vois ma victoire et mes droits disputés
Par une chétive mortelle !
Le ridicule excès d'un fol entêtement
Va jusqu'à m'opposer une petite fille !
115 Sur ses traits et les miens j'essuierai constamment
Un téméraire jugement ;
Et du haut des cieux où je brille,
J'entendrai prononcer aux mortels prévenus :
« Elle est plus belle que Vénus ! »

ÆGIALE

120 Voilà comme l'on fait : c'est le style des hommes,
Ils sont impertinents dans leurs comparaisons.

PHAÈNE

Ils ne sauraient louer, dans le siècle où nous sommes,
Qu'ils n'outragent les plus grands noms.

VÉNUS

Ah ! que de ces trois mots la rigueur insolente
125 Venge bien Junon et Pallas,
Et console leurs cœurs de la gloire éclatante
Que la fameuse pomme acquit à mes appas !
Je les vois s'applaudir de mon inquiétude,
Affecter à toute heure un ris malicieux,
130 Et, d'un fixe regard, chercher avec étude
Ma confusion dans mes yeux.

Leur triomphante joie, au fort d'un tel outrage,
Semble me venir dire, insultant mon courroux :
« Vante, vante, Vénus, les traits de ton visage !
Au jugement d'un seul tu l'emportas sur nous ;   135
Mais, par le jugement de tous,
Une simple mortelle a sur toi l'avantage. »
Ah ! ce coup-là m'achève, il me perce le cœur ;
Je n'en puis plus souffrir les rigueurs sans égales ;
Et c'est trop de surcroît à ma vive douleur   140
Que le plaisir de mes rivales.
Mon fils, si j'eus jamais sur toi quelque crédit,
Et si jamais je te fus chère,
Si tu portes un cœur à sentir le dépit
Qui trouble le cœur d'une mère   145
Qui si tendrement te chérit,
Emploie, emploie ici l'effort de ta puissance
A soutenir mes intérêts ;
Et fais à Psyché, par tes traits,
Sentir les traits de ma vengeance.   150
Pour rendre son cœur malheureux,
Prends celui de tes traits le plus propre à me plaire,
Le plus empoisonné de ceux
Que tu lances dans ta colère.
Du plus bas, du plus vil, du plus affreux mortel,   155
Fais que jusqu'à la rage elle soit enflammée,
Et qu'elle ait à souffrir le supplice cruel
D'aimer et n'être point aimée.

L'AMOUR

Dans le monde on n'entend que plaintes de l'Amour ;
On m'impute partout mille fautes commises,   160
Et vous ne croiriez point le mal et les sottises
Que l'on dit de moi chaque jour.
Si pour servir votre colère...

VÉNUS

Va, ne résiste point aux souhaits de ta mère ;
N'applique tes raisonnements   165
Qu'à chercher les plus prompts moments
De faire un sacrifice à ma gloire outragée.
Pars, pour toute réponse à mes empressements ;
Et ne me revois point que je ne sois vengée.

L'Amour s'envole, et Vénus se retire avec les Grâces.
*La scène est changée en une grande ville, où l'on
découvre des deux côtés des palais et des maisons de
différents ordres d'architecture.*

ACTE PREMIER

Scène I : Aglaure, Cydippe.

AGLAURE

Il est des maux, ma sœur, que le silence aigrit :   170
Laissons, laissons parler mon chagrin et le vôtre,
Et de nos cœurs l'un à l'autre
Exhalons le cuisant dépit.
Nous nous voyons sœurs d'infortune ;
Et la vôtre et la mienne ont un si grand rapport,   175
Que nous pouvons mêler toutes les deux en une,
Et dans notre juste transport,
Murmurer, à plainte commune

Des cruautés de notre sort.
180 Quelle fatalité secrète,
Ma sœur, soumet tout l'univers
Aux attraits de notre cadette,
Et de tant de princes divers
Qu'en ces lieux la fortune jette,
185 N'en présente aucun à nos fers?
Quoi! voir de toutes parts, pour lui rendre les armes,
Les cœurs se précipiter,
Et passer devant nos charmes
Sans s'y vouloir arrêter!
190 Quel sort ont nos yeux en partage,
Et qu'est-ce qu'ils ont fait aux Dieux,
De ne jouir d'aucun hommage
Parmi tous ces tributs de soupirs glorieux,
Dont le superbe avantage
195 Fait triompher d'autres yeux?
Est-il pour nous, ma sœur, de plus rude disgrâce,
Que de voir tous les cœurs mépriser nos appas,
Et l'heureuse Psyché jouir avec audace
D'une foule d'amants attachés à ses pas?

CYDIPPE
200 Ah! ma sœur, c'est une aventure
A faire perdre la raison;
Et tous les maux de la nature
Ne sont rien en comparaison.

AGLAURE
Pour moi, j'en suis souvent jusqu'à verser des larmes.
205 Tout plaisir, tout repos, par là m'est arraché;
Contre un pareil malheur, ma constance est sans
Toujours à ce chagrin mon esprit attaché   [armes.
Me tient devant les yeux la honte de nos charmes,
Et le triomphe de Psyché.
210 La nuit, il m'en repasse une idée éternelle,
Qui sur toute chose prévaut.
Rien ne me peut chasser cette image cruelle;
Et dès qu'un doux sommeil me vient délivrer d'elle,
Dans mon esprit aussitôt
215 Quelque songe la rappelle,
Qui me réveille en sursaut.

CYDIPPE
Ma sœur, voilà mon martyre :
Dans vos discours je me voi;
Et vous venez là de dire
220 Tout ce qui se passe en moi.

AGLAURE
Mais encor, raisonnons un peu sur cette affaire.
Quels charmes si puissants en elle sont épars?
Et par où, dites-moi, du grand secret de plaire
L'honneur est-il acquis à ses moindres regards?
225 Que voit-on dans sa personne
Pour inspirer tant d'ardeurs?
Quel droit de beauté lui donne
L'empire de tous les cœurs?
Elle a quelques attraits, quelque éclat de jeunesse;
230 On en tombe d'accord, je n'en disconviens pas;
Mais lui cède-t-on fort pour quelque peu d'aînesse,
Et se voit-on sans appas?
Est-on d'une figure à faire qu'on se raille?
N'a-t-on point quelques traits et quelques agréments,

Quelque teint, quelques yeux, quelque air et quelque 2
A pouvoir dans nos fers jeter quelques amants?   [taille
Ma sœur, faites-moi la grâce
De me parler franchement :
Suis-je faite d'un air, à votre jugement,
Que mon mérite au sien doive céder la place?   2
Et, dans quelque ajustement,
Trouvez-vous qu'elle m'efface?

CYDIPPE
Qui? vous, ma sœur? Nullement.
Hier, à la chasse, près d'elle,
Je vous regardai longtemps;   2
Et, sans vous donner d'encens,
Vous me parûtes plus belle.
Mais, moi, dites, ma sœur, sans me vouloir flatter,
Sont-ce des visions que je me mets en tête,
Quand je me crois taillée à pouvoir mériter   2
La gloire de quelque conquête?

AGLAURE
Vous, ma sœur, vous avez, sans nul déguisement,
Tout ce qui peut causer une amoureuse flamme.
Vos moindres actions brillent d'un agrément   2
Dont je me sens toucher l'âme;
Et je serais votre amant,
Si j'étais autre que femme.

CYDIPPE
D'où vient donc qu'on la voit l'emporter sur nous deux;
Qu'à ses premiers regards les cœurs rendent les armes,
Et que d'aucun tribut de soupirs et de vœux   2
On ne fait honneur à nos charmes?

AGLAURE
Toutes les dames, d'une voix,
Trouvent ses attraits peu de chose;
Et du nombre d'amants qu'elle tient sous ses lois,
Ma sœur, j'ai découvert la cause.

CYDIPPE
Pour moi, je la devine : et l'on doit présumer
Qu'il faut que là-dessous soit caché du mystère.
Ce secret de tout enflammer
N'est point de la nature un effet ordinaire;
L'art de la Thessalie entre dans cette affaire;
Et quelque main a su, sans doute, lui former
Un charme pour se faire aimer.

AGLAURE
Sur un plus fort appui ma croyance se fonde;
Et le charme qu'elle a pour attirer les cœurs,
C'est un air en tout temps désarmé de rigueurs,
Des regards caressants que la bouche seconde,
Un souris chargé de douceurs,
Qui tend les bras à tout le monde,
Et ne vous promet que faveurs.
Notre gloire n'est plus aujourd'hui conservée;
Et l'on n'est plus au temps de ces nobles fiertés
Qui, par un digne essai d'illustres cruautés,
Voulaient voir d'un amant la constance éprouvée.
De tout ce noble orgueil, qui nous seyait si bien,
On est bien descendu, dans le siècle où nous sommes,
Et l'on en est réduite à n'espérer plus rien,
A moins que l'on se jette à la tête des hommes.

CYDIPPE
Oui, voilà le secret de l'affaire, et je voi
Que vous le prenez mieux que moi.
290 C'est pour nous attacher à trop de bienséance
Qu'aucun amant, ma sœur, à nous ne veut venir;
Et nous voulons trop soutenir
L'honneur de notre sexe et de notre naissance.
Les hommes maintenant aiment ce qui leur rit;
295 L'espoir, plus que l'amour, est ce qui les attire;
Et c'est par là que Psyché nous ravit
Tous les amants qu'on voit sous son empire.
Suivons, suivons l'exemple, ajustons-nous au temps;
Abaissons-nous, ma sœur, à faire des avances,
300 Et ne ménageons plus de tristes bienséances
Qui nous ôtent les fruits du plus beau de nos ans.

AGLAURE
J'approuve la pensée, et nous avons matière
D'en faire l'épreuve première
Aux deux princes qui sont les derniers arrivés.
305 Ils sont charmants, ma sœur, et leur personne entière
Me... Les avez-vous observés?

CYDIPPE
Ah! ma sœur, ils sont faits tous deux d'une manière
Que mon âme... Ce sont deux princes achevés.

AGLAURE
Je trouve qu'on pourrait rechercher leur tendresse
310 Sans se faire déshonneur.

CYDIPPE
Je trouve que, sans honte, une belle princesse
Leur pourrait donner son cœur.

Scène II : *Cléomène, Agénor, Aglaure,
Cydippe.*

AGLAURE
Les voici tous deux, et j'admire
Leur air et leur ajustement.

CYDIPPE
Ils ne démentent nullement
Tout ce que nous venons de dire.

AGLAURE
D'où vient, princes, d'où vient que vous fuyez ainsi?
Prenez-vous l'épouvante en nous voyant paraître?

CLÉOMÈNE
On nous faisait croire qu'ici
La princesse Psyché, Madame, pourrait être.

AGLAURE
Tous ces lieux n'ont-ils rien d'agréable pour vous,
Si vous ne les voyez ornés de sa présence?

AGÉNOR
Ces lieux peuvent avoir des charmes assez doux,
Mais nous cherchons Psyché dans notre impatience.

CYDIPPE
Quelque chose de bien pressant
Vous doit à la chercher pousser tous deux, sans doute?

CLÉOMÈNE
Le motif est assez puissant,
Puisque notre fortune enfin en dépend toute.

AGLAURE
Ce serait trop à nous que de nous informer

Du secret que ces mots nous peuvent enfermer.   330

CLÉOMÈNE
Nous ne prétendons point en faire de mystère :
Aussi bien, malgré nous, paraîtrait-il au jour;
Et le secret ne dure guère,
Madame, quand c'est de l'amour.

CYDIPPE
Sans aller plus avant, princes, cela veut dire   335
Que vous aimez Psyché tous deux.

AGÉNOR
Tous deux soumis à son empire,
Nous allons de concert lui découvrir nos feux.

AGLAURE
C'est une nouveauté, sans doute, assez bizarre,
Que deux rivaux si bien unis.   340

CLÉOMÈNE
Il est vrai que la chose est rare,
Mais non pas impossible à deux parfaits amis.

CYDIPPE
Est-ce que dans ces lieux il n'est qu'elle de belle,
Et n'y trouvez-vous point à séparer vos vœux?

AGLAURE
Parmi l'éclat du sang, vos yeux n'ont-ils vu qu'elle   345
A pouvoir mériter vos feux?

CLÉOMÈNE
Est-ce que l'on consulte au moment qu'on s'enflamme?
Choisit-on qui l'on veut aimer?
Et pour donner toute son âme,
Regarde-t-on quel droit on a de nous charmer?   350

AGÉNOR
Sans qu'on ait le pouvoir d'élire,
On suit, dans une telle ardeur,
Quelque chose qui nous attire;
Et, lorsque l'amour touche un cœur,
On n'a point de raisons à dire.   355

AGLAURE
En vérité, je plains les fâcheux embarras
Où je vois que vos cœurs se mettent.
Vous aimez un objet dont les riants appas
Mêleront des chagrins à l'espoir qu'ils vous jettent;
Et son cœur ne vous tiendra pas   360
Tout ce que ses yeux vous promettent.

CYDIPPE
L'espoir qui vous appelle au rang de ses amants
Trouvera du mécompte aux douceurs qu'elle étale,
Et c'est pour essuyer de très fâcheux moments,
Que les soudains retours de son âme inégale.   365

AGLAURE
Un clair discernement de ce que vous valez
Nous fait plaindre le sort où cet amour vous guide;
Et vous pouvez trouver tous deux, si vous voulez,
Avec autant d'attraits, une âme plus solide.

CYDIPPE
Par un choix plus doux de moitié,   370
Vous pouvez de l'amour sauver votre amitié;
Et l'on voit en vous deux un mérite si rare,
Qu'un tendre avis veut bien prévenir, par pitié,
Ce que votre cœur se prépare.

CLÉOMÈNE
Cet avis généreux fait pour nous éclater   375

Des bontés qui nous touchent l'âme;
Mais le ciel nous réduit à ce malheur, madame,
De ne pouvoir en profiter.

AGÉNOR

Votre illustre pitié veut en vain nous distraire
380 D'un amour dont tous deux nous redoutons l'effet :
Ce que notre amitié, madame, n'a pas fait,
Il n'est rien qui le puisse faire.

CYDIPPE

Il faut que le pouvoir de Psyché... La voici.

Scène III : Psyché, Cydippe, Aglaure,
Cléomène, Agénor.

CYDIPPE

Venez jouir, ma sœur, de ce qu'on vous apprête.

AGLAURE

385 Préparez vos attraits à recevoir ici
Le triomphe nouveau d'une illustre conquête.

CYDIPPE

Ces princes ont tous deux si bien senti vos coups,
Qu'à vous le découvrir leur bouche se dispose.

PSYCHÉ

Du sujet qui les tient si rêveurs parmi nous
390 Je ne me croyais pas la cause;
Et j'aurais cru toute autre chose,
En les voyant parler à vous.

AGLAURE

N'ayant ni beauté ni naissance
A pouvoir mériter leur amour et leurs soins,
395 Ils nous favorisent au moins
De l'honneur de la confidence.

CLÉOMÈNE, à Psyché.

L'aveu qu'il nous faut faire à vos divins appas
Est sans doute, madame, un aveu téméraire;
Mais tant de cœurs, près du trépas,
400 Sont, par de tels aveux, forcés à vous déplaire,
Que vous êtes réduite à ne les punir pas
Des foudres de votre colère.
Vous voyez en nous deux amis
Qu'un doux rapport d'humeurs sut joindre dès l'en-
405 Et ces tendres liens se sont vus affermis   [fance;
Par cent combats d'estime et de reconnaissance.
Du destin ennemi les assauts rigoureux,
Les mépris de la mort et l'aspect des supplices,
Par d'illustres éclats de mutuels offices,
410 Ont de notre amitié signalé les beaux nœuds;
Mais à quelques essais qu'elle se soit trouvée,
Son grand triomphe est en ce jour;
Et rien ne fait tant voir sa constance éprouvée,
Que de se conserver au milieu de l'amour.
415 Oui, malgré tant d'appas, son illustre constance
Aux lois qu'elle nous fait a soumis tous nos vœux;
Elle vient, d'une douce et pleine déférence,
Remettre à votre choix le succès de nos feux;
Et, pour donner un poids à notre concurrence,
420 Qui des raisons d'État entraîne la balance
Sur le choix de l'un de nous deux,
Cette même amitié s'offre, sans répugnance,
D'unir nos deux états au sort du plus heureux.

AGÉNOR

Oui, de ces deux états, madame,
Que sous votre heureux choix nous nous offrons [d'unir,
Nous voulons faire à notre flamme
Un secours pour vous obtenir.
Ce que pour ce bonheur, près du roi votre père,
Nous nous sacrifions tous deux,
N'a rien de difficile à nos cœurs amoureux;
Et c'est au plus heureux faire un don nécessaire
D'un pouvoir dont le malheureux,
Madame, n'aura plus affaire.

PSYCHÉ

Le choix que vous m'offrez, princes, montre à mes yeux
De quoi remplir les vœux de l'âme la plus fière;
Et vous me le parez tous deux d'une manière
Qu'on ne peut rien offrir qui soit plus précieux.
Vos feux, votre amitié, votre vertu suprême,
Tout me relève en vous l'offre de votre foi;
Et j'y vois un mérite à s'opposer lui-même
A ce que vous voulez de moi.
Ce n'est pas à mon cœur qu'il faut que je défère,
Pour entrer sous de tels liens;
Ma main, pour se donner, attend l'ordre d'un père,
Et mes sœurs ont des droits qui vont devant les miens.
Mais, si l'on me rendait sur mes vœux absolue,
Vous y pourriez avoir trop de part à la fois;
Et toute mon estime, entre vous suspendue,
Ne pourrait sur aucun laisser tomber mon choix.
A l'ardeur de votre poursuite,
Je répondrais assez de mes vœux les plus doux;
Mais c'est, parmi tant de mérite.   [pour vous.
Trop que deux cœurs pour moi, trop peu qu'un cœur
De mes plus doux souhaits j'aurais l'âme gênée
A l'effort de votre amitié;
Et j'y vois l'un de vous prendre une destinée
A me faire trop de pitié.
Oui, princes, à tous ceux dont l'amour suit le vôtre,
Je vous préférerais tous deux avec ardeur;
Mais je n'aurais jamais le cœur
De pouvoir préférer l'un de vous deux à l'autre.
A celui que je choisirais
Ma tendresse ferait un trop grand sacrifice;
Et je m'imputerais à barbare injustice
Le tort qu'à l'autre je ferais.
Oui, tous deux vous brillez de trop de grandeur d'âme
Pour en faire aucun malheureux;
Et vous devez chercher dans l'amoureuse flamme
Le moyen d'être heureux tous deux.
Si votre cœur me considère
Assez pour me souffrir de disposer de vous,
J'ai deux sœurs capables de plaire,
Qui peuvent bien vous faire un destin assez doux;
Et l'amitié me rend leur personne assez chère
Pour vous souhaiter leurs époux.

CLÉOMÈNE

Un cœur dont l'amour est extrême
Peut-il bien consentir, hélas!
D'être donné par ce qu'il aime?
Sur nos deux cœurs, Madame, à vos divins appas
Nous donnons un pouvoir suprême;

Disposez-en pour le trépas :
Mais pour une autre que vous-même,
Ayez cette bonté de n'en disposer pas.

AGÉNOR

Aux princesses, Madame, on ferait trop d'outrage;
Et c'est pour leurs attraits un indigne partage,
Que les restes d'une autre ardeur.
Il faut d'un premier feu la pureté fidèle,
Pour aspirer à cet honneur
Où votre bonté nous appelle;
Et chacune mérite un cœur
Qui n'ait soupiré que pour elle.

AGLAURE

Il me semble, sans nul courroux,
Qu'avant que de vous en défendre,
Princes, vous deviez bien attendre
Qu'on se fût expliqué sur vous.
Nous croyez-vous un cœur si facile et si tendre?
Et lorsqu'on parle ici de vous donner à nous,
Savez-vous si l'on veut vous prendre?

CYDIPPE

Je pense que l'on a d'assez hauts sentiments
Pour refuser un cœur qu'il faut qu'on sollicite,
Et qu'on ne veut devoir qu'à son propre mérite
La conquête de ses amants.

PSYCHÉ

J'ai cru pour vous, mes sœurs, une gloire assez grande,
Si la possession d'un mérite si haut...

*Scène IV : Psyché, Aglaure, Cydippe,
Cléomène, Agénor, Lycas.*

LYCAS, à Psyché.

Ah! Madame!

PSYCHÉ

Qu'as-tu?

LYCAS

Le Roi...

PSYCHÉ

Quoi?

LYCAS

Vous demande.

PSYCHÉ

De ce trouble si grand que faut-il que j'attende?

LYCAS

Vous ne le saurez que trop tôt.

PSYCHÉ

Hélas! que pour le Roi tu me donnes à craindre!

LYCAS

Ne craignez que pour vous, c'est vous que l'on doit

PSYCHÉ   [plaindre.

C'est pour louer le ciel, et me voir hors d'effroi,
De savoir que je n'aie à craindre que pour moi.
Mais apprends-moi, Lycas, le sujet qui te touche.

LYCAS

Souffrez que j'obéisse à qui m'envoie ici,
Madame, et qu'on vous laisse apprendre de sa bouche,
Ce qui peut m'affliger ainsi.

PSYCHÉ

Allons savoir sur quoi l'on craint tant ma faiblesse.

Scène V : Aglaure, Cydippe, Lycas.

AGLAURE

Si ton ordre n'est pas jusqu'à nous étendu,
Dis-nous quel grand malheur nous couvre ta tristesse.

LYCAS

Hélas! ce grand malheur, dans la cour répandu,
Voyez-le vous-même, princesse,   520
Dans l'oracle qu'au Roi les destins ont rendu.
Voici ses propres mots que la douleur, madame,
A gravés au fond de mon âme :
« Que l'on ne pense nullement
A vouloir de Psyché conclure l'hyménée;   525
Mais qu'au sommet d'un mont elle soit promptement
En pompe funèbre menée,
Et que, de tous abandonnée,
Pour époux elle attende en ces lieux constamment
Un monstre dont on a la vue empoisonnée,   530
Un serpent qui répand son venin en tous lieux,
Et trouble dans sa rage et la terre et les cieux. »
Après un arrêt si sévère,
Je vous quitte, et vous laisse à juger entre vous
Si par de plus cruels et plus sensibles coups   535
Tous les dieux nous pouvaient expliquer leur colère.

Scène VI : Aglaure, Cydippe.

Ma sœur, que sentez-vous à ce soudain malheur
Où nous voyons Psyché par les destins plongée?

AGLAURE

Mais vous, que sentez-vous, ma sœur?

CYDIPPE

A ne vous point mentir, je sens que dans mon cœur 540
Je n'en suis pas trop affligée.

AGLAURE

Moi, je sens quelque chose au mien
Qui ressemble assez à la joie.
Allons, le Destin nous envoie
Un mal que nous pouvons regarder comme un bien. 545

PREMIER INTERMÈDE

*La scène est changée en des rochers affreux, et fait
voir en éloignement une grotte effroyable.*

*C'est dans ce désert que Psyché doit être exposée
pour obéir à l'oracle. Une troupe de personnes affligées
y viennent déplorer sa disgrâce. Une partie de cette
troupe désolée témoigne sa pitié par des plaintes
touchantes et par des concerts lugubres; et l'autre
exprime sa désolation par une danse pleine de toutes
les marques du plus violent désespoir.*

*Plaintes en italien, chantées par une femme
désolée et deux hommes affligés.*

FEMME DÉSOLÉE

*Deh! piangete al pianto mio,
Sassi duri, antiche selve;
Lagrimate, fonti, e belue,
D'un bel volto il fata rio.*

PREMIER HOMME AFFLIGÉ

550   *Ahi dolore!*

SECOND HOMME AFFLIGÉ

Ahi martire!

PREMIER HOMME AFFLIGÉ

Cruda morte!

SECOND HOMME AFFLIGÉ

Empia sorte!

TOUS TROIS

Che condanni a morir tanta beltà!

555   *Cieli, stelle, ahi crudeltà!*

SECOND HOMME AFFLIGÉ

Com' esser può fra voi, o numi eterni,
Chi voglia estinta una beltà innocente?
Ahi! che tanto rigor, cielo inclemente,
Vince di crudeltà gli stessi inferni.

PREMIER HOMME AFFLIGÉ

560   *Nume fiero!*

SECOND HOMME AFFLIGÉ

Dio severo!

ENSEMBLE

Perchè tanto rigor
Contro innocente cor?
Ahi! sentenza inudita!
565 *Dar morte a la beltà, ch' altrui dà vita!*

FEMME DÉSOLÉE

Ahi! ch' indarno si tarda!
Non resiste agli dei mortale affetto,
Alto impero ne sforza,
Ove comanda il ciel, l' uom cede a forza.

PREMIER HOMME AFFLIGÉ

570   *Ahi dolore!*

SECOND HOMME AFFLIGÉ

Ahi martire!

PREMIER HOMME AFFLIGÉ

Cruda morte!

FEMME DÉSOLÉE ET SECOND HOMME AFFLIGÉ

Empia sorte!

TOUS TROIS

Che condanni a morir tanta beltà!
Cieli! stelle! Ahi crudeltà [4]*!*
Ces plaintes sont entrecoupées et finies par une
entrée de ballet de huit personnes affligées.

---

4. Tous les intermèdes sont de Quinault, à l'exception de
celui-ci, dont les paroles sont de Lulli.

FEMME DÉSOLÉE

Mêlez vos pleurs avec nos larmes,
Durs rochers, froides eaux, et vous, tigres affreux;
Pleurez le destin rigoureux
D'un objet dont le crime est d'avoir trop de charmes.

PREMIER HOMME AFFLIGÉ

O dieux! quelle douleur!

SECOND HOMME AFFLIGÉ

Ah! quel malheur!

PREMIER HOMME AFFLIGÉ

Rigueur mortelle!

SECOND HOMME AFFLIGÉ

Fatalité cruelle!

TOUS TROIS

Faut-il, hélas!
Qu'un sort barbare
Puisse condamner au trépas
Une beauté si rare!

ACTE SECOND

Scène I : Le Roi, Psyché, Aglaure,
Cydippe, Lycas, suite.

PSYCHÉ

De vos larmes, Seigneur, la source m'est bien chère;
Mais c'est trop aux bontés que vous avez pour moi
Que de laisser régner les tendresses de père
    Jusque dans les yeux d'un grand Roi.
Ce qu'on vous voit ici donner à la nature
Au rang que vous tenez, Seigneur, fait trop d'injure;
Et j'en dois refuser les touchantes faveurs.
    Laissez moins sur votre sagesse
    Prendre d'empire à vos douleurs,
Et cessez d'honorer mon destin par des pleurs
Qui dans le cœur d'un Roi montrent de la faiblesse.

LE ROI

Ah! ma fille! à ces pleurs laisse mes yeux ouverts.
Mon deuil est raisonnable, encor qu'il soit extrême;
Et lorsque pour toujours on perd ce que je perds,
La sagesse, crois-moi, peut pleurer elle-même.
    En vain l'orgueil du diadème
Veut qu'on soit insensible à ces cruels revers,
En vain de la raison les secours sont offerts
Pour vouloir d'un œil sec voir mourir ce qu'on aime;
L'effort en est barbare aux yeux de l'univers,
Et c'est brutalité plus que vertu suprême.
    Je ne veux point, dans cette adversité,
    Parer mon cœur d'insensibilité,
      Et cacher l'ennui qui me touche;
    Je renonce à la vanité
      De cette dureté farouche
      Que l'on appelle fermeté;
      Et de quelque façon qu'on nomme
Cette vive douleur dont je ressens les coups,
Je veux bien l'étaler, ma fille, aux yeux de tous,
Et dans le cœur d'un Roi montrer le cœur d'un homme.

Cieux, astres pleins de dureté,
    Ah! quelle cruauté!

SECOND HOMME AFFLIGÉ

Quel de vous, ô grands dieux! avec tant de furie
    Veut détruire tant de beauté?
Impitoyable ciel, par cette barbarie
Voulez-vous surmonter l'enfer en cruauté?

PREMIER HOMME AFFLIGÉ

Dieu plein de haine!

SECOND HOMME AFFLIGÉ

Divinité trop inhumaine!

LES DEUX HOMMES

Pourquoi ce courroux si puissant
    Contre un cœur innocent?
      O rigueur inouïe!
    Trancher de si beaux jours,
    Lorsqu'ils donnent la vie
    A tant d'amours.

FEMME DÉSOLÉE

Que c'est un vain secours contre un mal sans remède,
Que d'inutiles pleurs et des cris superflus!
Quand le ciel a donné des ordres absolus,
    Il faut que l'effort humain cède.
    O dieux! quelle douleur, etc.
Cette imitation des paroles de Lulli est de Fontenelle, dans
son opéra de *Psyché.*

PSYCHÉ

Je ne mérite pas cette grande douleur :
Opposez, opposez un peu de résistance
    Aux droits qu'elle prend sur un cœur
Dont mille événements ont marqué la puissance.
Quoi ! faut-il que pour moi vous renonciez, Seigneur,
    A cette royale constance
Dont vous avez fait voir, dans les coups du malheur,
    Une fameuse expérience ?

LE ROI

La constance est facile en mille occasions.
    Toutes les révolutions
Où nous peut exposer la fortune inhumaine,
La perte des grandeurs, les persécutions,
Le poison de l'envie et les traits de la haine,
    N'ont rien que ne puissent, sans peine,
    Braver les résolutions
D'une âme où la raison est un peu souveraine.
    Mais ce qui porte des rigueurs
    A faire succomber les cœurs
    Sous le poids des douleurs amères,
    Ce sont, ce sont les rudes traits
    De ces fatalités sévères
    Qui nous enlèvent pour jamais
    Les personnes qui nous sont chères.
    La raison, contre de tels coups,
    N'offre point d'armes secourables ;
    Et voilà, des Dieux en courroux,
    Les foudres les plus redoutables
    Qui se puissent lancer sur nous.

PSYCHÉ

Seigneur, une douceur ici vous est offerte :
Votre hymen a reçu plus d'un présent des Dieux ;
    Et par une faveur ouverte,
Ils ne vous ôtent rien, en m'ôtant à vos yeux,
Dont ils n'aient pris le soin de réparer la perte.
Il vous reste de quoi consoler vos douleurs ;
Et cette loi du ciel, que vous nommez cruelle,
    Dans les deux princesses mes sœurs
    Laisse à l'amitié paternelle
    Où placer toutes ses douceurs.

LE ROI

Ah ! de mes maux soulagement frivole !
Rien, rien ne s'offre à moi qui de toi me console.
C'est sur mes déplaisirs que j'ai les yeux ouverts ;
    Et dans un destin si funeste,
    Je regarde ce que je perds,
    Et ne vois point ce qui me reste.

PSYCHÉ

Vous savez mieux que moi qu'aux volontés des Dieux,
Seigneur, il faut régler les nôtres ;
Et je ne puis vous dire en ces tristes adieux
Que ce que beaucoup mieux vous pouvez dire aux
    Ces Dieux sont maîtres souverains   [autres.
    Des présents qu'ils daignent nous faire ;
    Ils ne les laissent dans nos mains
    Qu'autant de temps qu'il peut leur plaire.
    Lorsqu'ils viennent les retirer,
    On n'a nul droit de murmurer
Des grâces que leur main ne veut plus nous étendre.

Seigneur, je suis un don qu'ils ont fait à vos vœux ;
Et quand par cet arrêt ils veulent me reprendre,
Ils ne vous ôtent rien que vous ne teniez d'eux,
Et c'est sans murmurer que vous devez me rendre.   660

LE ROI

Ah ! cherche un meilleur fondement
Aux consolations que ton cœur me présente ;
Et de la fausseté de ce raisonnement,
    Ne fais point un accablement
    A cette douleur si cuisante,   665
    Dont je souffre ici le tourment.
Crois-tu là me donner une raison puissante
Pour ne me plaindre point de cet arrêt des cieux ?
    Et dans le procédé des Dieux
    Dont tu veux que je me contente,   670
    Une rigueur assassinante
    Ne paraît-elle pas aux yeux ?
Vois l'état où ces Dieux me forcent à te rendre,
Et l'autre où te reçut mon cœur infortuné ;
Tu connaîtras par là qu'ils me viennent reprendre   675
    Bien plus que ce qu'ils m'ont donné.
    Je reçus d'eux en toi, ma fille,
Un présent que mon cœur ne leur demandait pas ;
    J'y trouvais alors peu d'appas,
Et leur en vis, sans joie, accroître la famille.   680
    Mais mon cœur, ainsi que mes yeux,
S'est fait de ce présent une douce habitude :
J'ai mis quinze ans de soins, de veilles et d'étude
    A me le rendre précieux ;
    Je l'ai paré de l'aimable richesse   685
    De mille brillantes vertus ;
En lui j'ai renfermé, par des soins assidus,
Tous les plus beaux trésors que fournit la sagesse ;
A lui j'ai de mon âme attaché la tendresse ;
J'en ai fait de ce cœur le charme et l'allégresse,   690
La consolation de mes sens abattus,
    Le doux espoir de ma vieillesse.
    Ils m'ôtent tout cela, ces Dieux !
Et tu veux que je n'aie aucun sujet de plainte
Sur cet affreux arrêt dont je souffre l'atteinte !   695
Ah ! leur pouvoir se joue avec trop de rigueur
    Des tendresses de notre cœur.
Pour m'ôter leur présent, leur fallait-il attendre
    Que j'en eusse fait tout mon bien ?
Ou plutôt, s'ils avaient dessein de le reprendre,   700
N'eût-il pas été mieux de ne me donner rien ?

PSYCHÉ

    Seigneur, redoutez la colère
De ces Dieux contre qui vous osez éclater.

LE ROI

    Après ce coup, que peuvent-ils me faire ?
Ils m'ont mis en état de ne rien redouter.   705

PSYCHÉ

    Ah ! Seigneur, je tremble des crimes
Que je vous fais commettre, et je dois me haïr...

LE ROI

Ah ! qu'ils souffrent du moins mes plaintes légitimes ;
Ce m'est assez d'effort que de leur obéir ;
Ce doit leur être assez que mon cœur t'abandonne   710
Au barbare respect qu'il faut qu'on ait pour eux,

Sans prétendre gêner la douleur que me donne
L'épouvantable arrêt d'un sort si rigoureux.
Mon juste désespoir ne saurait se contraindre;
715 Je veux, je veux garder ma douleur à jamais,
Je veux sentir toujours la perte que je fais,
De la rigueur du ciel je veux toujours me plaindre,
Je veux, jusqu'au trépas, incessamment pleurer
Ce que tout l'univers ne peut me réparer.

PSYCHÉ

720 Ah! de grâce, Seigneur, épargnez ma faiblesse;
J'ai besoin de constance en l'état où je suis.
Ne fortifiez point l'excès de mes ennuis
Des larmes de votre tendresse.
Seuls ils sont assez forts, et c'est trop pour mon cœur
725 De mon destin et de votre douleur.

LE ROI

Oui, je dois t'épargner mon deuil inconsolable.
Voici l'instant fatal de m'arracher de toi;
Mais comment prononcer ce mot épouvantable?
Il le faut toutefois, le ciel m'en fait la loi;
730 Une rigueur inévitable
M'oblige à te laisser en ce funeste lieu.
Adieu, je vais... Adieu.

Scène II [5] : *Psyché, Aglaure, Cydippe* [6].

PSYCHÉ

Suivez le Roi, mes sœurs, vous essuierez ses larmes,
Vous adoucirez ses douleurs;
735 Et vous l'accableriez d'alarmes,
Si vous vous exposiez encore à mes malheurs.
Conservez-lui ce qui lui reste;
Le serpent que j'attends peut vous être funeste,
Vous envelopper dans mon sort,
740 Et me porter en vous une seconde mort.
Le ciel m'a seule condamnée
A son haleine empoisonnée;
Rien ne saurait me secourir,
Et je n'ai pas besoin d'exemple pour mourir.

AGLAURE

745 Ne nous enviez pas ce cruel avantage
De confondre nos pleurs avec vos déplaisirs,
De mêler nos soupirs à vos derniers soupirs :
D'une tendre amitié souffrez ce dernier gage.

PSYCHÉ

C'est vous perdre inutilement.

CYDIPPE

750 C'est en votre faveur espérer un miracle,
Ou vous accompagner jusques au monument.

PSYCHÉ

Que peut-on se promettre après un tel oracle?

---

5. Le reste de la pièce est de Corneille à l'exception de la
première scène du troisième acte.
6. Les scènes du modèle, Gabrielli, sont agencées très diffé-
remment par Corneille. La fin diffère quelque peu. Gabrielli
ne fait intervenir Jupiter qu'après Mercure. Il n'a pas imaginé
(V, 5) le désespoir menaçant de l'Amour devant sa mère.
Dans l'ensemble, Corneille concentre, retarde les scènes d'émotion, suspend les coups de théâtre.

AGLAURE

Un oracle jamais n'est sans obscurité,   [tendre.
On l'entend d'autant moins que mieux on croit l'en-
Et peut-être, après tout, n'en devez-vous attendre [7]
Que gloire et que félicité.
Laissez-nous voir, ma sœur, par une digne issue,
Cette frayeur mortelle heureusement déçue,
Ou mourir du moins avec vous,
Si le ciel à nos vœux ne se montre plus doux.

PSYCHÉ

Ma sœur, écoutez mieux la voix de la nature,
Qui vous appelle auprès du Roi.
Vous m'aimez trop; le devoir en murmure;
Vous en savez l'indispensable loi.
Un père vous doit être encor plus cher que moi.
Rendez-vous toutes deux l'appui de sa vieillesse;
Vous lui devez chacune un gendre et des neveux;
Mille rois à l'envi vous gardent leur tendresse;
Mille rois à l'envi vous offriront leurs vœux.
L'oracle me veut seule, et seule aussi je veux
Mourir, si je puis, sans faiblesse,
Ou ne vous avoir pas pour témoins toutes deux
De ce que, malgré moi, la nature m'en laisse.

AGLAURE

Partager vos malheurs, c'est vous importuner?

CYDIPPE

J'ose dire un peu plus, ma sœur, c'est vous déplaire?

PSYCHÉ

Non, mais enfin c'est me gêner,
Et peut-être du ciel redoubler la colère.

AGLAURE

Vous le voulez, et nous partons.
Daigne ce même ciel, plus juste et moins sévère,
Vous envoyer le sort que nous vous souhaitons,
Et que notre amitié sincère,
En dépit de l'oracle et malgré vous, espère.

PSYCHÉ

Adieu. C'est un espoir, ma sœur, et des souhaits
Qu'aucun des Dieux ne remplira jamais.

Scène III : Psyché.

Enfin, seule et toute à moi-même,
Je puis envisager cet affreux changement
Qui, du haut d'une gloire extrême,
Me précipite au monument.
Cette gloire était sans seconde,
L'éclat s'en répandait jusqu'aux deux bouts du monde;
Tout ce qu'il a de Rois semblaient faits pour m'aimer;
Tous leurs sujets, me prenant pour déesse,
Commençaient à m'accoutumer
Aux encens qu'ils m'offraient sans cesse;
Leurs soupirs me suivaient sans qu'il m'en coutât rien,
Mon âme restait libre en captivant tant d'âmes,
Et j'étais, parmi tant de flammes,

---

7. Il est très curieux que ces deux vers, qui sont déjà dans
Horace (vers 851-852), se trouvent traduire exactement aussi
le texte de Gabrielli. Il est vrai qu'il s'agit d'un lieu commun
de toute la Renaissance.

Reine de tous les cœurs et maîtresse du mien.
O ciel! m'auriez-vous fait un crime
De cette insensibilité?
Déployez-vous sur moi tant de sévérité,
Pour n'avoir à leurs vœux rendu que de l'estime?
Si vous m'imposiez cette loi,
Qu'il fallût faire un choix pour ne pas vous déplaire,
Puisque je ne pouvais le faire,
Que ne le faisiez-vous pour moi?
Que ne m'inspiriez-vous ce qu'inspire à tant d'autres
Le mérite, l'amour, et... Mais que vois-je ici?

Scène IV : Cléomène, Agénor, Psyché.

CLÉOMÈNE

Deux amis, deux rivaux, dont l'unique souci
Est d'exposer leurs jours pour conserver les vôtres.

PSYCHÉ

Puis-je vous écouter, quand j'ai chassé deux sœurs?
Princes, contre le ciel pensez-vous me défendre?
Vous livrer au serpent qu'ici je dois attendre,
Ce n'est qu'un désespoir qui sied mal aux grands
    Et mourir alors que je meurs,   [cœurs,
    C'est accabler une âme tendre
    Qui n'a que trop de ses douleurs.

AGÉNOR

    Un serpent n'est pas invincible;
Cadmus, qui n'aimait rien, défit celui de Mars;
Nous aimons, et l'Amour sait rendre tout possible
    Au cœur qui suit ses étendards,
A la main dont lui-même il conduit tous les dards.

PSYCHÉ

Voulez-vous qu'il vous serve en faveur d'une ingrate
Que tous ses traits n'ont pu toucher,
Qu'il dompte sa vengeance au moment qu'elle éclate,
    Et vous aide à m'en arracher?
    Quand même vous m'auriez servie,
    Quand vous m'auriez rendu la vie,
Quel fruit espérez-vous de qui ne peut aimer?

CLÉOMÈNE

Ce n'est point par l'espoir d'un si charmant salaire
    Que nous nous sentons animer;
    Nous ne cherchons qu'à satisfaire
Aux devoirs d'un amour qui n'ose présumer
    Que jamais, quoi qu'il puisse faire,
    Il soit capable de vous plaire,
    Et digne de vous enflammer.
Vivez, belle Princesse, et vivez pour un autre :
    Nous le verrons d'un œil jaloux;
    Nous en mourrons, mais d'un trépas plus doux
    Que s'il nous fallait voir le vôtre;
Et si nous ne mourons en vous sauvant le jour,
Quelque amour qu'à nos yeux vous préféreriez au nôtre,
Nous voulons bien mourir de douleur et d'amour.

PSYCHÉ

Vivez, Princes, vivez, et de ma destinée
Ne songez plus à rompre ou partager la loi :
Je crois vous l'avoir dit, le ciel ne veut que moi,
    Le ciel m'a seule condamnée.
Je pense ouïr déjà les mortels sifflements

De son ministre qui s'approche :
Ma frayeur me le peint, me l'offre à tous moments;   850
Et maîtresse qu'elle est de tous mes sentiments,
Elle me le figure au haut de cette roche.
J'en tombe de faiblesse, et mon cœur abattu
Ne soutient plus qu'à peine un reste de vertu.
Adieu, Princes, fuyez, qu'il ne vous empoisonne.   855

AGÉNOR

Rien ne s'offre à nos yeux encor qui les étonne;
Et quand vous vous peignez un si proche trépas,
    Si la force vous abandonne,
    Nous avons des cœurs et des bras
    Que l'espoir n'abandonne pas.   860
Peut-être qu'un rival a dicté cet oracle,
Que l'or a fait parler celui qui l'a rendu [8].
    Ce ne serait pas un miracle
Que, pour un dieu muet, un homme eût répondu;
Et dans tous les climats, on n'a que trop d'exemples   865
Qu'il est, ainsi qu'ailleurs, des méchants dans les

CLÉOMÈNE   [temples.

Laissez-nous opposer au lâche ravisseur
A qui le sacrilège indignement vous livre,
Un amour qu'a le ciel choisi pour défenseur
De la seule beauté pour qui nous voulons vivre.   870
Si nous n'osons prétendre à sa possession,
Du moins, en son péril, permettez-nous de suivre
L'ardeur et les devoirs de notre passion.

PSYCHÉ

    Portez-les à d'autres moi-mêmes,
    Princes, portez-les à mes sœurs,   875
    Ces devoirs, ces ardeurs extrêmes
    Dont pour moi sont remplis vos cœurs;
    Vivez pour elles quand je meurs;
Plaignez de mon destin les funestes rigueurs,
Sans leur donner en vous de nouvelles matières.   880
    Ce sont mes volontés dernières,
    Et l'on a reçu de tout temps
Pour souveraines lois les ordres des mourants.

CLÉOMÈNE

Princesse...

PSYCHÉ

    Encore un coup, Princes, vivez pour elles.
Tant que vous m'aimerez, vous devez m'obéir :   885
Ne me réduisez pas à vouloir vous haïr,
    Et vous regarder en rebelles,
    A force de m'être fidèles.
Allez, laissez-moi seule expirer en ce lieu,
Où je n'ai plus de voix que pour vous dire adieu.   890
Mais je sens qu'on m'enlève, et l'air m'ouvre une route
D'où vous n'entendrez plus cette mourante voix.
Adieu, Princes; adieu, pour la dernière fois :
Voyez si de mon sort vous pouvez être en doute.
    Psyché est enlevée en l'air par deux Zéphyrs [9].

AGÉNOR

Nous la perdons de vue. Allons tous deux chercher   895
    Sur le faîte de ce rocher,

8. Ce thème de la vénalité des prêtres grecs est dans Sophocle
et sera aussi dans l'*Œdipe* de Corneille.
9. Cet incident spectaculaire forme toute la scène 4 de l'acte
II, chez Gabrielli.

Prince, les moyens de la suivre.

CLÉOMÈNE

Allons-y chercher ceux de ne lui point survivre.

Scène V : L'Amour, en l'air.

Allez mourir, rivaux d'un dieu jaloux,
900   Dont vous méritez le courroux,
Pour avoir eu le cœur sensible aux mêmes charmes.
Et toi, forge, Vulcain, mille brillants attraits
    Pour orner un palais
Où l'Amour de Psyché veut essuyer les larmes,
905   Et lui rendre les armes.

SECOND INTERMÈDE

La scène se change en une cour magnifique, ornée de colonnes de lapis, enrichies de figures d'or, qui forment un palais pompeux et brillant que l'Amour destine pour Psyché. Six Cyclopes, avec quatre Fées, y font une entrée de ballet, où ils achèvent en cadence quatre gros vases d'argent que les Fées leur ont apportés. Cette entrée est entrecoupée par ce récit de Vulcain, qu'il fait à deux reprises :

Dépêchez, préparez ces lieux
Pour le plus aimable des dieux;
Que chacun pour lui s'intéresse;
N'oubliez rien des soins qu'il faut.
910   Quand l'Amour presse,
On n'a jamais fait assez tôt.

L'Amour ne veut point qu'on diffère;
    Travaillez, hâtez-vous,
Frappez, redoublez vos coups :
915   Que l'ardeur de lui plaire
Fasse vos soins les plus doux.

Servez bien un dieu si charmant;
Il se plaît dans l'empressement.
Que chacun pour lui s'intéresse;
920 N'oubliez rien des soins qu'il faut :
    Quand l'Amour presse,
On n'a jamais fait assez tôt.

L'Amour ne veut point qu'on diffère;
    Travaillez, etc.

ACTE TROISIÈME

Scène I : L'Amour, Le Zéphire.

LE ZÉPHIRE

925 Oui, je me suis galamment acquitté
De la commission que vous m'avez donnée,
Et du haut du rocher, je l'ai, cette beauté,
Par le milieu des airs doucement amenée
Dans ce beau palais enchanté,

    Où vous pouvez en liberté
Disposer de sa destinée.
Mais vous me surprenez par ce grand changement
    Qu'en votre personne vous faites :
Cette taille, ces traits, et cet ajustement,
    Cachent tout à fait qui vous êtes;
Et je donne aux plus fins à pouvoir en ce jour
    Vous reconnaître pour l'Amour.

L'AMOUR

Aussi ne veux-je pas qu'on puisse me connaître;
Je ne veux à Psyché découvrir que mon cœur,
Rien que les beaux transports de cette vive ardeur
    Que ses doux charmes y font naître;
Et, pour en exprimer l'amoureuse langueur,
    Et cacher ce que je puis être
    Aux yeux qui m'imposent des lois,
    J'ai pris la forme que tu vois.

LE ZÉPHIRE

    En tout vous êtes un grand maître;
    C'est ici que je le connais.
Sous des déguisements de diverse nature,
    On a vu les Dieux amoureux
Chercher à soulager cette douce blessure
Que reçoivent les cœurs de vos traits pleins de feux;
    Mais en bon sens vous l'emportez sur eux;
    Et voilà la bonne figure
    Pour avoir un succès heureux
Près de l'aimable sexe où l'on porte ses vœux.
Oui, de ces formes-là l'assistance est bien forte;
    Et sans parler ni de rang ni d'esprit,
Qui peut trouver moyen d'être fait de la sorte
    Ne soupire guère à crédit.

L'AMOUR

    J'ai résolu, mon cher Zéphire,
    De demeurer ainsi toujours,
Et l'on ne peut le trouver à redire
    A l'aîné de tous les Amours.
Il est temps de sortir de cette longue enfance
Qui fatigue ma patience;
Il est temps désormais que je devienne grand.

LE ZÉPHIRE

    Fort bien, vous ne pouvez mieux faire,
    Et vous entrez dans un mystère
    Qui ne demande rien d'enfant.

L'AMOUR

Ce changement sans doute irritera ma mère.

LE ZÉPHIRE

Je prévois là-dessus quelque peu de colère.
    Bien que les disputes des ans
Ne doivent point régner parmi des immortelles,
Votre mère Vénus est de l'humeur des belles,
    Qui n'aiment point de grands enfants.
    Mais où je la trouve outragée,
C'est dans le procédé que l'on vous voit tenir;
Et c'est l'avoir étrangement vengée,
Que d'aimer la beauté qu'elle voulait punir [10]!

---

10. Molière, qui condense Gabrielli, rend ici difficile la tâche de Corneille : ces deux vers font allusion à la scène 1 de l'acte III, où Vénus en colère cherche son fils.

Cette haine, où ses vœux prétendent que réponde
La puissance d'un fils que redoutent les Dieux...

L'AMOUR

Laissons cela, Zéphire, et me dis si tes yeux
Ne trouvent pas Psyché la plus belle du monde.
Est-il rien sur la terre, est-il rien dans les cieux
5 Qui puisse lui ravir le titre glorieux
    De beauté sans seconde?
Mais je la vois, mon cher Zéphire,
Qui demeure surprise à l'éclat de ces lieux.

LE ZÉPHIRE

Vous pouvez vous montrer pour finir son martyre,
    Lui découvrir son destin glorieux,
Et vous dire, entre vous, tout ce que peuvent dire
    Les soupirs, la bouche et les yeux.
En confident discret, je sais ce qu'il faut faire
Pour ne pas interrompre un amoureux mystère.

Scène II : Psyché.

Où suis-je? et dans un lieu que je croyais barbare,
Quelle savante main a bâti ce palais,
    Que l'art, que la nature pare
    De l'assemblage le plus rare
    Que l'œil puisse admirer jamais?
    Tout rit, tout brille, tout éclate
Dans ces jardins, dans ces appartements,
    Dont les pompeux ameublements
    N'ont rien qui n'enchante et ne flatte;
Et de quelque côté que tournent mes frayeurs,
Je ne vois sous mes pas que de l'or ou des fleurs.

Le ciel aurait-il fait cet amas de merveilles
    Pour la demeure d'un serpent?
Ou lorsque, par leur vue, il amuse et suspend
De mon destin jaloux les rigueurs sans pareilles,
    Veut-il montrer qu'il s'en repent?
Non, non, c'est de sa haine, en cruautés féconde
    Le plus noir, le plus rude trait.
Qui par une rigueur nouvelle et sans seconde,
    N'étale ce choix qu'elle a fait
    De ce qu'a de plus beau le monde,
Qu'afin que je le quitte avec plus de regret.

    Que mon espoir est ridicule,
    S'il croit par là soulager mes douleurs!
Tout autant de moments que ma mort se recule
    Sont autant de nouveaux malheurs :
    Plus elle tarde, et plus de fois je meurs.

Ne me fais plus languir, viens prendre ta victime,
    Monstre qui dois me déchirer.
Veux-tu que je te cherche, et faut-il que j'anime
    Tes fureurs à me dévorer?
Si le ciel veut ma mort, si ma vie est un crime,
De ce peu qui m'en reste ose enfin t'emparer;
    Je suis lasse de murmurer
    Contre un châtiment légitime;
    Je suis lasse de soupirer :
    Viens, que j'achève d'expirer.

Scène III : L'Amour, Psyché, Le Zéphire.

L'AMOUR

Le voilà, ce serpent, ce monstre impitoyable,
Qu'un oracle étonnant pour vous a préparé,
Et qui n'est pas peut-être à tel point effroyable
    Que vous vous l'êtes figuré.   1035

PSYCHÉ

Vous, Seigneur, vous seriez ce monstre dont l'oracle
    A menacé mes tristes jours,
Vous qui semblez plutôt un Dieu qui par miracle
    Daigne venir lui-même à mon secours!

L'AMOUR

Quel besoin de secours au milieu d'un empire   1040
    Où tout ce qui respire
N'attend que vos regards pour en prendre la loi,
Où vous n'avez à craindre autre monstre que moi?

PSYCHÉ

Qu'un monstre tel que vous inspire peu de crainte!
    Et que, s'il a quelque poison,   1045
    Une âme aurait peu de raison
    De hasarder la moindre plainte
    Contre une favorable atteinte
    Dont tout le cœur craindrait la guérison!
A peine je vous vois, que mes frayeurs cessées   1050
Laissent évanouir l'image du trépas,
Et que je sens couler dans mes veines glacées
Un je ne sais quel feu que je ne connais pas.
J'ai senti de l'estime et de la complaisance,
    De l'amitié, de la reconnaissance;   1055
    De la compassion les chagrins innocents
    M'en ont fait sentir la puissance :
Mais je n'ai point encor senti ce que je sens.
Je ne sais ce que c'est, mais je sais qu'il me charme,
    Que je n'en conçois point d'alarme.   1060
Plus j'ai les yeux sur vous, plus je m'en sens charmer.
Tout ce que j'ai senti n'agissait point de même;
    Et je dirais que je vous aime,
Seigneur, si je savais ce que c'est que d'aimer.
Ne les détournez point, ces yeux qui m'empoisonnent, 1065
Ces yeux tendres, ces yeux perçants, mais amoureux,
Qui semblent partager le trouble qu'ils me donnent.
    Hélas! plus ils sont dangereux,
    Plus je me plais à m'attacher sur eux.
Par quel ordre du ciel, que je ne puis comprendre,   1070
    Vous dis-je plus que je ne dois,
Moi de qui la pudeur devrait du moins attendre
Que vous m'expliquassiez le trouble où je vous vois?
Vous soupirez, Seigneur, ainsi que je soupire;
Vos sens, comme les miens, paraissent interdits;   1075
C'est à moi de m'en taire, à vous de me le dire;
    Et cependant c'est moi qui vous le dis.

L'AMOUR

Vous avez eu, Psyché, l'âme toujours si dure,
    Qu'il ne faut pas vous étonner
    Si, pour en réparer l'injure,   1080
L'Amour en ce moment se paie avec usure
    De ceux qu'elle a dû lui donner.
Ce moment est venu qu'il faut que votre bouche
Exhale des soupirs si longtemps retenus,

1085 Et qu'en vous arrachant à cette humeur farouche,
Un amas de transports aussi doux qu'inconnus
Aussi sensiblement tout à la fois vous touche,
Qu'ils ont dû vous toucher durant tant de beaux jours
Dont cette âme insensible a profané le cours.

PSYCHÉ

1090 N'aimer point, c'est donc un grand crime!

L'AMOUR

En souffrez-vous un rude châtiment?

PSYCHÉ

C'est punir assez doucement.

L'AMOUR

C'est lui choisir sa peine légitime,
Et se faire justice, en ce glorieux jour,
1095 D'un manquement d'amour par un excès d'amour.

PSYCHÉ

Que n'ai-je été plus tôt punie!
J'y mets le bonheur de ma vie.
Je devrais en rougir, ou le dire plus bas;
Mais le supplice a trop d'appas.
1100 Permettez que tout haut je le die et redie :
Je le dirais cent fois, et n'en rougirais pas.
Ce n'est point moi qui parle, et de votre présence
L'empire surprenant, l'aimable violence,
Dès que je veux parler s'empare de ma voix.
1105 C'est en vain qu'en secret ma pudeur s'en offense,
Que le sexe et la bienséance
Osent me faire d'autres lois.
Vos yeux de ma réponse eux-mêmes font le choix,
Et ma bouche asservie à leur toute-puissance
1110 Ne me consulte plus sur ce que je me dois.

L'AMOUR

Croyez, belle Psyché, croyez ce qu'ils vous disent,
Ces yeux qui ne sont point jaloux :
Qu'à l'envi les vôtres m'instruisent
De tout ce qui se passe en vous.
1115 Croyez-en ce cœur qui soupire,
Et qui, tant que le vôtre y voudra repartir,
Vous dira bien plus d'un soupir,
Que cent regards ne peuvent dire.
C'est le langage le plus doux;
1120 C'est le plus fort, c'est le plus sûr de tous.

PSYCHÉ

L'intelligence en était due
A nos cœurs, pour les rendre également contents.
J'ai soupiré, vous m'avez entendue;
Vous soupirez, je vous entends.
1125 Mais ne me laissez plus en doute,
Seigneur, et dites-moi si, par la même route,
Après moi le Zéphire ici vous a rendu
Pour me dire ce que j'écoute.
Quand j'y suis arrivée, étiez-vous attendu?
1130 Et quand vous lui parlez, êtes-vous entendu?

L'AMOUR

J'ai dans ce doux climat un souverain empire,
Comme vous l'avez sur mon cœur;
L'Amour m'est favorable, et c'est en sa faveur
Qu'à mes ordres Éole a soumis le Zéphire.
1135 C'est l'Amour qui, pour voir mes feux récompensés,
Lui-même a dicté cet oracle

Par qui vos beaux jours menacés
D'une foule d'amants se sont débarrassés,
Et qui m'a délivré de l'éternel obstacle
De tant de soupirs empressés,
Qui ne méritaient pas de vous être adressés.
Ne me demandez point quelle est cette province,
Ni le nom de son Prince :
Vous le saurez quand il en sera temps.
Je veux vous acquérir, mais c'est par mes services,
Par des soins assidus et par des vœux constants,
Par les amoureux sacrifices
De tout ce que je suis,
De tout ce que je puis,
Sans que l'éclat du rang pour moi vous sollicite,
Sans que de mon pouvoir je me fasse un mérite;
Et bien que souverain dans cet heureux séjour,
Je ne vous veux, Psyché, devoir qu'à mon amour.
Venez en admirer avec moi les merveilles,
Princesse, et préparez vos yeux et vos oreilles
A ce qu'il a d'enchantements.
Vous y verrez des bois et des prairies
Contester sur leurs agréments
Avec l'or et les pierreries;
Vous n'entendrez que des concerts charmants;
De cent beautés vous y serez servie,
Qui vous adoreront sans vous porter envie,
Et brigueront à tous moments,
D'une âme soumise et ravie,
L'honneur de vos commandements.

PSYCHÉ

Mes volontés suivent les vôtres;
Je n'en saurais plus avoir d'autres :
Mais votre oracle enfin vient de me séparer
De deux sœurs et du Roi mon père,
Que mon trépas imaginaire
Réduit tous trois à me pleurer.
Pour dissiper l'erreur dont leur âme accablée
De mortels déplaisirs se voit pour moi comblée,
Souffrez que mes sœurs soient témoins
Et de ma gloire et de vos soins.
Prêtez-leur, comme à moi, les ailes du Zéphire,
Qui leur puissent de votre empire,
Ainsi qu'à moi, faciliter l'accès;
Faites-leur voir en quel lieu je respire,
Faites-leur de ma perte admirer le succès.

L'AMOUR

Vous ne me donnez pas, Psyché, toute votre âme;
Ce tendre souvenir d'un père et de deux sœurs
Me vole une part des douceurs
Que je veux toutes pour ma flamme.
N'ayez d'yeux que pour moi, qui n'en ai que pour vous,
Ne songez qu'à m'aimer, ne songez qu'à me plaire;
Et quand de tels soucis osent vous en distraire...

PSYCHÉ

Des tendresses du sang peut-on être jaloux?

L'AMOUR

Je le suis, ma Psyché, de toute la nature :
Les rayons du soleil vous baisent trop souvent;
Vos cheveux souffrent trop les caresses du vent;
Dès qu'il les flatte, j'en murmure :

L'air même que vous respirez
Avec trop de plaisir passe par votre bouche :
    Votre habit de trop près vous touche;
    Et sitôt que vous soupirez,
    Je ne sais quoi qui m'effarouche
Craint parmi vos soupirs des soupirs égarés.
Mais vous voulez vos sœurs; allez, partez, Zéphire;
    Psyché le veut, je ne l'en puis dédire.
    Le Zéphyre s'envole.
Quand vous leur ferez voir ce bienheureux séjour,
    De ces trésors faites-leur cent largesses,
    Prodiguez-leur caresses sur caresses;
    Et du sang, s'il se peut, épuisez les tendresses,
    Pour vous rendre toute à l'Amour.
Je n'y mêlerai point d'importune présence.
Mais ne leur faites pas de si longs entretiens :
Vous ne sauriez pour eux avoir de complaisance,
    Que vous ne dérobiez aux miens.

            PSYCHÉ
    Votre amour me fait une grâce
    Dont je n'abuserai jamais.

            L'AMOUR
Allons voir cependant ces jardins, ce palais,
Où vous ne verrez rien que votre éclat n'efface.
Et vous, petits Amours, et vous, jeunes Zéphyrs,
Qui pour armes n'avez que de tendres soupirs,
Montrez tous à l'envi ce qu'à voir ma princesse
    Vous avez senti d'allégresse.

TROISIÈME INTERMÈDE

Il se fait une entrée de ballet de quatre Amours [11] *et quatre Zéphires, interrompue deux fois par un dialogue chanté par un Amour et un Zéphire.*

        Premier couplet

        LE ZÉPHIRE
    Aimable jeunesse,
    Suivez la tendresse;
    Joignez aux beaux jours
La douceur des Amours.
    C'est pour vous surprendre
    Qu'on vous fait entendre
Qu'il faut éviter leurs soupirs,
    Et craindre leurs désirs :
    Laissez-vous apprendre
    Quels sont leurs plaisirs.

    ILS CHANTENT ENSEMBLE
    Chacun est obligé d'aimer
        A son tour;
    Et plus on a de quoi charmer,
        Plus on doit à l'Amour.

      LE ZÉPHIRE, *seul.*
    Un cœur jeune et tendre
    Est fait pour se rendre;
    Il n'a point à prendre
    De fâcheux détour.

11. Diamante Gabrielli : quatre Amours et quatre Satyres (III, 2).

      LES DEUX ENSEMBLE
    Chacun est obligé d'aimer
        A son tour;
    Et plus on a de quoi charmer,
        Plus on doit à l'Amour.

      L'AMOUR, *seul.*
    Pourquoi se défendre?   1240
    Que sert-il d'attendre?
    Quand on perd un jour,
    On le perd sans retour.

      LES DEUX ENSEMBLE
    Chacun est obligé d'aimer
        A son tour;   1245
    Et plus on a de quoi charmer,
        Plus on doit à l'Amour.

       Second couplet

        LE ZÉPHIRE
    L'amour a des charmes,
    Rendons-lui les armes;
    Ses soins et ses pleurs   1250
    Ne sont pas sans douceurs.
    Un cœur, pour le suivre,
    A cent maux se livre.
Il faut, pour goûter ses appas,
    Languir jusqu'au trépas :   1255
    Mais ce n'est pas vivre
    Que de n'aimer pas.

    ILS CHANTENT ENSEMBLE
S'il faut des soins et des travaux
        En aimant,
On est payé de mille maux   1260
Par un heureux moment.

      LE ZÉPHIRE, *seul.*
    On craint, on espère;
    Il faut du mystère;
    Mais on n'obtient guère
    De bien sans tourment.   1265

      LES DEUX ENSEMBLE
S'il faut des soins et des travaux
        En aimant,
On est payé de mille maux
Par un heureux moment.

      L'AMOUR, *seul.*
    Que peut-on mieux faire,   1270
    Qu'aimer et que plaire?
    C'est un soin charmant,
    Que l'emploi d'un amant.

      LES DEUX ENSEMBLE
S'il faut des soins et des travaux
        En aimant,   1275
On est payé de mille maux
Par un heureux moment.

    Le théâtre devient un autre palais magnifique, coupé dans le fond par un vestibule, au travers duquel on voit un jardin superbe et charmant, décoré de plusieurs vases d'orangers, et d'arbres chargés de toutes sortes de fruits.

ACTE QUATRIÈME

Scène I : Aglaure, Cydippe.

AGLAURE

Je n'en puis plus, ma sœur, j'ai vu trop de merveilles :
L'avenir aura peine à les bien concevoir;
1280 Le soleil qui voit tout, et qui nous fait tout voir,
    N'en a vu jamais de pareilles.
    Elles me chagrinent l'esprit :
Et ce brillant palais, ce pompeux équipage,
    Font un odieux étalage
1285 Qui m'accable de honte autant que de dépit.
    Que la Fortune indignement nous traite,
    Et que sa largesse indiscrète
Prodigue aveuglément, épuise, unit d'efforts,
    Pour faire de tant de trésors
1290   Le partage d'une cadette!

CYDIPPE

    J'entre dans tous vos sentiments;
J'ai les mêmes chagrins, et dans ces lieux charmants,
    Tout ce qui vous déplaît me blesse;
Tout ce que vous prenez pour un mortel affront,
1295 Comme vous, m'accable et me laisse
L'amertume dans l'âme et la rougeur au front.

AGLAURE

    Non, ma sœur, il n'est point de Reines
Qui, dans leur propre état, parlent en souveraines
    Comme Psyché parle en ces lieux.
1300 On l'y voit obéie avec exactitude,
Et de ses volontés une amoureuse étude
    Les cherche jusque dans ses yeux.
Mille beautés s'empressent autour d'elle,
Et semblent dire à nos regards jaloux :
1305 « Quels que soient nos attraits, elle est encor plus belle,
Et nous, qui la servons, le sommes plus que vous. »
Elle prononce, on exécute;
Aucun ne s'en défend, aucun ne s'en rebute.
    Flore, qui s'attache à ses pas,
1310 Répand à pleines mains, autour de sa personne,
    Ce qu'elle a de plus doux appas;
Zéphire vole aux ordres qu'elle donne;
Et son amante et lui, s'en laissant trop charmer,
Quittent, pour la servir, les soins de s'entr'aimer.

CYDIPPE

1315   Elle a des Dieux à son service,
    Elle aura bientôt des autels;
Et nous ne commandons qu'à de chétifs mortels
    De qui l'audace et le caprice,
Contre nous, à toute heure, en secret révoltés,
1320   Opposent à nos volontés
    Ou le murmure ou l'artifice.

AGLAURE

    C'était peu que dans notre cour
Tant de cœurs à l'envi nous l'eussent préférée;
Ce n'était pas assez que de nuit et de jour
1325 D'une foule d'amants elle y fût adorée.
Quand nous nous consolions de la voir au tombeau
    Par l'ordre imprévu d'un oracle,
    Elle a voulu, de son destin nouveau,

Faire en notre présence éclater le miracle,
Et choisi nos yeux pour témoins   13
De ce qu'au fond du cœur nous souhaitions le moins.

CYDIPPE

    Ce qui le plus me désespère,
C'est cet amant parfait et si digne de plaire
    Qui se captive sous ses lois.
Quand nous pourrions choisir entre tous les monar- 13
    En est-il un, de tant de Rois,   [ques,
    Qui porte de si nobles marques?
    Se voir du bien par-delà ses souhaits
N'est souvent qu'un bonheur qui fait des misérables;
Il n'est ni train pompeux ni superbes palais   1
Qui n'ouvrent quelque porte à des maux incurables :
Mais avoir un amant d'un mérite achevé,
    Et s'en voir chèrement aimée,
C'est un bonheur si haut, si relevé,
Que sa grandeur ne peut être exprimée.

AGLAURE

N'en parlons plus, ma sœur, nous en mourrions
    Songeons plutôt à la vengeance,   [d'ennui,
Et trouvons le moyen de rompre entre elle et lui
    Cette adorable intelligence.
La voici. J'ai des coups tout prêts à lui porter,   1
    Qu'elle aura peine d'éviter.

Scène II : Psyché, Aglaure, Cydippe.

PSYCHÉ

Je viens vous dire adieu; mon amant vous renvoie,
    Et ne saurait plus endurer
Que vous lui retranchiez un moment de la joie
Qu'il prend de se voir seul à me considérer.
Dans un simple regard, dans la moindre parole,   ‖
    Son amour trouve des douceurs
    Qu'en faveur du sang je lui vole,
    Quand je les partage à des sœurs.

AGLAURE

    La jalousie est assez fine,   ‖
    Et ces délicats sentiments
    Méritent bien qu'on s'imagine
    Que celui qui pour vous a ces empressements
    Passe le commun des amants.
Je vous en parle ainsi, faute de le connaître.   ‖
Vous ignorez son nom, et ceux dont il tient l'être :
    Nos esprits en sont alarmés.
Je le tiens un grand Prince, et d'un pouvoir suprême,
    Bien au-delà du diadème;
Ses trésors, sous vos pas confusément semés,
Ont de quoi faire honte à l'abondance même;
    Vous l'aimez autant qu'il vous aime;
    Il vous charme, et vous le charmez :
Votre félicité, ma sœur, serait extrême,
    Si vous saviez qui vous aimez.

PSYCHÉ

    Que m'importe? j'en suis aimée.
    Plus il me voit, plus je lui plais.
Il n'est point de plaisirs dont l'âme soit charmée
    Qui ne préviennent mes souhaits;

Et je vois mal de quoi la vôtre est alarmée,
   Quand tout me sert dans ce palais.
AGLAURE
   Qu'importe qu'ici tout vous serve,
Si toujours cet amant vous cache ce qu'il est ?
Nous ne nous alarmons que pour votre intérêt.
En vain tout vous y rit, en vain tout vous y plaît,
Le véritable amour ne fait point de réserve;
   Et qui s'obstine à se cacher
Sent quelque chose en soi qu'on lui peut reprocher.
   Si cet amant devient volage,
Car souvent, en amour, le change est assez doux;
   Et j'ose le dire entre nous,
Pour grand que soit l'éclat dont brille ce visage,
Il en peut être ailleurs d'aussi belles que vous;
Si, dis-je, un autre objet sous d'autres lois l'engage;
   Si dans l'état où je vous vois,
   Seule en ses mains et sans défense,
   Il va jusqu'à la violence,
   Sur qui vous vengera le Roi,
Ou de ce changement, ou de cette insolence ?
PSYCHÉ
   Ma sœur, vous me faites trembler.
Juste ciel! pourrais-je être assez infortunée...
CYDIPPE
Que sait-on si déjà les nœuds de l'hyménée...
PSYCHÉ
N'achevez pas, ce serait m'accabler.
AGLAURE
Je n'ai plus qu'un mot à vous dire :
Ce Prince qui vous aime, et qui commande aux vents,
Qui nous donne pour char les ailes du Zéphire,
Et de nouveaux plaisirs vous comble à tous moments,
Quand il rompt à vos yeux l'ordre de la nature,
Peut-être à tant d'amour mêle un peu d'imposture;
Peut-être ce palais n'est qu'un enchantement;
Et ces lambris dorés, ces amas de richesses,
   Dont il achète vos tendresses,
Dès qu'il sera lassé de souffrir vos caresses,
   Disparaîtront en un moment.
Vous savez, comme nous, ce que peuvent les charmes.
PSYCHÉ
Que je sens à mon tour de cruelles alarmes!
AGLAURE
Notre amitié ne veut que votre bien.
PSYCHÉ
Adieu, mes sœurs; finissons l'entretien.
J'aime, et je crains qu'on ne s'impatiente.
Partez; et demain, si je puis,
Vous me verrez ou plus contente,
Ou dans l'accablement des plus mortels ennuis.
AGLAURE
Nous allons dire au Roi quelle nouvelle gloire,
Quel excès de bonheur le ciel répand sur vous.
CYDIPPE
Nous allons lui conter d'un changement si doux,
La surprenante et merveilleuse histoire.
PSYCHÉ
Ne l'inquiétez point, ma sœur, de vos soupçons;
Et quand vous lui peindrez un si charmant empire...

AGLAURE
Nous savons toutes deux ce qu'il faut taire ou dire,
Et n'avons pas besoin, sur ce point, de leçons.   1430

Le Zéphire enlève les deux sœurs de Psyché dans un nuage qui descend jusqu'à terre, et dans lequel il les emporte avec rapidité.

Scène III : L'Amour, Psyché.

L'AMOUR
Enfin vous êtes seule, et je puis vous redire,
Sans avoir pour témoins vos importunes sœurs,
Ce que des yeux si beaux ont pris sur moi d'empire,
   Et quels excès ont les douceurs
   Qu'une sincère ardeur inspire   1435
   Sitôt qu'elle assemble deux cœurs.
Je puis vous expliquer de mon âme ravie
   Les amoureux empressements,
Et vous jurer qu'à vous seule asservie,
Elle n'a pour objet de ses ravissements   1440
Que de voir cette ardeur, de même ardeur suivie,
   Ne concevoir plus d'autre envie
Que de régler mes vœux sur vos désirs,
Et de ce qui vous plaît faire tous mes plaisirs.
   Mais d'où vient qu'un triste nuage   1445
Semble offusquer l'éclat de ces beaux yeux?
Vous manque-t-il quelque chose en ces lieux?
Des vœux qu'on vous y rend dédaignez-vous
[l'hommage?
PSYCHÉ
Non, Seigneur.
L'AMOUR
   Qu'est-ce donc, et d'où vient mon malheur?
J'entends moins de soupirs d'amour que de douleur;   1450
Je vois de votre teint les roses amorties
   Marquer un déplaisir secret;
   Vos sœurs à peine sont parties,
   Que vous soupirez de regret.
Ah! Psyché, de deux cœurs quand l'ardeur est la même,   1455
   Ont-ils des soupirs différents?
Et quand on aime bien, et qu'on voit ce qu'on aime,
   Peut-on songer à des parents?
PSYCHÉ
   Ce n'est point là ce qui m'afflige.
L'AMOUR
   Est-ce l'absence d'un rival,   1460
Et d'un rival aimé, qui fait qu'on me néglige?
PSYCHÉ
Dans un cœur tout à vous que vous pénétrez mal!
Je vous aime, Seigneur, et mon amour s'irrite
De l'indigne soupçon que vous avez formé.
Vous ne connaissez pas que quel est votre mérite,   1465
   Si vous craignez de n'être pas aimé.
Je vous aime, et depuis que j'ai vu la lumière,
   Je me suis montrée assez fière
Pour dédaigner les vœux de plus d'un Roi;
Et s'il vous faut ouvrir mon âme tout entière,   1470
Je n'ai trouvé que vous qui fût digne de moi.
   Cependant j'ai quelque tristesse
   Qu'en vain je voudrais vous cacher;

769

Un noir chagrin se mêle à toute ma tendresse,
1475   Dont je ne la puis détacher.
Ne m'en demandez point la cause :
Peut-être, la sachant, voudrez-vous m'en punir ;
Et, si j'ose aspirer encore à quelque chose,
Je suis sûre du moins de ne point l'obtenir.

L'AMOUR

1480 Et ne craignez-vous point qu'à mon tour je m'irrite
Que vous connaissiez mal quel est votre mérite,
Ou feigniez de ne pas savoir
Quel est sur moi votre absolu pouvoir ?
Ah ! si vous en doutez, soyez désabusée.
1485 Parlez.

PSYCHÉ

J'aurai l'affront de me voir refusée.

L'AMOUR

Prenez en ma faveur de meilleurs sentiments ;
L'expérience en est aisée.
Parlez, tout se tient prêt à vos commandements.
Si, pour m'en croire, il vous faut des serments,
1490 J'en jure vos beaux yeux, ces maîtres de mon âme,
Ces divins auteurs de ma flamme ;
Et si ce n'est assez d'en jurer vos beaux yeux,
J'en jure par le Styx, comme jurent les Dieux.

PSYCHÉ

J'ose craindre un peu moins, après cette assurance.
1495 Seigneur, je vois ici la pompe et l'abondance ;
Je vous adore, et vous m'aimez ;
Mon cœur en est ravi, mes sens en sont charmés ;
Mais, parmi ce bonheur suprême,
J'ai le malheur de ne savoir qui j'aime :
1500   Dissipez cet aveuglement,
Et faites-moi connaître un si parfait amant.

L'AMOUR

Psyché ! que venez-vous de dire ?

PSYCHÉ

Que c'est le bonheur où j'aspire,
Et si vous ne me l'accordez...

L'AMOUR

1505 Je l'ai juré, je n'en suis plus le maître :
Mais vous ne savez pas ce que vous demandez.
Laissez-moi mon secret. Si je me fais connaître,
Je vous perds, et vous me perdez.
Le seul remède est de vous en dédire.

PSYCHÉ

1510 C'est là sur vous mon souverain empire ?

L'AMOUR

Vous pouvez tout, et je suis tout à vous.
Mais si nos feux vous semblent doux,
Ne mettez point d'obstacle à leur charmante suite ;
Ne me forcez point à la fuite :
1515 C'est le moindre malheur qui nous puisse arriver
D'un souhait qui vous a séduite.

PSYCHÉ

Seigneur, vous voulez m'éprouver ;
Mais je sais ce que j'en dois croire.
De grâce, apprenez-moi tout l'excès de ma gloire,
1520 Et ne me cachez plus pour quel illustre choix
J'ai rejeté les vœux de tant de Rois.

L'AMOUR

Le voulez-vous ?

PSYCHÉ

Souffrez que je vous en conjure.

L'AMOUR

Si vous saviez, Psyché, la cruelle aventure
Que par là vous vous attirez...

PSYCHÉ

Seigneur, vous me désespérez.

L'AMOUR

Pensez-y bien, je puis encor me taire.

PSYCHÉ

Faites-vous des serments pour n'y point satisfaire ?

L'AMOUR

Hé bien ! je suis le dieu le plus puissant des Dieux,
Absolu sur la terre, absolu dans les cieux ;
Dans les eaux, dans les airs, mon pouvoir est suprême :
En un mot, je suis l'Amour même,
Qui de mes propres traits m'étais blessé pour vous ;
Et sans la violence, hélas ! que vous me faites,
Et qui vient de changer mon amour en courroux,
Vous m'alliez avoir pour époux.
Vos volontés sont satisfaites,
Vous avez su qui vous aimiez ;
Vous connaissez l'amant que vous charmiez,
Psyché, voyez où vous en êtes :
Vous me forcez vous-même à vous quitter ;
Vous me forcez vous-même à vous ôter
Tout l'effet de votre victoire.
Peut-être vos beaux yeux ne me reverront plus.
Ce palais, ces jardins, avec moi disparus,
Vont faire évanouir votre naissante gloire.
Vous n'avez pas voulu m'en croire,
Et pour tout fruit de ce doute éclairci,
Le Destin, sous qui le ciel tremble,
Plus fort que mon amour, que tous les Dieux ensemble,
Vous va montrer sa haine, et me chasse d'ici.

*L'Amour disparaît ; et, dans l'instant qu'il s'envole,
le superbe jardin s'évanouit. Psyché demeure seule
au milieu d'une vaste campagne, et sur le bord sauvage d'un grand fleuve où elle se veut précipiter.
Le dieu du fleuve paraît assis sur un amas de joncs et
de roseaux, et appuyé sur une grande urne, d'où sort
une grosse source d'eau* [12].

Scène IV : Psyché, le Dieu du Fleuve.

PSYCHÉ

Cruel destin, funeste inquiétude !
Fatale curiosité !
Qu'avez-vous fait, affreuse solitude,
De toute ma félicité ?
J'aimais un Dieu, j'en étais adorée ;

12. Ce sont là deux traits de pastorales. Dans l'*Astrée*,
Céladon se précipite dans le Lignon : d'Urfé était grand lecteur
des Italiens. L'apparition des dieux de la mer ou des fleuves
était un trait des fables maritimes, et notamment de l'*Alceo*
d'Ongaro (1582).

Mon bonheur redoublait de moment en moment;
    Et je me vois seule, éplorée,
Au milieu d'un désert, où, pour accablement,
    Et confuse et désespérée,
1560 Je sens croître l'amour quand j'ai perdu l'amant.
    Le souvenir m'en charme et m'empoisonne;
    Sa douceur tyrannise un cœur infortuné
Qu'aux plus cuisants chagrins ma flamme a condamné.
    O ciel! quand l'Amour m'abandonne,
1565 Pourquoi me laisse-t-il l'amour qu'il m'a donné?
Source de tous les biens, inépuisable et pure,
    Maître des hommes et des Dieux,
    Cher auteur des maux que j'endure,
Êtes-vous pour jamais disparu de mes yeux?
1570   Je vous en ai banni moi-même :
Dans un excès d'amour, dans un bonheur extrême,
D'un indigne soupçon mon cœur s'est alarmé;
    Cœur ingrat! tu n'avais qu'un feu mal allumé;
Et l'on ne peut vouloir, du moment que l'on aime,
1575   Que ce que veut l'objet aimé.
Mourons, c'est le parti qui seul me reste à suivre,
    Après la perte que je fais.
    Pour qui, grands Dieux! voudrais-je vivre?
    Et pour qui former des souhaits?
1580 Fleuve, de qui les eaux baignent ces tristes sables,
    Ensevelis mon crime dans tes flots,
    Et pour finir des maux si déplorables,
Laisse-moi dans ton lit assurer mon repos.

        LE DIEU DU FLEUVE

    Ton trépas souillerait mes ondes,
1585 Psyché, le ciel te le défend,
Et peut-être qu'après des douleurs si profondes,
    Un autre sort t'attend.
Fuis plutôt de Vénus l'implacable colère :
Je la vois qui te cherche et qui te veut punir;
1590 L'amour du fils a fait la haine de la mère;
    Fuis, je saurai la retenir.

         PSYCHÉ

    J'attends ses fureurs vengeresses;
Qu'auront-elles pour moi qui ne me soit trop doux?
Qui cherche le trépas ne craint Dieux ni Déesses,
    Et peut braver tout leur courroux.

Scène V : Vénus, Psyché, le Dieu du Fleuve.

         VÉNUS

Orgueilleuse Psyché, vous m'osez donc attendre,
Après m'avoir, sur terre, enlevé mes honneurs;
    Après que vos traits suborneurs
Ont reçu les encens qu'aux miens seuls on doit rendre?
    J'ai vu mes temples désertés,
J'ai vu tous les mortels, séduits par vos beautés,
Idolâtrer en vous la beauté souveraine [13],
Vous offrir des respects jusqu'alors inconnus,

Et ne se mettre pas en peine
    S'il était une autre Vénus;   1605
    Et je vous vois encor l'audace
De n'en pas redouter les justes châtiments,
    Et de me regarder en face,
Comme si c'était peu que mes ressentiments.

         PSYCHÉ

Si de quelques mortels on m'a vue adorée,   1610
Est-ce un crime pour moi d'avoir eu des appas
    Dont leur âme inconsidérée
Laissait charmer des yeux qui ne vous voyaient pas.
    Je suis ce que le ciel m'a faite;
Je n'ai que les beautés qu'il m'a voulu prêter.   1615
Si les vœux qu'on m'offrait vous ont mal satisfaite,
Pour forcer tous les cœurs à vous les reporter,
    Vous n'aviez qu'à vous présenter,
Qu'à ne leur cacher plus cette beauté parfaite,
    Qui, pour les rendre à leur devoir,   1620
Pour se faire adorer, n'a qu'à se faire voir.

         VÉNUS

    Il fallait vous en mieux défendre.
Ces respects, ces encens se devaient refuser;
    Et pour les mieux désabuser,
Il fallait, à leurs yeux, vous-même me les rendre.   1625
    Vous avez aimé cette erreur
Pour qui vous ne deviez avoir que de l'horreur :
Vous avez bien fait plus : votre humeur arrogante,
    Sur le mépris de mille Rois,
    Jusques aux cieux a porté de son choix   1630
    L'ambition extravagante.

         PSYCHÉ

J'aurais porté mon choix, Déesse, jusqu'aux cieux?

         VÉNUS

    Votre insolence est sans seconde.
    Dédaigner tous les Rois du monde,
    N'est-ce pas aspirer aux Dieux?   1635

         PSYCHÉ

Si l'Amour pour eux tous m'avait endurci l'âme,
    Et me réservait toute à lui,
En puis-je être coupable, et faut-il qu'aujourd'hui,
    Pour prix d'une si belle flamme,
Vous vouliez m'accabler d'un éternel ennui?   1640

         VÉNUS

    Psyché, vous deviez mieux connaître
    Qui vous étiez, et quel était ce Dieu.

         PSYCHÉ

Et m'en a-t-il donné ni le temps ni le lieu,
Lui qui de tout mon cœur d'abord s'est rendu maître?

         VÉNUS

Tout votre cœur s'en est laissé charmer,   1645
Et vous l'avez aimé dès qu'il vous a dit : J'aime.

         PSYCHÉ

Pouvais-je n'aimer pas le Dieu qui fait aimer,
    Et qui me parlait pour lui-même?
C'est votre fils : vous savez son pouvoir,
    Vous en connaissez le mérite.   1650

         VÉNUS

Oui, c'est mon fils, mais un fils qui m'irrite,
Un fils qui me rend mal ce qu'il sait me devoir,
    Un fils qui fait qu'on m'abandonne,

---

13. Résurgence du mythe : Psyché, c'est l'Ame et après
Platon, les mythographes, et le plus populaire d'entre eux,
Apulée, faisaient souvenir de l'allégorie dans chaque épisode.
La Fontaine l'oublie volontairement tout au long de son récit
(1669) et en infléchit singulièrement le sens en l'achevant sur
le fameux hymne à la Volupté.

Et qui, pour mieux flatter ses indignes amours,
1655 Depuis que vous l'aimez ne blesse plus personne
Qui vienne à mes autels implorer mon secours.
        Vous m'en avez fait un rebelle :
On m'en verra vengée, et hautement, sur vous;
Et je vous apprendrai s'il faut qu'une mortelle
1660   Souffre qu'un Dieu soupire à ses genoux.
Suivez-moi; vous verrez, par votre expérience,
        A quelle folle confiance
        Vous portait cette ambition.
Venez, et préparez autant de patience
1665   Qu'on vous voit de présomption.

QUATRIÈME INTERMÈDE

*La scène représente les Enfers. On y voit une mer
toute de feu, dont les flots sont dans une perpétuelle,
agitation. Cette mer effroyable est bornée par des
ruines enflammées; et, au milieu de ses flots agités,
au travers d'une gueule affreuse, paraît le palais
infernal de Pluton. Huit Furies en sortent, et forment
une entrée de ballet, où elles se réjouissent de la rage
qu'elles ont allumée dans l'âme de la plus douce des
divinités. Un lutin mêle quantité de sauts périlleux
à leurs danses, cependant que Psyché, qui a passé
aux Enfers par le commandement de Vénus, repasse
dans la barque de Charon, avec la boîte qu'elle a
reçue de Proserpine pour cette déesse.*

ACTE CINQUIÈME

Scène I : Psyché.

Effroyables replis des ondes infernales,
Noirs palais où Mégère et ses sœurs font leur cour,
        Éternels ennemis du jour,
Parmi vos Ixions et parmi vos Tantales,
1670 Parmi tant de tourments qui n'ont point d'intervalles,
        Est-il, dans votre affreux séjour,
        Quelques peines qui soient égales
Aux travaux où Vénus condamne mon amour?
        Elle n'en peut être assouvie;
1675 Et depuis qu'à ses lois je me trouve asservie,
Depuis qu'elle me livre à ses ressentiments,
    Il m'a fallu, dans ces cruels moments,
        Plus d'une âme et plus d'une vie
        Pour remplir ses commandements.
1680   Je souffrirais tout avec joie,
Si parmi les rigueurs que sa haine déploie
Mes yeux pouvaient revoir, ne fût-ce qu'un moment,
    Ce cher, cet adorable amant.
Je n'ose le nommer, ma bouche criminelle
1685   D'avoir trop exigé de lui,
S'en est rendue indigne, et dans ce dur ennui,
        La souffrance la plus mortelle
Dont m'accable à toute heure un renaissant trépas
        Est celle de ne le voir pas.
1690   Si son courroux durait encore,

Jamais aucun malheur n'approcherait du mien;
Mais s'il avait pitié d'une âme qui l'adore,
Quoi qu'il fallût souffrir, je ne souffrirais rien.
Oui, Destins, s'il calmait cette juste colère,
        Tous mes malheurs seraient finis : •
Pour me rendre insensible aux fureurs de la mère,
        Il ne faut qu'un regard du fils.
Je n'en veux plus douter, il partage ma peine,
Il voit ce que je souffre, et souffre comme moi,
Tout ce que j'endure le gêne,
Lui-même il s'en impose une amoureuse loi,
En dépit de Vénus, en dépit de mon crime,
C'est lui qui me soutient, c'est lui qui me ranime
Au milieu des périls où l'on me fait courir;
Il garde la tendresse où son feu le convie,
Et prend soin de me rendre une nouvelle vie
        Chaque fois qu'il me faut mourir [14].
Mais que me veulent ces deux ombres
Qu'à travers le faux jour de ces demeures sombres
        J'entrevois s'avancer vers moi?

Scène II : Psyché, Cléomène, Agénor.

PSYCHÉ
Cléomène, Agénor, est-ce vous que je voi?
        Qui vous a ravi la lumière?
CLÉOMÈNE
La plus juste douleur qui d'un beau désespoir
        Nous eût pu fournir la matière;
Cette pompe funèbre, où du sort le plus noir
        Vous attendiez la rigueur la plus fière,
        L'injustice la plus entière.
AGÉNOR
Sur ce même rocher où le ciel en courroux
        Vous promettait, au lieu d'époux,
Un serpent dont soudain vous seriez dévorée,
        Nous tenions la main préparée
A repousser sa rage, ou mourir avec vous.
Vous le savez, Princesse; et lorsqu'à notre vue
Par le milieu des airs vous êtes disparue,
Du haut de ce rocher, pour suivre vos beautés,
Ou plutôt pour goûter cette amoureuse joie
D'offrir pour vous au monstre une première proie,
D'amour et de douleur l'un et l'autre emportés,
        Nous nous sommes précipités.
CLÉOMÈNE
Heureusement déçus au sens de votre oracle,
Nous en avons ici reconnu le miracle,
Et su que le serpent prêt à vous dévorer
        Était le Dieu qui fait qu'on aime,
Et qui, tout dieu qu'il est, vous adorant lui-même,
        Ne pouvait endurer
Qu'un mortel comme nous osât vous adorer.
AGÉNOR
Pour prix de vous avoir suivie,
Nous jouissons ici d'un trépas assez doux.

---

14. C'est l'épisode central du mythe. Il suffit à l'Ame de
regarder l'Amour pour dominer les épreuves des concupiscen-
ces charnelles.

Qu'avions-nous affaire de vie,
1740 Si nous ne pouvions être à vous ?
Nous revoyons ici vos charmes,
Qu'aucun des deux là-haut n'aurait revus jamais.
Heureux si vous voyons la moindre de vos larmes
Honorer des malheurs que vous nous avez faits !

PSYCHÉ

1745 Puis-je avoir des larmes de reste,
Après qu'on a porté les miens au dernier point ?
Unissons nos soupirs dans un sort si funeste ;
Les soupirs ne s'épuisent point :
Mais vous soupireriez, Princes, pour une ingrate.
1750 Vous n'avez point voulu survivre à mes malheurs ;
Et, quelque douleur qui m'abatte,
Ce n'est point pour vous que je meurs.

CLÉOMÈNE

L'avons-nous mérité, nous dont toute la flamme
N'a fait que vous lasser du récit de nos maux ?

PSYCHÉ

1755 Vous pouviez mériter, Princes, toute mon âme,
Si vous n'eussiez été rivaux.
Ces qualités incomparables
Qui de l'un et de l'autre accompagnaient les vœux,
Vous rendaient tous deux trop aimables
1760 Pour mépriser aucun des deux.

AGÉNOR

Vous avez pu sans être injuste ni cruelle
Nous refuser un cœur réservé pour un Dieu.
Mais revoyez Vénus. Le Destin nous rappelle,
Et nous force à vous dire adieu.

PSYCHÉ

1765 Ne vous donne-t-il point le loisir de me dire
Quel est ici votre séjour ?

CLÉOMÈNE

Dans des bois toujours verts, où d'amour on respire,
Aussitôt qu'on est mort d'amour.
D'amour on y revit, d'amour on y soupire,
1770 Sous les plus douces lois de son heureux empire,
Et l'éternelle nuit n'ose en chasser le jour
Que lui-même il attire
Sur nos fantômes qu'il inspire,
Et dont aux Enfers même il se fait une cour.

AGÉNOR

1775 Vos envieuses sœurs, après nous descendues,
Pour vous perdre se sont perdues ;
Et l'une et l'autre, tour à tour,
Pour le prix d'un conseil qui leur coûte la vie,
A côté d'Ixion, à côté de Titye,
1780 Souffrent tantôt la roue, et tantôt le vautour.
L'Amour, par les Zéphirs, s'est fait prompte justice
De leur envenimée et jalouse malice ;
Ces ministres ailés de son juste courroux,
Sous couleur de les rendre encore auprès de vous,
1785 Ont plongé l'une et l'autre au fond d'un précipice,
Où le spectacle affreux de leurs corps déchirés
N'étale que le moindre et le premier supplice
De ces conseils, dont l'artifice
Fait les maux dont vous soupirez.

PSYCHÉ

1790 Que je les plains !

CLÉOMÈNE

Vous êtes seule à plaindre.
Mais nous demeurons trop à vous entretenir ;
Adieu. Puissions-nous vivre en votre souvenir !
Puissiez-vous, et bientôt, n'avoir plus rien à craindre !
Puisse, et bientôt, l'Amour vous enlever aux cieux,
1795 Vous y mettre à côté des Dieux,
Et rallumant un feu qui ne se puisse éteindre,
Affranchir à jamais l'éclat de vos beaux yeux
D'augmenter le jour en ces lieux !

Scène III : Psyché.

Pauvres amants ! Leur amour dure encore !
1800 Tout morts qu'ils sont, l'un et l'autre m'adore,
Moi, dont la dureté reçut si mal leurs vœux !
Tu n'en fais pas ainsi, toi qui seul m'as ravie,
Amant que j'aime encor cent fois plus que ma vie,
Et qui brises de si beaux nœuds !
1805 Ne me fuis plus, et souffre que j'espère
Que tu pourras un jour rabaisser l'œil sur moi,
Qu'à force de souffrir j'aurai de quoi te plaire,
De quoi me rengager ta foi.
Mais ce que j'ai souffert m'a trop défigurée,
1810 Pour rappeler un tel espoir.
L'œil abattu, triste, désespérée,
Languissante et décolorée,
De quoi puis-je me prévaloir,
Si par quelque miracle, impossible à prévoir,
1815 Ma beauté, qui t'a plu, ne se voit réparée ?
Je porte ici de quoi la réparer :
Ce trésor de beauté divine,
Qu'en mes mains pour Vénus a remis Proserpine,
Enferme des appas dont je puis m'emparer ;
1820 Et l'éclat en doit être extrême,
Puisque Vénus, la beauté même,
Les demande pour se parer.
En dérober un peu, serait-ce un si grand crime ?
Pour plaire aux yeux d'un dieu qui s'est fait mon amant,
1825 Pour regagner son cœur et finir mon tourment,
Tout n'est-il pas trop légitime ?
Ouvrons. Quelles vapeurs m'offusquent le cerveau ?
Et que vois-je sortir de cette boîte ouverte ?
Amour, si ta pitié ne s'oppose à ma perte,
1830 Pour ne revivre plus, je descends au tombeau.
Elle s'évanouit, et l'Amour descend auprès d'elle en volant.

Scène IV : L'Amour, Psyché, évanouie.

L'AMOUR

Votre péril, Psyché, dissipe ma colère,
Ou plutôt de mes feux l'ardeur n'a point cessé ;
Et, bien qu'au dernier point vous m'ayez su déplaire,
Je ne me suis intéressé
1835 Que contre celle de ma mère.
J'ai vu tous vos travaux, j'ai suivi vos malheurs ;
Mes soupirs ont partout accompagné vos pleurs.
Tournez les yeux vers moi ; je suis encor le même.
Quoi ! je dis et redis tout haut que je vous aime,

1840 Et vous ne dites point, Psyché, que vous m'aimez!
Est-ce que pour jamais vos beaux yeux sont fermés,
Qu'à jamais la clarté leur vient d'être ravie?
O Mort! devais-tu prendre un dard si criminel,
Et sans aucun respect pour mon être éternel,
1845   Attenter à ma propre vie!
Combien de fois, ingrate déité,
    Ai-je grossi ton noir empire
Par les mépris et par la cruauté
D'une orgueilleuse ou farouche beauté!
1850 Combien même, s'il le faut dire,
T'ai-je immolé de fidèles amants,
    A force de ravissements!
    Va, je ne blesserai plus d'âmes,
Je ne percerai plus de cœurs
1855 Qu'avec des dards trempés aux divines liqueurs
Qui nourrissent du ciel les immortelles flammes,
Et n'en lancerai plus que pour faire à tes yeux
    Autant d'amants, autant de dieux.
    Et vous, impitoyable mère,
1860 Qui la forcez à m'arracher
    Tout ce que j'avais de plus cher,
Craignez, à votre tour, l'effet de ma colère.
    Vous me voulez faire la loi,
Vous qu'on voit si souvent la recevoir de moi!
1865 Vous qui portez un cœur sensible comme un autre,
Vous enviez au mien les délices du vôtre!
Mais dans ce même cœur j'enfoncerai des coups
Qui ne seront suivis que de chagrins jaloux;
Je vous accablerai de honteuses surprises,
1870 Et choisirai partout, à vos vœux les plus doux,
    Des Adonis et des Anchises
Qui n'auront que haine pour vous.

Scène V : Vénus, l'Amour, Psyché, évanouie.

        VÉNUS
    La menace est respectueuse;
    Et d'un enfant qui fait le révolté
1875   La colère présomptueuse...
        L'AMOUR
Je ne suis plus enfant, et je l'ai trop été,
Et ma colère est juste autant qu'impétueuse.
        VÉNUS
L'impétuosité s'en devrait retenir;
    Et vous pourriez vous souvenir
1880   Que vous me devez la naissance.
        L'AMOUR
    Et vous pourriez n'oublier pas
    Que vous avez un cœur et des appas
    Qui relèvent de ma puissance;
Que mon arc de la vôtre est l'unique soutien,
1885   Que, sans mes traits, elle n'est rien,
    Et que, si les cœurs les plus braves
En triomphe par vous se sont laissé traîner,
    Vous n'avez jamais fait d'esclaves
    Que ceux qu'il m'a plu d'enchaîner.
1890 Ne me vantez donc plus ces droits de la naissance
    Qui tyrannisent mes désirs;
Et si vous ne voulez perdre mille soupirs,

Songez, en me voyant, à la reconnaissance,
    Vous qui tenez de ma puissance
    Et votre gloire et vos plaisirs.   18
        VÉNUS
    Comment l'avez-vous défendue,
    Cette gloire dont vous parlez?
    Comment me l'avez-vous rendue?
Et quand vous avez vu mes autels désolés,
        Mes temples violés,   19
        Mes honneurs ravalés,
Si vous avez pris part à tant d'ignominie,
    Comment en a-t-on vu punie
    Psyché qui me les a volés?
Je vous ai commandé de la rendre charmée   19
    Du plus vil de tous les mortels,
Qui ne daignât répondre à son âme enflammée
    Que par des rebuts éternels,
    Par les mépris les plus cruels;
    Et vous-même l'avez aimée!   19
Vous avez contre moi séduit des immortels;
C'est pour vous qu'à mes yeux les Zéphirs l'ont cachée,
    Qu'Apollon même, suborné,
  Par un oracle adroitement tourné
    Me l'avait si bien arrachée,   19
    Que si sa curiosité,
    Par une aveugle défiance,
    Ne l'eût rendue à ma vengeance,
Elle échappait à mon cœur irrité.
Voyez l'état où votre amour l'a mise,   19
    Votre Psyché; son âme va partir.
Voyez, et si la vôtre en est encore éprise,
    Recevez son dernier soupir.
Menacez, bravez-moi, cependant qu'elle expire :
    Tant d'insolence vous sied bien;   1
Et je dois endurer quoi qu'il vous plaise dire,
    Moi qui sans vos traits ne puis rien!
        L'AMOUR
Vous ne pouvez que trop, déesse impitoyable;
Le Destin l'abandonne à tout votre courroux :
    Mais soyez moins inexorable   1
Aux prières, aux pleurs d'un fils à vos genoux.
    Ce doit vous être un spectacle assez doux
    De voir d'un œil Psyché mourante,
Et de l'autre ce fils, d'une voix suppliante,
Ne vouloir plus tenir son bonheur que de vous.   1
Rendez-moi ma Psyché, rendez-lui tous ses charmes;
    Rendez-la, Déesse, à mes larmes;
Rendez à mon amour, rendez à ma douleur,
Le charme de mes yeux et le choix de mon cœur.
        VÉNUS
    Quelque amour que Psyché vous donne,
De ses malheurs par moi n'attendez pas la fin.
    Si le Destin me l'abandonne,
    Je l'abandonne à son destin.
Ne m'importunez plus; et dans cette infortune,
Laissez-la sans Vénus triompher ou périr.   1
        L'AMOUR
    Hélas! si je vous importune,
Je ne le ferais pas si je pouvais mourir.

VÉNUS

Cette douleur n'est pas commune,
Qui force un immortel à souhaiter la mort.

L'AMOUR

1950 Voyez, par son excès, si mon amour est fort.
Ne lui ferez-vous grâce aucune ?

VÉNUS

Je vous l'avoue, il me touche le cœur,
Votre amour ; il désarme, il fléchit ma rigueur.
Votre Psyché reverra la lumière.

L'AMOUR

1955 Que je vous vais partout faire donner d'encens !

VÉNUS

Oui, vous la reverrez dans sa beauté première ;
Mais de vos vœux reconnaissants
Je veux la déférence entière ;
Je veux qu'un vrai respect laisse à mon amitié
1960 Vous choisir une autre moitié.

L'AMOUR

Et moi, je ne veux plus de grâce :
Je reprends toute mon audace ;
Je veux Psyché, je veux sa foi ;
Je veux qu'elle revive, et revive pour moi,
1965 Et tiens indifférent que votre haine lasse
En faveur d'une autre se passe.
Jupiter, qui paraît, va juger entre nous
De mes emportements et de votre courroux.

Après quelques éclairs et des roulements de tonnerre,
Jupiter paraît en l'air sur son aigle.

Scène VI : *Jupiter, Vénus, l'Amour,*
Psyché, évanouie.

L'AMOUR

Vous, à qui seul tout est possible,
1970 Père des Dieux, souverain des mortels,
Fléchissez la rigueur d'une mère inflexible,
Qui sans moi n'aurait point d'autels.
J'ai pleuré, j'ai prié, je soupire, menace,
Et perds menaces et soupirs.
1975 Elle ne veut pas voir que de mes déplaisirs
Dépend du monde entier l'heureuse ou triste face,
Et que si Psyché perd le jour,
Si Psyché n'est à moi, je ne suis plus l'Amour.
Oui, je romprai mon arc, je briserai mes flèches,
1980 J'éteindrai jusqu'à mon flambeau,
Je laisserai languir la nature au tombeau ;
Ou, si je daigne aux cœurs faire encore quelques brè-
Avec ces pointes d'or qui me font obéir   [ches,
Je vous blesserai tous là-haut pour des mortelles,
1985 Et ne décocherai sur elles
Que des traits émoussés qui forcent à haïr,
Et qui ne font que des rebelles,
Des ingrates et des cruelles.
Par quelle tyrannique loi
1990 Tiendrai-je à vous servir mes armes toujours prêtes,
Et vous ferai-je à tous conquêtes sur conquêtes,
Si vous me défendez d'en faire une pour moi ?

JUPITER, *à Vénus.*

Ma fille, sois-lui moins sévère.

Tu tiens de sa Psyché le destin en tes mains ;
La Parque, au moindre mot, va suivre ta colère. 1995
Parle, et laisse-toi vaincre aux tendresses de mère,
Ou redoute un courroux que moi-même je crains.
Veux-tu donner le monde en proie
A la haine, au désordre, à la confusion ;
Et d'un Dieu d'union, 2000
D'un Dieu de douceurs et de joie,
Faire un Dieu d'amertume et de division ?
Considère ce que nous sommes,
Et si les passions doivent nous dominer ;
Plus la vengeance a de quoi plaire aux hommes, 2005
Plus il sied bien aux Dieux de pardonner.

VÉNUS

Je pardonne à ce fils rebelle ;
Mais voulez-vous qu'il me soit reproché
Qu'une misérable mortelle,
L'objet de mon courroux, l'orgueilleuse Psyché, 2010
Sous ombre qu'elle est un peu belle,
Par un hymen dont je rougis,
Souille mon alliance et le lit de mon fils ?

JUPITER

Hé bien ! je la fais immortelle,
Afin d'y rendre tout égal. 2015

VÉNUS

Je n'ai plus de mépris ni de haine pour elle,
Et l'admets à l'honneur de ce nœud conjugal.
Psyché, reprenez la lumière,
Pour ne la reperdre jamais ;
Jupiter a fait votre paix ; 2020
Et je quitte cette humeur fière
Qui s'opposait à vos souhaits.

PSYCHÉ, *sortant de son évanouissement.*

C'est donc vous, ô grande Déesse,
Qui redonnez la vie à ce cœur innocent !

VÉNUS

Jupiter vous fait grâce, et ma colère cesse. 2025
Vivez, Vénus l'ordonne ; aimez, elle y consent.

PSYCHÉ, *à l'Amour.*

Je vous revois enfin, cher objet de ma flamme !

L'AMOUR, *à Psyché.*

Je vous possède enfin, délices de mon âme !

JUPITER

Venez, amants, venez aux cieux
Achever un si grand et si digne hyménée. 2030
Viens-y, belle Psyché, changer de destinée ;
Viens prendre place au rang des dieux.

Deux grandes machines descendent aux deux côtés
de Jupiter, cependant qu'il dit ces derniers vers. Vénus
avec sa suite monte dans l'une, l'Amour avec Psyché
dans l'autre, et tous ensemble remontent au ciel [15].
Les divinités qui avaient été partagées entre Vénus
et son fils se réunissent en les voyant d'accord ; et
toutes ensemble, par des concerts, des chants et des

15. Gabrielli, par un anachronisme qui eût choqué la
France, mais qui souligne le sens allégorique, parle ici de
Paradis. Le triple dénouement (Vénus, Jupiter, Apollon)
est dans ce même ordre.

danses, *célèbrent la fête des noces de l'Amour. Apollon
paraît le premier, et comme dieu de l'harmonie,
commence à chanter, pour inviter les autres Dieux à
se réjouir.*

RÉCIT D'APOLLON

Unissons-nous, troupe immortelle [16] *;
Le dieu d'Amour devient heureux amant,*
2035 *Et Vénus a repris sa douceur naturelle
En faveur d'un fils si chármant ;
Il va goûter en paix, après un long tourment,
Une félicité qui doit être éternelle.*

TOUTES LES DIVINITÉS *chantent ensemble
ce couplet à la gloire de l'Amour.*

Célébrons ce grand jour,
2040 *Célébrons tous une fête si belle ;
Que nos chants en tous lieux en portent la nouvelle,
Qu'ils fassent retentir le céleste séjour.
Chantons, répétons tour à tour
Qu'il n'est point d'âme si cruelle*
2045 *Qui tôt ou tard ne se rende à l'Amour.*

APOLLON *continue.*

*Le dieu qui nous engage
A lui faire la cour
Défend qu'on soit trop sage.
Les plaisirs ont leur tour :*
2050 *C'est leur plus doux usage
Que de finir les soins du jour.
La nuit est le partage
Des jeux et de l'amour.*

Ce serait grand dommage
2055 *Qu'en ce charmant séjour
On eût un cœur sauvage.
Les plaisirs ont leur tour :
C'est leur plus doux usage
Que de finir les soins du jour.*
2060 *La nuit est le partage
Des jeux et de l'amour.*

*Deux Muses, qui ont toujours évité de s'engager
sous les lois de l'Amour, conseillent aux belles qui
n'ont point encore aimé de s'en défendre avec soin,
à leur exemple.*

CHANSON DES MUSES

*Gardez-vous, beautés sévères,
Les amours font trop d'affaires ;
Craignez toujours de vous laisser charmer.*
2065 *Quand il faut que l'on soupire,
Tout le mal n'est pas de s'enflammer ;
Le martyre
De le dire
Coûte plus cent fois que d'aimer.*

SECOND COUPLET DES MUSES

2070 *On ne peut aimer sans peines,
Il est peu de douces chaînes ;*

*A tout moment on se sent alarmer.
Quand il faut que l'on soupire,
Tout le mal n'est pas de s'enflammer ;
Le martyre*   20
*De le dire
Coûte plus cent fois que d'aimer.*

*Bacchus fait entendre qu'il n'est pas si dangereux
que l'Amour.*

RÉCIT DE BACCHUS

*Si quelquefois,
Suivant nos douces lois,
La raison se perd et s'oublie,*   20
*Ce que le vin nous cause de folie
Commence et finit en un jour ;
Mais quand un cœur est enivré d'amour,
Souvent c'est pour toute la vie.*

Mome [17] *déclare qu'il n'a point de plus doux emploi
que de médire, et que ce n'est qu'à l'Amour seul
qu'il n'ose se jouer.*

RÉCIT DE MOME

Je cherche à médire   20
*Sur la terre et dans les cieux ;
Je soumets à ma satire
Les plus grands des dieux.
Il n'est dans l'univers que l'Amour qui m'étonne,
Il est le seul que j'épargne aujourd'hui ;*   20
*Il n'appartient qu'à lui
De n'épargner personne.*

ENTRÉE DE BALLET

*Composée de deux Ménades et de deux Ægipans qui
suivent Bacchus.*

ENTRÉE DE BALLET

*Composée de quatre Polichinelles et de deux Matas-
sins qui suivent Mome, et viennent joindre leur plaisanterie et leur badinage aux divertissements de
cette grande fête.
Bacchus et Mome, qui les conduisent, chantent au
milieu d'eux chacun une chanson, Bacchus à la louange
du vin, et Mome une chanson enjouée sur le sujet
et les avantages de la raillerie.*

RÉCIT DE BACCHUS

*Admirons le jus de la treille :
Qu'il est puissant, qu'il a d'attraits !
Il sert aux douceurs de la paix,
Et dans la guerre il fait merveille :*   2
*Mais surtout pour les amours
Le vin est d'un grand secours.*

RÉCIT DE MOME

*Folâtrons, divertissons-nous,
Raillons, nous ne saurions mieux faire ;
La raillerie est nécessaire*   2
*Dans les jeux les plus doux.
Sans la douceur que l'on goûte à médire,*

---

16. Quinault, dans l'ultime intermède, anéantit ce que
Corneille, dans le dernier acte, a conservé de signification
mythique au personnage de Psyché. Il n'en reste plus, comme
dans *les Plaisirs de l'île enchantée* sept ans plus tôt, qu'une
invite à l'amour que la Cour et Louis XIV n'étaient que trop
enclins à suivre.

17. Momus, dieu latin de la moquerie, intervient aussi aux
côtés de Jupiter et de l'Amour, dans l'opéra de *Daphné*,
composé en 1674 par La Fontaine pour Lulli et que celui-ci
ne monta pas. Sur quoi La Fontaine composa la brillante
satire du *Florentin*.

2105
 On trouve peu de plaisirs sans ennui :
  Rien n'est si plaisant que de rire,
  Quand on rit aux dépens d'autrui.

  Plaisantons, ne pardonnons rien,
  Rions, rien n'est plus à la mode ;
2110
  On court péril d'être incommode
   En disant trop de bien.
 Sans la douceur que l'on goûte à médire,
 On trouve peu de plaisirs sans ennui ;
  Rien n'est si plaisant que de rire,
  Quand on rit aux dépens d'autrui.

 Mars arrive au milieu du théâtre, suivi de sa troupe guerrière, qu'il excite à profiter de leur loisir, en prenant part aux divertissements.

RÉCIT DE MARS
115
 Laisons en paix toute la terre ;
 Cherchons de doux amusements.
 Parmi les jeux les plus charmants,
 Mêlons l'image de la guerre.

ENTRÉE DE BALLET
 Suivants de Mars, qui font, en dansant avec des enseignes, une manière d'exercice.

DERNIÈRE ENTRÉE DE BALLET
 Les troupes différentes de la suite d'Apollon, de Bacchus, de Mome et de Mars, après avoir achevé leurs entrées particulières, s'unissent ensemble, et forment la dernière entrée, qui renferme toutes les autres.*

 Un chœur de toutes les voix et de tous les instruments, qui sont au nombre de quarante, se joint à la danse générale, et termine la fête des noces de l'Amour et de Psyché.

DERNIER CHŒUR
 Chantons les plaisirs charmants
  Des heureux amants.
2120
 Que tout le ciel s'empresse
 A leur faire sa cour.
 Célébrons ce beau jour
 Par mille doux chants d'allégresse.
 Célébrons ce beau jour
 Par mille doux chants d'amour.
2125

 Dans le grand salon du palais des Tuileries, où Psyché a été représentée devant Leurs Majestés, il y avait des timbales, des trompettes et des tambours mêlés dans ces derniers concerts ; et ce dernier couplet se chantait ainsi :

 Chantons les plaisirs charmants
  Des heureux amants.
 Répondez-nous, trompettes,
 Timbales et tambours ;
2130
 Accordez-vous toujours
 Avec le doux son des musettes :
 Accordez-vous toujours
 Avec le doux chant des amours.

PULCHÉRIE

COMÉDIE HÉROIQUE*

Malgré la collaboration apportée à Psyché, Corneille n'oublie pas l'échec de Tite et Bérénice et ne confiera plus rien à Molière. Racine semble l'auteur attitré de l'Hôtel de Bourgogne. Peut-être une réconciliation avec Floridor eût été possible, mais celui-ci meurt en août 1671. Corneille va donc tenter une dernière fois de sauver la troupe du Marais. C'est ce qui explique peut-être qu'il revient à la comédie héroïque [1] plutôt qu'à la tragédie.

La pièce est préparée par diverses lectures durant le printemps. Corneille la présente luï-même chez le duc de La Rochefoucauld, chez le cardinal de Retz. Le Mercure galant, où Thomas Corneille est l'associé de Donneau de Visé, l'annonce le 19 mars, puis le 30 juillet.

La troupe du Marais, sans être brillante, était solide, et l'on peut reconstituer avec vraisemblance, étant donné la réputation et l'âge respectif des acteurs, la distribution de Pulchérie : Dauvilliers, laid et probablement âgé de la quarantaine, doit jouer Martian, Achille Varlet (trente-six ans) et Desurlis, Léon et Aspar. Marie Vallée, Melle Marotte, femme de Verneuil, et Melle Dupin, Justine et Irène. Enfin Catherine Desurlis, alors âgée de quarante-cinq ans, revenue au Marais en 1670, crée le rôle de Pulchérie. La troupe va pourtant disparaître l'année suivante : c'est que le public avait déssappris le chemin « d'un lieu où on ne voulait plus se souvenir qu'il y eût un théâtre » (Au lecteur) et que, malgré un chaleureux clan cornélien, la pièce n'eut qu'un demi-succès.

Pulchérie, petite-fille de Théodose, née en 399, impératrice de Byzance, en 414, disgraciée en 447, épouse en 450 le ministre de Théodose. Un tel sujet semblait ne devoir guère intéresser les contemporains et Corneille souligne qu'il a travaillé « contre le goût

du temps ». La vieille cour, au témoignage de Mme de Sévigné, y a vu un souvenir de la Reine-mère. Les thèmes de la politique et du mariage blanc intéressaient les cercles précieux : il y avait donc là un public défini quoique limité, qui rend la pièce moins surprenante et moins anachronique.

Pulchérie fait partie, en effet, de cette galerie des grandes princesses chrétiennes qu'une vieille tradition des philosophes politiques de la Renaissance ne cesse de refaire : G. Muzio, dans sa Politica dei principi (1561), Paruta, dans sa Perfection de la vie politique (traduction française 1582) l'évoquent. Le célèbre polygraphe belge Juste Lipse (1547-1606) dont les Elzeviers ont réédité tant d'ouvrages, et dont l'imprimeur français Plantin a donné à Anvers une édition monumentale en 1636, l'évoque ainsi dans ses Conseils et exemples politiques (traduction française 1606) : « Elle voua sa vie et sa virginité au Christ, éleva son cadet Arcadius, le fit participer aux soucis de l'Empire, réglant tout sainement... Après la mort de son frère, elle appela Martian, de bonne vie et brave, et le mit à l'Empire et gouverna merveilleusement selon les règles de notre religion. »

Corneille, plus discret sur l'élément chrétien, n'a pas d'autres intentions. Les noms de Pulchérie et de Martian, apparaissent déjà dans Héraclius (1647) comme personnages d'invention. Ce choix s'explique mieux si l'on songe que la pièce était tirée des Annales ecclésiastiques du cardinal Baronius, dont Corneille se sert encore dans Pertharite, Attila et Pulchérie. Sans doute dut-il être gêné, au moment de composer Pulchérie, de l'emploi intempestif dans Héraclius du nom de ses protagonistes : c'est dire qu'il ne songeait guère en 1647 à composer une telle pièce.

AU LECTEUR

Pulchérie, fille de l'empereur Arcadius, et sœur du jeune Théodose, a été une princesse très illustre[2], et dont les talents étaient merveilleux : tous les historiens

---

* Jouée au Marais, le 15 novembre 1672. Privilège : 30 décembre 1672. Achevé d'imprimer : 20 janvier 1673.

1. Après Don Sanche et Tite et Bérénice, c'est la troisième pièce qui porte ce titre. Mais on a vu que bien d'autres tragédies auraient pu le prendre : Othon et Agésilas entre autres.

2. L'Empire est divisé en deux. Il s'agit ici de la dynastie de Théodose, qui gouverna l'Orient. Arcadius succéda à son père et régna de 395 à 408. Théodose II lui succéda à sept ans : sa minorité fut successivement sous l'influence du préfet du prétoire Anthemius, puis de sa sœur Pulchérie, son règne dirigé de 430 à 450 par l'eunuque Chrysaphios. Pulchérie tomba en disgrâce en 447 et, héritière de l'Empire, épousa Martian en 450.

en conviennent. Dès l'âge de quinze ans, elle empiéta le gouvernement sur son frère, dont elle avait reconnu la faiblesse, et s'y conserva tant qu'il vécut, à la réserve d'environ une année de disgrâce, qu'elle passa loin de la cour, et qui coûta cher à ceux qui l'avaient réduite à s'en éloigner. Après la mort de ce prince, ne pouvant retenir l'autorité souveraine en sa personne, ni se résoudre à la quitter, elle proposa son mariage à Martian, à la charge qu'il lui permettrait de garder sa virginité, qu'elle avait vouée et consacrée à Dieu³. Comme il était déjà assez avancé dans la vieillesse, il accepta la condition aisément, et elle le nomma pour Empereur au sénat, qui ne voulut, ou n'osa l'en dédire. Elle passait alors cinquante ans, et mourut deux ans après⁴, Martian en régna sept, et eut pour successeur Léon⁵, que ses excellentes qualités firent surnommer *le Grand*. Le patrice Aspar⁶ le servit à monter au trône, et lui demanda pour récompense l'association à cet Empire qu'il lui

avait fait obtenir. Le refus de Léon le fit conspirer contre ce maître qu'il s'était choisi; la conspiration fut découverte, et Léon s'en défit. Voilà ce que m'a prêté l'histoire. Je ne veux point prévenir votre jugement sur ce que j'y ai changé ou ajouté, et me contenterai de vous dire que bien que cette pièce aye été reléguée dans un lieu où on ne voulait plus se souvenir qu'il y eût un théâtre, bien qu'elle ait passé par des bouches pour qui on n'était prévenu d'aucune estime, bien que ses principaux caractères soient contre le goût du temps, elle n'a pas laissé de peupler le désert, de mettre en crédit des acteurs dont on ne connaissait pas le mérite, et de faire voir qu'on n'a pas toujours besoin de s'assujettir aux entêtements du siècle pour se faire écouter sur la scène. J'aurai de quoi me satisfaire si cet ouvrage est aussi heureux à la lecture qu'il l'a été à la représentation, et si j'ose ne vous dissimuler rien, je me flatte assez pour l'espérer.

ACTEURS

PULCHÉRIE, *impératrice d'Orient.*
MARTIAN, *vieux sénateur, ministre d'État sous Théodose le Jeune.*
LÉON, *amant de Pulchérie.*
ASPAR⁶, *amant d'Irène.*
IRÈNE, *sœur de Léon*⁷.
JUSTINE, *fille de Martian.*

La scène est à Constantinople, dans le Palais impérial.

ACTE PREMIER

Scène I : Pulchérie, Léon.

PULCHÉRIE

Je vous aime, Léon, et n'en fais point mystère :
Des feux tels que les miens n'ont rien qu'il faille taire.
Je vous aime, et non point de cette folle ardeur
Que les yeux éblouis font maîtresse du cœur,
5 Non d'un amour conçu par les sens en tumulte,
A qui l'âme applaudit sans qu'elle se consulte,
Et qui ne concevant que d'aveugles désirs,
Languit dans les faveurs, et meurt dans les plaisirs.
Ma passion pour vous, généreuse et solide,
10 A la vertu pour âme, et la raison pour guide,

La gloire pour objet, et veut sous votre loi
Mettre en ce jour illustre et l'univers et moi.
  Mon aïeul Théodose, Arcadius mon père,
Cet Empire quinze ans gouverné par un frère,
L'habitude à régner, et l'horreur d'en déchoir,   15
Voulaient dans un mari trouver même pouvoir.
Je vous en ai cru digne, et dans ces espérances,
Dont un penchant flatteur m'a fait des assurances,
De tout ce que sur vous j'ai fait tomber d'emplois
Aucun n'a démenti l'attente de mon choix.   20
Vos hauts faits à grands pas nous portaient à l'empire,
J'avais réduit mon frère à ne m'en point dédire,
Il vous y donnait part, et j'étais toute à vous,
Mais ce malheureux prince est mort trop tôt pour nous.
L'Empire est à donner, et le sénat s'assemble   [25
Pour choisir une tête à ce grand corps qui tremble,
Et dont les Huns, les Goths, les Vandales, les Francs,
Bouleversent la masse et déchirent les flancs.
  Je vois de tous côtés des partis et des ligues,
Chacun s'entre-mesure et forme ses intrigues,   30
Procope, Gratian, Aréobinde, Aspar ⁸
Vous peuvent enlever ce grand nom de César :
Ils ont tous du mérite; et ce dernier s'assure
Qu'on se souvient encor de son père Ardabure,

Qui terrassant Mitrane en combat singulier,   35
Nous acquit sur la Perse un avantage entier,
Et rassurant par là nos aigles alarmées,
Termina seul la guerre aux yeux des deux armées.

3. C'est la vertu sur laquelle insiste Juste Lipse et le Père Caussin, après les Pères de l'Église. Elle a sa fête dans l'Église grecque.
4. Elle était née en 399. Martian (ou Marcien) était son aîné de neuf ans et avait donc soixante-huit ans quand il succéda à Pulchérie, soixante quand il l'épouse. Mais Corneille, laissant cet âge indécis, fait tout pour vieillir Martian et rajeunir Pulchérie, Justine, fille de Martian et amoureuse aussi de Léon, est ainsi une rivale plus normale de l'impératrice.
5. Ancien intendant d'Aspar, qui en fit un empereur à la mort de Martian. Il régna de 457 à 474. La fin de son règne allait voir l'essor redoutable des Ostrogoths et de Théodoric.
6. Il était fils d'un général de Théodose II. Alain par sa race, il aurait pu néanmoins être proclamé empereur en 457,

mais préféra faire désigner Léon. Il mourut assassiné en 471. C'est lui que Fontenelle prit pour sujet de tragédie, du vivant même de Corneille et peut-être sur son conseil.
7. Ces deux derniers personnages ne figurent pas dans les sources : Irène, Athénienne d'origine, épouse de Léon IV, allait illustrer de son règne toute l'histoire de Byzance, à la fin du VIIIᵉ siècle. De la dynastie des Justin (Justinien bien connu des juristes est le neveu de Justin Iᵉʳ, empereur de 518 à 527) il est facile de tirer une Justine.
8. Ces noms, ainsi que les deux des vers suivants viennent des *Histoires ecclésiastiques* de Socrate, Sozomène et Théodoret, ou plutôt de leur continuateur Théodore le Lecteur, qui compose la période allant de 430 à 527. Elles venaient d'être éditées à Paris par H. de Valois en 1659.

Mes souhaits, mon crédit, mes amis, sont pour vous,
40 Mais à moins que ce rang, plus d'amour, point d'époux.
Il faut, quelques douceurs que cet amour propose,
Le trône ou la retraite au sang de Théodose,
Et si par le succès mes desseins sont trahis,
Je m'exile en Judée auprès d'Athénaïs [9].

LÉON

45 Je vous suivrais, Madame, et du moins sans ombrage
De ce que mes rivaux ont sur moi d'avantage,
Si vous ne m'y faisiez quelque destin plus doux,
J'y mourrais de douleur d'être indigne de vous :
J'y mourrais à vos yeux en adorant vos charmes.
50 Peut-être essuieriez-vous quelqu'une des mes larmes,
Peut-être ce grand cœur, qui n'ose s'attendrir,
S'y défendrait si mal de mon dernier soupir,
Qu'un éclat imprévu de douleur et de flamme
Malgré vous à son tour voudrait suivre mon âme.
55 La mort, qui finirait à vos yeux mes ennuis,
Aurait plus de douceur que l'état où je suis.
Vous m'aimez, mais, hélas! quel amour est le vôtre,
Qui s'apprête peut-être à pencher vers un autre?
Que servent ces désirs, qui n'auront point d'effet
60 Si votre illustre orgueil ne se vojt satisfait?
Et que peut cet amour dont vous êtes maîtresse,
Cet amour dont le trône a toute la tendresse,
Esclave ambitieux du suprême degré,
D'un titre qui l'allume et l'éteint à son gré?
65 Ah! ce n'est point pâr là que je vous considère,
Dans le plus triste exil vous me seriez plus chère,
Là mes yeux, sans relâche attachés à vous voir,
Feraient de mon amour mon unique devoir,
Et mes soins, réunis à ce noble esclavage,   [mage [10].
70 Sauraient de chaque instant vous rendre un plein hom-
Pour être heureux amant, faut-il que l'univers
Ait place dans un cœur qui ne veut que vos fers,
Que les plus dignes soins d'une flamme si pure
Deviennent partagés à toute la nature?
75 Ah! que ce cœur, Madame, a lieu d'être alarmé,
Si sans être Empereur je ne suis plus aimé!

PULCHÉRIE

Vous le serez toujours, mais une âme bien née
Ne confond pas toujours l'amour et l'hyménée :
L'amour entre deux cœurs ne veut que les unir,
80 L'hyménée a pour plus leur gloire à soutenir,
Et je vous l'avouerai, pour les plus belles vies
L'orgueil de la naissance a bien des tyrannies.
Souvent les beaux désirs n'y servent qu'à gêner,
Ce qu'on se doit combat ce qu'on se veut donner,
85 L'amour gémit en vain sans se devoir sévère...
Ah! si je n'avais eu qu'un sénateur pour père!

Mais mon sang dans mon sexe a mis les plus grands
Eudoxe et Placidie [11] ont eu des empereurs,   [cœurs,
Je n'ose leur céder en grandeur de courage,
Et malgré mon amour je veux même partage.   90
Je pense en être sûre, et tremble toutefois
Quand je vois mon bonheur dépendre d'une voix.

LÉON   [nomme,

Qu'avez-vous à trembler? Quelque empereur qu'on
Vous aurez votre amant, ou du moins un grand homme,
Dont le nom, adoré du peuple et de la cour,   95
Soutiendra votre gloire, et vaincra votre amour.
Procope, Aréobinde, Aspar, et leurs semblables,
Parés de ce grand nom, vous deviendront aimables,
Et l'éclat de ce rang, qui fait tant de jaloux,
En eux, ainsi qu'en moi, sera charmant pour vous.   100

PULCHÉRIE

Que vous m'êtes cruel, que vous m'êtes injuste
D'attacher tout mon cœur au seul titre d'Auguste!
Quoi que de ma naissance exige la fierté,
Vous seul ferez ma joie et ma félicité :
De tout autre Empereur la grandeur odieuse...   10.

LÉON

Mais vous l'épouserez, heureuse ou malheureuse?

PULCHÉRIE

Ne me pressez point tant, et croyez avec moi
Qu'un choix si glorieux vous donnera ma foi,
Ou que si le sénat à nos vœux est contraire,
Le ciel m'inspirera ce que je devrai faire [12].   11.

LÉON

Il vous inspirera quelque sage douleur,
Qui n'aura qu'un soupir à perdre en ma faveur.
Oui, de si grands rivaux...

PULCHÉRIE

                          Ils ont tous des maîtresses.

LÉON

Le trône met une âme au-dessus des tendresses.
Quand du grand Théodose on aura pris le rang,   115
Il y faudra placer les restes de son sang :
Il voudra, ce rival, qui que l'on puisse élire,
S'assurer par l'hymen de vos droits à l'Empire.
S'il a pu faire ailleurs quelque offre de sa foi,
C'est qu'il a cru ce cœur trop prévenu pour moi,   120
Mais se voyant au trône et moi dans la poussière,
Il se promettra tout de votre humeur altière,
Et s'il met à vos pieds ce charme de vos yeux,
Il deviendra l'objet que vous verrez le mieux.

PULCHÉRIE

Vous pourriez un peu loin pousser ma patience,   12.
Seigneur : j'ai l'âme fière, et tant de prévoyance
Demande à la souffrir encore plus de bonté
Que vous ne m'avez vu jusqu'ici de fierté.
Je ne condamne point ce que l'amour inspire,
Mais enfin on peut craindre, et ne le point tant dire. 13.
Je n'en tiendrai pas moins tout ce que j'ai promis.
Vous avez mes souhaits, vous aurez mes amis,

---

9. Autre exemple fameux des historiens chrétiens et du Père Caussin. Pulchérie choisit pour femme à son frère cette Grecque convertie au christianisme, en 421. Elle régna sous le nom d'Eudoxe. Soupçonnée d'adultère, à tort semble-t-il, elle s'exila elle-même en Judée, où elle mourut en 460. Les spectateurs de l'âge de Corneille la connaissaient bien. Mairet avait fait de ce mariage, de cette conversion et de cet exil le sujet d'une tragédie jouée en 1642, *Athénaïs*. Il y a donc, sans que Corneille l'ait dit, le souci de rivaliser avec cet autre succès, comme il l'avait fait pour *Sophonisbe*.

10. Même situation que Titus à l'égard de Bérénice. Cf. note 19 de *Tite et Bérénice*.

11. Eudoxe, mère de Pulchérie (à ne pas confondre avec Athénaïs-Eudoxe, cf. note 9), épousa Arcadius en 395. Placidie, tante de Pulchérie, fut impératrice quand Constance III obtint l'Empire en 421.

12. Vers déjà textuellement dans la bouche d'Auguste.

De ceux de Martian vous aurez le suffrage :
Il a, tout vieux qu'il est, plus de vertus que d'âge,
5 Et s'il briguait pour lui, ses glorieux travaux
Donneraient fort à craindre à vos plus grands rivaux.
LÉON
Notre Empire, il est vrai, n'a point de plus grand hom-
Séparez-vous du rang, Madame, et je le nomme. [me:
S'il me peut enlever celui de souverain,
10 Du moins je ne crains pas qu'il m'ôte votre main :
Ses vertus le pourraient, mais je vois sa vieillesse.
PULCHÉRIE
Quoi qu'il en soit, pour vous ma bonté l'intéresse :
Il s'est plu sous mon frère à dépendre de moi,
Et je me viens encor d'assurer de sa foi.
15 Je vois entrer Irène, Aspar la trouve belle :
Faites agir pour vous l'amour qu'il a pour elle,
Et comme en ce dessein rien n'est à négliger,
Voyez ce qu'une sœur vous pourra ménager.

Scène II : Pulchérie, Léon, Irène.

PULCHÉRIE
M'aiderez-vous, Irène, à couronner un frère ?
IRÈNE
20 Un si faible secours vous est peu nécessaire,
Madame, et le sénat...
PULCHÉRIE
              N'en agissez pas moins :
Joignez vos vœux aux miens, et vos soins à mes soins,
Et montrons ce que peut en cette conjoncture
Un amour secondé de ceux de la nature.
25 Je vous laisse y penser.

Scène III : Léon, Irène.

IRÈNE
              Vous ne me dites rien,
Seigneur : attendez-vous que j'ouvre l'entretien ?
LÉON
A dire vrai, ma sœur, je ne sais que vous dire.
Aspar m'aime, il vous aime : il y va de l'Empire,
Et s'il faut qu'entre nous on balance aujourd'hui,
30 La Princesse est pour moi, le mérite est pour lui.
Vouloir qu'en ma faveur à ce grade il renonce,
C'est faire une prière indigne de réponse,
Et de son amitié je ne puis l'exiger,
Sans vous voler un bien qu'il vous doit partager.
35 C'est là ce qui me force à garder le silence :
Je me réponds pour vous à tout ce que je pense,
Et puisque j'ai souffert qu'il ait tout votre cœur,
Je dois souffrir aussi vos soins pour sa grandeur.
IRÈNE
J'ignore encor quel fruit je pourrais en attendre.
40 Pour le trône, il est sûr qu'il a droit d'y prétendre,
Sur vous et sur tout autre il le peut emporter,
Mais qu'il m'y donne part, c'est dont j'ose douter.
Il m'aime en apparence, en effet il m'amuse,
Jamais pour notre hymen il ne manque d'excuse,
45 Et vous aime à tel point, que, si vous l'en croyez,
Il ne peut être heureux que vous ne le soyez.

Non que votre bonheur fortement l'intéresse,
Mais sachant quel amour a pour vous la Princesse,
Il veut voir quel succès aura son grand dessein,
50 Pour ne point m'épouser qu'en sœur de souverain.   180
Ainsi depuis deux ans vous voyez qu'il diffère.
Du reste à Pulchérie il prend grand soin de plaire,
Avec exactitude il suit toutes ses lois,
Et dans ce que sous lui vous avez eu d'emplois,
Votre tête aux périls à toute heure exposée   185
M'a pour vous et pour moi presque désabusée.
La gloire d'un ami, la haine d'un rival,
La hasardaient peut-être avec un soin égal.
Le temps est arrivé qu'il faut qu'il se déclare,
Et de son amitié l'effort sera bien rare   190
Si mis à cette épreuve, ambitieux qu'il est,
Il cherche à vous servir contre son intérêt.
Peut-être il le promettra, mais quoi qu'il vous promette,
N'en ayons pas, Seigneur, l'âme moins inquiète :
Son ardeur trouvera pour vous si peu d'appui   195
Qu'on le fera lui-même empereur malgré lui,
Et lors, en ma faveur quoi que l'amour oppose,
Il faudra faire grâce au sang de Théodose,
Et le sénat voudra qu'il prenne d'autres yeux
Pour mettre la Princesse au rang de ses aïeux.   200
Son cœur suivra le sceptre, en quelque main qu'il
Si Martian l'obtient, il aimera sa fille,   [brille :
Et l'amitié du frère et l'amour de la sœur
Céderont à l'espoir de s'en voir successeur.
En un mot, ma fortune est encor fort douteuse :   205
Si vous n'êtes heureux, je ne puis être heureuse,
Et je n'ai plus d'amant non plus que vous d'ami,
A moins que dans le trône il vous voie affermi.
LÉON
Vous présumez bien mal d'un héros qui vous aime.
IRÈNE
Je pense le connaître à l'égal de moi-même :   210
Mais croyez-moi, Seigneur, et l'Empire est à vous.
LÉON
Ma sœur !
IRÈNE
              Oui, vous l'aurez malgré lui, malgré tous.
LÉON
N'y perdons aucun temps, hâtez-vous de m'instruire,
Hâtez-vous de m'ouvrir la route à m'y conduire,
Et si votre bonheur peut dépendre du mien...   215
IRÈNE
Apprenez le secret de ne hasarder rien.
N'agissez point pour vous, il s'en offre trop d'autres
De qui les actions brillent plus que les vôtres,
Que leurs emplois plus hauts ont mis en plus d'éclat,
Et qui, s'il faut tout dire, ont plus servi l'État : 220
Vous les passez peut-être en grandeur de courage;
Mais il vous a manqué l'occasion et l'âge,
Vous n'avez commandé que sous les généraux,
Et n'êtes pas encor du poids de vos rivaux.
Proposez la Princesse, elle a des avantages   225
Que vous verrez sur l'heure unir tous les suffrages :
Tant qu'a vécu son frère, elle a régné pour lui,
Ses ordres de l'Empire ont été tout l'appui.
On vit depuis quinze ans sous son obéissance :

230 Faites qu'on la maintienne en sa toute-puissance,
    Qu'à ce prix le sénat lui demande un époux,
    Son choix tombera-t-il sur un autre que vous?
    Voudrait-elle de vous une action plus belle
    Qu'un respect amoureux qui veut tenir tout d'elle?
235 L'amour en deviendra plus fort qu'auparavant,
    Et vous vous servirez vous-même en la servant.

LÉON

Ah! que c'est me donner un conseil salutaire!
A-t-on jamais vu sœur qui servît mieux un frère?
Martian avec joie embrassera l'avis :
240 A peine parle-t-il que les siens sont suivis,
    Et puisqu'à la Princesse il a promis un zèle
    A tout oser pour moi sur l'ordre qu'il a d'elle,
    Comme sa créature, il fera hautement
    Bien plus en sa faveur qu'en faveur d'un amant.

IRÈNE

245 Pour peu qu'il vous appuie, allez, l'affaire est sûre.

LÉON

Aspar vient : faites-lui, ma sœur, quelque ouverture,
Voyez...

IRÈNE

        C'est un esprit qu'il vaut mieux ménager.
Nous découvrir à lui, c'est tout mettre en danger :
Il est ambitieux, adroit, et d'un mérite...

Scène IV : Aspar, Léon, Irène.

LÉON

250 Vous me pardonnez bien, Seigneur, si je vous quitte;
    C'est suppléer assez à ce que je vous doi
    Que vous laisser ma sœur, qui vous plaît plus que moi.

ASPAR

Vous m'obligez, Seigneur; mais en cette occurrence
J'ai besoin avec vous d'un peu de conférence.
255   Du sort de l'univers nous allons décider :
    L'affaire vous regarde, et peut me regarder,
    Et si tous mes amis ne s'unissent aux vôtres,
    Nos partis divisés pourront céder à d'autres.
    Agissons de concert, et sans être jaloux,
260 En ce grand coup d'État, vous de moi, moi de vous,
    Jurons-nous que des deux qui que l'on puisse élire
    Fera de son ami son collègue à l'Empire,
    Et pour nous l'assurer, voyons sur qui des deux
    Il est plus à propos de jeter tant de vœux :
265 Quel nom serait plus propre à s'attirer le reste.
    Pour moi, je suis tout prêt, et dès ici j'atteste...

LÉON

Votre nom pour ce choix est plus fort que le mien,
Et je n'ose douter que vous n'en usiez bien.
Je craindrais de tout autre un dangereux partage,
270 Mais de vous je n'ai pas, Seigneur, le moindre om-
    Et l'amitié voudrait vous en donner ma foi.   [brage,
    Mais c'est à la Princesse à disposer de moi :
    Je ne puis que par elle, et n'ose rien sans elle.

ASPAR

Certes, s'il faut choisir l'amant le plus fidèle,
275 Vous l'allez emporter sur tous sans contredit.
    Mais ce n'est pas, Seigneur, le point dont il s'agit :
    Le plus flatteur effort de la galanterie

Ne peut...

LÉON

        Que voulez-vous? j'adore Pulchérie,
Et n'ayant rien d'ailleurs par où la mériter,
J'espère en ce doux titre, et j'aime à le porter.

ASPAR

Mais il y va du trône, et non d'une maîtresse.

LÉON

Je vais faire, Seigneur, votre offre à la Princesse,
Elle sait mieux que moi les besoins de l'État.
Adieu : je vous dirai sa réponse au sénat.

Scène V · Aspar, Irène.

IRÈNE

Il a beaucoup d'amour.

ASPAR

                      Oui, Madame, et j'avoue
Qu'avec quelque raison la Princesse s'en loue :
Mais j'aurais souhaité qu'en cette occasion
L'amour concertât mieux avec l'ambition,
Et que son amitié, s'en laissant moins séduire,
Ne nous exposât point à nous entre-détruire.
Vous voyez qu'avec lui j'ai voulu m'accorder.
M'aimeriez-vous encor si j'osais lui céder,
Moi qui dois d'autant plus mes soins à ma fortune,
Que l'amour entre nous doit la rendre commune?

IRÈNE

Seigneur, lorsque le mien vous a donné mon cœur,
Je n'ai point prétendu la main d'un Empereur :
Vous pouviez être heureux sans m'apporter ce titre,
Mais du sort de Léon Pulchérie est l'arbitre,
Et l'orgueil de son sang avec quelque raison
Ne peut souffrir d'époux à moins de ce grand nom.
Avant que cet cher frère épouse la Princesse,
Il faut que le pouvoir s'unisse à la tendresse,
Et que le plus haut rang mette en leur plus beau jour
La grandeur du mérite et l'excès de l'amour.
M'aimeriez-vous assez pour n'être point contraire
A l'unique moyen de rendre heureux ce frère,
Vous qui, dans votre amour, avez pu sans ennui
Vous défendre de l'être un moment avant lui,
Et qui mériteriez qu'on vous fît mieux connaître
Que s'il ne le devient, vous aurez peine à l'être?

ASPAR

C'est aller un peu vite, et bientôt m'insulter
En sœur de souverain qui cherche à me quitter.
Je vous aime, et jamais une ardeur plus sincère...

IRÈNE

Seigneur, est-ce m'aimer que de perdre mon frère?

ASPAR

Voulez-vous que pour lui je me perde d'honneur?
Est-ce m'aimer que mettre à ce prix mon bonheur?
Moi, qu'on a vu forcer trois camps et vingt murailles,
Moi qui, depuis dix ans, ai gagné sept batailles,
N'ai-je acquis tant de nom que pour prendre la loi
De qui n'a commandé que sous Procope, ou moi,
Que pour m'en faire un maître, et m'attacher moi-même
Un joug honteux au front, au lieu d'un diadème?

IRÈNE

Je suis plus raisonnable, et ne demande pas
Qu'en faveur d'un ami vous descendiez si bas.
325 Pylade pour Oreste aurait fait davantage [13],
Mais de pareils efforts ne sont plus en usage,
Un grand cœur les dédaigne, et le siècle a changé :
A s'aimer de plus près on se croit obligé,
Et des vertus du temps l'âme persuadée
330 Hait de ces vieux héros la surprenante idée.

ASPAR

Il y va de ma gloire, et les siècles passés...

IRÈNE

Elle n'est pas, Seigneur, peut-être où vous pensez,
Et quoi qu'un juste espoir ose vous faire croire,
S'exposer au refus, c'est hasarder sa gloire.
335 La Princesse peut tout, ou du moins plus que vous.
Vous vous attirerez sa haine et son courroux.
Son amour l'intéresse, et son âme hautaine...

ASPAR

Qu'on me fasse Empereur, et je crains peu sa haine.

IRÈNE

Mais s'il faut qu'à vos yeux un autre préféré
340 Monte, en dépit de vous, à ce rang adoré,
Quel déplaisir, quel trouble, et quelle ignominie
Laissera pour jamais votre gloire ternie !
Non, Seigneur, croyez-moi, n'allez point au sénat,
De vos hauts faits pour vous laissez parler l'éclat.
345 Qu'il sera glorieux que sans briguer personne,
Ils fassent à vos pieds apporter la couronne,
Que votre seul mérite emporte ce grand choix,
Sans que votre présence ait mendié de voix !
Si Procope, ou Léon, ou Martian, l'emporte,
350 Vous n'aurez jamais eu d'ambition si forte,
Et vous désavouerez tous ceux de vos amis
Dont la chaleur pour vous se sera trop permis.

ASPAR

A ces hauts sentiments s'il me fallait répondre,
J'aurais peine, Madame, à ne me point confondre.
355 J'y vois beaucoup d'esprit, j'y trouve encor plus d'art,
Et ce que j'en puis dire à la hâte et sans fard,
Dans ses grands intérêts vous montrer si savante,
C'est être bonne sœur et dangereuse amante.
L'heure me presse : adieu. J'ai des amis à voir
360 Qui sauront accorder ma gloire et mon devoir.
Le ciel me prêtera par eux quelque lumière
A mettre l'un et l'autre en assurance entière,
Et répondre avec joie à tout ce que je doi
A vous, à ce cher frère, à la Princesse, à moi.

IRÈNE, seule.

365 Perfide, tu n'es pas encore où tu te penses.
J'ai pénétré ton cœur, j'ai vu tes espérances,
De ton amour pour moi je vois l'illusion,
Mais tu n'en sortiras qu'à ta confusion.

ACTE SECOND

Scène I : Martian, Justine.

JUSTINE

Notre illustre Princesse est donc impératrice,
Seigneur ?   370

MARTIAN

            A ses vertus on a rendu justice.
Léon l'a proposée, et quand je l'ai suivi,
J'en ai vu le sénat au dernier point ravi :
Il a réduit soudain toutes ses voix en une,
Et s'est débarrassé de la foule importune,
Du turbulent espoir de tant de concurrents   375
Que la soif de régner avait mis sur les rangs.

JUSTINE

Ainsi voilà Léon assuré de l'Empire.

MARTIAN

Le sénat, je l'avoue, avait peine à l'élire,
Et contre les grands noms de ses compétiteurs
Sa jeunesse [14] eût trouvé d'assez froids protecteurs.   380
Non qu'il n'ait du mérite, et que son grand courage
Ne se pût tout promettre avec un peu plus d'âge :
On n'a point vu sitôt tant de rares exploits,
Mais et l'expérience et les premiers emplois,
Le titre éblouissant de général d'armée,   385
Tout ce qui peut enfin grossir la renommée,
Tout cela veut du temps, et l'amour aujourd'hui
Va faire ce qu'un jour son nom ferait pour lui.

JUSTINE

Hélas ! Seigneur.

MARTIAN

            Hélas ! ma fille, quel mystère
T'oblige à soupirer de ce que dit un père ?   390

JUSTINE

L'image de l'Empire en de si jeunes mains
M'a tiré ce soupir pour l'État, que je plains.

MARTIAN

Pour l'intérêt public rarement on soupire,
Si quelque ennui secret n'y mêle son martyre :
L'un se cache sous l'autre, et fait un faux éclat,   395
Et jamais à ton âge, on ne plaignit l'État.

JUSTINE

A mon âge, un soupir semble dire qu'on aime :
Cependant vous avez soupiré tout de même,
Seigneur, et si j'osais vous le dire à mon tour...

MARTIAN

Ce n'est point à mon âge à soupirer d'amour,   400
Je le sais, mais enfin chacun a sa faiblesse.
Aimerais-tu Léon ?

JUSTINE

            Aimez-vous la Princesse ?

MARTIAN

Oublie en ma faveur que tu l'as deviné,
Et démens un soupçon qu'un soupir t'a donné.
L'amour en mes pareils n'est jamais excusable,   405

---

13. Curieuse évocation de ces modèles de l'amitié. *Andromaque* avait été jouée, presque jour pour jour, cinq ans auparavant.

14. On ignore l'âge de Léon au moment de la pièce. Il faut juger de cette « jeunesse » très relativement : on ne conçoit pas Pulchérie, à cinquante ans, amoureuse d'un jeune homme. Il devait avoir une quarantaine d'années.

Pour peu qu'on s'examine, on s'en tient méprisable,
On s'en hait, et ce mal, qu'on n'ose découvrir,
Fait encor plus de peine à cacher qu'à souffrir.
Mais t'en faire l'aveu, c'est n'en faire à personne,
410 La part que le respect, que l'amitié t'y donne,
Et tout ce que le sang en attire sur toi,
T'imposent de le taire une éternelle loi.
     J'aime, et depuis dix ans ma flamme et mon silence
Font à mon triste cœur égale violence :
415 J'écoute la raison, j'en goûte les avis,
Et les mieux écoutés sont le plus mal suivis.
Cent fois en moins d'un jour je guéris et retombe,
Cent fois je me révolte, et cent fois je succombe,
Tant ce calme forcé, que j'étudie en vain,
420 Près d'un si rare objet s'évanouit soudain!

JUSTINE

Mais pourquoi lui donner vous-même la couronne,
Quand à ce cher Léon c'est donner sa personne?

MARTIAN

Apprends que dans un âge usé comme le mien,
Qui n'ose souhaiter ni même accepter rien,
425 L'amour hors d'intérêt s'attache à ce qu'il aime,
Et n'osant rien pour soi, le sert contre soi-même.

JUSTINE

N'ayant rien prétendu, de quoi soupirez-vous?

MARTIAN

Pour ne prétendre rien, on n'est pas moins jaloux,
Et ces désirs, qu'éteint le déclin de la vie,
430 N'empêchent pas de voir avec un œil d'envie,
Quand on est d'un mérite à pouvoir faire honneur,
Et qu'il faut qu'un autre âge emporte le bonheur.
Que le moindre retour vers nos belles années
Jette alors d'amertume en nos âmes gênées!
435 « Que n'ai-je vu le jour quelques lustres plus tard!
Disais-je, en ses bontés peut-être aurais-je part,
Si le ciel n'opposait auprès de la Princesse
A l'excès de l'amour le manque de jeunesse;
De tant et tant de cœurs qu'il force à l'adorer,
440 Devais-je être le seul qui ne pût espérer? »
     J'aimais quand j'étais jeune, et ne déplaisais guère :
Quelquefois de soi-même on cherchait à me plaire,
Je pouvais aspirer au cœur le mieux placé,
Mais, hélas! j'étais jeune, et ce temps est passé.
445 Le souvenir en tue, et l'on ne l'envisage
Qu'avec, s'il faut le dire, une espèce de rage,
On le repousse, on fait cent projets superflus,
Le trait qu'on porte au cœur s'enfonce d'autant plus,
Et ce feu, que de honte on s'obstine à contraindre,
450 Redouble par l'effort qu'on se fait pour l'éteindre.

JUSTINE

Instruit que vous étiez des maux que fait l'amour,
Vous en pouviez, Seigneur, empêcher le retour,
Contre toute sa ruse être mieux sur vos gardes.

MARTIAN

Et l'ai-je regardé comme tu le regardes,
455 Moi qui me figurais que ma caducité
Près de la beauté même était en sûreté?
Je m'attachais sans crainte à servir la Princesse,
Fier de mes cheveux blancs, et fort de ma faiblesse,
Et quand je ne pensais qu'à remplir mon devoir,

Je devenais amant sans m'en apercevoir.   46
Mon âme, de ce feu nonchalamment saisie,
Ne l'a point reconnu que par ma jalousie :
Tout ce qui l'approchait voulait me l'enlever,
Tout ce qui lui parlait cherchait à m'en priver.
Je tremblais qu'à leurs yeux elle ne fût trop belle,   46
Je les haïssais tous, comme plus dignes d'elle,
Et ne pouvais souffrir qu'on s'enrichît d'un bien
Que j'enviais à tous sans y prétendre rien.
     Quel supplice d'aimer un objet adorable,
Et de tant de rivaux se voir le moins aimable,   4
D'aimer plus qu'eux ensemble, et n'oser de ses feux,
Quelques ardents qu'ils soient, se promettre autant
On aurait deviné mon amour par ma peine, [qu'eux!
Si la peur que j'en eus n'avait fui tant de gêne.
L'auguste Pulchérie avait beau me ravir,   4
J'attendais à la voir qu'il me fallût servir :
Je fis plus, de Léon j'appuyai l'espérance,
La Princesse l'aima, j'en eus la confiance,
Et la dissuadai de se donner à lui
Qu'il ne fût de l'Empire ou le maître ou l'appui.   48
Ainsi, pour éviter un hymen si funeste,
Sans rendre heureux Léon, je détruisais le reste,
Et mettant un long terme au succès de l'amour,
J'espérais de mourir avant ce triste jour.
     Nous y voilà, ma fille, et du moins j'ai la joie   48
D'avoir à son triomphe ouvert l'unique voie.
J'en mourrai du moment qu'il recevra sa foi,
Mais dans cette douceur qu'ils tiendront tout de moi.
J'ai caché si longtemps l'ennui qui me dévore,
Qu'en dépit que j'en aye enfin il s'évapore :   49
L'aigreur en diminue à te le raconter.
Fais-en autant du tien, c'est mon tour d'écouter.

JUSTINE

Seigneur, un mot suffit pour ne vous en rien taire :
Le même astre a vu naître et la fille et le père,
Ce mot dit tout. Souffrez qu'une imprudente ardeur,   4
Prête à s'évaporer, respecte ma pudeur.
     Je suis jeune, et l'amour trouvait une âme tendre
Qui n'avait ni le soin ni l'art de se défendre :
La Princesse, qui m'aime et m'ouvrait ses secrets,
Lui prêtait contre moi d'inévitables traits,   50
Et toutes les raisons dont s'appuyait sa flamme
Étaient autant de dards qui me traversaient l'âme.
Je pris, sans y penser, son exemple pour loi :
« Un amant digne d'elle est trop digne de moi,
Disais-je, et s'il brûlait pour moi comme pour elle,   50
Avec plus de bonté je recevrais son zèle. »
Plus elle m'en peignait les rares qualités,
Plus d'une douce erreur mes sens étaient flattés.
D'un illustre avenir l'infaillible présage,
Qu'on voit si hautement écrit sur son visage,   51
Son nom que je voyais croître de jour en jour,
Pour moi, comme pour elle, étaient dignes d'amour,
Je les voyais d'accord d'un heureux hyménée,
Mais nous n'en étions pas encore à la journée :
« Quelque obstacle imprévu rompra de si doux nœuds,   51
Ajoutais-je, et le temps éteint les plus beaux feux. »
C'est ce que m'inspirait l'aimable rêverie
Dont jusqu'à ce grand jour ma flamme s'est nourrie.

Mon cœur, qui ne voulait désespérer de rien,
S'en faisait à toute heure un charmant entretien.
   Qu'on rêve avec plaisir, quand notre âme blessée
Autour de ce qu'elle aime est toute ramassée!
Vous le savez, Seigneur, et comme à tout propos
Un doux je ne sais quoi trouble notre repos :
Un sommeil inquiet sur de confus nuages
Élève incessamment de flatteuses images,
Et sur leur vain rapport fait naître des souhaits
Que le réveil admire et ne dédit jamais.
   Ainsi, près de tomber dans un malheur extrême,
J'en écartais l'idée en m'abusant moi-même,
Mais il faut renoncer à des abus si doux,
Et je me vois, Seigneur, au même état que vous.

MARTIAN

Tu peux aimer ailleurs, et c'est un avantage
Qu'on'ose se permettre un amant de mon âge :
Choisis qui tu voudras, je saurai l'obtenir,
Mais écoutons Aspar, que j'aperçois venir.

Scène II : Martian, Aspar, Justine.

ASPAR

Seigneur, votre suffrage a réuni les nôtres :
Votre voix a plus fait que n'auraient fait cent autres,
Mais j'apprends qu'on murmure, et doute si le choix
Que fera la Princesse aura toutes les voix.

MARTIAN

Et qui fait présumer de son incertitude
Qu'il aura quelque chose ou d'amer ou de rude?

ASPAR

Son amour pour Léon : elle en fait son époux.
Aucun n'en veut douter.

MARTIAN

             Je le crois comme eux tous.
Qu'y trouve-t-on à dire, et quelle défiance... ?

ASPAR

Il est jeune, et l'on craint son peu d'expérience.
Considérez, Seigneur, combien c'est hasarder :
Qui n'a fait qu'obéir saura mal commander,
On n'a point vu sous lui d'armée ou de province.

MARTIAN

Jamais un bon sujet ne devint mauvais Prince;
Et si le ciel en lui répond mal à nos vœux,
L'auguste Pulchérie en sait assez pour deux.
Rien ne nous surprendra de voir la même chose
Où nos yeux se sont faits quinze ans sous Théodose :
C'était un Prince faible, un esprit mal tourné,
Cependant avec elle il a bien gouverné.

ASPAR

Cependant nous voyons six généraux d'armée
Dont au commandement l'âme est accoutumée :
Voudront-ils recevoir un ordre souverain
De qui l'a jusqu'ici toujours pris de leur main?
Seigneur, il est bien dur de se voir sous un maître
Dont on le fut toujours, et dont on devrait l'être.

MARTIAN

Et qui m'assurera que ces six généraux
Se réuniront mieux sous un de leurs égaux?
Plus un pareil mérite aux grandeurs nous appelle,

Et plus la jalousie aux grands est naturelle.

ASPAR

Je les tiens réunis, Seigneur, si vous voulez.
Il est, il est encor des noms plus signalés :
J'en sais qui leur plairaient, et s'il vous faut plus dire,
Avouez-en mon zèle, et je vous fais élire.   570

MARTIAN

Moi, Seigneur, dans un âge où la tombe m'attend!
Un maître pour deux jours n'est pas ce qu'on prétend.
Je sais le poids d'un sceptre, et connais trop mes forces
Pour être encor sensible à ces vaines amorces.
Les ans, qui m'ont usé l'esprit comme le corps,   575
Abattraient tous les deux sous les moindres efforts,
Et ma mort, que par là vous verriez avancée,
Rendrait à tant d'égaux leur première pensée,
Et ferait une triste et prompte occasion
De rejeter l'État dans la division.   580

ASPAR

Pour éviter les maux qu'on en pourrait attendre,
Vous pourriez partager vos soins avec un gendre,
L'installer dans le trône, et le nommer César.

MARTIAN

Il faudrait que ce gendre eût les vertus d'Aspar,
Mais vous aimez ailleurs, et ce serait un crime   585
Que de rendre infidèle un cœur si magnanime.

ASPAR

J'aime, et ne me sens pas capable de changer,
Mais d'autres vous diraient que pour vous soulager,
Quand leur amour irait jusqu'à l'idolâtrie,
Ils le sacrifieraient au bien de la patrie.   590

JUSTINE

Certes, qui m'aimerait pour le bien de l'État
Ne me trouverait pas, Seigneur, un cœur ingrat,
Et je lui rendrais grâce au nom de tout l'Empire.
Mais vous êtes constant, et s'il vous faut plus dire,
Quoi que le bien public jamais puisse exiger,   595
Ce ne sera pas moi qui vous ferai changer.

MARTIAN

Revenons à Léon. J'ai peine à bien comprendre
Quels malheurs d'un tel choix nous aurions lieu d'at-
Quiconque vous verra le mari de sa sœur,   [tendre.
S'il ne le craint assez, craindra son défenseur,   600
Et si vous me comptez encor pour quelque chose,
Mes conseils agiront comme sous Théodose.

ASPAR

Nous en pourrons tous deux avoir le démenti.

MARTIAN

C'est à faire à périr [15] pour le meilleur parti :
Il ne m'en peut coûter qu'une mourante vie,   605
Que l'âge et ses chagrins m'auront bientôt ravie.
   Pour vous, qui d'un autre œil regardez ce danger,
Vous avez plus à vivre et plus à ménager,
Et je n'empêche pas qu'auprès de la Princesse
Votre zèle n'éclate autant qu'il s'intéresse.   610
Vous pouvez l'avertir de ce que vous croyez,
Lui dire de ce choix ce que vous prévoyez,
Lui proposer sans fard celui qu'elle doit faire :
La vérité lui plaît, et vous pourrez lui plaire.

15. Il y a là de quoi périr (cf. la note 28 de *Tite*).

615 Je changerai comme elle alors de sentiments,
Et tiens mon âme prête à ses commandements.

ASPAR

Parmi les vérités il en est de certaines
Qu'on ne dit point en face aux têtes souveraines,
Et qui veulent de nous un tour, un ascendant
620 Qu'aucun ne peut trouver qu'un ministre prudent.
Vous ferez mieux valoir ces marques d'un vrai zèle;
M'en ouvrant avec vous, je m'acquitte envers elle,
Et n'ayant rien de plus qui m'amène en ce lieu,
Je vous en laisse maître, et me retire. Adieu.

Scène III : Martian, Justine.

MARTIAN

625 Le dangereux esprit, et qu'avec peu de peine
Il manquerait d'amour et de foi pour Irène!
Des rivaux de Léon il est le plus jaloux,
Et roule des projets qu'il ne dit pas à tous.

JUSTINE

Il n'a pour but, Seigneur, que le bien de l'Empire!
630 Détrônez la Princesse, et faites-vous élire :
C'est un amant pour moi qui ne m'attendais pas,
Qui vous soulagera du poids de tant d'États [16].

MARTIAN

C'est un homme (et je veux qu'un jour il t'en souvienne),
C'est un homme à tout perdre, à moins qu'on le prévien-
635 Mais Léon vient déjà nous vanter son bonheur : [ne.
Arme-toi de constance, et prépare un grand cœur,
Et quelque émotion qui trouble ton courage,
Contre tout son désordre affermis ton visage.

Scène IV : Léon, Martian, Justine.

LÉON

L'auriez-vous cru jamais, Seigneur, je suis perdu.

MARTIAN

640 Seigneur, que dites-vous, ai-je bien entendu?

LÉON

Je le suis sans ressource, et rien plus ne me flatte.
J'ai revu Pulchérie, et n'ai vu qu'une ingrate :
Quand je crois l'acquérir, c'est lors que je la perds,
Et me détruis moi-même alors que je la sers.

MARTIAN

645 Expliquez-vous, Seigneur, parlez en confiance;
Fait-elle un autre choix?

LÉON

          Non, mais elle balance :
Elle ne me veut pas encor désespérer,
Mais elle prend du temps pour en délibérer.
Son choix n'est plus pour moi, puisqu'elle le diffère :
650 L'amour n'est point le maître alors qu'on délibère,
Et je ne saurais plus me promettre sa foi,
Moi qui n'ai que l'amour qui lui parle pour moi.
Ah! Madame...

JUSTINE

        Seigneur...

16. Ces quatre vers sont évidemment ironiques.

LÉON

        Auriez-vous pu le croire?

JUSTINE

L'amour qui délibère est sûr de sa victoire,
Et quand d'un vrai mérite il s'est fait un appui,
Il n'est point de raisons qui ne parlent pour lui.
Souvent il aime à voir un peu d'impatience,
Et feint de reculer, lorsque plus il avance :
Ce moment d'amertume en rend les fruits plus doux.
Aimez, et laissez faire une âme toute à vous.

LÉON

Toute à moi! mon malheur n'est que trop véritable,
J'en ai prévu le coup, je le sens qui m'accable.
Plus elle m'assurait de son affection,
Plus je me faisais peur de son ambition.
Je ne savais des deux quelle était la plus forte,
Mais il n'est que trop vrai, l'ambition l'emporte,
Et si son cœur encor lui parle en ma faveur,
Son trône me dédaigne en dépit de son cœur.
Seigneur, parlez pour moi, parlez pour moi, Madame:
Vous pouvez tout sur elle, et lisez dans son âme.
Peignez-lui bien mes feux, retracez-lui les siens,
Rappelez dans son cœur leurs plus doux entretiens,
Et si vous concevez de quelle ardeur je l'aime,
Faites-lui souvenir qu'elle m'aimait de même.
Elle-même a brigué pour me voir souverain :
J'étais, sans ce grand titre, indigne de sa main,
Mais si je ne l'ai pas, ce titre qui l'enchante,
Seigneur, à qui tient-il qu'à son humeur changeante?
Son orgueil contre moi doit-il s'en prévaloir,
Quand pour me voir au trône elle n'a qu'à vouloir?
Le sénat n'a pour elle appuyé mon suffrage
Qu'afin que d'un beau feu ma grandeur fût l'ouvrage :
Il sait depuis quel temps il lui plaît de m'aimer,
Et quand il l'a nommée, il a cru me nommer.
Allez, Seigneur, allez empêcher son parjure,
Faites qu'un Empereur soit votre créature,
Que je vous céderais ce grand titre aisément,
Si vous pouviez sans lui me rendre heureux amant,
Car enfin mon amour n'en veut qu'à sa personne,
Et n'a d'ambition que ce qu'on m'en ordonne.

MARTIAN

Nous allons, et tous deux, Seigneur, lui faire voir
Qu'elle doit mieux user de l'absolu pouvoir.
Modérez cependant l'excès de votre peine,
Remettez vos esprits dans l'entretien d'Irène.

LÉON

D'Irène? et ses conseils m'ont trahi, m'ont perdu.

MARTIAN

Son zèle pour un frère a fait ce qu'il a dû.
Pouvait-elle prévoir cette supercherie
Qu'a faite à votre amour l'orgueil de Pulchérie?
J'ose en parler ainsi, mais ce n'est qu'entre nous.
Nous lui rendrons l'esprit plus traitable et plus doux
Et vous rapporterons son cœur et ce grand titre.
Allez.

LÉON

   Entre elle et moi que n'êtes-vous l'arbitre!
Adieu : c'est de vous seul que je puis recevoir
De quoi garder encor quelque reste d'espoir.

Scène V : *Martian, Justine.*

MARTIAN

05 Justine, tu le vois, ce bienheureux obstacle
Dont ton amour semblait pressentir le miracle.
Je ne te défends point, en cette occasion,
De prendre un peu d'espoir sur leur division.
Mais garde-toi d'avoir une âme assez hardie
10-Pour faire à leur amour la moindre perfidie :
Le mien de ce revers s'applique tant de part,
Que j'espère en mourir quelques moments plus tard.
Mais de quel front enfin leur donner à connaître
Les périls d'un amour que nous avons vu naître,
5 Et peut-être formé les traits les plus ardents ?
De tous leurs déplaisirs, c'est nous rendre coupables,
Servons-les en amis, en amants véritables :
Le véritable amour n'est point intéressé.
0 Allons, j'achèverai comme j'ai commencé,
Suis l'exemple, et fais voir qu'une âme généreuse
Trouve dans sa vertu de quoi se rendre heureuse,
D'un sincère devoir fait son unique bien,
Et jamais ne s'expose à se reprocher rien.

ACTE TROISIÈME

Scène I : *Pulchérie, Martian, Justine.*

PULCHÉRIE

5 Je vous ai dit mon ordre : allez, Seigneur, de grâce,
Sauvez mon triste cœur du coup qui le menace,
Mettez tout le sénat dans ce cher intérêt.

MARTIAN

Madame, il sait assez combien Léon vous plaît,
Et le nomme assez haut alors qu'il vous défère
0 Un choix que votre amour vous a déjà fait faire.

PULCHÉRIE

Que ne m'en fait-il donc une obligeante loi ?
Ce n'est pas le choisir que s'en remettre à moi,
C'est attendre l'issue à couvert de l'orage,
Si l'on m'en applaudit, ce sera son ouvrage,
5 Et si j'en suis blâmée, il n'y veut point de part.
En doute du succès, il en fuit le hasard,
Et lorsque je l'en veux garant vers tout le monde,
Il veut qu'à l'univers moi seule j'en réponde.
Ainsi m'abandonnant au choix de mes souhaits,
0 S'il est des mécontents, moi seule je les fais,
Et je devrai moi seule apaiser le murmure
De ceux à qui ce choix semblera faire injure,
Prévenir leur révolte, et calmer les mutins
Qui porteront envie à nos heureux destins.

MARTIAN

Aspar vous aura vue, et cette âme chagrine...

PULCHÉRIE

Il m'a vue, et j'ai vu quel chagrin le domine,
Mais il n'a pas laissé de me faire juger
Du choix que fait mon cœur quel sera le danger.
Il part de bons avis quelquefois de la haine,
On peut tirer du fruit de tout ce qui fait peine,

Et des plus grands desseins qui veut venir à bout
Prête l'oreille à tous, et fait profit de tout.

MARTIAN

Mais vous avez promis, et la foi qui vous lie...

PULCHÉRIE

Je suis impératrice, et j'étais Pulchérie [17].
De ce trône, ennemi de mes plus doux souhaits,   755
Je regarde l'amour comme un de mes sujets :
Je veux que le respect qu'il doit à ma couronne
Repousse l'attentat qu'il fait sur ma personne,
Je veux qu'il m'obéisse, au lieu de me trahir;
Je veux qu'il donne à tous l'exemple d'obéir;   760
Et jalouse déjà de mon pouvoir suprême,
Pour l'affermir sur tous, je le prends sur moi-même.

MARTIAN

Ainsi donc ce Léon qui vous était si cher...

PULCHÉRIE

Je l'aime d'autant plus qu'il m'en faut détacher.

MARTIAN

Serait-il à vos yeux moins digne de l'Empire   765
Qu'alors que vous pressiez le sénat de l'élire ?

PULCHÉRIE

Il fallait qu'on le vît des yeux dont je le voi,
Que de tout son mérite on convînt avec moi,
Et que par une estime éclatante et publique
On mît l'amour d'accord avec la politique.   770
J'aurais déjà rempli l'espoir d'un si beau feu,
Si le choix du sénat m'en eût donné l'aveu.
J'aurais pris le parti dont il me faut défendre,
Et si jusqu'à Léon je n'ose plus descendre,
Il m'était glorieux, le voyant souverain,   775
De remonter au trône en lui donnant la main.

MARTIAN

Votre cœur tiendra bon pour lui contre tous autres.

PULCHÉRIE

S'il a ces sentiments, ce ne sont pas les vôtres :
Non, Seigneur, c'est Léon, c'est son juste courroux,
Ce sont ses déplaisirs qui s'expliquent par vous,   780
Vous prêtez votre bouche et n'êtes pas capable
De donner à ma gloire un conseil qui l'accable.

MARTIAN

Mais ses rivaux ont-ils plus de mérite ?

PULCHÉRIE

Non,
Mais ils ont plus d'emploi, plus de rang, plus de nom,
Et si de ce grand choix ma flamme est la maîtresse,   785
Je commence à régner par un trait de faiblesse.

MARTIAN

Et tenez-vous fort sûr qu'une légèreté
Donnera plus d'éclat à votre dignité ?
Pardonnez-moi ce mot, s'il a trop de franchise,
Le peuple aura peut-être une âme moins soumise :   790
Il aime à censurer ceux qui lui font la loi,
Et vous reprochera jusqu'au manque de foi.

PULCHÉRIE

Je vous ai déjà dit ce qui m'en justifie :
Je suis impératrice, et j'étais Pulchérie.

17. Pulchérie réagit exactement comme Tite :
J'ai des yeux d'Empereur et non plus ceux de Tite (vers 495).

795 J'ose vous dire plus : Léon a des jaloux,
Qui n'en font pas, Seigneur, même estime que nous.
Pour surprenant que soit l'essai de son courage,
Les vertus d'Empereur ne sont point de son âge :
Il est jeune, et chez eux c'est un si grand défaut
800 Que ce mot prononcé détruit tout ce qu'il vaut.
Si donc j'en fais le choix, je paraîtrai le faire
Pour régner sous son nom ainsi que sous mon frère.
Vous-même, qu'ils ont vu sous lui dans un emploi
Où vos conseils régnaient autant et plus que moi,
805 Ne donnerez-vous point quelque lieu de vous dire
Que vous n'aurez voulu qu'un fantôme à l'Empire,
Et que dans un tel choix vous vous serez flatté
De garder en vos mains toute l'autorité ?

MARTIAN

Ce n'est pas mon dessein, Madame, et s'il faut dire
810 Sur le choix de Léon ce que le ciel m'inspire,
Dès cet heureux moment qu'il sera votre époux,
J'abandonne Byzance et prends congé de vous,
Pour aller, dans le calme et dans la solitude,
De la mort qui m'attend faire l'heureuse étude.
815 Voilà comme j'aspire à gouverner l'État.
Vous m'avez commandé d'assembler le sénat,
J'y vais, Madame.

PULCHÉRIE

Quoi ? Martian m'abandonne,
Quand il faut sur ma tête affermir la couronne !
Lui, de qui le grand cœur, la prudence, la foi...

MARTIAN

820 Tout le prix que j'en veux, c'est de mourir à moi.

Scène II : Pulchérie, Justine.

PULCHÉRIE

Que me dit-il, Justine, et de quelle retraite
Ose-t-il menacer l'hymen qu'il me souhaite ?
De Léon près de moi ne se fait-il l'appui
Que pour mieux dédaigner de me servir sous lui ?
825 Le hait-il, le craint-il ? et par quelle autre cause...

JUSTINE

Qui que vous épousiez, il voudra même chose.

PULCHÉRIE

S'il était dans un âge à prétendre ma foi,
Comme il serait de tous le plus digne de moi,
Ce qu'il donne à penser aurait quelque apparence :
830 Mais les ans l'ont dû mettre en entière assurance.

JUSTINE

Que savons-nous, Madame, est-il dessous les cieux
Un cœur impénétrable au pouvoir de vos yeux ?
Ce qu'ils ont d'habitude à faire des conquêtes
Trouve à prendre vos fers les âmes toujours prêtes.
835 L'âge n'en met aucune à couvert de leurs traits.
Non que sur Martian j'en sache les effets,
Il m'a dit comme à vous que ce grand hyménée
L'enverra loin d'ici finir sa destinée,
Et si j'ose former quelque soupçon confus,
840 Je parle en général, et ne sais rien de plus.
Mais pour votre Léon, êtes-vous résolue
A le perdre aujourd'hui, de puissance absolue ?
Car ne l'épouser pas, c'est le perdre en effet.

PULCHÉRIE

Pour te montrer la gêne où son nom seul me met,
Souffre que je t'explique en faveur de sa flamme   84
La tendresse du cœur après la grandeur d'âme.
Léon seul est ma joie, il est mon seul désir,
Je n'en puis choisir d'autre, et n'ose le choisir :
Depuis trois ans unie à cette chère idée,
J'en ai l'âme à toute heure, en tous lieux, obsédée,   8.
Rien n'en détachera mon cœur que le trépas,
Encore après ma mort n'en répondrais-je pas,
Et si dans le tombeau le ciel permet qu'on aime,
Dans le fond du tombeau je l'aimerai de même.   8.
Trône qui m'éblouis, titres qui me flattez,
Pourrez-vous me valoir ce que vous me coûtez ?
Et de tout votre orgueil la pompe la plus haute
A-t-elle un bien égal à celui qu'elle m'ôte ?

JUSTINE

Et vous pouvez penser à prendre un autre époux ?

PULCHÉRIE

Ce n'est pas, tu le sais, à quoi je me résous.   8
Si ma gloire à Léon me défend de me rendre,
De tout autre que lui l'amour sait me défendre.
Qu'il est fort cet amour ! sauve-m'en, si tu peux,
Vois Léon, parle-lui, dérobe-moi ses vœux :
M'en faire un prompt larcin, c'est me rendre un service 8
Qui saura m'arracher des bords du précipice.
Je le crains, je me crains, s'il n'engage sa foi,
Et je suis trop à lui tant qu'il est tout à moi.
Sens-tu d'un tel effort ton amitié capable ?
Ce héros n'a-t-il rien qui te paraisse aimable ?   8
Au pouvoir de tes yeux j'unirai mon pouvoir :
Parle, que résous-tu de faire ?

JUSTINE

Mon devoir.
Je sors d'un sang, Madame, à me rendre assez vaine
Pour attendre un époux d'une main souveraine,
Et n'ayant point d'amour que pour ma liberté,   8
S'il la faut immoler à votre sûreté,
J'oserai... Mais voici ce cher Léon, Madame,
Voulez-vous...

PULCHÉRIE

Laisse-moi consulter mieux mon âme.
Je ne sais pas encor trop bien ce que je veux [18]
Attends un nouvel ordre, et suspends tous tes vœux.   8

Scène III : Pulchérie, Léon, Justine.

PULCHÉRIE

Seigneur, qui vous ramène ? Est-ce l'impatience
D'ajouter à mes maux ceux de votre présence,
De livrer tout mon cœur à de nouveaux combats,

---

18. Cette indécision volontairement prolongée est un trait
nouveau des tragédies de la dernière période. Comme jadis,
les héros voient clairement leur devoir et finissent par l'accomplir. Mais loin d'y courir au plus tôt, comme *Rodogune* et
Polyeucte, ils cherchent soit à se duper eux-mêmes, soit à
retarder l'instant de l'accomplissement. C'est le lien intime
d'*Othon*, *Agésilas*, *Tite* et *Pulchérie*. Si Racine a pu contribuer
à entretenir ce sentiment chez Corneille, il ne l'a pas suscité,
puisque *Othon* est antérieur à *Alexandre*.

Et souffré-je trop peu quand je ne vous vois pas?

LÉON

Je viens savoir mon sort.

PULCHÉRIE

N'en soyez point en doute,
Je vous aime et nous plains : c'est là me peindre toute,
C'est tout ce que je sens, et si votre amitié
Sentait pour mes malheurs quelque trait de pitié,
Elle m'épargnerait cette fatale vue,
Qui me perd, m'assassine, et vous-même vous tue.

LÉON

Vous m'aimez, dites-vous?

PULCHÉRIE

Plus que jamais.

LÉON

Hélas!
Je souffrirais bien moins si vous ne m'aimiez pas.
Pourquoi m'aimer encor seulement pour me plaindre?

PULCHÉRIE

Comment cacher un feu que je ne puis éteindre?

LÉON

Vous l'étouffez du moins sous l'orgueil scrupuleux
Qui fait seul tous les maux dont nous mourons tous deux.
Ne vous en plaignez point, le vôtre est volontaire: [deux.
Vous n'avez que celui qu'il vous plaît de vous faire,
Et ce n'est pas pour être aux termes d'en mourir
Que d'en pouvoir guérir dès qu'on s'en veut guérir.

PULCHÉRIE

Moi seule je me fais les maux dont je soupire!
A-ce été sous mon nom que j'ai brigué l'Empire,
Ai-je employé mes soins, mes amis, que pour vous,
Ai-je cherché par là qu'à vous voir mon époux?
Quoi? votre déférence à mes efforts s'oppose,
Elle rompt mes projets, et seule j'en suis cause!
M'avoir fait obtenir plus qu'il ne m'était dû,
C'est ce qui m'a perdue, et qui vous a perdu.
Si vous m'aimiez, Seigneur, vous me deviez mieux [croire,
Ne pas intéresser mon devoir et ma gloire :
Ce sont deux ennemis que vous nous avez faits,
Et que tout notre amour n'apaisera jamais.
Vous m'accablez en vain de soupirs, de tendresse,
En vain mon triste cœur en vos maux s'intéresse,
Et vous rend, en faveur de nos communs désirs,
Tendresse pour tendresse, et soupirs pour soupirs.
Lorsqu'à des feux si beaux je rends cette justice,
C'est l'amante qui parle, oyez l'impératrice.
Ce titre est votre ouvrage, et vous me l'avez dit :
D'un service si grand votre espoir s'applaudit,
Et s'est fait en aveugle un obstacle invincible,
Quand il a cru se faire un succès infaillible.
Appuyé de mes soins, assuré de mon cœur,
Il fallait m'apporter la main d'un Empereur,
M'élever jusqu'à vous en heureuse sujette :
Ma joie était entière, et ma gloire parfaite.
Mais puis-je avec ce nom même chose pour vous?
Il faut nommer un maître, et choisir un époux,
C'est la loi qu'on m'impose, ou plutôt c'est la peine
Qu'on attache aux douceurs de me voir souveraine.
Je sais que le sénat, d'une commune voix,
Me laisse avec respect la liberté du choix,

Mais il attend de moi celui du plus grand homme
Qui respire aujourd'hui dans l'une et l'autre Rome :
Vous l'êtes, j'en suis sûre, et toutefois, hélas!   935
Un jour on le croira, mais...

LÉON

On ne le croit pas,
Madame, il faut encor du temps et des services,
Il y faut du destin quelques heureux caprices,
Et que la renommée, instruite en ma faveur,
Séduisant l'univers, impose à ce grand cœur.   940
Cependant admirez comme un amant se flatte :
J'avais cru votre gloire un peu moins délicate,
J'avais cru mieux répondre à ce que je vous doi
En tenant tout de vous, qu'en vous l'offrant en moi,
Et qu'auprès d'un objet que l'amour sollicite,   945
Ce même amour pour moi tiendrait lieu de mérite.

PULCHÉRIE

Oui, mais le tiendra-t-il auprès de l'univers,
Qui sur un si grand choix tient tous ses yeux ouverts?
Peut-être le sénat n'ose encor vous élire,
Et si je m'y hasarde, osera m'en dédire,   950
Peut-être qu'il s'apprête à faire ailleurs sa cour
Du honteux désaveu qu'il garde à notre amour.
Car ne nous flattons point, ma gloire inexorable
Me doit au plus illustre, et non au plus aimable,
Et plus ce rang m'élève et plus sa dignité   955
M'en fait avec hauteur une nécessité.

LÉON

Rabattez ces hauteurs où tout le cœur s'oppose,
Madame, et pour tous deux hasardez quelque chose :
Tant d'orgueil et d'amour ne s'accordent pas bien,
Et c'est ne point aimer que ne hasarder rien.   960

PULCHÉRIE

S'il n'y faut que mon sang, je veux bien vous en croire,
Mais c'est trop hasarder qu'y hasarder ma gloire,
Et plus je suis ferme l'œil aux périls que j'y cours,
Plus je vois que c'est trop qu'y hasarder vos jours.
Ah! si la voix publique enflait votre espérance   965
Jusqu'à me demander pour vous la préférence,
Si des noms que la gloire à l'envi me produit
Le plus cher à mon cœur faisait le plus de bruit,
Qu'aisément à ce bruit on me verrait souscrire,
Et remettre en vos mains ma personne et l'Empire!   970
Mais l'Empire vous fait trop d'illustres jaloux,
Dans le fond de ce cœur je vous préfère à tous,
Vous passez les plus grands, mais ils sont plus en vue.
Vos vertus n'ont point eu toute leur étendue,
Et le monde, ébloui par des noms trop fameux,   975
N'ose espérer de vous ce qu'il présume d'eux.
Vous aimez, vous plaisez, c'est tout auprès des femmes,
C'est par là qu'on surprend, qu'on enlève leurs âmes :
Mais pour remplir un trône et s'y faire estimer,
Ce n'est pas tout, Seigneur, que de plaire et d'aimer. 980
La plus ferme couronne est bientôt ébranlée,
Quand un effort d'amour semble l'avoir volée,
Et pour garder un rang si cher à nos désirs,
Il faut un plus grand art que celui des soupirs.
Ne vous abaissez pas à la honte des larmes,   985
Contre un devoir si fort ce sont de faibles armes,
Et si de tels secours vous couronnaient ailleurs,

J'aurais pitié d'un sceptre acheté par des pleurs.

LÉON

Ah! Madame, aviez-vous de si fières pensées,
990 Quand vos bontés pour moi se sont intéressées?
Me disiez-vous alors que le gouvernement
Demandait un autre art que celui d'un amant?
Si le sénat eût joint ses suffrages aux vôtres,
J'en aurais paru digne autant ou plus qu'un autre :
995 Ce grand art de régner eût suivi tant de voix,
Et vous-même...

PULCHÉRIE

Oui, Seigneur, j'aurais suivi ce choix,
Sûre que le sénat, jaloux de son suffrage,
Contre tout l'univers maintiendrait son ouvrage.
Tel contre vous et moi s'osera révolter,
1000 Qui contre un si grand corps craindrait de s'emporter,
Et méprisant en moi ce que l'amour m'inspire,
Respecterait en lui le démon de l'Empire.

LÉON

Mais l'offre qu'il vous fait d'en croire tous vos vœux...

PULCHÉRIE

N'est qu'un refus moins rude et plus respectueux.

LÉON

1005 Quelles illusions de gloire chimérique,
Quels farouches égards de dure politique,
Dans ce cœur tout à moi, mais qu'en vain j'ai charmé,
Me font le plus aimable et le moins estimé?

PULCHÉRIE

Arrêtez : mon amour ne vient que de l'estime.
1010 Je vous vois un grand cœur, une vertu sublime,
Une âme, une valeur dignes de mes aïeux,
Et si tout le sénat avait les mêmes yeux...

LÉON

Laissons là le sénat, et m'apprenez, de grâce,
Madame, à quel heureux je dois quitter la place,
1015 Qui je dois imiter pour obtenir un jour
D'un orgueil souverain le prix d'un juste amour.

PULCHÉRIE

J'aurai peine à choisir, choisissez-le vous-même,
Cet heureux, et nommez qui vous voulez que j'aime,
Mais vous souffrez assez, sans devenir jaloux.
1020 J'aime, et si ce grand choix ne peut tomber sur vous,
Aucun autre du moins, quelque ordre qu'on m'en
Ne se verra jamais maître de ma personne [19] : [donne,
Je le jure en vos mains, et j'y laisse mon cœur.
N'attendez rien de plus, à moins d'être Empereur,
1025 Mais j'entends Empereur comme vous devez l'être,
Par le choix du sénat qui vous prenne pour maître,
Qui d'un État si grand vous fasse le soutien,
Et d'un commun suffrage autorise le mien.
Je le fais rassembler exprès pour vous élire,
1030 Ou me laisser moi seule à gouverner l'Empire,
Et ne plus m'asservir à ce dangereux choix,
S'il ne me veut pour vous donner toutes ses voix.
Adieu, Seigneur, je crains de n'être plus maîtresse
De ce que vos regards m'inspirent de faiblesse,
1035 Et que ma peine, égale à votre déplaisir,

19. Ce mariage blanc de Pulchérie, amoureuse d'un homme
qu'elle ne peut épouser, est loin du vœu de virginité chrétienne
que lui fournit l'histoire édifiante.

Ne coûte à mon amour quelque indigne soupir.

Scène IV : Léon, Justine.

LÉON

C'est trop de retenue, il est temps que j'éclate.
Je ne l'ai point nommée ambitieuse, ingrate,
Mais le sujet enfin va céder à l'amant,
Et l'excès du respect au juste emportement.
Dites-le-moi, Madame : a-t-on vu perfidie
Plus noire au fond de l'âme, au dehors plus hardie?
A-t-on vu plus d'étude attacher la raison
A l'indigne secours de tant de trahison?
Loin d'en baisser les yeux, l'orgueilleuse en fait gloire :
Elle nous l'ose peindre en illustre victoire.
L'honneur et le devoir eux seuls la font agir,
Et m'étant plus fidèle, elle aurait à rougir!

JUSTINE

La gêne qu'elle en souffre égale bien la vôtre :
Pour vous, elle renonce à choisir aucun autre,
Elle-même en vos mains en a fait le serment.

LÉON

Illusion nouvelle, et pur amusement!
Il n'est, Madame, il n'est que trop de conjonctures
Où les nouveaux serments sont de nouveaux parjures.
Qui sait l'art de régner les rompt avec éclat,
Et ne manque jamais de cent raisons d'État.

JUSTINE

Mais si vous la piquiez d'un peu de jalousie,
Seigneur, si vous brouilliez par là sa fantaisie,
Son amour mal éteint pourrait vous rappeler,
Et sa gloire aurait peine à vous laisser aller.

LÉON

Me soupçonneriez-vous d'avoir l'âme assez basse
Pour employer la feinte à tromper ma disgrâce?
Je suis jeune, et j'en fais trop mal ici ma cour
Pour joindre à ce défaut un faux éclat d'amour.

JUSTINE

L'agréable défaut, Seigneur, que la jeunesse!
Et que de vos jaloux l'importune sagesse,
Toute fière qu'elle est, le voudrait racheter
De tout ce qu'elle croit et croira mériter!
Mais si feindre en amour à vos yeux est un crime,
Portez sans feinte ailleurs votre plus tendre estime
Punissez tant d'orgueil par de justes dédains,
Et mettez votre cœur en de plus sûres mains.

LÉON

Vous voyez qu'à son rang elle me sacrifie,
Madame, et vous voulez que je la justifie!
Qu'après tous les mépris qu'elle montre pour moi,
Je lui prête un exemple à me voler sa foi!

JUSTINE

Aimez, à cela près, et sans vous mettre en peine
Si c'est justifier ou punir l'inhumaine,
Songez que si vos vœux en étaient mal reçus,
On pourrait avec joie accepter ses refus.
L'honneur qu'on se ferait à vous détacher d'elle
Rendrait cette conquête et plus noble et plus belle.
Plus il faut de mérite à vous rendre inconstant,
Plus en aurait de gloire un cœur qui vous attend,

85 Car peut-être en est-il que la Princesse même
Condamne à vous aimer dès que vous direz : «J'aime.»
Adieu : c'en est assez pour la première fois.

LÉON

O ciel, délivre-moi du trouble où tu me vois!

ACTE QUATRIÈME

Scène I : Justine, Irène.

JUSTINE

Non, votre cher Aspar n'aime point la Princesse :
0 Ce n'est que pour le rang que tout son cœur s'empresse,
Et si l'on eût choisi mon père pour César,
J'aurais déjà les vœux de cet illustre Aspar.
Il s'en est expliqué tantôt en ma présence,
Et tout ce que pour elle il a de complaisance,
5 Tout ce qu'il lui veut faire ou craindre ou dédaigner,
Ne doit être imputé qu'à l'ardeur de régner.
   Pulchérie a des yeux qui percent le mystère,
Et le croit plus rival qu'ami de ce cher frère,
Mais, comme elle balance, elle écoute aisément
0 Tout ce qui peut d'abord flatter son sentiment :
Voilà ce que j'en sais.

IRÈNE

                        Je ne suis point surprise
De tout ce que d'Aspar m'apprend votre franchise.
Vous m'en dites rien que ce que j'en ai dit,
Lorsqu'à Léon tantôt j'ai dépeint son esprit,
5 Et j'en ai pénétré l'ambition secrète
Jusques à pressentir l'offre qu'il vous a faite.
   Puisqu'en vain je m'attache à qui ne m'aime pas,
Il faut avec honneur franchir ce mauvais pas,
Il faut, à son exemple, avoir ma politique,
0 Trouver à ma disgrâce une face héroïque,
Donner à ce divorce une illustre couleur,
Et sous de beaux dehors dévorer ma douleur.
Dites-moi cependant, que deviendra mon frère?
D'un si parfait amour que faut-il qu'il espère?

JUSTINE

On l'aime, et fortement, et bien plus qu'on ne veut,
Mais pour s'en détacher, on fait tout ce qu'on peut.
Faut-il vous dire tout? On m'a commandé même
D'essayer contre lui l'art et le stratagème.
On me devra beaucoup si je puis l'ébranler,
On me donne son cœur, si je le puis voler,
Et déjà pour essai de mon obéissance,
J'ai porté quelque attaque, et fait un peu d'avance.
Vous pouvez bien juger comme il a rebuté,
Fidèle amant qu'il est, cette importunité,
Mais pour peu qu'il vous plût appuyer l'artifice,
Cet appui tiendrait lieu d'un signalé service.

IRÈNE

Ce n'est point un service à prétendre de moi
Que de porter mon frère à garder mal sa foi,
Et quand à vous aimer j'aurais su le réduire,
Quel fruit son changement pourrait-il lui produire?
Vous qui ne l'aimez point, pourriez-vous l'accepter?

JUSTINE

Léon ne saurait être un homme à rejeter,
Et l'on voit si souvent, après la foi donnée,
Naître un parfait amour d'un pareil hyménée,
Que si de son côté j'y vois quelque jour,   1135
J'espérerais bientôt de l'aimer à mon tour.

IRÈNE

C'est trop et trop peu dire. Est-il encore à naître,
Cet amour, est-il né?

JUSTINE

                     Cela pourrait bien être,
Ne l'examinons point avant qu'il en soit temps :
L'occasion viendra peut-être, et je l'attends.   1140

IRÈNE

Et vous servez Léon auprès de la Princesse?

JUSTINE

Avec sincérité pour lui je m'intéresse,
Et si j'en étais crue, il aurait le bonheur
D'en obtenir la main, comme il en a le cœur.
J'obéis cependant aux ordres qu'on me donne,   1145
Et souffrirais ses vœux, s'il perdait la couronne.
Mais la Princesse vient.

Scène II : Pulchérie, Irène, Justine.

PULCHÉRIE

                        Que fait ce malheureux,
Irène?

IRÈNE

       Ce qu'on fait dans un sort rigoureux :
Il soupire, il se plaint.

PULCHÉRIE

                         De moi?

IRÈNE

                                De sa fortune.

PULCHÉRIE

Est-il bien convaincu qu'elle nous est commune,   1150
Qu'ainsi que lui du sort j'accuse la rigueur?

IRÈNE

Je ne pénètre point jusqu'au fond de son cœur,
Mais je sais qu'au dehors sa douleur vous respecte :
Elle se tait de vous.

PULCHÉRIE

                     Ah! qu'elle m'est suspecte!
Un modeste reproche à ses maux siérait bien :   1155
C'est me trop accuser que de n'en dire rien.
M'aurait-il oubliée, et déjà dans son âme
Effacé tous les traits d'une si belle flamme?

IRÈNE

C'est par là qu'il devrait soulager ses ennuis,
Madame, et de ma part j'y fais ce que je puis.   1160

PULCHÉRIE

Ah! ma flamme n'est pas à tel point affaiblie,
Que je puisse endurer, Irène, qu'il m'oublie.
Fais-lui, fais-lui plutôt soulager son ennui
A croire que je souffre autant et plus que lui.
C'est une vérité que j'ai besoin qu'il croie,   1165
Pour mêler à mes maux quelque inutile joie,
Si l'on peut nommer joie une triste douceur
Qu'un digne amour conserve en dépit du malheur.

L'âme qui l'a sentie en est toujours charmée,
1170 Et même en n'aimant plus, il est doux d'être aimée.
JUSTINE
Vous souvient-il encor de me l'avoir donné,
Madame? et ce doux soin dont votre esprit gêné...
PULCHÉRIE
Souffre un reste d'amour qui me trouble et m'accable.
Je ne t'en ai point fait un don irrévocable,
1175 Mais je te le redis, dérobe-moi ses vœux,
Séduis, enlève-moi son cœur, si tu le peux.
J'ai trop mis à l'écart celui d'impératrice,
Reprenons avec lui ma gloire et mon supplice,
C'en est un, et bien rude, à moins que le sénat
1180 Mette d'accord ma flamme et le bien de l'État.
IRÈNE
N'est-ce point avilir votre pouvoir suprême
Que mendier ailleurs ce qu'il peut de lui-même?
PULCHÉRIE
Irène, il te faudrait les mêmes yeux qu'à moi
Pour voir la moindre part de ce que je prévoi.
1185 Épargne à mon amour la douleur de te dire
A quels troubles ce choix hasarderait l'Empire:
Je l'ai déjà tant dit, que mon esprit lassé
N'en saurait plus souffrir le portrait retracé.
Ton frère a l'âme grande, intrépide, sublime,
1190 Mais d'un peu de jeunesse on lui fait un tel crime
Que si tant de vertus n'ont que moi pour appui,
En faire un Empereur, c'est me perdre avec lui.
IRÈNE
Quel ordre a pu du trône exclure la jeunesse,
Quel astre à nos beaux jours enchaîne la faiblesse?
1195 Les vertus, et non l'âge, ont droit à ce haut rang,
Et n'était le respect qu'imprime votre sang,
Je dirais que Léon vaudrait bien Théodose.
PULCHÉRIE
Sans doute, et toutefois ce n'est pas même chose.
Faible qu'était ce Prince à régir tant d'États,
1200 Il avait des appuis que ton frère n'a pas,
L'Empire en sa personne était héréditaire,
Sa naissance le tint d'un aïeul et d'un père [20]
Il régna dès l'enfance et régna sans jaloux,
Estimé d'assez peu, mais obéi de tous.
1205 Léon peut succéder aux droits de la puissance,
Mais non pas au bonheur de cette obéissance,
Tant ce trône, où l'amour par ma main l'aurait mis,
Dans mes premiers sujets lui ferait d'ennemis!
Tout ce qu'ont vu d'illustre et la paix et la guerre
1210 Aspire à ce grand nom de maître de la terre,
Tous regardent l'Empire ainsi qu'un bien commun
Que chacun veut pour soi, tant qu'il n'est à pas un.
Pleins de leur renommée, enflés de leurs services,
Combien ce choix pour eux aura-t-il d'injustices,
1215 Si ma flamme obstinée et ses odieux soins
L'arrêtent sur celui qu'ils estiment le moins!
Léon est d'un mérite à devenir leur maître,
Mais comme c'est l'amour qui m'aide à le connaître,
Tout ce qui contre nous s'osera mutiner
1220 Dira que je suis seule à me l'imaginer.

20. Théodose et Arcadius (cf. la note 2).

IRÈNE
C'est donc en vain pour lui qu'on prie et qu'on espère?
PULCHÉRIE
Je l'aime, et sa personne à mes yeux est bien chère,
Mais si le ciel pour lui n'inspire le sénat,
Je sacrifierai tout au bonheur de l'État.
IRÈNE
Que pour vous imiter j'aurais l'âme ravie
D'immoler à l'État le bonheur de ma vie!
Madame, ou de Léon faites-nous un César,
Ou portez ce grand choix sur le fameux Aspar:
Je l'aime, et ferais gloire, en dépit de ma flamme,
De faire un maître à tous de celui de mon âme,
Et pleurant pour le frère en ce grand changement,
Je m'en consolerais à voir régner l'amant.
Des deux têtes qu'au monde on me voit les plus chères
Élevez l'une ou l'autre au trône de vos pères,
Daignez...
PULCHÉRIE
Aspar serait digne d'un tel honneur,
Si vous pouviez, Irène, un peu moins sur son cœur.
J'aurais trop à rougir si sous le nom de femme
Je le faisais régner dans son âme,
Si j'en avais le titre, et vous tout le pouvoir,
Et qu'entre nous ma cour partageât son devoir.
IRÈNE
Ne l'appréhendez pas: de quelque ardeur qu'il m'aime,
Il est plus à l'État, Madame, qu'à lui-même.
PULCHÉRIE
Je le crois comme vous, et que sa passion
Regarde plus l'État que vous, moi, ni Léon.
C'est vous entendre, Irène, et vous parler sans feindre:
Je vois ce qu'il projette, et ce qu'il en faut craindre.
L'aimez-vous?
IRÈNE
Je l'aimai, quand je crus qu'il m'aimait,
Je voyais sur son front un air qui me charmait,
Mais depuis que le temps m'a fait mieux voir sa flamme,
J'ai presque éteint la mienne et dégagé mon âme.
PULCHÉRIE
Achevez. Tel qu'il est, voulez-vous l'épouser?
IRÈNE
Oui, Madame, ou du moins le pouvoir refuser.
Après deux ans d'amour il y va de ma gloire:
L'affront serait trop grand, et la tache trop noire,
Si dans la conjoncture où l'on est aujourd'hui
Il m'osait regarder comme indigne de lui.
Ses desseins vont plus haut, et voyant qu'il vous aime
Bien que peut-être moins que votre diadème,
Je n'ai rien vu en moi qui le pût retenir,
Et je ne voulais l'offrais que pour le prévenir.
C'est ainsi que j'ai cru me mettre en assurance
Par l'éclat généreux d'une fausse apparence:
Je vous cédais un bien que je ne puis garder,
Et qu'à vous seule enfin ma gloire peut céder.
PULCHÉRIE
Reposez-vous sur moi. Votre Aspar vient.

Scène III : Pulchérie, Aspar, Irène, Justine.

ASPAR

       Madame,
Déjà sur vos desseins j'ai lu dans plus d'une âme,
Et crois de mon devoir de vous mieux avertir
De ce que sur tous deux on m'a fait pressentir.
 J'espère pour Léon, et j'y fais mon possible,
70 Mais j'en prévois, Madame, un murmure infaillible,
Qui pourra se borner à quelque émotion,
Et peut aller plus loin que la sédition.

PULCHÉRIE

Vous en savez l'auteur : parlez, qu'on le punisse,
Que moi-même au sénat j'en demande justice.

ASPAR

5 Peut-être est-ce quelqu'un que vous pourriez choisir,
S'il vous fallait ailleurs tourner votre désir,
Et dont le choix illustre à tel point saurait plaire,
Que nous n'aurions à craindre aucun parti contraire.
Comme à vous le nommer, ce serait fait de lui,
0 Ce serait à l'Empire ôter un ferme appui,
Et livrer un grand cœur à sa perte certaine
Quand il n'est pas encor digne de votre haine.

PULCHÉRIE

On me fait mal sa cour avec de tels avis,
Qui sans nommer personne, en nomment plus de dix.
5 Je hais l'empressement de ces devoirs sincères,
Qui ne jette en l'esprit que de vagues chimères,
Et ne me présentant qu'un obscur avenir,
Me donne tout à craindre, et rien à prévenir.

ASPAR

Le besoin de l'État est souvent un mystère
0 Dont la moitié se dit, et l'autre est bonne à taire [21].

PULCHÉRIE

Il n'est souvent aussi qu'un pur fantôme en l'air
Que de secrets ressorts font agir et parler,
Et s'arrête où le fixe une âme prévenue,
Qui pour ses intérêts le forme et le remue.
Des besoins de l'État si vous êtes jaloux,
Fiez-vous-en à moi, qui les vois mieux que vous.
Martian, comme vous, à vous parler sans feindre,
Dans le choix de Léon voit quelque chose à craindre,
Mais il m'apprend de qui je dois me défier,
Et je puis, si je veux, me le sacrifier.

ASPAR

Qui nomme-t-il, Madame?

PULCHÉRIE

     Aspar, c'est un mystère
Dont la moitié se dit, et l'autre est bonne à taire.
Si l'on hait tant Léon, du moins réduisez-vous
A faire qu'on m'admette à régner sans époux.

ASPAR

Je ne l'obtiendrai point, la chose est sans exemple.

PULCHÉRIE

La matière au vrai zèle en est d'autant plus ample,

---

21. Le public de Corneille connaissait, comme lui, toute une branche de la littérature politique, qui glosait le thème des secrets d'État et du ministre « discret à la cour ». L'Espagne s'en était fait une spécialité. Sous le nom de « tacitisme », c'était un machiavélisme honteux.

Et vous en montrerez de plus rares effets
En obtenant pour moi ce qu'on n'obtint jamais.

ASPAR

Oui, mais qui voulez-vous que le sénat vous donne,
Madame, si Léon?...   1310

PULCHÉRIE

     Ou Léon, ou personne.
A l'un de ces deux points amenez les esprits.
Vous adorez Irène, Irène est votre prix;
Je la laisse avec vous, afin que votre zèle
S'allume à ce beau feu que vous avez pour elle [22].
Justine, suivez-moi.

Scène IV : Aspar, Irène.

IRÈNE

    Ce prix qu'on vous promet, 1315
Sur votre âme, Seigneur, doit faire peu d'effet.
La mienne, tout acquise à votre ardeur sincère,
Ne peut à ce grand cœur tenir lieu de salaire,
Et l'amour à tel point vous rend maître du mien,
Que me donner à vous, c'est ne vous donner rien. 1320

ASPAR

Vous dites vrai, Madame; et du moins j'ose dire
Que me donner un cœur au-dessous de l'Empire,
Un cœur qui me veut faire une honteuse loi,
C'est ne me donner rien qui soit digne de moi.

IRÈNE

Indigne que je suis d'une foi si douteuse, 1325
Vous fais-je quelque loi qui puisse être honteuse?
Et si Léon devait l'Empire à votre appui,
Lui qui vous y ferait le premier d'après lui,
Auriez-vous à rougir de l'en avoir fait maître,
Seigneur, vous qui voyez que vous ne pouvez l'être? 1330
Mettez-vous, j'y consens, au-dessus de l'amour,
Si pour monter au trône, il s'offre quelque jour.
Qu'à ce glorieux titre un amant soit volage,
Je puis l'en estimer, l'en aimer davantage,
Et voir avec plaisir la belle ambition 1335
Triompher d'une ardente et longue passion.
L'objet le plus charmant doit céder à l'Empire,
Régnez : j'en dédirai mon cœur s'il en soupire.
Vous ne m'en croyez pas, Seigneur, et toutefois
Vous régneriez bientôt si l'on suivait ma voix. 1340
Apprenez à quel point pour vous je m'intéresse,
Je viens de vous offrir moi-même à la Princesse,
Et je sacrifiais mes plus chères ardeurs
A l'honneur de vous mettre au faîte des grandeurs.
Vous savez sa réponse : « Ou Léon, ou personne. » 1345

ASPAR

C'est agir en amante et généreuse et bonne,
Mais sûre d'un refus qui doit rompre le coup,
La générosité ne coûte pas beaucoup.

IRÈNE

Vous voyez les chagrins où cette offre m'expose,
Et ne me voulez pas devoir la moindre chose! 1350
Ah! si j'osais, Seigneur, vous appeler ingrat!

---

22. Nouvel exemple d'humour aigre, que Corneille préfère maintenant à l'ironie éclatante, dont *Nicomède* est le dernier exemple.

ASPAR

L'offre sans doute est rare, et ferait grand éclat,
Si pour mieux éblouir vous aviez eu l'adresse
D'ébranler tant soit peu l'esprit de la Princesse.
1355 Elle est impératrice, et d'un seul : « Je le veux, »
Elle peut de Léon faire un monarque heureux :
Qu'a-t-il besoin de moi, lui qui peut tout sur elle ?

IRÈNE

N'insultez point, Seigneur, une flamme si belle.
L'amour, las de gémir sous les raisons d'État,
1360 Pourrait n'en croire pas tout à fait le sénat.

ASPAR

L'amour n'a qu'à parler : le sénat, quoi qu'on pense,
N'aura que du respect et de la déférence,
Et de l'air dont la chose a déjà pris son cours,
Léon pourra se voir empereur pour trois jours.

IRÈNE

1365 Trois jours peuvent suffire à faire bien des choses :
La cour en moins de temps voit cent métamorphoses,
En moins de temps un Prince à qui tout est permis
Peut rendre ce qu'il doit aux vrais et faux amis.

ASPAR

L'amour qui parle ainsi ne paraît pas fort tendre.
1370 Mais je vous aime assez pour ne vous pas entendre,
Et dirai toutefois, sans m'en embarrasser,
Qu'il est un peu bien tôt pour vous de menacer.

IRÈNE

Je ne menace point, Seigneur, mais je vous aime
Plus que moi, plus encor que ce cher frère même.
1375 L'amour tendre est timide, et craint pour son objet,
Dès qu'il lui voit former un dangereux projet.

ASPAR

Vous m'aimez, je le crois, du moins cela peut être,
Mais de quelle façon le faites-vous connaître ?
L'amour inspire-t-il ce rare empressement
1380 De voir régner un frère aux dépens d'un amant ?

IRÈNE

Il m'inspire à regret la peur de votre perte.
Régnez, je vous l'ai dit, la porte en est ouverte :
Vous avez du mérite, et je manque d'appas,
Dédaignez, quittez-moi, mais ne vous perdez pas.
1385 Pour le salut d'un frère ai-je si peu d'alarmes
Qu'il leur faille ajouter d'autres sujets de larmes ?
C'est assez que pour vous j'ose en vain soupirer,
Ne me réduisez point, Seigneur, à vous pleurer.

ASPAR

Gardez, gardez vos pleurs pour ceux qui sont à plaindre :
1390 Puisque vous m'aimez tant, je n'ai point lieu de crain-
Quelque peine qu'on doive à ma témérité,   [dre,
Votre main qui m'attend fera ma sûreté,
Et contre le courroux le plus inexorable
Elle me servira d'asile inviolable.

IRÈNE

1395 Vous la voudrez peut-être, et la voudrez trop tard,
Ne vous exposez point, Seigneur, à ce hasard :
Je doute si j'aurais toujours même tendresse,
Et pourrais de ma main n'être pas la maîtresse.
Je vous parle sans feindre, et ne sais point railler
1400 Lorsqu'au salut commun il nous faut travailler.

ASPAR

Et je veux bien aussi vous répondre sans feindre.
J'ai pour vous un amour à ne jamais s'éteindre,
Madame, et dans l'orgueil que vous-même approuvez,
L'amitié de Léon a ses droits conservés.
Mais ni cette amitié, ni cet amour si tendre,
Quelques soins, quelque effort qu'il vous en plaise
Ne me verront jamais l'esprit persuadé   [attendre,
Que je doive obéir à qui j'ai commandé,
A qui, si j'en puis croire un cœur qui vous adore,
J'aurai droit, et longtemps, de commander encore.
Ma gloire, qui s'oppose à cet abaissement,
Trouve en tous mes égaux le même sentiment.
Ils ont fait la Princesse arbitre de l'Empire.
Qu'elle épouse Léon, tous sont prêts d'y souscrire,
Mais je ne réponds pas d'un long respect en tous,
A moins qu'il associe aussitôt l'un de nous.
La chose est peu nouvelle, et je ne vous propose
Que ce que l'on a fait pour le grand Théodose.
C'est par là que l'Empire est tombé dans ce sang
Si fier de sa naissance et si jaloux du rang :
Songez sur cet exemple à vous rendre justice,
A me faire Empereur pour être impératrice :
Vous avez du pouvoir, Madame, usez-en bien,
Et pour votre intérêt attachez-vous au mien.

IRÈNE

Léon dispose-t-il du cœur de la Princesse ?
C'est un cœur fier et grand : le partage la blesse,
Elle veut tout ou rien, et dans ce haut pouvoir
Elle éteindra l'amour plutôt que d'en déchoir.
Près d'elle avec le temps nous pourrons davantage :
Ne pressons point, Seigneur, un si juste partage.

ASPAR

Vous le voudrez peut-être, et le voudrez trop tard,
Ne laissez point longtemps nos destins au hasard :
J'attends de votre amour cette preuve nouvelle.
Adieu, Madame.

IRÈNE

               Adieu. L'ambition est belle
Mais vous n'êtes, Seigneur, avec ce sentiment,
Ni véritable ami, ni véritable amant.

ACTE CINQUIÈME

Scène I : Pulchérie, Justine.

PULCHÉRIE

Justine, plus j'y pense, et plus je m'inquiète :
Je crains de n'avoir plus une amour si parfaite,
Et que si de Léon on me fait un époux,
Un bien si désiré ne me soit plus si doux.
Je ne sais si le rang m'aurait fait changer d'âme,
Mais je tremble à penser que je serais sa femme,
Et qu'on n'épouse point l'amant le plus chéri,
Qu'on ne se fasse un maître aussitôt qu'un mari.
J'aimerais à régner avec l'indépendance
Que des vrais souverains s'assure la prudence;
Je voudrais que le ciel inspirât au sénat
De me laisser moi seule à gouverner l'État,

De m'épargner ce maître, et vois d'un œil d'envie
50 Toujours Sémiramis, et toujours Zénobie [23].
On triompha de l'une, et pour Sémiramis,
Elle usurpa le nom et l'habit de son fils,
Et sous l'obscurité d'une longue tutelle,
Cet habit et ce nom régnaient tous deux plus qu'elle.
55 Mais mon cœur de leur sort n'en est pas moins jaloux :
C'était régner enfin, et régner sans époux.
Le triomphe n'en fait qu'affermir la mémoire,
Et le déguisement n'en détruit point la gloire.

JUSTINE

Que les choses bientôt prendraient un autre tour
60 Si le sénat prenait le parti de l'amour !
Que bientôt... Mais je vois Aspar avec mon père.

PULCHÉRIE

Sachons d'eux quel destin le ciel vient de me faire.

Scène II : Martian, Aspar,
Pulchérie, Justine.

MARTIAN

Madame, le sénat nous députe tous deux
Pour vous jurer encor qu'il suivra tous vos vœux.
5 Après qu'entre vos mains il a remis l'Empire,
C'est faire un attentat que de vous rien prescrire,
Et son respect vous prie une seconde fois
De lui donner vous seule un maître à votre choix.

PULCHÉRIE

Il pouvait le choisir.

MARTIAN

Il s'en défend l'audace,
Madame, et sur ce point il vous demande grâce.

PULCHÉRIE

Pourquoi donc m'en fait-il une nécessité ?

MARTIAN

Pour donner plus de force à votre autorité.

PULCHÉRIE

Son zèle est grand pour elle : il faut le satisfaire,
Et lui mieux obéir qu'il n'a daigné me plaire.
Sexe, ton sort en moi ne peut se démentir :
Pour être souveraine il faut m'assujettir,
En montant sur le trône entrer dans l'esclavage,
Et recevoir des lois de qui me rend hommage.
Allez, dans quelques jours je vous ferai savoir
Le choix que par son ordre aura fait mon devoir.

ASPAR

Il tiendrait à faveur et bien haute et bien rare
De le savoir, Madame, avant qu'il se sépare.

PULCHÉRIE

Quoi ? pas un seul moment pour en délibérer.
Mais je ferais un crime à le plus différer :
Il vaut mieux, pour essai de ma toute-puissance,
Montrer un digne effet de pleine obéissance.
Retirez-vous, Aspar, vous aurez votre tour.

Scène III : Pulchérie, Martian, Justine.

PULCHÉRIE

On m'a dit que pour moi vous aviez de l'amour,
Seigneur, serait-il vrai ?

MARTIAN

Qui vous l'a dit, Madame ?

PULCHÉRIE

Vos services, mes yeux, le trouble de votre âme,   1490
L'exil que mon hymen vous devait imposer :
Sont-ce là des témoins, Seigneur, à récuser ?

MARTIAN

C'est donc à moi, Madame, à confesser mon crime.
L'amour naît aisément du zèle et de l'estime,
Et l'assiduité près d'un charmant objet   1495
N'attend point notre aveu pour faire son effet.
Il m'est honteux d'aimer, il vous l'est d'être aimée
D'un homme dont la vie est déjà consumée,
Qui ne vit qu'à regret depuis qu'il a pu voir
Jusqu'où ses yeux charmés ont trahi son devoir.   1500
Mon cœur, qu'un si long âge en mettait hors d'alarmes,
S'est vu livré par eux à ces dangereux charmes.
En vain, Madame, en vain je m'en suis défendu,
En vain j'ai su me taire après m'être rendu :
On m'a forcé d'aimer, on me force à le dire.   1505
Depuis plus de dix ans je languis, je soupire,
Sans que de tout l'excès d'un si long déplaisir
Vous ayez pu surprendre une larme, un soupir [24] :
Mais enfin la langueur qu'on voit sur mon visage
Est encor plus l'effet de l'amour que de l'âge.   1510
Il faut faire un heureux, le jour n'en est pas loin :
Pardonnez à l'horreur d'en être le témoin,
Si mes maux et ce feu digne de votre haine
Cherchent dans un exil leur remède, et sa peine.
Adieu : vivez heureuse et si tant de jaloux...   1515

PULCHÉRIE

Ne partez pas, Seigneur, je les tromperai tous,
Et puisque de ce choix aucun ne me dispense,
Il est fait, et de tel à qui pas un ne pense.

MARTIAN

Quel qu'il soit, il sera l'arrêt de mon trépas,
Madame.

PULCHÉRIE

Encore un coup, ne vous éloignez pas.   1520
Seigneur, jusques ici vous m'avez bien servie,
Vos lumières ont fait tout l'éclat de ma vie,
La vôtre s'est usée à me favoriser :
Il faut encor plus faire, il faut...

MARTIAN

Quoi ?

PULCHÉRIE

M'épouser.

MARTIAN

Moi, Madame ?

PULCHÉRIE

Oui, Seigneur, c'est le plus grand service   1525
Que vos soins puissent rendre à votre impératrice.

---

23. Exemples classiques de reines illustres, toutes deux portées à la scène au XVIIᵉ siècle. Zénobie, reine de Palmyre, par
Calderon, d'Aubignac, Montauban et Magnon. Sémiramis
plus encore : et en particulier par Manfredi, Viruès et Lope
de Vega; en France, par Gilbert et Desfontaines.

24. Comparer avec l'Antiochus de Racine :
  Je me suis tu cinq ans, Madame (Bérénice, acte I, scène 4).

Non qu'en m'offrant à vous je réponde à vos feux
Jusques à souhaiter des fils et des neveux :
Mon aïeul, dont partout les hauts faits retentissent,
1530 Voudra bien qu'avec moi ses descendants finissent,
Que j'en sois la dernière, et ferme dignement
D'un si grand Empereur l'auguste monument.
Qu'on ne prétende plus que ma gloire s'expose
A laisser des Césars du sang de Théodose.
1535 Qu'ai-je affaire de race à me déshonorer,
Moi qui n'ai que trop vu ce sang dégénérer [25],
Et que s'il est fécond en illustres princesses,
Dans les Princes qu'il forme il n'a que des faiblesses ?
    Ce n'est pas que Léon, choisi pour souverain,
1540 Pour me rendre à mon rang n'eût obtenu ma main,
Mon amour, à ce prix, se fût rendu justice,
Mais puisqu'on m'a sans lui nommée impératrice,
Je dois à ce haut rang d'assez nobles projets
Pour n'admettre en mon lit aucun de mes sujets.
1545 Je ne veux plus d'époux, mais il m'en faut une ombre,
Qui des Césars pour moi puisse grossir le nombre,
Un mari qui content d'être au-dessus des Rois,
Me donne ses clartés, et dispense mes lois,
Qui n'étant en effet que mon premier ministre,
1550 Pare ce que sous moi l'on craindrait de sinistre,
Et pour tenir en bride un peuple sans raison,
Paraisse mon époux, et n'en ait que le nom.
    Vous m'entendez, Seigneur, et c'est assez vous dire.
Prêtez-moi votre main, je vous donne l'Empire,
1555 Éblouissons le peuple, et vivons entre nous
Comme s'il n'était point d'épouse ni d'époux.
Si ce n'est posséder l'objet de votre flamme,
C'est vous rendre du moins le maître de son âme,
L'ôter à vos rivaux, vous mettre au-dessus d'eux,
1560 Et de tous mes amants vous voir le plus heureux.

MARTIAN

Madame...

PULCHÉRIE

    A vos hauts faits je dois ce grand salaire,
Et j'acquitte envers vous et l'État et mon frère.

MARTIAN

Aurait-on jamais cru, Madame... ?

PULCHÉRIE

                    Allez, Seigneur,
Allez en plein sénat faire voir l'Empereur.
1565 Il demeure assemblé pour recevoir son maître :
Allez-y de ma part vous faire reconnaître,
Ou si votre souhait ne répond pas au mien,
Faites grâce à mon sexe, et ne m'en dites rien.

MARTIAN

Souffrez qu'à vos genoux, Madame...

PULCHÉRIE

                    Allez, vous dis-je :
1570 Je m'oblige encor plus que je ne vous oblige,
Et mon cœur qui vous vient d'ouvrir ses sentiments,
N'en veut ni de refus ni de remercîments.

Scène IV : Pulchérie, Aspar, Justine.

PULCHÉRIE

Faites rentrer Aspar. Que faites-vous d'Irène ?
Quand l'épouserez-vous ? Ce mot vous fait-il peine ?
Vous ne répondez point ?

ASPAR

                    Non, Madame, et je doi
Ce respect aux bontés que vous avez pour moi.
Qui se tait obéit.

PULCHÉRIE

                    J'aime assez qu'on s'explique.
Les silences de cour ont de la politique.
Sitôt que nous parlons, qui consent applaudit,
Et c'est en se taisant que l'on nous contredit.
Le temps m'éclaircira de ce que je soupçonne.
Cependant j'ai fait choix de l'époux qu'on m'ordonne.
Léon vous faisait peine, et j'ai dompté l'amour,
Pour vous donner un maître admiré dans la cour,
Adoré dans l'armée, et que de cet Empire
Les plus fermes soutiens feraient gloire d'élire :
C'est Martian.

ASPAR

                    Tout vieil et tout cassé qu'il est !

PULCHÉRIE

Tout vieil et tout cassé, je l'épouse : il me plaît.
J'ai mes raisons. Au reste, il a besoin d'un gendre
Qui partage avec lui les soins qu'il lui faut prendre,
Qui soutienne des ans penchés dans le tombeau,
Et qui porte sous lui la moitié du fardeau.
Qui jugeriez-vous propre à remplir cette place ?
Une seconde fois vous paraissez de glace !

ASPAR

Madame, Aréobinde et Procope tous deux
Ont engagé leur cœur et formé d'autres vœux...
Sans cela je dirais...

PULCHÉRIE

                    Et sans cela moi-même
J'élèverais Aspar à cet honneur suprême,
Mais quand il serait homme à pouvoir aisément
Renoncer aux douceurs de son attachement,
Justine n'aurait pas une âme assez hardie
Pour accepter un cœur noirci de perfidie,
Et vous regarderait comme un volage esprit
Toujours prêt à donner où la fortune rit.
N'en savez-vous aucun de qui l'ardeur fidèle...

ASPAR

Madame, vos bontés choisiront mieux pour elle :
Comme pour Martian elles nous ont surpris,
Elles sauront encor surprendre nos esprits.
Je vous laisse en résoudre.

PULCHÉRIE

                    Allez, et pour Irène,
Si vous ne sentez rien en l'âme qui vous gêne,
Ne faites plus douter de vos longues amours,
Ou je dispose d'elle avant qu'il soit deux jours.

---

25. Cf. *Tite et Bérénice*, note 29, et *Suréna* (vers 300-312).

Scène V : Pulchérie, Justine.

PULCHÉRIE

Ce n'est pas encor tout, Justine : je veux faire
Le malheureux Léon successeur de ton père.
5 Y contribueras-tu, prêteras-tu la main
Au glorieux succès d'un si noble dessein?

JUSTINE

Et la main et le cœur sont en votre puissance,
Madame : doutez-vous de mon obéissance,
Après que par votre ordre il m'a déjà coûté
0 Un conseil contre vous qui doit l'avoir flatté?

PULCHÉRIE

Achevons, le voici. Je réponds de ton père;
Son cœur est trop à moi pour nous être contraire.

Scène VI : Pulchérie, Léon, Justine.

LÉON

Je me le disais bien, que vos nouveaux serments,
Madame, ne seraient que des amusements.

PULCHÉRIE

5 Vous commencez d'un air...

LÉON

　　　　　　　J'achèverai de même,
Ingrate! ce n'est plus ce Léon qui vous aime,
Non, ce n'est plus...

PULCHÉRIE

Sachez...

LÉON

　　　　　Je ne veux rien savoir,
Et je n'apporte ici ni respect ni devoir.
L'impétueuse ardeur d'une rage inquiète
0 N'y vient que mériter la mort que je souhaite,
Et les emportements de ma juste fureur
Ne m'y parlent de vous que pour m'en faire horreur.
Oui, comme Pulchérie et comme impératrice,
Vous n'avez eu pour moi que détour, qu'injustice :
5 Si vos fausses bontés ont su me décevoir,
Vos serments m'ont réduit au dernier désespoir.

PULCHÉRIE

Ah! Léon.

LÉON

　　　　Par quel art, que je ne puis comprendre,
Forcez-vous d'un soupir ma fureur à se rendre?
Un coup d'œil en triomphe, et dès que je vous vois
0 Il ne me souvient plus de vos manques de foi.
Ma bouche se refuse à vous nommer parjure,
Ma douleur se défend jusqu'au moindre murmure,
Et l'affreux désespoir qui m'amène en ces lieux
Cède au plaisir secret d'y mourir à vos yeux.
5 J'y vais mourir, Madame, et d'amour, non de rage :
De mon dernier soupir recevez l'humble hommage,
Et si de votre rang la fierté le permet,
Recevez-le, de grâce, avec quelque regret.
Jamais fidèle ardeur n'approcha de ma flamme,
0 Jamais frivole espoir ne flatta mieux une âme.
Je ne méritais pas qu'il eût aucun effet,
Ni qu'un amour si pur se vît mieux satisfait.

Mais quand vous m'avez dit : « Quelque ordre qu'on me
Nul autre ne sera maître de ma personne, »　[donne,
J'ai dû me le promettre, et toutefois, hélas!　　1655
Vous passez dès demain, Madame, en d'autres bras,
Et dès ce même jour, vous perdez la mémoire
De ce que vos bontés me commandaient de croire!

PULCHÉRIE

Non, je ne la perds pas, et sais ce que je dois.
Prenez des sentiments qui soient dignes de moi,　1660
Et ne m'accusez point de manquer de parole,
Quand pour vous la tenir moi-même je m'immole.

LÉON

Quoi? vous n'épousez pas Martian dès demain?

PULCHÉRIE

Savez-vous à quel prix je lui donne la main?

LÉON

Que m'importe à quel prix un tel bonheur s'achète? 1665

PULCHÉRIE

Sortez, sortez du trouble où votre erreur vous jette,
Et sachez qu'avec moi ce grand titre d'époux
N'a point de privilège à vous rendre jaloux.
Que sous l'illusion de ce faux hyménée,
Je fais vœu de mourir telle que je suis née,　　1670
Que Martian reçoit et ma main et ma foi,
Pour me conserver toute, et tout l'Empire à moi,
Et que tout le pouvoir que cette foi lui donne
Ne le fera jamais maître de ma personne.
Est-ce tenir parole? et reconnaissez-vous　　1675
A quel point je vous sers quand j'en fais mon époux?
C'est pour vous qu'en ses mains je dépose l'Empire,
C'est pour vous le garder qu'il me plaît de l'élire.
Rendez-vous, comme lui, digne de ce dépôt,
Que son âge penchant vous remettra bientôt,　　1680
Suivez-le pas à pas, et marchant dans sa route,
Mettez ce premier rang après lui hors de doute.
Étudiez sous lui ce grand art de régner,
Que tout autre aurait peine à vous mieux enseigner,
Et pour vous assurer ce que j'en veux attendre,　1685
Attachez-vous au trône, et faites-vous son gendre :
Je vous donne Justine.

LÉON

　　　　　　A moi, Madame!

PULCHÉRIE

　　　　　　　　　　A vous,
Que je m'étais promis moi-même pour époux.

LÉON

Ce n'est donc pas assez de vous avoir perdue,
De voir en d'autres mains la main qui m'était due :　1690
Il faut aimer ailleurs!

PULCHÉRIE

　　　　　　　Il faut être Empereur,
Et le sceptre à la main, justifier mon cœur,
Montrer à l'univers, dans le héros que j'aime,
Tout ce qui rend un front digne du diadème,
Vous mettre, à mon exemple, au-dessus de l'amour,　1695
Et par mon ordre enfin régner à votre tour.
Justine a du mérite, elle est jeune, elle est belle :
Tous vos rivaux pour moi le vont être pour elle,
Et l'Empire pour dot est un trait si charmant
Que je ne vous en puis répondre qu'un moment.　　1700

LÉON

Oui, Madame, après vous elle est incomparable,
Elle est de votre cour la plus considérable,
Elle a des qualités à se faire adorer,
Mais, hélas! jusqu'à vous j'avais droit d'aspirer.
1705 Voulez-vous qu'à vos yeux je trompe un tel mérite,
Que sans amour pour elle à m'aimer je l'invite,
Qu'en vous laissant mon cœur je demande le sien,
Et lui promette tout pour ne lui donner rien?

PULCHÉRIE

Et ne savez-vous pas qu'il est des hyménées
1710 Que font sans nous au ciel les belles destinées?
Quand il veut que l'effet en éclate ici-bas,
Lui-même il nous entraîne où nous ne pensions pas,
Et dès qu'il les résout, il sait trouver la voie
De nous faire accepter ses ordres avec joie.

LÉON

1715 Mais ne vous aimer plus, vous voler tous mes vœux!

PULCHÉRIE

Aimez-moi, j'y consens : je dis plus, je le veux,
Mais comme impératrice, et non plus comme amante;
Que la passion cesse, et que le zèle augmente.
Justine, qui m'écoute, agréera bien, Seigneur,
1720 Que je conserve ainsi ma part en votre cœur.
Je connais tout le sien. Rendez-vous plus traitable,
Pour apprendre à l'aimer autant qu'elle est aimable,
Et laissez-vous conduire à qui sait mieux que vous
Les chemins de vous faire un sort illustre et doux.
1725 Croyez-en votre amante et votre impératrice :
L'une aime vos vertus, l'autre leur rend justice,
Et sur Justine et vous je dois pouvoir assez
Pour vous dire à tous deux : « Je parle, obéissez. »

LÉON

J'obéis donc, Madame, à cet ordre suprême,
1730 Pour vous offrir un cœur qui n'est pas à lui-même,
Mais enfin je ne sais quand je pourrai donner

Ce que je ne puis même offrir sans le gêner,
Et cette offre d'un cœur entre les mains d'une autre
Ne peut faire un amour qui mérite le vôtre.

JUSTINE

Il est assez à moi, dans de si bonnes mains, 17
Pour n'en point redouter de vrais et longs dédains,
Et je vous répondrais d'une amitié sincère,
Si j'en avais l'aveu de l'Empereur mon père.
Le temps fait tout, Seigneur.

Scène VII : Pulchérie, Martian, Léon, Justine.

MARTIAN

                    D'une commune voix,
Madame, le sénat accepte votre choix. 17
A vos bontés pour moi son allégresse unie
Soupire après le jour de la cérémonie,
Et le serment prêté, pour n'en retarder rien,
A votre auguste nom vient de mêler le mien.

PULCHÉRIE

Cependant j'ai sans vous disposé de Justine, 17
Seigneur, et c'est Léon à qui je la destine.

MARTIAN

Pourrais-je lui choisir un plus illustre époux
Que celui que l'amour avait choisi pour vous?
Il peut prendre après vous tout pouvoir dans l'Empire,
S'y faire des emplois où l'univers l'admire, 17
Afin que par votre ordre et les conseils d'Aspar
Nous l'installions au trône et le nommions César.

PULCHÉRIE

Allons tout préparer pour ce double hyménée,
En ordonner la pompe, en choisir la journée.
D'Irène avec Aspar j'en voudrais faire autant, 17
Mais j'ai donné deux jours à cet esprit flottant,
Et laisse jusque-là ma faveur incertaine,
Pour régler son destin sur le destin d'Irène.

SURÉNA, GÉNÉRAL DES PARTHES

TRAGÉDIE*

La tragédie, malgré l'ultime éclat passager que lui donne Racine, est un genre démodé. La ville et la Cour lui préfèrent comédies et ballets. La troupe du Marais se disperse en 1673; Molière est mort, les acteurs du Palais-Royal rejoignent l'Hôtel de Bourgogne à Pâques 1673. Corneille n'a donc pas le choix de la troupe qui montera Suréna. L'accord dut se faire sans enthousiasme de part et d'autre.

La pièce ne connut qu'un demi-succès. Ce ne fut pas la raison qui détermina Corneille à renoncer au théâtre : on continue à le jouer jusqu'à sa mort en France et au-delà des frontières. Dans les seules années 1680-1684, une dizaine de ses pièces ont 176 représentations.

En vérité le théâtre dramatique se porte mal. Quinault et Thomas Corneille abandonnent la tragédie pour les comédies et les opéras que préfère le public. Pour d'autres raisons, mais aussi pour celle-là, Racine renonce en 1677. Seul l'abbé Boyer peut accepter stoïquement échec sur échec. La plupart des tragédies que l'on compose encore ne sont même pas imprimées.

Pour composer Suréna, Corneille ne quitte pas les ouvrages d'où il a tiré ses données historiques dès la Mort de Pompée : les Vies de Plutarque et l'Histoire d'Appien. Ce capitaine du roi Orode n'a fait l'objet d'aucun poème, d'aucune pièce, d'aucun roman français du XVIIᵉ siècle. Mais Corneille a souvent trouvé son nom cité dans les ouvrages politiques italiens du XVIᵉ siècle : Suréna est un des plus tristes exemples du triomphe de la raison d'État. Dans un ouvrage qui porte ce titre, Girolamo Frachetta, célèbre au XVIᵉ siècle, écrit à son sujet : « Quand un Prince sait qu'un vassal ou un parent est un homme probe et amoureux du bien public et de la patrie, — et pour cela si bien vu du peuple que les esprits de la foule sont tout entiers tournés vers lui, — il s'en débarrasse par le meurtre ou la prison pour assurer sa personne... »

Pour mieux faire apparaître sa thèse, Corneille déclare que Suréna « était le plus noble, le plus riche, le mieux fait et le plus vaillant des Parthes », ce que n'était pas le Suréna de l'histoire, au dire d'Appien, qui le dépeint infatué de sa victoire sur Crassus et ne voulant céder à personne. C'est sur cette ultime profession de foi anti-machiavélique que Corneille clôt son œuvre dramatique.

Il joint à ce thème central un intéressant contrepoint qui déborde le problème politique et tempère ce qu'a de trop temporel l'idée qu'il suggère jusqu'alors de la gloire. A cette « froide et vaine éternité » (vers 300-310), il oppose la liberté intérieure, la seule force et le seul refuge contre toutes les vicissitudes du sort. Grâce à elle, le héros meurt non seulement justifié, mais sans regret.

Ainsi Corneille sauve un sujet qui annonçait un pessimisme hautain, et ne se renie pas.

AU LECTEUR

Le sujet de cette tragédie est tiré de Plutarque et d'Appian Alexandrin[1]. Ils disent tous deux que Suréna était le plus noble, le plus riche, le mieux fait, et le plus vaillant des Parthes[2]. Avec ces qualités, il ne pouvait manquer d'être un des premiers hommes de son siècle, et si je ne m'abuse, la peinture que j'en ai faite ne l'a point rendu méconnaissable. Vous en jugerez.

* Jouée à l'Hôtel de Bourgogne, le 11 décembre 1674. Achevé d'imprimer : 2 janvier 1675.

1. Il s'agit d'une seule et même source. Ce qu'on joignait à Appien sur la guerre des Parthes n'était qu'un condensé des Vies de Crassus et d'Antoine, de Plutarque. Celui-ci a déjà fourni à Corneille la Mort de Pompée, Sertorius, Othon et Agésilas. Par sa condamnation du prince machiavélique,

Suréna se rattacherait plus directement à Pompée, par la situation des personnages, à Agésilas.
2. C'est embellir le personnage de l'histoire, qui, comme le souligne l'Italien Frachetta, dans ses Considerazione politiche (Milan, 1625), constate son ambition et son orgueil. Suréna serait alors dans la position du Lysandre d'Agésilas et le roi n'aurait pas tort, sinon de s'en défaire, du moins de l'écarter.

ACTEURS

ORODE, *roi des Parthes* [3].
PACORUS, *fils d'Orode.*
SURÉNA, *lieutenant d'Orode, et général
de son armée contre Crassus.*
SILLACE, *autre lieutenant d'Orode* [4].
EURYDICE, *fille d'Artabase, roi d'Arménie* [5].
PALMIS, *sœur de Suréna.*
ORMÈNE, *dame d'honneur d'Eurydice.*

La scène se passe à Séleucie [6], *sur l'Euphrate.*

ACTE PREMIER

Scène I : Eurydice, Ormène.

EURYDICE

Ne me parle plus tant de joie et d'hyménée,
Tu ne sais pas les maux où je suis condamnée,
Ormène : c'est ici que doit s'exécuter
Ce traité qu'à deux Rois il a plu d'arrêter,
5 Et l'on a préféré cette superbe ville,
Ces murs de Séleucie, aux murs d'Hécatompyle [7].
La Reine et la Princesse en quittent le séjour, [cour;
Pour rendre en ces beaux lieux tout son lustre à la
Le Roi les mande exprès, le Prince n'attend qu'elles,
10 Et jamais ces climats n'ont vu pompes si belles.
Mais que servent pour moi tous ces préparatifs,
Si mon cœur est esclave et tous ses vœux captifs,
Si de tous ces efforts de publique allégresse
Il se fait des sujets de trouble et de tristesse ?
15 J'aime ailleurs.

ORMÈNE

Vous, Madame ?

EURYDICE

Ormène, je l'ai tu
Tant que j'ai pu me rendre à toute ma vertu.
N'espérant jamais voir l'amant qui m'a charmée,
Ma flamme dans mon cœur se tenait renfermée :
L'absence et la raison semblaient la dissiper,
20 Le manque d'espoir même aidait à me tromper.
Je crus ce cœur tranquille, et mon devoir sévère
Le préparait sans peine aux lois du Roi mon père,
Au choix qu'il lui plairait. Mais, ô Dieux ! quel
[tourment,

3. Orode s'empara du trône par l'assassinat de son frère
Mithridate III, lui-même assassin de son père Phraate III en
58 av. J.-C. Il régna jusqu'en 36, date à laquelle son second
fils, après une tentative manquée d'empoisonnement, l'étrangla
de ses mains.
4. Plutarque le cite avec Suréna aux chapitres 21 et 23.
C'est lui qui jette la tête de Crassus aux pieds d'Orode.
5. Ces trois personnages féminins sont de l'invention de
Corneille.
6. En Babylonie, sur la rive droite du Tigre, au Nord-Est
de Babylone. Créée en 308 par Seleucus Nicanor, fondateur
de la dynastie des Séleucides, elle devint capitale du royaume
parthe en 140. L'action se situe en 52 av. J.-C. Suréna a
trente ans.
7. Cette ville avait remplacé Séleucie comme capitale, sous
la dynastie des Arsacides, qui supplanta celle des Séleucides.

S'il faut prendre un époux aux yeux de cet amant!

ORMÈNE

Aux yeux de votre amant !   2

EURYDICE

Il est temps de te dire
Et quel malheur m'accable, et pour qui je soupire.
Le mal qui s'évapore en devient plus léger,
Et le mien avec toi cherche à se soulager.
Quand l'avare Crassus [8], chef des troupes romaines,
Entreprit de dompter les Parthes dans leurs plaines,   3
Tu sais que de mon père il briga le secours,
Qu'Orode en fit autant au bout de quelques jours,
Que pour ambassadeur il prit ce héros même,
Qui l'avait su venger et rendre au diadème.

ORMÈNE

Oui, je vis Suréna vous parler pour son Roi,   3
Et Cassius [9] pour Rome avoir le même emploi :
Je vis de ces États l'orgueilleuse puissance
D'Artabase à l'envi mendier l'assistance,
Ces deux grands intérêts partager votre cour,
Et des ambassadeurs prolonger le séjour.   4

EURYDICE

Tous deux, ainsi qu'au Roi, me rendirent visite,
Et j'en connus bientôt le différent mérite.
L'un, fier et tout gonflé d'un vieux mépris des Rois,
Semblait pour compliment nous apporter des lois,
L'autre, par les devoirs d'un respect légitime,   4
Vengeait le sceptre en nous de ce manque d'estime.
L'amour s'en mêla même, et tout son entretien
Sembla m'offrir son cœur, et demander le mien.
Il l'obtint, et mes yeux, que charmait sa présence,
Soudain avec les siens en firent confidence.   5
Ces muets truchements surent lui révéler
Ce que je me forçais à lui dissimuler,
Et les mêmes regards qui m'expliquaient sa flamme
S'instruisaient dans les miens du secret de mon âme.
Ses vœux y rencontraient d'aussi tendres désirs,   5
Un accord imprévu confondait nos soupirs,
Et d'un mot échappé la douceur hasardée
Trouvait l'âme en tous deux toute persuadée.

ORMÈNE

Cependant est-il Roi, Madame ?

EURYDICE

Il ne l'est pas,
Mais il sait rétablir les Rois dans leurs États.   6
Des Parthes le mieux fait d'esprit et de visage,
Le plus puissant en biens, le plus grand en courage,
Le plus noble : joins-y l'amour qu'il a pour moi,
Et tout cela vaut bien un Roi qui n'est que Roi.
Ne t'effarouche point d'un feu dont je fais gloire,   6
Et souffre de mes maux que j'achève l'histoire.
L'amour, sous les dehors de la civilité,
Profita quelque temps des longueurs du traité :
On ne soupçonna rien des soins d'un si grand homme.
Mais il fallut choisir entre le Parthe et Rome.   7
Mon père eut ses raisons en faveur du Romain,

8. Plutarque : « Tenant plus du marchand que du capitaine » (chap. 17).
9. Plutarque : chap. 18 et 19. Artabase, roi d'Arménie,
vint avec six mille chevaux.

J'eus les miennes pour l'autre, et parlai même en vain,
Je fus mal écoutée, et dans ce grand ouvrage
On ne daigna peser ni compter mon suffrage.
  Nous fûmes donc de Rome, et Suréna confus
Emporta la douleur d'un indigne refus.
Il m'en parut ému, mais il sut se contraindre,
Pour tout ressentiment il ne fit que nous plaindre,
Et comme tout son cœur me demeura soumis,
Notre adieu ne fut point un adieu d'ennemis.
  Que servit de flatter l'espérance détruite?
Mon père choisit mal : on l'a vu par la suite.
Suréna fit périr l'un et l'autre Crassus,
Et sur notre Arménie Orode eut le dessus :
Il vint dans nos États fondre comme un tonnerre.
Hélas! j'avais prévu les maux de cette guerre,
Et n'avais pas compté parmi ses noirs succès
Le funeste bonheur que me gardait la paix.
Les deux Rois l'ont conclue, et j'en suis la victime,
On m'amène épouser un Prince magnanime,
Car son mérite enfin ne m'est point inconnu,
Et se ferait aimer d'un cœur moins prévenu.
Mais quand ce cœur est pris et la place occupée,
Des vertus d'un rival en vain l'âme est frappée,
Tout ce qu'il a d'aimable importune les yeux,
Et plus il est parfait, plus il est odieux.
Cependant j'obéis, Ormène, je l'épouse,
Et de plus...
                 ORMÈNE
           Qu'auriez-vous de plus?
                 EURYDICE
                             Je suis jalouse.
                 ORMÈNE
Jalouse! Quoi? pour comble aux maux dont je vous
                 EURYDICE   [plains.
Tu vois ceux que je souffre, apprends ceux que je
Orode fait venir la Princesse sa fille,   [crains.
Et s'il veut de mon bien enrichir sa famille,
S'il veut qu'un double hymen honore un même jour,
Conçoit mes déplaisirs : je t'ai dit mon amour.
  C'est bien assez, ô ciel, que le pouvoir suprême
Me livre en d'autres bras aux yeux de ce que j'aime:
Ne me condamne pas à ce nouvel ennui
De voir tout ce que j'aime entre les bras d'autrui.
                 ORMÈNE
Votre douleur, Madame, est trop ingénieuse.
                 EURYDICE
Quand on a commencé de se voir malheureuse,
Rien ne s'offre à nos yeux qui ne fasse trembler :
La plus fausse apparence a droit de nous troubler,
Et tout ce qu'on prévoit, tout ce qu'on s'imagine,
Forme un nouveau poison pour une âme chagrine.
                 ORMÈNE
En ces nouveaux poisons trouvez-vous tant d'appas
Qu'il en faille faire un d'un hymen qui n'est pas?
                 EURYDICE
La Princesse est mandée, elle vient, elle est belle,
Un vainqueur des Romains n'est que trop digne d'elle,
S'il la voit, s'il lui parle, et si le Roi le veut...
J'en dis trop, et déjà tout mon cœur qui s'émeut...

                 ORMÈNE
A soulager vos maux appliquez même étude
Qu'à prendre un vain soupçon pour une certitude :
Songez par où l'aigreur s'en pourrait adoucir.
                 EURYDICE
J'y fais ce que je puis, et n'y puis réussir,
N'osant voir Suréna, qui règne en ma pensée,   125
Et qui me croit peut-être une âme intéressée.
Tu vois quelle amitié j'ai faite avec sa sœur :
Je crois le voir en elle, et c'est quelque douceur,
Mais légère, mais faible, et qui me gêne l'âme,
Par l'inutile soin de lui cacher ma flamme.   130
Elle la sait sans doute, et l'air dont elle agit
M'en demande un aveu dont mon front rougit.
Ce frère l'aime trop pour s'être caché d'elle :
N'en use pas de même, et sois-moi plus fidèle,
Il suffit qu'avec toi j'amuse mon ennui.   135
Toutefois tu n'as rien à me dire de lui,
Tu ne sais ce qu'il fait, tu ne sais ce qu'il pense.
Une sœur est plus propre à cette confiance :
Elle sait s'il m'accuse, ou s'il plaint mon malheur,
S'il partage ma peine, ou rit de ma douleur,   140
Si du vol qu'on lui fait il m'estime complice,
S'il me garde son cœur, ou s'il me rend justice.
Je la vois : force-la, si tu peux, à parler,
Force-moi, s'il le faut, à ne lui rien celer.
L'oserai-je, grands Dieux, ou plutôt le pourrai-je?   145
                 ORMÈNE
L'amour dès qu'il le veut, se fait un privilège,
Et quand de se forcer ses désirs sont lassés,
Lui-même à n'en rien taire il s'enhardit assez.

      Scène II : Eurydice, Palmis, Ormène.

                 PALMIS
J'apporte ici, Madame, une heureuse nouvelle :
Ce soir la Reine arrive.
                 EURYDICE
                       Et Mandane [10] avec elle?   150
                 PALMIS
On n'en fait aucun doute.
                 EURYDICE
                 Et Suréna l'attend,
Avec beaucoup de joie et d'un esprit content?
                 PALMIS
Avec tout le respect qu'elle a lieu d'en attendre.
                 EURYDICE
Rien de plus?
                 PALMIS
           Qu'a de plus un sujet à lui rendre?
                 EURYDICE
Je suis trop curieuse et devrais mieux savoir   155
Ce qu'aux filles des Rois un sujet peut devoir,
Mais de pareils sujets, sur qui tout l'État roule,
Se font assez souvent distinguer de la foule,

---

10. Réapparition de la Persane d'*Agésilas*, bien que l'action
se situe trois siècles plus tard. Corneille est d'autant moins
scrupuleux sur le choix de ce nom que le personnage n'apparaît pas.

Et je sais qu'il en est qui, si j'en puis juger,
160 Avec moins de respect savent mieux obliger.

PALMIS

Je n'en sais point, Madame, et ne crois pas mon frère
Plus savant que sa sœur en un pareil mystère.

EURYDICE

Passons. Que fait le Prince?

PALMIS

                    En véritable amant,
Doutez-vous qu'il ne soit dans le ravissement,
165 Et pourrait-il n'avoir qu'une joie imparfaite
Quand il se voit toucher au bonheur qu'il souhaite?

EURYDICE

Peut-être n'est-ce pas un grand bonheur pour lui,
Madame, et j'y craindrais quelque sujet d'ennui.

PALMIS

Et quel ennui pourrait mêler son amertume
170 Au doux et plein succès du feu qui le consume,
Quel chagrin a de quoi troubler un tel bonheur?
Le don de votre main...

EURYDICE

                La main n'est pas le cœur.

PALMIS

Il est maître du vôtre.

EURYDICE

               Il ne l'est point, Madame,
Et même je ne sais s'il le sera de l'âme :
175 Jugez après cela quel bonheur est le sien.
Mais achevons, de grâce, et ne déguisons rien.
Savez-vous mon secret?

PALMIS

               Je sais celui d'un frère.

EURYDICE

Vous savez donc le mien. Fait-il ce qu'il doit faire?
Me hait-il, et son cœur, justement irrité,
180 Me rend-il sans regret ce que j'ai mérité?

PALMIS

Oui, Madame, il vous rend tout ce qu'une grande âme
Doit au plus grand mérite et de zèle et de flamme.

EURYDICE

Il m'aimerait encor?

PALMIS

            C'est peu de dire aimer :
Il souffre sans murmure, et j'ai beau vous blâmer,
185 Lui-même il vous défend, vous excuse sans cesse.
« Elle est fille, et de plus, dit-il, elle est Princesse :
Je sais les droits d'un père, et connais ceux d'un Roi,
Je sais de ses devoirs l'indispensable loi,
Je sais quel rude joug, dès sa plus tendre enfance,
190 Imposent à ses vœux son rang et sa naissance,
Son cœur n'est pas exempt d'aimer ni de haïr :
Mais qu'il aime ou haïsse, il lui faut obéir.
Elle m'a tout donné ce qui dépendait d'elle,
Et ma reconnaissance en doit être éternelle. »

EURYDICE

195 Ah! vous redoublez trop, par ce discours charmant,
Ma haine pour le Prince et mes feux pour l'amant;
Finissons-le, Madame; en ce malheur extrême, [j'aime.
Plus je hais, plus je souffre, et souffre autant que

PALMIS

N'irritons point vos maux, et changeons d'entretien.
Je sais votre secret, sachez aussi le mien.
Vous n'êtes pas la seule à qui la destinée
Prépare un long supplice en ce grand hyménée :
Le Prince...

EURYDICE

          Au nom des Dieux, ne me le nommez pas :
Son nom seul me prépare à plus que le trépas.

PALMIS

Un tel excès de haine!

EURYDICE

              Elle n'est que trop due
Aux mortelles douleurs dont m'accable sa vue.

PALMIS

Eh bien! ce Prince donc, qu'il vous plaît de haïr,
Et pour qui votre cœur s'apprête à se trahir,
Ce Prince qui vous aime, il m'aimait.

EURYDICE

                L'infidèle!

PALMIS

Nos vœux étaient pareils, notre ardeur mutuelle :
Je l'aimais.

EURYDICE

       Et l'ingrat brise des nœuds si doux!

PALMIS

Madame, est-il des cœurs qui tiennent contre vous?
Est-il vœux ni serments qu'ils ne vous sacrifient?
Si l'ingrat me trahit, vos yeux le justifient,
Vos yeux qui sur moi-même ont un tel ascendant...

EURYDICE

Vous demeurez à vous, Madame, en le perdant,
Et le bien d'être libre aisément vous console
De ce qu'a d'injustice un manque de parole.
Mais je deviens esclave, et tels sont mes malheurs
Qu'en perdant ce que j'aime, il faut que j'aime ail-
                            [leurs.

PALMIS

Madame, trouvez-vous ma fortune meilleure?
Vous perdez votre amant, mais son cœur vous demeu-
Et j'éprouve en mon sort une telle rigueur   [re,
Que la perte du mien m'enlève tout son cœur.
Ma conquête m'échappe où les vôtres grossissent,
Vous faites des captifs des miens qui s'affranchissent,
Votre empire s'augmente où se détruit le mien,
Et de toute ma gloire il ne me reste rien.

EURYDICE

Reprenez vos captifs, rassurez vos conquêtes,
Rétablissez vos lois sur les plus grandes têtes :
J'en serai peu jalouse, et préfère à cent Rois
La douceur de ma flamme et l'éclat de mon choix.
La main de Suréna vaut mieux qu'un diadème.
Mais dites-moi, Madame, est-il bien vrai qu'il m'aime?
Dites, et s'il est vrai, pourquoi fuit-il mes yeux?

PALMIS

Madame, le voici qui vous le dira mieux.

EURYDICE

Juste ciel, à le voir déjà mon cœur soupire!
Amour, sur ma vertu prends un peu moins d'empire!

Scène III : Eurydice, Suréna.

EURYDICE

Je vous ai fait prier de ne me plus revoir,
Seigneur, votre présence étonne mon devoir,
Et ce qui de mon cœur fit toutes les délices,
Ne saurait plus m'offrir que de nouveaux supplices.
Osez-vous l'ignorer ? et lorsque je vous voi, [moi ?]
S'il me faut trop souffrir, souffrez-vous moins que
Souffrons-nous moins tous deux pour soupirer ensem-
Allez, contentez-vous d'avoir vu que j'en tremble, [ble ?]
Et du moins par pitié d'un triomphe douteux,
Ne me hasardez plus à des soupirs honteux.

SURÉNA

Je sais ce qu'à mon cœur coûtera votre vue,
Mais qui cherche à mourir doit chercher ce qui tue.
Madame, l'heure approche, et demain votre foi
Vous fait de m'oublier une éternelle loi :
Je n'ai plus que ce jour, que ce moment de vie,
Pardonnez à l'amour qui vous la sacrifie,
Et souffrez qu'un soupir exhale à vos genoux,
Pour ma dernière joie, une âme toute à vous.

EURYDICE

Et la mienne, Seigneur, la jugez-vous si forte
Que vous ne craigniez point que ce moment l'emporte,
Que ce même soupir qui tranchera vos jours
Ne tranche aussi des miens le déplorable cours ?
Vivez, Seigneur, vivez, afin que je languisse,
Qu'à vos feux ma langueur rende longtemps justice.
Le trépas à vos yeux me semblerait trop doux,
Et je n'ai pas encore assez souffert pour vous.
Je veux qu'un noir chagrin à pas lents me consume,
Qu'il me fasse à longs traits goûter son amertume,
Je veux, sans que la mort ose me secourir,
Toujours aimer, toujours souffrir, toujours mourir.
Mais pardonneriez-vous l'aveu d'une faiblesse
A cette douloureuse et fatale tendresse ?
Vous pourriez-vous, Seigneur, résoudre à soulager
Un malheur si pressant par un bonheur léger ?

SURÉNA

Quel bonheur peut dépendre ici d'un misérable
Qu'après tant de faveurs son amour même accable ?
Puis-je encor quelque chose en l'état où je suis ?

EURYDICE

Vous pouvez m'épargner d'assez rudes ennuis.
N'épousez point Mandane : exprès on l'a mandée,
Mon chagrin, mes soupçons m'en ont persuadée ;
N'ajoutez point, Seigneur, à des malheurs si grands
Celui de vous unir au sang de mes tyrans,
De remettre en leurs mains le seul bien qui me reste,
Votre cœur : un tel don me serait trop funeste,
Je veux qu'il me demeure, et malgré votre Roi,
Disposer d'une main qui ne peut être à moi.

SURÉNA

Plein d'amour si pur et si fort que le nôtre,
Aveugle pour Mandane, aveugle pour toute autre,
Comme je n'ai plus d'yeux vers elles à tourner,
Je n'ai plus ni de cœur ni de main à donner.
Je vous aime et vous perds. Après cela, Madame,
Serait-il quelque hymen que pût souffrir mon âme ?

Serait-il quelques nœuds où se pût attacher
Le bonheur d'un amant qui vous était si cher,
Et qu'à force d'amour vous rendez incapable
De trouver sous le ciel quelque chose d'aimable ?

EURYDICE

Ce n'est pas là de vous, Seigneur, ce que je veux.   295
A la postérité vous devez des neveux,
Et ces illustres morts dont vous tenez la place
Ont assez mérité de revivre en leur race.
Je ne veux pas l'éteindre, et tiendrais à forfait,
Qu'il m'en fût échappé le plus léger souhait.   300

SURÉNA

Que tout meure avec moi, Madame, que m'importe
Qui foule après ma mort la terre qui me porte ?
Sentiront-ils percer par un éclat nouveau,
Ces illustres aïeux, la nuit de leur tombeau ?
Respireront-ils l'air où les feront revivre   305
Ces neveux qui peut-être auront peine à les suivre,
Peut-être ne feront que les déshonorer,
Et n'en auront le sang que pour dégénérer ?
Quand nous avons perdu le jour qui nous éclaire,
Cette sorte de vie est bien imaginaire,   310
Et le moindre moment d'un bonheur souhaité
Vaut mieux qu'une si froide et vaine éternité.

EURYDICE

Non, non je suis jalouse, et mon impatience
D'affranchir mon amour de toute défiance,
Tant que je vous verrai maître de votre foi,   315
La croira réservée aux volontés du Roi :
Mandane aura toujours un plein droit de vous plaire,
Ce sera l'épouser que de le pouvoir faire,
Et ma haine sans cesse aura de quoi trembler,
Tant que par là mes maux pourront se redoubler.   320
Il faut qu'un autre hymen me mette en assurance,
N'y portez, s'il se peut, que de l'indifférence,
Mais par de nouveaux feux dussiez-vous me trahir,
Je veux que vous aimiez afin de m'obéir.
Je veux que ce grand choix soit mon dernier ouvrage,   325
Qu'il tienne lieu vers moi d'un éternel hommage,
Que mon ordre le règle, et qu'on me voie enfin
Reine de votre cœur et de votre destin,
Que Mandane, en dépit de l'espoir qu'on lui donne,
Ne pouvant s'élever jusqu'à votre personne,   330
Soit réduite à descendre à ces malheureux Rois
A qui, quand vous voudrez, vous donnerez des lois.
Et n'appréhendez point d'en regretter la perte :
Il n'est cour sous les cieux qui ne vous soit ouverte,
Et partout votre gloire a fait de tels éclats   335
Que les filles de Roi ne vous manqueront pas.

SURÉNA

Quand elles me rendraient maître de tout un monde,
Absolu sur la terre et souverain sur l'onde,
Mon cœur...

EURYDICE

      N'achevez point : l'air dont vous commencez
Pourrait à mon chagrin ne me plaire pas assez,   340
Et d'un cœur qui veut être encor sous ma puissance
Je ne veux recevoir que de l'obéissance.

SURÉNA

A qui me donnez-vous ?

EURYDICE

Moi ? que ne puis-je, hélas !
Vous ôter à Mandane, et ne vous donner pas,
345 Et contre les soupçons de ce cœur qui vous aime
Que ne m'est-il permis de m'assurer moi-même !
Mais adieu : je m'égare.

SURÉNA

Où dois-je recourir,
O ciel ! s'il faut toujours aimer, souffrir, mourir ?

ACTE SECOND

Scène I : Pacorus, Suréna.

PACORUS

Suréna, votre zèle a trop servi mon père
350 Pour m'en laisser attendre un devoir moins sincère,
Et si près d'un hymen qui doit m'être assez doux,
Je mets ma confiance et mon espoir en vous.
Palmis avec raison de cet hymen murmure,
Mais je puis réparer ce qu'il lui fait d'injure,
355 Et vous n'ignorez pas qu'à former ces grands nœuds
Mes pareils ne sont point tout à fait maîtres d'eux.
Quand vous voudrez tous deux attacher vos tendresses,
Il est des Rois pour elle, et pour vous des Princesses,
Et je puis hautement vous engager ma foi
360 Que vous ne vous plaindrez du Prince ni du Roi.

SURÉNA

Cessez de me traiter, Seigneur, en mercenaire :
Je n'ai jamais servi par espoir de salaire,
La gloire m'en suffit, et le prix que reçoit...

PACORUS

Je sais ce que je dois quand on fait ce qu'on doit,
365 Et si de l'accepter ce grand cœur vous dispense,
Le mien se satisfait alors qu'il récompense.
J'épouse une Princesse en qui les doux accords
Des grâces de l'esprit avec celles du corps
Forment le plus brillant et plus noble assemblage
370 Qui puisse orner une âme et parer un visage.
Je n'en dis que ce mot, et vous savez assez
Quels en sont les attraits, vous qui la connaissez.
Cette Princesse donc, si belle, si parfaite,
Je crains qu'elle n'ait pas ce que plus je souhaite :
375 Qu'elle manque d'amour, ou plutôt que ses vœux
N'aillent pas tout à fait du côté que je veux.
Vous qui l'avez tant vue, et qu'un devoir fidèle
A tenu si longtemps près de son père et d'elle,
Ne me déguisez point ce que dans cette cour
380 Sur de pareils soupçons vous auriez eu de jour.

SURÉNA

Je la voyais, Seigneur, mais pour gagner son père :
C'était tout mon emploi, c'était ma seule affaire,
Et je croyais par elle être sûr de son choix,
Mais Rome et son intrigue eurent le plus de voix.
385 Du reste, ne prenant intérêt à m'instruire
Que de ce qui pouvait vous servir ou vous nuire,
Comme je me bornais à remplir ce devoir,
Je puis n'avoir pas vu ce qu'un autre eût pu voir.
Si j'eusse pressenti que la guerre achevée,
A l'honneur de vos feux elle était réservée,
J'aurais pris d'autres soins, et plus examiné,
Mais j'ai suivi mon ordre, et n'ai point deviné.

PACORUS

Quoi ! de ce que je crains, vous n'auriez nulle idée ?
Par aucune ambassade on ne l'a demandée ?
Aucun Prince auprès d'elle, aucun digne sujet
Par ses attachements n'a marqué de projet ?
Car il vient quelquefois du milieu des provinces
Des sujets en nos cours qui valent bien des Princes,
Et par l'objet présent les sentiments émus
N'attendent pas toujours des Rois qu'on n'a point vus.

SURÉNA

Durant tout mon séjour rien n'y blessait ma vue,
Je n'y rencontrais point de visite assidue,
Point de devoirs suspects, ni d'entretiens si doux
Que si j'avais aimé, j'en dusse être jaloux.
Mais qui vous peut donner cette importune crainte,
Seigneur ?

PACORUS

Plus je la vois, plus j'y vois de contrainte.
Elle semble, aussitôt que j'ose m'approcher,
Avoir je ne sais quoi qu'elle me veut cacher,
Non qu'elle ait jusqu'ici demandé de remise :
Mais ce n'est pas m'aimer, ce n'est qu'être soumise,
Et tout le bon accueil que j'en puis recevoir,
Tout ce que j'en obtiens ne part que du devoir.

SURÉNA

N'en appréhendez rien : encor tout étonnée,
Toute tremblante encore au seul nom d'hyménée,
Pleine de son pays, pleine de ses parents,
Il lui passe en l'esprit cent chagrins différents.

PACORUS

Mais il semble, à la voir, que son chagrin s'applique
A braver par dépit l'allégresse publique.
Inquiète, rêveuse, insensible aux douceurs
Que par un plein succès l'amour verse en nos cœurs...

SURÉNA

Tout cessera, Seigneur, dès que sa foi reçue
Aura mis en vos mains la main qui vous est due :
Vous verrez ses chagrins détruits en moins d'un jour,
Et toute sa vertu devenir toute [11] amour.

PACORUS

C'est beaucoup hasarder que de prendre assurance
Sur une si légère et douteuse espérance.
Et qu'aura cet amour d'heureux, de singulier,
Qu'à son trop de vertu je devrai tout entier ?
Qu'aura-t-il de charmant, cet amour, s'il ne donne
Que ce qu'un triste hymen ne refuse à personne,
Esclave dédaigneux d'une odieuse loi
Qui n'est pour toute chaîne attaché qu'à sa foi ?
Pour faire aimer ses lois, l'hymen ne doit en faire
Qu'afin d'autoriser la pudeur à se taire.
Il faut, pour rendre heureux, qu'il donne sans gêner,
Et prête un doux prétexte à qui veut tout donner.
Que sera-ce, grands Dieux ! si toute ma tendresse
Rencontre un souvenir plus cher à ma Princesse,

11. Ainsi orthographié dans toutes les éditions du XVIIᵉ siècle.

Si le cœur pris ailleurs ne s'en arrache pas,
Si pour un autre objet il soupire en mes bras ?
Il faut, il faut enfin m'éclaircir avec elle.

SURÉNA

Seigneur, je l'aperçois, l'occasion est belle.
Mais si vous en tirez quelque éclaircissement
Qui donne à votre crainte un juste fondement,
Que ferez-vous ? °

PACORUS

J'en doute, et pour ne vous rien feindre,
Je crois m'aimer assez pour ne la pas contraindre,
Mais tel chagrin aussi pourrait me survenir,
Que je l'épouserais afin de la punir.
Un amant dédaigné souvent croit beaucoup faire
Quand il rompt le bonheur de ce qu'on lui préfère.
Mais elle approche. Allez, laissez-moi seul agir :
J'aurais peur devant vous d'avoir trop à rougir.

Scène II : Pacorus, Eurydice.

PACORUS

Quoi! Madame, venir vous-même à ma rencontre!
Cet excès de bonté que votre cœur me montre...

EURYDICE

J'allais chercher Palmis, que j'aime à consoler
Sur un malheur qui presse et ne peut reculer.

PACORUS

Laissez-moi vous parler d'affaires plus pressées,
Et songez qu'il est temps de m'ouvrir vos pensées :
Vous vous abuseriez à les plus retenir.
Je vous aime, et demain l'hymen doit nous unir.
M'aimez-vous ?

EURYDICE

Oui, Seigneur, et ma main vous est sûre.

PACORUS

C'est peu que de la main, si le cœur en murmure.

EURYDICE

Quel mal pourrait causer le murmure du mien,
S'il murmurait si bas qu'aucun n'en apprît rien ?

PACORUS

Ah! Madame, il me faut un aveu plus sincère.

EURYDICE

Épousez-moi, Seigneur, et laissez-moi me taire.
Un pareil doute offense, et cette liberté
S'attire quelquefois trop de sincérité.

PACORUS

C'est ce que je demande, et qu'un mot sans contrainte
Justifie aujourd'hui mon espoir ou ma crainte.
Ah! si vous connaissiez ce que pour vous je sens!

EURYDICE

Je ferais ce que font les cœurs obéissants,
Ce que veut mon devoir, ce qu'attend votre flamme,
Ce que je fais enfin.

PACORUS

Vous feriez plus, Madame,
Vous me feriez justice, et prendriez plaisir
A montrer que nos cœurs ne forment qu'un désir.
Vous me diriez sans cesse : « Oui, Prince, je vous [aime,
Mais d'une passion comme la vôtre extrême,
Je sens le même feu, je fais les mêmes vœux,

Ce que vous souhaitez est tout ce que je veux,   480
Et cette illustre ardeur ne sera point contente,
Qu'un glorieux hymen n'ait rempli notre attente. »

EURYDICE

Pour vous tenir, Seigneur, un langage si doux,
Il faudrait qu'en amour j'en susse autant que vous.

PACORUS

Le véritable amour, dès que le cœur soupire,   485
Instruit en un moment de tout ce qu'on doit dire.
Ce langage à ses feux n'est jamais importun,
Et si vous l'ignorez, vous n'en sentez aucun.

EURYDICE

Suppléez-y, Seigneur, et dites-vous vous-même
Tout ce que sent un cœur dès le moment qu'il aime, 490
Faites-vous-en pour moi le charmant entretien,
J'avouerai tout, pourvu que je n'en dise rien.

PACORUS

Ce langage est bien clair, et je l'entends sans peine.
A défaut de l'amour, auriez-vous de la haine ?
Je ne veux pas le croire, et des yeux si charmants... 495

EURYDICE

Seigneur, sachez pour vous quels sont mes sentiments.
Si l'amitié vous plaît, si vous aimez l'estime,
A vous les refuser je croirais faire un crime;
Pour le cœur, si je puis vous le dire entre nous,
Je ne m'aperçois point qu'il soit encore à vous.   500

PACORUS

Ainsi donc ce traité qu'ont fait les deux couronnes...

EURYDICE

S'il a pu l'une à l'autre engager nos personnes,
Au seul don de la main son droit est limité,
Et mon cœur avec vous n'a point fait de traité.
C'est sans vous le devoir que je fais mon possible   505
A le rendre pour vous plus tendre et plus sensible :
Je ne sais si le temps l'y pourra disposer,
Mais qu'il le puisse ou non, vous pouvez m'épouser.

PACORUS

Je le puis, je le dois, je le veux, mais, Madame,
Dans ces tristes froideurs dont vous payez ma flamme, 510
Quelque autre amour plus fort...

EURYDICE

Qu'osez-vous demander,
Prince ?

PACORUS

De mon bonheur ce qui doit décider.

EURYDICE

Est-ce un aveu qui puisse échapper à ma bouche ?

PACORUS

Il est tout échappé, puisque ce mot vous touche.
Si vous n'aviez du cœur fait ailleurs l'heureux don,   515
Vous auriez moins de gêne à me dire que non,
Et pour me garantir de ce que j'appréhende,
La réponse avec joie eût suivi la demande.
Madame, ce qu'on fait sans honte et sans remords
Ne coûte rien à dire, il n'y faut point d'efforts,   520
Et sans que la rougeur au visage nous monte...

EURYDICE

Ah! ce n'est point pour moi que je rougis de honte.
Si j'ai pu faire un choix, je l'ai fait assez beau
Pour m'en faire un honneur jusque dans le tombeau,

525 Et quand je l'avouerai, vous aurez lieu de croire
Que tout mon avenir en aimera la gloire.
Je rougis, mais pour vous, qui m'osez demander
Ce qu'on doit avoir peine à se persuader,
Et je ne comprends point avec quelle prudence
530 Vous voulez qu'avec vous j'en fasse confidence,
Vous qui près d'un hymen accepté par devoir,
Devriez sur ce point craindre de trop savoir.

PACORUS

Mais il est fait, ce choix qu'on s'obstine à me taire,
Et qu'on cherche à me dire avec tant de mystère?

EURYDICE

535 Je ne vous le dis point, mais si vous m'y forcez,
Il vous en coûtera plus que vous ne pensez.

PACORUS   [coûte,

Eh bien! Madame, eh bien! sachons, quoi qu'il en
Quel est ce grand rival qu'il faut que je redoute.
Dites, est-ce un héros, est-ce un prince, est-ce un Roi?

EURYDICE

540 C'est ce que j'ai connu de plus digne de moi.

PACORUS

Si le mérite est grand, l'estime est un peu forte.

EURYDICE

Vous la pardonnerez à l'amour qui s'emporte :
Comme vous le forcez à se trop expliquer,
S'il manque de respect, vous l'en faites manquer.
545 Il est si naturel d'estimer ce qu'on aime,
Qu'on voudrait que partout on l'estimât de même,
Et la pente est si douce à vanter ce qu'il vaut,
Que jamais on ne craint de l'élever trop haut.

PACORUS

C'est en dire beaucoup.

EURYDICE

Apprenez davantage,
550 Et sachez que l'effort où mon devoir m'engage
Ne peut plus me réduire à vous donner demain
Ce qui vous était sûr, je veux dire ma main.
Ne vous la promettez qu'après que dans mon âme
Votre mérite aura dissipé cette flamme,
555 Et que mon cœur, charmé par des attraits plus doux,
Se sera répondu de n'aimer rien que vous,
Et ne me dites point que pour cet hyménée
C'est par mon propre aveu qu'on a pris la journée.
J'en sais la conséquence, et diffère à regret,
560 Mais puisque vous m'avez arraché mon secret,
Il n'est ni roi, ni père, il n'est prière, empire,
Qu'au péril de cent morts mon cœur n'ose en dédire.
C'est ce qu'il n'est plus temps de vous dissimuler,
Seigneur, et c'est le prix de m'avoir fait parler.

PACORUS

565 A ces bontés, Madame, ajoutez une grâce,
Et du moins, attendant que cette ardeur se passe,
Apprenez-moi le nom de cet heureux amant
Qui sur tant de vertu règne si puissamment,
Par quelles qualités il a pu la surprendre.

EURYDICE

570 Ne me pressez point tant, Seigneur, de vous l'appren-
Si je vous l'avais dit...   [dre.

PACORUS

Achevons.

EURYDICE

Dès demain
Rien ne m'empêcherait de lui donner la main.

PACORUS

Il est donc en ces lieux, Madame?

EURYDICE

Il y peut être,
Seigneur, si déguisé qu'on ne le peut connaître.
Peut-être en domestique est-il auprès de moi,
Peut-être s'est-il mis de la maison du Roi,
Peut-être chez vous-même il s'est réduit à feindre;
Craignez-le dans tous ceux que vous ne daignez crain-
Dans tous les inconnus que vous aurez à voir,   [dre,
Et plus que tout encor, craignez de trop savoir.
J'en dis trop : il est temps que ce discours finisse.
A Palmis que je vois rendez plus de justice,
Et puissent de nouveau ses attraits vous charmer,
Jusqu'à ce que le temps m'apprenne à vous aimer!

Scène III : Pacorus, Palmis.

PACORUS   [dre :

Madame, au nom des Dieux, ne venez pas vous plain-
On me donne sans vous assez de gens à craindre,
Et je serais bientôt accablé de leurs coups,
N'était que pour asile on me renvoie à vous.
J'obéis, j'y reviens, Madame, et cette joie...

PALMIS

Que n'y revenez-vous sans qu'on vous y renvoie!
Votre amour ne fait rien ni pour moi ni pour lui,
Si vous n'y revenez que par l'ordre d'autrui.

PACORUS

N'est-ce rien que pour vous à cet ordre il défère?

PALMIS

Non, ce n'est qu'un dépit qu'il cherche à satisfaire.

PACORUS

Depuis quand le retour d'un cœur comme le mien
Fait-il si peu d'honneur qu'on ne le compte à rien?

PALMIS

Depuis qu'il est honteux d'aimer un infidèle,
Que ce qu'un mépris chasse, un coup d'œil le rappelle,
Et que les inconstants ne donnent point de cœurs
Sans être encor tous prêts de les porter ailleurs.

PACORUS

Je le suis, je l'avoue, et mérite la honte
Que d'un retour suspect vous fassiez peu de conte.
Montrez-vous généreuse, et si mon changement
A changé votre amour en vif ressentiment,
Immolez un courroux si grand, si légitime,
A la juste pitié d'un si malheureux crime.
J'en suis assez puni sans que l'indignité...

PALMIS

Seigneur, le crime est grand, mais j'ai de la bonté.
Je sais ce qu'à l'État ceux de votre naissance,
Tous maîtres qu'ils en sont, doivent d'obéissance :
Son intérêt chez eux l'emporte sur le leur,
Et du moment qu'il parle, il fait taire le cœur.

PACORUS

Non, Madame, souffrez que je vous désabuse,
Je ne mérite point l'honneur de cette excuse.

5 Ma légèreté seule a fait ce nouveau choix,
Nulles raisons d'État ne m'en ont fait de lois,
Et pour traiter la paix avec tant d'avantage,
On ne m'a point forcé de m'en faire le gage :
J'ai pris plaisir à l'être, et plus mon crime est noir,
0 Plus l'oubli que j'en veux me fera vous devoir.
Tout mon cœur...

PALMIS

Entre amants qu'un changement sépare,
Le crime est oublié, sitôt qu'on le répare,
Et bien qu'il vous ait plu, Seigneur, de me trahir,
Je le dis malgré moi, je ne vous puis haïr.

PACORUS

5 Faites-moi grâce entière, et songez à me rendre
Ce qu'un amour si pur, ce qu'une ardeur si tendre...

PALMIS

Donnez-moi donc, Seigneur, vous-même, quelque
Quelque infaillible voie à fixer votre amour,   [jour,
Et s'il est un moyen...

PACORUS

S'il en est, oui, Madame,
0 Il en est de fixer tous les vœux de mon âme,
Et ce joug qu'à tous deux l'amour rendit si doux,
Si je ne m'y rattache, il ne tiendra qu'à vous.
Il est, pour m'arrêter sous un si digne empire,
Un office à me rendre, un secret à me dire.
5 La Princesse aime ailleurs, je n'en puis plus douter,
Et doute quel rival s'en fait mieux écouter.
Vous êtes avec elle en trop d'intelligence
Pour n'en avoir pas eu toute la confidence :
Tirez-moi de ce doute, et recevez ma foi
0 Qu'autre que vous jamais ne régnera sur moi.

PALMIS

Quel gage en est-ce hélas! qu'une foi si peu sûre?
Le ciel la rendra-t-il moins sujette au parjure?
Et ces liens si doux, que vous avez brisés,
A briser de nouveau seront-ils moins aisés?
Si vous voulez, Seigneur, rappeler mes tendresses,
Il me faut des effets et non pas des promesses,
Et cette foi n'a rien qui me puisse ébranler,
Quand la main seule a droit de me faire parler.

PACORUS

La main seule en a droit! Quand cent troubles m'agi-
Que la haine, l'amour, l'honneur me sollicitent, [tent,
Qu'à l'ardeur de punir je m'abandonne en vain,
Hélas! suis-je en état de vous donner la main?

PALMIS

Et moi, sans cette main, Seigneur, suis-je maîtresse
De ce que m'a daigné confier la Princesse,
Du secret de son cœur? Pour le tirer de moi,
Il me faut vous devoir plus que je ne lui dois,
Être une autre vous-même, et le seul hyménée
Peut rompre le silence où je suis enchaînée.

PACORUS

Ah! vous ne m'aimez plus.

PALMIS

Je voudrais le pouvoir,
Mais pour ne plus aimer que sert de le vouloir?
J'ai pour vous trop d'amour, et je le sens renaître

Et plus tendre et plus fort qu'il n'a dû jamais être.
Mais si...

PACORUS

Ne m'aimez plus, ou nommez ce rival.

PALMIS

Me préserve le ciel de vous aimer si mal!
Ce serait vous livrer à des guerres nouvelles,   665
Allumer entre vous des haines immortelles...

PACORUS

Que m'importe? et qu'aurai-je à redouter de lui,
Tant que je me verrai Suréna pour appui?
Quel qu'il soit, ce rival, il sera seul à plaindre :
Le vainqueur des Romains n'a point de Rois à crain- 670
[dre.

PALMIS

Je le sais, mais, Seigneur, qui vous peut engager
Aux soins de le punir et de vous en venger?
Quand son grand cœur charmé d'une belle Princesse
En a su mériter l'estime et la tendresse,
Quel dieu, quel bon génie a dû lui révéler   675
Que le vôtre pour elle aimerait à brûler?
A quels traits ce rival a-t-il dû le connaître,
Respecter de si loin des feux encore à naître,
Voir pour vous d'autres fers que ceux où vous viviez,
Et lire en vos destins plus que vous n'en saviez?   680
S'il a vu la conquête à ses vœux exposée,
S'il a trouvé du cœur la sympathie aisée,
S'être emparé d'un bien où vous n'aspiriez pas,
Est-ce avoir fait des vols et des assassinats?

PACORUS

Je le vois bien, Madame, et vous et ce cher frère   685
Abondez en raisons pour cacher le mystère.
Je parle, promets, prie, et je n'avance rien.
Aussi votre intérêt est préférable au mien,
Rien n'est plus juste, mais...

PALMIS

Seigneur...

PACORUS

Adieu, Madame.
Je vous fais trop jouir des troubles de mon âme.   690
Le ciel se lassera de m'être rigoureux.

PALMIS

Seigneur, quand vous voudrez, il fera quatre heureux.

ACTE TROISIÈME

Scène I : Orode, Sillace.

SILLACE

Je l'ai vu par votre ordre, et voulu par avance
Pénétrer le secret de son indifférence.
Il m'a paru, Seigneur, si froid, si retenu...   695
Mais vous en jugerez quand il sera venu.
Cependant je dirai que cette retenue
Sent une âme de trouble et d'ennuis prévenue,
Que ce calme paraît assez prémédité
Pour ne répondre pas de sa tranquillité,   700
Que cette indifférence a de l'inquiétude,
Et que cette froideur marque un peu trop d'étude.

ORODE

Qu'un tel calme, Sillace, a droit d'inquiéter
Un Roi qui lui doit tant, qu'il ne peut s'acquitter!
705 Un service au-dessus de toute récompense
A force d'obliger tient presque lieu d'offense.
Il reproche en secret tout ce qu'il a d'éclat,
Il livre tout un cœur au dépit d'être ingrat;
Le plus zélé déplaît, le plus utile gêne,
710 Et l'excès de son poids fait pencher vers la haine.
Suréna de l'exil lui seul m'a rappelé,
Il m'a rendu lui seul ce qu'on m'avait volé,
Mon sceptre; de Crassus il vient de me défaire;
Pour faire autant pour lui, quel don puis-je lui faire?
715 Lui partager mon trône? Il serait tout à lui,
S'il n'avait mieux aimé n'en être que l'appui.
Quand j'en pleurais la perte, il forçait des murailles,
Quand j'invoquais mes dieux, il gagnait des batailles.
J'en frémis, j'en rougis, je m'en indigne, et crains
720 Qu'il n'ose quelque jour s'en payer par ses mains,
Et dans tout ce qu'il a de nom et de fortune,
Sa fortune me pèse, et son nom m'importune.
Qu'un monarque est heureux quand parmi ses sujets
Ses yeux n'ont point à voir de plus nobles objets,
725 Qu'au-dessus de sa gloire il n'y connaît personne,
Et qu'il est le plus digne enfin de sa couronne!

SILLACE

Seigneur, pour vous tirer de ces perplexités,
La saine politique a deux extrémités.
Quoi qu'ait fait Suréna, quoi qu'il en faille attendre,
730 Ou faites-le périr, ou faites-en un gendre.
Puissant par sa fortune, et plus par son emploi,
S'il devient par l'hymen l'appui d'un autre Roi,
Si dans les différends que le ciel vous peut faire,
Une femme l'entraîne au parti de son père,
735 Que vous servira lors, Seigneur, d'en murmurer?
Il faut, il faut le perdre, ou vous en assurer:
Il n'est point de milieu.

ORODE

                    Ma pensée est la vôtre:
Mais s'il ne veut pas l'un, pourrai-je vouloir l'autre?
Pour prix de ses hauts faits, et de m'avoir fait Roi,
740 Son trépas... Ce mot seul me fait pâlir d'effroi,
Ne m'en parlez jamais: que tout l'État périsse
Avant que jusque-là ma vertu se ternisse,
Avant que je défère à ces raisons d'État
Qui nommeraient justice un si lâche attentat!

SILLACE

745 Mais pourquoi lui donner les Romains en partage,
Quand sa gloire, Seigneur, vous donnait tant d'om-
                                      [brage?
Pourquoi contre Artabase attacher vos emplois,
Et lui laisser matière à de plus grands exploits [12]?

ORODE

L'événement, Sillace, a trompé mon attente.
750 Je voyais des Romains la valeur éclatante,
Et croyant leur défaite impossible sans moi,

Pour me la préparer, je fondis sur ce Roi.
Je crus qu'il ne pourrait à la fois se défendre
Des fureurs de la guerre et de l'offre d'un gendre,
Et que par tant d'horreurs son peuple épouvanté
Lui ferait mieux goûter la douceur d'un traité,
Tandis que Suréna, mis aux Romains en butte,
Les tiendrait en balance, ou craindrait pour sa chute,
Et me réserverait la gloire d'achever,
Ou de le voir tombant, et de le relever..
Je réussis à l'un et conclus l'alliance,
Mais Suréna vainqueur prévint mon espérance.
A peine d'Artabase eus-je signé la paix,
Que j'appris Crassus mort et les Romains défaits.
Ainsi d'une si haute et si prompte victoire
J'emporte tout le fruit, et lui toute la gloire,
Et beaucoup plus heureux que je n'aurais voulu,
Je me fais un malheur d'être trop absolu.
Je tiens toute l'Asie et l'Europe en alarmes,
Sans que rien s'en impute à l'effort de mes armes,
Et quand tous mes voisins tremblent pour leurs États,
Je ne les fais trembler que par un autre bras.
J'en tremble enfin moi-même, et pour remède unique,
Je n'y vois qu'une basse et dure politique,
Si Mandane, l'objet des vœux de tant de Rois,
Se doit voir d'un sujet le rebut ou le choix.

SILLACE

Le rebut! Vous craignez, Seigneur, qu'il la refuse?

ORODE

Et ne se peut-il pas qu'un autre amour l'amuse,
Et que rempli qu'il est d'une juste fierté,
Il n'écoute son cœur plus que ma volonté?
Le voici, laissez-nous.

Scène II : Orode, Suréna.

ORODE

                    Suréna, vos services
(Qui l'aurait osé croire?) ont pour moi des supplices:
J'en ai honte, et ne puis assez me consoler
De ne voir aucun don qui les puisse égaler.
Suppléez au défaut [13] d'une reconnaissance
Dont vos propres exploits m'ont mis en impuissance,
Et s'il en est un prix dont vous fassiez état,
Donnez-moi les moyens d'être un peu moins ingrat.

SURÉNA

Quand je vous ai servi, j'ai reçu mon salaire,
Seigneur, et n'ai rien fait qu'un sujet n'ait dû faire:
La gloire m'en demeure, et c'est l'unique prix
Que s'en est proposé le soin que j'en ai pris.
Si pourtant il vous plaît, Seigneur, que j'en demande
De plus dignes d'un Roi dont l'âme est toute grande,
La plus haute vertu peut faire de faux pas:
Si la mienne en fait un, daignez ne le voir pas,
Gardez-moi des bontés toujours prêtes d'éteindre
Le plus juste courroux que j'aurais lieu d'en craindre,
Et si...

ORODE

Ma gratitude oserait se borner

---

12. Orode avait divisé ses troupes en deux. Lui-même diri-
geait l'expédition contre Artabase, en Arménie. Suréna se
battait contre Crassus.

13. A la défaillance, à l'insuffisance.

00 Au pardon d'un malheur qu'on ne peut deviner,
Qui n'arrivera point, et j'attendrais un crime
Pour vous montrer le fond de toute mon estime?
Le ciel m'est plus propice, et m'en ouvre un moyen
Par l'heureuse union de votre sang au mien :
95 D'avoir tout fait pour moi ce sera le salaire.

SURÉNA

J'en ai flatté longtemps un espoir téméraire,
Mais puisque enfin le Prince...

ORODE

Il aima votre sœur,
Et le bien de l'État lui dérobe son cœur.
La paix de l'Arménie à ce prix est jurée,
0 Mais l'injure aisément peut être réparée,
J'y sais des Rois tous prêts, et pour vous, dès demain,
Mandane, que j'attends vous donnera la main.
C'est tout ce qu'en la mienne ont mis les destinées
Qu'à force de hauts faits la vôtre a couronnées.

SURÉNA

5 A cet excès d'honneur rien ne peut s'égaler,
Mais si vous me laissiez liberté d'en parler,
Je vous dirais, Seigneur, que l'amour paternelle
Doit à cette Princesse un trône digne d'elle,
Que l'inégalité de mon destin au sien
) Ravalerait son rang sans élever le mien,
Qu'une telle union, quelque haut qu'on la mette,
Me laisse encor sujet, et la rendrait sujette,
Et que de son hymen, malgré tous mes hauts faits,
Au lieu de Rois à naître, il naîtrait des sujets.
· De quel œil voulez-vous, Seigneur, qu'elle me donne
Une main refusée à plus d'une couronne,
Et qu'un si digne objet des vœux de tant de Rois
Descende par votre ordre à cet indigne choix?
Que de mépris pour moi, que de honte pour elle!
· Non, Seigneur, croyez-en un serviteur fidèle :
Si votre sang du mien veut augmenter l'honneur,
Il y faut l'union du Prince avec ma sœur.
Ne le mêlez, Seigneur, au sang de vos ancêtres
Qu'afin que vos sujets en reçoivent des maîtres :
Vos Parthes dans la gloire ont trop longtemps vécu,
Pour attendre des Rois du sang de leur vaincu;
Si vous ne le savez, tout le camp en murmure,
Ce n'est qu'avec dépit que le peuple l'endure.
Quelles lois eût pu faire Artabase vainqueur
Plus rudes, disent-ils, même à des gens sans cœur?
Je les fais taire, mais, Seigneur, à le bien prendre,
C'était moins l'attaquer que lui mener un gendre,
Et si vous en aviez consulté leurs souhaits,
Vous auriez préféré la guerre à cette paix.

ORODE

Est-ce dans le dessein de vous mettre à leur tête
Que vous me demandez ma grâce toute prête,
Et de leurs vains souhaits vous font-ils le porteur
Pour faire Palmis reine avec plus de hauteur?
Il n'est rien d'impossible à la valeur d'un homme
Qui rétablit son maître et triomphe de Rome,
Mais sous le ciel tout change, et les plus valeureux
N'ont jamais sûreté d'être toujours heureux.
J'ai donné ma parole : elle est inviolable.
Le Prince aime Eurydice autant qu'elle est aimable,

Et s'il faut dire tout, je lui dois cet appui   855
Contre ce que Phradate osera contre lui.
Car tout ce qu'attenta contre moi Mithradate [14],
Pacorus le doit craindre à son tour de Phradate :
Cet esprit turbulent, et jaloux du pouvoir,
Quoique son frère...   860

SURÉNA

Il sait que je sais mon devoir,
Et n'a pas oublié que dompter des rebelles,
Détrôner un tyran...

ORODE

Ces actions sont belles;
Mais pour m'avoir remis en état de régner,
Rendent-elles pour vous ma fille à dédaigner?

SURÉNA

La dédaigner, Seigneur, quand mon zèle fidèle   865
N'ose me regarder que comme indigne d'elle!
Osez me dispenser de ce que je vous dois,
Et pour la mériter, je cours me faire Roi.
S'il n'est rien d'impossible à la valeur d'un homme
Qui rétablit son maître et triomphe de Rome,   870
Sur quels rois aisément ne pourrais-je emporter,
En faveur de Mandane, un sceptre à la doter?
Prescrivez-moi, Seigneur, vous-même une conquête
Dont en prenant sa main je couronne sa tête,
Et vous direz après si c'est la dédaigner   875
Que de vouloir me perdre ou la faire régner.
Mais je suis né sujet, et j'aime trop à l'être
Pour hasarder mes jours que pour servir mon maître,
Et consentir jamais qu'un homme tel que moi
Souille par son hymen le pur sang de son Roi.   880

ORODE

Je n'examine point si ce respect déguise,
Mais parlons une fois avec pleine franchise.
Vous êtes mon sujet, mais un sujet si grand,
Que rien n'est malaisé quand son bras l'entreprend.
Vous possédez sous moi deux provinces entières   885
De peuples si hardis, de nations si fières,
Que sur tant de vassaux je n'ai d'autorité
Qu'autant que votre zèle a de fidélité.
Ils vous ont jusqu'ici suivi comme fidèle,
Et quand vous le voudrez, ils vous suivront rebelle.   890
Vous avez tant de nom que tous les rois voisins
Vous veulent, comme Orode, unir à leurs destins :
La victoire, chez vous passée en habitude,
Met jusque dans ses murs Rome en inquiétude :
Par gloire, ou pour braver au besoin mon courroux,   895
Vous traînez en tous lieux dix mille âmes à vous :
Le nombre est peu commun pour un train domestique,
Et s'il faut qu'avec vous tout à fait je m'explique,
Je ne saurais croire assez en mon pouvoir,
Si les nœuds de l'hymen n'enchaînent le devoir.   900

SURÉNA

Par quel crime, Seigneur, ou par quelle imprudence
Ai-je pu mériter si peu de confiance?
Si mon cœur, si mon bras pouvait être gagné,

14. Cf. note 3. Il semble que Corneille ait changé le nom de
Mithridate III en Mithradate, pour éviter la confusion avec le
roi du Pont, ennemi de Rome, dont Racine venait de faire le
héros de sa septième tragédie.

Mithradate et Crassus n'auraient rien épargné :
905 Tous les deux...

ORODE

Laissons là Crassus et Mithradate.
Suréna, j'aime à voir que votre gloire éclate,
Tout ce que je vous dois, j'aime à le publier.
Mais quand je m'en souviens, vous devez l'oublier.
Si le ciel par vos mains m'a rendu cet Empire,
910 Je sais vous épargner la peine de le dire,
Et s'il met votre zèle au-dessus du commun,
Je n'en suis point ingrat : craignez d'être importun.

SURÉNA

Je reviens à Palmis, Seigneur. De mes hommages
Si les lois du devoir sont de trop faibles gages,
915 En est-il de plus sûrs, ou de plus fortes lois,
Qu'avoir une sœur Reine et des neveux pour Rois ?
Mettez mon sang au trône, et n'en cherchez point
Pour unir à tel point mes intérêts aux vôtres [d'autres,
Que tout cet univers, que tout notre avenir
920 Ne trouve aucune voie à les en désunir.

ORODE

Mais, Suréna, le puis-je après la foi donnée,
Au milieu des apprêts d'un si grand hyménée ?
Et rendrai-je aux Romains qui voudraient me braver
Un ami que la paix vient de leur enlever ?
925 Si le Prince renonce au bonheur qu'il espère,
Que dira la Princesse, et que fera son père ?

SURÉNA

Pour son père, Seigneur, laissez-m'en le souci.
J'en réponds, et pourrais répondre d'elle aussi.
Malgré la triste paix que vous avez jurée,
930 Avec le Prince même elle s'est déclarée,
Et si je puis vous dire avec quels sentiments
Elle attend à demain l'effet de vos serments,
Elle aime ailleurs.

ORODE

Et qui ?

SURÉNA

C'est ce qu'elle aime à taire :
Du reste son amour n'en fait aucun mystère,
935 Et cherche à reculer les effets d'un traité
Qui fait tant murmurer votre peuple irrité.

ORODE

Est-ce au peuple, est-ce à vous, Suréna, de me dire
Pour lui donner des Rois quel sang je dois élire ?
Et pour voir dans l'État tous mes ordres suivis,
940 Est-ce de mes sujets que j'ai pris avis ?
Si le Prince à Palmis veut rendre sa tendresse,
Je consens qu'il dédaigne à son tour la Princesse,
Et nous verrons après quel remède apporter
A la division qui peut en résulter.
945 Pour vous, qui vous sentez indigne de ma fille,
Et craignez par respect d'entrer en ma famille,
Choisissez un parti qui soit digne de vous,
Et qui surtout n'ait rien à me rendre jaloux :
Mon âme avec chagrin sur ce point balancée
950 En veut, et dès demain, être débarrassée.

SURÉNA

Seigneur, je n'aime rien.

ORODE

Que vous aimiez ou non,
Faites un choix vous-même, ou souffrez-en le don.

SURÉNA

Mais si j'aime en tel lieu qu'il m'en faille avoir honte,
Du secret de mon cœur puis-je vous rendre conte ?

ORODE

A demain, Suréna. S'il se peut, dès ce jour,
Résolvons cet hymen avec ou sans amour.
Cependant allez voir la Princesse Eurydice,
Sous les lois du devoir ramenez son caprice,
Et ne m'obligez point à faire à ses appas
Un compliment de Roi qui ne lui plairait pas.
Palmis vient par mon ordre, et je veux en apprendre
Dans vos prétentions la part qu'elle aime à prendre.

Scène III : Orode, Palmis.

ORODE

Suréna m'a surpris, et je n'aurais pas dit
Qu'avec tant de valeur il eût eu tant d'esprit.
Mais moins on le prévoit, et plus cet esprit brille,
Il trouve des raisons à refuser ma fille,
Mais fortes, et qui même ont si bien succédé [15]
Que s'en disant indigne il m'a persuadé.
Savez-vous ce qu'il aime ? Il est hors d'apparence
Qu'il fasse un tel refus sans quelque préférence,
Sans quelque objet charmant, dont l'adorable choix
Ferme tout son grand cœur au pur sang de ses Rois.

PALMIS

J'ai cru qu'il n'aimait rien.

ORODE

Il me l'a dit lui-même.
Mais la Princesse avoue, et hautement, qu'elle aime :
Vous êtes son amie, et savez quel amant
Dans un cœur qu'elle doit règne si puissamment.

PALMIS

Si la Princesse en moi prend quelque confiance,
Seigneur, m'est-il permis d'en faire confidence ?
Reçoit-on des secrets sans une forte loi... ?

ORODE

Je croyais qu'elle pût se rompre pour un Roi,
Et veux bien toutefois qu'elle soit si sévère
Qu'en mon propre intérêt elle oblige à se taire :
Mais vous pouvez du moins me répondre de vous.

PALMIS

Ah! pour mes sentiments, je vous les dirai tous.
J'aime ce que j'aimais, et n'ai point changé d'âme :
Je n'en fais point secret.

ORODE

L'aimer encor, Madame ?
Ayez-en quelque honte, et parlez-en plus bas.
C'est faiblesse d'aimer qui ne vous aime pas.

PALMIS

Non, Seigneur : à son Prince attacher sa tendresse,
C'est une grandeur d'âme et non une faiblesse,
Et lui garder un cœur qu'il lui plut mériter
N'a rien d'assez honteux pour ne s'en point vanter.

15. Réussi.

J'en ferai toujours gloire, et mon âme charmée
De l'heureux souvenir de m'être vue aimée,
N'étouffera jamais l'éclat de ces beaux feux
Qu'alluma son mérite, et l'offre de ses vœux.

ORODE

Faites mieux, vengez-vous. Il est des Rois, Madame,
Plus dignes qu'un ingrat d'une si belle flamme.

PALMIS

De ce que j'aime encor ce serait m'éloigner,
Et me faire un exil sous ombre de régner.
Je veux toujours le voir, cet ingrat qui me tue,
Non pour le triste bien de jouir de sa vue,
Cette fausse douceur est au-dessous de moi,
Et ne vaudra jamais que je néglige un Roi.
Mais il est des plaisirs qu'une amante trahie
Goûte au milieu des maux qui lui coûtent la vie :
Je verrai l'infidèle inquiet, alarmé
D'un rival inconnu, mais ardemment aimé,
Rencontrer à mes yeux sa peine dans son crime,
Par les mains de l'hymen devenir ma victime,
Et ne me regarder, dans ce chagrin profond,
Que le remords en l'âme, et la rougeur au front.
De mes bontés pour lui l'impitoyable image,
Qu'imprimera l'amour sur mon pâle visage,
Insultera son cœur, et dans nos entretiens
Mes pleurs et mes soupirs rappelleront les siens,
Mais qui ne serviront qu'à lui faire connaître
Qu'il pouvait être heureux et ne saurait plus l'être,
Qu'à lui faire trop tard haïr son peu de foi,
Et, pour tout dire ensemble, avoir regret à moi.
  Voilà tout le bonheur où mon amour aspire,
Voilà contre un ingrat tout ce que je conspire,
Voilà tous les plaisirs que j'espère à le voir,
Et tous les sentiments que vous vouliez savoir.

ORODE

C'est bien traiter les·Rois en personnes communes
Qu'attacher à leur rang ces gênes importunes,
Comme si pour vous plaire et les inquiéter
Dans le trône avec eux l'amour pouvait monter.
Il nous faut un hymen, pour nous donner des Princes
Qui soient l'appui du sceptre et l'espoir des provinces :
C'est là qu'est notre force, et dans nos grands destins,
Le manque de vengeurs enhardit les mutins.
Du reste en ces grands nœuds l'État qui s'intéresse
Ferme l'œil aux attraits et l'âme à la tendresse.
La seule politique est ce qui nous émeut,
On la suit, et l'amour s'y mêle comme il peut :
S'il vient, on l'applaudit; s'il manque, on s'en console.
C'est dont vous pouvez croire un Roi sur sa parole.
Nous ne sommes point faits pour devenir jaloux,
Ni pour être en souci si le cœur est à nous.
Ne vous repaissez plus de ces vaines chimères,
Qui ne font les plaisirs que des âmes vulgaires,
Madame, et que le Prince aye ou non à souffrir,
Acceptez un des Rois que je puis vous offrir.

PALMIS

Pardonnez-moi, Seigneur, si mon âme alarmée
Ne veut point de ces Rois dont on n'est point aimée.
J'ai cru l'être du Prince, et l'ai trouvé si doux
Que le souvenir seul m'en plaît plus qu'un époux.

ORODE

N'en parlons plus, Madame, et dites à ce frère
Qui vous est aussi cher que vous me seriez chère,   1050
Que parmi ses respects il n'a que trop marqué...

PALMIS

Quoi, Seigneur ?

ORODE

                    Avec lui je crois m'être expliqué.
Qu'il y pense, Madame. Adieu.

PALMIS

                              Quel triste augure,
Et que ne me dit point cette menace obscure !
Sauvez ces deux amants, ô ciel, et détournez   1055
Les soupçons que leurs feux peuvent avoir donnés.

ACTE QUATRIÈME

Scène I : Ormène, Eurydice.

ORMÈNE

Oui, votre intelligence à demi découverte
Met votre Suréna sur le bord de sa perte.
Je l'ai su de Sillace, et j'ai lieu de douter
Qu'il n'ait, s'il faut tout dire, ordre de l'arrêter.   1060

EURYDICE

On n'oserait, Ormène, on n'oserait.

ORMÈNE

                                    Madame,
Croyez-en un peu moins votre fermeté d'âme.
Un héros arrêté n'a que deux bras à lui,
Et souvent trop de gloire est un débile appui.

EURYDICE

Je sais que le mérite est sujet à l'envie,   1065
Que son chagrin s'attache à la plus belle vie.
Mais sur quelle apparence oses-tu présumer
Qu'on pourrait... ?

ORMÈNE

            Il vous aime, et s'en est fait aimer.

EURYDICE

Qui l'a dit ?

ORMÈNE

            Vous et lui : c'est son crime et le vôtre.
Il refuse Mandane, et n'en veut aucune autre,   1070
On sait que vous aimez, on ignore l'amant :
Madame, tout cela parle trop clairement.

EURYDICE

Ce sont de vains soupçons qu'avec moi tu hasardes.

Scène II : Eurydice, Palmis, Ormène.

PALMIS

Madame, à chaque porte on a posé.des gardes :
Rien n'entre, rien ne sort qu'avec ordre du Roi.   1075

EURYDICE

Qu'importe, et quel sujet en prenez-vous d'effroi ?

PALMIS

Ou quelque grand orage à nous troubler s'apprête,
Ou l'on en veut, Madame, à quelque grande tête.
Je tremble pour mon frère.

EURYDICE

A quel propos trembler ?
1080 Un Roi qui lui doit tout voudrait-il l'accabler ?

PALMIS

Vous le figurez-vous à tel point insensible
Que de son alliance un refus si visible... ?

EURYDICE

Un si rare service a su le prévenir
Qu'il doit récompenser avant que de punir.

PALMIS

1085 Il le doit, mais après une pareille offense,
Il est rare qu'on songe à la reconnaissance,
Et par un tel mépris le service effacé
Ne tient plus d'yeux ouverts sur ce qui s'est passé.

EURYDICE

Pour la sœur d'un héros, c'est être bien timide.

PALMIS

1090 L'amante a-t-elle droit d'être plus intrépide ?

EURYDICE

L'amante d'un héros aime à lui ressembler,
Et voit ainsi que lui ses périls sans trembler.

PALMIS

Vous vous flattez, Madame, elle a de la tendresse
Que leur idée étonne, et leur image blesse.
1095 Et ce que dans sa perte elle prend d'intérêt
Ne saurait sans désordre en attendre l'arrêt.
Cette mâle vigueur de constance héroïque
N'est point une vertu dont le sexe se pique,
Ou s'il peut jusque-là porter sa fermeté,
1100 Ce qu'il appelle amour n'est qu'une dureté.
Si vous aimiez mon frère, on verrait quelque alarme.
Il vous échapperait un soupir, une larme,
Qui marquerait du moins un sentiment jaloux
Qu'une sœur se montrât plus sensible que vous.
1105 Dieux ! je donne l'exemple, et l'on s'en peut défendre !
Je le donne à des yeux qui ne daignent le prendre !
Aurait-on jamais cru qu'on pût voir quelque jour
Les nœuds du sang plus forts que les nœuds de
[l'amour ?
Mais j'ai tort, et la perte est pour vous moins amère :
1110 On recouvre un amant plus aisément qu'un frère,
Et si je perds celui que le ciel me donna,
Quand j'en recouvrerais, serait-ce un Suréna ?

EURYDICE

Et si j'avais perdu cet amant qu'on menace,
Serait-ce un Suréna qui remplirait sa place ?
1115 Pensez-vous qu'exposée à de si rudes coups,
J'en soupire au dedans, et tremble moins que vous ?
Mon intrépidité n'est qu'un effort de gloire,
Que, tout fier qu'il paraît, mon cœur n'en veut pas
Il est tendre, et ne rend le tribut qu'à regret [croire.
1120 Au juste et dur orgueil qu'il dément en secret [16],
Oui, s'il en faut parler avec une âme ouverte,
Je pense voir déjà l'appareil de sa perte,
De ce héros si cher, et ce mortel ennui
N'ose plus aspirer qu'à mourir avec lui.

16: Eurydice, qui a paru jusqu'ici de la lignée de Pauline
ou de Cornélie, montre qu'elle aussi tente de se leurrer elle-
même, tout en restant lucide.

PALMIS

Avec moins de chaleur, vous pourriez bien plus faire.
Acceptez mon amant pour conserver mon frère,
Madame, et puisque enfin il vous faut l'épouser
Tâchez, par politique, à vous y disposer.

EURYDICE

Mon amour est trop fort pour cette politique,
Tout entier on l'a vu, tout entier il s'explique,
Et le Prince sait trop ce que j'ai dans le cœur,
Pour recevoir ma main comme un parfait bonheur.
J'aime ailleurs, et l'ai dit trop haut pour m'en dédire,
Avant qu'en sa faveur tout cet amour expire.
C'est avoir trop parlé, mais dût se perdre tout,
Je me tiendrai parole, et j'irai jusqu'au bout.

PALMIS

Ainsi donc vous voulez que ce héros périsse ?

EURYDICE

Pourrait-on en venir jusqu'à cette injustice ?

PALMIS

Madame, il répondra de toutes vos rigueurs,
Et du trop d'union où s'obstinent vos cœurs.
Rendez heureux le Prince, il n'est plus sa victime ;
Qu'il se donne à Mandane, il n'aura plus de crime.

EURYDICE

Qu'il s'y donne, Madame, et ne m'en dise rien,
Ou si son cœur encor peut dépendre du mien,
Qu'il attende à l'aimer que ma haine cessée
Vers l'amour de son frère ait tourné ma pensée.
Résolvez-le vous-même à me désobéir,
Forcez-moi, s'il se peut, moi-même à le haïr,
A force de raisons faites-m'en un rebelle,
Accablez-le de pleurs pour le rendre infidèle,
Par pitié, par tendresse, appliquez tous vos soins
A me mettre en état de l'aimer un peu moins :
J'achèverai le reste. A quelque point qu'on aime,
Quand le feu diminue, il s'éteint de lui-même.

PALMIS

Le Prince vient, Madame, et n'a pas grand besoin,
Dans son amour pour vous, d'un odieux témoin.
Vous pourrez mieux sans moi flatter son espérance,
Mieux en notre faveur tourner sa déférence,
Et ce que je prévois me fait assez souffrir,
Sans y joindre les vœux qu'il cherche à vous offrir.

Scène III : Pacorus, Eurydice, Ormène.

EURYDICE

Est-ce pour moi, Seigneur, qu'on fait garde à vos
Pour assurer ma fuite, ai-je ici des escortes ? [portes ?
Ou si ce grand hymen, pour ses derniers apprêts...

PACORUS

Madame, ainsi que vous chacun a ses secrets.
Ceux que vous honorez de votre confidence
Observent par votre ordre un généreux silence.
Le Roi suit votre exemple, et si c'est vous gêner,
Comme nous devinons, vous pouvez deviner.

EURYDICE

Qui devine est souvent sujet à se méprendre.

PACORUS

Si je devine mal, je sais à qui m'en prendre,

Et comme votre amour n'est que trop évident,
Si je n'en sais l'objet, j'en sais le confident.
Il est le plus coupable : un amant peut se taire,
Mais d'un sujet au Roi, c'est crime qu'un mystère.
5 Qui connaît un obstacle au bonheur de l'État,
Tant qu'il le tient caché commet un attentat.
Ainsi ce confident... Vous m'entendez, Madame,
Et je vois dans les yeux ce qui se passe en l'âme.

            EURYDICE
S'il a ma confidence, il a mon amitié,
0 Et je lui dois, Seigneur, du moins quelque pitié.

            PACORUS
Ce sentiment est juste, et même je veux croire
Qu'un cœur comme le vôtre a droit d'en faire gloire,
Mais ce trouble, Madame, et cette émotion,
N'ont-ils rien de plus fort que la compassion ?
5 Et quand de ses périls l'ombre vous intéresse,
Qu'une pitié si prompte en sa faveur vous presse,
Un si cher confident ne fait-il point douter
De l'amant ou de lui qui les peut exciter ?

            EURYDICE
Qu'importe, et quel besoin de les confondre ensemble,
0 Quand ce n'est que pour vous, après tout, que je

            PACORUS   [tremble ?
Quoi ! vous me menacez moi-même à votre tour,
Et les emportements de votre aveugle amour...

            EURYDICE   [pense :
Je m'emporte et m'aveugle un peu moins qu'on ne
Pour l'avouer vous-même, entrons en confidence.
5 Seigneur, je vous regarde en qualité d'époux,
Ma main ne saurait être et ne sera qu'à vous,
Mes vœux y sont déjà, tout mon cœur y veut être,
Dès que je le pourrai, je vous en ferai maître,
Et si pour s'y réduire il me fait différer,
0 Cet amant si chéri n'en peut rien espérer.
Je ne serai qu'à vous, qui que ce soit que j'aime,
A moins qu'à vous quitter vous m'obligiez vous-même.
Mais s'il faut que le temps m'apprenne à vous aimer,
Il ne me l'apprendra qu'à force d'estimer,
5 Et si vous me forcez à perdre cette estime,
Si votre impatience ose aller jusqu'au crime...
Vous m'entendez, Seigneur, et c'est vous dire assez
D'où me viennent pour vous ces vœux intéressés.
J'ai part à votre gloire, et je tremble pour elle
0 Que vous ne la souilliez d'une tache éternelle,
Que le barbare éclat d'un indigne soupçon
Ne fasse à l'univers détester votre nom,
Et que vous ne veuilliez sortir d'inquiétude
Par une épouvantable et noire ingratitude.
5 Pourrais-je après cela vous conserver ma foi,
Comme si vous étiez encor digne de moi,
Recevoir sans horreur l'offre d'une couronne,
Toute fumante encor du sang qui vous la donne,
Et m'exposer en proie aux fureurs des Romains,
0 Quand pour me repousser vous n'aurez plus de mains ?
Si Crassus est défait, Rome n'est pas détruite :
D'autres ont ramassé les débris de sa fuite,
De nouveaux escadrons leur vont enfler le cœur,
Et vous avez besoin encor de son vainqueur.
Voilà ce que pour vous craint une destinée

Qui se doit bientôt voir à la vôtre enchaînée,
Et deviendrait infâme à se vouloir unir
Qu'à des Rois dont on puisse aimer le souvenir.

            PACORUS
Tout ce que vous craignez est en votre puissance,
Madame : il ne vous faut qu'un peu d'obéissance,   1230
Qu'exécuter demain ce qu'un père a promis ;
L'amant, le confident, n'auront plus d'ennemis.
C'est de quoi tout mon cœur de nouveau vous conjure,
Par les tendres respects d'une flamme si pure,
Ces assidus respects, qui sans cesse bravés,   1235
Ne peuvent obtenir ce que vous me devez,
Par tout ce qu'a de rude un orgueil inflexible,
Par tous les maux que souffre...

            EURYDICE
                  Et moi, suis-je insensible ?
Livre-t-on à mon cœur de moins rudes combats ?
Seigneur, je suis aimée, et vous ne l'êtes pas ;   1240
Mon devoir vous prépare un assuré remède,
Quand il n'en peut souffrir au mal qui me possède,
Et pour finir le vôtre, il ne veut qu'un moment,
Quand il faut que le mien dure éternellement.

            PACORUS
Ce moment quelquefois est difficile à prendre,   1245
Madame, et si le Roi se lasse de l'attendre,
Pour venger le mépris de son autorité,
Songez à ce que peut un monarque irrité.

            EURYDICE
Ma vie est en ses mains, et de son grand courage
Il peut montrer sur elle un glorieux ouvrage.   1250

            PACORUS
Traitez-le mieux, de grâce, et ne vous alarmez
Que pour la sûreté de ce que vous aimez :
Le Roi sait votre faible et le trouble que porte
Le péril d'un amant dans l'âme la plus forte.

            EURYDICE
C'est mon faible, il est vrai, mais si j'ai de l'amour,   1255
J'ai du cœur, et pourrai le mettre en son plein jour.
Ce grand Roi cependant prend une aimable voie
Pour me faire accepter ses ordres avec joie !
Pensez-y mieux, de grâce, et songez qu'au besoin
Un pas hors du devoir nous peut mener bien loin.   1260
Après ce premier pas, ce pas qui seul nous gêne,
L'amour rompt aisément le reste de sa chaîne,
Et tyran à son tour du devoir méprisé,
Il s'applaudit longtemps du joug qu'il a brisé.

            PACORUS
Madame...   1265

            EURYDICE
            Après cela, Seigneur, je me retire,
Et s'il vous reste encor quelque chose à me dire,
Pour éviter l'éclat d'un orgueil imprudent,
Je vous laisse achever avec mon confident.

            Scène IV : Pacorus, Suréna.

            PACORUS
Suréna, je me plains, et j'ai lieu de me plaindre.
            SURÉNA
De moi, Seigneur ?   1270

PACORUS

De vous. Il n'est plus temps de feindre :
Malgré tous vos détours on sait la vérité,
Et j'attendais de vous plus de sincérité,
Moi qui mettais en vous ma confiance entière,
Et ne voulais souffrir aucune autre lumière.
1275 L'amour dans sa prudence est toujours indiscret,
À force de se taire il trahit son secret :
Le soin de le cacher découvre ce qu'il cache,
Et son silence dit tout ce qu'il craint qu'on sache.
Ne cachez plus le vôtre, il est connu de tous,
1280 Et toute votre adresse a parlé contre vous.

SURÉNA

Puisque vous vous plaignez, la plainte est légitime,
Seigneur, mais après tout j'ignore encor mon crime.

PACORUS

Vous refusez Mandane avec tant de respect
Qu'il est trop raisonné pour n'être point suspect.
1285 Avant qu'on vous l'offrît vos raisons étaient prêtes,
Et jamais on n'a vu de refus plus honnêtes.
Mais ces honnêtetés ne font pas moins rougir,
Il fallait tout promettre, et la laisser agir,
Il fallait espérer de son orgueil sévère
1290 Un juste désaveu des volontés d'un père,
Et l'aigrir par des vœux si froids, si mal conçus,
Qu'elle usurpât sur vous la gloire du refus.
Vous avez mieux aimé tenter un artifice
Qui pût mettre Palmis où doit être Eurydice,
1295 En me donnant le change attirer mon courroux,
Et montrer quel objet vous réservez pour vous.
Mais vous auriez mieux fait d'appliquer tant d'adresse
A remettre au devoir l'esprit de la Princesse,
Vous en avez eu l'ordre, et j'en suis plus haï :
1300 C'est pour un bon sujet avoir bien obéi.

SURÉNA   [aime,

Je le vois bien, Seigneur : qu'on m'aime, qu'on vous
Qu'on ne vous aime pas, que je n'aime pas même,
Tout m'est compté pour crime, et je dois seul au Roi
Répondre de Palmis, d'Eurydice et de moi :
1305 Comme si je pouvais sur une âme enflammée
Ce qu'on ne voit pouvoir sur tout un corps d'armée,
Et qu'un cœur ne fût pas plus pénible à tourner
Que les Romains à vaincre, ou qu'un sceptre à donner.
Sans faire un nouveau crime, oserais-je vous dire
1310 Que l'empire des cœurs n'est pas de votre empire,
Et que l'amour, jaloux de son autorité,
Ne reconnaît ni Roi ni souveraineté ?
Il hait tous les emplois où la force l'appelle :
Dès qu'on le violente, on en fait un rebelle,
1315 Et je suis criminel de ne pas triompher,
Quand vous-même, Seigneur, ne pouvez l'étouffer !
Changez-en par votre ordre à tel point le caprice,
Qu'Eurydice vous aime, et Palmis vous haïsse,
Ou rendez votre cœur à vos lois si soumis
1320 Qu'il dédaigne Eurydice, et retourne à Palmis.
Tout ce que vous pourrez ou sur vous ou sur elles
Rendra mes actions d'autant plus criminelles;
Mais sur elles, sur vous si vous ne pouvez rien,
Des crimes de l'amour ne faites plus le mien.

PACORUS

Je pardonne à l'amour les crimes qu'il fait faire,
Mais je n'excuse point ceux qu'il s'obstine à taire,
Qui cachés avec soin se commettent longtemps,
Et tiennent près des Rois de secrets mécontents.
Un sujet qui se voit le rival de son maître,
Quelque étude qu'il perde à ne le point paraître,
Ne pousse aucun soupir sans faire un attentat,
Et d'un crime d'amour en fait un d'État.
Il a besoin de grâce, et surtout quand on l'aime
Jusqu'à se révolter contre le diadème,
Jusqu'à servir d'obstacle au bonheur général.

SURÉNA

Oui, mais quand de son maître on lui fait un rival,
Qu'il aimait le premier, qu'en dépit de sa flamme,
Il cède, aimé qu'il est, ce qu'adore son âme,
Qu'il renonce à l'espoir, dédit sa passion,
Est-il digne de grâce, ou de compassion ?

PACORUS

Qui cède ce qu'il aime est digne qu'on le loue,
Mais il ne cède rien, quand on l'en désavoue,
Et les illusions d'un si faux compliment
Ne méritent qu'un long et vrai ressentiment.

SURÉNA

Tout à l'heure, Seigneur, vous me parliez de grâce,
Et déjà vous passez jusques à la menace !
La grâce est aux grands cœurs honteuse à recevoir,
La menace n'a rien qui les puisse émouvoir.
Tandis que hors des murs ma suite est dispersée,
Que la garde au dedans par Sillace est placée,
Que le peuple s'attend à me voir arrêter,
Si quelqu'un en a l'ordre, il peut l'exécuter.
Qu'on veuille mon épée, ou qu'on veuille ma tête,
Dites un mot, Seigneur, et l'une et l'autre est prête,
Je n'ai goutte de sang qui ne soit à mon Roi,
Et s'il on m'ose perdre, il perdra plus que moi.
J'ai vécu pour ma gloire autant qu'il fallait vivre,
Et laisse un grand exemple à qui pourra me suivre,
Mais si vous me livrez à vos chagrins jaloux,
Je n'aurai pas peut-être assez vécu pour vous.

PACORUS

Suréna, mes pareils n'aiment point ces manières,
Ce sont fausses vertus que des vertus si fières.
Après tant de hauts faits et d'exploits signalés,
Le Roi ne peut douter de ce que vous valez,
Il ne veut point vous perdre, épargnez-vous la peine
D'attirer sa colère et mériter ma haine :
Donnez à vos égaux l'exemple d'obéir,
Plutôt que d'un amour qui cherche à vous trahir.
Il sied bien aux grands cœurs de paraître intrépides,
De donner à l'orgueil plus qu'aux vertus solides,
Mais souvent ces grands cœurs n'en font que mieux
A paraître au besoin maîtres de leur amour. [leur cour
Recevez cet avis d'une amitié fidèle.
Ce soir la Reine arrive, et Mandane avec elle.
Je ne demande point le secret de vos feux, [veux... »
Mais songez bien qu'un Roi, quand il dit : « Je le
Adieu : ce mot suffit, et vous devez m'entendre.

SURÉNA

Je fais plus, je prévois ce que j'en dois attendre :

Je l'attends sans frayeur, et quel qu'en soit le cours,
1380 J'aurai soin de ma gloire, ordonnez de mes jours.

ACTE CINQUIÈME

Scène I : Orode, Eurydice.

ORODE

Ne me l'avouez point : en cette conjoncture,
Le soupçon m'est plus doux que la vérité sûre,
L'obscurité m'en plaît, et j'aime à n'écouter
Que ce qui laisse encor liberté d'en douter.
1385 Cependant par mon ordre on a mis garde aux portes,
Et d'un amant suspect dispersé les escortes,
De crainte qu'un aveugle et fol emportement
N'allât, et malgré vous, jusqu'à l'enlèvement.
1390 Et pour deux cœurs unis l'amour a tant d'amorce
Que le plus grand courroux qu'on voie y succéder
N'aspire qu'aux douceurs de se raccommoder.
Il n'est que trop aisé de juger quelle suite
Exigerait de moi l'éclat de cette fuite,
1395 Et pour n'en pas venir à ces extrémités,
Que vous l'aimiez ou non, j'ai pris mes sûretés.

EURYDICE

A ces précautions je suis trop redevable,
Une prudence moindre en serait incapable,
Seigneur, mais dans le doute où votre esprit se plaît,
1400 Si j'ose en ce héros prendre quelque intérêt,
Son sort est plus douteux que votre incertitude,
Et j'ai lieu plus que vous de m'être en inquiétude.
Je ne vous réponds point sur cet enlèvement :
Mon devoir, ma fierté, tout en moi le dément.
1405 La plus haute vertu peut céder à la force,
Je le sais : de l'amour je sais quelle est l'amorce,
Mais contre tous les deux l'orgueil peut secourir,
Et rien n'en est à craindre alors qu'on sait mourir.
Je ne serai qu'au Prince.

ORODE

Oui, mais à quand, Madame,
1410 A quand cet heureux jour, que de toute son âme...

EURYDICE

Il se verrait, Seigneur, dès ce soir mon époux,
S'il n'eût point voulu voir dans mon cœur plus que
Sa curiosité s'est trop embarrassée   [vous.
D'un point dont il devait éloigner sa pensée;
15 Il sait que j'aime ailleurs, et l'a voulu savoir,
Pour peine il attendra l'effort de mon devoir.

ORODE

Les délais les plus longs, Madame, ont quelque terme.

EURYDICE

Le devoir vient à bout de l'amour le plus ferme,
Les grands cœurs ont vers lui des retours éclatants,
20 Et quand on veut se vaincre, il y faut peu de temps.
Un jour y peut beaucoup, une heure y peut suffire,
Un de ces bons moments qu'un cœur n'ose en dédire;
S'il ne suit pas toujours nos souhaits et nos soins
Il arrive souvent quand on l'attend le moins.
25 Mais je ne promets pas de m'y rendre facile,

Seigneur, tant que j'aurai l'âme si peu tranquille,
Et je ne livrerai mon cœur qu'à mes ennuis,
Tant qu'on me laissera dans l'alarme où je suis.

ORODE

Le sort de Suréna vous met donc en alarme?

EURYDICE

Je vois ce que pour tous ses vertus ont de charme,   1430
Et puis craindre pour lui ce qu'on voit craindre à tous,
Ou d'un maître en colère, ou d'un rival jaloux.
Ce n'est point toutefois l'amour qui m'intéresse,
C'est... Je crains encor plus que ce mot ne vous blesse,
Et qu'il ne vaille mieux, s'en tenir à l'amour,   1435
Que d'en mettre, et sitôt, le vrai sujet au jour.

ORODE

Non, Madame, parlez, montrez toutes vos craintes :
Puis-je sans les connaître en guérir les atteintes,
Et dans l'épaisse nuit où vous vous retranchez,
Choisir le vrai remède aux maux que vous cachez?   1440

EURYDICE

Mais si je vous disais que j'ai droit d'être en peine
Pour un trône où je dois un jour monter en Reine,
Que perdre Suréna, c'est livrer aux Romains
Un sceptre que son bras a remis en vos mains,
Que c'est ressusciter l'orgueil de Mithradate,   1445
Exposer avec vous Pacorus et Phradate,
Que je crains que sa mort, enlevant votre appui,
Vous renvoie à l'exil où vous seriez sans lui?
Seigneur, ce serait être un peu trop téméraire :
J'ai dû le dire au Prince, et je dois vous le taire, 1450
J'en dois craindre un trop long et trop juste courroux,
Et l'amour trouvera plus de grâce chez vous.

ORODE

Mais, Madame, est-ce à vous d'être si politique?
Qui peut se taire ainsi, voyons comme il s'explique.
Si votre Suréna m'a rendu mes États,   1455
Me les a-t-il rendus pour ne m'obéir pas,
Et trouvez-vous par là sa valeur bien fondée
A ne m'estimer plus son maître qu'en idée,
A vouloir qu'à ses lois j'obéisse à mon tour?
Ce discours irait loin : revenons à l'amour,   1460
Madame, et s'il est vrai qu'enfin...

EURYDICE

Laissez-m'en faire,
Seigneur : je me vaincrai, j'y tâche, je l'espère,
J'ose dire encor plus, je m'en fais une loi,
Mais je veux que le temps en dépende de moi.

ORODE

C'est bien parler en Reine, et j'aime assez, Madame,   1465
L'impétuosité de cette grandeur d'âme :
Cette noble fierté que rien ne peut dompter
Remplira bien ce trône où vous devez monter.
Donnez-moi donc en Reine un ordre que je suive.
Phradate est arrivé, ce soir Mandane arrive,   1470
Ils sauront quels respects a montrés pour sa main
Cet intrépide effroi de l'empire romain.
Mandane en rougira, le voyant auprès d'elle,
Phradate est violent, et prendra sa querelle.
Près d'un esprit si chaud et si fort emporté,   1475
Suréna dans ma cour est-il est sûreté?
Puis-je vous en répondre, à moins qu'il se retire?

EURYDICE

Bannir de votre cour l'honneur de votre Empire!
Vous le pouvez, Seigneur, et vous êtes son Roi,
1480 Mais je ne puis souffrir qu'il soit banni pour moi.
Car enfin les couleurs ne font rien à la chose,
Sous un prétexte faux je n'en suis pas moins cause,
Et qui craint pour Mandane un peu trop de rougeur
Ne craint pour Suréna que le fond de mon cœur.
1485 Qu'il parte, il vous déplaît, faites-vous-en justice,
Punissez, exilez : il faut qu'il obéisse;
Pour remplir mes devoirs j'attendrai son retour,
Seigneur, et jusque-là point d'hymen ni d'amour.

ORODE

Vous pourriez épouser le Prince en sa présence?

EURYDICE

1490 Je ne sais, mais enfin je hais la violence.

ORODE

Empêchez-la, Madame, en vous donnant à nous,
Ou faites qu'à Mandane il s'offre pour époux.
Cet ordre exécuté, mon âme satisfaite
Pour ce héros si cher ne veut plus de retraite.
1495 Qu'on le fasse venir. Modérez vos hauteurs : [cœurs.
L'orgueil n'est pas toujours la marque des grands
Il me faut un hymen : choisissez l'un ou l'autre,
Ou lui dites adieu pour le moins jusqu'au vôtre.

EURYDICE

Je sais tenir, Seigneur, tout ce que je promets,
1500 Et promettrais en vain de ne le voir jamais
Moi qui sais que bientôt la guerre rallumée
Le rendra pour le moins nécessaire à l'armée.

ORODE

Nous ferons voir, Madame, en cette extrémité,
Comme il faut obéir à la nécessité.
1505 Je vous laisse avec lui.

Scène II : Eurydice, Suréna.

EURYDICE

　　　　　　Seigneur, le Roi condamne
Ma main à Pacorus ou la vôtre à Mandane,
Le refus n'en saurait demeurer impuni :
Il lui faut l'une ou l'autre, ou vous êtes banni.

SURÉNA

Madame, ce refus n'est point vers lui mon crime :
1510 Vous m'aimez : ce n'est point non plus ce qui l'anime.
Mon crime véritable est d'avoir aujourd'hui
Plus de nom que mon Roi, plus de vertu que lui,
Et c'est de là que part cette secrète haine
Que le temps ne rendra que plus forte et plus pleine.
1515 Plus on sert des ingrats, plus on s'en fait haïr :
Tout ce qu'on fait pour eux ne fait que nous trahir.
Mon visage l'offense, et ma gloire le blesse,
Jusqu'au fond de mon âme il cherche une bassesse,
Et tâche à s'ériger par l'offre ou par la peur,
1520 De Roi que je l'ai fait, en tyran de mon cœur :
Comme si par ses dons il pouvait me séduire,
Ou qu'il pût m'accabler, et ne se point détruire.
Je lui dois en sujet tout mon sang, tout mon bien,
Mais si je lui dois tout, mon cœur ne lui doit rien,
1525 Et n'en reçoit de lois que comme autant d'outrages,

Comme autant d'attentats sur de plus doux homma-
Cependant pour jamais il faut nous séparer, [ges.
Madame.

EURYDICE

Cet exil pourrait toujours durer?

SURÉNA

En vain pour mes pareils leur vertu sollicite,
Jamais un envieux ne pardonne au mérite.　　　　　　15
Cet exil toutefois n'est pas un long malheur,
Et je n'irai pas loin sans mourir de douleur.

EURYDICE

Ah! craignez de m'en voir assez persuadée
Pour mourir avant vous de cette seule idée.
Vivez, si vous m'aimez.　　　　　　　　　　　　　15

SURÉNA

　　　　　　Je vivrais pour savoir
Que vous aurez enfin rempli votre devoir,
Que d'un cœur tout à moi, que de votre personne
Pacorus sera maître, ou plutôt sa couronne!
Ce penser m'assassine, et je cours de ce pas
Beaucoup moins à l'exil, Madame, qu'au trépas.　　15

EURYDICE

Que le ciel n'a-t-il mis en ma main et la vôtre
Ou de n'être à personne, ou d'être l'un à l'autre!

SURÉNA

Fallait-il que l'amour vît l'inégalité
Vous abandonner toute aux rigueurs d'un traité!

EURYDICE

Cette inégalité me souffrait l'espérance.　　　　　15
Votre nom, vos vertus valaient bien ma naissance,
Et Crassus a rendu plus digne encor de moi
Un héros dont le zèle a rétabli son Roi.
Dans les maux où j'ai vu l'Arménie exposée,
Mon pays désolé m'a seul tyrannisée.　　　　　15
Esclave de l'État, victime de la paix,
Je m'étais répondu de vaincre mes souhaits,
Sans songer qu'un amour comme le nôtre extrême
S'y rend inexorable aux yeux de ce qu'on aime.
Pour le bonheur public j'ai promis, mais, hélas!　　1
Quand j'ai promis, Seigneur, je ne vous voyais pas.
Votre rencontre ici m'ayant fait voir ma faute,
Je diffère à donner le bien que je vous ôte,
Et l'unique bonheur que j'y puis espérer,
C'est de toujours promettre et toujours différer.　　1

SURÉNA

Que je serais heureux! Mais qu'osé-je vous dire
L'indigne et vain bonheur où mon amour aspire!
Fermez les yeux aux maux où l'on me fait courir :
Songez à vivre heureuse, et me laissez mourir.
Un trône vous attend, le premier de la terre,
Un trône où l'on ne craint que l'éclat du tonnerre,
Qui règle le destin du reste des humains,
Et jusque dans leurs murs alarme les Romains.

EURYDICE

J'envisage ce trône et tous ses avantages,
Et je n'y vois partout, Seigneur, que vos ouvrages;　　1
Sa gloire ne me peint que celle de mes fers,
Et dans ce qui m'attend je vois ce que je perds.
Ah! Seigneur.

SURÉNA
Épargnez la douleur qui me presse,
Ne la ravalez point jusques à la tendresse,
75 Et laissez-moi partir dans cette fermeté
Qui fait de tels jaloux, et qui m'a tant coûté.
EURYDICE
Partez, puisqu'il le faut, avec ce grand courage
Qui mérita mon cœur et donne tant d'ombrage.
Je suivrai votre exemple, et vous n'aurez point lieu...
80 Mais j'aperçois Palmis qui vient vous dire adieu,
Et je puis, en dépit de tout ce qui me tue,
Quelques moments encor jouir de votre vue.

Scène III : Eurydice, Suréna, Palmis.

PALMIS
On dit qu'on vous exile à moins que d'épouser,
Seigneur, ce que le Roi daigne vous proposer.
SURÉNA
85 Non, mais jusqu'à l'hymen que Pacorus souhaite,
Il m'ordonne chez moi quelques jours de retraite.
PALMIS
Et vous partez?

SURÉNA
Je pars.
PALMIS
Et malgré son courroux,
Vous avez sûreté d'aller jusque chez vous?
Vous êtes à couvert des périls dont menace
90 Les gens de votre sorte une telle disgrâce,
Et s'il faut dire tout, sur de si longs chemins
Il n'est point de poisons, il n'est point d'assassins?
SURÉNA
Le Roi n'a pas encore oublié mes services,
Pour commencer par moi de telles injustices :
95 Il est trop généreux pour perdre son appui.
PALMIS
S'il l'est, tous vos jaloux le sont-ils comme lui?
Est-il aucun flatteur, Seigneur, qui lui refuse
De lui prêter un crime et lui faire une excuse?
En est-il que l'espoir d'en faire mieux sa cour
600 N'expose sans scrupule à ces courroux d'un jour,
Ces courroux qu'on affecte alors qu'on désavoue
De lâches coups d'État dont en l'âme on se loue,
Et qu'une absence élude, attendant le moment
Qui laisse évanouir ce faux ressentiment?
SURÉNA
605 Ces courroux affectés que l'artifice donne
Font souvent trop de bruit pour abuser personne.
Si ma mort plaît au Roi, s'il la veut tôt ou tard,
J'aime mieux qu'elle soit un crime qu'un hasard,
Qu'aucun ne l'attribue à cette loi commune
610 Qu'impose la nature et règle la fortune,
Que son perfide auteur, bien qu'il cache sa main,
Devienne abominable à tout le genre humain,
Et qu'il en naisse enfin des haines immortelles
Qui de tous ses sujets lui fassent des rebelles.
PALMIS
615 Je veux que la vengeance aille à son plus haut point;
Les morts les mieux vengés ne ressuscitent point,

Et de tout l'univers la fureur éclatante
En consolerait mal et la sœur et l'amante.
SURÉNA
Que faire donc, ma sœur?
PALMIS
Votre asile est ouvert.
SURÉNA
Quel asile?
PALMIS
L'hymen qui vous vient d'être offert. 1620
Vos jours en sûreté dans les bras de Mandane,
Sans plus rien craindre...
SURÉNA
Et c'est ma sœur qui m'y condamne!
C'est elle qui m'ordonne avec tranquillité
Aux yeux de ma Princesse une infidélité!
PALMIS
Lorsque d'aucun espoir notre ardeur n'est suivie, 1625
Doit-on être fidèle aux dépens de sa vie?
Mais vous ne m'aidez point à le persuader,
Vous qui d'un seul regard pourriez tout décider?
Madame, ses périls ont-ils de quoi vous plaire?
EURYDICE
Je crois faire beaucoup, Madame, de me taire, 1630
Et tandis qu'à mes yeux vous donnez tout mon bien,
C'est tout ce que je puis que de ne dire rien.
Forcez-le, s'il se peut, au nœud que je déteste,
Je vous laisse en parler, dispensez-moi du reste
Je n'y mets point d'obstacles, et mon esprit confus... 1635
C'est m'expliquer assez : n'exigez rien de plus.
SURÉNA
Quoi! vous vous figurez que l'heureux nom de gendre,
Si ma perte est jurée, a de quoi m'en défendre,
Quand malgré la nature, en dépit de ses lois,
Le parricide a fait la moitié de nos Rois, 1640
Qu'un frère pour régner se baigne au sang d'un frère,
Qu'un fils impatient prévient la mort d'un père?
Notre Orode lui-même, où serait-il sans moi?
Mithradate pour lui montrait-il plus de foi?
Croyez-vous Pacorus bien plus sûr de Phradate? 1645
J'en connais mal le cœur, si bientôt il n'éclate,
Et si de ce haut rang, que j'ai vu l'éblouir,
Son père et son aîné peuvent longtemps jouir.
Je n'aurai plus de bras alors pour leur défense,
Car enfin mes refus ne font pas mon offense : 1650
Mon vrai crime est ma gloire, et non pas mon amour,
Je l'ai dit, avec elle il croîtra chaque jour.
Plus je les servirai, plus je serai coupable,
Et s'ils veulent ma mort, elle est inévitable.
Chaque instant que l'hymen pourrait la reculer 1655
Ne les attacherait qu'à mieux dissimuler,
Qu'à rendre, sous l'appas d'une amitié tranquille,
L'attentat plus secret, plus noir et plus facile.
Ainsi dans ce grand nœud chercher ma sûreté,
C'est inutilement faire une lâcheté, 1660
Souiller en vain mon nom et vouloir qu'on m'impute
D'avoir enseveli ma gloire sous ma chute.
Mais, Dieux! se pourrait-il qu'ayant si bien servi,
Par l'ordre de mon Roi le jour me fut ravi?
Non, non : c'est d'un bon œil qu'Orode me regarde, 1665

Vous le voyez, ma sœur, je n'ai pas même un garde,
Je suis libre.

PALMIS

    Et j'en crains d'autant plus son courroux;
S'il vous faisait garder, il répondrait de vous.
Mais pouvez-vous, Seigneur, rejoindre votre suite?
1670 Êtes-vous libre assez pour choisir une fuite?
Garde-t-on chaque porte à moins d'un grand dessein?
Pour en rompre l'effet, il ne faut qu'une main.
  Par toute l'amitié que le sang doit attendre,
Par tout ce que l'amour a pour vous de plus tendre...

SURÉNA

1675 La tendresse n'est point de l'amour d'un héros :
Il est honteux pour lui d'écouter des sanglots,
Et parmi la douceur des plus illustres flammes,
Un peu de dureté sied bien aux grandes âmes.

PALMIS

Quoi? vous pourriez...

SURÉNA

   Adieu, le trouble où je vous voi
1680 Me fait vous craindre plus que je ne crains le Roi.

Scène IV : Eurydice, Palmis.

PALMIS

Il court à son trépas, et vous en serez cause,
A moins que votre amour à son départ s'oppose.
J'ai perdu mes soupirs, et j'y perdrais mes pas,
Mais il vous en croira, vous ne les perdrez pas,
1685 Ne lui refusez point un mot qui le retienne,
Madame.

EURYDICE

  S'il périt, ma mort suivra la sienne.

PALMIS

Je puis en dire autant, mais ce n'est pas assez.
Vous avez tant d'amour, Madame, et balancez!

EURYDICE

Est-ce le mal aimer que de le vouloir suivre?

PALMIS

1690 C'est un excès d'amour qui ne fait point revivre.
De quoi lui servira notre mortel ennui?
De quoi nous servira de mourir après lui?

EURYDICE

Vous vous alarmez trop : le Roi dans sa colère
Ne parle...

PALMIS

  Vous dit-il tout ce qu'il prétend faire?
1695 D'un trône où ce héros a su le replacer,
S'il en veut à ses jours, l'ose-t-il prononcer?
Le pourrait-il sans honte, et pourrez-vous attendre
A prendre soin de lui qu'il soit trop tard d'en prendre?
N'y perdez aucun temps, partez : que tardez-vous?
1700 Peut-être en ce moment on le perce de coups,
Peut-être...

EURYDICE

  Que d'horreurs vous me jetez dans l'âme!

PALMIS

Quoi? vous n'y courez pas!

EURYDICE

   Et le puis-je, Madame?

Donner ce qu'on adore à ce qu'on veut haïr,
Quel amour jusque-là put jamais se trahir?
Savez-vous qu'à Mandane envoyer ce que j'aime,
C'est de ma propre main m'assassiner moi-même?

PALMIS

Savez-vous qu'il le faut, ou que vous le perdez?

Scène V : Eurydice, Palmis, Ormène.

EURYDICE

Je n'y résiste plus, vous me le défendez.
Ormène vient à nous, et lui peut aller dire
Qu'il épouse... Achevez tandis que je soupire.

PALMIS

Elle vient tout en pleurs.

ORMÈNE

   Qu'il vous en va coûter!
Et que pour Suréna...

PALMIS

   L'a-t-on fait arrêter?

ORMÈNE

A peine du palais il sortait dans la rue,
Qu'une flèche a parti d'une main inconnue,
Deux autres l'ont suivie, et j'ai vu ce vainqueur,
Comme si toutes trois l'avaient atteint au cœur,
Dans un ruisseau de sang tomber mort sur la place.

EURYDICE

Hélas!

ORMÈNE

  Songez à vous, la suite vous menace,
Et je pense avoir même entendu quelque voix
Nous crier qu'on apprît à dédaigner les Rois.

PALMIS

Prince ingrat, lâche Roi! Que fais-tu du tonnerre,
Ciel, si tu daignes voir ce qu'on fait sur la terre,
Et pour qui gardes-tu tes carreaux embrasés [17],
Si de pareils tyrans n'en sont point écrasés?
Et vous, Madame, et vous dont l'amour inutile,
Dont l'intrépide orgueil paraît encor tranquillé,
Vous qui brûlant pour lui, sans vous déterminer,
Ne l'avez tant aimé que pour l'assassiner,
Allez d'un tel amour, allez voir tout l'ouvrage,
En recueillir le fruit, en goûter l'avantage.
Quoi! vous causez sa perte, et n'avez point de pleurs!

EURYDICE

Non, je ne pleure point, Madame, mais je meurs.
Ormène, soutiens-moi.

ORMÈNE

   Que dites-vous, Madame?

EURYDICE

Généreux Suréna, reçois toute mon âme.

ORMÈNE

Emportons-la d'ici pour la mieux secourir.

PALMIS

Suspendez ces douleurs qui pressent de mourir,
Grands Dieux! et dans les maux où vous m'avez plongée,
Ne souffrez point ma mort que je ne sois vengée!

---

17. Carreaux: traits carrés qu'on lançait avec des arba-
lètes. Le mot servit en poésie pour désigner la foudre de Zeus.

AVERTISSEMENTS ET DISCOURS

AU LECTEUR [1] (1644)

C'est contre mon inclination que mes libraires vous font ce présent, et j'aurais été plus aise de la suppression entière de la plus grande partie de ces poèmes, que d'en voir renouveler la mémoire par ce recueil. Ce n'est pas qu'ils n'ayent tous eu des succès assez heureux pour ne me repentir point de les avoir faits; mais il y a une si notable différence d'eux à ceux qui les ont suivis que je ne puis voir cette inégalité sans quelque sorte de confusion. Et certes, j'aurais laissé périr entièrement ceux-ci, si je n'eusse reconnu que le bruit qu'ont fait les derniers obligeait déjà quelques curieux à la recherche des autres et pourrait être cause qu'un imprimeur, faisant sans mon aveu ce que je ne voulais pas consentir, ajouterait mille fautes aux miennes. J'ai donc cru qu'il valait mieux, et pour votre contentement et pour ma réputation, y jeter un coup d'œil, non pas pour les corriger exactement (il eût été besoin de les refaire presque entiers), mais du moins pour en ôter ce qu'il y a de plus insupportable. Je vous les donne dans l'ordre que je les ai composés, et vous avouerai franchement que pour les vers, outre la faiblesse d'un homme qui commençait à en faire, il est malaisé qu'ils ne sentent la province où je suis né. Comme Dieu m'a fait naître mauvais courtisan, j'ai trouvé dans la cour plus de louanges que de bienfaits, et plus d'estime que d'établissement. Ainsi étant demeuré provincial, ce n'est pas merveille si mon élocution en conserve quelquefois le caractère. Pour la conduite, je me dédirais de peu de chose si j'avais à les refaire. Je ne m'étendrai point à vous spécifier quelles règles j'y ai observées : ceux qui s'y connaissent s'en apercevront aisément, et de pareils discours ne font qu'importuner les savants, embarrasser les faibles, et étourdir les ignorants.

AU LECTEUR [2] (1648)

Voici une seconde partie de pièces de théâtre un peu plus supportables que celles de la première. Elles sont toutes assez régulières, avec cette différence toutefois, que les règles sont observées avec plus de sévérité dans les unes que dans les autres, car il y en a qu'on peut élargir et resserrer, selon que les incidents du

poème le peuvent souffrir. Telle est celle de l'unité de jour ou des vingt et quatre heures. Je crois que nous devons toujours faire notre possible en sa faveur, jusqu'à forcer un peu les événements que nous traitons, pour les y accommoder; mais si je n'en pouvais venir à bout, je la négligerais même sans scrupule et ne voudrais pas perdre un beau sujet pour ne l'y pouvoir réduire. Telle est encore celle de l'unité du lieu, qu'on doit arrêter, s'il se peut, dans la salle d'un palais ou dans quelque espace qui ne soit pas de beaucoup plus grand que le théâtre, mais qu'on peut étendre jusqu'à toute une ville et se servir même, s'il en est besoin, d'un peu des environs. Je dirais la même chose de la liaison des scènes, si j'osais la nommer une règle; mais comme je n'en vois rien dans Aristote, que notre Horace n'en dit que ce petit mot : *Neu quid hiet* [3], dont la signification peut être douteuse, que les anciens ne l'ont pas toujours observée, quoiqu'il leur fût assez aisé, ne mettant qu'une scène ou deux à chaque acte, que le miracle de l'Italie, le *Pastor Fido* [4], l'a entièrement négligée. J'aime mieux l'appeler un embellissement qu'une règle, mais un embellissement qui fait grand effet, comme il est aisé de le remarquer par les exemples du *Cid* et de l'*Horace*. Sabine ne contribue non plus aux incidents de la tragédie dans ce dernier que l'Infante dans l'autre, étant toutes deux des personnages épisodiques qui s'émeuvent de tout ce qui arrive selon la passion qu'elles en ressentent, mais qu'on pourrait retrancher sans rien ôter de l'action principale. Néanmoins l'une a été condamnée presque de tout le monde comme inutile et l'autre, personne n'en a murmuré, cette inégalité ne provenant que de la liaison des scènes qui attache Sabine au reste des personnages et qui, n'étant pas observée dans *le Cid*, y laisse l'Infante tenir sa cour à part.

Au reste, comme les tragédies de cette seconde partie sont prises de l'histoire, j'ai cru qu'il ne serait pas hors de propos de vous donner au devant de chacune le texte

1. Cet avertissement figurait en tête de la première édition collective des ouvrages de Corneille, avec la mention *Première partie*. Elle comprenait les huit premières pièces, de *Mélite* à l'*Illusion comique* inclusivement. Corneille avait alors en main la totalité d'un second volume possible, du *Cid* à la *Suite du Menteur* inclusivement. Les cinq premières pièces avaient eu des éditions séparées, *Pompée* et *le Menteur* étaient sous la presse. *La Suite* était composée ou en cours d'élaboration. La seconde partie ne vit pourtant le jour qu'en 1648. Le

texte avait été revu, sans que Corneille eût encore apporté d'importantes corrections; mais il avait précisé avec soin les indications scéniques.
2. En tête de la seconde partie des *Œuvres* de Pierre Corneille. Il semble que Corneille ait voulu attendre la réimpression de la première partie, pour ne pas livrer au public un volume isolé. Les œuvres sont imprimées dans le format de grande vulgarisation : le petit in-12.
3. « Qu'il n'y ait pas d'interruption. »
4. Célèbre pastorale de G. B. Guarini, jouée à Turin en 1585, publiée en 1590, sans cesse rééditée et imitée. Corneille, comme toute son époque, est relativement injuste pour l'*Aminta* du Tasse, vrai modèle de la pastorale. Mais, avec Guarini lui-même, tout le monde la trouvait de structure beaucoup trop simple et par là peu scénique. Il est notable de voir Corneille en quête de modèles, songer encore spontanément en 1648 à l'Italie et non à l'Espagne.

ou l'abrégé des auteurs dont je les ai tirées [5], afin qu'on puisse voir par là ce que j'y ai ajouté du mien et jusques où je me suis persuadé que peut aller la licence poétique en traitant des sujets véritables.

AU LECTEUR (1663)

Ces deux volumes contiennent autant de pièces de théâtre que les trois que vous avez vus ci-devant imprimés in-octavo. Ils sont réglés à douze chacun, et les autres à huit. *Sertorius* et *Sophonisbe* ne s'y joindront point, qu'il n'y en ait assez pour faire un troisième de cette impression, ou un quatrième de l'autre. Cependant comme il ne peut entrer en celle-ci que deux des trois Discours qui ont servi de préfaces à la précédente, et que dans ces trois Discours j'ai tâché d'expliquer ma pensée touchant les plus curieuses et les plus importantes questions de l'Art Poétique, cet ouvrage de mes réflexions demeurerait imparfait si j'en retranchais le troisième. Et c'est ce qui me fait vous le donner en suite du second volume, attendant qu'on le puisse reporter au-devant de celui qui le suivra, sitôt qu'il pourra être complet.

Vous trouverez quelque chose d'étrange aux innovations en l'orthographe que j'ai hasardées ici, et je veux bien vous en rendre raison. L'usage de notre langue est à présent si épandu par toute l'Europe, principalement vers le Nord, qu'on y voit peu d'États où elle ne soit connue; et c'est ce qui m'a fait croire qu'il ne serait pas mal à propos d'en faciliter la prononciation aux étrangers, qui s'y trouvent souvent embarrassés par les divers sons qu'elle donne quelquefois aux mêmes lettres. Les Hollandais m'ont frayé le chemin, et donné ouverture à y mettre distinction par de différents caractères, que jusqu'ici nos imprimeurs ont employé indifféremment. Ils ont séparé les *i* et les *u* consonnes d'avec les *i* et les *u* voyelles, en se servant toujours du *j* et du *v*, pour les premières, et laissant l'*i* et l'*u* pour les autres, qui jusqu'à ces derniers temps avaient été confondus. Ainsi la prononciation de ces deux lettres ne peut être douteuse, dans les impressions où l'on garde le même ordre, comme en celle-ci. Leur exemple m'a enhardi à passer plus avant. J'ai vu quatre prononciations différentes dans nos *s*, et trois dans nos *e*, et j'ai cherché les moyens d'en ôter toutes ambiguïtés, ou par des caractères différents, ou par des règles générales, avec quelques exceptions. Je ne sais si j'y aurai réussi, mais si cette ébauche ne déplait pas, elle pourra donner jour à faire un travail plus achevé sur cette matière, et peut-être que ce ne sera pas rendre un petit service à notre langue et au public.

Nous prononçons l'*f* de quatre diverses manieres* : tantoft nous l'afpirons, comme en ces mots, *pefte*, *chafte* ; tantoft elle allonge la fyllabe, comme en ceux-cy, *pafte*, *tefte* ; tantoft elle ne fait aucun fon, comme à *esblôüir*, *esbranler*, *il eftoit* ; et tantoft elle fe prononce comme un *z*, comme à *prefider*, *prefumer*. Nous n'avons que deux differens caracteres, *f*, et *s*, pour ces quatre differentes prononciations; il faut donc eftablir quelques

5. Corneille est à demi sincère dans cette affirmation. Il nomme certes ses sources historiques, mais je sais, lorsqu'il le peut, sur ses modèles dramatiques. *Horace* doit certainement à l'*Honrado hermano* (le Frère plein d'honneur) de Lope de Vega, sinon à l'*Orazia* de l'Arétin, *Polyeucte* au *Polietto* de Bartolomei. Mais il cite les modèles du *Cid*, du *Menteur* et de *la Suite*.

* Dans les deux § suivants, contraints pour rendre le texte compréhensible, de maintenir les deux signes typographiques de *s*, nous avons laissé l'orthographe de Corneille.

maximes générales pour faire les diftinctions entieres. Cette lettre fe rencontre au commencement des mots, ou au milieu, ou à la fin. Au commencement elle afpire toûjours : *foy*, *fien*, *fauver*, *fuborner* ; à la fin, elle n'a presque point de fon, et ne fait qu'allonger tant foit peu la fyllabe, quand le mot qui fuit fe commence par une confone; et quand il commence par une voyelle, elle fe detache de celuy qu'elle finit pour fe joindre avec elle, et fe prononce toûjours comme un *z*, foit qu'elle foit précédée par une confone, ou par une voyelle.

Dans le milieu du mot, elle eft, ou entre deux voyelles, ou après une confone, ou avant une confone. Entre deux voyelles elle paffe toûjours pour *z*, et après une confone elle aspire toûjours, et cette difference fe remarque entre les verbes compofez qui viennent de la mefme racine. On prononce *prezumer*, *rezifter*, mais on ne prononce pas *conzumer*, ny *perzifter*. Ces régles n'ont aucune exception, et j'ay abandonné en ces rencontres le choix des caracteres à l'imprimeur, pour fe fervir du grand ou du petit, felon qu'ils fe font le mieux accommodez avec les lettres qui les joignent. Mais je n'en ay pas fait de mefme, quand l'*f* eft avant une confone dans le milieu du mot, et je n'ay pû fouffrir que ces trois mots, *refte*, *tempefte*, *vous eftes*, fuffent efcrits l'un comme l'autre, ayant des prononciations fi differentes. J'ay refervé la petite *s* pour celle où la fyllabe eft afpirée, la grande pour celle où elle eft fimplement allongée, et l'ay fupprimée entierement au troifiéme mot où elle ne fait point de fon, la marquant feulement par un accent fur la lettre qui la précede. J'ay donc fait ortographer ainfi les mots fuivants et leurs femblables, *pefte*, *funefte*, *chafte*, *refifte*, *espoir* ; *tempefte*, *hafte*, *tefte* ; *vous êtes*, *il étoit*, *éblôüir*, *écouter*, *épargner*, *arréter*. Ce dernier verbe ne laiffe pas d'avoir quelques temps dans fa conjugaifon, où il faut luy rendre l'*f*, parce qu'elle allonge la fyllabe; comme à l'imperatif *arrefte*, qui rime bien avec *tefte* ; mais à l'infinitif et en quelques autres où elle ne fait pas cet effet, il eft bon de la fupprimer et efcrire, *j'arrétois*, *j'ay arrété*, *j'arréteray*, *nous arrétons*, etc.

Quant à l'*e*, nous en avons de trois fortes. L'*e* féminin, qui fe rencontre toujours, ou feul, ou en diphtongue, dans toutes les dernières fyllabes de nos mots qui ont la terminaifon féminine, et qui fait fi peu de fon, que cette fyllabe n'eft jamais comptée à rien à la fin de nos vers féminins, qui en ont toujours une plus que les autres. L'*e* masculin, qui fe prononce comme dans la langue latine, et un troifiéme *e* qui ne va jamais fans l'*s*, qui lui donne un fon élevé et fe prononce à bouche ouverte, en ces mots : *succès*, *accès*, *exprès*. Or comme ce ferait une grande confufion, que ces trois *e*, en ces trois mots, *âpres*, *verite*, et *apres*, qui ont une prononciation fi différente, euffent un caractere pareil, il eft aifé d'y remédier, par ces trois fortes d'*e* que nous donne l'imprimerie, *e*, *é*, *è*, qu'on peut nommer l'*e* fimple, l'*e* aigu, et l'*e* grave. Le premier fervira pour nos terminaifons féminines, le fecond pour les latines, et le troifiéme pour les élevées, et nous écrirons ainfi ces trois mots et leurs pareils, *âpres*, *vérité*, *après*, et que nous étendrons à *succès*, *excès*, *procès*, qu'on avait jufqu'ici écrits avec l'*e* aigu, comme les terminaifons latines, quoique le fon en foit fort différent. Il eft vrai que les imprimeurs y avaient mis quelque différence, en ce que cette terminaifon n'étant jamais fans *s*, quand il s'en rencontrait une après un *é* latin, ils la changeaient en *z*, et ne la faifaient précéder que par un *e* fimple. Ils impriment *véritez*, *Déitez*, *dignitez*, et non pas *vérités*, *Déités*, *dignités* ;

j'ai conservé cette orthographe : mais pour éviter toute sorte de confusion entre le son des mots qui ont l'*e* latin sans *s*, comme *vérité*, et ceux qui ont la prononciation élevée, comme *succès*, j'ai cru à propos de nous servir de différents caractères, puisque nous en avons, et donner l'*è* grave à ceux de cette dernière espèce. Nos deux articles pluriels, *les* et *des*, ont le même son, quoi qu'écrits avec l'*s* simple : il est si malaisé de les prononcer autrement, que je n'ai pas cru qu'il y fût besoin d'y rien changer. Je dis la même chose de l'*e* devant deux *ll*, qui prend le son aussi élevé en ces mots, *belle*, *fidelle*, *rebelle*, etc., qu'en ceux-ci, *succès*, *excès ;* mais comme cela arrive toujours quand il se rencontre avant ces deux *ll*, il suffit d'en faire cette remarque sans changement de caractère. Le même arrive devant le simple *l*, à la fin, *mortel*, *appel*, *criminel*, et non pas au milieu, comme en ces mots, *celer*, *chanceler*, où l'*e* avant cette *l* garde le son de l'*e* féminin.

Il est bon aussi de remarquer qu'on ne se sert d'ordinaire de l'*é* aigu, qu'à la fin du mot, ou quand on supprime l'*s* qui le suit ; comme à *établir*, *étonner :* cependant il se rencontre souvent au milieu des mots avec le même son, bien qu'on ne l'écrive qu'avec un *e* simple ; comme en ce mot *severité*, qu'il faudrait écrire *sévérité*, pour le faire prononcer exactement, et je l'ai fait observer dans cette impression, bien que je n'aie pas gardé le même ordre dans celle qui s'est faite in-folio.

Le double *ll* dont je viens de parler à l'occasion de l'*e* a aussi deux prononciations en notre langue, l'une sèche et simple, qui suit l'orthographe, l'autre molle, qui semble y joindre une *h*. Nous n'avons point de différents caractères à les distinguer ; mais on ne peut donner cette règle infaillible. Toutes les fois qu'il n'y a point d'*i* avant les deux *ll*, la prononciation ne prend point cette mollesse. En voici des exemples · dans les quatre autres voyelles : *baller*, *rebeller*, *coller*, *annuller*. Toutes les fois qu'il y a un *i* avant les deux *ll*, soit seul, soit en diphtongue, la prononciation y ajoute une *h*. On écrit *bailler*, *éveiller*, *briller*, *chatouiller*, *cueillir*, et on prononce *baillher*, *éveillher*, *brillher*, *chatouillher*, *cueillhir*. Il faut excepter de cette règle tous les mots qui viennent du latin, et qui ont deux *ll* dans cette langue, comme *ville*, *mille*, *tranquille*, *imbécile*, *distille*, *illustre*, *illégitime*, *illicite*, etc. Je dis qui ont deux *ll* en latin, parce que les mots de *fille* et *famille* en viennent, et se prononcent avec cette mollesse des autres qui ont l'*i* devant les deux *ll*, et n'en viennent pas ; mais ce qui fait cette différence, c'est qu'ils ne tiennent pas les deux *ll* des mots

latins, *filia* et *familia*, qui n'en ont qu'une, mais purement de notre langue. Cette règle et cette exception sont générales et assurées. Quelques modernes, pour ôter toute l'ambiguïté de cette prononciation, ont écrit les mots qui se prononcent sans la mollesse de l'*h* avec une *l* simple, en cette manière, *tranquile*, *imbécile*, *distile*, et cette orthographe pourrait s'accommoder dans les trois voyelles *a*, *o*, *u*, pour écrire simplement *baler*, *affoler*, *annuler*, mais elle ne s'accommoderait point du tout avec l'*e*, et on aurait de la peine à prononcer *fidelle*, *belle*, si on écrivait *fidele* et *bele ;* l'*i* même sur lequel ils ont pris ce droit, ne le pourrait pas souffrir toujours, et particulièrement en ces mots *ville*, *mille*, dont le premier, si on le réduisait à une *l* simple, se confondrait avec *vile*, qui a une signification toút autre.

Il y aurait encore quantité de remarques à faire sur les différentes manières que nous avons de prononcer quelques lettres en notre langue ; mais je n'entreprends pas de faire un traité entier de l'orthographe et de la prononciation, et me contente de vous avoir donné ce mot d'avis touchant ce que j'ai innové ici ; comme les imprimeurs n'ont eu de la peine à s'y accoutumer, ils n'auront pas suivi mon ordre si ponctuellement, qu'il ne s'y soit coulé bien des fautes, vous me ferez la grâce d'y suppléer.

(1664 et 1668)

Ces trois volumes contiennent autant de pièces de théâtre que les deux nouvellement imprimés in-folio. Ils sont réglés à huit chacun, et les autres à douze. Sertorius, Sophonisbe, et Othon ne s'y joindront point, qu'il n'y en ait assez pour en faire un quatrième.

Cependant vous pourrez trouver quelque chose d'étrange, etc. (cf. page 820).

Ces trois volumes contiennent autant de pièces de théâtre que les deux nouvellement imprimés in-folio. Ils sont réglés à huit chacun, et les autres à douze. Vous pourrez trouver quelque chose d'étrange, etc.

(1682)

Ces quatre volumes contiennent trente-deux pièces de théâtre. Ils sont réglés à huit chacun. Vous pourrez trouver quelque chose d'étrange, etc.

DISCOURS DE L'UTILITÉ ET DES PARTIES DU POÈME DRAMATIQUE[6]

Bien que, selon Aristote, le seul but de la poésie dramatique soit de plaire aux spectateurs, et que la plupart de ces poèmes leur ayent plu, je veux bien avouer toutefois que beaucoup d'entr'eux n'ont pas atteint le but de l'art. *Il ne faut pas prétendre*, dit ce philosophe, *que ce genre de poésie nous donne toute sorte de plaisir, mais seulement celui qui lui est propre ;* et pour trouver ce plaisir qui lui est propre et le donner aux spectateurs,

il faut suivre les préceptes de l'art, et leur plaire selon ses règles. Il est constant qu'il y a des préceptes, puisqu'il y a un art, mais il n'est pas constant quels ils sont. On convient du nom sans convenir de la chose, et on s'accorde sur les paroles pour contester sur leur signification. Il faut observer l'unité d'action, de lieu, et de jour, personne n'en doute ; mais ce n'est pas une petite difficulté de savoir ce que c'est que cette unité d'action,

---

6. Corneille réédite ses *Œuvres* en 1660. Elles forment trois volumes in-8° en tête desquels il place chacun des trois *Discours*. Ce bel équilibre sera rompu pour les éditions de 1663 en deux tomes, et de 1682 en quatre volumes. Le troisième tome de 1660 ne comporte que sept pièces, *la Toison d'Or* étant encore dans sa nouveauté.

et jusques où peut s'étendre cette unité de jour et de lieu. Il faut que le poëte traite son sujet selon le vraisemblable et le nécessaire; Aristote l'a dit, et tous ses interprètes répètent les mêmes mots, qui leur semblent si clairs et si intelligibles qu'aucun d'eux n'a daigné nous dire non plus que lui, ce que c'est que ce vraisemblable et ce nécessaire. Beaucoup même ont si peu considéré ce dernier, qui accompagne toujours l'autre chez ce philosophe, hormis une seule fois, où il parle de la comédie, qu'on en est venu jusqu'à établir une maxime très fausse, qu'*il faut que le sujet d'une tragédie soit vraisemblable*, appliquant ainsi aux conditions du sujet la moitié de ce qu'il a dit de la manière de le traiter. Ce n'est pas qu'on ne puisse faire une tragédie d'un sujet purement vraisemblable : il en donne pour exemple *la Fleur* d'Agathon [7], où les noms et les choses étaient de pure invention, aussi bien qu'en la comédie; mais les grands sujets qui remuent fortement les passions, et en opposent l'impétuosité aux lois du devoir ou aux tendresses du sang, doivent toujours aller au delà du vraisemblable et ne trouveraient aucune croyance parmi les auditeurs, s'ils n'étaient soutenus, ou par l'autorité de l'histoire qui persuade avec empire, ou par la préoccupation de l'opinion commune qui nous donne ces mêmes auditeurs déjà tout persuadés. Il n'est pas vraisemblable que Médée tue ses enfants, que Clytemnestre assassine son mari, qu'Oreste poignarde sa mère, mais l'histoire le dit, et la représentation de ces grands crimes ne trouve point d'incrédules. Il n'est ni vrai ni vraisemblable qu'Andromède, exposée à un monstre marin, aye été garantie de ce péril par un cavalier volant, qui avait des ailes aux pieds, mais c'est une fiction que l'Antiquité a reçue, et comme elle l'a transmise jusqu'à nous, personne ne s'en offense quand on la voit sur le théâtre. Il ne serait pas permis toutefois d'inventer sur ces exemples. Ce que la vérité ou l'opinion fait accepter serait rejeté, s'il n'avait point d'autre fondement qu'une ressemblance à cette vérité ou à cette opinion. C'est pourquoi notre docteur dit que *les sujets viennent de la fortune*, qui fait arriver les choses, *et non de l'art*, qui les imagine. Elle est maîtresse des événements, et le choix qu'elle nous donne de ceux qu'elle nous présente enveloppe une secrète défense d'entreprendre sur elle, et d'en produire sur la scène qui ne soient pas de sa façon. Aussi *les anciennes tragédies se sont arrêtées autour de peu de familles, parce qu'il était arrivé à peu de familles des choses dignes de la tragédie*. Les siècles suivants nous en ont assez fourni pour franchir ces bornes et ne marcher plus sur les pas des Grecs, mais je ne pense pas qu'ils nous aient donné la liberté de nous écarter de leurs règles. Il faut, s'il se peut, nous accommoder avec elles et les amener jusqu'à nous. Le retranchement que nous avons fait des chœurs nous oblige à remplir nos poèmes de plus d'épisodes qu'ils ne faisaient; c'est quelque chose de plus, mais qui ne doit pas aller au delà de leurs maximes, bien qu'il aille au delà de leur pratique.

Il faut donc savoir quelles sont ces règles; mais notre malheur est qu'Aristote et Horace après lui en ont écrit assez obscurément pour avoir besoin d'interprètes, et que ceux qui les en ont voulu servir jusques ici ne les ont souvent expliqués qu'en grammairiens ou en philosophes. Comme ils avaient plus d'étude et de spéculation que d'expérience du théâtre, leur lecture nous peut rendre plus doctes, mais non pas nous donner beaucoup de lumières fort sûres pour y réussir.

Je hasarderai quelque chose sur cinquante ans [8] de travail pour la scène, et en dirai mes pensées tout simplement, sans esprit de contestation qui m'engage à les soutenir, et sans prétendre que personne renonce en ma faveur à celles qu'il en aura conçues.

Ainsi ce que j'ai avancé dès l'entrée de ce discours, que *la poésie dramatique a pour but le seul plaisir des spectateurs*, n'est pas pour l'emporter opiniâtrement sur ceux qui pensent ennoblir l'art, en lui donnant pour objet de profiter aussi bien que de plaire. Cette dispute même serait très inutile, puisqu'il est impossible de plaire selon les règles, qu'il ne s'y rencontre beaucoup d'utilité. Il est vrai qu'Aristote, dans tout son *Traité de la Poétique*, n'a jamais employé ce mot une seule fois, qu'il attribue l'origine de la poésie au plaisir que nous prenons à voir imiter les actions des hommes, qu'il préfère la partie du poème qui regarde le sujet à celle qui regarde les mœurs, parce que cette première contient ce qui agrée le plus, comme les agnitions et les péripéties, qu'il fait entrer dans la définition de la tragédie l'agrément du discours dont elle est composée, et qu'il l'estime enfin plus que le poème épique, en ce qu'elle a de plus la décoration extérieure et la musique, qui délectent puissamment, et qu'étant plus courte et moins diffuse, le plaisir qu'on y prend est plus parfait; mais il n'est pas moins vrai qu'Horace nous apprend que nous ne saurions plaire à tout le monde, si nous n'y mêlons l'utile, et que les gens graves et sérieux, les vieillards, les amateurs de la vertu s'y ennuieront, s'ils n'y trouvent rien à profiter :

Centuriæ seniorum agitant expertia frugis [9].

Ainsi, quoique l'utile n'y entre que sous la forme du délectable, il ne laisse pas d'y être nécessaire, et il vaut mieux examiner de quelle façon il y peut trouver sa place que d'agiter, comme je l'ai déjà dit, une question inutile touchant l'utilité de cette sorte de poèmes. J'estime donc qu'il s'y en peut rencontrer de quatre sortes.

La première consiste aux sentences et instructions morales qu'on y peut semer presque partout, mais il en faut user sobrement, les mettre rarement en discours généraux, ou ne les pousser guère loin, surtout quand on fait parler un homme passionné, ou qu'on lui fait répondre par un autre, car il ne doit avoir non plus de patience pour les entendre que de quiétude d'esprit pour les concevoir et les dire. Dans les délibérations d'État, où un homme d'importance consulté par un roi s'explique de sens rassis, ces sortes de discours trouvent lieu de plus d'étendue, mais enfin il est toujours bon de les réduire souvent de la thèse à l'hypothèse, et j'aime mieux faire dire à un acteur, que *l'amour nous donne beaucoup d'inquiétudes* que *l'amour donne beaucoup d'inquiétudes aux esprits qu'il possède*.

Ce n'est pas que je vousse entièrement bannir cette dernière façon de s'énoncer sur les maximes de la morale et de la politique. Tous mes poèmes demeureraient bien estropiés, si on en retranchait ce que j'y en ai mêlé, mais encore un coup, il ne les faut pas pousser loin sans les appliquer au particulier; autrement c'est un lieu commun, qui ne manque jamais d'ennuyer l'auditeur, parce qu'il fait languir l'action, et quelque heureusement que réussisse cet étalage de moralités,

---

7. Pièce perdue.

8. C'est ici le texte de 1682. Il va de soi que Corneille a rectifié ce chiffre dans les éditions successives de 1660 à 1682 : *trente ans* (1660), *plus de trente ans* (1664), *quarante ans* (1668).

9. « Les centuries d'Anciens rejettent les œuvres sans profit. » (*Art poétique*, v. 341).

il faut toujours craindre que ce ne soit un de ces ornements ambitieux qu'Horace nous ordonne de retrancher.

J'avouerai toutefois que les discours généraux ont souvent grâce, quand celui qui les prononce et celui qui les écoute ont tous deux l'esprit assez tranquille pour se donner raisonnablement cette patience. Dans le quatrième acte de *Mélite*, la joie qu'elle a d'être aimée de Tircis lui fait souffrir sans chagrin la remontrance de sa nourrice, qui de son côté satisfait à cette démangeaison qu'Horace attribue aux vieilles gens, de faire des leçons aux jeunes; mais si elle savait que Tircis la crût infidèle, et qu'il en fût au désespoir, comme elle l'apprend ensuite, elle n'en souffrirait pas quatre vers. Quelquefois même ces discours sont nécessaires pour appuyer des sentiments dont le raisonnement ne se peut fonder sur aucune des actions particulières de ceux dont on parle. Rodogune, au premier acte, ne saurait justifier la défiance qu'elle a de Cléopâtre, que par le peu de sincérité qu'il y a de Cléopâtre, que par le peu de sincérité qu'il y a dans la réconciliation des grands après une offense signalée, parce que depuis le traité de paix cette reine n'a rien fait qui la doive rendre suspecte de cette haine qu'elle lui conserve dans le cœur. L'assurance que prend Mélisse, au quatrième de *la Suite du Menteur*, sur les premières protestations d'amour que lui fait Dorante, qu'elle n'a vu qu'une seule fois, ne se peut autoriser que sur la facilité et la promptitude que deux amants nés l'un pour l'autre ont à se donner croyance à ce qu'ils s'entre-disent, et les douze vers qui expriment cette moralité en termes généraux ont tellement plu que beaucoup de gens d'esprit n'ont pas dédaigné d'en charger leur mémoire. Vous en trouverez ici quelques autres de cette nature. La seule règle qu'on y peut établir, c'est qu'il les faut placer judicieusement, et surtout les mettre en la bouche de gens qui ayent l'esprit sans embarras, et qui ne soient point emportés par la chaleur de l'action.

La seconde utilité du poème dramatique se rencontre en la naïve peinture des vices et des vertus, qui ne manque jamais à faire son effet, quand elle est bien achevée, et que les traits en sont si reconnaissables qu'on ne les peut confondre l'un dans l'autre, ni prendre le vice pour vertu. Celle-ci se fait alors toujours aimer, quoique malheureuse, et celui-là se fait toujours haïr, bien que triomphant. Les anciens se sont fort souvent contentés de cette peinture, sans se mettre en peine de faire récompenser les bonnes actions, et punir les mauvaises. Clytemnestre avec son adultère tuent Agamemnon impunément, Médée en fait autant de ses enfants, et Atrée de ceux de son frère Thyeste, qu'il lui fait manger. Il est vrai qu'à bien considérer ces actions qu'ils choisissaient pour la catastrophe de leurs tragédies, c'étaient des criminels qu'ils faisaient punir, mais par des crimes plus grands que les leurs. Thyeste avait abusé de la femme de son frère, mais la vengeance qu'il en prend a quelque chose de plus affreux que ce premier crime. Jason était un perfide d'abandonner Médée, à qui il devait tout, mais massacrer ses enfants à ses yeux est quelque chose de plus. Clytemnestre se plaignait des concubines qu'Agamemnon ramenait de Troie, mais il n'avait point attenté sur sa vie, comme elle fait sur la sienne; et ces maîtres de l'art ont trouvé le crime de son fils Oreste, qui la tue pour venger son père, encore plus grand que le sien, puisqu'ils lui ont donné des Furies vengeresses pour le tourmenter et n'en ont point donné à sa mère, qu'ils font jouir paisiblement avec son Égisthe du royaume d'un mari qu'elle avait assassiné.

Notre théâtre souffre difficilement de pareils sujets : le *Thyeste* de Sénèque n'y a pas été fort heureux [10], sa *Médée* y a trouvé plus de faveur [11], mais aussi, à le bien prendre, la perfidie de Jason et la violence du roi de Corinthe la font paraître si injustement opprimée que l'auditeur entre aisément dans ses intérêts, et regarde sa vengeance comme une justice qu'elle se fait elle-même de ceux qui l'oppriment.

C'est cet intérêt qu'on aime à prendre pour les vertueux qui a obligé d'en venir à cette autre manière de finir le poème dramatique par la punition des mauvaises actions et la récompense des bonnes, qui n'est pas un précepte de l'art, mais un usage que nous avons embrassé, dont chacun peut se départir à ses périls. Il était dès le temps d'Aristote, et peut-être qu'il ne plaisait pas trop à ce philosophe, puisqu'il dit *qu'il n'a eu vogue que par l'imbécillité du jugement des spectateurs, et que ceux-ci qui le pratiquent s'accommodent au goût du peuple, et écrivent selon les souhaits de leur auditoire.* En effet, il est certain que nous ne saurions voir un honnête homme sur notre théâtre sans lui souhaiter de la prospérité, et nous fâcher de ses infortunes. Cela fait que quand il en demeure accablé, nous sortons avec chagrin et remportons une espèce d'indignation contre l'auteur et les acteurs; mais quand l'événement remplit nos souhaits et que la vertu y est couronnée, nous sortons avec pleine joie, et remportons une entière satisfaction et de l'ouvrage, et de ceux qui l'ont représenté. Le succès heureux de la vertu, en dépit des traverses et des périls, nous excite à l'embrasser, et le succès funeste du crime ou de l'injustice est capable de nous en augmenter l'horreur naturelle, par l'appréhension d'un pareil malheur.

C'est en cela que consiste la troisième utilité du théâtre, comme la quatrième est la purgation des passions par le moyen de la pitié et de la crainte. Mais comme cette utilité est particulière à la tragédie, je m'expliquerai sur cet article au second volume, où je traiterai de la tragédie en particulier, et passe à l'examen des parties qu'Aristote attribue au poème dramatique. Je dis au poème dramatique en général, bien qu'en traitant cette matière il ne parle que de la tragédie, parce que tout ce qu'il en dit convient aussi à la comédie et que la différence de ces deux espèces de poèmes ne consiste qu'en la dignité des personnages et des actions qu'ils imitent, et non pas en la façon de les imiter ni aux choses qui servent à cette imitation.

Le poème dramatique est composé de deux sortes de parties. Les unes sont appelées parties de quantité, ou d'extension, et Aristote en nomme quatre : le prologue, l'épisode, l'exode et le chœur. Les autres se peuvent nommer des parties intégrantes, qui se rencontrent dans chacune de ces premières pour former tout le corps avec elles. Ce philosophe y en trouve six : le sujet, les mœurs, les sentiments, la diction, la musique et la décoration du théâtre. De ces six, il n'y a que le sujet dont la bonne constitution dépende proprement de l'art poétique; les autres ont besoin d'autres arts subsidiaires : les mœurs, de la morale; les sentiments, de la rhétorique; la diction, de la grammaire; et les deux autres parties dont chacune leur art, dont il n'y a pas besoin que le poète soit instruit, parce qu'il y peut

10. *Thyeste* n'a jamais donné lieu à des tragédies françaises : il faut donc bien que Corneille fasse ici allusion aux quelques tragédies italiennes, qui ont imité cette pièce de Sénèque.

11. Aucune autre *Médée* française que celle de Corneille à cette date. Mais quatre italiennes, deux anglaises, une flamande, une espagnole justifient le « plus de faveur » de Corneille.

faire suppléer par d'autres que lui, ce qui fait qu'Aristote ne les traite pas. Mais comme il faut qu'il exécute lui-même ce qui concerne les quatre premières, la connaissance des arts dont elles dépendent lui est absolument nécessaire, à moins qu'il aye reçu de la nature un sens commun assez fort et assez profond pour suppléer à ce défaut.

Les conditions du sujet sont diverses pour la tragédie et pour la comédie. Je ne toucherai à présent qu'à ce qui regarde cette dernière, qu'Aristote définit simplement *une imitation de personnes basses et fourbes.* Je ne puis m'empêcher de dire que cette définition ne me satisfait point, et puisque beaucoup de savants tiennent que son *Traité de la Poétique* n'est pas venu tout entier jusques à nous, je veux croire que dans ce que le temps nous en a dérobé il s'en rencontrait une plus achevée.

La poésie dramatique, selon lui, est une imitation des actions, et il s'arrête ici à la condition des personnes, sans dire quelles doivent être ces actions. Quoi qu'il en soit, cette définition avait du rapport à l'usage de son temps, où l'on ne faisait parler dans la comédie que des personnes d'une condition très médiocre, mais elle n'a pas une entière justesse pour le nôtre, où les rois même y peuvent entrer, quand leurs actions ne sont point au-dessus d'elle. Lorsqu'on met sur la scène un simple intrigue d'amour entre des rois, et qu'ils ne courent aucun péril ni de leur vie ni de leur État, je ne crois pas que, bien que les personnes soient illustres, l'action le soit assez pour s'élever jusqu'à la tragédie. Sa dignité demande quelque grand intérêt d'État ou quelque passion plus noble et plus mâle que l'amour, telles que sont l'ambition ou la vengeance, et veut donner à craindre des malheurs plus grands que la perte d'une maîtresse. Il est à propos d'y mêler l'amour, parce qu'il a toujours beaucoup d'agrément et peut servir de fondement à ces intérêts et à ces autres passions dont je parle; mais il faut qu'il se contente du second rang dans le poème, et leur laisse le premier.

Cette maxime semblera nouvelle d'abord : elle est toutefois de la pratique des Anciens, chez qui nous ne voyons aucune tragédie où il n'y aye qu'un intérêt d'amour à démêler. Au contraire, ils l'en bannissent souvent, et ceux qui voudront considérer les miennes, reconnaîtront qu'à leur exemple je ne lui ai jamais laissé y prendre le pas devant, et que dans *le Cid* même, qui est sans contredit la pièce la plus remplie d'amour que j'aye faite, le devoir de la naissance et le soin de l'honneur l'emportent sur toutes les tendresses qu'il inspire aux amants que j'y fais parler.

Je dirai plus. Bien qu'il y aye de grands intérêts d'État dans un poème et que le soin qu'une personne royale doit avoir de sa gloire fasse taire sa passion, comme en *Don Sanche,* s'il ne s'y rencontre point de péril de vie, de pertes d'États ou de bannissement, je ne pense pas qu'il aye droit de prendre un nom plus relevé que celui de comédie; mais pour répondre aucunement à la dignité des personnes dont celui-là représente les actions, je me suis hasardé d'y ajouter l'épithète d'héroïque, pour le distinguer d'avec les comédies ordinaires. Cela est sans exemple parmi les Anciens, mais aussi il est sans exemple parmi eux de mettre des rois sur le théâtre sans quelqu'un de ces grands périls. Nous ne devons pas nous attacher si servilement à leur imitation que nous n'osions essayer quelque chose de nous-mêmes, quand cela ne renverse point les règles de l'art, ne fût-ce que pour mériter cette louange que donnait Horace aux poètes de son temps :

Nec minimum meruere decus, vestigia græca
Ausi deserere [12]

et n'avoir point de part en ce honteux éloge :

O imitatores, servum pecus [13]!

Ce qui nous sert maintenant d'exemple, dit Tacite, *a été autrefois sans exemple, et ce que nous faisons sans exemple en pourra servir un jour* [14].

La comédie diffère donc en cela de la tragédie, que celle-ci veut pour son sujet une action illustre, extraordinaire, sérieuse. Celle-là s'arrête à une action commune et enjouée, celle-ci demande de grands périls pour ses héros; celle-là se contente de l'inquiétude et des déplaisirs de ceux à qui elle donne le premier rang parmi ses acteurs. Toutes les deux ont cela de commun, que cette action doit être complète et achevée, c'est-à-dire que, dans l'événement qui la termine, le spectateur doit être si bien instruit des sentiments de tous ceux qui y ont eu quelque part qu'il sorte l'esprit en repos, et ne soit plus en doute de rien. Cinna conspire contre Auguste, sa conspiration est découverte, Auguste le fait arrêter. Si le poème en demeurait là, l'action ne serait pas complète, parce que l'auditeur sortirait dans l'incertitude de ce que cet empereur aurait ordonné de cet ingrat favori. Ptolomée craint que César, qui vient en Égypte, ne favorise sa sœur dont il est amoureux, et ne le force à lui rendre sa part du royaume, que son père lui a laissée par testament : pour attirer la faveur de son côté par un grand service, il lui immole Pompée; ce n'est pas assez, il faut voir comment César recevra ce grand sacrifice. Il arrive, il s'en fâche, il menace Ptolomée, il le veut obliger d'immoler les conseillers de cet attentat à cet illustre mort; ce roi, surpris de cette réception si peu attendue, se résout à prévenir César et conspire contre lui, pour éviter par sa perte le malheur dont il se voit menacé. Ce n'est pas encore assez; il faut savoir ce qui réussira de cette conspiration. César est à l'avis, et Ptolomée, périssant dans un combat avec ses ministres, laisse Cléopâtre en paisible possession du royaume dont elle demandait la moitié, et César hors de péril; l'auditeur n'a plus rien à demander et sort satisfait, parce que l'action est complète.

Je connais des gens d'esprit, et des plus savants en l'art poétique, qui m'imputent d'avoir négligé d'achever *le Cid,* et quelques autres de mes poèmes, parce que je n'y conclus pas précisément le mariage des premiers acteurs, et que je ne les envoie point marier au sortir du théâtre. A quoi il est aisé de répondre que le mariage n'est point un achèvement nécessaire pour la tragédie heureuse [15], ni même pour la comédie. Quant à la première, c'est le péril d'un héros qui la constitue, et lorsqu'il en est sorti, l'action est terminée. Bien qu'il aye de l'amour, il n'est point besoin qu'il parle d'épouser sa maîtresse quand la bienséance ne le permet pas, et il suffit d'en donner l'idée après en avoir levé tous les empêchements, sans en faire déterminer le jour. Ce serait une chose insupportable que Chimène en convînt avec Rodrigue dès le lendemain qu'il a tué son père, et Rodrigue serait ridicule, s'il faisait la

---

12. « Et leur mérite n'est pas le moindre quand ils osèrent quitter les pas des Grecs. » (*Art poétique,* v. 286).
13. « Imitateurs, troupeau servile! » (*Epître* I, XIX, v. 19).
14. *Annales,* liv. XI, chap. 24.
15. Cette appellation, si souvent présente à l'esprit de Corneille au cours de ses œuvres, correspond à la dénomination reçue en Italie, tragédie à fin heureuse (*tragedia a lieto fine*), jamais admise en France.

moindre démonstration de le désirer. Je dis la même chose d'Antiochus : il ne pourrait dire de douceurs à Rodogune qui ne fussent de mauvaise grâce, dans l'instant que sa mère se vient d'empoisonner à leurs yeux, et meurt dans la rage de n'avoir pu les faire périr avec elle. Pour la comédie, Aristote ne lui impose point d'autre devoir pour conclusion *que de rendre amis ceux qui étaient ennemis*, ce qu'il faut entendre un peu plus généralement que les termes ne semblent porter, et l'étendre à la réconciliation de toute sorte de mauvaise intelligence, comme quand un fils rentre aux bonnes grâces d'un père qui on a vu en colère contre lui pour ses débauches, ce qui est une fin assez ordinaire aux anciennes comédies, ou que deux amants, séparés par quelque fourbe qu'on leur a faite ou par quelque pouvoir dominant, se réunissent par l'éclaircissement de cette fourbe, ou par le consentement de ceux qui y mettaient obstacle ; ce qui arrive presque toujours dans les nôtres, qui n'ont que très rarement une autre fin que des mariages. Nous devons toutefois prendre garde que ce consentement ne vienne pas par un simple changement de volonté, mais par un événement qui en fournisse l'occasion. Autrement il n'y aurait pas grand artifice au dénouement d'une pièce, si, après l'avoir soutenue durant quatre actes sur l'autorité d'un père qui n'approuve point les inclinations amoureuses de son fils ou de sa fille, il y consentait tout d'un coup au cinquième, par cette seule raison que c'est le cinquième, et que l'auteur n'oserait en faire six. Il faut un effet considérable qui l'y oblige, comme si l'amant de sa fille lui sauvait la vie en une quelque rencontre où il fût prêt d'être assassiné par ses ennemis, ou que par quelque accident inespéré, il fût reconnu pour être de plus grande condition, et mieux dans la fortune qu'il ne paraissait.

Comme il est nécessaire que l'action soit complète, il faut aussi n'ajouter rien au delà, parce que quand l'effet est arrivé, l'auditeur ne souhaite plus rien et s'ennuie de tout le reste. Ainsi les sentiments de joie qu'ont deux amants qui se voient réunis après de longues traverses doivent être bien courts, et je ne sais pas quelle grâce a eue chez les Athéniens la contestation de Ménélas et de Teucer pour la sépulture d'Ajax, que Sophocle fait mourir au quatrième acte, mais je sais bien que de notre temps la dispute du même Ajax et d'Ulysse pour les armes d'Achille après sa mort, lassa fort les oreilles, bien qu'elle partît d'une bonne main [16]. Je ne puis déguiser même que j'ai peine encore à comprendre comment on a pu souffrir le cinquième acte de *Mélite* et de *la Veuve*. On n'y voit les premiers acteurs que réunis ensemble, et ils n'y ont plus d'intérêt qu'à savoir les auteurs de la fausseté ou de la violence qui les a séparés. Cependant ils en pouvaient être déjà instruits, si je l'eusse voulu, et semblent n'être plus sur le théâtre que pour servir de témoins au mariage de ceux du second ordre, ce qui fait languir toute cette fin où ils n'ont point de part. Je n'ose attribuer le bonheur qu'eurent ces deux comédies à l'ignorance des préceptes, qui était assez générale en ce temps-là, d'autant que ces mêmes préceptes, bien ou mal observés, doivent faire leur effet, bon ou mauvais, sur ceux mêmes qui faute de les savoir s'abandonnent au courant des sentiments naturels, mais je ne puis que je n'avoue du moins que la vieille habitude qu'on avait alors à ne voir rien de mieux ordonné a été cause qu'on ne s'est pas indigné contre ces défauts, et que la nouveauté

d'un genre de comédie très agréable, et qui jusque-là n'avait point paru sur la scène, a fait qu'on a voulu trouver belles toutes les parties d'un corps qui plaisait à la vue, bien qu'il n'eût pas toutes ses proportions dans leur justesse.

La comédie et la tragédie se ressemblent encore en ce que l'action qu'elles choisissent pour imiter *doit avoir une juste grandeur*, c'est-à-dire *qu'elle ne doit être ni si petite qu'elle échappe à la vue comme un atome, ni si vaste qu'elle confonde la mémoire de l'auditeur et égare son imagination*. C'est ainsi qu'Aristote explique cette condition du poème et ajoute que *pour être d'une juste grandeur, elle doit avoir un commencement, un milieu et une fin*. Ces termes sont si généraux qu'ils semblent ne signifier rien, mais à les bien entendre, ils excluent les actions momentanées qui n'ont point ces trois parties. Telle est peut-être la mort de la sœur d'Horace, qui se fait tout d'un coup sans aucune préparation dans les trois actes qui la précédent, et je m'assure que si Cinna attendait au cinquième à conspirer contre Auguste, et qu'il consumât les quatre autres en protestations d'amour à Émilie ou en jalousies contre Maxime, cette conspiration surprenante ferait bien des révoltes dans les esprits, à qui ces quatre premiers auraient fait attendre toute autre chose.

Il faut donc qu'une action, pour être d'une juste grandeur, aye un commencement, un milieu et une fin. Cinna conspire contre Auguste et rend compte de sa conspiration à Émilie, voilà le commencement ; Maxime en fait avertir Auguste, voilà le milieu ; Auguste lui pardonne, voilà la fin. Ainsi dans les comédies de ce premier volume, j'ai presque toujours établi deux amants en bonne intelligence, je les ai brouillés ensemble par quelque fourbe, et les ai réunis par l'éclaircissement de cette même fourbe qui les séparait.

A ce que je viens de dire de la juste grandeur de l'action, j'ajoute un mot touchant celle de sa représentation, que nous bornons d'ordinaire à un peu moins de deux heures. Quelques-uns réduisent le nombre des vers qu'on y récite à quinze cents et veulent que les pièces de théâtre ne puissent aller jusqu'à dix-huit, sans laisser un chagrin capable de faire oublier les plus belles choses. J'ai été plus heureux que leur règle ne me le permet, en ayant pour l'ordinaire donné deux mille aux comédies, et un peu plus de dix-huit cents aux tragédies, sans avoir sujet de me plaindre que mon auditoire ait montré trop de chagrin pour cette longueur.

C'est assez parlé du sujet de la comédie et des conditions qui lui sont nécessaires. La vraisemblance en est une dont je parlerai en un autre lieu ; il y a de plus, que les événements en doivent toujours être heureux, ce qui n'est pas une obligation de la tragédie, où nous avons le choix de faire un changement de bonheur en malheur, ou de malheur en bonheur. Cela n'a pas besoin de commentaire ; je viens à la seconde partie du poème, qui sont les mœurs.

Aristote leur prescrit quatre conditions, *qu'elles soient bonnes, convenables, semblables, et égales*. Ce sont des termes qu'il a si peu expliqués qu'il nous laisse grand lieu de douter de ce qu'il veut dire.

Je ne puis comprendre comment on a voulu entendre par ce mot de bonnes, qu'il faut qu'elles soient vertueuses. La plupart des poèmes, tant anciens que modernes, demeureraient en un pitoyable état, si l'on en retranchait tout ce qui s'y rencontre de personnages méchants ou vicieux ou tachés de quelque faiblesse qui s'accorde mal avec la vertu. Horace a pris soin de décrire en général les mœurs de chaque âge, et leur

16. *La Mort d'Achille* (1636) de Benserade.

attribue plus de défauts que de perfections, et quand il nous prescrit de peindre Médée fière et indomptable, Ixion perfide, Achille emporté de colère, jusqu'à maintenir que les lois ne sont pas faites pour lui, et ne vouloir prendre droit que par les armes, il ne nous donne pas de grandes vertus à exprimer. Il faut donc trouver une bonté compatible avec ces sortes de mœurs; et s'il m'est permis de dire mes conjectures sur ce qu'Aristote nous demande par là, je crois que c'est le caractère brillant et élevé d'une habitude vertueuse ou criminelle, selon qu'elle est propre et convenable à la personne qu'on introduit. Cléopâtre, dans *Rodogune*, est très méchante; il n'y a point de parricide qui lui fasse horreur, pourvu qu'il la puisse conserver sur un trône qu'elle préfère à toutes choses, tant son attachement à la domination est violent, mais tous ses crimes sont accompagnés d'une grandeur d'âme qui a quelque chose de si haut qu'en même temps qu'on déteste ses actions, on admire la source dont elles partent. J'ose dire la même chose du *Menteur*. Il est hors de doute que c'est une habitude vicieuse que de mentir, mais il débite ses menteries avec une telle présence d'esprit et tant de vivacité que cette imperfection a bonne grâce en sa personne, et fait confesser aux spectateurs que le talent de mentir ainsi est un vice dont les sots ne sont point capables. Pour troisième exemple, ceux qui voudront examiner la manière dont Horace décrit la colère d'Achille ne s'éloigneront pas de ma pensée. Elle a pour fondement un passage d'Aristote, qui suit d'assez près celui que je tâche d'expliquer. *La poésie*, dit-il, *est une imitation de gens meilleurs qu'ils n'ont été, et comme les peintres font souvent des portraits flattés, plus beaux que l'original et conservent toutefois la ressemblance, ainsi les poètes, représentant des hommes colères ou fainéants, doivent tirer une haute idée de ces qualités qu'ils leur attribuent, en sorte qu'il s'y trouve un bel exemplaire d'équité ou de dureté, et c'est ainsi qu'Homère a fait Achille bon*. Ce dernier mot est à remarquer, pour faire voir qu'Homère a donné aux emportements de la colère d'Achille cette bonté nécessaire aux mœurs, que je fais consister en cette élévation de leur caractère, et dont Robortel[17] parle ainsi : *Unumquodque genus per se supremos quosdam habet decoris gradus, et absolutissimam recipit formam, non tamen degenerans a sua natura et effigie pristina*[18].

Ce texte d'Aristote que je viens de citer peut faire de la peine, en ce qu'il porte *que les mœurs des hommes colères ou fainéants doivent être peintes dans un tel degré d'excellence, qu'il s'y rencontre un haut exemplaire d'équité ou de dureté*. Il y a du rapport de la dureté à la colère, et c'est ce qu'attribue Horace à celle d'Achille en ce vers :

> .... *Iracundus, inexorabilis, acer*[19]

Mais il n'y en a point de l'équité à la fainéantise, et je ne puis voir quelle part elle peut avoir en son caractère. C'est ce qui me fait douter si le mot grec ῥᾳθύμους a été rendu dans le sens d'Aristote par les interprètes

latins que j'ai suivis. Pacius[20] le tourne *desides*; Victorius[21], *inertes*; Heinsius[22], *segnes*; et le mot de *fainéants*, dont je me suis servi pour le mettre en notre langue, répond assez à ces trois versions; mais Castelvetro[23] le rend en la sienne par celui de *mansueti*, « débonnaires ou pleins de mansuétude »; et non seulement ce mot a une opposition plus juste à celui de *colères*, mais aussi il s'accorderait mieux avec cette habitude qu'Aristote appelle ἐπιείκειαν, dont il nous demande un bel exemplaire. Ces trois interprètes traduisent ce mot grec par celui d'*équité* ou de *probité*, qui répondrait mieux au *mansueti* de l'Italien qu'à leurs *segnes*, *desides*, *inertes*, pourvu qu'on n'entendît par là qu'une bonté naturelle, qui ne se fâche que malaisément : mais j'aimerais mieux encore celui de *piacevolezza*, dont l'autre[24] se sert pour l'exprimer en sa langue, et je crois que pour lui laisser sa force en la nôtre, on le pourrait tourner par celui de *condescendance*, ou *facilité équitable d'approuver, excuser, et supporter tout ce qui arrive*. Ce n'est pas que je me veuille faire juge entre de si grands hommes, mais je ne puis dissimuler que la version italienne de ce passage me semble avoir quelque chose de plus juste que ces trois latines. Dans cette diversité d'interprétations, chacun est en liberté de choisir, puisque même on a droit de les rejeter toutes, quand il s'en présente une nouvelle qui plaît davantage et que les opinions des plus savants ne sont pas des lois pour nous.

Il me vient encore une autre conjecture, touchant ce qu'entend Aristote par cette bonté de mœurs qu'il leur impose pour première condition. C'est qu'elles doivent être vertueuses tant qu'il se peut, en sorte que nous n'exposions point de vicieux ou de criminels sur le théâtre, si le sujet que nous traitons n'en a besoin. Il donne lieu lui-même à cette pensée, lorsque voulant marquer un exemple d'une faute contre cette règle, il se sert de celui de Ménélas dans l'*Oreste* d'Euripide, dont le défaut ne consiste pas en ce qu'il est injuste, mais en ce qu'il l'est sans nécessité.

Je trouve dans Castelvetro une troisième explication qui pourrait ne déplaire pas, qui est que cette bonté de mœurs ne regarde que le premier personnage, qui doit toujours se faire aimer et par conséquent être vertueux, et non pas ceux qui le persécutent ou le font périr; mais comme ce n'est restreindre à un seul ce qu'Aristote dit en général, j'aimerais mieux m'arrêter, pour l'intelligence de cette première condition, à cette élévation ou perfection de caractère dont j'ai parlé, qui peut convenir à tous ceux qui paraissent sur la scène, et je ne pourrais suivre cette dernière interprétation sans condamner le *Menteur*, dont l'habitude est vicieuse, bien qu'il tienne le premier rang dans la comédie qui porte ce titre.

En second lieu, les mœurs doivent être convenables. Cette condition est plus aisée à entendre que la première. Le poète doit considérer l'âge, la dignité, la naissance, l'emploi et le pays de ceux qu'il introduit : il faut qu'il sache ce qu'on doit à sa patrie, à ses parents, à ses amis, à son roi; quel est l'office d'un magistrat, ou d'un général d'armée, afin qu'il puisse y conformer ceux qu'il

---

17. Francesco Robortello (1516-1567), professeur à Padoue, a laissé, parmi de nombreux ouvrages, une édition plus soignée de la *Poétique*, avec des commentaires. Il est probable que Corneille connut aussi son édition du *Traité du sublime* de Longin, dont Boileau fait, précisément cette même année 1660, l'âme de son *Art poétique*.

18. « Tous les genres ont chacun leur degré d'excellence esthétique et reçoivent une forme parfaite, sans perdre rien de sa nature ni de sa figure primitive. »

19. « Irascible, intraitable, dur. » (*Art poétique*, v. 121).

20. Julius Pacius et Alexandre Paccius ont tous deux édité la *Poétique*. C'est, malgré l'orthographe, du dernier que parle Corneille.

21. Petro Vettori (1499) a édité, avec beaucoup d'autres œuvres d'Aristote, la *Poétique* en 1573.

22. Outre la réédition d'Aristote en 1611, Heinsius a publié à part un large *commentaire* de ce texte.

23. Castelvetro, de Modène (1505-1571) : sa traduction glosée italienne de la *Poétique* est de 1570.

24. « L'autre » : Castelvetro. — *piacevolezza* : affabilité que Corneille traduit immédiatement après par *condescendance*.

veut faire aimer aux spectateurs, et en éloigner ceux qu'il leur veut faire haïr, car c'est une maxime infaillible que, pour bien réussir, il faut intéresser l'auditoire pour les premiers acteurs. Il est bon de remarquer encore ce qu'Horace dit des mœurs de chaque âge n'est pas une règle dont on ne se puisse dispenser sans scrupule. Il fait les jeunes gens prodigues et les vieillards avares : le contraire arrive tous les jours sans merveille, mais il ne faut pas que l'un agisse à la manière de l'autre, bien qu'il aye quelquefois des habitudes et des passions qui conviendraient mieux à l'autre. C'est le propre d'un jeune homme d'être amoureux, et non pas d'un vieillard; cela n'empêche pas qu'un vieillard ne le devienne : les exemples en sont assez souvent devant nos yeux, mais il passerait pour fou s'il voulait faire l'amour en jeune homme, et s'il prétendait se faire aimer par les bonnes qualités de sa personne. Il peut espérer qu'on l'écoutera, mais cette espérance doit être fondée sur son bien ou sur sa qualité, et non pas sur ses mérites; et ses prétentions ne peuvent être raisonnables, s'il ne croit avoir affaire à une âme assez intéressée pour déférer tout à l'éclat des richesses ou à l'ambition du rang.

La qualité de semblables, qu'Aristote demande aux mœurs, regarde particulièrement les personnes que l'histoire ou la fable nous fait connaître, et qu'il faut toujours peindre telles que nous les y trouvons. C'est ce que veut dire Horace par ce vers :

Sit Medea ferox invictaque [25]...

Qui peindrait Ulysse en grand guerrier, ou Achille en grand discoureur, ou Médée en femme fort soumise, s'exposerait à la risée publique. Ainsi ces deux qualités, dont quelques interprètes ont beaucoup de peine à trouver la différence qu'Aristote veut qui soit entre elles sans la désigner, s'accorderont aisément, pourvu qu'on les sépare et qu'on donne celle de convenables aux personnes imaginées, qui n'ont jamais eu d'être que dans l'esprit du poète, en réservant l'autre pour celles qui sont connues par l'histoire ou par la fable, comme je le viens de dire.

Il reste à parler de l'égalité, qui nous oblige à conserver jusqu'à la fin à nos personnages les mœurs que nous leur avons données au commencement :

Servetur ad imum
Qualis ab incepto processerit, et sibi constet [26].

L'inégalité y peut toutefois entrer sans défaut, non seulement quand nous introduisons des personnes d'un esprit léger et inégal, mais encore lorsqu'en conservant l'égalité au dedans, nous donnons l'inégalité au dehors, selon l'occasion. Telle est celle de Chimène, du côté de l'amour : elle aime toujours fortement Rodrigue dans son cœur, mais cet amour agit autrement en la présence du Roi, autrement en celle de l'Infante, et autrement en celle de Rodrigue, et c'est ce qu'Aristote appelle des mœurs inégalement égales.

Il se présente une difficulté à éclaircir sur cette matière, touchant ce qu'entend Aristote lorsqu'il dit *que la tragédie se peut faire sans mœurs et que la plupart de celles des modernes de son temps n'en ont point*. Le sens de ce passage est assez malaisé à concevoir, vu, que selon lui-même, c'est par les mœurs qu'un homme est méchant ou homme de bien, spirituel ou stupide, timide ou hardi, constant ou irrésolu, bon ou mauvais politique, et qu'il est impossible qu'on en mette aucun sur le théâtre qui ne soit bon ou méchant, et qui n'aye quelqu'une de ces autres qualités. Pour accorder ces deux sentiments qui semblent opposés l'un à l'autre, j'ai remarqué que ce philosophe dit ensuite que *si un poète a fait de belles narrations morales et des discours bien sentencieux, il n'a fait encore rien par là qui concerne la tragédie*. Cela m'a fait considérer que les mœurs ne sont pas seulement le principe des actions, mais aussi du raisonnement. Un homme de bien agit et raisonne en homme de bien, un méchant agit et raisonne en méchant, et l'un et l'autre étale de diverses maximes de morale suivant cette diverse habitude. C'est donc de ces maximes, que cette habitude produit, que la tragédie peut se passer, et non pas de l'habitude même, puisqu'elle est le principe des actions, et que les actions sont l'âme de la tragédie, où l'on ne doit parler qu'en agissant et pour agir. Ainsi pour expliquer ce passage d'Aristote par l'autre, nous pouvons dire que quand il parle d'une tragédie sans mœurs, il entend une tragédie où les acteurs énoncent simplement leurs sentiments ou ne les appuient que sur des raisonnements tirés du fait, comme Cléopâtre dans le second acte de *Rodogune*, et non pas sur des maximes de morale ou de politique, comme Rodogune dans son premier acte. Car, je le répète encore, faire un poème de théâtre où aucun des acteurs ne soit bon ni méchant, prudent ni imprudent, cela est absolument impossible.

Après les mœurs viennent les sentiments, par où l'acteur fait connaître ce qu'il veut ou ne veut pas, en quoi il peut se contenter d'un simple témoignage de ce qu'il se propose de faire, sans le fortifier de raisonnements moraux, comme je le viens de dire. Cette partie a besoin de la rhétorique pour peindre les passions et les troubles de l'esprit, pour en consulter, délibérer, exagérer ou exténuer; mais il y a cette différence pour ce regard entre le poète dramatique et l'orateur, que celui-ci peut étaler son art et le rendre remarquable avec pleine liberté, et que l'autre doit le cacher avec soin, parce que ce n'est jamais lui qui parle, et que ceux qu'il fait parler ne sont pas des orateurs.

La diction dépend de la grammaire. Aristote lui attribue les figures, que nous ne laissons pas d'appeler communément figures de rhétorique. Je n'ai rien à dire là-dessus, sinon que le langage doit être net, les figures placées à propos et diversifiées, et la versification aisée et élevée au-dessus de la prose, mais non pas jusqu'à l'enflure du poème épique, puisque ceux que le poète fait parler ne sont pas des poètes.

Le retranchement que nous avons fait des chœurs a retranché la musique de nos poèmes. Une chanson y a quelquefois bonne grâce, et dans les pièces de machines cet ornement est redevenu nécessaire pour remplir les oreilles de l'auditeur cependant que les machines descendent.

La décoration du théâtre a besoin de trois arts pour la rendre belle, de la peinture, de l'architecture, et de la perspective. Aristote prétend que cette partie, non plus que la précédente, ne regarde pas le poète, et comme il ne la traite point, je me dispenserai d'en dire plus qu'il ne m'en a appris.

Pour achever ce discours, je n'ai plus qu'à parler des parties de quantité, qui sont le prologue, l'épisode, l'exode et le chœur. *Le prologue est ce qui se récite avant le premier chant du chœur, l'épisode, ce qui se récite entre les chants du chœur, et l'exode, ce qui se récite après le dernier chant du chœur.* Voilà tout ce que nous en dit Aristote, qui nous marque plutôt la situation de ces

25. « Que Médée soit sauvage et insoumise. »
26. « Qu'il les conserve jusqu'au bout tels qu'il s'est montré au début, constant avec lui-même » (*Art poétique*, v. 126-127).

parties, et l'ordre qu'elles ont entre elles dans la représentation, que la part de l'action qu'elles doivent contenir. Ainsi pour les appliquer à notre usage, le prologue est notre premier acte, l'épisode fait les trois suivants, l'exode le dernier.

Je dis que le prologue est ce qui se récite devant le premier chant du chœur, bien que la version ordinaire porte, *devant la première entrée du chœur*, ce qui nous embarrasserait fort, vu que dans beaucoup de tragédies grecques le chœur parle le premier, et ainsi elles manqueraient de cette partie, ce qu'Aristote n'eût pas manqué de remarquer. Pour m'enhardir à changer ce terme, afin de lever la difficulté, j'ai considéré qu'encore que le mot grec πάροδος, dont se sert ici ce philosophe, signifie communément l'entrée en un chemin ou place publique, qui était le lieu ordinaire où nos Anciens faisaient parler leurs acteurs, en cet endroit toutefois il ne peut signifier que le premier chant du chœur. C'est ce qu'il m'apprend lui-même un peu après, en disant que le πάροδος du chœur est la première chose que dit tout le chœur ensemble. Or quand le chœur entier disait quelque chose, il chantait, et quand il parlait sans chanter, il n'y avait qu'un de ceux dont il était composé qui parlât au nom de tous. La raison en est que le chœur alors tenait lieu d'acteur, et que ce qu'il disait servait à l'action et devait par conséquent être entendu, ce qui n'eût pas été possible, si tous ceux qui le composaient et qui étaient quelquefois jusqu'au nombre de cinquante, eussent parlé ou chanté tous à la fois. Il faut donc rejeter ce premier πάροδος du chœur, qui est la borne du prologue, à la première fois qu'il demeurait seul sur le théâtre et chantait : jusque-là il n'y était introduit que par un acteur par une seule bouche, ou s'il y demeurait seul sans chanter, il se séparait en deux demi-chœurs, qui ne parlaient non plus chacun de leur côté que par un seul organe, afin que l'auditeur pût entendre ce qu'ils disaient, et s'instruire de ce qu'il fallait qu'il apprît pour l'intelligence de l'action.

Je réduis ce prologue à notre premier acte, suivant l'intention d'Aristote, et, pour suppléer en quelque façon à ce qu'il ne nous a pas dit ou que les années nous ont dérobé de son livre, je dirai qu'il doit contenir les semences de tout ce qui doit arriver, tant pour l'action principale que pour les épisodes, en sorte qu'il n'entre aucun acteur dans les actes suivants qui ne soit connu par ce premier, ou du moins appelé par quelqu'un qui y aura été introduit. Cette maxime est nouvelle et assez sévère, et je ne l'ai pas toujours gardée, mais j'estime qu'elle sert beaucoup à fonder une véritable unité d'action, par la liaison de toutes celles qui concurrent [27] dans le poème. Les Anciens s'en sont fort écartés, particulièrement dans les agnitions [28], pour lesquelles ils se sont presque toujours servis de gens qui survenaient par hasard au cinquième acte, et ne seraient arrivés qu'au dixième, si la pièce en eût dix. Tel est ce vieillard de Corinthe dans l'*Œdipe* de Sophocle et de Sénèque, où il semble tomber des nues par miracle, en un temps où les acteurs ne sauraient plus par où en prendre ni quelle posture tenir, s'il arrivait une heure plus tard. Je ne l'ai introduit qu'au cinquième acte non plus qu'eux, mais j'ai préparé sa venue dès le premier, en faisant dire à Œdipe qu'il attend dans le jour la nouvelle de la mort de son père. Ainsi dans *La Veuve*, bien que Célidan ne

27. Corneille emploie, à côté de *concurrent* et de *concurrence*, le verbe qui est à la racine et qu'a été supplanté par *concourir*. Mais concourir a pris un autre sens, qui ne serait pas clair ici : Corneille préfère l'archaïsme (le mot est entre autres dans Montaigne) à l'ambiguïté.

28. Reconnaissances.

paraisse qu'au troisième, il y est amené par Alcidon, qui est du premier. Il n'en est pas de même des Maures dans *le Cid*, pour lesquels il n'y a aucune préparation au premier acte. Le plaideur de Poitiers dans *le Menteur* avait le même défaut, mais j'ai trouvé le moyen d'y remédier en cette édition, où le dénouement se trouve préparé par Philiste, et non plus par lui,

Je voudrais donc que le premier acte contînt le fondement de toutes les actions et fermât la porte à tout ce qu'on voudrait introduire d'ailleurs dans le reste du poème. Encore que souvent il ne donne pas toutes les lumières nécessaires pour l'entière intelligence du sujet et que tous les acteurs n'y paraissent pas, il suffit qu'on y parle d'eux ou que ceux qu'on y fait paraître ayent besoin de les aller chercher pour venir à bout de leurs intentions. Ce que je dis ne se doit entendre que des personnages qui agissent dans la pièce par quelque propre intérêt considérable, ou qui apportent une nouvelle importante qui produit un notable effet. Un domestique qui n'agit que par l'ordre de son maître, un confident qui reçoit le secret de son ami et le plaint dans son malheur, un père qui ne se montre que pour consentir ou contredire au mariage de ses enfants, une femme qui console et conseille son mari, en un mot, tous ces gens sans action n'ont point besoin d'être insinués au premier acte; et quand je n'y aurais point parlé de Livie dans *Cinna*, j'aurais pu la faire entrer au quatrième, sans pécher contre cette règle. Mais je souhaiterais qu'on l'observât inviolablement quand on fait concurrer deux actions différentes, bien qu'ensuite elles se mêlent ensemble. La conspiration de Cinna et la consultation d'Auguste avec lui et Maxime, n'ont aucune liaison entre elles et ne font que concurrer d'abord, bien que le résultat de l'une produise de beaux effets pour l'autre et soit cause que Maxime en fait découvrir le secret à cet empereur. Il a été besoin d'en donner l'idée dès le premier acte, où Auguste mande Cinna et Maxime. On n'en sait pas la cause, mais enfin il les mande, et cela suffit pour faire une surprise très agréable, de le voir délibérer s'il quittera l'empire ou non, avec deux hommes qui ont conspiré contre lui. Cette surprise aurait perdu la moitié de ses grâces s'il ne les eût point mandés dès le premier acte, ou si on n'y eût point connu Maxime pour un des chefs de ce grand dessein. Dans *Don Sanche* le choix que la reine de Castille doit faire d'un mari, et le rappel de celle d'Aragon dans ses États, sont deux choses tout à fait différentes : aussi sont-elles proposées toutes deux au premier acte et quand on introduit deux sortes d'amours, il ne faut jamais y manquer.

Ce premier acte s'appelait prologue du temps d'Aristote, et communément on y faisait l'ouverture du sujet, pour instruire le spectateur de tout ce qui s'était passé avant le commencement de l'action qu'on allait représenter, et de tout ce qu'il fallait qu'il sût pour comprendre ce qu'il allait voir. La manière de donner cette intelligence a changé suivant les temps. Euripide en a usé assez grossièrement, en introduisant tantôt un dieu dans une machine, par qui les spectateurs recevaient cet éclaircissement, et tantôt un de ses principaux personnages qui les en instruisait lui-même, comme dans son *Iphigénie* et dans son *Hélène*, où ces deux héroïnes racontent d'abord toute leur histoire, et l'apprennent à l'auditeur, sans avoir aucun acteur avec elles à qui adresser leur discours.

Ce n'est pas que je veuille dire que quand un acteur parle seul, il ne puisse instruire l'auditeur de beaucoup de choses, mais il faut que ce soit par les sentiments d'une passion qui l'agite, et non pas par une simple narration. Le monologue d'Émilie, qui ouvre le théâtre dans *Cinna*, fait assez connaître qu'Auguste a fait mourir son père, et que pour venger sa mort elle engage son amant à conspirer contre lui, mais c'est par le trouble et la crainte que le péril où elle expose Cinna jette dans son âme que nous en avons la connaissance. Surtout le poète se doit souvenir que quand un acteur est seul sur le théâtre, il est présumé ne faire que s'entretenir en lui-même, et ne parle qu'afin que le spectateur sache de quoi il s'entretient et à quoi il pense. Ainsi ce serait une faute insupportable si un autre acteur apprenait par là ses secrets. On excuse cela dans une passion si violente qu'elle force d'éclater, bien qu'on n'aye personne à qui la faire entendre, et je ne le voudrais pas condamner en un autre, mais j'aurais de la peine à me le souffrir.

Plaute a cru remédier à ce désordre d'Euripide en introduisant un prologue détaché, qui se récitait par un personnage qui avait quelquefois autre nom que celui de Prologue, et n'était point du tout du corps de la pièce. Aussi ne parlait-il qu'aux spectateurs pour les instruire de ce qui avait précédé et amener le sujet jusques au premier acte où commençait l'action.

Térence, qui est venu depuis lui, a gardé ses prologues et en a changé la matière. Il les a employés à faire son apologie contre ses envieux, et pour ouvrir son sujet, il a introduit une nouvelle sorte de personnages qu'on a appelés protatiques, parce qu'ils ne paraissent que dans la protase, où se doit faire la proposition et l'ouverture du sujet. Ils en écoutaient l'histoire, qui leur était racontée par un autre acteur, et par ce récit qu'on leur en faisait, l'auditeur demeurait instruit de ce qu'il devait savoir, touchant les intérêts des premiers acteurs, avant qu'ils parussent sur le théâtre. Tels sont Sosie dans *Andrienne* et Davus dans son *Phormion*, qu'on ne revoit plus après la narration, et qui ne servent qu'à l'écouter. Cette méthode est fort artificieuse, mais je voudrais pour sa perfection que ces mêmes personnages servissent encore à quelque autre chose dans la pièce, et qu'ils y fussent introduits par quelque autre occasion que celle d'écouter ce récit. Pollux dans *Médée* est de cette nature. Il passe par Corinthe en allant au mariage de sa sœur, et s'étonne d'y rencontrer Jason, qu'il croyait en Thessalie; il apprend de lui sa fortune et son divorce avec Médée, pour épouser Créuse, qu'il aide ensuite à sauver des mains d'Égée, qui l'avait fait enlever, et raisonne avec le Roi sur la défiance qu'il doit avoir des présents de Médée. Toutes les pièces n'ont pas besoin de ces éclaircissements, et par conséquent on se peut passer souvent de ces personnages, dont Térence ne s'est servi que ces deux fois dans les six comédies que nous avons de lui.

Notre siècle a inventé une autre espèce de prologue pour les pièces de machines, qui ne touche point au sujet et n'est qu'une louange du prince devant qui ces poèmes doivent être représentés. Dans l'*Andromède*, Melpomène emprunte au soleil ses rayons pour éclairer son théâtre en faveur du Roi, pour qui elle a préparé un spectacle magnifique. Le prologue de *la Toison d'or*, sur le mariage de Sa Majesté et la paix avec l'Espagne, a quelque chose encore de plus éclatant. Ces prologues doivent avoir beaucoup d'invention, et je ne pense pas qu'on y puisse raisonnablement introduire que des Dieux imaginaires de l'antiquité, qui ne laissent pas toutefois de parler des choses de notre temps, par une fiction poétique, qui fait un grand accommodement de théâtre.

L'épisode, selon Aristote en cet endroit, sont nos trois actes du milieu; mais comme il applique ce nom ailleurs aux actions qui sont hors de la principale et qui lui servent d'un ornement dont elle se pourrait passer, je dirai que bien que ces trois actes s'appellent épisode, ce n'est pas à dire qu'ils ne soient composés que d'épisodes. La consultation d'Auguste au second de *Cinna*, les remords de cet ingrat, ce qu'il en découvre à Émilie et l'effort que fait Maxime pour persuader à cet objet de son amour caché de s'enfuir avec lui, ne sont que des épisodes; mais l'avis que fait donner Maxime par Euphorbe à l'Empereur, les irrésolutions de ce prince et les conseils de Livie, sont de l'action principale; et dans *Héraclius*, ces trois actes ont plus d'action principale que d'épisodes. Ces épisodes sont de deux sortes et peuvent être composés des actions particulières des principaux acteurs, dont toutefois l'action principale pourrait se passer, ou des intérêts des seconds amants qu'on introduit et qu'on appelle communément des personnages épisodiques. Les uns et les autres doivent avoir leur fondement dans le premier acte et être attachés à l'action principale, c'est-à-dire y servir de quelque chose; et particulièrement ces personnages épisodiques doivent s'embarrasser si bien avec les premiers qu'un seul intrique brouille les uns et les autres. Aristote blâme fort les épisodes détachés et dit *que les mauvais poètes en font par ignorance, et les bons en faveur des comédiens pour leur donner de l'emploi*. L'Infante du *Cid* est de ce nombre et on la pourra condamner ou lui faire grâce par le texte d'Aristote, suivant le rang qu'on voudra me donner parmi nos modernes.

Je ne dirai rien de l'exode, qui n'est autre chose que notre cinquième acte. Je pense en avoir expliqué le principal emploi, quand j'ai dit que l'action du poème dramatique doit être complète. Je n'y ajouterai qu'un mot : qu'il faut, s'il se peut, lui réserver toute la catastrophe et même la reculer vers la fin, autant qu'il est possible. Plus on la diffère, plus les esprits demeurent suspendus, et l'impatience qu'ils ont de savoir de quel côté elle tournera est cause qu'ils la reçoivent avec plus de plaisir, ce qui n'arrive pas quand elle commence avec cet acte. L'auditeur qui la sait trop tôt n'a plus de curiosité et son attention languit durant tout le reste, qui ne lui apprend rien de nouveau. Le contraire s'est vu dans *la Mariane* [29], dont la mort, bien qu'arrivée dans l'intervalle qui sépare le quatrième acte du cinquième, n'a pas empêché que les déplaisirs d'Hérode, qui occupent tout ce dernier, n'ayent plu extraordinairement, mais je ne conseillerais à personne de s'assurer sur cet exemple. Il ne se fait pas des miracles tous les jours, et quoique son auteur eût bien mérité le beau succès par le grand effort d'esprit qu'il avait fait à peindre les désespoirs de ce monarque, peut-être que l'excellence de l'acteur qui en soutenait le personnage, y contribuait beaucoup [30].

Voilà ce qui m'est venu en pensée touchant le but, les utilités et les parties du poème dramatique. Quelques personnes de condition qui peuvent tout sur moi, ont voulu que je donnasse mes sentiments au public sur les règles d'un art qu'il y a si longtemps que je pratique assez heureusement. Comme ce recueil est séparé en trois volumes, j'ai séparé les principales matières en trois Discours, pour leur servir de préfaces. Je parle au second des conditions particulières de la tragédie, des qualités des personnes et des événements qui lui peuvent fournir

---

29. La pièce de Tristan remonte à 1636.
30. Ce fut l'un des trois grands rôles de Mondory ces années-là avec ceux de Jason et de Torrismon (de Vion d'Alibray, 1635). C'est celui qu'il préférait, et c'est en le jouant qu'il fut frappé d'aphasie. Cf. *Chronologie*.

de sujet et de la manière de le traiter selon le vraisemblable ou le nécessaire. Je m'explique dans le troisième sur les trois unités, d'action, de jour, et de lieu. Cette entreprise méritait une longue et très exacte étude de tous les poèmes qui nous restent de l'antiquité, et de tous ceux qui ont commenté les traités qu'Aristote et Horace ont faits de l'art poétique ou qui en ont écrit en particulier; mais je n'ai pu me résoudre à en prendre le loisir et je m'assure que beaucoup de mes lecteurs me pardonneront aisément cette paresse et ne seront pas fâchés que je donne à des productions nouvelles le temps qu'il m'eût fallu consumer à des remarques sur celles des autres siècles. J'y fais quelques courses et y prends des exemples quand ma mémoire m'en peut fournir. Je n'en cherche de modernes que chez moi, tant parce que je connais mieux mes ouvrages que ceux des autres et en suis plus le maître que parce que je ne veux pas m'exposer au péril de déplaire à ceux que je reprendrais en quelque chose ou que je ne louerais pas assez en ce qu'ils ont fait d'excellent. J'écris sans ambition et sans esprit de contestation, je l'ai déjà dit. Je tâche de suivre toujours le sentiment d'Aristote dans les matières qu'il a traitées, et comme peut-être je l'entends à ma mode, je ne suis point jaloux qu'un autre l'entende à la sienne. Le commentaire dont je m'y sers le plus est l'expérience du théâtre et les réflexions sur ce que j'ai vu y plaire ou déplaire. J'ai pris pour m'expliquer un style simple et me contente d'une expression nue de mes opinions, bonnes ou mauvaises, sans y rechercher aucun enrichissement d'éloquence. Il me suffit de me faire entendre; je ne prétends pas qu'on admire ici ma façon d'écrire et ne fais point de scrupule de m'y servir souvent des mêmes termes, ne fût-ce que pour épargner le temps d'en chercher d'autres, dont peut-être la variété ne dirait pas si justement ce que je veux dire. J'ajoute à ces trois Discours généraux l'examen de chacun de mes poèmes en particulier, afin de voir en quoi ils s'écartent ou se conforment aux règles que j'établis. Je n'en dissimulerai point les défauts et en revanche je me donnerai la liberté de remarquer ce que j'y trouverai de moins imparfait. Balzac[31] accorde ce privilège à une certaine espèce de gens et soutient qu'ils peuvent dire d'eux-mêmes par franchise ce que d'autres diraient par vanité. Je ne sais si j'en suis, mais je veux avoir assez bonne opinion de moi pour n'en désespérer pas.

DISCOURS DE LA TRAGÉDIE
ET DES MOYENS DE LA TRAITER SELON LE VRAISEMBLABLE
OU LE NÉCESSAIRE

Outre les trois utilités du poème dramatique dont j'ai parlé dans le discours que j'ai fait servir de préface à la première partie de ce recueil, la tragédie a celle-ci de particulière que *par la pitié et la crainte elle purge de semblables passions*. Ce sont les termes dont Aristote se sert dans sa définition, et qui nous apprennent deux choses : l'une, qu'elle excite la pitié et la crainte, l'autre, que par leur moyen elle purge de semblables passions. Il explique la première assez au long, mais il ne dit pas un mot de la dernière, et de toutes les conditions qu'il emploie en cette définition, c'est la seule qu'il n'éclaircit point. Il témoigne toutefois dans le dernier chapitre de ses *Politiques*[32] un dessein d'en parler fort au long dans ce traité, et c'est ce qui fait que la plupart de ses interprètes veulent que nous ne l'ayons pas entier, parce que nous n'y voyons rien du tout sur cette matière. Quoi qu'il en puisse être, je crois qu'il est à propos de parler de ce qu'il a dit, avant que de faire effort pour deviner ce qu'il a voulu dire. Les maximes qu'il établit pour l'un pourront nous conduire à quelques conjectures pour l'autre, et sur la certitude de ce qui nous demeure nous pourrons fonder une opinion probable de ce qui n'est point venu jusqu'à nous.

Nous avons pitié, dit-il, *de ceux que nous voyons souffrir un malheur qu'ils ne méritent pas, et nous craignons qu'il ne nous en arrive un pareil, quand nous le voyons souffrir à nos semblables*. Ainsi la pitié embrasse l'intérêt de la personne que nous voyons souffrir, la crainte qui la suit regarde la nôtre, et ce passage seul nous donne assez d'ouverture pour trouver la manière dont se fait la purgation des passions dans la tragédie. La pitié d'un malheur où nous voyons tomber nos semblables nous porte à la crainte d'un pareil pour nous; cette crainte, au désir de l'éviter, et ce désir, à purger, modérer, rectifier et même déraciner en nous la passion qui plonge à nos yeux dans ce malheur les personnes que nous plaignons, par cette raison commune, mais naturelle et indubitable, que pour éviter l'effet il faut retrancher la cause. Cette explication ne plaira pas à ceux qui s'attachent aux commentateurs de ce philosophe. Ils se gênent sur ce passage et s'accordent si peu l'un avec l'autre que Paul Beni[33] marque jusqu'à douze ou quinze opinions diverses, qu'il réfute avant que de nous donner la sienne. Elle est conforme à celle-ci pour le raisonnement, mais elle diffère en ce point qu'elle n'en applique l'effet qu'aux rois et aux princes, peut-être par cette raison que la tragédie ne peut nous faire craindre que les maux que nous voyons arriver à nos semblables et que, n'en faisant arriver qu'à des rois et à des princes, cette crainte ne peut faire d'effet que sur des gens de leur condition. Mais sans doute il a entendu trop littéralement ce mot de *nos semblables*, et n'a pas assez considéré qu'il n'y avait point de rois à Athènes, où se représentaient les poèmes dont Aristote tire ses exemples et sur lesquels il forme ses règles. Ce philosophe n'avait garde d'avoir cette pensée qu'il lui attribue, et n'eût pas employé dans la définition de la tragédie une chose dont l'effet pût arriver si rarement et dont l'utilité se fût restreinte à si peu de personnes. Il est vrai qu'on n'in-

---

31. Guez de Balzac est mort en 1654. Ce n'est qu'à partir de l'édition de 1668 que Corneille lui donne la consécration de l'appeler de son seul nom. Il avait écrit auparavant : Monsieur de Balzac.

32. Au livre VIII, chap. 7.

33. Paolo Beni, candidte professeur à Padoue, le dernier en date pour Corneille des Commentateurs d'Aristote : Padoue, 1613; réédition : Venise, 1623.

troduit d'ordinaire que des rois pour premiers acteurs dans la tragédie et que les auditeurs n'ont point de sceptres par où leur ressembler, afin d'avoir lieu de craindre les malheurs qui leur arrivent, mais ces rois sont hommes comme les auditeurs et tombent dans ces malheurs par l'emportement des passions dont les auditeurs sont capables. Ils prêtent même un raisonnement aisé à faire du plus grand au moindre, et le spectateur peut concevoir avec facilité que si un roi, pour trop s'abandonner à l'ambition, à l'amour, à la haine, à la vengeance, tombe dans un malheur si grand qu'il lui fait pitié, à plus forte raison lui qui n'est qu'un homme du commun doit tenir la bride à de telles passions, de peur qu'elles ne l'abîment dans un pareil malheur. Outre que ce n'est pas une nécessité de ne mettre que les infortunes des rois sur le théâtre, celles des autres hommes y trouveraient place, s'il leur en arrivait d'assez illustres et d'assez extraordinaires pour le mériter et que l'histoire prît assez de soin d'eux pour nous les apprendre. Scédase n'était qu'un paysan de Leuctres, et je ne tiendrais pas la sienne indigne d'y paraître, si la pureté de notre scène pouvait souffrir qu'on y parlât du violement effectif de ses deux filles, après que l'idée de la prostitution n'y a pu être soufferte dans la personne d'une sainte qui en fut garantie [34]:

Pour nous faciliter les moyens de faire naître cette pitié et cette crainte où Aristote semble nous obliger, il nous aide à choisir les personnes et les événements qui peuvent exciter l'une et l'autre. Sur quoi je suppose, ce qui est très véritable, que notre auditoire n'est composé ni de méchants ni de saints, mais de gens d'une probité commune et qui ne sont pas si sévèrement retranchés dans l'exacte vertu qu'ils ne soient susceptibles des passions et capables des périls où elles engagent ceux qui leur défèrent trop. Cela supposé, examinons ceux que ce philosophe exclut de la tragédie, pour en venir avec lui à ceux dans lesquels il fait consister sa perfection.

En premier lieu, il ne veut point *qu'un homme fort vertueux y tombe de la félicité dans le malheur* et soutient *que cela ne produit ni pitié, ni crainte, parce que c'est un événement tout à fait injuste*. Quelques interprètes poussent la force de ce mot grec μιαρὸν, qu'il fait servir d'épithète à cet événement, jusqu'à le rendre par celui d'*abominable* ; à quoi j'ajoute qu'un tel succès excite plus d'indignation et de haine contre celui qui fait souffrir que de pitié pour celui qui souffre, et qu'ainsi ce sentiment qui n'est pas le propre de la tragédie, à moins que d'être bien ménagé, peut étouffer celui qu'elle doit produire et laisser l'auditeur mécontent par la colère qu'il remporte et qui se mêle à la compassion, qui lui plairait s'il la remportait seule.

Il ne veut pas non plus *qu'un méchant homme passe du malheur à la félicité, parce que non seulement il ne peut naître d'un tel succès aucune pitié ni crainte*, mais il ne peut pas même nous toucher par ce sentiment naturel de joie dont nous remplit la prospérité d'un premier acteur, à qui notre faveur s'attache. La chute d'un méchant dans le malheur a de quoi nous plaire par l'aversion que nous prenons pour lui, mais comme ce n'est qu'une juste punition, elle ne nous fait point de pitié et ne nous imprime aucune crainte, d'autant que nous ne sommes pas si méchants que lui, pour être capables de ses crimes, et en appréhender une aussi funeste issue.

Il reste donc à trouver un milieu entre ces deux extrémités, par le choix d'un homme qui ne soit ni tout à fait

34. Allusion à l'échec de *Théodore* en 1645. *Scédase* est une des premières tragédies d'Alexandre Hardy.

bon ni tout à fait méchant et qui, par une faute ou faiblesse humaine, tombe dans un malheur qu'il ne mérite pas. Aristote en donne pour exemples Œdipe et Thyeste, en quoi véritablement je ne comprends point sa pensée. Le premier me semble ne faire aucune faute, bien qu'il tue son père, parce qu'il ne le connaît pas et qu'il ne fait que disputer le chemin en homme de cœur contre un inconnu qui l'attaque avec avantage. Néanmoins, comme la signification du mot grec ἁμάρτημα peut s'étendre à une simple erreur de méconnaissance telle qu'était la sienne, admettons-le avec ce philosophe, bien que je ne puisse voir quelle passion il nous donne à purger ni de quoi nous pouvons nous corriger sur cet exemple. Mais pour Thyeste, je n'y puis découvrir cette probité commune ni cette faute sans crime qui le plonge dans son malheur. Si nous le regardons avant la tragédie qui porte son nom, c'est un incestueux qui abuse de la femme de son frère; si nous le considérons dans la tragédie, c'est un homme de bonne foi qui s'assure sur la parole de son frère, avec qui il s'est réconcilié. En ce premier état il est très criminel, en ce dernier très homme de bien. Si nous attribuons son malheur à son inceste, c'est un crime dont l'auditoire n'est point capable, et la pitié qu'il prendra de lui n'ira point jusqu'à cette crainte qui purge, parce qu'il ne lui ressemble point. Si nous imputons son désastre à sa bonne foi, quelque crainte pourra suivre la pitié que nous en aurons, mais elle ne purgera qu'une facilité de confiance sur la parole d'un ennemi réconcilié, qui est plutôt une qualité d'honnête homme qu'une vicieuse habitude, et cette purgation ne fera que bannir la sincérité des réconciliations. J'avoue donc avec franchise que je n'entends point l'application de cet exemple.

J'avouerai plus. Si la purgation des passions se fait dans la tragédie, je tiens qu'elle se doit faire de la manière que je l'explique; mais je doute si elle s'y fait jamais, et dans celles-là même qui ont les conditions que demande Aristote. Elles se rencontrent dans *le Cid* et en ont causé le grand succès : Rodrigue et Chimène y ont cette probité sujette aux passions et ces passions font leur malheur, puisqu'ils ne sont malheureux qu'autant qu'ils sont passionnés l'un pour l'autre. Ils tombent dans l'infélicité par cette faiblesse humaine dont nous sommes capables comme eux; leur malheur fait pitié, cela est constant, et il en a coûté assez de larmes aux spectateurs pour ne le point contester. Cette pitié nous doit donner une crainte de tomber dans un pareil malheur et purger en nous ce trop d'amour qui cause leur infortune et nous les fait plaindre, mais je ne sais si elle nous la donne ni si elle le purge, et j'ai bien peur que le raisonnement d'Aristote sur ce point ne soit qu'une belle idée, qui n'ait jamais son effet dans la vérité. Je m'en rapporte à ceux qui en ont vu les représentations : ils peuvent en demander compte au secret de leur cœur et repasser sur ce qui les a touchés au théâtre, pour reconnaître s'ils en sont venus par là jusqu'à cette crainte réfléchie, et si elle a rectifié en eux la passion qui a causé la disgrâce qu'ils ont plainte. Un des interprètes d'Aristote veut qu'il n'aye parlé de cette purgation des passions dans la tragédie que parce qu'il écrivait après Platon, qui bannit les poètes tragiques de sa république, parce qu'ils les remuent trop fortement. Comme il écrivait pour le contredire et montrer qu'il n'est pas à propos de les bannir des États bien policés, il a voulu trouver cette utilité dans ces agitations de l'âme, pour les rendre recommandables par la raison même sur qui l'autre se fonde pour les bannir. Le fruit qui peut naître des impressions que fait la force de l'exemple lui manquait :

la punition des méchantes actions et la récompense des bonnes n'étaient pas de l'usage de son siècle, comme nous les avons rendues de celui du nôtre ; et n'y pouvant trouver une utilité solide, hors celle des sentences et discours didactiques, dont la tragédie se peut passer selon son avis, il en a substitué une qui peut-être n'est qu'imaginaire. Du moins, si pour la produire il faut les conditions qu'il demande, elles se rencontrent si rarement, que Robortel [35] ne les trouve que dans le seul *Œdipe*, et soutient que ce philosophe ne nous les prescrit pas comme si nécessaires que leur manquement rende un ouvrage défectueux, mais seulement comme des idées de la perfection des tragédies. Notre siècle les a vues dans *le Cid*, mais je ne sais s'il les a vues en beaucoup d'autres ; et si nous voulons rejeter un coup d'œil sur cette règle, nous avouerons que le succès a justifié beaucoup de pièces où elle n'est pas observée.

L'exclusion des personnes tout à fait vertueuses qui tombent dans le malheur bannit les martyrs de notre théâtre. Polyeucte y a réussi contre cette maxime et Héraclius et Nicomède y ont plu, bien qu'ils n'impriment que de la pitié, et ne nous donnent rien à craindre ni aucune passion à purger, puisque nous les y voyons opprimés et près de périr, sans aucune faute de leur part dont nous puissions nous corriger sur leur exemple.

Le malheur d'un homme fort n'excite ni pitié ni crainte, parce qu'il n'est pas digne de la première, et que les spectateurs ne sont pas méchants comme lui pour concevoir l'autre à la vue de sa punition, mais il serait à propos de mettre quelque distinction entre les crimes. Il en est dont les honnêtes gens sont capables par une violence de passion, dont le mauvais succès peut faire effet dans l'âme de l'auditeur. Un honnête homme ne va pas voler au coin d'un bois ni faire un assassinat de sang-froid, mais s'il est bien amoureux, il peut faire une supercherie à son rival, il peut s'emporter de colère et tuer dans un premier mouvement, et l'ambition le peut engager dans un crime ou dans une action blâmable. Il est peu de mères qui voulussent assassiner ou empoisonner leurs enfants de peur de leur rendre leur bien, comme Cléopâtre dans *Rodogune*, mais il en est assez qui prennent goût à en jouir, et ne s'en dessaisissent qu'à regret et le plus tard qu'il leur est possible. Bien qu'elles ne soient pas capables d'une action si noire et si dénaturée que celle de cette reine de Syrie, elles ont en elles quelque teinture du principe qui l'y porta et la vue de la juste punition qu'elle en reçoit leur peut faire craindre non pas un pareil malheur, mais une infortune proportionnée à ce qu'elles sont capables de commettre. Il en est ainsi de quelques autres crimes qui ne sont pas de la portée de nos auditeurs. Le lecteur en pourra faire l'examen et l'application sur cet exemple.

Cependant, quelque difficulté qu'il y aye à trouver cette purgation effective et sensible des passions par le moyen de la pitié et de la crainte, il est aisé de nous accommoder avec Aristote. Nous n'avons qu'à dire que par cette façon de s'énoncer il n'a pas entendu que ces deux moyens y servissent toujours ensemble, et qu'il suffit selon lui de l'un des deux pour faire cette purgation, avec cette différence toutefois que la pitié n'y peut arriver sans la crainte, et que la crainte peut parvenir sans la pitié. La mort du Comte n'en fait aucune dans *le Cid* et peut toutefois mieux purger en nous cette sorte d'orgueil envieux de la gloire d'autrui que toute la compassion que nous avons de Rodrigue et de Chi-

mène ne purge les attachements de ce violent amour qui les rend à plaindre l'un et l'autre. L'auditeur peut avoir de la commisération pour Antiochus, pour Nicomède, pour Héraclius, mais s'il en demeure là, et qu'il ne puisse craindre de tomber dans un pareil malheur, il ne guérira d'aucune passion. Au contraire, il n'en a point dessaisir du bien de ses enfants, en un mari le trop de déférence à une seconde femme au préjudice de ceux de son premier lit, en tout le monde l'avidité d'usurper le bien ou la dignité d'autrui par la violence, et tout cela proportionnément à la condition d'un chacun et à ce qu'il est capable d'entreprendre. Les déplaisirs et les irrésolutions d'Auguste dans *Cinna* peuvent faire ce dernier effet par la pitié et la crainte jointes ensemble ; mais, comme je l'ai déjà dit, il n'arrive pas toujours que ceux que nous plaignons soient malheureux par leur faute. Quand ils sont innocents, la pitié que nous en prenons ne produit aucune crainte et si nous en concevons quelqu'une qui purge nos passions, c'est par le moyen d'une autre personne que de celle qui nous fait pitié, et nous la devons toute à la force de l'exemple.

Cette explication se trouvera autorisée par Aristote même, si nous voulons bien peser la raison qu'il rend de l'exclusion de ces événements qu'il désapprouve dans la tragédie. Il ne dit jamais : *Celui-là n'y est pas propre, parce qu'il n'excite que de la pitié et ne fait point naître de crainte, et cet autre n'y est pas supportable, parce qu'il n'excite que de la crainte et ne fait point naître de pitié ;* mais il les rebute *parce*, dit-il, *qu'ils n'excitent ni pitié ni crainte*, et nous donne à connaître par là que c'est par le manque de l'une et de l'autre qu'ils ne lui plaisent pas et que s'ils produisaient l'une des deux, il ne leur refuserait point son suffrage. L'exemple d'*Œdipe* qu'il allègue me confirme dans cette pensée. Si nous l'en croyons, il a toutes les conditions requises en la tragédie ; néanmoins son malheur n'excite que de la pitié, et je ne pense pas qu'à le voir représenter, aucun de ceux qui le plaignent s'avise de craindre de tuer son père ou d'épouser sa mère. Si sa représentation nous peut imprimer quelque crainte et que cette crainte soit capable de purger en nous quelque inclination blâmable ou vicieuse, elle y purgera la curiosité de savoir l'avenir, et nous empêchera d'avoir recours à des prédictions, qui ne servent d'ordinaire qu'à nous faire choir dans le malheur qu'on nous prédit par les soins mêmes que nous prenons de l'éviter, puisqu'il est certain qu'il n'eût jamais tué son père ni épousé sa mère, si son père et sa mère, à qui l'oracle avait prédit que cela arriverait, ne l'eussent fait exposer de peur qu'il n'arrivât. Ainsi non seulement ce seront Laïus et Jocaste qui feront naître cette crainte, mais elle ne naîtra que de l'image d'une faute qu'ils ont faite quarante ans avant l'action qu'on représente, et ne s'exprimera en nous que par un autre acteur que le premier et par une action hors de la tragédie.

Pour recueillir ce discours, avant que de passer à une autre matière, établissons pour maxime que la perfection de la tragédie consiste bien à exciter de la pitié et de la crainte par le moyen d'un premier acteur, comme peut faire Rodrigue dans *le Cid* et Placide dans *Théodore*, mais que cela n'est pas d'une nécessité si absolue qu'on ne se puisse servir de divers personnages pour faire naître ces deux sentiments, comme dans *Rodogune* ; et même ne porter l'auditeur qu'à l'un des deux, comme dans *Polyeucte*, dont la représentation n'imprime que de la pitié sans aucune crainte. Cela posé, trouvons quelque modération à la rigueur de ces règles du philosophe ou du moins quelque favorable interprétation, pour n'être pas obligés de condamner beaucoup de poèmes que nous avons vu réussir sur nos théâtres.

Il ne veut point qu'un homme tout à fait innocent tombe dans l'infortune, parce que, cela étant abominable, il excite plus d'indignation contre celui qui le persécute que de pitié pour son malheur; il ne veut pas non plus qu'un très méchant y tombe, parce qu'il ne peut donner de pitié par un malheur qu'il mérite ni en faire craindre un pareil à des spectateurs qui ne lui ressemblent pas; mais quand ces deux raisons cessent, en sorte qu'un homme de bien qui souffre excite plus de pitié pour lui que d'indignation contre celui qui le fait souffrir ou que la punition d'un grand crime peut corriger en nous quelque imperfection qui a du rapport avec lui, j'estime qu'il ne faut point faire de difficulté d'exposer sur la scène des hommes très vertueux ou très méchants dans le malheur. En voici deux ou trois manières, que peut-être Aristote n'a su prévoir, parce qu'on n'en voyait pas d'exemples sur les théâtres de son temps.

La première est, quand un homme très vertueux est persécuté par un très méchant et qu'il échappe du péril où le méchant demeure enveloppé, comme dans *Rodogune* et dans *Héraclius*, qu'on n'aurait pu souffrir si Antiochus et Rodogune eussent péri dans la première, et Héraclius, Pulchérie et Martian dans l'autre, et que Cléopâtre et Phocas y eussent triomphé. Leur malheur y donne une pitié qui n'est point étouffée par l'aversion qu'on a pour ceux qui les tyrannisent, parce qu'on espère toujours que quelque heureuse révolution les empêchera de succomber; et bien que les crimes de Phocas et de Cléopâtre soient trop grands pour faire craindre à l'auditeur d'en commettre de pareils, leur funeste issue peut faire sur lui les effets dont j'ai déjà parlé. Il peut arriver d'ailleurs qu'un homme très vertueux soit persécuté et périsse même par les ordres d'un autre, qui ne soit pas assez méchant pour attirer trop d'indignation sur lui et qui montre plus de faiblesse que de crime dans la persécution qu'il lui fait. Si Félix fait périr son gendre Polyeucte, ce n'est pas par cette haine enragée contre les chrétiens qui nous le rendrait exécrable, mais seulement par une lâche timidité, qui n'ose le sauver en présence de Sévère, dont il craint la haine et la vengeance après les mépris qu'il en a faits durant son peu de fortune. On prend bien quelque aversion pour lui, on désapprouve sa manière d'agir, mais cette aversion ne l'emporte pas sur la pitié qu'on a de Polyeucte, et n'empêche pas que sa conversion miraculeuse à la fin de la pièce ne le réconcilie pleinement avec l'auditoire. On peut dire la même chose de Prusias dans *Nicomède* et de Valens dans *Théodore*. L'un maltraite son fils, bien que très vertueux, et l'autre est cause de la perte du vrai, qui ne l'est pas moins, mais tous les deux n'ont que des faiblesses qui ne vont point jusques au crime, et loin d'exciter une indignation qui étouffe la pitié qu'on a pour des fils généreux, la lâcheté de leur abaissement sous des puissances qu'ils redoutent et qu'ils devraient braver pour bien agir fait qu'on a quelque compassion d'eux-mêmes et de leur honteuse politique.

Pour nous faciliter les moyens d'exciter cette pitié qui fait de si beaux effets sur nos théâtres, Aristote nous donne une lumière. *Toute action*, dit-il, *se passe ou entre des amis, ou entre des ennemis, ou entre des gens indifférents l'un pour l'autre. Qu'un ennemi tue ou veuille tuer son* ennemi, cela ne produit aucune commisération, sinon en tant qu'on s'émeut d'apprendre ou de voir la mort d'un homme, quel qu'il soit. Qu'un indifférent tue un indifférent, cela ne touche guère davantage, d'autant qu'il n'excite aucun combat dans l'âme de celui qui fait l'action; mais quand les choses arrivent entre des gens que la naissance ou l'affection attache aux intérêts l'un de l'autre, comme alors qu'un mari tue ou est prêt de tuer sa femme, une mère ses enfants, un frère sa sœur, c'est ce qui convient merveilleusement à la tragédie.* La raison en est claire : les oppositions des sentiments de la nature aux emportements de la passion ou à la sévérité du devoir forment de puissantes agitations, qui sont reçues de l'auditeur avec plaisir, et se porte aisément à plaindre un malheureux opprimé ou poursuivi par une personne qui devrait s'intéresser à sa conservation, et qui quelquefois ne poursuit sa perte qu'avec déplaisir, ou du moins avec répugnance. Horace et Curiace ne seraient point à plaindre, s'ils n'étaient point amis et beaux-frères, ni Rodrigue, s'il était poursuivi par un autre que par sa maîtresse, et le malheur d'Antiochus toucherait beaucoup moins, si un autre que sa mère lui demandait le sang de sa maîtresse ou qu'un autre que sa maîtresse lui demandât celui de sa mère, ou si après la mort de son frère, qui lui donne sujet de craindre un pareil attentat sur sa personne, il avait à se défier d'autres que de sa mère et de sa maîtresse.

C'est donc un grand avantage, pour exciter la commisération, que la proximité du sang et les liaisons d'amour ou d'amitié entre le persécutant et le persécuté, le poursuivant et le poursuivi, celui qui fait souffrir et celui qui souffre; mais il y a quelque apparence que cette condition n'est pas d'une nécessité plus absolue que celles dont je viens de parler, et qu'elle ne regarde que les tragédies parfaites, non plus que celle-là. Du moins les Anciens ne l'ont pas toujours observée : je ne la vois point dans l'*Ajax* de Sophocle, ni dans son *Philoctète*, et qui voudra parcourir ce qui nous reste d'Eschyle et d'Euripide y pourra rencontrer quelques exemples à joindre à ceux-ci. Quand je dis que ces deux conditions ne sont que pour les tragédies parfaites, je n'entends pas dire que celles où elles ne se rencontrent point soient imparfaites : ce serait les rendre d'une nécessité absolue et me contredire moi-même. Mais par ce mot de tragédies parfaites, j'entends celles du genre le plus sublime et le plus touchant, en sorte que celles qui manquent de l'une de ces deux conditions ou de toutes les deux, pourvu qu'elles soient régulières à cela près, ne laissent pas d'être parfaites en leur genre, bien qu'elles demeurent dans un rang moins élevé, et n'approchent pas de la beauté et de l'éclat des autres, si elles n'en empruntent de la pompe des vers ou de la magnificence du spectacle ou de quelque autre agrément qui vienne d'ailleurs que du sujet.

Dans ces actions tragiques qui se passent entre proches, il faut considérer si celui qui veut faire périr l'autre le connaît ou ne le connaît pas, et s'il achève ou n'achève pas. La diverse combinaison de ces deux manières d'agir forme quatre sortes de tragédies, à qui notre philosophe attribue divers degrés de perfection. *On connaît celui qu'on veut perdre et on le fait périr en effet, comme Médée ses enfants, Clytemnestre son mari, Oreste sa mère, et la moindre espèce est celle-là. On le fait périr sans le connaître, et on le reconnaît avec déplaisir après l'avoir perdu, dit-il, ou avant la tragédie, comme Œdipe, ou dans la tragédie, comme l'Alcméon d'Astydamas, et Télégonus dans Ulysse blessé*, qui sont deux pièces que le temps n'a pas laissé venir jusqu'à nous, et cette seconde espèce a quelque chose de plus élevé selon lui que la première. La troisième est dans le haut degré d'excellence, *quand on est prêt de faire périr un de ses proches sans le connaître et qu'on le reconnaît assez tôt pour le sauver, comme Iphigénie reconnaît Oreste pour son frère, lorsqu'elle devait le sacrifier à Diane, et s'enfuit avec lui.* Il en cite encore deux autres exemples, de Mérope dans *Cresphonte* et de *Hellé*, dont nous ne connaissons ni l'un ni l'autre. Il condamne entièrement la quatrième espèce de ceux qui connaissent, entreprennent et n'achèvent pas, qu'il dit *avoir quelque chose de méchant et rien de tragique,* et en donne pour exemple Hémon qui tire l'épée contre son père dans l'*Antigone,* et ne s'en sert que pour se tuer lui-même. Mais si cette condamnation n'était modifiée, elle s'étendrait un peu loin, et envelopperait non seulement *le Cid,* mais *Cinna, Rodogune, Héraclius* et *Nicomède.*

Disons donc qu'elle ne doit s'entendre que de ceux qui connaissent la personne qu'ils veulent perdre et s'en dédisent par un simple changement de volonté, sans aucun événement notable qui les y oblige, et sans aucun manque de pouvoir de leur part. J'ai déjà marqué cette sorte de dénouement pour vicieux, mais quand ils y font de leur côté tout ce qu'ils peuvent et qu'ils sont empêchés d'en venir à l'effet par quelque puissance supérieure ou par quelque changement de fortune qui les fait périr eux-mêmes ou les réduit sous le pouvoir de ceux qu'ils voulaient perdre, il est hors de doute que cela fait une tragédie d'un genre peut-être plus sublime que les trois qu'Aristote avoue, et que s'il n'en a point parlé, c'est qu'il n'en voyait point d'exemple sur les théâtres de son temps, où ce n'était pas la mode de sauver les bons par la perte des méchants, à moins que de les souiller eux-mêmes de quelque crime, comme Électre, qui se délivre d'oppression par la mort de sa mère, où elle encourage son frère, et lui en facilite les moyens.

L'action de Chimène n'est donc pas défectueuse pour ne perdre pas Rodrigue après l'avoir entrepris, puisqu'elle y fait son possible, et que tout ce qu'elle peut obtenir de la justice de son roi, c'est un combat où la victoire de ce déplorable amant lui impose silence. Cinna et son Émilie ne pèchent point contre la règle en ne perdant point Auguste, puisque la conspiration découverte les met dans l'impuissance, et qu'il faudrait qu'ils n'eussent aucune teinture d'humanité, si sa clémence si peu attendue ne dissipait toute leur haine. Qu'épargne Cléopâtre pour perdre Rodogune? Qu'oublie Phocas pour se défaire d'Héraclius? Et si Prusias demeurait le maître, Nicomède n'irait-il pas servir d'otage à Rome, ce qui lui serait un plus rude supplice que la mort? Les deux premiers reçoivent la peine de leurs crimes et succombent dans leurs entreprises sans s'en dédire; et ce dernier est forcé de reconnaître son injustice après que le soulèvement de son peuple et la générosité de ce fils qu'il voulait agrandir aux dépens de son aîné, ne lui permettent plus de la faire réussir.

Ce n'est pas démentir Aristote que de l'expliquer ainsi favorablement, pour trouver dans cette quatrième manière d'agir qu'il rebute, une espèce de nouvelle tragédie plus belle que les trois qu'il recommande, et qu'il leur eût sans doute préférée, s'il l'eût connue. C'est faire honneur à notre siècle, sans rien retrancher de l'autorité de ce philosophe; mais je ne sais comment faire pour lui conserver cette autorité et renverser l'ordre de la préférence qu'il établit entre ces trois espèces. Cependant je pense être bien fondé sur l'expérience à douter si celle qu'il estime la moindre des

trois n'est point la plus belle, et si celle qu'il tient la plus belle n'est point la moindre. La raison est que celle-ci ne peut exciter de pitié. Un père y veut perdre son fils sans le connaître et ne le regarde que comme indifférent, et peut-être comme ennemi. Soit qu'il passe pour l'un ou pour l'autre, son péril n'est digne d'aucune commisération, selon Aristote même, et ne fait naître en l'auditeur qu'un certain mouvement de trépidation intérieure, qui le porte à craindre que ce fils ne périsse avant que l'erreur soit découverte, puisqu'elle est à souhaiter qu'elle se découvre assez tôt pour l'empêcher de périr : ce qui part de l'intérêt qu'on ne manque jamais à prendre dans la fortune d'un homme assez vertueux pour se faire aimer; et quand cette reconnaissance arrive, elle ne produit qu'un sentiment de conjouissance, de voir arriver la chose comme on le souhaitait.

Quand elle ne se fait qu'après la mort de l'inconnu, la compassion qu'excitent les déplaisirs de celui qui le fait périr ne peut avoir grande étendue, puisqu'elle est reculée et renfermée dans la catastrophe, mais lorsqu'on agit à visage découvert et qu'on sait à qui on en veut, le combat des passions contre la nature ou du devoir contre l'amour, occupe la meilleure partie du poème, et de là naissent les grandes et fortes émotions qui renouvellent à tous moments et redoublent la commisération. Pour justifier ce raisonnement par l'expérience, nous voyons que Chimène et Antiochus en excitent beaucoup plus que ne fait Œdipe de sa personne. Je dis de sa personne, parce que le poème entier en excite peut-être autant que *le Cid* ou que *Rodogune,* mais il en doit une partie à Dircé, et ce qu'il en fait naître n'est qu'une pitié empruntée d'un épisode.

Je sais que l'agnition est un grand ornement dans les tragédies : Aristote le dit, mais il est certain qu'elle a ses incommodités. Les Italiens l'affectent en la plupart de leurs poèmes et perdent quelquefois, par l'attachement qu'ils y ont, beaucoup d'occasions de sentiments pathétiques qui auraient des beautés plus considérables. Cela se voit manifestement en *la Mort de Crispe,* faite par un de leurs plus beaux esprits, Jean-Baptiste Ghirardelli [36], et imprimée à Rome en l'année 1653. Il n'a pas manqué d'y cacher sa naissance à Constantin, et d'en faire seulement un grand capitaine, qu'il ne reconnaît pour son fils qu'après qu'il l'a fait mourir. Toute cette pièce est si pleine d'esprit et de beaux sentiments qu'elle eut assez d'éclat pour obliger à écrire contre son auteur et à la censurer sitôt qu'elle parut. Mais combien cette naissance cachée sans besoin et contre la vérité d'une histoire connue lui a-t-elle dérobé de choses plus belles que les brillants dont il a semé cet ouvrage! Les ressentiments, le trouble, l'irrésolution et les déplaisirs de Constantin auraient été bien autres à prononcer un arrêt de mort contre son fils que contre un soldat de fortune. L'injustice de sa préoccupation aurait été bien plus sensible à Crispe de la part d'un père que de la part d'un maître, et la qualité de fils, augmentant la grandeur du crime qu'on lui imposait, eût en même temps augmenté la douleur d'en voir un père persuadé. Fauste [37] même aurait eu plus de combats intérieurs pour entreprendre un inceste que pour se résoudre à un adultère; ses remords en auraient été plus animés

36. Ce Ghirardelli est un auteur romain mort à trente ans, en 1653, à peu près ignoré en son propre pays. Il est l'auteur de deux tragédies, un *Othon* (1652) qu'a connu Corneille, et *la Mort de Crispe,* refait après tant d'autres en 1653.

37. C'est la femme de Constantin, amoureuse de Crispe, son beau-fils, comme dans *Phèdre.* De là le mot d'inceste, excessif au sens moderne.

et ses désespoirs plus violents. L'auteur a renoncé à tous ces avantages pour avoir dédaigné de traiter ce sujet comme l'a traité de notre temps le P. Stéphonius [38], jésuite, et comme nos anciens ont traité celui d'*Hippolyte*; et pour avoir cru l'élever d'un étage plus haut selon la pensée d'Aristote, je ne sais s'il ne l'a point fait tomber au-dessous de ceux que je viens de nommer.

Il y a grande apparence que ce qu'a dit ce philosophe de ces divers degrés de perfection pour la tragédie avait une entière justesse de son temps, et en la présence de ses compatriotes; je n'en veux point douter, mais aussi je ne puis empêcher de dire que le goût de notre siècle n'est point celui du sien sur cette préférence d'une espèce à l'autre, ou du moins que ce qui plaisait au dernier point à ses Athéniens ne plaît pas également à nos Français; et je ne sais point d'autre moyen de trouver mes doutes supportables et demeurer tout ensemble dans la vénération que nous devons à tout ce qu'il a écrit de la poétique.

Avant que de quitter cette matière, examinons son sentiment sur deux questions touchant ces sujets entre des personnes proches : l'une, si le poète les peut inventer, l'autre, s'il ne peut rien changer en ceux qu'il tire de l'histoire ou de la fable.

Pour la première, il est indubitable que les Anciens en prenaient si peu de liberté qu'ils arrêtaient leurs tragédies autour de peu de familles, parce que ces sortes d'actions étaient arrivées en peu de familles; ce qui fait dire à ce philosophe que la fortune leur fournissait des sujets, et non pas l'art. Je pense l'avoir dit en l'autre discours. Il semble toutefois qu'il en accorde un plein pouvoir aux poètes par ces paroles : *Ils doivent bien user de ce qui est reçu, ou inventer eux-mêmes.* Ces termes décideraient la question, s'ils n'étaient point si généraux, mais comme il a posé trois espèces de tragédies, selon les divers temps de connaître et les diverses façons d'agir, nous pouvons faire une revue sur toutes les trois, pour juger s'il n'est point à propos d'y faire quelque distinction qui resserre cette liberté. J'en dirai mon avis d'autant plus hardiment qu'on ne pourra m'imputer de contredire Aristote, pourvu que je la laisse entière à quelqu'une des trois.

J'estime donc, en premier lieu, qu'en celles où l'on se propose de faire périr quelqu'un que l'on connaît, soit qu'on achève, soit qu'on soit empêché d'achever, il n'y a aucune liberté de feindre la principale action, mais qu'elle doit être tirée de l'histoire ou de la fable. Ces entreprises contre des proches ont toujours quelque chose de si criminel et de si contraire à la nature qu'elles ne sont pas croyables, à moins que d'être appuyées sur l'une ou sur l'autre, et jamais elles n'ont cette vraisemblance sans laquelle ce qu'on invente ne peut être de mise.

Je n'ose décider si absolument de la seconde espèce. Qu'un homme prenne querelle avec un autre, et que l'ayant tué il vienne à le reconnaître pour son père ou pour son frère et en tombe au désespoir, cela n'a rien que de vraisemblable, et par conséquent on le peut inventer; mais d'ailleurs cette circonstance de tuer son père ou son frère sans le connaître est si extraordinaire et si éclatante qu'on a quelque droit de dire que l'histoire n'ose manquer à s'en souvenir, quand elle arrive entre des personnes illustres, et de refuser toute

croyance à de tels événements, quand elle ne les marque point. Le théâtre ancien ne nous en fournit aucun exemple qu'*Œdipe*, et je ne me souviens point d'en avoir vu aucun autre chez nos historiens. Je sais que cet événement sent plus tôt la fable que l'histoire, et que par conséquent il peut avoir été point inventé, en tout ou en partie; mais la fable et l'histoire de l'Antiquité sont si mêlées ensemble que pour n'être pas en péril d'en faire un faux discernement, nous leur donnons une égale autorité sur nos théâtres. Il suffit que nous n'inventions pas ce qui de soi n'est point vraisemblable, et qu'étant inventé de longue main, il soit devenu si bien de la connaissance de l'auditeur qu'il ne s'effarouche point à le voir sur la scène. Toute la *Métamorphose* d'Ovide est manifestement d'invention; on peut en tirer des sujets de tragédie, mais non pas inventer sur ce modèle, si ce n'est des épisodes de même trempe : la raison en est que bien que nous ne devions rien inventer que de vraisemblable et que ces sujets fabuleux comme Andromède et Phaéton ne le soient point du tout, inventer des épisodes, ce n'est pas tant inventer qu'ajouter à ce qui est déjà inventé; et ces épisodes trouvent une espèce de vraisemblance dans leur rapport avec l'action principale, en sorte qu'on peut dire que supposé que cela se soit pu faire, il s'est pu faire comme le poète le décrit.

De tels épisodes toutefois ne seraient pas propres à un sujet historique ou de pure invention, parce qu'ils manqueraient de rapport avec l'action principale, et seraient moins vraisemblables qu'elle. Les apparitions de Vénus et d'Éole ont eu bonne grâce dans *Andromède*, mais si j'avais fait descendre Jupiter pour réconcilier Nicomède avec son père ou Mercure pour révéler à Auguste la conspiration de Cinna, j'aurais fait révolter tout mon auditoire, et cette merveille aurait détruit toute la croyance que le reste de l'action aurait obtenue. Ces dénouements par des Dieux de machine sont fort fréquents chez les Grecs, dans des tragédies qui paraissent historiques, et qui sont vraisemblables à cela près : aussi Aristote ne les condamne pas tout à fait et se contente de leur préférer ceux qui viennent du sujet. Je ne sais ce qu'en décidaient les Athéniens, qui étaient leurs juges, mais les deux exemples que je viens de citer montrent suffisamment qu'il serait dangereux pour nous de les imiter en cette sorte de licence. On me dira que ces apparitions n'ont garde de nous plaire, parce que nous en savons manifestement la fausseté et qu'elles choquent notre religion, ce qui n'arrivait pas chez les Grecs. J'avoue qu'il faut s'accommoder aux mœurs de l'auditeur et à plus forte raison à sa croyance; mais aussi doit-on m'accorder que nous avons du moins autant de foi pour l'apparition des anges et des saints que les anciens en avaient pour celle de leur Apollon et de leur Mercure : cependant qu'aurait-on dit, si pour démêler Héraclius d'avec Martian, après la mort de Phocas, je me fusse servi d'un ange? Ce poème est entre des chrétiens, et cette apparition y aurait eu autant de justesse que celle des Dieux de l'Antiquité dans ceux des Grecs : c'eût été néanmoins un secret infaillible de rendre celui-là ridicule, et il ne faut qu'avoir un peu de sens commun pour en demeurer d'accord. Qu'on me permette donc de dire avec Tacite : *Non omnia apud priores meliora, sed nostra quoque ætas multa laudis et artium imitanda posteris tulit* [39].

---

38. Bernardino Stefonio (1560-1620) publie son *Crispus* en 1601, souvent réédité dans les anthologies des meilleures tragédies jésuites, notamment en 1631. Il fut adapté en français par Grenaille en 1639.

39. « Tout n'est pas meilleur chez nos ancêtres, mais notre temps aussi a fourni bien des chefs-d'œuvre dignes d'imitation à l'avenir. »

Je reviens aux tragédies de cette seconde espèce, où l'on ne connaît un père ou un fils qu'après l'avoir fait périr, et pour conclure en deux mots après cette digression, je ne condamnerai jamais personne pour en avoir inventé, mais je ne me le permettrai jamais.

Celles de la troisième espèce ne reçoivent aucune difficulté : non seulement on les peut inventer, puisque tout y est vraisemblable et suit le train commun des affections naturelles, mais je doute même si ce ne serait point les bannir du théâtre que d'obliger les poètes à en prendre les sujets dans l'histoire. Nous n'en voyons point de cette nature chez les Grecs, qui n'ayent la mine d'avoir été inventés par leurs auteurs. Il se peut faire que la fable leur en aye prêté quelques-uns. Je n'ai pas les yeux assez pénétrants pour percer de si épaisses obscurités et déterminer si l'*Iphigénie in Tauris* est de l'invention d'Euripide, comme son *Hélène* et son *Ion*, ou s'il l'a prise d'un autre, mais je crois pouvoir dire qu'il est très malaisé d'en trouver dans l'histoire, soit que tels événements n'arrivent que très rarement, soit qu'ils n'ayent pas assez d'éclat pour y mériter une place : celui de Thésée, reconnu par le roi d'Athènes son père, sur le point qu'il lui allait faire périr, est le seul dont il me souvienne. Quoi qu'il en soit, ceux qui aiment à les mettre sur la scène peuvent les inventer sans crainte de la censure : ils pourront produire par là quelque agréable suspension dans l'esprit de l'auditeur, mais il ne faut pas qu'ils se promettent de lui tirer beaucoup de larmes.

L'autre question, s'il est permis de changer quelque chose aux sujets qu'on emprunte de l'histoire ou de la fable, semble décidée en termes assez formels par Aristote, lorsqu'il dit *qu'il ne faut point changer les sujets reçus et que Clytemnestre ne doit point être tuée par un autre qu'Oreste, ni Eriphyle par un autre qu'Alcméon.* Cette décision peut toutefois recevoir quelque distinction et quelque tempérament. Il est constant que les circonstances, ou si vous l'aimez mieux, les moyens de parvenir à l'action, demeurent en notre pouvoir. L'histoire souvent ne les marque pas, ou en rapporte si peu qu'il est besoin d'y suppléer pour remplir le poème, et même il y a quelque apparence de présumer que la mémoire de l'auditeur, qui les aura lues autrefois, ne s'y sera pas si fort attachée qu'il s'aperçoive assez du changement que nous y aurons fait, pour nous accuser de mensonge, ce qu'il ne manquerait pas de faire s'il voyait que nous changeassions l'action principale. Cette falsification serait cause qu'il n'ajouterait aucune foi à tout le reste; comme au contraire il croit aisément tout ce reste quand il le voit servir d'acheminement à l'effet qu'il sait véritable et dont l'histoire lui a laissé une plus forte impression. L'exemple de la mort de Clytemnestre peut servir de preuve à ce que je viens d'avancer : Sophocle et Euripide l'ont traitée tous deux, chacun avec un nœud et un dénouement tout à fait différents l'un de l'autre, et c'est cette différence qui empêche que ce ne soit la même pièce, bien que ce soit le même sujet, dont ils ont conservé l'action principale. Il faut donc la conserver comme eux, mais il faut examiner en même temps si elle n'est point si cruelle ou si difficile à représenter qu'elle puisse diminuer quelque chose de la croyance que l'auditeur doit à l'histoire et qu'il veut bien donner à la fable, en se mettant en la place de ceux qui l'ont prise pour une vérité. Lorsque cet inconvénient est à craindre, il est bon de cacher l'événement à la vue, et de le faire savoir par un récit qui frappe moins que le spectacle, et nous impose plus aisément.

C'est par cette raison qu'Horace ne veut pas que Médée tue ses enfants ni qu'Atrée fasse rôtir ceux de Thyeste à la vue du peuple. L'horreur de ces actions engendre une répugnance à les croire, aussi bien que la métamorphose de Progné en oiseau et de Cadmus en serpent, dont la représentation presque impossible excite la même incrédulité quand on la hasarde aux yeux du spectateur :

Quæcumque ostendis mihi sic, incredulus odi [40].

Je passe plus outre, et pour exténuer ou retrancher cette horreur dangereuse d'une action historique, je voudrais la faire arriver sans la participation du premier acteur, pour qui nous devons toujours ménager la faveur de l'auditoire. Après que Cléopâtre eut tué Séleucus, elle présenta du poison à son autre fils Antiochus, à son retour de la chasse, et ce prince, soupçonnant ce qu'il en était, la contraignit de le prendre et la força à s'empoisonner. Si j'eusse fait voir cette action sans y rien changer, c'eût été punir un parricide par un autre parricide; on eût pris aversion pour Antiochus et il a été bien plus doux de faire de lui-même, voyant que sa haine et sa noire perfidie allaient être découvertes, s'empoisonne dans son désespoir, à dessein d'envelopper ces deux amants dans sa perte, en leur ôtant tout sujet de défiance. Cela fait deux effets. La punition de cette impitoyable mère laisse un plus fort exemple, puisqu'elle devient un effet de la justice du ciel, et non pas de la vengeance des hommes; d'autre côté, Antiochus ne perd rien de la compassion et de l'amitié qu'on avait pour lui, qui redoublent plutôt qu'elles ne diminuent; et enfin l'action historique s'y trouve conservée malgré ce changement, puisque Cléopâtre périt par le même poison qu'elle présente à Antiochus.

Phocas était un tyran et sa mort n'était pas un crime ; cependant il a été sans doute plus à propos de la faire arriver par la main d'Exupère que par celle d'Héraclius. C'est un soin que nous devons prendre de préserver nos héros du crime tant qu'il se peut, et les exempter même de tremper leurs mains dans le sang, si ce n'est en un juste combat. J'ai beaucoup osé dans *Nicomède* : Prusias son père l'avait voulu faire assassiner dans son armée; sur l'avis qu'il en eut que les assassins mêmes, il entra dans son royaume, s'en empara, et réduisit ce malheureux père à se cacher dans une caverne, où il le fait assassiner lui-même. Je n'ai pas poussé l'histoire jusque-là, et après l'avoir peint trop vertueux pour l'engager dans un parricide, j'ai cru que je pouvais me contenter de le rendre maître de la vie de ceux qui le persécutaient, sans le faire passer plus avant.

Je ne saurais dissimuler une délicatesse que j'ai sur la mort de Clytemnestre, qu'Aristote nous propose pour exemple des actions qui ne doivent point être changées. Je veux bien avec lui qu'elle ne meure que de la main de son fils Oreste, mais je ne puis souffrir chez Sophocle que ce fils la poignarde de dessein formé cependant qu'elle est à genoux devant lui et le conjure de lui laisser la vie. Je ne puis même pardonner à Électre, qui passe pour une vertueuse opprimée dans le reste de la pièce, l'inhumanité dont elle encourage son frère à ce parricide. C'est un fils qui venge son père, mais c'est sur sa mère qu'il le venge. Séleucus et Antiochus avaient droit d'en faire autant dans *Rodogune*, mais je n'ai osé leur en donner la moindre pensée. Aussi notre maxime

40. « Tout ce que tu me montres de ce genre, sans y croire, je le hais. » (*Horace, Art poétique*, v. 188).

de faire aimer nos principaux acteurs n'était pas de l'usage des Anciens, et ces républicains avaient une si forte haine des rois qu'ils voyaient avec plaisir des crimes dans les plus innocents de leur race. Pour rectifier ce sujet à notre mode, il faudrait qu'Oreste n'eût dessein que contre Égisthe, qu'un reste de tendresse respectueuse pour sa mère lui en fît remettre la punition aux Dieux, que cette reine s'opiniâtrât à la protection de son adultère, et qu'elle se mît entre son fils et lui si malheureusement qu'elle reçut le coup que ce prince voudrait porter à cet assassin de son père. Ainsi elle mourrait de la main de son fils, comme le veut Aristote, sans que la barbarie d'Oreste nous fît horreur, comme dans Sophocle, ni que son action méritât des Furies vengeresses pour le tourmenter, puisqu'il demeurerait innocent.

Le même Aristote nous autorise à en user de cette manière, lorsqu'il nous apprend que *le poète n'est pas obligé de traiter les choses comme elles se sont passées, mais comme elles ont pu ou dû se passer selon le vraisemblable ou le nécessaire.* Il répète souvent ces derniers mots et ne les explique jamais. Je tâcherai d'y suppléer au moins mal qu'il me sera possible et j'espère qu'on me pardonnera si je m'abuse.

Je dis donc premièrement que cette liberté qu'il nous laisse d'embellir les actions historiques par des inventions vraisemblables n'emporte aucune défense de nous écarter du vraisemblable dans le besoin. C'est un privilège qu'il nous donne, et non pas une servitude qu'il nous impose : cela est clair par ses paroles mêmes. Si nous pouvons traiter les choses selon le vraisemblable ou selon le nécessaire, nous pouvons quitter le vraisemblable pour suivre le nécessaire, et cette alternative met en notre choix de nous servir de celui des deux que nous jugerons le plus à propos.

Cette liberté du poète se trouve encore en termes plus formels dans le vingt et cinquième chapitre, qui contient les excuses ou plutôt les justifications dont il se peut servir contre la censure : *Il faut*, dit-il, *qu'il suive un de ces trois moyens de traiter les choses et qu'il les représente ou comme elles ont été, ou comme on dit qu'elles ont été, ou comme elles ont dû être :* par où il lui donne le choix ou de la vérité historique ou de l'opinion commune sur quoi la fable est fondée ou de la vraisemblance. Il ajoute ensuite : *Si on le reprend de ce qu'il n'a pas écrit les choses dans la vérité, qu'il réponde qu'il les a écrites comme elles ont dû être ; si on lui impute de n'avoir fait ni l'un ni l'autre, qu'il se défende sur ce qu'en publie l'opinion commune, en ce qu'on raconte des Dieux, dont la plus grande partie n'a rien de véritable.* Et un peu plus bas : *Quelquefois ce n'est pas le meilleur qu'elles se soient passées de la manière qu'il décrit ; néanmoins elles se sont passées effectivement de cette manière, et par conséquent il est hors de faute.* Ce dernier passage montre que nous ne sommes point obligés de nous écarter de la vérité pour donner une meilleure forme aux actions de la tragédie par les ornements de la vraisemblance, et le montre d'autant plus fortement qu'il demeure pour constant, par le second de ces trois passages, que l'opinion commune suffit pour nous justifier quand nous n'avons pas pour nous la vérité, et que nous pourrions faire quelque chose de mieux que ce que nous faisons, si nous recherchions les beautés de cette vraisemblance. Nous courons par là quelque risque d'un plus faible succès, mais nous ne péchons que contre le soin que nous devons avoir de notre gloire, et non pas contre les règles du théâtre.

Je fais une seconde remarque sur ces termes de

vraisemblable et de *nécessaire*, dont l'ordre se trouve quelquefois renversé chez ce philosophe, qui tantôt dit, *selon le nécessaire ou le vraisemblable*, et tantôt *le vraisemblable ou le nécessaire.* D'où je tire une conséquence, qu'il y a des occasions où il faut préférer le vraisemblable au nécessaire et d'autres où il faut préférer le nécessaire au vraisemblable. La raison en est que ce qu'on emploie le dernier dans les propositions alternatives y est placé comme un pis aller, dont il faut se contenter quand on ne peut arriver à l'autre, et qu'on doit faire effort pour le premier avant que de se réduire au second, où l'on n'a droit de recourir qu'au défaut de ce premier.

Pour éclaircir cette préférence mutuelle du vraisemblable au nécessaire, et du nécessaire au vraisemblable, il faut distinguer deux choses dans les actions qui composent la tragédie. La première consiste en ces actions mêmes, accompagnées des inséparables circonstances du temps et du lieu, et l'autre en la liaison qu'elles ont ensemble, qui les fait naître l'une de l'autre. En la première, le vraisemblable est à préférer au nécessaire, et le nécessaire au vraisemblable dans la seconde.

Il faut placer les actions où il est plus facile et mieux séant qu'elles arrivent, et les faire arriver dans un loisir raisonnable, sans les presser extraordinairement, si la nécessité de les renfermer dans un lieu et dans un jour ne nous y oblige. J'ai déjà fait voir en l'autre Discours que pour conserver l'unité de lieu, nous faisons parler souvent des personnes dans une place publique, qui vraisemblablement s'entretiendraient dans une chambre, et je m'assure que si on racontait dans un roman ce que je fais arriver dans *le Cid*, dans *Polyeucte*, dans *Pompée*, ou dans *le Menteur*, on lui donnerait un peu plus d'un jour pour l'étendue de sa durée. L'obéissance que nous devons aux règles de l'unité de jour et de lieu nous dispense alors du vraisemblable, bien qu'elle ne nous permette pas l'impossible ; mais nous ne tombons pas toujours dans cette nécessité, et *la Suivante, Cinna, Théodore,* et *Nicomède,* n'ont point eu besoin de s'écarter de la vraisemblance à l'égard du temps, comme ces autres poèmes.

Cette réduction de la tragédie au roman est la pierre de touche pour démêler les actions nécessaires d'avec les vraisemblables. Nous sommes gênés au théâtre par le lieu, par le temps, et par les incommodités de la représentation, qui nous empêchent d'exposer à la vue beaucoup de personnages tout à la fois, de peur que les uns ne demeurent sans action ou troublent celle des autres. Le roman n'a aucune de ces contraintes : il donne aux actions qu'il décrit tout le loisir qu'il leur faut pour arriver ; il place ceux qu'il fait parler, agir ou rêver, dans une chambre, dans une forêt, en place publique, selon qu'il est plus à propos pour leur action particulière ; il a pour cela tout un palais, toute une ville, tout un royaume, toute la terre, où les promener ; et s'il fait arriver ou raconter quelque chose en présence de trente personnes, il en peut décrire les divers sentiments l'un après l'autre. C'est pourquoi il n'a jamais aucune liberté de se départir de la vraisemblance, parce qu'il n'a jamais aucune raison ni excuse légitime pour s'en écarter.

Comme le théâtre ne nous laisse pas tant de facilité de réduire tout dans le vraisemblable, parce qu'il ne nous fait rien savoir que par des gens qu'il expose à la vue de l'auditeur en peu de temps, il nous en dispense aussi plus aisément. On peut soutenir que ce n'est pas tant nous en dispenser que nous permettre une vraisemblance plus large, mais puisque Aristote nous autorise à y traiter les choses selon le nécessaire, j'aime mieux dire que tout ce qui s'y passe d'une autre façon qu'il ne se passerait dans un roman n'a point de vraisemblance, à le bien prendre, et se doit ranger entre les actions nécessaires.

L'*Horace* en peut fournir quelques exemples : l'unité de lieu y est exacte, tout s'y passe dans une salle. Mais si on en faisait un roman avec les mêmes particularités de scène en scène que j'y ai employées, ferait-on tout passer dans cette salle? A la fin du premier acte, Curiace et Camille sa maîtresse vont rejoindre le reste de la famille, qui doit être dans un autre appartement; entre les deux actes, ils y reçoivent la nouvelle de l'élection des trois Horaces; à l'ouverture du second, Curiace paraît dans cette même salle pour l'en congratuler. Dans le roman, il aurait fait cette congratulation au même lieu où l'on en reçoit la nouvelle, en présence de toute la famille, et il n'est point vraisemblable qu'ils s'écartent eux deux pour cette conjouissance, mais il est nécessaire pour le théâtre, et à moins que cela, les sentiments des trois Horaces, de leur père, de leur sœur, de Curiace, et de Sabine, se fussent présentés à faire paraître tous à la fois. Le roman, qui ne fait rien voir, en fût aisément venu à bout, mais sur la scène il a fallu les séparer, pour y mettre quelque ordre et les prendre l'un après l'autre, en commençant par ces deux-ci, que j'ai été forcé de ramener dans cette salle sans vraisemblance. Cela passé, le reste de l'acte est tout à fait vraisemblable et n'a rien qu'on fût obligé de faire arriver d'une autre manière dans le roman. A la fin de cet acte, Sabine et Camille, outrées de déplaisir, se retirent de cette salle avec un emportement de douleur, qui vraisemblablement va renfermer leurs larmes dans leur chambre, où le roman les ferait demeurer et y recevoir la nouvelle du combat. Cependant, par la nécessité de les faire voir aux spectateurs, Sabine quitte sa chambre au commencement du troisième acte et revient entretenir ses douloureuses inquiétudes dans cette salle, où Camille la vient trouver. Cela fait, le reste de cet acte est vraisemblable, comme en l'autre; et si vous voulez examiner avec cette rigueur les premières scènes des deux derniers, vous trouverez peut-être la même chose, et que le roman placerait ses personnages ailleurs qu'en cette salle, s'ils en étaient une fois sortis, comme ils en sortent à la fin de chaque acte.

Ces exemples peuvent suffire pour expliquer comme on peut traiter une action selon le nécessaire, quand on ne la peut traiter selon le vraisemblable, qu'on doit toujours préférer au nécessaire lorsqu'on ne regarde que les actions en elles-mêmes.

Il n'en va pas ainsi que leur liaison qui les fait naître l'une de l'autre : le nécessaire y est à préférer au vraisemblable, non que cette liaison ne doive toujours être vraisemblable, mais parce qu'elle est beaucoup meilleure quand elle est vraisemblable et nécessaire tout ensemble. La raison en est aisée à concevoir. Lorsqu'elle n'est que vraisemblable sans être nécessaire, le poème s'en peut passer et il n'y est pas de grande importance, mais quand elle est vraisemblable et nécessaire, elle devient une partie essentielle du poème, qui ne peut subsister sans elle. Vous trouverez dans *Cinna* des exemples de ces deux sortes de liaisons : j'appelle ainsi la manière dont une action est produite par l'autre. Sa conspiration contre Auguste est causée nécessairement par l'amour qu'il a pour Émilie, parce qu'il la veut épouser et qu'elle ne veut se donner à lui qu'à cette condition. De ces deux actions, l'une est vraie, l'autre est vraisemblable, et leur liaison est nécessaire. La bonté d'Auguste donne des remords et de l'irrésolution à Cinna : ces remords et cette irrésolution ne sont causés que vraisemblablement par cette bonté et n'ont qu'une liaison vraisemblable avec elle, parce que Cinna pouvait demeurer dans la fermeté et arriver à son but, qui est d'épouser Émilie. Il la consulte dans cette irrésolution : cette consultation n'est que vraisemblable, mais elle est un effet nécessaire de son amour, parce que s'il eût rompu la conjuration sans son aveu, il ne fût jamais arrivé à ce but qu'il s'était proposé, et par conséquent voilà une liaison nécessaire entre deux actions vraisemblables, ou si vous l'aimez mieux, une production nécessaire d'une action vraisemblable par une autre pareillement vraisemblable.

Avant que d'en venir aux définitions et divisions du vraisemblable et du nécessaire, je fais encore une réflexion sur les actions qui composent la tragédie et trouve que nous pouvons y en faire entrer de trois sortes, selon que nous le jugeons à propos : les unes suivent l'histoire, les autres ajoutent à l'histoire, les troisièmes falsifient l'histoire. Les premières sont vraies, les secondes quelquefois vraisemblables et quelquefois nécessaires, et les dernières doivent toujours être nécessaires.

Lorsqu'elles sont vraies, il ne faut point se mettre en peine de la vraisemblance, elles n'ont pas besoin de son secours. *Tout ce qui s'est fait manifestement s'est pu faire*, dit Aristote, *parce que, s'il ne s'était pu faire, il ne se serait pas fait*. Ce que nous ajoutons à l'histoire, comme il n'est pas appuyé de son autorité, n'a pas cette prérogative. *Nous avons une pente naturelle*, ajoute ce philosophe, *à croire que ce qui ne s'est point fait n'a pu encore se faire* et c'est pourquoi ce que nous inventons a besoin de la vraisemblance la plus exacte qu'il est possible pour le rendre croyable.

A bien peser ces deux passages, je crois ne m'éloigner point de sa pensée quand j'ose dire, pour définir le vraisemblable, que c'est *une chose manifestement possible dans la bienséance et qui n'est ni manifestement vraie ni manifestement fausse*. On en peut faire deux divisions, l'une en vraisemblable général et particulier, l'autre en ordinaire et extraordinaire.

Le vraisemblable général est ce que peut faire et qu'il est à propos que fasse un roi, un général d'armée, un amant, un ambitieux, etc. Le particulier est ce qu'a pu ou dû faire Alexandre, César, Alcibiade, compatible avec ce que l'histoire nous apprend de ses actions. Ainsi tout ce qui choque l'histoire sort de cette vraisemblance, parce qu'il est manifestement faux, et il n'est pas vraisemblable que César, après la bataille de Pharsale, se soit remis en bonne intelligence avec Pompée, ou Auguste avec Antoine après celle d'Actium, bien qu'à parler en termes généraux il soit vraisemblable que, dans une guerre civile, après une grande bataille, les chefs des partis contraires se réconcilient, principalement lorsqu'ils sont généreux l'un et l'autre.

Cette fausseté manifeste, qui détruit la vraisemblance, se peut rencontrer même dans les pièces qui sont toutes d'invention. On n'y peut falsifier l'histoire, puisqu'elle n'y a aucune part, mais il y a des circonstances, des temps et des lieux qui peuvent convaincre un auteur de fausseté quand il prend mal ses mesures. Si j'introduisais un roi de France ou d'Espagne sous un nom imaginaire et que je choisisse pour le temps de mon action un siècle dont l'histoire eût marqué les véritables rois de ces deux royaumes, la fausseté serait toute visible; et c'en serait une encore plus palpable si je plaçais

Rome à deux lieues de Paris, afin qu'on pût y aller et revenir en un même jour. Il y a des choses sur qui le poète n'a jamais aucun droit. Il peut prendre quelque licence sur l'histoire, en tant qu'elle regarde les actions des particuliers, comme celle de César ou d'Auguste, et leur attribuer des actions qu'ils n'ont pas faites ou les faire arriver d'une autre manière qu'ils ne les ont faites, mais il ne peut pas renverser la chronologie pour faire vivre Alexandre du temps de César, et moins encore changer la situation des lieux ou les noms des royaumes, des provinces, des villes, des montagnes, et des fleuves remarquables. La raison est que ces provinces, ces montagnes, ces rivières, sont des choses permanentes. Ce que nous savons de leur situation était dès le commencement du monde ; nous devons présumer qu'il n'y a eu point eu de changement, à moins que l'histoire le marque, et la géographie nous en apprend tous les noms anciens et modernes. Ainsi un homme serait ridicule d'imaginer que du temps d'Abraham Paris fût au pied des Alpes ou que la Seine traversât l'Espagne, et de mêler de pareilles grotesques dans une pièce d'invention. Mais l'histoire est des choses qui passent et qui, succédant les unes aux autres, n'ont que chacune un moment pour leur durée, dont il en échappe beaucoup à la connaissance de ceux qui l'écrivent. Aussi n'en peut-on montrer aucune qui contienne tout ce qui s'est passé dans les lieux dont elle parle, ni tout ce qu'ont fait ceux dont elle décrit la vie. Je n'en excepte pas même les *Commentaires* de César, qui écrivait sa propre histoire et devait la savoir toute entière. Nous savons quels pays arrosaient le Rhône et la Seine avant qu'il vînt dans les Gaules, mais nous ne savons que fort peu de chose et peut-être rien du tout de ce qui s'y est passé avant sa venue. Ainsi nous pouvons bien y placer des actions que nous feignons arrivées avant ce temps-là, mais non pas, sous ce prétexte de fiction poétique et d'éloignement des temps, y changer la distance naturelle d'un lieu à l'autre. C'est de cette façon que Barclay en a usé dans son *Argenis* [41], où il ne nomme aucune ville ni fleuve de Sicile ni de nos provinces que par des noms véritables, bien que toutes les personnes qu'il y met sur le tapis soient entièrement de son invention aussi bien que leurs actions.

Aristote semble plus indulgent sur cet article, puisqu'il trouve le *poète excusable quand il pèche contre un autre art que le sien, comme contre la médecine ou contre l'astrologie*. A quoi je réponds *qu'il ne l'excuse que sous cette condition qu'il arrive par là au but de son art, auquel il n'aurait pu arriver autrement ;* encore avoue-t-il *qu'il pèche en ce cas et qu'il est meilleur de ne pécher point du tout*. Pour moi, s'il faut recevoir cette excuse, je ferais distinction entre les arts qu'il peut ignorer sans honte, parce qu'il lui vient rarement des occasions d'en parler sur son théâtre, tels que sont la médecine et l'astrologie que je viens de nommer, et les arts sans la connaissance desquels, ou en tout ou en partie, il ne saurait établir de justesse dans aucune pièce, tels que sont la géographie et la chronologie. Comme il ne saurait représenter aucune action sans la placer en quelque lieu et en quelque temps, il est inexcusable s'il fait paraître de l'ignorance dans le choix de ce lieu et de ce temps où il la place.

Je viens à l'autre division du vraisemblable en ordinaire et extraordinaire : l'ordinaire est une action qui arrive plus souvent ou du moins aussi souvent que sa

contraire [42], l'extraordinaire est une action qui arrive, à la vérité, moins souvent que sa contraire, mais qui ne laisse pas d'avoir une possibilité assez aisée pour n'aller point jusqu'au miracle ni jusqu'à ces événements singuliers qui servent de matière aux tragédies sanglantes par l'appui qu'ils ont de l'histoire ou de l'opinion commune, et qui ne se peuvent tirer en exemple que pour les épisodes de la pièce dont ils font le corps, parce qu'ils ne sont pas croyables à moins que d'avoir cet appui. Aristote donne deux idées ou exemples généraux de ce vraisemblable extraordinaire : l'un d'un homme subtil et adroit qui se trouve trompé par un moins subtil que lui, l'autre d'un faible qui se bat contre un plus fort que lui et en demeure victorieux, ce qui surtout ne manque jamais à être bien reçu quand la cause du plus simple ou du plus faible est la plus équitable. Il semble alors que la justice du ciel ait présidé au succès, qui trouve d'ailleurs une croyance d'autant plus facile qu'il répond aux souhaits de l'auditoire, qui s'intéresse toujours pour ceux dont le procédé est le meilleur. Ainsi la victoire du Cid contre le Comte se trouverait dans la vraisemblance extraordinaire, quand elle ne serait pas vraie. *Il est vraisemblable*, dit notre docteur, *que beaucoup de choses arrivent contre le vraisemblable*, et puisqu'il avoue par là que ces effets extraordinaires arrivent contre la vraisemblance, j'aimerais mieux les nommer simplement croyables et les ranger sous le nécessaire, attendu qu'on ne s'en doit jamais servir sans nécessité.

On peut m'objecter que le même philosophe dit *qu'au regard de la poésie on doit préférer l'impossible croyable au possible incroyable*, et conclure de là que j'ai peu de raison d'exiger du vraisemblable, par la définition que j'en ai faite, qu'il soit manifestement possible pour être croyable, puisque selon Aristote il y a des choses impossibles qui sont croyables.

Pour résoudre cette difficulté et trouver de quelle nature est cet impossible croyable dont il ne donne aucun exemple, je réponds qu'il y a des choses impossibles en elles-mêmes qui paraissent aisément possibles et par conséquent croyables, quand on les envisage d'une autre manière. Telles sont toutes celles où nous falsifions l'histoire. Il est impossible qu'elles se soient passées comme nous les représentons, puisqu'elles se sont passées autrement et qu'il n'est pas au pouvoir de Dieu même de rien changer au passé, mais elles paraissent manifestement possibles quand elles sont détachées de l'histoire et qu'on veuille oublier pour quelque temps ce qu'elle dit de contraire à ce que nous inventons. Tout ce qui se passe dans *Nicomède* est impossible, puisque l'histoire porte qu'il fit mourir son père sans le voir et que ses frères du second lit étaient en otage à Rome lorsqu'il s'empara du royaume. Tout ce qui arrive dans *Héraclius* ne l'est pas moins, puisqu'il n'était pas fils de Maurice, et que bien loin de passer pour celui de Phocas et être nourri comme tel chez ce tyran, il vint fondre sur lui à force ouverte des bords de l'Afrique, dont il était gouverneur, et ne le vit peut-être jamais. On ne prend point néanmoins pour incroyables les incidents de ces deux tragédies, et ceux qui savent le désaveu qu'en fait l'histoire la mettent aisément à quartier pour se plaire à leur représentation, parce qu'ils sont dans la vraisemblance générale, bien qu'ils manquent de la particulière.

41. Ce roman de l'Anglais John Barclay (1582-1621) était bien connu en France pour trois raisons : il était en latin, il était dédié à Louis XIII, il racontait, sous une « clef » romanesque, les affaires de France.

42. Le mot est, au choix, masculin ou féminin au XVIIe siècle.

Tout ce que la fable nous dit de ses Dieux et de ses métamorphoses est encore impossible, et ne laisse pas d'être croyable par l'opinion commune et par cette vieille traditive [43] qui nous a accoutumés à en ouïr parler. Nous avons droit d'inventer même sur ce modèle et de joindre des incidents également impossibles à ceux que ces anciennes erreurs nous prêtent. L'auditeur n'est point trompé de son attente, quand le titre du poème le prépare à n'y voir rien que d'impossible en effet : il y trouve tout croyable, et cette première supposition faite qu'il est des Dieux et qu'ils prennent intérêt et font commerce avec les hommes, à quoi il vient tout résolu, il n'a aucune difficulté à se persuader du reste.

Après avoir tâché d'éclaircir ce que c'est que le vraisemblable, il est temps que je hasarde une définition du nécessaire dont Aristote parle tant, et qui seul nous peut autoriser à changer l'histoire et à nous écarter de la vraisemblance. Je dis donc que le nécessaire, en ce qui regarde la poésie, n'est autre chose que *le besoin du poète pour arriver à son but ou pour y faire arriver ses acteurs.* Cette définition a son fondement sur les diverses acceptions du mot grec ἀναγκαῖον, qui ne signifie pas toujours ce qui est absolument nécessaire, mais aussi quelquefois ce qui est seulement utile à parvenir à quelque chose.

Le but des acteurs est divers, selon les divers desseins que la variété des sujets leur donne. Un amant a celui de posséder sa maîtresse, un ambitieux de s'emparer d'une couronne, un homme offensé de se venger, et ainsi des autres. Les choses qu'ils ont besoin de faire pour y arriver constituent ce nécessaire, qu'il faut préférer au vraisemblable, ou pour parler plus juste, qu'il faut ajouter au vraisemblable dans la liaison des actions et leur dépendance l'une de l'autre. Je pense m'être déjà assez expliqué là-dessus ; je n'en dirai pas davantage.

Le but du poète est de plaire selon les règles de son art. Pour plaire, il a besoin quelquefois de rehausser l'éclat des belles actions et d'exténuer l'horreur des funestes. Ce sont des nécessités d'embellissement où il peut bien choquer la vraisemblance particulière par quelque altération de l'histoire, mais non pas se dispenser de la générale, que rarement et pour des choses qui soient de la dernière beauté, et si brillantes qu'elles éblouissent. Surtout il ne doit jamais les pousser au delà de la vraisemblance extraordinaire, parce que ces ornements qu'il ajoute de son invention ne sont pas d'une nécessité absolue, et qu'il fait mieux de s'en passer tout à fait que de parer son poème contre toute sorte de vraisemblance. Pour plaire selon les règles de son art, il a besoin de renfermer son action dans l'unité de jour et de lieu, et comme cela est d'une nécessité absolue et indispensable, il lui est beaucoup plus permis sur ces deux articles que sur celui des embellissements.

Il est si malaisé qu'il ne rencontre dans l'histoire ni dans l'imagination des hommes quantité de ces événements illustres et dignes de la tragédie, dont les délibérations et leurs effets puissent arriver en un même lieu et en un même jour, sans faire un peu de violence à l'ordre commun des choses, que je ne puis croire cette sorte de violence tout à fait condamnable, pourvu qu'elle n'aille pas jusqu'à l'impossible. Il est de beaux sujets où on ne la peut éviter, et un auteur scrupuleux se priverait d'une belle occasion de gloire, et le public de beaucoup de satisfaction, s'il n'osait s'enhardir à les mettre sur le théâtre, de peur de se voir forcé à les faire aller plus vite que la vraisemblance ne le permet. Je lui donnerais en

ce cas un conseil que peut-être il trouverait salutaire : c'est de ne marquer aucun temps préfix dans son poème, ni aucun lieu déterminé où il pose ses acteurs. L'imagination de l'auditeur aurait plus de liberté de se laisser aller au courant de l'action, si elle n'était point fixée par ces marques, et il pourrait ne s'apercevoir pas de cette précipitation, si elles ne l'en faisaient souvenir et n'y appliquaient son esprit malgré lui. Je me suis quelquefois repenti d'avoir fait dire au Roi, dans *le Cid*, qu'il voulait que Rodrigue se délassât une heure ou deux après la défaite des Maures avant que de combattre don Sanche : je l'avais fait pour montrer que la pièce était dans les vingt-quatre heures, et cela n'a servi qu'à avertir les spectateurs de la contrainte avec laquelle je l'y ai réduite. Si j'avais fait résoudre ce combat sans en désigner l'heure, peut-être n'y aurait-on pas pris garde.

Je ne pense pas que dans la comédie le poète ait cette liberté de presser son action, par la nécessité de la réduire dans l'unité de jour. Aristote veut que toutes les actions qu'il y fait entrer soient vraisemblables, et n'ajoute point ce mot : *ou nécessaires*, comme pour la tragédie. Aussi la différence est assez grande entre les actions de l'une et celles de l'autre. Celles de la comédie partent de personnes communes et ne consistent qu'en intrigues d'amour et en fourberies, qui se développent si aisément en un jour qu'assez souvent, chez Plaute et chez Térence, le temps de leur durée excède à peine celui de leur représentation ; mais dans la tragédie les affaires publiques sont mêlées d'ordinaire avec les intérêts particuliers des personnes illustres qu'on y fait paraître ; il y entre des batailles, des prises de villes, de grands périls, des révolutions d'États, et tout cela va malaisément avec la promptitude que la règle nous oblige de donner à ce qui se passe sur la scène.

Si vous me demandez jusqu'où peut s'étendre cette liberté qu'a le poète d'aller contre la vérité et contre la vraisemblance, par la considération du besoin qu'il en a, j'aurai de la peine à vous faire une réponse précise. J'ai fait voir qu'il y a des choses sur qui nous n'avons aucun droit, et pour celles où ce privilège peut avoir lieu, il doit être plus ou moins resserré, selon que les sujets sont plus ou moins connus. Il m'était beaucoup moins permis dans *Horace* et dans *Pompée*, dont les histoires ne sont ignorées de personne, que dans *Rodogune* et dans *Nicomède*, dont peu de gens savaient les noms avant que je les eusse mis sur le théâtre. La seule mesure qu'on a peut prendre, c'est que tout ce qu'on y ajoute à l'histoire et tous les changements qu'on y apporte ne soient jamais plus incroyables que ce qu'on en conserve dans le même poème. C'est ainsi qu'il faut entendre ce vers d'Horace touchant les fictions d'ornement :

Ficta voluptatis causa sint proxima veris [44],

et non pas en porter la signification jusqu'à celles qui peuvent trouver quelque exemple dans l'histoire ou dans la fable, hors du sujet qu'on traite. Le même Horace décide la question, autant qu'on la peut décider, par cet autre vers avec lequel je finis ce discours :

... Dabiturque licentia sumpta pudenter [45].

Servons-nous-en donc avec retenue, mais sans scrupule, et s'il se peut ne nous en servons point du tout ; il vaut mieux n'avoir point besoin de grâce que d'en recevoir.

43. « Chose apprise par tradition » (Furetière) : tradition orale.

44. « Que les fictions en vue de plaire restent tout près du vrai » (*Art poétique*, v. 338).

45. « On passera une licence prise avec discrétion » (*Art poétique*, v. 51).

DISCOURS DES TROIS UNITÉS
D'ACTION, DE JOUR, ET DE LIEU

Les deux discours précédents, et l'examen des pièces de théâtre que contiennent mes deux premiers volumes, m'ont fourni tant d'occasions d'expliquer ma pensée sur ces matières qu'il m'en resterait peu de chose à dire, si je me défendais absolument de répéter.

Je tiens donc, et je l'ai déjà dit, que l'unité d'action consiste, dans la comédie, en l'unité d'intrigue ou d'obstacle aux desseins des principaux acteurs, et en l'unité de péril dans la tragédie, soit que son héros y succombe, soit qu'il en sorte. Ce n'est pas que je prétende qu'on ne puisse admettre plusieurs périls dans l'une, et plusieurs intrigues ou obstacles dans l'autre, pourvu que de l'un on tombe nécessairement dans l'autre; car alors la sortie du premier péril ne rend point l'action complète, puisqu'elle en attire un second, et l'éclaircissement d'un intrigue ne met point les acteurs en repos, puisqu'il les embarrasse dans un nouveau. Ma mémoire ne me fournit point d'exemples anciens de cette multiplicité de périls attachés l'un à l'autre qui ne détruit point l'unité d'action, mais j'en ai marqué la duplicité indépendante pour un défaut dans *Horace* et dans *Théodore*, dont il n'est point besoin que le premier tue sa sœur au sortir de sa victoire ni que l'autre s'offre au martyre après avoir échappé à la prostitution, et je me trompe fort si la mort de Polyxène et celle d'Astyanax, dans *la Troade* de Sénèque, ne font la même irrégularité.

En second lieu, ce mot d'unité d'action ne veut pas dire que la tragédie n'en doive faire voir qu'une sur le théâtre. Celle que le poète choisit pour son sujet doit avoir un commencement, un milieu et une fin, et ces trois parties non seulement sont autant d'actions qui aboutissent à la principale, mais en outre chacune d'elles en peut contenir plusieurs avec la même subordination. Il n'y doit avoir qu'une action complète, qui laisse l'esprit de l'auditeur dans le calme, mais elle ne peut le devenir que par plusieurs autres imparfaites, qui lui servent d'acheminements et tiennent cet auditeur dans une agréable suspension. C'est ce qu'il faut pratiquer à la fin de chaque acte pour rendre l'action continue. Il n'est pas besoin qu'on sache précisément ce que font les acteurs durant les intervalles qui les séparent ni même qu'ils agissent lorsqu'ils ne paraissent point sur le théâtre, mais il est nécessaire que chaque acte laisse une attente de quelque chose qui se doive faire dans celui qui le suit.

Si vous me demandiez ce que fait Cléopâtre dans *Rodogune*, depuis qu'elle a quitté ses deux fils au second acte jusqu'à ce qu'elle rejoigne Antiochus au quatrième, je serais bien empêché à vous le dire, et je ne crois pas être obligé à en rendre compte, mais la fin de ce second prépare à un effort de l'amitié des deux frères pour régner et dérober Rodogune à la haine envenimée de leur mère. On en voit l'effet dans le troisième, dont la fin prépare encore à voir un autre effort d'Antiochus pour regagner ces deux ennemies l'une après l'autre, et à ce que fait Séleucus dans le quatrième, qui oblige cette mère dénaturée à résoudre et faire attendre ce qu'elle tâche d'exécuter au cinquième.

Dans *le Menteur*, tout l'intervalle du troisième au quatrième vraisemblablement se consume à dormir par tous les acteurs; leur repos n'empêche pas toutefois la continuité d'action entre ces deux actes, parce que le troisième n'en a point de complète. Dorante le finit par le

dessein de chercher des moyens de regagner l'esprit de Lucrèce; et dès le commencement de l'autre il se présente pour tâcher de parler à quelqu'un de ses gens, et prendre l'occasion de l'entretenir elle-même si elle se montre.

Quand je dis qu'il n'est pas besoin de rendre compte de ce que font les acteurs cependant qu'ils n'occupent point la scène, je n'entends pas dire qu'il ne soit quelquefois fort à propos de le rendre, mais seulement qu'on n'y est pas obligé, et qu'il n'en faut prendre le soin que quand ce qui s'est fait derrière le théâtre sert à l'intelligence de ce qui se doit faire devant les spectateurs. Ainsi je ne dis rien de ce qu'a fait Cléopâtre depuis le second acte jusques au quatrième, parce que durant tout ce temps-là elle a pu ne rien faire d'important pour l'action principale que je prépare, mais je fais connaître, dès le premier vers du cinquième, qu'elle a employé tout l'intervalle d'entre ces deux derniers à tuer Séleucus, parce que cette mort fait une partie de l'action. C'est ce qui me donne lieu de remarquer que le poète n'est pas tenu d'exposer à la vue toutes les actions particulières qui amènent à la principale : il doit choisir celles qui lui sont les plus avantageuses à faire voir, soit par la beauté du spectacle, soit par l'éclat et la véhémence des passions qu'elles produisent, soit par quelque autre agrément qui leur soit attaché, et cacher les autres derrière la scène, pour les faire connaître au spectateur, ou par une narration, ou par quelque autre adresse de l'art; surtout il doit se souvenir que les unes et les autres doivent avoir une telle liaison ensemble que les dernières soient produites par celles qui les précèdent, et que toutes ayent leur source dans la protase qui doit fermer le premier acte. Cette règle, que j'ai établie dès le premier Discours, bien qu'elle soit nouvelle et contre l'usage des Anciens, a son fondement sur deux passages d'Aristote. En voici le premier : *Il y a grande différence*, dit-il, *entre les événements qui viennent les uns après les autres, et ceux qui viennent les uns à cause des autres.* Les Maures viennent dans *le Cid* après la mort du Comte, et non pas à cause de la mort du Comte; et le pêcheur vient dans *Don Sanche* après qu'on soupçonne Carlos d'être le prince d'Aragon, et non pas à cause qu'on l'en soupçonne; ainsi tous les deux sont condamnables. Le second passage est encore plus formel et porte en termes exprès, *que tout ce qui se passe dans la tragédie doit arriver nécessairement ou vraisemblablement de ce qui l'a précédé.*

La liaison des scènes qui unit toutes les actions particulières de chaque acte l'une avec l'autre, et dont j'ai parlé dans l'examen de *la Suivante*, est un grand ornement dans un poème, et qui sert beaucoup à former une continuité de la représentation; mais enfin ce n'est qu'un ornement et non pas une règle. Les Anciens ne s'y sont pas toujours assujettis, bien que la plupart de leurs actes ne soient chargés que de deux ou trois scènes, ce qui la rendait bien plus facile pour eux que pour nous qui leur en donnons quelquefois jusqu'à neuf ou dix. Je ne rapporterai que deux exemples du mépris qu'ils en ont fait : l'un est de Sophocle dans l'*Ajax*, dont le monologue, avant que de se tuer, n'a aucune liaison avec la scène qui le précède ni avec celle qui le suit, l'autre est du troisième acte de l'*Eunuque* de Térence, où celle d'Antiphon seul n'a aucune communication avec Chrémès et Pythias, qui sortent du théâtre quand il y entre. Les savants de notre siècle, qui les ont pris pour modèles dans les tragédies qu'ils nous ont laissées, ont encore plus négligé cette liaison qu'eux, et il ne faut que jeter l'œil sur celles de Buchanan, de Grotius et de Heinsius [46], dont j'ai parlé dans l'examen de *Polyeucte*, pour en demeurer d'accord. Nous y avons tellement accoutumé nos spectateurs, qu'ils ne sauraient plus voir une scène détachée sans la marquer pour un défaut : l'œil et l'oreille même s'en scandalisent avant que l'esprit y aye pu faire de réflexion. Le quatrième acte de *Cinna* demeure au-dessous des autres par ce manquement, et ce qui n'était point une règle autrefois l'est devenu maintenant par l'assiduité de la pratique.

J'ai parlé de trois sortes de liaison dans cet examen de *la Suivante* : j'ai montré aversion pour celles de bruit, indulgence pour celles de vue, estime pour celles de présence et de discours, et dans ces dernières j'ai confondu deux choses qui méritent d'être séparées. Celles qui sont de présence et de discours ensemble ont sans doute toute l'excellence dont elles sont capables, mais il en est de discours sans présence, et de présence sans discours, qui ne sont pas dans le même degré. Un acteur qui parle à un autre d'un lieu caché, sans se montrer, fait une liaison de discours sans présence, qui ne laisse pas d'être fort bonne, mais cela arrive fort rarement. Un homme qui demeure sur le théâtre, seulement pour entendre ce que diront ceux qu'il y voit entrer, fait une liaison de présence sans discours, qui souvent a mauvaise grâce et tombe dans une affectation mendiée, plutôt pour remplir ce nouvel usage qui passe en précepte que pour aucun besoin qu'en puisse avoir le sujet. Ainsi dans le troisième acte de *Pompée*, Achorée, après avoir rendu compte à Charmion de la réception que César a faite au Roi quand il lui a présenté la tête de ce héros, demeure sur le théâtre, où il voit venir l'un et l'autre, seulement pour entendre ce qu'ils diront et le rapporter à Cléopâtre. Ammon fait la même chose au quatrième d'*Andromède*, en faveur de Phinée, qui se retire à la vue du Roi et de toute sa cour, qu'il voit arriver. Ces personnages qui deviennent muets lient assez mal les scènes, où ils ont si peu de part qu'ils n'y sont comptés pour rien. Autre chose est quand ils se tiennent cachés pour s'instruire de quelque secret d'importance par le moyen de ceux qui parlent, et qui croient n'être entendus de personne, car alors l'intérêt qu'ils ont à ce qui se dit, joint à une curiosité raisonnable d'apprendre ce qu'ils ne peuvent savoir d'ailleurs, leur donne grande part en l'action malgré leur silence ; mais, en ces deux exemples, Ammon et Achorée mêlent une présence si froide aux scènes qu'ils écoutent qu'à ne rien déguiser, quelque couleur que je leur donne pour leur servir de prétexte, ils ne s'arrêtent que pour les lier avec celles qui les précèdent, tant l'une et l'autre pièce s'en peut aisément passer.

Bien que l'action du poème dramatique doive avoir son unité, il y faut considérer deux parties : le nœud et le dénouement. *Le nœud est composé*, selon Aristote, *en partie de ce qui s'est passé hors du théâtre avant le commencement de l'action qu'on y décrit et en partie de ce qui s'y passe ; le reste appartient au dénouement. Le changement d'une fortune en l'autre fait la séparation de ces deux parties. Tout ce qui le précède est de la première et ce changement avec ce qui le suit regarde l'autre.* Le nœud dépend entièrement du choix et de l'imagination industrieuse du poète, et l'on n'y peut donner de règle, sinon qu'il y doit ranger toutes choses selon le vraisemblable

ou le nécessaire, dont j'ai parlé dans le second Discours ; à quoi j'ajoute un conseil, de s'embarrasser le moins qu'il lui est possible de choses arrivées avant l'action qui se représente. Ces narrations importent d'ordinaire, parce qu'elles ne sont pas attendues, et qu'elles gênent l'esprit de l'auditeur, qui est obligé de charger sa mémoire de ce qui s'est fait dix ou douze ans auparavant, pour comprendre ce qu'il voit représenter ; mais celles qui se font des choses qui arrivent et se passent derrière le théâtre, depuis l'action commencée, font toujours un meilleur effet, parce qu'elles sont attendues avec quelque curiosité, et font partie de cette action qui se représente. Une des raisons qui donnent tant d'illustres suffrages à *Cinna* pour le mettre au-dessus de ce que j'ai fait, c'est qu'il n'y a aucune narration du passé, celle qu'il fait de sa conspiration à Émilie étant plutôt un ornement qui chatouille l'esprit des spectateurs qu'une instruction nécessaire de particularités qu'ils doivent savoir et imprimer dans leur mémoire pour l'intelligence de la suite. Émilie leur fait assez connaître dans les deux premières scènes qu'il conspirait contre Auguste en sa faveur, et quand Cinna lui dirait tout simplement que les conjurés sont prêts au lendemain, il avancerait autant pour l'action que par les cent vers qu'il emploie à lui rendre compte et de ce qu'il leur a dit, et de la manière dont ils l'ont reçu. Il y a des intrigues qui commencent dès la naissance du héros, comme celui d'*Héraclius*, mais ces grands efforts d'imagination en demandent un extraordinaire à l'attention du spectateur et l'empêchent souvent de prendre un plaisir entier aux premières représentations, tant ils le fatiguent.

Dans le dénouement je trouve deux choses à éviter, le simple changement de volonté, et la machine. Il n'y a pas grand artifice à finir un poème, quand celui qui fait obstacle aux desseins des premiers acteurs durant quatre actes en désiste au cinquième, sans aucun événement notable qui l'y oblige : j'en ai parlé au premier Discours, et n'y ajouterai rien ici. La machine n'a pas plus d'adresse quand elle ne sert qu'à faire descendre un Dieu pour accommoder toutes choses, sur le point que les acteurs ne savent plus comment les terminer. C'est ainsi qu'Apollon agit dans l'*Oreste* : ce prince et son ami Pylade, accusés par Tyndare et Ménélas de la mort de Clytemnestre et condamnés à leur poursuite, se saisissent d'Hélène et d'Hermione : ils tuent ou croient tuer la première et menacent d'en faire autant de l'autre, si on ne révoque l'arrêt prononcé contre eux. Pour apaiser ces troubles, Euripide ne cherche point d'autre finesse que de faire descendre Apollon du ciel, qui d'autorité absolue ordonne qu'Oreste épouse Hermione, et Pylade Électre ; et de peur que la mort d'Hélène n'y servît d'obstacle, n'y ayant pas d'apparence qu'Hermione épousât Oreste qui venait de tuer sa mère, il leur apprend qu'elle n'est pas morte et qu'il l'a dérobée à leurs coups et enlevée au ciel dans l'instant qu'ils pensaient la tuer. Cette sorte de machine est entièrement hors de propos, n'ayant aucun fondement sur le reste de la pièce, et fait un dénouement vicieux. Mais je trouve un peu de rigueur au sentiment d'Aristote, qui met en même rang le char dont Médée se sert pour s'enfuir de Corinthe après la vengeance qu'elle a prise à la mort de Créon. Il me semble que c'en est un assez grand fondement que de l'avoir faite magicienne, et d'en avoir rapporté dans le poème des actions autant au-dessus des forces de la nature que celle-là. Après ce qu'elle a fait pour Jason à Colchos, après qu'elle a rajeuni son père Éson depuis son retour, après qu'elle a attaché des feux invisibles au présent qu'elle a fait à Créuse, ce char volant n'est point hors de la vraisemblance, et ce poème n'a point besoin d'autre préparation pour cet effet extraordinaire. Sénèque lui en donne une par ce vers, que Médée dit à sa nourrice :

Tuum quoque ipsa corpus hinc mecum aveham [47]

et moi, par celui-ci qu'elle dit à Égée :

Je vous suivrai demain par un chemin nouveau.

Ainsi la condamnation d'Euripide, qui ne s'y est servi d'aucune précaution, peut être juste, et ne retomber ni sur Sénèque, ni sur moi; et je n'ai point besoin de contredire Aristote pour me justifier sur cet article.

De l'action je passe aux actes, qui en doivent contenir chacun une portion, mais non pas si égale qu'on n'en réserve plus pour le dernier que pour·les autres, et qu'on n'en puisse moins donner au premier qu'aux autres. On peut même ne faire aucune chose dans ce premier que peindre les mœurs des personnages, et marquer à quel point ils en sont de l'histoire qu'on va représenter. Aristote n'en prescrit point le nombre; Horace le borne à cinq, et bien qu'il défende d'y en mettre moins, les Espagnols s'opiniâtrent à l'arrêter à trois, et les Italiens font souvent la même chose [48]. Les Grecs les distinguaient par le chant du chœur, et comme je trouve lieu de croire qu'en quelques-uns de leurs poèmes ils le faisaient chanter plus de quatre fois, je ne voudrais pas répondre qu'ils ne les poussassent jamais au delà de cinq. Cette manière de les distinguer était plus incommode que la nôtre, car ou l'on n'y prêtait attention à ce que chantait le chœur, ou l'on n'y en prêtait point : si l'on y en prêtait, l'esprit de l'auditeur était trop tendu et n'avait aucun moment pour se délasser; si l'on n'y en prêtait point, son attention était trop dissipée par la longueur du chant, et lorsqu'un autre acte commençait, il avait besoin d'un effort de mémoire pour rappeler en son imagination ce qu'il avait déjà vu et en quel point l'action était demeurée. Nos violons n'ont aucune de ces deux incommodités : l'esprit de l'auditeur se relâche durant qu'ils jouent, et réfléchit même sur ce qu'il a vu, pour le louer ou le blâmer, suivant qu'il lui a plu ou déplu; et le peu qu'on les laisse jouer lui en laisse les idées si récentes que quand les acteurs reviennent, il n'a point besoin de se faire d'effort pour rappeler et renouer son attention.

Le nombre des scènes dans chaque acte ne reçoit aucune règle, mais comme tout acte doit avoir une certaine quantité de vers qui proportionne sa durée à celle des autres, on y peut mettre plus ou moins de scènes, selon qu'elles sont plus ou moins longues, pour employer le temps que tout l'acte ensemble doit consumer. Il faut, s'il se peut, y rendre raison de l'entrée et de la sortie de chaque acteur; surtout pour la sortie je tiens cette règle indispensable, et il n'y a rien de si mauvaise grâce qu'un acteur qui se retire du théâtre seulement parce qu'il n'a plus de vers à dire.

Je ne serais pas si rigoureux pour les entrées. L'auditeur attend l'acteur, et bien que le théâtre représente la chambre ou le cabinet de celui qui parle, il ne peut toutefois s'y montrer qu'il ne vienne de derrière la tapisserie, et il n'est pas toujours aisé de rendre raison de ce qu'il vient de faire en ville avant que de rentrer chez lui, puisque même quelquefois il est vraisemblable qu'il

n'en est pas sorti. Je n'ai vu personne se scandaliser de voir Émilie commencer *Cinna* sans dire pourquoi elle vient dans sa chambre : elle est présumée y être avant que la pièce commence, et ce n'est que la nécessité de la représentation qui la fait sortir de derrière le théâtre pour y tenir. Ainsi je dispenserais volontiers de cette rigueur toutes les premières scènes de chaque acte, mais non pas les autres, parce qu'un acteur occupant une fois le théâtre, aucun n'y doit entrer qui n'aye sujet de parler à lui, ou du moins qui n'ait lieu de prendre l'occasion quand elle s'offre. Surtout lorsqu'un acteur entre deux fois dans un acte, soit dans la comédie, soit dans la tragédie, il doit absolument ou faire juger qu'il reviendra bientôt quand il sort la première fois, comme Horace dans le second acte et Julie dans le troisième de la même pièce, ou donner raison en rentrant pourquoi il revient sitôt.

Aristote veut que la tragédie bien faite soit belle et capable de plaire sans le secours des comédiens, et hors de la représentation. Pour faciliter ce plaisir au lecteur, il ne faut pas non plus gêner son esprit que celui du spectateur, parce que l'effort qu'il est obligé de se faire pour la concevoir et se la représenter lui-même dans son esprit diminue la satisfaction qu'il en doit recevoir. Ainsi je serais d'avis que le poète prît grand soin de marquer à la marge les menues actions [49] qui ne méritent pas qu'il en charge ses vers et qui leur ôteraient même quelque chose de leur dignité, s'il se ravalait à les exprimer. Le comédien y supplée aisément sur le théâtre, mais sur le livre on serait assez souvent réduit à deviner, et quelquefois même on pourrait deviner mal, à moins que d'être instruit par là de ces petites choses. J'avoue que ce n'est pas l'usage des Anciens, mais il faut m'avouer aussi que faute de l'avoir pratiqué, ils nous laissent beaucoup d'obscurités dans leurs poèmes, qu'il n'y a que les maîtres de l'art qui puissent développer; encore ne sais-je s'ils en viennent à bout toutes les fois qu'ils se l'imaginent. Si nous nous assujettissions à suivre entièrement leur méthode, il ne faudrait mettre aucune distinction d'actes ni de scènes, non plus que les Grecs. Ce manque est souvent cause que je ne sais combien il y a d'actes dans leurs pièces, ni si à la fin d'un acte un acteur se retire pour laisser chanter le chœur, ou s'il demeure sans action cependant qu'il chante, parce que ni eux ni leurs interprètes n'ont daigné nous en donner un mot d'avis à la marge.

Nous avons encore une autre raison particulière de ne pas négliger ce petit secours comme ils ont fait : c'est que l'impression met nos pièces entre les mains des comédiens qui courent les provinces, que nous ne pouvons avertir que par là de ce qu'ils ont à faire et qui feraient d'étranges contre-temps, si nous ne leur aidions par ces notes. Ils se trouveraient bien embarrassés au cinquième acte des pièces qui finissent heureusement, et où nous rassemblons tous les acteurs sur notre théâtre; ce que ne faisaient pas les Anciens : ils diraient souvent à l'un ce qui s'adresse à l'autre, principalement quand il faut que le même acteur parle à trois ou quatre l'un après l'autre. Quand il y a quelque commandement à faire à l'oreille, comme celui de Cléopâtre à Laonice pour lui aller quérir du poison, il faudrait un *a parte* pour l'exprimer en vers, si l'on se voulait passer de ces avis en marge; et l'un me semble beaucoup plus insupportable que les autres, qui nous donnent le vrai et unique moyen de faire, suivant le sentiment d'Aristote, que la tragédie

---

47. « Moi-même j'arracherai d'ici ton corps en même temps que le mien. »

48. L'italien Zanotti (1615?-1675) entre autres, qui venait d'arriver à Paris, allait précisément ramener à trois actes le *Cid* et *Héraclius* dans sa traduction italienne.

49. Il s'agit des indications scéniques. Corneille avait appliqué cette règle avec soin dès 1644.

soit aussi belle à la lecture qu'à la représentation, en rendant facile à l'imagination du lecteur tout ce que le théâtre présente à la vue des spectateurs.

La règle de l'unité de jour a son fondement sur ce mot d'Aristote, *que la tragédie doit renfermer la durée de son action dans un tour du soleil, ou tâcher de ne le passer pas de beaucoup.* Ces paroles donnent lieu à cette dispute fameuse, si elles doivent être entendues d'un jour naturel de vingt-quatre heures, ou d'un jour artificiel de douze : ce sont deux opinions dont chacune a des partisans considérables; et pour moi, je trouve qu'il y a des sujets si malaisés à renfermer en si peu de temps que non seulement je leur accorderais les vingt-quatre heures entières, mais je me servirais même de la licence que donne ce philosophe de les excéder un peu, et les pousserais sans scrupule jusqu'à trente. Nous avons une maxime en droit qu'il faut élargir la faveur et restreindre les rigueurs, *odia restringenda, favores ampliandi ;* et je trouve qu'un auteur est assez gêné par cette contrainte qui a forcé quelques-uns de nos Anciens d'aller jusqu'à l'impossible. Euripide, dans *les Suppliantes,* fait partir Thésée d'Athènes avec une armée, donner une bataille devant les murs de Thèbes, qui en étaient éloignées de douze ou quinze lieues, et revenir victorieux en l'acte suivant, et depuis qu'il est parti jusqu'à l'arrivée du messager qui vient faire le récit de sa victoire. Éthra et le chœur n'ont que trente-six vers à dire. C'est assez bien employer un temps si court. Eschyle fait revenir Agamemnon de Troie avec une vitesse encore toute autre. Il était demeuré d'accord avec Clytemnestre sa femme, sitôt que cette ville serait prise, il le lui ferait savoir par des flambeaux disposés de montagne en montagne, dont le second s'allumerait incontinent à la vue du premier, le troisième à la vue du second, et ainsi du reste; et par ce moyen elle devait apprendre cette grande nouvelle dès la même nuit. Cependant à peine l'a-t-elle apprise par ces flambeaux allumés, qu'Agamemnon arrive, dont il faut que le navire, quoique battu d'une tempête, ait, si j'ai bonne mémoire, aye été aussi vite que l'œil à découvrir ces lumières. *Le Cid* et *Pompée,* où les actions sont un peu précipitées, sont bien éloignés de cette licence, et s'ils forcent la vraisemblance commune en quelque chose, du moins ils ne vont point jusqu'à de telles impossibilités.

Beaucoup déclament contre cette règle qu'ils nomment tyrannique et auraient raison, si elle n'était fondée que sur l'autorité d'Aristote; mais ce qui la doit faire accepter, c'est la raison naturelle qui lui sert d'appui. Le poème dramatique est une imitation, ou pour en mieux parler, un portrait des actions des hommes, et il est hors de doute que les portraits sont d'autant plus excellents qu'ils ressemblent mieux à l'original. La représentation dure deux heures et ressemblerait parfaitement, si l'action qu'elle représente n'en demandait pas davantage pour sa réalité. Ainsi ne nous arrêtons point ni aux douze ni aux vingt-quatre heures, mais resserrons l'action du poème dans la moindre durée qu'il nous sera possible, afin que sa représentation ressemble mieux et soit plus parfaite. Ne donnons, s'il se peut, à l'une que les deux heures que l'autre remplit. Je ne crois pas que *Rodogune* en demande guère davantage, et peut-être qu'elles suffiraient pour *Cinna.* Si nous ne pouvons la renfermer dans ces deux heures, prenons-en quatre, six, dix, mais ne passons pas de beaucoup les vingt-quatre, de peur de tomber dans le dérèglement et de réduire tellement le portrait en petit qu'il n'aye plus ses dimensions proportionnées et ne soit qu'imperfection.

Surtout je voudrais laisser cette durée à l'imagina-

tion des auditeurs et ne déterminer jamais le temps qu'elle emporte, si le sujet n'en avait besoin, principalement quand la vraisemblance y est un peu forcée comme au *Cid,* parce qu'alors cela ne sert qu'à les avertir de cette précipitation. Lors même que rien n'est violenté dans un poème par la nécessité d'obéir à cette règle, qu'est-il besoin de remarquer à l'ouverture du théâtre que le soleil se lève, qu'il est midi au troisième acte, et qu'il se couche à la fin du dernier? C'est une affectation qui ne fait qu'importuner; il suffit d'établir la possibilité de la chose dans le temps où on la renferme, et qu'on le puisse trouver aisément, si on y veut prendre garde, sans y appliquer l'esprit malgré soi. Dans les actions même qui n'ont point plus de durée que la représentation, cela serait de mauvaise grâce si l'on marquait d'acte en acte qu'il s'est passé une demi-heure de l'un à l'autre.

Je répète ce que j'ai dit ailleurs, que quand nous prenons un temps plus long, comme de dix heures, je voudrais que les huit qu'il faut perdre se consumassent dans les intervalles des actes, et que chacun d'eux n'eût en son particulier que ce que la représentation en consume, principalement lorsqu'il y a liaison de scènes perpétuelle, car cette liaison ne souffre point de vide entre deux scènes. J'estime toutefois que le cinquième, par un privilège particulier, a quelque droit de presser un peu le temps, en sorte que la part de l'action qu'il représente en tienne davantage qu'il n'en faut pour sa représentation. La raison en est que le spectateur est alors dans l'impatience de voir la fin, et que quand elle dépend d'acteurs qui sont sortis du théâtre, tout l'entretien qu'on donne à ceux qui y demeurent en attendant de leurs nouvelles ne fait que languir et semble demeurer sans action. Il est hors de doute que depuis que Phocas est sorti au cinquième d'*Héraclius* jusqu'à ce qu'Amyntas vienne raconter sa mort, il faut plus de temps pour ce qui se fait derrière le théâtre que pour le récit des vers qu'Héraclius, Martian et Pulchérie emploient à plaindre leur malheur. Prusias et Flaminius, dans celui de *Nicomède,* n'ont pas tout le loisir dont ils auraient besoin pour se rejoindre sur la mer, consulter ensemble, et revenir à la défense de la Reine, et le *Cid* n'en a pas assez pour se battre contre don Sanche durant l'entretien de l'Infante avec Léonor et de Chimène avec Elvire. Je l'ai bien vu, et n'ai point fait de scrupule de cette précipitation, dont peut-être on trouverait plusieurs exemples chez les Anciens, mais ma paresse, dont j'ai déjà parlé, me fera contenter de celui-ci, qui est de Térence dans l'*Andrienne.* Simon y fait entrer Pamphile son fils chez Glycère, pour y faire sortir le vieillard Criton, et s'éclaircir avec lui de la naissance de sa maîtresse, qui se trouve fille de Chrémès. Pamphile y entre, parle à Criton, le prie de le servir, revient avec lui, et durant cette entrée, cette prière et cette sortie, Simon et Chrémès, qui demeurent sur le théâtre, ne disent que chacun un vers, qui ne saurait donner tout au plus à Pamphile que le loisir de demander où est Criton, et non pas de parler à lui et lui dire les raisons qui le doivent porter à découvrir en sa faveur ce qu'il sait de la naissance de cette inconnue.

Quand la fin de l'action dépend d'acteurs qui n'ont point quitté le théâtre, et ne font point attendre de leurs nouvelles, comme dans *Cinna* et dans *Rodogune,* le cinquième acte n'a point besoin de ce privilège, parce qu'alors toute l'action est en vue, ce qui n'arrive pas quand il s'en passe une partie derrière le théâtre depuis qu'il est commencé. Les autres actes ne méritent point la même grâce. S'il ne s'y trouve pas assez de temps pour y faire rentrer un acteur qui en est sorti, ou pour faire savoir ce qu'il a fait depuis cette sortie, on peut attendre à en rendre compte en l'acte suivant, et le violon, qui les distingue l'un de l'autre, en peut consumer autant qu'il en est besoin; mais dans le cinquième, il n'y a point de remise : l'attention est épuisée, et il faut finir.

Je ne puis oublier que, bien qu'il nous faille réduire toute l'action tragique en un jour, cela n'empêche pas que la tragédie ne fasse connaître par narration, ou par quelque autre manière plus artificieuse, ce qu'a fait son héros en plusieurs années, puisqu'il y en a dont le nœud consiste en l'obscurité de sa naissance qu'il faut éclaircir, comme Œdipe. Je ne répéterai point que, moins on se charge d'actions passées, plus on a l'auditeur propice par le peu de gêne qu'on lui donne, en lui rendant toutes les choses présentes, sans demander aucune réflexion à sa mémoire que pour ce qu'il a vu, mais je ne puis oublier que c'est un grand ornement pour un poème que le choix d'un jour illustre et attendu depuis quelque temps. Il ne s'en présente pas toujours des occasions, et dans tout ce que j'ai fait jusqu'ici, vous n'en trouverez de cette nature que quatre : celui d'*Horace*, où deux peuples devaient décider de leur empire autant que d'une bataille, celui de *Rodogune*, d'*Andromède*, et de *Don Sanche*. Dans *Rodogune*, ce n'est un jour choisi par deux souverains pour l'effet d'un traité de paix entre leurs couronnes ennemies, pour une entière réconciliation de deux rivales par un mariage, et pour l'éclaircissement d'un secret de plus de vingt ans, touchant le droit d'aînesse entre deux princes gémeaux dont dépend le royaume, et le succès de leur amour. Celui d'*Andromède* et de *Don Sanche* ne sont pas de moindre considération, mais comme je le viens de dire, les occasions ne s'en offrent pas souvent; et dans le reste de mes ouvrages, je n'ai pu choisir des jours remarquables que par ce que le hasard y fait arriver, et non pas par l'emploi où l'ordre public les aye destinés de longue main.

Quant à l'unité de lieu je n'en trouve aucun précepte ni dans Aristote ni dans Horace. C'est ce qui porte quelques-uns à croire que la règle ne s'en est établi qu'en conséquence de l'unité de jour, et à se persuader ensuite qu'on le peut étendre jusques où un homme peut aller et revenir en vingt-quatre heures. Cette opinion est un peu licencieuse, et si l'on faisait aller un acteur en poste, les deux côtés du théâtre pourraient représenter Paris et Rouen. Je souhaiterais, pour ne point gêner du tout le spectateur que ce qu'on fait représenter devant lui en deux heures se pût passer en effet en deux heures, et que ce qu'on lui fait voir sur un théâtre qui ne change point pût s'arrêter dans une chambre ou dans une salle, suivant le choix qu'on en aurait fait; mais souvent cela est si malaisé, pour ne pas dire impossible, qu'il faut de nécessité trouver quelque élargissement pour le lieu, comme pour le temps. Je l'ai fait voir exact dans *Horace*, dans *Polyeucte* et dans *Pompée*; mais il faut pour cela ou n'introduire qu'une femme, comme dans *Polyeucte*, ou que les deux qu'on introduit ayent tant d'amitié l'une pour l'autre et des intérêts si conjoints qu'elles puissent être toujours ensemble, comme dans l'*Horace*, ou qu'il leur puisse arriver comme dans *Pompée*, où l'empressement de la curiosité naturelle fait sortir de leurs appartements Cléopâtre au second acte et Cornélie au cinquième, pour aller jusque dans la grande salle du palais du Roi au-devant des nouvelles qu'elles attendent. Il n'en va pas de même dans *Rodogune* : Cléopâtre et elle ont des intérêts trop divers pour expliquer leurs plus secrètes pensées en même lieu. Je pourrais en dire ce que j'ai dit de *Cinna*, où en général tout se passe dans Rome, et en particulier moitié dans le cabinet d'Auguste, et moitié chez Émilie. Suivant cet ordre, le premier acte de cette tragédie serait dans l'antichambre de Rodogune, le second dans la chambre de Cléopâtre, le troisième dans celle de Rodogune; mais si le quatrième peut commencer chez cette princesse, il n'y peut achever, et ce que Cléopâtre y dit à ses deux fils l'un après l'autre y serait mal placé. Le cinquième a besoin d'une salle d'audience où un grand peuple puisse être présent. La même chose se rencontre dans *Héraclius*. Le premier acte serait fort bien dans le cabinet de Phocas et le second chez Léontine, mais si le troisième commence chez Pulchérie, il n'y peut achever, et il est hors d'apparence que Phocas délibère dans l'appartement de cette princesse de la perte de son frère.

Nos Anciens, qui faisaient parler leurs rois en place publique, donnaient assez aisément l'unité rigoureuse de lieu à leurs tragédies. Sophocle toutefois ne l'a pas observée dans son *Ajax*, qui sort du théâtre afin de trouver un lieu écarté pour se tuer, et s'y tue à la vue du peuple; ce qui fait juger aisément que celui où il se tue n'est pas le même que celui d'où on l'a vu sortir, puisqu'il n'en est sorti que pour en choisir un autre.

Nous ne prenons pas la même liberté de tirer les rois et les princesses de leurs appartements, et comme souvent la différence et l'opposition des intérêts de ceux qui sont logés dans le même palais ne souffrent pas qu'ils fassent leurs confidences et ouvrent leurs secrets en même chambre, il nous faut chercher quelque autre accommodement pour l'unité de lieu, et si nous la voulons conserver dans tous nos poèmes : autrement il faudrait prononcer contre beaucoup de ceux que nous voyons réussir avec éclat.

Je tiens donc qu'il faut chercher cette unité exacte autant qu'il est possible; mais comme elle ne s'accommode pas avec toute sorte de sujets, j'accorderais très volontiers que ce qu'on ferait passer en une seule ville aurait l'unité de lieu. Ce n'est pas que je voulusse que le théâtre représentât cette ville tout entière, cela serait un peu trop vaste, mais seulement deux ou trois lieux particuliers enfermés dans l'enclos de ses murailles. Ainsi la scène de *Cinna* ne sort point de Rome, et est tantôt l'appartement d'Auguste dans son palais, et tantôt la maison d'Émilie. *Le Menteur* a les Tuileries et la place Royale dans Paris, et *la Suite* fait voir la prison et le logis de Mélisse dans Lyon. *Le Cid* multiplie encore davantage les lieux particuliers sans quitter Séville, et, comme la liaison de scènes n'y est pas gardée, le théâtre dès le premier acte est la maison de Chimène, l'appartement de l'Infante dans le palais du Roi, et la place publique; le second y ajoute la chambre du Roi, et sans doute il y a quelque excès dans cette licence. Pour rectifier en quelque façon cette duplicité de lieu quand elle est inévitable, je voudrais qu'on fît deux choses : l'une, que jamais on ne changeât dans le même acte, mais seulement de l'un à l'autre, comme il se fait dans les trois premiers de *Cinna* ; l'autre, que ces deux lieux n'eussent point besoin de diverses décorations, et qu'aucun des deux ne fût jamais nommé, mais seulement le lieu général où tous les deux sont compris, comme Paris, Rome, Lyon, Constantinople, etc. Cela aiderait à tromper l'auditeur, qui ne voyant rien qui lui marquât la diversité des lieux, ne s'en apercevrait pas, à moins d'une réflexion malicieuse et critique, dont il y en a peu qui soient capables, la plupart s'attachant avec chaleur à l'action qu'ils voient représenter. Le plaisir qu'ils y prennent est cause qu'ils n'en veulent pas chercher le peu de justesse pour s'en dégoûter, et ils ne le reconnaissent que par force, quand il est trop visible, comme dans *le Menteur* et *la Suite*, où les différentes décorations font reconnaître cette duplicité de lieu, malgré qu'on en ait.

Mais comme les personnes qui ont des intérêts opposés ne peuvent pas vraisemblablement expliquer leurs secrets en même place et qu'ils sont quelquefois introduits dans le même acte avec liaison de scènes qui emporte nécessairement cette unité, il faut trouver un moyen qui la rende compatible avec cette contradiction qu'y forme la vraisemblance rigoureuse, et voir comment pourra subsister le quatrième acte de *Rodogune*, et le troisième d'*Héraclius*, où j'ai déjà marqué cette répugnance du côté des deux personnes ennemies qui parlent en l'un et en l'autre. Les jurisconsultes admettent des fictions de droit; et je voudrais, à leur exemple, introduire des fictions de théâtre, pour établir un lieu théâtral qui ne serait ni l'appartement de Cléopâtre, ni celui de Rodogune dans la pièce qui porte ce titre, ni celui de Phocas, de Léontine, ou de Pulchérie, dans *Héraclius*; mais une salle sur laquelle ouvrent ces divers appartements, à qui j'attribuerais deux privilèges : l'un, que chacun de ceux qui y parleraient fût présumé y parler avec le même secret que s'il était dans sa chambre, l'autre, qu'au lieu que dans l'ordre commun il est quelquefois de la bienséance que ceux qui occupent le théâtre aillent trouver ceux qui sont dans leur cabinet pour parler à eux, ceux-ci pussent les venir trouver sur le théâtre, sans choquer cette bienséance, afin de conserver l'unité de lieu et la liaison des scènes. Ainsi Rodogune dans le premier acte vient trouver Laonice, qu'elle devrait mander pour parler à elle; et dans le quatrième Cléopâtre vient trouver Antiochus au même lieu où il vient de fléchir Rodogune, bien que, dans l'exacte vraisemblance, ce prince devrait aller chercher sa mère dans son cabinet, puisqu'elle hait trop cette princesse pour venir parler à lui dans son appartement où la première scène fixerait le reste de cet acte, si l'on n'apportait ce tempérament dont j'ai parlé à la rigoureuse unité de lieu.

Beaucoup de mes pièces en manqueront si l'on ne veut point admettre cette modération, dont je me contenterai toujours à l'avenir, quand je ne pourrai satisfaire à la dernière rigueur de la règle. Je n'ai pu y en réduire que trois : *Horace, Polyeucte* et *Pompée*. Si je me donne trop d'indulgence dans les autres, j'en aurai encore davantage pour ceux dont je verrai réussir les ouvrages sur la scène avec quelque apparence de régularité. Il est facile aux spéculatifs d'être sévères, mais s'ils voulaient donner dix ou douze poèmes de cette nature au public, ils élargiraient peut-être les règles encore plus que je ne fais, sitôt qu'ils auraient reconnu par l'expérience quelle contrainte apporte leur exactitude et combien de belles choses elle bannit de notre théâtre. Quoi qu'il en soit, voilà mes opinions, ou si vous voulez, mes hérésies touchant les principaux points de l'art, et je ne sais point mieux accorder les règles anciennes avec les agréments modernes. Je ne doute point qu'il ne soit aisé d'en trouver de meilleurs moyens, et je serai tout prêt de les suivre lorsqu'on les aura mis en pratique aussi heureusement qu'on y a vu les miens.

AUTRES ŒUVRES EN PROSE

LETTRE APOLOGÉTIQUE
CONTENANT SA RÉPONSE AUX OBSERVATIONS FAITES PAR LE SIEUR SCUDÉRI SUR LE CID (1637)

Cette pièce complète la participation personnelle de Corneille à la querelle du Cid. Après la publication tranquillement insolente de l'Excuse à Ariste (cf. p. 871) il répond à Mairet par un Rondeau féroce (cf. p. 872) et réfute ici plus longuement les Observations sur le Cid de Scudéry, publiées jusqu'à trois fois en 1637. Ce texte fut édité à part, la même année.

Monsieur,

Il ne vous suffit pas que votre libelle me déchire en public : vos lettres me viennent quereller jusque dans mon cabinet, et vous m'envoyez d'injustes accusations, lorsque vous me devez pour le moins des excuses. Je n'ai point fait la pièce qui vous pique [50]; je l'ai reçue de Paris avec une lettre qui m'a appris le nom de son auteur; il l'adresse à un de nos amis [51], qui vous en pourra donner plus de lumière. Pour moi, bien que je n'aie guère de jugement, si l'on s'en rapporte à vous, je n'en ai pas si peu que d'offenser une personne de si haute condition, dont je n'ai pas l'honneur d'être connu, et de craindre moins ses ressentiments que les vôtres. Tout ce que je puis dire, c'est que je ne doute ni de votre noblesse, ni de votre vaillance, et qu'aux choses de cette nature où je n'ai point d'intérêt, je crois le monde sur sa parole : ne mêlons point de pareilles difficultés parmi nos différends. Il n'est pas question de savoir de combien vous êtes noble ou plus vaillant que moi, pour juger de

---

50. La *Défense du Cid*, probablement de Faret, a paru sans signature dans la première phase de la querelle, et forme un opuscule de trente-deux pages.

51. Ni l'auteur, ni l'ami, ni la personne de haute condition ne sont identifiés. Celle-ci ne peut être Richelieu qui connaissait bien Corneille, du groupe des cinq auteurs. Il s'agit peut-être du comte de Belin, protecteur de Mairet et de la troupe rivale de l'Hôtel de Bourgogne.

combien *le Cid* est meilleur que l'*Amant libéral* [52]. Les bons esprits trouvent que vous avez fait un haut chef-d'œuvre de doctrine et de raisonnement en vos *Observations*. La modestie et la générosité que vous y témoignez leur semblent des pièces rares, et surtout votre procédé merveilleusement sincère et cordial vers un ami. Vous protestez de ne point dire d'injures, et lorsque incontinent après vous m'accusez d'ignorance en mon métier, et de manque de jugement en la conduite de mon chef-d'œuvre, vous appelez cela des civilités d'auteur? Je n'aurais besoin que du texte de votre libelle, et des contradictions qui s'y rencontrent, pour vous convaincre de l'un et de l'autre de ces défauts, et imprimer sur votre casaque le quatrain [53] outrageux que vous avez voulu attacher à la mienne, si le même texte ne me faisait voir que l'éloge d'*auteur d'heureuse mémoire*, ne peut être propre, en m'apprenant que vous manquez aussi de cette partie, quand vous vous êtes écrié : *O raison de l'auditeur! que faisiez-vous?* En faisant cette magnifique saillie, ne vous êtes-vous pas souvenu que *le Cid* a été représenté trois fois au Louvre, et deux fois à l'hôtel de Richelieu? Quand vous avez traité la pauvre Chimène d'impudique, de prostituée, de parricide, de monstre, ne vous êtes-vous pas souvenu que la Reine, les princesses et les plus vertueuses dames de la cour et de Paris l'ont reçue et caressée en fille d'honneur? Quand vous m'avez reproché des vanités, et nommé le comte de Gormas un capitan de comédie, vous ne vous êtes pas souvenu que vous avez mis un *A qui lit*, au-devant de *Ligdamon* [54], ni des autres chaleurs poétiques et militaires qui font rire le lecteur presque dans tous vos livres. Pour me faire croire ignorant, vous avez tâché d'imposer aux simples, et avez cru faire passer des maximes de théâtre de votre seule autorité, dont toutefois, quand elles seraient vraies, vous ne pourriez tirer les conséquences cornues que vous en tirez : vous vous êtes fait tout blanc d'Aristote, et d'autres auteurs que vous ne lûtes et n'entendîtes peut-être jamais, et qui vous manquent tous de garantie [55]; vous avez fait le censeur moral, pour m'imputer de mauvais exemples : vous avez épluché [56], jusqu'à en accuser un de manque de césure [57] : si vous eussiez su les termes du métier, vous eussiez dit qu'il manquait de repos en l'hémistiche. Vous m'avez voulu faire passer pour simple traducteur, sous ombre de soixante et douze vers [58] que vous marquez sur un ouvrage de deux mille, et que ceux qui s'y connaissent n'appelleront jamais de simples traductions; vous avez déclamé contre moi, pour avoir tu le nom de l'auteur espagnol, bien que vous ne l'ayez appris que de moi, et que vous sachiez fort bien que je ne l'ai celé à personne, et que même j'en ai porté

l'original en sa langue à Monseigneur le cardinal votre maître et le mien; enfin, vous m'avez voulu arracher en un jour ce que près de trente ans [59] d'étude m'ont acquis; il n'a pas tenu à vous que, du premier lieu où beaucoup d'honnêtes gens me placent, je ne sois descendu au-dessous de Claveret [60] : et, pour réparer des offenses si sensibles, vous croyez faire assez de m'exhorter à vous répondre sans outrages, pour nous repentir après tous deux de nos folies, et de me mander impérieusement que, malgré nos gaillardises passées, je sois encore votre ami, afin que vous soyez encore le mien; comme si votre amitié me devait être fort précieuse après cette incartade, et que je dusse prendre garde seulement au peu de mal que vous m'avez fait, et non pas à celui que vous m'avez voulu faire. Vous vous plaignez d'une *Lettre à Ariste* [61], où je ne vous ai point fait de tort de vous traiter d'égal puisqu'en vous montrant moins envieux, vous vous confessez moindre, quoique vous nommiez folies les travers d'auteur où vous vous êtes laissé emporter, et que le repentir que vous en faites paraître marque la honte que vous en avez. Ce n'est pas assez de dire : Soyez encore mon ami, pour recevoir une amitié si indignement violée : je ne suis point homme d'éclaircissement [62], vous êtes en sûreté de ce côté-là. Traitez-moi dorénavant en inconnu, comme je vous veux laisser pour tel que vous êtes, maintenant que je vous connais : mais vous n'aurez pas sujet de vous plaindre, quand je prendrai le même droit sur vos ouvrages que vous avez pris sur les miens [63]. Si un volume d'*Observations* ne vous suffit, faites-en encore cinquante; tant que vous ne m'attaquerez pas avec des raisons plus solides, vous ne me mettrez point en nécessité de me défendre, et de ma part je verrai, avec mes amis, si ce que votre libelle vous a laissé de réputation vaut que j'achève de le ruiner. Quand vous me demanderez mon amitié avec des termes plus civils, j'ai assez de bonté pour ne vous la refuser pas, et me taire des défauts de votre esprit que vous étalez dans vos livres. Jusque-là je suis assez glorieux pour vous dire de porte à porte que je ne vous crains ni ne vous aime. Après tout, pour vous parler sérieusement, et vous montrer que je ne suis pas si piqué que vous pourriez vous imaginer, il ne tiendra pas à moi que nous ne reprenions la bonne intelligence du passé que vous souhaitez [64]. Mais après une offense si publique, il y faut un peu plus de cérémonie : je ne vous la rendrai pas malaisée, et donnerai tous mes intérêts à qui vous voudrez de vos amis : et je m'assure que le même qui pouvait faire satisfaction à lui-même du tort qu'il s'est fait, il vous condamnerait à vous la faire à vous-même, plutôt qu'à moi qui ne vous en demande point, et à qui la lecture de vos *Observations* n'a donné aucun mouvement que de compassion. Et certes, on me blâmerait avec justice si je vous voulais du mal pour une chose qui a été l'accomplissement de

---

52. Scudéry vantait immodestement sa propre pièce, jouée quelques mois avant le *Cid*. D'autres auteurs, et jusqu'en 1639, placeront aussi Scudéry au premier rang des auteurs de son temps.

53.
> Sous cette casaque noire
> Repose paisiblement
> L'auteur d'heureuse mémoire
> Attendant le jugement.

Scudéry l'accompagne de ce jugement : « Épitaphe d'un homme en vie, mais endormi. »

54. Publié en 1631, avec des vers louangeurs de Corneille (Cf. p. 863).

55. Scudéry répondit sur ce point par *la Preuve des passages allégués dans les Observations sur le Cid*.

56. Employé intransitivement par Corneille.

57. « Parlons-en mieux, le Roi fait honneur à votre âge. »

58. Scudéry en note bien plus. Le chiffre de Corneille semble être celui des vers qu'il considère lui-même comme traduits de Guilhem de Castro.

59. Exagération évidente : Corneille entre chez les jésuites, qui mettent tôt dans leur programme les tragédies de Sénèque, à quinze ans. Il lui eût donc suffi de dire : *plus de vingt ans.*

60. Cette attaque contre ce médiocre auteur, qui n'avait pas jusqu'ici, au moins officiellement, participé à la querelle, inaugura une troisième vague de pamphlets.

61. Cf. Poésies, *Excuse à Ariste*, p. 871.

62. Ce qui veut dire que Corneille ne se battrait pas en duel. Scudéry avait employé l'expression à propos du dialogue entre don Arias et le comte (acte II, scène 1).

63. Corneille semble avoir eu l'intention d'« examiner » à son tour les œuvres de ses rivaux. Il aurait eu beau jeu tant avec les pièces de Scudéry qu'avec *les Galanteries du duc d'Ossone* de Mairet.

64. On ne sait quand eut lieu la réconciliation. Pellisson en parle en 1652 comme d'une chose ancienne.

ma gloire, et dont *le Cid* a reçu cet avantage, que, de tant de beaux poèmes qui ont paru jusqu'à présent, il a été le seul dont l'éclat ait pu obliger l'envie à prendre la plume. Je me contente, pour toute apologie, de ce que vous avouez *qu'il a eu l'approbation des savants et de la cour.* Cet éloge véritable par où vous commencez vos censures détruit tout ce que vous pouvez dire après. Il suffit qu'ayez fait une folie amatrique [65], sans que j'en fasse une à vous répondre comme vous m'y conviez; et puisque les plus courtes sont les meilleures, je ne ferai point revivre la vôtre par la mienne. Résistez aux tentations de ces gaillardises qui font rire le public à vos dépens, et continuez à vouloir être mon ami, afin que je me puisse dire le vôtre.

DISCOURS A L'ACADÉMIE[66]

Messieurs,

S'il est vrai que ce soit un avantage pour dépeindre les passions que de les ressentir, et que l'esprit trouve avec plus de facilité des couleurs pour ce qui le touche que pour les idées qu'il emprunte de son imagination, j'avoue qu'il faut que je condamne tous les applaudissements qu'ont reçus jusqu'ici mes ouvrages, et que c'est injustement qu'on m'attribue quelque adresse à décrire les mouvements de l'âme, puisque dans la joie la plus sensible dont je sois capable, je ne trouve point de paroles qui vous en puissent faire concevoir la moindre partie. Ainsi ma réputation prête à être détruite par la gloire même qui la devait achever, puisqu'elle me jette dans la nécessité de vous montrer mon faible, prenant possession des grâces qu'ils vous a plu me faire : je ne me dois regarder que comme un de ces indignes mignons de la fortune que son caprice n'élève au plus haut de la roue, sans aucun mérite, que pour mettre plus en vue les taches de la fange dont elle les a tirés. Et certes, voyant cette honte inévitable dans l'honneur que je reçois, j'aurais de la peine à m'en consoler, si je ne considérais que vous rappellerez aisément en votre mémoire ce que vous savez mieux que moi, que la joie n'est qu'un épanouissement du cœur; et, si j'ose me servir d'un terme dont la dévotion s'est saisie, une certaine liquéfaction intérieure, qui, s'épanchant dans l'homme tout entier, relâche toutes les puissances de son âme; de sorte qu'au lieu que les autres passions y excitent des orages et des tempêtes dont les éclats sortent au dehors avec impétuosité et violence, celle-ci n'y produit qu'une langueur qui tient quelque chose de l'extase, et qui, se contentant de se mêler et de se rendre visible dans tous les traits extérieurs, laisse l'esprit dans l'impuissance de l'exprimer. C'est ce qu'ont fait connaître nos grands maîtres du théâtre, qui n'ont jamais amené leurs héros jusqu'à la félicité qu'ils leur ont fait espérer, qu'ils ne soient arrêtés là tout aussitôt, sans faire des efforts inutiles à représenter leur satisfaction, dont ils savaient bien qu'ils ne pouvaient venir à bout.

Vous êtes trop équitables pour exiger de leur écolier une chose dont leurs exemples n'ont pu l'instruire; et vous aurez même assez de bonté pour suppléer à ce défaut, et juger de la grandeur de ma joie par celle de l'honneur que vous m'avez fait en me donnant une place dans votre illustre compagnie. Et véritablement, Messieurs, quand je n'aurais pas une connaissance particulière du mérite de ceux qui la composent, quand je n'aurais pas tous les jours entre les mains les admirables chefs-d'œuvre qui partent des vôtres, quand je ne saurais enfin autre chose de vous, sinon que vous êtes le choix de ce grand génie qui n'a fait que des miracles, feu M. le cardinal de Richelieu, je serai l'homme du monde le plus dépourvu de sens commun, si je n'avais pas pour vous une estime et une vénération toujours extraordinaires, quand je vois que de la même main dont ce grand homme sapait les fondements de la monarchie d'Espagne, il a daigné jeter ceux de votre établissement, et confier à vos soins la pureté d'une langue qu'il voulait faire entendre et dominer par toute l'Europe. Vous m'avez fait part de cette gloire, et j'en tire encore cet avantage, qu'il m'est impossible que de vos savantes assemblées, où vous me faites l'honneur de me recevoir, je ne remporte les belles teintures et les parfaites connaissances, qui, donnant une meilleure forme à la même nature m'a favorisé, mettront en un plus haut degré ma réputation, et feront remarquer aux plus grossiers, même dans la continuation de mes petits travaux, combien il s'y sera coulé du vôtre, et quels nouveaux ornements le bonheur de votre communication y aura semés. Oserai-je vous dire toutefois, Messieurs, parmi cet excès d'honneur et ces avantages infaillibles, que ce n'est pas de vous que j'attends ni les plus grands honneurs ni les plus grands avantages. Vous vous étonnerez sans doute d'une civilité si étrange; mais, bien loin de vous en offenser, vous demeurerez d'accord avec moi de cette vérité, quand je vous aurai nommé Monseigneur le Chancelier, et que je vous aurai dit que c'est de lui que j'espère et ces honneurs et ces avantages dont je vous parle. Puisqu'il a bien voulu être le protecteur d'un corps si fameux et qu'on peut dire en quelque sorte n'être que d'esprit, en devenir un des membres, c'est devenir en même temps une de ses créatures; et puisque par l'entrée que vous m'y donnez je trouve et plus d'occasions et plus de facilité de lui rendre mes devoirs plus souvent, j'ai quelque droit de me promettre qu'étant illuminé de plus près, je pourrai répandre à l'avenir dans tous mes ouvrages, avec plus d'éclat et de vigueur, les lumières que j'aurai reçues de sa présence. Comme c'est un bien que je devrai entièrement à la faveur de vos suffrages, vous conjure de croire que je ne manquerai jamais de reconnaissance envers ceux qui me l'ont procuré, et qu'encore qu'il soit très vrai que vous ne pouviez donner cette place à personne qui se sentît plus incapable de la remplir, il n'est pas moins vrai que vous ne la pouviez donner à personne ni qui l'eût plus ardemment souhaitée, ni qui s'en tînt votre redevable en un plus haut point, ni qui eût enfin plus de passion de contribuer de tous ses soins et de toutes ses forces au service d'une compagnie si célèbre, à qui j'aurai des obligations éternelles de m'avoir fait tant d'honneurs sans les mériter.

---

65. Adjectif probablement fabriqué sur le grec : *démesurée.* Amétrique serait plus correct : c'est sans doute une coquille typographique sur ce mot inattendu.

66. Prononcé le 22 janvier 1647, pour sa réception au fauteuil de Maynard. Le texte fut publié tardivement, en 1698, dans le *Recueil des harangues prononcées par Messieurs de l'Académie française...*

ÉPITAPHE DE DOM JEAN GOULU,
GÉNÉRAL DES FEUILLANTS

L'authenticité de cette épitaphe est garantie par une lettre de Chapelain à Balzac, aujourd'hui perdue, datée de 1642.

Dom Jean Goulu (1576-1620) avait été enterré au monastère de Saint-Bernard, paroisse Saint-Honoré, à Paris. La famille de Vendôme, bienfaitrice du couvent fit graver sur un marbre noir, disparu lui aussi de nos jours, le texte de cette épitaphe, qui est conservé dans une brochure de 1650, avec huit autres de la famille Goulu.

Balzac avait attaqué l'auteur dont il ignorait le nom, pour avoir dit que Goulu « illustrait la pureté altérée de l'éloquence », faisant ainsi allusion aux Lettres de Phyllarque à Ariste (1627), dirigées contre la prose de Balzac. Phyllarque était le pseudonyme de dom Goulu.

Chapelain révèle donc à Balzac que Corneille est l'auteur de l'épitaphe et l'invite à ne pas attaquer le poète ami, ce que fit Balzac. Il est donc probable que cette épitaphe avait été composée peu avant cette lettre, en 1641 ou 1642.

Sta quisquis es, et perlege [67].
R. P. Ioan. GOULU,
Parisiis natus, ubique notus.
Pietate, probitate, eruditione, eloquutione,
ad invidiam usque mirabilis,
vixit heu, imo vivit :
Quippe dignum laude virum fama vetat mori.
A militia forensi Fuliensem ingressus, scriptis suis
Impugnatam fidei veritatem [68],
Impetita Monarchiae jura [69],
Periclitantem sanctorum memoriam [70],
Mirum quantum ab injuria temporum vindicaverit,
Simulque adulteratam eloquentiae puritatem
Revocaverit, conservaverit, illustraverit [71].
Tandem universo ordini postquam bis praefuit
Exemploque non minus quam imperio profuit,
Vix dicas
Dignitate functusne prius an defunctus sit.
Magnatum amicitias ut meruerit, ut tenuerit,
Vel hoc marmor testabitur, quod
ILLUSTRISSIMI PRINCIPES,
CAESAR BORBONIUS [72], ET FRANCISCA
Lotharinga, Charissimi Conjuges,
Duces Vindocin. Stapens. Bellefort. Mercoerei,
Ponthieurae, etc.
Bene merenti moerentes posuere.
Obiit anno M.DC.XXIX, die V. Ianuarii, aetatis suae LIII.
Ora pro eo.

67. « Arrête, qui que tu sois, et lis jusqu'au bout.
Le R. P. Jean Goulu, né à Paris, partout connu, admirable par sa piété, sa droiture, sa science, son style, au point d'exciter l'envie, est mort, hélas, ou plutôt vit, car un homme digne de louange, la renommée l'empêche de mourir. Entré dans la cohorte des Feuillants, au sortir de celle du barreau, il a défendu étonnamment par ses écrits la vérité attaquée de la Foi, les droits contestés de la monarchie, la mémoire déclinante des saints, en même temps qu'il restaurait la pureté altérée de l'éloquence, en la sauvant et l'illustrant. Enfin, après avoir par deux fois présidé aux destinées de son ordre entier et l'avoir servi par son exemple non moins que de son autorité, on aurait peine à dire ce qui s'achève trop tôt, sa charge ou sa vie. Comme il a mérité et conservé l'amitié des grands, ce marbre aussi en témoignera, que les très illustres princes, César de Bourbon et Françoise de Lorraine, époux très chers, duc et duchesse de Vendôme de Mercoeur, d'Étampes, de Beaufort, de Penthièvre, etc., ont dressé au digne objet de leur affliction.
Il mourut en 1629, le 5 janvier, dans la 53e année de son âge. Prie pour lui. »
68. Dans sa *Réponse au livre de M. du Moulin : De la vocation des pasteurs.*
69. *Vindiciae theologiœ ibero-politicæ* (Vengeances de la théologie espagnole mue par la politique) dédié à Philippe IV, en réponse à un *Avis d'un théologien sans passion... anonyme.*

70. Par sa *Vie de saint François de Sales* (1624) dont l'évêque-romancier Jean-Pierre Camus était le disciple, raison supplémentaire pour que Corneille, qui fut lié avec lui, s'intéressât à Dom Goulu.
71. Les fameuses *Lettres à Phyllarque* (cf. la notice) en réponse à l'éloge d'un autre feuillant, dom André de Saint-Denis, dans sa *Conformité de l'éloquence de M. de Balzac avec celle des plus grands personnages du temps passé et du présent* (1627).
72. César de Bourbon-Vendôme, fils naturel de Henri IV, que représentent aussi, selon nous, les initiales L.P.C.B. de la dédicace de *Théodore* (1646).

LETTRES DE CORNEILLE

Alors que le XVIIe siècle est si riche en correspondances privées ou semi-publiques, — rappelons seulement les noms de Peiresc, Balzac, G. Patin, Mme de Sévigné — il ne nous reste de Corneille qu'une vingtaine de lettres. A quels autodafés dut-il se livrer à la fin de sa vie! Encore faut-il retirer de ce petit nombre six fragments reproduits par Pellisson dans son Histoire de l'Académie *et qui ont trait à la querelle du* Cid. *Les autres sont le résultat de découvertes relativement récentes. Le peu qu'elles nous apprennent montre à quel point notre connaissance de Corneille est incomplète. Pour les faits, la lettre n° 15*

*nous informe qu'il a des amis et des parents chez les bénédictins, le billet n° 13 qu'il était à Nemours en août 1649; de son caractère, elle nous montre un homme actif (n° 22), précis et réaliste (n° 20), humoriste à ses heures, d'une courtoisie un peu solennelle à la manière de son temps. Sa vie intellectuelle apparaît, à travers les lettres au Père Boulart, comme singulièrement riche. Il lit de tout, et beaucoup. Pour l'histoire primitive de l'Espagne, il connaît le traité médiéval de Jean de Géronde, pour trancher la querelle sur l'auteur de l'*Imitation, *il entre dans les problèmes philologiques appropriés.*

1. A BOISROBERT [1]

Rouen, 13 juin 1637.

Corneille, « qui voyait bien qu'après la gloire qu'il s'était acquise, il y avait vraisemblablement en cette dispute beaucoup plus à perdre qu'à gagner pour lui, se tenait toujours sur le compliment et répondait : que cette occupation n'était pas digne de l'Académie. Qu'un libelle qui ne méritait point de réponse [2] ne méritait point son jugement. Que la conséquence en serait dangereuse, parce qu'elle autoriserait l'envie à importuner ces Messieurs, et qu'aussitôt qu'il aurait paru quelque chose de beau sur le théâtre, les moindres poètes se croiraient bien fondés à faire un procès à son auteur par-devant leur Compagnie... ».

Messieurs de l'Académie peuvent faire ce qu'il leur plaira; puisque vous m'écrivez que Monseigneur serait bien aise d'en voir leur jugement, et que cela doit divertir Son Eminence, je n'ai rien à dire [3].

2. AU MÊME [4]

15 novembre 1637.

J'attends, avec beaucoup d'impatience, les sentiments de l'Académie, afin d'apprendre ce que dorénavant je

dois suivre; jusque-là je ne puis travailler qu'avec défiance, et n'ose employer un mot en sûreté.

3. AU MÊME [5]

3 décembre 1637.

Je me prépare à n'avoir rien à répondre à l'Académie que par des remerciements...

4.

« *Une lettre* [6], *dont je n'ai vu qu'une copie sans date et sans suscription.* » PELLISSON.

Je me résous, puisque vous le voulez, à me laisser condamner par votre illustre Académie; si elle ne touche qu'à une moitié du *Cid,* l'autre me demeurera toute entière. Mais je vous supplie de considérer qu'elle procède contre moi avec tant de violence, et qu'elle emploie une autorité si souveraine pour me fermer la bouche, que ceux qui sauront son procédé auront sujet d'estimer que je ne serais point coupable si l'on m'avait permis de me montrer innocent... Après tout, voici quelle est ma satisfaction : je me promets que ce fameux ouvrage, auquel tant de beaux esprits travaillent depuis six mois, pourra bien être estimé le sentiment de l'Académie

---

1. Extrait de la *Relation contenant l'histoire de l'Académie française,* p. 191-193.
2. Les *Observations sur le Cid* de Scudéry.
3. On interpréta ces mots comme un consentement de Corneille, et l'Académie le 16 juin 1637 se mit à examiner la pièce. Corneille par la suite ne cessa de protester, en 1639, en 1642, et se brouilla en 1652 avec Pellisson, qui continuait à parler de ce *consentement.*

4. *Relation,* p. 207.
5. *Relation,* p. 207 également.
6. *Relation* p. 207-210. Or Corneille a toujours désavoué cette lettre, selon Pellisson lui-même.

française, mais peut-être que ce ne sera point le senti-ment du reste de Paris; au moins j'ai mon compte devant elle, et je ne sais si elle peut attendre le sien. J'ai fait *le Cid* pour me divertir, et pour le divertissement des hon-nêtes gens, qui se plaisent à la comédie. J'ai remporté le témoignage de l'excellence de ma pièce par le grand nombre de ses représentations, par la foule extraordi-naire des personnes qui y sont venues, et par les accla-mations générales qu'on lui a faites. Toute la faveur que peut espérer le sentiment de l'Académie est d'aller aussi loin; je ne crains pas qu'il me surpasse...

Le Cid sera toujours beau, et gardera sa réputation d'être la plus belle pièce qui ait paru sur le théâtre, jusques à ce qu'il en vienne une autre qui ne lasse point les spectateurs à la trentième fois...

5. AU MÊME [7]

Rouen, 23 décembre 1637.

Au reste, je vous prie de croire que je ne me scandalise point du tout de ce que vous avez montré, et même donné ma lettre à Messieurs de l'Académie. Si je vous en avais prié, je ne puis m'en prendre qu'à moi; néan-moins si j'ai bonne mémoire, je pense vous avoir prié seulement par cette lettre de les assurer de mon très humble service, comme je vous en prie encore, nonobs-tant leurs *Sentiments*. Tout ce qui m'a fâché, c'est que Messieurs de l'Académie s'étant résolus de juger de ce différend avant qu'on sussent si j'y consentais ou non, et leurs *Sentiments* étant déjà sous la presse, comme vous m'avez écrit, avant que vous eussiez reçu ce témoignage de moi, ils ont voulu fonder là-dessus leur jugement, et donner à croire que ce qu'ils en ont fait n'a été que pour m'obliger, et même à ma prière...

Je m'étais résolu d'y répondre, parce que d'ordinaire le silence d'un auteur qu'on attaque est pris pour une marque du mépris qu'il fait de ses censeurs : j'en avais ainsi usé envers M. de Scudéry, mais je ne croyais pas qu'il fût bienséant d'en faire de même envers Messieurs de l'Académie, et je m'étais persuadé qu'un si illustre corps méritait bien que je lui rendisse compte des raisons sur lesquelles j'avais fondé la conduite et le choix de mon dessein; et pour cela je forçais extrêmement mon humeur, qui n'est pas d'écrire en ce genre et d'éventer les secrets de plaire que je puis avoir trouvés dans mon art. Je m'étais confirmé en cette résolution par l'assurance que vous m'aviez donnée que Monseigneur en serait bien aise, et me proposais d'adresser l'épître dédicatoire à Son Eminence, après lui en avoir demandé la per-mission. Mais maintenant que vous me conseillez de n'y répondre point, vu les personnes qui s'en sont mêlées, il ne me faut point d'interprète pour entendre cela; je suis un peu plus de ce monde qu'Héliodore, qui aima mieux perdre son évêché que son livre [8], et j'aime mieux les bonnes grâces de mon maître que toutes les réputa-tions de la terre : je me tairai donc, non point par mépris, mais par respect...

...Je vous conjure de ne montrer point ma lettre à Monseigneur, si vous jugez qu'il me soit échappé quelque mot qui puisse être mal reçu de Son Eminence.

7. *Relation*, p. 211-215.
8. Ce fameux auteur des *Amours de Théagène et de Chari-clée* est certes plus connu comme romancier que comme évêque.

6.

Horace [9] fut condamné par les duumvirs, mais il fut absous par le peuple.

7. A MONSIEUR GOUJON [10]
AVOCAT AU CONSEIL PRIVÉ DU ROI

Rouen, 1er juillet 1641.

Monsieur,

Je vous envoie les pièces de mon oncle de Sainte-Marie [11], pour vous supplier de les faire vérifier par-devant les commissaires à ce députés. Elles sont au nombre de quatre, à savoir : une copie de la vente que le Roi a faite du total des quatrièmes [12] de Conches à Monsieur Jean Letelier, grand rapporteur de France [13], avec sa quittance de finance de l'an 1554, avec deux contrats d'acquisition que mon grand-père [14] a fait d'Octavian Costantin, qui jouissait au nom de ses héritiers de partie de ladite rente, et un extrait de la chambre des comptes. Pour vous éclaircir ceci, afin que vous en puissiez rendre compte, vous saurez que après que ledit sieur Letelier eut acquis le total de la propriété desdits quatrièmes, ils furent réunis à la recette des aides et rebaillés au profit du fermier général, et par ce moyen le prix de son acquisition, qui était de sept mil neuf cents quatre-vingt-trois livres six sols huit deniers, fut converti en 798 l 6 s 8 d de rente sur lesdits quatrièmes à la raison du denier dix, ce qui se justifie par les extraits des comptes que je produis. Ce Jean Letelier a eu cinq héritiers, deux desquels ont vendu leurs parts à un nommé Pierre Costantin; ce Pierre Costantin a laissé deux fils, Pierre et Octavian. Octavian se constituant en rente envers feu mon grand-père en l'an 1584, lui a hypothéqué spécialement quarante-quatre écus cin-quante-six sols huit deniers de rente, qu'il avait pris sur lesdits quatrièmes, et consenti qu'il en jouît et baillât quittance en sa place, ce qu'il a toujours fait depuis. Nous ne savons pas devenu cet Octavian Costantin, qui a mangé son bien et est mort sans biens et sans héri-tiers. Je sais qu'à la rigueur on nous peut demander le droit de Pierre son père et ses partages avec son frère; mais nous n'en sommes point saisis. Ce que j'ai pu faire pour y suppléer, ç'a été de prendre des extraits en la chambre pour vérifier qu'il en jouissait avant le paiement et délégation qu'il en a faite à mon grand-père, et que nous en avons toujours depuis (joui). Pour cet effet j'en ai levé cinq extraits, que vous trouverez en même... l'un de cinq cents quatre-vingt et un, et celui de quatre-vingt-deux (Octavian Costantin est employé pour cette partie), un autre de quatre-vingt-sept, qui est la première année

9. *Relation*, p. 217-218.
10. Autographe découvert à Rouen en 1853, actuellement aux Archives de la ville.
11. Antoine Corneille, curé de Sainte-Marie-des-Champs près d'Yvetot.
12. Droit sur les boissons alcoolisées, qui n'était que du huitième dans les provinces autres que la Normandie.
13. Ressortissant du sceau privé.
14. Pierre Corneille, déjà lui-même homme de robe, cf. page 11.

dont les comptes se sont rendus depuis que nous en jouissons, ceux de 1584, 1585 et 1586 n'étant pas rendus. En celui-là vous n'y trouvez plus Octavian Costantin, et quoique on n'y mette pas que ma grand-mère, qui y est employée, en jouit en son nom, si est-ce qu'étant employée pour deux quittances et en deux qualités, l'une comme tutrice des enfants de Nicolas Letelier, et l'autre comme tutrice des enfants de son mari et d'elle, il est aisé de voir que celle qu'elle a baillée au nom de ses enfants était au droit de Costantin, vu que la partie des enfants de ce Nicolas Letelier employée aux comptes précédents sous le nom de mon grand-père leur tuteur ne peut être si forte, n'étant accrue que de la moitié ou du tiers de la part d'un autre Letelier, curé de Louviers, qui ne se trouve plus en ce compte-ci; j'y ai fait ajouter l'extrait de 1605, qui est quand mon oncle est devenu majeur et a reçu sa part, et celui de 1633, qui est le dernier compte rendu à la chambre pour montrer qu'il en a toujours joui au droit de Costantin, y étant spécialement employé audit nom, où vous remarquerez, s'il vous plaît, qu'encore que dans ce compte les autres parties varient, celle-ci n'a jamais varié et est toujours de la même quantité. On peut dire que la rente ne nous est qu'engagée, et que Costantin en est le véritable propriétaire, et que par conséquent nous n'avons pas qualité pour la faire vérifier sous notre nom; mais à cela on peut dire que nous étant spécialement déléguée, en ayant joui soixante ans, et Octavian Costantin étant mort sans héritiers, nous tenons lieu de véritables propriétaires, et que le Roi est hors d'intérêt, ne lui important pas qui il paye. Je vous envoie un état de la façon dont la rente se paye maintenant pour vous donner lumière là-dedans, afin que vous puissiez voir au greffe de la commission si ceux qui jouissent des restes de la rente ont rien vérifié qui nous puisse servir. Il y a des héritiers de Telier qui doivent avoir fait vérifier la pièce de l'aliénation totale, dont je ne représente que la copie; il y a encore un Monsieur Darey qui est héritier de Pierre Costantin, frère d'Octavian, qui aura fait vérifier le droit de Pierre Costantin, leur père commun. Que si pour prouver le droit dudit Costantin, il est besoin de lever des extraits de la chambre des comptes de Paris, où se sont rendus les comptes de Normandie au précédant l'année 1580, je vous supplie de les lever, la partie étant assez considérable pour ne la vouloir pas perdre. Le plus court serait de donner quelque chose à ceux qui font lesdites vérifications. On m'a dit qu'il y a un nommé Monsieur Nicolas, qui est procureur du Roi de la commission, qui fait tout; il vaudrait mieux lui donner double taxe et qu'il ne nous fît point de peine. On m'a dit aussi qu'il y a un certain Monsieur de Courcelles, que nous avons vu à Rouen, grand ami de D. Robert de Sainte-Marie, feuillant [15], qui y peut beaucoup; il demeure à la rue Jean-Pain-Mollet, près des coches, si vous jugez qu'il en soit besoin, je lui en écrirai. Pour l'argent qu'il faudra débourser, je donnerai ordre à Courbé qu'il vous en baille. Mon oncle le procureur vous prie aussi de lui faire vérifier une petite partie, qui n'est que de neuf livres, dont on ne paye que la moitié. Il vous en écrit et vous envoie ses titres; c'est pourquoi je me dispense de vous en entretenir. Obligez-moi de dresser leurs requêtes, l'une sous le nom de Monsieur Antoine Corneille, prêtre, curé de Sainte-Marie; et l'autre de Monsieur François Corneille, procureur au Parlement. Si vous jugez que mon nom soit assez considérable pour rendre l'affaire plus aisée, vous pouvez dire qu'ils me les ont données comme à leur héritier. J'ai vu ici Monsieur votre père, que j'ai trouvé fort mélancolique; je n'ai pu en savoir la cause. Je pense vous avoir mandé que je me sens des bénédictions du mariage, et tire maintenant à coup perdu aussi bien que vous.

Je suis votre très humble et très affectionné serviteur,

CORNEILLE.

Mettez, s'il vous plaît, le port du sac en articles de frais, et me mandez sitôt que vous l'aurez reçu, afin que je n'en sois point en peine.

8. A VOYER D'ARGENSON [16]

18 mai 1646.

Monsieur,

Votre lettre m'a surpris en deux façons : l'une, par les témoignages de votre souvenir, que je n'avais garde d'attendre, sachant bien que je ne les méritais pas; l'autre, par l'honneur que vous faites à nos Muses, je ne dirai pas de leur donner vos loisirs, car je sais que vous n'en avez point, mais de dérober quelques heures aux grandes affaires qui vous accablent, pour vous délasser en leur conversation. Trouvez donc bon que je vous remercie très humblement du premier, et me réjouisse infiniment de l'autre. Ce n'est pas vous que j'en dois congratuler : c'est le Parnasse entier, que vous élevez au dernier point de sa gloire, par la dignité des choses dont vous faites voir qu'il est capable [17]. Il est trop vrai que communément la poésie ne trouve pas des grâces dans les matières de dévotion; mais j'avais toujours cru que ce défaut provenait plutôt du peu d'application de notre esprit que de sa propre insuffisance et m'étais persuadé que d'autant plus que les passions pour Dieu sont plus élevées et plus justes que celles qu'on prend pour les créatures, d'autant plus un esprit en serait bien touché pourrait faire des poussées plus hardies et plus enflammées en ce genre d'écrire et m'étais fortifié sur ce sentiment, par la nature de la poésie même, qui a les passions pour son principal objet, n'étant pas vraisemblable que l'excellence de leur principe les doive faire languir. Mais qu'on pût apprivoiser avec elle la partie la plus sublime et la plus farouche de la théologie, mettre saint Thomas en rime et trouver des termes éloquents et mesurés pour exprimer des idées que l'esprit à peine à concevoir que par abstraction, et en captivant ses sens, qui ne les peuvent souffrir sans répugnance et sans rébellion, c'est ce que je ne me serais jamais imaginé faisable et dont toutefois vous venez de détromper.

Pour vous en dire mon sentiment en particulier, je vous confesse que cet échantillon m'a jeté dans une admiration si haute que je ne rencontre point de paroles pour m'expliquer là-dessus, qui me satisfassent. Tout ce

15. Un autre moine de cet ordre apparaît dans l'œuvre de Corneille.

16. En fait, le premier autographe connu de Corneille (B. N. Fonds Baluze) publié dès 1738. Voyer d'Argenson était alors à la fois conseiller du Parlement de Normandie et intendant de Saintonge. Il sera plus tard ambassadeur à Venise.

17. On voit que Corneille eut un précurseur en Voyer d'Argenson, qui traduisit en vers un *Art d'aimer Dieu*, les *Exercices* de saint Ignace, un *Poème du Sauveur*, en vingt-sept chants...

que je vous puis dire sincèrement, c'est que vous me laissez dans une grande impatience d'en voir d'autres fragments, puisque votre peu de loisir nous défend d'en espérer autre chose, et que je m'y promets des ornements d'autant plus grands que, vous étant débarrassé dans celui-ci de tout ce qu'il y a de plus épineux dans ce grand dessein, vous allez tomber dans de vastes campagnes, où la poésie, étant en pleine liberté, trouve lieu de se parer de tous ses ornements et de nous étaler toutes ses grâces. Cependant, pour ce premier chapitre que vous m'avez envoyé, dispensez-moi derechef de vous dire autre chose sinon que je souscris à tout ce que vous en aura dit M. de Balzac. Comme il a des connaissances très achevées et une franchise incorruptible, je sais qu'il vous en aura dit la vérité, et tout ensemble d'excellentes choses. Il n'appartient qu'à lui de trouver des termes dignes des vertus et des perfections qui sont hors du commun. Vous vous pouvez reposer sur son témoignage, qui a autrefois été le plus ferme appui du *Cid* au milieu de la persécution, et dont avec une générosité qui lui est toute particulière il a fait une illustre apologie, en faisant des compliments à son persécuteur.

Je n'ajouterai donc rien à ce que je sais qu'il vous en a dit et me défendrai seulement, pour achever cette lettre, des civilités par où vous commencez la vôtre. Je veux bien croire que *Cinna* et *Polyeucte* ont été assez heureux pour vous divertir, mais je ne m'abuserai jamais jusques à m'imaginer qu'ils ayent pu servir de quelque modèle, ou à la force de vos vers ou à la piété de vos sentiments. J'en appelle derechef à M. de Balzac et je ne doute aucunement qu'il ne soutienne avec moi que le plan de ce merveilleux ouvrage est dressé par un génie tout à vous, et qui, n'empruntant rien à personne, se doit nommer à très juste titre αὐτοδίδακτος [18]. J'espérerai que vous m'honorerez non seulement de ce que vous ajouterez à ce grand coup d'essai, mais aussi de cette paraphrase de Jérémie dont vous voulez me défier injustement, puisque M. de Balzac est pour elle. Je vous la demande avec passion et demeure de tout mon cœur, Monsieur, votre très humble et très obligé serviteur,

CORNEILLE.

9. A MONSIEUR DE ZUYLICHEM [19]

Rouen, 6 mars 1649.

Monsieur,

Je ne sais ce que vous direz de moi d'avoir attendu si longtemps à vous remercier de votre souvenir et du présent que vous m'avez fait de ces précieux *Moments* dont vous avez enrichi le public [20]. Ce n'est pas que je ne sois très sensible aux obligations de cette nature, et à la gloire qui me vient d'une main si savante à la distribuer : votre présent m'a été très cher et par sa propre valeur, et parce qu'il vient de vous, et par l'estime que vous y témoignez pour mon bon ami Lucain ; mais j'avais honte de vous en rendre grâces sans m'en revancher en quelque sorte, et j'espérais que cet hiver me mettrait en état d'accompagner mes remerciements de quelque pièce de théâtre qui du moins eût été considérable pour sa nouveauté. Les désordres de notre France ne me l'ont

18. Autodidacte.

19. Cette lettre, et la lettre n° 11, vendues en 1825, furent acquises plus tard par le British Museum, où elles se trouvent encore.

20. Vers latins publiés en 1644.

pas permis, et ont resserré dans mon cabinet ce que je me préparais à lui donner ; si bien que pour ne paraître pas devant vous tout à fait les mains vides, je me trouve réduit à vous envoyer deux recueils de mes ouvrages qui n'ont rien de nouveau que l'impression [21]. Je crois toutefois que le premier n'a pas eu assez de réputation pour aller jusqu'à vous. Ce sont les péchés de ma jeunesse et les coups d'essai d'une muse de province qui se laissait conduire aux lumières purement naturelles, et n'avait pas encore fait réflexion qu'il y avait un art de la tragédie, et qu'Aristote en avait laissé des préceptes. Vous n'y trouverez rien de supportable qu'une *Médée*, qui véritablement a pris quelque chose d'assez bon à celle de Sénèque, et ne l'a pas tellement défigurée qu'il ne lui reste une partie de ses grâces :

Hanc, si fas veterum videre naevos,
Graiis Euripides dedit trementem,
Nec digna prece supplicem Creonti :
Annaeus Latio, malam et tremendam
Jasoni nimis, et nimis Creusae :
Nos Gallis tumidam, atque sic furentem ;
Et per crimina tanta dum recurrit,
Multiplex scelus, aut magis scelesti
Multiplex meritum exprobrans amoris,
Ferox spiritus absit a minaci,
Paratae metus absit ultionis.
Haec Graio nihil, at nimis nimisque
Debet Ausonio, venena, planctus,
Diros conjugis impetus relictae,
Materna in pietate fluctuantes,
Quotquot induit, exuitve motus,
Qua mater doluit vel ausit uxor,
Et quicquid tragicum sonans cothurnum
In scena juvenis stupet senexque.
Id solum facili ac fluente vena,
Leni carmine, nec tamen jacenti,
Interpres malefidus inde nostros
Detorsit stylus artifex ad usus :
Addidit sua multa, sed recoctis
Nunquam non male comparanda furtis.
Hanc sic et veterem simul novamque
Frequens murmure non malo probavit
Coetus, hanc lege, forsan et probabis [22].

21. C'est le recueil collectif de 1648. *Le premier*, à la ligne suivante, est celui de 1644.

22. « Cette femme, s'il est permis de voir les taches des anciens, Euripide l'a présentée aux Grecs, tremblante et adressant à Créon d'indignes prières ; Sénèque aux Latins, mauvaise et terrible à l'excès pour Jason, pour Créuse. Nous, nous l'avons offerte aux Français, gonflée d'orgueil, et aussi folle ; et tandis qu'elle parcourt tant de griefs, reprochant ses nombreux crimes ou plutôt les nombreux bienfaits de son criminel amour, il ne faut ni farouche emportement dans ses menaces ni crainte non plus de la vengeance qu'on lui prépare. Ma Médée ne doit rien au poète grec, mais infiniment au latin : ces poisons, ces lamentations, ces cruels élans de l'épouse abandonnée, balancés par l'amour maternel, tant de sentiments qu'elle revêt et dépouille tour à tour, qui font la douleur de la mère et l'audace de l'épouse, tous ces mouvements dignes du cothurne tragique, que tous admirent sur la scène, jeunes et vieux. C'est là, seulement ce que je lui ai pris ; voilà ce que, d'une veine facile et abondante, dans de doux vers, qui toutefois n'ont rien de bas, mon style industrieux, souvent hélas ! trop peu sûr interprète, a détourné à notre usage. J'y ai ajouté des choses de mon fonds, mais qui soutiendraient mal la comparaison avec mes habiles larcins, mes emprunts retravaillés. Cette Médée, vieille ainsi tout à la fois et nouvelle, une nombreuse assemblée l'a approuvée sans murmure hostile ; lis-la, et peut-être tu l'approuveras aussi. »

Vous voyez, Monsieur, quelle peine je prends à me décréditer auprès de vous, puisque, au mauvais français que je vous envoie, j'ose joindre cette échappée en une langue qu'il y a trente ans que j'ai oubliée. Aussi ai-je grand intérêt que vous me connaissiez tout entier, et que vous rabattiez un peu de cette trop bonne opinion pour moi, dont vos deux épigrammes [23] vous accusent, afin que je la puisse remplir quand vous l'aurez mise à son juste point; mais en vous demandant cette diminution d'estime, je ne consens pas que vous me fassiez rien perdre de la part qu'il vous a plu me donner en vos bonnes grâces : ma plus haute ambition est de m'y conserver, et je m'imputerais à un bonheur extraordinaire une occasion qui me donnât lieu de vous faire connaître par les effets que je suis véritablement, Monsieur, votre très humble et très obligé serviteur,

CORNEILLE.

10. A MONSIEUR DU BUISSON [24]

Nemours, 25 août 1649.

Monsieur,

Vous recevrez le livre de Monsieur Dubé, mon parent et allié, qu'il vous envoie avec les protestations d'employer ses soins pour Madame de Hanelay, ainsi qu'il m'a écrit. Pour moi, je n'ai rien à vous envoyer que la continuation de mes affections à votre service, qui ne sont pas si bien écrites ici que dans mon cœur, car je suis plus de cœur que de bouche, Monsieur, votre très humble serviteur,

CORNEILLE.

11. A MONSIEUR DE ZUYLICHEM

Rouen, 28 mai 1650.

Monsieur,

Voulez-vous bien recevoir la même excuse deux fois, et que je vous die encore que je vous aurais plus tôt fait réponse si j'avais pu me résoudre à me présenter devant vous les mains vides. Vous seriez quitte de mes importunités à trop bon marché si je ne vous persécutais que par les civilités d'une lettre et par les remerciements que je vous dois de la part que vous me donnez en votre estime et en votre bienveillance. Quoique tous vos moments soient précieux, permettez que j'en dérobe quelques-uns à vos grands emplois pour vous délasser en la lecture d'une comédie que je vous envoie [25]. C'est une nouveauté qui pourra sembler monstrueuse, et donnera lieu de soutenir que faire une comédie entre des personnes illustres n'est autre chose que

Humano capiti cervicem jungere equinam [26].

Je suis pourtant assez hardi pour la vouloir justifier auprès de vous, ou du moins pour en faire les mines; car, à ne rien déguiser, je sais bien que je parle le langage d'Aristote dans le mauvais discours que je vous en fais, mais je ne sais pas si je l'entends bien, ni si les conséquences que j'en tire sont justes. Dans cette incertitude j'ai voulu seulement éblouir les peuples par l'autorité de votre nom, et comme ils savent qu'on ne vous peut surprendre, j'ai cru qu'ils se persuaderont aisément que toutes mes raisons sont de mise, quand ils verront que j'ose vous en faire le juge. Vous m'apprendrez quand il vous plaira si j'ai bien rencontré, et je serai aussi prêt à exécuter ce que vous en ordonnerez que vous me voyez l'être touchant les arguments que vous demandez à nos poèmes. Nous nous en sommes dispensés depuis quelque temps et avons cru que nous ne devions pas davantage aux lecteurs qu'aux spectateurs que nous conviions à leur représentation sans leur en donner aucune lumière. Ce n'est pas qu'il n'y ait des pièces d'une espèce si intriquée qu'il échappe beaucoup de choses à la première représentation et à la première lecture faute d'un tel secours, mais nous avons estimé cela avantageux pour ceux qui les voient et pour ceux qui les lisent, puisqu'il est cause que l'ouvrage a pour eux la grâce de la nouveauté, plus d'une fois leur laissant à la première le plaisir entier de la surprise que lui font les événements, et réservant pour l'autre celui que leur donne l'intelligence de ce qu'ils n'ont pas bien compris à l'abord. Vous me direz qu'il ne les faudra donc voir ou lire tout au plus que ces deux fois, et j'en suis d'accord avec vous pour les poèmes dont toute la grâce consiste en cette nouveauté et en cette surprise; mais pour ceux qui ont quelque chose de plus solide, il est à présumer qu'ils donneront la même satisfaction à toutes les lectures qu'on en voudra faire, qu'ils auraient donnée à la première, où l'on aurait été préparé par un argument. J'avoue que nous en voyons presque au-devant de tous ceux que nous ont laissé nos Anciens, mais je m'imagine que nous en avons l'obligation à leurs interprètes ou à leurs scoliastes plutôt qu'à eux-mêmes. Parmi les Grecs il y en a quelques-uns dont Aristophane le grammairien en nomme l'auteur, quelques-uns tirés de la bibliothèque d'Apollodorus [27]. La plupart même des comédies d'Aristophane n'en ont que de latins. Ceux de Plaute paraissent être de son style, mais j'ai toutefois bien de la peine à croire qu'ils soient de lui, et ses prologues semblent m'autoriser à ce doute. Il ne les introduit que pour conter le sujet de sa comédie et le leur fait dire souvent en termes exprès :

Nunc argumentum eloquar hujus comoediae [28].

Pourquoi donc aurait-il encore fait des arguments dont il n'avait pas besoin et qui souvent sont si obscurs, que des esprits médiocres ont besoin de lire toute la comédie pour les entendre, au lieu qu'ils devraient faire entendre la comédie? Au regard de Térence, je n'en vois que dans ses commentaires, où le nom de leurs auteurs ne manque jamais, et dans les impressions de Plantin [29], je n'y en trouve aucun. Les tragédies de Sénèque ne me convainquent pas davantage : on en voit presque autant de différents arguments que de différentes éditions, et s'il y en a quelques-uns de sa façon dans une diversité si grande, je n'ai encore su le deviner.

23. Les poèmes pour *le Menteur*, cf. p. 337.

24. Billet autographe sur la page de garde du livre même de ce M. Dubé, aussi ignoré que Messieurs de Hanelay et Du Buisson.

25. Don Sanche.

26. « Joindre à une tête humaine un cou de cheval », citation à peine déformée du début de l'*Art poétique* d'Horace.

27. Deux grammairiens d'Alexandrie (IIᵉ siècle av. J.-C.) célèbres pour leurs compilations.

28. « *Que j'énonce maintenant le sujet de notre comédie.* »

29. Le célèbre imprimeur de Touraine, fixé à Anvers.

Voilà, Monsieur, sur quoi nous nous étions enhardis à les retrancher et à prendre cette maxime, qu'une pièce de théâtre est fort mal faite quand elle ne porte point toutes ses lumières elle-même, et qu'elle a besoin d'un faux jour qui vienne d'ailleurs. Depuis quelque temps, j'ai jeté au-devant des miennes le texte des auteurs dont j'en ai tiré les sujets, mais ce n'a été que pour faire démêler l'histoire d'avec la fable; et si j'avertis quelquefois de quelques circonstances de mon invention, ce n'est que pour conduire mes lecteurs jusqu'au premier vers sans leur donner la connaissance des épisodes. C'est ainsi que d'ordinaire en use Plaute, et j'ajoute quelquefois l'événement par où sa fable se termine. J'en ai fait de même en cette comédie, et pour vous satisfaire davantage, j'ai rappelé le nom d'*argument* que nous avions banni. Je n'ai pas cité mon auteur; et si vous me pressez là-dessus, je vous dirai ingénument que je l'ai pris d'un vieux manuscrit espagnol que personne n'a jamais vu, et dont je ne saurais rien moi-même si le dieu de la poésie ne me l'avait révélé; mais insensiblement, en vous rendant compte de notre usage touchant les arguments de nos poèmes, j'oublie à vous demander pardon d'avoir abusé de l'honneur de votre amitié, dont j'ai fait parade en public. C'est un sentiment de vanité que vous trouverez juste quand vous considérerez que je n'en pouvais faire un secret sans me priver du plus grand avantage que les Muses m'aient fait recevoir, puisqu'elles ne m'ont encore rien procuré de plus glorieux que le droit de me pouvoir dire avec votre aveu, Monsieur, votre très humble et obéissant serviteur,

CORNEILLE.

12. AU R. P. BOULART [30]

A Rouen, la veille de Pâques 1652.

Mon révérend Père,

Je reçus votre paquet mercredi dernier, et avais résolu de différer à vous en remercier après les fêtes, d'autant que les dévotions ordinaires de la semaine sainte, et les embarras où je suis maintenant comme marguillier de ma paroisse, qui dois rendre compte de mon administration dans deux ou trois jours [31], ne me donnent point le loisir de lire aucune chose de ce que vous m'envoyez. Mais ayant rejeté les yeux sur votre lettre, j'ai vu qu'elle était datée du 7 du courant, et que ce serait reculer trop loin à vous faire savoir que je l'ai reçue. Vous avez eu peur de me faire coûter du port par le messager, et votre paquet a été dix-huit jours à venir de Paris à Rouen pour me faire épargner. Je vous supplie de n'avoir plus cette circonspection, et de croire que la voie du messager n'est pas si onéreuse qu'on n'en soit bien récompensé par la promptitude. Je vous fais cette prière d'autant que je prévois bien que ce paquet ne sera pas la dernière faveur que je recevrai de vous. Je vous demande donc encore une huitaine pour le lire, et vous en mander ma pensée, en vous envoyant l'opuscule du P. Hésérus [32],

qui vous est venu d'Allemagne. En attendant, je vous dirai que je travaille à la continuation de ma version, et que sitôt que nous pourrons avoir quelque calme, j'en donnerai une seconde partie au public, la première fort corrigée en beaucoup d'endroits. C'est ce qui me fait vous prier de deux choses : l'une, de me donner avis de ce que vous et vos amis jugerez à propos de corriger dans cette première, soit pour la bassesse de l'expression, soit pour la fidélité que je dois au texte de l'auteur, car je suis de ceux qui ne se tiennent pas impeccables et qu'un avis particulier oblige autant qu'une censure publique offense; l'autre est de vouloir contribuer quelque chose à un embellissement que je prépare à ce travail : c'est que je me suis résolu de mettre des tailles-douces au-devant de chaque chapitre [33], et en ai déjà fait graver une que je vous envoie, afin que vous puissiez connaître mieux l'ordre du dessein, qui est de choisir un exemple dans la *Vie des Saints* ou dans la *Bible*, et l'appliquer sur une sentence tirée du chapitre où doit être mise l'image. On m'en grave encore deux ou trois; mais comme je ne suis pas fort savant en ces histoires, je mendie des sujets chez tous les religieux de ma connaissance. Entre autres, j'ai besoin que vous m'en donniez de vos saints, parce que, dans celles que je vous envoie, vous en trouverez trois de l'habit de Saint-Benoît, et on pourrait prendre cela pour une déclaration tacite d'être du parti des bénédictins dans votre querelle. Vous m'obligerez donc fort de m'en donner quelques-uns de votre habit, et, s'il se peut, même de Thomas a Kempis [34], pour appliquer aux chapitres qui me manquent encore de cette première partie, ou aux cinq derniers du premier livre et aux douze du second, qui composeront la seconde partie. Je n'ai point encore d'exemples, au reste, pour le sixième chapitre, *De inordinatis affectionibus*, ni pour les X, XI, XII, XIV et XIX. Le reste des vingt premiers est rempli; mais il faut, s'il vous plaît, que ce ne soit pas une simple image de saint, mais une action qui parle, et qui soit belle à peindre. Le soin que j'avais de conserver ma neutralité entre les deux partis m'avait fait adresser déjà à vos pères de Saint-Lô [35] pour cela; mais je n'en ai pas eu de satisfaction. Si vous daigniez prendre la peine d'y songer (et il me semble que vous y avez quelque intérêt), et que vous voulussiez remplir ces cinq places vacantes, il faudrait, s'il vous plaît, m'en envoyer les sujets dans dix ou douze jours. Pour les chapitres qui feront la seconde partie, je n'ai rien qui presse; mais comme je ferais ajouter déjà ces images à la première partie, si j'avais ma vingtaine fournie, je cherche de tous côtés à trouver de quoi l'achever. Excusez l'incivilité de ma prière; j'aurai l'honneur de vous écrire plus au long dans huit ou dix jours. Cependant, obligez-moi de croire que si les raisons de vos adversaires m'ont fait douter si T. a K. était l'auteur de ce que je traduis, du moins ils ne m'ont point encore persuadé que Jean Gersen ait jamais été au monde. J'ai grande obligation au P. Souply, dont l'épître me donne autant de confusion pour moi que je dois d'admiration à la beauté de ses vers. Nous avons ici une famille de ce nom-là; je voudrais qu'il en fût, afin de me pouvoir vanter de l'avoir pour compatriote. A la première impression que je ferai faire, je lui demanderai la permission de me parer de son travail, et des éloges qu'il me donne sans les mériter. Je pensais ne vous écrire

---

30. Ces quatre autographes (nos 12, 13, 14, 15) découverts à la bibliothèque Sainte-Geneviève n'ont été connus qu'au XIXe siècle. Le P. Boulart, général de l'ordre en 1640, abbé coadjuteur en 1645, auprès du P. Faure, mieux connu par une biographie de 1698.

31. Détail confirmé par le texte de ces comptes retrouvé à Saint-Sauveur de Rouen.

32. Le *Lexicon germanico-thomeum* du P. Hésérus.

33. Les cent quatorze gravures de l'une des éditions complètes de 1656 (cf. page 905).

34. Ce sera celle du chapitre 22 du livre I.

35. Saint-Lô, à Rouen, réformé par les Génovéfains.

que deux lignes à la dérobée, et à peine puis-je trouver place pour vous dire que je suis, Mon révérend Père, votre très humble et très obligé serviteur,

CORNEILLE.

13. AU MÊME

Rouen, 12 avril 1652.

Mon révérend Père,

Vous me trouverez un peu paresseux à vous remercier du soin que vous avez pris de m'envoyer des sujets pour mes tailles-douces ; mais je voulais vous envoyer le *Lexicon Germanico-Thomaeum* du P. Hésérus ; j'ai voulu attendre que j'eusse eu le loisir de l'extraire. A mon petit sens, ce livret ne fait pas assez pour votre parti, parce qu'il ne vous vendique [36] pas assez l'ouvrage contentieux. C'est un Allemand qui l'a fait, et le zèle qu'il a pour son pays lui faisant faire effort pour montrer sa phrase allemande, laisse à vos adversaires l'avantage des mots qu'ils prétendent italiens, comme *contentare*, *bassare*, etc. Quoiqu'il dise à la fin que cent phrases allemandes doivent l'emporter sur treize mots italiens, c'est toujours reconnaître qu'il y a treize mots italiens, et laisser la chose douteuse. Je ne sais pas l'allemand, et par conséquent je ne puis pas juger de la conformité du style de notre auteur avec la grammaire de son pays ; mais je crois qu'il vous serait plus avantageux de prétendre que son latin sentirait le flamand ou, pour mieux dire, le wallon, que non pas l'allemand. Il ne cite pas une phrase pour allemande que je ne prétende française, et les mots que les Italiens prétendent leur appartenir ont aussi l'air entièrement français. Ainsi vous pourriez prétendre que Thomas a Kempis aurait pris la phrase et les mots des Wallons, dont son monastère était très proche [37], et qu'il s'y serait mêlé aussi quelque chose de flamand. En son temps, la Flandre était sous la souveraineté de la France ; on y parlait français, on y plaidait en français, et on s'y servait de nos ordonnances, qui sont pleines de ce latin grossier. Et peut-être a-ce été la cause qu'on a attribué ce livre, en son commencement, à deux Français, saint Bernard et Jean Gerson, dont le premier, à ce qu'on m'a dit (car je ne le lis pas souvent), se sert aussi de *grosse vestire*, et de mots semblables. M. Carré touche cet argument dans l'ouvrage que vous m'avez envoyé, mais il ne fait que l'effleurer et ne l'approfondit pas. Du reste, ce dernier travail est très pressant, et il ne s'est rien fait de plus fort dans la querelle. Celui qui a fait la petite *Apologie* [38] française me semble y avoir aussi fort bien réussi ; mais il faut être instruit déjà : autrement on ne comprendra pas toute la force des raisonnements qu'il a réduits en abrégé, et dont il fait comme une récapitulation. Je vous demande pardon si je vous débite avec tant de franchise ma pensée sur les présents que vous m'avez faits : vous me l'avez ordonné, et je vous obéis. La sentence que vous avez obtenue vous est aussi fort avantageuse, en ce que un des quatre manuscrits dont il est question, et le seul qui n'était point au pouvoir de vos parties, a été produit au procès. Il est vrai que je douterais fort si ce jugement est de la compétence du Palais, et en croirais plus volontiers une décision de Sorbonne. Vous voyez par là que si

36. Revendique en votre faveur l'ouvrage litigieux.
37. Le monastère de Zwolle en Hollande.
38. Ouvrage anonyme de trente-quatre pages, en 1651.

j'étais obligé de choisir un auteur et d'entrer en la querelle, je me rangerais plutôt du côté de T. a K. que de J. G., quoique les pères bénédictins aient formé des arguments contre ce premier qui peuvent en faire douter ; et je connais des personnes savantes qu'ils ont persuadées que ce n'est point lui. Mais autre chose est de faire douter de celui qui est en possession, autre chose d'en établir un autre en sa place ; et les mêmes qui croient que Th. a Kempis n'est pas l'auteur du livre contesté demandent qu'on leur montre que J. Gersen ait été au monde. Pour moi, qui ne prends intérêt ni pour le pays ni pour l'habit, j'ai besoin de me tenir neutre, et poursuivre comme j'ai commencé, afin que ma traduction puisse être bien reçue de tout le monde. Quoique la cause de J. Gersen me semble jusqu'ici assez mal fondée, puisque son existence est révoquée en doute, elle a fait l'opinion à la mode, et il y a eu des docteurs qui m'ont refusé leur approbation si j'y mettais le nom de T. a K. Il y a même quelque raison particulière, que je ne vous puis écrire et que je vous dirai quand j'aurai l'honneur de vous voir, qui m'oblige à m'attacher à cette neutralité, du moins jusqu'à ce que l'ouvrage soit achevé. Entre ci et là, les choses pourront changer de face, et la vérité plus connue. Cependant vous m'obligerez fort de me faire part de ce qui s'écrira pour votre parti. J'ai un frère de votre habit et, sans cela, j'y penche plus que de l'autre. J'oubliais à vous remercier de vos sujets pour mes tailles-douces ; les premiers me semblèrent un peu nus, et n'avoir pas de quoi satisfaire le peintre ; les autres sont fort beaux, et je crois que je me servirai presque de tous, à la réserve de ceux qui sont pour les chapitres pour qui j'en ai déjà fait graver. Quand il vous en tombera quelques autres dans la pensée pour la suite, où je travaille à présent, je tiendrai à grande faveur que vous m'en fassiez part : vous ne trouverez point la place occupée. Cependant obligez-moi de croire que je suis de tout mon cœur, Mon révérend Père, votre très humble et très obéissant serviteur,

CORNEILLE.

J'ai remis le livret du P. Heserus entre les mains du révérend père prieur de Saint-Lô, pour vous le renvoyer.

14. AU MÊME

Rouen, 23 avril 1652.

Mon révérend Père,

Je vous remercie de ce que vous m'avez fait voir de nouveau pour la défense de Th. a K., et vous renvoie ce que vous m'ordonnez, que je remettrai avec la présente entre les mains du père prieur de Saint-Lô ; et puisque vous voulez aussi que je vous en dise ma pensée, la voici :

Les *Septuaginta palmae* [39] du P. Hésérus ne vous font ni bien ni mal : ce sont des éloges de l'ouvrage, et non pas des arguments pour en connaître l'auteur.

J'avais vu déjà les deux lettres de M. Chifflet [40] ; elles

39. Autre ouvrage (1651) du P. Hésérus, dont le titre est justifié en ce qu'il s'agit d'éloges de soixante-dix auteurs différents.
40. L'un des nombreux frères du médecin J.-J. Chifflet. Laurent et Pierre-François furent jésuites. Philippe (1597-1663), grand vicaire de Besançon et abbé de Balerne, a laissé plusieurs autres ouvrages.

enfoncent plus avant, et comme elles portent une recherche exacte des manuscrits de Flandre, son témoignage vous est assez avantageux.

La lettre du P. Petau est de fort grand poids, et fort propre à opposer à celle du P. Sirmond [41], dont les gersénistes se fortifient. C'est un homme docte, et en réputation de grand antiquaire, et qui donne son témoignage après avoir examiné les raisons et connu l'auteur du gersénisme, l'abbé Caiétan [42], pour un fourbe, et maître à faire des suppositions en faveur de son ordre.

Les témoignages de M. de Grace [43] et de M. Arnauld ne sont pas de si haute conséquence, d'autant qu'ils ne font que dire leur opinion comme en passant; le premier l'attribuant simplement à T. K., sans savoir même si cela lui était disputé; et l'autre, comme ayant appris d'un des vôtres que Jean Gersen n'en était pas l'auteur, et se tenant comme satisfait de ses raisons. Ce sont deux opinions de modernes, qui seront bonnes à ajouter au *Centumvirale judicium* du P. Hésérus.

Bolandus [44] et ce témoignage que vous avez fait venir de Flandre ne sont que la même chose, et l'un sert de preuve à l'autre et aux lettres de M. Chifflet.

Le témoignage du jésuite Théophilus Renaudus est très élégant et bien couché; mais comme il se fonde particulièrement sur ce qu'il a appris de M. Naudé [45], il ne persuadera que ceux que ledit sieur Naudé aura déjà persuadés, si ce n'est par le témoignage qu'il rend contre l'abbé Caiétan, pareil à celui du P. Petau, et d'autant plus considérable que demeurant de son temps à Rome, il le connaissait encore mieux que le P. Petau.

Voilà, mon révérend Père, ce que vous avez voulu que je vous mandasse touchant ces papiers que je vous renvoie, et vous prie que si vous pouvez avoir encore un exemplaire de *Dioptra Heseri*, que vous me mandez avoir reçu d'Allemagne, vous m'en fassiez part; mais tant que vous n'en aurez qu'un, ne me l'envoyez point, s'il vous plaît; car je crains de n'être pas assez obéissant pour vous le renvoyer comme je fais ceux-ci, à la réserve de ceux que vous voulez que je garde.

J'ai vu le *Thomas vindicatus* du R.P. Fronteau, que j'estime très fort; mais si je ne me trompe, il ne répond point aux mots dont je vous parlais dans ma dernière. Il justifie bien que les façons de parler de l'*Imitation de Jésus-Christ* sont les mêmes que celles des autres livres de Th. a Kempis, ce que M. Carré a fait encore plus au long; mais il ne touche qu'au mot de *leviter*; pour les autres, *bassare*, *grosse vestire*, *sentimenta*, *sententiare*, *contentare*, etc., il n'en dit rien du tout; et je ne vois pas de moyen de faire passer ces mots-là pour allemands, si bien qu'il faut les avouer italiens, à moins que vous disiez que Th. a K. les a pris de la langue française, qui se parlait en son monastère ou aux environs, aussi bien que la flamande. Cela ne fait rien contre Th. a Kempis : au contraire, je crois qu'il lui peut servir, à cause de la quantité d'autres façons de parler qui sont purement françaises, et égaleraient bien le nombre des allemandes.

Au reste, je ne crois pas que les Pères bénédictins puissent prendre aucun avantage de ce que je continuerai à ne mettre aucun nom d'auteur à ma traduction.

Ils en ont eu, à la vérité, de ce qu'on n'en a point mis à l'impression royale, parce que c'était beaucoup faire que d'ôter dès l'abord Th. a K. de la possession où il était avant qu'il y eût contestation formée; mais à présent qu'il y a querelle et procès, et qu'après la sentence des requêtes leur appel met encore la chose en doute, les particuliers qui n'ont point d'intérêt à la chose doivent du moins attendre que l'arrêt qui interviendra leur apprenne ce qu'il en faut croire. Vous me permettrez donc de continuer comme j'ai commencé, et me ferez la grâce de croire que je n'en suis pas moins, mon révérend Père, votre très humble et très obéissant serviteur,

CORNEILLE.

J'oubliais à vous dire que je ne suis point encore pressé d'images pour le second livre, ne faisant que d'achever la traduction de ce qui restait du premier, où je crois avoir été un peu au-delà de ce que vous avez pu voir.

15. AU MÊME

A Rouen, ce 10 de juin 1656

Mon très révérend Père,

J'espérais de jour en jour aller à Paris, suivant ce que vous a dit M. Ballard, et là vous remercier de vive voix de celle qui (*sic*) vous a plu m'écrire; mais quelque affaire m'ayant obligé de remettre ce voyage, trouvez bon que je me serve de ma plume pour m'acquitter en quelque sorte de ce que je vous dois. Vous ne m'avez aucune obligation du témoignage que j'ai rendu à la vérité, en n'y point fait le juge en votre affaire, ni ajouté mon sentiment au jugement que vous avez emporté : j'en ai fait seulement un récit fidèle pour en rafraîchir la mémoire à ceux qui le savent et l'apprendre à ceux qui ne le savent pas. Si j'avais mis le nom de Th. a Kempis à la tête du livre, je me fusse déclaré partial; et comme cet auteur m'apprend qu'il faut chercher la paix et dedans et dehors, et d'être en pouvoir de leur dire que, quand ils auront eu un jugement à leur avantage, j'en ferai le même récit au public pour eux, comme j'ai fait pour vous. J'ai été assez heureux pour avoir la paix en mon particulier avec les deux partis opposés sur les questions de la grâce. Tous deux prétendent que l'auteur soit de leur opinion, et tous deux m'ont avoué que ma traduction est fidèle, et veulent qu'elle tombe dans leur sens. Je ne sais pas assez de théologie pour pénétrer dans leurs différends, que même je ne les comprends pas; mais je crois savoir assez de latin pour rendre le sens d'un auteur dont le style n'est pas fort obscur, et heureusement je n'ai déplu à aucun de ces deux partis, parmi lesquels il s'est mêlé tant d'aigreur. J'ai tâché de faire la même chose pour votre différend entre les Pères de Saint-Benoît; bien que je voie un peu plus clair dans cette question que dans

41. Deux des plus célèbres jésuites du siècle. Denis Petau (1583-1652) fut surtout un vigoureux adversaire des protestants et des jansénistes. Jacques Sirmond (1559-1651) avait entre autres été confesseur de Louis XIII de 1637 à 1643. Il a laissé cinq volumes in-folios d'œuvres théologiques.

42. Constantin Cajetan, bénédictin du XVe siècle, qui le premier avait imprimé l'*Imitation* sous la signature de Gersen.

43. Antoine Godeau, évêque de Grasse depuis 1636.

44. Jésuite hollandais qui a inauguré la méthode critique à l'égard de l'hagiographie, et dont les continuateurs sont connus sous le nom de Bollandistes.

45. Le célèbre bibliothécaire de Mazarin, Gabriel Naudé (1600-1653), ami de Gassendi, J.-J. Chifflet, La Mothe Le Vayer... Corneille le cite ici comme quelqu'un d'étranger à ses intimes.

l'autre, et que je ne vous en aie pas celé mon sentiment, je n'ai voulu rien dire de moi-même, et m'arrête au récit du jugement célèbre qui a assoupi cette guerre. J'ai cru vous satisfaire et ne les pas mécontenter. Voilà, mon révérend Père, ce qui m'a retenu pour le regard de l'inscription, qui ne vous est pas de grande importance et les eût puissamment désobligés : j'ai des parents et des amis parmi eux, à qui j'ai été bien aise de ne rendre pas ce déplaisir, ayant trouvé cette voie d'acquitter ma conscience envers la vérité.

Pour le manuscrit de Thomas a Kempis, vous me fîtes la faveur de me le faire voir, il y a tantôt deux ans, quand je passai pour aller à Bourbon : vous me donnâtes aussi le livre de la contestation, qui est fort bien fait. Vos Pères de Saint-Lô m'en ont fait voir un autre en latin, intitulé : *Triumphus Thomae a Kempis*, fait par un religieux de Nevers et imprimé là, qui n'est presque que la répétition de ce qui a été déjà dit en français dans l'autre ; il ne laisse pas d'être fait avec beaucoup d'esprit. Je crois que vous faites bien de ne faire rien imprimer davantage : il est bon de se reposer après la bataille gagnée, et il semble que vous n'avez plus rien à faire, puisque le champ vous est demeuré, surtout pour ce qui regarde les écrits de M. Naudé, qui était sans doute très savant, mais qui mêlait plus de doctrine que d'agrément dans ses ouvrages. Le livret de M. de Launoy ne mérite pas de réponse.

Je vous rends grâce de ce que vous m'avez envoyé de la façon du R.P. Fronteau : c'est un grand homme en tout, et ce n'est pas avoir peu fait d'effet sur moi que de m'avoir obligé à lire son oraison funèbre toute entière, moi qui ai une aversion naturelle contre les panégyriques, et qui n'ai jamais pu lire plus de quatre pages d'aucun qui soit tombé sous ma main ; je n'en excepte pas même celui de Pline second. Le papier me manque : trouvez bon que j'emploie ce qui m'en reste ici à vous assurer que je serai toujours, mon très révérend Père, votre très humble et très obéissant serviteur,

CORNEILLE.

16. A PELLISSON[46]

Ce vendredi.

En matière d'amour je suis fort inégal :
J'en écris assez bien, et le fais assez mal ;
J'ai la plume féconde, et la bouche stérile,
Bon galant au théâtre, et fort mauvais en ville ;
Et l'on peut rarement m'écouter sans ennui,
Que quand je me produis par la bouche d'autrui.

Voilà, Monsieur, une petite peinture que je fis de moi-même il y a vingt ans. Je ne vaux guère mieux à présent. Quoi qu'il en soit, Monseigneur le Surintendant a voulu avoir ces six vers ; et je ne suis pas fâché de lui avoir fait voir que j'ai toujours eu assez d'esprit pour connaître mes défauts, malgré l'amour-propre qui semble être attaché à notre métier. J'obéis donc sans répugnance aux ordres qu'il a plu m'en donner, et vous supplie de me ménager un moment d'audience pour prendre congé de lui, puisqu'il a voulu que je l'importunasse encore une fois. Il me témoigna, dimanche

dernier, assez de bonté pour me faire espérer qu'il ne dédaignerait pas de prendre quelque soin de moi ; et je ne doute point que tôt ou tard elle n'ait son effet, principalement quand vous prendrez la peine de l'en faire souvenir. Je me promets cela de la généreuse amitié dont vous m'honorez, et suis à vous de tout mon cœur.

CORNEILLE.

17. A L'ABBÉ DE PURE[47]

A Rouen, ce 9 juillet 1658.

Monsieur,

L'inquiétude dont vous m'écrivez n'est pas une petite marque de votre amitié, et me fait bien voir que j'ai eu raison d'y prendre une entière confiance. Je me suis enhardi de vous écrire en faveur d'un de mes parents qui porte même nom que moi et est mon cousin germain. Il a été lâchement outragé par le fils de M. du Mesnil Haudrey, son voisin au pays, qui est premier capitaine au régiment de Grammont, et par conséquent tire sa plus forte recommandation de l'hôtel de Grammont. Je sais le pouvoir que vous y avez, et comme j'ai cru qu'il y aurait quelque incivilité de vous prier de solliciter contre un gentilhomme qui est créature de Monsieur le Maréchal, je vous ai écrit seulement pour vous prier d'affaiblir le secours qu'il pourrait tirer de ce côté-là, et de faire en sorte, s'il se peut, que l'affaire s'accommode par votre moyen. Ils étaient d'accord pour les intérêts civils et ses parties ont voulu longtemps remettre à moi seul la satisfaction d'honneur ; je n'ai pas voulu m'en charger seul, et ai fait en sorte qu'ils ont nommé un gentilhomme de leurs amis, à l'avis duquel j'ai passé pour pacifier les choses. On nous a dédit l'un et l'autre à cause que nous avons trouvé à propos que l'offensant demandât pardon à l'offensé, bien que nous en ayons exténué la manière pour la rendre la plus douce qu'il a été possible ; et je m'assure que si Monsieur le Maréchal était en France, et qu'il en daignât être seul juge, il la réglerait en une forme plus avantageuse pour nous que nos demandons. L'outrage est grand, et intéresse toute notre famille. Mon parent en poursuit la réparation au conseil, et outre la ruine qu'un si long procès leur apportera, il a à craindre qu'ils ne se rencontrent. Ils sont tous deux gens de cœur et de main, et de plus, proches voisins, ce qui augmente le danger. J'avais donc donné une lettre à ce parent pour vous, et l'avais adressé chez M. Lamy, où il n'a pu vous rencontrer ; ce n'est pas sans doute celui dont M. Lucas[48] vous a donné avis et à qui vous avez rendu visite, puisqu'il ne vous a point rendu de lettres de ma part. Je n'ai point eu des siennes depuis quinze jours ; il me mandait que quelque assiduité qu'il eût rendue au Palais, il n'avait pu vous trouver ; que sa femme lui avait mandé que ses parties étant retournées, l'avaient fait de nouveau rechercher d'accord par l'entremise d'un capucin qui prêchait l'octave en leur quartier, et qui est frère de ma femme ; qu'il attendait dans deux jours quel effet aurait produit sa médiation,

46. Ce billet, dont on ne connaît qu'une « copie sur l'original » a été publié dès 1738. Les six vers cités, comme écrits il y a vingt ans, permettent de dater cette lettre de 1658 environ.

47. Autographe conservé au British Museum. Les relations des Corneille avec De Pure sont mieux connues par les lettres de Thomas.

48. Marchand rouennais, frère du P. Lucas dont Corneille traduit des vers latins (cf. page 898).

et m'en donnerait avis : depuis ce temps-là je n'ai eu aucunes nouvelles ni de lui, ni du capucin mon beau-frère; et je le crois retourné au pays. Néanmoins, puisque vous avez déjà pris tant de peine en ma considération, achevez, s'il vous plaît, et prenez encore celle de l'envoyer chercher à son hôtellerie, et m'en faites savoir des nouvelles. Il loge au Paon, tout contre la poste de Rouen, où vous envoyez vos lettres, et, comme je vous l'ai déjà dit, il porte même nom que moi, et je regarde son affaire comme si c'était la mienne. Je n'en ai écrit qu'à M. de Boisrobert et à vous; mais si elle ne s'accorde, j'en importunerai tous mes amis, et irai moi-même la solliciter, si mes affaires et ma santé me le permettent. J'abuse bien de votre bonté; mais aussi j'y prends une confiance parfaite.

Mon frère vous salue, et travaille avec assez de chagrin. Il ne donnera qu'une pièce cette année. Pour moi, la paresse me semble un métier bien doux, et les petits efforts que je fais pour m'en réveiller s'arrêtent à la correction de mes ouvrages. C'en sera fait dans deux mois, si quelque nouveau dessein ne l'interrompt. J'en voudrais avoir trouvé un. Je suis de tout mon cœur votre très humble et très obligé serviteur,

CORNEILLE.

Monsieur,

Je vous envoie un méchant sonnet que je perdis hier au jeu contre une femme dont le visage et la voix valent bien quelque chose. C'est une bagatelle, que j'ai brouillée ce matin. Vous en aurez la première copie. Il y a un peu de vanité d'auteur dans les six derniers vers.

18. AU MÊME[49]

A Rouen, ce 12 de mars 1659.

Monsieur,

Quelque pleine satisfaction que vous ayez reçue de la nouvelle représentation d'*Œdipe*, je puis vous assurer qu'elle n'égale point celle que j'ai eue à lire votre lettre, soit que je la regarde comme un gage de votre amitié, soit que je la considère comme une pièce d'éloquence remplie des plus belles et des plus nobles expressions que la langue puisse souffrir. En vérité, Monsieur, quelque approbation qu'ait emportée notre nouvelle Jocaste, elle n'a point fait faire tant de ha! ha! dans l'hôtel de Bourgogne que votre lettre dans mon cabinet : mon frère et moi les avons redoublés à toutes les lignes, et y avons trouvé de continuels sujets d'admiration. Je suis ravi que mademoiselle de Beauchâteau ait si bien réussi; votre lettre n'est pas la seule où j'en ai vue : on a mandé du Marais à mon frère qu'elle avait étouffé les applaudissements qu'on donnait à ses compagnons, pour attirer tout à elle; et M. Floridor me confirme tout ce que vous m'en avez mandé. Je n'en suis point surpris, et il n'est rien arrivé que je ne lui aie prédit à elle-même, en lui disant adieu, quand je sus l'étude qu'elle faisait de ce rôle. Je souhaite seulement pouvoir trouver un sujet assez beau pour la faire paraître dans toute sa force; et je crois qu'elle prendrait bien autant de soin pour faire réussir un original qu'en a fait à remplir la place de la malade. Je suis marri

de la difficulté que rencontre M. Bois (robert). A ne vous rien celer, je ne suis point fâché de n'être point à Paris en ce rencontre où je me (verrais) dans la nécessité de désobliger un des deux. Le poste où est son opposant est si considérable, que je crains pour lui qu'il ne fasse venir bien des voix. Je souhaite d'apprendre bientôt qu'il se soit relâché, et que notre ami ait eu ce qu'il demande, avec l'agrément de tout le monde. Je suis de tout mon cœur, Monsieur, votre très humble et très affectionné serviteur,

CORNEILLE.

19. AU MÊME

A Rouen, ce 25 d'août 1660.

Monsieur,

Un petit séjour aux champs, et un peu d'indisposition en la ville, m'ont empêché de vous remercier plus tôt du dernier présent que vous m'avez fait. Je ne suis pas assez récent de mon latin pour me vanter d'entendre tous les mots choisis dont vous avez semé cet ouvrage; mais je me connais assez en ce genre de poésie pour assurer qu'il y a des strophes dignes d'Horace. Il y en a quelques-unes où vous avez un peu trop négligé le tour du vers, qui n'a pas assez de facilité; mais à tout prendre, c'est un très beau travail, et un dessein tout à fait beau de vous écarter de la route des autres. Si vous l'eussiez exécuté en français, il aurait eu une vogue merveilleuse. Le latin lui ôtera sans doute quelque chose; il est si recherché qu'il n'est pas intelligible à ceux qui n'y savent que le plain-chant; il m'échappe en quelques lieux, et je m'assure que quelques-uns des lecteurs en sauront encore moins que moi. Cependant trouvez bon que je vous rende de très humbles grâces, et de l'exemplaire que vous m'en avez envoyé, et de la manière dont vous y avez parlé de moi.

Je suis à la fin d'un travail fort pénible sur une matière fort délicate. J'ai traité en trois préfaces les principales questions de l'art poétique sur mes trois volumes de comédies. J'y ai fait quelques explications nouvelles d'Aristote, et avancé quelques propositions et quelques maximes inconnues à nos Anciens. J'y réfute celles sur lesquelles l'Académie a fondé la condamnation du Cid, et ne suis pas d'accord avec M. d'Aubignac[50] de tout le bien même qu'il a dit de moi. Quand cela paraîtra, je ne doute point qu'il ne donne matière aux critiques : prenez un peu ma protection. Ma première préface examine si l'utilité ou le plaisir est le but de la poésie dramatique; de quelle utilité elle est capable, et quelles en sont les parties, tant intégrales, comme le prologue, l'épisode et l'exode. Dans la seconde, je traite des conditions du sujet de la belle tragédie; de quelle qualité doivent être les incidents qui la composent, et les personnes qu'on y introduit, afin d'exciter la pitié et la crainte; comment se fait la purgation des passions par cette pitié et cette crainte, et des moyens de traiter les choses selon le vraisemblable ou le nécessaire. Je parle, en la troisième, des trois unités : d'action, de jour et de lieu. Je crois qu'après cela il n'y a plus

---

49. Les quatre lettres suivantes, autographes, sont à la Bibliothèque Nationale.

50. Dans la première version de la *Pratique du Théâtre* (1657). On sait qu'après ces *Discours*, d'Aubignac, vexé de n'avoir pas été nommé, retrancha tous ces éloges.

guère de question d'importance à remuer, et que ce qui reste n'est que la broderie qu'y peuvent ajouter la rhétorique, la morale et la politique.

En ne pensant vous faire qu'un remercîment, je vous rends insensiblement compte de mon dessein. L'exécution en demandait une plus longue étude que mon loisir n'a pu permettre. Vous n'y trouverez pas grande élocution, ni grande doctrine; mais avec tout cela, j'avoue que ces trois préfaces m'ont plus coûté que n'auraient fait trois pièces de théâtre. J'oubliais à vous dire que je ne prends d'exemples modernes que chez moi; et bien que je contredise quelquefois M. d'Aubignac et messieurs de l'Académie, je ne les nomme jamais, et ne parle non plus d'eux que s'ils n'avaient point parlé de moi. J'y fais aussi une censure de chacun de mes poèmes en particulier, et je ne m'épargne pas. Derechef, préparez-vous à être de mes protecteurs, et croyez que je suis toujours, Monsieur, votre très humble et très obéissant serviteur,

CORNEILLE.

20. A M. DE CLAIREFONTAINE

Lettre adressée par Corneille au futur beau-père de sa fille, M. de Clairefontaine, père du chevalier de Bois-leconte, publiée pour la première fois en 1929 par M. Pascal.

30 septembre 1661.

Monsieur,

Le mariage est une chose si importante que l'on ne saurait trop s'informer de ceux avec qui l'on s'allie quand on n'a pas l'honneur de les connaître; mais ces informations ont leur temps, et comme elles sont fort justes avant qu'on ait donné sa parole, elles sont ridicules et offensantes après qu'une affaire est conclue et signée et que les parties ont déjà vécu ensemble dans les privautés et les caresses ordinaires à des gens qui s'aiment et qui sont prêts à s'attacher l'un à l'autre pour toute leur vie. Souvent ici on ne se contente pas de s'informer en général, on demande déclaration du bien et j'ai été obligé moi-même de montrer mes contrats en original quand je me suis marié. Je n'en ai pas usé de même, et l'honneur de votre alliance m'a été si précieux et la personne de M. de Boisleconte, si chère, que je me suis contenté de ce que Mme d'Aveine en a dit à un de mes amis et ne me suis pas voulu servir après cela d'une lettre qu'un conseiller de mes parents m'avait donnée pour M. de la Haye Paumier, qui demeure à Sées, afin d'en savoir des nouvelles. Elle est du trois de ce mois. Le traité ne fut signé que le treize, et j'aurais eu loisir d'en avoir réponse si je ne me fusse voulu arrêter à ce que cette dame en avait dit. Je fis hier voir cette lettre à M. de Boisleconte, et je vous la ferai voir si vous l'aimez assez pour honorer son mariage de votre présence. Quand j'eus l'honneur de vous voir ici, non seulement je vous assurai que je ne m'étais point informé plus avant de votre bien, mais je ne vous demandai pas même ce que c'en était. Je n'en ai rien demandé non plus à M. de Boisleconte, et si M. de Neus en a fait quelque information, ce n'a point été à ma prière. Je ne lui ai écrit que celle dont il vous a plu vous voulu charger, où cette commission ne se trouvera point. Je n'en ai eu aucune nouvelle depuis, et il est encore à me remercier de la part que je lui ai fait (*sic*) de ma joie. Le sieur du Fresne n'a pas eu plus

d'ordre de moi; je n'ai aucun commerce avec lui. Il est vrai que mon frère depuis longtemps a un entretien par lettres avec sa fille et je crois qu'il lui aura pu mander le bonheur de la mienne; mais je vous proteste que je n'ai point su qu'il lui en ait écrit et que je n'en ai point eu la réponse. Les choses en sont si avancées qu'il faut plutôt en hâter la conclusion que chercher un prétexte à m'en dégager. Peut-être la mauvaise impression qu'on vous a voulu donner de moi vous peut faire penser que, ne pouvant fournir à mes promesses, je cherche à m'en dégager, mais vous me ferez la grâce s'il vous plaît de croire que je suis homme de parole. Bien que j'espère avoir ce qu'il me faut entre ci et Pâques, j'en prendrai en intérêt puisque les sûretés que je vous ai proposées ne vous paraissent pas suffisantes. Il reste seulement que, comme je prétends vous donner une entière assurance par de l'argent comptant, vous me donniez aussi la mienne en reconnaissant le traité et en signant le reçu du dot de ma fille avec M. de Boisleconte, afin qu'il demeure constitué sur l'un et sur l'autre. Cela est porté par le traité, mais il ne suffit pas si vous ne signez le reçu ou que du moins vous consentiez que M. de Boisleconte le touche. Nous avons à craindre que la maladie de Mme de Clairefontaine ne nous prive du bien de vous voir. Si nous sommes assez malheureux pour cela, je vous supplie de nous donner vos ordres pour le choix du mariage et de nous renvoyer le traité signé de Madame votre femme et de Messieurs vos parents, où vous pourrez ajouter une reconnaissance de votre seing par devant notaires avec un consentement que M. de Boisleconte touche les dix mille cinq cents livres réservées pour le dot, accordant qu'il demeure constitué sur tous vos biens, tout ainsi que si vous l'aviez reçu et qu'il fût tourné à votre profit. Ces choses regardent plus loin que nos vies, et il est bon de les faire de sorte qu'on ne puissent donner occasion de procès à ceux qui nous survivront. J'attends vos commandements là-dessus, et vous prie de choisir le jour, que je vous demande le plus tôt qu'il se pourra, car je vous avoue que voyant ce que je vois, il (*cela*) m'ennuie pour M. de Boisleconte. Au reste, Monsieur, je vous conjure d'être persuadé que j'estime l'honneur de votre alliance comme je le dois, et de ne m'estimer point capable de faire des informations à contretemps. Vous me ferez la grâce de les attribuer à la curiosité particulière de ceux qui les ont faites, et me ferez justice quand vous croirez que je suis de tout mon cœur, Monsieur, votre très humble et très affectionné serviteur,

CORNEILLE.

P.S. — Avec votre permission je présenterai mes très humbles respects et ceux de ma femme à Mme de Clairefontaine, à qui nous souhaitons une parfaite santé. Nous saluons M. votre Abbé et Mesdemoiselles vos filles, que j'ai grande impatience de voir pour leur offrir mes services.

21. A L'ABBÉ DE PURE

A Rouen, ce 3 de novembre 1661.

Monsieur,

A quoi pensez-vous de me donner une joie imparfaite, et de me rendre compte de la moitié d'une pièce si rare, pour m'en faire attendre en vain l'achèvement? Pensez-vous que ce que vous me mandez de trois actes ne me rende pas curieux, voire impatient de savoir des nouvelles des trois qui restent[51]? C'est ce qui a différé ma réponse et la prière que j'ai à vous faire de ne vous contenter pas du bruit que les comédiens font de mes deux actes, mais d'en juger vous-même et m'en mander votre sentiment, tandis qu'il y a encore lieu à la correction. J'ai prié mademoiselle Des OEillets[52], qui en est saisie, de vous les montrer quand vous voudrez; et cependant je veux bien vous prévenir un peu en ma faveur, et vous dire que, si le reste suit du même art, je ne crois pas avoir rien écrit de mieux. Mes deux héroïnes ont le même caractère de vouloir épouser par ambition un homme pour qui elles n'ont aucun amour, et le dire à lui-même; et toutefois je crois que cette ressemblance se trouvera si diversifiée par la manière de l'exprimer, que beaucoup ne l'y apercevront pas. Elles s'offrent toutes deux à lui sans blesser la pudeur du sexe, ni démentir la fierté de leur rang. Les vers en sont assez forts et assez nettoyés, et la nouveauté de ce caractère pourra ne déplaire pas si elle est bien soutenue par le reste de l'action. Je vous ai déjà parlé de l'une qui était femme de Pompée. Sylla le força de la répudier pour épouser Æmilia, fille de sa femme et d'Æmilius Scaurus, son premier mari. Plutarque et Appius la nomment Antistie, fille du préteur Antistius. Un évêque espagnol, nommé Joannes Gerundensis, la nomme Aristie, et son père Aristius. Je ne doute point qu'il ne se méprenne; mais à cause que le mot est plus doux, je m'en suis servi, et vous en demande votre avis et celui de nos savants amis. Aristie a plus de douceur, mais il sent plus le roman. Antistie est plus dur aux oreilles, mais il sent plus l'histoire et a plus de majesté. *Quid juris?*[53] J'espère dans trois ou quatre jours avoir achevé le troisième acte. J'y fais un entretien de Pompée avec Sertorius que les deux premiers actes préparent assez, mais je ne sais si on en pourra souffrir la longueur. Il est de deux cent cinquante-deux vers. Il me semble tels qu'eux que deux hommes, généraux de deux armées ennemies, ne peuvent achever en deux mots une conférence si attendue durant une trêve. On a souffert Cinna et Maxime, qui en ont consumé davantage à consulter avec Auguste. Les vers de ceux-ci me semblent bien aussi forts et plus pointilleux, ce qui aide souvent au théâtre, où les picoteries soutiennent et réveillent l'attention de l'auditeur. Mon autre héroïne n'est pas si historique qu'Aristie, mais elle ne laisse pas d'avoir son fondement en l'histoire. Je la fais fille de Viriatus qui défit tant de fois les Romains en Espagne, et fut enfin défait douze ou quinze ans avant la venue de Sertorius, qui fut particulièrement assisté des Lusitaniens, qui étaient les compatriotes de ce grand capitaine, que j'en fais roi, bien que l'histoire n'en fasse qu'un chef de brigands, qui enfin combattit en corps d'armée. J'ai plus besoin de grâce pour Sylla, qui mourut et se démit de sa puissance avant la mort de Sertorius; mais sa vie est d'un tel ornement à mon ouvrage pour justifier les armes de Sertorius, que je ne puis m'empêcher de le ressusciter. Mon auteur moderne, Joannes Gerundensis, le fait vivre après Sertorius; mais il se trompe aussi bien qu'au nom d'Aristie. Je ne demande point

votre avis sur ce dernier point, car quand ce serait une faute, je me la pardonne, *ignosco egomet mi*. Adieu, notre ami; aimez-moi toujours, s'il vous plaît, et me tenez pour votre très humble et très obéissant serviteur,

CORNEILLE.

22. AU MÊME

A Rouen, ce 25 d'avril 1662.

Monsieur,

L'estime et l'amitié que j'ai depuis quelque temps pour mademoiselle Marotte[54], me fait vous avoir une obligation très singulière de la joie que vous m'avez donnée en m'apprenant son succès et les merveilles de son début. Je l'avais vue ici représenter Amalasonte, et en avais conçu une assez haute opinion pour en dire beaucoup de bien à M. de Guise[55] quand il fut question, vers la mi-carême, de la faire entrer au Marais; mais ce que vous m'en mandez passe mes plus douces espérances, et si loin, que mes amis, à qui j'ai fait part de votre lettre, veulent la lui communiquer, malgré que vous en aviez un peu le cœur navré quand vous m'avez écrit. Puisque MM. Boyer et Quinault sont convaincus de son mérite, je vous conjure de les obliger à me montrer bon exemple; car, outre que je serai bien aise d'avoir quelquefois mon tour à l'Hôtel, ainsi qu'eux, je ne puis manquer d'amitié à la reine Viriate[56], à qui j'ai tant d'obligation, que le déménagement que je prépare pour me transporter à Paris me donne tant d'affaires, que je ne sais si j'aurai assez de liberté d'esprit pour mettre quelque chose cette année sur le théâtre. Ainsi, si ces messieurs ne les secourent, ainsi que moi, il n'y a pas d'apparence que le Marais se rétablisse; et quand la machine[57], qui est aux abois, sera tout à fait défunte, je trouve que ce théâtre ne sera pas en bonne posture. Je ne renonce pas aux acteurs qui le soutiennent; mais aussi je ne veux point tourner le dos tout à fait à messieurs de l'Hôtel, dont je n'ai aucun lieu de me plaindre, et où il n'y a rien à craindre, quand une pièce est bonne. Ils aspirent tous à y entrer, et ils ne sont pas assez injustes pour exiger de moi un attachement qu'ils ne me voudraient pas promettre. Quelques-uns, à ce qu'on m'a dit, ont pensé passer au Palais-Royal. Je ne sais pas ce qui les a retenus au Marais; mais je sais bien que ce n'a pas été pour l'amour de moi qu'ils y sont demeurés. J'appris hier que le pauvre Magnon[58] est mort de ses blessures. Je le plains, et suis de tout mon cœur, Monsieur, votre très humble et très obéissant serviteur,

CORNEILLE.

---

54. Cette nièce de la Beaupré, apparaît dans la troupe de Molière dès 1658, date à laquelle Corneille a vu l'*Amalasonte* de Quinault à Rouen.
55. Le protecteur de Corneille, chez qui il va s'installer, au mois d'octobre de cette année et pour la mort duquel il écrira des vers deux ans plus tard, cf. p. 885.
56. L'actrice qui créa le rôle, sans doute la Des OEillets.
57. Celle de la *Toison d'Or*, qui sert depuis deux ans.
58. Jean Magnon, né en 1620, assassiné sur le Pont Neuf. Après quatre tragédies jouées de 1644 à 1648, il n'était revenu au théâtre qu'en 1656 avec *Jeanne de Naples* et en 1660, avec un étrange *Tite* qui, en dépit de sa donnée romanesque (Bérénice y est déguisée en homme) résonne de vers cornéliens.

---

51. On ne sait de quelle œuvre il s'agit. Les six actes représentaient-ils une pièce classique, précédée d'un prologue?
52. Actrice de l'Hôtel (1621-1670) qui va jouer Sophonisbe (1663), Hermione (1667) et Agrippine (1669).
53. Terme juridique : « Quel est votre jugement? »

23. A M. DE SAINT-ÉVREMOND[59]

(1666).

Monsieur,

L'obligation que je vous ai est d'une nature à ne pouvoir jamais vous en remercier dignement; et dans la confusion où je suis, je m'obstinerais encore dans le silence, si je n'avais peur qu'il ne passât auprès de vous pour ingratitude. Bien que les suffrages de l'importance du vôtre nous doivent toujours être très précieux, il y a des conjonctures qui en augmentent infiniment le prix. Vous m'honorez de votre estime en un temps où il semble qu'il y ait un parti fait pour m'en laisser aucune. Vous me soutenez, quand on se persuade qu'on m'a battu, et vous me consolez glorieusement de la délicatesse de notre siècle, quand vous daignez m'attribuer le bon goût de l'Antiquité. C'est un merveilleux avantage pour un homme qui ne peut douter que la postérité ne veuille bien s'en rapporter à vous. Aussi je vous avoue, après cela, que je pense avoir quelque droit de traiter de ridicules ces vains trophées qu'on établit sur le débris imaginaire des miens, et de regarder avec pitié ces opiniâtres entêtements qu'on avait pour les anciens héros refondus à notre mode.

Me voulez-vous bien permettre d'ajouter ici que vous m'avez pris par mon faible, et que ma *Sophonisbe*, pour qui vous montrez tant de tendresse, a la meilleure part de la mienne? Que vous flattez agréablement mes sentiments, quand vous confirmez ce que j'ai avancé touchant la part que l'amour doit avoir dans les belles tragédies, et la fidélité avec laquelle nous devons conserver à ces vieux illustres ces caractères de leur temps, de leur nation et de leur humeur! J'ai cru jusques ici que l'amour était une passion trop chargée de faiblesse pour être la dominante dans une pièce héroïque; j'aime qu'elle y serve d'ornement, et non pas de corps, et que les grandes âmes ne la laissent agir qu'autant qu'elle est compatible avec de plus nobles impressions. Nos doucereux et nos enjoués sont de contraire avis; mais vous vous déclarez du mien : n'est-ce pas assez pour vous en être redevable au dernier point, et me dire toute ma vie, Monsieur, votre très humble et très obéissant serviteur,

CORNEILLE.

59. Texte connu seulement par les recueils imprimés de Saint-Evremond. C'est un remerciement pour la *Dissertation*

24. A COLBERT[60]

(1678).

Monseigneur,

Dans le malheur qui m'accable, depuis quatre ans, de n'avoir plus de part aux gratifications dont Sa Majesté honore les gens de lettres, je ne puis avoir un plus juste et plus favorable recours qu'à vous, Monseigneur, à qui je suis entièrement redevable de celle que j'y avais. Je ne l'ai jamais méritée, mais du moins j'ai tâché à ne m'en rendre pas tout à fait indigne par l'emploi que j'en ai fait. Je ne l'ai point appliquée à mes besoins particuliers, mais à entretenir deux fils dans les armées de Sa Majesté, dont l'un a été tué pour son service au siège de Grave; l'autre sert depuis quatorze ans, et est maintenant capitaine de chevau-légers. Ainsi, Monseigneur, le retranchement de cette faveur, à laquelle vous m'aviez accoutumé, ne peut qu'il ne me soit sensible au dernier point, non pour mon intérêt domestique, bien que ce soit le seul avantage que j'aie reçu de cinquante années de travail, mais parce que c'était une glorieuse marque de l'estime qu'il a plu au Roi faire du talent que Dieu m'a donné, et que cette disgrâce me met hors d'état de faire encore longtemps subsister ce fils dans le service où il a consumé la plupart de mon peu de bien pour remplir avec honneur le poste qu'il y occupe. J'ose espérer, Monseigneur, que vous aurez la bonté de me rendre votre protection, et de ne pas laisser détruire votre ouvrage. Que si je suis assez malheureux pour me tromper dans cette espérance, et demeurer exclu de ces grâces qui me sont si précieuses et si nécessaires, je vous demande cette justice de croire que la continuation de cette mauvaise influence n'affaiblira en aucune manière ni mon zèle pour le service du Roi, ni les sentiments de reconnaissance que je vous dois pour le passé, et que, jusqu'au dernier soupir, je ferai gloire d'être, avec toute la passion et le respect possible, Monseigneur, votre très humble, très obéissant et très obligé serviteur,

CORNEILLE.

sur l'*Alexandre de Racine*, où Saint-Evremond faisait l'éloge de *Sophonisbe*.

60. Autographe de la Bibliothèque Nationale publié seulement en 1835. Le contenu permet de le dater : le fils aîné de Corneille sert depuis 1664.

POÉSIES DIVERSES

Il faut distinguer dans ces poésies des compositions de nature fort différente : 1. Les Mélanges poétiques, qui sont la seule plaquette publiée par Corneille lui-même, à la suite de Clitandre en 1632. En réalité ce sont déjà des poèmes d'occasion ou des traductions en vers. 2. Des œuvres de circonstance, échelonnées tout au long de sa carrière littéraire. 3. Des poèmes officiels, et en particulier les Triomphes de Louis le Juste (1649). 4. Des traductions d'œuvres latines à la gloire de Louis XIV ou d'inscriptions monumentales.

L'incertitude demeure sur l'authenticité de certaines pièces parfois attribuées à Corneille ; nous avons rejeté entre autres les trois poèmes de la Guirlande de Julie, signés C., qui doit représenter Conrart, mais nous avons conservé l'épitaphe d'Elisabeth Ranquet, dont Brébeuf, ami et disciple de Corneille, a revendiqué la paternité, sans raisons suffisamment probantes. Nous laissons également l'épitaphe de Richelieu, écrite de la main même de Corneille, et dont il n'est peut-être que le copiste.

A MONSIEUR DE SCUDÉRY[1]
SUR SON « LIGDAMON ET LIDIAS »

Encor que Ligdamon, en dépeignant Silvie,
Lui donne assez d'appas pour charmer l'univers,
Sa beauté toutefois, dont la France est ravie,
Ne me toucherait point sans celle de tes vers.

AU LECTEUR [2]

Quelques-unes de ces pièces te déplairont; sache aussi que je ne les justifie pas toutes, et que je ne les donne qu'à l'importunité du libraire pour grossir son livre. Je ne crois pas cette tragi-comédie si mauvaise que je me tienne obligé de te récompenser par trois ou quatre bons sonnets.

A MONSIEUR D.L.T.[3]

Enfin, échappé du danger
Où mon sort me voulut plonger,
L'expérience indubitable
Me fait tenir pour véritable
Que l'on commence d'être heureux
Quand on cesse d'être amoureux,
Lorsque notre âme s'est purgée
De cette sottise enragée
Dont le fantasque mouvement
Bricole notre entendement.

Crois-moi : qu'un homme de ta sorte,
Libre des soucis qu'elle apporte,
Ne voit plus loger avec lui
Le soin, le chagrin ni l'ennui.
Pour moi qui dans un long servage
A mes dépens me suis fait sage,
Je ne veux point d'autres motifs
Pour te servir de lénitifs,
Et ne sais point d'autre remède
A la douleur qui te possède,
Qu'écrivant la félicité
Qu'on goûte dans la liberté,
Te faire une si bonne envie
Des douceurs d'une telle vie,
Qu'enfin tu puisses à ton tour
Envoyer au diable l'amour.
Je meure, ami, c'est un grand charme
D'être insusceptible d'alarme,
De n'espérer ni craindre rien,
De se plaire en tout entretien,
D'être maître de ses pensées,
Sans les avoir toujours dressées
Vers une beauté qui souvent
Nous estime moins que du vent,
Et pense qu'il n'est point d'hommage
Que l'on ne doive à son visage.
Tu t'en peux bien fier à moi;
J'ai passé par là comme toi,
J'ai fait autrefois de la bête,
J'avais des Philis à la tête :
J'épiais les occasions,
J'épiloguais mes passions,

---

1. Premiers vers imprimés de Corneille (septembre 1631) en tête de la tragi-comédie de son confrère G. de Scudéry, jouée probablement en 1629. C'était la première pièce du fécond plumitif, qui jusqu'en 1635 forma avec Du Ryer, Mairet, Rotrou et Corneille un groupe décidé à supplanter l'œuvre considérable d'Alexandre Hardy. Silvie est l'héroïne de la pièce, d'allure pastorale.
2. Bref *avis* en tête des dix-sept pièces qui suivent.
3. Non identifié, peut-être « De l'Hermite Tristan »? (1604-1655). L'ordre des mots serait bizarre, mais la pièce est dans sa manière.

Je paraphrasais un visage,
Je me mettais à tout usage,
Debout, tête nue, à genoux,
Triste, gaillard, rêveur, jaloux,
Je courais, je faisais la grue
Tout un jour au bout d'une rue;
Soleils, flambeaux, attraits, appas,
Pleurs, désespoirs, tourments, trépas,
Tout ce petit meuble de bouche
Dont un amoureux s'escarmouche,
Je savais bien m'en escrimer.
Par là je m'appris à rimer,
Par là je fis sans autre chose
Un sot en vers d'un sot en prose,
Et Dieu sait alors si les feux,
Les flammes, les soupirs, les vœux,
Et tout ce menu badinage,
Servaient de rime et de remplage.
Mais à la fin hors de mes fers,
Après beaucoup de maux soufferts,
Ce qu'à présent je te conseille,
C'est de pratiquer la pareille,
Et de montrer à ce bel œil,
Qui n'a pour toi que de l'orgueil,
Qu'un cœur si généreux et brave
N'est pas né pour vivre en esclave.
Puis, quand nous nous verrons un jour,
Sans soin tous deux, et sans amour,
Nous ferons de notre martyre
A communs frais une satire;
Nous incaguerons[4] les beautés,
Nous rirons de leurs cruautés,
A couvert de leurs artifices,
Nous pasquinerons[5] leurs malices;
Impénétrables à leurs traits,
Nous ferons nargue à leurs attraits;
Et toute tristesse bannie,
Sur une table bien garnie,
Entre les verres et les pots
Nous dirons le mot à propos.
On nous orra conter merveilles
En préconisant les bouteilles;
Nous rimerons au cabaret
En faveur du blanc et clairet;
Où quand nous aurons fait ripaille,
Notre main contre la muraille,
Avec un morceau de charbon,
Paranymphera[6] le jambon,
Ami, c'est ainsi qu'il faut vivre,
C'est le chemin qu'il nous faut suivre,
Pour goûter de notre printemps
Les véritables passe-temps.
Prends donc, comme moi, pour devise,
Que l'amour n'est qu'une sottise.

ODE
SUR UN PROMPT AMOUR

O dieux, qu'elle sait bien surprendre!
Mon cœur, adore ta prison,

Et n'écoute plus ta raison
Qui fait mine de te défendre;
Accepte une si douce loi!
Voir Amynte et rester à soi
Sont deux choses incompatibles;
Devant une telle beauté
C'est à faire à des insensibles
De conserver leur liberté.

Ses yeux d'un pouvoir plus suprême
Que n'est l'autorité des rois,
Interdisent à notre choix
De disposer plus de nous-mêmes :
Ravi que j'en fus à l'abord,
Je ne peux faire aucun effort
A me retenir en balance;
Et je sentis un changement
Par une douce violence,
Que j'eusse fait par jugement.

Regards brillants, clartés divines,
Qui m'avez tellement surpris,
Œillades qui sur les esprits
Exercez si bien vos rapines,
Tyrans secrets, auteurs puissants
D'un esclavage où je consens;
Chers ennemis de ma franchise,
Beaux yeux, mes aimables vainqueurs,
Dites-moi qui vous autorise
A dérober ainsi les cœurs!

Que ce larcin m'est favorable,
Que j'ai sujet d'appréhender,
La conjurant de le garder,
Qu'elle me soit inexorable!
Amour, si jamais ses dédains
La portent à ce que je crains,
Fais qu'elle se puisse méprendre,
Et qu'aveuglée, au lieu du mien
Qu'elle aura dessein de me rendre,
Amynte me donne le sien!

SONNET
A MGR LE CARDINAL DE RICHELIEU

Puisqu'un d'Amboise[7] et vous d'un succès admirable
Rendez également nos peuples réjouis,
Souffrez que je compare à vos faits inouïs
Ceux de ce grand prélat, sans vous incomparable.

Il porta comme vous la pourpre vénérable
De qui le saint éclat rend nos yeux éblouis,
Il veilla comme vous d'un soin infatigable,
Il fut ainsi que vous le cœur d'un roi Louis.

Il passa comme vous les monts à main armée,
Il sut ainsi que vous convertir en fumée
L'orgueil des ennemis, et rabattre leurs coups.

Un seul point de vous deux forme la différence :
C'est qu'il fut autrefois légat du pape en France
Et la France en voudrait un envoyé de vous[8].

---

4. Défierons.
5. Satiriserons : verbe tiré de la statue de Pasquin à Rome, sur laquelle le peuple écrivait la chronique scandaleuse journalière.
6. Le paranymphe est le discours solennel en Faculté qui clôt l'exercice annuel.

7. Le ministre de Louis XII était bien connu de Corneille : il en voyait tous les jours la statue au Palais de Justice de Rouen.
8. C'est-à-dire qu'il voudrait voir Richelieu pape.

SONNET POUR M.D.V.[9]
ENVOYANT UN GALAND A MADAME L.C.D.L.

Au point où me réduit la distance des lieux,
Souffrez que ce galand vous porte mes hommages,
Comme si ces couleurs étaient autant d'images
De celle qu'en mon cœur je conserve le mieux.

Parez-en ce beau sein, ce chef-d'œuvre des cieux,
Cette honte des lis, cet aimant des courages;
Ce beau sein où nature a mis tant d'avantages
Qu'il dérobe le cœur en surprenant les yeux.

Il va mourir d'amour sur cette gorge nue,
Il en pâlit déjà, sa vigueur diminue,
Et finit languissant en des traits effacés.

Hélas! que de mortels lui vont porter envie,
Et voudraient en langueur finir ainsi leur vie,
S'ils pouvaient en mourant être si bien placés!

MADRIGAL
POUR UN MASQUE DONNANT UNE BOITE DE CERISES CONFITES A UNE DEMOISELLE.

Allez voir ce jeune soleil;
Cerises, je voue en avoue;
Montrez-lui votre teint vermeil
Un peu moins que sa lèvre, un peu plus que sa joue;
Montrez-lui votre rouge teint,
Où la nature a peint,
Comme sur une vive image,
La cruauté de son courage.
Après, en ma faveur, dans le contentement
Que vous aurez si la belle vous touche,
Dites-lui secrètement,
Approchant de sa bouche :
Philis, notre beauté
Ne porte les couleurs que de la cruauté,
Mais ce qui la conserve et la fait être aimée
Ce n'est que la douceur qu'elle tient enfermée;
Ainsi doncque soyez-vous,
Belle et douce comme nous.

ÉPITAPHE DE DIDON
TRADUITE DU LATIN D'AUSONE
Infelix Dido[10]

Misérable Didon, pauvre amante séduite,
Dedans tes deux maris je plains ton mauvais sort,
Puisque la mort de l'un est cause de ta fuite,
Et la fuite de l'autre est cause de ta mort.

9. Personnages non identifiés. Il est probable qu'il s'agit de Monsieur de Vendôme (César de Bourbon) pour qui Corneille composera plus tard l'*Epitaphe de dom Goulu* (cf. page 849). La destinatrice serait Mme la comtesse de Lorraine, qui deviendra duchesse par son mariage avec César de Vendôme.
10. Ausone, *Epître 30* :
    Infelix Dido, nulli bene nupta marito
    Hoc pereunte fugis, hoc fugiente peris.
Chacun, Leibniz même, s'est amusé sur ce texte.
11. On aimerait en savoir plus sur l'occasion de cette mascarade. Est-ce un simple jeu littéraire? une saynète pour

AUTREMENT

Quel malheur en maris, pauvre Didon, te suit!
Tu t'enfuis quand l'un meurt, tu meurs quand l'autre fuit.

MASCARADE DES ENFANTS GATÉS[11]

L'OFFICIER[12]

Une ambition déréglée
Dont mon âme s'est aveuglée,
Plus forte que mon intérêt,
Pour donner un arrêt en cornes,
A tellement passé les bornes
Qu'elle n'a point trouvé d'arrêt.

Ce vain honneur, et cette pompe
De qui le faux éclat nous trompe,
M'a fait engager tout mon bien;
Et pour être monsieur et maître,
Je crains fort à la fin de n'être
Ni maître ni monsieur de rien.

Pressé de créanciers avides,
Mes coffres sont tellement vides
Qu'étant au bout de mon latin,
Ma robe a gagné la pelade,
Et ma bourse, encor plus malade,
Se voit bien proche de sa fin.

Ainsi mes affaires gâtées,
Voyant mes terres décrétées[13],
Gages, profits, droits arrêtés,
Et ma finance au bas réduite,
Je mène ici sous ma conduite
La troupe des *enfants gâtés*.

LE GENTILHOMME

Il faut qu'en dépit de mon sang
Je lui cède le premier rang.
En vain ma noblesse me flatte;
En ces lieux par où nous allons,
On respecte mal l'écarlate[14]
Qui ne va point jusqu'aux talons;
Et celle qui souvent accompagne nos bottes,
Tombant dans le mépris
Près de celle qu'on traîne aux crottes,
Perd son lustre et son prix.

Trop d'or sur mes habits en a vidé ma bourse,
La meute de mes chiens
N'a chassé que mes biens,
Qui dessus mes chevaux se sauvaient à la course,
Et mes oiseaux, au bout d'un an ou deux,
M'ont fait léger comme eux.
Voilà, sans rechercher tant de contes frivoles,
Tout ce qui m'a gâté déduit en trois paroles;
Et pour un cavalier, c'est bien bourrer des vers,
A tort et à travers.

étudiants? une composition pour la fête d'un seigneur normand?
12. L'officier de justice.
13. Décrétées de saisie.
14. Les gentilshommes portaient des manteaux qui ne descendaient pas jusqu'aux talons, comme ceux des gens de justice ou d'église. Détail de mode : les bottes étaient souvent rouges.

LE PLAIDEUR

Les procès m'ont gâté, Messieurs, je m'en repens :
C'est, dans mon déplaisir, tout ce que j'en puis dire,
Car je crains tellement de payer des dépens
Que même au mardi-gras je n'ose plus médire.

L'AMOUREUX

J'ai fait ce qu'il a fallu faire,
Mais le bal, les collations,
Les présents, les discrétions,
N'ont point avancé mon affaire.
J'ai corrompu trente valets
Afin de rendre mes poulets,
J'ai donné mille sérénades,
On persiste à me dédaigner,
Et deux misérables œillades
C'est tout ce que j'ai pu gagner.

Quoi que m'ait promis l'espérance,
A la fin il ne m'est resté
Que l'incommode vanité
D'une sotte persévérance;
Ma profusion sans effet
N'a servi qu'à gâter mon fait
Et dissiper mon héritage :
Quel malheur me va poursuivant!
O dieux! j'ai mangé mon partage
Sans avoir vécu que de vent.

L'IVROGNE

N'est-ce pas une chose étrange
Que pour trotter dedans la fange,
Je fasse faux bond au clairet,
Et que cette troupe brouillonne
M'arrache de ce cabaret
Pour vous produire ma personne?

Je violente mon humeur
D'abandonner ce lieu charmeur;
Toutefois je n'ose me plaindre,
Étant déjà si fort gâté
Que je m'achèverais de peindre
Pour peu que j'en aurais tâté.

Outre que mes eaux sont si basses,
A force de vider les tasses,
Qu'il faut renoncer au métier,
Ne pouvant plus laisser en gage,
Au malheureux cabaretier,
Que les rubis de mon visage.

Mais encor suis-je plus heureux
Que tant de fous et d'amoureux
Qui se sont perdus par leurs grippes;
Car bien que je sois bas d'aloi,
Mon argent, serré dans mes tripes,
N'est point sorti hors de chez moi.

LE JOUEUR

Attaqué d'une forte et rude maladie,
    Depuis le jour des Rois,
Les os, par sa chaleur m'ont dam trop hardie,
    M'en sont tombés des doigts.

Bien que du seul revers de ce mal si funeste
    Je fusse assez gâté,

Pour avoir fait encore à prime trop de reste[15]
    Il ne m'est rien resté.

Dames, à cela près, faisons en assurance
    La bête en quelque lieu,
Et je promets moi-même, à faute de finance,
    De me mettre au milieu.

STANCES
SUR UNE ABSENCE EN TEMPS DE PLUIE

Depuis qu'un malheureux adieu
Rendit vers vous ma flamme criminelle,
Tout l'univers, prenant votre querelle,
    Contre moi conspire en ce lieu.

Ayant osé me séparer
Du beau soleil qui luit seul à mon âme,
Pour le venger, l'autre cachant sa flamme
    Refuse de plus m'éclairer.

L'air, qui ne voit plus ce flambeau,
En témoignant ses regrets par ses larmes,
M'apprend assez qu'éloigné de vos charmes
    Mes yeux se doivent fondre en eau.

Je vous jure, mon cher souci,
Qu'étant réduit à voir l'air qui distille,
Si j'ai le cœur prisonnier à la ville,
    Mon corps ne l'est pas moins ici.

SONNET[16]

Après l'œil de Mélite il n'est rien d'admirable,
Il n'est rien de solide après ma loyauté :
Mon feu, comme son teint, se rend incomparable,
Et je suis en amour ce qu'elle est en beauté.

Quoi que puisse à mes sens offrir la nouveauté,
Mon cœur à tous ses traits demeure invulnérable,
Et quoiqu'elle ait au sein la même cruauté,
Ma foi pour ses rigueurs n'en est pas moins durable.

C'est donc avec raison que mon extrême ardeur
Trouve chez cette belle une extrême froideur,
Et que sans être aimé je brûle pour Mélite.

Car de ce que les Dieux, nous envoyant au jour,
Donnèrent pour nous deux d'amour et de mérite
Elle a tout le mérite, et moi j'ai tout l'amour.

MADRIGAL

Je suis blessé profondément,
    Amour, et ma maîtresse,
    Qui de vous deux me blesse?
    Un aveugle n'a point l'adresse
De porter dans les cœurs ses coups si justement;

---

15. *Faire trop de reste à prime* : engager ses dernières réserves au jeu (de cartes) de prime.
16. C'est le célèbre texte incorporé à *Mélite* qui, selon Thomas, a été à l'origine de la pièce.

Et Philis n'a point de flèches
Pour faire de telles brèches :
Mon mal n'est point l'effet ni de ses seuls regards,
Ni des traits qu'un aveugle tire,
Mais la mauvaise avecque lui conspire,
Et lui prête ses yeux pour adresser ses dards.

ÉPIGRAMMES
TRADUITES DU LATIN D'AUDOENUS[17]

I

Jeanne, toute la journée,
Dit que le joug d'hyménée
Est le plus âpre de tous,
Mais la pauvre créature
Tout le long de la nuit jure
Qu'il n'en est point de si doux.

II

Les huguenotes de Paris
Disent qu'il leur faut deux maris,
Qu'autrement il n'est en nature
De moyen par où, sans pécher,
On puisse, suivant l'Écriture,
Se mettre deux en une chair[18].

III

Depuis que l'hiver est venu
Je plains le froid qu'Amour endure,
Sans songer que plus il est nu
Et tant moins il craint la froidure.

IV

Dans les divers succès de la fin de leur vie
Le prodigue et l'avare ont de quoi m'étonner,
Car l'un ne donne rien qu'après qu'elle est ravie,
Et l'autre après sa mort n'a plus rien à donner.

V

Catin, ce gentil visage,
Épousant un huguenot,
Le soir de son mariage
Disait à ce pauvre sot :
« De peur que la différence
En fait de religion,
Rompant notre intelligence,
Nous mette en division,
Laisse-moi mon franc arbitre,
Et du reste de la foi,
Je veux avoir le chapitre[19],
Si j'en dispute avec toi. »

VI

Lorsque nous sommes mal, la plus grande maison
Ne peut nous contenir, faute d'assez d'espace,
Mais sitôt que Philis revient à la raison,
Le lit le plus étroit a pour nous trop de place.

---

17. Les lestes épigrammes de l'Anglais John Owen n'avaient cessé de connaître un grand succès d'édition depuis 1606. Les Elzevier en avaient refait une édition populaire en 1628.
18. La confrontation avec le texte montre la liberté d'adaptation et les intentions malveillantes de Corneille : l'athée devient une huguenote.
19. J'accepte d'en être chapitrée.

DIALOGUE[20]

TIRCIS, CALISTE.

TIRCIS
Caliste, mon plus cher souci,
Prends pitié de l'ardeur qui me dévore l'âme.

CALISTE
Tircis, ne vois-tu pas aussi
Que mon cœur embrasé brûle de même flamme?

TIRCIS
Je n'ose l'espérer.

CALISTE
Tu t'en peux assurer.

TIRCIS
Mais mon peu de mérite
Défend un si haut point à ma présomption.

CALISTE
Mais cette récompense est plutôt trop petite
Pour tant d'affection.

TIRCIS
Je croirai, puisque tu le veux,
Que maintenant mon mal aucunement te touche.

CALISTE
La mort seule éteindra mes feux,
Et j'en ai plus au cœur mille fois qu'en la bouche.

TIRCIS
Je n'ose l'espérer.

CALISTE
Tu t'en peux assurer.

TIRCIS
Hélas! que ton courage
M'apprête de rigueurs à souffrir sous ta loi!

CALISTE
Ce que j'ai de rigueurs j'en réserve l'usage
Pour tout autre que toi.

TIRCIS
Si quelqu'un plus riche ou plus beau,
Et mieux fourni d'appas, à te servir se range?

CALISTE
J'élirais plutôt le tombeau
Que ma volage humeur se dispensât au change.

TIRCIS
Je n'ose l'espérer.

CALISTE
Tu t'en peux assurer.

TIRCIS
Mais pourrais-tu, ma belle,
Dédaigner un amant qui vaudrait mieux que moi?

CALISTE
Pourrais-je préférer à ton amour fidèle
Une incertaine foi?

TIRCIS
Si la rigueur de tes parents
A quelque autre parti plus sortable t'engage?

CALISTE
Les saints devoirs que je leur rends
Jamais dessus ma foi n'auront cet avantage.

TIRCIS
Je n'ose l'espérer.

CALISTE
Tu t'en peux assurer.

TIRCIS
Quoi! parents, ni richesses,
Ni grandeurs, ne pourront ébranler tes esprits?

---

20. Ce premier texte dialogué pourrait être le premier essai dramatique de Corneille, qui, dès *Mélite*, se soumit à l'usage de l'alexandrin.

CALISTE
Tout cela, mis auprès de tes chastes caresses,
Perd son lustre et son prix.

CHANSON[21]

Toi qui près d'un beau visage
Ne veux que feindre l'amour,
Tu pourrais bien quelque jour
Éprouver à ton dommage
Que souvent la fiction
Se change en affection.

Tu dupes son innocence,
Mais enfin ta liberté
Se doit à cette beauté
Pour réparer ton offense,
Car souvent la fiction
Se change en affection.

Bien que ton cœur désavoue
Ce que ta langue lui dit,
C'est en vain qu'il la dédit,
L'amour ainsi ne se joue,
Et souvent la fiction
Se change en affection.

Sache enfin que cette flamme
Que tu veux feindre au dehors,
Par des inconnus ressorts
Entrera bien dans ton âme;
Car souvent la fiction
Se change en affection

Tircis auprès d'Hippolyte
Pensait bien garder son cœur;
Mais ce bel objet vainqueur
Le fit rendre à son mérite,
Changeant en affection
Malgré lui sa fiction.

CHANSON

Si je perds bien des maîtresses,
J'en fais encor plus souvent,
Et mes vœux et mes promesses
Ne sont que feintes caresses,
Et mes vœux et mes promesses
Ne sont jamais que du vent.

Quand je vois un beau visage,
Soudain je me fais de feu,
Mais longtemps lui faire hommage,
Ce n'est pas bien mon usage,
Mais longtemps lui faire hommage,
Ce n'est pas bien là mon jeu.

J'entre bien en complaisance
Tant que dure une heure ou deux,

Mais en perdant sa présence
Adieu toute souvenance :
Mais en perdant sa présence
Adieu soudain tous mes feux.

Plus inconstant que la lune
Je ne veux jamais d'arrêt;
La blonde comme la brune
En moins de rien m'importune,
La blonde comme la brune
En moins de rien me déplaît.

Si je feins un peu de braise,
Alors que l'humeur m'en prend,
Qu'on me chasse ou qu'on me baise,
Qu'on me soit facile ou mauvaise,
Qu'on me chasse ou qu'on me baise,
Tout m'est fort indifférent.

Mon usage est si commode,
On le trouve si charmant,
Que qui ne suit ma méthode
N'est pas bien homme à la mode,
Que qui ne suit ma méthode
Passe pour un Allemand.

RÉCIT
POUR LE BALLET DU CHATEAU DE BISSÊTRE[22]

Toi dont la course journalière
Nous ôte le passé, nous promet l'avenir,
Soleil, père des temps comme de la lumière,
Qui vois tout naître et tout finir,
Depuis que tu fais tout paraître
As-tu rien vu d'égal au château de Bissêtre[23]?

Toutes ces pompeuses machines
Qu'autrefois on flattait de titres orgueilleux,
Pourraient-elles garder auprès de ces ruines
Le nom d'ouvrages merveilleux;
Et toi, qui les faisais paraître,
Qu'y voyais-tu d'égal au château de Bissêtre?

Ces tours qui semblent désolées,
Et ces vieux monuments qu'on laisse à l'abandon,
C'est ce qui fait périr le nom des Mausolées,
Et des palais d'Apollidon[24],
Puisque tu les fis tous paraître
Sans y voir rien d'égal au château de Bissêtre.

Cache-toi donc plus tard sous l'onde,
Sur ce nouveau miracle arrête ton flambeau,
Et sans aller sitôt apprendre à l'autre monde
Ce que le nôtre a de plus beau,
Sois longtemps à faire paraître
Que rien n'est comparable au château de Bissêtre.

21. Ces deux pièces démentent l'*Excuse à Ariste*, qui refuse de faire des vers destinés à être mis en musique. On ignore de quelle musique Corneille s'est inspiré. Le rythme des vers de sept syllabes, particulièrement bien venu en chanson, est en usage tout au long du XVIᵉ siècle.

22. Ballet dansé le 7 mars 1632, quelques jours seulement avant l'impression de ces vers. Le texte de Corneille était un récit chanté avec accompagnement de luth. 8ᵉ tableau. C'est un démon qui parle.
23. Le vieux château, réputé pour ses fantômes, venait d'être abattu et Louis XIII y faisait construire un bâtiment pour invalides de guerre.
24. Mausolée, célèbre tombeau d'Artémise pour son mari Mausole. Apollidon est l'enchanteur du roman d'*Amadis de Gaule*.

ÉPIGRAMME
POUR MONSIEUR L.C.D.F.[25]
REPRÉSENTANT UN DIABLE AU MÊME BALLET

Quand je vois, ma Philis, ta beauté sans seconde,
Moi qui tente un chacun je m'y laisse tenter;
Et mes désirs brûlants de perdre tout le monde
Se changent aussitôt à ceux de l'augmenter.

A MONSIEUR DE SCUDÉRY
SUR SON « TROMPEUR PUNI »[26]
MADRIGAL

Ton Cléonte, par son trépas,
Jette un puissant appas
A la supercherie,
Vu l'éclat infini
Qu'il reçoit de ta plume après sa tromperie.
Chacun voudra tromper pour être ainsi puni,
Et quoiqu'il en perde la vie,
On portera toujours envie
A l'heur qui suit son mauvais sort,
Puisqu'il ne vivrait plus s'il fût ainsi mort.

POUR *LA SŒUR VALEUREUSE*
DE M. MARESCHAL[27]

Rendez-vous, amants et guerriers,
Craignez ses attraits et ses armes :
Sa valeur, égale à ses charmes,
Unit les myrtes aux lauriers.
Miracle d'amour et de guerre,
Tu vas dompter toute la terre.
A l'éclat de tes yeux on voit de toutes parts
Mille cœurs à l'envi voler sous ta puissance,
Et s'il est un mortel rebelle à tes regards
Ton bras soudain le range à ton obéissance.
Telle contre le roi d'Arger
Courut autrefois Bradamante
A la quête de son Roger[28],
Telle, mais avec moins d'adresse,
Vénus s'arma contre la Grèce;
Telle contre son fils, pour le roi des Latins,
Camille dans le choc se jetait animée,
Et telle du cerveau du maître des destins,
Son mari fit sortir Minerve toute armée[29].

PETRI CORNELII ROTHOMAGIENSIS
AD ILLUSTRISSIMI FRANCISCI HARLAEI, ARCHIEPISCOPI NOR-
MANNIAE PRIMATIS INVITATIONEM, QUA GLORIOSISSIMUM
REGEM, EMINENTISSIMUMQUE CARDINALEM DUCEM
VERSIBUS CELEBRARE JUSSUS EST[30]

EXCUSATIO[31]

Neustriacae lux alma plagae, quo nostra superbit*
Infula et Aonii laurus opaca jugi,
Heroum ad laudes, dignosque Marone triumphôs
Parce, precor, tenuem sollicitare chelyn.
Non ingrata canit, sed et impar fortibus ausis,
Quae canat, exiguis viribus apta legit.
Ad scenam teneros deducere gaudet amores,
Et vetus insuetis drama novare jocis.
Regnat in undanti non tristis musa theatro
Atque hilarem populum taedia nosse vetat;
Hanc doctique rudesque, hanc mollis et aulicus et jam
Exeso mitis Zoilus ungue stupet.
Nil tamen hic fortes opus alte intendere nervos,
Nostraque nil duri scena laboris eget,
Vulgare eloquium; sed quo improvisus ama!or
Occurrens dominae fundere vota velit[32].
Obvius hoc blandum compellet amicus amicum[33],
Hoc subitum excipiat laeta puella procum[34].
Ars artem fugisse mihi est, et sponte fluentes
Ad numeros facilis pleraque rythmus obit.
Nec solis addicta jocis risuque movendo,
Semper in exiguo carmine vena jacet :
Saepius et grandes soccis miscere cothurnos
Et simul oppositis docta placere modis.

* « Lumière nourricière de la plage neustrienne, orgueil de notre mitre, et du dense laurier du mont de l'Aonie, je te prie, ma faible lyre aux louanges des héros et à des triomphes dignes d'un Virgile. Ses chants ne manquent pas de charmes, mais trop faible pour d'intrépides audaces, ce qu'il chante, il le choisit en rapport à ses modiques forces. Il aime à amener sur scène de tendres amours, et à rajeunir le vieux drame de jeux inhabituels. Une muse sans tristesse règne sur un théâtre qui déborde, et empêche le peuple, ami du plaisir, de connaître l'ennui. Doctes et ignares, paresseux courtisan et jusqu'au Zoïle adouci qui se ronge les ongles, elle les stupéfait.

Point n'est besoin ici de tendre des cordes graves, notre scène n'exige aucun pénible effort. La langue est familière, telle qu'en use un amant, rencontrant sa maîtresse, pour exposer ses désirs; ici douce, d'un ami à un ami qui se présente; vive, d'une vieille joyeuse accueillant un galant imprévu.

Mon art est d'éviter l'art et de lui-même, en cadences fluides, d'ordinaire mon vers va de l'avant, sans peine. Ma veine pourtant ne se contente pas toujours d'aligner les seules plaisanteries et d'exciter le rire : plus souvent elle joint le haut cothurne aux brodequins, savante à plaire dans l'art des contrastes : un père plonge sa fille dans les larmes, plus souvent un amant volage ou bien un... »

25. Le comte de Fiesque, comme l'apprend le compte rendu de ce ballet dans la *Gazette* de Renaudot.
26. Vers de confraternité pour la deuxième pièce de Scudéry (1633) jouée sans doute en 1631. Plutôt qu'à l'auteur, les vers liminaires de Corneille allaient au protecteur. *Le trompeur puni* est en effet dédié à Monseigneur le duc de Vendôme (cf. note 9, p. 865).
27. C'était la troisième pièce de cet avocat parisien, mais la deuxième imprimée depuis *la Généreuse allemande* (1631). Il composera plus tard une tragédie de Robert Garnier, *Bradamante*. Il exploitant pour le compte du théâtre rival, l'Hôtel de Bourgogne, le succès de *l'Illusion comique* dans sa comédie : *le véritable capitan Matamore* (1637).
28. Épisode du *Roland furieux* de l'Arioste (chap. 35) popularisé par la tragédie de Robert Garnier, *Bradamante*.
29. Trois épisodes de *l'Iliade* ou de *l'Énéide* : Vénus, mère d'Énée, la protège contre Diomède (la Grèce) et contre l'Amazone Camille (chant 11). C'est Vulcain, mari de Vénus, qui tira Minerve du cerveau de Jupiter.

30. « Excuse de Pierre Corneille de Rouen, à une invite de l'illustre François archevêque-primat de Normandie, par laquelle il était invité à célébrer en vers le très glorieux Roi et l'éminentissime Cardinal Duc (Richelieu). »
31. L'allusion à la prise de Nancy (24 septembre 1633) date la pièce. C'est le factotum de Richelieu, Boisrobert, qui avait entrepris de réunir un recueil collectif et en avait pris le privilège dès avril 1633. Corneille dut être invité pour sa part à y collaborer, après le séjour de la cour aux eaux de Forges, en juin. L'archevêque de Rouen était alors depuis 1615 François de Harlay de Champvallon. Nous retrouverons son neveu, qui porte mêmes nom et prénom, en 1656, sur le siège archiépiscopal (cf. page 905).
32. *Mélite*, acte I, scène 2 : Éraste présente son ami Tircis à Mélite.
33. *Galerie du Palais*, acte I, scène 7 : Lysandre et Dorimont se rencontrent.
34. *Mélite*, acte II, scène 8 : Mélite et Tircis.

In lacrymas natam pater[85]*, aut levis egit amator**
   Sæpius[36]*, aut lusu sæviit ira proci*[37].
Atque ubi pene latus venalis pergula rumpit,
   Hic aliquid dignum laude, Lysandre, furis[38] :
Nec minus Angelicæ dolor et suspiria spretæ[39],
   Quam placuere tui, Phylli jocosa, sales[40],
Et quorum in patulos solvis lata ora cachinnos,
   Multa his Angelica lacryma flente cadit :
Sed tamen hic scena est, et gestu et voce juvamur,
   Forsitan et mancum Roscius[41] *implet opus.*
Tollit si qua jacent, et toto corpore prodest,
   Forsan et inde ignis versibus, inde lepos.
Vix sonat a magno divulsa camæna theatro,
   Blæsaque nil proprio sustinet ore loqui.
Hi mihi sunt fines, nec me quæsiveris extra,
   Carminibus ponent clausa theatra modum :
Nec, LODOÏCE, tuos ausim temerare triumphos,
   RICHELIUMVE humili dedecorare lyra.
Regis ad adventum fusos Rhea protinus Anglos
   Tundere spumantes libera vidit aquas :
Victa sibi nullo Rupella cruore madendum[42]
   Mirata est, iram vicerat ille prius ;
Victores dominum, victi sensere parentem,
   Mœnibus admisit cum benesuada fames.
Quem sprevit socium, dominum tulit inde Sabaudus[43],
   Quique fide potuit cedere, cessit agris :
Cessit et obsesso pugnax a Cazale Iberus[44],
   Jamque suo servit Mantua læta duci[45].
Arx quoque totius non impar viribus orbis
   Nanceium viso vix bene REGE patet[46].

*RICHELIUS tanto ingentes sub principe curas**
   Explicat, et tantis pars bona rebus adest ;
Nec pretiosam animam LODOÏCI impendere palmis,
   Aut patriæ dubitet postposuisse bonis.
Tempora rimatur, pavidum ruiturus in hostem,
   Et ruit, et solo nomine sæpe domat.
Nestora RICHELIUS, REX vincere possit Achillem.
   Hæc levibus metris credere, quale nefas!
Tanta canant quorum præcordia Cynthius urget
   Plenior, et mentem grandior æstus agit :
Sit satis ad nostros plausisse utrumque lepores,
   Forsitan et nomen novit uterque meum[47].
Laudibus apta minus, curis fuit apta levandis
   Melpomene, et longos sit, precor, apta dies.
Hos gestit versare modos, hic nescia vinci
   Nostra coronato vertice laurus ovat :
Me pauci hic fecere parem, nullusque secundum,
   Nec spernenda fuit gloria pone sequi.
Desipiat nota forsan qui primus in arte,
   Ultimus ignotis artibus esse velit.
Suspicio vates, et carmina pronus adoro
   Materiam queis REX, RICHELIUSVE dedit :
Sed neque Godæis accedat musa tropæis[48],
   Nec Capellanum[49] *fas mihi velle sequi ;*
Ut taceam reliquos, quorum sonat undique fama
   Non minor, et grandi pectore vena salit.
Hos ego sperarim nequicquam æquare canendo,
   Hos sua perpetuum, me mea palma juvet.
Tu modo, quem meritis dudum minor infula cingit,

---

* ...prétendant en colère soulève le rire. A l'instant où les marchands détendent le spectateur, te voilà en fureur, Lysandre, et les plaintes douloureuses d'Angélique dédaignée n'ont pas moins plu que tes saillies, rieuse Philis, et ceux que tu fais éclater en rires sonores, bouches ouvertes, versent plus d'un pleur aux larmes d'Angélique. Mais en tout cas, voici la scène : gestes et voix nous aident, et peut-être Roscius remplit l'œuvre boiteuse. Ce qui traîne, il le relève, et tout son corps sert l'œuvre : de là peut-être le feu, de là la douceur de mes vers. Arrachée au grand théâtre, ma muse chante avec peine, et bégayante, n'ose parler de sa propre bouche. Telles sont mes limites, hors de moi ne me demandez rien : l'enceinte du théâtre fixe des bornes à mes chants et je n'oserais, Louis, profaner tes triomphes ou déshonorer Richelieu d'une lyre vulgaire.

A l'arrivée du Roi, Ré libre vit sur le champ les Anglais en fuite fendre l'onde écumante. Vaincue, La Rochelle s'étonna qu'elle ne dût verser aucun sang : le Roi avait d'abord vaincu sa colère. Les vainqueurs sentirent un maître, les vaincus un père, quand la faim bonne conseillère l'admit en ses murs. Le Savoyard, qui l'avait méprisé pour allié, le subit en maître...

35. *Galerie du Palais*, acte IV, scène 10 : Pleirante impose à sa fille d'épouser Dorimont qu'elle n'aime pas.
36. *Galerie du Palais*, acte IV, scènes 5 et 10.
37. La folie comique d'Éraste (*Mélite*, actes IV et V, scène 1).
38. Monologue de Lysandre (*Galerie*, acte V, scène 1).
39. *La Place royale* (acte II, scènes 1, 2 et 3).
40. Philis l'enjouée dans *la Place royale* (acte I, scène 1).
41. Corneille n'est pas le seul à nommer Mondory du nom du célèbre acteur antique. La Pinelière le fait aussi à propos de son *Hippolyte*, contemporain de *Médée* (1634), pièces dans lesquelles Mondory avait triomphé.
42. La Rochelle (1628).
43. Le pas de Suze (1629) qui permit l'occupation de la Savoie.
44. Cazal (1631) où Mazarin imposa deux fois la paix : mais Corneille se garde d'évoquer ici le futur cardinal et en attribue toute la gloire au roi.
45. Mantoue (1631) fut réoccupée par son prince légitime après le sac de la ville par les troupes impériales de Ferdinand II.
46. Nancy (1633). Ces cinq épisodes sont repris en 1649 dans *les Triomphes de Louis le Juste* (cf. page 874).

* ...et qui avait renié sa parole perdit son territoire. L'Ibère combatif quitta aussi Cazal assiégé, et joyeuse, Mantoue se soumit à son prince. Une citadelle capable aussi de résister à la terre entière, Nancy, voit à peine le Roi qu'elle ouvre ses portes.

Richelieu, sous un tel Prince, surmonte d'immenses obstacles : une bonne part lui revient en de tels exploits et il n'hésite pas à soumettre aux palmes de Louis sa précieuse existence, qui passe après le bien de l'État. Il guette l'occasion, prêt à bondir sur un ennemi tremblant, il bondit et son seul nom suffit souvent à vaincre. Richelieu l'emporte sur Nestor, le Roi sur Achille.

Confier ces hauts faits à des vers impuissants, quel crime! Qu'ils les chantent, ceux dont Apollon brûle plus profond les cœurs et dont un souffle plus puissant anime la pensée. Qu'il suffise que tous deux aient applaudi à nos jeux : peut-être tous deux connaissent-ils mon nom. Trop peu propre à leur gloire, Melpomène le fut à alléger leurs soucis : qu'elle soit longtemps encore, je te prie. Voilà les chants qu'elle travaille à fixer; là, sans craindre la défaite, notre laurier triomphe sur notre front couronné : peu ici me font leur égal, aucun leur second, et me suivre n'est pas une gloire dédaignable. Il serait fou, celui qui, le premier peut-être dans un art qu'il connaît, voudrait être le dernier dans des arts qu'il ignore. Je m'incline devant les poètes, et admire de bon cœur les poèmes dont Richelieu ou le Roi fournissent la matière, mais ma muse ne saurait approcher des lauriers de Godeau, vouloir suivre Chapelain m'est interdit, sans parler des autres dont un renom, non moindre, partout résonne et dont le large souffle fait surgir l'inspiration. J'espérerais en vain les égaler de mes chants : que leurs palmes leur plaisent, à moi les miennes. Et toi, dont la tête est ceinte d'une mitre, moindre...

47. Détail intéressant : Corneille n'avait donc pas été personnellement présenté au roi ni au cardinal antérieurement, ni par Mondory ni par un des écrivains déjà dans l'entourage du cardinal; il apparaissait déjà comme un rival redoutable.
48. Godeau n'était pas encore évêque de Grasse, mais ses *Poésies chrétiennes* (1633) l'avaient fait considérer comme le successeur de Malherbe.
49. Jean Chapelain était le plus en vue des poètes du recueil collectif dont il remplissait les dix-huit premières pages. Il avait pris les devants en publiant séparément une *Ode* à Richelieu.

Neustriacæ præsul, gloria luxque plagæ*,
Heroum ad laudes, dignosque Marone triumphos,
Parce, precor, tenuem sollicitare chelyn.

POUR L'*HIPPOLYTE*
DE MONSIEUR DE LA PINELIÈRE[50]

Phèdre, si ton chasseur avait autant de charmes
Qu'en donne à son visage un si docte pinceau,
Ta passion fut juste et mérite des larmes
Pour plaindre le malheur qui le met au tombeau.

Et si tu parus lors avec autant de grâce
Qu'en ces vers éclatants qui te rendent le jour,
Estime qui voudra son courage de glace,
Sa froideur fut un crime, et non pas ton amour.

Aussi, quoi qu'on ait dit du courroux de Thésée,
Sa mort n'est pas l'effet de son ressentiment,
Mais les Dieux l'ont puni pour t'avoir méprisée,
Et fait de son trépas un juste châtiment.

EXCUSE A ARISTE[51]

Ce n'est donc pas assez, et de la part des Muses,
Ariste, c'est en vers qu'il vous faut des excuses,
Et la mienne pour vous n'en plaint pas la façon :
Cent vers lui coûtent moins que deux mots de chanson ;
Son feu ne peut agir quand il faut qu'il s'applique
Sur les fantasques airs d'un rêveur de musique,
Et que, pour donner lieu de paraître à sa voix,
De sa bizarre quinte il se fasse des lois ;
Qu'il ait sur chaque ton ses rimes ajustées,
Sur chaque tremblement ses syllabes comptées,
Et qu'une froide pointe à la fin d'un couplet
En dépit de Phébus donne à l'art un soufflet :
Enfin cette prison déplaît à son génie,
Il ne peut rendre hommage à cette tyrannie,
Il ne se leurre point d'animer de beaux chants,
Et veut pour se produire avoir la clef des champs.
C'est lors qu'il court d'haleine, et qu'en pleine carrière,
Quittant souvent la terre en quittant la barrière,
Puis, d'un vol élevé se cachant dans les cieux,
Il rit du désespoir de tous ses envieux.

* ...déjà que tes mérites, prélat, gloire et lumière de la plage
neustrienne, aux louanges des héros et des triomphes dignes
d'un Virgile, n'invite pas, je te prie, ma faible lyre. »

50. Derniers vers liminaires confraternels en tête d'une
pièce contemporaine. Mondory y a triomphé, comme dans
la *Médée* de Corneille. Avec l'*Hercule mourant* de Rotrou,
ces trois tragédies tirées de Sénèque marquaient en 1635 la
résurrection de la tragédie antique, plus véritablement que
la *Sophonisbe* de Mairet (1634) et sans doute contre elle.
La Pinelière, dans son *Parnasse* de 1635, va confirmer l'hostilité tacite ou avouée des clans littéraires en place contre Corneille. Ce n'est donc pas la querelle du *Cid* qui isole le poète.
  51. Cette pièce, composée trois ans avant sa publication,
a paru en pleine querelle du *Cid* et a renouvelé la hargne des
adversaires du poète, par son ton d'orgueil tranquille. Corneille répond par un refus à un personnage désigné sous le
nom d'Ariste, qui lui demandait un texte à mettre en musique.
L'identification de cet Ariste avec un religieux feuillant,
impliqué dix ans plus tôt dans la querelle entre Phyllarque
(dom Goulu) et Ariste (dom André de Saint-Denis) reste
conjecturale. L'*Excuse* fut rééditée dans un recueil en 1671,
dédié au prince de Conti.

Ce trait est un peu vain, Ariste, je l'avoue,
Mais faut-il s'étonner d'un poète qui se loue ?
Le Parnasse, autrefois dans la France adoré,
Faisait pour ses mignons un autre âge doré,
Notre fortune enflait du prix de nos caprices,
Et c'était une blanque à de bons bénéfices[52] ;
Mais elle est épuisée, et les vers à présent
Aux meilleurs du métier n'apportent que du vent ;
Chacun s'en donne à l'aise, et souvent se dispense
A prendre par ses mains toute sa récompense.
Nous nous aimons un peu, c'est notre faible à tous ;
Le prix que nous valons, qui le sait mieux que nous ?
Et puis la mode en est, et la Cour l'autorise.
Nous parlons de nous-mêmes avec toute franchise,
La fausse humilité ne met plus en crédit.
Je sais ce que je vaux, et crois ce qu'on m'en dit.
Pour me faire admirer je ne fais point de ligue,
J'ai peu de voix pour moi, mais je les ai sans brigue,
Et mon ambition, pour faire plus de bruit,
Ne les va point quêter de réduit en réduit ;
Mon travail sans appui monte sur le théâtre,
Chacun en liberté l'y blâme ou l'idolâtre,
Là, sans que mes amis prêchent leurs sentiments,
J'arrache quelquefois leurs applaudissements ;
Là, content du succès que le mérite donne,
Par d'illustres avis je n'éblouis personne ;
Je satisfais ensemble et peuple et courtisans,
Et mes vers en tous lieux sont mes seuls partisans,
Par leur seule beauté ma plume est estimée,
Je ne dois qu'à moi seul toute ma renommée,
Et pense toutefois n'avoir point de rival
A qui je fasse tort en le traitant d'égal.
Mais insensiblement je baille ici le change,
Et mon esprit s'égare en sa propre louange ;
Sa douceur me séduit, je m'en laisse abuser,
Et me vante moi-même, au lieu de m'excuser.
Revenons aux chansons que l'amitié demande :
J'ai brûlé fort longtemps d'un amour assez grande,
Et que jusqu'au tombeau je dois bien estimer,
Puisque ce fut par là que j'appris à rimer.
Mon bonheur commença quand mon âme fut prise.
Je gagnai de la gloire en perdant ma franchise.
Charmé de deux beaux yeux, mon vers charma la Cour,
Et ce que j'ai de nom je le dois à l'amour.
J'adorai donc Philis, et la secrète estime
Que ce divin esprit faisait de notre rime
Me fit devenir poète aussitôt qu'amoureux :
Elle eut mes premiers vers, elle eut mes premiers feux,
Et bien que maintenant cette belle inhumaine
Traite mon souvenir avec un peu de haine,
Je me trouve toujours en état de l'aimer,
Je me sens tout ému quand je l'entends nommer,
Et par le doux effet d'une prompte tendresse
Mon cœur sans mon aveu reconnaît sa maîtresse.
Après beaucoup de vœux et de submissions
Un malheur rompt le cours de nos affections ;
Mais, toute mon amour en elle consommée,
Je ne vois rien d'aimable après l'avoir aimée :
Aussi n'aimé-je plus, et nul objet vainqueur
N'a possédé depuis ma veine ni mon cœur.
Vous le dirai-je, ami ? tant qu'ont duré nos flammes,
Ma Muse également chatouillait nos deux âmes :
Elle avait sur la mienne un absolu pouvoir,
J'aimais à le décrire, elle à le recevoir.

52. « Jeu de hasard auquel on joue avec un livre où il y
a des feuillets noirs et des feuillets blancs » (Richelet, *Dictionnaire*, 1680).

Une voix ravissante, ainsi que son visage,
La faisait appeler le phénix de notre âge,
Et souvent de sa part je me suis vu presser
Pour avoir de ma main de quoi mieux l'exercer.
Jugez vous-même, Ariste, à cette douce amorce,
Si mon génie était pour épargner sa force :
Cependant mon amour, le père de mes vers,
Le fils du plus bel œil qui fût en l'univers,
A qui désobéir c'était pour moi des crimes,
Jamais en sa faveur n'en put tirer deux rimes :
Tant mon esprit alors, contre moi révolté,
En haine des chansons semblait m'avoir quitté,
Tant ma veine se trouve aux airs mal assortie,
Tant avec la musique elle a d'antipathie[53],
Tant alors de bon cœur elle renonce au jour !
Et l'amitié voudrait ce que n'a pu l'amour !
N'y pensez plus, Ariste, une telle injustice
Exposerait Ma muse à son plus grand supplice.
Laissez-la, toujours libre, agir suivant son choix,
Céder à son caprice, et s'en faire des lois.

RONDEAU[54]

Qu'il fasse mieux, ce jeune jouvencel,
A qui *le Cid* donne tant de martel,
Que d'entasser injure sur injure,
Rimer de rage une lourde imposture,
Et se cacher ainsi qu'un criminel.
Chacun connaît son jaloux naturel,
Le montre au doigt comme un fou solennel,
Et ne croit pas en sa bonne écriture
　　Qu'il fasse mieux.

Paris entier ayant vu son cartel
L'envoie au diable, et sa muse au bordel[55].
Moi, j'ai pitié des peines qu'il endure,
Et comme ami je le prie et conjure,
S'il veut ternir un ouvrage immortel,
　　Qu'il fasse mieux.

Omnibus invideas, livide, nemo tibi[56].

REMERCIEMENT
FAIT SUR LE CHAMP PAR MONSIEUR DE CORNEILLE[57]

Pour une jeune muse absente,
Prince, je prendrai soin de vous remercier,
Et son âge et son sexe ont de quoi convier
A porter jusqu'au Ciel sa gloire encor naissante.
De nos poëtes fameux les plus hardis projets

Ont manqué bien souvent d'assez justes sujets
Pour voir leurs muses couronnées;
Mais c'en est un beau aujourd'hui :
Une fille de douze années
A seule de son sexe eu des prix sur ce Puy.

VERS
SUR LE CARDINAL DE RICHELIEU[58]

Qu'on parle mal ou bien du fameux Cardinal,
Ma prose ni mes vers n'en diront jamais rien :
Il m'a fait trop de bien pour en dire du mal,
Il m'a fait trop de mal pour en dire du bien.

SONNET[59]
SUR LA MORT DE RICHELIEU

Armand, lorsque tes jours avaient ce haut éclat,
Dont nous voyons partout briller tant de peintures,
Je ne suis point entré dans ce noble combat
Qu'allumait ta louange entre tes créatures.

J'en vois après ta mort, par un noir attentat,
Changer tout leur encens en lâches impostures,
J'en vois ou par un zèle, ou par raison d'Etat,
Affermir ton grand nom dans les races futures.

Moi, je n'étale point d'illustres déplaisirs,
D'ambitieux regrets, ni de pompeux soupirs,
Comme de ton vivant je m'abstiens à me taire.

Et quand quelqu'un s'efforce à couronner ta mort,
J'estime son ardeur sans suivre son effort,
Et je dis qu'il fait bien, mais je pense mieux faire.

SONNET
SUR LA MORT DU ROI LOUIS XIII[60]

Sous ce marbre repose un monarque sans vice,
Dont la seule bonté déplut aux bons Français,
Et qui pour tout péché ne fit qu'un mauvais choix,
Dont il fut trop longtemps innocemment complice.

L'ambition, l'orgueil, l'audace, l'avarice,
Saisis de son pouvoir, nous donnèrent des lois,
Et bien qu'il fût en soi le plus juste des rois,
Son règne fut pourtant celui de l'injustice.

Vainqueur de toutes parts, esclave dans sa Cour,
Son tyran et le nôtre à peine perd le jour,
Que jusque dans la tombe il le force à le suivre.

---

53. Outre les deux chansons précitées (cf. p. 868), Corneille composera plus tard un sixain, mis en chant par Lambert (cf. p. 884) et un madrigal, mis en musique par M. Blondel (cf. p. 891).
54. Pièce isolée de la *Querelle du Cid*, publiée en 1637 et dirigée contre l'*Auteur du vrai Cid espagnol à son traducteur français*, que Corneille regardait comme l'œuvre de Mairet.
55. Allusion aux *Galanteries du duc d'Ossone* (1635), tragicomédie, d'une liberté à justifier l'énergique expression de Corneille.
56. « Jalouse tout le monde, face de carême, personne ne t'envie » (Martial, *Epigrammes*, I, 41).
57. Pour le couronnement de Jacqueline Pascal au Puy des Palinods de Rouen, tenu en décembre 1640. Bien que Corneille lui donne douze ans, elle en avait quinze.
58. Vers publiés par Pellisson dans sa *Relation contenant l'histoire de l'Académie française* (1653), ce qui les authentifie. Ils ont été évidemment composés après la mort du cardinal, le 4 décembre 1642, ainsi que le sonnet recueilli en 1647 par dom Pierre de Saint-Romuald.
59. Recueilli par dom Pierre de Saint-Romuald dans son *Trésor chronologique et historique* (t. III, p. 958), découvert par Ch. Urbain en 1890.
60. Texte dont l'authenticité est garantie seulement par la tradition orale, publié d'après diverses copies du siècle, qui comportent plusieurs variantes. Louis XIII mourut le 14 mai 1643, six mois après son premier ministre.

Jamais de tels malheurs furent-ils entendus?
Après trente-trois ans sur le trône perdus,
Commençant à régner, il a cessé de vivre.

REMERCIEMENT
A M. LE CARDINAL MAZARIN [61]

AU LECTEUR

Ayant dédié ce poème à Mgr le cardinal Mazarin, j'ai trouvé à propos de joindre le remerciement que je présentai, il y a trois mois, à son Éminence, pour une libéralité dont elle me surprit. Cette pièce, quoique faite à la hâte, a eu le bonheur de plaire assez à un homme savant pour ne dédaigner pas de perdre une heure à donner une meilleure forme à mes pensées, et les faire passer dans cette langue illustre qui sert de truchement à tous les savants de l'Europe [62]. Je te donne ici l'un et l'autre, afin que tu voies et ma gloire et ma honte. Il m'est extrêmement glorieux qu'un esprit de cette trempe ait assez considéré mon ouvrage pour le vouloir traduire; mais il m'est presque aussi honteux de voir ses expressions tellement au-dessus des miennes, qu'il semble que ce soit un maître qui ait voulu mettre en lumière les petits efforts de son écolier. C'est une honte toutefois qui m'est très avantageuse; et si j'en rougis, c'est de me voir infiniment son redevable. L'obligation que je lui en ai est d'autant plus grande qu'il m'a fait cet honneur sans que j'aye celui de le connaître, n'étre connu de lui. Un de ses amis m'a dit son nom; mais, comme il ne l'a pas voulu mettre au-dessous de ses vers quand il les a fait imprimer, je te l'indiquerai seulement par les deux premières lettres, de peur de fâcher sa modestie, à laquelle je ne veux ni déplaire, ni consentir tout à fait.

Non, tu n'es point ingrate, ô maîtresse du monde,
Qui de ce grand pouvoir sur la terre et sur l'onde,
Malgré l'effort des temps, retiens sur nos autels
Le souverain empire et des droits immortels.
Si de tes vieux héros j'anime la mémoire,
Tu relèves mon nom sur l'aile de leur gloire,
Et ton noble génie, en mes vers mal tracé,
Par ton nouveau héros m'en a récompensé.
C'est toi, grand Cardinal, homme au-dessus de l'homme,
Rare don qu'à la France ont fait le ciel et Rome,
C'est toi, dis-je, ô héros, ô cœur vraiment romain,
Dont Rome en ma faveur vient d'emprunter la main.
Mon honneur n'a point eu de douteuse apparence,
Tes dons ont devancé même mon espérance,
Et ton cœur généreux m'a surpris d'un bienfait
Qui ne m'a pas coûté seulement un souhait.
La grâce s'affaiblit quand il faut qu'on l'attende :
Tel pense l'acheter alors qu'il la demande,
Et c'est je ne sais quoi d'abaissement secret
Où quiconque a du cœur ne consent qu'à regret.
C'est un terme honteux que celui de prière;
Tu me l'as épargné, tu m'as fait grâce entière.
Ainsi l'honneur se mêle au bien que je reçois,
Qui donne comme toi donne plus d'une fois.
Son don marque une estime et plus pure et plus pleine,
Il attache les cœurs d'une plus forte chaîne,
En prenant nouveau prix de la main qui le fait,

Sa façon de bien faire est un second bienfait.
Ainsi le grand Auguste autrefois dans ta ville
Aimait à prévenir l'attente de Virgile :
Lui que j'ai fait revivre, et qui revit en toi,
En usait envers lui comme tu fais vers moi.
Certes, dans la chaleur que le ciel nous inspire,
Nos vers disent souvent plus qu'ils ne pensent dire;
Et ce feu qui sans nous pousse les plus heureux
Ne nous explique pas tout ce qu'il fait pour eux.
Quand j'ai peint un Horace, un Auguste, un Pompée,
Assez heureusement ma muse s'est trompée,
Puisque, sans le savoir, avecque leur portrait
Elle tirait du tien un admirable trait.
Leurs plus hautes vertus qu'étale mon ouvrage
N'y font que prendre un rang pour former ton image.
Quand j'aurai peint encor tous ces vieux conquérants,
Les Scipions vainqueurs, et les Catons mourants,
Les Pauls, les Fabiens, alors de tous ensemble
On en verra sortir un tout qui te ressemble;
Et l'on rassemblera de leurs pompeux débris
Ton âme et ton courage, épars dans mes écrits.
Souffre donc que pour guide au travail qui me reste
J'ajoute ton exemple à cette ardeur céleste,
Et que de tes vertus le portrait sans égal
S'achève de ma main sur son original;
Que j'étudie en toi ces sentiments illustres
Qu'a conservés ton sang à travers tant de lustres,
Et que le ciel propice, et les destins amis
De tes fameux Romains en ton âme ont transmis.
Alors, de tes couleurs peignant leurs aventures,
J'en porterai si haut les brillantes peintures,
Que ta Rome elle-même, admirant mes travaux,
N'en reconnaîtra plus les vieux originaux,
Et se plaindra de moi de voir sur eux gravées
Les vertus qu'à toi seul elle avait réservées,
Cependant qu'à l'éclat de tes propres clartés
Tu te reconnaîtras sous des noms empruntés.
Mais ne te lasse point d'illuminer mon âme,
Ni de prêter ta vie à conduire ma flamme,
Et, de ces grands soucis que tu prends pour mon Roi,
Daigne encor quelquefois descendre jusqu'à moi.
Délasse en mes écrits ta noble inquiétude;
Et tandis que sur elle appliquant mon étude,
J'emploierai, pour te peindre, et pour te divertir,
Les talents que le ciel m'a voulu départir,
Reçois, avec les vœux de mon obéissance,
Ces vers précipités par ma reconnaissance.
L'impatient transport de mon ressentiment
N'a pu pour les polir m'accorder un moment.
S'ils ont moins de douceur, il en ont plus de zèle;
Leur rudesse est le sceau d'une ardeur plus fidèle :
Et ta bonté verra dans leur témérité,
Avec moins d'ornement, plus de sincérité.

SONNET
A MAITRE ADAM BILLAUT [63]
MENUISIER DE NEVERS, SUR SES CHEVILLES

Le dieu de Pythagore et sa métempsycose
Jetant l'âme d'Orphée en un poëte français,

---

61. Texte joint à la Dédicace de *la Mort de Pompée* (février 1644). Naudé, le bibliothécaire du cardinal, dans son *Mascurat*, nous apprend que Corneille avait reçu de Mazarin cent pistoles en 1643.

62. Le poëte royal Abraham Ravaud (Remius) avait transposé le *Remerciement* de Corneille en vers latins.

63. Tous les poètes connus se sont amusés à la présentation de cet artisan-poète, « Virgile du rabot », protégé de la duchesse de Nevers et de l'abbé de Marolles. Ses premiers vers, d'allure populaire, avaient paru en 1638. Le recueil de 1644 vaut mieux. Il publiera encore contre la Fronde en 1651.

Par quel crime, dit-elle, ai-je offensé vos lois,
Digne du triste sort que leur rigueur m'impose?

Les vers font bruit en France; on les loue, on en cause;
Les miens en un moment auront toutes les voix;
Mais j'y verrai mon homme à toute heure aux abois,
Si pour gagner du pain il ne sait autre chose.

Nous savons, dirent-ils, le pouvoir d'un métier :
Il sera fameux poëte et fameux menuisier,
Afin qu'un peu de bien suive beaucoup d'estime.

A ce nouveau parti l'âme les prit au mot,
Et s'assurant bien plus au rabot qu'à la rime,
Elle entra dans le corps de Maître Adam Billaut.

A M. DE BOISROBERT
ABBÉ DE CHATILLON, SUR SES ÉPITRES[64]

Que tes entretiens sont charmants!
    Que leur douceur est infinie!
Que la facilité de ton heureux génie
Fait de honte à l'éclat des plus beaux ornements!
Leur grâce naturelle aura plus d'idolâtres,
Que n'en a jamais eu le fast de nos théâtres :
Le temps respectera tant de naïveté,
Et pour un seul endroit où tu me donnes place,
Tu m'assures bien mieux de l'immortalité,
Que Cinna, Rodogune, et le Cid, et l'Horace.

LES TRIOMPHES DE LOUIS LE JUSTE

Dès 1645, par une lettre signée du jeune roi, « par avis de la reine-régente, Madame ma mère », Corneille est invité à collaborer à un recueil en l'honneur de Louis XIII dont le graveur Valdor, chalcographe du roi, dirige la composition. L'historiographe René Bary rédige un Abrégé de la vie de Louis XIII, *H. Estienne évoque les grandeurs du règne. Charles Beys (1610-1659), auteur de comédies, qu'on ne s'attend guère à trouver ici, compose des « figures énigmatiques » en vers, qui témoignent de l'engouement général pour l'emblématique. L'ouvrage in-folio ne parut qu'en 1649. Corneille a placé sous les gravures des épigrammes, c'est-à-dire des textes lapidaires qui les expliquent.*

1. CAEN[65]
Le château révolté donne à Caen mille alarmes,
Mais sitôt que Louis y fait briller ses armes,
Sa présence reprend le cœur de ses guerriers :
Et leur révolte ainsi ne semble être conçue
Que par l'ambition de jouir de sa vue,
Et de le couronner de ses premiers lauriers.

2. PONT-DE-CÉ[66]
Que sert de disputer le passage de Loire?

Le sang sur la discorde emporte la victoire;
Notre mauvais destin cède à son doux effort;
Et les canons, quittant leurs usages farouches,
Ne servent plus ici que d'éclatantes bouches
Pour rendre grâce au ciel de cet heureux accord.

3. LE RÉTABLISSEMENT DES ECCLÉSIASTIQUES EN BÉARN[67]
Sa valeur en ce lieu n'a point cherché sa gloire :
Il prend l'honneur du ciel pour but de sa victoire,
Et la religion combat l'impiété.
Il tient dessous ses pieds l'hérésie étouffée :
Les temples sont ses forts, et son plus beau trophée
Est un présent qu'il fait à la Divinité.

4. LA REDDITION DE SAUMUR[68]
En vain contre le roi vous opposez vos armes;
Sa Majesté brillante avec de si doux charmes
Peut mettre en un moment vos desseins à l'envers.
Ne vous enquérez pas si ses troupes sont fortes;
Encore que vos cœurs ne lui soient pas ouverts,
D'un seul trait de ses yeux il ouvrira vos portes.

5. LA RÉDUCTION DE SAINT-JEAN-D'ANGELI[69]
Soubise, ouvre les yeux : ce foudre que tu crains
    N'est plus entre ses mains;
Sa clémence l'arrache à sa juste colère,
Et de quoi que ton crime ose l'entretenir,
Tes soupirs ont trouvé le secret de lui plaire,
Et quand il voit tes pleurs, il oublie à punir.

6. ENTRÉE DES VILLES REBELLES[70]
Tel entrant ce grand roi dans ses villes rebelles
De ces cœurs révoltés fait des sujets fidèles;
Un profond repentir désarme ses rigueurs;
Et quoique le soldat soupire après la proie
Il l'apaise, il l'arrête, et se montre avec joie
Et père des vaincus, et maître des vainqueurs.

7. PUNITION DES VILLES REBELLES[71]
Enfin aux châtiments il se laisse forcer.
Qui pardonne aisément invite à l'offenser,
Et le trop de bonté jette une amorce au crime.
Une juste rigueur doit régner à son tour;
Et qui veut affermir un trône légitime
Doit semer la terreur aussi bien que l'amour.

8. RIÉ[72]
Va, fier tyran des mers, mon prince te l'ordonne;
Prends toi-même le soin de conduire Bellone
Au secours du parti qu'elle veut épouser;
Calme les flots mutins, dissipe les tempêtes;
Obéis; et par là fais voir que tu t'apprêtes
Au joug que dans un an il te doit imposer.

64. Quatre poètes, Maynard, Ménage, Sarazin et Corneille ont donné des vers liminaires aux *Épitres* de l'ex-amuseur de Richelieu remaniés en 1646. Dans la XXXe, Corneille était nommé avec Somaize comme l'un des critiques qu'on ne discute pas.
65. Révolte de la Normandie en 1620. Rouen se soumet sans bataille, Caen après une brève résistance.
66. Près d'Angers, le 7 août 1620. C'est là que fut signé le traité d'accommodement avec la Reine-mère.
67. Édit de 1620, qui rend à l'Église les biens saisis par les protestants.
68. Mai 1621 : occupation-éclair de la ville, aux mains des calvinistes sous la direction de Du Plessis-Mornay.
69. Le 25 juin 1621, après un siège de trois semaines.
70. Campagne de Guyenne en 1622 : Royan, Tonneins, Sainte-Foy, Nègrepelisse sont successivement repris aux protestants, non sans massacres et pilleries.
71. A Nègrepelisse, en particulier, les habitants avaient massacré en une nuit la totalité d'un bataillon qui y logeait Le roi hésita à faire des représailles, puis abandonna la ville à Condé.
72. Riez, en Poitou, le 16 avril 1622 ? (Marty-Laveaux). Mais le vers final « dans un an » s'accorde mieux avec le siège de l'île de Ré, écrit *Rhé* au XVIIe (Granet).

9. LA DIGUE[73]

Vois Éole et Neptune à l'envi faire hommage
  A ce prodigieux ouvrage,
Rochelle, et crains enfin le plus puissant des rois.
  Ta fureur est bien sans seconde
De t'obstiner encore à rejeter des lois
  Que reçoivent le vent et l'onde.

10. LA ROCHELLE[74]

Ici l'audace impie en son trône parut,
Ici fut l'arrogance à soi-même funeste :
  Un excès de valeur brisa ce qu'elle fut;
  Un excès de clémence en sauva ce qui reste.

11. LA PAS DE SUZE[75]

L'orgueil de tant de forts sous mon roi s'humilie :
Suze ouvre enfin la porte au bonheur d'Italie
  Dont elle voit qu'il tient les intérêts si chers;
Et pleine de l'exemple affreux de la Rochelle,
Ouvrons à ce grand prince, ouvrons-lui tôt, dit-elle :
  Qui dompte l'océan ne craint pas nos rochers.

12. CAZAL[76]

Lorsque Mars se prépare à tout couvrir de morts,
Un illustre Romain étouffe ses discords,
En dépit des fureurs en deux camps allumées.
En ce moment à craindre il remplit nos souhaits;
Et se montrant tout seul plus fort que deux armées,
Dans le champ de bataille il fait naître la paix.

13. LA PROTECTION DE MANTOUE[77]

Lorsqu'aux pieds de mon roi tu mets ton jeune prince,
Manto, tu ne vois point soupirer ta province
  Dans l'attente d'un bien qu'on espère et qui fuit;
Et de sa main à peine a-t-il tari les larmes,
Que sa France en la tienne aussitôt met ses armes,
  Que la gloire couronne, et la victoire suit.

14. LA PAIX D'ALETZ[78]

Que ce fut un spectacle, Aletz, doux à tes yeux,
Quand tu vis à tes pieds ces peuples factieux
  Trouver plus de bonté qu'ils n'avaient eu d'audace!
Apprenez de mon prince, ô monarques vainqueurs,
Que c'est peu que fait à vous de reprendre une place,
  Si vous ne trouvez l'art de regagner les cœurs.

15. PAIX ACCORDÉE AUX CHEFS DES REBELLES[79]

La Paix voit ce pardon d'un œil indifférent,
Et ne veut rien devoir au parti qui se rend,

Déjà par la victoire assez bien établie,
Et la noble fierté qui l'oblige à punir
Ne dissimule ici le crime qu'on oublie
Que pour ne perdre pas la gloire d'obéir.

16. NANCI[80]

Troie auprès de ses murs l'espace de dix ans
Vit contre elle les Dieux et les Grecs combattants,
Et s'arma sans trembler contre la destinée.
Grand Roi, l'on avoûra que l'éclat de tes yeux
T'a fait plus remporter d'honneur, cette journée,
Que la fable en dix ans n'en fit avoir aux Dieux.

17. REPRISE DE CORBIE[81]

Prends Corbie, Espagnol, prends-la, que nous importe?
Tu la rends à mon Roi plus puissante et plus forte
Avant qu'il en ait pu concevoir quelque ennui.
Ton bonheur sert au sien, et ta gloire à sa gloire;
Et s'il t'a, par pitié, permis une victoire,
Ta victoire elle-même a travaillé pour lui.

18. HESDIN[82]

A peine de Hesdin les murs sont renversés
Que sur l'affreux débris des bastions forcés
Tu reçois le bâton de la main de ton maître,
Généreux maréchal : c'est de quoi nous ravir
De le voir aussi prompt à te bien reconnaître
Que ta haute valeur fut prompte à le servir.

19. LA PROTECTION DU PORTUGAL ET DE LA CATALOGNE[83]

Que le ciel vous fut doux lorsque dans votre effroi
Il vous sollicita de courir à mon Roi
Pour voir entre vos murs la liberté renaître!
Le succès à l'instant suivit votre désir.
Peuples, qui recherchez ou protecteur ou maître,
Par cet heureux exemple apprenez à choisir.

20. LA PRISE DE PERPIGNAN[84]

Illustre boulevard des frontières d'Espagne,
Perpignan, sa plus belle et dernière campagne,
Tout mourant, contre toi ne le voyons s'armer :
Tout mourant, il te force, et fait dire à l'Envie
Qu'un si grand conquérant n'eût jamais pu fermer
Par un plus digne exploit une si belle vie.

LA POÉSIE A LA PEINTURE
EN FAVEUR DE L'ACADÉMIE DES PEINTRES ILLUSTRES

Pièce publiée dans le Recueil *de l'édition Sercy, en 1653, réimprimée en 1671 dans celui dédié au prince de Conti. Contre la toute puissante confrérie artisanale de Saint-Luc, le peintre Le Brun, récemment rentré d'Italie, obtient la fondation d'une Académie royale de Peinture et de Sculpture, officialisée le 27 janvier 1648. On ne sait quelle circonstance exacte a donné lieu à ce poème : rien dans son contenu n'indique qu'il s'agisse d'un remer-*

73. Le fameux ouvrage construit en 1627-1628 pour venir à bout de La Rochelle.
74. Prise le 28 octobre 1628.
75. Le 4 mars 1629, contre la Savoie. Corneille a fait déjà allusion à cette victoire et aux trois suivantes dans l'*Excusatio* de 1634 (cf. *note* 43).
76. Corneille souligne cette fois le rôle personnel de Mazarin, dans les deux trèves du 2 septembre et du 26 octobre 1630, qui aboutit à l'évacuation de Montferrat par les troupes espagnoles. Naudé donne des détails dans son *Mascurat*, publié en même temps que les *Triomphes de Louis le Juste*.
77. Charles Ier de Gonzague, héritier de Vincent II, mort sans enfants, en 1627, rentre dans Mantoue dévastée un an plus tôt, le 21 septembre 1631. C'est à son petit-fils et successeur en 1637 qu'il est fait allusion ici : le jeune prince a sept ans. La nymphe Manto était mère d'Oinus, fondateur de Mantoue, selon Virgile (*Enéide*, X, 199-200).
78. Prise d'Aletz le 16 juin 1629, après huit jours de siège.
79. Édit de Nîmes, 27 juin 1629, qui réglait le statut des protestants jusqu'à la révocation de l'Édit de Nantes.

80. Reddition le 24 septembre 1633.
81. Prise par les Espagnols le 15 août 1636, reprise le 14 novembre.
82. La Meilleraie reçut le titre de maréchal, sur la brèche de la ville prise le 30 juin 1639.
83. Jean de Bragance, sous le nom de Jean IV de Portugal, s'allie à la France en 1640. Les Catalans, en 1641, chassent les garnisons espagnoles et déclarent la Catalogne province française.
84. Reddition le 29 août 1642.

*ciement pour le portrait du poète exécuté par Le Brun
en 1647. Il semble plutôt que Corneille, constatant la
disparition du mécénat, invite le roi, qui a mis dans les
statuts un article sur les commandes royales, à prendre
son rôle au sérieux, en faisant d'abord portraire toutes
les gloires littéraires de son temps.*

Enfin tu m'a suivie, et ces vastes montagnes
Qui du Rhône et du Pô séparent les campagnes
N'ont eu remparts si forts ni si haut élevés
Que ton vol, chère sœur, après moi n'ait bravés;
Enfin ce vieux témoin de toutes nos merveilles,
Toujours pour toi tout d'yeux, et pour moi tout d'oreilles,
Le Tibre voit la Seine, autrefois son appui,
Partager tes trésors et les miens avec lui;
Tu me rejoins enfin, et courant sur mes traces[85],
En cet heureux séjour du mérite et des grâces,
Tu viens à mon exemple enrichir ces beaux lieux
De tout ce que ton art a de plus précieux.
Oh! qu'ils te fourniront de brillantes matières!
Que d'illustres objets à toutes tes lumières!
Prépare des pinceaux, prépare des efforts.
Pour toutes les beautés de l'esprit et du corps,
Pour tous les dons du ciel, pour tous les avantages,
Que la nature et lui sèment sur les visages;
Prépares-en enfin pour toutes les vertus,
Sous qui nous puissions voir les vices abattus.
Sans te gêner l'idée après leur caractère,
Pour les bien exprimer tu n'auras qu'à portraire:
La France en est féconde, et tes nobles travaux
En trouveront chez elle assez d'originaux;
Mais n'en prépare point pour la plus signalée,
Qu'on a depuis longtemps de la cour exilée,
Pour celle qui départ le solide renom:
Hélas! j'en ai moi-même oublié jusqu'au nom,
Tant je veux rarement mes plus fameux ouvrages
Pouvoir s'enorgueillir de ses moindres suffrages.
Ronsard, qu'elle flattait à son commencement,
La crut avec son roi couchée au monument;
Il en perdit haleine, et sa Muse malade
En laissa de ses mains tomber la Franciade[86].
Maynard l'a chaque jour criée à haute voix:
Il n'est porte où pour elle il n'ait frappé cent fois;
Mais sans en voir l'image en aucun lieu gravée,
Il est mort la cherchant, et l'a toujours rêvée[87].
J'en fais souvent reproche à ce climat heureux;
Je me plains aux plus grands comme aux plus généreux:
Pour trop m'en plaindre en vain je deviens ridicule,
Et l'on ne m'entend pas, ou l'on le dissimule.
Qu'aujourd'hui la valeur sait mal se secourir!
Que je vois de grands noms en danger de mourir
Que de gloire au tombeau s'ensevelit pour elle
Que de gloire à l'oubli malgré le ciel se livre,
Quand il m'a tant donné de quoi la faire vivre!
Le siècle a des héros, il en a même assez

Pour en faire rougir tous les siècles passés;
Il a plus d'un César, il a plus d'un Achille:
Mais il n'a qu'un Mécène, et n'aura qu'un Virgile[88]:
Rare exemple, et trop grand pour ne pas éclater;
Rare exemple, et si grand qu'on ne l'ose imiter
Cette haute vertu va toutefois renaître:
A quelques traits déjà je crois la reconnaître.
Chère et divine sœur, prépare tes crayons:
J'en vois de temps en temps briller quelques rayons;
Les Sophocles nouveaux dont j'honore la France
En ont déjà senti quelque douce influence;
Mais ce ne sont enfin que rayons inconstants,
Qui von de l'un à l'autre, et qui n'ont que leur temps:
Et ces heureux hasards des fruits de mon étude
Laissent tout l'avenir dedans l'incertitude.
Fixe avec ton pouvoir leur éclat vagabond,
Fais-les servir d'ébauche à ton savoir profond,
Et mêlant à ces traits l'effort de ton génie,
Fais revoir en portrait cette illustre bannie,
Peins bien toute sa pompe et toutes ses beautés,
Son empire absolu dessus les volontés.
Fais-lui donner du lustre aux plus brillantes marques
Dont se peut le chef des plus dignes monarques,
Fais partir de nos mains à ses commandements
Tout ce que nous avons d'éternels monuments;
Fais-lui distribuer la plus durable gloire,
Mets l'histoire à ses pieds, et toute la mémoire,
Mets en ses yeux l'éclat d'une divinité,
Mets en ses mains le sceau de l'immortalité,
Et rappelle si bien un juste amour pour elle,
Qu'à son tour en ces lieux cet amour la rappelle,
Et que les cœurs, plongés dans le ravissement,
N'en puissent plus souffrir ce long bannissement.
Mais que dis-je? tu vas rappeler cette reine
Avec bien plus de gloire, et beaucoup moins de peine:
Ce que je n'ai pu faire avec toutes mes voix,
Quoique j'aie eu pour moi jusqu'à celle des rois,
Quoique toute leur cour, de mes douceurs charmée,
Ait par delà mes vœux enflé ma renommée,
Un coup d'œil le va faire, et ton art plus charmant
Pour un si grand effet ne veut qu'un seul moment.
Je vois, je vois déjà dans ton Académie,
Par de royales mains en ces lieux affermie,
Tes Zeuxis renaissants, tes Apelles nouveaux,
Étaler à l'envi des chefs-d'œuvre si beaux,
Qu'un violent amour pour des choses si rares
Transforme en généreux les cœurs les plus avares,
Et les précipitant à d'inouïs efforts,
Fait dérouiller les clefs des plus secrets trésors.
Je les vois effacer ces chefs-d'œuvre antiques,
Dont jadis les seuls rois, les seules républiques,
Les seuls peuples entiers pouvaient faire le prix,
Et pour qui l'on traitait les talents de mépris:
Je vois le Potosi[89] te venir rendre hommage,
Je vois se déborder le Pactole et le Tage[90],
Je les vois à grands flots se répandre sur toi.
N'accusons plus le siècle; enfin je la revoi,
Je la revois enfin cette belle inconnue,
Et par toi rappelée, et pour toi revenue.
Oui, désormais le siècle a tout son ornement,
Puisqu'enfin tu lui rends en cet heureux moment

85. Le peintre Charles Le Brun (1619-1690) venait d'exécuter trois compositions religieuses pour Notre-Dame et
décore l'année suivante l'hôtel Lambert, avec Lesueur.
86. Poème épique inachevé, dont le héros Francus, fils
d'Hector, ramène les origines de la France à la guerre de
Troie, comme Virgile l'a fait pour Rome. Les quatre chants
terminés, sur les vingt-quatre prévus, parurent en 1572.
87. Maynard fait placer sur sa tombe ce quatrain:
    *Las d'espérer et de me plaindre
    Des muses, des grands et du sort
    C'est ici que j'attends ma mort
    Sans la désirer ou la craindre.*
On a vu que quelques mois avant sa mort, son nom figurait
avec celui de Corneille dans les vers liminaires des *Épîtres*
de Boisrobert (cf. note 64).

88. Si le Mécène est Mazarin, le Virgile est Chapelain, en
gestation depuis vingt-cinq ans de *la Pucelle*, publiée en 1656.
Décidément Corneille, académicien, est réconcilié avec tous
ses ennemis de la querelle du *Cid*.
89. La fameuse mine argentifère du Pérou.
90. Les deux fleuves aurifères à l'époque antique.

Cette haute vertu, cette illustre bannie,
Cette source de gloire en torrents infinie,
Cette reine des cœurs, cette divinité :
J'ai retrouvé son nom, la Libéralité.

SONNET A SAINT BERNARD
SUR LA TRADUCTION DE SES ÉPITRES PAR
LE R.P. DOM GABRIEL DE SAINTE-GEME [91]

Du cloître et de la cour précieuse clarté,
Mais du cloître sans tache, et d'une cour sans crimes,
Aussi ferme soutien des ordres légitimes
Qu'implacable ennemi de la fausse équité;

Toi qui jusqu'à nos rois portas la vérité,
Qui n'eus dans leurs conseils que de justes maximes,
Et fis, par un conseil rentré dans les abîmes,
Dans les raisons d'État régner la sainteté :

Aujourd'hui que la France, entendant tes oracles,
Voit tous ses cœurs charmés par de si grands miracles,
Fais-en suivre l'exemple à toute heure, en tout lieu;

Et rendant à nos jours ce qu'aux tiens on admire,
Une seconde fois accorde en cet empire
La sagesse du monde avec celle de Dieu.

A MONSIEUR D'ASSOUCY
SUR SON *Ovide en belle humeur* [92]

Que doit penser Ovide, et que nous peut-il dire,
Quand tu prends tant de peine à le défigurer,
Que ce qu'il écrivit pour se faire admirer,
Grâces à d'Assoucy sert à nous faire rire?

Il y trouve la gloire où son travail aspire,
Tu ne prends tant de soins que pour mieux l'honorer,
De tant d'attraits nouveaux tu le viens de parer,
Que moins il se ressemble, et plus chacun l'admire.

Sa plume osa beaucoup, et plantes, animaux,
Fleuves, hommes, rochers, éléments et métaux,
Par elle ont vu changer leurs êtres et leurs causes.

La tienne, plus hardie, a plus encore osé,
Puisque le grand auteur de ces métamorphoses
Lui-même enfin par elle est métamorphosé.
Laissez-en tout l'honneur aux partis d'importance
Qui mettent sur les rangs de plus nobles mutins.

SONNET
SUR LA CONTESTATION ENTRE LE SONNET
D'URANIE ET CELUI DE JOB [93]

Demeurez en repos, Frondeurs et Mazarins,
Vous ne méritez pas de partager la France;

Nos Uranins ligués contre nos Jobelins
Portent bien au combat une autre véhémence,
Et s'il doit achever de même qu'il commence,
Ce sont Guelfes nouveaux, et nouveaux Gibelins.

Vaine démangeaison de la guerre civile,
Qui partagiez naguère et la cour et la ville,
Et dont la paix éteint les cuisantes ardeurs [94],

Que vous avez de peine à demeurer oisive,
Puisqu'au même moment qu'on voit bas les Frondeurs,
Pour deux méchants sonnets on demande « Qui vive! »

SONNET

Deux sonnets partagent la ville,
Deux sonnets partagent la cour,
Et semblent vouloir à leur tour
Rallumer la guerre civile.

Le plus sot et le plus habile
En mettent leur avis au jour,
Et ce qu'on a pour eux d'amour
A plus d'un échauffe la bile.

Chacun en parle hautement
Suivant son petit jugement;
Et s'il y faut mêler le nôtre,

L'un est sans doute mieux rêvé,
Mieux conduit, et mieux achevé,
Mais je voudrais avoir fait l'autre,

ÉPIGRAMME

Ami, veux-tu savoir, touchant ces deux sonnets,
    Qui partagent nos cabinets,
    Ce qu'on peut dire avec justice?
L'un nous fait voir plus d'art, et l'autre un peu plus vif,
L'un est le mieux peigné, l'autre est le plus naïf,
L'un sent un long effort, et l'autre un prompt caprice,
Enfin l'un est mieux fait, et l'autre est plus joli :
    Et pour te dire tout en somme,
    L'un part d'un auteur plus poli,
    Et l'autre d'un plus galant homme.

A Mlle DE COSNARD DE SES [95]

Que tes *Chastes martyrs* vont te faire d'amants,
Que parmi leurs travaux tu sèmes d'ornements,

91. Sonnet retrouvé au XIXᵉ siècle dans un exemplaire de cet ouvrage, imprimé en 1649.
92. Pièce confraternelle pour l'auteur de la musique d'*Andromède* (cf. page 463). Le ton aigre-doux montre le cas que Corneille faisait de ce genre d'ouvrages.
93. Les trois poèmes qui suivent ont été recueillis par Sercy en 1653. Les salons s'étaient absurdement partagés en 1649 pour ou contre le sonnet d'*Uranie* par Voiture et celui de *Job* par Benserade, qui ne se comparent en rien. Corneille ironise d'autant plus que le pays traverse la grave crise de la Fronde.
94. La « paix » de Rueil, le 11 mars 1649, avait paru calmer les troubles.
95. L'unique pièce de cette obscure demoiselle, parue en 1650, était dédiée à la reine-régente. Elle était tirée d'un roman de J.P. Camus (1584-1652), ami de Fr. de Harlay, archevêque de Rouen, qui voulut en faire son vicaire général, et de Godeau qui fit son oraison funèbre. C'est l'une de ces raisons, ou toutes ensemble, qui expliquent les vers accordés par Corneille. Sées (ou Séez) petite ville de l'Orne, évêché encore de nos jours. Toutes les éditions de cette pièce ne comportent pas d'ailleurs les vers de Corneille. Y est-il pour quelque chose? et pour quelles raisons?

Et que ton coup d'essai, si digne de mémoire,
Doit enhardir ta plume à redoubler ta gloire!
Poursuis, divin esprit, continue à charmer,
Entretiens ce beau feu que tu viens d'allumer;
Bientôt à cet effort fais succéder un autre
Qui couronne ton sexe, et fasse honte au nôtre :
Des Muses nous prenons le génie et la loi,
Qui ne sont après tout que filles comme toi.
Je te dis de leur part que dessus le Parnasse,
Au milieu de leur chœur elles te gardent place,
Et que tes premiers vers ont assez de douceur,
Pour faire la dixième entre ces doctes sœurs.
Moi-même pour me faire admirer sur la scène,
Je te voudrai pour guide au lieu de Melpomène,
Et chacun après moi, pour boire en leur vallon,
Préférera ton aide au secours d'Apollon.
Ne te lasse donc point d'enfanter des merveilles,
De prêter ton exemple à conduire nos veilles,
Et d'aplanir à ceux qui l'auront imité
Les illustres chemins à l'immortalité.

A MONSIEUR DE LOY
PROFESSEUR EN L'UNIVERSITÉ DE PARIS,
SUR SON PANÉGYRIQUE DE
MGR LE PREMIER PRÉSIDENT DE BELLIEVRE[96]

Pourquoi s'étonner que de Loy
Réussisse avec avantage,
Traçant en ce divin ouvrage
L'appui de notre jeune roi?
Dans cette vivante peinture,
L'art le dispute à la nature,
La copie à l'original,
Mais l'ayant prise sur son âme,
Où il était gravé d'un burin tout de flamme,
Il n'y pouvait réussir mal.

POUR MONSIEUR D'ASSOUCY
SUR SES *Airs*[97]

Cet auteur a quelque génie,
Ses airs me semblent assez doux.
Beaux esprits, mais un peu jaloux,
Divins enfants de l'harmonie,
Ne vous en mettez en courroux :
Apollon aussi bien que vous
Ne les peut ouïr sans envie.

ÉPITAPHE SUR LA MORT
DE DAMOISELLE ÉLISABETH RANQUET, FEMME DE
M. DU CHEVREUL, ÉCUYER, SEIGNEUR D'ESTOUTEVILLE[98]

Ne verse point de pleurs sur cette sépulture,
Passant, ce lit funèbre est un lit précieux,

Où gît d'un corps tout pur la cendre toute pure;
Mais le zèle du cœur vit encore en ces lieux.

Avant que de payer le droit de la nature
Son âme, s'élevant au-delà de ses yeux,
Avait au Créateur uni la créature,
Et marchant sur la terre elle était dans les cieux.

Les pauvres bien mieux qu'elle ont senti sa richesse :
L'humilité, la peine, étaient son allégresse,
Et son dernier soupir fut un soupir d'amour.

Passant, qu'à son exemple un beau feu te transporte,
Et loin de la pleurer d'avoir perdu le jour,
Crois qu'on ne meurt jamais quand on meurt de la sorte.

SONNET
AU ROI, POUR OBTENIR LA CONFIRMATION DES LETTRES
DE NOBLESSE ACCORDÉES A SON PÈRE[99]

La noblesse, grand Roi, manquait à ma naissance,
Ton père en a daigné gratifier mes vers,
Et mes vers anoblis ont couru l'univers
Avecque plus de pompe et de magnificence.

Ce fut là, de son temps, toute leur récompense,
Dont même il honora tant de sujets divers,
Que sur ce long abus tes yeux enfin ouverts
De ce mélange impur ont su purger la France.

Par cet illustre soin mes vers déshonorés
Perdront ce noble orgueil dont tu les vois parés,
Si dans mon premier rang ton ordre me ravale.

Grand Roi, ne souffre pas qu'il ait tout son effet,
Et qu'aujourd'hui ta main, pour moi si libérale,
Reprenne le seul don que ton père m'a fait.

SONNET
A MONSIEUR DE CAMPION
SUR *les Hommes illustres*[100]

Invincible ennemi des rigueurs de la Parque,
Qui fais, quand tu le veux, revivre les héros,

96. Nous maintenons cette pièce douteuse, qui porte pour signature *de* Corneille, unique exemple. Pompone de Bellièvre venait de succéder à Mathieu Molé, le 22 août 1653, dans la charge de Premier Président. En 1657, Gilles Boileau demandera à Corneille sa collaboration à un tombeau en faveur de ce magistrat qui venait de mourir. Son refus attirera de la part de Gilles Boileau une réponse insolente (cf. *Chronologie*, page 16).
97. Corneille n'outre pas l'effort de la louange dans cette seconde pièce confraternelle, parue en 1653 (cf. note 92).

98. Cette pieuse fille (1618-1654) était protégée de la famille de Vendôme, qui fit sans doute rédiger cette *Vie* anonyme — mais dont l'auteur serait un sieur Duchevreul, parent de la défunte — qui accompagne l'épitaphe. Celle-ci est bien signée de Corneille. En 1658, Brébeuf, ami et disciple de Corneille, met dans ses poésies cette épitaphe, avec de notables différences. La signature de Corneille est maintenue encore dans une réédition de la *Vie d'Elisabeth Ranquet* en 1660. Brébeuf la republia sous son nom, avec d'autres modifications, mais ne la fait figurer, comme d'ailleurs en 1658, que sous le titre d'*Epitaphe de Madame de...* Rien ne permet de trancher le débat d'une manière décisive, rien n'autorise à en refuser la paternité à Corneille.
99. Ce sonnet manuscrit non daté n'a été découvert qu'au XIXᵉ siècle. Comme un texte de Boisrobert qui s'y rapporte a été publié en 1659 et qu'un édit de 1656 fait poursuivre les « usurpateurs en noblesse », c'est entre ces deux dates qu'il faut placer la composition de ce sonnet. Corneille, ou plutôt son père, avait été anobli en 1637, juste après *le Cid*.
100. Ce texte a été imprimé à Rouen par L. Maurry, l'imprimeur ordinaire de Corneille, en janvier 1657. Il contient un sonnet de l'auteur à la gloire de Corneille goûté jusqu'en

Et de qui les écrits sont d'illustres dépôts
Où luit de leur vertu la plus brillante marque,

Notre France aux chrétiens donne en toi leur Plutarque,
Et les nobles emplois de ton savant repos,
Traçant leurs grands portraits, offrent à tous propos
De fidèles miroirs aux soins d'un vrai monarque.

J'ai quelque art d'arracher les grands noms du tombeau,
De leur rendre un destin plus durable et plus beau,
De faire qu'après moi l'avenir s'en souvienne;

Le mien semble avoir droit à l'immortalité,
Mais ma gloire est autant au-dessous de la tienne,
Que la fable en effet cède à la vérité.

PIECES DU RECUEIL SERCY[101] (1660)

JALOUSIE

N'aimez plus tant, Philis, à vous voir adorée :
Le plus ardent amour n'a pas grande durée;
Les nœuds les plus serrés sont les plus tôt rompus;
A force d'aimer trop, souvent on n'aime plus,
Et ces liens si forts ont des lois si sévères
Que toutes leurs douceurs en deviennent amères.
 Je sais qu'il vous est doux d'asservir tous nos soins :
Mais qui se donne entier n'en exige pas moins;
Sans réserve il se rend, sans réserve il se livre,
Hors de votre présence il doute s'il peut vivre :
Mais il veut la pareille, et son attachement
Prend compte de chaque heure et de chaque moment.
C'est un esclave fier qui veut régler son maître,
Un censeur complaisant qui cherche à trop connaître,
Un tyran déguisé qui s'attache à vos pas,
Un dangereux Argus qui voit ce qui n'est pas,
Sans cesse il importune, et sans cesse il assiège,
Importun par devoir, fâcheux par privilège,
Ardent à vous servir jusqu'à vous en lasser,
Mais au reste un peu tendre et facile à blesser.
Le plus léger chagrin d'une humeur inégale
Le moindre égarement d'un mauvais intervalle,
Un souris par mégarde à ses yeux dérobé,
Un coup d'œil par hasard sur un autre tombé,
Le plus faible dehors de cette complaisance
Que se permet pour tous la même indifférence,
Tout cela fait pour lui de grands crimes d'État,
Et plus l'amour est fort, plus il est délicat.
Vous avez vu, Philis, comme il brise sa chaîne

Sitôt qu'auprès de vous quelque chose le gêne,
Et comme vos bontés ne sont qu'un faible appui
Contre un murmure sourd qui s'épand jusqu'à lui.
Que ce soit vérité, que ce soit calomnie,
Pour vous voir en coupable il suffit qu'on le die;
Et lorsqu'une imposture a quelque fondement
Sur un peu d'imprudence, ou sur trop d'enjouement
Tout ce qu'il sait de vous et de votre innocence
N'ose le révolter contre cette apparence,
Et souffre qu'elle expose à cent fausses clartés
Votre humeur sociable et vos civilités.
Sa raison au-dedans vous fait en vain justice,
Sa raison au-dehors respecte son caprice,
La peur de sembler dupe aux yeux de quelques fous
Étouffe cette voix qui parle trop pour vous.
La part qu'il prend sur lui de votre renommée
Forme un sombre dépit de vous avoir aimée;
Et comme il n'est plus temps d'en faire un désaveu,
Il fait gloire partout d'éteindre un si beau feu :
Du moins s'il ne l'éteint, il l'empêche de luire,
Et brave le pouvoir qu'il ne saurait détruire.
Voilà ce que produit le don de trop charmer.
Pour garder vos amants faites-vous moins aimer;
Un amour médiocre est souvent plus traitable :
Mais pourriez-vous, Philis, vous rendre moins aimable?
Pensez-y, je vous prie, et n'oubliez jamais,
Quand on vous aimera, que L'AMOUR EST DOUX; MAIS...

BAGATELLE[102]

Quoi! sitôt que j'en veux rabattre,
Vous vous faites tenir à quatre,
Et quand j'en devrais enrager,
Votre ordre ne se peut changer;
Il faut vous en faire cinquante?
Ma foi, le nombre m'épouvante;
Un vieux garçon de cinquante ans
N'en fait guère en beaucoup de temps,
Et ne va pas tout d'une haleine
A la benoiste cinquantaine.
Encor, pour être votre fait,
Il faut qu'ils soient doux comme lait,
Qu'ils aillent droit comme une quille,
Qu'ils n'aient point de fausse cheville,
Que tout y soit bien ajusté,
Que rien n'y penche d'un côté,
Rien n'y soit de mauvaise mise,
Rien n'y sente la barbe grise.
Voilà bien des conditions
Pour mes pauvres inventions :
Le temps les a presque épuisées,
Les vieux travaux les ont usées;
Comment pourront-elles trouver
Le secret de bien achever?
Devenez un peu complaisante,
Et daignez vous passer à trente,
Vous serez servie à souhait,
Et je vous dirai haut et net
Que je craindrai fort peu la honte
De vous fournir mal votre compte
Mais je vaux moins qu'un quinola[103],

Suède, par la « savante reine du Nord ». L'auteur en est Alex. de Campion, Rouennais lui aussi (1610-1670), qui fut l'âme d'un cercle dont les activités ont été révélées par des mémoires et des lettres de plusieurs membres de la famille publiées en 1703. Elles nous apprennent beaucoup, indirectement, sur les milieux rouennais de 1630 à 1640. Ces vers confirmeraient une liaison durable avec cette famille, très représentative au XVIIe siècle d'un milieu fidèle au roi, mais très libre à l'égard des ministres et de la cour.

101. Les dix-sept pièces qui suivent figurent dans les *Poésies choisies* (5e partie) publiées par l'éditeur Sercy en 1660 (p. 73 à 96). Elles ne peuvent être datées avec certitude, et le plus sûr nous a paru de les éditer dans l'ordre où elles figurent dans ce recueil, différent de celui, conjectural, de Marty-Laveaux.

102. On ignore quand et pour qui fut composée cette bluette un peu forcée.
103. *Quinola* : nom du valet de cœur au jeu de cartes. L'usage désigne ainsi ironiquement le cavalier servant d'une dame.

Si je n'en fais vingt par delà :
Tenir à demi sa parole,
C'est une méchante bricole[104];
On doit s'efforcer jusqu'au bout,
Et ne rien faire, ou faire tout.
Il faut donc que je m'évertue,
Que je me débatte, et remue,
Que je pousse de tout mon mieux,
Dussé-je en crever à vos yeux :
Aux grands coups on voit les grands hommes.
   Voyons, de grâce, où nous en sommes;
Si je compte bien par mes doigts,
Je passe les quarante et trois;
Encor six, vous n'auriez que dire,
Et vous commencez à sourire
De voir mon reste de vertu,
Sans vous avoir rien rabattu,
Ni tourné la tête en arrière,
Toucher au bout de la carrière.
En faut-il encor? je le veux,
Voilà jusqu'à cinquante-deux;
Plaignez-vous, en cette aventure,
De n'avoir pas bonne mesure.

STANCES[105]

J'ai vu la peste en raccourci :
Et, s'il faut en parler sans feindre.
Puisque la peste est faite ainsi,
Peste, que la peste est à craindre!

De cœurs qui n'en sauraient guérir
Elle est partout accompagnée,
Et dût-on cent fois en mourir,
Mille voudraient l'avoir gagnée.

L'ardeur dont ils sont emportés,
En ce péril leur persuade
Qu'avoir la peste à ses côtés,
Ce n'est point être trop malade.

Aussi faut-il leur accorder
Qu'on aurait du bonheur de reste,
Pour peu qu'on se pût hasarder
Au beau milieu de cette peste.

La mort serait douce à ce prix,
Mais c'est un malheur à se pendre,
Qu'on ne meurt pas d'en être pris,
Mais faute de la pouvoir prendre.

L'ardeur qu'elle fait naître au sein
N'y fait même un mal incurable
Que parce qu'elle prend soudain,
Et qu'elle est toujours imprenable.

Aussi chacun y perd son temps;
L'un en gémit, l'autre en déteste,
Et ce que font les plus contents
C'est de pester contre la peste.

SONNET

Vous aimez que je me range
Auprès de vous chaque jour,
Et m'ordonnez que je change
En amitié mon amour.

Cette méchante bricole
Vous fait beaucoup hasarder,
Et je vous trouve bien folle
Si vous me pensez garder.

Une passion si belle
N'est pas une bagatelle
Dont on se joue à son gré,

Et l'amour qui vous rebute
Ne saurait choir d'un degré
Qu'il ne meure de sa chute.

SUR LE DÉPART
DE MADAME LA MARQUISE DE B.A.T.[106]

Allez, belle Marquise, allez en d'autres lieux
Semer les doux périls qui naissent de vos yeux.
Vous trouverez partout les âmes toutes prêtes
A recevoir vos lois et grossir vos conquêtes;
Et les cœurs à l'envi se jetant dans vos fers
Ne feront point de vœux qui ne vous soient offerts;
Mais ne pensez pas tant aux glorieuses peines
De ces nouveaux captifs qui vont prendre vos chaînes,
Que vous teniez vos soins tout à fait dispensés
De faire un peu de grâce à ceux que vous laissez.
Apprenez à leur noble et chère servitude
L'art de vivre sans vous et sans inquiétude;
Et, si sans faire un crime on peut vous en prier,
Marquise, apprenez-moi l'art de vous oublier.
   En vain de tout mon cœur la triste prévoyance
A voulu faire essai des maux de votre absence;
Quand j'ai cru le soustraire à des yeux si charmants,
Je l'ai livré moi-même à de nouveaux tourments :
Il a fait quelques jours le mutin et le brave,
Mais il revient à vous, et revient plus esclave,
Et reporte à vos pieds le tyrannique effet
De ce tourment nouveau que lui-même il s'est fait.
   Vengez-vous du rebelle, et faites-vous justice;
Vous devez un mépris du moins à son caprice;
Avoir un si long temps des sentiments si vains,
C'est assez mériter l'honneur de vos dédains.
Quelle bonté superbe, ou quelle indifférence
A sa rébellion ôte le nom d'offense?
Quoi! vous me revoyez sans vous plaindre de rien?
Je trouve même accueil avec même entretien?
Hélas! et j'espérais que votre humeur altière
M'ouvrirait les chemins à la révolte entière;
Ce cœur, que la raison ne peut plus secourir,

---

104. *Bricole :* tiré du verbe bricoler, qui signifie user d'astuce au jeu de paume ou de billard. Le mot a pris le contenu du mot finesse : adresse trompeuse. Le double sens érotique constant rappelle les gaillardises des *Mélanges poétiques*.
105. On ignore l'occasion et la date de ce billet, ainsi que du suivant.

106. Une note manuscrite de Conrart désigne *Iris* comme la Du Parc, qui se nommait Marquise Thérèse de Gorla, épouse de René Berthelot dit Du Parc. Ceci n'explique pas le nom que lui donne Corneille de « Marquise de B.A.T. ». L'énigme se complique du fait qu'un exemplaire clandestin de 1660 publié à Amsterdam titre le poème : « La Marquise de C.A.B... » Les anecdotes des gazettes contemporaines non plus que les rôles joués par l'actrice n'ont livré jusqu'ici le sens de l'allusion. La troupe de Molière séjourne à Rouen de Pâques à octobre 1658.

Cherchait dans votre orgueil une aide à se guérir :
Mais vous lui refusez un moment de colère,
Vous m'enviez le bien d'avoir pu vous déplaire,
Vous dédaignez de voir quels sont mes attentats,
Et m'en punissez mieux en ne m'en punissant pas.
Une heure de grimace ou froide ou sérieuse,
Un ton de voix trop rude ou trop impérieuse,
Un sourcil trop sévère, une ombre de fierté,
M'eût peut-être à vos yeux rendu la liberté.
J'aime, mais en aimant je n'ai point la bassesse
D'aimer jusqu'au mépris de l'objet qui me blesse;
Ma flamme se dissipe à la moindre rigueur.
Non qu'enfin mon amour prétende cœur pour cœur :
Je vois mes cheveux gris : je sais que les années
Laissent plus de mérite aux âmes les mieux nées;
Que les plus beaux talents des plus rares esprits,
Quand les corps sont usés, perdent bien de leur prix;
Que, si dans mes beaux jours je parus supportable,
J'ai trop longtemps aimé pour être encore aimable,
Et que d'un front ridé les replis jaunissants
Mêlent un triste charme au prix de mon encens.
Je connais mes défauts, mais après tout, je pense
Etre pour vous encore un captif d'importance :
Car vous aimez la gloire, et vous savez qu'un roi
Ne vous en peut jamais assurer tant que moi.
Il est plus en ma main qu'en celle d'un monarque
De vous faire égaler l'amante de Pétrarque,
Et mieux que tous les rois je puis faire douter
De sa Laure ou de vous qui le doit emporter.
Aussi, je le vois trop, vous aimez à me plaire,
Vous vous rendez pour moi facile à satisfaire;
Votre âme de mes feux tire un plaisir secret,
Et vous me perdriez sans doute avec regret.
Marquise, dites donc ce qu'il faut que je fasse :
Vous rattachez mes fers quand la saison vous chasse;
Je vous avais quittée, et vous me rappelez
Dans le cruel instant que vous vous en allez.
Rigoureuse faveur, qui force à disparaître
Ce calme étudié que je faisais renaître,
Et qui ne rétablit un si absolu pouvoir
Que pour me condamner à languir sans vous voir!
Payez, payez mes feux d'une plus faible estime,
Traitez-les d'inconstants, nommez ma fuite un crime;
Prêtez-moi, par pitié, quelque injuste courroux;
Renvoyez mes soupirs qui volent après vous;
Faites-moi présumer qu'il en est quelques autres
A qui jusqu'en ces lieux vous renvoyez des vôtres,
Qu'en faveur d'un rival vous allez me trahir :
J'en ai, vous le savez, que je ne puis haïr;
Négligez-moi pour eux, mais dites en vous-même :
« Moins il me veut aimer, plus il fait voir qu'il m'aime,
« Et m'aime d'autant plus que son cœur enflammé
« N'ose même aspirer au bonheur d'être aimé;
« Je fais tous ses plaisirs, j'ai toutes ses pensées,
« Sans que le moindre espoir les ait intéressées. »
Puissé-je malgré vous y penser un peu moins,
M'échapper quelques jours vers quelques autres soins,
Trouver quelques plaisirs ailleurs qu'en votre idée,
Et voir toute mon âme un peu moins obsédée,
Et vous, de qui je n'ose attendre jamais rien,
Ne ressentir jamais un mal pareil au mien!
Ainsi parla Cléandre[107], et ses maux se passèrent,
Son feu s'évanouit, ses déplaisirs cessèrent :
Il vécut sans la dame, et vécut sans ennui,

Comme la dame ailleurs se divertit sans lui.
Heureux en son amour, si l'ardeur qui l'anime
N'en conçoit les tourments que pour s'en plaindre en
Et si d'un feu si beau la céleste vigueur   [rime,
Peut enflammer ses vers sans échauffer son cœur!

MADRIGAL[108]
POUR UNE DAME QUI REPRÉSENTAIT LA NUIT
EN LA COMÉDIE D' *Endymion*

Si la Lune et la Nuit sont bien représentées,
Endymion n'était qu'un sot :
   Il devait dès le premier mot
Renvoyer à leur ciel les cornes argentées.
Ténébreuse déesse, un œil bien éclairé
Dans tes obscurités eût cherché sa fortune;
Et je n'en connais point qui n'eût tôt préféré
Les ombres de la Nuit aux clartés de la Lune.

SONNET[109]

Je vous estime, Iris, et crois pouvoir sans crime
Permettre à mon respect un aveu si charmant :
   Il est vrai qu'à chaque moment
   Je songe que je vous estime.

Cette agréable idée, où ma raison s'abîme,
Tyrannise mes sens jusqu'à l'accablement;
   Mais pour vouloir fuir ce tourment
   La cause en est trop légitime.

Aussi, quelque désordre où mon cœur soit plongé,
Bien loin de faire effort à l'en voir dégagé,
Entretenir sa peine est toute mon étude.

J'en aime le chagrin, le trouble m'en est doux.
   Hélas! que ne m'estimez-vous
   Avec la même inquiétude!

SONNET

D'un accueil si flatteur, et qui veut que j'espère,
Vous payez ma visite alors que je vous voi,
Que souvent à l'erreur j'abandonne ma foi,
Et crois seul avoir droit d'aspirer à vous plaire.

Mais si j'y trouve alors de quoi me satisfaire,
Ces charmes attirants, ces doux je ne sais quoi,
Sont des biens pour tout autre aussi bien que pour moi,
Et c'est dont un beau feu ne se contente guère.

---

107. La curieuse intervention de ce nom de guerre fait douter que Corneille parle en son propre nom et laisserait entendre qu'il raille un tiers présomptueux.

108. C'est à l'occasion d'une reprise par Molière le 25 juin 1660 de la pièce de Gabriel Gilbert, créée trois ans plus tôt, que Corneille fit ces vers pour la Du Parc, qui jouait *la Nuit*. Le madrigal est peu galant pour l'actrice représentant *la Lune*, Madeleine Béjart sans doute.

109. La place de ce poème à Iris et du suivant, précédant les célèbres *Stances*, donne à penser que le groupe de poèmes qui va de *Sur le départ* au *Sonnet perdu au jeu* forme un ensemble consacré à Marquise; Marty-Laveaux, au nom d'une hypothétique chronologie, les a dispersés dans son édition.

D'une ardeur réciproque il veut d'autres témoins,
Un mutuel échange et de vœux et de soins,
Un transport de tendresse à nul autre semblable.

C'est là ce qui remplit un cœur fort amoureux :
Le mien le sent pour vous, le vôtre en est capable.
Hélas! si vous vouliez, que je serais heureux!

STANCES

Marquise, si mon visage
A quelques traits un peu vieux,
Souvenez-vous qu'à mon âge
Vous ne vaudrez guère mieux.

Le temps aux plus belles choses
Se plaît a faire un affront,
Et saura faner vos roses
Comme il a ridé mon front.

Le même cours des planètes
Règle nos jours et nos nuits :
On m'a vu ce que vous êtes
Vous serez ce que je suis.

Cependant j'ai quelques charmes
Qui sont assez éclatants
Pour n'avoir pas trop d'alarmes
De ces ravages du temps.

Vous en avez qu'on adore;
Mais ceux que vous méprisez
Pourraient bien durer encore
Quand ceux-là seront usés.

Ils pourront sauver la gloire
Dès yeux qui me semblent doux,
Et dans mille ans faire croire
Ce qu'il me plaira de vous.

Chez cette race nouvelle,
Où j'aurai quelque crédit,
Vous ne passerez pour belle
Qu'autant que je l'aurai dit.

Pensez-y, belle Marquise.
Quoiqu'un grison fasse effroi,
Il vaut bien qu'on le courtise,
Quand il est fait comme moi.

SONNET

Usez moins avec moi du droit de tout charmer :
Vous me perdrez bientôt si vous n'y prenez garde.
J'aime bien à vous voir, quoi qu'enfin j'y hasarde,
Mais je n'aime pas bien qu'on me force d'aimer.

Cependant mon repos a de quoi s'alarmer :
Je sens je ne sais quoi dès que je vous regarde;
Je souffre avec chagrin tout ce qui m'en retarde;
Et c'est déjà sans doute un peu plus qu'estimer.

Ne vous y trompez pas : l'honneur de ma défaite
N'assure point d'esclave à la main qui l'a faite;
Je sais l'art d'échapper aux charmes les plus forts;

Et, quand ils m'ont réduit à ne me plus défendre,
Savez-vous, belle Iris, ce que je fais alors?
    Je m'enfuis, de peur de me rendre.

SONNET PERDU AU JEU[110]

Je chéris ma défaite, et mon destin m'est doux,
Beauté, charme puissant des yeux et des oreilles;
Et je n'ai point regret qu'une heure auprès de vous
Me coûte en votre absence et des soins et des veilles.

Se voir ainsi vaincu par vos rares merveilles,
C'est un malheur commode à faire cent jaloux;
Et le cœur ne soupire, en des pertes pareilles,
Que pour baiser la main qui fait de si grands coups.

Recevez de la mienne, après votre victoire,
Ce que pourrait un roi tenir à quelque gloire,
Ce que les plus beaux yeux n'ont jamais dédaigné.

Je vous en rends, Iris, un juste et prompt hommage.
Hélas! contentez-vous de me l'avoir gagné,
    Sans me dérober davantage.

CHANSON

Vos beaux yeux sur ma franchise
N'adressent pas bien leurs coups,
Tête chauve et barbe grise
Ne sont pas viande pour vous;
Quand j'aurais l'heur de vous plaire,
Ce serait perdre du temps;
Iris, que pourriez-vous faire
D'un galant de cinquante ans?

Ce qui vous rend adorable
N'est propre qu'à m'alarmer.
Je vous trouve trop aimable,
Et crains de vous trop aimer :
Mon cœur à prendre est facile,
Mes vœux sont des plus constants,
Mais c'est un meuble inutile
Qu'un galant de cinquante ans.

Si l'armure n'est complète,
Si tout ne va comme il faut,
Il vaut mieux faire retraite
Que d'entreprendre un assaut :
L'amour ne rend point la place
A de mauvais combattants,
Et rit de la vaine audace
Des galants de cinquante ans.

STANCES[111]

Caliste, lorsque je vous vois,
Dirai-je que je vous admire?

110. La lettre à De Pure (p. 859) permet de fixer l'incident
en juillet 1658. Un ordre chronologique absolu exigerait
peut-être de placer les *Stances* sur le départ de Marquise
après ce billet, si la composition s'en rapporte bien au départ
de la troupe en septembre, ce qui n'est pas certain.
    111. La pièce à Caliste est encore une énigme.

C'est vous dire bien peu pour moi,
Et peut-être c'est trop vous dire.

Je m'expliquerais un peu mieux
Pour un moindre rang que le vôtre;
Vous êtes belle, j'ai des yeux,
Et je suis homme comme un autre.

Que n'êtes-vous, à votre tour,
Caliste, comme une autre femme!
Je serais pour vous tout d'amour
Si vous n'étiez point si grand'dame.

Votre grade hors du commun
Incommode fort qui vous aime,
Et sous le respect importun
Un beau feu s'éteint de lui-même.

J'aime un peu l'indiscrétion
Quand je veux faire des maîtresses;
Et quand j'ai de la passion,
J'ai grand amour pour les caresses.

Mais si j'osais me hasarder
Avec vous au moindre pillage,
Vous me feriez bien regarder
Le grand chemin de mon village.

J'aime donc mieux laisser mourir
L'ardeur qui serait maltraitée
Que de prétendre à conquérir
Ce qui n'est point de ma portée.

MADRIGAL[112]

Mes deux mains à l'envi disputent de leur gloire,
Et dans leurs sentiments jaloux
Je ne sais ce que j'en dois croire.
Philis, je m'en rapporte à vous;
Réglez mon amour par le vôtre.
Vous savez leurs honneurs divers :
La droite a mis au jour un million de vers;
Mais votre belle bouche a daigné baiser l'autre.
Adorable Philis, peut-on mieux décider
Que la droite doit lui céder!

MADRIGAL

Je ne veux plus devoir à des gens comme vous;
Je vous trouve, Philis, trop rude créancière.
Pour un baiser prêté qui m'a fait cent jaloux
Vous avez retenu mon âme prisonnière.
Il fait mauvais garder un si dangereux prêt;
J'aime mieux le rendre avec double intérêt,
Et m'acquitter ainsi mieux que je ne mérite;
Mais à de tels payements je n'ose me fier,
Vous accroîtrez la dette en vous laissant payer,
Et doublerez mes fers si par là je m'acquitte :

Le péril en est grand, courons-y toutefois,
Une prison si belle est trop digne d'envie;
Puissé-je vous devoir plus que je ne vous dois,
En peine d'y languir le reste de ma vie!

STANCES[113]

Que vous sert-il de me charmer?
Aminte, je ne puis aimer
Où je ne vois rien à prétendre;
Je sens naître et mourir ma flamme à votre aspect,
Et si pour la beauté j'ai toujours l'âme tendre,
Jamais pour la vertu je n'ai que du respect.

Vous me recevez sans mépris,
Je vous parle, je vous écris,
Je vous vois quand j'en ai l'envie;
Ces bonheurs sont pour moi des bonheurs superflus;
Et si quelque autre y trouve une assez douce vie,
Il me faut pour aimer quelque chose de plus.

Le plus grand amour sans faveur,
Pour un homme de mon humeur,
Est un assez triste partage;
Je cède à mes rivaux cet inutile bien,
Et qui me donne un cœur, sans donner davantage,
M'obligerait bien plus de ne me donner rien.

Je suis de ces amants grossiers
Qui n'aiment pas fort volontiers
Sans aucun prix de leurs services,
Et veux, pour m'en payer, un peu mieux qu'un regard;
Et l'union d'esprit est pour moi sans délices
Si les charmes des sens n'y prennent quelque part.

ÉPIGRAMME[114]

Qu'on te flatte, qu'on te baise,
Tu ne t'effarouches point,
Philis, et le dernier point
Est le seul qui te déplaise.
Cette amitié de milieu
Te semble être selon Dieu,
Et du ciel t'ouvrir la porte :
Mais détrompe-toi l'esprit,
Quiconque aime de la sorte
Se donne au diable à crédit.

RONDEAU[115]

Je pense, à vous voir tant d'attraits,
Qu'Amour vous a formée exprès
Pour faire que sa fête on chomme;
Car vous en avez une somme

---

112. Un billet de décembre 1659, reproduit dans le manuscrit Conrart, permet de dater l'aventure de cette « belle dame de sa connaissance qui par un accès d'estime avait baisé la main gauche de l'auteur. » L'adorable Philis serait une jeune muse de dix-sept ans, Mlle Serment, récemment arrivée de Grenoble et déjà fort courtisée par plusieurs hommes de lettres.

113. Encore une Aminte indéchiffrée. Elle reprend, sous une forme très voisine, le thème du poème à Caliste.
114. *Philis* devrait désigner Mlle Serment. Ce qu'on sait de la muse et les indiscrétions précises suggérées dans le *Madrigal* : « *Mes deux mains* » semblent confirmer l'épigramme.
115. Le ton du morceau invite à le rattacher au « cycle » de Mlle Serment.

Bien dangereuse à voir de près.
Vous êtes belle plus que très,
Et vous avez le teint si frais,
Qu'il n'est rien d'égal (au moins comme
     Je pense) à vous.
Vos yeux, par des ressorts secrets,
Tiennent mille cœurs dans vos rets;
Qui s'en défend est habile homme :
Pour moi qu'un si beau feu consomme,
Nuit et jour, percé de vos traits,
     Je pense à vous.

AIR DE M. LAMBERT,
POUR LA REINE[116]

C'est trop faire languir de si justes désirs,
     Reine, venez assurer nos plaisirs
          Par l'éclat de votre présence.
Venez nous rendre heureux sous vos augustes lois
     Et recevez tous les cœurs de la France
     Avec celui du plus grand de ses rois.

ÉPIGRAMME[117]

     Cette foule d'approbateurs
Qui met à si haut prix ta docte allégorie,
     Comme elle a ton œuvre enchérie,
     Épouvante les acheteurs.
Tu crois que le papier et l'encre qu'il t'en coûte
De l'immortalité t'ouvrent la grande route,
Et que tant de grands noms feront vivre ton nom;
          Mais n'en déplaise à ta doctrine,
               Plus on étaye une maison,
               Plus elle est près de sa ruine.

REMERCIEMENT AU ROI[118]

Ainsi du Dieu vivant la bonté surprenante
Verse, quand il lui plaît, sa grâce prévenante;
Ainsi du haut des cieux il aime à départir

116. La composition de cette pièce non datée est évidemment antérieure au 9 juin 1660, date du mariage de Marie-Thérèse avec Louis XIV. On n'a pas retrouvé ce texte dans le gros volume in-folio des *Airs de Lambert* publiés en 1679. Le petit poème de Corneille fut imprimé, sans la musique, dans un *Recueil des plus beaux vers qui ont été mis en chant*, en 1661.
117. Tallemant des Réaux, dans l'*Historiette* de Mlle Desjardins, reproduit trois épigrammes contre d'Aubignac, à propos d'un portrait qu'il avait placé en tête de son roman de *Macarise* publié en 1664. Il attribue la première « à Corneille ou à quelque cornélien » : elle est donc suspecte. La troisième est de Cotin. La deuxième est précédée de cette phrase : « Corneille fit encore le madrigal suivant. » Nous le reproduisons donc, sur sa foi, rarement prise en défaut...
118. Le 1ᵉʳ janvier 1663, Louis XIV fixa le nombre des pensions des gens de lettres à soixante-deux savants de l'Europe. Deux membres anciens de l'Académie, Chapelain et Costar, avaient dressé chacun leur liste, sans oublier Corneille qui reçut 2 000 livres, en tant que « premier poète dramatique du monde ». Corneille composa cette pièce, imprimée à part en 1663, recueillie dans les *Délices de la poésie française* (septembre 1663) et réimprimée par lui-même en 1667 et 1669 avec le *Poème sur les victoires du roi*. Le texte est ici celui de 1667.

Des biens dont notre espoir n'osait nous avertir.
Comme ses moindres dons excèdent le mérite,
Cette même bonté seule l'en sollicite;
Il ne consulte qu'elle, et maître qu'il en est,
Sans devoir à personne, il donne à qui lui plaît.
     Telles sont les faveurs que ta main nous partage,
Grand Roi, du Roi des rois la plus parfaite image :
Tel est l'épanchement de tes nouveaux bienfaits;
Il prévient l'espérance, il surprend les souhaits.
Il passe le mérite, et ta bonté suprême
Pour faire des heureux les choisit d'elle-même.
Elle m'a mis du nombre, et me force à rougir
De ne me voir qu'un zèle incapable d'agir.
Son excès dans mon cœur fait des troubles étranges.
Je sais que je te dois des vœux et des louanges,
Que ne t'en pas offrir c'est te les dérober;
Mais si j'y fais effort, je cherche à succomber,
Et le plus beau succès que ma Muse en obtienne
Profanera ta gloire et détruira la mienne.
Je veux bien t'immoler tout entière à mon roi;
Mais, si je n'en ai plus, je ne puis rien pour toi,
Et j'en dois prendre soin, pour éviter le crime
D'employer à te peindre un pinceau sans estime.
     Il n'est dans tous les arts secret plus excellent
Que de savoir connaître et choisir son talent.
Pour moi qui de louer n'eus jamais la méthode,
J'ignore encor le tour du sonnet et de l'ode.
Mon génie au théâtre a voulu m'attacher;
Il en a fait mon fort, je dois m'y retrancher;
Partout ailleurs je rampe, et ne suis plus moi-même :
Mais là j'ai quelque nom, là quelquefois on m'aime;
Là ce même génie ose de temps en temps
Tracer de ton portrait quelques traits éclatants.
Par eux de l'*Andromède* il sut ouvrir la scène;
On y vit le Soleil instruire Melpomène,
Et lui dire qu'un jour Alexandre et César
Sembleraient des vaincus attachés à ton char :
Ton front le promettait, et tes premiers miracles
Ont rempli hautement la foi de mes oracles.
A peine tu parais les armes à la main,
Que tu ternis les noms du Grec et du Romain;
Tout tremble, tout fléchit sous tes jeunes années;
Tu portes en toi seul toutes les destinées;
Rien n'est en sûreté s'il ne vit sous ta loi :
On t'offre, ou pour mieux dire, on prend la paix de toi,
Et ceux qui se font craindre aux deux bouts de la terre,
Pour ne te craindre plus renoncent à la guerre.
     Ton hymen est le sceau de cette illustre paix :
Sur ces grands coups d'État tout parle, et je me tais;
Et sans me hasarder à ces nobles amorces,
J'attends l'occasion qui s'arrête à mes forces.
Je la trouve, et j'en prends le glorieux emploi,
Afin d'ouvrir ma scène encore un coup pour toi :
J'y mets la *Toison d'or*, mais avant qu'on la voie
La Paix vient elle-même y préparer la joie,
L'Hymen l'y fait descendre, et de Mars en courroux
Par ta digne moitié j'y romps les derniers coups.
     On te voyait dès lors toi seul comparable
Faire éclater partout ta conduite adorable,
Remplir les bons d'amour, et les méchants d'effroi.
Jusque-là toutefois tout n'était pas à toi,
Et quelques doux effets qu'eût produits ta victoire
Les conseils du grand Jule[119] avaient part à ta gloire.
     Maintenant qu'on te voit en digne potentat

119. Rappel à l'honneur de Corneille. Mazarin était mort depuis deux ans (9 mars 1661) et c'était assez faire sa cour aux nouveaux ministres, surtout à Colbert, de ne pas le nommer.

Réunir en ta main les rênes de l'Etat,
Que tu gouvernes seul, et que par ta prudence
Tu rappelles des rois l'auguste indépendance,
Il est temps que d'un air encor plus élevé
Je peigne en ta personne un monarque achevé;
Que j'en laisse un modèle aux rois qu'on verra naître
Et qu'en toi pour régner je leur présente un maître.
    C'est là que je saurai fortement exprimer
L'art de te faire craindre, et de te faire aimer;
Cet accès libre à tous, cet accueil favorable,
Qu'ainsi qu'au plus heureux tu fais au misérable.
Je te peindrai vaillant, juste, bon, libéral,
Invincible à la guerre, en la paix sans égal :
Je peindrai cette ardeur constante et magnanime
De retrancher le luxe et d'extirper le crime[120];
Ce soin toujours actif pour les nobles projets,
Toujours infatigable au bien de tes sujets;
Ce choix des serviteurs fidèles, intrépides,
Qui soulagent tes soins, mais sur qui tu présides,
Et dont tout le pouvoir qui fait tant de jaloux
N'est qu'un écoulement de tes ordres sur nous.
Je rendrai de ton nom l'univers idolâtre :
Mais pour ce grand chef-d'œuvre, il faut un grand théâtre.
Ouvre-moi donc, grand roi, ce prodige des arts,
Que n'égala jamais la pompe des Césars,
Ce merveilleux salon[121] où ta magnificence
Fait briller un rayon de sa toute-puissance;
Et peut-être, animé par tes yeux de plus près,
J'y ferai plus encor que je ne te promets.
Parle, et je reprendrai ma vigueur épuisée
Jusques à démentir les ans qui l'ont usée.
Vois comme elle renaît dès que je pense à toi,
Comme elle s'applaudit d'espérer en mon roi!
Le plus pénible effort n'a rien qui la rebute :
Commande, et j'entreprends; ordonne, et j'exécute.

SONNET
A MONSEIGNEUR DE GUISE[122]

Croissez, jeune héros; notre douleur profonde
N'a que ce doux espoir qui la puisse affaiblir;
Croissez, et hâtez-vous de faire voir au monde
Que le plus noble sang peut encor s'ennoblir.

Croissez pour voir sous vous trembler la terre et l'onde;
Un grand prince vous laisse un grand nom à remplir,
Et ce que se promit sa valeur sans seconde,
C'est par vous que le ciel réserve à l'accomplir.

Vos aïeux vous diront par d'illustres exemples
Comme il faut mériter des sceptres et des temples;
Vous ne verrez que gloire et que vertus en tous.

120. Une récente ordonnance contre le luxe des habits,
carrosses, ornements (juin 1663) aggravait les ordonnances
de 1656 et 1660. Un édit de mars 1667 venait de créer un
lieutenant de police à Paris : il s'agit ici d'un texte remanié
pour la réimpression de 1667.
121. Appel direct pour être joué devant la cour, comme
le jeune Racine.
122. Henri II de Guise mourut le 2 juin 1664, sans enfants.
Son neveu hérita le titre. Un Recueil funèbre parut à la gloire
du duc, dont on n'a pas retrouvé d'exemplaire. Le texte de
Corneille est conservé sur un feuillet isolé d'une collection
privée. Il invite l'héritier du nom à imiter ses ancêtres, mais
Corneille, qui logeait depuis deux ans à l'hôtel de Guise,
s'installe ailleurs.

Sur des pas si fameux suivez l'ordre céleste,
Et de tant de héros qui revivent en vous,
Égalez le dernier, vous passerez le reste.

AU ROI,
POUR LE RETARDEMENT DU PAIEMENT
DE SA PENSION[123]

Grand Roi, dont nous voyons la générosité
Montrer pour le Parnasse un excès de bonté,
    Que n'ont jamais eu tous les autres,
Puissiez-vous dans cent ans donner encor des lois,
Et puissent tous vos ans être de quinze mois
    Comme vos commis font les nôtres!

AU ROI,
SUR SON RETOUR DE FLANDRE

*Les trois poèmes suivants se rapportent à la victorieuse
campagne de Flandre, dirigée par le roi en personne, qui
était rentré à Paris à la fin d'août 1667. A son éloge
personnel, Corneille ajoute deux traductions de poèmes
latins sur le même sujet, l'un du Père de La Rue, l'autre
de Habert de Montmaur, académicien et maître des
requêtes du roi, que Corneille s'amuse à traduire de
quatre manières différentes.*

Tu reviens, ô mon Roi! tout couvert de lauriers,
Les palmes à la main tu nous rends nos guerriers,
Et tes peuples, surpris et charmés de leur gloire,
Mêlent un peu d'envie à leurs chants de victoire.
Ils voudraient avoir vu comme eux aux champs de Mars
Ton auguste fierté guider tes étendards,
Avoir dompté comme eux l'Espagne en sa milice,
Réduit comme eux la Flandre à faire justice,
Et su mieux prendre part à tant de murs forcés
Que par des feux de joie et des vœux exaucés.
Nos Muses à leur tour, de même ardeur saisies,
Vont redoubler pour toi leurs nobles jalousies,
Et ta France en va voir les merveilleux efforts
Déployer à l'envi leurs plus rares trésors.
Elles diront quels soins, quels rudes exercices,
Quels travaux assidus étaient lors tes délices,
Quels secours aux blessés prodiguait ta bonté,
Quels exemples donnait ton intrépidité,
Quels rapides succès ont accru ton empire,
Et le diront bien mieux que je ne puis dire.
C'est à moi de m'en taire, et ne pas avilir
L'honneur de ces lauriers que tu viens de cueillir.
De mon génie usé la chaleur amortie
A leur gloire immortelle est trop mal assortie,
Et défigurerait tes grandes actions
Par l'indigne attentat de ses expressions.
Que ne peuvent, grand Roi, tes hautes destinées
Me rendre la vigueur de mes jeunes années!
Qu'ainsi qu'au temps du *Cid* je ferais de jaloux!
Mais j'ai beau rappeler un souvenir si doux,
Ma veine, qui charmait alors tant de balustres[124],

123. Ce sixain, connu seulement par une copie de Gai-
gnières, est daté avec probabilité par une réclamation identique du chevalier de Cailly publiée en 1665. Le surintendant
des bâtiments, qui a déjà du mal à payer les travaux du Louvre,
oublie les gens de lettres...
124. Figure de rhétorique : la partie est prise pour le tout.
Les balustres entouraient les alcôves des grandes chambres
princières.

N'est plus qu'un vieux torrent qu'ont tari douze lustres,
Et ce serait en vain qu'aux miracles du temps
Je voudrais opposer l'acquis de quarante ans.
Au bout d'une carrière et si longue et si rude
On a trop peu d'haleine et trop de lassitude;
A force de vieillir un auteur perd son rang,
On croit ses vers glacés de la froideur du sang,
Leur dureté rebute, et leur poids incommode,
Et la seule tendresse est toujours à la mode.

Ce dégoût toutefois ni ma propre langueur
Ne me font pas encor tout à fait perdre cœur,
Et dès que je vois jour sur la scène à te peindre,
Il rallume aussitôt ce feu prêt à s'éteindre.
Mais comme au vif éclat de tes faits inouïs
Soudain mes faibles yeux demeurent éblouis,
J'y porte, au lieu de toi, ces héros dont la gloire
Semble épuiser la fable et confondre l'histoire,
Et m'en faisant un voile entre la tienne et moi,
J'assure mes regards pour aller jusqu'à toi.

Ainsi de ta splendeur mon idée enrichie
En applique à leur front la clarté réfléchie,
Et forme tous leurs traits sur le moindre des tiens,
Quand je veux faire honneur aux siècles anciens.
Sur mon théâtre ainsi tes vertus ébauchées
Sèment ton grand portrait par pièces détachées;
Les plus sages des rois, comme les plus vaillants,
Y reçoivent de toi leurs plus dignes brillants.
J'emprunte, pour en faire une pompeuse image,
Un peu de la conduite, un peu de ton courage,
Et j'étudie en toi ce grand art de régner[125],
Qu'à la postérité je leur fais enseigner.
C'est tout ce que des ans me peut souffrir la glace :
Mais j'ai d'autres moi-même à servir en ma place,
Deux fils dans ton armée[126], et dont l'unique emploi
Est d'y porter du sang à répandre pour toi.
Tous deux ils tâcheront, dans l'ardeur de te plaire,
D'aller plus loin pour toi que le nom de leur père;
Tous deux, impatients de te mieux signaler,
Ils brûleront d'agir, quand je tremble à parler,
Et ce feu qui sans cesse eux et moi nous consume
Suppléera par l'épée au défaut de ma plume.
Pardonne, grand vainqueur, à cet emportement :
Le sang prend malgré nous quelquefois son moment;
D'un père pour ses fils l'amour est légitime,
Et j'ai droit que les miens te gardent quelque estime,
Après qu'en leur faveur toi-même as bien voulu
M'assurer que l'abord ne t'en a point déplu.

Le plus jeune a trop tôt reçu d'heureuses marques
D'avoir suivi les pas du plus grand des monarques
Mais s'il a peu servi, si le feu des mousquets
Arrêta dès Douai ses plus ardents souhaits,
Il fait gloire du lieu que perça la tempête :
Ceux qu'elle atteint au pied ne cachent pas leur tête,
Sur eux à ta fortune ils laissent tout pouvoir,
Ils s'offrent tout entiers aux hasards du devoir.

De nouveau je m'emporte : encore un coup pardonne
Ce doux égarement que le sang me redonne;

Sa flatteuse surprise aisément nous séduit,
La pente est naturelle, avec joie on la suit,
Elle fait une aimable et prompte violence,
Dont pour me garantir je n'ai que le silence.

Grand Roi, qui vois assez combien j'en suis confus,
Souffre que je t'admire, et ne te parle plus.

SUR LES VICTOIRES DU ROI,
POEME TRADUIT DU LATIN EN FRANÇAIS

AU LECTEUR.

Quelque favorable accueil que sa Majesté ait daigné faire à cet ouvrage, et quelques applaudissements que la cour lui ait prodigués, je n'en dois pas faire grande vanité, puisque je n'en suis que le traducteur. Mais, dans une si belle occasion de faire éclater la gloire du roi, je n'ai point considéré la mienne : mon zèle est plus fort que mon ambition et, pourvu que je puisse satisfaire en quelque sorte aux devoirs d'un sujet fidèle et passionné, il m'importe peu du reste. Le public m'aura du moins l'obligation d'avoir déterré ce trésor, qui, sans moi, serait demeuré enseveli sous la poussière d'un collège, et j'ai été bien aise de pouvoir donner par là quelques marques de reconnaissance aux soins que les PP. jésuites ont pris d'instruire ma jeunesse et d'élever mes enfants, et à l'amitié particulière dont m'honore l'auteur de ce panégyrique. Je ne l'ai pas traduit si fidèlement, que je ne me sois enhardi d'une fois à étendre ou resserrer ses pensées : comme les grâces des deux langues sont différentes, j'ai cru à propos de prendre cette liberté, afin que ce qui était excellent en latin ne devînt pas insupportable en français; vous en jugerez, et ne serez pas fâché que j'y aie fait joindre quelques autres pièces, que vous avez déjà vues, sur le même sujet. L'amour naturel que nous avons tous pour les productions de notre esprit m'a fait espérer qu'elles se pourraient ainsi conserver l'une par l'autre, ou périr un peu plus tard.

Mânes des grands Bourbons[127], brillants foudres de
Qui fûtes et l'exemple et l'effroi de la terre, [guerre,
Et qu'un climat fécond en glorieux exploits
Pour le soutien des lis vit sortir de ses rois,
Ne soyez point jaloux qu'un roi de votre race
Égale tout d'un coup votre plus noble audace.
Vos grands noms dans le sien revivent aujourd'hui :
Toutes les fois qu'il vainc vous triomphez en lui;
Et ces hautes vertus que de vous il hérite
Vous donnent votre part aux encens qu'il mérite.

C'est par cette valeur qu'il tient de votre sang,
Que le lion belgique[128] a vu percer son flanc;
Il en frémit de rage, et devenu timide,
Il met bas cet orgueil contre vous intrépide,
Comme si sa fierté qui vous sut résister
Attendait ce héros pour se laisser dompter!
Aussi cette fierté, par le nombre alarmée,

---

125. Corneille réaffirme ici ses intentions de pédagogue politique, exprimées déjà dans le billet à Mazarin (cf. p. 873) qui apparaissent dans toutes ses pièces, et particulièrement affirmées cette année-là avec *Attila*.

126. Pierre, né en 1643, capitaine de chevau-légers. Le second (prénom ignoré), page chez la duchesse de Nemours en 1661, lieutenant de cavalerie, blessé au talon à Douai le 6 juillet 1667, alors convalescent près de son père, qui eut des ennuis avec la police municipale pour avoir mis de la paille devant sa porte afin d'amortir le bruit de la rue (Lettre de Robinet du 30 juillet 1667).

127. L'éloge va non seulement à Louis XIV, mais aux princes de Bourbon-Condé : Henri II (1588-1646) célébré dans *les Triomphes de Louis le Juste*, et Louis II, dont Voltaire écrira : « Il était né général », généralissime à vingt-deux ans, vainqueur à Rocroi en 1643, en Allemagne, en Flandre et en Catalogne (1645-1648) — passons sur ses campagnes contre la France — pardonné en 1660, rétabli à la tête des troupes royales en 1663, et qui allait encore se distinguer de 1672 à 1675.

128. Emblème des provinces belges.

Voit en un chef si grand encor plus d'une armée,
Dont par le seul aspect ce vieil orgueil brisé
Court au-devant du joug si longtemps refusé.
De là ces feux de joie et ces chants de victoire
Qui font briller partout et retentir sa gloire :
Et bien que la déesse aux cent voix et cent yeux
L'ait publiée en terre et fait redire aux cieux,
Qu'il ne soit pas besoin d'aucune autre trompette,
Le cœur paraît ingrat quand la bouche est muette,
Et d'un nom que partout la vertu fait voler
C'est crime de se taire où tout semble parler.
      Mais n'attends pas, grand Roi, que mes ardeurs sincères
Appellent au secours l'Apollon de nos pères ;
A mes faibles efforts daigne servir d'appui,
Et tu me tiendras lieu des Muses et de lui.
Toi seul y peux suffire, et dans toutes les âmes
Allumer de toi seul les plus célestes flammes,
Tel qu'épand le soleil sa lumière sur nous,
UNIQUE DANS LE MONDE, ET QUI SUFFIT A TOUS[129].
      Par l'ordre de son roi les armes de la France
De la triste Hongrie avaient pris la défense,
Sauvé du Turc vainqueur un peuple gémissant,
Fait trembler son Asie et rougir son croissant[130],
Par son ordre on voyait d'invincibles courages
D'Alger et de Tunis arrêter les pillages[131],
Affranchir nos vaisseaux de ces tyrans des mers,
Et leur faire à leur tour appréhender nos fers.
L'Anglais même avait vu jusque dans l'Amérique
Ce que c'est qu'avec nous rompre la foi publique,
Et sur terre et sur mer reçu le digne prix
De l'infidélité qui nous avait surpris[132].
Enfin du grand Louis aux trois parts de la terre
Le nom se faisait craindre à l'égal du tonnerre.
L'Espagnol s'en émeut, et gêné de remords,
Après de tels succès il craint pour tous ses bords :
L'injure d'une paix à la fraude enchaînée[133],
Les dures pactions d'un royal hyménée[134],
Tremblent sous les raisons et la facilité
Qu'aura de s'en venger un roi si redouté.
Louis s'en aperçoit, et tandis qu'il s'apprête
A joindre à tant de droits celui de la conquête,
Pour éblouir l'Espagne et son raisonnement,
Il tourne ses apprêts en divertissement[135] ;
Il s'en fait un plaisir, où par un long prélude
L'image de la guerre en affermit l'étude,
Et ses passe-temps même instruisant ses soldats
Préparent un triomphe où l'on ne pense pas.
Il se met à leur tête aux plus ardentes plaines,
Fait en se promenant leçon aux capitaines,
Se délasse à courir de quartier en quartier,
Endurcit et soi-même et les siens au métier,
Les forme à ce qu'il faut que chacun cherche ou craigne,

Et par de feints combats apprend l'art qu'il enseigne.
Il leur montre à doubler leurs files et leurs rangs,
A changer tôt de face aux ordres différents,
Tourner à droite, à gauche, attaquer et défendre,
Enfoncer, soutenir, caracoler, surprendre ;
Tantôt marcher en corps, et tantôt défiler,
Pousser à toute bride, attendre, reculer,
Tirer à coups perdus, et par toute l'armée
Faire l'oreille au bruit et l'œil à la fumée.
      Ce héros va plus outre : il leur montre à camper ;
A la tente, à la hutte on les voit s'occuper ;
Sa présence aux travaux mêle de si doux charmes,
Qu'ils apprennent sans peine à dormir sous les armes ;
Et comme s'ils étaient en pays dangereux,
L'ombre de Saint-Germain est un bivouac pour eux.
      Achève, grand Monarque, achève, et pars sans crainte :
Si tu t'es fait un jeu de cette guerre feinte,
Accoutumé par elle à la poussière, au feu,
La véritable ailleurs ne te sera qu'un jeu :
Tes guerriers t'y suivront sans y voir rien de rude,
Combattront par plaisir, vaincront par habitude ;
Et la victoire, instruite à prendre ici ta loi,
Dans les champs ennemis n'obéira qu'à toi.
      L'Espagne cependant, qui voit des Pyrénées
Donner ce grand spectacle aux dames étonnées,
Loin de craindre pour soi, regarde avec mépris,
Dans un camp si pompeux, des guerriers si bien mis,
Tant d'habits, comme au bal, chargés de broderie,
Et parmi des canons tant de galanterie.
Quoi ! l'on se joue en France, et ce roi si puissant
Croit m'effrayer, dit-elle, en se divertissant !
Il est vrai qu'il se joue, Espagne, et tu le devines ;
Mais tu mettras au jeu plus que tu n'imagines,
Et de ton dernier vol si tu ne te repens,
Tu ne verras finir ce jeu qu'à tes dépens.
      Son père et son aïeul t'ont fait voir que sa France
Sait trop, quand il lui plaît, dompter ton arrogance :
Tant d'escadrons rompus, tant de murs emportés,
T'ont réduite souvent au secours des traités ;
Ces disgrâces alors te donnaient peu d'alarmes,
Tes conseils réparaient la honte de tes armes ;
Mais le ciel réservait à notre auguste roi
D'avoir plus de conduite et plus de cœur que toi.
      Rien plus ne le retarde, et déjà ses trompettes
Aux confins de l'Artois lui servent d'interprètes[136] :
C'est de là, c'est par là qu'il s'explique assez haut.
Il entre dans la Flandre et rase le Hainaut.
Le Français court et vole, une mâle assurance
Le fait à chaque pas triompher par avance ;
Le désordre est partout, et l'approche du roi
Remplit l'air de clameurs et la terre d'effroi.
Jusqu'au fond du climat ses lions en rugissant,
Leur vue en étincelle, et leurs crins s'en hérissent ;
Les antres et les bois, par de longs hurlements,
Servent d'affreux échos à leurs rugissements ;
Et les fleuves mal sûrs dans leurs grottes profondes
Hâtent vers l'Océan la fuite de leurs ondes ;
Incertains de la marche, ils tremblent tous pour eux.
Songe encor, songe, Espagne, à mépriser nos jeux !
      Ainsi, quand le courroux du maître de la terre
Pour en punir l'orgueil prépare son tonnerre,
Qu'un orage imprévu qui roule dans les airs
Se fait connaître au bruit et voir par les éclairs,
Ces foudres, dont la route est pour nous inconnue,
Paraissent quelque temps se jouer dans la nue,

---

129. Traduction des deux devises du roi : *Unicus uni* et
Nec pluribus impar.

130. Victoire des troupes germano-françaises au Saint-
Gothard, le 1er août 1664, sous les ordres de Montecuculli
qui allait se trouver en 1672 l'adversaire de Condé.

131. Prise de Gigeri (près d'Alger) sur les corsaires barba-
resques en 1664.

132. 26 janvier 1666 : Déclaration de guerre à l'Angleterre. 20 avril : Victoire française aux Antilles. 9 mai : Résistance victorieuse à la marine anglaise. 31 juillet 1667 : Paix
de Bréda.

133. Paix des Pyrénées : 7 novembre 1659.

134. Renonciation de la reine, Marie-Thérèse, à la succession espagnole, en échange d'une dot de 500 000 écus,
impayée par l'Espagne.

135. Revues militaires spectaculaires en 1666, narrées
avec complaisance par *la Gazette*.

136. Départ de Saint-Germain, le 16 mai 1669. Quartiers
pris à Amiens le 20.

Et ce feu qui s'échappe et brille à tous moments
Semble prêter au ciel de nouveaux ornements :
Mais enfin le coup tombe; et ce moment horrible,
A force de tarder devenu plus terrible,
Étale aux yeux surpris des hommes écrasés
Une plaine fumante, et des rochers brisés.
Tel on voit le Flamand présumer ta venue,
Grand Roi! pour fuir ta foudre il cherche à fuir ta vue :
Et de tes justes lois ignorant la douceur,
Il abandonne aux tiens des murs sans défenseur.

La Bassée, Armentière, aussitôt sont désertes;
Charleroi, qui t'attend, mais à portes ouvertes,
A forts démantelés, à travaux démolis[137],
Sur le nom de son roi laisse arborer tes lis.
C'est là le prompt effet de la frayeur commune,
C'est ce que font sans toi ton nom et ta fortune.
Heureux tous nos Flamands, si l'exemple suivi
Eût partout à tes droits fait justice à l'envi!
Furne n'aurait point vu ses portes enfoncées,
Bergue n'aurait point vu ses murailles forcées,
Et Tournai, de tout temps tout Français dans le cœur,
T'eût reçu comme maître, et non comme vainqueur[138];
Les Muses à Douai n'auraient point pris les armes
Pour coûter à son peuple et du sang et des larmes;
Courtrai, sans en verser, eût changé de destin;
Ce refuge orgueilleux de l'Espagnol mutin,
Alost, n'eût point fourni de matière à ta gloire;
Oudenarde jamais n'eût pleuré ta victoire.
Que dirai-je de Lille, où tant et tant de tours,
De forts, de bastions, n'ont tenu que dix jours?

Ces murs si rechantés, dont la noble ruine
De tant de nations flatte encor l'origine,
Ces remparts que la Grèce et tant de dieux ligués
En deux lustres à peine ont pu voir subjugués,
Eurent moins de défense, et l'art en leur structure
Avait moins secouru l'effort de la nature;
Et ton bras en dix jours a plus fait à nos yeux
Que la fable en dix ans n'a fait faire à ses dieux.

Ainsi, par des succès que nous n'osions attendre,
Ton État voit sa borne au milieu de la Flandre;
Et la Flandre, qui craint de plus grands changements,
Voit ses fleuves captifs diviser ses Flamands.
C'est là ton pur ouvrage, et ce qu'en vain ta France
Elle-même a tenté sous une autre puissance[139];
Ce que semblait le ciel défendre à tes souhaits,
Ce qu'on n'a jamais vu, qu'on ne verra jamais,
Ce que tout l'avenir à peine voudra croire...
Mais de quel front osé-je ébaucher tant de gloire,
Moi dont le style faible et le vers mal suivi
Ne sauraient même atteindre à ceux qui t'ont servi?

Souffre-moi toutefois de tâcher à portraire
D'un roi tout merveilleux l'incomparable frère[140],
Sa libéralité pareille à sa valeur;
A l'espoir du combat ce qu'il sent de chaleur;
Ce que lui fait oser l'inexorable envie

D'affronter les périls au mépris de sa vie,
Lorsque de sa grandeur il peut se démêler,
Et trompe autour de lui tant d'yeux pour y voler.
Les tristes champs de Bruge en rendront témoignage :
Ce fut là que pour suite il n'eut que son courage;
Il fuyait tous les siens pour courir sur tes pas,
Marcin[141], et ta déroute eût signalé son bras,
Si le destin jaloux qui l'avait arrêtée
Pour en croître l'affront ne l'eût précipitée,
Et sur ton nom fameux déployé sa rigueur
Jusques à t'envier un si noble vainqueur.

Enghien[142] le suit de près, et n'est pas moins avide
De ces occasions où l'honneur sert de guide.
L'Escaut épouvanté voit ses premiers efforts
Le couronner de gloire au travers de cent morts,
Donner sur l'embuscade, en pousser la retraite,
Triompher des périls où sa valeur le jette,
Et montrer dans un cœur aussi haut que son rang
De l'illustre Condé le véritable sang.

Saint-Pol[143], de qui l'ardeur prévient ce qu'on espère,
De son côté Dunois, et Condé par sa mère,
A l'un et l'autre nom répond si dignement,
Que des plus vaillants même il est l'étonnement.
Des armes qu'il arrache aux mains qui le combattent
Il commence un trophée où ses vertus éclatent,
Et pour forcer la Flandre à prendre un joug plus doux
Les pals les plus serrés font passage à ses coups.
Mais où va m'emporter un zèle téméraire?
A quoi m'expose-t-il? et que prétends-je faire,
Lorsque tant de grands noms, tant d'illustres exploits,
Tant de héros enfin s'offrent tous à la fois?

Magnanimes guerriers, dont les hautes merveilles
Lasseraient tout l'effort des plus savantes veilles,
Bien que notre valeur étonne l'univers,
Qu'elle mette vos noms au-dessus de mes vers,
Vos miracles pourtant ne sont point des miracles;
L'exemple de Louis vous lève tous obstacles :
Marchez dessus ses pas, fixez sur lui vos yeux,
Vous n'avez qu'à le voir, qu'à le suivre en tous lieux,
Qu'à laisser faire en vous l'ardeur qu'il vous inspire,
Pour vous faire admirer plus qu'on ne vous admire.

Cette ardeur, qui des chefs passe aux moindres soldats,
Anime tous les cœurs, fait agir tous les bras :
Tout est beau, tout est doux sous de si grands auspices;
La peine a ses plaisirs, la mort a ses délices;
Et de tant de travaux qu'il aime à partager,
On n'en voit que la gloire et non le danger.

Il n'est pas de ces rois qui, loin du bruit des armes,
Sous des lambris dorés donnent ordre aux alarmes,
Et reposent en repos d'ambitieux projets,
Prodiguent, à couvert, le sang de leurs sujets,
Il veut de sa main propre enfler sa renommée,
Voir de ses propres yeux l'état de son armée,
Se fait à tout son camp reconnaître à la voix,
Visite la tranchée, y fait suivre ses lois :
S'il faut des assiégés repousser les sorties,
S'il faut livrer assaut aux places investies,
Il montre à voir la mort, à la braver de près,
A mépriser partout la grêle des mousquets,
Et lui-même essuyant leur plus noire tempête
Par ses propres périls achète sa conquête.

---

137. Castelrodrigo fait sauter à la mine la forteresse de
Charleroi, avant sa reddition le 2 juin. — Sous le nom de
son roi : Charleroi tirait son nom du roi d'Espagne Charles II,
frère de Marie-Thérèse.

138. Bergues, 6 juin 1667. Furnes, le 12. Tournai, le 26.
Douai, le 6 juillet. Courtrai, le 18. Audenarde, le 31. Alost,
le 1er août. Lille, le 27.

139. Allusion à l'occupation manquée de Philippe le Bel.

140. Philippe d'Orléans (1640-1701), marié en 1661 à Henriette d'Angleterre, pour qui Bossuet écrira trois ans plus tard :
« Madame se meurt, Madame est morte ». Ses prouesses
militaires étonnèrent tout le monde, et d'abord le roi qui lui
demanda : « Diable, mon frère, qui vous a tant appris? —
C'est l'évêque de Valence (Cosnac) », répondit-il.

141. Le comte de Marsin, second du prince de Ligne, battu
à Lille par Créqui.

142. Fils du Grand Condé : il n'a que vingt-deux ans.

143. Le comte de Saint-Pol, qui sera duc de Longueville
en 1671 : il n'a pas dix-huit ans. Descendant de Dunois, bâtard
d'Orléans par son père, neveu du Grand Condé par sa mère,
la duchesse de Longueville.

Tel le grand saint Louis, la tige des Bourbons,
Lui-même du Soldan[144] forçait les bataillons :
Tel son aïeul Philippe acquit le nom d'Auguste
Dans les fameux hasards d'une guerre aussi juste ;
Avec le même front, avec la même ardeur
Il terrassa d'Othon la superbe grandeur,
Couvrit devant ses yeux la Flandre de ruines,
Et du sang allemand fit ruisseler Bouvines[145] :
Tel enfin, grand Monarque, aux campagnes d'Ivry,
Tel en mille autres lieux l'invincible Henri,
De la Ligue obstinée enfonçant les cohortes,
Te conquit de sa main le sceptre que tu portes[146].

Vous, ses premiers sujets, qu'attache à son côté
La splendeur de la race ou de la dignité,
Vous, dignes commandants, vos exploits aguerries,
Troupes aux champs de Mars dès le berceau nourries,
Dites-moi de quels yeux vous vîtes ce grand roi,
Après avoir rangé tant de murs sous sa loi,
Descendre parmi vous de son char de victoire
Pour vous donner à tous votre part à sa gloire.
De quels yeux vîtes-vous son auguste fierté
Unir tant de tendresse à tant de majesté,
Honorer la valeur, estimer le service,
Aux belles actions rendre prompte justice,
Secourir les blessés, consoler les mourants,
Et pour vous applaudir passer dans tous vos rangs ?

Parlez, nouveaux Français, qui venez de connaître
Quel est votre bonheur d'avoir changé de maître,
Vous qui ne voyiez plus vos princes qu'en portrait,
Sujets en apparence, esclaves en effet,
Pouvez-vous regretter ces démarches pompeuses,
Ces fastueux dehors, ces grandeurs sourcilleuses,
Ces gouverneurs enfin envoyés de si loin,
Tout puissants en parade, impuissants au besoin,
Qui, ne montrant jamais qu'un œil farouche et sombre,
A peine vous jugeaient dignes de voir leur ombre ?

Nos rois n'exigent point cet odieux respect :
Chacun peut chaque jour jouir de leur aspect ;
On leur parle, on reçoit d'eux-mêmes le salaire
Des services rendus, ou du zèle à leur plaire ;
Et l'amoureux attrait qui règne en leurs bontés
Leur gagne d'un coup d'œil toutes les volontés.

Pourriez-vous en avoir une plus sûre marque,
Belges ? vous le voyez, cet illustre monarque,
A vos temples ouverts conduire ses vainqueurs
Pour y bénir le ciel de vos propres bonheurs.
Est-il environné de ces pompes cruelles
Dont à Rome éclataient les victoires nouvelles,
Quand tout autour d'un char elle voyait traînés
Des peuples soupirants et des rois enchaînés,
Qu'elle admirait l'amas des affreux brigandages
D'où tiraient leurs grands noms ses plus grands person-
Et des fleuves domptés les simulacres vains   [nages,
Qui sous des flots de bronze adoraient ses Romains ?
Il n'y fait point porter les dépouilles des villes,
Comme ses Marius, ses Métels, ses Émiles,
Et ce reste insolent d'avides conquérants,
Grands héros dans ses murs, partout ailleurs tyrans.
Il entre avec éclat, mais votre populace

Ne voit point sur son front de fast[147] ni de menace,
Il entre, mais d'un air qui ravit tous les cœurs,
En père des vaincus, en maître des vainqueurs.
Peuples, repentez-vous de votre résistance ;
Il ramène en vos murs la joie et l'abondance ;
Votre défaite en chasse un sort plus rigoureux :
Si vous aviez vaincu, vous seriez moins heureux.

On m'en croit, on l'aborde, on lui porte des plaintes ;
Il écoute, il prononce, il fait des lois plus saintes ;
Chacun reste charmé d'un si facile accès,
Chacun des maux passés goûte le doux succès,
Jure avec l'Espagnol un éternel divorce,
Et porte avec amour un joug reçu par force.

C'est ainsi que la terre, au retour du printemps,
Des grâces du soleil se défend quelque temps,
De ses premiers rayons refuit les avantages,
Et pour les repousser élève cent nuages ;
Le soleil plus puissant dissipe ces vapeurs,
S'empare de son sein, y fait naître des fleurs,
Y fait germer des fruits, et la terre, à leur vue
Se trouvant enrichie aussitôt que vaincue,
Ouvre à ce conquérant jusques au fond du cœur,
Et pleine de ses dons, adore son vainqueur.

Poursuis, grand roi, poursuis : c'est par là qu'on
Du respect immortel chez la race future :   [s'assure
C'est par là que le ciel prépare ton Dauphin
A remplir hautement son illustre destin.
Il y répond sans peine, et son jeune courage
Accuse incessamment la paresse de l'âge ;
Toute son âme vole après tes étendards,
Brûle de partager ta gloire et tes hasards,
D'aller ainsi que toi de conquête en conquête.

Conservez, justes cieux, et l'une et l'autre tête ;
Modérez mieux l'ardeur d'un roi si généreux :
Faites-le souvenir qu'il fait seul tous nos vœux,
Que tout notre destin s'attache à sa personne,
Qu'il ferait d'un faux pas chanceler sa couronne,
Et puisque ses périls nous forcent de trembler,
Du moins n'en souffrez point qui nous puisse accabler.

TRADUCTIONS ET IMITATIONS
DE L'ÉPIGRAMME LATINE DE M. DE MONTMAUR,
PREMIER MAITRE DES REQUÊTES DE L'HOTEL DU ROI

Fulminat attonitas Scaldis Lodoïcus ad arces,
Intrepidusque hostes terret ubique suos :
Dum tamen augustum caput objectare periclis
Non timet, heu ! populos terret et ille suos.

TRADUCTION

Sur l'Escaut étonné tu lances la tempête,
Grand prince, et fais trembler partout tes ennemis ;
Mais quand tu ne crains pas d'y hasarder ta tête,
Tu fais trembler aussi ceux que Dieu t'a soumis.

IMITATION

Tes glorieux périls remplissent tes projets,
Grand Roi : mais tu fais peur aux deux partis ensemble ;
Et, si devant tes pas toute l'Espagne tremble,
Ces périls où tu cours font trembler tes sujets.

---

144. Le souvenir de saint Louis est vivace. Godeau vient d'en écrire la *Vie.*

145. La célèbre victoire de Bouvines (1214) sur l'empereur Othon IV.

146. Addition de Corneille au texte du Père jésuite, non sans quelque malice. Si l'éloge du roi Henri IV n'avait rien en soi qui pût déplaire à la Compagnie (il en fut le plus chaud protecteur), le rappel d'Henri de Navarre et de la Ligue devait moins leur plaire.

147. Le mot est encore écrit ainsi dans le *Dictionnaire* de César Oudin (1617). Le Cotgrave (1611) porte déjà faste. Mais Corneille l'a toujours employé sous cette forme *fast,* dans *la Mort de Pompée* (v. 1155), dans l'*Imitation* (III, 43, str. 9).

AUTRE

Ton courage, grand Roi, que la gloire accompagne,
Jette les deux partis dans un pareil effroi;
Et si quand tu parais tu fais trembler l'Espagne,
Les lieux où tu parais nous font trembler pour toi.

AUTRE

Et l'Espagne et les tiens, grand Prince, à te voir faire,
De pareilles frayeurs se laissent accabler :
L'Espagne à ton aspect tremble à son ordinaire,
Les tiens par tes périls apprennent à trembler.

ODE AU RÉVÉREND P. DELIDEL
DE LA COMPAGNIE DE JÉSUS, SUR SON TRAITÉ
DE LA THÉOLOGIE DES SAINTS[148]

Toi qui nous apprends de la grâce
Quelle est la force et la douceur,
Comme elle descend dans un cœur,
Comme elle agit, comme elle passe;
Docte écrivain, dont l'œil perçant
Va jusqu'au sein du Tout-Puissant
Pénétrer ce profond abîme;
Que les hommes te vont devoir!
Et que le prix en est ineffable et sublime
De ces biens que par là tu mets en leur pouvoir!

Oui, tant que durera ta course,
Tu peux, mortel, à pleines mains
Puiser des bonheurs souverains
En cette inépuisable source.
Un guide si bien éclairé
Te conduit d'un pas assuré
Au vivant soleil qui l'éclaire :
Suis, mais avec zèle, avec foi,
Suis, dis-je, tu verras tout ce qu'il te faut faire;
Et si tu ne le fais, il ne tiendra qu'à toi.

Tu pèches, mais un Dieu pardonne,
Et pour mériter ce pardon
Il te fait ce précieux don;
Il n'en est avare à personne.
Reçois avec humilité,
Conserve avec fidélité,
Ce grand appui de ta faiblesse :
Avec lui ton vouloir peut tout;
Sans lui tu n'es qu'ordure, impuissance, bassesse
Fais-en un bon usage, et la gloire est au bout.

C'en est la digne récompense;
Mais aussi, tu le dois savoir,
Cet usage est en ton pouvoir,
Il dépend de ta vigilance :
Tu peux t'endormir, t'arrêter,
Tu peux même le rejeter
Ce don, sans qui ta perte est sûre,
Et n'en tireras aucun fruit,
Si tu défères plus aux sens, à la nature,
Qu'aux mouvements sacrés qu'en mon âme il produit.

J'en connais par toi l'efficace,
Savant et pieux écrivain,
Qui jadis de ta propre main
M'as élevé sur le Parnasse :
C'était trop peu pour ta bonté
Que ma jeunesse eût profité
Des leçons que tu m'as données;
Tu portes plus loin ton amour,
Et tu veux qu'aujourd'hui mes dernières années
De tes instructions profitent à leur tour.

Je suis ton disciple, et peut-être
Que l'heureux éclat de mes vers
Éblouit assez l'univers
Pour faire peu de honte au maître.
Par une plus sainte leçon
Tu m'apprends de quelle façon
Au vice on doit faire la guerre.
Puissé-je en user encor mieux,
Et comme je te dois ma gloire sur la terre,
Puissé-je te devoir un jour celle des cieux,

Par son très obligé disciple,
CORNEILLE.

Quod scribo et placeo, si placeo, omne tuum est[149].

AU ROI
SUR SA CONQUÊTE DE LA FRANCHE-COMTÉ[150]

Quelle rapidité, de conquête en conquête,
En dépit des hivers guide tes étendards?
Et quel dieu dans tes yeux tient cette foudre prête
Qui fait tomber les murs d'un seul de tes regards?

A peine tu parais qu'une province entière
Rend hommage à tes lis et justice à tes droits;
Et ta course en neuf jours achève une carrière[151]
Que l'on verrait coûter un siècle à d'autres rois.

En vain pour t'applaudir ma muse impatiente,
Attendant ton retour, prête l'oreille au bruit;
Ta vitesse l'accable, et sa plus haute attente
Ne peut imaginer ce que ton bras produit.

Mon génie, étonné de ne pouvoir te suivre,
En perd haleine et force, et mon zèle confus,
Bien qu'il ait consacré ce qui me reste à vivre,
S'épouvante, t'admire, et n'ose rien de plus.

Je rougis de me taire, et d'avoir tant à dire;
Mais c'est le seul parti que je puisse choisir :
Grand Roi, pour me donner quelque loisir d'écrire,
Daigne prendre pour vaincre un peu plus de loisir!

---

148. Le Père Cl. Delidel (1592-1671) professe dans les collèges de la Compagnie, et comme nous l'apprend Corneille,
à Rouen vers les années 1615. Il allait y mourir trois ans plus
tard et devait déjà s'y trouver à la retraite au moment où
parut cet ouvrage en 1668.

149. Vers à peine modifié d'Horace (*Odes* IV, 3) déjà cité
dans l'Épître d'*Horace*. Corneille remplace *spiro* par *scribo* :
« Ce que j'écris de plaisant - si plaisir il y a - est tout tien. »
150. Publié deux fois à part en 1668, avec le texte latin de
Santeul. Ce chanoine de Saint-Victor (1640-1697) se rendit
vite célèbre par la facilité et l'élégance de ses vers latins. Ses
écrits furent souvent édités avec ceux de divers jésuites, et
notamment du Père de La Rue. Ce n'est pas le seul texte de
lui que Corneille traduira (cf. aussi pp. 897 et 903).
151. Condé arrive à Besançon le 5, et entre dans la ville le 7.
Louis XIV arrive à Dôle le 10, y entre le 14. Les forts de Joux
et de Sainte-Anne, près de Pontarlier, se rendent sans combat.
La campagne a duré dix-sept jours.

REGI
PRO DOMITIS SEQUANIS [152]

Quis te per medias hiemes, Rex maxime, turbo,
Quisve triumphandi præscius ardor agit?
Quis deus in sacra fulmen tibi fronte ministrum,
Quis dedit ut nutu mænia tacta ruant?

Venisti, et populos provincia territa subdit,
Qui tua suspiciant lilia, jura probent.
Quodque alio absolvant vix integra sæcula rege,
Hoc tibi ter terni dant potuisse dies.

Ecce avida famam properans dum devorat aure,
Et quærit reduci quæ tibi Musa canat,
Præcipiti obruitur cursu victoris, et alta
Spe licet arripiat plurima, plura videt.

Impar tot rerum sub pondere deficit ipse
Spiritus, et vires mole premente cadunt;
Quique tibi reliquos vates devoverat annos
Hæret, et insueto cuncta pavore stupet.

Turpe silere quidem, seges est ubi tanta loquendi,
Turpius indigno carmine tanta loqui;
Carmina quippe moram poscunt : vel parce tacenti,
Victor, vincendi vel tibi sume moras.

SUR LE CANAL DU LANGUEDOC
POUR LA JONCTION DES DEUX MERS [153], IMITATION D'UNE PIÈCE LATINE DE PARISOT, AVOCAT DE TOULOUSE

La Garonne et l'Atax [154] dans leurs grottes profondes
Soupiraient de tous temps pour voir unir leurs ondes,
Et faire ainsi couler par un heureux penchant
Les trésors de l'aurore aux rives du couchant;
Mais à des vœux si doux, à des flammes si belles,
La nature, attachée à ses lois éternelles,
Pour obstacle invincible opposait fièrement
Des monts et des rochers l'affreux enchaînement.
France, ton grand Roi parle, et ces rochers se fendent,
La terre ouvre son sein, les plus hauts monts descendent,
Tout cède, et l'eau qui suit les passages ouverts
Le fait voir tout puissant sur la terre et les mers.

AIR DE M. BLONDEL [155]

Mes soupirs vous ont dit plus de cent fois le jour
    Que je mourais pour vous d'amour.
Que me sert, belle Iris, de parler davantage?
S'ils vous ont dit mon mal, pouvez-vous l'ignorer?
    Hélas! si vous vouliez un moment soupirer,
    Que j'entendrais bien ce langage!

152. Corneille se donne l'élégance de rivaliser avec le texte de son modèle; ses vers sont plus hauts en couleur, son rythme plus sûr.
153. Édité en 1668, avec le texte latin de J. Parisot, toulousain pas autrement connu, à moins que ce ne soit le même qui conçut de refaire, sur le modèle de Raymond Sebond, un ouvrage sur *la Foi dévoilée par la raison* (1681). Republié en 1669 avec *les Victoires du roi* (p. 886) et en 1681 dans une *Relation de l'état du canal royal.*
154. L'Aude.
155. On ignore tout des circonstances de la composition de cette pièce, qui figure dans les *Airs de Blondel* publiés par Ballard en 1668. *Iris* est-elle Marquise? (cf. p. 881).

DÉFENSE DES FABLES DANS LA POÉSIE [156]
IMITATION DU LATIN DE SANTEUL

Qu'on fait d'injure à l'art de lui voler la Fable!
C'est interdire aux vers ce qu'ils ont d'agréable,
Anéantir leur pompe, éteindre leur vigueur,
Et hasarder la Muse à sécher de langueur.
O vous qui prétendez qu'à force d'injustices
Le vieil usage cède à de nouveaux caprices,
Donnez-nous par pitié du moins quelques beautés
Qui puissent remplacer ce que vous nous ôtez,
Et ne nous livrez pas aux tons mélancoliques
D'un style estropié par de vaines critiques!
    Quoi! bannir des Enfers Proserpine et Pluton!
Dire toujours le Diable, et jamais Alecton!
Sacrifier Hécate et Diane à la Lune,
Et dans son propre sein noyer le vieux Neptune!
Un berger chantera ses déplaisirs secrets
Sans que la triste Écho répète ses regrets!
Les bois autour de lui n'auront point de Dryades!
L'air sera sans Zéphyrs, les fleuves sans Naïades!
Et par nos délicats les Faunes assommés
Rentreront au néant dont on les a formés!
    Pourras-tu, dieu des vers, endurer ce blasphème,
Toi qui fis tous ces dieux, qui fis Jupiter même?
Pourras-tu respecter ces nouveaux souverains
Jusqu'à laisser périr l'ouvrage de tes mains?
    O digne de périr, si jamais tu l'endures!
D'un si mortel affront sauve tes créatures,
Confonds leurs ennemis, insulte à leurs tyrans,
Fais-nous, en dépit d'eux, garder nos premiers rangs,
Et retirant ton feu de leurs veines glacées,
Laisse leurs vers sans force, et leurs rimes forcées.
La fable en nos écrits, disent-ils, n'est pas bien;
La gloire des païens déshonore un chrétien.
L'Église toutefois, que l'Esprit-Saint gouverne,
Dans ses hymnes sacrés nous chante encor l'Averne,
Et par le vieil abus le Tartare inventé
N'y déshonore point un Dieu ressuscité [157].
Ces rigides censeurs ont-ils plus d'esprit qu'elle?
Et font-ils dans l'Église une Église nouvelle?
Quittons cet avantage, et ne confondons pas
Avec des droits si saints de profanes appas.
L'œil se peut-il fixer sur la vérité nue?
Elle a trop de brillant pour arrêter la vue,
Et, telle qu'un éclair qui ne fait qu'éblouir,
Elle échappe aussitôt qu'on présume en jouir;
La Fable, qui la couvre, allume, presse, irrite,
L'ingénieuse ardeur d'en voir tout le mérite :
L'art d'en montrer le prix consiste à le cacher,
Et sa beauté redouble à se faire chercher.
    Otez Pan et sa flûte, adieu les pâturages;
    Otez Pomone et Flore, adieu les jardinages :

156. Après le pullulement et l'échec des épopées au XVIIe siècle, une dispute s'éleva de nouveau sur le rôle de la fiction dans la poésie. Les classiques, dont les principes étaient Nature et Vérité, se trouvaient partagés sur ce point précis, avec de bonnes raisons de part et d'autre. La question avait été débattue sur un terrain plus solide, vers 1640, à propos de la mythologie dans les pièces sacrées d'Heinsius et de Buchanan. La critique française, à l'unanimité, l'avait alors condamnée. La querelle oppose ici J.-B. Santeul à son frère Claude, qui publièrent leurs poèmes en 1670. L'*imitation* de Corneille fut publiée à part sans lieu ni date. Boileau prit la même position dans l'*Art poétique* (1674). Voyez chap. III, v. 163-170.
157. Corneille venait justement de traduire les *Hymnes du bréviaire* (cf. page 1055) et avait trouvé l'Averne à l'hymne des matines du dimanche, le Tartare aux vêpres du temps de la Passion.

Des roses et des lis le plus superbe éclat,
Sans la Fable, en nos vers, n'aura rien que de plat.
Qu'on y peigne en savant une plante nourrie
Des impures vapeurs d'une terre pourrie,
Le portrait plaira-t-il, s'il n'a pour agrément
Les larmes d'une amante ou le sang d'un amant ?
Qu'aura de beau la guerre, à moins qu'on y crayonne
Ici le char de Mars, là celui de Bellone;
Que la Victoire vole, et que les grands exploits
Soient portés en tous lieux par la Nymphe à cent voix?
 Qu'ont la terre et la mer, si l'on n'ose décrire
Ce qu'il faut de Tritons à pousser un navire,
Cet empire qu'Éole a sur les tourbillons,
Bacchus sur les coteaux, Cérès sur les sillons?
Tous ces vieux ornements, traitez-les d'antiquailles,
Moi, si je peins autour Saint-Germain et Versailles,
Les Nymphes, malgré vous, danseront tout autour,
Cent demi-dieux follets leur parleront d'amour;
Du Satyre caché les brusques échappées
Dans les bras des Sylvains feront fuir les Napées[158];
Et, si je fais baller pour l'un de ces beaux lieux,
J'y ferai malgré vous trépigner tous les dieux.
 Vous donc, encore un coup, troupe docte et choisie,
Qui nous forgez des lois à votre fantaisie,
Puissiez-vous à jamais adorer cette erreur
Qui pour tant de beautés inspire tant d'horreur,
Nous laisser à jamais ces charmes en partage,
Qui portent les grands noms au delà de notre âge!
Et si le vôtre atteint quelque postérité,
Puisse-t-il n'y traîner qu'un vers décrédité!

VERS
SUR LA POMPE DU PONT NOTRE-DAME[159]

Que le dieu de la Seine a d'amour pour Paris!
Dès qu'il en peut baiser les rivages chéris,
De ses flots suspendus la descente plus douce
Laisse douter aux yeux s'il avance ou rebrousse;
Lui-même à son canal ildérobe ses eaux,
Qu'il y fait rejaillir par des secrètes veines,
Et le plaisir qu'il prend à voir des lieux si beaux,
De grand fleuve qu'il est, le transforme en fontaines.

POUR LA FONTAINE
DES QUATRE-NATIONS, VIS-A-VIS LE LOUVRE

 C'est trop gémir, Nymphes de Seine,
Sous le poids des bateaux qui cachent votre lit,
Et qui ne vous laissaient entrevoir qu'avec peine
Ce chef-d'œuvre étonnant dont Paris s'embellit,
 Dont la France s'enorgueillit.
Par une route aisée, aussi bien qu'imprévue,
Plus haut que le rivage un roi vous fait monter;
 Qu'avez-vous plus à souhaiter?
Nymphes, ouvrez les yeux, tout le Louvre est en vue.

TRADUCTION EN VERS FRANÇAIS
DE « LA THÉBAÏDE » DE STACE[160]

Dont autrefois le Sphinx, ce monstrueux oiseau,
Avait pour son repaire envahi le coupeau.
 (M. Corneille, dans sa *Thébaïde*, liv. II, p. 65.)

Où qu'il jette la vue, il voit briller des armes.
 (*Thébaïde*, p. 68.)

SUR LE DÉPART DU ROI[161]

Mon nom par la victoire est si bien affermi,
Qu'on me croit dans la paix un lion endormi :
Mon réveil incertain du monde fait l'étude,
Mon repos en tous lieux jette l'inquiétude;
Tandis que dans ma cour tout prévient mes désirs,
Que mon ombre à sa suite enchaîne les plaisirs,
Pour envoyer l'effroi sur l'un et l'autre pôle,
Je n'ai qu'à faire un pas et hausser ma parole.

AU ROI,
SUR LE RÉTABLISSEMENT DE LA FOI CATHOLIQUE
EN SES CONQUÊTES DE HOLLANDE [162]

Tes victoires, grand Roi, si pleines et si promptes,
N'ont rien qui me surprenne en leur rapide cours,
Ni tout ce vaste effroi des peuples que tu domptes,
Qui t'ouvre plus de murs que tu n'y perds de jours.

C'est l'effet, c'est le prix des soins dont tu travailles
A ranimer la foi qui s'y laisse étouffer :
Tu mets de leur parti le Maître des batailles,
Et dès qu'ils ont vaincu, tu le fais triompher.

Tu prends ses intérêts, il brise tous obstacles;
Tu rétablis son culte, il se fait ton appui;
Sur ton zèle intrépide il répand ses miracles,
Et prête son secours à qui combat pour lui.

Ils font de jour en jour nouvelle peine à croire,
Ils vont de marche en marche au-delà des projets,
Lassent la renommée, épouvantent l'histoire,
Préviennent l'espérance, et passent les souhaits.

Poursuis, digne Monarque, et rends-lui tous ses temples;
Fais-lui d'heureux sujets de ceux qu'il t'a soumis,
Et comme il met ta gloire au-dessus des exemples,
Mets la sienne au-dessus de tous ses ennemis.

Mille autres à l'envi peindront ce grand courage,
Ce grand art de régner qui te suit en tout lieu :

---

158. Napées : nymphes des bois et des vallées, chantées par Virgile et Stace.
159. Inscriptions de J.-B. Santeul (cf. note 150) de date incertaine, traduites aussi par d'autres, et en particulier par Fr. Charpentier, directeur de l'Académie des inscriptions, qui polémiquera en 1676 contre le jésuite Lucas en faveur du français dans les inscriptions monumentales (cf. note 242).
160. Traduction perdue, mais l'article nécrologique du *Mercure galant* de 1684 déclare formellement : « On a retrouvé dans son cabinet... deux premiers livres de Stace qu'il a mis en vers... » Corneille avait demandé un privilège pour l'impression, le 31 décembre 1670. Cette impression a-t-elle été faite? Tout ce qu'on connaît de cette traduction, ce sont ces trois vers cités par Ménage à la fin de ses *Observations sur la langue française* (1672).
161. Santeul, en 1672, reproduit avec ce titre ces vers, extraits de *Tite et Bérénice* (acte II, scène 1) qu'il traduit en latin et annexe à ses œuvres. Le texte diffère légèrement dans *Tite*.
162. Publié dans un Recueil de 1672, avec des vers de Montauban, Quinault et autres.

Je leur en laisse entre eux disputer l'avantage,
Et ne veux qu'admirer en toi le don de Dieu [163].

PRO RESTITUTA APUD BATAVOS CATHOLICA FIDE.

Quid mirum rapido tibi si victoria cursu
Tot populos subdit facilis, tot mœnia pandit!
Vix sua cuique dies urbi, nec pluribus horis
Castra locas, quam justa vides tibi crescere regna.

Nempe Deus, Deus ille, sui de culmine cœli
Quem trahis in partes, cui sub te militat omnis
In Batavos effusa phalanx, Deus ille tremendum
Ponere cui properas communi ex hoste trophæum,
Ipse tibi frangitque obices, arcetque pericla
Fidus, et æterna tecum mercede paciscens,
Prævia pro reduce appendit miracula cultu.

Jamque fidem excedunt, jam lassis viribus impar
Sub te Fama gemit, rerumque interrita custos
Te pavet Historia, it tantorum conscius ordo
Fatorum, ac merito eventu spem votaque vincit.

Perge modo, et pulsum victor redde omnibus aris,
Victis redde Deum, fac regnet et ipse, tibique
Quantum exempla præire dedit, tantum et sua cuncta
Et belli et pacis præeat tibi gloria curas.

Interea totus dum te unum suspicit orbis,
Dum Musæ fortemque animum mentemque profundam,
Tot regnandi artes certatim ad sidera tollent,
Fas mihi sit tacuisse semel, Rex magne, Deique
Nil nisi in invicto mirari principe donum.

SUR LES CONQUÊTES DU ROI (EN 1672)

Una dies Lotharos, Burgundos hebdomas una,
Una domat Batavos luna; quid annus erit?

EXPLICATION.

Prendre dans un jour la Lorraine,
La Comté dans une semaine,
Et savoir réduire en un mois
La Hollande aux derniers abois :
Quand après de tels coups on suit sa destinée,
Pour conquérir l'Europe il ne faut qu'une année.

LES VICTOIRES DU ROI
SUR LES ÉTATS DE HOLLANDE, EN L'ANNÉE 1672, IMITÉES DU LATIN DU P. DE LA RUE [164]

Les douceurs de la paix, et la pleine abondance
Dont ses tranquilles soins comblent toute la France,
Suspendaient le courroux du plus grand de ses rois :
Ce courroux, sûr de vaincre, et vainqueur tant de fois,
Vous l'aviez éprouvé, Flandre, Hainaut, Lorraine [165],
L'Espagne et sa lenteur n'en respiraient qu'à peine;
Et ce triomphe heureux sur tant de nations
Semblait mettre une borne aux grandes actions.

Mais une si facile et si prompte victoire
Pour le victorieux n'a point assez de gloire :
Amoureux des périls et du pénible honneur,
Il ne saurait goûter ce rapide bonheur;
Il ne saurait tenir pour illustres conquêtes
Des murs qui trébuchaient sans écraser de têtes,
Des forts avant l'attaque entre ses mains remis,
Ni des peuples tremblants pour justes ennemis.
Au moindre souvenir qui peigne à sa vaillance
Chez tant d'autres vainqueurs la fortune en balance,
Les triomphes sanglants, et longtemps disputés,
Il voit avec dédain ceux qu'il a remportés :
Sa gloire, inconsolable après ces hauts exemples,
Brûle d'en faire voir d'égaux ou de plus amples;
Et jalouse du sang versé par ces guerriers,
Se reproche le peu que coûtent ses lauriers.

Pardonne, grand Monarque, à ton destin propice,
Il va de ses faveurs corriger l'injustice,
Et t'offre un ennemi fier, intrépide, heureux,
Puissant, opiniâtre, et tel que tu le veux.
Sa fureur se fait craindre aux deux bouts de la terre,
Au levant, au couchant, elle a porté la guerre,
L'une et l'autre Java [166], la Chine, et le Japon,
Frémissent à sa vue et tremblent à son nom :
C'est ce jaloux ingrat, cet insolent Batave,
Qui te doit ce qu'il est [167], et hautement te brave :
Il te déchire, il arme, il brigue contre toi,
Comme s'il n'aspirait qu'à te faire la loi.
Ne le regarde point dans sa basse origine,
Confiné par mépris aux bords de la marine :
S'il n'y fit autrefois la guerre qu'aux poissons,
S'il n'y connut le fer que par ses hameçons,
Sa fierté, maintenant au-dessus de la roue [168],
Méconnaît ses aïeux qui rampaient dans la boue.
C'est un peuple ennobli par cent fameux exploits,
Qui ne veut adorer ni vivre qu'à son choix,
Un peuple qui ne souffre autels ni diadèmes,
Qui veut borner les rois et les régler eux-mêmes;
Un peuple enflé d'orgueil et gorgé de butin,
Que son bras a rendu maître de son destin;
Pirate universel, et pour gloire nouvelle
Associé d'Espagne, et non plus son rebelle.
Sur ce digne ennemi venge le ciel et toi;
Venge l'honneur du sceptre, et les droits de la foi [169].
Tant d'illustres fureurs, tant d'attentats célèbres,
L'ont fait assez gémir chez lui dans les ténèbres :
Romps les fers qu'elle y traîne, et rends-lui le plein jour;
Règne, et fais-y régner le vrai culte à son tour.
Ce grand prince m'écoute, et son ardeur guerrière
Le jette avidement dans cette âpre carrière,
La juge avantageuse à montrer ce qu'il est;
Et plus la course est rude, et plus elle lui plaît.
Il s'oppose déjà des troupes formidables,
Des Ostendes, trois ans à tout autre imprenables,
Des fleuves teints de sang, des champs semés de corps,
Cent périls éclatants, et mille affreuses morts :
Car enfin d'un tel peuple, à lui rendre justice
Après une si longue et si dure milice,

---

163. On sait qu'en 1638, pour cette naissance d'un dauphin qu'on n'espérait plus après tant de déceptions antérieures, on prénomma le fils de Louis XIII, Dieudonné.
164. Publié, en 1672, in-folio, avec le texte latin du Père de La Rue déjà traduit par Corneille pour les victoires de 1667. Le texte est illustré de deux vignettes de Chauveau en frontispice, et d'une représentation du passage du Rhin. Deux autres éditions (1672 et 1673) marquent le succès de ce genre d'ouvrages officiels.
165. Flandre et Hainaut : 1667. Lorraine : 1670.
166. Java et Bali, la petite Java, possessions hollandaises de la Compagnie des Indes depuis plus d'un demi-siècle.
167. Allusion à l'appui de la France, lors de la guerre d'Indépendance hollandaise au début du siècle, et à l'aide récente de la France contre l'Angleterre, en 1666.
168. A l'apogée momentanée de la roue de la Fortune.
169. Racine souligne également à la même date, dans son fragment historique sur les Bataves, l'avidité et l'athéisme hollandais.

Après un siècle entier perdu pour le dompter[170],
Quelle plus faible image ose se présenter?
Des orageux reflux d'une mer écumeuse,
Des trois canaux du Rhin, de l'Yssel, de la Meuse,
De ce climat jadis si fatal aux Romains
Et qui défie encor tous les efforts humains,
De ces flots suspendus où l'art soutient des rives
Pour noyer les vainqueurs dans les plaines captives,
De cent bouches partout si prêtes à tonner
Qui peut se former l'ombre, et ne pas s'étonner?
Si ce peuple, au secours attire l'Allemagne,
S'il joint le Mein au Tage, et l'Empire à l'Espagne,
S'il fait au Danemark craindre pour ses deux mers,
Si contre nous enfin il ligue l'univers,
Que sera-ce? Mon Roi n'en conçoit point d'alarmes;
Plus l'orage grossit, plus il y voit de charmes :
Son ardeur s'en redouble, au lieu de s'arrêter;
Il veut tout reconnaître et tout exécuter,
Et présentant le front à toute la tempête,
Agir également du bras et de la tête.
La même ardeur de gloire emporte ses sujets;
Chacun veut avoir part à ses nobles projets;·
Chacun s'arme, et la France, en guerriers si féconde,
Jamais sous ses drapeaux ne rangea tant de monde.
  L'Anglais couvre pour nous la mer de cent vaisseaux :
Cologne après Munster nous prête ses vassaux;
Ces prélats, pour marcher contre des sacrilèges[171],
De leur sacré repos quittent les privilèges,
Et pour les intérêts d'un Dieu leur souverain
Se joignent à nos lis, le tonnerre à la main.
  Cependant la Hollande entend la Renommée
Publier notre marche et vanter notre armée.
Le nautonier brutal, et l'artisan sans cœur,
Déjà de sa défaite osent se faire honneur;
Cette âme du parti, cet Amsterdam, qu'on nomme
Le magasin du monde et l'émule de Rome,
Pour se flatter d'un sort à ce grand sort égal,
S'imagine à sa porte un second Annibal;
S'y figure un Pyrrhus, un Jugurthe, un Persée;
Et sur ces rois vaincus promenant sa pensée,
S'applique tous ces noms, où les moindres bourgeois
Dans Rome avec mépris regardaient tous les rois :
Comme si son trafic et des armes vénales
Lui pouvaient faire un cœur et des forces égales!
  Voyons, il en est temps, fameux républicains,
Nouveaux enfants de Mars, rivaux des vieux Romains,
Tyrans de quelle audace, voyons de quelle audace
Vous détachez du toit l'armet et la cuirasse,
Et rendez le tranchant à ces glaives rouillés
Que du sang espagnol vos pères ont souillés.
  Juste ciel! me trompé-je, ou si déjà la guerre
Sur les deux bords du Rhin fait bruire son tonnerre?
Condé presse Vésel, tandis qu'avec mon Roi
Le généreux Philippe assiège et bat Orsoi;
Ce monarque avec lui devant Rhimbergue tonne,
Et Turenne promet Buric à sa couronne.
Quatre sièges ensemble, où les moindres remparts
Ont bravé si longtemps nos modernes Césars,
Où tout défend l'abord, (qui l'aurait osé croire!)
Mon prince ne s'en fait qu'une seule victoire.
Sous tant de bras unis il a peur d'accabler,
Et les divise exprès pour faire moins trembler;
Il s'affaiblit exprès pour laisser du courage;

Pour faire plus d'éclat il prend moins d'avantage;
Et n'envoyant partout que des partis égaux,
Il cherche à voir partout répondre à ses assauts.
  Que te sert, ô grand Roi, cette noble contrainte?
Partager tes drapeaux, c'est partager la crainte,
L'épandre en plus de lieux, et faire sous tes lois
Tomber plus de remparts et de peuple à la fois.
Pour t'affaiblir ainsi tu n'en deviens pas moindre;
Ta fortune partout sait l'art de te rejoindre :
L'effet est sûr au bras dès que ton cœur résout;
Tu ne bats qu'une place, et tes soins vont partout;
Partout on croit te voir, partout on t'appréhende,
Et tes ordres font tout, quelque chef qui commande.
  Ainsi tes pavillons à peine sont plantés,
A peine vers les murs tes canons sont pointés
Que l'habitant s'effraie, et le soldat s'étonne;
Un bastion le couvre et le cœur l'abandonne;
Et le front menaçant de tant de boulevards,
De tant d'épaisses tours qui flanquent ses remparts,
Tant de foudres d'airain, tant de masses de pierre
Tant de munitions et de bouche et de guerre,
Tant de larges fossés qui nous ferment le pas,
Pour tenir quatre jours ne lui suffisent pas.
L'épouvante domine, et la molle prudence
Court au-devant du joug avec impatience,
Se donne à des vainqueurs que rien n'a signalés,
Et leur ouvre des murs qu'ils n'ont pas ébranlés[172].
  Misérables! quels lieux cacheront vos misères
Où vous ne trouviez pas les ombres de vos pères,
Qui, morts pour la patrie et pour la liberté,
Feront un long reproche à votre lâcheté?
Cette noble valeur autrefois si connue,
Cette digne fierté, qu'est-elle devenue?
Quand sur terre et sur mer vos combats obstinés
Brisaient les rudes fers à vos mains destinés;
Quand vos braves Nassaus, quand Guillaume et Maurice,
Quand Henri[173] vous guidait dans cette illustre lice;
Quand au superbe danois vous paraissiez l'appui,
N'aviez-vous que les cœurs, que les bras d'aujourd'hui?
Mais n'en réveillons point la mémoire importune :
Vous n'êtes pas les seuls, l'habitude est commune
Et l'usage n'est plus d'attendre sans effroi
Des Français animés par l'aspect de leur Roi.
Il en rougit pour vous, et lui-même il a honte
D'accepter des sujets que le seul effroi dompte
Et vainqueur malgré lui sans avoir combattu,
Il se plaint du bonheur qui prévient sa vertu.
  Peuples, l'abattement que vous faites connaître
Ne fait pas bien sa cour à votre nouveau maître;
Il veut des ennemis, et non pas des fuyards
Que saisit l'épouvante à nos premiers regards :
Il aime qu'on lui fasse acheter sa victoire;
La disputer si mal, c'est envier sa gloire;
Et ce tas de captifs, cet amas de drapeaux,
Ne font qu'embarrasser ses projets les plus beaux.
  Console-t'en, mon prince; il s'ouvre une autre voie
A te combler de gloire aussi bien que de joie :
Si ce peuple à l'effroi se laisse trop dompter,
Ses fleuves ont des flots à moins s'épouvanter.
Ils ont fait aux Romains assez de résistance
Pour en espérer une en faveur de la France;
Et ces bords où jamais l'aigle ne fit la loi
S'oseront quelque temps défendre contre toi.·

---

170. Les nombreux récits de cette guerre, entre autres celui
de Davila, étaient dans toutes les bibliothèques.
  171. Maximilien de Bavière, évêque de Cologne, et l'évêque
de Munster s'étaient alliés à la France.

172. On peut comparer tout ce poème à la *Relation historique* de Racine : le ton est le même.
  173. Guillaume le Taciturne (1533-1564); son fils Maurice
(1567-1623), le frère de celui-ci, Frédéric Henri (1584-1647),
lignée tenace de la lutte contre l'Espagne.

A ce nouveau projet le monarque s'enflamme,
Il l'examine, tâte, et résout en son âme;
Et tout impatient d'en recueillir le fruit,
Il part dans le silence et l'ombre de la nuit.
Des guerriers qu'il choisit l'escadron intrépide,
Glorieux d'un tel choix, et ravi d'un tel guide,
Marche incertain des lieux où l'on veut son emploi,
Mais assuré de vaincre où l'emploiera son roi.
    Le jour à peine luit que le Rhin se rencontre[174];
Tholus frappe les yeux; le fort de Skeink se montre :
On s'apprête au passage, on dresse les pontons;
Vers la rive opposée on pointe les canons.
La frayeur que répand cette troupe guerrière
Prend les devants sur elle, et passe la première;
Le tumulte à la suite et sa confusion
Entraînent le désordre et la division.
La Discorde effarée à ces monstres préside,
S'empare au fort de Skeink des cœurs qu'elle intimide,
Et d'un cor enroué fait sonner en ces lieux
La fureur des Français et le courroux des cieux,
Leur étale des fers, et la mort préparée,
Et des autels brisés la vengeance assurée.
La vague au pied des murs à peine veut frapper,
Que le fleuve alarmé ne sait où s'échapper;
Sur le point de se fendre, il se retient, et doute
Ou du Rhin ou du Whal s'il doit prendre la route.
    Les tremblements de l'île ouvrant jusqu'aux Enfers
(Écoute, Renommée, et répète mes vers),
Le grand nom de Louis et son illustre vie
Aux champs élysiens font descendre l'Envie,
Qui pénètre à tel point les mânes des héros,
Que, par un jour éclaircir, ils quittent leur repos.
On voit errer partout ces ombres redoutables
Qu'arrêtèrent jadis ces bords impénétrables :
Drusus[175] marche à leur tête, et se poste au fossé
Que pour joindre l'Yssel au Rhin il a tracé;
Varus le suit tout pâle, et semble dans ces plaines
Chercher le reste affreux des légions romaines;
Son vengeur, après lui, le grand Germanicus,
Vient voir comme on vaincra ceux qu'il n'a pas vaincus :
Le fameux Jean d'Autriche[176] et le cruel Tolède,[177]
Sous qui des maux si grands crûrent par leur remède;
L'invincible Farnèse[178] et les vaillants Nassaus,
Fiers d'avoir tant livré, tant soutenu d'assauts,
Reprennent leur part au jour qui nous éclaire
Pour voir faire à mon roi ce qu'eux tous n'ont pu faire,
Eux-mêmes s'en convaincre, et d'un regard jaloux
Admirer un héros qui les efface tous.
    Il range cependant ses troupes sur le rivage,
Mesure de ses yeux Tholus et le passage,
Et voit de ces héros ibères et romains
Voltiger tout autour les simulacres vains :
Cette vue en son sein jette une ardeur nouvelle

D'emporter une gloire et si haute et si belle,
Que, devant ces témoins à le voir empressés,
Elle ait de quoi tenir tous les siècles passés :
« Nous n'avons plus, dit-il, affaire à ces Bataves
De qui les corps massifs n'ont que des cœurs d'esclaves :
Non, ce n'est plus contre eux qu'il nous faut éprouver,
C'est Rome et les Césars que nous allons braver.
De vos ponts commencés abandonnez l'ouvrage,
Français; ce n'est qu'un fleuve, il faut passer à nage[179],
Et laisser, en dépit des fureurs de son cours,
Aux autres nations un si tardif secours :
Prenez pour le triomphe une plus courte voie;
C'est Dieu que vous servez, c'est moi qui vous envoie;
Allez, et faites voir à ces flots ennemis
Quels intérêts le ciel en vos mains a remis. »
    C'était assez en dire à de si grands courages :
Des barques et des ponts on hait les avantages;
On demande, on s'efforce à passer des premiers :
Grammont[180] ouvre le fleuve à ces bouillants guerriers :
Vendôme, d'un grand roi race tout héroïque,
Vivonne, la terreur des galères d'Afrique,
Briole, Chavigny, Nogent, et Nantouillet[181],
Sous divers ascendants[182] montrent même souhait;
De Termes, et Coaslin, et Soubise[183], et la Salle,
Et de Saulx, et Revel, ont une ardeur égale;
Et Guitry, que la Parque attend sur l'autre bord,
Sallart et Beringhen font un pareil effort[184].
Je n'achèverais point si je voulais ne taire
Ni pas un commandant, ni pas un volontaire :
L'histoire en prendra soin, et sa fidélité
Les consacrera mieux à l'immortalité.
De la maison du roi l'escadre ambitieuse
Fend après tant de chefs la vague impétueuse,
Suit l'exemple avec joie; et peut-être, grand Roi,
Avais-je là quelqu'un qui te servait pour moi[185].
Tu le sais, il suffit. Ces guerriers intrépides
Percent des flots grondants les montagnes liquides.
La tourmente et les vents font horreur aux coursiers
Mais cette horreur en vain résiste aux cavaliers;
Chacun pousse le sien au travers de l'orage,
Le péril redoublé redouble le courage;
Le gué manque, et leurs pieds semblent à pas perdus

---

174. C'est le fameux passage du Rhin, le 12 juin : opération hardie mais relativement facile. Tholus : Toll-huys, ancien château démantelé qui servait de bureau de péage. Schenk, à la pointe d'une île, qui divise le Rhin en deux bras, dont l'un prend alors le nom de Wahal.
175. Le frère cadet de Tibère (38 av. J.-C. - 9 ap. J.-C.) avait creusé un canal qui avait conservé le nom de Fossa Drusiana. Varus, avec trois légions, était tombé dans l'embuscade d'Arminius, en 9 av. J.-C., dans la forêt de Teutoburg. Germanicus, neveu de Tibère, vengea Varus en 16.
176. Don Juan d'Autriche (1545-1578), gouverneur des Pays-Bas espagnols révoltés.
177. Le trop fameux duc d'Albe, son prédécesseur de 1564 à 1573 : le « remède » était le Conseil spécial, tribunal d'exception, tôt connu sous le nom de *Conseil du sang*.
178. Alexandre Farnèse, successeur de Don Juan, en 1578.

179. Voltaire a remis les choses au point dans son *Siècle de Louis XIV*. Le niveau bas du Rhin permit presque entièrement un passage à gué. Tholus n'avait qu'une garnison de dix-sept hommes. Schenk, qui aurait peut-être pu résister à un siège (cf. note 192), n'était pas en mesure de s'opposer à un passage de troupes.
180. Armand de Grammont (1638-1673). Il commandait un corps d'armée et a laissé un récit de cet exploit (*Mémoires du Comte de Guiche*, coll. Petitot, t. LVII). Boileau le cite également dans la *IVᵉ Épître au roi* au vers 100, ainsi que la plupart des noms qui suivent, mis en valeur par *la Gazette* du 29 juin.
181. Vendôme : arrière-petit-fils d'Henri IV, frère du duc. Vivonne : duc de Mortemart et de Vivonne, général des galères en 1669, parent de Mme de Montespan. Briole : comte de Briord, écuyer du duc de Vendôme. Chavigny : fils du secrétaire d'État. Nogent : Armand de Bautru, comte de Nogent, maréchal de camp, qui y mourra (vers 301-304). Nantouillet : Fr. Duprat, fils du marquis de Nantouillet.
182. Terme d'astrologie : avec des fortunes diverses.
183. Termes : Pardaillan, marquis de Termes, blessé. Coislin : Armand de Cambout, duc de Coislin, blessé. Soubise : Fr. de Rohan, duc de Montbazon.
184. Le comte de Sault, blessé au bras. Revel : colonel des cuirassiers, trois blessures. Guitry : Guy de Clarmont. grand maître de la garde-robe, tué. Sallart : chevalier, tué. Berinchem : marquis, colonel du régiment Dauphin.
185. Son fils, capitaine de chevau-légers (cf. note 126).

Chercher encor le fond qu'ils ne retrouvent plus[186];
Ils battent l'eau de rage, et malgré la tempête
Qui bondit sur leur croupe et mugit sur leur tête,
L'impérieux éclat de leurs hennissements
Veut imposer silence à ses mugissements :
Le gué renaît sous eux; à leurs crins qu'ils secouent,
Des restes du péril on dirait qu'ils se jouent,
Ravis de voir qu'enfin leur pied mieux affermi,
Victorieux des flots, n'a plus qu'un ennemi.

   Tout à coup il se montre, et de ses embuscades
Il fait pleuvoir sur eux cent et cent mousquetades;
Le plomb vole, l'air siffle, et les plus avancés
Chancellent sous les coups dont ils sont traversés[187].
Nogent, qui flotte encor dans les gouffres de l'onde,
En reçoit dans la tête une atteinte profonde :
Il tombe, l'onde achève, et, l'éloignant du bord,
S'accorde avec le feu pour cette double mort.

   Que vois-je! les chevaux, que leur sang effarouche,
Bouleversent leur charge, et n'ont ni frein ni bouche,
Et le fleuve grossit son tribut pour Thétis
De leurs maîtres et d'eux pêle-mêle engloutis;
Le mourant qui se noie à son voisin s'attache,
Et l'entraîne après lui sous le flot qui le cache.
Quel spectacle d'effroi, grand Dieu! si toutefois
Quelque chose pouvait effrayer des François.

   Rien n'étonne; on fait halte, et toute la surprise
N'obtient de ces grands cœurs qu'un moment de remise,
Attendant qu'on les joigne, et qu'un gros qui les suit
Enfle leur bataillon que l'œil du roi conduit.
Le bataillon grossi gagne l'autre rivage,
Fond sur ces fuyards vaillants, leur fait perdre courage;
Les pousse, perce, écarte, et, maître de leur bord,
Leur porte à coups pressés l'épouvante et la mort.

   Tel est sur les Français l'effet de ta prudence,
Grand Monarque! tels sont les fruits de ta prudence
Qui par de feints combats prit soin de les former
A tout ce que la guerre a d'affreux et d'amer.
Tu les faisais dès lors à ce qu'on leur voit faire;
Et l'espoir d'un grand nom ni celui du salaire
Ne font point cette ardeur qui règne en leurs esprits :
Tu les vois, c'est leur joie, et leur gloire, et leur prix.
Tandis que l'escadron, fier de cette déroute,
Mêle au sang hollandais les eaux dont il dégoutte,
De honte et de dépit les mânes disparus
De ces bords asservis, qu'en vain ils ont courus,
Y laissent à mon roi, pour éternel trophée,
Leurs noms ensevelis et leur gloire étouffée.

   Mais qu'entends-je! et d'où part cette grêle de coups?
Généreuse noblesse, où vous emportez-vous?
La troupe à la passer vous voyez empressée
A courir les fuyards s'est toute dispersée,
Et vous donnerez seule dans ce retranchement
Où l'embûche s'est dressée à votre emportement;
A peine y serez-vous cinquante contre mille;
Le vent s'est abattu, le Rhin s'est fait docile;
Mille autres vont passer, et vous suivre à l'envi;
Mais je donne un avis que je vois mal suivi :
Guitry tombe par terre : ô ciel, quel coup de foudre!
Je te vois, Longueville, étendu sur la poudre;
Avec toi tout l'éclat de tes premiers exploits
Laisse périr le nom et le sang des Dunois[188],
Et ces dignes aïeux qui te voyaient les suivre

Perdent et la douceur et l'espoir de revivre :
Condé va te venger, Condé dont les regards
Portent toute Norlinghe et Lens aux champs de Mars[189];
Il ranime, il soutient cette ardente noblesse
Que trop de cœur épuise ou de force ou d'adresse;
Et son juste courroux par de sanglants effets
Dissipe les chagrins d'une trop longue paix.
L'ennemi qui recule, et ne bat qu'en retraite,
Remet au plomb volant à venger sa défaite :
On l'enfonce. Arrêtez, héros! où courez-vous?
Hasarder votre sang, c'est les exposer tous;
C'est hasarder Enghien votre unique espérance,
Enghien, qui sur vos pas à pas égaux s'avance;
Tous les cœurs vont trembler à votre seul aspect :
Mais le plomb n'a point d'yeux, et vole sans respect;
Votre gauche[190] l'éprouve. Allez, Hollande ingrate,
Plaignez-vous d'un malheur où tant de gloire éclate;
Plaignez-vous à ce prix de recevoir nos fers;
Trois gouttes d'un tel sang valent tout l'univers :
Oui, de votre malheur la gloire est sans seconde
D'avoir rougi vos champs du premier sang du monde;
Les plus heureux climats en vont être jaloux,
Et quoi que vous perdiez, nous perdons plus que vous.

   La Hollande applaudit à ce coup téméraire :
Le Français indigné redouble sa colère;
Contre elle Knosembourg[191] ne dure qu'une nuit;
Arnheim, qui l'ose attendre, en deux jours est réduit,
Et ce fort merveilleux sous qui l'onde asservie
Arrêta si longtemps toute la Batavie,
Qui de tous ses vaillants onze mois fut l'écueil,
L'inaccessible Skeink[192] coûte à peine un coup d'œil.

   Que peut Orange[193] ici pour essais de ses armes,
Que dérober sa gloire aux communes alarmes,
Se séparer d'un peuple indigne d'être à lui,
Et dédaigner des murs qui veulent notre appui?

   La rive de l'Yssel si bien fortifiée,
Par ce juste mépris à nos mains confiée,
Ne trouve parmi nous que des admirateurs
De ses retranchements et de ses déserteurs.

   Yssel trop redouté, qu'ont servi tes menaces?
L'ombre de nos drapeaux semble charmer tes places :
Loin d'y craindre le joug, on s'en fait un plaisir :
Et sur tes bords tremblants nous n'avons qu'à choisir.
Ces troupes qu'un beau zèle à nos destins allie
Font dans l'Over-Yssel régner la Westphalie;
Et Grolle, Zwol, Kempen, montrent à Deventer
Qu'il doit craindre à son tour les bombes de Munster[194].
Louis porte à Doësbourg sa majesté suprême,
Et fait battre Zutphen par un autre lui-même :
L'un ouvre, l'autre traite, et soudain s'en dédit :
De ce manque de foi Philippe le punit,
Jette ses murs par terre et le force à lui rendre

---

186. Au milieu du fleuve, environ vingt pas, selon Voltaire (*Histoire de Louis XIV*).
187. Douze cents hommes d'infanterie, sans canon, embusqués sur l'autre rive.
188. Cf. les notes 143 et 184.

189. Victoires de 1645 et 1648.
190. Condé fut blessé au poignet gauche.
191. Fort sur le Wahal, bras secondaire du Rhin, pris le 19 juin. Arnhem, ville importante occupée le 14 par Turenne.
192. Schenk (cf. note 174) pris le 21, après trois jours de siège.
193. Guillaume III de Nassau, petit-fils d'Henri (cf. note 173) proclamé Stathouder le 4 juillet, libérera le territoire et signera une paix honorable le 10 août 1678. Il gouvernera jusqu'à sa mort en 1702 en accueillant les soixante-quinze mille réfugiés français chassés par la révocation de l'Édit de Nantes.
194. Ces quatre places de la ligne fortifiée de l'Yssel furent occupées par l'évêque de Munster (Westphalie). Elles étaient célèbres pour d'autres raisons : le couvent de Zwolle avait abrité Thomas a Kempis (ou Kempen), l'auteur de l'*Imitation*. Corneille, son traducteur douze ans plus tôt, devait y songer avec mélancolie.

Ce qu'une folle audace en vain tâche à défendre[195].
Ces colosses de chair robustes et pesants
Admirent tant de cœur en de si jeunes ans;
D'un héros dont jamais ils n'ont vu le visage
En cet illustre frère ils pensent voir l'image,
L'adorent en sa place, et recevant sa loi,
Reconnaissent en lui le sang d'un si grand roi.
Ainsi, lorsque le Rhin, maître de tant de villes,
Fier de tant de climats qu'il a rendus fertiles,
Enflé des eaux de source et des eaux de tribut,
Approche de la mer que sa source a pour but,
Pour s'acquérir l'honneur d'enrichir plus de monde,
Il prête au Whal[196], son frère, une part de son onde;
Le Whal, qui porte ailleurs cet éclat emprunté,
En soutient à grand bruit toute la majesté,
Avec pareil orgueil précipite sa course,
Montre aux mêmes effets qu'il vient de même source,
Qu'il a part aux grandeurs de son être divin,
Et sous un autre nom fait adorer le Rhin.
Qu'il m'est honteux, grand Roi, de ne pouvoir te suivre
Dans Nimègue qu'on rend[197], dans Utrecht qu'on te livre,
Et de manquer d'haleine alors qu'on voit la foi
Sortir de ses cachots, triompher avec toi,
Et, de ses droits sacrés par ton bras ressaisie,
Chez tes nouveaux sujets détrôner l'hérésie!
La victoire s'attache à marcher sur tes pas,
Et ton nom seul consterne aux lieux où tu n'es pas.
Amsterdam et la Haye en redoutent l'insulte;
L'un t'oppose ses eaux[198], l'autre est toute en tumulte:
La noire politique a de secrets ressorts
Pour y forcer le peuple aux plus injustes morts;
Les meilleurs citoyens aux mutins sont en butte[199].
L'ambition ordonne, et la rage exécute;
Et qui n'ose souscrire à leurs sanglants arrêts,
Qui s'en fait un scrupule, est dans tes intérêts:
Sous ce cruel prétexte on pille, on assassine;
Chaque ville travaille à sa propre ruine,
Chacun veut d'autres chefs pour calmer ses terreurs.
Laisse-les, grand vainqueur, punir à leurs fureurs;
Laisse leur barbarie arbitre de la peine
D'un peuple qui ne vaut ni tes soins ni ta haine:
Et tandis qu'on s'acharne à s'entre-déchirer,
Pour quelques mois ou deux laisse-moi respirer.

SONNET
SUR LA PRISE DE MASTRICHT[200]

Grand roi, Mastricht est pris, et pris en treize jours!
Ce miracle était sûr à ta haute conduite,
Et n'a rien d'étonnant que cette heureuse suite
Qui de tes grands destins enfle le juste cours.

La Hollande, qui voit du reste de ses tours
Ses amis consternés, et sa fortune en fuite,
N'aspire qu'à baiser la main qui l'a détruite,
Et fait de tes bontés son unique recours.

Une clef qu'on te rend t'ouvre quatre provinces;
Tu ne prends qu'une place, et fais trembler cent princes;
De l'Escaut jusqu'à l'Ebre en rejaillit l'effroi.

Tout s'alarme, et l'Empire à tel point se ménage,
Qu'à son aigle lui-même il ferme le passage
Dès que son vol jaloux ose tourner vers toi.

AU ROI
SUR SA LIBÉRALITÉ ENVERS LES MARCHANDS
DE LA VILLE DE PARIS[201]

Chantez, peuples, chantez la valeur libérale,
La bonté de Louis à son grand cœur égale:
Du trône, d'où ses soins insultent les remparts,
Forcent les bastions, brisent les boulevards,
Il vous rend cette main qui lance le tonnerre;
Et quand vous lui portez des secours pour la guerre,
Qu'à tout donner pour lui vous vous montrez tous prêts,
Il vous rend vos dons, et d'heureux intérêts[202].
   Ainsi quand du soleil la course rayonnante
Fait rouler dans les cieux sa pompe dominante,
Qu'en maître souverain de ce brillant séjour
Il règle les saisons et dispense le jour,
Il ne dédaigne point d'épandre ses lumières
Sur les sables déserts et les tristes bruyères,
Et, sans que pour régner il veuille aucun appui,
Il aime à voir l'amour que la terre a pour lui.
La terre qui jamais exhale des nuages
Qui du milieu des airs lui rendent ses hommages;
Mais il n'attire à lui cette semence d'eaux
Que pour la distiller en de féconds ruisseaux,
Et de tous les présents que lui fait la nature
Il n'en reçoit aucun sans rendre avec usure.
   O vous, célèbre corps, à qui de l'univers
Tous les bords sont connus et tous les ports ouverts;
Vous, par qui les trésors des plus heureuses plages
Viennent de notre France enrichir les rivages,
Oyez ce qu'au milieu du bruit de cent canons
Votre grand roi prononce en faveur de vos dons,
Ce qu'en votre faveur la Muse me révèle!
« Peuples, dit ce héros, je connais votre zèle,
J'en aime les efforts, et dans tout l'avenir
J'en saurai conserver l'amoureux souvenir;
Vous n'avez que trop vu ce qu'ose l'Allemagne,
Ce que fait la Hollande, et qu'a tramé l'Espagne,
Ce que leur union attente contre moi.
Plus l'attentat est grand, plus grande est votre foi,

195. Zutphen, prise le 21 par Philippe d'Orléans, frère du roi (cf. note 140). Duisbourg: occupée le 21 par le roi en personne.
196. Bras du Rhin déjà deux fois cité.
197. Nimègue le 9 juillet, Utrecht le 20 juin. Louis XIV fait rétablir le culte à la cathédrale le 3 juillet.
198. L'ouverture des écluses de Muyden, décidée par le peuple, contre une municipalité hésitante.
199. Allusion à l'injuste assassinat à La Haye des frères de Witt, le 22 août, qui consacre la victoire orangiste. Corneille a condensé les quarante-quatre derniers vers du Père de La Rue, qui retranche de lui-même les quatorze derniers dans l'édition de 1693.
200. Le 1er juillet 1673. Texte publié dans le *Mercure galant* de 1674 (tome VI) avec cinq autres poèmes, deux de Boyer, un de Mlle de Scudéry, deux anonymes. Comparer le fragment de Racine sur le même sujet.

201. Louis XIV avait fait un appel financier aux corporations parisiennes et notamment à celle de la mercerie, qui fournit cinquante mille livres. Le roi leur fit rendre, avec deux mille écus de récompense pour leur zèle. La corporation fit célébrer des fêtes solennelles, utilisa l'argent à un banquet, à un tableau de Le Brun pour sa chapelle, et à des distributions de vin, quand on apprit la chute de Besançon et de Dôle. Santeul eut commande d'un poème, que traduisit Corneille. Le poème commente un emblème de Chauveau, en tête de l'édition in-folio des deux textes en 1674. Il y eut une autre édition avec traduction française de Du Périer, qui faillit éliminer celle de Corneille.
202. L'emblème était: *Magno cum foenore reddit*, traduit dans ce vers.

Et vous n'attendez point que je vous fasse dire
Comme il faut soutenir ma gloire et mon empire;
Vous courez au-devant, et prodiguez vos biens
Pour en mettre en mes mains les plus aisés moyens;
C'est votre seul devoir qui pour moi s'intéresse,
C'est votre pur amour qui pour moi vous en presse :
Je le vois avec joie. » A ces mots ce vainqueur,
Sur son peuple en vrai père épanchant son grand cœur,
Fait prendre ces présents, qu'un léger intervalle
Renvoie accompagnés de sa bonté royale.
« C'est assez, poursuit-il, d'avoir vu votre amour;
La tendresse du mien veut agir à son tour.
Pour rendre cette guerre à ses auteurs funeste,
Sujets dignes de moi, j'ai des trésors de reste.
J'en ai de plus sûrs même et de beaucoup plus grands
Que ceux que vous m'offrez, que ceux que je vous rends;
J'ai le fond de vos cœurs et c'est de quoi suffire
Aux plus rares exploits où mon courage aspire :
C'est aux ordres d'un roi ce qui donne le poids,
C'est là qu'est le trésor, qu'est la force des rois.
Reprenez ces présents dont l'offre m'est si chère;
Si je les ai reçus, c'est en dépositaire,
Et je saurai sans eux dissiper les complots
Que la triple alliance oppose à mon repos.
Ce fruit de vos travaux destiné pour la guerre,
Ces tributs que vous font et la mer et la terre,
Votre ardeur, votre ardeur à servir mes desseins,
Les rend assez à moi tant qu'ils sont en vos mains,
Mes troupes, par moi-même au péril animées,
Renverseront sans eux les murs et les armées,
J'en ai la certitude; et de vous je ne veux
Aucun autre secours que celui de vos vœux;
Offrez-les sans relâche au grand Dieu des batailles,
Tandis que mes canons foudroieront les murailles,
Et devant ses autels, prosternés à genoux,
Invoquez-le pour moi, je combattrai pour vous. »
Là se tait le monarque, et sûr de ses conquêtes,
Aux triomphes nouveaux, il tient ses armes prêtes.
Cet éclat surprenant de magnanimité
Par la renommée à cent voix en tous lieux est porté.
Que de ravissements suivent cette nouvelle!
Colbert y met le comble en ministre fidèle :
Ce grand homme sous lui, maître de ses trésors,
Mande par ordre exprès ce grand et nombreux corps,
Le force d'admirer des bontés sans mesure,
Et remet en ses mains ces dons avec usure.
  De là ces doux transports, ces prompts frémissements,
Qui poussent jusqu'au ciel mille applaudissements,
Ces vœux si redoublés qui hâtent sa victoire,
Ces titres par avance élevés à sa gloire.
On voit Paris en foule accourir aux autels,
Implorer le grand Maître, et tous les immortels;
Ses temples sont ornés, des lumières sans nombre
Y redoublent le jour, y font des nuits sans ombre :
Son prélat[203] donne l'ordre, et par un saint emploi
Répond aux dignités dont l'honore son roi.
  L'effet suit tant de vœux; les plus puissantes villes
Semblent n'avoir pour nous que des remparts fragiles;
On les perce, on les brise, on écrase les forts :
Il y pleut mille feux, il y pleut mille morts.
Les fleuves, les rochers, ne sont que vains obstacles;
Notre camp à tout heure est fertile en miracles;
Et l'exemple d'un roi qui se mêle aux dangers,
Enflant le cœur aux siens, l'abat aux étrangers.
Besançon voit bientôt sa citadelle en poudre,

Dôle avertit Salins de ce que peut sa foudre :
Et toute la Comté, pour la seconde fois[204],
Rentre sous l'heureux joug du plus juste des rois.
Mais ce n'est encor rien; et tant de murs par terre
N'étalent aux regards que l'essai d'une guerre
Où le manque de foi, qu'il commence à punir,
Voit le prélude affreux d'un plus rude avenir.
  Généreux citoyens de cette immense ville,
A qui par ce grand roi tout commerce est facile,
Vous qui ne trouvez point de bords si peu connus
Où son illustre nom ne vous ait prévenus;
Si vous n'exposez point de sang pour sa victoire,
Vos cœurs, vos dons, vos vœux ont au moins cette gloire
Que votre exemple montre au reste des sujets
Comme il faut d'un tel prince appuyer les projets.
Plus à ses ennemis il fait craindre ses armes,
Plus la paix qu'il souhaite aura pour vous de charmes.
Ce sera, peuple, alors que par d'autres vertus
Ses lois triompheront des vices abattus;
Chaque jour, chaque instant lui fournira matière
A déployer sur vous sa bonté toute entière;
Les malheurs que la guerre aura trop fait durer,
Cette même bonté saura les réparer.
Pour augure certain, pour assuré présage,
Dans ces dons qu'il vous rend il vous en donne un gage;
Et si jamais le ciel remplit ce doux souhait,
Vous voyez son amour, vous en verrez l'effet.

Présenté par les Gardes des Marchands
de la ville de Paris.

AU ROI
SUR SON DÉPART POUR L'ARMÉE, EN 1676[205].
PIÈCE IMITÉE D'UNE ODE LATINE
DU P. LUCAS, JÉSUITE

Le printemps a changé la face de la terre;
Il ramène avec lui la saison de la guerre,
Et nos champs reverdis font renaître, grand Roi,
En tort cœur martial des soins dignes de toi.
  La trompette a sonné; ton armée intrépide,
    Prête à marcher, te demande pour guide,
Et tous ses escadrons sur ta frontière épars
    Ambitionnent tes regards.
Joins ta présence et tes destins propices
Au zèle impatient qui presse leurs efforts;
Daigne servir de tête et d'âme à ce grand corps,
    Et sous tes illustres auspices
Ses bras feront pleuvoir d'inévitables morts.
Que je plains votre aveugle et folle confiance,
Obstinés ennemis de nos plus doux souhaits,
    Qu'enorgueillit une triple alliance
Jusques à dédaigner les bontés de la France!
Que de pleurs, que de sang, que de cuisants regrets,
    Vous va coûter ce refus de la paix!
      Son vengeur à partir s'apprête,
      Cent lauriers lui ceignent la tête,
Cent lauriers que sa main elle-même a cueillis
Sur autant de vos murs foudroyés par ses lis.
Bellone, qui l'attend au sortir de son Louvre,

---

203. C'était l'ancien archevêque de Rouen, Fr. de Harlay (cf. note 31), nommé à la chaire de Paris en 1671.

204. La première occupation s'était faite en 1668. La seconde campagne dura quatre mois. Gray tomba d'abord le 28 février, Besançon le 15 mai, Dôle le 6 juin, Salins le 22.

205. Pièce non signée, mais où l'authenticité quasi certaine, publiée avec l'original latin du Père Jean Lucas, jésuite, normand de vingt-six ans, qui professait au collège de Clermont.

Veut tracer à ses pas la carrière qu'elle ouvre;
Son zèle, impatient d'arborer ce grand nom,
Pour conduire son char s'empare du timon :
D'un prompt et sûr triomphe écoutez le prélude,
Et par quels vœux poussés tous à la fois
De ses heureux sujets la noble inquiétude
    Hâte ses glorieux exploits.
« Pars, grand Monarque, et vole aux justes avantages
Que te promet l'ardeur de tant de grands courages »
    C'est ce que dit toute sa cour :
« Pars, grand Monarque, et vole aux conquêtes nouvelles
Dont te répond l'amour de tant de cœurs fidèles »
    C'est ce que dit tout Paris à son tour.
Il part, et la Frayeur, chez les siens inconnue,
Annonce en même temps parmi vous sa venue :
    La Victoire le suit dans une majesté
      Dont l'inexorable fierté
      Semble du ciel autorisée
    A venger le mépris d'une paix refusée
      Avec tant de témérité.
      Et commençant par un miracle,
Bellone fait partout retentir cet oracle :
« Ennemis de la paix, vous la voudrez trop tard :
Le ciel ne peut aimer ceux qui troublent la terre;
    Et, je vous le dis de sa part,
La guerre punira ceux qui veulent la guerre. »
L'Anglais avec chaleur souscrit à cet arrêt;
Au belliqueux Suédois également il plaît;
    Le Danois en frémit, Brandebourg s'en alarme[206];
    Et pour nos Français c'est un charme
Qui laisse leur esprit d'autant plus satisfait
Que c'est à leur valeur d'en faire voir l'effet.
Déjà le Rhin pâlit, la Meuse s'épouvante,
Et l'Escaut, dont le front jaune et cicatrisé
Porte empreints les grands coups dont il s'est vu brisé,
    Craint une plaie encor plus étonnante,
      Et cache au plus creux de ses eaux
      Sa tête de nouveau tremblante
      Pour le reste de ses roseaux.

VERS PRÉSENTÉS AU ROI
SUR SA CAMPAGNE DE 1676[207]

Ennemis de mon roi, Flandre, Espagne, Allemagne,
Qui croyiez que Bouchain dût finir sa campagne[208],
Et n'avanciez vers lui que pour voir comme il faut
Régler l'ordre d'un siège, ou livrer un assaut;
Ne vous fatiguez plus d'études inutiles
A prendre ses leçons quand il vous prend des villes;
N'y perdez plus de temps : les Français aujourd'hui
Sont les disciples seuls qui soient dignes de lui,
Et nul autre n'a droit à ces nobles audaces
D'embrasser son exemple et marcher sur ses traces.
    Lassés de toujours perdre, et fiers de son retour[209],

Vous vous étiez promis de vaincre à votre tour;
Vous aviez espéré de voir par son absence
Nos troupes sans vigueur, et nos murs sans défense :
Mais vous n'aviez pas su qu'un courage si grand
De loin comme de près sur les siens se répand;
De loin comme de près sa prudence les guide;
De loin comme de près son destin y préside.
Les rois savent agir tout autrement que nous;
Souvent sans être en vue ils frappent les grands coups.
Dieu lui-même, ce Dieu dont ils sont les images,
De son trône en repos fait partir les orages,
Et jouit dans le ciel de sa gloire et de soi,
Tandis que sur la terre il remplit tout d'effroi.
Mon prince en use ainsi; ses fêtes de Versailles
Lui servent de prélude à gagner des batailles,
Et d'un plaisir pompeux l'éclat rejaillissant
Dissipe vos projets en le divertissant.
    Muses, l'aviez-vous cru, vous qui faites les vaines
De prévoir l'avenir des fortunes humaines,
D'en percer le plus sombre et le plus épineux?
Aviez-vous deviné que ce parc lumineux,
Ces belles nuits sans ombre avec leurs jours d'applique[210]
Préparaient à vos chants un objet héroïque?
Dans ces délassements où tant d'art a paru,
Voyiez-vous Aire prise, et Mastricht secouru?[211]
C'était là toutefois, c'était l'heureuse suite
Qu'y destinait dès lors son auguste conduite.
Dans ce brillant amas de feux et de beautés,
Sa grande âme s'ouvrait à ses propres clartés;
Au milieu de sa cour au spectacle empressée,
La guerre s'emparait de toute sa pensée;
Et ce qui ne semblait que nous illuminer
Lui montrait des remparts ailleurs à fulminer.
J'en prends Aire à témoin, et les mers de Sicile,
L'esprit de liberté qui règne en toute l'île,
L'âme du grand Ruyter, et ses vaisseaux froissés,
Sous l'abri de Sardaigne à peine ramassés[212].
    Votre orgueil s'en console, ennemis de la France,
A revoir Philisbourg sous votre obéissance;
L'Empereur et l'Empire, unis à l'investir,
Enfin au bout d'un an ont su l'assujettir[213] :
Mais l'effort d'une ligue en guerriers si féconde
Devait y consumer moins de temps et de monde.
Il fallait en dépit des plus hardis secours,
Comme notre Condé, le prendre en onze jours;
Et vous déshonorez vos belles destinées
Quand l'œuvre d'onze jours vous coûte des années.
    Cependant à vos yeux, et dans le même été,
Aire, Condé, Bouchain, n'ont presque rien coûté[214];
Et Mastricht voit tourner vos desseins en fumée,
Quand ce qu'il vous en coûte aurait fait une armée.
Ainsi, bien que la prise ait suivi le blocus,
Que devant Philisbourg nous paraissions vaincus,
Si pour rendre à vos lois cette place fameuse

206. Danois, Hollandais et l'électeur de Brandebourg se retrouvaient contre la France, qui s'était alliée avec Charles XI, roi de Suède. Charles II, roi d'Angleterre, s'entremit dès 1675, pour une paix patiemment négociée au congrès de Nimègue qui aboutit à un traité le 10 août 1678, conditionnée par la signature de la paix avec l'Espagne.
207. Pièce seulement connue par l'édition de Granet (1738), qui déclare la pièce imprimée en 1676.
208. Bouchain fut occupée par Philippe d'Orléans, le 11 mai 1676.
209. Le Roi avait quitté le front et était rentré à Saint-Germain le 8 juillet 1676.

210. Éclairage indirect. C'est l'unique emploi connu de ce mot au XVIIe siècle. Vigarani avait orchestré ces illuminations : vingt mille lumières au grand canal, quatre mille feux aux fontaines et parterres du petit parc.
211. Aire : le 31 juillet. Maestricht, assiégé par Guillaume d'Orange, dégagé le 26 août par le maréchal de Schomberg.
212. Victoires navales de Duquesne contre Ruyter, amiral hollandais, mort à Syracuse des suites d'une blessure reçue le 22 avril.
213. Philipsbourg, occupé en septembre 1675 par Condé, capitula le 17 septembre, après non pas un an, mais cinq mois et demi de siège.
214. Condé pris après huit jours de siège le 17 avril, par Créqui.

Le Rhin vous favorise au refus de la Meuse[215],
Si pour d'autres exploits il anime vos bras,
Pour un peu de bonheur ne nous insultez pas;
Et surtout gardez-vous de le croire si ferme,
Que vous vous dispensiez de trembler pour Palerme[216];
Pour Ypres, pour Cambrai, Saint-Omer, Luxembourg[217];
Tremblez même déjà pour votre Philisbourg.
Le nom seul de mon roi vous est partout à craindre :
A triompher de vous cessez de le contraindre;
Et jusques à la paix qu'il vous offre en héros,
Craignez sa vigilance, et même son repos.

AU ROI[218]

Plaise au roi ne plus oublier
Qu'il m'a depuis quatre ans promis un bénéfice,
Et qu'il avait chargé le feu Père Ferrier[219]
    De choisir un moment propice,
Qui pût me donner lieu de l'en remercier :
    Le Père est mort, mais j'ose croire
    Que si toujours Sa Majesté
    Avait pour moi même bonté,
Le Père de la Chaise aurait plus de mémoire,
    Et le ferait mieux souvenir
Qu'un grand roi ne promet que ce qu'il veut tenir.

AU ROI[220]
SUR *Cinna, Pompée, Horace, Sertorius, Œdipe, Rodogune,*
QU'IL A FAIT REPRÉSENTER DE SUITE DEVANT LUI
A VERSAILLES, EN OCTOBRE 1676

Est-il vrai, grand Monarque, et puis-je me vanter
Que tu prennes plaisir à me ressusciter,
Qu'au bout de quarante ans, Cinna, Pompée, Horace
Reviennent à la mode, et retrouvent leur place,
Et que l'heureux brillant de mes jeunes rivaux
N'ôte point leur vieux lustre à mes premiers travaux?
    Achève : les derniers n'ont rien qui dégénère,
Rien qui les fasse croire enfants d'un autre père;
Ce sont des malheureux étouffés au berceau,
Qu'un seul de tes regards tirerait du tombeau.
On voit Sertorius, Œdipe, et Rodogune,
Rétablis par ton choix dans toute leur fortune;
Et ce choix montrerait qu'Othon et Suréna
Ne sont pas des cadets indignes de Cinna.
Sophonisbe à son tour, Attila, Pulchérie,
Reprendraient pour te plaire une seconde vie;
Agésilas en foule aurait des spectateurs,
Et Bérénice enfin trouverait des acteurs.

---

215. Philipsbourg, près du Rhin, compense Maestricht,
sur la Meuse.
216. La flotte hollandaise fut incendiée au large de la ville.
217. Vues réellement prophétiques : Cambrai, Saint-Omer,
seront reprises en 1677, Ypres en 1678, Luxembourg en 1684,
Philipsbourg en 1688.
218. Vers imprimés dans *le Mercure galant*, dirigé par
Donneau de Visé et Thomas Corneille, dont la publication
venait de reprendre en 1677, après deux ans d'interruption.
219. Le Père Ferrier, mort en 1674, avait été le premier
confesseur royal à être chargé, seul, des bénéfices, autrefois
administrés par le Conseil de conscience. Le bénéfice demandé,
pour son quatrième fils Thomas, ne sera accordé qu'en 1680 :
ce sera l'abbaye d'Aiguevive en Touraine.
220. Vers publiés dans *le Mercure galant*, avec un bref
dialogue entre un chevalier et une marquise, à la gloire de
Corneille l'inimitable, et le placet précédent.

Le peuple, je l'avoue, et la Cour, les dégradent;
Je faiblis, ou du moins ils se le persuadent[221],
Pour bien écrire encor j'ai trop longtemps écrit :
Et les rides du front passent jusqu'à l'esprit[222].
Mais contre cet abus que j'aurais de suffrages,
Si tu donnais les tiens à mes derniers ouvrages!
Que de tant de bonté l'impérieuse loi
Ramènerait bientôt et peuple et Cour vers moi!
    Tel Sophocle à cent ans charmait encore Athènes,
Tel bouillonnait encor son vieux sang dans ses veines,
Diraient-ils à l'envi, lorsque Œdipe aux abois
De ses juges pour lui gagna toutes les voix[223].
Je n'irai pas si loin, et si mes quinze lustres
Font encor quelque peine aux modernes illustres[224],
S'il en est de fâcheux jusqu'à s'en chagriner,
Je n'aurai pas longtemps à les importuner.
Quoi que je m'en promette, ils n'en ont rien à craindre.
C'est le dernier éclat d'un feu prêt à s'éteindre;
Sur le point d'expirer il tâche d'éblouir,
Et ne frappe les yeux que pour s'évanouir.
Souffre, quoi qu'il en soit, que mon âme ravie
Te consacre le peu qui me reste de vie :
L'offre n'est pas bien grande, et le moindre moment
Peut dispenser mes vœux de l'accomplissement.
Préviens ce dur moment par des ordres propices;
Compte mes bons désirs comme autant de services.
    Je sers depuis douze ans, mais c'est par d'autres bras
Que je verse pour toi du sang dans nos combats :
J'en pleure encore un fils, et tremblerai pour l'autre[225]
Tant que Mars troublera ton repos et le nôtre :
Mes frayeurs cesseront enfin par cette paix
Qui fait de tant d'États les plus ardents souhaits[226].
Cependant, s'il est vrai que mon service plaise,
Sire, un bon mot, de grâce, au Père de la Chaise[227].

IMITATION D'UNE ODE LATINE
QUI FUT ADRESSÉE A MONSIEUR PELLISSON[228]

Non je ne serai pas, illustre Pellisson,
Ingrat à tes bienfaits, injuste à ton beau nom.
Dans mes chants, dans mes vers, il trouvera sa place,
Et tes bienfaits dans moi ne perdront pas leur grâce.
Je sais bien que ce nom, par la gloire porté,
A déjà pris l'essor vers l'immortalité,

---

221. Voyez les notices d'*Othon*, de *Tite et Bérénice*, d'*Agésilas* et de *Suréna*.
222. Réminiscence de Montaigne : « Elle nous attache
plus de rides en l'esprit qu'au visage » (Liv. III, chap. 2).
223. Les fils de Sophocle, presque centenaire, lui firent
un procès pour faiblesse mentale, afin d'hériter plus vite.
Le poète, pour toute défense, récita le début d'*Oedipe à Colone*
et fut acquitté.
224. Allusion peut-être à Racine, - mais la querelle de *Britannicus* est loin; dans la rivalité des *Bérénice*, les auteurs ne
prirent pas parti, et Racine fera un éloge sans réserve de son
aîné en 1684 ; allusion plus probable à Quinault et Pradon.
225. Le second fils tué deux ans plus tôt. L'autre : Pierre,
l'aîné, capitaine de chevau-légers.
226. La paix de Nimègue, négociée en 1675, n'est toujours
pas signée au moment où écrit Corneille (cf. note 206).
227. Cf. note 219.
228. Traduction d'un poème latin anonyme adressé à
Pellisson (1624-1693), et publié sans date. La composition
doit en être reportée aux années 1676-1677. Pellisson, au moment de cette ode, est historiographe et chargé de la caisse des
conversions. Il remplit la première charge jusqu'en 1677,
date à laquelle Boileau et Racine le remplacèrent. Il ne fut
chargé de la caisse des conversions qu'en novembre 1676.

Et que, pour le placer avec quelque avantage,
Il faudrait mettre l'or et le marbre en usage :
Mais, ne pouvant dresser de plus beaux monuments,
Approuve dans mes vers ces justes sentiments.
    C'est toi, grand Pellisson, qui, malgré la licence,
Ramènes dans nos jours le siècle d'innocence :
Par toi nous retrouvons la candeur, la bonté,
Et du monde naissant la sainte probité.
Que la justice armée et les lois souveraines
Contiennent les mortels par la crainte des peines.
De peur que le forfait et le crime indompté
N'entraîne le désordre avec l'impunité :
Ni la rigueur des lois, ni l'austère justice,
Ne te retiendront pas sur le penchant du vice;
L'amour de la vertu fait cet effet dans toi,
Elle seule te guide, elle est seule ta loi.
Au milieu de la Cour ton âme bienfaisante
Verse indifféremment sa faveur obligeante :
Et bien loin d'enchérir ou vendre les bienfaits,
Tu préviens, en donnant, les vœux et les souhaits.
Ces mortels dont l'éclat emporte notre estime
N'ont souvent pour vertu que d'être exempts de crime :
Mais ta vertu, qui suit des sentiments plus hauts,
Ne borne pas ta gloire à vivre sans défauts,
En mille beaux projets, en mille biens féconde,
Ta solide vertu se fait voir dans le monde;
Et, sans les faux appas d'un éclat emprunté,
Elle porte à nos yeux sa charmante beauté.
En vain, pour ébranler ta fidèle constance,
On vit fondre sur toi la force et la puissance;
En vain dans la Bastille on t'accabla de fers;
En vain on te flatta sur mille appas divers :
Ton grand cœur, inflexible aux rigueurs, aux caresses,
Triompha de la force, et se rit des promesses.
Et comme un grand rocher par l'orage insulté
Des flots audacieux méprise la fierté,
Et sans craindre le bruit qui gronde sur sa tête,
Voit briser à ses pieds l'effort de la tempête;
C'est ainsi, Pellisson, que, dans l'adversité,
Ton intrépide cœur garda sa fermeté,
Et que ton amitié, constante et généreuse,
Du milieu des dangers sortit victorieuse[229].
Mais c'est par ce revers que le plus grand des rois
Semblait te préparer aux plus nobles emplois,
Et qu'admirant dans toi l'esprit et le courage,
De la Bastille au Louvre il te fit un passage,
Où ta fidélité, dans son plus grand éclat,
Conserve le dépôt des secrets de l'État.
De moi, je ne veux point, comme le bas vulgaire,
De tes divers emplois pénétrer le mystère;
Je ne m'introduis point dans le palais des grands,
Et me fais un secret de ce que j'y comprends;
Mais je te vois alors comme un autre Moïse,
Quand le peuple de Dieu, par sa seule entremise
Sur le mont de Sina reçut la sainte loi
A travers les carreaux, la terreur et l'effroi;
De sa haute faveur les tribus étonnées
Au pied du sacré mont demeuraient prosternées

Pendant que ce prophète, élevé dans ce lieu,
Dans un nuage épais parlait avec son Dieu,
Et qu'il puisait à fond dans le sein de sa gloire
Le merveilleux projet de sa divine histoire,
Monument éternel, où la postérité
Viendra dans tous les temps chercher la vérité.
Mais puisqu'un même sort te donne dans la France
Du plus grand des héros l'illustre confidence,
Et que par sa faveur tu vois jusques au fond
Des secrets de l'État les abîmes profonds,
Ne donneras-tu pas, après tes doctes veilles,
De ce grand conquérant les faits et les merveilles,
Et d'un style éloquent ne décriras-tu pas
Ses conseils, ses exploits, ses sièges, ses combats?
Le monde attend de toi ce merveilleux ouvrage,
Seul digne des appas de ton divin langage;
Les faits de ce grand roi perdraient de leur beauté,
Si tu n'en soutenais l'auguste majesté;
Et sa gloire après nous ne serait pas entière,
Si tout autre que toi traitait cette matière.
Poursuis donc, Pellisson, cet auguste projet,
Et ne t'étonne point par l'éclat du sujet;
Ton seul art peut donner d'une main immortelle
Au plus grand de nos rois une gloire éternelle.

SUR LES VICTOIRES DU ROI
EN L'ANNÉE 1677[230]

Je vous l'avais bien dit, ennemis de la France,
Que pour vous la victoire aurait peu de constance,
Et que de Philisbourg à vos armes rendu
Le pénible succès vous serait cher vendu[231].
A peine la campagne aux zéphyrs est ouverte,
Et trois villes déjà réparent notre perte[232];
Trois villes dont la moindre eût pu faire un État,
Lorsque chaque province avait son potentat;
Trois villes qui pouvaient tenir autant d'années,
Si le ciel à Louis ne les eût destinées :
Et comme si leur prise était trop peu pour nous,
Mont-Cassel vous apprend ce que pèsent nos coups[233].
    Louis n'a qu'à paraître, et vos murailles tombent;
Il n'a qu'à donner l'ordre, et vos héros succombent :
Et tandis que sa gloire arrête en d'autres lieux
L'honneur de sa présence et l'effort de ses yeux,
L'ange de qui le bras soutient son diadème
Vous terrasse pour lui par un autre lui-même;
Et Dieu, pour lui donner un ferme et digne appui,
Ne fait qu'un conquérant de Philippe et de lui.
    Ainsi quand le soleil fait naître un parélie[234],
La splendeur qu'il lui prête à la sienne s'allie;
Leur hauteur est égale, et leur éclat pareil;
Nous voyons deux soleils qui ne sont qu'un soleil;
Sous un double dehors il est toujours unique,
Seul maître des rayons qu'à l'autre il communique;
Et ce brillant portrait qu'illumine ses soins
Ne brillerait pas tant s'il lui ressemblait moins.
    Mais c'est assez, grand Roi, c'est assez de conquêtes :

229. On se souvient que Corneille avait été en froid avec Pellisson, lors de *l'Histoire de l'Académie* (1652). Ils s'étaient certainement réconciliés auprès de Fouquet, dont Pellisson était le premier commis. Lors du procès du surintendant Pellisson fut enfermé à la Bastille durant quatre ans. Le roi non seulement lui pardonna, mais l'attacha à sa maison comme historiographe. Il participa à la conquête de la Franche-Comté, déjà célébrée par Corneille. On a d'ailleurs conservé une lettre qui témoigne de leurs bonnes relations en 1658 (cf. p. 858).

230. Poème deux fois imprimé en 1677, sans signature, une première fois en feuille volante in-4°, l'autre dans *le Mercure galant* de juillet 1677.
231. Cf. note 217.
232. Valenciennes : 17 mars. Cambrai, 5 avril. Saint-Omer, le 20.
233. La bataille de Cassel, le 11 avril, oppose Guillaume d'Orange à Monsieur, frère du roi.
234. Réflexion du soleil dans un nuage.

Laisse à d'autres saisons celles où tu t'apprêtes;
Quelque juste bonheur qui suive tes projets,
Nous envions ta vue à tes nouveaux sujets.
Ils bravent tes drapeaux, tes canons les foudroient,
Et pour tout châtiment tu les vois, ils te voient :
Quel prix de leur défaite! et que tant de bonté
Rarement accompagne un vainqueur irrité!
Pour nous, qui ne mettons notre bien qu'en ta vue,
Venge-nous du long temps que nous l'avons perdue;
Du vol qu'ils nous en font viens nous faire raison;
Ramène nos soleils dessus notre horizon.
Quand on vient d'entasser victoire sur victoire,
Un moment de repos fait mieux goûter la gloire;
Et, je te le redis, nous devenons jaloux
De ces mêmes bonheurs qui t'éloignent de nous.
S'il faut combattre encor, tu peux, de ton Versailles,
Forcer des bastions et gagner des batailles;
Et tes pareils, pour vaincre en ces nobles hasards,
N'ont pas toujours besoin d'y porter leurs regards.
C'est de ton cabinet qu'il faut que tu contemples
Quel fruit tes ennemis tirent de tes exemples,
Et par quel long tissu d'illustres actions
Ils sauront profiter de tes instructions.

   Passez, héros, passez; venez courir nos plaines,
Égalez en six mois l'effet de six semaines,
Vous seriez assez forts pour en venir à bout,
Si vous ne trouviez pas notre grand roi partout;
Partout vous trouverez son âme et son ouvrage,
Des chefs faits de sa main, formés de son courage,
Pleins de sa haute idée, intrépides, vaillants,
Jamais presque assaillis, toujours presque assaillants;
Partout de vrais Français, soldats dès leur enfance,
Attachés au devoir, prompts à l'obéissance;
Partout enfin des cœurs qui savent aujourd'hui
Le faire partout craindre, et ne craindre que lui.
   Sur le zèle, grand Roi, de ces âmes guerrières
Tu peux te reposer du soin de tes frontières,
Attendant leur bras, vainqueur de tes Flamands,
Mêle un nouveau triomphe à tes délassements;
Qu'il réduise à la paix la Hollande et l'Espagne;
Que par un coup de maître il ferme ta campagne;
Et que l'aigle jaloux n'en puisse remporter
Que le sort des lions que tu viens de dompter[235].

AU ROI
SUR LA PAIX DE 1678[236]

Ce n'était pas assez, grand Roi, que la victoire
A te suivre en tous lieux mît sa plus haute gloire;
Il fallait pour fermer ces grands événements,
Que la paix se tînt prête à tes commandements.
A peine parles-tu, que son obéissance
Convainc tout l'univers de ta toute-puissance,
Et le soumet si bien à tout ce qu'il te plaît,
Qu'au plus fort de l'orage un plein calme renaît.
   Une ligue obstinée aux fureurs de la guerre
Mutinait contre toi jusques à l'Angleterre[237] :

Ses projets tout à coup se sont évanouis;
Et pour toute raison, AINSI LE VEUT LOUIS.
Ce n'est point une paix que l'impuissance arrache,
Et dont l'indignité sous de faux jours se cache;
Pour la donner à tous ne consulter que toi,
C'est la résoudre en maître et l'imposer en roi;
Et c'est comme un tribut que tes vaincus te rendent,
Sitôt que par pitié tes bontés le commandent.
   Prodige! ton seul ordre achève en un moment
Ce qu'en sept ans Nimègue a tenté vainement[238],
Ce que des députés la fameuse assemblée,
D'intérêts opposés trop souvent accablée.
Ce que n'espérait plus aucun médiateur
Tu le fais par toi-même, et tu fais de hauteur.
On l'admire avec joie, et loin de t'en dédire,
Tes plus fiers ennemis s'empressent d'y souscrire.
Un zèle impatient de t'avoir pour soutien
   Réduit leur politique à ne contester rien.
Ils ont vu tout possible à tes ardeurs guerrières,
   Et sûrs que la justice y mettra des barrières,
Qu'elle se défendra de rien garder du leur,
Ils la font seule arbitre entre eux et ta valeur.
   Qu'il t'épargne de sang, Espagne! il le veut rendre
Des villes qu'il faudrait tout un siècle à reprendre
Il en est en Hainaut, en Flandre que son choix
En t'imposant la paix remettra sous tes lois[239];
   Mais au commun repos s'il fait ce sacrifice,
En tous tes alliés, il veut même justice
Et qu'aux lois qu'il se fait leurs intérêts soumis,
Ne laissent aucun lieu de plainte à ses amis[240].
   O vous qu'il menaçait, et qui vous teniez prêtes
A l'infaillible honneur d'être de ses conquêtes
Places dignes de lui, Mons, Namur, plaignez-vous.
La paix vous ôte un maître à préférer à tous,
Et Louis au vieux joug vous laisse condamnées
Quand vous vous promettiez nos bonnes destinées.
   Heureux, au prix de vous, Ypres et Saint-Omer,
Ils ont eu comme vous de quoi les alarmer,
Ils ont vu comme vous leur campagne fumante
Faire passer chez eux la faim et l'épouvante :
Mais pour cinq ou six jours que ces maux ont duré,
Ils ont mon Roi pour maître, et tout est réparé.
   Ainsi fait le bonheur de l'Égypte inondée
Du Nil impétueux la fureur débordée,
Ainsi les mêmes flots qu'elle fait regorger
Enrichissent les champs qu'il vient de ravager.
   Consolez-vous pourtant, places qu'il abandonne,
   Qu'il semble dédaigner d'unir à sa couronne :
Charles, dont vous aurez à recevoir les lois
Voudra d'un si grand maître apprendre l'art des Rois,
Et vous verrez l'effort de sa plus noble étude
S'attacher à le suivre avec exactitude.
   Magnanime Dauphin, n'en soyez point jaloux
Si jamais on le voit s'élever jusqu'à vous;
Il pourra faire un jour ce que déjà vous faites
Etre un jour en vertus ce que déjà vous êtes :
Mais exprimer au vif ce grand Roi tout entier,
C'est ce qu'on ne verra qu'en son digne héritier :
Le privilège est grand, et vous serez l'unique
A qui du juste ciel le choix le communique.
   J'allais vous oublier, Bataves généreux,

---

235. L'aigle impérial, le lion hollandais et un lion incorporé
aux armoiries de la maison d'Espagne.
236. Le traité de Nimègue, prolongation des traités de
Westphalie (1648), où la France se montra libérale en matière
territoriale, en rendant presque toutes les provinces occupées,
mais qui assura les provinces frontières au Nord et à l'Est.
Ces vers furent lus à l'Académie le 31 octobre 1678 avant d'être
imprimés dans *le Mercure galant* en mars 1679.
237. Charles II dut rappeler les troupes anglaises alliées
à la France, à la demande du Parlement.

238. Corneille songe non seulement au début des négociations en 1673, mais à un traité particulier avec l'empereur
Léopold, en 1671, qui en était le prologue.
239. Limbourg, Gand, Ath, Oudenarde, Courtrai, outre les
villes citées plus loin.
240. La Suède récupéra les places occupées par l'électeur
de Brandebourg.

Vous qui sans liberté ne sauriez vivre heureux,
Et que l'illustre horreur d'un avenir funeste
A fait de l'alliance ébranler tout le reste.
En ce grand coup d'État si longtemps balancé,
Si tout ce reste suit, vous avez commencé[241],
Et Louis, qui jamais n'en perdra la mémoire,
Se promet de vous rendre à toute votre gloire,
De rétablir chez vous l'entière liberté,
Mais ferme, mais durable à la postérité,
Et telle qu'en dépit de leurs destins sévères,
Vos aïeux opprimés l'acquirent de vos pères.
M'en désavoûras-tu, grand Roi, si je le dis,
Me pardonneras-tu, si par là je finis?

Mille autres te diront que pour ce bien suprême,
Vainqueur de toutes parts, tu t'es vaincu toi-même;
Ils diront à l'envi les bonheurs que la paix
Va faire à gros ruisseaux pleuvoir sur tes sujets,
Ils diront les vertus que vont faire renaître
L'observance des lois et l'exemple du maître,
Le rétablissement du commerce en tous lieux,
L'abondance partout répandue à nos yeux,
Le nouveau siècle d'or qu'assure ton empire,
Et le diront bien mieux que je ne puis le dire.

Moi pour qui ce beau siècle est arrivé si tard,
Que je n'y dois prétendre ou peu ou point de part,
Moi qui ne le puis voir qu'avec un œil d'envie
Quand il faut que je songe à sortir de la vie,
Je n'ose en ébaucher le merveilleux portrait,
De crainte d'en sortir avec trop de regret.

TRADUCTION

LATINE D'UNE INSCRIPTION
POUR L'ARSENAL DE BREST[242]

Palais digne de Mars, qui fournis pour armer
Cent bataillons sur terre, et cent vaisseaux sur mer;
De l'empire des lis foudroyant corps-de-garde,
Que jamais sans pâlir corsaire ne regarde,
    De Louis, le plus grand des Rois,
    Vous êtes l'immortel ouvrage.
Vents, c'est ici qu'il lui faut rendre hommage,
Mers, c'est ici qu'il faut prendre ses lois.

A MONSEIGNEUR,

SUR SON MARIAGE[243]

Prince, l'appui des lis, et l'amour de la France,
Toi, dont au berceau même elle admira l'enfance,
Et pour qui tous nos vœux s'efforçaient d'obtenir
Du souverain des rois un si bel avenir,

241. Paix séparée avec la Hollande le 10 août, cinq semaines avant le traité général de Nimègue.

242. Le recueil où se trouvent ces vers contient, outre le texte latin de Santeul et les traductions signées de Corneille, une *Réponse à la critique* qui devait viser Fr. Charpentier, directeur de l'Académie des inscriptions, partisan des inscriptions en français. Corneille n'a traduit que la VIIᵉ des inscriptions de Santeul, pour l'Arsenal construit par Colbert de 1663 à 1681. Trois autres traductions de la même inscription figurent dans le recueil à la suite de celle de Corneille.

243. *Le Mercure galant* de mars 1680 publie un récit détaillé des réjouissances auxquelles donnèrent lieu le mariage du dauphin Louis, avec la princesse de Bavière. Il en existe aussi une édition en feuille volante in-4°.

Aujourd'hui qu'elle voit tes vertus éclatantes
Répondre à nos souhaits, et passer nos attentes,
Quel supplice pour moi que l'âge a tout usé
De n'avoir à t'offrir qu'un esprit épuisé!

D'autres y suppléeront, et tout notre Parnasse[244]
Va s'animer toi de ce que j'eus d'audace,
Quand sur les bords du Rhin, pleins de sang et d'effroi,
Je fis suivre à mes vers notre invincible roi.
Ce cours impétueux de rapides conquêtes,
Qui jeta sous ses lois tant de murs et de têtes,
Semblait nous envier dès lors le doux loisir
D'écrire le succès qu'il lui plaisait choisir :
Je m'en plaignis dès lors : et quoi que leur histoire
A qui les écrirait dût promettre de gloire,
Je pardonnai sans peine au déclin de mes ans
Qui ne m'en laissaient plus la force ni le temps;
J'eus même quelque joie à voir leur impuissance
D'un devoir si pressant m'assurer la dispense;
Et sans plus attenter aux miracles divers
Qui portent son grand nom au bout de l'univers,
J'espérai dignement terminer ma carrière,
Si j'en pouvais tracer quelque ébauche grossière
Qui servît d'un modèle à la postérité
De valeur, de prudence, et d'intrépidité :
Mais, comme je tremblais de n'y pouvoir suffire,
Il se lassa de vaincre, et je cessai d'écrire;
Et ma plume, attachée à suivre ses hauts faits,
Ainsi que ce héros acheva par la paix.

La paix, ce grand chef-d'œuvre, où sa bonté suprême
Pour triomphe dernier triompha de lui-même,
Il la fit, mais en maître : il en dicta les lois;
Il rendit, il garda des places à son choix :
Toujours grand, toujours juste, et, parmi les alarmes
Que répandait partout le bonheur de ses armes,
Loin de se prévaloir de leurs brillants succès,
De cette bonté seule il en crut tout l'excès;
Et l'éclat surprenant d'un vainqueur si modeste
De mon feu presque éteint consuma l'heureux reste.

Ne t'offense donc point si je t'offre aujourd'hui
Un génie épuisé, mais épuisé pour lui :
Tu dois y prendre part : son trône, sa couronne,
Cet amas de lauriers qui partout l'environne,
Tant de peuples réduits à rentrer sous sa loi,
Sont autant de dépôts qu'il conserve pour toi;
Et mes vers, à ses pas enchaînant la victoire,
Préparaient pour ta tête un rayon de sa gloire.

Quelle gloire pour toi d'être choisi des cieux
Pour digne successeur de tous nos demi-dieux!
Quelle faveur du ciel de l'être à double titre
D'un roi que tant d'États ont pris pour seul arbitre,
Et d'avoir des vertus prêtes à soutenir
Celles qui le font craindre et qui le font bénir!
C'est de tes jeunes ans ce que ta France espère
Quand elle admire en toi l'image d'un tel père.

N'aspire pas pourtant à ses travaux guerriers :
Où trouveras-tu, prince, à cueillir des lauriers,
Des peuples à dompter, et des murs à détruire?
Vois-tu des ennemis en état de te nuire?
Son bras ou sa valeur les a tous désarmés;
S'ils ont tremblé sous l'un, l'autre les a charmés.
Quelques lieux qu'il te plaise honorer de ta vue,
Un respect amoureux y prévient ta venue;
Tous les murs sont ouverts, tous les cœurs sont soumis,
Et de tous ces vaincus il t'a fait des amis.

244. Ces poèmes occupent quinze pages du *Mercure galant*. Parmi les poèmes latins, un long épithalame envoyé par les jésuites du collège de Clermont.

A nos vœux les plus doux si tu veux satisfaire,
Vois moins ce qu'il a fait que ce qu'il aime à faire :
La paix a ses vertus, et tu dois y régler
Cette ardeur de lui plaire et de lui ressembler.

Vois quelle est sa justice, et quelle vigilance
Par son ordre en ces lieux ramène l'abondance[245],
Rétablit le commerce, et quels heureux projets
Des charges de l'État soulagent ses sujets[246];
Par quelle inexorable et propice tendresse
Il sauve des duels le sang de sa noblesse[247];
Comme il punit le crime, et par quelle terreur[248]
Dans les cœurs les plus durs il en verse l'horreur.
Partout de ses vertus tu verras quelque marque,
Quelque exemple partout à faire un vrai monarque.

Mais sais-tu quel salaire il s'en promet de toi?
Une postérité digne d'un si grand roi,
Qui fasse aimer ses lois chez la race future,
Et les donne pour règle à toute la nature.

C'est sur ce digne espoir de sa tendre amitié
Qu'il t'a choisi lui-même une illustre moitié.
Ses ancêtres ont su de plus d'une manière
Unir le sang de France à celui de Bavière;
Et l'heureuse beauté qui t'attend pour mari
Descend ainsi que toi de notre grand Henri[249];
Vous en tirez tous deux votre auguste origine,
L'un par Louis le Juste, et l'autre par Christine,
En degré tout pareil : ses aïeux paternels
Firent avec les tiens ligue pour nos autels,

Joignirent leurs drapeaux contre le fier insulte
Que Luther et sa secte osaient faire au vrai culte;
Et Prague du dernier vit les fameux exploits
De Rome dans ses murs faire accepter les lois[250].

Ils ont assez donné de Césars à l'empire,
Pour en donner encor, s'il en fallait élire[251];
Et notre grand monarque est assez redouté
Pour faire encor voler l'aigle de leur côté.
Quel besoin toutefois de vanter leur noblesse
Pour assurer ton cœur à la jeune princesse,
Comme si ses vertus et l'éclat de ses yeux
A son mérite seul ne l'assuraient pas mieux?

La grandeur de son âme et son esprit sublime
S'élèvent au-dessus de la plus haute estime;
Son accueil, ses bontés, ont de quoi tout charmer;
Et tu n'auras enfin qu'à la voir pour l'aimer.

Vois bénir en tous lieux l'hymen qui te l'amène
Des rives du Danube aux rives de la Seine,
Vois-le suivi partout des Grâces et des Jeux
Vois la France à l'envi lui porter tous ses vœux.

Je t'en peindrais ici la pompeuse allégresse :
Mais pour s'y hasarder il faut de la jeunesse.
De quel front oserais-je, avec mes cheveux gris,
Ranger autour de toi les Amours et les Ris?
Ce sont de petits dieux enjoués, mais timides,
Qui s'épouvanteraient dès qu'ils verraient mes rides,
Et ne me point mêler à leur galant aspect
C'est te marquer mon zèle avec plus de respect.

---

245. Édit de décembre 1672, pour l'approvisionnement de Paris.

246. Œuvre essentielle de Colbert. Mars 1673 : grande ordonnance de commerce et règlement général pour les tailles (impôts). Septembre 1675 : règlement pour la Compagnie des Indes orientales (créée en 1664, dépossédée en 1674); et lettres patentes portant création de la Compagnie du Sénégal.

247. Règlement général sur la répression des duels, confirmant un texte de septembre 1651.

248. Août 1670 : ordonnance criminelle, aggravant les peines.

249. La princesse de Bavière descendait par sa mère d'Henri IV, père de Christine de Savoie, qui épousa Victor-Amédée; ils eurent pour fille Henriette-Adélaïde, mariée à Ferdinand-Marie, électeur de Bavière.

250. Victoire de Maximilien de Bavière, en 1620, à Prague, sur Frédéric roi de Bohême, qui dut faire soumission à l'empereur romain germanique (*Rome* dans le poème).

251. Deux : Louis V au XIVe, Robert au XVe.

TRADUCTIONS

L'IMITATION DE JÉSUS-CHRIST

Fontenelle se trompe à propos de l'origine de cette traduction : sur la date, il oublie que Corneille publia les vingt premiers chapitres du Livre I avant Pertharite; sur les circonstances, en revanche, il ne fait heureusement aucune allusion à la légende née en 1724 d'un pensum entrepris pour le rachat d'une œuvre immorale, l'Occasion perdue recouverte (1661), publiée avec le nom incomplet de son auteur, le Sieur de Corneille (Cantenac).

Aux mobiles notés par Fontenelle : « Il y fut porté par des pères jésuites de ses amis, par des sentiments de piété qu'il eut toute sa vie, et sans doute aussi par l'activité de son génie », il faut ajouter le succès des traductions pieuses, capables de donner à leurs auteurs gloire et profit.

Parmi tous les noms possibles, le précurseur le plus immédiat de Corneille fut Desmarets de Saint-Sorlin, ex-fournisseur du théâtre de Richelieu après les Cinq auteurs de 1637 à 1642, collègue de Corneille à l'Académie, qui, depuis 1645, s'était fait l'inlassable et médiocre traducteur ou adaptateur de toute sorte de littérature spirituelle. Ses ennemis, les jansénistes surtout, l'ont taxé de folie. En 1661, se disant personnellement inspiré, il adresse à Louis XIV un Avis du Saint-Esprit au roi. Parmi les ouvrages traduits par Desmarets figurent le Combat spirituel de Scupoli (1654), que Corneille songeait aussi à traduire, et l'Office de la Sainte Vierge (1645) que Corneille retraduira.

De 1651 à 1656 paraissent les fragments successifs de cette traduction de plus de 13 000 vers : en 1651, les vingt premiers chapitres du Livre I, soit le huitième de l'ouvrage. Encouragé par le succès et peut-être sur les instances personnelles de la reine-mère, Corneille publie en 1652 onze chapitres nouveaux. On réédite déjà l'ensemble. En 1653 paraissent deux éditions de la traduction complète des deux premiers livres. En 1654, le texte s'accroît des trente premiers chapitres du livre III; en 1656, la traduction complète sort en trois éditions de trois formats différents.

Le succès suscita à Corneille des émules. Dès 1653, un curé inconnu, Ant. Tixier, publie à Lyon une traduction, en vers elle aussi. Desmarets, qui fait état de celle de Corneille, achève la sienne avant lui en 1654. Corneille n'a donc pu avoir de dette envers lui que pour le livre IV.

La traduction de Corneille connut six éditions en quatorze ans. En 1670, Corneille en fait lui-même une anthologie, qu'il joint à son Office de la Sainte Vierge. Là s'arrêta le succès, puisque ce dernier ouvrage n'eut pas même une réédition du vivant de l'auteur.

On a vu Corneille collaborer en 1649 avec le graveur Valdor pour les Triomphes de Louis le Juste. Il collabore cette fois avec la graveur Fr. Chauveau (1613-1676) qui laissa à sa mort plus de quatre mille images à l'eau-forte et inspira lui-même d'autres graveurs. Corneille se soucie personnellement du choix de ses images. Si l'édition in-4º n'en compte que quatre, une en tête de chaque livre, l'édition in-12 est abondamment illustrée : une par chapitre, soit 114. Elles témoignent à la fois du souci pédagogique de Corneille et de son goût classique, si l'on admet la tendance à l'emphase qui est à la fois celle des jésuites et celle de Versailles, et que les baroquistes, annexeurs intrépides, pourraient revendiquer.

Il leur serait beaucoup plus difficile de le faire avec les admirables frontispices du même Chauveau en tête de chaque pièce, dans l'édition de 1660, si représentatives de l'esprit cornélien, malgré le burin un peu sec et la technique hâtive de l'artiste. D'autres graveurs moins célèbres, Jérôme David, Karle Audran et Campion collaborèrent à l'exécution de ces 114 tailles-douces, que Corneille appelle emblèmes, et qu'il accompagne d'une légende en français et d'une sentence latine.

Corneille ne parle pas de l'auteur de l'Imitation. On en discutait alors, et âprement, entre bénédictins, qui voulaient l'attribuer les uns à Jean Gersen, abbé de leur ordre au XIIIe siècle, les autres à Thomas a Kempis, religieux hollandais. La chose n'a d'ailleurs pas tellement d'importance, quand on sait que ce long ouvrage, que l'humilité de l'auteur a voulu anonyme, procède en fait des cahiers de notes spirituelles de plusieurs générations de moines d'un couvent marqué par la devotio moderna, ce qui lui donne presque l'allure d'un ouvrage collectif.

Quatre lettres, découvertes par hasard (cf. page 855) montrent que Corneille suit de près l'affaire et penche, en bon critique, vers la véritable solution.

Il dédie son œuvre au pape Alexandre VII (cf. p. 909). L'archevêque de Rouen, Fr. de Harlay, lui fait remettre l'ouvrage, avec une lettre latine, qui associe curieusement Brébeuf, traducteur de la Pharsale de Lucain, à Corneille. Mais, bon Français autant que bon catholique, Corneille supprime la dédicace des éditions postérieures à une affaire diplomatique dans laquelle la France se jugea offensée (cf. note 21).

La traduction de l'Imitation n'est pas une œuvre en marge de la production cornélienne. L'esprit de son théâtre s'accorde avec une partie essentielle de cette œuvre, au premier abord si différente. D'ailleurs, bien que Corneille s'efforce de suivre au plus près son modèle latin, et souvent y réussisse étonnamment, malgré lui ce qu'il ajoute au texte va dans le sens de son expression dramatique. A ce double égard, la traduction de l'Imitation est fondamentale pour la compréhension du génie cornélien.

Elle permet d'éviter bien des erreurs sur son prétendu orgueil, son prétendu stoïcisme, sur le sens de la gloire, sur les luttes douloureuses entre l'amour-propre et la générosité, sur la raison, la constance, la joie et la certitude intérieures de ses héros.

L'accord se fait sur une psychologie et une morale communes, et Corneille applique à des personnages historiques, à des situations concrètes les réflexions intemporelles de Thomas a Kempis.

Cette identité de vues explique qu'il n'y ait pas de rupture véritable entre le théâtre antérieur à cette traduction et celui qui la suit. Peut-être toutefois, sans rien perdre de sa confiance finale en l'homme et dans les destinées d'une histoire providentielle, Corneille a-t-il senti plus vivement la force des obstacles de l'amour-propre, la vanité de l'action héroïque et la nostalgie de la mort, qui donnent à ses dernières pièces leur couleur particulière.

PRÉFACES

POUR LES VINGT PREMIERS CHAPITRES DU LIVRE PREMIER[1] (1651)

Je n'invite point à cette lecture ceux qui ne cherchent dans la poésie que la pompe des vers : ce n'est ici qu'une traduction fidèle, où j'ai tâché de conserver le caractère et la simplicité de l'auteur. Ce n'est pas que je ne sache bien que l'utile a besoin de l'agréable pour s'insinuer dans l'amitié des hommes; mais j'ai cru qu'il ne fallait pas l'étouffer sous les enrichissements, ni lui donner des lumières qui éblouissent au lieu d'éclairer. Il est juste de lui prêter quelques grâces, mais de celles qui lui laissent toute sa force, qui l'embellissent sans le déguiser, et l'accompagnent sans le dérober à la vue : autrement ce n'est plus qu'un effort ambitieux, qui fait plus admirer le poète qu'il ne touche le lecteur. J'espère qu'on trouvera celui-ci dans une raisonnable médiocrité, et telle que demande une morale chrétienne qui a pour but d'instruire, et ne se met pas en peine de chatouiller les sens. Il est hors de doute que les curieux n'y trouveront point de charme, mais peut-être qu'en récompense les bonnes intentions n'y trouveront point de dégoût; que ceux qui aimeront les choses qui y sont dites supporteront la façon dont elles y sont dites, et que ce qui pénétrera le cœur ne blessera point les oreilles.

... Les matières y ont si peu de disposition à la poésie, que mon entreprise n'est pas sans quelque apparence de témérité, et c'est ce qui m'a empêché de m'engager plus avant, que je n'aye consulté le jugement du public par ces vingt chapitres que je lui donne pour coup d'essai, et pour arrhes du reste. J'apprendrai, par l'estime ou le mépris qu'il en fera, si j'ai bien ou mal pris mes mesures, et de quelle façon je dois continuer; s'il me faut étendre davantage les pensées de mon auteur pour leur faire recevoir par force les agréments qu'il a méprisés, ou si ce peu que j'y ajoute quelquefois, par la nécessité de fournir une strophe, n'est point une liberté qu'il soit à propos de retrancher. Je pensais être le premier à qui il fût tombé en l'esprit de sanctifier la poésie par un ouvrage si précieux; mais je viens d'être surpris de le voir rendu en vers latins par le R.P. Thomas Mesler, bénédictin

de l'abbaye impériale de Zuifalten, et imprimé à Bruxelles dès l'année 1649 [2]. Il s'en est acquitté si dignement, que je ne prétends pas l'égaler en notre langue. Je me contenterai de le suivre de loin, et de faire mes efforts pour rendre mon travail utile à mes lecteurs, sans aspirer à la gloire que le sien a méritée. Je ne prétends non plus à celle de donner mon suffrage parmi tant de savants, et me rendre partie en cette fameuse querelle touchant le véritable auteur d'un livre si saint. Que ce soit Jean Gersen [3], que ce soit Thomas a Kempis, ou quelque autre qu'on n'ait pas encore mis sur les rangs, tâchons de suivre ses instructions, puisque elles sont bonnes, sans examiner de quelles mains elles viennent. C'est ce qu'il nous ordonne lui-même dans le cinquième chapitre de ce premier livre, et cela doit suffire à ceux qui ne cherchent qu'à devenir meilleurs par sa lecture; le reste n'est important qu'à la gloire des deux ordres qui le veulent chacun revêtir de leur habit. Je n'ai pas assez de suffisance pour pouvoir juger de leurs raisons, mais je trouve qu'ils ont raison l'un et l'autre de vouloir que l'Église leur soit obligée d'un si grand trésor; et si j'ose en dire mon opinion, j'estime que ce grand personnage a pris autant de peine à n'être pas connu qu'ils en prennent à le faire connaître, et tiens fort vraisemblable qu'il n'eût pas osé nous donner ce beau précepte d'humilité dès le second chapitre, ama nesciri, s'il ne l'eût pratiqué lui-même. Aussi ne puis-je dissimuler que je penserais aller contre l'intention de l'auteur que je traduis, si je portais ma curiosité dans ce qu'il nous a voulu et su cacher avec tant de soin. Ce m'est assez d'être assuré, par la lecture de son livre, que c'était un homme de Dieu, et bien illuminé du Saint-Esprit. J'y trouve certitude qu'il était prêtre; j'y trouve grande apparence qu'il était moine; mais j'y trouve aussi quelque répugnance à le croire Italien. Les mots grossiers dont il se sert assez souvent sentent bien autant le latin de nos vieilles pancartes que la corruption de celui de delà les monts, et si je voyais encore quelques autres conjectures qui le pussent faire passer pour Français, j'y donnerais volontiers les mains en faveur du pays.

POUR LES CINQ DERNIERS CHAPITRES DU PREMIER LIVRE ET LES SIX PREMIERS DU LIVRE SECOND [4] (1652)

Je donne cette seconde partie à l'impatience de ceux qui ont fait quelque état de la première, et ce n'est pas sans un peu de confusion que je leur donne si peu de

---

1. Corneille a souvent remanié la préface des diverses éditions de sa traduction. Nous les donnons dans l'ordre chronologique, sans répéter les parties communes.
2. Traduction en vers élégiaques, dont le privilège est de 1645. L'édition de 1649 est la seconde. Il est exact que cette traduction a beaucoup aidé Corneille.
3. Voyez la notice. On a même songé à en donner la paternité à saint Bernard. On a confondu Jean Gersen avec le chancelier français du XVe siècle, Gerson : de l'allusion finale de cet Avis.

4. En tête de la seconde édition partielle (fin du livre I et début du livre II).

chose à la fois. Quelques-uns même en pourront murmurer avec justice : mais après la grâce qu'ils m'ont faite de ne point dédaigner ce qu'ils en ont vu, je pense avoir quelque droit d'espérer qu'ils ne me refuseront pas celle de se contenter de ce que je puis, et de n'exiger rien de moi par delà ma portée. Le bon accueil qu'en a reçu le premier échantillon de cet ouvrage m'a bien enhardi à le poursuivre ; mais il ne m'a pas donné la force d'aller bien loin sans me rebuter. Le peu de disposition que les matières y ont à la poésie, le peu de liaison non seulement d'un chapitre avec l'autre, mais d'une période même avec celle qui la suit, et la quantité des redites qui s'y rencontrent, sont des obstacles assez malaisés à surmonter. Et si, outre ces trois difficultés qui viennent de l'original, vous voulez bien en considérer trois autres de la part du traducteur, peu de connaissance de la théologie, peu de pratique des sentiments de dévotion, et peu d'habitude à faire des vers d'ode et de stances, j'ose m'assurer que vous me trouverez assez excusable, quand je vous avouerai qu'après seize ou dix-sept cents vers de cette nature, j'ai besoin de reprendre haleine, et me reposer plus d'une fois dans une carrière si longue et si pénible. C'est ce que je fais avec d'autant plus de liberté, que je n'y vois aucun chapitre dont l'intelligence dépende de celui qui le précède, ou de celui qui le suit, et que, n'ayant point d'ordre entre eux, je puis m'arrêter où je me trouve las, sans craindre d'en rompre la tissure. Si Dieu me donne assez de vie et d'esprit, je tâcherai d'aller jusqu'au bout, et lors nous rejoindrons tous ces fragments. Cependant je conjure le lecteur d'agréer ce que je lui pourrai donner de temps en temps, et surtout de souffrir l'importunité de quelques mots que j'emploie un peu souvent. Les répétitions sont si fréquentes dans le texte de mon auteur, que quand notre langue serait dix fois plus abondante qu'elle n'est, ma traduction l'aurait déjà épuisée. Il s'y trouve même des mots si farouches pour la poésie, que je suis contraint d'en chercher d'autres qui n'y répondent pas si parfaitement que je souhaiterais, et n'en sauraient exprimer toute la force.

Je fais cette excuse particulièrement pour celui de *consolations* dont il se sert à tout propos, et qui a grande peine à trouver sa place dans nos vers avec quelque grâce ; celui de *joie* et celui de *douceur* que je lui substitue ne disent pas tout ce qu'il veut dire ; et à moins que l'indulgence du lecteur supplée ce qui leur manque, il ne concevra pas la pensée de l'auteur dans toute son étendue. Il en est ainsi de quelques autres que je ne puis pas toujours rendre comme je voudrais. Je n'en veux pas toutefois imputer si pleinement la faute à la faiblesse de notre langue, que je ne confesse que la mienne y a bonne part ; mais enfin je ne puis mieux, et de quelque importance que soit ce défaut, je n'ai pas cru qu'il me dût faire quitter un travail que d'ailleurs on me veut faire croire être assez utile au public, et pouvoir contribuer quelque chose à la gloire de Dieu et à l'édification du prochain.

AU LECTEUR[5]

Je n'ai qu'un mot à vous dire, non pour ce qui regarde ma traduction, que le public a reçue assez favorablement pour me résoudre à la continuer, mais touchant quelques ornements qu'on m'a convié d'y joindre, pour suppléer en quelque sorte au défaut de ceux de la poésie qui n'y

peuvent pas entrer aisément. Ce sont des figures de taille-douce, que j'ai fait mettre au-devant de chaque chapitre, et qui contiennent comme autant d'emblèmes historiques, dont le corps est toujours une action remarquable ou de Jésus-Christ, ou de la Vierge, ou d'un saint, ou de quelque personne illustre ; et l'âme, une sentence tirée du même chapitre, et à qui cette action sert d'exemple. J'ai fait graver ces sentences en latin, pour ne leur rien ôter de leur force ; mais afin que les dames les puissent entendre sans autre interprète que moi, j'en ai fait imprimer la version en caractère italique, où véritablement elles n'en trouveront pas toujours la lettre rendue mot pour mot, parce que la liaison de mon discours m'engage quelquefois à les tourner d'une autre façon, et ne me permet pas de les exposer en forme de sentences ; mais du moins elles en rencontreront toujours le sens assez fidèlement exprimé, pour en faire l'application aux histoires dont elles les verront accompagnées. Au reste je n'ai point voulu que cette nouvelle édition fût embarrassée du texte latin, parce que j'ai cru que la fidélité de ma traduction était assez justifiée par la précédente ; ceux qui auront la curiosité de les conférer ensemble, y pourront avoir recours ; cependant comme il y a quantité de personnes pour qui cette opposition de l'original est inutile, j'ai cru ne les en devoir pas importuner davantage, et me suis contenté de leur donner mes vers aucunement en meilleur état qu'on ne les a vus, y ayant fait quelques changements notables, surtout aux premiers chapitres, où il m'a semblé que je n'avais pas d'abord assez pénétré l'esprit de l'auteur [6]. J'espère avec le temps vous rendre un compte encore plus exact de ses pensées, quand je vous ferai voir l'ouvrage entier ; mais je vous avoue que je prévois que ce ne sera pas si tôt : non que je n'en aye grande impatience, mais parce que ces matières ont si peu de disposition à s'accommoder avec notre poésie, qu'elles me lassent incontinent et m'obligent à me reposer plus souvent que je ne voudrais. Si ces commencements vous agréent, faites-moi la grâce de ne vous ennuyer point de mes longueurs à vous donner le reste : il est des plumes plus heureuses que la mienne, qui vous feraient attendre cette satisfaction, si elles avaient entrepris ce travail [7] ; mais pour moi, je ne suis point honteux de vous avouer une seconde fois et franchise qu'il m'est impossible d'en venir à bout qu'avec beaucoup de temps et beaucoup de peine.

POUR LA SUITE DU LIVRE SECOND [8] (1653)

J'ai bien des grâces à vous demander, mais aussi les difficultés qui se rencontrent en cette sorte de traduction méritent bien que vous nous en soyez pas avare. Le peu de disposition que les matières y ont à la poésie, le peu de liaison non seulement d'un chapitre avec l'autre, mais d'une période même avec celle qui la suit, et la quantité des redites, sont des obstacles assez malaisés à surmonter. Et si, outre ces trois qui viennent de l'original,

6. En réalité les corrections de Corneille sont très peu nombreuses et ne modifient guère l'idée générale qu'on se fait du texte.

7. Allusion possible à la traduction de Desmarets (cf. la notice).

8. Corneille prend un nouveau privilège le 30 juin 1653, pour l'ensemble des deux premiers livres, dont il donne deux éditions différentes, l'une avec, l'autre sans le latin. Cette préface précède la version complète des livres I et II sans le latin. L'édition accompagnée du texte latin reprend l'*Avis au lecteur* de 1651.

vous voulez bien en considérer trois autres de la part du traducteur, peu de connaissance de la théologie, peu de pratique des sentiments de dévotion, et peu d'habitude à faire des vers d'ode et de stances, j'ose m'assurer que vous me pardonnerez aisément les défauts que je vois moi-même dans cet ouvrage, sans l'en pouvoir purger au point qu'on peut raisonnablement attendre d'un homme à qui les vers ont acquis quelque réputation. Surtout les répétitions sont si fréquentes dans le texte de mon auteur, que quand notre langue serait dix fois plus abondante qu'elle n'est, je l'aurais déjà épuisée. Elles ont bien lieu de vous importuner, puisqu'elles m'accablent, et j'avoue ingénument que je n'ai pu encore trouver le secret de diversifier mes expressions, toutes les fois qu'il me présente la même chose à exprimer. Le premier et le dernier chapitre de ce second livre en sont tout remplis, et comme je n'ai pu me résoudre à faire une infidélité à mon guide, que je suis pas à pas, de peur de m'égarer dans un chemin qui m'est presque inconnu, aussi n'ai-je pu forcer mon génie à n'y laisser aucune marque du dégoût que ces redites m'ont donné. Il se rencontre même dans son texte des mots si farouches pour la poésie, que je suis contraint d'avoir recours à d'autres qui n'y répondent pas si bien que je souhaiterais, et n'en saurais faire passer toute la force en notre français. Je fais cette excuse particulièrement pour celui de *consolations*, dont il se sert à tout propos, et qui a grande peine à trouver sa place dans les vers avec quelque grâce. Ceux de *tribulation, contemplation, humiliation*, ne sont pas de meilleure trempe. La nécessité me les fait employer plus souvent que ne peut souffrir la douceur de la belle poésie ; et quand je m'enhardis à en substituer quelques autres en leur place, je sens bien qu'ils ne disent pas tout ce que mon auteur veut dire, et qu'à moins que l'indulgence du lecteur supplée ce qui leur manque, il ne concevra pas sa pensée dans toute son étendue. Il en est ainsi de quelques autres encore que je ne puis pas rendre toujours comme je voudrais, et sont cause que les personnes bien illuminées, qui entendent et goûtent parfaitement l'original, ne trouvent pas leur compte dans ma traduction. Je n'en veux pas imputer si pleinement la faute à la faiblesse de notre langue, que je ne confesse que la mienne y a bonne part ; mais enfin je ne puis mieux faire, et de quelque importance que soit ce défaut, je n'ai pas cru qu'il dût me faire quitter un travail que d'ailleurs on me veut faire croire être assez utile au public, et pouvoir contribuer quelque chose à la gloire de Dieu et à l'édification du prochain. Comme tout le monde n'a pas d'égales lumières, beaucoup de bonnes âmes sont assez simples pour ne s'apercevoir pas des imperfections de cette version, que d'autres mieux éclairées remarquent du premier coup d'œil, et qui ne s'y couleraient pas en si grand nombre, si Dieu m'avait donné plus d'esprit.

AU LECTEUR [9]

Enfin me voilà au bout de mes deux premiers livres, et je les donne entiers en cette nouvelle impression, mais séparés en deux petits volumes pour la commodité de ceux qui les aiment portatifs. J'ai cru toutefois à propos de mettre à part ces six derniers chapitres en forme de troisième partie, afin que ceux qui se sont déjà chargés

des deux premiers fragments ayent moyen de se satisfaire par ce supplément, et ne soient pas obligés de reprendre des mains du libraire ce qu'ils ont déjà. Je ne me lasse point de vous demander grâce pour les redites continuelles où m'engage mon auteur : elles ont bien lieu de vous importuner, puisqu'elles m'accablent, et je confesse ingénument que je n'ai encore pu trouver le secret de diversifier mes expressions, toutes les fois qu'il me présente la même pensée à exprimer. Surtout le dernier chapitre de ce second livre en est tout rempli, et comme je n'ai pu me résoudre à faire une infidélité à mon guide, aussi n'ai-je pu forcer mon génie à n'y laisser aucune marque du dégoût que ces répétitions m'ont donné. Je prévois qu'il faut me résoudre à m'en ennuyer encore plus d'une fois, et que le troisième livre, qui fait seul plus de la moitié de l'ouvrage, n'en sera pas plus exempt que ces deux-ci. J'espère, quelque long qu'il soit, vous le faire voir dans un an ; cependant je vous demande encore un coup de grâce pour tous les défauts que mon insuffisance a laissés[10] couler jusqu'ici dans cette traduction. Vous pouvez vous assurer que je n'y épargne aucun travail, et que vous y verriez moins d'imperfections si Dieu m'avait donné plus d'esprit.

POUR LES TRENTE PREMIERS CHAPITRES
DU LIVRE TROISIÈME [11] (1654)

Ce n'est ici que la moitié du troisième livre ; je l'ai trouvé assez long pour en faire à deux fois. Ainsi ma traduction sera divisée en quatre parties, pour être plus portative. Les deux livres que vous avez déjà vus en composeront la première ; celui-ci fournira aux deux suivantes, et le quatrième demeurera pour la dernière. Je vous demande encore un peu de patience pour les deux qui restent ; elles ne me coûteront que chacune une année, pourvu qu'il plaise à Dieu de me donner assez de santé et d'esprit[12]. Cependant j'espère que vous ferez aussi bon accueil à celle-ci que vous avez fait à celle qui l'a précédée. Les vers n'en sont pas moindres, et, si j'en puis croire mes amis, j'ai mieux pénétré l'esprit de l'auteur dans ces trente chapitres que par le passé. Il n'a fait de tout ce troisième livre qu'un dialogue entre Jésus-Christ et l'âme chrétienne, et souvent il les introduit l'un et l'autre dans un même chapitre, sans y marquer aucune distinction. La fidélité avec laquelle je le suis pas à pas m'a persuadé que je n'en devais pas mettre, puisqu'il n'y en avait pas mis ; mais j'ai pris la liberté de changer de vers toutes les fois qu'il change de personnage, tant pour aider le lecteur à reconnaître ce changement que parce que je n'ai pas estimé à propos que l'homme parlât le même langage que Dieu.

POUR LA FIN DU LIVRE TROISIÈME
ET LE LIVRE QUATRIÈME TOUT ENTIER (1656)

Enfin me voici au bout d'un long ouvrage, et comme j'ai donné ces deux dernières parties aux libraires tout à la fois, ils ont cru qu'il vous serait plus commode de les avoir en un seul volume, et n'ont point voulu les

---

9. Pour éviter aux premiers acheteurs l'obligation de se procurer l'édition entière des livres I et II, Corneille fait imprimer à part la fin du livre II (chap. 7-12) avec cette préface.

10. Orthographe de toutes les éditions du XVIIe, sauf une.
11. Préface à la quatrième édition partielle. La lassitude des deux précédentes préfaces a disparu.
12. Corneille tint parole, la première édition complète étant du 29 mars 1656.

séparer. J'ai bien lieu de craindre que vous ne vous aperceviez un peu trop de l'impatience que j'ai eue de l'achever, et du chagrin qu'a jeté dans mon esprit un travail si long et si pénible.

. . . .

J'avais promis à quelques personnes dévotes de joindre à cette traduction celle du *Combat spirituel*; mais je les supplie de trouver bon que je retire ma parole. Puisque j'ai été prévenu dans ce dessein par une des plus belles plumes de la cour, il est juste de lui en laisser toute la gloire. Je n'ignore pas que les livres sont des trésors publics où chacun peut mettre la main; mais le premier qui s'en saisit pour les traduire, semble se les approprier en quelque façon, et on ne peut plus s'y engager sans lui faire un secret reproche de n'y avoir pas bien réussi, et promettre de s'en acquitter plus dignement. En attendant que Dieu m'inspire quelque autre dessein, je me contenterai de m'appliquer à une revue de mes pièces de théâtre, pour les réduire en un corps, et vous les faire voir en un état un peu plus supportable. J'y ajouterai quelques réflexions sur chaque poème, tirées de l'art poétique, plus courtes ou plus étendues, selon que les matières s'en offriront, et j'espère que ce présent renouvelé ne vous sera point désagréable, ni tout à fait inutile à ceux qui voudront s'exercer en cette sorte de poésie.

ÉPITRE AU SOUVERAIN PONTIFE ALEXANDRE VII [13]

Très saint Père [14],

L'hommage que je fais aux pieds de Votre Sainteté semble ne s'accorder pas bien avec les maximes du livre que je lui présente. Lui offrir cette traduction, c'est la juger digne de lui être offerte, et bien loin de pratiquer cette humilité parfaite et ce profond mépris de soi-même que son original nous recommande incessamment, c'est montrer une ambition démesurée, et une opinion extraordinaire des productions de mon esprit. Mais il est hors de doute que ce même hommage, qui ne peut passer que pour une témérité signalée tant qu'on arrêtera les yeux sur moi, me paraîtra plus qu'une action de justice sitôt qu'on les élèvera jusqu'à Votre Sainteté. Rien n'est plus juste que de mettre *l'Imitation de Jésus-Christ* sous la protection de son vicaire en terre, et de son plus grand imitateur parmi les hommes; rien n'est plus juste que de dédier les sublimes idées de la perfection chrétienne au père commun des chrétiens, qui les exprime toutes en sa personne : et si je croyais avoir égalé ce grand dévot que j'ai fait parler en vers, je dirais que rien n'appartient plus justement à Votre Sainteté que ce portrait achevé d'elle-même, et qu'à jeter l'œil, d'un côté sur les hautes leçons qu'il nous fait, et de l'autre sur les miracles continuels de votre vie, on ne voit que la même chose. J'ajouterai, très saint Père, que rien n'est si puissant pour convaincre le lecteur que de lui donner en même temps le précepte et l'exemple. Soit que mon auteur nous invite à la retraite intérieure, soit qu'il nous exhorte à la simplicité des mœurs, soit qu'il nous instruise de ce que nous devons au prochain, soit qu'il nous pousse au détachement de la chair et du sang, soit qu'il nous apprenne à déraciner l'amour-propre par une abnégation sincère de nous-mêmes; et si qu'il tâche à nous faire goûter les saintes douceurs de la souffrance en nous expliquant ses privilèges, soit qu'il s'efforce à nous porter jusque dans le sein de Dieu, pour nous unir à lui par une amoureuse acceptation de toutes ses volontés et une assidue recherche de sa gloire en toutes choses; quoi qu'il nous ordonne, quoi qu'il nous conseille, mettre le nom de Votre Sainteté à la tête de ses enseignements, c'est ne laisser d'excuse à personne, et faire voir que toutes ces vertus n'ont rien d'incompatible avec les grandeurs, avec l'abondance et avec les soins de toute la terre. Ces raisons sont fortes, mais elles ne l'étaient pas assez pour l'emporter sur la connaissance de mon peu de mérite; et le moindre retour que je faisais sur moi-même dissipait toute la hardiesse qu'elles m'avaient inspirée sitôt que j'envisageais cette inconcevable disproportion de mon néant à la première dignité du monde. J'avais toutefois assez de courage pour ne descendre que d'un degré, et ne choisir pas un moindre protecteur que celui à qui je dois mes premiers respects dans l'Église après le saint-siège : je parle de M. l'archevêque de Rouen, dans le diocèse duquel Dieu m'a donné la naissance et arrêté ma fortune. Cet ouvrage a commencé avec son pontificat [15]; et comme ce prélat a des talents merveilleux pour remplir toutes les fonctions d'un grand pasteur, et une ardeur infatigable de s'en acquitter, les plus belles lumières qui m'aient servi à l'exécution de cette entreprise, je les dois toutes aux vives clartés des instructions éloquentes et solides qu'il ne se lasse point de donner à son troupeau, ou aux rayons secrets et pénétrants que sa conversation familière répand à toute heure sur ceux qui ont le bonheur de l'approcher. Je lui ai donc voulu faire, non pas tant un présent de mon travail qu'une restitution de son propre bien; mais la bonté qu'il a pour moi l'a préoccupé jusqu'à lui persuader que cet effort de ma plume pouvant être utile à tous les chrétiens, il lui fallait un protecteur dont le pouvoir s'étendît sur toute l'Église; et l'ayant regardé comme le premier fruit qu'il ait recueilli des muses chrétiennes depuis qu'il occupe la chaire de saint Romain [16], il a cru que l'offrir à Votre Sainteté, c'était lui offrir en quelque sorte les prémices de son diocèse. Ses commandements ont fait taire cette juste défiance que j'avais de ma faiblesse; et ce qui n'était sans eux qu'un effet d'une insupportable présomption, est devenu un devoir indispensable pour moi sitôt que je les ai reçus. Oserai-je avouer à Votre Sainteté qu'ils m'ont fait une douce violence, et que j'ai été ravi de pouvoir prendre cette occasion d'applaudir à nos muses, et de vous remercier pour elles de ces moments que vous avez autrefois ménagés en leur faveur parmi les occupations illustres où vous attachaient les importantes négociations que les souverains pontifes vos prédécesseurs avaient confiées à votre prudence? Elles en reçoivent ce témoignage éclatant et cette preuve invincible, que non seulement elles sont capables des vertus les plus éminentes et des

---

13. Cette épître ne figure qu'en tête de la traduction complète, dans les trois éditions de 1656. Elle est supprimée après l'incident de la garde corse (cf. note 21).

14. Fabio Chigi (1599-1667) devint pape en 1655, grâce à l'appui des cardinaux français. Il continua immédiatement l'œuvre de son prédécesseur, Innocent X, la condamnation du jansénisme. Il avait été nonce en Allemagne, et se trouvait notamment à Munster, où l'ancien gouverneur de Normandie, M. de Longueville, était ambassadeur pour la France.

15. En fait, Fr. de Harlay ne fut sacré que le 28 décembre. L'achevé d'imprimer étant du 15 novembre, Corneille ne se soucie que de la nomination de Fr. de Harlay, depuis longtemps décidée, puisqu'il succéda à son oncle qui l'avait fait nommer coadjuteur.

16. Premier évêque de Rouen au VIIe siècle.

emplois les plus hauts, mais qu'elles y disposent même, et conduisent l'esprit qui les cultive, quand il en sait faire un bon usage. C'est une vérité qui brille partout dans ce précieux recueil de vers latins, où vous n'avez point voulu d'autre nom que celui d'*ami des muses* [17], et que ce grand prélat a pris plaisir de me faire voir des premiers : il me l'a fait lire, il me l'a fait admirer avec lui ; et pour vous rendre justice partout durant cette lecture, je ne faisais que répéter les éloges que chaque vers tirait de sa bouche : mais, entre tant de choses excellentes, rien ne fit alors et ne fait encore tous les jours une si forte impression sur mon âme que ces rares pensées de la mort que vous y avez semées si abondamment [18] : elles me plongèrent dans une réflexion sérieuse qu'il fallait comparaître devant Dieu, et lui rendre compte du talent dont il m'avait favorisé ; je considérai ensuite que ce n'était pas assez de l'avoir si heureusement réduit à purger notre théâtre des ordures que les premiers siècles y avaient comme incorporées, et des licences que les derniers y avaient souffertes ; qu'il ne me devait pas suffire d'y avoir fait régner en leur place les vertus morales et politiques, et quelques-unes même des chrétiennes, qu'il fallait porter ma reconnaissance plus loin, et appliquer toute l'ardeur du génie à quelque nouvel essai de ses forces qui n'eût pour but que le service de ce grand maître et l'utilité du prochain. C'est ce qui m'a fait choisir la traduction de cette sainte morale, qui, par la simplicité de son style, ferme la porte aux plus beaux ornements de la poésie ; et bien loin d'augmenter ma réputation, semble sacrifier à la gloire du souverain auteur tout ce que j'en ai pu acquérir en ce genre d'écrire. Après avoir ressenti des effets si avantageux de cette obligation générale que toutes les muses ont à Votre Sainteté, je serais le plus ingrat de tous les hommes, si je ne lui consacrais un ouvrage dont elle a été la première cause ; ma conscience m'en ferait à tous moments des reproches d'autant plus sensibles que je vis dans une province qui n'a point attendu à vous aimer et à vous honorer qu'elle fût obligée d'obéir à Votre Sainteté, et où votre nom a été en vénération singulière avant même que vous eussiez quitté celui de Ghisi [19] pour être ALEXANDRE VII. Leurs altesses de Longueville ont si bien fait passer dans toutes les âmes de leur gouvernement ces dignes sentiments d'affection et d'estime qu'elles ont rapportés de Munster pour votre personne, que tant qu'a duré le dernier conclave, nous n'avons demandé que vous à Dieu. Je n'ose dire que nos prières aient attiré les inspirations du Saint-Esprit sur le sacré collège, mais il est certain que du moins elles ont été au-devant d'elles, et que l'exaltation de Votre Sainteté a été la joie particulière de tous nos cœurs avant que les ordres du roi en aient fait l'allégresse publique de toute la France. Nous continuons et redoublons maintenant ces mêmes vœux pour obtenir de cette bonté inépuisable qu'elle nous laisse jouir longtemps de la grâce qu'elle nous a accordée, et que vous puissiez achever ce grand œuvre de la paix [20], à qui vous avez déjà donné tant de soins et tant de veilles. Nous espérons

qu'elle vous aura réservé ce miracle que nous attendons avec tant d'impatience ; et je ne serai désavoué de personne quand je dirai que ce sont les plus passionnés souhaits de tous les véritables chrétiens que porte aux pieds de Votre Sainteté, Très saint Père, Son très humble, très obéissant et très fidèle serviteur et fils en Jésus-Christ,

CORNEILLE [21].

AU LECTEUR [22] (1665)

... Le peu de disposition que les matières y ont à la poésie, le peu de liaison, non seulement d'un chapitre avec l'autre, mais d'une période même avec celle qui la suit, et les répétitions assidues qui se trouvent dans l'original, sont des obstacles assez malaisés à surmonter, et qui par conséquent méritent bien que vous me fassiez quelque grâce. Surtout les redites y sont si fréquentes, que quand notre langue serait dix fois plus abondante qu'elle n'est, je les aurais épuisée fort aisément ; et j'avoue que je n'ai pu trouver le secret de diversifier mes expressions toutes les fois que j'ai eu la même chose à exprimer : il s'y rencontre même des mots si farouches pour nos vers, que j'ai été contraint d'avoir souvent recours à d'autres qui n'y répondent qu'imparfaitement, et ne disent pas tout ce que mon auteur veut dire. J'espérais trouver quelque soulagement dans le quatrième livre, par le changement des matières ; mais je les y ai rencontrées encore plus éloignées des ornements de la poésie, et les redites encore plus fréquentes ; il ne s'y parle que de communier et dire la messe [23]. Ce sont des termes qui n'ont pas un assez beau son dans nos vers pour soutenir la dignité de ce qu'ils signifient : la sainteté de notre religion les a consacrés, mais, en quelque vénération qu'elle les ait mis, ils sont devenus populaires à force d'être dans la bouche de tout le monde : cependant j'ai été obligé de m'en servir souvent, et de quelques autres de même classe. Si j'ose en dire ma pensée, je prévois que ceux qui me liront que ma traduction feront moins d'état de ce dernier livre que des trois autres ; mais aussi je me tiens assuré que ceux qui prendront la peine de la conférer avec le texte latin connaîtront combien ce dernier effort m'a coûté, et ne l'estimeront pas moins que le reste. Je n'examine point si c'est à Jean Gersen, ou à Thomas a Kempis, que l'Église est redevable d'un livre si précieux ; cette question a été agitée de part et d'autre avec beaucoup d'esprit et de doctrine, et, si je ne me trompe, avec un peu de chaleur : ceux qui voudront en être particulièrement éclairés pourront consulter ce qu'on a publié de part et d'autre sur ce sujet. Messieurs des requêtes du parlement de Paris ont prononcé en faveur de Thomas a Kempis ; et nous pouvons nous en tenir à leur jugement jusqu'à ce que l'autre parti en ait fait donner un contraire. Par la lecture, il est constant que

---

17. *Les Muses juvéniles* de Philomathus, pseudonyme pris par Fabio Chigi comme membre de l'Académie de Sienne, sa ville natale. C'est un recueil de poésies latines publié en 1645, que Mazarin sans doute venait de faire réimprimer sur les presses du Louvre en 1656.

18. Le thème revient souvent, beaucoup de pièces étant des hommages funèbres.

19. Prononciation à la française de Chigi.

20. Le traité franco-espagnol ne sera signé que trois ans plus tard.

21. Cette épître qui ne se trouve qu'en tête de l'édition complète de 1656 disparaît en 1665. L'ambassadeur de France, Créqui, ayant été insulté par la garde pontificale en 1662, ce fut l'occasion d'un poème publié en 1664 sous le nom de Corneille, mais qui avait paru dès 1663 avec le nom de son véritable auteur, Fléchier.

22. Cette préface remplace la dédicace à Alexandre VII. Elle commence comme l'*Avis au lecteur* de 1651 jusqu'aux mots « ne blessera point les oreilles » que nous ne répétons pas. Elle sera toujours reproduite par la suite.

23. Tout en étant bon chrétien, Corneille s'est visiblement ennuyé comme poète, dans ces parties : ce sont celles qui ont le moins de rapport avec son théâtre, évidemment.

l'auteur était prêtre; j'y trouve quelque apparence qu'il était moine; mais j'y trouve aussi quelque répugnance à le croire Italien. Les mots grossiers dont il se sert assez souvent sentent bien autant le latin de nos vieilles pancartes que la corruption de celui de delà les monts; et non seulement sa diction, mais sa phrase en quelques endroits est si purement française, qu'il semble avoir pris plaisir à suivre mot à mot notre commune façon de parler. C'est sans doute sur quoi se sont fondés ceux qui, du commencement que ce livre a paru, incertains qu'ils étaient de l'auteur, l'ont attribué à saint Bernard et puis à Jean Gerson, qui étaient tous deux Français; et je voudrais qu'ils se rencontrât assez d'autres conjectures pour former un troisième parti en faveur de ce dernier, et le remettre en possession d'une gloire dont il a joui assez longtemps. L'amour du pays m'y ferait volontiers donner les mains; mais il faudrait un plus habile homme et plus savant que je ne suis pour répondre aux objections que lui font les deux autres, qui s'accordent mieux à l'exclure qu'à remplir sa place. Quoi qu'il en soit, s'il y a quelque contestation pour le nom de l'auteur, il est hors de dispute que c'était un homme bien éclairé du Saint-Esprit, et que son ouvrage est une bonne école pour ceux qui veulent s'avancer dans la dévotion. Après en avoir donné beaucoup de préceptes admirables dans

les deux premiers livres, voulant monter encore plus haut dans les deux autres, et nous enseigner la pratique de la spiritualité la plus épurée, il semble se défier de lui-même; et de peur que son autorité n'eût pas assez de poids pour nous mettre dans des sentiments si détachés de la nature, ni assez de force pour nous élever à ce haut degré de la perfection, il quitte la chaire à Jésus-Christ, et l'introduit lui-même, instruisant l'homme et le conduisant de sa propre main dans le chemin de la véritable vie. Ainsi ces deux derniers livres sont un dialogue continuel entre ce rédempteur de nos âmes et le vrai chrétien, qui souvent s'entre-répondent dans un même chapitre, bien que ce grand homme n'y marque aucune distinction. La fidélité avec laquelle je le suis pas à pas m'a persuadé que je n'y en devais pas mettre, puisqu'il n'y en avait pas mis; mais j'ai pris la liberté de changer la mesure de mes vers toutes les fois qu'il change de personnages, tant pour aider le lecteur à remarquer ce changement, que parce que je n'ai pas cru à propos que l'homme parlât le même langage que Dieu. Au reste, si je ne rends point ici raison du changement que j'y ai fait en l'orthographe ordinaire, c'est parce que je l'ai rendue au commencement du recueil de mes pièces de théâtre, où le lecteur pourra recourir [24].

LIVRE PREMIER

1. DE L'IMITATION DE JÉSUS-CHRIST, ET DU MÉPRIS DE TOUTES LES VANITÉS DU MONDE.

Corps ou sujet de l'emblème : *Jésus-Christ enseignant les troupes qui le suivaient*. Ame ou sentence : *Doctrina Christi omnem doctrinam praecellit*[25]. (Str. 2.)

« Heureux qui tient la route où ma voix le convie!
Les ténèbres jamais n'approchent qui me suit,
Et partout sur mes pas il trouve un jour sans nuit
Qui porte jusqu'au cœur la lumière de vie. »
Ainsi Jésus-Christ parle, ainsi de ses vertus,
Dont brillent les sentiers qu'il a pour nous battus,
Les rayons toujours vifs montrent comme il faut vivre,
Et quiconque veut être éclairé pleinement
Doit apprendre de lui que ce n'est qu'à le suivre
Que le cœur s'affranchit de tout aveuglement.

Les doctrines des saints n'ont rien de comparable
A celle dont lui-même il s'est fait le miroir;
Elle a mille trésors qui se font bientôt voir,
Quand l'œil a pour flambeau son esprit adorable.
Toi qui par l'amour-propre à toi-même attaché,
L'écoutes et la lis sans en être touché,
Faute de cet esprit, tu n'y trouves qu'épines;

Mais si tu veux l'entendre et lire avec plaisir,
Conformes-y ta vie, et ses douceurs divines
S'étaleront en foule à ton heureux désir.

Que te sert de percer les plus secrets abîmes
Où se cache à nos sens l'immense Trinité,
Si ton intérieur manque d'humilité
Ne lui saurait offrir d'agréables victimes?
Cet orgueilleux savoir, ces pompeux sentiments,
Ne sont aux yeux de Dieu que de vains ornements;
Il ne s'abaisse point vers des âmes si hautes :
Et la vertu sans eux est de telle valeur,
Qu'il vaut mieux bien sentir la douleur de tes fautes
Que savoir définir ce qu'est cette douleur.

Porte toute la Bible en ta mémoire empreinte,
Sache tout ce qu'ont dit les sages des vieux temps;
Joins-y, si tu le peux, tous les traits éclatants
De l'histoire profane et de l'histoire sainte :
De tant d'enseignements l'impuissante langueur
Sous leur poids inutile accablera ton cœur,
Si Dieu n'y verse encor son amour et sa grâce;
Et l'unique science où tu dois prendre appui,
C'est que tout n'est ici que vanité qui passe,
Hormis d'aimer sa gloire, et ne servir que lui.

C'est là des vrais savants la sagesse profonde;
Elle est bonne en tout temps, elle est bonne en tous
Et le plus sûr chemin pour aller vers les cieux [lieux,
C'est d'affermir nos pas sur le mépris du monde.
Ce dangereux flatteur de nos faibles esprits
Oppose mille attraits à ce juste mépris;
Qui s'en laisse éblouir s'en laisse tôt séduire :
Mais ouvre bien les yeux sur leur fragilité,

24. Cf. *Avertissement*, p. 820.
25. Corneille prétendant que le sens général de la sentence apparaît dans sa traduction, à l'alinéa qu'il indique, nous n'avons pas jugé utile, à son exemple, de traduire la sentence latine.

Regarde qu'un moment suffit pour les détruire,
Et tu verras qu'enfin tout n'est que vanité.

Vanité d'entasser richesses sur richesses,
Vanité de languir dans la soif des honneurs,
Vanité de choisir pour souverains bonheurs
De la chair et des sens les damnables caresses;
Vanité d'aspirer à voir durer nos jours
Sans nous mettre en souci d'en mieux régler le cours,
D'aimer la longue vie, et négliger la bonne,
D'embrasser le présent sans soin de l'avenir,
Et de plus estimer un moment qu'il nous donne
Que l'attente des biens qui ne sauraient finir.

Toi donc, qui que tu sois, si tu veux bien comprendre
Comme à tes sens trompeurs tu dois te confier,
Souviens-toi qu'on ne peut jamais rassasier
Ni l'œil humain de voir, ni l'oreille d'entendre;
Qu'il faut se dérober à tant de faux appas,
Mépriser ce qu'on voit pour ce qu'on ne voit pas,
Fuir les contentements transmis par ces organes;
Que de s'en satisfaire on n'a jamais de lieu,
Et que l'attachement à leurs douceurs profanes
Souille ta conscience, et t'éloigne de Dieu.

2. DU PEU D'ESTIME DE SOI-MÊME.

Corps ou sujet de l'emblème : *Saint Alexis meurt en habit de mendiant dans la maison de son père, sans se faire connaître*[26]. Ame ou sentence : *Ama nesciri.* (Str. 14.)

Le désir de savoir est naturel aux hommes :
Il naît dans leur berceau sans mourir qu'avec eux ;
Mais, ô Dieu, dont la main nous fait ce que nous som-
Que peut-il sans ta crainte avoir de fructueux ? [mes,

Un paysan stupide et sans expérience,
Qui ne sait que t'aimer et n'a que de la foi,
Vaut mieux qu'un philosophe enflé de sa science,
Qui pénètre les cieux, sans réfléchir sur soi.

Qui se connaît soi-même en a l'âme peu vaine,
Sa propre connaissance en met bien bas le prix;
Et tout le faux éclat de la louange humaine
N'est pour lui que l'objet d'un généreux mépris.

Au grand jour du Seigneur sera-ce un grand refuge
D'avoir connu de tout et la cause et l'effet,
Et ce qu'on aura su fléchira-t-il un juge
Qui ne regardera que ce qu'on aura fait ?

Borne tous tes désirs à ce qu'il te faut faire,
Ne les porte plus trop vers l'amas du savoir,
Les soins de l'acquérir ne font que te distraire,
Et quand tu l'as acquis il peut te décevoir.

Les savants d'ordinaire aiment qu'on les regarde,
Qu'on murmure autour d'eux : Voilà ces grands es-
Et s'ils ne font du cœur une soigneuse garde,   [prits;
De cet orgueil secret ils sont toujours surpris.

Qu'on ne se trompe point, s'il est quelques sciences
Qui puissent d'un savant faire un homme de bien,
Il en est beaucoup plus de qui les connaissances
Ne servent guère à l'âme, ou ne servent de rien.

Par là tu peux juger à quels périls s'expose
Celui qui du savoir fait son unique but,
Et combien se méprend qui songe à quelque chose
Qu'à ce qui peut conduire au chemin du salut.

Le plus profond savoir n'assouvit point une âme,
Mais une bonne vie a de quoi la calmer,
Et jette dans le cœur qu'un saint désir enflamme
La pleine confiance au Dieu qu'il doit aimer.

Au reste, plus tu sais, et plus a de lumière
Le jour qui se répand sur ton entendement,
Plus tu seras coupable à ton heure dernière
Si tu n'en as vécu d'autant plus saintement.

La vanité par là ne te doit point surprendre.
Le savoir t'est donné pour guide à moins faillir,
Il te donne lui-même un plus grand compte à rendre,
Et plus lieu de trembler que de t'enorgueillir.

Trouve à t'humilier même dans ta doctrine :
Quiconque en sait beaucoup en ignore encor plus,
Et qui sans se flatter en secret s'examine
Est de son ignorance heureusement confus.

Quand pour quelques clartés dont ton esprit abonde
Ton orgueil à quelque autre ose te préférer,
Vois qu'il en est encor de plus savants au monde,
Qu'il en est que le ciel daigne mieux éclairer.

Fuis la haute science, et cours après la bonne;
Apprends celle de vivre ici-bas sans éclat;
Aime à n'être connu, s'il se peut, de personne,
Ou du moins aime à voir qu'aucun n'en fasse état.

Cette unique leçon, dont le parfait usage
Consiste à se bien voir et n'en rien présumer,
Est la plus digne étude où s'occupe le sage
Pour estimer tout autre, et se mésestimer.

Si tu vois donc un homme abîmé dans l'offense,
Ne te tiens pas plus juste ou moins pécheur que lui;
Tu peux en un moment perdre ton innocence,
Et n'être pas demain le même qu'aujourd'hui.

---

26. Dans le choix de ses emblèmes, Corneille se trouve souvent en accord avec les thèmes popularisés par les jésuites,
après les « Représentations sacrées » italiennes du XVe siècle.
Saint Alexis a fait l'objet de plusieurs pièces des collèges
jésuites. Desfontaines en a fait une tragédie française en 1643.
Henri Ghéon l'a repris de nos jours dans *le Pauvre sous l'escalier.*

Souvent l'esprit est faible et les sens indociles,
L'amour-propre leur fait ou la guerre ou la loi;
Mais bien qu'en général nous soyons tous fragiles,
Tu n'en dois croire aucun si fragile que toi.

3. DE LA DOCTRINE DE LA VÉRITÉ.

*Corps ou sujet de l'emblème : Saint Thomas d'Aquin
disait qu'il avait plus appris aux pieds du crucifix que
dans tous ses livres. Ame ou sentence : Tu mihi loquere
solus. (Str. 10.)*

Qu'heureux est le mortel que la vérité même
Conduit de sa main propre au chemin qui lui plaît!
Qu'heureux est qui la voit dans sa beauté suprême,
    Sans voile et sans emblème,
    Et telle enfin qu'elle est!

Nos sens sont des trompeurs dont les fausses images
A notre entendement n'offrent rien d'assuré,
Et ne lui font rien voir qu'à travers cent nuages
    Qui jettent mille ombrages
    Dans l'œil mal éclairé.

De quoi sert une longue et subtile dispute
Sur des obscurités où l'esprit est déçu?
De quoi sert qu'à l'envi chacun s'en persécute,
    Si Dieu jamais n'impute
    De n'en avoir rien su?

Grande perte de temps et plus grande faiblesse
De s'aveugler soi-même et quitter le vrai bien
Pour consumer sa vie à pointiller sans cesse
    Sur le genre et l'espèce [27],
    Qui ne servent à rien.

Touche, Verbe éternel, ces âmes curieuses;
Celui que ta parole une fois a frappé,
De tant d'opinions vaines, ambitieuses,
    Et souvent dangereuses,
    Est bien développé.

Ce Verbe donne seul l'être à toutes les causes,
Il nous parle de tout, tout nous parle de lui,
Il tient de tout en soi les natures encloses,
    Il est de toutes choses
    Le principe et l'appui.

Aucun sans son secours ne saurait se défendre
D'un million d'erreurs qui courent l'assiéger,
Et depuis qu'un esprit refuse de l'entendre,
    Quoi qu'il pense comprendre,
    Il n'en peut bien juger.

Mais qui rapporte tout à ce Verbe immuable,
Qui voit tout en lui seul, en lui seul aime tout,
A la plus rude attaque il est inébranlable,
    Et sa paix ferme et stable
    En vient soudain à bout!

O Dieu de vérité, pour qui seul je soupire,
Unis-moi donc à toi par de forts et doux nœuds!
Je me lasse d'ouïr, je me lasse de lire,
    Mais non pas de te dire :
    C'est toi seul que je veux.

Parle seul à mon âme, et qu'aucune prudence,
Qu'aucun autre docteur ne m'explique tes lois;
Que toute créature à ta sainte présence
    S'impose le silence,
    Et laisse agir ta voix.

Plus l'esprit se fait simple et plus il se ramène
Dans un intérieur dégagé des objets.
Plus lors sa connaissance est diffuse et certaine,
    Et s'élève sans peine
    Jusqu'aux plus hauts sujets.

Oui, Dieu prodigue alors ses grâces plus entières,
Et portant notre idée au-dessus de nos sens,
Il nous donne d'en haut d'autant plus de lumières,
    Qui percent les matières
    Par des traits plus puissants.

Cet esprit simple, uni, stable, pur, pacifique,
En mille soins divers n'est jamais dissipé,
Et l'honneur de son Dieu, dans tout ce qu'il pratique
    Est le projet unique
    Qui le tient occupé.

Il est toujours en soi détaché de soi-même,
Il ne sait point agir quand il se faut chercher,
Et fût-il dans l'éclat de la grandeur suprême,
    Son propre diadème
    Ne l'y peut attacher.

Il ne croit trouble égal à celui que se cause
Un cœur qui s'abandonne à ses propres transports,
Et maître de soi-même en soi-même il dispose
    Tout ce qu'il se propose
    De produire au dehors.

Bien loin d'être emporté par le courant rapide
Des flots impétueux de ses bouillants désirs,
Il les dompte, il les rompt, il les tourne, il les guide,
    Et donne ainsi pour bride
    La raison aux plaisirs.

Mais pour se vaincre ainsi qu'il faut d'art et de force!
Qu'il faut pour ce combat préparer de vigueur!
Et qu'il est malaisé de faire un plein divorce
    Avec la douce amorce
    Que chacun porte au cœur!

---

27. Ce texte, d'actualité sous Thomas a Kempis, était alors
bien démodé. L'auteur s'en prenait à l'enseignement scolas-
tique des Facultés de Théologie sous forme d'infinis question-
naires, avec réponses par « oui » et par « non ».

Ce devrait être aussi notre unique pensée
De nous fortifier chaque jour contre nous,
Pour en déraciner cette amour empressée
    Où l'âme intéressée
    Trouve un poison si doux.

Les soins que cette amour nous donne en cette vie
Ne peuvent aussi bien nous élever si haut,
Que la perfection la plus digne d'envie
    N'y soit toujours suivie
    Des hontes d'un défaut.

Nos spéculations ne sont jamais si pures
Qu'on ne sente un peu d'ombre y régner à son tour;
Nos plus vives clartés ont des couleurs obscures,
    Et cent fausses peintures
    Naissent d'un seul faux jour.

Mais n'avoir que mépris pour soi-même et que haine
Ouvre et fait vers le ciel un chemin plus certain,
Que le plus haut effort de la science humaine,
    Qui rend l'âme plus vaine,
    Et l'égare soudain.

Ce n'est pas que de Dieu ne vienne la science;
D'elle-même elle est bonne, et n'a rien à blâmer :
Mais il faut préférer la bonne conscience
    A cette impatience
    De se faire estimer.

Cependant, sans souci de régler sa conduite,
On veut être savant, on en cherche le bruit;
Et cette ambition par qui l'âme est séduite
    Souvent traîne à sa suite
    Mille erreurs pour tout fruit.

Ah! si l'on se donnait la même diligence,
Pour extirper le vice et planter la vertu,
Que pour subtiliser sa propre intelligence
    Et tirer la science
    Hors du chemin battu!

De tant de questions les dangereux mystères
Produiraient moins de trouble et de renversement,
Et ne couleraient pas dans les règles austères
    Des plus saints monastères
    Tant de relâchement.

Un jour, un jour viendra qu'il faudra rendre conte,
Non de ce qu'on a lu, mais de ce qu'on a fait,
Et l'orgueilleux savoir, à quelque point qu'il monte,
    N'aura lors que la honte
    De son mauvais effet.

Où sont tous ces docteurs qu'une foule si grande
Rendait à tes yeux même autrefois si fameux?
Un autre tient leur place, un autre a leur prébende,
    Sans qu'aucun te demande
    Un souvenir pour eux.

Tant qu'a duré leur vie ils semblaient quelque chose,
Il semble après leur mort qu'ils n'ont jamais été,
Leur mémoire avec eux sous leur tombe est enclose,
    Avec eux y repose
    Toute leur vanité.

Ainsi passe la gloire où le savant aspire,
S'il n'a mis son étude à se justifier;
C'est là le seul emploi qui laisse lieu d'en dire
    Qu'il avait su bien lire
    Et bien étudier.

Mais au lieu d'aimer Dieu, d'agir pour son service,
L'éclat d'un vain savoir à toute heure éblouit,
Et fait suivre à toute heure un brillant artifice
    Qui mène au précipice,
    Et là s'évanouit.

Du seul désir d'honneur notre âme est enflammée,
Nous voulons être grands plutôt qu'humbles de cœur,
Et tout ce bruit flatteur de notre renommée,
    Comme il n'est que fumée
    Se dissipe en vapeur.

La grandeur véritable est d'une autre nature,
C'est en vain qu'on la cherche avec la vanité,
Celle d'un vrai chrétien, d'une âme toute pure,
    Jamais ne se mesure
    Que sur sa charité.

Vraiment grand est celui qui dans soi se ravale,
Qui rentre en son néant pour s'y connaître bien,
Qui de tous les honneurs que l'univers étale
    Craint la pompe fatale,
    Et ne l'estime rien.

Vraiment sage est celui dont la vertu resserre
Autour du vrai bonheur l'essor de son esprit,
Qui prend pour du fumier les choses de la terre,
    Et qui se fait la guerre
    Pour gagner Jésus-Christ.

Et vraiment docte enfin est celui qui préfère
A son propre vouloir le vouloir de son Dieu,
Qui cherche en tout, partout, à l'apprendre, à le faire,
    Et jamais ne diffère
    Ni pour temps ni pour lieu.

4. DE LA PRUDENCE EN SA CONDUITE.

Corps ou sujet de l'emblème : *Sainte Marcelle*[28], *dame romaine, consulte saint Jérôme, qui lui explique les principaux passages de l'Écriture.* Ame ou sentence : *Cum viro conscientioso consilium habe.* (Str. 4.)

    N'écoute pas tout ce qu'on dit,
    Et souviens-toi qu'une âme forte

28. C'est une toute autre Marcelle, dame romaine, que la femme de Valens, dans *Théodore*.

Donne malaisément crédit
A ces bruits indiscrets où la foule s'emporte.
Il faut examiner avec sincérité,
Selon l'esprit de Dieu, qui n'est que charité,
    Tout ce que d'un autre on publie :
Cependant, ô faiblesse indigne d'un chrétien !
Jusque-là souvent on s'oublie
Qu'on croit beaucoup de mal plutôt qu'un peu de bien.

    Qui cherche la perfection,
    Loin de tout croire en téméraire,
    Pèse avec mûre attention
Tout ce qu'il entend dire et tout ce qu'il voit faire ;
La plus claire apparence a peine à l'engager :
Il sait que notre esprit est prompt à mal juger,
    Notre langue prompte à médire,
Et bien qu'il ait sa part en cette infirmité,
    Sur lui-même il garde un empire
Qui le fait triompher de sa fragilité.

    C'est ainsi que son jugement,
    Quoi qu'il apprenne, quoi qu'il sache,
    Se porte sans empressement,
Sans qu'en opiniâtre à son sens il s'attache :
Il se défend longtemps du mal d'autrui,
Ou s'il en est enfin convaincu malgré lui,
    Il ne s'en fait point le trompette,
Et cette impression qu'il en prend à regret,
    Qu'il désavoue et qu'il rejette,
Demeure dans son âme un éternel secret.

    Pour conseil en tes actions
    Prends un homme de conscience,
    Préfère ses instructions
A ce qu'ose inventer l'effort de ta science.
La bonne et sainte vie à chaque événement
Forme l'expérience, ouvre l'entendement,
    Éclaire l'esprit qui l'embrasse ;
Et plus on a pour soi des sentiments abjects,
    Plus Dieu, prodigue de sa grâce,
Répand à pleines mains la sagesse et la paix.

5. DE LA LECTURE DE L'ÉCRITURE SAINTE.

Corps ou sujet de l'emblème : L'eunuque de la reine d'Éthiopie, revenant de Jérusalem et lisant Isaïe dans son chariot, est abordé par saint Philippe, qui lui explique ce prophète. Ame ou sentence : Lege humiliter, simpliciter et fideliter. (Str. 10.)

Cherche la vérité dans la sainte Écriture,
    Et lis du même esprit
Le texte impérieux de sa doctrine pure
    Que tu le vois écrit.

On n'y doit point chercher ni le fard du langage,
    Ni la subtilité,

Ni de quoi s'attacher sur le plus beau passage,
    Qu'à son utilité.

Lis un livre dévot, simple et sans éloquence,
    Avec plaisir pareil
Que ceux où se produit l'orgueil de la science
    En son haut appareil.

Ne considère point si l'auteur d'un tel livre
    Fut plus ou moins savant ;
Mais s'il dit vérité, s'il t'apprend à bien vivre,
    Feuillette-le souvent.

Quand son instruction est salutaire et bonne,
    Donne-lui prompt crédit,
Et sans examiner quel maître te la donne,
    Songe à ce qu'il te dit.

L'autorité de l'homme est de peu d'importance,
    Et passe en un moment ;
Mais cette vérité que le ciel nous dispense
    Dure éternellement.

Sans égards à personne avec nous Dieu s'explique
    En diverses façons,
Et par tel qu'il lui plaît sa bonté communique
    Ses plus hautes leçons.

Le sens de sa parole est souvent si sublime
    Et si mystérieux,
Qu'à trop l'approfondir il égare, il abîme
    L'esprit du curieux.

Il ne veut pas toujours que la vérité nue
    S'offre à l'entendement,
Et celui-là se perd qui s'arrête où la vue
    Doit passer simplement.

De ce trésor ouvert la richesse éternelle
    A beau nous inviter,
Si l'on n'y porte un cœur humble, simple, fidèle,
    On n'en peut profiter.

Ne choisis point pour but de cette sainte étude
    D'être estimé savant,
Ou pour fruit d'un travail et si long et si rude
    Tu n'auras que du vent.

Consulte volontiers sur de si hauts mystères
    Les meilleurs jugements,
Écoute avec respect les avis des saints Pères
    Comme leurs truchements.

Ne te dégoûte point surtout des paraboles,
    Quel qu'en soit le projet,
Et ne les prends jamais pour des contes frivoles
    Qu'on forme sans sujet.

6. DES AFFECTIONS DÉSORDONNÉES.

Corps ou sujet de l'emblème : *David, pour avoir trop regardé Bersabée, se laisse vaincre à la tentation*[29]. Ame ou sentence : *Qui nondum in se perfecte mortuus est cito tentatur et vincitur.* (Str. 1.)

Quand l'homme avec ardeur souhaite quelque chose,
   Quand son peu de vertu n'oppose
Ni règle à ses désirs ni modération,
Il tombe dans le trouble et dans l'inquiétude
   Avec la même promptitude
   Qu'il défère à sa passion.

L'avare et le superbe incessamment se gênent,
   Et leurs propres vœux les entraînent
Loin du repos heureux qu'ils ne goûtent jamais ;
Mais les pauvres d'esprit, les humbles en jouissent,
   Et leurs âmes s'épanouissent
   Dans l'abondance de la paix.

Qui n'est point tout à fait dégagé de soi-même,
   Qui se regarde encore et s'aime,
Voit peu d'occasions sans en être tenté ;
Les objets les plus vils surmontent sa faiblesse
   Et le moindre assaut qui le presse
   L'atterre avec facilité.

Ces dévots à demi, sur qui la chair plus forte
   Domine encore en quelque sorte
Penchent à tous moments vers ses mortels appas,
Et n'ont jamais une âme assez haute, assez pure,
   Pour faire une entière rupture
   Avec les douceurs d'ici-bas.

Non ces hommes charnels, dont les cœurs s'aban-
   A tout ce que les sens ordonnent,   [donnent
Ne possèdent jamais un bien si précieux ;
Mais les spirituels, en qui l'âme fervente
   Rend la grâce toute puissante,
   Le reçoivent toujours des cieux.

Oui, qui de cette chair à demi se détache,
   Se chagrine quand il s'arrache
Aux plaisirs dont l'image éveille son désir ;
Et, faisant à regret un effort qui l'attriste,
   Il s'indigne quand on résiste
   A ce qu'il lui plaît de choisir.

Que si, lâchant la bride à sa concupiscence,
   Il emporte la jouissance
Où l'a fait aspirer ce désir déréglé,
Soudain le vif remords qui le met à la gêne
   Redouble d'autant plus sa peine
   Que plus il s'était aveuglé.

Il recouvre la vue au milieu de sa joie,
   Mais seulement afin qu'il voie

Comme ses propres sens se font ses ennemis,
Et que la passion, qu'il a prise pour guide,
   Ne fait point le repos solide
   Qu'en vain il s'en était promis.

C'est donc en résistant à ces tyrans de l'âme
   Qu'une sainte et divine flamme
Nous donne cette paix que suit un vrai bonheur :
Et qui sous leur empire asservit son courage,
   Dans quelques délices qu'il nage,
   Jamais ne la trouve en son cœur.

7. QU'IL FAUT FUIR LA VAINE ESPÉRANCE ET LA PRÉSOMPTION.

Corps ou sujet de l'emblème : *La chute de Lucifer et des mauvais anges.* Ame ou sentence : *Non stes super teipsum.* (Str. 3.)

O ciel, que l'homme est vain qui met son espérance
   Aux hommes comme lui,
Qui sur la créature ose prendre assurance,
   Et se propose un ferme appui
   Sur une éternelle inconstance !

Sers pour l'amour de Dieu, mortel, sers ton prochain
   Sans en avoir de honte ;
Et quand tu parais pauvre, empêche que soudain
   La rougeur au front ne te monte
   Pour le paraître avec dédain.

Ne fais point fondement sur tes propres mérites,
   Tiens ton espoir en Dieu ;
De lui dépend l'effet de quoi que tu médites.
   Et s'il ne te guide en tout lieu,
   En tout lieu tu te précipites.

Ne dors pas toutefois, et fais de ton côté
   Tout ce que tu peux faire,
Il ne manquera point d'agir avec bonté
   Et de fournir comme vrai père
   Des forces à ta volonté.

Mais ne t'assure point sur ta haute science,
   Ni sur celle d'autrui ;
Leur conduite souvent brouille la conscience,
   Et Dieu seul est le digne appui
   Que doit choisir ta confiance.

C'est lui qui nous fait voir l'humble et le vertueux
   Élevé par sa grâce ;
C'est lui qui nous fait voir son bras majestueux
   Terrasser l'insolente audace
   Dont s'enfle le présomptueux.

Soit donc qu'en ta maison la richesse s'épande,
   Soit que de tes amis

---

29. Sujet familier au théâtre européen de la Renaissance. On écrit souvent Bersabée pour Bethsabée.

Le pouvoir en tous lieux pompeusement s'étende,
   Garde toujours un cœur soumis,
   Quelque honneur par là qu'on te rende.

Prends-en la gloire en Dieu, qui jamais n'est borné
   Dans son amour extrême,
En Dieu, qui donnant tout sans être importuné,
   Veut encor se donner soi-même,
   Après même avoir tout donné.

Souviens-toi que du corps la taille avantageuse
   Qui se fait admirer,
Ni de mille beautés l'union merveilleuse
   Pour qui chacun veut soupirer,
   Ne doit rendre une âme orgueilleuse.

Du temps l'inévitable et fière avidité
   En fait un prompt ravage,
Et souvent avant lui la moindre infirmité
   Laisse à peine au plus beau visage
   Les marques de l'avoir été.

Si ton esprit est vif, judicieux, docile,
   N'en deviens pas plus vain;
Tu déplairais à Dieu, qui te fait tout facile,
   Et n'a qu'à retirer sa main
   Pour te rendre un sens imbécile.

Ne te crois pas plus saint qu'aucun autre pécheur,
   Quoi qu'on te veuille dire;
Dieu, qui connaît tout l'homme, et qui voit dans ton
   Souvent te répute le pire,   [cœur,
   Quand tu t'estimes le meilleur.

Ces bonnes actions sur qui chacun se fonde
   Pour t'élever aux cieux
Ne partent pas toujours d'une vertu profonde,
   Et Dieu, qui voit par d'autres yeux,
   En juge autrement que le monde.

Non qu'il nous faille armer contre la vérité
   Pour juger mal des nôtres;
Voyons-en tout le bien avec sincérité,
   Mais croyons encor mieux des autres,
   Pour conserver l'humilité.

Tu ne te nuis jamais quand tu les considères
   Pour te mettre au-dessous;
Mais ton orgueil t'expose à d'étranges misères,
   Si tu peux choisir entre eux tous
   Un seul à qui tu te préfères.

C'est ainsi que chez l'humble une éternelle paix
   Fait une douce vie,
Tandis que le superbe est plongé pour jamais
   Dans le noir chagrin de l'envie,
   Qui trouble ses propres souhaits.

8. QU'IL FAUT ÉVITER LA TROP GRANDE FAMILIARITÉ.

Corps ou sujet de l'emblème : La Madelaine dans la Sainte Baume[30] *sans autre conversation durant quarante ans que de Dieu, et des anges, qui l'élevaient sept fois le jour au ciel. Ame ou sentence :* Soli Deo et angelis ejus opta esse familiaris. *(Str. 6.)*

Ne fais point confidence avec toutes personnes,
Regarde où tu répands les secrets de ton cœur,
Prends et suis les conseils de qui craint le Seigneur,
Choisis tes amitiés, et n'en fais que de bonnes,
Hante peu la jeunesse, et de ceux du dehors
   Souffre rarement les abords.

Jamais autour du riche à flatter ne t'exerce,
Vis sans démangeaison de te montrer aux grands,
Vois l'humble, le dévot, le simple, et n'entreprends
De faire qu'avec eux un long et plein commerce,
Et n'y traite surtout que des biens précieux
   Dont une âme achète les cieux.

Évite avec grand soin la pratique des femmes,
Ton ennemi par là peut trouver ton défaut;
Recommande en commun aux bontés du Très-Haut
Celles dont les vertus embellissent les âmes,
Et sans en voir jamais qu'avec un prompt adieu,
   Aime-les toutes, mais en Dieu.

Ce n'est qu'avec lui seul, ce n'est qu'avec ses anges
Que doit un vrai chrétien se rendre familier :
Porte-lui tout ton cœur, deviens leur écolier,
Adore en lui sa gloire, apprends d'eux ses louanges
Et bornant tes désirs à ses dons éternels,
   Fuis d'être connu des mortels.

La charité vers tous est toujours nécessaire,
Mais non pas avec tous un accès trop ouvert :
La réputation assez souvent s'y perd.
Et tel qui plaît de loin, de près cesse de plaire;
Tant ce brillant éclat qui ne fait qu'éblouir
   Est sujet à s'évanouir!

Oui, souvent il arrive, et contre notre envie,
Que plus on prend de peine à se communiquer,
Plus cet effort nous trompe, et force à remarquer
Les désordres secrets qui souillent notre vie,
Et que ce qu'un grand nom avait semé de bruit
   Par la présence est tôt détruit.

9. DE L'OBÉISSANCE ET DE LA SUJÉTION.

Corps ou sujet de l'emblème : Saint Maur, *commandé par saint Benoît de secourir saint Placide qui se noyait, marche sur les eaux par le mérite de son obéissance. Ame ou sentence :* Valde magnum est in obedientia stare. *(Str. 1.)*

30. Grotte fameuse entre Aix et Marseille.

Qu'il fait bon obéir! que l'homme a de mérite
Qui d'un supérieur aime à suivre les lois,
Qui ne garde aucun droit dessus son propre choix,
Qui l'immole à toute heure, et soi-même se quitte!
L'obéissance est douce, et son aveuglement
Forme un chemin plus sûr que le commandement.
Lorsque l'amour la fait, et non pas la contrainte;
Mais elle n'a qu'aigreur sans cette charité,
Et c'est un long sujet de murmure et de plainte
Quand son joug n'est souffert que par nécessité.

Tous ces devoirs forcés où tout le cœur s'oppose
N'acquièrent à l'esprit ni liberté ni paix.
Aime qui te commande, ou n'y prétends jamais;
S'il n'est aimable en soi, c'est Dieu qui te l'impose.
Cours deçà, cours delà, change d'ordre ou de lieux,
Si pour bien obéir tu ne fermes les yeux,
Tu ne trouveras point ce repos salutaire,
Et tous ceux que chatouille un pareil changement
N'y rencontrent enfin qu'un bien imaginaire
Dont la trompeuse idée échappe en un moment.

Il est vrai que chacun volontiers se conseille,
Qu'il aime que son sens règle ses actions,
Et tourne avec plaisir ses inclinations
Vers ceux dont la pensée à la sienne est pareille;
Mais si le Dieu de paix règne au fond de nos cœurs,
Il faut les arracher à toutes ces douceurs,
De tous nos sentiments soupçonner la faiblesse,
Les dédire souvent, et pour mieux le pouvoir,
Nous souvenir qu'en terre il n'est point de sagesse
Qui sans aucune erreur puisse tout concevoir.

Ne prends donc pas aux tiens si pleine confiance
Que tu n'ouvres l'oreille encore à ceux d'autrui,
Et quand tu te convaincs de juger mieux que lui,
Sacrifie à ton Dieu cette juste croyance.
Combattre une révolte où penche la raison,
Pour donner au bon sens une injuste prison,
C'est se faire soi-même une sainte injustice;
Et pour en venir là plus tu t'es combattu,
Plus ce Dieu, qui regarde un si grand sacrifice,
T'impute de mérite et t'avance en vertu.

On va d'un pas plus ferme à suivre qu'à conduire;
L'avis est plus facile à prendre qu'à donner :
On peut mal obéir comme mal ordonner;
Mais il est bien plus sûr d'écouter que d'instruire.
Je sais que l'homme est libre, et que sa volonté
Entre deux sentiments d'une égale bonté
Peut avec fruit égal embrasser l'un ou l'autre;
Mais ne point déférer à celui du prochain,
Quand l'ordre ou la raison parle contre le nôtre,
C'est montrer un esprit opiniâtre ou vain.

10. QU'IL FAUT SE GARDER DE LA SUPERFLUITÉ DES PAROLES

Corps ou sujet de l'emblème : *Saint Bruno*[31] *et ses compagnons se retirent dans le désert de la Chartreuse pour éviter la fréquentation des hommes.* Ame ou sentence : *Caveas tumultum hominum quantum potes.* (Str. 1.)

Fuis l'embarras du monde autant qu'il t'est possible;
Ces entretiens du siècle ont trop d'inanité,
Et la paix y rencontre un obstacle invincible
Lors même qu'on s'y mêle avec simplicité.

Soudain l'âme est souillée, et le cœur fait esclave
Des vains amusements qu'ils savent nous donner;
Leur force est merveilleuse, et pour un qui les brave
Mille à leurs faux appas se laissent enchaîner.

Leur amorce flatteuse a l'art de nous surprendre,
Le poison qu'elle glisse est aussitôt coulé,
Et je voudrais souvent n'avoir pu rien entendre,
Ou n'avoir vu personne, ou n'avoir point parlé.

Qui donc fait naître en nous cette ardeur insensée,
Ce désir de parler en tous lieux épandu,
S'il est si malaisé que sans être blessée
L'âme rentre en soi-même après ce temps perdu?

N'est-ce point que chacun, de s'aider incapable,
Espère l'un de l'autre un mutuel secours,
Et que l'esprit lassé du souci qui l'accable
Croit affaiblir son poids s'il l'exhale en discours?

Du moins tous ces discours sur qui l'homme se jette,
Son propre intérêt seul les forme et les conduit;
Il parle avec ardeur de tout ce qu'il souhaite,
Il parle avec douleur de tout ce qui lui nuit.

Mais souvent c'est en vain, et cette fausse joie
Qu'il emprunte en passant de l'entretien d'autrui,
Repousse d'autant plus celle que Dieu n'envoie
Qu'aux esprits retirés qui n'en cherchent qu'en lui.

Veillons donc, et prions que le temps ne s'envole
Cependant que le cœur languit d'oisiveté;
Ou s'il nous faut parler, qu'avec chaque parole
Il sorte de la bouche un trait d'utilité.

Le peu de soin qu'on prend de tout ce qui regarde
Ces biens spirituels dont l'âme s'enrichit
Pose sur notre langue une mauvaise garde,
Et fait ce long abus sous qui l'homme blanchit.

---

31. Quand il ne prend pas des scènes populaires tirées de la vie des saints, on voit que Corneille se soucie de tenir la balance égale entre tous les ordres religieux, en citant indifféremment tous les grands fondateurs.

Parlons, mais dans une humble et sainte conférence
Qui nous puisse acquérir cette sorte de biens :
Dieu les verse toujours par-delà l'espérance
Quand on s'unit à lui par de tels entretiens.

11. QU'IL FAUT TACHER D'ACQUÉRIR
LA PAIX INTÉRIEURE, ET DE PROFITER
EN LA VIE SPIRITUELLE.

Corps ou sujet de l'emblème : *La conversion de saint
Augustin.* Ame ou sentence : *Resiste inclinationi tuae,
et malam dedisce consuetudinem.* (Str. 12.)

Que nous aurions de paix et qu'elle serait forte,
Si nous n'avions le cœur qu'à ce qui nous importe,
Et si nous n'aimions point à nous brouiller l'esprit
Ni de ce que l'on fait ni de ce que l'on dit !
Le moyen qu'elle règne en celui qui sans cesse
Des affaires d'autrui s'inquiète et s'empresse,
Qui cherche hors de soi de quoi s'embarrasser,
Et rarement en soi tâche à se ramasser ?
   C'est vous, simples, c'est vous dont l'heureuse pru-
Du vrai repos d'esprit possède l'abondance,   [dence
C'est par là que les saints, morts à tous ces plaisirs
Où les soins de la terre abaissent nos désirs,
N'ayant le cœur qu'en Dieu, ni l'œil que sur eux-mê-
Élevaient l'un et l'autre aux vérités suprêmes,   [mes,
Et qu'à les contempler bornant leur action,
Ils allaient au plus haut de la perfection.
   Nous autres, asservis à nos lâches envies,
Sur des biens passagers nous occupons nos vies,
Et notre esprit se jette avec avidité
Où par leur vaine idée il s'est précipité.
   C'est rarement aussi que nous avons la gloire
D'emporter sur un vice une pleine victoire;
Notre peu de courage est soudain abattu,
Nous aidons mal au feu qu'allume la vertu,
Et bien loin de tâcher qu'une chaleur si belle
Prenne de jour en jour une force nouvelle,
Nous laissons attiédir son impuissante ardeur,
Qui de tépidité dégénère en froideur.
   Si de tant d'embarras l'âme purifiée
Parfaitement en elle était mortifiée,
Elle pourrait alors, comme reine des sens,
Jusqu'au trône de Dieu porter des yeux perçants,
Et faire une tranquille et prompte expérience
Des douceurs que sa main verse en la conscience;
Mais l'empire des sens donne d'autres objets,
L'âme sert en esclave à ses propres sujets,
Nous dédaignons d'entrer dans la parfaite voie
Que la ferveur des saints a frayée avec joie.
Le moindre coup qu'y porte un peu d'adversité
Triomphe en un moment de notre lâcheté,
Et nous fait recourir, aveugles que nous sommes,
Aux consolations que nous prêtent les hommes.
   Combattons de pied ferme en courageux soldats,
Et le secours du ciel ne nous manquera pas :
Dieu le tient toujours prêt, et sa grâce fidèle,

Toujours propice aux cœurs qui n'espèrent qu'en elle,
Ne fait l'occasion du plus rude combat
Que pour nous faire vaincre avecque plus d'éclat.
   Ces austères dehors qui parent une vie,
Ces supplices du corps où l'âme est endurcie,
Laissent bientôt finir notre dévotion
Quand ils sont tout l'effet de la religion.
L'âme, de ses défauts saintement indignée,
Doit jusqu'à la racine enfoncer la cognée,
Et ne saurait jouir d'une profonde paix
A moins que d'arracher jusques à ses souhaits.
   Qui pourrait s'affermir dans un saint exercice
Qui du cœur tous les ans déracinât un vice,
Cet effort, quoique lent, de sa conversion
Arriverait bientôt à la perfection;
Mais nous n'avons, hélas! que trop d'expérience
Qu'ayant traîné vingt ans l'habit de pénitence,
Souvent ce lâche cœur a moins de pureté
Qu'à son noviciat il n'avait apporté.
   Le zèle cependant chaque jour devrait croître,
Profiter de l'exemple et de l'emploi du cloître,
Au lieu que chaque jour sa vigueur s'alentit,
Sa fermeté se lasse, et son feu s'amortit;
Et l'on croit beaucoup faire aux dernières années
D'avoir un peu du feu des premières journées.
   Faisons-nous violence, et vainquons-nous d'abord,
Tout deviendra facile après ce peu d'effort.
Je sais qu'aux yeux du monde il doit paraître rude
De quitter les douceurs d'une longue habitude;
Mais puisqu'on trouve encor plus de difficulté
A dompter pleinement sa propre volonté,
Dans les choses de peu si tu ne te commandes,
Dis, quand te pourras-tu surmonter dans les grandes?
   Résiste dans l'entrée aux inclinations
Que jettent dans ton cœur tes folles passions;
Vois combien ces douceurs enfantent d'amertumes;
Dépouille entièrement tes mauvaises coutumes;
Leur appât dangereux, chaque fois qu'il surprend,
Forme insensiblement un obstacle plus grand.
   Enfin règle ta vie; et vois, si tu te changes,
Que de paix en toi-même, et que de joie aux anges!
Ah! si tu le voyais, tu serais plus constant
A courir sans relâche au bonheur qui t'attend;
Tu prendrais plus de soins de nourrir en ton âme
La sainte et vive ardeur d'une céleste flamme,
Et, tâchant de l'accroître à toute heure, en tout lieu,
Chaque instant de tes jours serait un pas vers Dieu.

12. DES UTILITÉS DE L'ADVERSITÉ.

Corps ou sujet de l'emblème : *Le roi Ezéchias, averti
de sa mort par le prophète Isaïe, se retourne si fortement
à Dieu qu'il obtient encore quinze ans de vie.* Ame ou
sentence : *Bonum est quod habeamus aliquando aliquas
gravitates.* (Str. 1.)

Il est bon quelquefois de sentir des traverses
    Et d'en éprouver la rigueur ;
Elles rappellent l'homme au milieu de son cœur,
Et peignent à ses yeux ses misères diverses ;
    Elles lui font clairement voir
    Qu'il n'est qu'en exil en ce monde,
Et par un prompt dégoût empêchent qu'il n'y fonde
    Ou son amour ou son espoir.

Il est avantageux qu'on blâme, qu'on censure
    Nos plus sincères actions,
Qu'on prête des couleurs à nos intentions
Pour en faire une fausse et honteuse peinture :
    Le coup de cette indignité
    Rabat en nous la vaine gloire,
Dissipe ses vapeurs, et rend à la mémoire
    Le souci de l'humilité.

Cet injuste mépris dont nous couvrent les hommes
    Réveille un zèle languissant,
Et pousse nos soupirs aux pieds du Tout-Puissant,
Qui voit notre pensée, et sait ce que nous sommes :
    La conscience en ce besoin
    Y cherche aussitôt son refuge,
Et sa juste douleur l'appelle pour seul juge,
    Comme il en est le seul témoin.

Aussi l'homme devrait s'affermir en sa grâce,
    S'unir à lui parfaitement,
Pour n'avoir plus besoin du vain soulagement
Qu'au défaut du solide à toute heure il embrasse :
    Il cesserait d'avoir recours
    Aux consolations humaines,
Si contre la rigueur de ses plus rudes peines
    Il voyait un si prompt secours.

Lorsque l'âme du juste est vivement pressée
    D'une imprévue affliction,
Qu'elle sent les assauts de la tentation,
Ou l'effort insolent d'une indigne pensée,
    Elle voit mieux qu'un tel appui
    A sa faiblesse est nécessaire,
Et que, quoi qu'elle fasse, elle ne peut rien faire
    Ni de grand ni de bon sans lui.

Alors elle gémit, elle pleure, elle prie,
    Dans un destin si rigoureux ;
Elle importune Dieu pour ce trépas heureux
Qui la doit affranchir d'une ennuyeuse vie ;
    Et la soif des souverains biens,
    Que dans le ciel fait sa présence,

Forme en elle une digne et sainte impatience
    De rompre ses tristes liens.

Alors elle aperçoit combien d'inquiétudes
    Empoisonnent tous nos plaisirs,
Combien de prompts revers troublent tous nos désirs,
Combien nos amitiés trouvent d'ingratitudes,
    Et voit avec plus de clarté
    Qu'on ne rencontre point au monde
Ni de solide paix, ni de douceur profonde,
    Ni de parfaite sûreté.

13. DE LA RÉSISTANCE AUX TENTATIONS.

Corps ou sujet de l'emblème : *Job dans la souffrance.*
Ame ou sentence : *In tentationibus homo humiliatur,
purgatur et eruditur.* (Str. 3.)

    Tant que le sang bout dans nos veines,
    Tant que l'âme soutient le corps,
Nous avons à combattre et dedans et dehors
    Les tentations et les peines.
    Aussi, toi qui mis tant de maux
    Au-dessous de ta patience,
    Toi qu'une sainte expérience
    Endurcit à tous leurs assauts,
Job, tu l'as souvent dit, que l'homme sur la terre
Trouvait toute sa vie une immortelle guerre.

    Il doit donc en toute saison
    Tenir l'œil ouvert sur soi-même
Et sans cesse opposer à ce péril extrême
    La vigilance et l'oraison :
    Ainsi jamais il n'est la proie
    Du lion toujours rugissant,
    Qui, pour surprendre l'innocent,
    Tout à l'entour de lui tournoie,
Et ne dormant jamais, dévore sans tarder
Ce qu'un lâche sommeil lui permet d'aborder.

    Dans la retraite la plus sainte
    Il n'est si haut détachement
Que des tentations affranchi pleinement
    N'en sente quelquefois l'atteinte :
    Mais il en demeure ce fruit
    Dans une âme bien recueillie,
    Que leur attaque l'humilie,
    Leur combat la purge et l'instruit ;
Elle en sort glorieuse, elle en sort couronnée,
Et plus humble, et plus nette, et plus illuminée.

    Par là tous les saints sont passés,
    Ils ont fait profit des traverses ;
Les tribulations, les souffrances diverses,
    Jusques au ciel les ont poussés.
    Ceux qui suivent si mal leur trace
    Qu'ils tombent sous les moindres croix,

Accablés qu'ils sont de leur poids,
Ne remontent point vers la grâce,
Et la tentation qui les a captivés
Les mène triomphante entre les réprouvés.

Elle va partout, à toute heure;
Elle nous suit dans le désert;
Le cloître le plus saint lui laisse accès ouvert
Dans sa plus secrète demeure.
Esclaves de nos passions
Et nés dans la concupiscence,
Le moment de notre naissance
Nous livre aux tribulations,
Et nous portons en nous l'inépuisable source
D'où prennent tous nos maux leur éternelle course.

Vainquons celle qui vient s'offrir,
Soudain une autre lui succède;
Notre premier repos est perdu sans remède,
Nous avons toujours à souffrir :
Le grand soin dont on les évite
Souvent y plonge plus avant;
Tel qui les craint court au-devant,
Tel qui les fuit s'y précipite:
Et l'on ne vient à bout de leur malignité
Que par la patience et par l'humilité.

C'est par elles qu'on a la force
De vaincre de tels ennemis;
Mais il faut que le cœur, vraiment humble et soumis,
Ne s'amuse point à l'écorce.
Celui qui gauchit tout autour
Sans en arracher la racine,
Alors même qu'il les décline,
Ne fait que hâter leur retour;
Il en devient plus faible, et lui-même se blesse
De tout ce qu'il choisit pour armer sa faiblesse.

Le grand courage en Jésus-Christ
Et la patience en nos peines
Font plus avec le temps que les plus rudes gênes
Dont se tyrannise un esprit.
Quand la tentation s'augmente,
Prends conseil à chaque moment,
Et loin de traiter rudement
Le malheureux qu'elle tourmente,
Tâche à le consoler et lui servir d'appui
Avec même douceur que tu voudrais de lui.

Notre inconstance est le principe
Qui nous en accable en tout lieu;
Le peu de confiance en la bonté de Dieu
Empêche qu'il ne les dissipe.
Telle qu'un vaisseau sans timon,
Le jouet des fureurs de l'onde,
Une âme lâche dans le monde
Flotte à la merci du démon:
En tous ces bons propos qu'à toute heure elle quitte
L'abandonnent aux vents dont sa fureur l'agite.

La flamme est l'épreuve du fer,
La tentation l'est des hommes,
Par elle seulement on voit ce que nous sommes,
Et si nous pouvons triompher.
Lorsqu'à frapper elle s'apprête,
Fermons-lui la porte du cœur,
On en sort aisément vainqueur
Quand dès l'abord on lui fait tête:
Qui résiste trop tard a peine à résister,
Et c'est au premier pas qu'il la faut arrêter.

D'une faible et simple pensée
L'image forme un trait puissant :
Elle flatte, on s'y plaît; elle émeut, on consent;
Et l'âme en demeure blessée :
Ainsi notre fier ennemi
Se glisse au dedans et nous tue,
Quand l'âme, soudain abattue,
Ne lui résiste qu'à demi;
Et dans cette langueur pour peu qu'il l'entretienne,
Des forces qu'elle perd il augmente la sienne.

L'assaut de la tentation
Ne suit pas le même ordre en toutes;
Elle prend divers temps et tient diverses routes
Contre notre conversion.
A l'un soudain elle se montre,
Elle attend l'autre vers la fin;
D'un autre le triste destin
Presque à tous moments la rencontre :
Son coup est pour les uns rude, ferme, pressant,
Pour les autres, débile, et mol, et languissant.

C'est ainsi que la Providence,
Souffrant cette diversité,
Par une inconcevable et profonde équité,
Met ses bontés en évidence :
Elle voit la proportion
Des forces grandes et petites;
Elle sait peser les mérites,
Le sexe, la condition;
Et sa main, se réglant sur ces diverses causes,
Au salut des élus prépare toutes choses.

Ainsi ne désespérons pas
Quand la tentation redouble,
Mais redoublons plutôt nos ferveurs dans ce trouble
Pour offrir à Dieu nos combats:
Demandons-lui qu'il nous console,
Qu'il nous secoure en cet ennui :
Saint Paul nous l'a promis pour lui;
Il dégagera sa parole,
Et tirera pour nous ce fruit de tant de maux,
Qu'ils rendront notre force égale à nos travaux.

Quand il nous en donne victoire,
Exaltons sa puissante main,
Et nous humilions sous le bras souverain
Qui couronne l'humble de gloire.
C'est dans les tribulations

Qu'on voit combien l'homme profite,
Et la grandeur de son mérite
Ne paraît qu'aux tentations;
Par elles sa vertu plus vivement éclate,
Et l'on doute d'un cœur jusqu'à ce qu'il combatte.

Sans grand miracle on est fervent
Tant qu'on ne sent point de traverse;
Mais qui sans murmurer souffre un coup qui le perce
Peut aller encor plus avant.
Tel dompte avec pleine constance
La plus forte tentation,
Que la plus faible occasion
Trouve à tous coups sans résistance,
Afin qu'humilié de s'en voir abattu
Jamais il ne s'assure en sa propre vertu.

14. QU'IL FAUT ÉVITER LE JUGEMENT TÉMÉRAIRE.

Corps ou sujet de l'emblème : *Saint Vitalian passe sa vie à hanter des femmes publiques pour les convertir, et est tenu pour un grand pécheur jusques à sa mort.* Ame ou sentence : *Aliorum facta caveas judicare.* (Str. 1.)

Fais réflexion sur toi-même,
Et jamais ne juge d'autrui :
Qui s'empresse à juger de lui
S'engage en un péril extrême;
Il travaille inutilement,
Il se trompe facilement,
Et plus facilement offense :
Mais celui qui se juge, heureusement s'instruit
A purger de péché ce qu'il fait, dit ou pense,
Se trompe beaucoup moins, et travaille avec fruit.

Souvent le jugement se porte
Selon que la chose nous plaît;
L'amour-propre est un intérêt
Sous qui notre raison avorte.
Si des souhaits que nous faisons,
Des pensers où nous nous plaisons,
Dieu seul était la pure idée,
Nous aurions moins de trouble et serions plus puissants
A calmer dans notre âme, ici-bas obsédée,
La révolte secrète où l'invitent nos sens.

Mais souvent, quand Dieu nous appelle,
En vain son joug nous semble doux,
Quelque charme au dedans de nous
Fait naître un mouvement rebelle;
Souvent quelque attrait du dehors
Résiste aux amoureux efforts
De la grâce en nous épandue,
Et nous fait, malgré nous, tellement balancer,
Qu'entre nos sens et Dieu notre âme suspendue
Perd le temps d'y répondre, et ne peut avancer.

Plusieurs de sorte se déçoivent
En l'examen de ce qu'ils sont,
Qu'ils se cherchent en ce qu'ils font
Sans même qu'ils s'en aperçoivent :
Ils semblent en tranquillité
Tant que ce qu'ils ont projeté
Succède comme ils l'imaginent;
Mais si l'événement remplit mal leurs souhaits,
Ils s'émeuvent soudain, soudain ils se chagrinent
Et ne gardent plus rien de leur première paix.

Ainsi, par des avis contraires
L'amour de nos opinions
Enfante les divisions
Entre les amis et les frères,
Ainsi les plus religieux
Par ce zèle contagieux
Se laissent quelquefois séduire;
Ainsi tout vieil usage est fâcheux à quitter;
Ainsi personne n'aime à se laisser conduire
Plus avant que ses yeux ne sauraient se porter.

Que si ta raison s'autorise
A plus appuyer ton esprit
Que la vertu que Jésus-Christ
Demande à ses ordres soumise,
Tu sentiras fort rarement
Éclairer ton entendement,
Et par des lumières tardives
Dieu veut un cœur entier qui n'ait point d'autre appui,
Et que d'un saint amour les flammes toujours vives
Par-dessus la raison s'élèvent jusqu'à lui.

15. DES ŒUVRES FAITES PAR LA CHARITÉ.

Corps ou sujet de l'emblème : *La Madeleine aux pieds de Jésus-Christ chez Simon le lépreux.* Ame ou sentence : *Multum facit qui multum diligit.* (Str. 6.)

Le mal n'a point d'excuse; il n'est espoir, surprise,
Intérêt, amitié, faveur, crainte, malheurs,
    Dont le pouvoir nous autorise
A rien faire ou penser qui porte ses couleurs.

Non, il n'en faut souffrir l'effet ni la pensée;
Mais quand on voit qu'un autre a besoin de secours,
    D'une bonne œuvre commencée
On peut, pour le servir, interrompre le cours.

Une bonne action a toujours grand mérite,
Mais pour une meilleure il nous la faut quitter;
    C'est sans la perdre qu'on la quitte,
Et cet échange heureux nous fait plus mériter.

La plus haute pourtant n'attire aucune grâce
Si par la charité son effet n'est produit;
    Mais la plus faible et la plus basse,
Partant de cette source, est toujours de grand fruit.

Ce grand juge des cœurs perce d'un œil sévère
Les plus secrets motifs de nos intentions,
    Et sa justice considère
Ce qui nous fait agir, plus que nos actions.

Celui-là fait beaucoup en qui l'amour est forte,
Celui-là fait beaucoup qui fait bien ce qu'il fait,
    Celui-là fait bien qui se porte
Plus au bien du commun qu'à son propre souhait.

Mais souvent on s'y trompe; et ce qu'on pense n'être
Qu'un véritable effet de pure charité,
    Aux yeux qui savent tout connaître,
Porte un mélange impur de sensualité.

De notre volonté la pente naturelle,
L'espoir de récompense, ou d'accommodement,
    Ou quelque affection charnelle,
Souvent tient même route, et le souille aisément.

L'homme vraiment rempli de charité parfaite
Avecque son désir sait comme il faut marcher;
    En l'embrassant il le rejette,
Et va de son côté sans jamais le chercher.

Il le fuit comme sien, et fait ce qu'il demande
Quand la gloire de Dieu par là se fait mieux voir :
    Et voulant ce que Dieu commande,
Il n'obéit qu'à Dieu quand il suit ce vouloir.

A personne jamais il ne porte d'envie,
Parce que sur la terre il ne recherche rien,
    Et que son âme, en Dieu ravie,
Ne fait point d'autres vœux, ne veut point d'autre bien.

D'aucun bien à personne il ne donne la gloire,
Pour mieux tout rapporter à cet Être divin,
    Et ne perd jamais la mémoire
Qu'il est de tous les biens le principe et la fin;

Que c'est par le secours de sa toute-puissance
Que nous pouvons former un vertueux propos,
    Et que c'est par sa jouissance
Que les saints dans le ciel goûtent un plein repos.

Oh! qui pourrait avoir une seule étincelle
De cette véritable et pure charité!
    Que bientôt sa clarté fidèle
Lui ferait voir qu'ici tout n'est que vanité!

16. COMME IL FAUT SUPPORTER D'AUTRUI.

Corps ou sujet de l'emblème : *La conversion de saint
Paul.* Ame ou sentence : *Deus scit malum in bonum
convertere.* (Str. 5.)

Porte avec patience en tout autre, en toi-même,
    Ce que tu n'y peux corriger,

Jusqu'à ce que de Dieu la puissance suprême
En ordonne autrement, et daigne le changer.

Pour éprouver ta force il est meilleur peut-être
    Qu'il laisse durer cette croix :
Ton mérite par là se fera mieux connaître;
Et, s'il n'est à l'épreuve, il n'est pas de grand poids.

Tu dois pourtant au ciel élever ta prière
    Contre un si long empêchement,
Afin que sa bonté t'en fasse grâce entière,
Ou t'aide à le souffrir un peu plus doucement.

Quand par tes bons avis une âme assez instruite
    Continue à leur résister,
Entre les mains de Dieu remets-en la conduite,
Et ne t'obstine point à la persécuter.

Sa sainte volonté souvent veut être faite
    Par un autre ordre que le tien :
Il sait trouver sa gloire en tout ce qu'il projette;
Il sait, quand il lui plaît, tourner le mal en bien.

Souffre sans murmurer tous les défauts des autres,
    Pour grands qu'ils se puissent offrir;
Et songe qu'en effet nous avons tous les nôtres,
Dont ils ont à leur tour encor plus à souffrir.

Si ta fragilité met toujours quelque obstacle
    En toi-même à tes propres vœux,
Comment peux-tu d'un autre exiger ce miracle
Qu'il n'agisse partout qu'ainsi que tu le veux?

N'est-ce pas le traiter avec haute injustice
    De vouloir qu'il soit tout parfait,
Et de ne vouloir pas te corriger d'un vice,
Afin que ton exemple aide à ce grand effet?

Nous voulons que chacun soit sous la discipline,
    Qu'il souffre la correction,
Et nous ne voulons point qu'aucun nous examine,
Qu'aucun censure en nous une imperfection.

Nous blâmons en autrui ce qu'il prend de licence,
    Ce qu'il se permet de plaisirs,
Et nous nous offensons s'il n'a la complaisance
De ne refuser rien à nos bouillants désirs.

Nous voulons des statuts dont la dure contrainte
    L'attache avec sévérité,
Et nous ne voulons point qu'il porte aucune atteinte
A l'empire absolu de notre volonté.

Où te caches-tu donc, charité toujours vive,
    Qui dois faire tout notre emploi?
Et si l'on vit ainsi, quand est-ce qu'il arrive
Qu'on ait pour le prochain même amour que pour soi?

Si tous étaient parfaits, on n'aurait rien au monde
    A souffrir pour l'amour de Dieu,

Et cette patience en vertus si féconde
Jamais à s'exercer ne trouverait de lieu.

La sagesse divine autrement en ordonne;
    Rien n'est ni tout bon ni tout beau;
Et Dieu nous forme ainsi pour n'exempter personne
De porter l'un de l'autre à son tour le fardeau.

Aucun n'est sans défaut, aucun n'est sans faiblesse.
    Aucun n'est sans besoin d'appui,
Aucun n'est sage assez de sa propre sagesse,
Aucun n'est assez fort pour se passer d'autrui.

Il faut donc s'entr'aimer, il faut donc s'entr'instruire,
    Il faut donc s'entre-secourir,
Il faut s'entre-prêter des yeux à se conduire,
Il faut s'entre-donner une aide à se guérir.

Plus les revers sont grands, plus la preuve est facile,
    A quel point un homme est parfait;
Et leurs plus rudes coups ne le font pas fragile,
Mais ils donnent à voir ce qu'il est en effet.

17. DE LA VIE MONASTIQUE.

Corps ou sujet de l'emblème : *Carloman, fils de Charlemagne, prend l'habit de frère convers de l'ordre de
Saint-Benoît, et se réduit par humilité à servir à la
cuisine.* Ame ou sentence : *Ad serviendum venisti, non
ad regendum.* (Str. 3.)

Rends-toi des plus savants en l'art de te contraindre,
En ce rare et grand art de rompre tes souhaits,
Si tu veux avec tous une solide paix,
Si tu veux leur ôter tout sujet de se plaindre.
Vivre en communauté sans querelle et sans bruit,
Porter jusqu'au trépas un cœur vraiment réduit,
    C'est se rendre digne d'envie.
Heureux trois fois celui qui se fait un tel sort!
Heureux trois fois celui qu'une si douce vie
    Conduit vers une heureuse mort!

Si tu veux mériter, si tu veux croître en grâce,
Ne t'estime ici-bas qu'un passant, qu'un banni;
Parais fou pour ton Dieu, prends ce zèle infini
Qui court après l'opprobre et jamais ne s'en lasse.
La tonsure et l'habit sont bien quelques dehors,
Mais ne présume pas que les gênes du corps
    Fassent l'âme religieuse;
C'est au détachement de tes affections
Qu'au milieu d'une vie âpre et laborieuse
    En consistent les fonctions.

Cherche Dieu, cherche en lui le secret de ton âme,
Sans chercher rien de plus dessous cette couleur :
Tu ne rencontreras qu'amertume et douleur,
Si jamais dans ton cloître autre désir t'enflamme.
Tâche d'être le moindre et le sujet de tous,

Ou ce repos d'esprit qui te semble si doux
    Ne sera guère en ta puissance.
Veux-tu le retenir? Souviens-toi fortement
Que tu n'es venu là que pour l'obéissance,
    Et non pour le commandement.

Le cloître n'est pas fait pour une vie oisive,
Ni pour passer les jours en conversation,
Mais pour une éternelle et pénible action,
Pour voir les sens domptés, la volonté captive.
C'est là qu'un long travail n'est jamais achevé,
C'est là que pleinement le juste est éprouvé
    De même que l'or dans la flamme;
Et c'est là que sans trouble on ne peut demeurer,
Si cette humilité qui doit régner sur l'âme
    N'y fait pour Dieu tout endurer.

18. DES EXEMPLES DES SAINTS PÈRES.

Corps ou sujet de l'emblème : *Saint Paul et saint
Antoine, premiers ermites.* Ame ou sentence : *Quis est
vita nostra illis comparata?* (Str. 1.)

Tu vois en tous les saints de merveilleux exemples,
    C'est la pure religion,
    C'est l'entière perfection
    Qu'en ces grands miroirs tu contemples :
    Vois les sentiers qu'ils ont battus,
    Vois la pratique des vertus
Aussi brillante en eux que par toi mal suivie.
    Que fais-tu pour leur ressembler?
Et quand à leurs travaux tu compares ta vie,
Peux-tu ne point rougir, peux-tu ne point trembler?

La faim, la soif, le froid, les oraisons, les veilles,
    Les fatigues, la nudité,
    Dans le sein de l'austérité
    Ont produit toutes leurs merveilles;
    Les saintes méditations,
    Les longues persécutions,
Les jeûnes et l'opprobre ont été leurs délices;
    Et, de Dieu seul fortifiés,
Comme ils fuyaient la gloire et cherchaient les suppli-
Les supplices enfin les ont glorifiés.   [ces,

Regarde les martyrs, les vierges, les apôtres,
    Et tous ceux de qui la ferveur
    Sur les sacrés pas du Sauveur
    A frayé des chemins aux nôtres :
    Combien ont-ils porté de croix,
    Et combien sont-ils morts de fois,
Au milieu d'une vie en souffrances féconde,
    Jusqu'à ce que leur fermeté,
A force de haïr leurs âmes en ce monde,
Ait su les posséder dedans l'éternité?

Ouvrez, affreux déserts, vos retraites sauvages,
    Et des Pères que vous cachez,

Dans vos cavernes retranchés,
Laissez-nous tirer les images;
Montrez-nous les tentations,
Montrez-nous les vexations
Qu'à toute heure chez vous du diable ils ont souffertes;
Montrez par quels ardents soupirs
Les prières qu'à Dieu sans cesse ils ont offertes
Ont porté dans le ciel leurs amoureux désirs.

Jusques où n'ont été leurs saintes abstinences?
Jusques où n'ont-ils su pousser
Le zèle de voir avancer
Les fruits de tant de pénitences?
Qu'ils ont fait de rudes combats
Pour achever de mettre à bas
Cet indigne pouvoir dont s'emparent les vices!
Qu'ils se sont tenus de rigueur!
Que d'intention pure en tous leurs exercices
Pour rendre un Dieu vivant le maître de leur cœur!

Tout le jour en travail, et la nuit en prière,
Souvent ils mêlaient tous les deux,
Et leur cœur poussait mille vœux
Parmi la sueur journalière :
Toute action, tout temps, tout lieu,
Était propre à penser à Dieu;
Toute heure était trop courte à cette sainte idée;
Et le doux charme des transports
Dont leur âme en ces lieux se trouvait possédée,
Suspendait tous les soins qu'elle devait au corps.

Par une pleine horreur des vanités humaines,
Ils rejetaient et biens et rang,
Et les amitiés ni le sang
N'avaient pour eux aucunes chaînes :
Ennemis du monde et des siens,
Ils en brisaient tous les liens,
De peur de retomber sous son funeste empire;
Et leur digne sévérité
Dans les besoins du corps rencontrait un martyre,
Quand ils abaissaient l'âme à leur nécessité.

Pauvres et dénués des secours de la terre,
Mais riches en grâce et vertu,
Ils ont sous leurs pieds abattu
Tout ce qui leur faisait la guerre.
Ces inépuisables trésors
De l'indigence du dehors
Réparaient au-dedans les aimables misères;
Et Dieu, pour les en consoler,
Versait à pleines mains sur des âmes si chères
Ces biens surnaturels qu'on ne saurait voler.

L'éloignement, la haine et le rebut du monde,
Les approchaient du Tout-Puissant,
De qui l'amour reconnaissant
Couronnait leur vertu profonde.
Ils n'avaient pour eux que mépris;
Mais ils étaient d'un autre prix
Aux yeux de ce grand Roi qui fait les diadèmes :

Et cet heureux abaissement
Sur ces mêmes degrés d'un saint mépris d'eux-mêmes
Élevait pour leur gloire un trône au firmament.

Sous les lois d'une prompte et simple obédience,
Leur véritable humilité
Unissait à la charité
Les forces de la patience;
Ce parfait et divin amour
Les élevait de jour en jour
A ces progrès d'esprit où la vertu s'excite;
Et ces progrès continuels,
Faisant croître la grâce où croissait le mérite,
Les accablaient enfin de biens spirituels.

Voilà, religieux, des exemples à suivre :
Voilà quelles instructions
Laissent toutes leurs actions
A qui veut apprendre à bien vivre :
La sainte ardeur qu'ils ont fait voir
Montre quel est votre devoir
A chercher de vos maux les assurés remèdes,
Et vous y doit plus attacher
Que ce que vous voyez d'imparfaits et de tièdes
Ne doit servir d'excuse à vous en relâcher.

Oh! que d'abord le cloître enfanta de lumières!
Qu'on vit éclater d'ornements
Aux illustres commencements
Des observances régulières!
Que de pure dévotion!
Que de saine émulation!
Que de pleine vigueur soutint la discipline!
Que de respect intérieur!
Que de conformité de mœurs et de doctrine!
Que d'union d'esprits sous un supérieur!

Encore même à présent ces traces délaissées
Font voir combien étaient parfaits
Ceux qui, par de si grands effets,
Domptaient le monde et ses pensées :
Mais notre siècle est bien loin d'eux;
Qui vit sans crime est vertueux;
Qui ne rompt point sa règle est un grand personnage,
Et croit s'être bien acquitté
Lorsque avec patience il porte l'esclavage
Où sa robe et ses vœux le tiennent arrêté.

A peine notre cœur forme une bonne envie,
Qu'aussitôt nous la dépouillons;
La langueur dont nous travaillons
Nous lasse même de la vie.
C'est peu de laisser assoupir
La ferveur du plus saint désir,
Par notre lâcheté nous la laissons éteindre,
Nous qui voyons à tout moment
Tant d'exemples dévots où nous pouvons atteindre,
Et qui nous convaincront au jour du jugement.

19. DES EXERCICES DU BON RELIGIEUX.

Corps ou sujet de l'emblème : Saint François porte
*l'impression des sacrés stigmates plus avant dans le
cœur qu'ils ne paraissent au dehors. Ame ou sentence :
Plus est intus quam quod cernitur foris.* (Str. 1.)

Toi qui dedans un cloître as renfermé ta vie,
De toutes les vertus tâche de l'enrichir ;
C'est sous ce digne effort que tu dois y blanchir ;
Ta règle te l'apprend, ton habit t'en convie.
Fais par un saint amas de ces vivants trésors
Que le dedans réponde à l'éclat du dehors,
Que tu sois devant Dieu tel que devant les hommes ;
Et de l'intérieur prends d'autant plus de soin,
Que Dieu sans se tromper connaît ce que nous sommes,
Et que du fond du cœur il se fait le témoin.

Nos respects en tous lieux lui doivent des louanges,
En tous lieux il nous voit, il nous juge en tous lieux :
Et comme nous marchons partout devant ses yeux,
Partout il faut porter la pureté des anges.
Chaque jour, recommence à lui donner ton cœur,
Renouvelle tes vœux, rallume ta ferveur,
Et t'obstine à lui dire, en demandant sa grâce :
« Secourez-moi, Seigneur, et servez de soutien
Aux bons commencements que sous vos lois j'embrasse ;
Car jusques à présent ce que j'ai fait n'est rien. »

Dans le chemin du ciel l'âme du juste avance
Autant que ce propos augmente en fermeté ;
Son progrès, qui dépend de l'assiduité,
Veut pour beaucoup de fruit beaucoup de diligence.
Que si le plus constant et le mieux affermi
Se relâche souvent, souvent tombe à demi,
Et n'est jamais si fort qu'il soit inébranlable,
Que sera-ce de ceux dont le cœur languissant,
Ou rarement en soi forme un projet semblable,
Ou le laisse flotter et s'éteindre en naissant ?

C'est un chemin qui monte entre des précipices ;
Il n'est rien plus aisé que de l'abandonner ;
Et souvent c'est assez pour nous en détourner
Que le relâchement des moindres exercices.
Le bon propos du juste a plus de fondement
En la grâce de Dieu qu'au propre sentiment ;
Quelque dessein qu'il fasse, en elle il se repose :
A moins d'un tel secours nous travaillons en vain ;
Quoi que nous proposions, c'est Dieu seul qui dispose,
Et pour trouver sa voie, homme, il te faut sa main.

Laisse là quelquefois l'exercice ordinaire
Pour faire une action pleine de piété ;
Tu pourras y rentrer avec facilité
Si tu n'en es sorti que pour servir ton frère ;
Mais si, par nonchalance, ou par un lâche ennui
De prendre encore demain le même qu'aujourd'hui,
Ton âme appesantie une fois s'en détache,
Cet exercice alors négligé sans sujet

Imprimera sur elle une honteuse tache,
Et lui fera sentir le mal qu'elle s'est fait.

Quelque effort qu'ici-bas l'homme fasse à bien vivre,
Il est souvent trahi par sa fragilité ;
Et le meilleur remède à son infirmité,
C'est de choisir toujours un but certain à suivre.
Qu'il regarde surtout quel est l'empêchement
Qui met le plus d'obstacle à son avancement,
Et que tout son pouvoir s'attache à l'en défaire,
Qu'il donne ordre au dedans, qu'il donne ordre au
A cet heureux progrès l'un et l'autre confère,   [dehors ;
Et l'âme a plus de force ayant l'aide du corps.

Si ta retraite en toi ne peut être assidue,
Recueille-toi du moins une fois chaque jour,
Soit lorsque le soleil recommence son tour,
Soit lorsque sous les eaux sa lumière est fondue :
Propose le matin et règle tes projets,
Examine le soir quels en sont les effets ;
Revois tes actions, tes discours, tes pensées,
Peut-être y verras-tu, malgré ton bon dessein,
A chaque occasion mille offenses glissées
Contre le grand Monarque, ou contre le prochain.

Montre-toi vraiment homme à l'attaque funeste
Que l'Ange ténébreux te porte à tout moment ;
Dompte la gourmandise, et plus facilement
Des sentiments charnels tu dompteras le reste.
Dedans l'oisiveté jamais enseveli,
Toujours confère, prie, écris, médite, lis,
Ou fais pour le commun quelque chose d'utile ;
L'exercice du corps a quelques fruits bien doux :
Mais sans discrétion c'est un travail stérile,
Et même il n'est pas propre également à tous.

Ces emplois singuliers qu'on se choisit soi-même
Doivent fuir avec soin de paraître au dehors ;
L'étalage les perd, et ce sont des trésors
Dont la possession veut un secret extrême.
Surtout n'aime jamais ces choix de ton esprit
Jusqu'à les préférer à ce qui t'est prescrit ;
Tout le surabondant doit place au nécessaire.
Remplis tous tes devoirs avec fidélité ;
Puis, s'il reste du temps pour l'emploi volontaire,
Applique tout ce reste où ton zèle est porté.

Tout esprit n'est pas propre aux mêmes exercices.
L'un est meilleur pour l'un, l'autre à l'autre sert mieux ;
Et la diversité, soit des temps, soit des lieux,
Demande à notre ardeur de différents offices ;
L'un est bon à la fête, et l'autre aux simples jours ;
De la tentation l'un peut rompre le cours,
A la tranquillité l'autre est plus convenable :
L'homme n'a pas sur soi toujours même pouvoir ;
Autres sont les pensers que la tristesse accable,
Autres ceux que la joie en Dieu fait concevoir.

A chaque grande fête augmente et renouvelle
Et ce bon exercice et ta prière aux saints ;

Et tiens en l'attendant ton âme entre tes mains
Comme prête à passer à la fête éternelle.
En ces jours consacrés à la dévotion
Il faut mieux épurer l'œuvre et l'intention,
Suivre une plus étroite et plus ferme observance,
Nous recueillir sans cesse, et nous imaginer
Que de tous nos travaux la pleine récompense
Doit par les mains de Dieu bientôt nous couronner.

Souvent il la recule, et lors il nous faut croire
Que nous n'y sommes pas dignement préparés,
Et que ces doux moments ne nous sont différés
Qu'afin que nous puissions mériter plus de gloire.
Il nous en comblera dans le temps ordonné :
Préparons-nous donc mieux à ce jour fortuné.
« Heureux le serviteur, dit la Vérité même,
Que trouvera son maître en état de veiller !
Il lui partagera son propre diadème,
Et de toute sa gloire il le fera briller. »

20. DE L'AMOUR DE LA SOLITUDE
ET DU SILENCE.

Corps ou sujet de l'emblème : *Saint Benoît vit trois ans
dans une grotte sans être vu de personne.* Ame ou sentence : *Nemo secure apparet, nisi qui libenter latet.*
(Str. 7.)

Choisis une heure propre à rentrer en toi-même,
A penser aux bienfaits de la bonté suprême,
Sans t'embrouiller l'esprit de rien de curieux.
     Et ne t'engage en la lecture
     Que de quelque matière pure
Qui touche autant le cœur qu'elle occupe les yeux.

Si tu peux retrancher la perte des paroles,
La superfluité des visites frivoles,
La vaine attention aux nouveautés des bruits,
     Ton âme aura du temps de reste
     Pour suivre cet emploi céleste,
Et pour en recueillir les véritables fruits.

Ainsi des plus grands saints la sagesse profonde
Pour ne vivre qu'à Dieu fuyait les yeux du monde.
Et n'en souffrait jamais l'entretien qu'à regret ;
     Ainsi plus la vie est parfaite,
     Plus elle aime cette retraite ;
Et qui veut trouver Dieu doit chercher le secret.

Un païen nous l'apprend, tout chrétiens que nous som-
« Je n'ai jamais, dit-il, été parmi les hommes [mes :
Que je n'en sois sorti moins homme et plus brutal [32]. »
     Et notre propre conscience
     Ne fait que trop d'expérience,
Combien à son repos leur commerce est fatal.

32. Sénèque, *Epitre 7 à Lucilius.*

Se taire entièrement est beaucoup plus facile
Que de se préserver du mélange inutile
Qui dans tous nos discours aussitôt s'introduit ;
     Et c'est chose bien moins pénible
     D'être chez soi comme invisible,
Que de se bien garder alors qu'on se produit.

Quiconque aspire donc aux douceurs immortelles
Qu'un bon intérieur fait goûter aux fidèles,
Et veut prendre un bon guide afin d'y parvenir,
     Qu'avec Jésus-Christ il se coule
     Loin du tumulte et de la foule,
Et souvent seul à seul tâche à l'entretenir.

Personne en sûreté ne saurait se produire,
Ni parler sans se mettre au hasard de se nuire,
Ni prendre sans péril les ordres à donner,
     Que ceux qui volontiers se cachent,
     Sans peine au silence s'attachent,
Et sans aversion se laissent gouverner.

Non, aucun ne gouverne avec pleine assurance,
Que ceux qu'y laisse instruits la pleine obéissance ;
Qui sait mal obéir ne commande pas bien :
     Aucun n'a de joie assurée
     Que ceux en qui l'âme épurée
Rend un bon témoignage et ne reproche rien.

Celui que donne aux saints leur bonne conscience
Ne va pourtant jamais sans soin, sans défiance,
Dont la crainte de Dieu fait la sincérité ;
     Et la grâce en eux épandue
     Ne rend pas de moindre étendue
Ni ces justes soucis, ni leur humilité.

Mais la présomption, l'orgueil d'une âme ingrate,
Fait cette sûreté dont le méchant se flatte,
Et le trompe à la fin, l'ayant mal éclairé.
     Quoique tu sois grand cénobite,
     Quoique tu sois parfait ermite,
Jamais, tant que tu vis, ne te tiens assuré.

Souvent ceux que tu vois par leur vertu sublime
Mériter notre amour, emporter notre estime,
Tout parfaits qu'on les croit, sont le plus en danger :
     Et l'excessive confiance
     Qu'elle jette en leur conscience,
Souvent les autorise à se trop négliger.

Souvent il est meilleur que quelque assaut nous presse,
Et que, nous faisant voir quelle est notre faiblesse,
Il réveille par là nos plus puissants efforts,
     De crainte que l'âme tranquille
     Ne s'enfle d'un orgueil facile
A glisser de ce calme aux douceurs du dehors.

O plaisirs passagers ! si jamais nos pensées
De vos illusions n'étaient embarrassées,
Si nous pouvions bien rompre avec le monde et vous,
     Que par cette sainte rupture

L'âme se verrait libre et pure,
Et se conserverait un repos long et doux!

Il serait, il serait d'éternelle durée,
Si tant de vains soucis dont elle est déchirée
Par votre long exil se trouvaient retranchés,
    Et si nos désirs solitaires,
    Bornés à des vœux salutaires,
Étaient par notre espoir à Dieu seul attachés.

Aucun n'est digne ici de ces grâces divines,
Qui, parmi tant de maux et parmi tant d'épines,
Versent du haut du ciel la consolation,
    Si son exacte vigilance
    Ne s'exerce avec diligence
Dans les saintes douleurs de la componction.

Veux-tu jusqu'en ton cœur la sentir vive et forte?
Rentre dans ta cellule, et fermes-en la porte
Aux tumultes du monde, à sa vaine rumeur;
    N'en écoute point l'imposture,
    Et, comme ordonne l'Écriture,
Repasse au cabinet les secrets de ton cœur [33].

Ce que tu perds dehors s'y retrouve à toute heure;
Mais il faut sans relâche en aimer la demeure;
Elle n'a rien de doux sans l'assiduité;
    Et depuis qu'elle est mal gardée,
    Ce n'est plus qu'une triste idée,
Qui n'enfante qu'ennuis et qu'importunité.

Elle sera ta joie et ta meilleure amie,
Si ta conversion, dans son calme affermie,
Dès le commencement la garde sans regret;
    C'est dans ce calme et le silence
    Que l'âme dévote s'avance,
Et que de l'Écriture elle apprend le secret.

Pour se fortifier elle y trouve des armes,
Pour se purifier elle y trouve des larmes,
Par qui tous ses défauts sont lavés chaque nuit;
    Elle s'y rend par la prière
    A Dieu d'autant plus familière,
Qu'elle en bannit du siècle et l'amour et le bruit.

Qui se détache donc pour cette solitude
De toutes amitiés et de toute habitude,
Plus il rompt les liens du sang et de la chair,
    Plus de Dieu la bonté suprême,
    Par ses anges et par lui-même,
Pour le combler de biens daigne s'en approcher.

Cache-toi, s'il le faut, pour briser ces obstacles;
L'obscurité vaut mieux que l'éclat des miracles,
S'ils étouffent les soins qu'on doit avoir de soi;
    Et le don de faire un prodige,
    Dans une âme qui se néglige,
D'un précieux trésor fait un mauvais emploi.

Le vrai religieux rarement sort du cloître,
Vit sans ambition de se faire connaître,
Ne veut point être vu, ne veut point regarder;
    Et croit que celui-là se tue
    Qui cherche à se blesser la vue
De ce que, sans se perdre, il ne peut posséder.

Le monde et ses plaisirs s'écoulent et nous gênent;
Et quant à divaguer nos désirs nous entraînent,
Ce temps qu'on aime à perdre est aussitôt passé;
    Et pour fruit de cette sortie
    On n'a qu'une âme appesantie,
Et des désirs flottants dans un cœur dispersé.

Ainsi celle qu'on fait avec le plus de joie
Souvent avec douleur au cloître nous renvoie;
Les délices du soir font un triste matin :
    Ainsi la douceur sensuelle
    Nous cache sa pointe mortelle,
Qui nous flatte à l'entrée et nous tue à la fin.

Ne vois-tu pas ici le feu, l'air, l'eau, la terre,
Leur éternelle amour, leur éternelle guerre?
N'y vois-tu pas le ciel à tes yeux exposé?
    Qu'est-ce qu'ailleurs tu te proposes?
    N'est-ce pas bien voir toutes choses
Que voir les éléments dont tout est composé?

Que peux-tu voir ailleurs qui soit longtemps durable?
Crois-tu rassasier ton cœur insatiable
En promenant partout tes yeux avidement?
    Et quand d'une seule ouverture
    Ils verraient toute la nature,
Que serait-ce pour toi qu'un vain amusement?

Lève les yeux au ciel, et par d'humbles prières
Tire des mains de Dieu ces faveurs singulières
Qui purgent tes péchés et tes dérèglements :
    Laisse les vanités mondaines
    En abandon aux âmes vaines,
Et ne porte ton cœur qu'à ses commandements.

Ferme encore une fois, ferme sur toi ta porte,
Et d'une voix d'amour languissante, mais forte,
Appelle cet objet de tes plus doux souhaits,
    Entretiens-le dans ta cellule
    De la vive ardeur qui te brûle,
Et ne crois point ailleurs trouver la même paix.

Tâche à n'en point sortir qu'il ne soit nécessaire :
N'écoute, si tu peux, aucun bruit populaire
Ton calme en deviendra plus durable et meilleur;
    Sitôt que tes sens infidèles
    Ouvrent ton oreille aux nouvelles,
Ils font entrer par là le trouble dans ton cœur.

---

33. *Psaume IV*, 5e verset.

21. DE LA COMPONCTION DU CŒUR.

Corps ou sujet de l'emblème : Saint Pierre pleurant son péché. Ame ou sentence : *Materiae justi doloris sunt peccata nostra.* (Str. 12.)

Si tu veux avancer au chemin de la grâce,
Dans la crainte de Dieu soutiens tes volontés ;
Ne sois jamais trop libre, et rends-toi tout de glace
Pour tout ce que les sens t'offrent de voluptés :
Dompte sous une exacte et forte discipline
   Ces inséparables flatteurs
Que l'amour de toi-même à te séduire obstine,
   Et dans eux n'examine
Que la grandeur des maux dont ils sont les auteurs.

Ainsi fermant la porte à la joie indiscrète
Sous qui leur faux appât sème un poison caché,
Tu la tiendras ouverte à la douleur secrète
Qu'un profond repentir fait naître du péché :
Cette sainte douleur dans l'âme recueillie
   Produit mille sortes de biens,
Que son relâchement vers l'aveugle folie
   Des plaisirs de la vie
A bientôt dissipés en de vains entretiens.

Chose étrange que l'homme accessible à la joie,
Au milieu des malheurs dont il est enfermé,
Quelque exilé qu'il soit, quelques périls qu'il voie,
Par de fausses douceurs aime à se voir charmé !
Ah ! s'il peut consentir qu'une telle allégresse
   Tienne ses sens épanouis,
Il n'en voit pas la suite, et sa propre faiblesse
   Qu'il reçoit pour maîtresse,
Dérobe sa misère à ses yeux éblouis.

Oui, sa légèreté que tout désir enflamme,
Et le peu de souci qu'il prend de ses défauts,
L'ayant rendu stupide aux intérêts de l'âme,
Ne lui permettent pas d'en ressentir les maux ;
Ainsi, pour grands qu'ils soient, jamais il n'en soupire,
   Faute de les considérer ;
Plus il en est blessé, plus lui-même il s'admire,
   Et souvent ose rire
Lorsque de tous côtés il a de quoi pleurer.

Homme, apprends qu'il n'est point ni de liberté vraie,
Ni de plaisir parfait qu'en la crainte de Dieu,
Et que la conscience et sans tache et sans plaie
A de pareils trésors seule peut donner lieu.
Toute autre liberté n'est qu'un long esclavage
   Qui cache ou qui dore ses fers ;
Et tout autre plaisir ne laisse en ton courage
   Qu'un prompt dégoût pour gage
Du tourment immortel qui t'attend aux enfers.

Heureux qui peut bannir de toutes ses pensées
Les vains amusements de la distraction !
Heureux qui peut tenir ses forces ramassées
Dans le recueillement de la componction !

Mais plus heureux encor celui qui se dépouille
   De tout indigne et lâche emploi,
Qui, pour ne rien souffrir qui lui pèse ou le souille,
   Fuit ce qui le chatouille,
Et pour mieux servir Dieu se rend maître de soi !

Combats donc fortement contre l'inquiétude
Où te jette du monde et l'amour et le bruit :
L'habitude se vainc par une autre habitude,
Et les hommes jamais ne cherchent qui les fuit.
Néglige leur commerce, et romps l'intelligence
   Qui te lie encore avec eux,
Et bientôt à leur tour, te rendant par vengeance
   La même négligence,
Ils t'abandonneront à tout ce que tu veux.

N'attire point sur toi les affaires des autres,
Ne t'embarrasse point des intérêts des grands :
Notre propre besoin nous charge assez des nôtres ;
Tu te dois le premier les soins que tu leur rends.
Tiens sur toi l'œil ouvert, et toi-même t'éclaire
   Avant qu'éclairer tes amis ;
Et quand tu peux donner un conseil salutaire
   Qui les porte à bien faire,
Donne-t'en le plus ample et le plus prompt avis.

Pour te voir éloigné de la faveur des hommes
Ne crois point avoir lieu de justes déplaisirs ;
Elle ne produit rien, en l'exil où nous sommes
Qu'un espoir décevant et de vagues désirs.
Ce qui doit t'attrister, ce dont tu dois te plaindre,
   C'est de ne te régler pas mieux,
C'est de sentir ton feu s'amortir et s'éteindre
   Avant qu'il puisse atteindre
Où doit aller celui d'un vrai religieux.

Souvent il est plus sûr, tant que l'homme respire,
Qu'il sente peu de joie en son cœur s'épancher,
Surtout de ces douceurs que le dehors inspire,
Et qui naissent en lui du sang et de la chair.
Que si Dieu rarement sur notre longue peine
   Répand sa consolation,
La faute en est à nous, dont la prudence vaine
   Cherche un peu trop l'humaine,
Et ne s'attache point à la componction.

Reconnais-toi, mortel, indigne des tendresses
Que départ aux élus la divine bonté ;
Et des afflictions regarde les rudesses
Comme des traitements dus à ta lâcheté.
L'homme vraiment atteint de la douleur profonde
   Qu'enfante un plein recueillement
Ne trouve qu'amertume aux voluptés du monde,
   Et voit qu'il ne les fonde
Que sur de longs périls que déguise un moment.

Le moyen donc qu'il puisse y trouver quelques char-
Soit qu'il se considère, ou qu'il regarde autrui, [mes,
S'il n'y peut voir partout que des sujets de larmes,
N'y voyant que des croix pour tout autre et pour lui ?

Plus il le sait connaître, et plus la vie entière
　　Lui semble un amas de malheurs;
Et plus du haut du ciel il reçoit de lumière,
　　Plus il voit de matière
Dessus toute la terre à de justes douleurs.

Sacrés ressentiments, réflexions perçantes,
Qui dans un cœur navré versez d'heureux regrets,
Que vous trouvez souvent d'occasions pressantes
Parmi tant de péchés et publics et secrets!
Mais, hélas! ces tyrans de l'âme criminelle
　　L'enchaînent si bien en ces lieux,
Qu'il est bien malaisé que vous arrachiez d'elle
　　Quelque soupir fidèle
Qui la puisse élever un moment vers les cieux.

Pense plus à la mort que tu vois assurée,
Qu'à la vaine longueur de tes jours incertains,
Et tu ressentiras dans ton âme épurée
Une ferveur plus forte et des désirs plus saints.
Si ton cœur chaque jour mettait dans la balance
　　Ou le purgatoire ou l'enfer,
Il n'est point de travail, il n'est point de souffrance
　　Où soudain ta constance
Ne portât sans effroi l'ardeur d'en triompher.

Mais nous n'en concevons qu'une légère image
Dont les traits impuissants ne vont point jusqu'au cœur;
Nous aimons ce qui flatte, et consumons notre âge
Dans l'assoupissement d'une froide langueur;
Aussi le corps se plaint, le corps gémit sans cesse
　　Accablé sous les moindres croix,
Parce que de l'esprit la honteuse mollesse
　　N'agit qu'avec faiblesse,
Et refuse son aide à soutenir leur poids.

Demande donc à Dieu pour faveur singulière
L'esprit fortifiant de la componction;
Avec le roi prophète élève ta prière,
Et dis à son exemple avec submission :
« Nourrissez-moi de pleurs, Seigneur, pour témoignage
　　Que vous me voulez consoler.
Détrempez-en mon pain, mêlez-en mon breuvage,
　　Et de tout mon visage
Jour et nuit à grands flots faites-les distiller [34]. »

22. DES CONSIDÉRATIONS DE
LA MISÈRE HUMAINE.

Corps ou sujet de l'emblème : *Thomas a Kempis convertit
plusieurs séculiers par la lecture de cette sentence.* Ame
ou sentence : *Miser es ubicumque fueris, nisi ad Deum
te convertas.* (Str. 1.)

Mortel, ouvre les yeux, et vois que la misère
　　Te cherche et te suit en tout lieu,

Et que toute la vie est une source amère
　　A moins qu'elle tourne vers Dieu.

Rien ne te doit troubler, rien ne te doit surprendre,
　　Quand l'effet manque à tes désirs,
Puisque ton sort est tel que tu n'en dois attendre
　　Que des sujets de déplaisirs.

N'espère pas qu'ici jamais il se ravale
　　A répondre à tous tes souhaits;
Pour toi, pour moi, pour tous, la règle est générale
　　Et ne se relâche jamais.

Il n'est emploi ni rang dont la grandeur se pare
　　De cette inévitable loi,
Et ceux qu'on voit porter le sceptre ou la tiare
　　N'en sont pas plus exempts que toi.

L'angoisse entre partout, et si quelqu'un sur terre
　　Porte mieux ce commun ennui,
C'est celui qui pour Dieu sait se faire la guerre,
　　Et se plaît à souffrir pour lui.

Les faibles cependant disent avec envie :
　　« Voyez, que cet homme est puissant,
Qu'il est grand, qu'il est riche, et que toute sa vie
　　Prend un cours noble et florissant! »

Malheureux! regardez quels sont les biens célestes,
　　Ceux-ci ne paraîtront plus rien,
Et vous n'y verrez plus que des attraits funestes
　　Sous la fausse image du bien.

Douteuse est leur durée, et trompeur le remède
　　Qu'ils donnent à quelques besoins,
Et le plus fortuné jamais ne les possède
　　Que parmi la crainte et les soins.

Le solide plaisir n'est pas dans l'abondance
　　De ces pompeux accablements,
Et souvent leur excès amène l'impudence
　　Des plus honteux dérèglements.

Leur médiocrité suffit au nécessaire
　　D'un esprit sagement borné,
Et tout ce qui la passe augmente la misère
　　Dont il se voit environné.

Plus il rentre en soi-même et regarde la vie
　　Dedans son véritable jour,
Plus de cette misère il la trouve suivie,
　　Et change en haine son amour.

Il ressent d'autant mieux l'amertume épandue
　　Sur la longueur de ses travaux,
Et s'en fait un miroir qui présente à sa vue
　　L'image de tous ses défauts.

Car enfin travailler, dormir, manger et boire,
　　Et mille autres nécessités,

---

34. *Psaume LXXIX*, 6ᵉ verset.

Sont aux hommes de Dieu, qui n'aiment que sa gloire,
     D'étranges importunités.

Oh! que tous ces besoins ont de cruelles gênes
     Pour un esprit bien détaché!
Et qu'avec pleine joie il en romprait les chaînes
     Qui l'asservissent au péché!

Ce sont des ennemis qu'en vain sa ferveur brave,
     Puisqu'ils sont toujours les plus forts,
Et des tyrans aimés qui tiennent l'âme esclave
     Sous les infirmités du corps.

David tremblait sous eux; et parmi sa tristesse,
     Rempli de célestes clartés,
« Sauvez-moi, disait-il, du joug qu'à ma faiblesse
     Imposent mes nécessités. »

Malheur à toi, mortel, si tu ne peux connaître
     La misère de ton séjour!
Et malheur plus encor si tu n'es pas le maître
     De ce qu'il te donne d'amour!

Faut-il que cette vie en soi si misérable
     Ait toutefois un tel attrait
Que le plus malheureux et le plus méprisable
     Ne l'abandonne qu'à regret?

Le pauvre, qui l'arrache à force de prières,
     Avec horreur la voit finir;
Et l'artisan s'épuise en sueurs journalières
     Pour trouver à la soutenir.

Que s'il était au choix de notre âme insensée
     De languir toujours en ces lieux,
Nous traînerions nos maux sans aucune pensée
     De régner jamais dans les cieux.

Lâches, qui sur nos cœurs aux voluptés du monde
     Souffrons des progrès si puissants,
Que rien n'y peut former d'impression profonde,
     S'il ne flatte et charme nos sens!

Nous verrons à la fin, aveugles que nous sommes,
     Que ce que nous aimons n'est rien,
Et qu'il ne peut toucher que les esprits des hommes
     Qui ne se connaissent pas bien.

Les saints, les vrais dévots, savaient mieux de leur être
     Remplir toute la dignité,
Et pour ces vains attraits ils ne faisaient paraître
     Qu'entière insensibilité.

Ils dédaignaient de perdre un moment aux idées
     Des biens passagers et charnels,
Et leurs intentions, d'un saint espoir guidées,
     Volaient sans cesse aux éternels.

Tout leur cœur s'y portait, et s'élevant sans cesse
     Vers leurs invisibles appas,

Il empêchait la chair de s'en rendre maîtresse
     Et de le ravaler trop bas.

Mon frère, à leur exemple anime ton courage,
     Et prends confiance après eux;
Quoi qu'il faille de temps pour un si grand ouvrage,
     Tu n'en as que trop, si tu veux.

Jusques à quand veux-tu que ta lenteur diffère?
     Ose, et dis sans plus négliger,
Il est temps de combattre, il est temps de mieux faire,
     Il est temps de nous corriger.

Prends-en l'occasion dans tes peines diverses :
     Elles te la viennent offrir;
Le temps du vrai mérite est celui des traverses;
     Pour triompher il faut souffrir.

Par le milieu des eaux, par le milieu des flammes,
     On passe au repos tant cherché;
Et sans violenter et les corps et les âmes,
     On ne peut vaincre le péché.

Tant qu'à ce corps fragile un souffle nous attache,
     Tel est à tous notre malheur,
Que le plus innocent ne se peut voir sans tache,
     Ni le plus content sans douleur.

Le plein calme est un bien hors de notre puissance,
     Aucun ici-bas n'en jouit;
Il descendit du ciel avec notre innocence,
     Avec elle il s'évanouit.

Comme ces deux trésors étaient inséparables,
     Un moment perdit tous les deux;
Et le même péché qui nous fit tous coupables
     Nous fit aussi tous malheureux.

Prends donc, prends patience en un chemin qu'on
     Sous des orages assidus,   [passe
Jusqu'à ce que ton Dieu daigne te faire grâce,
     Et te rendre les biens perdus;

Jusqu'à ce que la mort brise ce qui te lie
     A cette longue infirmité,
Et qu'en toi dans le ciel la véritable vie
     Consume la mortalité.

Jusque-là n'attends pas des plus saints exercices
     Un long et plein soulagement;
Le naturel de l'homme a tant de pente aux vices,
     Qu'il s'y replonge à tout moment.

Tu pleures pour les tiens, pécheur, tu t'en confesses,
     Tu veux, tu crois y renoncer,
Et dès le lendemain tu reprends les faiblesses
     Dont tu te viens de confesser.

Tu promets de les fuir quand la douleur t'emporte
     Contre ce qu'elles ont commis,

Et presque au même instant tu vis de même sorte
    Que si tu n'avais rien promis.

C'est donc avec raison que l'âme s'humilie,
    Se mésestime, se déplaît,
Toutes les fois qu'en soi fortement recueillie
    Elle examine ce qu'elle est.

Elle voit l'inconstance avec un tel empire
    Régner sur sa fragilité,
Que le meilleur propos qu'un saint regret inspire
    N'a que de l'instabilité.

Elle voit clairement que ce que fait la grâce
    Par de rudes et longs travaux,
Un peu de négligence en un moment l'efface,
    Et nous rend tous nos premiers maux.

Que sera-ce de nous au bout d'une carrière
    Où s'offrent combats sur combats,
Si notre lâcheté déjà tourne en arrière,
    Et perd haleine au premier pas ?

Malheur, malheur à nous, si notre âme endormie
    Penche vers la tranquillité,
Comme si notre paix déjà bien affermie
    Nous avait mis en sûreté !

C'est usurper ici les douces récompenses
    Des véritables saintetés,
Avant qu'on en ait vu les moindres apparences
    Surmonter nos légèretés.

Ah ! qu'il vaudrait bien mieux qu'ainsi que des novices,
    De nouveau nous fussions instruits,
Et reprissions un maître aux premiers exercices
    Pour en tirer de meilleurs fruits !

Du moins on pourrait voir si nous serions capables
    Encor de quelque amendement,
Et si dans nos esprits les clartés véritables
    Pourraient s'épandre utilement.

23. DE LA MÉDITATION DE LA MORT.

Corps ou sujet de l'emblème : Charles-Quint fait faire
ses funérailles de son vivant et porte lui-même un cierge
à l'offertoire. *Ame ou sentence :* Beatus qui horam mortis
suae semper ante oculos habet. *(Str. 8.)*

Pense, mortel, à t'y résoudre ;
Ce sera bientôt fait de toi :
Tel aujourd'hui donne la loi
Qui demain est réduit en poudre.
Le jour qui paraît le plus beau,
Souvent jette dans le tombeau
La mémoire la mieux fondée,
Et l'objet qu'on aime le mieux

Échappe bientôt à l'idée,
Quand il n'est plus devant les yeux.

Cependant ton âme stupide,
Sur qui les sens ont tout pouvoir,
Dans l'avenir ne veut rien voir
Qui la charme ou qui l'intimide,
Un assoupissement fatal
Dans ton cœur qu'elle éclaire mal
Ne souffre aucune sainte flamme.
Et forme une aveugle langueur
De la stupidité de l'âme
Et de la dureté du cœur.

Règle, règle mieux tes pensées,
Mets plus d'ordre en tes actions,
Réunis tes affections
Vagabondes et dispersées ;
Pense, agis, aime incessamment,
Comme si déjà ce moment
Était celui d'en rendre compte,
Et ne devait plus différer
Ta gloire éternelle ou ta honte,
Qu'autant qu'il faut pour expirer.

Qui prend soin de sa conscience
Ne considère dans la mort
Que la porte aimable d'un sort
Digne de son impatience ;
L'horrible pâleur de son teint,
Les hideux traits dont on la peint,
N'ont pour ses yeux rien de sauvage,
Et ne font voir à leur clarté
Que la fin d'un triste esclavage
Et l'entrée à la liberté.

Crains le péché, si tu veux vivre
D'une vie heureuse et sans fin,
Et non pas ce commun destin
A qui la naissance te livre ;
Prépares-y-toi sans ennui :
Si tu ne le peux aujourd'hui,
Demain qu'aura-t-il de moins rude ?
As-tu ce terme dans ta main,
Et vois-tu quelque certitude
D'arriver jusqu'à ce demain ?

De quoi sert la plus longue vie
Avec si peu d'amendement,
Que d'un plus long engagement
Aux vices dont elle est suivie ?
Qu'est-elle souvent qu'un amas
De sacrilèges, d'attentats,
D'endurcissements invincibles ?
Et qu'y font de vieux criminels
Que s'y rendre plus insensibles
Aux charmes des biens éternels ?

Plût à Dieu que l'âme, bornée
A se bien regarder en soi,

Pût faire un bon et digne emploi
Du cours d'une seule journée!
Nos esprits lâches et pesants
Comptent bien les mois et les ans
Qu'a vu couler notre retraite;
Mais tel les étale à grand bruit,
Dont la bouche devient muette
Quand il en faut montrer le fruit.

Si la mort te semble un passage
Si dur, si rempli de terreur,
Le péril qui t'en fait horreur
Peut croître à vivre davantage.
Heureux l'homme dont en tous lieux
Son image frappe les yeux,
Que chaque moment y prépare,
Qui la regarde comme un prix,
Et de soi-même se sépare
Pour n'en être jamais surpris!

Qu'un saint penser t'en entretienne
Quand un autre rend les abois :
Tu seras tel que tu le vois,
Et ton heure suivra la sienne.
Aussitôt que le jour te luit
Doute si jusques à la nuit
Ta vie étendra sa durée;
Et la nuit reçois le sommeil
Sans la croire plus assurée
D'atteindre au retour du soleil.

Tiens ton âme toujours si prête,
Que ce glaive en l'air suspendu
Jamais sans en être attendu
Ne puisse tomber sur ta tête :
Souvent sans nous en avertir,
La mort, nous forçant de partir,
Éteint la flamme la plus vive;
Souvent tes yeux en sont témoins,
Et que le fils de l'homme arrive
Alors qu'on y pense le moins.

Cette dernière heure venue
Donne bien d'autres sentiments,
Et sur les vieux dérèglements
Fait bien jeter une autre vue;
Avec combien de repentirs
Voudrait un cœur gros de soupirs
Pouvoir lors haïr ce qu'il aime.
Et combien avoir acheté
Le temps de prendre sur soi-même
Vengeance de sa lâcheté!

Oh! qu'heureux est celui qui montre
A toute heure un esprit fervent,
Et qui se tient tel en vivant,
Qu'il veut que la mort le rencontre!
Toi qui prétends à bien mourir,
Écoute l'art d'en acquérir
La véritable confiance,

Et vois quel est ce digne effort
Qui peut mettre ta conscience
Au chemin d'une bonne mort :

Un parfait mépris de la terre,
Des vertus un ardent désir,
Suivre sa règle avec plaisir,
Faire au vice une rude guerre,
S'attacher à son châtiment,
Obéir tôt et pleinement,
Se quitter, se haïr soi-même,
Et supporter d'un ferme esprit
L'adversité la plus extrême
Pour l'amour seul de Jésus-Christ.

Mais il faut une âme agissante
Tandis que dure ta vigueur :
Où la santé manque de cœur
La maladie est impuissante :
Ses abattements, ses douleurs,
Rendent fort peu d'hommes meilleurs,
Non plus que les plus grands voyages;
Souvent les travaux en sont vains,
Et les plus longs pèlerinages
N'ont jamais fait beaucoup de saints.

Prends peu d'assurance aux prières
Qu'on te promet après ta mort,
Et pour te faire un saint effort
N'attends point les heures dernières :
Et tes proches et tes amis
Oublieront ce qu'ils t'ont promis
Plus tôt que tu ne t'imagines;
Et qui peut attendre si tard
A répondre aux grâces divines,
Met son salut en grand hasard.

Tu dois envoyer par avance
Tes bonnes œuvres devant toi,
Qui de ton juge et de ton roi
Puissent préparer la clémence.
L'espérance au secours d'autrui
N'est pas toujours un bon appui
Près de sa majesté suprême;
Et si tu veux bien négliger
Toi-même le soin de toi-même,
Peu d'autres s'en voudront charger.

Travaille donc et sans remise :
Chaque moment est précieux;
Chaque instant peut t'ouvrir les cieux;
Prends un temps qui te favorise :
Mais, hélas! qu'avec peu de fruit
L'homme, par soi-même séduit,
Endure qu'on l'en sollicite,
Et qu'il aime à perdre ici-bas
Le temps d'amasser un mérite
Qui fait vivre après le trépas!

Un temps viendra, mais déplorable,

Que tes yeux, en vain mieux ouverts
Te feront voir combien tu perds
Dans cette perte irréparable;
Les soins tardifs de t'amender
Auront alors beau demander
Encore un jour, encore une heure,
Il faudra partir promptement,
Et la soif d'une fin meilleure
N'obtiendra pas un seul moment.

Penses-y sans cesse et sans feinte;
Ce grand péril se peut gauchir,
Et la crainte peut t'affranchir
Des plus justes sujets de crainte :
Quiconque à la mort se résout,
Qui la voit et la craint partout,
A peu de chose à craindre d'elle;
Et le plus assuré secours
Contre les traits d'une infidèle,
C'est de s'en défier toujours.

Qu'une pieuse et sainte adresse,
Servant de règle à tes désirs,
Dispose tes derniers soupirs
A moins d'effroi que d'allégresse :
Meurs à tous les mortels appas,
Afin qu'en Dieu par le trépas
Tu puisses commencer à vivre,
Et qu'un plein mépris de ces lieux
Te donne liberté de suivre
Jésus-Christ jusque dans les cieux.

Qu'une sévère pénitence
N'épargne point ici ton corps,
Si tu veux recueillir alors
Les fruits d'une entière constance :
De ses plus âpres châtiments
Naîtront les plus doux sentiments
D'une confiance certaine;
Et plus on l'aura maltraité,
Plus l'âme, forte de sa peine,
Prendra son vol en sûreté.

D'où te vient la folle espérance
De faire en terre un long séjour,
Toi qui n'as pas même un seul jour
Où tes jours soient en assurance?
Combien en trompe un tel espoir!
Et combien en laisse-t-il choir
Dans le plus beau de leur carrière,
Combien tout à coup défaillir,
Et précipiter dans la bière
La vaine attente de vieillir!

Combien de fois entends-tu dire :
Celui-ci vient d'être égorgé,
Celui-là d'être submergé,
Cet autre dans les feux expire;
L'un écrasé subitement
Sous les débris d'un bâtiment

A fini ses jours et ses vices;
L'autre au milieu d'un grand repas,
L'autre parmi d'autres délices
S'est trouvé surpris du trépas;

L'un est percé d'un plomb funeste,
L'autre dans le jeu rend l'esprit;
Tel meurt étranglé dans son lit,
Et tel étouffé de la peste!
Ainsi mille genres de morts,
Par mille différents efforts,
Des mortels retranchent le nombre,
L'ordre en ce point seul est pareil
Qu'ils passent tous ainsi qu'une ombre
Qu'efface et marque le soleil.

Parmi les vers et la poussière
Qui daignera chercher ton nom,
Et pour obtenir ton pardon
Hasarder la moindre prière?
Fais, fais ce que tu peux de bien,
Donne aux saints devoirs d'un chrétien
Tout ce que Dieu te donne à vivre :
Tu ne sais quand tu dois mourir,
Et moins encore ce qui doit suivre
Les périls qu'il y faut courir.

Tandis que le temps favorable
Te donne loisir d'amasser,
Amasse, mais sans te lasser,
Une richesse perdurable;
Donne-toi pour unique but
Le grand œuvre de ton salut
Autant que le peut ta faiblesse;
N'embrasse aucun autre projet,
Et prends tout souci pour bassesse,
S'il n'a ton Dieu pour seul objet.

Fais des amis pour l'autre vie;
Honore les saints ici-bas,
Et tâche d'affermir tes pas
Dans la route qu'ils ont suivie,
Range-toi sous leur étendard,
Afin qu'à l'heure du départ
Ils fassent pour toi des miracles,
Et qu'ils viennent te recevoir
Dans ces lumineux tabernacles
Où la mort n'a point de pouvoir.

Ne tiens sur la terre autre place
Que d'un pèlerin sans arrêt,
Qui ne prend aucun intérêt
Aux soins dont elle s'embarrasse;
Tiens-y-toi comme un étranger
Qui dans l'ardeur de voyager
N'a point de cité permanente;
Tiens-y ton cœur libre en tout lieu,
Mais d'une liberté fervente
Qui s'élève et s'attaché à Dieu.

Pousse jusqu'à lui tes prières
Par de sacrés élancements;
Joins-y mille gémissements,
Joins-y des larmes journalières.
Ainsi ton esprit bienheureux
Puisse d'un séjour dangereux
Passer en celui de la gloire!
Ainsi la mort pour l'y porter
Règne toujours en ta mémoire!
Ainsi Dieu te daigne écouter!

24. DU JUGEMENT, ET DES PEINES DU PÉCHÉ.

Corps ou sujet de l'emblème : *Le jugement dernier et universel.* Ame ou sentence : *Tunc gaudebit omnis devotus et moerebit omnis irreligiosus.* (Str. 20.)

Homme, quoi qu'ici-bas tu veuilles entreprendre,
Songe à ce compte exact qu'un jour il en faut rendre,
Et mets devant tes yeux cette dernière fin
Qui fera ton mauvais ou ton heureux destin.
Regarde avec quel front tu pourras comparaître
Devant le tribunal de ton souverain maître,
Devant ce juste juge à qui rien n'est caché,
Qui jusque dans ton cœur sait lire ton péché,
Qu'aucun don n'éblouit, qu'aucune erreur n'abuse,
Que ne surprend jamais l'adresse d'une excuse,
Qui rend à tous justice et pèse au même poids
Ce que font les bergers et ce que font les rois.
   Misérable pécheur, que sauras-tu répondre
A ce Dieu qui sait tout, et viendra te confondre,
Toi que remplit souvent d'un invincible effroi
Le courroux passager d'un mortel comme toi?
   Donne pour ce grand jour, donne ordre à tes affaires,
Pour ce grand jour, le comble ou la fin des misères,
Où chacun, trop chargé de son propre fardeau,
Son propre accusateur et son propre bourreau,
Répondra par sa bouche, et seul, à sa défense,
N'aura point de secours que de sa pénitence.
   Cours donc avec chaleur aux emplois vertueux;
Maintenant ton travail peut être fructueux,
Tes douleurs maintenant peuvent être écoutées,
Tes larmes jusqu'au ciel être soudain portées,
Tes soupirs de ton juge apaiser la rigueur,
Ton repentir lui plaire, et nettoyer ton cœur.
Oh! que la patience est un grand purgatoire
Pour laver de ce cœur la tache la plus noire!
Que l'homme le blanchit lorsqu'il le dompte au point
De souffrir un outrage et n'en murmurer point;
Lorsqu'il est plus touché du mal que se procure
L'auteur de son affront, que de sa propre injure,
Lorsqu'il élève au ciel ses innocentes mains
Pour le même ennemi qui rompt tous ses desseins.
Qu'avec sincérité promptement il pardonne,
Qu'il demande pardon de même qu'il le donne,
Que sa vertu commande à son tempérament,
Que sa bonté prévaut sur son ressentiment,
Que lui-même à toute heure il se fait violence

Pour vaincre de ses sens la mutine insolence,
Et que pour seul objet partout il se prescrit
D'assujettir la chair sous les lois de l'esprit!
   Ah! qu'il vaudrait bien mieux par de saints exercices
Purger nos passions, déraciner nos vices,
Et nous-mêmes en nous à l'envi les punir,
Qu'en réserver la peine à ce long avenir!
Mais ce que nous avons d'amour désordonnée
Pour cette ingrate chair à nous perdre obstinée,
Nous-mêmes nous séduit, et l'arme contre nous
De tout ce que nos sens nous offrent de plus doux.
   Qu'auront à dévorer les éternelles flammes
Que cette folle amour où s'emportent les âmes,
Cet amas de péchés, ce détestable fruit
Que cette chair aimée au fond des cœurs produit?
Plus tu suis ses conseils et te fais ici grâce,
Plus de matière en toi pour ces flammes s'entasse;
Et ta punition que tu veux reculer
Prépare à l'avenir d'autant plus à brûler.
   Là, par une justice effroyable à l'impie,
Par où chacun offense il faudra qu'il l'expie;
Les plus grands châtiments y seront attachés
Aux plus longues douceurs de nos plus grands péchés.
   Dans un profond sommeil la paresse enfoncée
D'aiguillons enflammés s'y trouvera pressée,
Et les cœurs que charmait sa molle oisiveté
Gémiront sans repos toute l'éternité.
   L'ivrogne et le gourmand recevront leurs supplices
Du souvenir amer de leurs chères délices,
Et ces repas traînés jusques au lendemain
Mêleront leur idée aux rages de la faim.
   Les sales voluptés dans le milieu d'un gouffre
Parmi les puanteurs de la poix et du soufre
Laisseront occuper aux plus cruels tourments
Les lieux les plus flattés de leurs chatouillements.
   L'envieux qui verra du plus creux de l'abîme
Le ciel ouvert aux saints et fermé pour son crime,
D'autant plus furieux, hurlera de douleur
Pour leur félicité plus que pour son malheur.
   Tout vice aura sa peine à lui seul destinée [35];
La superbe à la honte y sera condamnée,
Et, pour punir l'avare avec sévérité,
La pauvreté qu'il fuit aura sa cruauté.
   Là sera plus amère une heure de souffrance
Que ne le sont ici cent ans de pénitence;
Là jamais d'intervalle ou de soulagement
N'affaiblit des damnés l'éternel châtiment :
Mais ici nos travaux peuvent reprendre haleine,
Souffrir quelque relâche à la plus juste peine;
L'espoir d'en voir la fin à toute heure est permis,
Tandis qu'on s'en console avecque ses amis.
   Romps-y donc du péché les noires habitudes
A force de soupirs, de soins, d'inquiétudes,
Afin qu'en ce grand jour ce juge rigoureux
Te mette en sûreté parmi les bienheureux :
Car les justes alors avec pleine constance   [geance,
Des maux par eux soufferts voudront prendre ven-

---

35. On sait que Corneille avait un Dante dans sa bibliothèque. S'il n'eut jamais l'occasion de s'en servir pour son théâtre, il s'en souvient visiblement dans tout ce chapitre.

Et d'un regard farouche ils paraîtront armés
Contre les gros pécheurs qui les ont opprimés.

Tu verras lors assis au nombre de tes juges
Ceux qui jadis chez toi cherchaient quelques refuges,
Et tu seras jugé par le juste courroux
De qui te demandait la justice à genoux.

L'humble alors et le pauvre après leur patience
Rentreront à la vie en paix, en confiance,
Cependant que le riche avec tout son orgueil,
Pâle et tremblant d'effroi, sortira du cercueil.

Lors aura son éclat la sagesse profonde
Qui passait pour folie aux mauvais yeux du monde;
Une gloire sans fin sera le digne prix
D'avoir souffert pour Dieu l'opprobre et le mépris.

Lors tous les déplaisirs endurés sans murmure
Seront changés en joie inépuisable et pure;
Et toute iniquité confondant son auteur
Lui fermera la bouche et rongera le cœur.

Point lors, point de dévots sans entière allégresse,
Point lors de libertins sans profonde tristesse;
Ceux-là s'élèveront dans les ravissements,
Ceux-ci s'abîmeront dans les gémissements;
Et la chair qu'ici-bas on aura maltraitée,
Que la règle ou le zèle auront persécutée,
Goûteront plus alors de solides plaisirs
Que celle que partout on livre à ses désirs.

Les lambeaux mal tissus de la robe grossière
Des plus brillants habits terniront la lumière;
Et les princes verront les chaumes préférés
Au faîte ambitieux de leurs palais dorés.

La longue patience aura plus d'avantage
Que tout ce vain pouvoir qu'a le monde en partage;
La prompte obéissance et sa simplicité,
Que tout ce que le siècle a de subtilité.

La joie et la candeur des bonnes consciences
Iront lors au-dessus des plus hautes sciences;
Et du mépris des biens les plus légers efforts
Seront de plus grand poids que les plus grands trésors.

Tu sentiras ton âme alors plus consolée
D'une oraison dévote à tes soupirs mêlée,
Que d'avoir fait parade en de pompeux festins
Du choix le plus exquis des viandes et des vins.

Tu te trouveras mieux de voir vif dans la balance
L'heureuse fermeté d'un rigoureux silence
Que d'y voir l'embarras et les distractions
D'un cœur qui s'abandonne aux conversations;
D'y voir de bons effets que de belles paroles,
Des actes de vertus que des discours frivoles,
D'y voir la pénitence avec sa dureté,
D'y voir l'étroite vie avec son âpreté,
Que la douce mollesse où flotte vagabonde
Une âme qui s'endort dans les plaisirs du monde.

Apprends qu'il faut souffrir quelques petits malheurs
Pour t'affranchir alors de ces pleines douleurs :
Éprouve ici ta force, et fais sur peu de chose
Un faible essai des maux où l'avenir t'expose;
Ils seront éternels, et tu crains d'endurer
Ceux qui n'ont ici-bas qu'un moment à durer!
Si leurs moindres assauts, leur moindre expérience
Te jette dans le trouble et dans l'impatience,

Au milieu des enfers, où ton péché va choir,
Jusques à quelle rage ira ton désespoir?
Souffre, souffre sans bruit; quoi que le ciel t'envoie,
Tu ne saurais avoir de deux sortes de joie,
Remplir de tes désirs ici l'avidité,
Et régner avec Dieu dedans l'éternité.

Quand depuis ta naissance on aurait vu ta vie
D'honneurs jusqu'à ce jour et de plaisirs suivie,
Qu'aurait tout cet amas qui te pût secourir,
Si dans ce même instant il te fallait mourir?
Tout n'est que vanité : gloire, faveurs, richesses,
Passagères douceurs, trompeuses allégresses,
Tout n'est qu'amusement, tout n'est que faux appui,
Hormis d'aimer Dieu seul, et ne servir que lui.
Qui de tout son cœur l'aime y borne ses délices :
Il ne craint mort, enfer, jugement, ni supplices;

De ce parfait amour le salutaire excès
Près de l'objet aimé lui donne un sûr accès :
Mais lorsque le pécheur aime encor que du vice
La funeste douceur dans son âme se glisse,
Il n'est pas merveilleux s'il tremble incessamment
Au seul nom de la mort, ou de ce jugement.

Il est bon toutefois que l'ingrate malice,
En qui l'amour de Dieu cède aux attraits du vice,
Du moins cède à son tour à l'effroi des tourments
Qui l'arrache par force à ses dérèglements.
Si pourtant cette crainte est en toi la maîtresse,
Sans que celle de Dieu soutienne ta faiblesse,
Ce mouvement servile, indigne d'un chrétien,
Dédaignera bientôt les sentiers du vrai bien,
Et te laissera faire une chute effroyable
Dans les pièges du monde et les filets du diable.

25. DU FERVENT AMENDEMENT DE TOUTE LA VIE.

*Corps ou sujet de l'emblème : Sainte Élisabeth de Hongrie
visite les malades et suce le pus de leurs ulcères, qui
font mal au cœur aux demoiselles de sa suite. Ame ou
sentence : Tantum proficies, quantum tibi ipsi vim intuleris.*
(Str. 26.)

De ton zèle envers Dieu bannis la nonchalance;
Porte un amour actif dans un cœur enflammé;
Souviens-toi que le cloître où tu t'es enfermé
Veut de l'intérieur et de la vigilance;
Demande souvent compte au secret de ton cœur
Du dessein qui t'en fit épouser la rigueur,
Et renoncer au siècle, à sa pompe, à ses charmes;
N'était-ce pas pour vivre à Dieu seul attaché,
Pour embrasser la croix, pour la baigner de larmes,
Et t'épurer l'esprit dans l'horreur du péché?

Montre en ce grand dessein une ferveur constante,
Et pour un saint progrès rends ce cœur tout de feu;
Ta récompense est proche, elle est grande, et dans peu
Son excès surprenant passera ton attente.
A tes moindres souhaits tu verras lors s'offrir,

Non plus de quoi trembler, non plus de quoi souffrir,
Mais du solide bien l'heureuse plénitude;
Tes yeux admireront son immense valeur;
Tu l'obtiendras sans peine et sans inquiétude,
Et la posséderas sans crainte et sans douleur.

Ne dors pas cependant, prends courage, et l'emploie
Aux précieux effets d'un vertueux propos.
D'une heure de travail doit naître un long repos,
D'un moment de souffrance une éternelle joie.
C'est Dieu qui te promet cette félicité :
Si tu sais le servir avec fidélité,
Il sera, comme toi, fidèle en ses promesses;
Sa main quand tu combats cherche à te couronner,
Et sa profusion, égale à ses richesses,
Ne voit tous ses trésors que pour te les donner.

Conçois, il t'en avoue, une haute espérance
De remporter la palme en combattant sous lui :
Espère un plein triomphe avec un tel appui :
Mais garde-toi d'en prendre une entière assurance.
Les philtres dangereux de cette illusion
Charment si puissamment, que dans l'occasion
Nous laissons de nos mains échapper la victoire;
Et quand le souvenir d'avoir le mieux vécu
Relâche la ferveur à quelque vaine gloire,
Qui s'assure de vaincre est aisément vaincu.

Un jour, un grand dévot dont l'âme, encor que sainte
Flottait dans une longue et triste anxiété,
Et tournait sans repos son instabilité
Tantôt vers l'espérance, et tantôt vers la crainte,
Accablé sous le poids de cet ennui mortel,
Prosterné dans l'église au-devant d'un autel,
Roulait cette inquiète et timide pensée :
« O Dieu! si je savais, disait-il en son cœur,
Qu'enfin ma lâcheté par mes pleurs effacée,
De bien persévérer me laissât la vigueur! »

Une céleste voix de lui seul entendue
A sa douleur secrète aussitôt répondit,
Et par un doux oracle à l'instant lui rendit
Le calme qui manquait à son âme éperdue :
« Eh bien! que ferais-tu? dit cette aimable voix.
Montre la même ardeur que si tu le savais,
Et fais dès maintenant ce que tu voudrais faire;
Commence, continue, et ne perds point de temps
Applique tous tes soins à m'aimer, à me plaire,
Et demeure assuré de ce que tu prétends. »

Ainsi Dieu conforta cette âme désolée.
Cette âme en crut ainsi la divine bonté,
Et soudain vit céder à la tranquillité
Les agitations qui l'avaient ébranlée;
Un parfait abandon au souverain vouloir
Dans l'avenir obscur ne chercha plus à voir
Que les moyens de plaire à l'auteur de sa joie;
Un bon commencement fit son ambition,
Et son unique soin fut de prendre la voie
Qui pût conduire l'œuvre à sa perfection.

Espère, espère en Dieu, fais du bien sur la terre,
Tu recevras du ciel l'abondance des biens;
C'est par là que David t'enseigne les moyens
De te rendre vainqueur en cette rude guerre [36].
Une chose, il est vrai, fait souvent balancer,
Attiédit en plusieurs l'ardeur de s'avancer,
Et dès le premier pas les retire en arrière :
C'est que le cœur, sensible encor aux voluptés,
Ne s'ouvre qu'en tremblant cette rude carrière
Tant il conçoit d'horreur de ses difficultés.

L'objet de cette horreur te doit servir d'amorce,
La grandeur des travaux ennoblit le combat,
Et la gloire de vaincre a d'autant plus d'éclat
Que pour y parvenir on fait voir plus de force.
L'homme qui porte en soi son plus grand ennemi,
Plus, à se bien haïr saintement affermi,
Il trouve en l'amour-propre une âpre résistance,
Plus il a de mérite à se dompter partout;
Et la grâce, que Dieu mesure à sa constance,
D'autant plus dignement l'en fait venir à bout.

Tous n'ont pas toutefois mêmes efforts à faire,
Comme ils n'ont pas en eux à vaincre également,
Et la diversité de leur tempérament
Leur donne un plus puissant ou plus faible adversaire;
Mais un esprit ardent aux saintes fonctions,
Quoiqu'il ait à forcer beaucoup de passions,
Tout chargé d'ennemis, fera plus de miracles
Qu'un naturel bénin, doux, facile, arrêté,
Qui, ne ressentant point en soi de grands obstacles,
S'enveloppe et s'endort dans sa tranquillité.

Agis donc fortement, et fais-toi violence
Pour te soustraire au mal où tu te vois pencher,
Examine quel bien tu dois le plus chercher,
Et portes-y soudain toute ta vigilance :
Mais ne crois pas en toi le voir jamais assez;
Tes sens à te flatter toujours intéressés
T'en pourraient souvent faire une fausse peinture;
Porte les yeux plus loin, et regarde en autrui
Tout ce qui t'y déplaît, tout ce qu'on y censure,
Et déracine en toi ce qui te choque en lui.

Dans ce miroir fidèle exactement contemple
Ce que sont en effet et ce mal et ce bien;
Et, les considérant d'un œil vraiment chrétien,
Fais ton profit du bon et du mauvais exemple;
Que l'un allume en toi l'ardeur de l'imiter,
Que l'autre excite en toi les soins de l'éviter,
Ou, si tu l'as suivi, d'en effacer la tache;
Sers toi-même d'exemple, et t'en fais une loi,
Puisque ainsi que ton œil sur les autres s'attache,
Les autres à leur tour attachent l'œil sur toi.

Oh! qu'il est doux de voir une ferveur divine
Dans les religieux nourrir la sainteté!
Qu'on admire avec joie en eux la fermeté

36. *Psaume XXXVI*, 3e verset.

Et de l'obéissance et de la discipline!
Qu'il est dur au contraire et scandaleux d'en voir
S'égarer chaque jour du cloître et du devoir,
Divaguer en désordre, et s'empresser d'affaires,
Désavouer l'habit par l'inclination,
Et pour des embarras un peu trop volontaires
Négliger les emplois de leur vocation!

Souviens-toi de tes vœux, et pense à quoi t'engage
Ce vertueux projet dont ton âme a fait choix.
Mets-toi devant les yeux un Jésus-Christ en croix,
Et jusques en ton cœur fais-en passer l'image :
À l'aspect amoureux de ce mourant Sauveur
Combien dois-tu rougir de ton peu de ferveur,
Et du peu de rapport de ta vie à sa vie!
Et quand il te dira : « Je t'appelais aux cieux,
Je t'ai mis en la voie, et tu l'as mal suivie, »
Combien doivent couler de larmes de tes yeux!

O! qu'un religieux heureusement s'exerce
Sur cette illustre vie et cette indigne mort!
Que tout ce qui peut faire ici-bas un doux sort
Se trouve abondamment dans ce divin commerce!
Qu'avec peu de raison il chercherait ailleurs
Des secours plus puissants, ou des emplois meilleurs!
Qu'avec pleine clarté la grâce l'illumine!
Que son intérieur en est fortifié,
Et se fait promptement une haute doctrine
Quand il grave en son cœur un Dieu crucifié!

Sa paix est toujours ferme, et, quoi qu'on lui com-
Il s'y porte avec joie et court avec chaleur : [mande,
Mais le tiède, au contraire, a douleur sur douleur,
Et voit fondre sur lui tout ce qu'il appréhende;
L'angoisse, le chagrin, les contrariétés,
Dans son cœur inquiet tombant de tous côtés,
Lui donnent les ennuis et le trouble en partage :
Il demeure accablé sous leurs moindres efforts,
Parce que le dedans n'a rien qui le soulage,
Et qu'il n'ose ou ne peut en chercher au dehors.

Oui, le religieux qui hait la discipline,
Qu'importune la règle, à qui pèse l'habit,
Qui par ses actions chaque jour se dédit,
Se jette en grand péril d'une prompte ruine.
Qui cherche à vivre au large est toujours à l'étroit;
Dans ce honteux dessein son esprit maladroit
Se gêne d'autant plus qu'il se croit satisfaire;
Et, quoi que de sa règle il ose retrancher,
Le reste n'a jamais si bien de quoi lui plaire
Que ses nouveaux dégoûts n'en veuillent retrancher.

Si ton cœur pour le cloître a de la répugnance,
Jusqu'à grossir l'orgueil de tes sens révoltés,
Regarde ce que font tant d'autres mieux domptés,
Jusqu'où va leur étroite et fidèle observance;
Ils vivent retirés et sortent rarement,
Grossièrement vêtus et nourris pauvrement,
Travaillent sans relâche ainsi que sans murmure,
Parlent peu, dorment peu, se lèvent du matin,

Prolongent l'oraison, prolongent la lecture,
Et sous ces dures lois font une douce fin.

Vois ces grands escadrons d'âmes laborieuses,
Vois l'ordre des Chartreux, vois celui de Cîteaux,
Vois tout autour de toi mille sacrés troupeaux
Et de religieux et de religieuses;
Vois comme chaque nuit ils rompent le sommeil,
Et n'attendent jamais le retour du soleil
Pour envoyer à Dieu l'encens de ses louanges :
Il te serait honteux d'avoir quelque lenteur
Alors que sur la terre un si grand nombre d'anges
S'unit à ceux du ciel pour bénir leur auteur.

Oh! si nous pouvions vivre et n'avoir rien à faire
Qu'à dissiper en nous cette infâme langueur,
Qu'à louer ce grand Maître et de bouche et de cœur,
Sans que rien de plus bas nous devînt nécessaire!
Oh! si l'âme chrétienne et ses plus saints transports
N'étaient point asservis aux faiblesses du corps;
Aux besoins de dormir, de manger et de boire!
Si rien n'interrompait un soin continuel
De publier de Dieu les bontés et la gloire,
Et d'avancer l'esprit dans le spirituel!

Que nous serions heureux! qu'un an, un jour, une
Nous ferait bien goûter plus de félicité   [heure,
Que les siècles entiers de la captivité
Où nous réduit la chair dans sa triste demeure!
O Dieu! pourquoi faut-il que ces infirmités,
Ces journaliers tributs, soient des nécessités
Pour tes vivants portraits qu'illumine ta flamme?
Pourquoi pour subsister sur ce lourd élément
Faut-il d'autres repas que les repas de l'âme?
Pourquoi les goûtons-nous, ô Dieu! si rarement?

Quand l'homme se possède, et que les créatures
N'ont aucunes douceurs qui puissent l'arrêter,
C'est alors qu'il sans peine il commence à goûter
Combien le Créateur est doux aux âmes pures;
Alors, quoi qu'il arrive ou de bien ou de mal,
Il vit toujours content, et d'un visage égal
Il reçoit la mauvaise et la bonne fortune;
L'abondance sur lui tombe sans l'émouvoir,
La pauvreté pour lui n'est jamais importune,
La gloire et le mépris n'ont qu'un même pouvoir.

C'est lors entièrement en Dieu qu'il se repose,
En Dieu, sa confiance et son unique appui,
En Dieu, qu'il voit partout, en soi-même, en autrui,
En Dieu pour qui son âme est tout en toute chose.
Où qu'il soit, quoi qu'il fasse, il redoute, il chérit
Cet Être universel qui rien ne périt,
Et dans qui tout conserve une immortelle vie,
Qui ne connaît jamais diversité de temps
Et dont la voix sitôt de l'effet est suivie
Que dire et faire en lui ne sont point deux instants.

Toi qui, bien que mortel, inconstant, misérable,
Peux avec son secours aisément te sauver,

Souviens-toi de la fin où tu dois arriver,
Et que le temps perdu n'est jamais réparable.
Va, cours, vole sans cesse aux emplois fructueux ;
Cette sainte chaleur qui fait les vertueux
Veut des soins assidus et de la diligence ;
Et du moment fatal que ton manque d'ardeur
T'osera relâcher à quelque négligence,
Mille peines suivront ce moment de tiédeur.

Que si dans un beau feu ton âme persévère,
Tu n'auras plus à craindre aucun funeste assaut,
Et l'amour des vertus joint aux grâces d'en haut
Rendra de jour en jour ta peine plus légère.
Le zèle et la ferveur peuvent nous préparer
A quoi qu'en cette vie il nous faille endurer ;
Ils sèment des douceurs au milieu des supplices :
Mais, ne t'y trompe pas, il faut d'autres efforts,
Il en faut de plus grands à résister aux vices,
A se dompter l'esprit, qu'à se gêner le corps.

L'âme aux petits défauts souvent abandonnée
En de plus dangereux se laisse bientôt choir,
Et la parfaite joie arrive avec le soir
Chez qui sait avec fruit employer la journée.
Veille donc sur toi-même et sur tes appétits,
Excite, échauffe-toi toi-même, et t'avertis ;
Quoi qu'il en soit d'autrui, jamais ne te néglige :
Gêne-toi, force-toi, change de bien en mieux ;
Plus se fait violence un cœur qui se corrige,
Plus son progrès va haut dans la route des cieux.

LIVRE SECOND

1. DE LA CONVERSATION INTÉRIEURE.

Corps ou sujet de l'emblème : *La sainte Vierge est choisie
pour être mère de Dieu, à cause de sa pureté et beauté
intérieure.* Ame ou sentence : *Omnis gloria ejus et decor
ab intra est.* (Str. 4.)

« Sachez que mon royaume est au dedans de vous, »
    Dit le céleste Époux
    Aux âmes de ses chers fidèles.
Élève donc la tienne où l'appelle sa voix.
Quitte pour lui le monde, et laisse aux criminelles
    Ce triste canton de rebelles,
Et tu rencontreras le repos sous ses lois.

Apprends à mépriser les pompes inconstantes
    De ces douceurs flottantes
    Dont le dehors brille à tes yeux ;
Apprends à recueillir ce qu'une sainte flamme
Dans un intérieur verse de précieux,
    Et soudain du plus haut des cieux
Le royaume de Dieu descendra dans ton âme.

Car enfin ce royaume est une forte paix
    Qui de tous les souhaits
    Bannit la vaine inquiétude ;
Une stable allégresse, et dont le Saint-Esprit
Répandant sur les bons l'heureuse certitude,
    L'impie et noire ingratitude
Jamais ne la reçut, jamais ne la comprit.

Jésus viendra chez toi lui-même la répandre,
    Si ton cœur pour l'attendre
    Lui dispose un digne séjour :
La gloire qui lui plaît et la beauté qu'il aime
De l'éclat du dedans tirent leur plus beau jour ;
    Et pour te donner son amour
Il ne veut rien de toi qui soit hors de toi-même.

Il y fera pleuvoir mille sortes de biens
    Par les doux entretiens
    De ses amoureuses visites ;
Un plein épanchement de consolations,
Un calme inébranlable, une paix sans limites,
    Et l'abondance des mérites,
Y suivront à l'envi ses conversations.

Courage donc, courage, âme sainte : prépare
    Pour un bonheur si rare
    Un cœur tout de zèle et de foi ;
Que ce divin Époux daigne à cette même heure,
S'y voyant seul aimé, seul reconnu pour roi,
    Entrer chez toi, loger chez toi,
Et jusqu'à ton départ y faire sa demeure.

Lui-même il l'a promis : « Si quelqu'un veut m'aimer,
    Il doit se conformer,
    Dit-il [37], à ce que je commande ;
Alors mon Père et moi nous serons son appui,
Nous le garantirons de quoi qu'il appréhende ;
    Et, pour sa sûreté plus grande,
Nous viendrons jusqu'à lui pour demeurer chez lui. »

Ouvre-lui tout ce cœur ; et, quoi qu'on te propose,
    Tiens-en la porte close
    A tout autre objet qu'à sa croix :
Lui seul pour te guérir a d'assurés remèdes,
Lui seul pour t'enrichir abandonne à ton choix
    Plus que tous les trésors des rois,
Et tu possèdes tout lorsque tu le possèdes.

Il pourvoira lui-même à tes nécessités,
    Et ses hautes bontés
    Partout soulageront tes peines ;
Il te sera fidèle, et son divin pouvoir
T'en donnera partout des preuves si soudaines,
    Que les assistances humaines
N'auront ni temps ni lieu d'amuser ton espoir.

Des peuples et des grands la faveur est changeante,
    Et la plus obligeante

37. *Jean, XIV*, 23.

En moins de rien passe avec eux ;
Mais celle de Jésus ne connaît point de terme,
Et s'attache à l'aimé par de si puissants nœuds,
    Que jusqu'au plein effet des vœux,
Jusqu'à la fin des maux elle tient toujours ferme.

Souviens-toi donc toujours, quand un ami te sert
    Le plus à cœur ouvert,
    Que souvent son zèle est stérile ;
Fais peu de fondement sur son plus haut crédit,
Et dans le même instant qu'il t'est le plus utile,
    Crois-le mortel, crois-le fragile,
Et t'attriste encor moins lorsqu'il te contredit.

Tel aujourd'hui t'embrasse et soutient ta querelle,
    Dont l'esprit infidèle
    Dès demain voudra t'opprimer ;
Et tel autre aujourd'hui contre toi s'intéresse,
Que pour toi dès demain tu verras s'animer ;
    Tant pour haïr et pour aimer
Au gré du moindre vent tourne notre faiblesse !

Ne t'assure qu'en Dieu, mets-y tout ton amour
    Jusqu'à ton dernier jour,
    Tout ton espoir, toute ta crainte :
Il conduira ta langue, il réglera tes yeux,
Et, de quelque malheur que tu sentes l'atteinte,
    Jamais il n'entendra ta plainte
Qu'il ne fasse pour toi ce qu'il verra de mieux.

L'homme n'a point ici de cité permanente,
    Où qu'il soit, quoi qu'il tente,
    Il n'est qu'un malheureux passant ;
Et si, dans les travaux de son pèlerinage,
L'effort intérieur d'un cœur reconnaissant
    Ne l'unit au bras tout-puissant,
Il s'y promet en vain le calme après l'orage.

Que regardes-tu donc, mortel, autour de toi,
    Comme si quelque emploi
    T'y faisait une paix profonde ?
C'est au ciel, c'est en Dieu qu'il te faut habiter ;
C'est là, c'est en lui seul qu'un vrai repos se fonde ;
    Et, quoi qu'étale ici le monde,
Ce n'est qu'avec dédain que l'œil s'y doit prêter.

Tout ce qu'il te présente y passe comme une ombre,
    Et toi-même es du nombre
    De ces fantômes passagers :
Tu passeras comme eux, et ta chute funeste
Suivra l'attachement à ces objets légers,
    Si pour éviter ces dangers
Tu ne romps avec toi comme avec tout le reste.

De ce triste séjour où tout n'est que défaut,
    Jusqu'aux pieds du Très-Haut,
    Sache relever ta pensée ;
Qu'à force de soupirs, de larmes et de vœux,
Jusques à Jésus-Christ ta prière poussée
    Lui montre une ardeur empressée

D'où sans cesse pour lui partent de nouveaux feux.

Si tu t'y sens mal propre, et qu'entre tant d'épines
    Jusqu'aux grandeurs divines
    Tes forces ne puissent monter,
S'il faut que sur la terre encore tu les essaies,
Sa Passion t'y donne assez où t'arrêter ;
    Mais il faut pour la bien goûter
Affermir ta demeure au milieu de ses plaies.

Prends ce dévot refuge en toutes tes douleurs,
    Et tes plus grands malheurs
    Trouveront une issue aisée ;
Tu sauras négliger quoi qu'il faille souffrir ;
Les mépris te seront des sujets de risée,
    Et la médisance abusée
Ne dira rien de toi dont tu daignes t'aigrir.

Le Monarque du ciel, le Maître du tonnerre,
    Méprisé sur la terre,
    Dans l'opprobre y finit ses jours ;
Au milieu de sa peine, au fort de sa misère,
Il vit tous ses amis lâches, muets et sourds :
    Tout lui refusa du secours,
Et tout l'abandonna jusqu'à son propre Père.

Cet abandon lui plut, il aima ce mépris,
    Et pour être ton prix
    Il voulut être ta victime ;
Innocent qu'il était il voulut endurer ;
Et toi, dont la souffrance est moindre que le crime,
    Tu t'oses plaindre qu'on t'opprime,
Et croire que tes maux valent en murmurer !

Il eut des ennemis, il vit la médisance
    Noircir en sa présence
    Ses plus sincères actions ;
Et tu veux que chacun avec soin te caresse,
Que chacun soit jaloux de tes affections,
    Qu'il coure à tes intentions,
Et pour te mieux servir à l'envi s'intéresse !

Dans les adversités l'âme fait ses trésors
    Des misères du corps ;
    Ce sont les épreuves des bonnes ;
Leur patience amasse alors sans se lasser :
Mais où pourra la tienne emporter des couronnes,
    Si tous les soins que tu te donnes
N'ont pour but que de fuir ce qui peut l'exercer ?

Tu vois ton Maître en croix, où ton péché le tue,
    Et tu peux à sa vue
    Te rebuter de quelque ennui !
Ah ! ce n'est pas ainsi qu'on a part à sa gloire ;
Change, pauvre pécheur, change dès aujourd'hui :
    Souffre avec lui, souffre pour lui,
Si tu veux avec lui régner par sa victoire.

Si tu peux dans son sein une fois pénétrer
    Jusqu'où savent entrer

Les ardeurs d'un amour extrême ;
Si tu peux faire en terre un essai des plaisirs
Où ce parfait amour abîme un cœur qui l'aime,
Tu verras bientôt pour toi-même
Ta sainte indifférence avoir peu de désirs.

Il t'importera peu que le monde s'en joue,
Et t'offre de la roue
Ou le dessus ou le dessous :
Plus cet amour est fort, plus l'homme se méprise ;
Les opprobres n'ont rien qui ne lui semble doux,
Et plus rudes en sont les coups,
Plus il voit que de Dieu la main le favorise.

L'amoureux de Jésus et de la vérité
Avec sévérité
Au dedans de soi se ramène ;
Et depuis que son cœur pleinement s'affranchit
De toute affection désordonnée et vaine,
De toute ambition humaine,
Dans ce retour vers Dieu sans obstacle il blanchit.

Son âme détachée, et libre autant que pure,
Par-dessus la nature
Sans peine apprend à s'élever :
Sitôt que de soi-même il cesse d'être esclave,
Un ferme et vrai repos chez lui le vient trouver
Et quand il a pu se braver,
Il n'a point d'ennemis qu'aisément il ne brave.

Il sait donner à tout un véritable prix,
Sans peser le mépris
Ou l'estime qu'en fait le monde :
Vraiment il peut dire en tout lieu
Qu'il ne tient point de lui sa doctrine profonde,
Et que celle dont il abonde
Ne se puise jamais qu'en l'école de Dieu.

Dedans l'intérieur il ordonne sa voie,
Et dehors, quoi qu'il voie,
Tout est peu de chose à ses yeux :
Le zèle qui partout règne en sa conscience
N'attend pour s'exercer ni les temps ni les lieux,
Et pour aller de bien en mieux
Tout lieu, tout temps est propre à son impatience.

Quelques tentations qui l'osent assaillir,
Prompt à se recueillir,
En soi-même il fait sa retraite ;
Et, comme il s'y retranche avec facilité,
Des attraits du dehors la douceur inquiète
Jamais jusque-là ne l'arrête
Qu'il se répande entier sur leur inanité.

Ni le travail du corps, ni le soin nécessaire
D'une pressante affaire
Ne l'emporte à se disperser ;
Dans tous événements ce zèle trouve place ;
La bonne occasion, il la sait embrasser,

La mauvaise, il la sait passer,
Et faire son profit de ce qui l'embarrasse.

Ce bel ordre au dedans en chasse tout souci
De ce que font ici
Ceux qu'on blâme et ceux qu'on admire ;
Il ferme ainsi la porte à tous empêchements,
Et sait qu'on n'est distrait du bien où l'âme aspire
Qu'autant qu'en soi-même on attire
D'un vain extérieur les prompts amusements.

Si la tienne une fois était bien dégagée,
Bien nette, bien purgée
De ces folles impressions,
Tout la satisferait, tout lui serait utile,
Et Dieu, réunissant tes inclinations,
De toutes occupations
Te ferait en vrais biens une terre fertile.

Mais n'étant pas encore ni bien mortifié,
Ni bien fortifié
Contre les douceurs passagères,
Souvent il te déplaît qu'au lieu de ces vrais biens,
Tu ne te vois rempli que d'images légères,
Dont les promesses mensongères
Troublent à tous moments la route que tu tiens.

Ton cœur aime le monde ; et tout ce qui le brouille,
Tout ce qui plus le souille,
C'est cet impur attachement :
Rejette ses plaisirs, romps avec leur bassesse ;
Et ce cœur, vers le ciel s'élançant fortement,
Saura goûter incessamment
Du calme intérieur la parfaite allégresse.

2. DE L'HUMBLE SOUMISSION.

Corps ou sujet de l'emblème : *Le prophète Daniel
s'humilie devant Dieu, et Dieu lui envoie un ange qui
lui explique les visions qu'il avait eues. Ame ou sentence : Humili sua secreta revelat Deus.* (Str. 8.)

Ne te mets pas beaucoup en peine
De toute la nature humaine
Qui t'aime ou qui te hait, qui te nuit ou te sert ;
Va jusqu'au Créateur, mets ton soin à lui plaire,
Quoi que tu veuilles faire,
Et s'il est avec toi, marche à front découvert.

La bonne et saine conscience
A toujours Dieu pour sa défense,
De qui le ferme appui l'empêche de trembler,
Et reçoit de son bras une si forte garde,
Quand son œil la regarde,
Qu'il n'est point de méchant qui la puisse accabler.

Quoi qu'il t'arrive de contraire,
Apprends à souffrir, à te taire,

Et tu verras sur toi le secours du Seigneur.
Il a pour t'affranchir mille routes diverses,
    Et sait dans ces traverses
Quand et comme il en faut adoucir la rigueur.

    C'est en sa main forte et bénigne
    Qu'il faut que l'homme se résigne,
Quelques maux qu'il prévoie ou puisse ressentir;
A lui seul appartient de nous donner de l'aide;
    A lui seul le remède
Qui de confusion nous peut tous garantir.

    Cependant ce qu'un autre blâme
    Des taches qui souillent notre âme,
Souvent assure en nous la vraie humilité;
Souvent le vain orgueil par là se déracine,
    L'amour-propre se mine,
Et fait place aux vertus avec facilité.

    L'homme qui soi-même s'abaisse,
    Par l'humble aveu de sa faiblesse,
Des plus justes fureurs rompt aisément les coups,
Et satisfait sur l'heure avec si peu de peine,
    Que la plus âpre haine
Ne saurait contre lui conserver de courroux.

    L'humble seul vit comme il faut vivre :
    Dieu le protège et le délivre;
Il l'aime et le console à chaque événement;
Il descend jusqu'à lui pour lui montrer ses traces;
    Il le comble de grâces,
Et l'élève à la gloire après l'abaissement.

    Il répand sur lui ses lumières
    Et les connaissances entières
De ses plus merveilleux et plus profonds secrets;
Il l'invite, il l'attire à ce bonheur extrême,
    Et l'attache à soi-même
Par la profusion de ses plus doux attraits.

    L'humble ainsi trouve tout facile,
    Toujours content, toujours tranquille,
Quelque confusion qu'il lui faille essuyer;
Et comme c'est en Dieu que son repos se fonde
    Sur le mépris du monde,
En Dieu malgré le monde il le sait appuyer.

    Enfin c'est par là qu'on profite,
    C'est par là que le vrai mérite
Au reste des vertus se laisse dispenser.
Quelque éclat qu'à leur prix les tiennes puissent joindre,
    Tiens-toi de tous le moindre,
Ou dans le bon chemin ne crois point avancer.

3. DE L'HOMME PACIFIQUE.

Corps ou sujet de l'emblème : *Saint Étienne prie Dieu pour ceux qui le lapident.* Ame ou sentence : *Nulli novit irasci.* (Str. 12.)

Prépare tes efforts à mettre en paix les autres
    Par ceux de l'affermir chez toi;
Leurs esprits aisément se règlent sur les nôtres,
L'exemple est la plus douce et la plus forte loi.

Ce calme intérieur est le trésor unique
    Qui soit digne de nos souhaits :
L'homme docte sert moins que l'homme pacifique,
Et le fruit du savoir cède à ceux de la paix.

Le savant qui reçoit sa passion pour guide
    N'agit sous elle qu'en brutal;
Le bien lui semble un crime, et sa croyance avide
Vole même au-devant de ce qu'on dit de mal.

Qui se possède en paix est d'une autre nature;
    Il sait tourner le mal en bien,
Il sait fermer l'oreille au bruit de l'imposture,
Et jamais d'aucun autre il ne soupçonne rien.

Mais qui vit mal content et suit l'impatience
    De ses bouillants et vains désirs,
Celui-là n'est jamais sans quelque défiance,
Et voit partout matière à de prompts déplaisirs.

Comme tout fait ombrage aux soucis qu'il se donne,
    Tout le blesse, tout lui déplaît;
Il n'a point de repos et n'en laisse à personne,
Il ne sait ce qu'il veut, ni même ce qu'il est.

Il tait ce qu'il doit dire, et dit ce qu'il doit taire;
    Il va quand il doit s'arrêter,
Et son esprit troublé quitte ce qu'il faut faire
Pour faire avec chaleur ce qu'il faut éviter.

Sa rigueur importune examine et publie
    Où manque le devoir d'autrui,
Et lui-même du sien pleinement il s'oublie,
Comme si Dieu jamais n'avait rien dit pour lui.

Tourne les yeux sur toi, malheureux, et regarde
    Quel zèle aveugle te confond;
Mets sur ton propre cœur une soigneuse garde,
Et considère après ce que les autres font.

Tu sais bien t'excuser, et n'admets point d'excuses
    Pour les faiblesses du prochain;
Il n'est point de couleurs pour toi que tu refuses,
Ni de raisons pour lui qui ne parlent en vain.

Sois-lui plus indulgent, et pour toi plus sévère,
    Censure ton mauvais emploi,
Excuse ceux d'un autre, et souffre de ton frère,
Si tu veux que ton frère aime à souffrir de toi.

Vois-tu combien ton âme est encore éloignée
    De l'humble et vive charité,
Qui jamais ne s'aigrit, jamais n'est indignée,
Jamais ne veut de mal qu'à sa fragilité?

Ce n'est pas grand effort de hanter sans querelle
    Des esprits doux, des gens de bien;
A se plaire avec eux la pente est naturelle,
Et chacun sans miracle aime leur entretien.

Chacun aime la paix, la cherche, la conserve,
    L'embrasse avec contentement,
Et se donne sans peine avec peu de réserve
A ceux qu'il voit partout suivre son sentiment.

Mais il est des esprits durs, indisciplinables,
    Dont on ne peut venir à bout;
Il est des naturels farouches, intraitables,
Qui tirent vanité de contredire tout.

Converser avec eux sans bruit et sans murmure,
    C'est une si grande action,
Qu'il faut beaucoup de grâce à porter la nature
Jusqu'à ce haut degré de la perfection.

Je te le dis encore, il est parmi le monde
    Des genres d'esprits bien divers :
Il en est qui dans eux ont une paix profonde,
Et sauraient la garder avec tout l'univers;

Il en est d'opposés, dont l'humeur inquiète
    L'exile à jamais de chez eux,
Et ne peut consentir qu'un autre se promette
Un bonheur si contraire au chagrin de leurs vœux.

Ceux-là partout à charge, et les vivants supplices
    De qui se condamne à les voir,
Mais plus à charge encore à leurs propres caprices
Se donnent plus de mal qu'ils n'en font recevoir.

D'autres aiment la paix, et n'ont d'inquiétude
    Que pour s'y pouvoir maintenir,
Et d'autres sans relâche appliquent leur étude
A réduire quelque autre aux soins d'y parvenir.

Notre paix cependant n'est pas ce que l'on pense;
    Et tant qu'il nous faut respirer
Elle consiste plus dans une humble souffrance,
Qu'à ne rien ressentir qu'il fâche d'endurer.

Qui sait le mieux souffrir, c'est chez lui qu'elle abonde,
    C'est lui qui la garde le mieux;
Il triomphe ici-bas de soi-même et du monde;
Et comme enfant de Dieu, son partage est aux cieux.

4. DE LA PURETÉ DU CŒUR ET DE LA SIMPLICITÉ DE L'INTENTION.

Corps ou sujet de l'emblème : *Saint Pachome*[38] *se retire seul dans l'île de Tabenne, où il trouve à louer*

38. L'un des plus célèbres anachorètes, fondateur au IIIe siècle de la règle des Cénobites, en Grande Thébaïde.

Dieu et à s'instruire dans toutes les créatures. Ame ou sentence : *Omnis creatura speculum vitae et liber doctrinae purae.* (Str. 3.)

Pour t'élever de terre, homme, il te faut deux ailes,
La pureté du cœur et la simplicité;
Elles te porteront avec facilité
Jusqu'à l'abîme heureux des clartés éternelles;
Celle-ci doit régner sur tes intentions,
Celle-là présider à tes affections,
Si tu veux de tes sens dompter la tyrannie :
L'humble simplicité vole droit jusqu'à Dieu,
La pureté l'embrasse, et l'une à l'autre unie
S'attache à ses bontés, et les goûte en tout lieu.

Nulle bonne action ne te ferait de peine
Si tu te dégageais de tous dérèglements;
Le désordre insolent des propres sentiments
Forme tout l'embarras de la faiblesse humaine.
Ne cherche ici qu'à plaire à ce grand Souverain,
N'y cherche qu'à servir après lui ton prochain,
Et tu te verras libre au dedans de ton âme;
Tu seras au-dessus de ta fragilité,
Et n'auras plus de part à l'esclavage infâme
Où par tous autres soins l'homme est précipité.

Si ton cœur était droit, toutes les créatures
Te seraient des miroirs et des livres ouverts,
Où tu verrais sans cesse en mille lieux divers
Des modèles de vie et des doctrines pures;
Toutes comme à l'envi te montrent leur Auteur :
Il a dans la plus basse imprimé sa hauteur,
Et dans la plus petite il est plus admirable;
De sa pleine bonté rien ne parle à demi,
Et du vaste éléphant la masse épouvantable
Ne l'étale pas mieux que la moindre fourmi.

Purge l'intérieur, rends-le bon et sans tache,
Tu verras tout sans trouble et sans empêchement,
Et tu sauras comprendre, et tôt et fortement,
Ce que des passions le voile épais te cache.
Au cœur bien net et pur l'âme prête des yeux
Qui pénètrent l'enfer, et percent jusqu'aux cieux;
Il voit tout comme il est, et jamais ne s'abuse :
Mais le cœur mal purgé n'a que les yeux du corps;
Toute sa connaissance ainsi qu'eux est confuse;
Et tel qu'il est dedans, tel il juge au dehors.

Certes, s'il est ici quelque solide joie
C'est ce cœur épuré qui seul la peut goûter;
Et, s'il est quelque angoisse au monde à redouter,
C'est dans un cœur impur qu'elle entre et se déploie.
Dépouille donc le tien de ce qui l'a souillé,
Et vois comme le fer par le feu dérouillé
Prend une couleur vive au milieu de la flamme :
D'un plein retour vers Dieu c'est là le vrai tableau;
Son feu sait dissiper les pesanteurs de l'âme,
Et faire du vieil homme un homme tout nouveau.

Quand ce feu s'alentit, soudain l'homme appréhende

Jusqu'au moindre travail, jusqu'aux moindres efforts,
Et souffre avec plaisir les douceurs du dehors,
Quelques pièges secrets que ce plaisir lui tende;
Mais alors qu'il commence à triompher de soi,
Qu'il choisit Dieu pour maître et pour unique roi,
Que dans sa sainte voie il marche avec courage,
Le travail le plus grand ne l'en peut épuiser.
Plus il se violente, et plus il se soulage,
Et ce qui l'accablait cesse de lui peser.

5. DE LA CONSIDÉRATION DE SOI-MÊME.

Corps ou sujet de l'emblème : *Adam et Eve après leur
péché donnent de mauvaises excuses à Dieu.* Ame ou
sentence : *Saepe male agimus, et pejus excusamus.*
(Str. 3.)

Ne nous croyons pas trop; souvent nos connaissances
    Ne sont enfin qu'illusions,
Souvent la grâce y manque, et toutes nos puissances
    N'ont que de fausses visions.

Nous avons peu de jour à discerner la feinte
    D'avec la pure vérité,
Et sa faible lumière est aussitôt éteinte
    Par notre indigne lâcheté.

L'homme aveugle au dedans rarement se défie
    De cet aveuglement fatal,
Et, quelque mal qu'il fasse, il ne s'en justifie
    Qu'en s'excusant encor plus mal.

Souvent tout ébloui d'une vaine étincelle
    Qui brille en sa dévotion,
Il impute à l'ardeur d'un véritable zèle
    Les chaleurs de sa passion.

Comme partout ailleurs il porte une lumière
    Qui chez lui n'éclaire pas bien,
Il voit en l'œil d'autrui la paille et la poussière,
    Et ne voit pas la poutre au sien.

Ce qu'il souffre d'un autre est une peine extrême;
    Il en fait bien sonner l'ennui,
Et ne s'aperçoit pas combien cet autre même
    A toute heure souffre de lui.

Le vrai dévot sait prendre une juste balance
    Pour mieux peser tout ce qu'il fait,
Et, consumant sur soi toute sa vigilance,
    Il croit chacun moins imparfait.

Il se voit le premier, et met ce qu'il doit faire
    Au devant de tout autre emploi,
Et, quoi qu'ailleurs il voie, il apprend à s'en taire
    A force de penser à soi.

Si tu veux donc monter jusqu'au degré suprême
    De la haute dévotion,
Ne censure aucun autre, et fixe sur toi-même
    L'effort de ton attention.

Pense à toute heure à Dieu, mais de toutes tes forces;
    Pense à toi de tout ton pouvoir,
Et de l'extérieur les flatteuses amorces
    Ne pourront jamais t'émouvoir.

Sais-tu, quand tu n'es pas présent à ta pensée,
    Où vont sans toi tes vœux confus?
Et vois-tu ce que fait ton âme dispersée
    Quand tu ne la regardes plus?

Quand ton esprit volage a couru tout le monde,
    Quel fruit en peux-tu retirer,
S'il est le seul qu'enfin sa course vagabonde
    Néglige de considérer?

Veux-tu vivre en repos, et que ton âme entière
    S'unisse au Monarque des cieux?
Sache pour ton salut mettre tout en arrière,
    Et l'avoir seul devant les yeux.

Tu l'avances beaucoup si tu fais rude guerre
    Aux soins qui règnent ici-bas,
Et le recules fort, si de toute la terre
    Tu peux faire le moindre cas.

Ne crois rien fort, rien grand, rien haut, rien désirable
    Rien digne de t'entretenir,
Que Dieu, que ce qui part de sa main adorable,
    Que ce qui t'en fait souvenir.

Tiens pour vain et trompeur ce que les créatures
    T'offrent de consolations,
Et n'abaisse jamais à leurs douceurs impures
    L'honneur de tes affections.

L'âme que pour Dieu brûle un feu vraiment céleste
    Ne peut accepter d'autre appui;
Elle est toute à lui seul, et dédaigne le reste
    Qu'elle voit au-dessous de lui.

Il est lui seul aussi d'éternelle durée,
    Il remplit tout de sa bonté,
Il est seul de nos cœurs l'allégresse épurée,
    Et seul notre félicité.

6. DES JOIES DE LA BONNE CONSCIENCE.

Corps ou sujet de l'emblème : *Joseph dans les prisons
de Pharaon.* Ame ou sentence : *Bona conscientia valde
laeta est inter adversa.* (Str. 2.)

    Droite et sincère conscience,
    Digne gloire des gens de bien,

Oh! que ton témoignage est un doux entretien,
Et qu'il mêle de joie à notre patience,
   Quand il ne nous reproche rien!

   Tu fais souffrir avec courage,
   Tu fais combattre en sûreté,
L'allégresse te suit parmi l'adversité
Et contre les assauts du plus cruel orage
   Tu soutiens la tranquillité.

   Mais la conscience gâtée
   Tremble au dedans sous le remords;
Sa vaine inquiétude égare ses efforts;
Et les noires vapeurs dont elle est agitée
   Offusquent même ses dehors.

   Malgré le monde et ses murmures,
   Homme, tu sauras vivre en paix,
Si ton cœur est d'accord de tout ce que tu fais,
Et s'il ne porte point de secrètes censures
   Sur la chaleur de tes souhaits.

   Aime les avis qu'il t'envoie,
   Embrasse leur correction,
Et pour te bien tenir en ta possession,
Jamais ne te hasarde à prendre aucune joie
   Qu'après une bonne action.

   Méchant, cette vraie allégresse
   Ne peut entrer en votre cœur :
Le calme en est banni par la voix du Seigneur,
Et c'est faire une injure à sa parole expresse
   Que vous vanter d'un tel bonheur.

   Ne dites point, pour nous séduire,
   Que vous vivez en pleine paix,
Que les malheurs sur vous ne tomberont jamais,
Et qu'aucun assez vain pour prétendre à vous nuire
   N'en saurait venir aux effets.

   Vous mentez, et l'ire divine,
   Bientôt contrainte d'éclater,
Dans un triste néant vous va précipiter;
Et sous l'affreux débris d'une prompte ruine
   Tous vos desseins vont avorter.

   Le juste a des routes diverses;
   Il aime en Dieu l'affliction,
Et se souvient toujours parmi l'oppression
Que prendre quelque gloire à souffrir des traverses,
   C'est en prendre en sa Passion.

   Il voit celle qui vient des hommes
   Avec mépris, avec courroux;
Aussi n'a-t-elle rien qu'il puisse trouver doux;
Elle est faible, elle est vaine, ainsi que nous le sommes,
   Et périssable comme nous.

   Elle n'est jamais si fidèle
   Qu'elle ne déçoive à la fin;

Et la déloyauté de son éclat malin
Dans un brillant nuage enveloppe avec elle
   Un noir amas de long chagrin.

   Celle des bons, toute secrète,
   N'a ni pompes, ni faux attraits;
Leur seule conscience en forme tous les traits,
Et la bouche de l'homme, à changer si sujette,
   Ne la fait ni détruit jamais.

   De Dieu seul part toute leur joie,
   De qui la sainte activité,
Remontant vers sa source avec rapidité,
S'attache à la grandeur de la main qui l'envoie,
   Et s'abîme en sa vérité.

   L'amour de la gloire éternelle
   Les sait si pleinement saisir,
Que leur âme est stupide à tout autre plaisir,
Et que tout ce qu'on voit de gloire temporelle
   Ne les touche d'aucun désir.

   Aussi l'issue en est funeste
   Pour qui ne peut s'en dégager;
Et qui de tout son cœur n'aime à la négliger
Ne peut avoir d'amour pour la gloire céleste,
   Ou cet amour est bien léger.

   Douce tranquillité de l'âme,
   Avant-goût de celle des cieux,
Tu fermes pour la terre et l'oreille et les yeux;
Et qui sait dédaigner la louange et le blâme
   Sait te posséder en tous lieux!

   Ton repos est une conquête
   Dont jouissent en sûreté
Ceux dont la conscience est sans impureté;
Et le cœur est un port où n'entre la tempête
   Que par la vaine anxiété.

   Ris donc, mortel, des vains mélanges
   Qu'ici le monde aime à former;
Il a beau t'applaudir ou te mésestimer,
Tu n'en es pas plus saint pour toutes ses louanges,
   Ni moindre pour t'en voir blâmer.

   Ce que tu vaux est en toi-même;
   Tu fais ton prix par tes vertus;
Tous les encens d'autrui sont encens superflus,
Et ce qu'on est aux yeux du Monarque suprême,
   On l'est partout, et rien de plus.

   Vois-toi dedans, et considère
   Le fond de ton attention :
Qui peut s'y regarder avec attention,
Soit qu'on parle de lui, soit qu'on veuille s'en taire,
   N'en prend aucune émotion.

   L'homme ne voit que le visage,
   Mais Dieu voit jusqu'au fond du cœur;

L'homme des actions voit la vaine splendeur,
Mais Dieu connaît leur source, et voit dans le courage
   Ou leur souillure ou leur candeur.

   Fais toujours bien, et fuis le crime,
   Sans t'en donner de vanité;
Du mépris de toi-même arme ta sainteté :
Bien vivre et ne s'enfler d'aucune propre estime,
   C'est la parfaite humilité.

   La marque d'une âme bien pure
   Qui hors de Dieu ne cherche rien,
Et met en ses bontés son unique soutien,
C'est d'être sans désirs qu'aucune créature
   En dise ou pense quelque bien.

   Cette sévère négligence
   Des témoignages du dehors
Pour l'attacher à Dieu réunit ses efforts,
Et l'abandonne entière à cette Providence
   Qu'adorent ses heureux transports.

   « Ce n'est pas celui qui se loue,
   Dit saint Paul, qui sera sauvé;
Qui s'approuve soi-même est souvent réprouvé;
Et c'est celui-là seul que ce grand Maître avoue
   Qui pour sa gloire est réservé [39]. »

   Enfin cheminer dans sa voie,
   Faire avec lui forte union,
Ne se lier ailleurs d'aucune affection,
N'avoir que lui pour but, que son amour pour joie,
   C'est l'entière perfection.

7. DE L'AMOUR DE JÉSUS-CHRIST PAR-DESSUS TOUTES CHOSES.

Corps ou sujet de l'emblème : Sainte Cécile et son mari
s'entre-quittent pour se donner à Dieu, le soir de leur
mariage. *Ame ou sentence* : Oportet dilectum pro
dilecto relinquere. (Str. 1.)

O! qu'heureux est celui qui de cœur et d'esprit
Sait goûter ce que c'est que d'aimer Jésus-Christ,
Et joindre à cet amour le mépris de soi-même!
O! qu'heureux est celui qui se laisse charmer
Aux célestes attraits de sa beauté suprême
   Jusqu'à quitter tout ce qu'il aime
   Pour un Dieu qu'il faut seul aimer!

Ce doux et saint tyran de notre affection
A de la jalousie et de l'ambition,
Il veut régner lui seul sur tout notre courage,
Il veut être aimé seul, et ne saurait souffrir
Qu'autre amour que le sien puisse entrer en partage,
   Ni du cœur qu'il prend en otage,
   Ni des vœux qu'on lui doit offrir.

39. IIe Epitre aux Corinthiens, X, 18.

Aussi tout autre objet n'a qu'un amour trompeur
Qui naît et se dissipe ainsi qu'une vapeur,
Et dont la foi douteuse est souvent parjurée :
Le seul Jésus-Christ aime avec fidélité,
Et son amour pareil à sa source épurée,
   N'a pour bornes de sa durée
   Que celles de l'éternité.

Qui de la créature embrasse les appas
Trébuchera comme elle et suivra pas à pas
D'un si fragile appui le débris infaillible :
L'amour de Jésus-Christ a tout un autre effet ;
Qui le sait embrasser en devient invincible,
   Et sa défaite est impossible
   Au temps par qui tout est défait.

Aime-le donc, chrétien, comme le seul ami
Qui puisse enfin te faire un bonheur affermi,
Et sans cesse à ta perte opposer son mérite;
Attends de tout le reste un entier abandon,
Puisque c'est une loi dans le ciel même écrite,
   Qu'il faut un jour que tout te quitte,
   Soit que tu le veuilles ou non.

Vis et meurs en ce Dieu qui seul peut secourir,
Tant que dure la vie, et lorsqu'il faut mourir,
Les faiblesses qu'en l'homme imprime la naissance :
Il donnera la main à ton infirmité;
Et la profusion de sa reconnaissance
   Saura réparer l'impuissance
   De ce tout qui t'aura quitté.

Mais je te le redis, il est amant jaloux,
Il est ambitieux et s'éloigne de nous
Sitôt que notre cœur pour un autre soupire;
Et si comme en son trône il n'est seul dans ce cœur,
Un orgueil adorable à ses bontés inspire
   Le dédain d'un honteux empire
   Que partage un autre vainqueur.

Si de la créature entièrement purgé,
Tu lui savais offrir le tien tout dégagé,
Il y prendrait soudain la place qu'il veut prendre :
Tu lui dois tous tes vœux, et ce qu'un lâche emploi
Sur de plus bas objets en fera se répandre,
   Quoi que tu veuilles en attendre,
   C'est autant de perdu pour toi.

Ne mets point ton espoir sur un frêle roseau
Qui penche au gré du vent, qui branle au gré de l'eau,
Sur le monde en un mot, ni sur sa flatterie;
Sa gloire n'est qu'un songe, et ce qu'il en fait voir
Pour surprendre un moment de folle rêverie,
   Comme la fleur de la prairie,
   Tombera du matin au soir.

Tu seras tôt déçu, si tu n'ouvres les yeux
Qu'à ces dehors brillants qu'étale sous les cieux
De tant de vanités l'éblouissante image;
Tu croiras y trouver un plein soulagement,

Tu croiras y trouver un solide avantage,
    Pour n'y trouver à ton dommage
    Qu'un déplorable amusement.

Qui cherche Dieu partout sait le trouver ici,
Qui se cherche partout sait se trouver aussi,
Mais par un heur funeste où sa perte se fonde,
Il n'a point d'ennemis de qui le coup fatal
Puisse faire une plaie en son cœur si profonde,
    Et les forces de tout un monde
    Pour lui nuire n'ont rien d'égal.

8. DE L'AMITIÉ FAMILIÈRE
DE JÉSUS-CHRIST.

Corps ou sujet de l'emblème : *Saint Ignace martyr
étant déchiré par les lions, on voit le nom de Jésus gravé
sur son cœur.* Ame ou sentence : *Quando Jesus adest,
totum bonum est.* (Str. 1.)

Que ta présence, ô Dieu, donne à nos actions
Sous tes ordres sacrés une vigueur docile!
Que tout va bien alors! que tout semble facile
A la sainte chaleur de nos intentions!
Mais quand tu disparais et que ta main puissante
Avec nos bons désirs n'entre plus au combat,
O! que cette vigueur est soudain languissante,
    Qu'aisément elle s'épouvante,
    Et qu'un faible ennemi l'abat!

Les consolations des sens irrésolus
Tiennent le cœur en trouble et l'âme embarrassée,
Si Jésus-Christ ne parle au fond de la pensée
Ce langage secret qu'entendent ses élus;
Mais dans nos plus grands maux, à sa moindre parole,
L'âme prend le dessus de notre infirmité,
Et le cœur, mieux instruit en cette haute école,
    Garde un calme qui nous console
    De toute leur indignité.

Tu pleurais, Madeleine, et ton frère au tombeau
Ne souffrait point de trêve à ta douleur fidèle;
Mais à peine on te dit : « Viens, le Maître t'appelle, »
Que ce mot de tes pleurs fait tarir le ruisseau,
Tu te lèves, tu pars, et ta douleur suivie
Des doux empressements d'un amoureux transport,
Laissant régner la joie en ton âme ravie,
    Pour chercher l'Auteur de la vie,
    Ne voit plus ce qu'a fait la mort.

Qu'heureux est ce moment où ce Dieu de nos cœurs
D'un profond déplaisir les élève à la joie!
Qu'heureux est ce moment où sa bonté déploie
Sur un gros d'amertume un peu de ses douceurs!
Sans lui ton âme aride à mille maux t'expose,
Tu n'es que dureté, qu'impuissance, qu'ennui,
Et vraiment fol est l'homme alors qu'il se propose

Le vain désir de quelque chose
Qu'il faille chercher hors de lui.

Sais-tu ce que tu perds en son éloignement?
Tu perds une présence en vrais biens si féconde,
Qu'après avoir perdu tous les sceptres du monde,
Tu perdrais encor plus à la perdre un moment.
Vois bien ce qu'est ce monde, et te figure stable
Le plus pompeux éclat qui jamais t'y surprit :
Que te peut-il donner qui soit considérable,
    Si les présents dont il t'accable
    Te séparent de Jésus-Christ?

Sa présence est pour nous un charmant paradis,
C'est un cruel enfer pour nous que son absence,
Et c'est elle qui fait la plus haute distance
Du sort des bienheureux à celui des maudits :
Si tu peux dans sa vue en tous lieux te conduire,
Tu te mets en état de triompher de tout;
Tu n'as plus d'ennemis assez forts pour te nuire,
    Et s'ils pensent à te détruire,
    Ils n'en sauraient venir à bout.

Qui trouve Jésus-Christ trouve un rare trésor,
Il trouve un bien plus grand que le plus grand empire :
Qui le perd perd beaucoup et j'ose le redire,
S'il perdait tout un monde, il perdrait moins encor :
Qui le laisse échapper par quelque négligence,
Regorgeât-il de biens, il est pauvre en effet;
Et qui peut avec lui vivre en intelligence,
    Fût-il noyé dans l'indigence,
    Il est et riche et satisfait.

O! que c'est un grand art que de savoir unir
Par un saint entretien Jésus à sa faiblesse!
O! qu'on a de prudence alors qu'on a l'adresse,
Quand il entre au dedans, de l'y bien retenir!
Pour l'attirer chez toi rends ton âme humble et pure;
Sois paisible et dévot pour l'y voir arrêté;
Sa demeure avec nous au zèle se mesure,
    Et la dévotion assure
    Ce que gagne l'humilité.

Mais parmi les douceurs qu'on goûte à l'embrasser
Il ne faut qu'un moment pour nous ravir sa grâce :
Pencher vers ces faux biens que le dehors entasse,
C'est de ton propre cœur toi-même le chasser.
Que si tu perds l'appui de sa main redoutable,
Où pourra dans tes maux ton âme avoir recours?
Où prendra-t-elle ailleurs un appui véritable,
    Et qui sera l'ami capable
    De te prêter quelques secours?

Aime : pour vivre heureux il te faut vivre aimé,
Il te faut des amis qui soient dignes de l'être;
Mais si par-dessus eux tu n'aimes ce grand Maître,
Ton cœur d'un long ennui se verra consumé :
Crois-en ou ta raison ou ton expérience :
Toutes deux te diront qu'il n'est point d'autre bien,
Et que c'est au chagrin livrer ta conscience

Que prendre joie ou confiance
Sur un autre amour que le sien.

Tu dois plutôt choisir d'attirer sur tes bras
L'orgueil de tout un monde animé de colère,
Que d'offenser Jésus, que d'oser lui déplaire,
Que de vivre un moment et ne le chérir pas.
Donne-lui tout ton cœur et toutes tes tendresses;
Et ne souffrant chez toi personne en même rang,
Réponds en quelque sorte à ces pleines largesses
    Qui pour acheter tes caresses
    Lui firent donner tout son sang.

Que tous s'entr'aiment donc à cause de Jésus,
Pour n'aimer que Jésus à cause de lui-même;
Rendons cette justice à sa bonté suprême
Qui sur tous les amis lui donne le dessus;
En lui seul, pour lui seul, tous ceux qu'il a fait naître,
Tant ennemis qu'amis, il les faut tous aimer,
Et demander pour tous à l'Auteur de leur être
    Et la grâce de le connaître
    Et l'heur de s'en laisser charmer.

Ne désire d'amour ni d'estime pour toi
Qui passant le commun te sépare du reste.
C'est un droit qui n'est dû qu'à la grandeur céleste
D'un Dieu qui là-haut même est seul égal à soi.
Ne souhaite régner dans le cœur de personne,
Ne fais régner non plus personne dans le tien,
Mais qu'au seul Jésus-Christ tout ce cœur s'abandonne,
    Que Jésus-Christ seul en ordonne
    Comme chez tous les gens de bien.

Tire-toi d'esclavage, et sache te purger
De ces vains embarras que font les créatures,
Saches-en effacer jusqu'aux moindres teintures,
Romps jusqu'aux moindres nœuds qui puissent t'en-
Dans ce détachement tu trouveras des ailes [gager.
Qui porteront ton cœur jusqu'aux pieds de ton Dieu,
Pour y voir et goûter ces douceurs immortelles
    Que dans celui de ses fidèles
    Sa bonté répand en tout lieu.

Mais ne crois pas atteindre à cette pureté
A moins que de là-haut sa grâce te prévienne,
A moins qu'elle t'attire, à moins qu'elle soutienne
Les efforts chancelants de ta légèreté :
Alors, par le secours de sa pleine efficace,
Tous autres nœuds brisés, tout autre objet banni,
Seul hôte de toi-même, et maître de la place,
    Tu verras cette même grâce
    T'unir à cet Être infini.

Aussitôt que du ciel dans l'homme elle descend,
Il n'a plus aucun faible, il peut tout entreprendre,
L'impression du bras qui daigne la répandre
D'infirme qu'il était l'a rendu tout-puissant;
Mais sitôt que ce bras la retire en arrière,
L'homme dénué, pauvre, accablé de malheurs,
Et livré par lui-même à sa faiblesse entière,

Semble ne voir plus la lumière
Que pour être en proie aux douleurs.

Ne perds pas toutefois le courage ou l'espoir
Pour sentir cette grâce ou partie ou moins vive,
Mais présente un cœur ferme à tout ce qui t'arrive,
Et bénis de ton Dieu le souverain vouloir.
Dans quelque excès d'ennuis qu'un tel départ t'engage,
Souffre tout pour sa gloire attendant le retour,
Et songe qu'au printemps l'hiver sert de passage,
    Qu'un profond calme suit l'orage,
    Et que la nuit fait place au jour.

9. DU MANQUEMENT DE TOUTE SORTE DE CONSOLATIONS.

Corps ou sujet de l'emblème : *Le martyre de saint Laurent.* Ame ou sentence : *Vicit sanctus martyr Laurentius saeculum.* (Str. 6.)

    Notre âme néglige sans peine
    La consolation humaine
    Quand la divine la remplit :
Une sainte fierté dans ce dédain nous jette,
Et la parfaite joie aisément établit
    L'heureux mépris de l'imparfaite.

Mais du côté de Dieu demeurer sans douceur
Quand nous foulons aux pieds toute celle du monde,
Accepter pour sa gloire une langueur profonde,
Un exil où lui-même il abîme le cœur;
Ne nous chercher en rien alors que tout nous quitte,
Ne vouloir rien qui plaise alors que tout déplaît,
N'envoyer ni désirs vers le propre intérêt,
Ni regards échappés vers le propre mérite,
C'est un effort si grand, qu'il se faut élever
Au-dessus de tout l'homme avant que l'entreprendre :
Sans se vaincre soi-même on ne peut y prétendre,
Et sans faire un miracle on ne peut l'achever.

    Que fais-tu de grand ou de rare,
    Si la paix de ton cœur s'empare
    Quand la grâce règne au dedans,
Si tu sens pleine joie au moment qu'elle arrive,
Si tes vœux aussitôt deviennent plus ardents,
    Et ta dévotion plus vive?

C'est l'ordinaire effet de son épanchement
Que d'enfanter le zèle et semer l'allégresse,
C'est l'accompagnement de cette grande hôtesse,
Et tout le monde aspire à cet heureux moment.
Assez à l'aise marche et fournit sa carrière
Celui dont en tous lieux elle soutient la croix;
Du fardeau le plus lourd il ne sent point le poids;
Dans la nuit la plus sombre il a trop de lumière,
Le Tout-Puissant le porte et le daigne éclairer,
Le Tout-Puissant lui-même à sa course préside,

Et, comme il est conduit par le souverain guide,
Il n'est pas merveilleux s'il ne peut s'égarer.

    Nous aimons ce qui nous console;
    L'âme le cherche, l'âme y vole,
    L'âme s'attache au moindre attrait;
Elle penche toujours vers ce qui la chatouille,
Et difficilement l'homme le plus parfait
    De tout lui-même se dépouille.

Laurens le saint martyr en vint pourtant à bout
Quand Dieu le sépara de Sixte son grand-prêtre [40];
Il l'aimait comme père, il l'aimait comme maître,
Mais un amour plus fort le détacha de tout.
D'une perte si dure il fit des sacrifices
A l'honneur de ce Dieu qui couronnait sa foi;
Il triompha du siècle en triomphant de soi;
Par le mépris du monde il brava les supplices :
Mais il avait porté cette mort constamment
Avant que des bourreaux il éprouvât la rage,
Et parmi les tourments ce qu'il eut de courage
Fut un prix avancé de son détachement.

    Ainsi cette âme toute pure
    Mit l'amour de la créature
    Sous les ordres du Créateur;
Et son zèle pour Dieu, brisant toute autre chaîne,
Préféra le vouloir du souverain Auteur
    A toute la douceur humaine.

Apprends de cet exemple à desserrer les nœuds
Par qui l'affection, par qui le sang te lie,
Ces puissants et doux nœuds qui font aimer la vie,
Et sans qui l'homme a peine à s'estimer heureux.
Quitte un ami sans trouble alors que Dieu l'ordonne,
Vois sans trouble un ami te quitter à son tour;
Comme un bien passager regarde son amour,
Sois égal quand il t'aime et quand il t'abandonne.
Ne faut-il pas enfin chacun s'entre-quitter ?
Où tous les hommes aucuns ne vont ensemble;
Et, devant ce grand juge où le plus hardi tremble,
Le roi le mieux suivi se va seul présenter.

    Que l'homme a de combats à faire
    Avant que de se bien soustraire
    A l'empire des passions,
Avant que de soi-même il soit si bien le maître
Qu'il pousse tout l'effort de ses affections
    Jusqu'à l'Auteur de tout son être!

Qui s'attache à soi-même aussitôt l'en bannit,
Et qui peut sur soi-même appuyer sa faiblesse
Glisse et tombe aisément dans l'indigne mollesse
Des consolations que le siècle fournit;
Mais quiconque aime Dieu d'un amour véritable,
Quiconque s'étudie à marcher sur ses pas,
Apprend si bien à fuir ces dangereux appas,
Que d'une telle chute il devient incapable :

40. Le pape Sixte II, martyr sous l'empereur Valérien.

Rien de la part des sens ne le saurait toucher :
Et loin de prêter l'âme à leurs vaines délices,
Les grands travaux pour Dieu, les rudes exercices,
Sont tout ce qu'en la vie il se plaît à chercher.

    Quand donc tu sens parmi ton zèle
    Quelque douceur spirituelle
    Dont s'échauffe ta volonté,
Rends grâces à ton Dieu de ce feu qu'elle excite,
Et reconnais que c'est un don de sa bonté,
    Et non l'effet de ton mérite.

Quoique ce soit un bien sur tous autres exquis,
D'une excessive joie arrête la surprise;
N'en sois pas plus enflé quand il t'en favorise,
Et n'en présume pas déjà le ciel acquis;
En toutes actions sois-en mieux sur tes gardes,
Que ton humilité sache s'en redoubler;
Plus il te donne à perdre, et plus tu dois trembler;
Tant plus il t'enrichit, et tant plus tu hasardes.
Ces moments passeront avec tous leurs attraits,
Et la tentation, se coulant en leur place,
Y fera succéder l'orage à la bonace,
Les troubles au repos, et la guerre à la paix.

    Si toute leur douceur partie
    Laisse ta vigueur amortie,
    Ne désespère pas soudain,
Mais à l'humilité joignant la confiance,
Attends que le Très-Haut daigne abaisser la main
    Au secours de ta patience.

Ce Dieu, toujours tout bon et toujours tout-puissant,
Ce Dieu, dans ses bontés toujours inépuisable,
Peut faire un nouveau don d'une grâce plus stable,
D'une vigueur plus ferme, à ton cœur languissant.
Vous le savez, dévots, qui marchez dans sa voie,
Qu'on y voit tour à tour la paix et les combats,
Qu'on y voit l'amertume enfanter les appas,
Qu'on y voit le chagrin succéder à la joie;
Les saints même, les saints, tous comblés de ce don,
Ont éprouvé souvent de ces vicissitudes,
Et senti des moments tantôt doux, tantôt rudes,
Par la pleine assistance et l'entier abandon.

    Crois-en David sur sa parole.
    Tant que la grâce le console,
    C'est ainsi qu'il en parle à Dieu :
« Lorsque de tes faveurs je goûtais l'abondance,
Je le disais, Seigneur, qu'aucun temps, aucun lieu,
    Ne pourrait troubler ma constance. »

A cette fermeté succède la langueur
Par le départ soudain de cette même grâce :
« Tu n'as fait, lui dit-il, que détourner ta face,
Et le trouble aussitôt s'est saisi de mon cœur. »
Cependant il conserve une espérance entière;
Et dans cette langueur rassemblant ses esprits,
« Jusqu'à toi, poursuit-il, j'élèverai mes cris,
Jusqu'à toi, mon Sauveur, j'enverrai ma prière. »

Il en obtient le fruit, et change de discours :
« Le Seigneur à mes maux est devenu sensible,
Dit-il, et la pitié l'ayant rendu flexible,
Lui-même il a voulu descendre à mon secours. »

    Veux-tu savoir de quelle sorte
    Agit cette grâce plus forte ?
    Écoute ses ravissements :
« Tu dissipes, ô Dieu, l'aigreur de ma tristesse,
Tu changes en plaisirs tous mes gémissements,
    Et m'environnes d'allégresse [41]. »

Puisque Dieu traite ainsi même les plus grands saints,
Nous autres malheureux perdrons-nous tout courage,
Pour voir que notre vie ici-bas se partage
Aux inégalités qui troublent leurs desseins ?
Voyons tantôt le feu, voyons tantôt la glace
Dans nos cœurs tour à tour se mêler sans arrêt :
L'Esprit ne va-t-il pas et vient comme il lui plaît ?
Son bon plaisir lui seul le retient ou le chasse ;
Job en sert de témoin : « Tu le veux, ô Seigneur !
Disait-il, que ton bras nous défende et nous quitte,
Et tu nous fais à peine un moment de visite
Qu'aussitôt ta retraite éprouve notre cœur. »

    Sur quoi donc faut-il que j'espère,
    Et dans l'excès de ma misère,
    Sur quoi puis-je me confier,
Sinon sur la grandeur de sa miséricorde,
Et sur ce que sa grâce aime à justifier
    Ceux à qui sa bonté l'accorde ?

Soit que j'aie avec moi toujours des gens de bien,
De fidèles amis, ou de vertueux frères,
Soit que des beaux traités les conseils salutaires,
Soit que les livres saints me servent d'entretien,
Qu'en hymnes tout un chœur autour de moi résonne ;
Ces frères, ces amis, ces livres et ce chœur,
Tout cela n'a pour moi ni force ni saveur
Lorsqu'à ma pauvreté la grâce m'abandonne ;
Et l'unique remède en cette extrémité
C'est une patience égale au mal extrême,
Une abnégation parfaite de moi-même,
Pour accepter de Dieu toute la volonté.

    Je n'ai point vu d'âme si sainte
    D'âme si fortement atteinte,
    De religieux si parfait,
Qui n'ait senti la grâce en lui comme séchée,
N'y verser quelquefois aucun sensible attrait,
    Ou vu sa ferveur relâchée.

Aucun n'est éclairé de rayons si puissants,
Aucune âme si haut ne se trouve ravie,
Qui n'ait vu sa clarté précédée ou suivie
D'une attaque, ou du diable, ou de ses propres sens :
Aucun n'est digne aussi de la vive lumière
Par qui Dieu se découvre à l'esprit recueilli,

S'il ne s'est vu pour Dieu vivement assailli,
S'il n'a franchi pour Dieu quelque rude carrière.
Ne t'ébranle donc point dans les tentations,
Ne t'inquiète point de leurs inquiétudes,
D'elles naîtra le calme, et leurs coups les plus rudes
Sont les avant-coureurs des consolations.

    Puissant Maître de la nature,
    Ta sainte parole en assure
    Ceux qu'elles auront éprouvés :
« Sur qui vaincra, dis-tu, je répandrai ma gloire,
Et de l'arbre de vie il verra réservés
    Les plus doux fruits pour sa victoire. »

Cette douceur du ciel en tombe quelquefois
Pour fortifier l'homme à vaincre l'amertume ;
L'amertume la suit, de peur qu'il n'en présume
Le ciel ouvert pour lui sans plus porter de croix :
Car enfin le bien même est souvent une porte
Par où la propre estime entre avec la vertu ;
Et quoique l'ennemi nous paraisse abattu,
Le diable ne dort point, et la chair n'est pas morte.
Il se faut donc sans cesse au combat disposer,
En craindre à tous moments quelques succès contraires,
Puisque de tous côtés on a des adversaires
Qui ne savent que c'est que de se reposer.

10. DE LA RECONNAISSANCE POUR LES GRACES DE DIEU.

Corps ou sujet de l'emblème : *Le pharisien et le publicain priant Dieu dans le temple.* Ame ou sentence : *Auferetur ab elato quod dari solet humili.* (Str. 5.)

    O ! que tu sais mal te connaître,
    Mortel, et que mal à propos,
Toi que pour le travail Dieu voulut faire naître,
    Tu cherches ici du repos !
    Songe plus à la patience
    Qu'à cette aimable confiance
Que versent dans les cœurs ses consolations,
Et te prépare aux croix que sa justice envoie,
    Plus qu'à cette innocente joie
Que mêlent ses bontés aux tribulations.

    Quels mondains à Dieu si rebelles
    De leurs âmes voudraient bannir
Le goût de ces douceurs toutes spirituelles,
    S'ils pouvaient toujours l'obtenir ?
    Les pompes que le siècle étale
    N'ont jamais rien qui les égale ;
Les délices des sens n'en sauraient approcher ;
Et, de quelques appas qu'elles nous semblent pleines,
    Celles du siècle enfin sont vaines,
Et la honte s'attache à celles de la chair.

    Mais les douceurs spirituelles,
    Seules dignes de nos désirs,

41. *Psaume XXIX*, versets 7 à 12.

Seules n'ont rien de bas, et seules toujours belles,
　　Forment de solides plaisirs.
　　　C'est la vertu qui les fait naître,
　　　Et Dieu, cet adorable Maître,
N'en est jamais avare aux cœurs purs et constants :
Mais on n'en jouit pas autant qu'on le souhaite,
　　Et l'âme la moins imparfaite
Voit la tentation ne cesser pas longtemps.

　　　Par trop d'espoir en nos mérites
　　　La fausse liberté d'esprit
S'oppose puissamment à ces douces visites
　　　Dont nous régale Jésus-Christ.
　　　Lorsque sa grâce nous console,
　　　D'un seul accent de sa parole
Il remplit tout l'excès de sa bénignité;
Mais l'homme y répond mal, l'homme l'en désavoue,
　　　S'il ne rend grâces, s'il ne loue,
S'il ne rapporte tout à sa haute bonté.

　　　Veux-tu que la grâce divine
　　　Coule abondamment dans ton cœur?
Fait remonter ses dons jusqu'à son origine
　　　N'en sois point ingrat à l'auteur :
　　　Il fait toujours grâce nouvelle
　　　A qui, pour la moindre étincelle,
Lui témoigne un esprit vraiment reconnaissant;
Mais il sait bien aussi remplir cette menace
　　　D'ôter au superbe la grâce
Dont il prodigue à l'humble un effet plus puissant.

　　　Loin, consolations funestes,
　　　Qui m'ôtez la componction!
Loin de moi ces pensers qui semblent tous célestes,
　　　Et m'enflent de présomption!
　　　Dieu n'a pas toujours agréable
　　　Tout ce qu'un dévot trouve aimable;
Toute élévation n'a pas la sainteté :
On peut monter bien haut sans atteindre aux cou-
　　　Toutes douceurs ne sont pas bonnes;　　[ronnes;
Et tous les bons désirs n'ont pas la pureté.

　　　J'aime, j'aime bien cette grâce
　　　Qui me sait mieux humilier,
Qui me tient mieux en crainte, et jamais ne se lasse
　　　De m'apprendre à mieux m'oublier :
　　　Ceux que ses dons daignent instruire,
　　　Ceux qui savent où peut réduire
Le douloureux effet de sa substraction [42],
Jamais du bien qu'ils font n'osent prendre la gloire,
　　　Jamais n'ôtent de leur mémoire
Qu'ils ne sont que misère et qu'imperfection.

　　　Qu'une sainte reconnaissance
　　　Rende donc à Dieu tout le sien;
Et n'impute qu'à toi, qu'à ta propre impuissance,
　　　Tout ce qu'il s'y mêle du tien :
　　　Je m'explique, et je te veux dire

42. Privation.

　　　Que des grâces que Dieu t'inspire
Tu pousses jusqu'à lui d'humbles remercîments,
Et que te chargeant seul de toutes tes faiblesses,
　　　Tu te prosternes, tu confesses
Qu'il ne te peut devoir que de longs châtiments.

　　　Mets-toi dans le plus bas étage,
　　　Il te donnera le plus haut :
C'est par l'humilité que le plus grand courage
　　　Montre pleinement ce qu'il vaut;
　　　La hauteur même dans le monde
　　　Sur ce bas étage se fonde,
Et le plus haut sans lui n'y saurait subsister;
Le plus grand devant Dieu c'est le moindre en soi-
　　　Et les vertus que le ciel aime　　[même.
Par les ravalements trouvent l'art d'y monter.

　　　La gloire des saints ne s'achève
　　　Que par le mépris qu'ils en font;
Leur abaissement croît autant qu'elle s'élève,
　　　Et devient toujours plus profond :
　　　La vaine gloire a peu de place
　　　Dans un cœur où règne la grâce,
L'amour de la céleste occupe tout le lieu;
Et cette propre estime, où se plaît la nature,
　　　Ne saurait trouver d'ouverture
Dans celui qui se fonde et s'affermit en Dieu.

　　　Quand l'homme à cet Être sublime
　　　Rend tout ce qu'il reçoit de bien,
D'aucun autre ici-bas il ne cherche l'estime;
　　　Ici-bas il ne voit plus rien.
　　　Dans le combat, dans la victoire,
　　　De tels cœurs ne veulent de gloire
Que celle que Dieu seul y verse de ses mains;
Tout leur amour est Dieu, tout leur but sa louange,
　　　Tout leur souhait que, sans mélange,
Elle éclate partout, en eux, en tous les saints.

　　　Aussi sa bonté semble croître
　　　Des louanges que tu lui rends;
Et, pour ses moindres dons savoir le reconnaître,
　　　C'est en attirer de plus grands.
　　　Tiens ses moindres grâces pour grandes,
　　　N'en reçois point que tu n'en rendes :
Crois plus avoir reçu que tu n'as mérité;
Estime précieux, estime incomparable
　　　Le don le moins considérable,
Et redouble son prix par ton humilité.

　　　Si dans les moindres dons tu passes
　　　A considérer leur auteur,
Verras-tu rien de vil, rien de faible en ses grâces,
　　　Rien de contemptible à ton cœur?
　　　On ne peut sans ingratitude
　　　Nommer rien de bas ni de rude
Quand il vient d'un si grand et si doux Souverain :
Et, lorsqu'il fait pleuvoir des maux et des traverses,
　　　Ce ne sont que grâces diverses
Dont avec pleine joie il faut bénir sa main.

Cette charité, toujours vive,
Qui n'a que notre bien pour but,
Dispose avec amour tout ce qui nous arrive,
Et fait tout pour notre salut.
Montre une âme reconnaissante
Quand tu sens la grâce puissante;
Sois humble et patient dans sa substraction;
Joins, pour la rappeler, les pleurs à la prière,
Et, de peur de la perdre entière,
Unis la vigilance à la soumission.

11. DU PETIT NOMBRE DE CEUX QUI AIMENT LA CROIX DE JÉSUS-CHRIST.

Corps ou sujet de l'emblème : *L'empereur Lothaire quitte l'Empire pour se faire religieux.* Ame ou sentence : *Nemo illo potentior qui scit se et omnia relinquere.* (Str. 11.)

Que d'hommes amoureux de la gloire céleste
Envisagent la croix comme un fardeau funeste,
Et cherchent à goûter les consolations
Sans vouloir faire essai des tribulations!
Jésus-Christ voit partout cette humeur variable :
Il n'a que trop d'amis pour se seoir à sa table,
Aucun dans le banquet ne veut l'abandonner;
Mais au fond du désert il est seul à jeûner :
Tous lui demandent part à sa pleine allégresse,
Mais aucun n'en veut prendre à sa pleine tristesse
Et ceux que l'on a vus les plus prompts à s'offrir
Le quittent les premiers quand il lui faut souffrir.

Jusqu'à la fraction de ce pain qu'il nous donne
Assez de monde ici le suit et l'environne;
Mais peu de son amour s'y laissent enflammer
Jusqu'à boire avec lui dans le calice amer.
Les miracles brillants dont il sème sa vie
Par leur éclat à peine échauffent notre envie,
Que sa honteuse mort refroidit nos esprits
Jusqu'à ne vouloir plus de ce don à ce prix.

Beaucoup avec chaleur l'aiment et le bénissent,
Dont, au premier revers, les louanges tarissent :
Tant qu'ils n'ont à gémir d'aucune adversité,
Qu'il n'épanche sur eux que sa bénignité,
Cette faveur sensible aisément sert d'amorce
A soutenir leur zèle et conserver leur force;
Mais, lorsque sa bonté se cache tant soit peu,
Une soudaine glace amortit tout ce feu,
Et les restes fumants de leur ferveur éteinte
Ne font partir du cœur que murmure et que plainte,
Tandis qu'au fond de l'âme un lâche étonnement
Va de la fermeté jusqu'à l'abattement.

En usez-vous ainsi, vous dont l'amour extrême
N'embrasse Jésus-Christ qu'à cause de lui-même,
Et qui sans regarder votre propre intérêt,
N'avez de passion que pour ce qui lui plaît?
Vous voyez d'un même œil tout ce qu'il vous envoie :
Vous l'aimez dans l'angoisse ainsi que dans la joie;

Vous le savez bénir dans la prospérité,
Vous le savez louer dans la calamité;
Une égale constance attachée à ses traces
Dans l'un et l'autre sort trouve à lui rendre grâces;
Et, quand jamais pour vous il n'aurait que rigueurs,
Mêmes remercîments partiraient de vos cœurs.

Pur amour de Jésus, que ta force est étrange
Quand l'amour-propre en toi ne fait aucun mélange,
Et que, de l'intérêt pleinement dépouillé,
D'aucun regard vers nous tu ne te vois souillé!

N'ont-ils pas un amour servile et mercenaire,
Ces cœurs qui n'aiment Dieu que pour se satisfaire,
Et ne le font l'objet de leurs affections
Que pour en recevoir des consolations?

Aimer Dieu de la sorte et pour nos avantages,
C'est mettre indignement ses bontés à nos gages,
Croire d'un peu de vœux payer tout son appui,
Et nous-mêmes enfin nous aimer plus que lui :
Mais où trouvera-t-on une âme si purgée,
D'espoir de tout salaire à ce point dégagée,
Qu'elle aime à servir Dieu sans se considérer,
Et ne cherche en l'aimant que l'heur de l'adorer?

Certes, il s'en voit peu de qui l'amour soit pure
Jusqu'à se dépouiller de toute créature :
Et, s'il est sur la terre un vrai pauvre d'esprit,
Qui, détaché de tout, soit tout à Jésus-Christ,
C'est un trésor si grand, que ces mines fécondes
Que la nature écarte au bout des nouveaux mondes,
Ces mers où se durcit la perle et le coral,
N'en ont jamais conçu qui fût d'un prix égal.

Mais aussi ce n'est pas une conquête aisée
Qu'à ses premiers désirs l'homme trouve exposée :
Quand pour y parvenir il donne tout son bien,
Avec ce grand effort il ne fait encor rien;
Quelque âpre pénitence ici-bas qu'il s'impose,
Ses plus longues rigueurs sont encor peu de chose;
Que sur chaque science il applique son soin,
Qu'il la possède entière, il est encor bien loin;
Qu'il ait mille vertus dont l'heureux assemblage
De tous leurs ornements pare son grand courage;
Que sa dévotion, que ses hautes ferveurs
Attirent chaque jour de nouvelles faveurs,
Sache qu'il lui demeure encor beaucoup à faire
S'il manque à ce point seul qui seul est nécessaire.
Tu sais quel est ce point, je l'ai trop répété,
C'est qu'il se quitte encor quand il a tout quitté,
Que de tout l'amour-propre il fasse un sacrifice,
Que de lui-même enfin lui-même il se bannisse,
Et qu'élevé par là dans un état parfait
Il croie, ayant fait tout, n'avoir encor rien fait.

Qu'il estime fort peu, suivant cette maxime,
Tout ce qui peut en lui mériter quelque estime;
Que lui-même il se die, et du fond de son cœur,
Serviteur inutile aux emplois du Seigneur.
La Vérité l'ordonne : « Après avoir, dit-elle,
Rempli tous les devoirs où ma voix vous appelle,
Après avoir fait tout ce que je vous prescris,
Gardez encor pour vous un sincère mépris,
Et nommez-vous encor disciples indociles,

'Serviteurs fainéants, esclaves inutiles [43]. »

    Ainsi vraiment tout nu, vraiment pauvre d'esprit,
Tout détaché de tout, et tout à Jésus-Christ,
Avec le roi prophète il aura lieu de dire [44] :
« Je n'ai plus rien en moi que ce que Dieu m'inspire,
J'y suis seul, j'y suis pauvre. » Aucun n'est toutefois
Ni plus riche en vrais biens, ni plus libre en son choix,
Ni plus puissant enfin que ce chétif esclave
Qui, foulant tout aux pieds, lui-même encor se brave
Et, rompant avec soi pour s'unir à son Dieu,
Sait en tout et partout se mettre au plus bas lieu.

12. DU CHEMIN ROYAL DE LA SAINTE CROIX.

Corps ou sujet de l'emblème : *Saint Antoine triomphe
des diables avec la croix.* Ame ou sentence : *In cruce
protectio ab hostibus.* (Str. 4.)

Homme, apprends qu'il te faut renoncer à toi-même,
Que pour suivre Jésus il faut porter ta croix :
Pour beaucoup de mortels ce sont de rudes lois;
Ce sont de fâcheux mots pour un esprit qui s'aime;
Mais il sera plus rude encore et plus fâcheux
Pour qui n'aura suivi ce chemin épineux,
D'entendre au dernier jour ces dernières paroles :
« Loin de moi, malheureux, loin, maudits criminels,
Qui des biens passagers avez fait vos idoles,
Trébuchez loin de moi dans les feux éternels! »

En ce jour étonnant, qui du sein de la poudre
Fera sortir nos os à leur chair rassemblés,
Les bergers et les rois, également troublés,
Craindront de cet arrêt l'épouvantable foudre;
Les abîmes ouverts des célestes rigueurs
D'un tremblement égal rempliront tous les cœurs
Où cette auguste croix ne sera point empreinte :
Mais ceux qui maintenant suivent son étendard
Verront lors tout frémir d'une trop juste crainte,
Et dans ce vaste effroi n'auront aucune part.

Ce signe au haut du ciel tout brillant de lumière,
Quand Dieu se fera voir en son grand tribunal,
Sera de ses élus le bienheureux fanal,
Et des victorieux l'éclatante bannière.
Lors du Crucifié les dignes serviteurs,
Qui pour en être ici les vrais imitateurs
Se sont faits de la croix esclaves volontaires,
Auront à son aspect de pleins ravissements,
Et ne s'en promettront que d'éternels salaires,
Quand le reste en craindra d'éternels châtiments.

La croix ouvre l'entrée au trône de la gloire;
Par elle ce royaume est facile à gagner :
Aime donc cette croix par qui tu dois régner;
En elle est le salut, la vie et la victoire.
L'invincible soutien contre tous ennemis,

43. *Luc,* XVII, 10.
44. *Psaume XXIV,* verset 16.

Des célestes douceurs l'épanchement promis,
Et la force de l'âme ont leurs sources en elle;
L'esprit y voit sa joie et sa tranquillité;
Il y voit des vertus le comble et le modèle,
Et la perfection de notre sainteté.

C'est elle seule aussi qui doit être suivie;
Ce serait t'abuser que prendre un autre but;
Hors d'elle pour ton âme il n'est point de salut,
Hors d'elle point d'espoir de l'éternelle vie.
Je veux bien te le dire et redire cent fois,
Si tu ne veux périr, charge sur toi ta croix,
Suis du Crucifié les douloureuses traces;
Et les dons attachés à ce glorieux faix,
Attirant dans ton cœur les trésors de ses grâces,
T'élèveront au ciel pour y vivre à jamais.

Il a marché devant, il a porté la sienne,
Il t'a montré l'exemple en y mourant pour toi;
Et cette mort te laisse une amoureuse loi
D'en porter une égale, et mourir en la tienne.
Si tu meurs avec lui, tu vivras avec lui;
La part que tu prendras à son mortel ennui,
Tu l'auras aux grandeurs qui suivent sa victoire,
La mesure est pareille; et c'est bien vainement
Qu'on s'imagine au ciel avoir part à sa gloire
Quand on n'a point ici partagé son tourment.

Ainsi pour arriver à cette pleine joie
Tout consiste en la croix, et tout gît à mourir;
C'est par là que le ciel se laisse conquérir,
Et Dieu pour te sauver n'a point fait d'autre voie.
La véritable vie et la solide paix,
Le calme intérieur de nos plus doux souhaits,
Le vrai repos enfin, c'est la croix qui le donne.
Apprends donc sans relâche à te mortifier,
Et sache que quiconque aspire à la couronne,
C'est à la seule croix qu'il se doit confier.

Revois de tous les temps l'image retracée,
Marche de tous côtés, cherche de toutes parts,
Jusqu'au plus haut des cieux élève tes regards,
Jusqu'au fond de la terre abîme ta pensée,
Vois ce qu'a de plus haut la contemplation,
Vois ce qu'a de plus sûr l'humiliation,
Ne laisse rien à voir dans toute la nature;
Tu ne trouveras point à faire un autre choix,
Tu ne trouveras point ni de route plus sûre,
Ni de chemin plus haut que celui de la croix.

Va plus outre, et de tout absolument dispose,
Règle tout sous ton ordre au gré de ton désir,
Tu ne manqueras point d'objets de déplaisir,
Tu trouveras partout à souffrir quelque chose :
Ou de force, ou de gré, quoi qu'on veuille espérer;
Toujours de quoi souffrir et de quoi soupirer
Nous présente partout la croix inévitable,
Et nous sentons au corps toujours quelque douleur,
Ou quelque trouble en l'âme, encor plus intraitable,
Qui semblent tour à tour nous livrer au malheur.

Dieu te délaissera quelquefois sans tendresse;
Souvent par le prochain tu seras exercé;
Souvent dans le chagrin par toi-même enfoncé,
Tu deviendras toi-même à charge à ta faiblesse;
Souvent, et sans remède et sans allégement,
Tu ne rencontreras dans cet accablement
Rien qui puisse guérir ni relâcher ta peine;
Ton seul recours alors doit être d'endurer
Par une patience égale à cette gêne
Tant qu'il plaît à ton Dieu de la faire durer.

Ses ordres amoureux veulent ainsi t'instruire
A souffrir l'amertume et pleine et sans douceur,
Afin que ta vertu laisse aller tout ton cœur
Où son vouloir sacré se plaît à le conduire :
Il te veut tout soumis, et par l'adversité
Il cherche à voir en toi croître l'humilité,
A te donner un goût plus pur de sa souffrance;
Car aucun ne la goûte enfin si purement
Que celui qu'a daigné choisir sa Providence
Pour lui faire éprouver un semblable tourment.

La croix donc en tous lieux est toujours préparée;
La croix t'attend partout, et partout suit tes pas;
Fuis-la de tous côtés, et cours où tu voudras,
Tu n'éviteras point sa rencontre assurée :
Tel est notre destin, telles en sont les lois;
Tout homme pour lui-même est une vive croix,
Pesante d'autant plus que plus lui-même il s'aime;
Et, comme il n'est en soi que misère et qu'ennui,
En quelque lieu qu'il aille, il se porte lui-même,
Et rencontre la croix qu'il y porte avec lui.

Regarde sous tes pieds, regarde sur ta tête,
Regarde-toi dedans, regarde-toi dehors,
N'oublie aucuns secrets, n'épargne aucuns efforts.
Tu trouveras partout cette croix toujours prête;
Tu trouveras partout tes secrets confondus,
Ton espérance vaine et tes efforts perdus,
Si tu n'es en tous lieux armé de patience :
C'est là l'unique effort qui te puisse en tous lieux
Sous un ferme repos calmer la conscience,
Et te prêter une aide à mériter les cieux.

Porte-la de bon cœur, cette croix salutaire,
Que tu vois attachée à ton infirmité,
Fais un hommage à Dieu d'une nécessité,
Et d'un tribut infaillible un tribut volontaire :
Elle te portera toi-même en tes travaux,
Elle te conduira par le milieu des maux
Jusqu'à cet heureux port où la peine est finie :
Mais ce n'est pas ici que tu dois l'espérer,
La fin des maux consiste en celle de la vie;
Et l'on trouve à gémir tant qu'on peut respirer.

Si c'est avec regret, lâche, que tu la portes,
Si par de vains efforts tu l'oses rejeter,
Tu t'en fais un fardeau plus fâcheux à porter,
Tu l'attaches à toi par des chaînes plus fortes;
Son joug mal secoué, devenu plus pesant,

Te charge malgré toi d'un amas plus cuisant,
Impose un nouveau comble à tes inquiétudes;
Ou si tu peux enfin t'affranchir d'une croix,
Ce n'est que faire place à d'autres croix plus rudes,
Qui te viennent sur l'heure accabler de leur poids.

Te pourrais-tu soustraire à cette loi commune
Dont aucun des mortels n'a pu se dispenser?
Quel monarque par là n'a-t-on point vu passer?
Qui des saints a vécu sans croix, sans infortune?
Ton maître Jésus-Christ n'eut pas un seul moment
Dégagé des douleurs et libre du tourment
Que de sa Passion avançait la mémoire;
Il fallut comme toi qu'il portât son fardeau;
Il lui fallut souffrir pour se rendre à sa gloire,
Et, pour monter au trône, entrer dans le tombeau.

Quel privilége as-tu, vil amas de poussière,
Dont tu t'oses promettre un plus heureux destin?
Crois-tu monter au ciel par un autre chemin?
Crois-tu vaincre ici-bas sous une autre bannière?
Jésus-Christ, en vivant, n'a fait que soupirer,
Il n'a fait que gémir, il n'a fait qu'endurer;
Les plus beaux jours pour lui n'ont été que supplices;
Et tu ne veux pour toi que pompe et que plaisirs,
Qu'une oisiveté vague où flottent les délices,
Qu'une pleine licence où nagent tes désirs!

Tu t'abuses, pécheur, si ton âme charmée
Cherche autre chose ici que tribulations;
Elle n'y peut trouver que des afflictions,
Que des croix, dont la vie est toute parsemée :
Souvent même, souvent nous voyons arriver
Que plus l'homme en esprit apprend à s'élever,
Et plus de son exil les croix lui sont pesantes;
Tel est d'un saint amour le digne empressement,
Que plus dans notre cœur ses flammes sont puissantes,
Plus il nous fait sentir notre bannissement.

Ce cœur ainsi sensible et touché de la sorte
N'est pas pourtant sans joie au milieu des douleurs,
Et le fruit qu'il reçoit de ses propres malheurs
S'augmente d'autant plus que sa souffrance est forte;
A peine porte-t-il cette croix sans regret,
Que Dieu par un secours et solide et secret
Tourne son amertume en douce confiance;
Et plus ce triste corps est sous elle abattu,
Plus par la grâce unie à tant de patience
L'esprit fortifié s'élève à la vertu.

Comme l'expérience a toujours fait connaître
Que le nœud de l'amour est la conformité,
Il soupire à toute heure après l'adversité
Qui le fait d'autant mieux ressembler à son Maître :
L'impatient désir de cet heureux rapport
Dans un cœur tout de flamme est quelquefois si fort,
Qu'il ne voudrait pas être un moment sans souffrance,
Et croit avec raison que plus il peut souffrir,
Plus il plaît à ce Maître et qu'enfin sa constance
Est le plus digne encens qu'il lui saurait offrir.

Mais ne présume pas que la vertu de l'homme
Produise d'elle-même une telle ferveur;
C'est de ce Maître aimé la céleste faveur
Qui la fait naître en nous, l'y nourrit, l'y consomme;
C'est de la pleine grâce un sacré mouvement,
Qui sur la chair fragile agit si puissamment,
Que tout l'homme lui cède et se fait violence,
Et que ce qu'il abhorre et que ce qu'il refuit,
Sitôt que cette grâce entre dans la balance,
Devient tout ce qu'il aime et tout ce qu'il poursuit.

Ce n'est pas de nos cœurs la pente naturelle
De porter une croix, de se plaire à pâtir,
De châtier le corps pour mieux assujettir
Sous les lois de l'esprit ce dangereux rebelle;
Il n'est pas naturel de craindre et fuir l'honneur,
De tenir le mépris à souverain bonheur,
De n'avoir pour soi-même aucune propre estime,
De supporter la peine avec tranquillité,
Et d'être des malheurs la butte et la victime,
Sans faire aucun souhait pour la prospérité.

Tu ne peux rien, mortel, de toutes ces merveilles,
Quand ce n'est que sur toi que tu jettes les yeux;
Mais, quand ta confiance est tout entière aux cieux,
Elle en reçoit pour toi des forces sans pareilles :
Alors victorieux de tous tes ennemis,
La chair sous toi domptée et le monde soumis,
Ton âme de tes sens ne se voit plus captive;
Et tu braves partout le prince de l'enfer
Quand ton cœur à sa rage oppose une foi vive,
Et ton front cette croix qui sut en triompher.

Résous-toi, résous-toi, mais d'un courage extrême,
En serviteur fidèle, à porter cette croix
Où ton Maître lui-même a rendu les abois,
Pressé du seul amour qu'il avait pour toi-même.
Te redirai-je encor qu'il te faut préparer
A mille et mille maux que force d'endurer
Le cours de cette triste et misérable vie?
Te redirai-je encor que le premier péché
En a semé partout une suite infinie,
Qui te sauront trouver où que tu sois caché?

Je ne m'en lasse point : oui, c'est l'ordre des choses;
Il n'est point de remède à ce commun malheur;
Tu te verras sans cesse accablé de douleur,
Si tu ne veux souffrir, si tu ne t'y disposes.
Contemple de Jésus l'affreuse Passion,
Bois son calice amer avec affection,
Si tu veux avoir part à son grand héritage;
Et remets, en souffrant, le soin à sa bonté
De consoler tes maux durant cet esclavage,
Et d'ordonner de tout suivant sa volonté.

Cependant de ta part ne reçois qu'avec joie
Ce qu'il te fait souffrir de tribulations;
Répute-les pour toi des consolations,
Des grâces que sur toi sa main propre déploie :
Songe que, quoi qu'ici tu puisses supporter,

Tes maux, pour grands qu'ils soient, ne peuvent
Le bien qui t'est promis en la gloire future, [mériter
Et que, quand tu pourrais souffrir tous les mépris,
Souffrir tous les revers dont gémit la nature,
Tu ne souffrirais rien digne d'un si haut prix.

Veux-tu faire un essai du paradis en terre?
Veux-tu te rendre heureux avant que de mourir?
Prends, pour l'amour de Dieu, prends plaisir à souffrir,
Prends goût à tous ces maux qui te livrent la guerre.
Souffrir avec regret, souffrir avec chagrin,
Tenir l'affliction pour un cruel destin,
La fuir, ou ne chercher qu'à s'en voir bientôt quitte,
C'est se rendre en effet d'autant plus malheureux;
L'affliction s'obstine à suivre qui l'évite,
Et lui porte partout des coups plus rigoureux.

Range à ce que tu dois ton âme en patience,
Je veux dire à souffrir de moment en moment,
Et tes maux recevront un prompt soulagement
De la solide paix qu'aura ta conscience.
Fusses-tu tout parfait, fusses-tu de ces lieux
Ravi comme saint Paul au troisième des cieux,
Tu ne te verrais point affranchi de traverses,
Puisque enfin ce fut là que le Verbe incarné
Lui fit voir les travaux et les peines diverses
Qu'à souffrir pour son nom il l'avait destiné.

Tu n'as point à prétendre ici d'autres délices
Qu'une longue souffrance ou de corps ou d'esprit,
Du moins si ton dessein est d'aimer Jésus-Christ,
Si tu veux jusqu'au bout lui rendre tes services.
Et plût à sa bonté que par un heureux choix
Un violent désir de supporter sa croix
Te fît digne pour lui de souffrir quelque chose!
Que de gloire à ton cœur ainsi mortifié!
Que d'allégresse aux saints dont tu serais la cause!
Que ton prochain par là serait édifié!

On recommande assez la patience aux autres,
Mais il s'en trouve peu qui veuillent endurer;
Et quand à notre tour il nous faut soupirer,
Ce remède à tous maux n'est plus bon pour les nôtres :
Tu devrais bien pourtant souffrir un peu pour Dieu,
Toi qui peux reconnaître à toute heure, en tout lieu
Combien plus un mondain endure pour le monde;
Vois ce que sa souffrance espère d'acquérir,
Vois quel but a sa vie en travaux si féconde,
Et fais pour te sauver ce qu'il fait pour périr.

Pour maxime infaillible imprime en ta pensée
Que chaque instant de vie est un pas vers la mort,
Et qu'il faut de ton âme appliquer tout l'effort
A goûter chaque jour une mort avancée.
C'est là, pour vivre heureux, que tu dois recourir :
Plus un homme à lui-même étudie à mourir,
Plus il commence à vivre à l'Auteur de son être;
Et des biens éternels les célestes clartés
Jamais à nos esprits ne se laissent connaître
S'ils n'acceptent pour lui toutes adversités.

En ce monde pour toi rien n'est plus salutaire,
Rien n'est plus agréable aux yeux du Tout-Puissant,
Que d'y souffrir pour lui le coup le plus perçant,
Et par un saint amour le rendre volontaire.
Si Dieu même, si Dieu t'y donnait à choisir
Ou l'extrême souffrance ou l'extrême plaisir,
Tu devrais au plaisir préférer la souffrance;
Plus un si digne choix réglerait tes desseins,
Plus ta vie à la sienne aurait de ressemblance,
Et deviendrait conforme à celle de ses saints.

Ce peu que nous pouvons amasser de mérite,
Ce peu qu'il contribue à notre avancement,
Ne gît pas aux douceurs de cet épanchement
Qu'une vie innocente au fond des cœurs excite;
Non, ne nous flattons point de ces illusions :
Ce n'est pas la grandeur des consolations
Qui pour monter au ciel rend notre âme plus forte;
C'est le nombre des croix, c'en est la pesanteur,
C'est la soumission dont cette âme les porte
Qui l'élève et l'unit à son divin Auteur.

S'il était quelque chose en toute la nature
Qui pour notre salut fût plus avantageux : [heureux
Ce Dieu, qui n'a pris chair que pour nous rendre
De parole et d'exemple en eût fait l'ouverture;
Ses disciples aimés suivaient par là ses pas;
Et quiconque après eux veut le suivre ici-bas,
C'est de sa propre voix qu'à souffrir il l'exhorte,
A tout sexe, à tout âge, il fait la même loi :
« Renonce à toi, dit-il, prends ta croix, et la porte [45]
Et par où j'ai marché viens et marche après moi. »

Concluons en un mot, et de tant de passages,
De tant d'instructions et de raisonnements,
Réunissons pour fruit tous les enseignements
A l'amour des malheurs, à la soif des outrages;
Affermissons nos cœurs dans cette vérité :
Que l'amas des vrais biens, l'heureuse éternité,
Ne se peut acquérir qu'à force de souffrances,
Que les afflictions sont les portes des cieux,
Qu'aux travaux Dieu mesure enfin les récompenses
Et donne la plus haute à qui souffre le mieux.

LIVRE TROISIÈME

1. DE L'ENTRETIEN INTÉRIEUR
DE JÉSUS-CHRIST AVEC L'AME FIDÈLE.

Corps ou sujet de l'emblème : *Saint Matthieu quitte sa banque, pour suivre Jésus-Christ.* Ame ou sentence : *Dimitte transitoria.* (Str. 4.)

Je prêterai l'oreille à cette voix secrète
Par qui le Tout-Puissant s'explique au fond du cœur;

45. *Matthieu,* XVI, 26.

Je la veux écouter, cette aimable interprète
De ce qu'à ses élus demande le Seigneur.
Oh! qu'heureuse est une âme alors qu'elle l'écoute!
Qu'elle devient savante à marcher dans sa route!
Qu'elle amasse de force à l'entendre parler!
Et que dans ses malheurs son bonheur est extrême
    Quand de la bouche de Dieu même
Sa misère reçoit de quoi se consoler!

Heureuses donc cent fois, heureuses les oreilles
Qui s'ouvrent sans relâche à ses divins accents,
Et pleines qu'elles sont de leurs hautes merveilles
Se ferment au tumulte et du monde et des sens!
Oui, je dirai cent fois ces oreilles heureuses
Qui, de la voix de Dieu saintement amoureuses,
Méprisent ces faux tons qui font bruit au dehors,
Pour entendre au dedans la vérité parlante,
    De qui la parole instruisante
N'a pour se faire ouïr que de muets accords.

Heureux aussi les yeux que les objets sensibles
Ne peuvent éblouir ni surprendre un moment!
Heureux ces mêmes yeux que les dons invisibles
Tiennent sur leurs trésors fixés incessamment!
Heureux encor l'esprit que de saints exercices
Préparent chaque jour par la fuite des vices
Aux secrets que découvre un si doux entretien!
Heureux tout l'homme enfin que ces petits miracles
    Purgent si bien de tous obstacles,
Qu'il n'écoute, hors Dieu, ne voit, ne cherche rien!

Prends-y garde, mon âme, et ferme bien la porte
Aux plaisirs que tes sens refusent de bannir,
Pour te mettre en état d'entendre en quelque sorte
Ce dont ton bien-aimé te veut entretenir.
« Je suis, te dira-t-il, ton salut et ta vie :
Si tu peux avec moi demeurer bien unie,
Le vrai calme avec toi demeurera toujours :
Renonce pour m'aimer aux douceurs temporelles;
    N'aspire plus qu'aux éternelles;
Et ce calme naîtra de nos saintes amours. »

Que peuvent après tout ces délices impures,
Ces plaisirs passagers, que séduire ton cœur?
De quoi te serviront toutes les créatures,
Si tu perds une fois l'appui du Créateur?
Défais-toi, défais-toi de toute autre habitude;
A ne plaire qu'à Dieu mets toute ton étude;
Porte-lui tous tes vœux avec fidélité :
Tu trouveras ainsi la véritable joie,
    Tu trouveras ainsi la voie
Qui seule peut conduire à la félicité.

2. QUE LA VÉRITÉ PARLE AU DEDANS
DU CŒUR SANS AUCUN BRUIT
DE PAROLES.

Corps ou sujet de l'emblème : *Le prophète Samuel*

encore jeune écoute Dieu qui lui parle. Ame ou sentence : *Loquere, Domine, quia audit servus tuus.* (Str. 1.)

Parle, parle, Seigneur, ton serviteur écoute :
Je dis ton serviteur, car enfin je le suis;
Je le suis, je veux l'être, et marcher dans ta route
　　Et les jours et les nuits.

Remplis-moi d'un esprit qui me fasse comprendre
Ce qu'ordonnent de moi tes saintes volontés,
Et réduis mes désirs au seul désir d'entendre
　　Tes hautes vérités.

Mais désarme d'éclairs ta divine éloquence,
Fais-la couler sans bruit au milieu de mon cœur;
Qu'elle ait de la rosée et la vive abondance
　　Et l'aimable douceur.

Vous la craigniez, Hébreux, vous croyiez que la foudre,
Que la mort la suivît, et dût tout désoler,
Vous qui dans le désert ne pouviez vous résoudre
　　A l'entendre parler.

« Parle-nous, parle-nous, disiez-vous à Moïse,
Mais obtiens du Seigneur qu'il ne nous parle pas;
Des éclats de sa voix la tonnante surprise
　　Serait notre trépas [46]. »

Je n'ai point ces frayeurs alors que je te prie;
Je te fais d'autres vœux que ces fils d'Israël,
Et, plein de confiance, humblement je m'écrie
　　Avec ton Samuel :

« Quoique tu sois le seul qu'ici-bas je redoute,
C'est toi seul qu'ici-bas je souhaite d'ouïr :
Parle donc, ô mon Dieu! ton serviteur écoute,
　　Et te veut obéir [47]. »

Je ne veux ni Moïse à m'enseigner tes voies,
Ni quelque autre prophète à m'expliquer tes lois;
C'est toi, qui les instruis, c'est toi qui les envoies,
　　Dont je cherche la voix.

Comme c'est de toi seul qu'ils ont tous ces lumières
Dont la grâce par eux éclaire notre foi;
Tu peux bien sans eux tous me les donner entières,
　　Mais eux tous rien sans toi.

Ils peuvent répéter le son de tes paroles,
Mais il n'est pas en eux d'en conférer l'esprit,
Et leurs discours sans toi passent pour si frivoles,
　　Que souvent on s'en rit.

Qu'ils parlent hautement, qu'ils disent des merveilles,
Qu'ils déclarent ton ordre avec pleine vigueur :
Si tu ne parles point, ils frappent les oreilles
　　Sans émouvoir le cœur.

Ils sèment la parole obscure, simple et nue;
Mais dans l'obscurité tu rends l'œil clairvoyant,
Et joins du haut du ciel à la lettre qui tue
　　L'esprit vivifiant.

Leur bouche sous l'énigme annonce le mystère,
Mais tu nous en fais voir le sens le plus caché;
Ils nous prêchent tes lois, mais ton secours fait faire
　　Tout ce qu'ils ont prêché.

Ils montrent le chemin, mais tu donnes la force
D'y porter tous nos pas, d'y marcher jusqu'au bout;
Et tout ce qui vient d'eux ne passe point l'écorce;
　　Mais tu pénètres tout.

Ils n'arrosent sans toi que les dehors de l'âme,
Mais sa fécondité veut ton bras souverain;
Et tout ce qui l'éclaire et tout ce qui l'enflamme
　　Ne part que de ta main.

Ces prophètes enfin ont beau crier et dire,
Ce ne sont que des voix, ce ne sont que des cris,
Si pour en profiter l'esprit qui les inspire
　　Ne touche nos esprits.

Silence donc, Moïse, et toi, parle en sa place,
Éternelle, immuable, immense Vérité;
Parle, que je ne meure enfoncé dans la glace
　　De ma stérilité.

C'est mourir en effet qu'à ta faveur céleste
Ne rendre point pour fruit des désirs plus ardents;
Et l'avis du dehors n'a rien que de funeste
　　S'il n'échauffe au dedans.

Cet avis écouté seulement par caprice,
Connu sans être aimé, cru sans être observé,
C'est ce qui vraiment tue, et sur quoi ta justice
　　Condamne un réprouvé.

Parle donc, ô mon Dieu! ton serviteur fidèle
Pour écouter ta voix réunit tous ses sens,
Et trouve les douceurs de la vie éternelle
　　En ses divins accents.

Parle, pour consoler mon âme inquiétée;
Parle, pour la conduire à quelque amendement;
Parle, afin que ta gloire ainsi plus exaltée
　　Croisse éternellement.

3. QU'IL FAUT ÉCOUTER LES PAROLES DE DIEU AVEC HUMILITÉ.

Corps ou sujet de l'emblème : *Sainte Catherine dispute
contre cinquante philosophes* [48] *et les convertit en présence*

---

46. *Exode*, XX, 19.
47. *I Rois*, III, 10.

48. Sujet plus de vingt fois mis en scène, et encore en France au XVIIᵉ siècle par Boissin de Gallardon (1618), Puget de La Serre (1643).

de l'empereur Maximin. Ame ou sentence : *Verba
Dei omnem philosophorum scientiam excedunt.* (Str. 1.)

Écoute donc, mon fils, écoute mes paroles,
Elles ont des douceurs qu'on ne peut concevoir;
Elles passent de loin cet orgueilleux savoir
Que la philosophie étale en ses écoles;
Elles passent de loin ces discours éclatants
Qui semblent dérober à l'injure des temps
Ces fantômes pompeux de sagesse mondaine;
Elles ne sont que vie, elles ne sont qu'esprit :
Mais la témérité de la prudence humaine
     Jamais ne les comprit.

N'en juge point par là; leur goût deviendrait fade
Si tu les confondais avec ce vil emploi,
Ou si ta complaisance amoureuse de toi
N'avait autre dessein que d'en faire parade :
Ces sources de lumière et de sincérité
Dédaignent tout mélange avec la vanité,
Et veulent de ton cœur les respects du silence;
Tu les dois recevoir avec soumission,
Et n'en peux profiter que par la violence
     De ton affection.

    Heureux l'homme dont la ferveur
Obtient de toi cette haute faveur
    Que ta main daigne le conduire!
Heureux, ô Dieu! celui-là que ta voix
    Elle-même prend soin d'instruire
    Du saint usage de tes lois!

    Cet inépuisable secours
Adoucira pour lui ces mauvais jours
    Où tu t'armeras du tonnerre :
Il verra lors son bonheur dévoilé,
    Et, tant qu'il vivra sur la terre,
    Il n'y vivra point désolé.

Ma parole instruisait dès l'enfance du monde :
Prophètes, de moi seul vous avez tout appris;
C'est moi dont la chaleur échauffait vos esprits;
C'est moi qui vous donnais cette clarté féconde.
J'éclaire et parle encore à tous incessamment,
Et je vois presque en tous un même aveuglement,
Je trouve presque en tous des surdités pareilles;
Si quelqu'un me répond, ce n'est qu'avec langueur,
Et l'endurcissement qui ferme les oreilles
    Va jusqu'au fond du cœur.

Mais ce n'est que pour moi qu'on est sourd volontaire;
Tous ces cœurs endurcis ne le sont que pour moi,
Et suivent de leur chair la dangereuse loi
Beaucoup plus volontiers que celle de me plaire.
Ce que promet le monde est temporel et bas;
Ce sont biens passagers, ce sont faibles appas,
Et l'on y porte en foule une chaleur avide;
Tout ce que je promets est éternel et grand,
Et pour y parvenir chacun est si stupide
    Qu'aucun ne l'entreprend.

En peut-on voir un seul qui partout m'obéisse
Avec les mêmes soins, avec la même ardeur,
Qu'on s'empresse à servir cette vaine grandeur
Qui fait tourner le monde au gré de son caprice?
« Rougis, rougis, Sidon », dit autrefois la mer [49]
« Rougis, rougis toi-même, et te laisse enflammer
(Te dirai-je à mon tour) d'une sévère honte; »
Et si tu veux savoir pour quel lâche souci
Je veux que la rougeur au visage te monte,
     Écoute, le voici :

Pour un malheureux titre on s'épuise d'haleine,
On gravit sur les monts, on s'abandonne aux flots,
Et pour gagner au ciel un éternel repos
On ne lève le pied qu'à regret, qu'avec peine;
Un peu de revenu fait tondre les cheveux,
Chercher sur mes autels les intérêts des vœux,
Prendre un habit dévot pour en toucher les gages :
Souvent pour peu de chose on plaide obstinément,
Et souvent moins que rien jette les grands courages
     Dans cet abaissement.

On veut bien travailler et se mettre à tout faire,
Joindre aux sueurs du jour les veilles de la nuit,
Pour quelque espoir flatteur d'un faux honneur qui fuit,
Ou pour quelque promesse incertaine et légère :
Cependant pour un prix qu'on ne peut estimer,
Pour un bien que le temps ne saurait consumer,
Pour une gloire enfin qui n'aura point de terme,
Le cœur est sans désirs, l'œil n'y voit point d'appas,
L'esprit est lent et morne, et le pied le plus ferme
     Se lasse au premier pas.

Rougis donc, paresseux, dont l'humeur délicate
Trouve un bonheur si grand à trop haut prix pour toi;
Rougis d'oser t'en plaindre, et d'avoir de l'effroi
D'un travail qui te mène où tant de gloire éclate.
Vois combien de mondains se font bien plus d'effort
Pour tomber aux malheurs d'une éternelle mort,
Que toi pour t'assurer une vie éternelle;
Et, voyant leur ardeur après la vanité,
Rougis d'être de glace alors que je t'appelle
     A voir ma vérité.

Encor ces malheureux, malgré toute leur peine,
Demeurent quelquefois frustrés de leur espoir :
Mes promesses jamais ne surent décevoir;
La confiance en moi ne se vit jamais vaine :
Tout l'espoir que j'ai fait je saurai le remplir;
Et tout ce que j'ai dit je saurai l'accomplir,
Sans rien donner pourtant qu'à la persévérance :
Je suis de tous les bons le rémunérateur,
Mais je sais fortement éprouver la constance
     Qu'ils portent dans le cœur.

Ainsi tu dois tenir mes paroles bien chères,
Les écrire en ce cœur, souvent les repasser :
Quand la tentation viendra t'embarrasser,

49. *Isaïe*, XXIII, 4.

Elles te deviendront pleinement nécessaires :
Tu pourras y trouver quelques obscurités,
Et ne connaître pas toutes mes vérités
Dans ce que t'offrira la première lecture;
Mais ces jours de visite auront un jour nouveau
Qui pour t'en découvrir l'intelligence pure
      Percera le rideau.

Je fais à mes élus deux sortes de visites :
L'une par les assauts et par l'adversité,
L'autre par ces douceurs que ma bénignité
Pour arrhes de ma gloire avance à leurs mérites.
Comme je les visite ainsi de deux façons,
Je leur fais chaque jour deux sortes de leçons :
L'une pour la vertu, l'autre contre le vice.
Prends-y garde; quiconque ose les négliger,
Par ces mêmes leçons, au jour de ma justice,
      Il se verra juger.

ORAISON POUR OBTENIR DE DIEU LA GRACE
DE LA DÉVOTION.

Quelles grâces, Seigneur, ne te dois-je point rendre,
A toi, ma seule gloire et mon unique bien ?
      Mais qui suis-je pour entreprendre
D'élever mon esprit jusqu'à ton entretien ?

Je suis un ver de terre, un chétif misérable,
Sur qui jamais tes yeux ne devraient s'abaisser,
      Plus pauvre encor, plus méprisable
Qu'il n'est en mon pouvoir de dire ou de penser.

Sans toi je ne suis rien, sans toi mon infortune
Me fait de mille maux l'inutile rebut;
      Je ne puis sans toi chose aucune,
Et je n'ai rien sans toi qui serve à mon salut.

C'est toi dont la bonté jusqu'à nous se ravale,
Qui tout juste et tout saint peux tout et donnes tout,
      Et de qui la main libérale
Remplit cet univers de l'un à l'autre bout.

Tu n'en exceptes rien que l'âme pécheresse,
Que tu rends toute vide à sa fragilité,
      Et que ton ire vengeresse
Punit dès ici-bas par cette inanité.

Daigne te souvenir de tes bontés premières,
Toi qui veux que la terre et les cieux en soient pleins,
      Et remplis-moi de tes lumières,
Pour ne point laisser vide une œuvre de tes mains.

Comment pourrai-je ici me supporter moi-même
Dans les maux où je tombe, et dans ceux où je cours,
      Si par cette bonté suprême
Tu ne fais choir du ciel ta grâce à mon secours ?

Ne détourne donc point les rayons de ta face,
Visite-moi souvent dans mes afflictions,
      Prodigue-moi grâce sur grâce,
Et ne retire point tes consolations.

Ne laisse pas mon âme impuissante et languide
Dans la stérilité que le crime produit,
      Et telle qu'une terre aride
Qui n'ayant aucune eau ne peut rendre aucun fruit.

Daigne, Seigneur tout bon, daigne m'apprendre à vivre
Sous les ordres sacrés de ta divine loi,
      Et quelle route il me faut suivre
Pour marcher comme il faut humblement devant toi.

Tu peux seul m'inspirer ta sagesse profonde,
Toi qui me connaissais avant que m'animer,
      Et me vis avant que le monde
Sortît de ce néant dont tu le sus former.

4. QU'IL FAUT MARCHER DEVANT DIEU
EN ESPRIT DE VÉRITÉ
ET D'HUMILITÉ.

Corps ou sujet de l'emblème : *Joseph s'enfuit de sa
maîtresse qui l'invitait au péché.* Ame ou sentence :
Nil sic fugias sicut vitia et peccata. (Str. 14.)

Marche devant mes yeux en droite vérité,
Cherche partout ma vue avec simplicité,
Fais que ces deux vertus te soient inséparables,
Qu'elles soient en tous lieux les guides de tes pas;
      Et leurs forces incomparables
Contre tous ennemis sauront t'armer le bras.

Oui, quelques ennemis qui s'osent présenter,
Qui marche en vérité n'a rien à redouter;
Il se trouve à couvert des rencontres funestes;
C'est un contre-poison contre les séducteurs,
      Qui dissipe toutes leurs pestes,
Et confond tout l'effort des plus noirs détracteurs.

Si cette vérité t'en délivre une fois,
Tu seras vraiment libre, et sous mes seules lois
Qui font la liberté par un doux esclavage;
Et tous les vains discours de ces lâches esprits
      Ne feront naître en ton courage
Que la noble fierté d'un généreux mépris.

      C'est là tout le bien où j'aspire,
      C'est là mon unique souhait;
      Ainsi que tu daignes le dire,
      Ainsi, Seigneur, me soit-il fait.

      Que ta vérité salutaire
      M'enseigne quel est ton chemin;
      Qu'elle m'y préserve et m'éclaire
      Jusqu'à la bienheureuse fin.

Qu'elle purge toute mon âme
De toute impure affection,
Et de tout ce désordre infâme
Que fait naître la passion.

Ainsi cheminant dans ta voie
Sous cette même vérité,
Je goûterai la pleine joie
Et la parfaite liberté.

Je t'enseignerai donc toutes mes vérités ;
Je t'illuminerai de toutes mes clartés,
Pour ne te rien cacher de ce qui peut me plaire :
Tu verras les sentiers que doit suivre ta foi
  Tu verras tout ce qu'il faut faire,
Et si tu ne le fais, il ne tiendra qu'à toi.

Pense à tous tes péchés avec un plein regret,
Avec un déplaisir et profond et secret ;
Le repentir du cœur me tient lieu de victime :
Dans le bien que tu fais, fuis la présomption,
  Et garde que la propre estime
Ne corrompe le fruit de ta bonne action.

Tu n'es rien qu'un pécheur, dont la fragilité,
Sujette aux passions prend leur malignité,
Et n'a jamais de soi que le néant pour terme ;
Elle y penche, elle y glisse, elle y tombe aisément ;
  Et plus ta ferveur se croit ferme,
Plus prompte est sa défaite ou son relâchement.

Non, tu n'as rien en toi qui puisse avec raison
Enfler de quelque orgueil la gloire de ton nom,
Tu n'as que des sujets de mépris légitime ;
Tes défauts sont trop grands pour en rien présumer,
  Et ta faiblesse ne s'exprime
Que par un humble aveu qu'on ne peut l'exprimer.

Ne fais donc point d'état de tout ce que tu fais ;
Ne range aucune chose entre les grands effets ;
Ne crois rien précieux, ne crois rien admirable,
Rien noble, rien enfin dans la solidité,
  Rien vraiment haut, rien désirable,
Que ce qui doit aller jusqu'à l'éternité.

De cette éternité le caractère saint,
Que sur mes vérités ma main toujours empreint,
Doit plaire à tes désirs par-dessus toute chose ;
Et rien ne doit jamais enfler tes déplaisirs
  A l'égal des maux où t'expose
Le vil abaissement de ces mêmes désirs.

Tu n'as rien tant à craindre et rien tant à blâmer
Que l'appas du péché qui cherche à te charmer,
Et par qui des enfers les portes sont ouvertes :
Fuis-le comme un extrême et souverain malheur ;
  L'homme ne peut faire de pertes
Qu'il ne doive souffrir avec moins de douleur.

Il est quelques esprits dont l'orgueil curieux

Jusques à mes secrets les plus mystérieux
Tâche à guinder l'essor de leur intelligence ;
Bouffis de leur superbe, ils en font tout leur but,
  Et laissent à leur négligence
Étouffer les soucis de leur propre salut.

Comme ils n'ont point d'amour ni de sincérité ;
Comme ils ne sont qu'audace et que témérité,
Moi-même j'y résiste, et j'aime à les confondre ;
Et l'ordinaire effet de leur ambition
  C'est de n'y voir enfin répondre
Que le péché, le trouble, ou la tentation.

N'en use pas comme eux, prends d'autres sentiments,
Redoute ma colère, et crains mes jugements,
Sans vouloir du Très-Haut pénétrer la sagesse :
Au lieu de mon ouvrage examine le tien,
  Et revois ce que ta faiblesse
Aura commis de mal, ou négligé de bien.

Il est d'autres esprits dont la dévotion
Attache à des livrets toute son action,
S'applique à des tableaux, s'arrête à des images ;
Et leur zèle amoureux des marques du dehors
  En sème tant sur leurs visages,
Qu'il laisse l'âme vide aux appétits du corps.

D'autres parlent de moi si magnifiquement,
Avec tant de chaleur, avec tant d'ornement,
Qu'il semble qu'en effet mon service les touche ;
Mais souvent leur discours n'est qu'un discours
  Et s'ils ont mon nom à la bouche,   [moqueur,
Ce n'est pas pour m'ouvrir les portes de leur cœur.

Il est d'autres esprits enfin bien éclairés,
De qui tous les désirs dignement épurés
De l'éternité seule aspirent aux délices ;
La terre n'a pour eux ni plaisirs ni trésors,
  Et leur zèle prend pour supplices
Tous ces soins importuns que l'âme doit au corps.

Ceux-là sentent en eux l'Esprit de vérité
Leur prêcher cette heureuse et vive éternité,
Et suivant cet Esprit ils dédaignent la terre ;
Ils ferment pour le monde et l'oreille et les yeux,
  Ils se font une sainte guerre,
Et poussent jour et nuit leurs souhaits jusqu'aux cieux.

5. DES MERVEILLEUX EFFETS DE L'AMOUR DIVIN.

Corps ou sujet de l'emblème : *Jésus-Christ lassé du chemin instruit la Samaritaine.* Ame ou sentence : *Fatigatus non lassatur.* (Str. 20.)

Je te bénis, Père céleste,
Père de mon divin Sauveur,

Qui rends en tous lieux ta faveur
Pour tes enfants si manifeste.

J'en suis le plus pauvre et le moindre,
Et tu daignes t'en souvenir;
Combien donc te dois-je bénir,
Et combien de grâces y joindre!

O Père des miséricordes!
O Dieu des consolations!
Reçois nos bénédictions
Pour les biens que tu nous accordes.

Tu répands les douceurs soudaines
Sur l'amertume des ennuis,
Et, tout indigne que j'en suis,
Tu consoles toutes mes peines.

J'en bénis ta main paternelle,
J'en bénis ton fils Jésus-Christ,
J'en rends grâces au Saint-Esprit.
A tous les trois gloire éternelle.

O Dieu tout bon, ô Dieu qui m'aimes
Jusqu'à supporter ma langueur,
Quand tu descendras dans mon cœur
Que mes transports seront extrêmes!

C'est toi seul que je considère
Comme ma gloire et mon pouvoir,
Comme ma joie et mon espoir,
Et mon refuge en ma misère.

Mais mon amour encor débile
Tombe souvent comme abattu,
Et mon impuissante vertu
Ne fait qu'un effort inutile.

J'ai besoin que tu me soutiennes,
Que tu daignes me consoler,
Et que pour ne plus chanceler
Tu prêtes des forces aux miennes.

Redouble tes faveurs divines,
Visite mon cœur plus souvent,
Et pour le rendre plus fervent
Instruis-le dans tes disciplines.

Affranchis-le de tous ses vices,
Déracine ses passions,
Efface les impressions
Qu'y forment les molles délices.

Qu'ainsi purgé par ta présence,
A tes pieds je le puisse offrir,
Net pour t'aimer, fort pour souffrir,
Stable pour la persévérance.

Connais-tu bien l'amour, toi qui parles d'aimer?
L'amour est un trésor qu'on ne peut estimer;

Il n'est rien de plus grand, rien de plus admirable;
Il est seul à soi-même ici-bas comparable;
Il sait rendre légers les plus puissants fardeaux;
Les jours les plus obscurs, il sait les rendre beaux
Et l'inégalité des rencontres fatales
Ne trouve point en lui des forces inégales;
Charmé qu'il est partout des beautés de son choix,
Quelque charge qu'il porte, il n'en sent point le poids,
Et son attachement au digne objet qu'il aime
Donne mille douceurs à l'amertume même.
Cet amour de Jésus est noble et généreux;
Des grandes actions il rend l'homme amoureux;
Et les impressions qu'une fois il a faites
Toujours de plus en plus aspirent aux parfaites.
Il va toujours en haut chercher de saints appas,
Il traite de mépris tout ce qu'il voit de bas,
Et dédaigne le joug de ces honteuses chaînes
Jusqu'à ne point souffrir d'affections mondaines.
De peur que leur nuage enveloppant ses yeux
A leurs secrets regards n'ôte l'aspect des cieux,
Qu'un frivole intérêt des choses temporelles
N'abatte les désirs qu'il pousse aux éternelles,
Ou que pour éviter quelque incommodité
Il n'embrasse un obstacle à sa félicité.
Je te dirai bien plus, sa douceur et sa force
Sont des cœurs les plus grands la plus illustre amorce;
La terre ne voit rien qui soit plus achevé;
Le ciel même n'a rien qui soit plus élevé:
En veux-tu la raison? en Dieu seul est sa source;
En Dieu seul est aussi le repos de sa course;
Il en part, il y rentre, et ce feu tout divin
N'a point d'autre principe et n'a point d'autre fin.
Tu sauras encor plus; à la moindre parole,
Au plus simple coup d'œil, l'amant va, court et vole,
Et mêle tant de joie à son activité,
Que rien n'en peut borner l'impétuosité.
Pour tous également son ardeur est extrême;
Il donne tout pour tous, et n'a rien à lui-même;
Mais, quoiqu'il soit prodigue, il ne perd jamais rien,
Puisqu'il retrouve tout dans le souverain bien,
Dans ce bien souverain à qui tous autres cèdent,
Qui seul les comprend tous, et dont tous ils procèdent;
Il se repose entier sur cet unique appui,
Et trouve tout en tous sans posséder que lui.
Dans les dons qu'il reçoit, tout ce qu'il se propose,
C'est d'en bénir l'auteur par-dessus toute chose :
Il n'a point de mesure, et comme son ardeur
Ne peut de son objet égaler la grandeur,
Il la croit toujours faible, et souvent en murmure,
Quand même cette ardeur passe toute mesure.
Rien ne pèse à l'amour, rien ne peut l'arrêter;
Il n'est point de travaux qu'il daigne supputer;
Il veut plus que sa force; et, quoi qui se présente,
L'impossibilité jamais ne l'épouvante;
Le zèle qui l'emporte au bien qu'il s'est promis
Lui montre tout possible, et lui peint tout permis.
Ainsi qui sait aimer se rend de tout capable,
Il réduit à l'effet ce qui semble incroyable :
Mais le manque d'amour fait le manque de cœur,
Il abat le courage, il détruit la vigueur,

Relâche les désirs, brouille la connaissance,
Et laisse enfin tout l'homme à sa propre impuissance.
  L'amour ne dort jamais, non plus que le soleil :
Il sait l'art de veiller dans les bras du sommeil;
Il sait dans la fatigue être sans lassitude;
Il sait dans la contrainte être sans servitude,
Porter mille fardeaux sans en être accablé,
Voir mille objets d'effroi sans en être troublé :
C'est d'une vive flamme une heureuse étincelle,
Qui, pour se réunir à sa source immortelle,
Au travers de la nue et de l'obscurité
Jusqu'au plus haut des cieux s'échappe en sûreté.
  Quiconque sait aimer sait bien ce que veut dire
Cette secrète voix qui souvent nous inspire,
Et quel bruit agréable aux oreilles de Dieu
Fait cet ardent soupir qui lui crie en tout lieu :

O mon Dieu, mon amour unique!
Regarde mon zèle et ma foi,
Reçois-les, et sois tout à moi,
Comme tout à toi je m'applique.

Dilate mon cœur et mon âme
Pour les remplir de plus d'amour,
Et fais-leur goûter nuit et jour
Ce que c'est qu'une sainte flamme.

Qu'ils trouvent partout des supplices
Hormis aux douceurs de t'aimer;
Qu'ils se baignent dans cette mer;
Qu'ils se fondent dans ces délices.

Que cette ardeur toujours m'embrase,
Et que ses transports tout-puissants,
Jusqu'au-dessus de tous mes sens
Poussent mon amoureuse extase.

Que dans ces transports extatiques,
Où seul tu me feras la loi,
Tout hors de moi, mais tout en toi,
Je te chante mille cantiques.

Que je sache si bien te suivre,
Que tu me daignes accepter,
Et qu'à force de t'exalter
Je me pâme et cesse de vivre.

Que je t'aime plus que moi-même,
Que je m'aime en toi seulement,
Et qu'en toi seul pareillement
Je puisse aimer quiconque t'aime.

Ainsi mon âme tout entière,
Et toute à toi jusqu'aux abois,
Suivra ces amoureuses lois
Que lui montrera ta lumière.

Ce n'est pas encor tout, et tu ne conçois pas
Ni tout ce qu'est l'amour ni ce qu'il a d'appas;
Apprends qu'il est bouillant, apprends qu'il est sincère,
Apprends qu'il a du zèle, et qu'il sait l'art de plaire,
Qu'il est délicieux, qu'il est prudent et fort,
Fidèle, patient, constant jusqu'à la mort,
Courageux, et surtout hors de cette faiblesse
Qui force à se chercher, et pour soi s'intéresse :
Car enfin c'est en vain qu'on se laisse enflammer,
Aussitôt qu'on se cherche on ne sait plus aimer.
  L'amour est circonspect, il est juste, humble, et sage;
Il ne sait ce que c'est qu'être mol ni volage,
Et des biens passagers les vains amusements
N'interrompent jamais ses doux élancements :
L'amour est sobre et chaste, il est ferme et tranquille,
A garder tous ses sens il est prompt et docile :
L'amour est bon sujet, soumis, obéissant,
Plein de mépris pour soi, pour Dieu reconnaissant;
En Dieu seul il se fie, en Dieu seul il espère,
Même quand Dieu l'expose à la pleine misère,
Qu'il est sans goût pour Dieu dans l'effort du malheur;
Car le parfait amour ne vit point sans douleur.
Et quiconque n'est prêt de souffrir toute chose,
D'attendre que de lui son bien-aimé dispose,
Quiconque peut aimer si mal, si lâchement,
N'est point digne du nom de véritable amant.
Pour aimer comme il faut, il faut pour ce qu'on aime
Embrasser l'amertume et la dureté même,
Pour aucun accident n'en être diverti,
Et pour aucun revers ne quitter son parti.

6. DES ÉPREUVES DU VÉRITABLE AMOUR.

*Corps ou sujet de l'emblème : Saint Pierre et saint André
quittent leur nacelle et leurs filets pour suivre Jésus-
Christ*[50]. *Ame ou sentence : Affectum potius attendit
quam censum.* (Str. 4.)

Tu m'aimes, je le vois, mais ton affection
N'est pas encore au point de la perfection;
Elle a manque de force, et manque de prudence,
Et son feu le plus vif et le plus véhément,
A la moindre traverse, au moindre empêchement,
    Perd si tôt cette véhémence,
    Que de tout le bien qu'il commence
Il néglige l'avancement.

Ainsi des bons propos la céleste vigueur
Aisément dégénère en honteuse langueur;
Tu sembles n'en former qu'afin de t'en dédire;
Ce lâche abattement de ton infirmité
Cherche qui te console avec avidité,
    Et ton cœur après moi soupire,
    Moins pour vivre sous mon empire
Que pour vivre en tranquillité.

Le vrai, le fort amour en soi-même affermi,
Sait bien et repousser l'effort de l'ennemi

---

50. Cet emblème sert à l'ensemble du livre III, dans l'édition
de 1656, qui ne compte que quatre gravures.

Et refuser l'oreille à ses ruses perverses;
Il sait du cœur entier lui fermer les accès,
Et de sa digne ardeur le salutaire excès,
    Égal aux fortunes diverses,
    M'adore autant dans les traverses
    Que dans les plus heureux succès.

Quiconque sait aimer, mais aimer prudemment,
A la valeur des dons n'a point d'attachement;
En tous ceux qu'on lui fait c'est l'amour qu'il estime;
C'est par l'affection qu'il en juge le prix :
Et de son bien-aimé profondément épris,
    Il ne peut croire légitime
    Que sans lui quelque don imprime
    Autre chose que du mépris.

Ainsi dans tous les miens il n'a d'yeux que pour moi;
Ainsi de tous les miens il fait un noble emploi,
A force de les mettre au-dessous de moi-même,
Il se repose en moi comme au bien souverain,
Et tous ces autres biens que sur le genre humain
    Laisse choir ma bonté suprême,
    Il ne les estime et les aime
    Qu'en ce qu'ils tombent de ma main.

Si quelquefois pour moi, quelquefois pour mes saints,
Ton zèle aride et lent suit mal tes bons desseins,
Et ne te donne point de sensible tendresse,
Il ne faut pas encor que ton cœur éperdu,
Pour voir languir tes vœux, estime tout perdu;
    Ce qui manque à leur sécheresse,
    Quoi qu'en présume ta faiblesse,
    Te peut être bientôt rendu.

Tout ce qui coule au cœur de doux saisissements,
De liquéfactions, d'épanouissements,
Marque bien les effets de ma grâce présente;
C'est bien quelque avant-goût du céleste séjour,
Mais prompte est sa venue, et prompt est son retour,
    Et sa douceur la plus charmante,
    Lorsque tu crois qu'elle s'augmente,
    Soudain échappe à ton amour.

Il ne serait pas sûr de s'y trop assurer :
Ne songe qu'à combattre, à vaincre, à te tirer
De ces lacs dangereux où ton plaisir t'invite;
Sous les mauvais désirs n'être point abattu,
Triompher hautement du pouvoir qu'ils ont eu,
    Et du diable qui les suscite,
    C'est la marque du vrai mérite
    Et de la solide vertu.

Ne te trouble donc point pour les distractions
Qui rompent la ferveur de tes dévotions;
De quelques vains objets qu'elles t'offrent l'image,
Garde un ferme propos sans jamais t'ébranler,
Garde un cœur pur et droit sans jamais chanceler,
    Et la grandeur de ton courage
    Dissipera tout ce nuage
    Qu'elles s'efforcent d'y mêler.

Quelquefois ton esprit, s'élevant jusqu'aux cieux,
De cette haute extase où j'occupe ses yeux,
Retombe tout à coup dans quelque impertinence;
Pour confus que tu sois d'un si prompt changement,
Fais un plein désaveu de cet égarement,
    Et prends une sainte arrogance
    Qui dédaigne l'extravagance
    De son indigne amusement.

Ces faiblesses de l'homme agissent malgré toi;
Et bien que de ton cœur elles brouillent l'emploi,
Elles n'y peuvent rien que ce cœur n'y consente :
Tant que tu te défends d'y rien contribuer,
Tu leur défends aussi de rien effectuer;
    Et leur embarras te tourmente,
    Mais ton mérite s'en augmente,
    Au lieu de s'en diminuer.

L'immortel ennemi des soins de ton salut,
Qui ne prend que ma haine et ta perte pour but,
Par là dessous tes pas creuse des précipices;
Il met tout en usage afin de t'arracher
Ces vertueux désirs où je te fais pencher,
    Et ne t'offre aucunes délices
    Qu'afin que tes bons exercices
    Trouvent par où se relâcher.

Il hait tous ces honneurs que tu rends à mes saints,
Il hait tous mes tourments dans ta mémoire empreints,
Dont tu fais malgré lui tes plus douces pensées;
Il hait ta vigilance à me garder ton cœur;
Il hait tes bons propos qui croissent en vigueur,
    Et ce que tes fautes passées
    Dans ton souvenir retracées
    Te laissent pour toi de rigueur.

Il cherche à t'en donner le dégoût ou l'ennui,
Et pour t'ôter, s'il peut, des armes contre lui,
Il s'arme contre toi de toute la nature :
De mille objets impurs il unit le poison,
Afin que de leur peste infectant ta raison
    Il s'y fasse quelque ouverture
    Pour troubler ta sainte lecture,
    Et disperser ton oraison.

L'humble aveu de ton crime aux pieds d'un confesseur,
Qui sur toi de ma grâce attire la douceur,
Gêne jusqu'aux enfers l'orgueil de son courage;
Et comme il hait surtout ces amoureux transports
Où s'élève ton âme en recevant mon corps,
    Les artifices de sa rage
    T'en ferait quitter tout l'usage,
    Si l'effet suivait ses efforts.

Ferme-lui bien l'oreille, et vis sans t'émouvoir
De ces pièges secrets que pour te décevoir
Sous un appas visible il dresse à ta misère :
Ne t'inquiète point de ses subtilités;
Et n'imputant qu'à lui toutes les saletés
    Que sa ruse en vain te suggère,

Reproche-lui d'un ton sévère
L'amas de ses impuretés.

« Va, malheureux esprit, va, va, lui dois-tu dire,
Dans les feux immortels de ton funeste empire,
Vas-y rougir de honte, et brûler de courroux
De perdre ainsi tes coups.

Tu les perds contre moi lorsque tu te figures
Que tu vas m'accabler sous ce monceau d'ordures;
De quelques faux appas que tu m'oses flatter,
Je sais les rejeter.

Va donc, encore un coup, va, séducteur infâme;
N'espère aucune part désormais en mon âme;
Jésus-Christ est ma force et marche à mes côtés
Contre tes saletés.

Tel qu'un puissant guerrier armé pour ma défense,
Il dompte qui m'attaque, il abat qui m'offense,
Et réduira l'effet de ton illusion
A ta confusion.

Je choisirai plutôt les plus cruels supplices,
J'accepterai la mort, j'en ferai mes délices,
Avant que tes efforts m'arrachent un moment
De vrai consentement.

De tes suggestions réprime l'impudence;
Pour épargner ta honte impose-toi silence;
Aussi bien tes discours deviennent superflus;
Je ne t'écoute plus.

Tu m'as jusqu'à présent donné beaucoup de peine;
Tu m'as bien fait trembler et bien mis à la gêne :
Mais le Seigneur m'éclaire et se fait mon appui;
Qu'ai-je à craindre avec lui?

Que tes noirs escadrons en bataille rangée
Combattent les désirs de mon âme assiégée,
Je verrai leurs fureurs fondre toutes sur moi
Sans en prendre d'effroi.

Contre ces escadrons mon Dieu me sert d'escorte;
Contre tant de fureurs il me prête main-forte;
Il est mon espérance et mon libérateur;
Fuis, lâche séducteur. »

Ainsi tu dois, mon fils, t'apprêter au combat;
Ainsi tu dois combattre en courageux soldat,
Et dissiper ainsi les forces qu'il amasse.
S'il t'arrive de choir par ta fragilité,
Relève-toi plus fort que tu n'avais été;
Et, lorsque ta vigueur se lasse,
Appelle une plus haute grâce
Au secours de ta lâcheté.

Tu dois t'y confier; mais prends garde avec soin
Que cette confiance, allant un peu trop loin,
Ne se tourne en superbe et faible complaisance :

Plusieurs y sont trompés; et ce vain sentiment,
Les portant de l'erreur jusqu'à l'aveuglement
D'une ingrate méconnaissance,
Les met presque dans l'impuissance
D'un véritable amendement.

Instruit par le malheur de ces présomptueux,
Tiens sous l'humilité ton désir vertueux;
Prends-en dans leur ruine une digne matière :
Vois comme leur orgueil, facile à s'ébranler,
Tombe d'autant plus bas que haut il crut voler;
Et des chutes d'une âme fière
Tâche à tirer quelque lumière
Qui t'éclaire à te ravaler.

7. QU'IL FAUT CACHER LA GRACE DE LA DÉVOTION SOUS L'HUMILITÉ.

Corps ou sujet de l'emblème : *Saint Justin martyr foule aux pieds les livres des philosophes, pour prendre l'Evangile et la croix*[51]. Ame ou sentence : *Melius est sapere modicum cum humilitate.* (Str. 11.)

Tu veux être dévot, et je t'en fais la grâce;
Mais apprends qu'il la faut cacher,
Et qu'un don que tu tiens si cher,
Renfermé dans toi-même aura plus d'efficace,
Bien que tu saches ce qu'il vaut,
Ne t'en élève pas plus haut;
Parle-s-en d'autant moins que plus je t'en inspire;
Et n'en prends pas l'autorité
De donner plus de poids à ce que tu veux dire,
Par une sotte gravité.

Le mépris de toi-même est le plus heureux signe
Que tu sais connaître son prix :
Sois donc ferme dans ce mépris,
Et crains de perdre un bien dont tu te sens indigne.
Toutes ces petites douceurs
Que le zèle épand dans les cœurs
Ne sont pas de ce bien la garde la plus sûre;
N'y mets aucun attachement;
Je te l'ai déjà dit, que telle est leur nature
Qu'elles passent en un moment.

Dans ces heureux moments ou ma grâce t'éclaire,
Regarde avec humilité
Quelle devient ta pauvreté
Sitôt que cette grâce a voulu se soustraire.
Le grand progrès spirituel
N'est pas au goût continuel
Des sensibles attraits dont elle te console,
Mais à souffrir sans murmurer
Les maux qu'elle te laisse alors qu'elle s'envole,
Et ne te point considérer.

51. On lit sur les volumes de la gravure : Platon, Aristote. Erasme et saint Ignace de Loyola réagiront très tôt contre cet antihumanisme, tout en conservant l'esprit de la *devotio moderna*.

Bien qu'en ce triste état tout te nuise et te fâche,
   Bien qu'une importune langueur
   Éteigne presque ta vigueur,
Ne permets pas pourtant que ton feu se relâche;
   Veille, prie, et ne quitte rien
   De ce que tu faisais de bien
Alors que tu sentais ta ferveur plus entière;
   Fais enfin suivant ton pouvoir,
Suivant ce qui te reste en l'esprit de lumière,
   Et tu rempliras ton devoir.

Je me tiendrai toujours de ton intelligence,
   Pourvu que cette aridité,
   Pourvu que cette anxiété
Ne se tourne jamais en pleine négligence.
   Plusieurs bronchent à ce faux pas,
   Et dès qu'ils perdent ces appas
Il semble par dépit qu'au surplus ils renoncent;
   Tout leur courage s'amollit,
Et dans la nonchalance où leurs âmes s'enfoncent
   Leur plus beau feu s'ensevelit.

Ce n'est pas comme il faut se ranger à ma suite :
   L'homme a beau former un dessein,
   Il n'a pas toujours en sa main
Tout ce qu'il se promet de sa bonne conduite.
   Quelle que soit l'ardeur des vœux,
   C'est quand je veux et qui je veux
Que console, où je veux, ma grâce toute pure,
   Et de ses plus charmants attraits
Mon vouloir souverain est la seule mesure,
   Et non la ferveur des souhaits.

Souvent cette ferveur, par ses douces amorces
   Fatale aux esprits imprudents,
   Fait succomber les plus ardents
A force d'entreprendre au-dessus de leurs forces;
   Ces dévots trop présomptueux
   Dans leurs élans impétueux
Ne daignent réfléchir sur ce qu'ils peuvent faire,
   Et changent leur zèle en poison,
Quand ils écoutent plus son ardeur téméraire
   Que les avis de la raison.

Ainsi ces indiscrets perdent bientôt mes grâces,
   Pour oser plus qu'il ne me plaît;
   Et leur vol rencontre un arrêt
Qui les rejette au rang des âmes les plus basses.
   Pour fruit de leur témérité
   Ils retrouvent l'indignité
Des imperfections qui leur sont naturelles,
   Afin que n'espérant rien d'eux,
Et ne prétendant plus voler que sous mes ailes,
   Ils me laissent régler leurs feux.

Vous donc qui commencez à marcher dans ma voie,
   Chers apprentis de la vertu,
   Dans ce chemin que j'ai battu
Portez, je le consens, grand cœur et grande joie :
   Mais gardez sous cette couleur

   D'écouter toute la chaleur
Qui s'allume sans ordre en vos jeunes courages;
   Vous pourrez trébucher bien bas,
Si vous ne choisissez les conseils les plus sages
   Pour guides à vos premiers pas.

C'est vous faire une folle et vaine confiance
   De croire plus vos sentiments
   Que les solides jugements
Qu'affermit une longue et sainte expérience;
   Quelque bien que vous embrassiez,
   Quelque progrès que vous fassiez,
Ils vous laissent à craindre une funeste issue,
   Si ce que vous avez d'amour
Pour ces faibles clartés de votre propre vue,
   S'obstine à fuir tout autre jour.

L'esprit persuadé de sa propre sagesse
   Rarement reçoit sans ennui
   L'ordre ni les leçons d'autrui;
Il aime rarement à suivre une autre adresse.
   L'innocente simplicité
   Que relève l'humilité
Passe le haut savoir qu'enfle la suffisance,
   Et des fruits qu'il fait recueillir
Le peu vaut mieux pour toi que la pleine abondance,
   Si tu t'en peux enorgueillir.

   Sache régler ta joie; une âme est peu discrète
   Qui dans les plus heureux succès
   S'y livre avec un tel excès,
Qu'elle va toute entière où ce transport la jette :
   Avec trop de légèreté,
   De sa première pauvreté,
Au milieu de mes dons, ingrate, elle s'oublie;
   Et qui sent bien l'art d'en jouir
Craint toujours de donner à ma grâce affaiblie
   Quelque lieu de s'évanouir.

Ne sois pas moins soigneux de régler la tristesse :
   C'est témoigner peu de vertu
   Que d'avoir un cœur abattu
Sitôt qu'un déplaisir violemment te presse;
   Quelque grand que soit le malheur,
   Il ne faut pas que la douleur
Forme aucun désespoir de ton impatience,
   Ni que le zèle rebuté
Étouffe par dépit toute la confiance
   Qu'il doit avoir en ma bonté.

Fuis ces extrémités : quiconque en la bonace
   S'ose tenir trop assuré
   Devient lâche et mal préparé
A la moindre tempête, à sa moindre menace.
   Si tu peux te faire la loi,
   Toujours humble, toujours en toi,
Toujours de ton esprit le véritable maître,
   Alors, moins prompt à succomber,
Tu verras les périls que toutes deux font naître
   Presque sans péril d'y tomber.

Dans l'ardeur la plus forte et la mieux éclairée
Conserve bien le souvenir
De ce que tu dois devenir
Lorsque cette clarté se sera retirée :
Dans l'éclipse d'un si beau jour
Pense de même à son retour ;
Fais briller ses rayons sans cesse en ta mémoire ;
Et s'ils paraissent inconstants,
Crois que c'est pour ton bien et pour ta propre gloire
Que je t'en prive quelque temps.

Cette sorte d'épreuve est souvent plus utile,
Bien qu'un peu rude à ta ferveur,
Que si tu voyais ma faveur
Rendre à tous tes souhaits l'évènement facile.
L'amas des consolations,
L'éclat des révélations,
Ne sont pas du mérite une marque fort sûre ;
Et ni par le degré plus haut,
Ni par la suffisance à lire l'Ecriture
On ne juge bien ce qu'il vaut.

Il veut pour fondements de son prix légitime
Une sincère humilité,
Une parfaite charité,
Un ferme désaveu de toute propre estime.
Celui-là seul sait mériter
Qui n'aspire qu'à m'exalter,
Qui partout et sur tout ne cherche que ma gloire,
Qui tient les mépris à bonheur,
Et gagne sur soi-même une telle victoire,
Qu'il les goûte mieux que l'honneur.

8. DU PEU D'ESTIME DE SOI-MÊME EN LA PRÉSENCE DE DIEU.

Corps ou sujet de l'emblème : *Le roi Nabuchodonosor, après avoir vécu sept ans parmi les bêtes, se convertit à Dieu.* Ame ou sentence : *Nihil sum et nescivi.* (Str. 5.)

Seigneur, t'oserai-je parler,
Moi qui ne suis que cendre et que poussière,
Qu'un vil extrait d'une impure matière,
Qu'au seul néant on a droit d'égaler ?

Si je me prise davantage,
Je t'oblige à t'en ressentir,
Je vois tous mes péchés soudain me démentir,
Et contre moi porter un témoignage
Où je n'ai rien à repartir.

Mais si je m'abaisse et m'obstine
A me réduire au néant dont je viens,
Si toute estime propre en moi se déracine,
Et qu'en dépit de tous ses entretiens
Je rentre en cette poudre où fut mon origine,
Ta grâce avec pleine vigueur
Est soudain propice à mon âme,

Et les rayons de ta céleste flamme
Descendent au fond de mon cœur.

L'orgueil, contraint à disparaître,
Ne laisse dans ce cœur aucun vain sentiment
Qui ne soit abîmé, pour petit qu'il puisse être,
Dans cet anéantissement,
Sans pouvoir jamais y renaître.

Ta clarté m'expose à mes yeux,
Je me vois tout entier, et j'en vois d'autant mieux
Quels défauts ont suivi ma honteuse naissance ;
Je vois ce que je suis, je vois ce que je fus.
Je vois d'où je viens ; et confus
De ne voir que de l'impuissance,
Je m'écrie : « O mon Dieu, que je m'étais déçu !
Je ne suis rien, et n'en avais rien su. »

Si tu me laisses à moi-même,
Je n'ai dans mon néant que faiblesse et qu'effroi ;
Mais, si dans mes ennuis tu jettes l'œil sur moi,
Soudain je deviens fort, et ma joie est extrême.
Merveille, que de ces bas lieux,
Élevé tout à coup au-dessus du tonnerre,
Je vole ainsi jusques aux cieux,
Moi que mon propre poids rabat toujours en terre ;
Que tout à coup de saints élancements,
Tout chargé que je suis d'une masse grossière,
Jusque dans ces palais de gloire et de lumière
Me fassent recevoir tes doux embrassements !

Ton amour fait tous ces miracles :
C'est lui qui me prévient sans l'avoir mérité ;
C'est lui qui brise les obstacles
Qui naissent des besoins de mon infirmité
C'est lui qui soutient ma faiblesse,
Et, quelque péril qui me presse,
C'est lui qui m'en préserve et le sait détourner ;
C'est lui qui m'affranchit, c'est lui qui me retire
De tant de malheurs, qu'on peut dire
Que leur nombre sans lui ne se pourrait borner.

Ces malheurs, ces périls, ces besoins, ces faiblesses,
C'est ce que l'amour-propre en nos cœurs a semé,
C'est ce qu'on a pour fruit de ses molles tendresses,
Et je me suis perdu quand je me suis aimé ;
Mais quand, détaché de moi-même,
Je t'aime purement et ne cherche que toi,
Je trouve ce que j'aime en un si digne emploi,
Je me retrouve encor, Seigneur, en ce que j'aime ;
Et ce feu tout divin, plus il sait pénétrer,
Plus dans mon vrai néant il m'apprend à rentrer.

Ton amour à t'aimer ainsi me sollicite,
Et me rappelle à mon devoir
Par des faveurs qui passent mon mérite,
Et par des biens plus grands que mon espoir.

Je t'en bénis, Être suprême,
Dont l'immense bénignité

Étend sa libéralité
Sur l'indigne et sur l'ingrat même :
Ce torrent que jamais tu ne laisses tarir
Ne se lasse point de courir
Même vers ceux qui s'en éloignent,
Et souvent sur l'aversion
Que les plus endurcis témoignent,
Il roule les trésors de ton affection.
De ces sources inépuisables
Fais sur nous déborder les flots;
Rends-nous humbles, rends-nous dévots,
Rends-nous reconnaissants, rends-nous inébranlables;
Relève-nous le cœur sous nos maux abattu,
Attire-nous à toi par cette sainte amorce
Toi qui seul es notre vertu,
Notre salut et notre force.

9. QU'IL FAUT RAPPORTER TOUT A DIEU COMME A NOTRE DERNIÈRE FIN.

Corps ou sujet de l'emblème : *Saint Ignace de Loyola
se plonge dans un étang glacé pour détourner un jeune
homme d'un péché qu'il allait commettre.* Ame ou sentence : *Vincit omnia divina caritas.* (Str. 6.)

Si tu veux du bonheur t'aplanir la carrière,
Choisis-moi pour ta fin souveraine et dernière,
Épure tes désirs par cette intention;
Tes flammes deviendront comme eux droites et pures,
Tes flammes, que souvent ta folle passion
Recourbe vers toi-même, ou vers les créatures,
Et qui n'ont que faiblesse, aridité, langueur,
Sitôt qu'à te chercher tu ravales ton cœur.

C'est à moi, c'est à moi qu'il faut que tu rapportes
Les biens les plus exquis, les grâces les plus fortes,
A moi qui donne tout et tiens tout en ma main
Pour bien user de tout, regarde chaque chose
Comme un écoulement de ce bien souverain,
Que de moi seul je forme, et dont seul je dispose,
Et prends ce que sur toi j'en verse de ruisseaux
Pour guides vers la source à qui tu dois leurs eaux.

Qui monte jusque-là ne m'en trouve point chiche.
Le petit et le grand, le pauvre avec le riche,
Y peuvent sans relâche également puiser;
Mon amour libéral l'ouvre à tous sans réserve :
J'aime à donner mes biens, j'aime à favoriser;
Mais je veux à mon tour qu'on m'aime et qu'on me
Je hais le cœur ingrat, le froid, l'indifférent, [serve;
Et ma grâce est le prix des grâces qu'on me rend.

Quiconque s'ose enfler de propre suffisance
Jusqu'à prendre en soi-même ou gloire, ou complai-
Ou chercher hors de moi de quoi se réjouir, [sance,
Sa joie est inquiète, et si mal établie,
Que son cœur pleinement ne peut s'épanouir;
D'angoisse sur angoisse il la sent affaiblie,

Il voit trouble sur trouble, et naître à tout moment
Mille vrais déplaisirs d'un faux contentement.

Ne t'impute donc rien de bon, de salutaire,
Et, quoi qu'un autre même à tes yeux puisse faire,
A sa propre vertu n'attribue aucun bien;
Dans celui que tu fais ne perds point la mémoire
Qu'il en faut bénir Dieu, sans qui l'homme n'a rien :
Comme tout vient de moi, j'en veux toute la gloire,
Je veux un plein hommage, un cœur passionné,
Et qu'on me rende ainsi tout ce que j'ai donné.

C'est par ces vérités qu'est soudain mise en fuite
La vanité mondaine avec toute sa suite,
Et fait place à la vraie et vive charité;
C'est ainsi que ma grâce occupe toute une âme,
Et lors plus d'amour-propre et plus d'anxiété,
Plus d'importune envie et plus d'impure flamme;
De tous ses ennemis cette âme vient à bout
Par cette charité qui triomphe de tout.

Par cette charité ses forces dilatées
Ne sont plus en état de se voir surmontées :
Mais, je te le redis, saches-en bien user;
Ne prends point hors de moi de joie ou d'espérance;
Je suis cette bonté qu'on ne peut épuiser,
Mais qui ne peut souffrir aucune concurrence;
Je suis et serai seul durant tout l'avenir
Qu'il faille en tout, partout, et louer, et bénir.

10. QU'IL Y A BEAUCOUP DE DOUCEUR A MÉPRISER LE MONDE POUR SERVIR DIEU.

Corps ou sujet de l'emblème : *Henri Suso*[52], *dominicain, grave le nom de Jésus sur son estomac avec la
pointe d'un canif.* Ame ou sentence : *Quomodo potero tui
oblivisci?* (Str. 4.)

J'oserai donc parler encore un coup à toi;
Mon silence n'est plus un respect légitime;
Je ne puis me taire sans crime;
Je dois bénir mon Dieu, mon Seigneur et mon Roi :
J'irai jusqu'à ton trône assiéger tes oreilles
Du récit amoureux de tes hautes merveilles;
J'en ferai retentir toute l'éternité;
Et je veux qu'à jamais mes cantiques enseignent
Quelles sont les douceurs que ta bénignité
Ne montre qu'à ceux qui te craignent.

Mais que sont ces douceurs au prix de ces trésors
Qu'à toute heure tes mains prodiguent et réservent
Pour ceux qui t'aiment et te servent,
Et qui du cœur entier te donnent les efforts?
Ah! ces ravissements, sans borne et sans exemple,

52. Le célèbre mystique souabe († 1366) a laissé une œuvre
très diffusée pendant toute la Renaissance, avec celle de Tau-
ler, plus suspect du point de vue de l'orthodoxie.

S'augmentent d'autant plus que plus on te contemple;
Nous n'avons rien en nous qui les puisse exprimer;
　　Le cœur les goûte bien, et l'âme les admire;
Tout l'homme les sent croître à force de t'aimer,
　　　　Mais la bouche ne les peut dire.

Tu ne te lasses point, Seigneur, de cet amour,
Et j'en porte sur moi des marques infaillibles;
　　　　Tes bontés incompréhensibles
Du néant où j'étais m'ont daigné mettre au jour.
J'ai couru loin de toi vagabond et sans guide;
Pour un fragile bien j'ai quitté le solide,
Et tu m'as rappelé de cet égarement;
Tu fais plus, pour t'aimer tu m'ordonnes de vivre,
Et joins à la douceur de ce commandement
　　　　La clarté qui montre à le suivre.

O fontaine d'amour, mais d'amour éternel,
Après tant de bienfaits que dirai-je à ta gloire?
　　　　Pourrai-je en perdre la mémoire
Quand tu ne la perds pas d'un chétif criminel?
Au milieu de ma chute et courant à ma perte,
Par delà tout espoir j'ai vu ta grâce ouverte
Répandre encor sur moi des rayons de pitié,
Et ta miséricorde, excédant toute limites,
Accabler un pécheur d'un excès d'amitié
　　　　Qui surpasse tous les mérites.

Que te rendrai-je donc pour de telles faveurs?
Quel encens unirai-je aux concerts de louanges
　　　　Que de tes saints et de tes anges
Sans fin et sans relâche entonnent les ferveurs?
Tu ne fais pas à tous cette grâce profonde
Qui détache les cœurs des embarras du monde,
Pour se ranger au cloître et n'être plus qu'à toi,
Et ce n'est pas à tous que tu donnes l'envie
De s'enrichir des fruits que fait naître l'emploi
　　　　D'une religieuse vie.

Je ne fais rien de rare alors que je te sers;
J'apprends cette leçon de toute la nature;
　　　　L'hommage de la créature
N'est qu'un tribut commun que te doit l'univers.
Tout ce qu'en te servant je trouve d'admirable,
C'est qu'étant de moi-même et pauvre et misérable,
Tu daignes t'abaisser jusques à t'en servir,
Qu'avec tes plus chéris tu m'y daignes admettre,
Et veux bien m'enseigner comme il te faut ravir
　　　　Ce que tu leur voulus promettre.

Tout vient de toi, Seigneur, et nous en recevons
Tout ce qu'à te servir applique cet hommage;
　　　　J'ose dire encor davantage,
Tu nous sers beaucoup plus que nous ne te servons :
La terre qui nous porte, et qui nous sert de mère,
L'air que nous respirons, le ciel qui nous éclaire,
Ont ces ordres de toi qu'ils ne rompent jamais;
L'ange même nous sert, tous pécheurs que nous som-
Et garde exactement ceux où tu le soumets　[mes,
　　　　Pour le ministère des hommes.

C'est peu pour toi que l'air, et la terre, et les cieux,
C'est peu qu'à nous servir l'ange s'assujettisse;
　　　　Pour mieux nous rendre cet office,
Tu choisis un sujet encor plus précieux :
Tu quittes, Roi des rois, ton sacré diadème;
Tu descends jusqu'à nous de ton trône suprême;
Tu te revêts pour nous de nos infirmités;
Et nous fortifiant par ta sainte présence,
Tu nous fais triompher de nos fragilités,
　　　　Et te promets pour récompense.

Pour tant et tant de biens que ne puis-je à mon tour
Te servir dignement tout le temps de ma vie!
　　　　Oh! que j'aurais l'âme ravie
De le pouvoir, Seigneur, seulement un seul jour!
Te servir à demi c'est te faire une injure;
Et, comme tes bontés n'ont jamais de mesure,
Il ne faut point de borne aux devoirs qu'on te rend :
A toi toute louange, à toi gloire éternelle,
A toi, Seigneur, est dû ce que peut de plus grand
　　　　Le zèle d'une âme fidèle.

N'es-tu pas, ô mon Dieu! mon Seigneur souverain,
Et moi ton serviteur, pauvre, lâche, imbécile,
　　　　Dont tout l'effort est inutile,
A moins qu'avoir l'appui de ta divine main?
Je dois pourtant, je dois de toute ma puissance
Te louer, te servir, te rendre obéissance,
Sans m'en lasser jamais, sans prendre autre souci.
Viens donc à mon secours, bonté toute céleste;
Tu vois que je le veux et le souhaite ainsi;
　　　　Par ta faveur supplée au reste.

La pompe des honneurs dans son plus haut éclat
N'a rien de comparable à cette servitude,
　　　　A cette glorieuse étude
Qui nous apprend de tout à faire peu d'état :
Mépriser tout pour toi, pour ce noble esclavage
Qui sous tes volontés enchaîne le courage,
C'est se mettre au-dessus des princes et des rois;
Et l'ineffable excès des grâces que tu donnes
A qui peut s'affermir dans cet illustre choix,
　　　　Vaut mieux que toutes les couronnes.

Par des attraits divins et toujours renaissants
Ton saint Esprit se plaît à consoler les âmes
　　　　Dont les pures et saintes flammes
Dédaignent pour t'aimer tous les plaisirs des sens :
Ces âmes qui pour toi prennent l'étroite voie,
Qui n'ont point d'autre but, qui n'ont point d'autre
Y goûtent de l'esprit l'entière liberté;　　　　[joie,
Leur retraite en vrais biens se voit toujours féconde,
Et trouve un plein repos dans la digne fierté
　　　　Qui leur fait négliger le monde.

Miraculeux effet, bonheur prodigieux,
Qu'ainsi la liberté naisse de la contrainte!
　　　　O doux liens! ô douce étreinte!
O favorable poids du joug religieux!
Sainte captivité qu'on te doit de louanges!

Tu rends dès ici-bas l'homme pareil aux anges :
Tu le rends agréable aux yeux de son Auteur
Tu le rends formidable à ces troupes rebelles
A ces noirs escadrons de l'ange séducteur,
    Et louable à tous les fidèles.

O fers délicieux et toujours à chérir,
Que vous cachez d'appas sous un peu de rudesse !
    O du ciel infaillible adresse,
Que tu rends ses trésors aisés à conquérir !
O jeûnes, pauvreté, disciplines, cilices,
Amoureuses rigueurs et triomphants supplices !
O cloître ! ô saints travaux, qu'il vous faut souhaiter,
Vous qui donnez à l'âme une joie assurée,
Et qui l'asservissant lui faites mériter
    Un bien d'éternelle durée !

11. QU'IL FAUT EXAMINER SOIGNEUSEMENT LES DÉSIRS DU CŒUR ET PRENDRE PEINE A LES MODÉRER.

Corps ou sujet de l'emblème : *Saint Benoît se roule tout nu sur des épines pour vaincre les désirs de la chair.*
Ame ou sentence : *Interdum oportet violentia uti.* (Str. 14.)

Je vois qu'à me servir enfin tu te disposes;
    Mais n'en espère pas grand fruit,
A moins que je t'apprenne encore beaucoup de choses
    Dont tu n'es pas encore assez instruit.

      Seigneur, que veux-tu m'apprendre ?
    Je suis prêt de t'écouter;
    Joins à la grâce d'entendre
    La force d'exécuter.

Toutes tes volontés doivent être soumises
    Purement à mon bon plaisir,
Jusqu'à ne souhaiter en toutes entreprises
    Que les succès que je voudrai choisir.

Tu ne dois point t'aimer, tu ne dois point te plaire
    Dans tes propres contentements;
Tu dois n'être jaloux que de me satisfaire,
    Et d'obéir à mes commandements.

Quel que soit le désir qui t'échauffe et te pique,
    Considère ce qui t'en plaît,
Et vois si ta chaleur à ma gloire s'applique,
    Ou s'il t'émeut par ton propre intérêt.

Lorsque ce n'est qu'à moi que ce désir se donne,
    Qu'il n'a pour but que mon honneur,
Quelque effet qui le suive, et quoi que j'en ordonne,
    Ta fermeté tient tout à grand bonheur.

Mais lorsque l'amour-propre y garde encor sa place,
    Quoique secret et déguisé,

C'est là ce qui te gêne et ce qui t'embarrasse,
    C'est ce qui pèse à ton cœur divisé.

Défends-toi donc, mon fils, de la première amorce
    D'un désir mal prémédité;
N'y prends aucun appui, n'y donne aucune force
    Qu'après m'avoir pleinement consulté.

Ce qui t'en plaît d'abord peut bientôt te déplaire,
    Et te réduire au repentir,
Et tu rougiras lors de ce qu'aura pu faire
    Cette chaleur trop prompte à consentir.

Tout ce qui paraît bon n'est pas toujours à suivre,
    Ni son contraire à rejeter;
L'ardeur impétueuse à mille erreurs te livre,
    Et trop courir c'est te précipiter.

La bride est souvent bonne, et même il en faut une
    A la plus sainte affection;
Son trop d'empressement la peut rendre importune,
    Et te pousser dans la distraction.

Il te peut emporter hors de la discipline,
    Sous prétexte de faire mieux,
Et laisser du scandale à qui ne l'examine
    Que par la règle où s'attachent ses yeux.

Il peut faire en autrui naître une résistance
    Que tu n'auras daigné prévoir,
Et de qui la surprise ébranlant ta constance
    La troublera jusqu'à te faire choir.

Un peu de violence est souvent nécessaire
    Contre les appétits des sens,
Même quand leur effet te paraît salutaire,
    Quand leurs désirs te semblent innocents.

Ne demande jamais à ta chair infidèle
    Ce qu'elle veut ou ne veut pas;
Range-la sous l'esprit, et fais qu'en dépit d'elle
    Son esclavage ait pour toi des appas.

Qu'en maître, qu'en tyran cet esprit la châtie,
    Qu'il l'enchaîne de rudes nœuds,
Jusqu'à ce que, domptée et bien assujettie,
    Elle soit prête à tout ce que tu veux;

Jusqu'à ce que, de peu satisfaite et contente,
    Elle aime la simplicité,
Et que chaque revers qui trompe son attente
    Sans murmurer en puisse être accepté.

12. COMME IL SE FAUT FAIRE A LA PATIENCE, ET COMBATTRE LES PASSIONS.

Corps ou sujet de l'emblème : *Le P. Laurens Giusti-*

niani, capucin, sollicité par une femme impudique, se brûle le doigt en sa présence. Ame ou sentence : De duobus malis minus est eligendum. *(Str. 6.)*

A ce que je puis voir, Seigneur,
J'ai grand besoin de patience
Contre la rude expérience
Où cette vie engage un cœur.

Elle n'est qu'un gouffre de maux,
D'accidents fâcheux et contraires,
Qu'un accablement de misères,
D'où naissent travaux sur travaux.

Je n'y termine aucuns combats
Que chaque instant ne renouvelle,
Et ma paix y traîne avec elle
La guerre attachée à mes pas.

Les soins même de l'affermir
Ne sont en effet qu'une guerre,
Et tout mon séjour sur la terre
Qu'une occasion de gémir.

Tu dis vrai, mon enfant; aussi ne veux-je pas
Que tu cherches en terre une paix sans combats,
Un repos sans tumulte, un calme sans orage
Où toujours la fortune ait un même visage,
Et semble par le cours de ses événements
S'asservir en esclave à tes contentements.
Je veux te voir en paix, mais parmi les traverses,
Parmi les changements des fortunes diverses;
Je veux y voir ton calme, et que l'adversité
Te serve à t'affermir dans la tranquillité.
    Tu ne peux, me dis-tu, souffrir beaucoup de choses
En vain tu t'y résous, en vain tu t'y disposes,
Tu sens une révolte en ton cœur mutiné
Contre la patience où tu l'as condamné.
Lâche, qu'oses-tu dire? ainsi le purgatoire,
Ainsi ses feux cuisants sont hors de ta mémoire!
Auras-tu plus de force? ou les présumes-tu
Plus aisés à souffrir à ce cœur abattu?
Apprends que de deux maux il faut choisir le moindre,
Que tes soins en ce but se doivent tous rejoindre,
Et que pour éviter les tourments éternels
Tu dois traiter tes sens d'infâmes criminels,
Braver leurs appétits, leur imposer des gênes,
Préparer ta constance aux misères humaines,
Les souffrir sans murmure, et recevoir les croix
Ainsi que des faveurs qui viennent de mon choix.
    Crois-tu les gens du monde exempts d'inquiétude?
Ne vois-tu rien pour eux ni d'amer ni de rude?
Va chez ces délicats qui n'ont soin que d'unir
Le choix des voluptés aux moyens d'y fournir;
Si tu crois y trouver des roses sans épines,
Tu n'y trouveras point ce que tu t'imagines.
    Mais ils suivent, dis-tu, leurs inclinations;
Leur seule volonté règle leurs actions,
Et l'excès des plaisirs en un moment consume
Ce peu qui par hasard s'y coule d'amertume.

Eh bien! soit, je le veux, ils ont tout à souhait;
Mais combien doit durer un bonheur si parfait?
Ces riches, que du siècle adore l'imprudence,
Passent comme fumée avec leur abondance,
Et de leurs voluptés le plus doux souvenir,
S'il ne passe avec eux, ne sert qu'à les punir.
Celles que leur permet une si triste vie
Sont dignes de pitié beaucoup plus que d'envie,
Elles vont rarement sans mélange d'ennuis,
Leurs jours les plus brillants ont les plus sombres nuits;
Souvent mille chagrins empoisonnent leurs charmes,
Souvent mille terreurs y jettent mille alarmes,
Et souvent des objets d'où naissent leurs plaisirs
Ma justice en courroux fait naître leurs soupirs :
L'impétuosité qui les porte aux délices
Elle-même à leur joie enchaîne les supplices,
Et joint aux vains appas d'un peu d'illusion
Le repentir, le trouble et la confusion.
    Toutes ces voluptés sont courtes et menteuses,
Toutes n'ont que désordre, et toutes sont honteuses :
Les hommes cependant n'en aperçoivent rien;
Enivrés qu'ils en sont, ils en font tout leur bien;
Ils suivent en tous lieux, comme bêtes stupides, [des;
Leurs sens pour souverains, leurs passions pour gui-
Et pour l'indigne attrait d'un faux chatouillement,
Pour un bien passager, un plaisir d'un moment,
Amoureux d'une vie ingrate et fugitive,
Ils acceptent pour l'âme une mort toujours vive,
Où, mourant à toute heure, et ne pouvant mourir,
Ils ne sont immortels que pour toujours souffrir.
    Plus sage à leurs dépens, donne moins de puissance
Aux brutales fureurs de ta concupiscence;
Garde-toi de courir après les voluptés,
Captive tes volontés, brise tes volontés,
Mets en moi seul ta joie, et m'en fais une offrande,
Et je t'accorderai ce que ton cœur demande.
    Oui, ce cœur ainsi libre, ainsi désabusé,
Ne peut, quoi qu'il demande, en être refusé;
Et, si tu veux goûter des plaisirs véritables,
Des consolations et pleines et durables,
Tu n'as qu'à dédaigner par un noble mépris
Cet éclat dont le monde éblouit tant d'esprits;
Tu n'as qu'à t'arracher à ces voluptés basses
Qui repoussent des cœurs les effets de mes grâces;
Tu n'as qu'à te soustraire à leur malignité,
Et je te rendrai plus que tu n'auras quitté;
Plus à leurs faux attraits tu fermeras de portes,
Plus mes faveurs seront et charmantes et fortes;
Et moins la créature aura chez toi d'accès,
Et plus du Créateur les dons auront d'excès.
    Ne crois pas toutefois sans peine et sans tristesse
A ce détachement élever ta faiblesse;
Une vieille habitude y voudra résister,
Mais par une meilleure il faudra la dompter;
Ta chair murmurera, mais de tout son murmure
La ferveur de l'esprit convaincra l'imposture;
Enfin le vieux serpent tâchera de t'aigrir
Contre les moindres maux que tu voudras souffrir;
Il fera mille efforts pour brouiller ta conduite;
Mais avec l'oraison tu le mettras en fuite,

Et l'obstination d'un saint et digne emploi
Ne lui laissera plus aucun pouvoir sur toi.

13. DE L'OBÉISSANCE DE L'HUMBLE SUJET, A L'EXEMPLE DE JÉSUS-CHRIST.

Corps ou sujet de l'emblème : *Saül, pour avoir désobéi à Dieu, est agité du malin esprit.* Ame ou sentence : *Qui se subtrahit ab obedientia se subtrahit a gratia.* (Str. 1.)

Quiconque se dérobe à l'humble obéissance
 Bannit ma grâce en même temps,
Et se livre lui-même à toute l'impuissance
 De ses désirs vains et flottants.
Ces dévots indiscrets dont le zèle incommode,
 Pour les rendre saints à leur mode,
Leur forme une conduite et fait des lois à part,
Au lieu de s'avancer par un secret mérite,
Perdent ce qu'en commun dans la règle on profite,
 A force de vivre à l'écart.

Qui n'obéit qu'à peine, et dans l'âme s'attriste
 Des ordres d'un supérieur,
Fait bien voir que sa chair à son tour lui résiste
 Par un murmure intérieur ;
Qu'il est mal obéi par cette vaine esclave,
 Qui se révolte, qui le brave,
Et n'est jamais d'accord de ce qu'il lui prescrit :
Obéis donc toi-même, et tôt et sans murmure,
Si tu veux que ta chair à ton exemple endure
 Le frein que lui doit ton esprit.

Des assauts du dehors une âme tourmentée
 Triomphe tôt des plus ardents,
Quand la rébellion de la chair mal domptée
 Ne ravage point le dedans ;
Mais ils trouvent souvent de leur intelligence
 L'amour-propre et la négligence,
Qui leur font de toi-même un renfort contre toi ;
Et cette âme n'a point d'ennemi plus à craindre
Que cette même chair, quand elle ose se plaindre
 De l'esprit qui lui fait la loi.

Prends donc, prends pour toi-même un mépris véri-
 Qui te réduise au dernier rang, [table
Si tu veux mettre à bas ce pouvoir redoutable
 Qu'ont sur toi la chair et le sang.
Mais tu t'aimes encore ; et ton âme obstinée
 Dans cette amour désordonnée
Ne peut y renoncer sans trouble et sans ennui :
De là vient que ton cœur s'épouvante et s'indigne ;
De là vient qu'il frémit avant qu'il se résigne
 Pleinement au vouloir d'autrui.

Que fais-tu de si grand, toi qui n'es que poussière,
 Ou, pour mieux dire, qui n'es rien, [fière
Quand tu soumets pour moi ton âme un peu moins

A quelque autre vouloir qu'au tien ?
Moi qui suis tout-puissant, moi qui d'une parole
 Ai bâti l'un et l'autre pôle,
Et tiré du néant tout ce qui s'offre aux yeux,
Moi dont tout l'univers est l'ouvrage et le temple,
Pour me soumettre à l'homme et te donner l'exemple,
 Je suis bien descendu des cieux.

De ces palais brillants où ma gloire ineffable
 Remplit tout de mon seul objet,
Je me suis ravalé jusqu'au rang d'un coupable,
 Jusqu'à l'ordre le plus abjet ;
Je me suis fait de tous le plus humble et le moindre
Afin que tu susses mieux joindre
Un digne abaissement à ton indignité,
Et que, malgré le monde et ses vaines amorces,
Pour dompter ton orgueil tu trouvasses des forces
 Dans ma parfaite humilité.

Apprends de moi, pécheur, apprends l'obéissance
 Des sentiments humiliés ;
Poudre, terre, limon, apprends de ta naissance
 A te faire fouler aux pieds ;
Apprends à te ranger sous le plus rude empire ;
 Apprends à te vaincre, à dédire
De ton propre vouloir les désirs les plus doux ;
Apprends à triompher des assauts qu'il te donne ;
Apprends à t'asservir à tout ce qu'on t'ordonne ;
 Apprends à te soumettre à tous.

Fais que contre toi-même un saint zèle t'enflamme
 D'une juste indignation,
Pour étouffer soudain ce qui naît dans ton âme
 De superbe et d'ambition ;
Désenfle-la si bien qu'elle soit toujours prête
 A voir que chacun sur ta tête
Par un dernier mépris ose imprimer ses pas,
Que le plus rude affront n'ait pour toi rien d'étrange,
Et qu'alors qu'on te traite à l'égal de la fange
 Tu te mettes encor plus bas.

De quoi murmures-tu, chétive créature,
 Et comment peux-tu repartir,
Alors qu'on te reproche, à toi qui n'es qu'ordure,
 Ce que tu ne peux démentir ?
N'es-tu pas un ingrat, un rebelle à ma grâce,
 D'avoir eu tant de fois l'audace
D'offenser, de trahir le Dieu de l'univers ?
Et tes attachements, tes lâchetés, tes vices,
N'ont-ils pas mille fois mérité les supplices
 Qui me vengent dans les enfers ?

Mais parce qu'à mes yeux ton âme est précieuse,
 Il m'a plu de te pardonner,
Et je n'étends sur toi qu'une main amoureuse
 Qui ne veut que te couronner.
Vois par là ma bonté, vois quelle est sa puissance ;
 Montre par ta reconnaissance
Qu'enfin de mes bienfaits tu sais le digne prix ;
Fais de l'humilité ta plus douce habitude,

De la soumission ta plus ardente étude,
    Et tes délices du mépris.

14. DE LA CONSIDÉRATION DES SECRETS JUGEMENTS DE DIEU, DE PEUR QUE NOUS N'ENTRIONS EN VANITÉ POUR NOS BONNES ACTIONS.

Corps ou sujet de l'emblème : *David encore jeune berger surmonte le géant Goliath, et lui coupe la tête.* Ame ou sentence : *Nulla juvat fortitudo.* (Str. 8.)

Seigneur, tu fais sur moi tonner tes jugements;
Tous mes os ébranlés tremblent sous leur menace;
Ma langue en est muette; et mon cœur tout de glace
N'a plus pour s'expliquer que des frémissements.

Mon âme épouvantée à l'éclat de leur foudre
S'égare de frayeur, et s'en laisse accabler,
Tout ce qu'elle prévoit ne fait que la troubler,
Et mon esprit confus ne saurait que résoudre.

Je demeure immobile en ce mortel effroi,
Et partout sous mes pas je trouve un précipice;
Je vois quel est mon crime, et quelle est ta justice,
Et je sais que le ciel n'est pas pur devant toi.

Tes anges devant toi n'ont pas été sans tache,
Et tu n'as rien permis à ta pitié pour eux :
Étant plus criminel, serais-je plus heureux,
Moi qu'à cette justice aucune ombre ne cache?

Au plus creux de l'abîme elle a fait trébucher
Ces astres si brillants de gloire et de lumière;
Et moi, Seigneur, et moi, qui ne suis que poussière,
Croirai-je avec raison que je te sois plus cher?

Les grands dévots comme eux font des chutes étranges;
J'ai vu dégénérer leurs plus nobles travaux,
Et les sales rebuts des plus vils animaux
Plaire à leur mauvais goût après le pain des anges.

La vertu la plus prête à se voir couronner,
Quand ta main se retire, est aussitôt fragile;
Et toute la sagesse est comme elle inutile,
Quand cette même main cesse de gouverner.

La force et la valeur trompent notre espérance,
Si pour la conserver tu n'avances ton bras;
Et jamais chasteté n'est bien sûre ici-bas,
Si ta protection ne fait son assurance.

Enfin si nous n'avons ton aide et ton soutien,
Si tu ne nous défends, si tu ne nous regardes,
Tout l'effort qu'on se fait pour être sur ses gardes
N'est qu'un effort qui gêne et qui ne sert de rien.

Le naufrage est certain si tu nous abandonnes;
Le soin de l'éviter nous fait même y courir;
Mais sitôt que ta main daigne nous secourir,
Nous rentrons à la vie, et gagnons les couronnes.

Nous sommes inconstants, mais tu nous affermis;
Notre feu s'amortit, tu lui prêtes des flammes,
Et les saintes ardeurs que tu rends à nos âmes
Sont autant de remparts contre nos ennemis.

Qu'un plein ravalement ainsi m'est nécessaire!
Que je me dois pour moi des sentiments abjets!
Et quand je fais du bien, si quelquefois j'en fais,
Le peu d'état, Seigneur, qu'il m'est permis d'en faire!

Que je dois m'abaisser, que je dois m'avilir
Sous tes saints jugements, sous leurs profonds abîmes,
Où je ne vois en moi qu'un néant plein de crimes,
Qui, tout néant qu'il est, ose s'enorgueillir!

O néant! ô vrai rien! mais pesanteur extrême,
Mais charge insupportable à qui veut s'élever!
Mer sans rive, où partout chacun se peut trouver,
Mais sans trouver partout qu'un néant en soi-même!

Dans un gouffre si vaste où te retires-tu,
Où te peux-tu cacher, source de vaine gloire?
Mérite, où vois-tu lieu de flatter la mémoire?
Où va la confiance en la propre vertu?

Tout s'abîme, Seigneur, dans cette mer profonde
Que tes grands jugements ouvrent de toutes parts;
Et, si tous les mondains y jetaient leurs regards,
Il ne serait jamais de vaine gloire au monde.

Que verraient-ils en eux qu'ils pussent estimer,
S'ils voyaient devant toi ce qu'est leur chair fragile?
Comment souffriraient-ils qu'une masse d'argile
S'enflât contre la main qui vient de la former?

Un cœur vraiment à toi ne prend jamais le change;
Et qui goûte une fois l'Esprit de vérité,
Qui se peut y soumettre avec sincérité,
Ne saurait plus goûter une vaine louange.

Oui, quand ta vérité l'a bien soumis à toi,
Le bien qu'on dit de lui jamais ne le soulève :
Qu'un monde entier le loue, un monde entier achève
D'affermir les mépris qu'il a conçus de soi.

Sitôt qu'il fixe en Dieu toute son espérance,
Les éloges sur lui n'ont plus aucun pouvoir;
Il entend leurs douceurs, mais sans s'en émouvoir,
Sans leur prêter jamais la moindre complaisance.

Aussi tous les flatteurs eux-mêmes ne sont rien;
Ce qu'ils donnent d'encens est comme eux périssable;
Mais ta vérité seule est toujours immuable,
Et seule nous conduit jusqu'au souverain bien.

15. COMME IL FAUT NOUS COMPORTER
ET PARLER A DIEU
EN TOUS NOS SOUHAITS.

Corps ou sujet de l'emblème : *Saint François Xavier dans un naufrage.* Ame ou sentence : *In manu tua ego sum, gira et reversa me.* (Str. 12.)

Pense à moi, mon enfant, quoi que tu te proposes,
Laisse-m'en disposer, et dis en toutes choses :

    O mon Dieu! si ton bon plaisir
    S'accorde à ce que je souhaite,
Donne-m'en le succès conforme à mon désir;
    Sinon ta volonté soit faite.

    Si ta gloire peut s'exalter
    Par l'effet où j'ose prétendre,
Permets qu'en ton saint nom je puisse exécuter
    Ce que tu me vois entreprendre.

    S'il doit servir à mon salut,
    Si mon âme en tire avantage,
Ainsi que ton honneur en est l'unique but,
    Que te servir en soit l'usage.

    Mais s'il est nuisible à mon cœur,
    S'il est inutile à mon âme,
Daigne éteindre, ô mon Dieu, cette frivole ardeur,
    Et remplis-moi d'une autre flamme.

Car souvent un désir peut sembler vertueux,
Qui n'a de la vertu qu'un air tumultueux,
Qu'une ombre colorée, et ce n'est pas à dire,
Quoiqu'il paraisse bon, que c'est moi qui l'inspire.
Il ne t'est pas aisé de juger au certain
Quel esprit meut ton âme, ou ta langue, ou ta main;
S'il est bon ou mauvais; si l'un ou l'autre est cause
Que tu fais un souhait pour telle ou telle chose,
Ou si ce n'est enfin qu'un simple mouvement
Qu'excite dans ton cœur ton propre sentiment.
Plusieurs y sont trompés, et leur fausse lumière
Trouve le précipice au bout de la carrière,
Après avoir cru prendre avec fidélité
Pour guide en tous leurs pas l'Esprit de vérité.
Tu dois donc, ô mon fils, toujours avec ma crainte,
Avec l'humilité dedans ton cœur empreinte,
M'adresser tous tes vœux, me demander l'effet
De tout ce que tu crois digne de ton souhait,
Réduire tes désirs sous ce que je désire,
M'en remettre le tout, et toujours me redire :

    Tu vois ce qui m'est le meilleur,
    De mes maux tu sais le remède :
Regarde mon désir, et règle-le, Seigneur,
    Ainsi que tu veux qu'il succède.

    Donne-moi ce que tu voudras;
    Choisis le temps et la mesure :

    Et comme il te plaira daigne étendre le bras
    Sur ta chétive créature.

    Vois-moi gémir et travailler,
    Et pour tout fruit ne me destine
Que ce qui te plaît mieux, et qui fait mieux briller
    L'éclat de ta gloire divine.

    Ordonne de tout mon emploi
    Par ta providence suprême;
Agis partout en maître, et dispose de moi
    Sans considérer que toi-même.

    Tiens-moi dans ta main fortement;
    Tourne, retourne-moi sans cesse;
Porte-moi sans repos de la joie au tourment,
    De la douleur à l'allégresse.

    Tel qu'un esclave prêt à tout,
    Pour toi, non pour moi, je veux vivre;
C'est là mon seul désir : puissé-je jusqu'au bout,
    O mon Dieu! dignement le suivre!

ORAISON POUR FAIRE LE BON PLAISIR
DE DIEU.

    Doux arbitre de mon sort,
    Daigne m'accorder ta grâce;
    Qu'elle aide mon faible effort,
    Et que sa pleine efficace
    Dure en moi jusqu'à la mort.

    Fais, Seigneur, que mon désir
    N'ait pour but invariable
    Que ce que ton bon plaisir
    Aura le plus agréable,
    Que ce qu'il voudra choisir.

    Que ton vouloir soit le mien,
    Que le mien toujours le suive
    Et s'y conforme si bien,
    Qu'ici-bas, quoi qu'il m'arrive
    Sans toi je ne veuille rien.

    Fais-le toujours prévaloir
    Sur quoi que je me propose,
    Et mets hors de mon pouvoir
    De vouloir aucune chose
    Que ce qu'il te plaît vouloir.

    Fais-moi de sorte mourir
    A tout ce qu'on voit au monde
    Que je ne puisse chérir
    Sur la terre ni sur l'onde
    Que ce qui ne peut périr.

    Que ma gloire à l'abandon
    Sous les mépris abîmée

Conserve si peu mon nom,
Qu'à mes yeux la renommée
Doute si je vis ou non.

Fais que de tous mes souhaits
En toi seul je me repose;
Fais qu'attendant les effets
Où mon âme se dispose,
Elle trouve en toi sa paix.

Toi seul es le vrai repos;
Hors de toi le calme est rude;
Et la bonace des flots
Augmente l'inquiétude
Des plus sages matelots.

En cette paix donc, Seigneur,
Essentielle et suprême,
En cet unique bonheur,
Qui n'est autre que toi-même,
Fais le repos de mon cœur.

16. QUE LES VÉRITABLES CONSOLATIONS NE SE DOIVENT CHERCHER QU'EN DIEU.

Corps ou sujet de l'emblème : *Saint Louis, roi de France, gagne le ciel par le bon usage des grandeurs.* Ame ou sentence : *Sint temporalia in usu, aeterna in desiderio.* (Str. 4.)

J'épuise mon désir, j'épuise ma pensée
    A chercher des contentements
    Qui par de vrais soulagements
Adoucissent les maux dont mon âme est pressée;
Mais, hélas! après tout, j'ai beau m'en figurer,
    J'ai beau les désirer,
Ce n'est point en ces lieux que je les dois attendre;
    L'avenir seul me les promet,
Cet heureux avenir où chacun peut prétendre,
Mais qu'on n'obtient qu'au prix où la vertu le met.

Quand par un heureux choix d'événements propices
    Le monde me ferait sa cour,
    Quand il n'aurait soin nuit et jour
Que d'inventer pour moi de nouvelles délices,
Quand il attacherait lui-même à mes côtés
    Toutes ses voluptés,
De combien de moments en serait la durée?
    Et quels biens me pourrait donner
Sa faveur la plus ferme et la mieux assurée,
Qu'en un coup d'œil peut-être il faut abandonner?

N'espère point de joie, ô mon cœur, que frivole,
    N'en espère aucune ici-bas
    Qu'en ce grand Dieu de qui le bras
Soutient l'humble et le pauvre, et partout le console;
Quels que soient tes ennuis, attends encore un peu,

    Sans attiédir ton feu,
Attends le doux effet des promesses divines;
    Et tu posséderas bientôt
Des biens encor plus grands que tu ne t'imagines,
Et que le ciel pour toi garde comme en dépôt.

Ce lâche abaissement aux douceurs temporelles,
    Que le siècle fait trop goûter,
    Sert d'un grand obstacle à monter
Dans ce palais de gloire où sont les éternelles :
Attache tes désirs, mon âme, à celles-ci;
    Fais-en ton seul souci,
Et regarde en passant celles-là pour l'usage;
    Ne t'en laisse plus éblouir :
Ce Dieu qui du néant te fit à son image
Eut un plus digne objet que de t'en voir jouir.

De quoi te serviraient tous les trésors du monde,
    Tous ceux que la terre et la mer
    Dans leur sein peuvent enfermer,
Si ce n'est point sur eux qu'un vrai bonheur se fonde?
Le plus pompeux éclat de ces riches trésors
    N'a qu'un brillant dehors
Qui n'excite au dedans que de l'inquiétude,
    Il n'a point de solide bien;
Et, si tu veux trouver quelque béatitude,
Elle n'est qu'en ce Dieu qui créa tout de rien.

Mais garde-toi surtout de la présumer telle
    Que se la peignent ces mondains
    Dont les désirs brutaux et vains
Au gré de leur caprice en forment un modèle :
Tu t'y dois figurer un amas de vrais biens,
    Tel que les vrais chrétiens
Dans leurs plus longs travaux attendent sans mur-
    Un avant-goût délicieux,   [mure;
Tel que sent quelquefois une âme droite et pure
De qui tout l'entretien s'élève jusqu'aux cieux.

Rempli de cette idée, il te sera facile
    De juger l'instabilité
    Qu'a le monde et sa vanité,
Comme lui décevante, et comme lui fragile.
La seule vérité donne aux afflictions
    Des consolations
Durables à l'égal de sa sainte parole :
    Ainsi l'éprouvent les dévots;
Et, portant en tous lieux un Dieu qui les console,
Ils savent bien aussi lui dire à tout propos :

    Bénin Sauveur de la nature,
    Prends soin partout de m'assister,
    Et daigne sans cesse prêter
    Ton secours à ta créature.

    Qu'au milieu de toutes mes peines
    Ce me soit un soulagement
    D'être abandonné pleinement
    Des consolations humaines.

Qu'au défaut même de la tienne,
J'en trouve dans ta volonté,
Dont la juste sévérité
Fait cette épreuve de la mienne.

Car enfin, Seigneur, ta colère
Fera place à des temps plus doux
Et les fureurs d'un Dieu jaloux
Céderont aux bontés d'un père.

17. QU'IL FAUT NOUS REPOSER EN DIEU
DE TOUT LE SOIN DE NOUS-MÊMES.

Corps ou sujet de l'emblème : *Saint André*. Ame ou
sentence : *Ita promptus esse debes ad patiendum.* (Str. 8.)

Laisse-moi te traiter ainsi que je l'entends :
Je sais ce qui t'est nécessaire;
Je juge mieux que toi de ce que tu prétends;
Encore un coup, laisse-moi faire.
Tu vois tout comme un homme, et sur tous les objets
Les sentiments humains conduisent tes projets;
Souvent ta passion elle seule y préside :
Tu lui remets souvent le choix de tes désirs;
Et, recevant ainsi cette aveugle pour guide,
Tu rencontres des maux où tu crois des plaisirs.

Ce que tu dis, Seigneur, n'est que trop véritable,
Les soucis que tu prends de moi
Surpassent de bien loin tous ceux dont est capable
L'amour-propre et son fol emploi.

Aussi faut-il sur toi pleinement s'en démettre,
Sans se croire, sans se chercher;
Et qui n'en use ainsi ne saurait se promettre
De faire un pas sans trébucher.

Tiens donc ma volonté sous ton ordre céleste,
Droite en tout temps, ferme en tous lieux;
Laisse-moi cette grâce, et dispose du reste
Comme tu jugeras le mieux.

A cela près, Seigneur, que ta main se déploie;
Je ne veux examiner rien;
Et je suis assuré que, quoi qu'elle m'envoie,
Tout est bon, tout est pour mon bien.

Sois béni, si tu veux que tes lumières saintes
Éclairent mon entendement;
Et ne le sois pas moins, si leurs clartés éteintes
Me rendent mon aveuglement.

Sois à jamais béni, si tes douces tendresses
Daignent consoler mes travaux,
Et ne le sois pas moins, si tes justes rudesses
Se plaisent à croître mes maux.

Ainsi tous tes souhaits se doivent concevoir,
Si tu veux que je les écoute;

Ainsi tu dois, mon fils, te mettre en mon pouvoir,
Si tu veux marcher dans ma route.
Tiens ton cœur prêt à tout, et d'un visage égal
Accepte de ma main et le bien et le mal,
Le profond déplaisir et la pleine allégresse;
Sois content, pauvre et riche, et toujours satisfait;
Soit que je te console, ou que je te délaisse,
Bénis ma providence, et chéris-en l'effet.

Volontiers, ô mon Dieu! volontiers je captive
Mes désirs sous ton saint vouloir,
Et pour l'amour de toi je veux, quoi qu'il m'arrive,
Souffrir tout sans m'en émouvoir.

Le succès le plus triste et le plus favorable,
Le plus doux et le plus amer,
Me seront tous des choix de ta main adorable,
Qu'également il faut aimer.

Je les recevrai tous, sans mettre différence
Entre le bon et le mauvais;
Je les aimerai tous, et ma persévérance
T'en rendra grâces à jamais.

Aux assauts du péché rends mon âme invincible;
Daigne l'en faire triompher;
Et je ne craindrai point la mort la plus terrible,
Ni les puissances de l'enfer.

Pourvu que ma langueur ne soit jamais punie
Par un éternel abandon,
Pourvu, Seigneur, pourvu que du livre de vie
Jamais tu n'effaces mon nom,

Fais pleuvoir des douleurs, fais pleuvoir des misères,
Fais-en sur moi fondre un amas;
Rien ne pourra me nuire, et dans les plus amères
Je ne verrai que des appas.

18. QU'IL FAUT SOUFFRIR AVEC PATIENCE
LES MISÈRES TEMPORELLES, A L'EXEMPLE
DE JÉSUS-CHRIST.

Corps ou sujet de l'emblème : *La nativité de Jésus
Christ dans la pauvreté*. Ame ou sentence : *Non necessi-
tate, sed caritate.* (Str. 1.)

Vois, mortel, combien tu me dois;
J'ai quitté le sein de mon Père,
Je me suis revêtu de toute ta misère,
J'en ai voulu subir les plus indignes lois :
Le ciel était fermé, tu n'y pouvais prétendre;
Pour t'ouvrir la porte il m'a plu d'en descendre,
Sans que rien m'imposât cette nécessité,
Et, pour prendre une vie amère et douloureuse,
J'ai suivi seulement la contrainte amoureuse
De mon immense charité.

Mais je veux amour pour amour;
Je veux, mon fils, que tu contemples

Ce que je t'ai laissé de précieux exemples
Comme autant de leçons pour souffrir à ton tour;
Que, sous l'accablement des misères humaines,
L'esprit dans les ennuis et le corps dans les gênes,
Tu tiennes toujours l'œil sur ce que j'ai souffert,
Et que, malgré l'horreur qu'en conçoit la nature,
Tu t'offres sans relâche à souffrir sans murmure,
    Ainsi que je m'y suis offert.

    Examine chaque moment
    Qu'en terre a duré ma demeure;
Va du premier instant jusqu'à la dernière heure;
Remonte de la fin jusqu'au commencement;
Tiens-en toute l'image à tes yeux étendue;
Verras-tu de mes maux la course suspendue,
De ces maux où pour toi je me suis abîmé?
La crèche où je naquis vit mes premières larmes;
Tous mes jours n'ont été que douleurs ou qu'alarmes,
    Et ma croix a tout consommé.

    Au manquement continuel
    Des commodités temporelles
On a joint contre moi les plaintes, les querelles,
Et tout ce que l'opprobre avait de plus cruel :
J'en ai porté la honte avec mansuétude;
J'ai vu sans m'indigner la noire ingratitude
Payer tous mes bienfaits d'un outrageux mépris,
La fureur du blasphème attaquer mes miracles,
Et l'orgueil ignorant condamner les oracles
    Dont j'illuminais les esprits.

Il est vrai, mon Sauveur, que toute votre vie
Est de la patience un miroir éclatant,
Et qu'un si grand exemple à souffrir me convie
Tout ce qu'a le malheur de plus persécutant.

Puisque par là surtout vous sûtes satisfaire
Aux ordres que vous fit votre Père éternel,
Avec quelle raison voudrais-je m'y soustraire?
L'innocent lui doit-il plus que le criminel?

Il faut bien qu'à son tour le pécheur misérable
Accepte de ses maux toute la dureté,
Et soumette une vie infirme et périssable
Aux souverains décrets de votre volonté.

Il est juste, ô mon Dieu, que sans impatience
J'en porte le fardeau pour mon propre salut,
Et que de ses ennuis la triste expérience
Ne produise en mon cœur ni dégoût ni rebut.

La faiblesse attachée à notre impure masse
Trouve sa charge lourde et fâcheuse à porter;
Mais, par l'heureux secours de votre sainte grâce,
Plus le poids en est grand, plus il fait mériter.

Votre exemple nous aide à souffrir avec joie;
Celui de tous vos saints nous rehausse le cœur :
L'un et l'autre du ciel nous aplanit la voie;
L'un et l'autre y soutient notre peu de vigueur.

Sous la loi de Moïse et son rude esclavage
La vie avait bien moins de quoi nous consoler;
Le ciel toujours fermé laissait peu de passage
Par où jusque sur nous sa douceur pût couler.

Sa route était alors beaucoup plus inconnue,
Et semblait se cacher sous tant d'obscurité,
Que peu pour la trouver avaient assez de vue,
Et très peu pour la suivre assez de fermeté.

Encore ce petit nombre, en qui l'âme épurée
Avait fait sur le monde un vertueux effort,
Voyait bien dans le ciel sa place préparée;
Mais pour s'y voir assis il fallait votre mort.

Il leur fallait attendre, après tous leurs mérites,
Que votre sang versé les rendît bienheureux,
Et vers votre justice ils n'étaient pas bien quittes,
A moins que votre amour payât encore pour eux.

Que je vous dois d'encens, que je vous dois de grâces
De m'avoir enseigné le bon et droit chemin,
Et de m'avoir frayé ces douloureuses traces
Qui mènent sur vos pas à des plaisirs sans fin!

La faveur m'est commune avec tous vos fidèles,
Qu'unit la charité sous votre aimable loi :
Recevez-en, Seigneur, des grâces éternelles;
Je vous en rends pour eux aussi bien que pour moi.

Car enfin votre vie est cette voie unique
Où par la patience on marche jusqu'à vous :
Par là votre royaume à tous se communique;
Par là votre couronne est exposée à tous.

Si vous n'aviez vous-même enseigné cette voie,
Si vous n'y laissiez voir l'empreinte de vos pas,
Vous offririez en vain votre couronne en proie;
Prendrait-on un chemin qu'on ne connaîtrait pas?

Si nous cessions d'avoir votre exemple pour guide,
Les moindres embarras nous feraient rebrousser,
Et toute notre ardeur abattue et languide
Tournerait en arrière, au lieu de s'avancer.

Hélas! puisqu'on s'égare avec tant de lumière
Qu'épandent votre vie et vos enseignements,
Qui pourrait arriver au bout de la carrière,
Si nous étions réduits à nos aveuglements?

---

19. DE LA VÉRITABLE PATIENCE.

Corps ou sujet de l'emblème : *Saint François renonce
à la succession de son père et lui rend ses habits en présence
de son évêque.* Ame ou sentence : *Ingens lucrum reputat.*
(Str. 10.)

    Qu'as-tu, mon fils, que tu soupires?
    Considère ma Passion,

Considère mes saints, regarde leurs martyres,
Et baisse après les yeux sur ton affliction :
  Qu'y trouves-tu qui leur soit comparable,
  Toi qui prétends une place en leur rang?
Va, cesse de nommer ton malheur déplorable,
Tu n'en es pas encor jusqu'à verser ton sang.

  Tu souffres, mais si peu de chose
  Au prix de ce qu'ils ont souffert,
Que le fardeau léger des croix que je t'impose
Ne vaut pas que sur lui tu tiennes l'œil ouvert :
  Vois, vois plutôt celles qu'ils ont portées;
  Vois quels tourments à bravés leur vertu,
Que d'assauts repoussés, que d'horreurs surmontées;
Et si tu le peux voir, dis-moi, que souffres-tu?

  Vois par mille épreuves diverses
  Leurs cœurs sans relâche exercés;
Vois-les bénir mon nom dans toutes leurs traverses.
Et tomber sous le faix sans en être lassés;
  Vois leur constance au milieu de leurs gênes
  Monter plus haut, plus on les fait languir;
Mesure bien tes maux sur l'excès de leurs peines,
Tes maux n'auront plus rien qui mérite un soupir.

  Sans doute, alors que ta faiblesse
  Les trouve trop lourds à porter,
Ta propre impatience est tout ce qui te blesse,
Et seule fait le poids qu'elle veut rejeter.
  Légers ou lourds, il faut que tu les portes;
  Tu ne peux rompre un ordre fait pour tous,
Et, soit que tes douleurs soient ou faibles ou fortes,
Tu dois même constance à soutenir leurs coups.

  Tu te montres d'autant plus sage,
  Que tu t'y prépares le mieux;
Ton mérite en augmente, et prend un avantage
Qui te rend d'autant plus agréable à mes yeux;
  La douleur même en est d'autant moins rude
  Quand le courage, à souffrir disposé,
S'en est fait par avance une douce habitude,
Et lorsqu'il s'est vaincu tout lui devient aisé.

  Ne dis jamais pour ton excuse :
  « Je ne saurais souffrir d'un tel,
De mon trop de bonté sa calomnie abuse,
Le dommage est trop grand, l'outrage trop mortel;
  A ma ruine il se montre inflexible,
  Il prend pour but de me déshonorer;
Je souffrirai d'un autre, et serai moins sensible,
Selon que je verrai qu'il est bon d'endurer. »

  Cette pensée est folle et vaine,
  Et l'amour-propre qu'elle suit
Sous ce discernement de la prudence humaine
Cache un orgueil secret qui t'enfle et te séduit :
  Au lieu de voir ce qu'est la patience,
  Et quelle main la doit récompenser,
Il attache tes yeux à voir quelle est l'offense,
Et mesurer la main qui vient de t'offenser.

  La patience est délicate
  Qui ne veut souffrir qu'à son choix,
Qui borne ses malheurs, et jusque-là se flatte
Qu'elle en prétend régler et le nombre et le poids :
  La véritable est d'une autre nature;
  Et, quelques maux qui se puissent offrir,
Elle ne leur prescrit ordre, temps, ni mesure,
Et n'a d'yeux que pour moi quand il lui faut souffrir.

  Que son supérieur l'exerce,
  Son pareil, son inférieur,
Elle est toujours la même, et sa peine diverse
Conserve également son calme intérieur;
  Quelle que soit l'épreuve ou la personne,
  Elle y présente un courage affermi,
Et n'examine point si l'essai qui l'étonne
Vient d'un homme de bien, ou d'un lâche ennemi.

  Sa vertueuse indifférence
  Reçoit avec remercîments
Ces odieux trésors d'amertume et d'offense
Qui font partout ailleurs tant de ressentiments;
  Autant de fois qu'elle se voit pressée,
  Autant de fois elle l'impute à gain,
Et regarde si peu la main qui l'a blessée,
Que tout devient pour elle un présent de ma main.

  Instruite dans ma sainte école,
  Elle met son espoir aux cieux,
Et sait que dans ses maux si je ne la console,
Du moins ce qu'elle souffre est présent à mes yeux;
  Qu'un jour viendra que ma douce visite
  De ses travaux couronnera la foi,
Et qu'un peu de souffrance amasse un grand mérite
Quand ce peu qu'on endure est enduré pour moi.

  Tiens donc ton âme toujours prête
  A toute épreuve, à tous combats,
Du moins si tu veux vaincre et couronner ta tête
De ce qu'un beau triomphe a de gloire et d'appas :
  La patience a sa couronne acquise;
  Mais sans combattre on n'y peut aspirer;
A qui sait bien souffrir ma bouche l'a promise,
Et c'en est un refus qu'un refus d'endurer.

  Encore un coup, cette couronne
  N'est que pour les hommes de cœur :
Si tu peux souhaiter qu'un jour je te la donne,
Résiste avec courage, et souffre avec douceur.
  Sans le travail et sans l'inquiétude
  Le vrai repos ne se peut obtenir,
Et sans le dur effort d'un combat long et rude
A la pleine victoire on ne peut parvenir.

  Donne-moi donc ta grâce; et par elle, Seigneur,
  Fais pouvoir à ta créature
Ce qui semble impossible à la morne langueur
  Où l'ensevelit la nature.

Tu connais mieux que moi que mon peu de vertu

Ne peut souffrir que peu de chose ;
Tu sais que mon courage est soudain abattu
   Au moindre obstacle qui s'oppose.

Daigne le relever de cet abattement,
   Quelque injure qui me soit faite ;
Et fais-moi pour ton nom souffrir si constamment,
   Que je m'y plaise et le souhaite.

Car endurer pour toi l'outrage et le rebut,
   Être pour toi traité d'infâme,
C'est prendre le chemin qui conduit au salut,
   C'est la haute gloire de l'âme.

20. DE L'AVEU DE SA PROPRE INFIRMITÉ ET DES MISÈRES DE CETTE VIE.

Corps ou sujet de l'emblème : *Saint Eustache, après avoir vu sa femme enlevée par un pirate, voit encore un de ses enfants emporté par un lion, l'autre par un loup* [53]. Ame ou sentence : *Una tribulatione praecedente, alia succedit.* (Str. 13.)

A ma confusion, Seigneur, je te confesse
Quelle est mon injustice, et quelle est ma faiblesse,
Je veux bien te servir de témoin contre moi :
Peu de chose m'abat, peu de chose m'attriste,
Et dans tous mes souhaits, pour peu qu'on me résiste,
Un orgueilleux chagrin soudain me fait la loi.

J'ai beau me proposer d'agir avec courage,
Le moindre tourbillon me fait peur de l'orage,
Et renverse d'effroi mon plus ferme propos ;
D'angoisse et de dépit j'abandonne ma route,
Et, me livrant moi-même à ce que je redoute,
Je me fais le jouet et des vents et des flots.

C'est bien pour en rougir de voir quelle tempête
Souvent mes lâchetés attirent sur ma tête,
Et combien de grand trouble a peu de fondement ;
C'est bien pour en rougir de me voir si fragile,
Que souvent dans mon cœur la chose la plus vile
Forme d'une étincelle un long embrasement.

Quelquefois, au milieu de ma persévérance,
Lorsque je crois marcher avec quelque assurance,
Et fournir ma carrière avec moins de danger,
Quand j'y pense le moins, je trébuche par terre,
Et, lorsque je m'estime à l'abri du tonnerre,
Je me trouve abattu par un souffle léger.

Reçois-en l'humble aveu, Seigneur, et considère
De ma fragilité l'impuissante misère,
Qui me met à toute heure en état de périr :

Sans que je te la montre, elle t'est trop connue,
Elle est de tous côtés exposée à ta vue,
D'un regard de pitié daigne la secourir.

Tire-moi de la fange où ma chute m'engage,
De ce bourbier épais arrache ton image,
Que par mon propre poids je n'y reste enfoncé :
Fais que je me relève aussitôt que je tombe ;
Fais que si l'on m'abat jamais je ne succombe ;
Fais que je ne sois point tout à fait terrassé.

Ce qui devant tes yeux rend mon âme confuse,
Ce qui dans elle-même à tous moments m'accuse,
Et me force à trembler sous un juste remords,
C'est de me voir si prompt à choir dans cette boue,
Et qu'à mes passions, qu'en vain je désavoue,
Je n'oppose en effet que de lâches efforts.

Bien que ta main propice à mon cœur qui s'en fâche
Au plein consentement jamais ne le relâche,
Et contre leurs assauts lui donne un grand appui,
Le combat est fâcheux, il importune, il gêne,
Et, comme la victoire est toujours incertaine,
Vivre toujours en guerre accable enfin d'ennui.

De mille objets impurs l'abominable foule,
Qui jusqu'au fond du cœur en moins de rien se coule
N'a pas pour en sortir même facilité,
Leur plus légère idée a peine à disparaître,
Le soin de l'effacer souvent l'obstine à croître,
Et montre ainsi l'excès de mon infirmité.

Puissant Dieu d'Israël, qui, jaloux de nos âmes,
Ne veux les voir brûler que de tes saintes flammes
Regarde mes travaux, regarde ma douleur ;
Secours par tes bontés ton serviteur fidèle ;
Et, de quelque côté que se porte mon zèle,
De tes divins rayons prête-lui la chaleur.

Répands dans mon courage une céleste force
De peur que de la chair la dangereuse amorce,
Le vieil homme, à l'esprit encor mal asservi,
Se prévalant sur moi de toute ma faiblesse,
N'affermisse un empire à cette chair traîtresse,
Et que par l'esprit même il ne soit trop suivi.

C'est contre cette chair, notre fière ennemie,
Que tant que nous traînons cette ennuyeuse vie
Nous avons à combattre autant qu'à respirer.
Quelle est donc cette vie où tout n'est que misères,
Que tribulations, que rencontres amères,
Que pièges, qu'ennemis prêts à nous dévorer ?

Qu'une affliction passe, une autre lui succède ;
Souvent elle renaît de son propre remède,
Et rentre du côté qu'on la vient de bannir :
Un combat dure encor que mille autres surviennent,
Et cet enchaînement dont ils s'entre-soutiennent
Fait un cercle de maux, qui ne saurait finir.

---

53. Autre sujet populaire au théâtre : après diverses pièces latines et italiennes, trois pièces françaises demeurent connues : Bello (1632), Baro (1638) et Desfontaines (1642).

Peut-on avoir pour toi quelque amour, quelque estime,
O vie, ô d'amertume affreux et vaste abîme,
Cuisant et long supplice et de l'âme et du corps ?
Et, parmi les malheurs dont je te vois suivie,
A quel droit gardes-tu l'aimable nom de vie,
Toi dont le cours funeste engendre tant de morts ?

On t'aime cependant, et la faiblesse humaine,
Bien qu'elle voie en toi les sources de sa peine,
Y cherche avidement celle de ses plaisirs.
Le monde est un pipeur, on dit assez qu'il trompe,
On déclame assez haut contre sa vaine pompe,
Mais on ne laisse point d'y porter ses désirs.

Le pouvoir dominant de la concupiscence
Qu'imprime en notre chair notre impure naissance,
Ainsi sous ce trompeur captive nos esprits :
Mais il faut que le cœur saintement se rebelle,
Et juge quels motifs font aimer l'infidèle,
Et quels doivent pousser à son juste mépris.

Les appétits des sens, la soif de l'avarice,
L'orgueil qui veut monter au gré de son caprice,
Enfantent cet amour que nous avons pour lui ;
Les angoisses d'ailleurs, les peines, les misères,
Qui les suivent partout comme dignes salaires,
En font naître à leur tour le dégoût et l'ennui.

Mais une âme à l'aimer lâchement adonnée,
Par d'infâmes plaisirs en triomphe menée,
Ne considère point ce qui le fait haïr :
Ce fourbe à ses regards déguise toutes choses,
Lui peint les nuits en jours, les épines en roses,
Et ses yeux subornés aident à la trahir.

Aussi n'a-t-elle rien qui l'en puisse défendre :
Les douceurs que d'en haut Dieu se plaît à répandre
Sont des biens que jamais sa langueur n'a goûtés ;
Elle n'a jamais vu quel charme a ce grand Maître,
Ni combien la vertu, qui craint de trop paraître,
Verse en l'intérieur de saintes voluptés.

Le vrai, le plein mépris des vanités mondaines
Qu'embrassent en tous lieux ces âmes vraiment saines
Qui, sous la discipline, ont Dieu pour leur objet :
C'est ce qui leur départ cette douceur exquise,
Et de sa propre voix Dieu même l'a promise
A qui peut s'affermir dans ce noble projet.

Par là notre ferveur, enfin mieux éclairée,
Promène sur le monde une vue assurée,
Que son flatteur éclat ne saurait éblouir
Nous voyons comme il trompe et se trompe lui-même,
Nous le voyons se perdre et perdre ce qu'il aime
Au milieu des faux biens dont il pense jouir.

21. QU'IL FAUT SE REPOSER EN DIEU PAR-DESSUS TOUS LES BIENS ET TOUS LES DONS DE LA NATURE ET DE LA GRACE.

Corps ou sujet de l'emblème : Jésus-Christ épouse sainte Catherine de Sienne, et lui met l'anneau au doigt en présence de la Vierge et de plusieurs saints. Âme ou sentence : O mi dilectissime sponse. (Str. 6.)

Mon âme, c'est en Dieu par-dessus toutes choses
Qu'il faut qu'en tout, partout, toujours tu te reposes,
Il n'est point de repos ailleurs que criminel,
Et lui seul est des saints le repos éternel.
    Fais donc, aimable Auteur de toute la nature,
Qu'en toi j'en trouve plus qu'en toute créature,
Plus qu'au plus long bonheur de la pleine santé,
Plus qu'aux vifs attraits dont charme la beauté,
Plus qu'au plus noble éclat de l'honneur le plus rare,
Plus qu'en tout le brillant dont la gloire se pare,
Plus qu'en toute puissance, et plus qu'au plus haut rang
Où puissent élever les charges et le sang,
Plus qu'en toute science, et plus qu'en toute adresse,
Plus que dans tous les arts, plus qu'en toute richesse,
Plus qu'en toute la joie et les ravissements
Que puissent prodiguer de pleins contentements,
Plus qu'en toute louange et toute renommée,
Qu'en toute leur illustre et pompeuse fumée,
Qu'en toutes les douceurs des consolations
Qui soulagent un cœur dans ses afflictions.
    Seigneur, puisqu'en toi seul ce vrai repos habite,
Fais-le-moi prendre en toi par-dessus tout mérite,
Par-dessus quoi que fasse espérer de plaisir,
La plus douce promesse, ou le plus cher désir,
Par-dessus tous les dons que ta main libérale
Pour enrichir une âme abondamment étale,
Par-dessus tout l'excès des plus dignes transports
Dont soit capable un cœur rempli de ces trésors,
Par-dessus les secours que lui prêtent les Anges,
Par-dessus le soutien qu'il reçoit des Archanges,
Par-dessus tout ce gros de saintes légions
Qui de ton grand palais peuplent les régions,
Par-dessus tout enfin ce que tu rends visible,
Par-dessus ce qui reste aux yeux imperceptible,
Et, pour dire en un mot tout ce que je conçoi,
Par-dessus, ô mon Dieu, tout ce qui n'est point toi.
    Car tu possèdes seul en un degré suprême
La bonté, la grandeur, et la puissance même,
Toi seul suffis à tout, toi seul en toi contiens
L'immense plénitude où sont tous les vrais biens,
Toi seul as dans ses maux tout ce qui la console,
Toi seul as dans ses maux tout ce qui la console,
Toi seul as des beautés dignes de la charmer,
Toi seul es tout aimable, et toi seul sais aimer :
Toi seul portes en toi ce noble et vaste abîme
Qui t'environne seul de gloire légitime ;
Enfin c'est en toi seul que vont se réunir
Le passé, le présent, avec tout l'avenir ;
En toi qu'à tous moments s'assemblent et s'épurent
Tous les biens qui seront, et qui sont, et qui furent,
En toi, que tous ensemble ils ont toujours été,

Qu'ils sont et qu'ils seront toute l'éternité.

   Ainsi tous tes présents autres que de toi-même
N'ont point de quoi suffire à cette âme qui t'aime;
A moins que de te voir, à moins que d'en jouir,
Rien n'offre à ses désirs de quoi s'épanouir.
Quoi qu'assure à ses vœux ta parole fidèle,
Quoi que de tes grandeurs ta bonté lui révèle,
Elle n'y trouve point à se rassasier,
Quelque chose lui manque où tu n'es pas entier,
Et mon cœur n'a jamais ni de repos sincère,
Ni par où pleinement se pouvoir satisfaire,
S'il ne repose en toi, si de tout autre don
Il ne fait pour t'aimer un solide abandon,
Si porté fortement à travers les nuages
Jusqu'au-dessus des airs et de tous tes ouvrages,
Par les sacrés élans d'un zèle plein de foi
Sur les pieds de ton trône il ne s'attache à toi.

   Adorable Jésus, cher époux de mon âme,
Qui dans la pureté fais luire tant de flamme,
Souverain éternel, et de tous les humains,
Et de tout ce qu'ont fait et ta voix et tes mains,
Qui pourra me donner ces ailes triomphantes
Que d'un cœur vraiment libre ont les ardeurs ferventes,
Afin que hors des fers de ce triste séjour
Je vole dans ton sein pour y languir d'amour?

   Quand pourrai-je, Seigneur, bannir toute autre idée,
Et l'âme toute en toi, de toi seul possédée,
T'embrasser à mon aise, et goûter à loisir
Combien ta vue est douce au pur et saint désir?

   Quand verrai-je cette âme en toi bien recueillie,
Sans plus faire au dehors d'imprudente saillie,
S'oublier elle-même à force de t'aimer,
Sensible pour toi seul, en toi se transformer,
Ne se plus servir d'yeux, de langue, ni d'oreilles,
Que pour voir, pour chanter, pour ouïr tes merveilles,
Et par ces doux transports, que tu rends tout-puissants,
Passer toute mesure et tout effort des sens,
Pour s'unir pleinement aux grandeurs de ton être
D'une façon qu'à tous tu ne fais pas connaître?

   Je ne fais que gémir, et porte avec douleur,
Attendant ce beau jour, l'excès de mon malheur;
Mille sortes de maux dans ce val de misères
Troublent incessamment ces élans salutaires,
M'accablent de tristesse, et m'offusquent l'esprit,
Rompent tous les effets de ce qu'il se prescrit,
Le détournent ailleurs, de lui-même le chassent,
Sous de fausses beautés l'attirent, l'embarrassent,
Et, m'ôtant l'accès libre à tes attraits charmants,
M'empêchent de jouir de tes embrassements,
M'empêchent d'en goûter les douceurs infinies,
Qu'aux esprits bienheureux jamais tu ne dénies.

   Laisse-toi donc toucher, Seigneur, à mes soupirs,
   Laisse-toi donc toucher, Seigneur, aux déplaisirs
Qui, de tous les côtés tyrannisant la terre,
En cent et cent façons me déclarent la guerre,
Et, répandant partout leur noire impression,
N'y versent qu'amertume et désolation.

   Ineffable splendeur de la gloire éternelle,
Consolateur de l'âme en sa prison mortelle,
En ce pèlerinage où le céleste amour

Lui montrant son pays la presse du retour,
Si ma bouche est muette, écoute mon silence :
Écoute dans mon cœur une voix qui s'élance;
Là, d'un ton que jamais nul que toi n'entendit,
Cette voix sans parler te dit et te redit :

   Combien dois-je encore attendre?
   Jusques à quand tardes-tu,
   O Dieu tout bon, à descendre
   Dans mon courage abattu?

   Mon besoin t'en sollicite,
   Toi, qui de tous biens auteur,
   Peux d'une seule visite
   Enrichir ton serviteur.

   Viens donc, Seigneur, et déploie
   Tous tes trésors à mes yeux;
   Remplis-moi de cette joie
   Que tu fais régner aux cieux.

   De l'angoisse qui m'accable
   Daigne être le médecin,
   Et d'une main charitable
   Dissipes-en le chagrin.

   Viens, mon Dieu, viens sans demeure;
   Tant que je ne te vois pas,
   Il n'est point de jour ni d'heure
   Où je goûte aucun appas.

   Ma joie en toi seul réside,
   Tu fais seul mes bons destins,
   Et sans toi ma table est vide
   Dans la pompe des festins.

   Sous les misères humaines,
   Infecté de leur poison,
   Et tout chargé de leurs chaînes,
   Je languis comme en prison;

   Jusqu'à ce que ta lumière
   Y répande sa clarté,
   Et que ta faveur entière
   Me rende ma liberté;

   Jusqu'à ce qu'après l'orage,
   La nuit faisant place au jour,
   Tu me montres un visage
   Qui soit pour moi tout d'amour.

Que d'autres, enivrés de leurs folles pensées,
Suivent au lieu de toi leurs ardeurs insensées,
Que le reste du monde attache ses plaisirs
Aux frivoles objets de ses bouillants désirs;
Rien ne me plaît, Seigneur, rien ne pourra me plaire
Que toi, qui seul de l'âme es l'espoir salutaire :
Je ne m'en tairai point, et sans cesse je veux
Jusqu'au ciel, jusqu'à toi, pousser mes humbles vœux,
Tant que ma triste voix enfin mieux entendue,

Tant que ta grâce enfin à mes soupirs rendue,
Tu daignes, pour réponse à cette voix sans voix,
D'un même accent me dire et redire cent fois :

    Me voici, je viens à ton aide;
Je viens guérir les maux où tu m'as appelé,
Et ma main secourable apporte le remède
    Dont tu dois être consolé.

    De mon trône j'ai vu tes larmes,
J'ai vu de tes désirs l'amoureuse langueur,
J'ai vu tes repentirs, tes douleurs, tes alarmes,
    Et l'humilité de ton cœur.

    J'ai voulu si peu me défendre
De tout ce que leur vue attirait de pitié,
Que jusque dans ton sein il m'a plu de descendre
    Par un pur excès d'amitié.

A ces mots, tout saisi d'un transport extatique,
Ma joie et mon amour te diront pour réplique :

    Il est vrai, mes gémissements
    Ont eu recours à ta clémence
    Pour obtenir la jouissance
    De tes sacrés embrassements.

    Il est vrai, tout mon cœur, épris
    Du bonheur que tu lui proposes,
    Veut bien pour toi de toutes choses
    Faire un illustre et saint mépris.

    Mais tu m'excites le premier
    A rechercher ta main puissante,
    Et sans ta grâce prévenante
    Je me plairais dans mon bourbier.

    Sois donc béni de la faveur
    Que ta haute bonté m'accorde,
    Et presse ta miséricorde
    D'augmenter toujours ma ferveur.

Qu'ai-je à dire de plus, que puis-je davantage
Que te rendre à jamais un juste et plein hommage,
Sous tes saintes grandeurs toujours m'humilier,
De mon propre néant jamais ne m'oublier,
Et par un souvenir fidèle et magnanime
Déplorer à tes pieds ma bassesse et mon crime?
    Quoi qui charme sur terre ou l'oreille ou les yeux,
Quoi que l'esprit lui-même admire dans les cieux,
Ces miracles n'ont rien qui te soit comparable :
Tu demeures toi seul à toi-même semblable;
Sur tout ce que tu fais ta haute majesté
Grave l'impression de sa propre bonté,
Dans tous tes jugements la vérité préside,
Ta seule providence au monde sert de guide,
Et son ordre éternel qui régit l'univers
En fait, sans se changer, les changements divers.
    A toi gloire et louange, ô divine Sagesse,
Puisse ma voix se plaire à te bénir sans cesse,

Puisse jusqu'au tombeau mon cœur l'en avouer,
Et tout être créé s'unir à te louer!

22. QU'IL FAUT CONSERVER LE SOUVENIR DE LA MULTITUDE DES BIENFAITS DE DIEU.

Corps ou sujet de l'emblème : Saint Pierre [54], célestin, *se démet avec joie du pontificat. Ame ou sentence :* Ita contentus in novissimo loco, sicut in primo. *(Str. 12.)*

    De tes lois à mon cœur ouvre l'intelligence,
Seigneur; conduis mes pas sous tes enseignements
Et dans l'étroit sentier de tes commandements
Fais-moi sous tes clartés marcher sans négligence :
Instruis-moi de ton ordre et de tes volontés,
Élève mes respects jusques à tes bontés,
Pour faire de tes dons une exacte revue,
Soit qu'ils me soient communs avec tous les humains,
Soit que par privilège une grâce imprévue,
Pour me les départir, les choisisse en tes mains.

    Que tous en général présents à ma mémoire,
Que de chacun à part le digne souvenir
De ce que je te dois puissent m'entretenir,
Afin que je t'en rende une immortelle gloire.
Mais ma reconnaissance a beau le projeter,
Tous mes remercîments ne sauraient m'acquitter,
A ma honte, ô mon Dieu! je le sais et l'avoue;
Et pour peu que de toi je puisse recevoir,
S'il faut que dignement ma faiblesse t'en loue,
Ma faiblesse jamais n'en aura le pouvoir.

    Non, il n'est point en moi de pouvoir bien répondre
Au moindre écoulement de tes sacrés trésors,
Et, quand pour t'en bénir je fais tous mes efforts,
Les efforts que je fais ne font que me confondre.
Quand je porte les yeux jusqu'à ta majesté,
Quand j'ose en contempler l'auguste immensité,
Et mesurer l'excès de ta magnificence,
Soudain, tout ébloui de ces vives splendeurs,
Je sens dans mon esprit d'autant plus d'impuissance,
Qu'il a vu de plus près tes célestes grandeurs.

    Nos âmes et nos corps de ta main libérale
Tiennent toute leur force et tous leurs ornements,
Ils ne doivent qu'à toi ces embellissements
Que le dedans recèle, ou le dehors étale :
Tout ce que la nature ose faire de dons,
Tout ce qu'au-dessus d'elle ici nous possédons,
Sont des épanchements de ta pleine richesse;
Toi seul nous a fait naître, et toi seul nous maintiens,
Et tes bienfaits partout nous font voir ta largesse,
Qui nous prodigue ainsi toute sorte de biens.

54. Pierre de Morone (1215-1296) fonda une nouvelle branche de l'ordre bénédictin, les Célestins, et succéda à Nicolas IV sous le nom de Célestin V. Il résigna sa charge en 1294 et fut canonisé dès 1313.

Si l'inégalité se trouve en leur partage,
Si l'un en reçoit plus, si l'autre en reçoit moins,
Tout ne laisse pas d'être un effet de tes soins,
Et ce plus et ce moins te doivent même hommage.
Sans toi le moindre don ne se peut obtenir,
Et qui reçoit le plus se doit mieux prémunir
Contre ce doux orgueil où l'abondance invite;
Et, de quoi que sur tous il soit avantagé,
Il ne doit ni s'enfler de son propre mérite,
Ni traiter de mépris le plus mal partagé.

L'homme est d'autant meilleur que moins il s'attri-
Il est d'autant plus grand qu'il s'abaisse le plus, [bue,
Et qu'en te bénissant pour tant de biens reçus
Il reconnaît en soi sa pauvreté plus nue.
C'est par le zèle ardent, c'est par l'humilité,
C'est par le saint aveu de son indignité
Qu'il attire sur lui de plus puissantes Grâces;
Et qui se peut juger le plus faible de tous
S'affermit d'autant plus à marcher sur tes traces,
Et va d'autant plus haut, qu'il prend mieux le dessous.

Celui pour qui ta main semble être plus avare
Doit le voir sans tristesse et souffrir sans ennui,
Et, sans porter d'envie aux plus riches que lui,
Attendre avec respect ce qu'elle lui prépare.
Au lieu de murmurer contre ta volonté,
C'est à lui de louer ta divine bonté,
Qui fait tous ses présents sans égard aux personnes :
Tu donnes librement, et préviens le désir,
Mais il est juste aussi que de ce que tu donnes
Le partage pour loi n'ait que ton bon plaisir.

Ainsi que d'une source en biens inépuisable
De ta bénignité tout découle sur nous;
Sans devoir à personne elle départ à tous,
Et, quoi qu'elle départe, elle est toute adorable :
Tu sais ce qu'à chacun il est bon de donner,
Et quand il faut l'étendre, ou qu'il la faut borner,
Ton ordre a ses raisons qui règlent toutes choses;
L'examen de ton choix sied mal à nos esprits,
Et du plus et du moins tu connais seul les causes,
Toi qui connais de tous le mérite et le prix.

Aussi veux-je tenir à faveur souveraine
D'avoir peu de ces dons qui brillent au dehors,
De ces dons que le monde estime des trésors,
De ces dons que partout suit la louange humaine.
Je sais qu'assez souvent ce sont de faux luisants,
Que la pauvreté même est un de tes présents,
Qui porte de ton doigt l'inestimable empreinte,
Et qu'entre les mortels être bien ravalé
Donne moins un sujet de chagrin et de plainte,
Qu'une digne matière à vivre consolé.

Tu n'as point fait ici dans l'or ni dans l'ivoire
Le choix de tes amis et de tes commensaux,
Mais dans le plus bas rang et les plus vils travaux
Que le monde orgueilleux ait bannis de sa gloire.
Tes apôtres, Seigneur, en sont de bons témoins;

Eux à qui du troupeau tu laissas tous les soins,
Eux qu'ordonnait ta main pour princes de la terre,
De quel ordre éminent les avais-tu tirés?
Et quelle était la pourpre et de Jean et de Pierre,
Dans une barque usée, et des rets déchirés?

Cependant sans se plaindre ils ont traîné leur vie,
Et plongés qu'ils étaient dans la simplicité,
Le précieux éclat de leur humilité
Aux plus grands potentats ne portait point d'envie :
Ils agissaient partout sans malice et sans fard,
Et la superbe en eux avait si peu de part,
Que de l'ignominie ils faisaient leurs délices;
Les opprobres pour toi ne les pouvaient lasser,
Et ce que fuit le monde à l'égal des supplices,
C'était ce qu'avec joie ils couraient embrasser.

Ainsi, qui de tes dons connaît bien la nature
N'en conçoit point d'égal à celui d'être à toi,
D'avoir ta volonté pour immuable loi,
D'accepter ses décrets sans trouble et sans murmure :
Il te fait sur lui-même un empire absolu;
Et, quand ta providence ainsi l'a résolu,
Il tombe sans tristesse au plus bas de la roue :
Ce qu'il est sur un trône, il l'est sur un fumier,
Humble dans les grandeurs, content parmi la boue,
Et tel au dernier rang qu'un autre est au premier.

Son âme, de ta gloire uniquement charmée,
Et maîtresse partout de sa tranquillité,
La trouve dans l'opprobre et dans l'obscurité,
Comme dans les honneurs, et dans la renommée.
Pour règle de sa joie il n'a que ton vouloir,
Partout, sur toute chose, il le fait prévaloir,
Soit que ton bon plaisir l'élève, ou le ravale;
Et son esprit se plaît à le voir s'accomplir
Plus qu'en tous les présents dont ta main le régale,
Et plus qu'en tous les biens dont tu le peux remplir.

23. DE QUATRE POINTS FORT IMPORTANTS POUR ACQUÉRIR LA PAIX.

Corps ou sujet de l'emblème : *Jésus-Christ lavant les pieds à ses apôtres.* Ame ou sentence : *Quaere semper omnibus subesse.* (Str. 4.)

Maintenant que je vois ton âme plus capable
   De mettre un ordre à tes souhaits,
Je te veux enseigner comme on obtient la paix,
    Et la liberté véritable.

    Dégage tôt cette promesse,
J'en recevrai, Seigneur, l'effet avec plaisir;
Hâte-toi de répondre à l'ardeur qui m'en presse,
    Et donne-moi cette allégresse,
    Toi qui fais naître ce désir.

En premier lieu, mon fils, tâche plutôt à faire

Le vouloir d'autrui que le tien;
Aime si peu l'éclat, le plaisir et le bien,
Que le moins au plus s'en préfère.

Cherche le dernier rang, prends la dernière place,
Vis avec tous comme sujet,
Et donne à tous tes vœux pour seul et plein objet
Qu'en toi ma volonté se fasse.

Qui de ces quatre points embrasse la pratique
Prend le chemin du vrai repos,
Et s'y conservera, pourvu qu'à tous propos
A leur saint usage il s'applique.

Seigneur, voilà peu de paroles,
Mais qui font l'abrégé de la perfection;
Et ce long embarras de questions frivoles
Dont retentissent nos écoles
Laisse bien moins d'instruction.

Ces deux mots que ta bouche avance
Ouvrent un sens profond au cœur qui les comprend;
Et quand il en peut joindre avec pleine constance
La pratique à l'intelligence,
Le fruit qu'il en reçoit est grand.

Si pour les bien mettre en usage,
J'avais assez de force et de fidélité,
Le trouble, qui souvent déchire mon courage,
N'y ferait pas ce grand ravage
Avec tant de facilité.

Autant de fois que me domine
La noire inquiétude ou le pesant chagrin,
Je sens autant de fois que de cette doctrine
J'ai quitté la route divine
Pour suivre un dangereux chemin.

Toi qui peux tout, toi dont la Grâce
Aime à nous soutenir, aime à nous éclairer,
Redouble en moi ses dons, et fais tant qu'elle passe
Jusqu'à cette heureuse efficace
Qui m'empêche de m'égarer.

Que mon âme, ainsi mieux instruite,
Embrasse de la gloire un glorieux rebut,
Et que de tes conseils l'invariable suite
Soit d'achever, sous leur conduite,
Le grand œuvre de mon salut.

ORAISON CONTRE LES MAUVAISES PENSÉES.

N'éloigne pas de moi ta dextre secourable,
Viens, ô Maître du ciel! viens, ô Dieu de mon cœur,
Ne me refuse pas un regard favorable
A fortifier ma langueur.

Vois les pensers divers qui m'assiègent en foule,
Vois-en des légions contre moi se ranger,

Vois quel excès de crainte en mon âme se coule,
Vois-la gémir et s'affliger.

Contre tant d'ennemis prête-moi tes miracles
Pour passer au travers sans en être blessé,
Et donne-moi ta main pour briser les obstacles
Dont tu me vois embarrassé.

Ne m'as-tu pas promis de leur faire la guerre?
Ne m'as-tu pas promis de marcher devant moi,
Et d'abattre à mes pieds ces tyrans de la terre,
Qui pensent me faire la loi?

Oui, tu me l'as promis, et de m'ouvrir les portes,
Si jamais leurs fureurs me jetaient en prison,
Et d'apprendre à ce cœur qu'enfoncent leurs cohortes,
Les secrets d'en avoir raison.

Viens donc tenir parole, et fais quitter la place
A ces noirs escadrons qu'arme et pousse l'enfer;
Ta présence est leur fuite : et leur montrer ta face,
C'est assez pour en triompher.

C'est là l'unique espoir que mon âme troublée
Oppose à la rigueur des tribulations,
C'est là tout son recours quand elle est accablée
Sous le poids des afflictions.

Toi seul es son refuge, et seul sa confiance;
C'est toi seul qu'au secours son zèle ose appeler,
Cependant qu'elle attend avecque patience
Que tu daignes la consoler.

ORAISON POUR OBTENIR L'ILLUMINATION
DE L'AME.

Éclaire-moi, mon cher Sauveur,
Mais de cette clarté qui, cachant sa splendeur,
Chasse mieux du dedans tous les objets funèbres.
Et qui purge le fond du cœur
De toutes sortes de ténèbres.

Étouffe ces distractions
Qui pour troubler l'effet de mes intentions
A ma plus digne ardeur mêlent leur insolence,
Et dompte les tentations
Qui m'osent faire violence.

Secours-moi d'un bras vigoureux,
Terrasse autour de moi ces monstres dangereux,
Ces avortons rusés d'une subtile flamme,
Qui, sous un abord amoureux,
Jettent leur poison dans mon âme.

Que la paix ainsi de retour
Te fasse de mon cœur comme une sainte cour,
Où ta louange seule incessamment résonne,
Par un épurement d'amour
A qui tout le cœur s'abandonne.

Abats les vents, calme les flots,
Tu n'as qu'à dire aux uns : « Demeurez en repos »
Aux autres : « Arrêtez, c'est moi qui le commande »
        Et soudain après ces deux mots
        La tranquillité sera grande.

Répands donc tes saintes clartés,
Fais briller jusqu'ici tes hautes vérités,
Et que toute la terre en soit illuminée,
        En dépit des obscurités
        Où ses crimes l'ont condamnée.

Je suis cette terre sans fruit,
Dont la stérilité sous une épaisse nuit
N'enfante que chardons, que ronces et qu'épines :
        Vois, Seigneur, où je suis réduit
        Jusqu'à ce que tu m'illumines.

Verse tes Grâces dans mon cœur,
Fais-en pleuvoir du ciel l'adorable liqueur,
A mon aridité prête leurs eaux fécondes,
        Prête à ma traînante langueur
        La vivacité de leurs ondes.

Qu'ainsi par un prompt changement
Ce désert arrosé se trouve en un moment
Un champ délicieux où règne l'affluence,
        Et paré de tout l'ornement
        Que des bons fruits a l'abondance.

Mais ce n'est pas encore assez,
Élève à toi mes sens sous le vice oppressés,
Et romps si bien pour eux des chaînes si funestes,
        Que mes désirs débarrassés
        N'aspirent qu'aux plaisirs célestes.

Que le goût du bien souverain
Déracine en mon cœur l'attachement humain,
Et, faisant aux faux biens une immortelle guerre
        M'obstine au généreux dédain
        De tout ce qu'on voit sur la terre.

Fais plus encore ; use d'effort,
Use de violence, et m'arrache d'abord
A cette indigne joie, à ces douceurs impures,
        A ce périssable support
        Que promettent les créatures.

Car ces créatures n'ont rien
Qui forme un plein repos, qui produise un vrai bien,
Leurs charmes sont trompeurs, leurs secours infidèles
        Et tout leur appui sans le tien
        S'ébranle, et trébuche comme elles.

Daigne donc t'unir seul à moi,
Attache à ton amour par une ferme foi
Toutes mes actions, mes désirs, mes paroles,
        Puisque toutes choses sans toi
        Ne sont que vaines et frivoles.

24. QU'IL NE FAUT POINT AVOIR DE CURIOSITÉ POUR LES ACTIONS D'AUTRUI.

Corps ou sujet de l'emblème : *Saint Arnoul* [55] *refuse la couronne ducale et l'évêché de Metz.* Ame ou sentence : *Non sit tibi curae de magni nominis umbra.* (Str. 5.)

Bannis, mon fils, de ton esprit
La curiosité vagabonde et stérile,
        Son empressement inutile
Peut étouffer les soins de ce qui t'est prescrit :
        Si tu n'as qu'une chose à faire,
Qu'ont tel et tel succès qui t'importe en effet ?
Préfère au superflu ce qui t'est nécessaire,
Et suis-moi, sans penser à ce qu'un autre fait.

Qu'un tel soit humble, ou qu'il soit vain,
Qu'il parle, qu'il agisse en telle ou telle sorte,
        Encore une fois, que t'importe ?
Ai-je mis sa conduite ou sa langue en ta main ?
        As-tu quelque part en sa honte ?
Répondras-tu pour lui de son peu de vertu ?
Ou, si c'est pour toi seul que tu dois rendre conte,
Quels que soient ses défauts, de quoi t'embrouilles-tu ?

Souviens-toi que du haut des cieux
Je perce d'un regard l'un et l'autre hémisphère,
        Et que le plus secret mystère
N'a point d'obscurité qui le cache à mes yeux :
        Rien n'échappe à ma connaissance,
Je vois tout ce que font les méchants et les saints,
J'entends tout ce qu'on dit ; je sais tout ce qu'on pense,
Et jusqu'au fond des cœurs je lis tous les desseins.

Tu dois donc me remettre tout,
Puisque tout sur la terre est présent à ma vue ;
        Que tout autre à son gré remue,
Conserve en plein repos ton âme jusqu'au bout :
        Quoi qu'il excite de tempête,
Quelques lâches soucis qui puissent l'occuper,
Tout ce qu'il fait et dit reviendra sur sa tête,
Et, pour rusé qu'il soit, il ne peut me tromper.

Ne cherche point l'éclat du nom,
Ce qu'il a de brillant ne va jamais sans ombre :
        Ne cherche en amis ni le nombre,
Ni les étroits liens d'une forte union ;
        Tout cela ne fait que distraire,
Et ce peu qu'au dehors il jette de splendeur,
Par la malignité d'un effet tout contraire,
T'enfonce plus avant les ténèbres au cœur.

Je t'entretiendrai volontiers,
Je te veux bien instruire en ma savante école
        Jusqu'à t'expliquer ma parole,
Jusqu'à t'en révéler les secrets tout entiers ;
        Mais il faut que ta diligence
Sache bien observer les moments où je viens,

55. Fils de Fulbert, évêque de Soissons, qui mourut au XIᵉ siècle dans son couvent près de Bruges, fondé par lui.

Et qu'avec mes bontés ton cœur d'intelligence
Ouvre soudain la porte à mes doux entretiens.

Tu n'en peux recevoir le fruit,
Si ce cœur avec soin ne prévoit ma venue;
Commence donc, et continue,
Prépare-moi la place, et m'attends jour et nuit.
Joins la vigilance aux prières,
L'oraison redoublée est un puissant secours,
Mais rien n'attire mieux mes célestes lumières
Que de t'humilier et partout et toujours.

25. EN QUOI CONSISTE LA VÉRITABLE PAIX.

Corps ou sujet de l'emblème : Boëce [56], emprisonné injustement pour la foi, compose dans sa prison quantité de beaux livres. Ame ou sentence : Pax tua erit in multa patientia. (Str. 2.)

Je l'ai dit autrefois : « Je vous laisse ma paix,
Je vous la donne à tous, et les dons que je fais
N'ont rien de périssable ainsi que ceux du monde [57]. »
Tous aiment cette paix, tous voudraient la trouver,
Mais tous ne cherchent pas le secret où se fonde
Le bien de l'acquérir et de la conserver.

Ma paix est avec l'humble, avec le cœur bénin;
Si tu veux posséder un bonheur si divin,
Joins à ces deux vertus beaucoup de patience :
Mais ce n'est pas encore assez pour l'obtenir,
Prête-moi donc, mon fils, un moment de silence,
Et je t'enseignerai tout l'art d'y parvenir.

Tiens la bride sévère à tous tes appétits,
Prends garde exactement à tout ce que tu dis,
N'examine pas moins tout ce que tu veux faire;
Et donne à tes désirs pour immuable loi
Que leur unique objet soit le bien de me plaire,
Et leur unique but de ne chercher que moi.

Ne t'embarrasse point des actions d'autrui;
Laisse là ce qu'il dit et ce qu'on dit de lui,
A moins qu'à tes soucis sa garde soit commise;
Chasse enfin tout frivole et vain empressement,
Et le trouble en ton cœur trouvera peu de prise,
Ou, s'il l'agite encor, ce sera rarement.

Mais ne t'y trompe pas, vivre exempt de malheur,
Le cœur libre d'ennuis et le corps de douleur,
N'être jamais troublé d'aucune inquiétude,
Ce n'est point un vrai calme en ces terrestres lieux;
Et ce don n'appartient qu'à la béatitude
Que pour l'éternité je te réserve aux cieux.

56. Ministre au VIᵉ siècle de Théodoric, c'est l'auteur du très célèbre ouvrage de *la Consolation de la philosophie*, qui venait d'être une nouvelle fois traduit en français en 1656, par René Vallin.
57. *Jean*, XIV, 27.

Ainsi, quand tu te vois sans aucuns déplaisirs,
Que tout de tous côtés répond à tes désirs,
Qu'il ne t'arrive rien d'amer ni de contraire,
N'estime pas encore avoir trouvé la paix,
Ni que tout soit en toi si bon, si salutaire,
Qu'on ait lieu de te mettre au nombre des parfaits.

Ne te crois pas non plus ni grand ni bien aimé,
Pour te sentir un zèle à ce point enflammé,
Qu'à force de tendresse il te baigne de larmes;
Des solides vertus la vraie affection
Ne fait point consister en tous ces petits charmes
Ni ton avancement ni ta perfection.

En quoi donc, me dis-tu, consiste pleinement
Cette perfection et cet avancement?
Cette paix véritable, où se rencontre-t-elle?
Je veux bien te l'apprendre : elle est, en premier lieu,
A t'offrir tout entier d'un cœur vraiment fidèle
Aux ordres souverains du vouloir de ton Dieu.

Cette soumission à mes sacrés décrets
Te doit fermer les yeux pour tous tes intérêts,
Soit qu'ils soient de petite ou de grande importance :
N'en cherche dans le temps, ni dans l'éternité,
Et souhaite le ciel, moins pour ta récompense,
Que pour y voir mon nom à jamais exalté.

Montre un visage égal aux changements divers,
Dans le plus doux bonheur, dans le plus dur revers,
Rends-moi, sans t'émouvoir, même action de grâces :
Tiens la balance droite à chaque événement,
Tiens-la ferme à tel point, que jamais tu ne passes
Jusque dans la faiblesse ou dans l'emportement.

Si tu sens qu'au milieu des tribulations
Je retire de toi mes consolations,
Et te laisse accablé sous ce qui te ravage,
Forme des sentiments d'autant plus résolus,
Et soutiens ton espoir avec tant de courage,
Qu'il prépare ton cœur à souffrir encor plus.

Ne te retranche point sur ton intégrité,
Comme si tu souffrais sans l'avoir mérité,
Et que pour tes vertus ce fût un exercice :
Fuis cette vaine idée, et, comme criminel,
En toutes mes rigueurs adore ma justice,
Et bénis mon courroux et saint et paternel.

C'est comme il te faut mettre au droit et vrai chemin,
Qui seul te peut conduire à cette paix sans fin
Qu'à mes plus chers amis moi-même j'ai laissée :
Suis-le sur ma parole, et crois sans t'ébranler
Qu'après ta patience à mon choix exercée,
Mes clartés de nouveau te viendront consoler.

Que si jamais l'effort d'un zèle tout de foi
Par un parfait mépris te détache de toi
Pour ne plus respirer que sous ma Providence;
Sache qu'alors tes sens, à moi seul asservis,

Posséderont la paix dans la pleine abondance,
Autant qu'en peut souffrir cet exil où tu vis.

26. DES EXCELLENCES DE L'AME LIBRE.

Corps ou sujet de l'emblème : Saint Jean Calybite demande
l'aumône à sa mère, et est chassé par elle de sa maison,
sans qu'il se fasse connaître [58]. *Ame ou sentence :* Non te
vincant caro et sanguis. (Str. 14.)

Seigneur, qu'il faut être parfait
Pour tenir vers le ciel l'âme toujours tendue,
　　Sans jamais relâcher la vue
　　Vers ce que sur la terre on fait !

A travers tant de soins cuisants
Passer comme sans soin, non ainsi qu'un stupide
　　Que son esprit morne et languide
　　Assoupit sous les plus pesants ;

Mais par la digne fermeté
D'une âme toute pure et toute inébranlable,
　　Par un privilège admirable
　　De son entière liberté ;

Détacher son affection
De tout ce qu'ici-bas un cœur mondain adore,
　　Seigneur, j'ose le dire encore,
　　Qu'il y faut de perfection !

O Dieu tout bon, Dieu tout-puissant,
Défends-moi des soucis où cette vie engage ;
　　Qu'ils n'enveloppent mon courage
　　D'un amas trop embarrassant.

Sauve-moi des nécessités
Dont le soutien du corps m'importune sans cesse
　　Que leur surprise ou leur mollesse
　　Ne donne entrée aux voluptés.

Enfin délivre-moi, Seigneur,
De tout ce qui peut faire un obstacle à mon âme,
　　Et changer sa plus vive flamme
　　En quelque mourante langueur.

Ne m'affranchis pas seulement
Des folles passions dont la terre est si pleine,
　　Et que la vanité mondaine
　　Suit avec tant d'empressement :

Mais de tous ces petits malheurs
Dont répand à toute heure une foule importune
　　La malédiction commune
　　Pour peine sur tous les pécheurs ;

De tout ce qui peut retarder
La liberté d'esprit où ta bonté m'exhorte,
　　Et semble lui fermer la porte
　　Quand tu veux bien me l'accorder.

Ineffable et pleine douceur,
Daigne, ô mon Dieu ! pour moi changer en amertume
　　Tout ce que le monde présume
　　Couler de plus doux dans mon cœur.

Bannis ces consolations
Qui peuvent émousser le goût des éternelles,
　　Et livrer mes sens infidèles
　　A leurs folles impressions.

Bannis tout ce qui fait chérir
L'ombre d'un bien présent sous un attrait sensible,
　　Et dont le piège imperceptible
　　Nous met en état de périr.

Fais, Seigneur, avorter en moi
De la chair et du sang les dangereux intrigues,
　　Fais que leurs ruses ni leurs ligues
　　Ne me fassent jamais la loi ;

Fais que cet éclat d'un moment
Dont le monde éblouit quiconque ose le croire,
　　Cette brillante et fausse gloire,
　　Ne me déçoive aucunement.

Quoi que le diable ose inventer
Pour ouvrir sous mes pas un mortel précipice,
　　Fais que sa plus noire malice
　　N'ait point de quoi me supplanter.

Pour combattre et pour souffrir tout,
Donne-moi de la force et de la patience,
　　Donne à mon cœur une constance
　　Qui persévère jusqu'au bout.

Fais que j'en puisse voir proscrit
Le goût de ces douceurs où le monde préside :
　　Fais qu'il laisse la place vide
　　A l'onction de ton Esprit.

Au lieu de cet amour charnel
Dont l'impure chaleur souille ce qu'elle enflamme,
　　Fais couler au fond de mon âme
　　Celui de ton nom éternel.

Boire, et manger, et se vêtir,
Sont d'étranges fardeaux qu'impose la nature :
　　O qu'un esprit fervent endure
　　Quand il s'y faut assujettir !

Fais-m'en user si sobrement
Pour réparer un corps où l'âme est enfermée,
　　Qu'elle ne soit point trop charmée
　　De ce qu'ils ont d'allèchement.

'58. Épisode porté à la scène par les jésuites. La pièce, pour
une fois signée, du Père Bidermann fut jouée au moins jusqu'en 1642.

Leur bon usage est un effet
Que le propre soutien a rendu nécessaire,
   Et ce corps qu'il faut satisfaire
   N'y peut renoncer tout à fait :

   Mais de cette nécessité
Aller au superflu, passer jusqu'aux délices
   Et par de lâches artifices
   Y chercher sa félicité!

   C'est ce que nous défend ta loi,
De peur que de la chair l'insolence rebelle
   A son tour ne range sous elle
   L'esprit qui doit être son roi.

   Entre ces deux extrémités,
De leur juste milieu daigne si bien m'instruire,
   Que les excès qui peuvent nuire
   Soient de part et d'autre évités.

27. QUE L'AMOUR-PROPRE NOUS DÉTOURNE DU SOUVERAIN BIEN.

Corps ou sujet de l'emblème : Héliodorus voulant piller
les trésors du Temple est terrassé par un cavalier armé,
et flagellé par deux anges [59]. Ame ou sentence : Noli
concupiscere quod non licet habere. (Str. 3.)

Donne-moi tout pour tout, donne-toi tout à moi,
Sans te rien réserver, sans rien garder en toi
   Par où tu te sois quelque chose;
L'amour-propre est pour l'âme un dangereux poison,
Et les autres malheurs où son exil l'expose,
   Quelle qu'en puisse être la cause,
   N'entrent point en comparaison.

Selon l'empressement, l'affection, les soins,
Chaque chose à ton cœur s'attache plus ou moins,
   Ils en sont l'unique mesure;
Si ton amour est pur, simple et bien ordonné,
Tu pourras hautement braver la créature.
   Sans craindre en toute la nature
   Que rien te retienne enchaîné.

Ne désire donc point, fuis même à regarder
Tout ce que sans péché tu ne peux posséder,
   Tout ce qui brouille ton courage;
Bannis tout ce qui peut offusquer sa clarté
Sous l'obscure épaisseur d'un indigne nuage,
   Et changer en triste esclavage
   L'intérieure liberté.

Chose étrange, mon fils, parmi tant d'embarras,
Que du fond de ton cœur tu ne te ranges pas
   Sous ma Providence ineffable,
Et qu'une folle idée, étouffant ton devoir

---

59. Le sujet n'a été porté qu'une fois à la scène, en Italie,
à la fin du XVIᵉ siècle.

T'empêche de soumettre à mon ordre adorable
   Tout ce que tu te sens capable
   Et de souhaiter, et d'avoir!

Pourquoi t'accables-tu de soucis superflus,
Et qui te fait livrer tes sens irrésolus
   Au vain chagrin qui les consume?
Arrête ta conduite à mon seul bon plaisir,
N'admets aucune flamme, à moins que je l'allume,
   Et l'angoisse ni l'amertume
   Ne te pourront jamais saisir.

Si pour l'intérêt seul de tes contentements
Tu veux choisir les lieux et les événements
   Que tu penses devoir te plaire,
Tu ne te verras point dans un entier repos,
Et les mêmes soucis dont tu te crois défaire
   Sur ton bonheur imaginaire
   Reviendront fondre à tout propos.

Le succès le plus doux et le plus recherché
Aura pour ton malheur quelque défaut caché
   Par où corrompre tes délices,
Et de quelque séjour que tu fasses le choix,
Ou l'envie, ou la haine, ou d'importuns caprices,
   Ou de secrètes injustices,
   T'y feront bien porter ta croix.

Ce n'est point ni l'acquis par d'assidus efforts,
Ni ce qu'un long bonheur multiplie au dehors,
   Qui te sert pour ma paix divine;
C'est un intérieur et fort détachement,
Qui, retranchant du cœur jusques à la racine
   L'indigne amour qui te domine,
   T'y donne un prompt avancement.

Joins au mépris des biens celui des dignités;
Joins au mépris du rang celui des vanités
   D'une inconstante renommée :
On condamne demain ce qu'on loue aujourd'hui,
Et cette gloire enfin dont l'âme est si charmée,
   Comme le monde l'a formée,
   S'éclipse et passe comme lui.

Ne t'assure non plus au changement de lieux,
Le cloître le plus saint ne garantit pas mieux,
   Si la ferveur d'esprit n'abonde;
Et la paix qu'on y trouve en sa pleine vigueur
Ne devient qu'une paix stérile et vagabonde,
   Si le zèle ardent ne la fonde
   Sur la stabilité du cœur.

Tiens-y donc ce cœur stable et soumis à mes lois,
Ou tu t'y changeras et mille et mille fois
   Sans être meilleur ni plus sage;
Et les occasions y sauront rejeter,
Y sauront malgré toi semer pour ton partage
   Autant de trouble, et davantage,
   Que tu n'en voulus éviter.

ORAISON POUR OBTENIR LA
PURETÉ DU CŒUR.

Affermis donc, Seigneur, par les Grâces puissantes
Dont ton Esprit divin est le distributeur,
Les doux élancements de ces ferveurs naissantes
    Dont tu daignes être l'auteur.

Détache-moi si bien de la faiblesse humaine,
Que l'homme intérieur se fortifie en moi,
Et purge tout mon cœur de tout ce qui le gêne,
    Et de tout inutile emploi.

Que d'importuns désirs jamais ne le déchirent,
Que d'un mépris égal il traite leurs objets,
Sans que les plus brillants de leur côté l'attirent
    Sans qu'il s'amuse aux plus abjets.

Fais-moi voir les plaisirs, les richesses, la gloire,
Ainsi que de faux biens qui passent en un jour,
Fais-leur pour tout effet graver en ma mémoire
    Que je dois passer à mon tour.

Sous le ciel rien ne dure, et partout sa lumière
Ne voit que vanités, que trouble, qu'embarras :
Oh! que sage est celui qui de cette manière
    Envisage tout ici-bas!

Donne-la-moi, Seigneur, cette haute sagesse,
Qui te cherchant sur tout, te trouve jour et nuit,
Et qui t'aimant sur tout, n'a ni goût ni tendresse
    Que pour ce qu'elle y fait de fruit.

Qu'elle peigne à mes yeux toutes les autres choses,
Non telles qu'on les croit, mais telles qu'elles sont,
Pour en user dans l'ordre à quoi tu les disposes,
    Dans l'impuissance qu'elles ont.

Que son dédain accort rejette avec prudence
Du plus adroit flatteur l'hommage empoisonné,
Et ne murmure point de voir par l'impudence
    Son meilleur avis condamné.

Ne se point émouvoir pour des paroles vaines,
Qui font bruit au dehors et ne sont que du vent,
Et refuser l'oreille à la voix des sirènes,
    Dont tout le charme est décevant :

C'est un des grands secrets par qui l'âme avancée
Sous ta sainte conduite au bon et vrai sentier
Poursuit en sûreté la route commencée,
    Et se fait un bonheur entier.

28. CONTRE LES LANGUES MÉDISANTES.

Corps ou sujet de l'emblème : *David méprise les injures
que lui conte Séméï et les pierres qu'il lui jette.* Ame ou
sentence : *Non multum ponderabis volantia verba.* (Str. 2.)

Mon fils, si quelques-uns forment des sentiments
    Qui soient à ton désavantage,
S'ils tiennent des discours, s'ils font des jugements
Qui ternissent ta gloire, et te fassent outrage,
Ne t'en indigne point, n'en fais point le surpris,
    Quels que soient leurs mépris,
Ton estime pour toi doit être encor plus basse;
Tu dois croire, au milieu de leur indignité,
Quelque puissante en toi que tu sentes ma Grâce,
Qu'il n'est faiblesse égale à ton infirmité.

Si dans l'intérieur un bon et saint emploi
    Te donne une démarche forte,
Tu ne prendras jamais le mal qu'on dit de toi
Que pour un son volage et que le vent emporte.
Il faut de la prudence en ces moments fâcheux,
    Et celle que je veux,
Celle que je demande, est qu'on sache se taire,
Qu'on sache au fond du cœur vers moi se retourner
Sans relâcher en rien son allure ordinaire,
Pour chose que le monde en veuille condamner.

Ne fais point cet honneur aux hommes imparfaits
    Que leur vain langage te touche,
Ne fais point consister ta gloire ni ta paix
En ces discours en l'air qui sortent de leur bouche :
Que de tes actions ils jugent bien ou mal,
    Tout n'est-il pas égal?
Ton âme en devient-elle ou plus nette ou plus noire?
En as-tu plus ou moins ou d'amour ou de foi?
Et, pour tout dire enfin, la véritable gloire,
La véritable paix, est-elle ailleurs qu'en moi?

Si tu peux t'affranchir de cette lâcheté,
    Dont l'esclavage volontaire
Cherche à leur agréer avec avidité,
Et compte à grand malheur celui de leur déplaire,
Tu jouiras alors d'une profonde paix,
    Et dans tous tes souhaits
Tu la verras passer en heureuse habitude :
Les indignes frayeurs, le fol emportement,
C'est ce qui dans ton cœur jette l'inquiétude,
C'est ce qui de tes sens fait tout l'égarement.

29. COMMENT IL FAUT INVOQUER DIEU,
ET LE BÉNIR AUX APPROCHES DE
LA TRIBULATION.

Corps ou sujet de l'emblème : *Jésus-Christ priant Dieu
au jardin des Oliviers.* Ame ou sentence : *Fiat voluntas
tua.* (Str. 9.)

Tu le veux, ô mon Dieu, que cette inquiétude,
Ce profond déplaisir, vienne troubler ma paix;
Après tant de douceurs ta main veut m'être rude,
Et moi, j'en veux bénir ton saint nom à jamais.

Je ne saurais parer ce grand coup de tempête,
Ses approches déjà me font pâlir d'effroi,
Et tout ce que je puis, c'est de baisser la tête,
C'est de forcer mon cœur à recourir à toi.

Je ne demande point que tu m'en garantisses,
Il suffit que ton bras daigne être mon appui,
Et que l'heureux succès de tes bontés propices
Me rende salutaire un si cuisant ennui.

Je le sens qui m'accable : ah! Seigneur, que j'endure!
Que d'agitations me déchirent le cœur!
Qu'il se trouve au milieu d'une étrange torture,
Et qu'il y soutient mal sa mourante vigueur!

Père doux et bénin, qui connais ma faiblesse,
Que faut-il que je die en cet accablement?
Tu vois de toutes parts quelle rigueur me presse,
Sauve-moi, mon Sauveur, d'un si cruel moment.

Mais il n'est arrivé, ce moment qui me tue,
Qu'à dessein que ta gloire en prenne plus d'éclat,
Lorsque après avoir vu ma constance abattue
On la verra par toi braver ce qui l'abat.

Étends donc cette main puissante et débonnaire
Qui par notre triomphe achève nos combats;
Car, chétif que je suis, sans toi que puis-je faire?
De quel côté sans toi puis-je tourner mes pas?

Encor pour cette fois donne-moi patience,
Aide-moi par ta grâce à ne point murmurer,
Et je ne craindrai point sur cette confiance,
Pour grands que soient les maux qu'il me faille endu-
                                                    [rer.
Cependant derechef que faut-il que je die?
Ton saint vouloir soit fait, ton ordre exécuté;
Perte de biens, disgrâce, opprobre, maladie,
Tout est juste, Seigneur, et j'ai tout mérité.

C'est à moi de souffrir, et plaise à ta clémence
Que ce soit sans chagrin, sans bruit, sans m'échapper,
Jusqu'à ce que l'orage ait moins de véhémence,
Jusqu'à ce que le calme ait pu le dissiper.

Ta main toute-puissante est encore aussi forte
Que l'ont sentie en moi tant d'autres déplaisirs,
Et peut rompre le coup que celui-ci me porte,
Comme elle a mille fois arrêté mes soupirs.

Elle qui de mes maux domptant la barbarie,
A souvent des abois rappelé ma vertu,
Peut encor de ceux-ci modérer la furie,
De peur que je n'en sois tout à fait abattu.

Oui, ta pitié, mon Dieu, soutenant mon courage,
Peut le rendre vainqueur de leur plus rude assaut;
Et, plus ce changement m'est un pénible ouvrage,
Plus je le vois facile à la main du Très-Haut.

30. COMME IL FAUT DEMANDER LE SECOURS DE DIEU.

Corps ou sujet de l'emblème : Jésus-Christ rend la vue
à un aveugle. *Ame ou sentence* : Venias ad me, cum tibi
non fuerit bene. (Str. 1.)

Viens à moi, mon enfant, lorsque tu n'es pas bien,
Fais-moi de ton angoisse un secret entretien,
Dans les plus mauvais jours, quelque coup qu'elle porte
Je suis toujours ce Dieu qui console et conforte :
Mais tout ce qui retient ces consolations
Que je verse d'en haut sur les afflictions,
C'est que, bien qu'elles soient leurs remèdes uniques,
A me les demander un peu tard tu t'appliques.
Avant que je te voie à mes pieds prosterné
M'invoquer dans les maux dont tu te sens gêné,
Tu fais de vains essais de tout ce que le monde
Promet d'amusements à ta douleur profonde,
Et cet égarement de tes vœux imprudents
Va chercher au dehors ce qu'y j'offre au dedans.
   Ainsi ce que tu fais te sert de peu de chose,
Ainsi ce que tu fais à d'autres maux t'expose,
Jusqu'à ce qu'il souvienne à ton reste de foi
Que j'en sais garantir quiconque espère en moi,
Et qu'il n'est ni secours ailleurs qui ne leur cède,
Ni conseil fructueux, ni durable remède.
   De quelques tourbillons que ton cœur soit surpris,
Après qu'ils sont passés rappelle tes esprits,
Vois ma miséricorde, et reprends dans sa vue
La première vigueur de ta force abattue :
Je suis auprès de toi tout prêt à rétablir
Tout ce que la tempête y pourrait affaiblir,
Et non pas seulement d'une égale mesure,
Mais avec abondance, avec excès d'usure,
En sorte que les biens qui te seront rendus
Servent de comble à ceux qui te semblent perdus.
   D'où vient que sur ce point ta croyance vacille?
Peux-tu rien concevoir qui me soit difficile?
Ou ressemblé-je à ceux dont le faible soutien
Ose beaucoup promettre, et n'exécute rien?
Qu'as-tu fait de ta foi, que fait ton espérance?
Montre une âme plus ferme en sa persévérance,
Sois fort, sois courageux, endure, espère, attends,
Les consolations te viendront en leur temps.
Moi-même je viendrai te retirer de peine,
Je viendrai t'apporter ta guérison certaine :
Le trouble où je te vois n'est qu'un peu de frayeur
Qui t'accable l'esprit d'une vaine terreur;
L'avenir inconstant fait ton inquiétude,
Tu crains ses prompts revers et leur vicissitude,
Mais à quoi bon ces soins, qu'à te donner enfin
Tristesse sur tristesse et chagrin sur chagrin?
Cesse d'aller si loin mendier un supplice,
Chaque jour n'a que trop de sa propre malice,
Chaque jour n'a que trop de son propre tourment,
Qui se charge de plus souffre inutilement,
Et tu ne dois fonder ni déplaisirs, ni joie,
Sur ces douteux succès que l'avenir déploie,

Qui peut-être suivront ce que tu t'en promets,
Et qui peut-être aussi n'arriveront jamais.
    Mais l'homme de soi-même a ces désavantages
Qu'il se laisse éblouir par de vaines images,
Et qu'il s'en fait souvent un fantôme trompeur
Qui tire tout à lui son espoir, et sa peur.
C'est la marque d'une âme encor faible et légère,
Que d'être si facile à ce qu'on lui suggère,
Et de porter soudain un pied mal affermi
Vers ce qu'à ses regards présente l'Ennemi.
    Cet imposteur rusé tient dans l'indifférence
S'il déçoit par la vraie ou la fausse apparence;
Il n'importe des deux à ses illusions
Qui remplisse ton cœur de folles visions;
Tout lui devient égal, pourvu qu'il te séduise,
Tout lui devient égal, pourvu qu'il te détruise.
Si l'amour du présent ne l'y fait parvenir,
Il y mêle aussitôt l'effroi de l'avenir,
Sa haine en cent façons à te perdre est savante;
Mais ne te trouble point, ne prends point l'épouvante,
Crois en moi, tiens en moi ton espoir arrêté,
Prends confiance entière en ma haute bonté,
Oppose-la sans crainte aux traits qu'il te décoche.
Quand tu me crois bien loin, souvent je suis bien pro-
Souvent, quand ta langueur présume tout perdu, [che,
C'est lorsque ton soupir est le mieux entendu,
Et tu touches l'instant dont tu me sollicites
Qui te doit avancer à de plus grands mérites. [temps,
    Non, tout n'est pas perdu pour quelque contre-
Pour quelque effet contraire à ce que tu prétends;
Tu n'en dois pas juger suivant ce qu'en présume
Le premier sentiment d'une telle amertume,
Ni, de quelque côté que viennent tes malheurs,
Toi-même aveuglément t'obstiner aux douleurs,
Comme si d'en sortir toute espérance éteinte
Abandonnait ton âme à leur mortelle atteinte.
    Ne te répute pas tout à fait délaissé,
Bien que pour quelque temps je t'y laisse enfoncé,
Bien que pour quelque temps tu sentes retirées
Ces consolations de toi si désirées.
Ainsi ta fermeté s'éprouve beaucoup mieux,
Et c'est ainsi qu'on passe au royaume des cieux :
Le chemin est plus sûr, plus il est difficile;
Et pour quiconque m'aime, il est bien plus utile
Qu'il se voie exercé par quelques déplaisirs,
Que si l'effet partout secondait ses désirs.
    Je lis du haut du ciel jusque dans ta pensée,
Je vois jusqu'à quel point ton âme est oppressée,
Et juge avantageux qu'elle soit quelquefois
Sans aucune douleur au milieu de ses croix,
De peur qu'un bon succès ne t'enfle et ne t'enlève
Jusqu'à t'attribuer ce que ma main achève,
Jusqu'à te plaire trop en ce qu'il a d'appas,
Et prendre quelque gloire en ce que tu n'es pas.
    Quelque Grâce sur toi qu'il m'ait plu de répandre,
Je puis, quand il me plaît, te l'ôter et te la rendre;
Quelques dons que j'accorde à tes plus doux souhaits,
Ils sont encore à moi quand je te les ai faits;
Je te donne du mien quand ce bonheur t'arrive,
Et ne prends point du tien alors que je t'en prive.

Ces biens, ces mêmes biens, après t'être donnés,
Font part de mes trésors dont ils sont émanés,
Et leur perfection tirant de moi son être,
Quand je t'en fais jouir, j'en suis encor le maître.
Tout est à moi, mon fils, tout vient, tout part de moi,
Reçois tout de ma main sans chagrin, sans effroi,
Si je te fais traîner un destin misérable,
Si je te fais languir sous l'ennui qui t'accable,
Ne perds sous ce fardeau patience, ni cœur :
Je puis en un moment ranimer ta langueur,
Je puis mettre une borne aux maux que je t'envoie,
Et changer tout leur poids en des sujets de joie :
Mais je suis toujours juste en te traitant ainsi,
Toujours digne de gloire, et j'en attends aussi;
Et soit que je t'élève ou que je te ravale,
Je veux d'un sort divers une louange égale.
    Si tu peux bien juger de ma sévérité,
Si tu peux sans nuage en voir la vérité,
Les coups les plus perçants d'une longue infortune
N'auront rien qui t'abatte, et rien qui t'importune.
Loin de t'en attrister, de meilleurs sentiments
Ne t'y feront voir lieu que de remercîments,
Ne t'y feront voir lieu que de pleine allégresse;
Dans cette dureté tu verras ma tendresse,
Et réduiras ta joie à cet unique point,
Que ma faveur t'afflige et ne m'épargne point.
    Tel que jadis pour moi fut l'amour de mon Père,
Tel est encor le mien pour qui cherche à me plaire,
Et tel était celui qu'autrefois je promis
A ce troupeau choisi de mes plus chers amis.
Cependant, tu le sais, je les livrai sur terre
Aux cruelles fureurs d'une implacable guerre,
A d'éternels combats, à d'éternels dangers,
Et non pas aux douceurs des plaisirs passagers.
Je les envoyai tous au mépris, à l'injure,
Et non à ces honneurs qui flattent la nature,
Non à l'oisiveté, mais à de longs travaux;
Et je les plongeai tous dans ces gouffres de maux,
Afin que leur amère et rude expérience
Les enrichît des fruits que fait la patience.
Souviens-toi donc, mon fils, de ces instructions
Sitôt que tu te vois dans les afflictions.

31. DU MÉPRIS DE TOUTES LES CRÉATURES POUR S'ÉLEVER AU CRÉATEUR.

Corps ou sujet de l'emblème : *Saint François de Paule refuse l'or et l'argent que lui présente le roi Louis onzième*[60].
Ame ou sentence : *Quid liberius nil desiderante in terris.*
(Str. 4.)

Seigneur, si jusqu'ici tu m'as fait mille Grâces,
    Il n'est pas temps que tu t'en lasses,
J'ai besoin d'un secours encor bien plus puissant,

---

60. Le fameux thaumaturge calabrais vint assister l'agonie de Louis XI et, après sa mort, fonda l'ordre des Minimes, branche de l'ordre franciscain.

Puisqu'il faut m'élever par-dessus la nature,
Et prendre un vol si haut, qu'aucune créature
 N'ait pour moi rien d'embarrassant.

A cet heureux effort en vain je me dispose,
 Tant qu'ici-bas la moindre chose
Vers ses faibles attraits saura me ravaler,
L'imperceptible joug d'une indigne contrainte
Ne me permettra point cette liberté sainte
 Qui jusqu'à toi nous fait voler.

Ton David à ce vol ne voulait point d'obstacle,
 Et te demandait ce miracle,
Lorsque dans ses ennuis il tenait ce propos :
« Qui pourra me donner des ailes de colombe,
Et du milieu des maux sous qui mon cœur succombe
 Je volerai jusqu'au repos? »

Cet oiseau du vrai calme est le portrait visible,
 On ne voit rien de si paisible
Que la simplicité que nous peignent ses yeux :
On ne voit rien de libre à l'égal d'un vrai zèle,
Qui sans rien désirer s'élève à tire-d'aile
 Au-dessus de tous ces bas lieux.

Il faut donc pleinement s'abandonner soi-même,
 S'arracher à tout ce qu'on aime,
Pousser jusques au ciel des transports plus qu'humains,
Et bien considérer quels sont les avantages
Que l'Auteur souverain a sur tous les ouvrages
 Qu'ont daigné façonner ses mains.

Sans ce détachement, sans cette haute extase,
 L'âme que ton amour embrase
Ne peut en liberté goûter tes entretiens :
Peu savent en effet contempler tes mystères,
Mais peu forment aussi ces mépris salutaires
 De toutes sortes de faux biens.

Ainsi l'homme a besoin que ta bonté suprême.
 L'élevant par-dessus lui-même,
Prodigue en sa faveur son trésor infini :
Qu'un excès de ta grâce en esprit le ravisse,
Et de tout autre objet tellement l'affranchisse,
 Qu'à toi seul il demeure uni.

A moins que jusque-là l'enlève ainsi ton aide,
 Quoi qu'il sache, quoi qu'il possède,
Tout n'est pas de grand poids, tout ne lui sert de rien,
Il rampe et rampera toujours faible et débile,
S'il peut s'imaginer rien de grand ou d'utile
 Que l'immense et souverain bien.

Tout ce qui n'est point Dieu n'est point digne d'estime
 Et son prix le plus légitime,
Comme enfin ce n'est rien, c'est d'être à rien compté.
Vous le savez, dévots que la Grâce illumine;
Votre doctrine aussi de toute autre doctrine
 Diffère bien en dignité.

Sa noblesse est bien autre, et comme l'influence
 De la suprême intelligence
Par un sacré canal d'en haut la fait couler,
Ce qu'à l'esprit humain en peut donner l'étude,
Ce qu'en peut acquérir la longue inquiétude,
 Ne la peut jamais égaler.

Le bien de contempler ce que les Cieux admirent
 Est un bien où plusieurs aspirent,
Et que de tout leur cœur ils voudraient obtenir;
Mais ils suivent si mal la route nécessaire,
Que souvent ils ne font que ce qu'il faudrait faire
 Pour éviter d'y parvenir.

Le trop d'abaissement vers les objets sensibles
 Fait des obstacles invincibles,
Comme le trop de soin des marques du dehors :
Et la sévérité la mieux étudiée,
Si l'âme n'est en soi la plus mortifiée,
 Ne sert qu'au supplice du corps.

J'ignore, à dire vrai, de quel esprit nous sommes,
 Nous autres qui parmi les hommes
Passons pour éclairés et pour spirituels,
Et nous plongeons ainsi pour des choses légères,
De vils amusements, des douceurs passagères,
 En des travaux continuels.

Parmi de tels soucis que pouvons-nous prétendre,
 Nous qui savons si peu descendre
Dans le fond de nos cœurs indignement remplis,
Et qui si rarement de toutes nos pensées
Appliquons au dedans les forces ramassées
 Pour en voir les secrets replis ?

Notre âme en elle-même à peine est recueillie
 Qu'une extravagante saillie
Nous emporte au dehors, et fait tout avorter :
Sans repasser jamais sous l'examen sévère
Ce que nous avons fait, ce que nous voulions faire,
 Ni ce qu'il nous faut projeter.

Nous suivons nos désirs sans même y prendre garde,
 Et rarement notre œil regarde
Combien à leurs effets d'impureté se joint :
Lorsque toute la chair eut corrompu sa voie,
Nous savons que des eaux elle devint la proie,
 Cependant nous ne tremblons point.

L'affection interne étant toute gâtée,
 Les objets dont l'âme est flattée
N'y faisant qu'une impure et folle impression,
Il faut bien que l'effet, pareil à son principe,
Pour marque qu'au dedans la vigueur se dissipe,
 Porte même corruption.

Quand un cœur est bien pur, une vertu solide
 A tous ses mouvements préside;
La bonne et sainte vie en est le digne fruit :
Mais ce dedans n'est pas ce que l'on considère,

Et depuis qu'une fois l'effet a de quoi plaire,
    N'importe comme il est produit.

La beauté, le savoir, les forces, la richesse,
    L'heureux travail, la haute adresse,
C'est ce qu'on examine, et qui fait estimer :
Qu'un homme soit dévot, patient, humble, affable,
Qu'il soit pauvre d'esprit, recueilli, charitable,
    On ne daigne s'en informer.

Ce n'est qu'à ces dehors que se prend la nature
    Pour s'en former une peinture,
Mais c'est l'intérieur que la grâce veut voir :
L'une est souvent déçue à suivre l'apparence,
Mais l'autre met toujours toute son espérance
    En Dieu qui ne peut décevoir.

32. QU'IL FAUT RENONCER A SOI-MÊME ET
A·TOUTES SORTES DE CONVOITISES.

Corps ou sujet de l'emblème : *Sainte Thaïs brûle en la
place publique d'Alexandrie tous les meubles précieux
qu'elle avait acquis par le péché* [61]. Ame ou sentence :
Peribit totum quod non est ex Deo ortum. (Str. 5.)

Cherche la liberté comme un bonheur suprême;
Mais souviens-toi, mon fils, de cette vérité,
Qu'il te faut renoncer tout à fait à toi-même,
Ou tu n'obtiendras point d'entière liberté.

Ceux qui pensent ici posséder quelque chose
La possèdent bien moins qu'ils n'en sont possédés,
Et ceux dont l'amour-propre en leur faveur dispose
Sont autant de captifs par eux-mêmes gardés.

Les appétits des sens ne font que des esclaves,
La curiosité comme eux a ses liens,
Et les plus grands coureurs ne courent qu'aux entraves
Que jettent sous leurs pas les charmes des faux biens.

Ils recherchent partout les douceurs passagères
Plus que ce qui conduit jusqu'à l'éternité;
Et souvent pour tout but ils se font des chimères
Qui n'ont pour fondement que l'instabilité.

Hors ce qui vient de moi, tout passe, tout s'envole,
Tout en son vrai néant aussitôt se résout;
Et pour te dire tout d'une seule parole,
Quitte tout, mon enfant, et tu trouveras tout.

Tu trouveras la paix, quittant la convoitise;
C'est ce que fortement il te faut concevoir,
Du ciel en ces deux mots la science est comprise,
Qui les pratique entend tout ce qu'il faut savoir.

Oui, leur pratique est ma félicité,
Mais Seigneur, d'un seul jour elle n'est pas l'ouvrage,
    Ni de ces jeux dont la facilité
Amuse des enfants l'esprit faible et volage,
    Et suit leur imbécillité.

    De ces deux mots le précieux effet   [veilles,
Demande bien du temps, bien des soins, bien des
    Et ces deux traits forment le grand portrait
De tout ce que le cloître enfante de merveilles
    Dans son état le plus parfait.

Il est vrai, des parfaits c'est la sublime voie,
Mais quand je te la montre en dois-tu perdre cœur?
Ne dois-tu pas plutôt t'y porter avec joie,
Ou du moins soupirer après un tel bonheur?

Ah! si je te voyais en venir à ce terme,
Que l'amour-propre en toi fût bien déraciné,
Que sous mes volontés tu demeurasses ferme,
Et sous celles du Père à qui je t'ai donné!

Alors tu me plairais, et le cours de ta vie
Serait d'autant plus doux que tu serais soumis,
De mille vrais plaisirs tu la verrais suivie,
Et s'écouler en paix entre mille ennemis.

Mais il te reste encore à quitter bien des choses,
Que si tu ne me peux résigner tout à fait,
Tu n'acquerras jamais ce que tu te proposes,
Jamais de tes désirs tu n'obtiendras l'effet.

Veux-tu mettre en ta main la solide richesse?
Achète de la mienne un or tout enflammé,
Je veux dire, mon fils, la céleste sagesse,
Qui foule aux pieds ces biens dont le monde est char-
                                                    [mé.
Préfère ses trésors à l'humaine prudence,
A tout ce qu'elle prend pour son plus digne emploi,
A tout ce que sur terre il est de complaisance,
A tout ce que toi-même en peux avoir pour toi.

Préfère encore un coup ce qu'on méprise au monde
A tout ce que son choix a le plus ennobli,
Puisque cette sagesse en vrais biens si féconde
Y traîne dans l'opprobre, et presque dans l'oubli.

Elle ne s'enfle point aussi de ces pensées
Que la vanité pousse en sa propre faveur,
Et voit avec dédain ces ardeurs empressées
Dont la soif des honneurs entretient la ferveur.

Beaucoup en font sonner l'estime ambitieuse,
Qui montrent par leur vie en faire peu d'état,
Et tu la peux nommer la perle précieuse
Qui cache à beaucoup d'yeux son véritable éclat.

61. C'est le fameux sujet repris par Anatole France. Il a fait
l'objet d'une des premières pièces du théâtre religieux connu :
celle de la religieuse allemande, Hroswitha, dont l'œuvre fut

rééditée aux XVIᵉ et XVIIᵉ siècles. Aucun auteur français n'osa
porter à la scène un sujet aussi scabreux. Il put servir de précédent à Corneille pour *Théodore.*

33. DE L'INSTABILITÉ DU CŒUR,
ET DE L'INTENTION FINALE QU'IL FAUT
DRESSER VERS DIEU.

Corps ou sujet de l'emblème : *Saint Raimont fuyant de
la cour d'Espagne pour n'approuver pas le péché du Roi,
passe la mer sur son manteau* [62]. Ame ou sentence :
Tanto constantius inter diversas itur procellas. (Str. 4.)

Sur l'état de ton cœur ne prends point d'assurance;
Son assiette, mon fils, se change en un moment :
Un moment la renverse, et ce renversement
Des plus justes desseins peut tromper l'espérance :
Tant que dure le cours de ta mortalité,
L'inévitable joug de l'instabilité
T'impose une fâcheuse et longue servitude;
En dépit de toi-même elle te fait la loi,
Et l'ordre chancelant de sa vicissitude
Ne prend point ton aveu pour triompher de toi.

Ainsi tantôt la joie et tantôt la tristesse
De ton cœur, malgré lui, s'emparent tour à tour;
Tantôt la paix y règne, et dans le même jour
Mille troubles divers surprennent sa faiblesse.
La ferveur, la tiédeur, ont chez toi leur instant;
Ton soin le plus actif n'est jamais si constant
Qu'il ne cède la place à quelque nonchalance;
Et le poids qui souvent règle tes actions
Laisse en moins d'un coup d'œil emporter la balance
A la légèreté de tes affections.

Parmi ces changements le sage se tient ferme,
Il porte au-dessus d'eux l'ordre qu'il s'est prescrit,
Et bien instruit qu'il est des routes de l'esprit,
Il suit toujours sa voie, et va jusqu'à son terme.
Il agit sur soi-même en véritable roi,
Sans regarder jamais à ce qu'il sent en soi,
Ni d'où partent des vents de si peu de durée;
Et son unique but dans le plus long chemin,
C'est que l'intention de son âme épurée
Se tourne vers la bonne et désirable fin.

Ainsi sans s'ébranler il est toujours le même
Dans la diversité de tant d'événements,
Et son cœur, dégagé des propres sentiments,
N'aimant que ce qu'il doit, s'attache à ce qu'il aime;
Ainsi l'œil simple et pur de son intention
S'élève sans relâche à la perfection,
Dont il voit en moi seul l'invariable idée;
Et plus cet œil est net, et plus sa fermeté,
Au travers de l'orage heureusement guidée,
Vers ce port qu'il souhaite avance en sûreté;

Mais souvent ce bel œil de l'intention pure
Ne s'ouvre pas entier, ou se laisse éblouir,
Et ce détachement dont tu penses jouir

Ne ferme pas la porte à toute la nature.
Aussitôt qu'un objet te chatouille et te plaît,
Un regard dérobé par le propre intérêt
Te rappelle et t'amuse à voir ce qui te flatte,
Et tu peux rarement si bien t'en affranchir,
Que de ce propre amour l'amorce délicate
Vers toi, sans y penser, ne te fasse gauchir.

Crois-tu, lorsque les Juifs couraient en Béthanie,
Que ce fût seulement pour y voir Jésus-Christ?
La curiosité partageait leur esprit
Pour y voir le Lazare et sa nouvelle vie.
Tâche donc que cet œil dignement épuré
Tienne un regard si droit et si bien mesuré,
Que d'une ou d'autre part jamais il ne s'égare,
Qu'il soit simple, et surtout que parmi tant d'objets,
Malgré tout ce qu'ils ont de charmant et de rare,
Ton âme jusqu'à moi dresse tous ses projets.

34. QUE CELUI QUI AIME DIEU LE GOUTE
EN TOUTES CHOSES ET PAR-DESSUS
TOUTES CHOSES.

Corps ou sujet de l'emblème : *La Transfiguration.* Ame
ou sentence : *O lux perpetua, cuncta creata transcendens
lumina.* (Str. 16.)

Voici mon Dieu, voici mon tout,
Que puis-je vouloir davantage?
Qu'a de plus l'univers de l'un à l'autre bout?
Et quel plus grand bonheur peut m'échoir en partage?

O mot délicieux sur tous!
O parole en douceurs féconde!
Qu'elle en a, mon Sauveur, pour qui n'aime que vous!
Qu'elle en a peu pour ceux qui n'aiment que le monde!

Voici mon tout, voici mon Dieu,
A qui l'entend, c'est assez dire,
Et la redite est douce à toute heure, en tout lieu,
A quiconque pour vous de tout son cœur soupire.

Oui, tout est doux, tout est charmant,
Tout ravit en votre présence,
Mais, quand votre bonté se retire un moment,
Tout fâche, tout ennuie en ce moment d'absence.

Vous faites la tranquillité
Et le calme de notre course,
Et ce que notre joie a de stabilité
N'est qu'un écoulement dont vous êtes la source.

Vous faites juger sainement
De tous effets, de toutes causes,
Et vous nous inspirez ce digne sentiment
Dont la céleste ardeur vous loue en toutes choses.

---

62. Raymond de Pennafort, dominicain catalan (1175-1275),
désapprouvait le mariage de Jacque Ier d'Aragon, avec sa
cousine germaine, Éléonore de Castille. Il venait d'être canonisé au début du siècle.

Rien ne plaît longtemps ici-bas,
  Rien ne peut nous y satisfaire,
A moins que votre Grâce y joigne ses appas,
Et que votre sagesse y verse de quoi plaire.

  Quel dégoût peut jamais trouver
    Celui qui goûte vos délices ?
Et qui les goûte mal, que peut-il éprouver
Où son juste dégoût ne trouve des supplices ?

  Que je vois de sages mondains
    Se confondre dans leur sagesse !
Que je vois de charnels porter haut leurs desseins
Et soudain trébucher sous leur propre faiblesse !

  Des uns l'aveugle vanité
    Au précipice est exposée ;
Les autres, accablés de leur brutalité,
Traînent toute leur vie une mort déguisée.

  Mais ceux qui par un plein mépris
    Du monde et de ses bagatelles,
A marcher sur vos pas appliquent leurs esprits,
Et domptent de la chair les sentiments rebelles ;

  Ceux-là, vrais sages en effet,
    Vous immolant toute autre envie,
Du vain bonheur au vrai font un retour parfait,
De la chair à l'esprit, de la mort à la vie.

  Ceux-là dans le suprême Auteur
    Goûtent des douceurs toutes pures,
Ceux-là font remonter la gloire au Créateur
De tout ce qu'ont de bon toutes les créatures.

  Mais le goût est bien différent
    De l'ouvrier et de l'ouvrage,
De ce que le temps donne ou de bon ou de grand,
Et de ce qu'aux élus l'éternité partage.

  Les lumières que nous voyons
    S'effacent près de la divine,
Et sa source incréée a bien d'autres rayons
Que toutes ces clartés qu'elle seule illumine.

  Éternelle et vive splendeur,
    Qui surpassez toutes lumières,
Lancez du haut du ciel votre éclat dans mon cœur,
Percez-en jusqu'au fond les ténèbres grossières.

  Daignez, Seigneur, purifier
    Mon âme et toutes ses puissances,
La combler d'allégresse, et la vivifier,
Remplir de vos clartés toutes ses connaissances.

  Que, malgré les désirs du corps,
    Une extase tranquille et sainte,
Pour l'attacher à vous par de sacrés transports,
Lui fasse des liens d'une amoureuse crainte.

  Quand viendra pour moi cet instant
    Où tant de douceurs sont encloses,
Où de votre présence on est plein et content,
Où vous serez enfin mon tout en toutes choses ?

  Jusqu'à ce qu'il soit arrivé,
    Quoi que votre faveur m'envoie,
Je ne jouirai point d'un bonheur achevé.
Je ne goûterai point une parfaite joie.

  Hélas ! malgré tout mon effort,
    Le vieil Adam encor respire,
Il n'est pas bien encor crucifié ni mort,
Il veut encor sur moi conserver son empire.

  Ce vieil esclave mal dompté
    Émeut une guerre intestine,
Pousse contre l'esprit un orgueil empesté,
Et ne veut point souffrir que l'âme le domine.

  Vous donc, qui commandez aux flots
    Qui des mers calmez la furie,
Venez, Seigneur, venez rétablir mon repos,
Accourez au secours d'un cœur qui vous en prie.

  Rompez, dissipez les bouillons
    De ces ardeurs séditieuses,
Et, brisant la fureur de leurs noirs bataillons,
Faites mordre la terre aux plus impétueuses.

  Montrez ainsi de votre bras
    Les triomphes et les miracles,
Et pour faire exalter votre nom ici-bas
Faites tomber sous lui toute sorte d'obstacles.

  Vous êtes mon unique espoir,
    Je mets en vous tout mon refuge,
Je dédaigne l'appui de tout autre pouvoir,
Soyez mon défenseur avant qu'être mon Juge.

---

35. QUE DURANT CETTE VIE ON N'EST JAMAIS EN SURETÉ CONTRE LES TENTATIONS.

Corps ou sujet de l'emblème : *Sainte Marie, nièce de saint Abraham, est convertie par son oncle dans le lieu même où elle se prostituait* [63]. Ame ou sentence : *Noli diffidere.* (Str. 12.)

La vie est un torrent d'éternelles disgrâces,
Jamais la sûreté n'accompagne son cours,
Entre mille ennemis il faut que tu la passes,
A la gauche, à la droite, il en renaît toujours :
  Ce sont guerres continuelles,

---

63. Il s'agit non de Marie l'Égyptienne (IVe siècle) qui eut une vie identique, mais de Marie la pénitente (VIe siècle) orpheline à sept ans, débauchée par un faux ermite, des années recherchée par son oncle, qui en fit, près de lui, une solitaire du désert.

Qui portent dans ton sein chaque jour mille morts,
Si tu n'es bien muni d'armes spirituelles
    Pour en repousser les efforts.

De leur succès douteux la juste défiance
Demande à ta vertu de vigoureux apprêts,
Mais il te faut surtout l'écu de patience
Qui te dérobe entier aux pointes de leurs traits.
    Que de tous côtés il te couvre,
Sans que par art ni force il puisse être enfoncé;
Autrement tiens-toi sûr que, pour peu qu'il s'en-
    Tu te verras soudain percé.   [tr'ouvre,

A moins qu'à mes bontés ton âme abandonnée
Embrasse aveuglément ce que j'aurai voulu,
Et qu'une volonté ferme et déterminée
A tout souffrir pour moi te tienne résolu :
    Ne te promets point cette gloire
De pouvoir soutenir l'ardeur d'un tel combat,
Et d'emporter enfin cette pleine victoire
    Qui de mes saints fait tout l'éclat.

Tu dois donc, ô mon fils, franchir avec courage
Les plus affreux périls qui t'osent menacer,
Et d'une main puissante arracher l'avantage
Aux plus fiers escadrons qui te veuillent forcer.
    Je vois d'en haut tout comme Père,
Prêt à donner la manne au généreux vainqueur;
Mais je réserve aussi misère sur misère
    A quiconque manque de cœur.

Si durant une vie où rien n'est perdurable,
Tu te rends amoureux de la tranquillité,
Oseras-tu prétendre à ce calme ineffable
Que gardent les trésors de mon éternité?
    Quitte ces folles espérances,
Préfère à ces désirs les désirs d'endurer,
Et sache que ce n'est qu'à de longues souffrances
    Que ton cœur se doit préparer.

La véritable paix a des douceurs bien pures,
Mais en vain sur la terre on pense l'obtenir,
Il n'est aucuns mortels, aucunes créatures
Dont les secours unis y fassent parvenir :
    C'est moi, c'est moi seul qui la donne,
Ne la cherche qu'au ciel, ne l'attends que de moi,
Mais apprends qu'il t'en faut acheter la couronne
    Par les épreuves de ta foi.

Les travaux, les douleurs, les ennuis, les injures,
La pauvreté, le trouble et les anxiétés,
Souffrir la réprimande, endurer les murmures,
Ne se point rebuter de mille infirmités,
    Accepter pour moi les rudesses,
L'humiliation, les affronts, les mépris,
Prendre tout de ma main comme autant de caresses,
    C'en est le véritable prix.

C'est par de tels sentiers qu'enfin la patience
A la haute vertu guide un nouveau soldat,

C'est par cette fâcheuse et rude expérience
Qu'il trouve un diadème au sortir du combat :
    Ainsi d'une peine légère
La longue récompense est un repos divin,
Et pour quelques moments de honte passagère,
    Je rends une gloire sans fin.

Cependant tu te plains sitôt que sans tendresse
Je laisse un peu durer les tribulations,
Comme si ma bonté, soumise à ta faiblesse,
Devait à point nommé ses consolations!
    Tous mes saints ne les ont pas eues,
Alors que sur la terre ils vivaient exilés,
Et dans leurs plus grands maux mes faveurs suspen-
    Souvent les laissaient désolés.   [dues

Mais dans ces mêmes maux qui semblaient sans limites,
Armés de patience, ils souffraient jusqu'au bout,
Et s'assuraient bien moins en leurs propres mérites
Qu'en la bonté d'un Dieu dont ils espéraient tout;
    Ils savaient bien, ces vrais fidèles,
De quel immense prix était l'éternité,
Et que pour l'obtenir les gênes temporelles
    N'avaient point de condignité [64].

As-tu droit de vouloir dès les moindres alarmes,
Toi qui n'es en effet qu'ordure et que péché,
Ce qu'en un siècle entier de travaux et de larmes
Tant et tant de parfaits m'ont à peine arraché?
    Attends que l'heure en soit venue,
Cette heure où tu seras visité du Seigneur;
Travaille en l'attendant, commence, et continue
    Avec grand amour et grand cœur.

Ne relâche jamais, jamais ne te défie,
Quelques tristes succès qui suivent tes efforts,
Redouble ta constance, expose et sacrifie
Pour ma plus grande gloire et ton âme et ton corps
    Je rendrai tout avec usure,
Je suis dans le combat sans cesse à tes côtés,
Et je reconnaîtrai ce que ton cœur endure
    Par de pleines félicités.

36. CONTRE LES VAINS JUGEMENTS DES HOMMES.

Corps ou sujet de l'emblème : *Les trois enfants d'Israël dans la fournaise de Babylone.* Ame ou sentence : *Deum time et hominum terrores non expavesces.* (Str. 9.)

Fixe en moi de ton cœur tous les attachements,
Sans te mettre en souci de ces vains jugements
    Que les hommes en voudront faire;
L'innocence leur doit un mépris éternel,
    Lorsque l'âme droite et sincère
Dans ses replis secrets n'a rien de criminel.

---

64. Terme théologique : mérite proportionné à la récompense.

Quand on souffre pour moi les injustes discours,
La plus dure souffrance a de charmants retours
    Qui sentent la béatitude :
L'humble qui se confie en son Dieu plus qu'en soi
    Jamais n'y trouve rien de rude,
Et relève d'autant son espoir et sa foi.

Plusieurs parlent beaucoup sans être bien instruits,
Et leur témérité sème tant de faux bruits,
    Qu'on croit fort peu tant de paroles;
Ne conçois donc, mon fils, ni chagrin ni courroux
    Pour leurs discernements frivoles,
Puisqu'il n'est pas en toi de satisfaire à tous.

Paul même, dont l'ardente et vive charité
Se donnait avec tous tant de conformité
    Qu'il était tout à tout le monde,
Ne put si bien conduire un si noble dessein,
    Que sa vertu la plus profonde
Ne passât pour un crime au tribunal humain.

Bien qu'il n'épargnât rien pour le salut d'autrui,
Bien qu'il fît sans relâche autant qu'il fût en lui,
    Bien qu'en lui tout fût exemplaire,
Il ne put empêcher que de mauvais esprits
    Ne fissent de quoi qu'il pût faire
Un jugement sinistre et d'injustes mépris.

Il remit tout à Dieu qui connaissait le tout,
Et quoique assez souvent on le poussât à bout
    Par la calomnie et l'outrage,
Contre tous les auteurs de tant d'indignité,
    Les armes que prit son courage
Furent sa patience et son humilité.

Au gré de leur caprice ils eurent beau parler,
Ils eurent beau mentir, médire, quereller,
    A se taire il mit sa défense;
Ou si de temps en temps sa bouche l'entreprit,
    Ce fut de peur que son silence
Ne laissât du scandale en quelque faible esprit.

Peux-tu donc te connaître, et prendre quelque effroi
De quoi que puisse dire un mortel comme toi,
    Qui comme toi n'est que poussière ?
Tu le vois aujourd'hui tout près de t'accabler,
    Et dès demain un cimetière
Cachera pour jamais ce qui t'a fait trembler.

Tu le crains toutefois, tu pâlis devant lui;
Mais veux-tu t'affranchir d'un si pressant ennui?
    Chasse la crainte par la crainte :
Crains Dieu, crains son courroux, et ton indigne peur,
    Par ces justes frayeurs éteinte,
Laissera rétablir le calme dans ton cœur.

Les injures ne sont que du vent et du bruit,
Et quiconque t'en charge en a si peu de fruit,
    Qu'il te nuit bien moins qu'à soi-même :
Pour grand qu'il soit en terre, un Dieu voit ce qu'il fait,

Et de son jugement suprême
Il ne peut éviter l'irrévocable effet.

Tiens-le devant tes yeux, à toute heure, en tout lieu,
Ce juge universel, ce redoutable Dieu,
    Et vis sans soin de tout le reste;
Quoi qu'on t'ose imputer, ne daigne y repartir,
    Et dans un silence modeste
Trouve, sans t'indigner, l'art de tout démentir.

Tu paraîtras peut-être en quelque occasion
Tout couvert d'infamie ou de confusion,
    Malgré ce grand art du silence :
Mais ne t'en émeus point, n'en sois pas moins content,
    Et crains que ton impatience
Ne retranche du prix du laurier qui t'attend.

Quelque honte à ton front qui semble s'attacher,
Souviens-toi que mon bras peut toujours t'arracher
    A toute cette ignominie,
Que je sais rendre à tous suivant leurs actions,
    Et sur l'imposture punie
Élever la candeur de tes intentions.

37. DE LA PURE ET ENTIÈRE RÉSIGNATION DE SOI-MÊME POUR OBTENIR LA LIBERTÉ DU CŒUR.

Corps ou sujet de l'emblème : *Le sacrifice d'Abraham.*
Ame ou sentence : *Resigna te.* (Str. 7.)

« Quitte-toi, mon enfant, et tu me trouveras,
Prépare-toi sans choix à quoi que je t'envoie,
Sans aucun propre amour, sans aucun embarras
De ce qui peut causer ta douleur et ta joie :
Tu gagneras beaucoup en quittant tout ainsi,
Ma grâce remplira la place du souci,
    Plus forte et mieux accompagnée;
    Et je te la ferai sentir
Sitôt qu'entre mes mains ton âme résignée
    Ne voudra plus se revêtir [65]. »

    Pour arriver où ta bonté m'invite,
    Pour tant de biens qu'elle m'offre à gagner,
    Combien de fois me dois-je résigner ?
    En quoi faut-il, Seigneur, que je me quitte ?

« En tout, mon fils, en tout, et partout, et toujours,
Aux points les plus petits, aux choses les plus grandes;
Je n'en excepte rien : si tu veux mon secours,
Tout dépouillé de tout il faut que tu m'attendes.
Tu ne peux autrement te donner tout à moi,
Et je ne puis non plus me donner tout à toi,
    Si tu réserves quelque chose;
    Je veux l'âme, je veux le corps,

65. Ne plus se revêtir : se dépouiller.

Sans que jamais en toi ta volonté dispose
    Ni du dedans ni du dehors.

« D'autant plus promptement que par ce grand effort
Tu brises de ta chair le honteux esclavage,
D'autant plus tôt en toi le vieil Adam est mort,
Et le nouveau succède avec plus d'avantage.
Résigne-toi surtout avec sincérité,
Si tu veux obliger ma libéralité
    A t'en payer avec usure;
    Elle aime à prodiguer mes biens,
Mais l'effort qu'elle y fait souvent prend sa mesure
    Sur la plénitude des tiens.

« J'en vois se résigner avec retranchement,
De la moitié du cœur se remettre en ma garde,
Et ne s'assurer pas en moi si fortement
Qu'ils ne veuillent pourvoir à ce qui les regarde :
Quelques autres d'abord m'offrent bien tous leurs [vœux,
Mais la tentation marche à peine vers eux
    Qu'ils font retraite vers eux-mêmes;
    Et leur courage rabattu,
Cherchant d'autres appuis que mes bontés suprêmes,
    N'avance point en la vertu.

« Ni ceux-ci ni ceux-là n'arriveront jamais
A la liberté vraie, inébranlable, entière,
A cette pure joie, à cette ferme paix
Qu'entretient dans les cœurs ma Grâce familière :
C'est peu que d'élever jusque-là son désir,
A moins que de soumettre à tout mon bon plaisir
    Son âme pleinement captive;
    Et sans s'immoler chaque jour,
On ne conserve point l'union fruitive [66]
    Que donne le parfait amour.

« Je te l'ai déjà dit, je te le dis encor,
Quitte, résigne-toi, déprends-toi de toi-même,
Et tu posséderas ce précieux trésor,
Ce calme intérieur, qui fuit tout ce qui s'aime :
Donne-moi tout pour tout, ne forme aucun désir,
Ne redemande rien, n'envoie aucun soupir
    Vers ce tout que pour moi tu quittes;
    Tiens enfin ton cœur tout en moi;
Et moi, qui paye enfin par delà les mérites,
    Je me donnerai tout à toi.

« Ainsi tu seras libre, et l'ange ténébreux
Ne te pourra jamais réduire en servitude;
Mais n'épargne ni soins, ni prières, ni vœux,
Pour ce digne avant-goût de la béatitude :
Ce plein dépouillement des soucis superflus,
Te laissant nu dans l'âme, ainsi que je le fus,
    Te rendra digne de me suivre :
    Et par un bienheureux transport
Tu sauras en moi-même éternellement vivre
    Sitôt qu'en toi tu seras mort.

« Alors disparaîtront tous ces fantômes vains
Qui t'obsèdent partout de leurs folles images,
Cet inutile amas d'empressements mondains,
Ces troubles qui chez toi font de si grands ravages.
La crainte immodérée, et l'amour déréglé,
Ces infâmes tyrans de ton cœur aveuglé,
    Verront leur force dissipée;
    Et leur nuit faisant place au jour,
Celles qu'ils y tenaient sera toute occupée
    Par ma crainte et par mon amour. »

38. DE LA BONNE CONDUITE AUX CHOSES EXTÉRIEURES, ET DU RECOURS A DIEU DANS LES PÉRILS.

Corps ou sujet de l'emblème : *Josaphat, roi des Indes, quitte son royaume, pour prendre un cilice de Barlaam* [67]. Ame ou sentence : *Sint omnia sub te.* (Str. 1.)

Quelque chose, mon fils, qui t'occupe au dehors,
Conserve le dedans vraiment libre et tranquille.
Et te souviens toujours que de ces deux trésors
La conquête est pénible, et la perte facile.
En tous temps, en tous lieux, en toutes actions,
Ce digne épurement de tes intentions
Doit garder sur toi-même une puissance égale,
T'élever au-dessus de tous les biens humains,
Sans permettre jamais que ton cœur se ravale
Sous l'objet de tes yeux, ou l'œuvre de tes mains.

Ainsi, maître absolu de tout ce que tu fais,
Et non plus de tes sens le sujet ou l'esclave,
Tu te verras partout affranchi pour jamais
De ce qui t'importune et de ce qui te brave :
Tu quitteras l'Égypte en véritable Hébreu,
Qu'à travers les déserts la colonne de feu
Guide, sans s'égarer, vers la Terre promise;
Et de tous ennemis tes exploits triomphants
Passeront, en dépit de toute leur surprise,
Au partage que Dieu destine à ses enfants.

Mais ces enfants de Dieu, sais-tu bien ce qu'ils sont?
Pour être de leur rang, sais-tu ce qu'il faut être?
Sais-tu quelle est leur vie, et quels projets ils font?
A quelle digne marque il te les faut connaître?
De tout ce qui du siècle attire l'amitié
Ces esprits épurés se font un marchepied,
Pour voir d'autant plus près l'éclat des biens célestes :
Et leur constance est telle à conduire leurs yeux,
Que, quoi qui se présente à leurs regards modestes,
Le gauche est pour la terre, et le droit pour les cieux.

Bien loin que des objets le dangereux attrait
Jusqu'à l'attachement abaisse leur courage,

---

66. Fructueuse, efficace.

67. L'un des thèmes les plus fameux du Moyen Age, repris naturellement par les jésuites (le Père Bidermann, après d'autres) traité par Lope de Vega et, en France, par un auteur connu de Corneille, Magnon (1646).

Ils savent ramener par un contraire effet
Leur plus flatteuse amorce au bon et saint usage :
En vain un vieil abus en grossit le pouvoir,
Ils savent les réduire au sincère devoir
Que l'Auteur souverain leur a voulu prescrire
Et comme en faisant tout il n'a rien négligé,
Ils savent rejeter sous un si juste empire
Tout ce qu'un long désordre en aurait dégagé.

Tiens-toi ferme au-dessus de tous événements,
Que leur extérieur ne puisse te surprendre,
Et jamais de ta chair ne prends les sentiments
Sur ce qu'on te fait voir, ou qu'on te fait entendre.
De peur d'être ébloui par leur illusion,
Fais ainsi que Moïse à chaque occasion,
Viens consulter ton Dieu sur toute ta conduite :
Sa réponse souvent daignera t'éclairer,
Et tu n'en sortiras que l'âme mieux instruite
De tout ce qui se passe, ou qu'il faut espérer.

Ce grand législateur qui publiait mes lois
Ainsi sur chaque doute entrait au tabernacle,
Sur chaque question il écoutait ma voix,
Et mes avis reçus, il prononçait l'oracle :
De quelques grands périls qu'il fût embarrassé,
Quelques séditions dont il se vît pressé,
Il fit de l'oraison son recours ordinaire :
Entre, entre à son exemple au cabinet du cœur,
Et pour tirer de moi le conseil nécessaire
Du zèle en tes besoins redouble la ferveur.

Josué son disciple, et les fils d'Israël.
Dont l'imprudence aveugle excéda ces limites,
Pour n'avoir pas ainsi consulté l'Éternel
Se virent abusés par les Gabaonites :
Le flatteur apparat d'un discours affecté,
S'étant saisi d'abord de leur crédulité,
Mit la compassion où la haine était dûe :
Ils perdirent des biens qui leur étaient promis,
Et le charme imposteur de leur piété déçue
Dedans leur propre sein sauva leurs ennemis.

39. QUE L'HOMME NE DOIT POINT S'ATTACHER AVEC EMPRESSEMENT A SES AFFAIRES.

Corps ou sujet de l'emblème : *David pressé de la soif épand l'eau que trois cavaliers lui avaient été quérir au péril de leur vie.* Ame ou sentence : *Non est minimum etiam in minimis relinquere.* (Str. 5.)

« Mon fils, entre mes mains remets toujours ta cause;
Je saurai bien de tout ordonner en son temps;
Sans ennui, sans murmure attends que j'en dispose,
Et je ferai trouver à tes désirs contents
     Plus d'avantage en toute chose
     Que toi-même tu n'en prétends. »

Je vous remets le tout, Seigneur, sans répugnance,

Je vous remets le tout, et plus j'ose y penser,
Plus je vois qu'en effet je ne suis qu'impuissance,
Et que tous mes efforts ne peuvent m'avancer.

Plût à votre bonté que l'âme peu touchée
De tout ce qui peut suivre ou tromper son désir,
Je la pusse à toute heure offrir bien détachée
Aux ordres souverains de votre bon plaisir!

« Mon fils, l'homme est changeant, et souvent il s'em-
Avec empressement vers ce qu'il veut avoir;   [porte
Tant qu'il ne l'obtient pas sa passion est forte,
Mais quelque estime enfin qu'il veuille en concevoir
     Il en juge d'une autre sorte
     Sitôt qu'il est en son pouvoir.

« Dans tout ce qu'il possède il voit moins de mérite :
Une flamme nouvelle éteint le premier feu,
Du propre attachement l'inconstance l'agite,
Un désir fait de l'autre un soudain désaveu,
     Et ce n'est pas peu qu'on se quitte
     Même dans les choses de peu.

« C'est l'abnégation, mais sincère et parfaite,
Qui peut seule affermir son instabilité :
Qui se bannit de soi trouve en moi sa retraite,
L'esclavage qu'il prend devient sa liberté,
     Et dans la perte qu'il a faite
     Il rencontre sa sûreté.

« Mais ce vieil ennemi de la nature humaine
De tes meilleurs desseins cherche à gâter le fruit,
Et, tout impatient de renouer ta chaîne,
Pour rétablir en toi son empire détruit,
     Il tient les ruses de sa haine
     En embuscade jour et nuit.

« Il étale à tes sens des douceurs sans pareilles,
Qu'eux-mêmes prennent soin de te faire goûter,
Il cache tous ses lacs sous de fausses merveilles,
Pour voir si par surprise il t'y pourra jeter;
     Et sans l'oraison et les veilles
     Tu ne les saurais éviter. »

40. QUE L'HOMME N'A RIEN DE BON DE SOI-MÊME, ET NE SE PEUT GLORIFIER D'AUCUNE CHOSE.

Corps ou sujet de l'emblème : *Le roi Ezéchias montrant ses trésors aux ambassadeurs du roi de Babylone, est averti par le prophète Isaïe que Dieu l'en punira.* Ame ou sentence : *Dum homo complacet sibi, displicet Deo.* (Str. 8.)

Seigneur, qu'est-ce que l'homme, et dans ton souvenir
Qui lui donne le rang que tu l'y fais tenir?
Que sont les fils d'Adam, que sont tous leurs mérites
Pour attirer chez eux l'honneur de tes visites?

Que t'a fait l'homme enfin, que ta Grâce pour lui
Aime à se prodiguer, et lui servir d'appui ?
Ai-je lieu de m'en plaindre avec quelque justice,
Quand elle m'abandonne à mon propre caprice ?
Et puis-je à ta rigueur reprocher quelque excès
Quand toute ma prière obtient peu de succès ?

C'est bien alors à moi d'avouer ma faiblesse,
C'est à moi de penser et de dire sans cesse :
« Seigneur, je ne suis rien, je ne puis rien de moi,
Et je n'ai rien de bon, s'il ne me vient de toi. »
Mes défauts sont si grands, mon impuissance est telle,
Qu'elle a vers le néant une pente éternelle ;
A moins que ton secours me relève le cœur,
A moins que ta bonté ranime ma langueur,
Qu'elle daigne au dedans me former et m'instruire,
Mes plus ardents efforts ne peuvent rien produire,
Et mon infirmité retrouve en un moment
La tiédeur, le désordre et le relâchement.

Toi seul, toujours le même, et toujours immuable,
Te soutiens dans un être à jamais perdurable, [jours
Toujours bon, toujours saint, toujours juste, et tou-
Dispensant saintement ton bienheureux secours.
Ta bonté, ta justice agit en toutes choses,
Et de tout et partout sagement tu disposes.
Mais pour moi qui toujours penche plus fortement
Vers l'imperfection que vers l'avancement,
Je n'ai pas un esprit toujours en même assiette,
Il cherche, il craint, il fuit, il embrasse, il rejette,
Et son meilleur état par un triste retour
Est sujet à changer plus de sept fois le jour.

Tous mes maux toutefois rencontrent leur remède
Aussitôt qu'il t'a plu d'accourir à mon aide,
Et, pour faire à mon âme un bonheur souverain,
Tu n'as qu'à lui prêter, qu'à lui tendre la main.
Tu le peux, ô mon Dieu, de ta volonté pure,
Sans emprunter le bras d'aucune créature ;
Tu me peux de toi seul si bien fortifier,
Que mon âme n'ait plus de quoi se défier,
Que ma constante ardeur ne tourne plus en glace,
Que mon sort affermi ne change plus de face,
Et que mon cœur enfin, plein de zèle et de foi,
Ainsi que dans son centre ait son repos en toi.

Ah ! si jamais ce cœur pouvait bien se défaire
Des consolations que la terre suggère,
Soit pour mieux faire place aux célestes faveurs
Qui font naître ici-bas et croître les ferveurs,
Soit par ce grand besoin qui réduit ma faiblesse
A la nécessité d'implorer ta tendresse,
Puisque dans les malheurs où je me sens couler
Il n'est aucun mortel qui puisse consoler !
Alors certes, alors j'aurais pleine matière
D'espérer de ta Grâce une abondance entière,
Et de m'épanouir à ces charmes nouveaux
Dont je verrais ta main adoucir mes travaux.

C'est de toi, mon Sauveur, c'est de toi, source vive,
Que se répand sur moi tout le bien qui m'arrive ;
Je ne suis qu'un néant bouffi de vanité,
Je ne suis qu'inconstance et qu'imbécillité ;
Et quand je me demande un titre légitime   [estime,
D'où prendre quelque gloire, et chercher quelque

Je vois, pour tout appui de mes plus hauts efforts,
Le néant que je suis, et le rien d'où je sors,
Et que fonder sa gloire ainsi sur le rien même,
C'est une vanité qui va jusqu'à l'extrême.

O vent pernicieux ! ô poison des esprits !
Que le monde sait peu ton véritable prix !
O fausse et vaine gloire ! ô dangereuse peste,
Qui n'es rien qu'un néant, mais un néant funeste !
Tes décevants attraits retirent tous nos pas
Du chemin où la vraie étale ses appas,
Et l'âme, de ton souffle indignement souillée,
Des Grâces de son Maître est par toi dépouillée.
Oui, notre âme, Seigneur, tout ton portrait qu'elle est,
Commence à te déplaire alors qu'elle se plaît,
Et son avidité pour de vaines louanges
La prive des vertus qui l'égalaient aux Anges.
On doit se réjouir et se glorifier,
Mais ce n'est qu'en toi seul qu'il faut tout appuyer,
En toi seul, non en soi, qu'il faut prendre sans cesse
La véritable gloire, et la sainte allégresse,
Rapporter à toi seul, et non à sa vertu,
Le plus solide éclat dont on soit revêtu,
Louer en tous ses dons l'Auteur de la nature,
Et ne voir que lui seul en toute créature.

Je le veux, ô mon Dieu, si je fais quelque bien,
Pour le louer ton nom qu'on supprime le mien,
Que l'univers entier par de communs suffrages
Sur le mépris des miens élève tes ouvrages,
Que même en celui-ci mon nom soit ignoré
Afin que le tien seul en soit mieux adoré,
Que ton saint Esprit seul en ait toute la gloire,
Sans que louange aucune honore ma mémoire,
Et que puisse à mes yeux s'emparer qui voudra
De la plus douce odeur que mon vers répandra.

En toi seul est ma gloire, en toi seul est ma joie,
Et quoi que l'avenir en ma faveur déploie,
Je les veux prendre en toi, sans faire vanité
Que du sincère aveu de mon infirmité.   [donne
C'est aux Juifs, c'est aux cœurs que ta grâce aban-
A chercher cet honneur qu'ici l'on s'entre donne,
Ils peuvent y courir avec empressement,
Sans que je porte envie à leur aveuglement.
La gloire que je cherche, et l'honneur où j'aspire,
C'est celle, c'est celui que fait ton saint empire,
Qu'à tes vrais serviteurs départ ta seule main,
Et qui ne peut souffrir aucun mélange humain.
Ces honneurs temporels qui rendent l'âme vaine
Ces orgueilleux dehors de la grandeur mondaine,
A ta gloire éternelle une fois comparés,
Ne sont qu'amusements de cerveaux égarés.

O Vérité suprême et toujours adorable,
Miséricorde immense et toujours ineffable,
Je ne réclame point dans ma fragilité
D'autre miséricorde, ou d'autre vérité.

A toi, Trinité sainte, espoir du vrai fidèle,
A toi pleine louange, à toi gloire immortelle !
Puisse tout l'univers, puisse tout l'avenir,
Toute l'éternité te louer et bénir !
Ce sont là tous mes vœux, c'est là tout l'avantage
Que mes faibles travaux demandent en partage ;

Trop heureux si l'éclat de mon plus digne emploi
Laisse mon nom obscur pour rejaillir sur toi.

41. DU MÉPRIS DE TOUS LES HONNEURS.

*Corps ou sujet de l'emblème : L'empereur Maurice,
voyant égorger ses enfants par le commandement de
Phocas, loue la justice de Dieu qui le punit de son péché* [68]
*Ame ou sentence : Merito armatur contra me omnis
creatura. (Str. 5.)*

    Ne prends point de mélancolie
De voir qu'à tes vertus on refuse leur prix,
Qu'un autre est dans l'estime, et toi dans le mépris,
Qu'on l'honore partout, durant qu'on t'humilie.
Lève les yeux au ciel, lève-les jusqu'à moi,
Et tout ce que la terre ose juger de toi
Ne te donnera plus aucune inquiétude;
Tu ne sentiras plus de mouvements jaloux,
Et ce ravalement qui te semblait si rude
N'aura plus rien en soi qui ne te semble doux.

Il est tout vrai, Seigneur, mais cette chair fragile
De ses aveuglements aime l'épaisse nuit,
Et de la vanité l'amorce est si subtile,
    Qu'en un moment elle séduit.

A bien considérer la chose en sa nature,
Je ne mérite amour, ni pitié, ni support,
Et quoi qu'on m'ait pu faire, aucune créature
    Ne m'a jamais fait aucun tort.

Mes plaintes auraient donc une insolence extrême,
Si j'osais t'accuser de trop de dureté,
Et qu'ainsi j'imputasse à la Justice même
    Une injuste sévérité.

Mon crime a dû forcer toutes les créatures
A me persécuter, à s'armer contre moi,
Et quiconque m'accable ou d'opprobre ou d'injures
    N'en fait qu'un légitime emploi.

A moi la honte est due, à moi l'ignominie,
Leur plus durable excès ne peut trop me punir:
A toi seul la louange et la gloire infinie
    Dans tous les siècles à venir.

Prépare-toi, mon âme, à souffrir sans tristesse
Les mépris des méchants, et ceux des gens de bien,
A me voir ravalé jusqu'à cette bassesse
    Que même on ne me compte à rien.

---

68. Autre sujet fameux du théâtre jésuite. Il figure dans
l'*Anthologie* des huit pièces réédités partout en 1631. L'auteur
en est le jésuite Keller, et l'on suit la trace des représentations
dans les vallées du Danube et du Rhin de 1603 à 1639. Un autre
jésuite, le Père Masen, le récrivit en 1648. Corneille en tira
un sujet différent, à partir du tyran Phocas, dans *Héraclius*.

Enfin de ton orgueil éteins les moindres restes,
Ou n'espère autrement de paix dans aucun lieu,
Ni de stabilité, ni de clartés célestes,
    Ni d'union avec ton Dieu.

42. QU'IL NE FAUT POINT FONDER
SA PAIX SUR LES HOMMES, MAIS SUR DIEU
ET S'ANÉANTIR EN SOI-MÊME.

*Corps ou sujet de l'emblème : Saint Siméon Stylite passa
sa vie sur une colonne de quarante coudées de haut. Ame
ou sentence : Tanto magis Deo appropinquat. (Str. 6.)*

    Si la douceur de vivre ensemble,
    D'avoir les mêmes sentiments,
Te fait de ton repos asseoir les fondements
Sur ceux de qui l'humeur à la tienne ressemble,
Quelque sûr que tu sois de leur fidélité,
    Toute cette tranquillité,
Que tes yeux éblouis trouvent si bien fondée,
    Ne sera qu'une vaine idée
Que suivront l'embarras et l'instabilité.

    Mais si ton zèle invariable
    Réunit ses désirs flottants
A cette vérité qui parmi tous les temps
Demeure toujours vive et toujours immuable.
Qu'un ami parte ou meure, ou que son cœur léger
    Ose même te négliger;
Ni son triste départ, ni sa perte imprévue,
    Ni même son change à ta vue,
N'auront rien dont jamais tu daignes t'affliger.

    En moi seul doit être établie
    Cette sincère affection,
Qui, n'ayant pour objet que la perfection,
Par aucun changement ne peut être affaiblie.
Tous ceux que leur bonté donne lieu d'estimer,
    Et chez qui tu vois s'enflammer
Et l'amour des vertus, et la haine des vices,
    Je veux bien que tu les chérisses,
Mais ce n'est qu'en moi seul que tu les dois aimer.

    L'amitié la plus assurée
    Tient de moi toute sa valeur :
Tu n'en peux voir sans moi qu'une fausse couleur
Qui n'est ni d'aucun prix ni d'aucune durée;
Son ardeur n'a jamais aucuns louables feux
    Que soumis à ce que je veux;
Et tu ne saurais voir dans toute la nature
    D'union bien solide et pure,
Si de ma propre main je n'en ai fait les nœuds.

    Ces vrais amis que je te donne,
    Ces unions que je te fais,
Doivent me résigner si bien tous tes souhaits,
Que tu sois mort à tout sitôt que je l'ordonne.

Je veux avoir ton cœur tout entier en ma main,
    Par un détachement si plein,
Qu'autant qu'il est en toi, ta sainte inquiétude
Aspire à cette solitude
Qui te doit retrancher de tout commerce humain.

    Quiconque me choisit pour maître,
    Et ne cherche qu'à me gagner,
M'approche d'autant plus qu'il sait mieux s'éloigner
Des consolations que les hommes font naître;
Plus dans leur folle estime il se trouve compris,
    Plus il ravale de son prix;
Et va d'autant plus haut vers ma grandeur suprême,
    Qu'il descend plus bas en lui-même,
Et se tient abîmé dans le propre mépris.

    Mais une âme présomptueuse
    Qui s'ose imputer quelque bien
Se refuse à ma grâce, et ne se porte à rien
Où toute sa chaleur ne soit infructueuse;
Elle ferme la porte à ma bénignité
    Par son aveugle vanité,
Puisque du Saint Esprit les faveurs prévenantes,
    Les entières, les triomphantes,
N'entrent jamais au cœur que par l'humilité.

    Homme, si tu pouvais apprendre
    L'art de te bien anéantir,
De bien purger ce cœur, d'en bien faire sortir
Ce que l'amour terrestre y peut jeter de tendre :
Si tu savais, mon fils, pratiquer ce grand art,
    Tu verrais bientôt de ma part
S'épandre au fond du tien l'abondance des Grâces,
    Et tes actions les plus basses
Sauraient jusqu'à mon trône élever ton regard.

    Une affection mal conçue
    Dérobe tout l'aspect des cieux,
Et quand la créature a détourné tes yeux,
Tu perds tout aussitôt le Créateur de vue.
Sache te vaincre en tout, et partout te dompter,
    Sache pour lui tout surmonter,
Bannis tout autre amour, coupes-en les racines,
    Et les connaissances divines
A leurs plus hauts degrés te laisseront monter.

    Ne dis point que c'est peu de chose,
    Ne dis point que c'est moins que rien
A qui ton âme prête un moment d'entretien,
Sur qui par échappée un coup d'œil se repose;
Ce peu, ce moins que rien, quand son amusement
    Attire trop d'empressement,
Quand trop de complaisance à ce coup d'œil s'attache,
    Imprime aux vertus une tache,
Et retarde l'esprit du haut avancement.

43. CONTRE LA VAINE SCIENCE DU SIÈCLE, ET DE LA VRAIE ÉTUDE DU CHRÉTIEN.

Corps ou sujet de l'emblème : *Frère Girard, convers de l'ordre des Chartreux, sans avoir étudié, dispute contre les docteurs et les instruit.* Ame ou sentence : *Plus profecit in relinquendo omnia quam in studendo subtilia.* (Str. 11.)

    Défends ton cœur de ton oreille
    Souvent une fausse merveille
    Entre par elle et te surprend :
    Ne t'émeus donc point et n'admire,
    Quoi que les hommes puissent dire
    De beau, de subtil, ou de grand :
Mon royaume n'est pas pour ces brillants frivoles
Dont l'humaine éloquence orne ses fictions;
Il se donne aux vertus, et non pas aux paroles,
Et fuit les beaux discours sans bonnes actions.

    Ma seule parole sacrée
    Est celle à qui tu dois l'entrée,
    C'est elle qui te doit charmer :
    C'est elle qui verse dans l'âme
    Les ardeurs de la sainte flamme
    Qui seule s'y doit allumer :
Elle éclaire l'esprit par des rayons célestes,
Elle jette les cœurs dans la componction,
Et répand sur l'aigreur des maux les plus funestes
En cent et cent façons ma consolation.

    Jamais à lire ne t'anime,
    Par un vain désir qu'on t'estime
    Plus habile homme, ou plus savant;
    De cette ambitieuse étude
    L'inépuisable inquiétude
    Ne produit jamais que du vent :
Sache dompter tes sens, sache amortir tes vices,
Et de cette science espère plus de fruit
Que si de tout autre art les épineux caprices
T'avaient laissé percer leur plus obscure nuit.

    Quand tu saurais par ta lecture
    Connaître toute la nature,
    Tu n'as qu'un point à retenir;
    Un seul principe est nécessaire,
    On a beau dire, on a beau faire,
    C'est là qu'il en faut revenir.
C'est moi seul qui dépars la solide science,
C'est de mes seuls trésors que je la fais couler,
Et j'en prodigue plus à l'humble confiance
Que tout l'esprit humain ne t'en peut étaler.

    Oui, le cœur humble qui m'adore,
    Le cœur épuré que j'honore
    De mon amoureux entretien,
    Abonde bientôt en sagesse,
    Et s'avance en la haute adresse
    Qui mène l'esprit au vrai bien.

Malheur, malheur à ceux qui, se laissant conduire
Aux désirs empressés d'un curieux savoir,
En l'art de me servir dédaignent de s'instruire
Et veulent ignorer leur unique devoir!

Un jour viendra que le grand Maître,
Le grand Roi se fera paraître
Armé de foudres et d'éclairs;
Qu'assis sur un trône de gloire,
Il rappellera la mémoire
De ce qu'aura fait l'univers :
Il faudra voir alors quelle est votre science,
Savants, il entendra votre leçon à tous,
Et sur cet examen de chaque conscience
Un moment réglera sa grâce ou son courroux.

Alors on verra sa lumière
De Hiérusalem toute entière
Éplucher jusqu'au moindre trait :
Alors les plus obscures vies
Dans les ténèbres éclaircies
Ne trouveront plus de secret :
Les grands raisonnements de ces langues disertes
N'auront force ni poids en cette occasion,
La parole mourra dans les bouches ouvertes,
Et cédera la place à la confusion.

Plus une âme est humiliée,
Plus elle s'est étudiée
A ce noble ravalement :
D'autant mieux cette ferme base
Soutient la haute et sainte extase
Où je l'élève en un moment.
C'est alors qu'en secret une de mes paroles
Lui fait comprendre mieux ce qu'est l'éternité,
Que si toute la poudre et le bruit des écoles
Avaient lassé dix ans son assiduité.

J'instruis, j'inspire, j'illumine,
J'explique toute ma doctrine
Sans aucun embarras de mots,
Sans que les âmes balancées
D'aucunes confuses pensées,
En perdent jamais le repos;
Jamais des vains degrés la pompe imaginaire
De son fast orgueilleux n'embrouille mes savants,
Et les rusés détours d'un argument contraire
Ne leur tendent jamais de pièges décevants.

Ainsi je montre, ainsi j'enseigne
Comme il faut que l'homme dédaigne
Toutes les douceurs d'ici-bas,
Qu'il néglige les temporelles,
Qu'il n'aspire qu'aux éternelles,
Qu'il ne goûte que leurs appas;
J'enseigne à fuir l'honneur, à souffrir le scandale,
Pour but, pour seul espoir j'enseigne à me choisir,
J'enseigne à me chérir d'une ardeur sans égale,
J'enseigne à ramasser en moi tout son désir.

Un grand dévot m'a su connaître,
Sans en consulter d'autre maître
Que le feu qui sut l'enflammer;
Il dit des choses admirables
De mes attributs ineffables,
Et n'avait appris qu'à m'aimer :
Il dégagea son cœur de toute la nature,
Et se fit bien plus docte en quittant tout ainsi,
Que s'il eût attaché, jusqu'à la sépulture,
Sur des subtilités un long et vain souci.

Ma façon d'instruire est diverse,
Je parle aux uns et les exerce
Sur des préceptes généraux;
Je parle à d'autres à l'oreille
Du secret de quelque merveille,
Ou du choix de quelques travaux.
Je ne me montre aux uns que sous quelque figure
Qui leur fait doucement comprendre ma bonté,
Et sur d'autres j'épands cette lumière pure
Qui fait voir le mystère avec pleine clarté.

Les livres à leur ouverture
Offrent à tous même lecture,
Mais non pas même utilité;
J'en suis au dedans l'interprète,
Et seul à seul dans la retraite
J'en explique la vérité.
Je pénètre les cœurs, je vois dans les pensées,
J'excite, je prépare aux bonnes actions,
Et je tiens mes faveurs plus ou moins avancées,
Suivant qu'on fait profit de mes instructions.

44. QU'IL NE FAUT POINT S'EMBARRASSER DES CHOSES EXTÉRIEURES.

Corps ou sujet de l'emblème : *Jésus-Christ ne répond point à Pilate, qui l'interroge sur les accusations des Juifs.* Ame ou sentence : *Multa oportet surda aure pertransire.* (Str. 2.)

Mon fils, il est bon d'ignorer
Beaucoup de choses qui se passent,
Et de ne point considérer
Mille événements qui s'entassent :
Sois comme mort sur terre, et par le saint emploi
De cette indifférence en mérites féconde,
Tiens-toi crucifié pour les choses du monde,
Et les choses du monde autant de croix pour toi.

Fais la sourde oreille à ces bruits
Que roule un indiscret murmure,
Et pense les jours et les nuits
Au repos que je te procure.
Il est beaucoup meilleur de retirer les yeux
De tout ce qui te choque ou qui te peut déplaire,
Que d'être tout de feu sur un avis contraire,
Pour un frivole honneur de raisonner le mieux.

Laisse à chacun son sentiment,
Qu'il parle et discoure à sa mode,
Tiens ton cœur en moi fortement,
Et fuis ce débat incommode.
Comme mes jugements ne sont jamais déçus,
Préfère leur conduite à la prudence humaine,
Attaches-y ta vue, et tu verras sans peine
Que dans tes démêlés un autre ait le dessus.

A quelle extrémité, Seigneur, vont nos malheurs!
La perte temporelle est digne de nos pleurs,
Pour un peu d'intérêt on court, on se tourmente,
Mais ce qui touche l'âme, on le laisse au hasard,
Et l'oubli d'heure en heure à tel point s'en augmente,
Qu'on n'y jette qu'à peine un coup d'œil sur le tard.

On cherche avec chaleur ce qui ne sert de rien,
On n'a d'yeux qu'en passant pour le souverain bien,
Ce qui n'importe plaît, le nécessaire gêne :
Tout l'homme aisément glisse et s'échappe au dehors,
Et si le repentir soudain ne le ramène,
Il se livre avec joie aux appétits du corps.

45. QU'IL NE FAUT PAS CROIRE TOUTES PERSONNES, ET QU'IL EST AISÉ DE S'ÉCHAPPER EN PAROLES.

Corps ou sujet de l'emblème : *Sainte Lucie* [69] *refuse le mari que sa mère lui présente, pour se donner à Jésus-Christ.* Ame ou sentence : *Mens mea solidata est et in Christo fundata.* (Str. 12.)

Envoie à mon secours tes bontés souveraines,
Seigneur, contre les maux qui m'ont choisi pour but,
Puisqu'en vain je mettrais aux amitiés humaines
        L'espoir de mon salut.

O mon Dieu, qu'ici-bas j'ai trouvé d'infidèles
Dont je m'imaginais occuper tous les soins!
Et que j'ai rencontré de véritables zèles
        Où j'en croyais le moins!

En vain donc on voudrait fonder quelque espérance
Sur l'effet incertain de leur douteuse foi,
Et les justes jamais ne trouvent l'assurance
        De leur salut qu'en toi.

Que sous tes ordres saints notre esprit se captive
Jusqu'à tout recevoir d'un sentiment égal,
Et bénir ton saint nom de quoi qui nous arrive
        Ou de bien ou de mal.

Nous n'y contribuons qu'un importun mélange
De faiblesse, d'erreur, et d'instabilité,
Qui des meilleurs desseins nous fait prendre le change
        Avec facilité.

Quelqu'un applique-t-il à toute sa conduite
Une âme si prudente, un esprit si réglé,
Que souvent il ne voie ou cette âme séduite,
        Ou cet esprit troublé?

Mais qui sur ton vouloir forme sa patience,
Qui simplement te cherche, et n'a point d'autre espoir,
Qui remet en toi seul toute sa confiance,
        N'est pas si prompt à choir.

Quelque pressé qu'il soit du malheur qui l'accable
Sitôt que vers le ciel tu l'entends soupirer,
Ton bras étend sur lui cette main secourable
        Qui l'en sait retirer.

Rien ne le fait gémir dont tu ne le consoles
Et quiconque en ta grâce espère jusqu'au bout
Reçoit enfin l'effet de tes saintes paroles,
        Et triomphe de tout.

Il est rare de voir qu'un ami persévère
Dans nos afflictions jusqu'à l'extrémité,
Et nous aide à porter toute notre misère,
        Sans être rebuté.

Toi seul est cet ami fidèle, infatigable,
Que de nos intérêts rien ne peut détacher,
Et toute autre amitié n'a rien de si durable
        Qu'il en puisse approcher.

O! que cette âme sainte avait sujet de dire :
« J'ai pour base mon Dieu, pour appui Jésus-Christ :
En lui seul je me fonde, en lui seul je respire,
        Et m'affermis l'esprit! »

Si je lui ressemblais j'aurais moins d'épouvante
Des jugements du monde et de tout son pouvoir,
Et les traits les plus forts d'une langue insolente
        Ne pourraient m'émouvoir.

Mais qui pourra, Seigneur, par sa propre sagesse
Pressentir tous les maux qui doivent arriver?
Et, si quelqu'un le peut, aura-t-il quelque adresse
        Qui puisse l'en sauver?

Ah! si ce qu'en prévoit la prudence ou la crainte
Abat encor souvent toute notre vigueur,
Que font les imprévus, et quelle rude atteinte
        N'enfoncent-ils au cœur?

En vain pour me flatter je me le dissimule,
Il me fallait des miens prévenir mieux l'effet,
Et je ne devais pas une âme si crédule
        Aux rapports qu'on m'a fait.

69. Sainte Lucie (281-304) a fait déjà l'objet de représentations dramatiques au XVe siècle en Italie. Au XVIIe siècle des
Italiens et des Espagnols ont repris le sujet, qui n'a pas tenté
les auteurs français bien qu'il fût très voisin, entre autres, de
Sainte Catherine et de *Théodore.* Lucie fut martyrisée à vingt-
cinq ans par le gouverneur de Syracuse, Paschase, après avoir
été dénoncée par le fiancé qu'elle refusait.

Mais l'homme est toujours homme, et les vaines
Le dépouillent si peu de sa fragilité,   [louanges
Que ceux même qu'on nomme et qu'on croit de vrais
    Ne sont qu'infirmité.   [anges

Qui croirai-je que toi, Vérité souveraine,
Qui jamais n'es déçue et ne peux décevoir?
Qui prendrai-je que toi dans cette course humaine
    Pour règle à mon devoir?

L'homme est muable et faible, et ses discours frivoles
Portent l'impression de son déréglement;
Il se méprend et trompe, et surtout en paroles
    Il s'échappe aisément.

Aussi ne doit-on pas donner prompte croyance
A tout ce qui d'abord semble la mériter,
Et ce qu'il dit de vrai laisse à la défiance
    De quoi s'inquiéter.

Tu m'avertis assez de ses lâches pratiques,
Tu m'en instruis assez, Seigneur, quand tu me dis
Qu'il faut que je m'en garde, et que nos domestiques
    Sont autant d'ennemis.

Qu'il n'est pas sûr de croire à quiconque vient dire :
« Mon avis est le bon, l'infaillible est le mien;
Et que tel en décide avec un plein empire
    Qui souvent ne sait rien.

Je ne l'ai que trop vu, Seigneur, pour mon dommage;
Et puissé-je en former quelques saintes terreurs
Qui me laissent pas égarer davantage
    Dans mes folles erreurs!

Par une impertinente et fausse confidence,
Quelqu'un me dit un jour : « Écoute, sois discret,
Et conserve en ton cœur sous un profond silence
    Le fruit de mon secret. »

A peine je promets de cacher le mystère,
Qu'il trouve de sa part le silence fâcheux,
Me quitte, va conter ce qu'il m'oblige à taire,
    Et nous trahit tous deux.

Préserve-moi, Seigneur, de ces gens tout de langues,
De ces illusions d'un esprit inconstant,
Garde partout le mien de leurs folles harangues,
    Et moi d'en faire autant

Daigne mettre en ma bouche une parole vraie,
Qui soit pleine de force et de stabilité,
Et ne souffre jamais que ma langue s'essaie
    A la duplicité.

Accorde à ma faiblesse assez de prévoyance
Pour aller au devant du mal qui peut s'offrir,
Et détourner les maux que sans impatience
    Je ne pourrais souffrir.

Qu'il est bon de se taire, et qu'en paix on respire
Quand de parler d'autrui soi-même on s'interdit,
Sans être prompt à croire, ou léger à redire
    Plus qu'on ne nous a dit!

Une seconde fois, qu'il est bon de se taire,
De n'ouvrir tout son cœur à personne qu'à toi,
Et n'abandonner pas aux rapports qu'on vient faire
    Une indiscrète foi!

Qu'heureux est, ô mon Dieu, qu'heureux est qui sou-
Que ton seul bon plaisir soit partout accompli, [haite
Qu'au dedans, qu'au dehors ta volonté soit faite,
    Et ton ordre rempli!

Que ta Grâce en un cœur se trouve en assurance
Alors qu'à fuir l'éclat il met tous ses efforts,
Et qu'il sait dédaigner cette vaine apparence
    Qu'on admire au dehors!

Qu'une âme à ton vouloir saintement asservie
Ménage bien les dons que lui fait ta faveur,
Lorsqu'elle applique tout à corriger sa vie,
    Ou croître sa ferveur!

La gloire du mérite un peu trop épandue
A fait perdre à plusieurs les trésors qu'ils ont eus,
Et j'ai vu la louange un peu trop tôt rendue
    Gâter bien des vertus.

Mais quand la Grâce en nous demeure bien cachée
Elle redouble en fruits, en forces, en appas,
Et secourt d'autant mieux une vie attachée
    A d'éternels combats.

46. DE LA CONFIANCE QU'IL FAUT AVOIR EN DIEU QUAND ON EST ATTAQUÉ DE PAROLES.

Corps ou sujet de l'emblème : *Judith, se confiant en Dieu, coupe la tête d'Holopherne au milieu de son camp.* Ame ou sentence : *Qui in Deo confidit absque humano terrore erit.* (Str. 6.)

Eh bien! on te querelle, on te couvre d'injures,
La calomnie est grande et te remplit d'effroi :
Veux-tu rompre aisément ses pointes les plus dures?
Affermis ton espoir et ta constance en moi.
Ne t'inquiète point de ces discours frivoles,
Les paroles enfin ne sont que des paroles,
Que des sons parmi l'air vainement dispersés :
Elles peuvent briser quelques âmes de verre,
    Et ne tombent point sur la pierre
Que leurs traits n'en soient émoussés.

Quand leur plus gros déluge insolemment t'accable,
Sache faire profit de son plus vaste effort,
Songe à te corriger, si tu te sens coupable,

Songe à souffrir pour moi, si rien ne te remord :
C'est du moins qu'il te faille endurer quelque chose
D'un conte qui te blesse, ou d'un mot qui t'impose,
Toi, que de rudes coups auraient bientôt lassé,
Et qui verrais bientôt tes forces chancelantes
    Sous les épreuves violentes
    Par où tant de saints ont passé.

D'où vient que pour si peu le chagrin te dévore,
Qu'un mot jusqu'en ton cœur va trouver ton défaut,
Si ce n'est la chair, qui te domine encore,
Te fait considérer l'homme plus qu'il ne faut ?
C'est le mépris humain que ton âme appréhende,
Qui soulève ce cœur contre la réprimande,
Lors même qu'elle est due à ta légèreté :
C'est là ce qui te force à chercher quelque ruse,
    Qui, sous une mauvaise excuse,
    Mette à couvert ta lâcheté.

Examine-toi mieux, et, quoi qu'on t'ose dire,
Descends jusqu'en toi-même, et vois ce que tu crains :
Tu verras que le monde encore en toi respire
Avec le vain souci d'agréer aux mondains.
Craindre pour tes défauts qu'on ne te mésestime,
Que la confusion sur ton front ne t'imprime,
C'est montrer que ton cœur s'est mal sacrifié,
Que tu n'as point encor d'humilité profonde,
    Et que tu n'es ni mort au monde,
    Ni lui pour toi crucifié.

Mais écoute, mon fils, écoute ma parole,
Et dix mille d'ailleurs ne te pourront toucher,
Quand même la malice en sa plus noire école
Forgerait tous leurs dards pour te les décocher.
Qu'à son choix contre toi le mensonge travaille,
Laisse-le s'épuiser, prise moins qu'une paille
Toute l'indignité dont il te veut couvrir :
Que te peut nuire enfin une telle tempête ?
    Est-il un cheveu sur ta tête
    Dont elle puisse t'appauvrir ?

Ceux qui vers le dehors poussant toute leur âme
N'ont ni d'yeux au dedans, ni Dieu devant les yeux,
Sensibles jusqu'au fond aux atteintes du blâme,
Frémissent à toute heure, et tremblent en tous lieux;
Mais ceux dont la sincère et forte patience
Porte jusqu'en moi seul toute sa confiance,
Et ne s'arrête point au propre sentiment,
Ceux-là craignent si peu ces discours de la terre,
    Que jamais leur plus rude guerre
    Ne les fait pâlir un moment.

Tu dis qu'il est fâcheux de voir la calomnie
De la vérité même emprunter les couleurs,
Que la plus juste gloire en demeure ternie,
Et peut des plus constants tirer quelques douleurs :
Mais que t'importe enfin, si tu m'as pour refuge ?
N'en suis-je pas au ciel l'inévitable Juge,
Qui vois sans me tromper comme tout s'est passé ?
Et pour le châtiment, et pour la récompense,

Ne sais-je pas qui fait l'offense,
    Et qui demeure l'offensé ?

Rien ne va sans mon ordre, et c'est moi qui t'envoie
Ce mot que contre toi lancent tes ennemis,
Je veux qu'ainsi des cœurs le secret se déploie,
Et tout ce qui t'arrive exprès je l'ai permis.
Tu verras quelque jour mon arrêt équitable
Séparer l'innocent d'avecque le coupable,
Et rendre à tous les deux ce qu'ils ont mérité;
Cependant il me plaît qu'en secret ma justice
    De l'un éprouve la malice,
    Et de l'autre la fermeté.

Tout ce que l'homme ici te rend de témoignage
Est sujet à l'erreur et périt avec lui;
La vérité des miens leur fait cet avantage
Qu'ils sont au bout des temps les mêmes qu'aujour-
Je les cache souvent, et fort peu de lumières [d'hui.
Savent en pénétrer les ténèbres entières,
Mais l'erreur n'entre point dans leur obscurité :
Et dans le même instant qu'on y trouve à redire,
    L'âme bien éclairée admire
    Leur inconcevable équité.

Il faut donc me remettre à juger chaque chose,
Et sur le propre sens jamais ne s'appuyer :
C'est ainsi que le juste, à quoi que je l'expose,
Ne sent rien qui le trouble ou le puisse ennuyer.
Quoi que la calomnie élève à sa ruine
De ses noirs attentats la plus forte machine,
Il en attend le coup sans aucun tremblement :
Et si quelqu'un l'excuse, et prenant sa défense
    Fait triompher son innocence,
    Sa joie est sans emportement.

Il prend peu de souci de la honte et du blâme,
Il sait que j'en connais les injustes efforts,
Que je sonde le cœur, que je vois toute l'âme,
Et ne m'éblouis point des plus brillants dehors :
Il me voit au-dessus de la fausse apparence,
Et reconnaît par là quelle est la différence
Du jugement de l'homme et de mon jugement;
Et que souvent mes yeux regardent comme un crime
    Ce que trouve digne d'estime
    Son aveugle discernement.

Seigneur, qui par de vifs rayons
Pénètres chaque conscience,
Juste Juge, en qui nous voyons
Et la force et la patience :
Tu sais quelle fragilité,
Quelle pente à l'impureté
Suit partout la nature humaine :
Daigne me servir de soutien,
Et sois la confiance pleine
Qui me guide au souverain bien.

Pour ne voir point de tache en moi,
Mon innocence n'est pas sûre,

Tu vois bien plus que je ne vois,
Tu fais bien une autre censure :
Aussi devrais-je avec douceur
M'humilier sous la noirceur
De tous les défauts qu'on m'impute;
Et souffrir d'un esprit remis,
Lors même qu'on me persécute
Pour ce que je n'ai point commis.

Pardon, mon cher Sauveur, pardon
Quand j'en use d'une autre sorte,
Ne me refuse pas le don
D'une patience plus forte :
Ta miséricorde vaut mieux,
Pour rencontrer grâce à tes yeux
Dans l'excès de ton indulgence,
Qu'une apparente probité
Ne peut servir à la défense
De la secrète infirmité.

Quand un long amas de vertus
M'érigerait un haut trophée
Sur tous les vices abattus,
Et la convoitise étouffée;
Ces vertus n'auraient pas de quoi
Me justifier devant toi,
Quelque mérite qui les suive;
Il y faut encor ta pitié,
Puisque sans elle homme qui vive
A tes yeux n'est justifié.

47. QUE POUR LA VIE ÉTERNELLE IL FAUT ENDURER LES CHOSES LES PLUS FACHEUSES.

Corps ou sujet de l'emblème : *La mère des Machabées exhorte ses enfants au martyre.* Ame ou sentence : *Fili, non te frangant labores quos assumpsisti.* (Str. 1.)

Ne te rebute point, mon fils, de ces travaux
Que l'ardeur de ton zèle entreprend pour ma gloire,
Ne te laisse jamais abattre sous les maux
Qui te veulent des mains enlever la victoire :
En quelque triste état que leur rigueur t'ait mis,
	Songe à ce que je t'ai promis,
Reprends cœur là-dessus, espère, et te console;
Je rendrai tes désirs pleinement satisfaits,
Et j'ai toujours de quoi dégager ma parole
	Par l'abondance des effets.

Tu n'auras point ici longtemps à te lasser,
Tes douleurs n'y sont pas d'une éternelle suite,
Un peu de patience, et tu verras passer
Ce torrent de malheurs où ta vie est réduite.
Un jour, un jour viendra que ce rude attirail
	De soins, de troubles, de travail,
Fera place aux douceurs de la paix désirée;
Cependant souviens-toi que les maux les plus grands

Ne sont que peu de chose, et de peu de durée
	Quand ils cessent avec le temps.

Applique à me servir une assiduité
Qui de ce que je dois jamais ne se dispense,
Travaille dans ma vigne avec fidélité,
Et je serai moi-même enfin ta récompense.
Écris, lis, chante, prie et gémis tout le jour,
	Garde le silence à son tour,
Supporte avec grand cœur tous les succès contraires :
Leur plus longue amertume aura de doux reflux,
Et la vie éternelle a d'assez grands salaires
	Pour être digne encor de plus.

Oui, tu verras un jour finir tous ces ennuis,
Dieu connaît ce grand jour, qu'autre ne peut connaî-
Tu ne verras plus lors ni les jours ni les nuits, [tre :
Comme ici tu les vois, s'augmenter ou décroître :
D'une clarté céleste un long épanchement
	Fera briller incessamment
D'un rayon infini la splendeur ineffable;
Et d'une ferme paix le repos assuré
Versera dans ton cœur le calme invariable
	Que ces maux t'auront procuré.

Tu ne diras plus lors : « Qui pourra m'affranchir
De la mort que je traîne, et des fers que je porte? »
Tu ne crieras plus lors : « Faut-il ainsi blanchir?
Faut-il voir prolonger mon exil de la sorte? »
La mort, précipitée aux gouffres du néant,
	N'aura plus ce gosier béant,
Dont tout ce qui respire est l'infaillible proie;
Et la santé, sans trouble et sans anxiété,
N'y laissera goûter que la parfaite joie
	D'une heureuse société.

Que ne peux-tu, mon fils, percer jusques aux Cieux,
Pour y voir de mes saints la couronne éternelle,
Les pleins ravissements qui brillent dans leurs yeux
Le glorieux éclat dont leur front étincelle?
Voyant ces grands objets d'un injuste mépris
	En remporter un si haut prix,
Eux qu'à peine le monde a crus dignes de vivre,
Ta sainte ambition les voudrait égaler,
Te réglerait sur eux, et saurait pour les suivre
	Jusqu'en terre te ravaler.

Tous les abaissements te sembleraient si doux,
Qu'en haine des honneurs où ta folie aspire,
Tu choisirais plutôt d'être soumis à tous,
Que d'avoir sur un seul quelque reste d'empire;
Les beaux jours de la vie et les charmes des sens,
	Pour toi devenus impuissants,
Te laisseraient choisir ce mépris en partage;
Tu tiendrais à bonheur d'être persécuté,
Et tu regarderais comme un grand avantage
	Le bien de n'être à rien compté.

Si tu pouvais goûter toutes ces vérités,
Si jusque dans ton cœur elles étaient empreintes,

Tout un siècle de honte et de calamités
Ne t'arracherait pas un seul moment de plaintes;
Tu dirais qu'il n'est rien de si laborieux
  Que pour un prix si glorieux
Il ne faille accepter sitôt qu'on le propose,
Et que perdre ou gagner le royaume de Dieu,
Quoi qu'en jugent tes sens, n'est pas si peu de chose,
  Qu'il faille y chercher un milieu.

Lève donc l'œil au ciel pour m'y considérer,
Vois-y mes saints assis au-dessus du tonnerre,
Après tant de tourments soufferts sans murmurer,
Après tant de combats qu'ils ont rendus sur terre.
Ces illustres vainqueurs des tribulations
  Goûtent les consolations
D'une joie assurée et d'un repos sincère;
Assis à mes côtés sans trouble et sans effroi,
Ils règnent avec moi dans le sein de mon Père,
  Et vivront sans fin avec moi.

48. DU JOUR DE L'ÉTERNITÉ ET DES ANGOISSES DE CETTE VIE.

Corps ou sujet de l'emblème : *Sainte Natalie tient les mains à son mari saint Adrian* [70], *cependant que les bourreaux les lient, et l'encourage au martyre.* Ame et sentence : *Beatus qui naturae vim facit.* (Str. 16.)

O séjour bienheureux de la Cité céleste,
Où de l'éternité le jour se manifeste,
Jour que jamais n'offusque aucune obscurité,
Jour qu'éclaire toujours l'astre de Vérité,
Jour où sans cesse brille une joie épurée,
Jour où sans cesse règne une paix assurée,
Jour toujours immuable, et dont le saint éclat
Jamais ne dégénère en un contraire état!
Que déjà ne luit-il! et pour le laisser luire
Que ne cessent les temps de perdre et de produire!
Que déjà ne fait place à ce grand avenir
Tout ce qu'ici leur chute avec eux doit finir!
Il luit, il luit déjà, mais sa vive lumière
Aux seuls hôtes du ciel se fait voir toute entière.
Tant que nous demeurons sur la terre exilés,
Il n'en tombe sur nous que des rayons voilés,
L'éloignement confond ou dissipe l'image
De ce qui s'en échappe au travers d'un nuage,
Et tout ce qu'à nos yeux il est permis d'en voir,
Ce sont traits réfléchis qu'en répand un miroir.
  Ces habitants du ciel en savent les délices,
Tandis qu'en ces bas lieux nous traînons nos suppli-
Et qu'un accablement d'amertume et d'ennuis   [ces,
De nos jours les plus beaux fait d'effroyables nuits.
  Ces jours, que le temps donne et dérobe lui-même,
Longs pour qui les connaît, et courts pour qui les aime,
Ont pour l'un et pour l'autre un tissu de malheurs
D'où naissent à l'envi l'angoisse et les douleurs.
Tant que l'homme en jouit, que de péchés le gênent!

70. Martyrisés à Nicomédie en 303.

Combien de passions l'assiègent ou l'enchaînent!
Que de justes frayeurs, que de soucis cuisants
Lui déchirent le cœur, et brouillent tous les sens!
La curiosité de tous côtés l'engage,
La folle vanité le tient en esclavage,
Enveloppé d'erreurs, atterré de travaux,
Entre mille ennemis pressé de mille assauts,
Le repos l'affaiblit, et le plaisir l'énerve,
Tout le cours de sa vie a des maux de réserve,
Le riche par ses biens n'en est pas exempté,
Et le pauvre a pour comble encor sa pauvreté!
  Quand verrai-je, Seigneur, finir tant de supplices,
Quand cesserai-je d'être un esclave des vices?
Quand occuperas-tu toi seul mon souvenir?
Quand mettrai-je ma joie entière à te bénir?
Quand verrai-je en mon cœur une liberté sainte,
Sans aucun embarras, sans aucune contrainte,
Et quand me sentirai-je en mes ardents transports
Rien qui pèse à l'esprit, rien qui gêne le corps?
Quand viendra cette paix et profonde et solide,
Où la sûreté règne, où ton amour préside,
Paix dedans et dehors, paix sans anxiétés,
Paix sans trouble, paix ferme enfin de tous côtés?
  Doux Sauveur de mon âme, hélas! quand te verrai-
Quand m'accorderas-tu ce dernier privilège?   [je?
Quand te pourront mes yeux contempler à loisir,
Te voir et voir, partout, être mon seul désir?
Quand te verrai-je assis sur ton trône de gloire,
Et quand aurai-je part aux fruits de ta victoire,
A ce règne sans fin, que ta bénignité
Prépare à tes élus de toute éternité?
  Tu sais que je languis, abandonné sur terre
Aux cruelles fureurs d'une implacable guerre,
Où toujours je me trouve en pays ennemi,
Où rien ne me console après avoir gémi,
Où de mon triste exil les suites importunes
Ne sont qu'affreux combats et longues infortunes.
  Modère les rigueurs de ce bannissement,
Verse en mes déplaisirs quelque soulagement :
Tu sais que c'est pour toi que tout mon cœur soupire,
Tu vois que c'est à toi que tout mon cœur aspire,
Le monde m'est à charge, et ne fait que grossir
Ce fardeau de mes maux qu'il tâche d'adoucir :
Ni de lui ni de moi je ne dois rien attendre,
Je veux te posséder, et ne te puis comprendre,
Je forme à peine un vol pour m'attacher aux cieux
Qu'un souci temporel le ravale en ces lieux,
Et de mes passions les forces mal domptées
Me rendent aux douceurs qu'elles m'avaient prêtées :
L'esprit prend le dessus, mais le poids de la chair
Jusqu'au-dessous de tout me force à trébucher.
Ainsi je me combats et me pèse à moi-même,
Ainsi de mon dedans le désordre est extrême,
La chair rappelle en bas, quand l'esprit tire en haut,
Et la faible partie de tout quasi prévaut.
  Que je souffre, Seigneur, quand mon âme élevée
Jusqu'aux pieds de son Dieu qui l'a faite et sauvée,
Un damnable escadron de sentiments honteux
Vient troubler sa prière et distraire ses vœux!
  Toi, qui seul de mes maux tiens en main le remède,

En ces extrémités n'éloigne pas ton aide,
Et ne retire point par un juste courroux
Le bras qui seul pour moi peut rompre tous leurs
Lance du haut du ciel un éclat de ta foudre,   [coups.
Qui dissipe leur force, et les réduise en poudre,
Précipite sur eux la grêle de tes dards,
Rends-les à leur néant d'un seul de tes regards,
Et renvoie aux Enfers, comme souverain maître,
Ces fantômes impurs que leur prince fait naître.

    D'autre côté, Seigneur, recueille en toi mes sens,
Ranime, réunis mes désirs languissants;
Fais qu'un parfait oubli des choses de la terre
Tienne à couvert mon cœur de toute cette guerre;
Ou si par quelque embûche il se trouve surpris,
Fais que, par les efforts d'un prompt et saint mépris,
Il rejette soudain ces délices fardées,
Dont le vice blanchit ses plus noires idées.

    Viens, viens à mon secours, suprême Vérité,
Que je ne donne entrée à quelque vanité;
Viens, céleste douceur, viens occuper la place,
Et toute impureté fuira devant ta face.

    Cependant fais-moi grâce, et ne t'offense pas
Si dans le vrai chemin je fais quelque faux pas,
Si quelquefois de toi mon oraison s'égare,
Si quelque illusion malgré moi m'en sépare :
Car enfin, je l'avoue à ma confusion,
Je ne cède que trop à cette illusion.
L'ombre d'un faux plaisir follement retracée
S'empare à tous moments de toute ma pensée;
Je ne suis pas toujours où se trouve mon corps;
Souvent j'occupe un lieu dont mon cœur est dehors,
Et mon extravagance emportant l'infidèle,
Je suis bien loin de moi quand il est avec elle.
L'homme sans y penser, pense à ce qu'il chérit,
Ainsi l'œil de soi tourne à ce qui lui rit;
Ce qu'aime la nature ou qui plaît par l'usage,
C'est ce qui le plus tôt nous offre son image,
Et l'offre rarement, que notre esprit touché
Ne s'attache sans peine où le cœur est penché.

    Aussi ta bouche même a bien voulu me dire,
Qu'où je mets mon trésor, là mon âme respire.
Si je le mets au Ciel, il m'est doux d'y penser,
Si je le mets au monde il m'y sait rabaisser,
De ses prospérités je fais mon allégresse,
Et ses coups de revers excitent ma tristesse.

    Si les plaisirs des sens saisissent mon amour
Ce qui peut les flatter m'occupe nuit et jour;
Si j'aime de l'esprit la parfaite science,
Je fais mon entretien de tout ce qui l'avance;
Enfin tout ce que j'aime et tout ce qui me plaît
Me tient comme enchaîné par un doux intérêt,
J'en parle avec plaisir, avec plaisir j'écoute
Tout ce qui peut m'instruire à marcher dans sa route,
Et j'emporte chez moi l'image avec plaisir
De tout ce qui chatouille et pique mon désir.

    Qu'heureux est donc, ô Dieu! celui dont l'âme pure
Bannit, pour t'aimer seul, toute la créature,
Qui se fait violence, et n'osant s'accorder
Rien de ce que lui-même aime à se demander,
De la chair et des sens tellement se défie,

Qu'à force de ferveur l'esprit les crucifie!
C'est ainsi qu'en son cœur rétablissant la paix,
Sur le mépris du monde élevant ses souhaits,
Il t'offre une oraison, il t'offre des louanges
Dignes de se mêler à celles de tes Anges,
Puisqu'en lui ton amour par ses divins transports
Étouffe le terrestre et dedans et dehors.

49. DU DÉSIR DE LA VIE ÉTERNELLE,
ET COMBIEN D'AVANTAGES SONT PROMIS
A CEUX QUI COMBATTENT.

Corps ou sujet de l'emblème : *Jésus-Christ tirant les
âmes des limbes*. Ame ou sentence : *Clementer visitat*.
(Str. 2.)

Lorsque tu sens, mon fils, s'allumer dans ton cœur
Un désir amoureux de la béatitude,
Qu'il soupire après moi d'une douce langueur
Pour me voir sans ombrage et sans vicissitude :
Quand tu le sens pousser d'impatients transports
Pour se voir affranchi de la prison du corps,
Et contempler de près mes clartés infinies;
Ouvre ton âme entière à cette ambition,
Et porte de ce cœur les forces réunies
A ce que veut de toi cette inspiration.

Surtout, quand tu reçois cet amoureux désir,
Souviens-toi de m'en rendre un million de grâces,
A moi dont la bonté daigne ainsi te choisir,
Te daigne ainsi tirer d'entre les âmes basses;
C'est moi dont la clémence abaisse ma grandeur
Jusqu'à te visiter, et faire cette ardeur
Qui jusque dans ton sein de là haut s'est coulée;
C'est moi qui jusqu'à moi t'élève et te soutiens,
De peur que par ton poids ton âme ravalée
N'embrasse au lieu de moi, la terre dont tu viens.

Ni tes efforts d'esprit, ni ceux de ta ferveur,
N'enfantent ce désir qu'il me plaît de produire,
Il est un pur effet de ma haute faveur,
De mon aspect divin qui sur toi daigne luire :
Sers-t'en pour t'avancer avec facilité
Au chemin des vertus et de l'humilité;
Fais qu'aux plus grands combats sans peine il te pré-
Fais que jusqu'en mon sein il te puisse ravir,   [pare;
Qu'il t'y puisse attacher sans que rien t'en sépare,
Ni refroidisse en toi l'ardeur de me servir.

Le feu brûle aisément, mais il est malaisé
Que sa pointe aille haut sans un peu de fumée;
Ainsi de quelques-uns le zèle est embrasé
En qui l'impureté n'est pas bien consumée.
Un reste mal détruit de leurs engagements
Attiédit la chaleur des bons élancements
Sous les tentations que la chair leur suggère;
Et ces vœux qu'à toute heure ils m'offrent en tribut

Ne sont pas tous conçus purement pour me plaire,
N'ont pas tous mon honneur pour leur unique but.

Les tiens mêmes, les tiens, dont l'importunité
Avec tant de chaleur souvent me sollicite,
Et presse les effets de ma bénignité
Par le sincère aveu de ton peu de mérite;
Tes vœux, dis-je, souvent, sans s'en apercevoir,
Couvrant ton intérêt de cet humble devoir,
Cherchent ta propre joie, aussi bien que ma gloire
Et ce peu qui s'y joint de propre affection
Leur imprime aussitôt une tache assez noire
Pour les tenir bien loin de la perfection.

Demande donc, mon fils, demande fortement,
Non ce qui t'est commode et te doit satisfaire,
Mais un succès pour moi, mais un événement,
Qui me soit glorieux et digne de me plaire.
Si d'un esprit bien sain tu sais régler tes vœux,
Tu sauras les soumettre à tout ce que je veux,
Sans rien considérer de ce que tu désires,
Et préférer si bien mon ordre à ton désir,
Que tu ne parles plus, ni penses, ni respires,
Que pour suivre le choix de mon seul bon plaisir.

Je sais de ce désir quel est le digne objet,
A gémir si souvent je vois ce qui t'engage,
Et, comme tes soupirs ne vont pas sans sujet,
J'entends du haut du ciel leur plus secret langage :
Un dédain de la terre, une sainte fierté,
Te voudraient déjà voir dans cette liberté
Qu'assure à mes élus le séjour de la gloire;
Il charme ton esprit ici-bas captivé,
Et sera quelque jour le prix de ta victoire,
Mais le temps, ô mon fils, n'en est pas arrivé.

Avant ce temps heureux un autre est à passer,
Un temps tout de combats, et tout d'inquiétudes,
Un temps où les travaux ne doivent point cesser,
Un temps plein de malheurs, et d'épreuves rudes;
Tu languis cependant, et tes ardents souhaits
Pour le bien souverain, pour la céleste paix,
Ont une impatience, ont une soif extrême;
Tu ne peux pas sitôt atteindre où tu prétends,
Prie, espère, attends-moi, je suis ce bien suprême,
Mais mon Royaume enfin ne viendra qu'en son temps.

Il faut encore en terre éprouver ta vertu,
Il faut sous mille essais encor que tu soupires,
Je saurai consoler ton esprit abattu,
Mais non pas à ton choix, ni tant que tu désires :
Montre un courage ferme à ce qui vient s'offrir.
Soit qu'il faille embrasser, soit qu'il faille souffrir
Des choses où ton sens la nature contraire;
Revêts un nouvel homme et dépouille le vieux,
Et pour faire souvent ce que tu hais à faire,
Et pour quitter souvent ce qui te plaît le mieux.

Tu pourras à toute heure être mal satisfait
Des inégalités dont la vie est semée,

Tous les projets d'un autre auront leur plein effet,
Tandis que tous les tiens s'en iront en fumée.
Tu verras applaudir à tout son entretien,
Et ta voix à ses yeux n'être comptée à rien,
Quoiqu'à ton sentiment on dût la préférence;
Tu verras sa demande aisément parvenir
Aux plus heureux succès qui flattent l'espérance,
Et tu demanderas sans pouvoir obtenir.

Des autres le grand nom sans mérite ennobli
Aura ce qui t'est dû de gloire et de louange,
Cependant que le tien traînera dans l'oubli,
S'il ne tombe assez bas pour traîner dans la fange.
Ainsi que dans l'estime ils seront dans l'emploi,
Et l'injuste mépris que l'on aura pour toi
Te fera réputer serviteur inutile :
L'orgueil de la nature en voudra murmurer,
Et ce sera beaucoup, si ton esprit docile
Peut apprendre à se taire et toujours endurer.

C'est par là, mon enfant, qu'ici-bas il me plaît
D'éprouver jusqu'au bout le cœur du vrai fidèle,
Pour voir comme il renonce à son propre intérêt,
Comme il sait rompre en tout la pente naturelle.
Voir arriver sans trouble et supporter sans bruit
Tout ce qu'obstinément ta volonté refuit,
T'imputer à bonheur tout ce qui t'importune,
C'est le dernier effort d'un courage fervent,
Et tu ne verras point qu'aucune autre infortune
T'oblige à te mieux vaincre, ou mourir plus avant.

Surtout il t'est bien dur qu'on te veuille ordonner
Ce qui semble à tes yeux une injustice extrême,
Ce qui n'est bon à rien, ce qu'on peut condamner
Ainsi qu'un attentat contre la raison même.
A cause que tu vis sous le pouvoir d'autrui,
Il te faut, malgré toi, prendre la loi de lui,
Obéir à son ordre, et suivre son empire;
Et c'est là ce qui fait tes plus cruels tourments,
Quand tu sens ta raison puissamment contredire,
Et qu'il faut accepter de tels commandements.

Mais ne pense pas tant à l'excès de ces maux,
Que tu ne puisses voir qu'un moment les termine,
Que leur fruit passe enfin la grandeur des travaux,
Et que la récompense en est toute divine.
Au lieu de t'être à charge, au lieu de t'accabler,
Ils sauront faire naître, ils sauront redoubler
La douceur nécessaire à soulager ta peine;
Et ce moment d'effort dessus ta volonté
La rendra dans le ciel à jamais souveraine
Sur l'infini trésor de toute ma bonté.

Dans ces palais brillants que moi seul je remplis,
Tu trouveras sans peine en moi seul toutes choses,
Tu verras tes souhaits aussitôt accomplis,
Tu tiendras en ta main quoi que tu te proposes;
Toutes sortes de biens avec profusion
Y naîtront d'une heureuse et claire vision,
Sans crainte que le temps les change ou les enlève;

Ton vouloir et le mien n'y seront qu'un vouloir,
Et tu n'y voudras rien qui hors de moi s'achève,
Ni dont ton intérêt s'ose seul prévaloir.

Là personne à tes vœux ne voudra résister,
Personne contre toi ne formera de plainte,
Tu n'y trouveras point d'obstacle à surmonter,
Tu n'y rencontreras aucun sujet de crainte.
Les objets désirés s'offrant tous à la fois
N'y balanceront point ton amour ni ton choix
Sur les ébranlements de ton âme incertaine;
Tu posséderas tout sans besoin de choisir,
Et tu t'abîmeras dans l'abondance pleine,
Sans que la plénitude émousse le désir.

Là ma main libérale épanchant le bonheur,
De tous maux en tous biens fera d'entiers échanges,
Pour l'opprobre souffert je rendrai de l'honneur,
Pour le blâme et l'ennui, d'immortelles louanges :
L'humble ravalement jusques au dernier lieu,
Relevé sur un trône au Royaume de Dieu,
De ses submissions recevra la couronne;
L'aveugle obéissance aura ses dignes fruits,
Et les gênes qu'ici la pénitence donne,
T'en feront là goûter qu'elles auront produits.

Range-toi donc, mon fils, sous le vouloir de tous
Par une humilité de jour en jour plus grande,
Trouve tout de leur part juste, facile, doux,
Et n'examine point qui parle ou qui commande :
Que ce soit ton sujet, ton maître, ou ton égal,
Qu'il te veuille du bien, ou te veuille du mal,
Reçois à cœur ouvert son ordre, ou sa prière;
Entends même un coup d'œil, quand il s'adresse à toi,
Porte à l'exécuter une franchise entière,
Et t'en fais aussitôt une immuable loi.

Que d'autres à leur gré sur différents objets
Attachent des désirs que le succès avoue,
Qu'ils fassent vanité de tels ou tels projets,
Que mille et mille fois le monde les en loue :
Toi, mets toute ta joie à souffrir les mépris,
En mon seul bon plaisir unis tous tes esprits,
Que de mon seul honneur ton âme soit ravie,
Et souhaite surtout avec sincérité
Que soit que je t'envoie ou la mort ou la vie
En tout ce que tu fais mon nom soit exalté.

50. COMMENT UN HOMME DÉSOLÉ
DOIT SE REMETTRE ENTRE LES MAINS DE DIEU.

Corps ou sujet de l'emblème : *Saint Norbert* [71] *allant
prendre possession d'un grand bénéfice, tombe de cheval,
et honteux de cette disgrâce, quitte le monde et se donne
à Dieu.* Ame ou sentence : *Bonum mihi quia humiliasti
me.* (Str. 20.)

71. Fondateur au XIIe siècle des Prémontrés, après l'échec
de la réforme de saint Martin de Laon, ami de saint Bernard.

Qu'à présent, qu'à jamais soit béni ton saint nom,
La chose arrive ainsi que tu l'as résolue,
Tu l'as faite, ô mon Dieu, puisque tu l'as voulue,
     Et tout ce que tu fais est bon.

Ce n'est pas en autrui, ce n'est pas en soi-même
Que doit ton serviteur prendre quelque plaisir,
Mais en tous les succès que tu lui veux choisir,
     Mais en ta volonté suprême.

Toi seul remplis un cœur de vrai contentement,
Toi seul de mes travaux es le prix légitime,
Et l'honneur que je cherche et l'espoir qui m'anime
     En toi seul ont leur fondement.

Que vois-je en moi, Seigneur, qu'y puis-je voir paraître
Que ce que tu dépars sans l'avoir mérité?
Et ce que donne et fait ta libéralité
     N'en es-tu pas toujours le maître?

Je suis pauvre, fragile, assiégé de malheurs,
Dès mes plus jeunes ans l'angoisse m'environne,
Et mon âme aux ennuis quelquefois s'abandonne
     Jusqu'à l'indignité des pleurs.

Souvent même, souvent au milieu de mes larmes,
Ce que je souffre cède à ce que je prévoi,
Et d'un triste avenir l'impitoyable effroi
     Me déchire à force d'alarmes.

Je souhaite ardemment la paix de tes enfants
Qu'ici-bas tu nourris de ta vive lumière,
Attendant que là haut ta gloire tout entière
     Les rende à jamais triomphants.

Donne-moi cette paix, cette sainte allégresse,
Ta louange aisément suivra cette faveur,
Et mes ennuis changés en heureuse ferveur
     N'auront que des pleurs de tendresse.

Mais si tu te soustrais, comme tu fais souvent,
Tu me verras soudain rebrousser en arrière,
Et sans pouvoir fournir cette sainte carrière
     Gémir ainsi qu'auparavant.

Tu me verras courbé sous ma propre impuissance,
De faiblesse et d'ennui tomber sur mes genoux,
Me bàttre la poitrine, et montrer à grands coups
     Combien je souffre en ton absence.

Qu'ils étaient beaux ces jours où sur tous mes travaux
Ta clarté répandait ses vives étincelles,
Où mon âme, à couvert sous l'ombre de tes ailes,
     Bravait les plus rudes assauts!

Maintenant une autre heure aux souffrances m'expose,
Le moment est venu d'éprouver mon amour :
Père aimable, il est juste, et je dois à mon tour
     Endurer pour toi quelque chose.

De toute éternité tu prévis ce moment
Qui m'abat au dehors durant un temps qui passe,
Pour me faire au dedans revivre dans ta Grâce,
    Et t'aimer éternellement.

Il faut qu'un peu de temps je traîne dans la honte
Cet objet de mépris et de confusion,
Que je semble tomber à chaque occasion
    Sous la langueur qui me surmonte.

Père saint, tu le veux, mais ce n'est qu'à dessein
Que mon âme avec toi de nouveau se relève,
Et que du haut du ciel un nouveau jour achève
    De s'épandre au fond de mon sein.

Ton ordre est accompli, ta volonté suivie,
Je souffre, je languis, je vis dans le rebut,
Et je prends tous ces maux dont tu me fais le but
    Pour arrhes d'une heureuse vie.

Ce sont traits de ta Grâce, et c'est ton amitié
Qui donne à tes amis à souffrir pour ta gloire,
Et ce qu'ose contre eux la fureur la plus noire
    Marque un effet de ta pitié.

Toutes les fois qu'ainsi ta bonté se déploie,
Ils nomment ces malheurs un bienheureux hasard,
Et n'examinent point quelle main les départ
    Lorsque la tienne les envoie.

Seigneur, sans ton vouloir rien n'arrive ici-bas,
Il fait la pauvreté comme il fait l'abondance,
Et les raisons de tout sont en ta Providence
    Que ce grand tout suit pas à pas.

Il est juste, il est bon qu'ainsi tu m'humilies,
Pour m'apprendre à marcher sous tes enseignements,
Et bannir de mon cœur les vains emportements
    De mes orgueilleuses folies.

Il m'est avantageux que mon front soit couvert
D'une confusion qui vers toi me rappelle,
Pour chercher mon refuge en ta main paternelle,
    Plutôt qu'en l'homme qui me perd.

J'en apprends à trembler sous l'abîme inscrutable
Que présente à mes yeux ton profond jugement.
Lorsque je vois ton bras frapper également
    Sur le juste et sur le coupable.

Bien que d'abord cet ordre ait de quoi m'étonner,
Il est l'équité même et la même justice,
Puisqu'il afflige l'un pour hâter son supplice,
    Et l'autre pour le couronner.

Quelles grâces, Seigneur, ne te dois-je point rendre
De ne m'épargner point les Grâces des travaux,
Et de me prodiguer l'amertume des maux
    Dont le vrai bien se doit attendre!

Ces maux à pleines mains sur ma tête versés
A l'esprit comme au corps font sentir leurs atteintes,
Et dedans et dehors je porte les empreintes
    Des carreaux [72] que tu m'as lancés.

L'angoisse et les douleurs deviennent mon partage,
Sans que rien sous le Ciel m'en puisse consoler,
Toi seul les adoucis, toi seul y sais mêler
    Ce qui me soutient le courage.

Céleste médecin de ceux que tu chéris,
Ainsi jusqu'aux enfers tu mènes et ramènes,
Tu nous ouvres le ciel par l'essai de leurs gênes,
    Tu blesses, et puis tu guéris.

Étends sur moi, Seigneur, étends ta discipline,
Décoche ces doux traits de ta sévérité,
Qui servent de remède à la fragilité
    Par leur instruction divine.

Me voici, Père aimé, prêt à les recevoir,
Je m'incline et m'abats sous ta main amoureuse;
Fais-lui prendre à ton gré ta verge rigoureuse
    Qui me rejette en mon devoir.

Ce corps bouffi d'orgueil, cette âme ingrate et vaine,
De leur propre vouloir courbent sous le fardeau:
Frappe, et redresse-les au juste et droit niveau
    De ta volonté souveraine.

Fais de moi ton disciple humble, dévot, soumis,
Comme, quand il te plaît, ta coutume est d'en faire,
Afin que tous mes pas n'aillent qu'à satisfaire
    A ce que tu m'auras commis.

Une seconde fois frappe, je t'en convie,
Je me remets entier sous ta correction,
Elle est ici l'effet de ta dilection,
    Et de ta haine en l'autre vie.

Ne la réserve pas à ce long avenir,
Tu vois au fond du cœur jusqu'à la moindre tache,
Et dans la conscience il n'est rien qui te cache
    Ce que ta bonté doit punir.

Tu vois nos lâchetés avant qu'elles arrivent,
Et tu n'as point besoin qu'aucun te donne avis
Ni de quelle façon tes ordres sont suivis,
    Ni de quel air les hommes vivent.

Tu sais et mieux que moi quelles impressions
Me peuvent avancer en ton divin service,
Et combien est puissante à dérouiller le vice
    L'aigreur des tribulations.

Ne dédaigne donc pas cette âme pécheresse,
Toi qui vois mieux que tous son faible et son secret:

72. Carreaux : traits de la foudre.

Fais-la se conformer à l'aimable décret
   De ton éternelle sagesse.

Fais-moi savoir, Seigneur, ce que je dois savoir,
Fais-moi ne rien aimer que ce qu'il faut que j'aime,
Louer tout ce qui plaît à ta bonté suprême,
   Et qui remplit un saint devoir.

Fais-moi n'estimer rien en toute la nature
Que ce qui devant toi conserve quelque prix,
Fais-moi ne rien blâmer que ce qu'à tes mépris
   Expose sa propre souillure.

Ne me laisse juger biens ni maux apparents
Par cet extérieur qui n'a rien de solide,
Et ne souffre jamais que mon âme en décide
   Sur le rapport des ignorants.

Fais-moi d'un jugement simple, mais véritable,
Discerner le visible et le spirituel,
Et rechercher surtout d'un soin continuel
   Ce que veut ton ordre adorable.

Souvent le sens humain d'erreurs enveloppé
Précipite avec lui la prudence déçue,
Et l'amour qui s'attache à ce qu'offre la vue
   Est encor plus souvent trompé.

De quoi nous peut servir l'éloge qui nous flatte?
Pour être mis plus haut en devient-on meilleur?
Et reçoit-on son prix de la vaine couleur
   Dont une fausse gloire éclate?

Je dois fuir qui m'en donne, ou ne le regarder
Que comme un abuseur qui séduit ce qu'il loue,
Un infirme insolent qui d'un faible se joue,
   Un aveugle qui veut guider.

La louange mal due aussi bien n'est qu'un conte
Que le peu de mérite en soi-même dédit,
Et qui donne au dehors beaucoup moins de crédit
   Qu'au dedans il ne fait de honte.

Il faut donc s'en défendre à toute heure, en tous lieux,
Puisque aucun après tout n'est ni grand ni louable,
Si l'humble saint François en peut être croyable,
   Qu'autant qu'il l'est devant tes yeux.

51. QU'IL FAUT NOUS APPLIQUER
AUX ACTIONS EXTÉRIEURES ET RAVALÉES,
QUAND NOUS NE POUVONS NOUS ÉLEVER
AUX PLUS HAUTES.

Corps ou sujet de l'emblème : *Saint Joseph s'emploie à travailler de ses mains avec la sainte Vierge.* Ame et sentence : *Expedit ad humilia opera confugere.* (Str. 6.)

Lorsque tu sens, mon fils, ton âme inquiétée

De voir tes bons désirs lâchement rabattus,
Apprends que la ferveur qu'allument les vertus
   N'est pas toujours de ta portée :
Tu ne peux pas toujours soutenir à ton gré
La contemplation dans le plus haut degré,
C'est en dépit de toi qu'ainsi tu te ravales;
Et le honteux besoin que l'esprit a du corps,
Lui donnant malgré lui des heures inégales,
Malgré lui le rejette aux œuvres du dehors.

Telle est l'impression que fait ton origine
Sur la plus digne ardeur dont tu sois emporté,
Tel est le sang impur et le suc infecté
   Que tu tires de ta racine :
Tu vois avec dégoût et souffres à regret
L'importune langueur et le fardeau secret
Dont t'accable une vie infirme et corruptible;
Il le faut toutefois, et ton malheur est tel,
Que ce dégoût de l'âme y devient invincible
Tant que pour sa prison elle a ce corps mortel.

Gémis donc, et souvent, sous le poids que t'impose
Une chair qui te lie à son être imparfait,
Gémis des rudes lois que cette chair te fait,
   Gémis des maux qu'elle te cause :
Gémis de ne pouvoir avec un plein effort
Attacher ton étude à ce divin transport
Qui dégage l'esprit de toute la matière;
Gémis de n'avoir pas assez de fermeté
Pour me donner sans cesse une âme tout entière,
Et sans relâche aucune admirer ma bonté.

Ne dédaigne pas lors ces actions plus basses
Où le corps s'exerçant l'âme en a tout le fruit,
Ces emplois du dehors où tu te sens conduit
   Par un doux reste de mes Grâces.
Attends en patience, attends l'heureux retour
Qui, du plus haut du ciel rappelant mon amour,
Reportera chez toi les biens de ma visite;
Et ne murmure point de cette aridité
Qui, saisissant ton cœur sitôt que je le quitte,
Le tient comme en exil dans son infirmité.

Il est mille actions pour cette mauvaise heure
Qui peuvent adoucir et tromper ton chagrin,
Attendant que je vienne et qu'il me plaise enfin
   Rétablir chez toi ma demeure.
Je viendrai t'affranchir de tes anxiétés,
Et de tant de travaux pour mon nom supportés
Une solide joie éteindra la mémoire;
Je me conformerai moi-même à tes souhaits,
Et te ferai goûter, pour essai de ma gloire,
Le calme intérieur d'une céleste paix.

J'ouvrirai devant toi le pré des Écritures
Afin qu'à cœur ouvert tes saints ravissements
Y courent le sentier de mes commandements
   Avec des intentions pures.
Alors perçant de l'œil toute l'éternité,
Pour voir de ton bonheur la haute immensité,

Tu t'écrieras soudain : « Ah! qu'il est ineffable!
Seigneur, quelques tourments qu'il nous faille sentir,
Tout ce qu'on souffre ici n'a rien de comparable
A la gloire qu'un jour tu dois nous départir. »

52. QUE L'HOMME NE SE DOIT POINT ESTIMER
DIGNE DE CONSOLATION,
MAIS PLUTOT DE CHATIMENT.

Corps ou sujet de l'emblème : *Saint Jacques, ermite,
passe sa vie en pénitence auprès du cadavre d'une fille
qu'il avait violée et tuée. Ame ou sentence : Nihil dignus
sum quam flagellari et puniri.* (Str. 4.)

Seigneur, si je m'arrête au peu que je mérite,
Je ne puis espérer tes consolations,
Ni que du haut du ciel ta secrète visite
Daigne adoucir l'aigreur de mes afflictions.

Je n'en fus jamais digne, et lorsque tu me laisses
Dénué, pauvre, infirme, impuissant, éperdu,
Tu ne fais que justice à mes lâches faiblesses,
Et ce triste abandon me rend ce qui m'est dû.

Quand de tout mon visage un océan de larmes
Pourrait à gros torrents incessamment couler,
Je n'aurais aucun droit au moindre de ces charmes
Que versent tes bontés quand tu viens consoler.

Après m'être noirci d'un million d'offenses,
M'être fait un rebelle à tes commandements
Tu ne me peux devoir pour justes récompenses
Que d'âpres coups de fouets, et de longs châtiments.

Je l'avoue à ma honte et plus je m'examine
Plus je découvre en moi cette indigne noirceur.
Qui ne peut mériter de ta faveur divine
Ni le moindre secours, ni la moindre douceur.

Mais toi, dont la bonté passe toute mesure
A prodiguer les biens dont ses trésors sont pleins,
Et qui dans cette indigne et vile créature
Considères encor l'ouvrage de tes mains :

Toi, qui ne veux jamais que tes œuvres périssent,
Tu ne regardes point ce que j'ai mérité,
Et de ces grands vaisseaux qui jamais ne tarissent
Tu fais couler les dons de ta bénignité.

Tu les répands sur moi, Seigneur, tu me consoles,
Non pas à la façon des hommes tels que nous;
Leurs consolations se bornent aux paroles,
Les tiennes ont l'effet aussi prompt qu'il est doux.

Que t'ai-je fait, ô Dieu, digne que ta clémence
M'envoie ainsi d'en haut un céleste rayon,
Et qui me fait ainsi jouir de ta présence,
Moi qui ne me souviens d'avoir rien fait de bon?

Je force ma mémoire à retracer ma vie,
Et n'y vois que désordre et que dérèglement,
Qu'une pente au péché honteusement suivie,
Qu'une morne langueur pour mon amendement.

C'est une vérité que je ne te puis taire,
Et si mon impudence osait la dénier,
Tes yeux me convaincraient aussitôt du contraire,
Sans qu'aucun entreprît de me justifier.

Qu'ai-je pu mériter par cet amour du vice
Que d'être mis au rang des plus grands criminels?
Et si tu fais agir seulement ta justice,
Qu'aura-t-elle pour moi que des feux éternels?

Je ne suis digne au plus que de voir sur ma face
L'opprobre et le mépris rejaillir à grands flots,
Et c'est injustement que j'occupe une place
Dans cette maison sainte où vivent tes dévots.

Je veux bien contre moi rendre ce témoignage,
Quelque dur qu'il me soit d'entendre ce discours,
Afin que ta pitié plus aisément s'engage
A remettre mon crime et me prêter secours.

Tout confus que je suis de me voir si coupable,
Que dirai-je, sinon : « J'ai péché, mon Sauveur,
J'ai péché, mais pardonne, et d'un œil pitoyable
Regarde un criminel qui demande faveur.

« Ne la refuse pas aux peines que j'endure,
Et laisse-moi du moins plaindre un peu mes douleurs
Avant que je descende en cette terre obscure
Qu'enveloppe la mort de ses noires couleurs. »

Ce que tu veux surtout d'une âme ensevelie
Dans cette juste horreur que lui fait son péché,
C'est que le cœur se brise, et qu'elle s'humilie
Sous le saint repentir dont ce cœur est touché.

Cette contrition humble, sincère, vraie,
Autorise l'espoir du pardon attendu,
Calme si bien l'esprit, ferme si bien sa plaie,
Que ta grâce lui rend ce qu'il avait perdu.

C'est une sauvegarde à l'âme pénitente
Contre l'ire future et l'effroyable jour :
Dieu vient au-devant d'elle, et remplit son attente
Par un baiser de paix qui rejoint leur amour.

C'est, ô Dieu tout-puissant, c'est l'heureux sacrifice
Qu'accepte à bras ouverts ton immense grandeur,
Et tout l'encens du monde offert à ta justice
N'a point de quoi répandre une si douce odeur.

C'est l'onguent précieux, c'est le nard dont toi-même
As voulu qu'ici-bas l'homme embaumât tes pieds,
Et jamais on n'a vu que ta bonté suprême
Ait dédaigné les vœux des cœurs humiliés.

C'est l'asile assuré contre la fière audace
Dont nos vieux ennemis osent nous assaillir;
Par là de tout l'impur la souillure s'efface,
Par là nous dépouillons tout ce qui fait faillir.

53. QUE LA GRACE DE DIEU
EST INCOMPATIBLE AVEC LE GOUT
DES CHOSES TERRESTRES.

Corps ou sujet de l'emblème : *Saint Jean-Baptiste dans le désert.* Ame ou sentence : *A notis et a caris oportet elongari.* (Str. 4.)

Ma Grâce est précieuse, et l'impur alliage
Des attraits du dehors et des plaisirs mondains,
Ces douceurs dont la terre empoisonne un courage,
Sont l'éternel objet de ses justes dédains;
Elle n'en souffre point l'injurieux mélange,
Et depuis qu'avec elle on pense les unir,
Elle prend aussitôt le change,
Et leur cède le cœur qui les veut retenir.

Défais-toi donc, mon fils, de tout le corruptible,
Bannis bien loin de toi tout cet empêchement,
Si tu veux que ton cœur demeure susceptible
De ce qu'a de plus doux son plein épanchement :
Plongé dans la retraite, et seul avec toi-même,
Fais-en ton seul plaisir et ton unique bien,
Adore son auteur suprême,
Et fuis l'amusement de tout autre entretien.

Redouble à tous moments l'ardeur de ta prière,
Afin que je te donne un esprit recueilli,
Une pureté d'âme inviolable, entière,
Un tendre et long regret d'avoir longtemps failli :
Ne compte à rien le monde, et quand cet infidèle
Par quelques hauts exploits émeut ta vanité,
Préfère ceux où je t'appelle
A tout l'extérieur dont tu te vois flatté.

Tu ne peux contempler mes augustes mystères,
M'offrir une âme pure et des vœux innocents,
Et laisser tout ensemble aux douceurs passagères
Ce dangereux aveu de chatouiller tes sens.
Il faut qu'un saint exil par un pieux divorce
De tes plus chers amis sache te retrancher,
Et rejette toute l'amorce
Des satisfactions qui viennent de la chair.

Ainsi Pierre autrefois, ce prince des apôtres,
Savait en éviter le piège décevant,
Et pour à son exemple attirer tous les autres,
Il les priait lui-même, et leur disait souvent :
« Contenez vos désirs, et marchez sur la terre
Comme si vous étiez en pays étranger;
Ce sont eux qui vous font la guerre,
Et leur plus doux appas fait le plus grand danger. »

O que l'homme à la mort porte de confiance
Quand il n'a dans le monde aucun attachement,
Qu'il s'est dépris de tout, et que sa conscience
A su se faire un fort de ce retranchement!
Mais il n'est pas aisé, ni que l'esprit malade
Rompe ainsi tous les fers dont il est arrêté,
Ni que la chair se persuade
Quels biens a de l'esprit l'entière liberté.

Il le faut toutefois, du moins si tu veux vivre
Ainsi qu'un vrai dévot, avec ordre, avec soin,
Il te faut affranchir des assauts que te livre
Tout ce qui te regarde ou de près ou de loin :
Il est besoin surtout de vigilance extrême,
D'un cœur bien résolu, d'un courage affermi,
Et de te garder de toi-même
Comme de ton plus grand et plus fier ennemi.

Tout le reste aisément avoûra sa défaite,
Si tu sais de toi-même une fois triompher :
Le combat est fini, la victoire est parfaite,
Quand l'amour-propre fuit, ou se laisse étouffer.
Qui se dompte à ce point qu'il tient partout soumise
Sa chair à sa raison, et sa raison à moi,
Ne craint plus aucune surprise,
Et demeure le maître et du monde et de soi.

Oui, quand l'homme en est là, la bataille est gagnée,
Mais pour y parvenir il faut bien commencer,
Avec force et courage empoigner la cognée,
Et jusqu'en la racine à grands coups l'enfoncer.
C'est ainsi qu'on détruit, c'est ainsi qu'on arrache
L'amour désordonné qu'on se porte en secret,
Et c'est ainsi qu'on se détache
Et de l'intérêt propre, et de tout faux attrait.

De ce vice commun, de cet amour trop tendre
Où par sa propre main on se laisse enchaîner,
Coulent tous les désirs dont il se faut défendre,
S'élèvent tous les maux qu'il faut déraciner.
De là descend le trouble, et de là prend naissance
Tout cet égarement qui brouille tes souhaits,
Et qui peut briser sa puissance
S'assure en même temps une profonde paix.

Mais il en est fort peu dont la vertu sublime
Réduise tous leurs soins à bien mourir en eux,
A bien anéantir toute la propre estime,
Et du propre regard purifier leurs vœux :
Ce charmant embarras les retient, les rappelle
Enveloppés en eux, ils n'en peuvent sortir,
Et leur âme toute charnelle
A prendre un vol plus haut ne saurait consentir.

Quiconque cependant veut marcher dans ma voie
Et suivre en liberté la trace de mes pas,
Doit de tous ces désirs que l'amour-propre envoie
Sous de saintes rigueurs ensevelir l'appas,
Combattre dans son cœur et vaincre la nature,
Ne lui rien accorder qu'elle ait trop désiré,

Et pour aucune créature
N'avoir aucun amour qui ne soit épuré.

54. DES DIVERS MOUVEMENTS
DE LA NATURE ET DE LA GRACE.

Corps ou sujet de l'emblème : *Saint François revêt ses compagnons d'habits vieux et rapetassés.* Ame ou sentence : *Gratia vetustis non refugit indui pannis.* (Str. 10.)

Considère, mon fils, en tout ce qui se passe,
   De la nature et de la Grâce
Les mouvements subtils l'un à l'autre opposés;
Leurs images souvent en lieu même épandues,
   L'une dans l'autre confondues,
Ont des traits si pareils et si peu divisés,
Que les plus grands dévots, après s'être épuisés
   En des recherches assidues,
A peine, quelque soin qu'ils s'en puissent donner,
Ont des yeux assez vifs pour les bien discerner.

Chacun se porte au bien, et le désir avide
   Jamais n'embrasse d'autre objet,
Mais il en est de faux ainsi que de solide;
Et comme l'apparence attire le projet,
La fausse avec tant d'art quelquefois y préside,
Que l'un passe pour l'autre, et les yeux les meilleurs
   Se trompent aux mêmes couleurs.

C'est ainsi que souvent à force d'artifices
   La nature enchaîne et déçoit,
Se considère seule aux vœux qu'elle conçoit,
Et se prend pour seul but en toutes ses délices :
Mais la Grâce chemine avec simplicité,
Ne peut souffrir du mal l'ombre ni l'apparence,
Ne tend jamais de piége à la crédulité,
   Voit toujours Dieu par préférence,
Ne fait rien que pour lui, le prend pour seule fin,
Et met tout son repos en cet Être divin.

S'il faut mourir en soi, se vaincre, se soumettre,
Se laisser opprimer, se voir assujettir,
La nature jamais ne peut y consentir,
   Jamais n'ose se le permettre :
Mais la Grâce prend peine à se mortifier,
Sous le vouloir d'autrui cherche à s'humilier,
A se dompter partout met toute son étude;
   Et de la sensualité
Le joug si doux pour l'autre est pour elle si rude,
Qu'à lui seul elle oppose un esprit révolté.

   Pour en mieux briser l'esclavage,
La propre liberté, chez elle hors d'usage
   N'a rien qu'elle daigne garder;
Elle aime à se tenir dessous la discipline,
Jamais avec plaisir sur aucun ne domine,
   Jamais n'aspire à commander.
Être et vivre sous Dieu, s'attacher en captive

A l'ordre aimable de ses lois,
Et se ranger pour lui sous le moindre qui vive,
C'est de tous ses désirs l'inébranlable choix.

   Regarde comme la nature
   S'empresse avec activité
A la moindre couleur, à la moindre ouverture
Que fait son intérêt ou sa commodité.
Dans son plus beau travail tout ce qu'elle examine,
C'est combien sur un autre un tel emploi butine;
L'estime s'en mesure à ce qu'il rend de fruit :
La Grâce cherche aussi l'utile et le commode,
   Mais la sainte ardeur qu'elle suit,
   Par une contraire méthode,
Sans se considérer, embrasse à cœur ouvert
Ce qui sert à plusieurs, et non ce qui lui sert.
L'une aime les honneurs où le monde l'appelle,
Les reçoit avec joie, et court même au-devant :
L'autre m'en fait toujours un hommage fidèle,
Et sur ceux qu'on lui rend son zèle s'élevant
Me les réfère tous, sans en vouloir pour elle.

L'une craint les mépris et la confusion;
   L'autre en bénit l'occasion,
   Et d'une allégresse infinie
Au nom de Jésus-Christ souffre l'ignominie.

La molle oisiveté, le repos nonchalant,
Pour la nature ont de douces amorces :
Mais la Grâce au contraire est d'un esprit bouillant
Qui veut faire sans cesse un essai de ses forces;
   Sa vie est toute d'action,
Et ne peut subsister sans occupation.

   Les nouveautés plaisent à la nature;
Elle aime l'ajusté, le beau, le précieux,
Le vil et le grossier sont l'horreur de ses yeux,
L'en vouloir revêtir c'est lui faire une injure :
La Grâce aime l'habit simple et sans ornement,
   Elle n'affecte point la mode,
Le plus vieux drap n'a rien qui lui semble incommode,
Et le plus mal poli lui plaît également.

La nature a le cœur aux choses de la terre
   Dont le vain éclat l'éblouit,
   Et si le gain l'épanouit,
   La perte aussitôt le resserre;
Il chancelle, il s'abat sous le moindre revers,
Et s'aigrit fortement pour un mot de travers.

   Comme la Grâce est éloignée
   De cet indigne attachement
Les seuls biens éternels attirent pleinement
   L'œil d'une âme qu'elle a gagnée :
   Elle tient pour indifférents
Et la perte et le gain de ces biens apparents,
Contre elle sans effet l'opprobre se déploie,
Rien ne la peut troubler, rien ne la peut aigrir,
Et, ne mettant qu'au Ciel ses trésors et sa joie,
Elle ne peut rien perdre où rien ne peut périr.

La nature est cupide autant qu'elle est avare,
　　Et sa brûlante soif d'avoir
　　La rend plus prompte à recevoir
Qu'à faire part de ce qu'elle a de rare :
Tout ce qu'elle possède émeut le propre amour,
　　Et la possédant à son tour,
A l'usage privé par cet amour s'applique :
La Grâce est libérale, et contente de peu,
Ne veut point de trésors qu'elle ne communique,
Et du propre intérêt fait un tel désaveu,
Qu'elle trouve à donner plus de béatitude
Qu'à recevoir d'autrui la juste gratitude.

　　　Emprunte, emprunte mes clartés
　　　Pour voir où penche la nature,
　　Comme elle incline aux vanités,
　　A la chair, à la créature,
　　Comme elle se plaît à courir
　Et pour voir et pour discourir,
Cependant que vers Dieu la Grâce attire une âme,
　　Et que sur le vice abattu
Elle aplanit aux cœurs qu'un saint désir enflamme
　　L'heureux sentier de la vertu.

　　　Elle fait bien plus, cette Grâce,
　Elle renonce au monde, et son feu généreux
　　　Devient une invincible glace.
Pour tout ce que la terre a d'attraits dangereux.
Tout ce qu'aime la chair est l'objet de sa haine,
Et bien loin de courir vagabonde, incertaine,
　　Au gré de quelque folle ardeur,
La retraite a pour elle une si douce chaîne,
Que paraître en public fait rougir sa pudeur.

Leurs consolations sont même si diverses,
Que l'une les arrête à ce qu'aiment les sens,
　L'autre, qui les tient impuissants,
Ne regarde que Dieu dans toutes ses traverses,
N'a recours qu'à lui seul, et ne se plaît à rien
　　Qu'en l'unique et souverain bien.

　　　Retrancher l'espoir du salaire,
C'est rendre la nature à son oisiveté,
Et détourner ses yeux de sa commodité,
C'est la mettre en état de ne pouvoir rien faire.
Elle ne prête point les soins officieux
Sans prétendre aussitôt ou la pareille ou mieux;
Quelques dons qu'elle fasse, elle veut qu'on les prise,
Que ses moindres bienfaits soient tenus de grand poids,
Qu'elle en ait la louange ou qu'on l'en favorise.
Et qu'un faible service acquière de pleins droits.

　　　O que la Grâce est différente!
Qu'elle fait du salaire un généreux mépris!
　　Son Dieu seul est le digne prix
　　Qui puisse remplir son attente.
　　Comme l'humaine infirmité
Fait des biens temporels une nécessité,
C'est pour ce besoin seul qu'elle en souffre l'usage,
　　Et ne consent d'en obtenir

　　　Que pour mieux se faire un passage
　　A ceux qui ne sauraient finir.

Si le nombre d'amis, si la haute alliance,
　　Si le vieil amas des trésors,
Si le rang que tu tiens, si le lieu dont tu sors,
De quelque vaine gloire enflent ta confiance;
　　Si tu fais ta cour aux puissants,
　　Si les riches ont tes encens,
　　　Par une molle flatterie
Si tu vantes partout ce que font tes pareils;
Tu ne suis que le cours de cette afféterie
Qu'inspire la nature à qui croit ses conseils.

　　　La Grâce agit d'une autre sorte,
　　Elle chérit ses ennemis,
　　Et la foule épaisse d'amis
　　Jamais hors d'elle ne l'emporte :
Quoiqu'elle fasse état des qualités, du rang,
　　De l'illustre et haute naissance,
Elle n'en prise point l'éclat ni la puissance,
Si la haute vertu ne passe encor le sang.

Le pauvre en sa faveur la trouve plus flexible
　　Que ne fait le riche orgueilleux,
Avec l'humble innocence elle est plus compatible
　　Qu'avec le pouvoir sourcilleux :
Ses applaudissements sont pour les cœurs sincères
　　Non pour ces bouches mensongères
　　Que la seule fourbe remplit :
Elle exhorte les bons à ces œuvres parfaites,
Ces hautes charités publiques et secrètes,
Par qui du Fils de Dieu l'image s'accomplit;
Et sa pieuse adresse aux vertus les avance
Par l'émulation de cette ressemblance.

La nature jamais ne veut manquer de rien,
Jamais du moindre mal n'aime à souffrir l'atteinte,
Tout ce qu'elle n'a pas, faute d'un peu de bien,
　　Lui donne un grand sujet de plainte :
La Grâce n'en vient point à cette lâcheté,
Et porte constamment toute la pauvreté.

La nature sur soi fixe toute sa vue,
Y jette tout l'effort de ses réflexions,
Et n'a point de combats ni d'agitations
Où par l'intérêt propre elle ne soit émue :
　　La Grâce a d'autres mouvements,
　　Dont les sacrés épurements
Rapportent tout à Dieu comme à leur origine;
Elle ne s'attribue aucun bien qu'elle ait fait,
Et toute sa vertu jamais ne s'imagine
Que son plus grand mérite ait rien que d'imparfait.

　　　Elle n'est point contentieuse,
　　Et ne donne point ses avis
　　D'une manière impérieuse
　　Qui demande à les voir suivis;
Jamais à ceux d'un autre elle ne les préfère;
Et de quoi qu'elle juge ou qu'elle délibère,

A l'examen divin elle soumet le tout,
    Et fait la Sagesse éternelle
Arbitre souveraine et de ce qu'on croit d'elle,
    Et de tout ce qu'elle résout.

L'âpre démangeaison d'entendre des nouvelles,
    Ou de pénétrer un secret,
    Pour la nature a tant d'attrait,
Qu'elle prête l'oreille à mille bagatelles :
L'ambitieuse soif de paraître au dehors
    Lui fait consumer mille efforts
A lasser de ses sens la vaine expérience;
Et l'éclat d'un grand nom lui semble un tel bonheur,
Qu'il la force à courir avec impatience
Où brille quelque espoir de louange et d'honneur.

La Grâce n'a jamais cette humeur curieuse
    Qui court après les raretés,
    Jamais les folles nouveautés
N'allument dans son sein d'amour capricieuse :
Toutes naissent aussi de ces corruptions
Que du cercle des temps les révolutions
Sous de nouveaux dehors rendent à la nature;
Et jamais sur la terre on n'a lieu d'espérer
Du retour déguisé de cette pourriture
Aucun effet nouveau, ni qui puisse durer.

Elle enseigne à ranger tes sens sous ta puissance,
    A bannir de tes actions
    L'orgueil des ostentations,
    Et le fard de la complaisance :
Elle enseigne à cacher dessous l'humilité
Ce que de tes vertus l'effort a mérité,
    Quand même il est tout admirable;
    En toute science, en tout art,
Elle cherche quel fruit en peut être estimable,
Et combien de son Dieu la gloire y tient de part.

Elle ne veut jamais ni qu'on la considère,
Ni qu'on daigne priser quoi qu'elle puisse faire,
Mais que dans tous ses dons ce Dieu seul soit béni,
Ce Dieu qui les fait tous de sa pure largesse,
    Et se plaît à livrer sans cesse
Aux prodigalités d'un amour infini
L'inépuisable fonds de toute sa richesse.

Pour t'exprimer enfin ce que la Grâce vaut,
C'est un don spécial du souverain Monarque,
Un trait surnaturel des lumières d'en haut,
Le grand sceau des élus et leur céleste marque,
Du salut éternel le gage précieux,
L'arrhe du Paradis, et l'avant-goût des Cieux.

C'est par elle que l'homme, arraché de la terre,
Pousse jusqu'à leur voûte un feu continuel,
De charnel qu'il était devient spirituel,
Et se fait à soi-même une implacable guerre.
Plus tu vaincs la nature et l'oses maltraiter,
Plus cette Grâce abonde, et sème des mérites,
Que moi-même honorant de mes douces visites

Je fais de jour en jour d'autant plus haut monter;
Et ma main, d'autant mieux réparant mon ouvrage,
Dans ton intérieur rétablit mon image.

55. DE LA CORRUPTION DE LA NATURE, ET DE L'EFFICACE DE LA GRACE.

Corps ou sujet de l'emblème : *Sainte Elisabeth* [73], *reine de Hongrie, pardonne aux meurtriers de son père.* Ame ou sentence : *Opus est magna gratia ut vincatur natura.* (Str. 3.)

Seigneur, à ton image il t'a plu me former :
Ton souffle dans mon âme a daigné l'imprimer
    Par un amoureux caractère;
Mais ce n'est pas assez; il faut, il faut encor
    Cette Grâce, ce grand trésor,
Que tu viens de montrer m'être si nécessaire :
Je ne puis autrement vaincre l'orgueil caché
    De ma nature pervertie,
Qui faisant triompher la plus faible partie,
Me précipite au mal et m'entraîne au péché.

Malgré moi j'y succombe, et j'en sens malgré moi
Régner sur tout mon cœur l'impérieuse loi,
    Aux lois de l'esprit opposée;
Esclave qu'il en est, il l'aide à me trahir
    Jusqu'à me forcer d'obéir
Aux sensualités de la chair abusée :
Je n'en saurais dompter les folles passions
    Sans l'assistance de ta Grâce,
Et si tu ne répands son ardente efficace
Sur la malignité de leurs impressions.

Oui, Seigneur, il faut Grâce, il en faut grand secours,
Il en faut grand effort qui croisse tous les jours,
    Pour assujettir la nature :
Elle qui du moment qu'elle peut respirer,
    Sans aucun soin de s'épurer,
Penche vers la révolte et glisse vers l'ordure.
Le péché fit sa chute et sa corruption,
    Et depuis le premier des hommes
Cette tache a passé dans tous tant que nous sommes
Avec tous les malheurs de sa punition.

Ce chef-d'œuvre si beau qui sortit de tes mains
Paré des ornements si brillants et si saints
    De la justice originelle,
En a si bien perdu l'éclat et les vertus.
    Que son nom même ne sert plus
Qu'à nommer la nature infirme et criminelle.

73. Elle épousa le landgrave de Thuringe, faisait la charité en cachette de son mari, soignait les lépreux et mourut à la Wartburg de Marbourg en 1231, à vingt-quatre ans. Canonisée dès 1235, elle fut le thème de chansons populaires et au XVIe siècle de pièces jésuites, ainsi que sa presque contemporaine Élisabeth de Portugal (1271-1336).

Ce qui lui reste encor de propre mouvement
　　N'est qu'un triste amas de faiblesses,
Qui n'ayant pour objet que d'infâmes bassesses,
Ne fait que l'abîmer dans son dérèglement.

Malgré tout ce désordre et sa morne langueur,
Il lui demeure encor quelque peu de vigueur,
　　Mais qui ne la saurait défendre :
Ce n'est du premier feu qu'un rayon égaré,
Une pointe mourante, un trait défiguré,
　　Une étincelle sous la cendre;
C'est enfin cette faible et tremblante raison,
Qu'enveloppe un épais nuage,
Qui mêle tant de trouble à son plus clair usage,
Que souvent son remède est un nouveau poison.

Elle peut discerner aux dehors inégaux
Le bien d'avec le mal, le vrai d'avec le faux,
　　Ce qu'elle doit aimer ou craindre;
Elle a pour en juger quelquefois de bons yeux,
Mais pour mettre en effet ce qu'elle a vu le mieux
　　Ses forces n'y sauraient atteindre,
Et ne la font jouir ni des pleines clartés
　　Que la vérité pure inspire,
Ni d'un ordre bien sain dans ce qu'elle désire,
Ni d'un droit absolu dessus nos volontés.

De là vient, ô mon Dieu, qu'en tout ce que je fais
L'esprit me porte en haut, et fait que je me plais
　　En la loi que tu m'as prescrite;
Je sais que ton précepte est bon, et juste, et saint,
Je sais qu'il montre à fuir le vice qui l'enfreint,
　　Et le mal qu'il faut que j'évite :
Mais une loi contraire où m'asservit la chair,
　　Forte de ma propre impuissance,
Me contraint d'obéir à sa concupiscence
Plutôt qu'à la raison qui m'en veut détacher.

Ainsi je vois souvent tomber à mes côtés
Les efforts languissants des bonnes volontés
　　Qu'à l'effet je ne puis conduire;
Ainsi pour la vertu contre les vains plaisirs
J'ai force bons propos, j'ai force bons désirs,
　　Mais qui ne peuvent rien produire.
La Grâce n'aidant pas d'un secours assez plein
　　Ma faiblesse et mon inconstance,
Ce qui jette au-devant la moindre résistance
Me fait perdre courage et changer de dessein.

Vacillante clarté qui manques de pouvoir,
Raison, pourquoi faut-il que tu me fasses voir
　　La droite manière de vivre ?
Pourquoi m'enseignes-tu le chemin des parfaits ?
Si de soi ton idée, impuissante aux effets,
　　Ne peut fournir d'aide à la suivre,
Si cet infâme poids de ma corruption
　　Rabat l'effort dont tu m'élèves,
Et si ces grands projets que jamais tu n'achèves
Ne peuvent me tirer de l'imperfection ?

Sainte Grâce du ciel, sans qui je ne puis rien,
Que tu m'es nécessaire à commencer le bien,
　　A le poursuivre, à le parfaire !
Oui, Seigneur, oui, mon Dieu, je pourrai tout en toi,
Pourvu qu'elle m'assiste à régler mon emploi,
　　Pourvu que son rayon m'éclaire.
Il n'est point de mérite où la Grâce n'est pas,
　　Et tous les dons de la nature,
S'ils n'en ont point l'appui, ne sont qu'une imposture
Dont l'œil bien éclairé ne peut faire de cas.

La richesse, les arts, la force, la beauté,
L'éloquence et l'esprit, devant ta Majesté
　　Ne sont d'aucun poids sans la Grâce :
La nature est aveugle à répartir ses dons,
Elle en est libérale aux méchants comme aux bons,
　　Et n'y mêle rien qui ne passe :
Mais la dilection que ta grâce produit
　　Est la marque du vrai fidèle,
Qu'on ne porte jamais sans devenir par elle
Digne de ce grand jour qui n'aura point de nuit.

La Grâce donne à tout le rang qu'il doit tenir :
Sans elle, ce n'est rien de prévoir l'avenir
　　Et d'en prononcer les oracles;
Sans elle, c'est en vain qu'on perce jusqu'aux cieux,
Qu'on rend l'oreille aux sourds, aux aveugles les yeux,
　　Ce n'est rien que tous ces miracles :
L'Espérance, la Foi, le reste des vertus,
　　Sans la Charité, sans la Grâce,
Pour hautes qu'elles soient, tombent devant ta face
Ainsi que des épis de langueur abattus.

O trésor que jamais le monde ne comprit !
O Grâce qui répands sur le pauvre d'esprit
　　Des vertus les saintes richesses,
Et rends sainte à son tour l'abondance des biens
Par cette humilité qu'en l'âme tu soutiens
　　Contre l'orgueil de nos faiblesses,
Viens dès le point du jour, descends, verse en mon cœur
　　Tes consolations divines,
De peur qu'aride et las dans ce champ plein d'épines
Il n'y demeure enfin sans force et sans vigueur !

Accorde-moi ce don, et j'accepte un refus
De quoi qu'osent chercher les sentiments confus
　　De l'infirmité naturelle.
Ta Grâce me suffit, et si je suis tenté,
Battu d'afflictions, trahi, persécuté,
　　Je ne craindrai rien avec elle :
J'y mets toute ma force, et j'en fais tout mon bien :
　　Elle secourt, elle conseille,
Il n'est sagesse aucune à la sienne pareille,
Ni pouvoir ennemi qui soit égal au sien.

C'est elle qui du cœur est la vive clarté,
Elle qui nous instruit et de la vérité
　　Et de l'heureuse discipline;
C'est elle qui soutient parmi l'oppression,
C'est elle qui nourrit dans la dévotion,

Et bannit tout ce qui chagrine :
Elle ne souffre en l'âme aucun indigne effroi,
    Elle en dissipe les alarmes,
Et donne au saint amour des soupirs et des larmes
Qu'elle-même prend soin d'élever jusqu'à toi.

Sans elle je ne suis qu'un arbre infortuné,
Une souche inutile, un tronc déraciné,
    Qui n'est bon qu'à jeter aux flammes.
O grand Dieu, dont la main nous prête un tel secours,
Fais-moi donc prévenir, fais-moi suivre toujours
    Par cette lumière des âmes :
Fais qu'elle m'affermisse aux bonnes actions,
    Père éternel, je t'en conjure
Par ton fils Jésus-Christ, par cette source pure
D'où part le doux torrent de ses impressions!

56. QUE NOUS DEVONS RENONCER A NOUS-MÊMES, ET IMITER JÉSUS-CHRIST EN PORTANT NOTRE CROIX.

Corps ou sujet de l'emblème : *Simon le Cyrénéen aide Jésus-Christ à porter sa croix.* Ame ou sentence : *Si vis regnare mecum, porta crucem mecum.* (Str. 5.)

Autant que tu pourras t'écarter de toi-même,
Autant passeras-tu dans mon être suprême.
Comme l'âme au dedans enracine la paix
Quand pour tout le dehors elle éteint ses souhaits,
Ainsi, lorsqu'au dedans elle-même se quitte,
Elle s'unit à moi par un si haut mérite.
Je te veux donc apprendre à te bien détacher,
Sans plus te revêtir, sans plus te rechercher,
T'instruire à te soumettre à ma volonté pure,
Sans contradiction, sans bruit et sans murmure.
    Suis-moi, je suis et vie, et voie, et vérité,
On ne va point sans voie au terme projeté,
On ne vit point sans vie; on ne peut rien connaître
Si de la vérité le jour ne vient paraître.
    C'est moi qui suis la vie où tu dois aspirer,
La vérité suprême où tu dois t'assurer,
La voie à suivre en tout, mais voie inviolable.
Vérité hors de doute, et vie interminable.
    Je suis la droite voie, et dont le juste cours
Pour arriver au ciel ne souffre aucuns détours;
Je suis la vérité souveraine et sacrée;
Je suis la vie enfin vraie, heureuse, incréée.
Si tu prends bien ma voie, et marches sans gauchir,
La vérité saura pleinement t'affranchir,
Tu la verras entière, et sa clarté fidèle
Te servira de guide à la vie éternelle.
    Pour la connaître bien, écoute et crois ma voix,
Pour entrer à la vie, aime et garde mes lois;
Pour te rendre parfait, vends tout, et te détache,
Quiconque est mon disciple à soi-même s'arrache,
De la présente vie il fait un saint mépris :
Si tu prétends à l'autre, on ne l'a qu'à ce prix.
Tu dois à tous tes sens faire une rude guerre,

Pour être grand au ciel t'humilier en terre,
Pour régner avec moi te charger de ma Croix;
Ma couronne est acquise à qui soutient son poids,
Et c'est l'aimable joug de cette servitude
Qui seul ouvre la voie à la béatitude.

Seigneur, puisqu'il t'a plu de choisir ici-bas
Les rigueurs d'une vie étroite et méprisée,
Fais qu'aux mêmes rigueurs ma constance exposée
Par le mépris du monde avance sur tes pas.
J'aurais mauvaise grâce à ne vouloir pas être
    Au même rang que mon Auteur;
Le disciple n'est pas au-dessus du docteur,
    Ni l'esclave au-dessus du maître.

Fais que ton serviteur s'exerce à t'imiter,
Fais qu'à suivre ta vie à toute heure il s'essaie;
En elle est mon salut, et la sainteté vraie,
C'est par là seulement qu'on te peut mériter :
Quoi que je lise ailleurs, quoi que je puisse entendre,
    Je n'en puis être satisfait,
Et je n'y trouve rien de ce plaisir parfait
    Que d'elle seule on doit attendre.

Puisque tu sais, mon fils, toutes ces vérités,
Que ta sainte lecture a toutes ces clartés,
Tu seras bienheureux, si tu fais sans réserve
Ce que tu vois assez que je veux qu'on observe.
Celui qui, bien instruit par ces enseignements,
Garde un profond respect pour mes commandements,
C'est celui-là qui m'aime, et comme je sais rendre
A qui me sait aimer plus qu'il n'ose prétendre,
Je l'aime, et l'aimerai jusqu'à lui faire voir
Ma gloire en cet éclat qu'on ne peut concevoir,
L'en couronner moi-même, et pour digne salaire
L'asseoir à mes côtés au trône de mon Père.

Seigneur, dont la bonté ne s'épuise jamais,
Et qui dans tous nos maux toi-même nous consoles,
Puissé-je voir l'effet de tes saintes paroles,
Puissé-je mériter ce que tu me promets!
J'ai reçu de ta main le fardeau salutaire
    De cette aimable et sainte Croix,
Et je la porterai jusqu'aux derniers abois
    Telle que tu la voudras faire.

La Croix est en effet du bon religieux
La véritable vie, et le chemin solide,
La lumière assurée, et l'infaillible guide
Qui le mène à la gloire et l'introduit aux cieux :
Quand on a commencé d'en suivre la bannière
    Il ne faut plus en désister,
Et l'on devient infâme à la vouloir quitter,
    Ou faire deux pas en arrière.

Mes frères, marchons donc sous cet heureux drapeau,
Marchons d'un même pas, Jésus sera des nôtres :
Pour lui nous l'avons pris, ainsi que ses apôtres;
Nous le devons pour lui suivre jusqu'au tombeau.
Le plus âpre sentier ne peut donner de peine,

Puisqu'il nous est frayé par lui :
Il marche devant nous, et sera notre appui,
    Comme il est notre capitaine.

Pourrions-nous reculer en voyant notre Roi
Les armes à la main, commencer la conquête ?
Il combattra pour nous, il est à notre tête,
Suivons avec ardeur, n'ayons aucun effroi.
Soyons prêts de mourir dans ce champ de victoire
    Que lui-même a teint de son sang;
La retraite est un crime, et qui sort de son rang
    Souille et trahit toute sa gloire.

57. QUE L'HOMME NE DOIT PAS PERDRE COURAGE QUAND IL TOMBE EN QUELQUES DÉFAUTS.

Corps ou sujet de l'emblème : *Les apôtres fuient chacun de leur côté, quand Jésus-Christ fut pris au jardin des Olives.* Ame ou sentence : *Satis virilis es, quamdiu nihil obviat adversi.* (Str. 1.)

Mon fils, je me plais mieux à l'humble patience
    Parmi les tribulations,
Qu'au zèle affectueux de ces dévotions
Dont la prospérité nourrit la confiance.
Pourquoi donc t'émeus-tu pour un faible revers ?
Pourquoi t'affliges-tu pour un mot de travers ?
Un reproche léger n'est pas un grand outrage;
Quand même jusqu'au cœur il t'aurait pu blesser,
Il ne te devrait pas ébranler le courage;
Va, fais la sourde oreille, et laisse-le passer.

Ce n'est pas le premier dont tu sentes l'atteinte,
    Il n'a pour toi rien de nouveau,
Et si tu peux longtemps reculer du tombeau,
Ce n'est pas le dernier dont tu feras ta plainte.
Tu n'es que trop constant hors de l'adversité,
Tu secours même un autre avec facilité,
Ta pitié le conseille, et ta voix le conforte,
Tu sais à tous ses maux mettre un prompt appareil;
Mais quand l'affliction vient frapper à ta porte,
Tu n'as plus aussitôt ni force ni conseil.

Par là tu peux juger l'excès de ta faiblesse,
    Que mille épreuves te font voir,
Puisque le moindre obstacle a de quoi t'émouvoir,
Et que le moindre mal t'accable de tristesse.
Je sais qu'il t'est fâcheux de te voir mépriser;
Tel qui te foule aux pieds te devrait courtiser,
Tel devrait t'obéir qui sous lui te captive :
Mais souviens-toi qu'enfin tout est pour ton salut,
Que ce qui te déplaît par mon ordre t'arrive,
Et que ton bonheur propre en est l'unique but.

Je ne demande point que tu sois insensible,
    Mais tâche à bien régler ton cœur,
Tâche à bien soutenir ce qu'il a de vigueur,

Et si tu ne peux tout, fais du moins ton possible.
A chaque déplaisir tiens-toi ferme en ce point
Que s'il te peut toucher il ne t'abatte point,
Que jamais son aigreur longtemps ne t'embarrasse :
Souffre avec allégresse, ou si c'est trop pour toi,
Souffre avec patience, et conserve une place
A recevoir sans bruit tout ce qui vient de moi.

Que si tu ne saurais sans trop de répugnance
    Endurer tant d'oppression,
Si tu ne peux ouïr sans indignation
Ce que la calomnie à ton opprobre avance,
Rends-toi maître du moins de tous ces mouvements,
Réprime la chaleur de leurs soulèvements,
De crainte qu'à les voir quelqu'un ne s'effarouche,
Et de quelque façon que tu sois méprisé,
Prends garde qu'un seul mot ne sorte de ta bouche
Dont puisse un esprit faible être scandalisé.

La tempête, bientôt cédant à la bonace,
    N'aura plus ces éclats ardents,
Et toute la douleur qu'elle excite au dedans
Perdra son amertume au retour de ma Grâce.
Je suis le Dieu vivant encor prêt à t'aider,
Prêt à venger ta honte, et prêt à t'accorder
Des consolations l'abondante lumière;
Mais pour en obtenir les nouvelles faveurs
Il faut remettre en moi ta confiance entière,
Et prendre à m'invoquer de nouvelles ferveurs.

Montre-toi plus égal durant ce peu d'orage,
    Fais ton effort pour le braver,
Et, quelques grands malheurs qui puissent t'arriver,
Prépare encor ton âme à souffrir davantage.
Pour te sentir pressé des tribulations,
Pour te voir chanceler sous les tentations,
Ne crois pas tout perdu, n'y trouve rien d'étrange :
Tu n'es qu'homme, et non Dieu, mais homme tout de
                                                    [chair,
Mais chair toute fragile, et non pas tel qu'un ange,
Que de l'abus des sens il m'a plu détacher.

Les anges même au ciel, le premier homme en terre,
    Où je lui fis un paradis,
Conservèrent si peu l'état où je les mis
Qu'ils devinrent bientôt dignes de mon tonnerre.
Ne prétends non plus qu'eux conserver ta vertu
Sans te voir ébranlé, sans te voir combattu;
Mais en ce triste état offre-moi ta faiblesse :
J'élève qui gémit avec humilité,
Et plus l'homme à mes yeux reconnaît sa bassesse,
Plus je le fais monter vers ma Divinité.

Béni sois-tu, Seigneur, dont la sainte parole
    Me fortifie et me console;
Il n'est rien ailleurs de si doux :
Que ferais-je, ô Dieu, parmi tant de misères,
    Parmi tant d'angoisses amères,
Si tu ne m'enseignais à rabattre leurs coups ?

Pourvu qu'heureusement j'achève ma carrière
   Pourvu que ta sainte lumière
   Me conduise au port de salut,
Que m'importe combien je souffre de traverses,
   Et combien de peines diverses
Me font du monde entier le glorieux rebut?

Fais qu'une bonne fin de ces maux me dégage,
   Donne-moi cet heureux passage
   De ce monde à l'Éternité;
Aplanis-moi la route à monter dans ta gloire,
   Et ne perds jamais la mémoire
Du besoin qu'a de toi mon imbécillité.

58. QU'IL NE FAUT POINT VOULOIR PÉNÉTRER LES HAUTS MYSTÈRES, NI EXAMINER LES SECRETS JUGEMENTS DE DIEU.

Corps ou sujet de l'emblème : La mort du mauvais riche. Ame ou sentence : Vae divitibus qui habent hic consolationes! (Str. 25.)

N'abuse point, mon fils, de tes faibles lumières
Jusqu'à vouloir percer les plus hautes matières,
Jusqu'à vouloir entrer dans les profonds secrets
De l'inégal dehors de mes justes décrets.
Ne cherche point à voir quelle raison pressante
Fait que ma Grâce agit, ou paraît impuissante,
Est avare ou prodigue, abandonne ou soutient;
N'examine jamais d'où ce partage vient,
Ni pourquoi l'un ainsi languit dans la misère,
Et que l'autre est si haut au-dessus du vulgaire,
Il n'est raisonnement, il n'est effort humain
Qui puisse pénétrer mon ordre souverain,
Ni s'éclaircir au vrai par la longue dispute
D'où vient que je caresse, ou que je persécute.
   Quand le vieil Ennemi fait ces suggestions,
Qu'un esprit curieux émeut ces questions,
Au lieu de perdre temps à leur vouloir répondre,
Lève les yeux au ciel, et dis pour les confondre :
« Seigneur, vous êtes juste en tous vos jugements,
La vérité préside à vos discernements,
Et l'équité qui règne en vos ordres suprêmes
Les rend toujours en eux justifiés d'eux-mêmes :
Qu'il leur plaise abaisser, qu'il leur plaise agrandir,
On doit trembler sous eux, sans les approfondir,
Et jamais sans folie on ne peut l'entreprendre,
Puisque l'esprit humain ne les saurait comprendre. »
   Ne t'informe non plus qui des saints m'est aux Cieux
Le plus considérable, ou le moins précieux,
Et ne conteste point sur la prééminence
Que de leur sainteté mérite l'excellence.
Ces curiosités sont autant d'attentats,
Qui ne font qu'exciter d'inutiles débats,
Enfler les cœurs d'orgueil, brouiller les fantaisies,
Jusqu'aux dissensions pousser les jalousies,
Lorsque de part et d'autre un cœur passionné
A préférer son saint porte un zèle obstiné.

Les contestations de ces recherches vaines
Ne laissent aucun fruit après beaucoup de peines,
Ce n'est que se gêner d'un frivole souci,
Et l'on déplaît aux saints quand on les loue ainsi.
Jamais avec ce feu mon esprit ne s'accorde :
Je suis le Dieu de paix, et non pas de discorde;
Et cette paix consiste en vraie humilité,
Plus qu'aux vaines douceurs d'avoir tout emporté.
Je sais qu'en bien des cœurs souvent le zèle imprime
Pour tel ou tel des saints plus d'ardeur et d'estime;
Mais cette ardeur, ce zèle, et cette estime enfin,
Partent d'un mouvement plus humain que divin.
C'est de moi seul qu'au ciel ils tiennent tous leur place;
Je leur donne la gloire, et leur donnai la Grâce,
Je connais leur mérite, et les ai prévenus
Par un épanchement de trésors inconnus,
De bénédictions, de douceurs toujours prêtes
A redoubler leur force au milieu des tempêtes.
   Je n'ai point attendu la naissance des temps
Pour chérir mes élus, et les juger constants.
De toute éternité ma claire prescience
A su se faire jour dedans leur conscience;
De toute éternité j'ai vu tout leur emploi,
Et j'ai fait choix d'eux tous, et non pas eux de moi.
   Ma Grâce les appelle à mon céleste empire,
Et ma miséricorde après moi les attire,
Ma main les a conduits par les tentations,
Je les ai remplis seul de consolations,
Je leur ai donné seul de la persévérance,
Et seul j'ai couronné leur humble patience.
   Ainsi je les connais du premier au dernier,
Ainsi j'ai pour eux tous un amour singulier,
Ainsi de ce qu'ils sont la louange m'est due,
Toute la gloire ainsi m'en doit être rendue,
Ainsi par-dessus tout doit être en eux béni,
Par-dessus tout vanté mon amour infini,
Qui, pour montrer l'excès de sa magnificence,
Les élève à ce point de gloire et de puissance,
Et sans qu'aucun mérite en aye précédé,
Les prédestine au rang que je leur ai gardé.
   Qui méprise le moindre au plus grand fait outrage,
Parce que de ma main l'un et l'autre est l'ouvrage;
On ôte à leur Auteur tout ce qu'on ôte à l'un,
On ôte à tout le reste, et l'opprobre est commun.
L'ardente charité, qui ne fait d'eux qu'une âme,
Les unit tous entre eux par des liens de flamme :
Tous n'ont qu'un sentiment et qu'une volonté,
Tous s'entr'aiment en un par cette charité.
   Je dirai davantage : ils m'aiment plus qu'eux-mêmes,
Ravis au-dessus d'eux vers mes bontés suprêmes,
Après avoir banni la propre affection,
Ils s'abîment entiers dans ma dilection,
Et de l'objet aimé possédant la présence,
Ils trouvent leur repos dans cette jouissance.
Rien d'un si digne amour ne les peut détourner,
Rien vers d'autres objets ne les peut ramener :
L'immense Vérité dont leurs âmes sont pleines
Par sa vive lumière entretient dans leurs veines
Et de la charité l'inextinguible feu,
Et de toute autre ardeur un constant désaveu.

Que ces hommes charnels, que ces âmes brutales
Qui leur osent donner des places inégales,
Ces cœurs qui n'ont pour but que des plaisirs mon-
Cessent de discourir de l'état de mes saints : [dains,
L'ardeur qu'ils ont pour eux, ou faible, ou véhémente,
Au gré de son caprice ôte, déguise, augmente,
Sans consulter jamais sur leur félicité
La voix de ma sagesse et de ma vérité.

L'ignorance en plusieurs fait ce mauvais partage
Qu'ils font entre mes saints de mon propre héritage,
Surtout en ces esprits faiblement éclairés,
Qui de leur propre amour encor mal séparés,
Ont peine à conserver dans une âme charnelle
Une dilection toute spirituelle.
Le penchant naturel de l'humaine amitié
De leur zèle imprudent fait plus de la moitié,
Comme ils n'en forment point que leurs sens n'exami-
Ce qui se passe en bas, en haut ils l'imaginent, [nent,
Et tel que sur la terre en est l'ordre et le cours,
Tel le présume au ciel leur aveugle discours.
Cependant la distance en est incomparable,
Et pour les imparfaits est si peu concevable,
Que des illuminés la spéculation
N'atteint point jusque-là sans révélation.

Garde bien donc, mon fils, par trop de confiance,
De sonder des secrets qui passent ta science,
Ne porte point si haut ton esprit curieux,
Et sans vouloir régler le rang qu'on tient aux Cieux,
Réunis seulement tes soins et ta lumière
Pour y trouver ta place, et fût-ce la dernière.
Quand tu pourrais connaître avec pleine clarté
Quels saints en mon royaume ont plus de dignité,
De quoi t'en servirait l'entière connaissance,
Si tu n'en devenais plus humble en ma présence,
Et si tu n'en prenais une plus forte ardeur
A publier ma gloire, et bénir ma grandeur ?
Vois ton peu de mérite et l'excès de tes crimes,
Et si tu peux des saints voir les vertus sublimes,
Vois combien tes défauts et ton manque de soin
De leur perfection te laissent encor loin :
Tu feras beaucoup mieux que celui qui conteste
Touchant leur préférence au royaume céleste,
Et sur l'emportement de son esprit mal sain
Du moindre et du plus grand décide en souverain.

Oui, mon fils, il vaut mieux leur rendre tes hommages,
Les yeux baignés de pleurs implorer leurs suffrages,
Mendier leur secours, leur offrir d'humbles vœux,
Que de juger ainsi de leurs secrets et d'eux.

Puisqu'ils tous au ciel de quoi se satisfaire,
Que les hommes en terre apprennent à se taire,
Et donnent une bride à la témérité
Où de leurs vains discours va l'importunité.

Les saints ont du mérite, et n'en font point de gloire,
Ils ne se donnent point l'honneur de leur victoire,
Comme de mes trésors tout leur bien est sorti,
Et que ma charité leur a tout départi,
Ils rapportent le tout au pouvoir adorable
De cette charité pour eux inépuisable.

Ils ont un tel amour pour ma Divinité,
Un tel ravissement de ma bénignité,

Que cette sainte joie en vrais plaisirs féconde,
Qui toujours les remplit, et toujours surabonde,
Par un regorgement qu'on ne peut expliquer,
Fait que rien ne leur manque, et ne leur peut manquer.

Plus ils sont élevés dans ma gloire suprême,
Plus leur esprit soumis se ravale en lui-même,
Et mon amour par là redoublant ses attraits,
Le plus humble d'entre eux m'approche de plus près.
Aussi devant l'éclat qui partout m'environne
L'Écriture t'apprend qu'ils baissent leur couronne,
Qu'ils tombent sur leur face aux pieds du saint Agneau
Qui daigna de son sang racheter le troupeau,
Et qu'ainsi prosternés ils adorent sans cesse
Du Dieu toujours vivant l'éternelle sagesse.

Plusieurs veulent savoir ce que chaque saint vaut,
Et qui d'eux tient au ciel le grade le plus haut,
Qui sont mal assurés s'ils pourront les y joindre,
Et s'ils mériteront d'être reçus au moindre.
C'est beaucoup de se voir le dernier en un lieu [Dieu,
Où tous sont grands, tous rois, tous vrais enfants de
Le moindre y vaut plus seul que mille rois en terre,
Et l'orgueil de cent ans frappé de mon tonnerre
N'a de part qu'au séjour de l'éternelle mort,
Qui du plus vieux pécheur doit terminer le sort.

Ainsi je dis moi-même autrefois aux Apôtres :
« Si vous voulez au ciel être au-dessus des autres,
Sachez qu'auparavant il faut se convertir,
Qu'il faut s'humilier, qu'il faut s'anéantir,
Se ranger aussi bas que cette faible enfance
Qui vit soumise à tous par sa propre impuissance ;
Autrement point d'accès au royaume des Cieux :
Oui, ce petit enfant qui se traîne à vos yeux
De votre humilité doit être la mesure ;
Rendez-vous ses égaux, ma gloire vous est sûre,
L'amour vous y conduit, et l'espoir, et la foi,
Mais le plus humble enfin est le plus grand chez moi. »

Voyez donc, orgueilleux, quelle est votre disgrâce !
Bien que le Ciel soit haut, la porte en est si basse,
Qu'elle en ferme l'entrée à ceux qui sont trop grands
Pour se pouvoir réduire à l'égal des enfants.

Malheur encore à vous, riches, pour qui le monde
En consolations de tous côtés abonde !
Les pauvres entreront, cependant qu'au dehors
Vos larmes et vos cris feront de vains efforts.

Humble, réjouis-toi ; pauvres, prenez courage ;
Le royaume du Ciel est votre heureux partage,
Il l'est, si toutefois dans votre humilité
Vous pouvez jusqu'au bout marcher en vérité.

59. QU'IL FAUT METTRE EN DIEU SEUL
TOUT NOTRE ESPOIR
ET TOUTE NOTRE CONFIANCE.

Corps ou sujet de l'emblème : *Mardochée monté sur la mule du Roi et mené en triomphe par son ennemi Aman* [74].
Ame ou sentence : *Omnia mihi in bonum convertis.* (Str. 10.)

74. Le sujet d'*Esther* a fait l'objet d'une vingtaine de pièces avant celle de Racine. Après les protestants, les jésuites le

Seigneur, quelle est ma confiance
Au triste séjour où je suis?
Et de quelles douceurs l'heureuse expérience
Rompt le mieux cette impatience
Où me réduisent mes ennuis?

En puis-je trouver qu'en toi-même,
Sauveur amoureux et bénin,
Dont la miséricorde en un degré suprême
Verse dans une âme qui t'aime
Des plaisirs sans nombre et sans fin?

En quels lieux hors de ta présence
M'est-il arrivé quelque bien?
Et quels maux à mon cœur font sentir leur puissance,
Sinon alors que ton absence
Me prive de ton cher soutien?

La fortune avec ses largesses
A tous les mondains fait la loi;
Mais si la pauvreté jouit de tes caresses,
Je la préfère à ces richesses
Qui séparent l'homme de toi.

Le ciel même, quelque avantage
Que sur la terre il puisse avoir,
Me verrait mieux aimer cet exil, ce passage,
Si tu m'y montrais ton visage,
Que son paradis sans te voir.

C'est le seul aspect du grand Maître
Qui fait le bon ou mauvais sort;
Tu mets le ciel partout où tu te fais paraître,
Et les lieux où tu cesses d'être,
C'est là qu'est l'enfer et la mort.

Puisque c'est à toi que j'aspire,
Qu'en toi seul est ce que je veux,
Il faut bien qu'après toi je pleure, je soupire,
Et que jusqu'à ce que j'expire,
J'envoie après toi tous mes vœux.

Quelle autre confiance pleine
Pourrait me promettre un secours
Qui de tous les besoins de la misère humaine
Par une vertu souveraine
Pût tarir ou borner le cours?

Toi seul es donc mon espérance,
L'appui de mon infirmité,
Le Dieu saint, le Dieu fort, qui fait mon assurance,
Qui me console en ma souffrance,
Et m'aime avec fidélité.

Chacun cherche ses avantages,
Tu ne regardes que le mien,
Et c'est pour mon salut qu'à m'aimer tu t'engages,
Que tu calmes tous mes orages,
Que tu me tournes tout en bien.

La rigueur même des traverses
A pour but mon utilité :
C'est la part des élus; par là tu les exerces,
Et leurs tentations diverses
Sont des marques de ta bonté.

Ton nom n'est pas moins adorable
Parmi les tribulations,
Et dans leur dureté tu n'es pas moins aimable
Que quand ta douceur ineffable
Répand ses consolations.

Aussi ne mets-je mon refuge
Qu'en toi, mon souverain Auteur,
Et de tous mes ennuis, quel que soit le déluge,
Hors du sein de mon propre Juge,
Je ne veux point de protecteur.

Je ne vois ailleurs que faiblesse,
Qu'une lâche instabilité,
Qui laisse trébucher au moindre assaut qui presse
L'effort de sa vaine sagesse
Sous sa propre imbécillité.

Hors de toi point d'ami qui donne
De favorables appareils,
Point de secours si fort qui soudain ne s'étonne,
Point de prudence qui raisonne,
Point de salutaires conseils.

Il n'est sans toi docteur ni livre
Qui me console en ma douleur,
Il n'est de tant de maux trésor qui me délivre,
Ni lieu sûr où je puisse vivre
Exempt de trouble et de malheur.

A moins que ta sainte parole
Relève mon cœur languissant,
A moins qu'elle m'instruise en ta divine école,
Qu'elle m'assiste et me console,
Le reste demeure impuissant.

Tout ce qui semble ici produire
La paix dont on pense jouir
N'est sans toi qu'un éclair si prompt à se détruire,
Que le moment qui le fait luire
Le fait aussi s'évanouir.

Non, ce n'est qu'une vaine idée
D'une fausse tranquillité,
Une couleur trompeuse, une image fardée
Qui n'a ni douceur bien fondée,
Ni solide félicité.

reprennent et notamment le Père Mousson à La Flèche. En
France, après P. Mathieu, Rivaudeau, Le Devin, Montches-
tien, un célèbre contemporain de Corneille, Du Ryer, l'avait,
le dernier, porté à la scène en 1639.

Ainsi tout ce qu'a cette vie
D'éminent et d'illustre emploi,
Les plus profonds discours dont l'âme y soit ravie,
Tous les biens dont elle est suivie,
N'ont fin ni principe que toi.

Ainsi de toute la misère
Où nous plonge son embarras,
L'âme sait adoucir l'aigreur la plus amère
Quand par-dessus tout elle espère
Aux saintes faveurs de ton bras.

C'est en toi seul que je me fie,
A toi seul j'élève mes yeux,
Dieu de miséricorde, éclaire, fortifie,
Épure, bénis, sanctifie,
Mon âme du plus haut des cieux.

Fais-en un siège de ta gloire,
Un lieu digne de ton séjour,
Un temple où, parmi l'or, et l'azur, et l'ivoire,
Aucune ombre ne soit si noire,
Qu'elle déplaise à ton amour.

Joins à ta clémence ineffable
De ta pitié l'immense effort,
Et ne rejette pas les vœux d'un misérable
Qui traîne un exil déplorable
Parmi les ombres de la mort.

Rassure mon âme alarmée,
Et contre la corruption,
Contre tous les périls dont la vie est semée,
Toi qui pour le ciel l'as formée,
Prends-la sous ta protection.

Qu'ainsi ta Grâce l'accompagne,
Et par les sentiers de la paix,
A travers cette aride et pierreuse campagne,
La guide à la sainte montagne
Où ta clarté luit à jamais.

LIVRE QUATRIÈME

DU TRÈS SAINT SACREMENT DE L'AUTEL.

PRÉFACE.

La place où le sujet est indiqué d'ordinaire est laissée
en blanc dans la gravure qui est en regard de la préface
et qui représente une foule de gens de tous états age-
nouillés devant le saint ciboire, posé sur un nuage et
entouré d'anges. Une banderole gravée sur le nuage porte
pour âme ou sentence : *Venite ad me omnes.* (Str. 1.)

« Vous dont un poids trop lourd étouffe la vigueur,
Vous que je vois gémir sous un travail trop rude,

Accourez tous à moi, venez, dit le Seigneur,
Venez, je vous rendrai de la force et du cœur;
Je vous affranchirai de toute lassitude.
Le pain que je réserve à qui me sait chercher
      N'est autre que ma propre chair,
Que je dois à mon Père offrir pour votre vie :
      Prenez, mangez, c'est mon vrai corps
Qu'on livrera pour vous aux rages de l'envie,
Et qui d'un pain visible emprunte les dehors.

« Faites en ma mémoire un jour à votre rang
Ce qu'à vos yeux je fais avant ma dernière heure. [sang,
Ceux qui mangent ma chair, ceux qui boivent mon
Ce sang qui dans ce vase est tel que dans mon flanc,
Demeurent dans moi-même, et dans eux je demeure.
Dites ce que je dis pour faire comme moi;
      L'efficace de votre foi
Produira même effet par les paroles mêmes;
      Donnez aux miennes plein crédit,
Et n'oubliez jamais que mes bontés suprêmes
Les remplissent toujours et de vie et d'esprit. »

1. AVEC QUEL RESPECT IL FAUT RECEVOIR
LE CORPS DE JÉSUS-CHRIST.

Corps ou sujet de l'emblème : *L'abaissement de Jésus-*
Christ dans le saint sacrement est une marque de sa
grandeur. Ame ou sentence : *Tanto major apparet.*
(Str. 25.)

Ce sont là tes propos, Vérité souveraine,
Ta bouche en divers temps les a tous prononcés,
Je les vois par écrit en divers lieux tracés,
Mais ce sont tous ruisseaux de la même fontaine :
Ils sont tiens, ils sont vrais, et mon infirmité
Les doit recevoir tous avec fidélité,
      Avec pleine reconnaissance,
En faire tout mon bien, et les considérer
Comme autant de trésors que ta magnificence
Pour mon propre salut a voulu m'assurer.

Je les prends avec joie au sortir de ta bouche
Pour les faire passer jusqu'au fond de mon cœur,
Et comme ils n'ont en eux qu'amour et que douceur
Leur sainte impression sensiblement me touche;
Mais la terreur que mêle à de si doux transports
De mes impuretés le sensible remords,
      Par d'inévitables reproches
Retarde tout l'effet de leurs forts attraits,
D'un mystère si haut me défend les approches,
Et me laisse accablé du poids de mes forfaits.

Cependant tu le veux, Seigneur, tu me l'ordonnes,
Qu'opposant tes bontés à tout ce juste effroi,
Je marche en confiance et m'approche de toi,
Si je veux avoir part aux vrais biens que tu donnes :
Tu veux me préparer par un céleste mets

Au bienheureux effet de ce que tu promets
Dans une abondance éternelle,
Et que mon impuissance et ma fragilité,
Si je veux obtenir une vie immortelle,
Se nourrissent du pain de l'immortalité.

« Vous donc qui gémissez sous un travail trop rude,
Vous dont un poids trop lourd étouffe la vigueur,
Venez tous, nous dis-tu, je vous rendrai du cœur,
Je vous affranchirai de toute lassitude. »
O termes pleins d'amour, ô mots doux et charmants,
Qu'ils ont pour le pécheur de hauts ravissements
Quand tu l'appelles à ta table !
Un pauvre, un mendiant, s'en voir par toi pressés !
S'y voir par toi repus de ton corps adorable !
Mais enfin tu l'as dit, Seigneur, et c'est assez.

Qui suis-je, ô mon Sauveur, pour oser y prétendre ?
Qui me peut enhardir à m'approcher de toi ?
Et qui te fait nous dire : Accourez tous à moi,
Toi que ne peut le Ciel contenir ni comprendre ?
D'où te vient cet amour qui m'y daigne inviter,
Moi dont les actions ne font que t'irriter,
Moi qui ne suis qu'ordure et glace !
L'Ange ne peut te voir sans en frémir d'effroi,
Les justes et les saints tremblent devant ta face,
Et tu dis aux pécheurs : « Accourez tous à moi ! »

Si tu ne le disais, quel homme oserait croire
Qu'un Dieu jusqu'à ce point se voulût abaisser ?
Et si tu n'ordonnais à tous de s'avancer,
Quel homme attenterait à cet excès de gloire ?
Si Noé fut cent ans à bâtir un vaisseau
Qui contre le ravage et les fureurs de l'eau
Devait garantir peu de monde,
Quelle apparence, ô Dieu, qu'ayant à recevoir
Le Créateur du ciel, de la terre et de l'onde,
Une heure à ces respects prépare mon devoir ?

Si ton grand serviteur, ton bien-aimé Moïse,
Pour enfermer la pierre écrite de tes doigts,
Fit une arche au désert d'incorruptible bois,
Et vêtit ses dehors d'une dorure exquise :
Si de ce bois choisi le précieux emploi
Ne fut que pour garder les tables d'une Loi
Que tu voulais être suivie;
Moi qui ne suis qu'un tronc tout pourri, tout gâté
Pour recevoir l'Auteur des lois et de la vie,
Oserai-je apporter tant de facilité ?

Ce modèle accompli des têtes couronnées,
Le plus sage des rois, le grand roi Salomon,
Pour élever un temple à l'honneur de ton nom,
Tout grand roi qu'il était, employa sept années :
Il fit huit jours de fête à le sanctifier,
Il mit sur tes autels, pour te le dédier,
Mille victimes pacifiques.
Et les chants d'allégresse, et le son des clairons,
Quand il plaça ton arche en ces lieux magnifiques,
En apprirent la pompe à tous les environs.

Et moi qui des pécheurs suis le plus misérable,
Oserai-je introduire un Dieu dans ma maison,
Lui présenter pour temple une sale prison,
Lui donner pour demeure un séjour effroyable !
Au lieu d'un siècle entier, de sept ans, de huit jours,
Un quart d'heure amorti, un moment rompt le cours
De toute l'ardeur de mon zèle;
Et puissé-je du moins m'acquitter dignement
Des amoureux devoirs d'un serviteur fidèle,
Ou durant ce quart d'heure, ou durant ce moment !

Qu'ils ont pour t'obéir, qu'ils ont pour te mieux plaire,
Tous trois consumé d'art, de travaux et de temps !
Qu'auprès de leur ferveur mes feux sont inconstants !
Et que je te sers mal pour un si grand salaire !
Alors que ta bonté m'attire à ce festin
Où ton corps est la viande, et ton sang est le vin,
Que lâchement je m'y prépare !
Que rarement en moi je me tiens recueilli !
Qu'aisément mon esprit de lui-même s'égare,
Et suit les vains objets dont il est assailli !

Certes en ta présence un penser salutaire
Devrait fermer la porte à tous autres désirs,
Et réunir en toi si bien tous nos plaisirs,
Qu'aucune autre douceur ne pût nous en distraire;
Tout ce qui du respect s'écarte tant soit peu,
Tout ce dont les parfaits font quelque désaveu,
Devrait de tout point disparaître;
Puisque les anges même ont lieu d'être jaloux
De voir, non un d'entre eux, mais leur souverain Maî-
Ravaler sa grandeur jusqu'à loger en nous.   [tre

Quelques honneurs qu'on dût à l'Arche d'alliance,
De quelque sacré prix que fussent ses trésors,
La différence est grande entre elle et ton vrai corps,
Entre eux et les vertus de ta sainte présence.
Tout ce qu'on immolait sous l'ancienne loi
N'était de l'avenir promis à notre foi
Qu'une ombre, qu'une image obscure;
Et dessus nos autels on offre à tout moment
Le parfait sacrifice, et la victime pure,
Qui de tout ce vieil ordre est l'accomplissement.

Que ne conçois-je donc une ardeur plus sincère,
Un zèle plus fervent, à ton divin aspect !
Que ne me prépare-je avec plus de respect
A la réception de ton sacré mystère !
Dans les siècles passés, prophètes, princes, rois,
Patriarches et peuple, en ont cent et cent fois
Donné le précepte et l'exemple,
Et leurs cœurs pour ton culte ardemment embrasés,
Me forcent à rougir, quand je porte à ton temple
Des vœux si languissants, et sitôt épuisés.

Le dévot roi David, sautant devant ton Arche,
Publiait tes bienfaits reçus par ses aïeux,
Des instruments divers le son mélodieux
Concerté par son ordre en réglait la démarche.
Des psaumes le doux son tout autour s'entendait,

Poussé du Saint-Esprit lui-même il accordait
    Sa harpe à chanter tes merveilles ;
Lui-même il enseignait tout son peuple à s'unir
Pour louer chaque jour tes grandeurs sans pareilles,
Lui-même il l'instruisait en l'art de te bénir.

Si telle était jadis la ferveur pour ta gloire,
Si le zèle agissait alors si fortement,
Que de son seul aspect l'arche du Testament
De ta sainte louange excitait la mémoire,
Quelle est la révérence, et quels sont les transports
Que ce grand sacrement, que ton précieux corps
    Doit m'imprimer au fond de l'âme ?
Et que ne doivent point tous les peuples chrétiens
Apporter de respect, de tendresse et de flamme,
Quand ils vont recevoir cette source de biens ?

Les reliques des saints et leurs superbes temples
Font courir les mortels en mille et mille lieux ;
Ils s'y laissent charmer et l'oreille et les yeux
Par la haute structure et par leurs hauts exemples ;
Ils baisent à genoux leurs précieux dépôts
De leur chair vénérable et de leurs sacrés os,
    Qu'enveloppent l'or et la soie ;
Et je te vois, mon Dieu, tout entier à l'autel,
Toi le grand Saint des saints, toi l'auteur de leur joie,
Toi de tout l'univers le Monarque immortel !

Souvent même l'esprit de ces pèlerinages [75]
N'est qu'un chatouillement de curiosité,
Et l'attrait qu'a toujours en soi la nouveauté
Vers ce qu'on n'a point vu tire ainsi les courages.
Quand un motif si vain les pousse et les conduit,
Le travail le plus long rapporte peu de fruit,
    Et ne laisse rien qui corrige,
Surtout en ces esprits follement empressés,
Qu'une ardeur trop légère à ces courses oblige,
Sans aucun saint retour sur leurs crimes passés.

Mais en ce sacrement ton auguste présence,
Véritable Homme-Dieu, rend le fruit assuré
Toutes les fois qu'un cœur dignement préparé
Y porte ferveur pleine et pleine révérence :
Il n'y va point aussi ni par légèreté,
Ni par démangeaison de curiosité,
    Ni par autre sensible amorce ;
Tout ce qui l'y conduit c'est une ferme foi,
C'est d'un solide espoir l'inébranlable force,
C'est un ardent amour qui n'a d'objet que toi.

De la terre et du ciel Créateur invisible,
Que grande est la bonté que tu montres pour nous !
Que ton ordre aux élus est favorable et doux
De leur offrir pour mets ton corps incorruptible !
De ta façon d'agir les miracles charmants
Épuisent la vigueur de nos entendements,

75. Allusion plus valable au temps de Thomas a Kempis
que de ses traducteurs. A cette attaque constante des héritiers
de la *devotio moderna*, Erasme ajouta l'ironie, Rabelais la
verve.

Et ne s'en laissent point comprendre :
C'est ce qui des dévots attire tous les cœurs,
C'est ce qui dans leurs cœurs verse un amour si tendre,
C'est ce qui les élève aux plus hautes ferveurs.

Aussi ces vrais dévots dont les saints exercices
Appliquent de leurs soins toute l'activité
A corriger en eux cette facilité
Que prête la nature aux attaques des vices,
Ces rares serviteurs, qui n'ont point d'autre but
Que d'avancer leur vie au chemin du salut,
    Et rendre leurs âmes parfaites,
Reçoivent d'ordinaire en ce grand sacrement
Un zèle plus soumis à ce que tu souhaites,
Et l'amour des vertus empreint plus fortement.

O Grâce merveilleuse autant qu'elle est cachée,
Qu'éprouve le fidèle, et que ne peut goûter
Ni le manque de foi qui s'arrête à douter,
Ni l'âme aux vains plaisirs en esclave attachée !
Par tes rayons secrets l'esprit mieux éclairé,
Loin des sentiers obscurs qui l'avaient égaré,
    Reprend sa route légitime ;
Sa beauté se répare, ainsi que sa vertu,
Et tout ce qu'en gâtait la souillure du crime
Rend à ses premiers traits l'éclat qu'ils avaient eu.

Tu descends quelquefois avec telle abondance
Qu'après l'âme remplie un doux regorgement
En répand sur le corps le rejaillissement,
Et l'anime à son tour par sa vive influence :
La prodigalité de la divine main
Veut que tout l'homme ait part à ce bien souverain
    Au milieu de sa lassitude :
Et du corps tout usé de la traînante langueur,
Dans le débordement de cette plénitude,
Souvent trouve un trésor de nouvelle vigueur.

Est-il rien cependant honteux et déplorable
Comme nos lâchetés, comme notre tiédeur,
De ne pas nous porter avecque plus d'ardeur
A prendre Jésus-Christ, à manger à sa table ?
C'est en lui, c'est aux biens qu'il nous y fait trouver
Que consistent de ceux qui se doivent sauver
    Tout l'espoir et tous les mérites ;
C'est lui qui sanctifie, et nous a rachetés,
Qui nous console ici par ses douces visites,
Et qui des saints au ciel fait les félicités.

Nous avons donc bien lieu d'une douleur profonde
De voir tant de mortels ouvrir si peu les yeux
Sur un mystère saint qui réjouit les cieux,
Et qui par sa vertu conserve tout le monde.
O quel aveuglement, ô quelle dureté
De regarder si peu quelle est la dignité
    D'un don si grand, si salutaire !
L'usage trop commun semble le rabaisser,
Et tel prend chaque jour cet auguste mystère
Qui le prend par coutume et ne daigne y penser.

Si nous n'avions qu'un lieu, si nous n'avions qu'un
Par qui ton corps sacré s'offrît sur nos autels, [prêtre,
Avec combien de foule y courraient les mortels,
Quelle ardeur pour le voir ne feraient-ils paraître !
Mais tu n'épargnes point un bien si précieux :
Tant de prêtres partout l'offrent en tant de lieux,
    Que nos froideurs n'ont point d'excuse :
On le voit, on l'adore, on le prend chaque jour,
Et, plus cette faveur sur la terre est diffuse,
Plus elle y fait briller ta Grâce et ton amour.

Ton nom en soit béni, Sauveur de la nature,
Dieu de miséricorde, et Pasteur éternel,
Dont l'amour excessif pour l'homme criminel
Lui donne en cet exil ton corps pour nourriture !
Pauvre et banni qu'il est, loin de le rejeter,
A ce banquet sacré tu daignes l'inviter,
    Ta propre bouche l'y convie :
« O vous qui succombez sous le faix des travaux,
Venez tous , nous dis-tu, doux Auteur de la vie,
Et je soulagerai la grandeur de vos maux. »

2. QUE LE SACREMENT DE L'AUTEL NOUS DÉCOUVRE UNE GRANDE BONTÉ ET UN GRAND AMOUR DE DIEU.

Corps ou sujet de l'emblème : Saint Guillaume [76],
*duc d'Aquitaine, se prosterne devant le saint sacrement,
que lui présente saint Bernard, et se convertit.* Ame
ou sentence : *Quomodo audet peccator coram te apparere.*
(Str. 5.)

Je m'approche, Seigneur, plein de la confiance
Que tu veux que je prenne en ta haute bonté :
Je m'approche en malade avec impatience
De recevoir de toi la parfaite santé.

Je cherche en altéré la fontaine de vie,
Je cherche en affamé le pain vivifiant,
Et c'est sur cet espoir que mon âme ravie
Au Monarque du ciel présente un mendiant.

Aux faveurs de son maître ainsi l'esclave espère,
Ainsi la créature aux dons du Créateur,
Ainsi le désolé cherche dans sa misère
Un doux refuge au sein de son consolateur.

Qui peut m'avoir rendu ta bonté si propice,
Que jusqu'à moi, Seigneur, il te plaise venir ?
Et qui suis-je après tout, que ton corps me nourrisse,
Qu'au mien en ce banquet tu le daignes unir ?

De quel front un pécheur devant toi comparaître ?
De quel front jusqu'à toi s'ose-t-il avancer ?

76. C'est le cinquième Guillaume canonisé par l'Église.
Fils de Thierry, peut-être parent de Charlemagne, il finit ses
jours dans le monastère de Saint-Guilhem-du-Désert qu'il
avait fondé près de Lodève.

Comment le souffres-tu, toi, son Juge et son Maître ?
Et comment jusqu'à lui daignes-tu t'abaisser ?

Ce n'est point avec toi qu'il faut que je raisonne,
Tu connais ma faiblesse et mon peu de ferveur,
Et tu sais que de moi je n'ai rien qui me donne
Aucun droit de prétendre une telle faveur.

Plus je contemple aussi l'excès de ma bassesse,
Plus j'admire aussitôt celui de ton amour;
J'adore ta pitié, je bénis ta largesse,
Et t'en veux rendre gloire et grâces nuit et jour.

C'est par cette clémence, et non pour mes mérites,
Que tu fais à mes yeux luire ainsi ta bonté,
Pour faire croître en moi l'amour où tu m'invites,
Et mieux enraciner la vraie humilité.

Puis donc que tu le veux, puisque tu le commandes,
J'ose me présenter au don que tu me fais,
Et puissé-je ne mettre à des bontés si grandes
Aucun empêchement par mes lâches forfaits !

Débonnaire Jésus, quelles sont les louanges,
Quels sont et les respects et les remercîments,
Que te doivent nos cœurs pour ce vrai pain des Anges
Que ta main nous prodigue en ces festins charmants !

Telle est la dignité de ce pain angélique,
Que son expression passe notre pouvoir,
Et nous voulons en vain que la bouche l'explique,
Lorsque l'entendement ne la peut concevoir.

Mais que dois-je penser à cette table sainte ?
M'approchant de mon Dieu, de quoi m'entretenir ?
J'y porte du respect, du zèle et de la crainte,
Et ne le puis assez respecter ni bénir.

Je n'ai rien de meilleur ni de plus salutaire
Que de m'humilier devant ta Majesté,
Et de tenir l'œil bas sur toute ma misère
Pour élever d'autant l'excès de ta bonté.

Je te loue, ô mon Dieu, je t'exalte sans cesse,
De mon propre mépris je me fais une loi,
Et je m'abîme au fond de toute ma bassesse,
Pour de tout mon pouvoir me ravaler sous toi.

Toi, la pureté même, et moi, la même ordure,
Toi, le grand Saint des saints, toi, leur unique roi,
Tu viens à cette indigne et vile créature,
Qui ne mérite pas de porter l'œil sur toi !

Tu viens jusques à moi pour loger en moi-même.
Tu m'invites toi-même à ces divins banquets,
Où la profusion de ton amour extrême
Sert un pain angélique et de célestes mets !

Ce pain, ce mets sacré que tu nous y fais prendre,
C'est toi, c'est ton vrai corps, arbitre de mon sort,

Pain vivant, qui du ciel as bien voulu descendre
Pour redonner la vie aux enfants de la mort.

Quels tendres soins pour nous ton amour fait paroître!
Que grande est la bonté dont part ce grand amour!
Que ta louange, ô Dieu! chaque jour en doit croître!
Que de remercîments on t'en doit chaque jour!

Que tu pris un dessein utile et salutaire
Quand tu te fis auteur de ce grand sacrement!
Et l'aimable festin qu'il te plut de nous faire,
Quand tu nous y donnas ton corps pour aliment!

Qu'en cet effort d'amour tes œuvres admirables
Montrent de ta vertu le pouvoir éclatant!
Et que ces vérités sont pour nous ineffables
Que ta voix exécute aussitôt qu'on l'entend!

Ta parole jadis fit sitôt toutes choses,
Que rien n'en sépara le son d'avec l'effet;
Et ta vertù passant dans les secondes causes,
A peine l'homme parle, et ton vouloir est fait.

Chose étrange, et bien digne enfin que la foi vienne
Au secours de nos sens et de l'esprit humain,
Que l'espèce du vin tout entier te contienne,
Que tu sois tout entier sous l'espèce du pain!

Tu fais de leur substance en toi-même un échange,
Tu les anéantis, et revêts leurs dehors,
Et bien qu'à tous moments on te boive et te mange,
On ne consume point ni ton sang ni ton corps.

Grand Monarque du ciel, qui dans ce haut étage
N'as besoin de personne, et ne manques de rien,
Tu veux loger en nous, et faire un alliage
Par ce grand sacrement, de notre sang au tien!

Conserve donc mon cœur et tout mon corps sans tache,
Afin qu'un plein repos dans mon âme épandu,
A ce mystère saint un saint amour m'attache,
Et qu'à le célébrer je me rende assidu.

Que souvent je le puisse offrir en ta mémoire
Comme de ta voix propre il t'a plu commander,
Et qu'après l'avoir pris pour ta plus grande gloire
Au salut éternel il me puisse guider.

Par des transports de joie et de reconnaissance,
Bénis ton Dieu, mon âme, en ce val de malheurs,
Où tu reçois ainsi de sa toute-puissance
Un don si favorable à consoler tes pleurs.

Sais-tu qu'autant de fois que ton zèle s'élève
A prendre du Sauveur le véritable corps,
L'œuvre de ton salut autant de fois s'achève,
Et de tous ses tourments t'applique les trésors?

Il n'a rien mérité qu'il ne t'y communique,
Et comme son amour ne peut rien refuser,

Sa bonté toujours pleine et toujours magnifique
Est un vaste océan qu'on ne peut épuiser.

Portes-y de ta part l'attention sévère
D'un cœur renouvelé pour s'y mieux préparer,
Et pèse mûrement la grandeur d'un mystère
Dont dépend ton salut que tu vas opérer.

Lorsque ta propre main offre cette victime,
Quand tu la vois offrir par un autre à l'autel,
Tout doit être pour toi surprenant, doux, sublime,
Comme si de nouveau Dieu se faisait mortel.

Oui, tout t'y doit sembler aussi grand, aussi rare
Que si ce jour-là même il naissait ici-bas,
Ou que la cruauté d'une troupe barbare
Pour le salut de tous le livrât au trépas.

3. QU'IL EST UTILE DE COMMUNIER SOUVENT.

Corps ou sujet de l'emblème : *Jésus-Christ bénit cinq
pains et deux poissons, et en repaît cinq mille hommes.*
Ame ou sentence : *Nolo eos jejunos dimittere.* (Str. 5.)

Je viens à toi, Seigneur, afin de m'enrichir
Des dons surnaturels qu'il te plaît de nous faire,
J'en viens chercher la joie, afin de m'affranchir
Des longs et noirs chagrins qui suivent ma misère;
Je cours à ce banquet que ta pleine douceur
        Tient prêt pour le pauvre pécheur,
Je ne puis, je ne dois souhaiter autre chose;
Toi seul es mon salut et ma rédemption,
En toi tout mon espoir se fonde et se repose,
Tout mon bonheur en toi voit sa perfection.

Je n'ai point ici-bas d'autre gloire à chercher,
Je n'ai point d'autre force en qui prendre assurance,
Je n'ai point d'autres biens où je puisse attacher
La juste ambition de ma persévérance.
Comble donc aujourd'hui de solides plaisirs
        Ce cœur, ces amoureux désirs,
Que pousse jusqu'à toi ton serviteur fidèle;
Vois les empressements de son humble devoir,
Et ne rejette pas cette ardeur de son zèle
Qu'un vrai respect prépare à te bien recevoir.

Entre dans ma maison, où j'ose t'inviter,
Répands-y les douceurs de ta vertu cachée,
Que de ta propre main je puisse mériter
D'être à jamais béni comme un autre Zachée :
Daigne m'admettre au rang, par ce comble de biens,
        Des fils d'Abraham et des tiens :
C'est le plus cher désir, c'est le seul qui m'enflamme;
Et, comme tout mon cœur soupire après ton corps,
Comme il le reconnaît pour sa véritable âme,
Mon âme pour s'y joindre unit tous ses efforts.

Donne-toi donc, Seigneur, donne-toi tout à moi,
Par ce don précieux dégage ta parole;

Tu me suffiras seul, je trouve tout en toi;
Mais sans toi je n'ai rien qui m'aide, ou me console;
Sans toi je ne puis vivre, et tout autre soutien
    N'est qu'un vain appui, qu'un faux bien;
Je ne puis subsister sans tes douces visites :
    Et mes propres langueurs m'abattraient en chemin,
Si je me confiais à mon peu de mérites,
Sans recourir souvent à ce mets tout divin.

Souviens-toi que ce peuple à qui dans les déserts
Ta sagesse elle-même annonçait tes oracles,
Guéri qu'il fut par toi de mille maux divers,
Vit ta pitié s'étendre à de plus grands miracles.
De crainte qu'au retour il ne languît de faim,
    Tu lui multiplias le pain;
Seigneur, fais-en de même avec ta créature,
Toi qui, pour consoler un peuple mieux aimé,
Lui veux bien chaque jour servir de nourriture
Sous les dehors d'un pain où tu t'es enfermé.

Quiconque en ces bas lieux te reçoit dignement,
Pain vivant, doux repas de l'âme du fidèle,
S'établit un partage au haut du firmament,
Et s'assure un plein droit à la gloire éternelle :
Mais, las! que je suis loin d'un état si parfait,
    Moi que souvent le moindre attrait
Jusque dans le péché traîne sans répugnance,
Et qu'une lenteur morne, un sommeil croupissant,
Tiennent enveloppé de tant de nonchalance,
Qu'à tous les bons effets je demeure impuissant!

C'est là ce qui m'impose une nécessité
De porter, et souvent, mes pleurs aux pieds d'un
D'élever, et souvent, mes vœux vers la bonté,   [prêtre,
De recevoir souvent le vrai corps de mon Maître.
Je dois, je dois souvent renouveler mon cœur,
    Combattre ma vieille langueur,
Purifier mon âme en ce banquet céleste,
De peur qu'enseveli sous l'indigne repos
Où plonge d'un tel jeûne l'abstinence funeste,
Je n'échappe à toute heure à tous mes bons propos.

Notre imbécillité, maîtresse de nos sens,
Conserve en tous les cœurs un tel penchant aux vices,
Que l'homme tout entier dès ses plus jeunes ans
Glisse et court aisément vers leurs molles délices;
S'il n'avait ton secours contre tous leurs assauts,
    Chaque moment croîtrait ses maux,
C'est la communion qui seule l'en dégage :
C'est elle qui lui prête un assuré soutien,
Dissipe sa paresse, anime son courage,
Le retire du mal, et l'affermit au bien.

Si telle est ma faiblesse et ma tépidité [77]
Au milieu d'un secours de puissance infinie,
Si j'ai tant de langueur et tant d'aridité
Alors que je célèbre ou que je communie,
En quel abîme, ô Dieu, serais-je tôt réduit,

Si j'osais me priver du fruit
Que tu m'offres toi-même en ce divin remède!
Et dessous quels malheurs me verrais-je abattu,
Si j'osais me trahir jusqu'à refuser l'aide
Que ta main y présente à mon peu de vertu!

Certes, si je ne puis me trouver chaque jour
En état de t'offrir cet auguste mystère,
Du moins de temps en temps l'effort de mon amour
Tâchera d'avoir part à ce don salutaire.
Tant que l'âme gémit sous l'exil ennuyeux
    Qui l'emprisonne en ces bas lieux,
Ce qui plus la console est la sainte mémoire,
La repasser souvent, et d'un zèle enflammé,
Qui n'a point d'autre objet que celui de ta gloire,
S'unir par ce grand œuvre à son cher bien-aimé.

O merveilleux effet de ton amour pour nous,
Que toi, source de vie, et première des causes,
Le Créateur de tout, le Rédempteur de tous,
Le souverain Arbitre enfin de toutes choses,
Tu daignes ravaler cette immense grandeur
    Jusqu'à venir vers un pécheur,
Jusqu'à le visiter, homme et Dieu tout ensemble!
Tu descends jusqu'à lui pour le rassasier,
Par un abaissement devant qui le ciel tremble,
D'un homme tout ensemble et d'un Dieu tout entier!

Heureuse mille fois l'âme qui te reçoit,
Toi, son espoir unique et son unique Maître,
Avec tous les respects et l'amour qu'elle doit
A l'excès des bontés que tu lui fais paraître!
Est-il bouche éloquente, est-il esprit humain
    Qui ne se consumât en vain
S'il voulait exprimer toute son allégresse?
Et peut-on concevoir ces hauts ravissements,
Ces avant-goûts du ciel, que ta pleine tendresse
Aime à lui prodiguer en ces heureux moments?

Qu'elle reçoit alors pour hôte un grand Seigneur!
Qu'elle en prend à bon titre une joie infinie,
Et brave de ses maux la plus âpre rigueur,
Voyant l'auteur des biens lui faire compagnie!
Qu'elle se souvient peu du temps qu'elle a gémi,
    Quand elle loge un tel ami!
Qu'elle trouve d'attraits en l'époux qu'elle embrasse!
Qu'il est grand, qu'il est noble, et digne d'être aimé,
Puisqu'il n'a rien en soi dont le lustre n'efface
Tout ce dont ici-bas le désir est charmé!

Que la terre et les cieux et tout leur ornement
Apprennent à se taire en ta sainte présence :
Tout ce qui brille en eux le plus pompeusement
Vient des profusions de ta magnificence;
Tout ce qu'ils ont de beau, tout ce qu'ils ont de bon,
    Jamais des grandeurs de ton nom
Ne pourra nous tracer qu'une faible peinture :
Ta sagesse éternelle a ses trésors à part,
Le nombre en est sans nombre ainsi que sans mesure,
Et ne met point de borne aux biens qu'elle départ.

77. Tiédeur.

4. QUE CEUX QUI COMMUNIENT DÉVOTEMENT EN REÇOIVENT DE GRANDS BIENS.

Corps ou sujet de l'emblème : *Saint Basile célébrant est environné de feu* [78]. Ame ou sentence : *Quis juxta ignem copiosum stans non parum caloris inde percipit?* (Str. 11.)

Préviens ton serviteur par cette douce amorce
Que versent dans les cœurs tes bénédictions,
Joins à la pureté de leurs impressions
Tout ce que le respect et le zèle ont de force;
Donne-moi les moyens d'approcher dignement
    De ton auguste sacrement,
Remplis mon sein pour toi d'une céleste flamme,
Et daigne m'arracher à la morne lenteur
    De l'assoupissement infâme
Où me plonge, à tous coups, ma propre pesanteur.

Viens avec tout l'effet de ce don salutaire
D'une sainte visite aujourd'hui m'honorer,
Que je puisse en esprit pleinement savourer
Les douceurs qu'enveloppe un si sacré mystère.
Détache en ma faveur un vif rayon des cieux
    Qui fasse pénétrer mes yeux
Au fond de cet abîme où tout mon bien s'enferme;
Et, si pour y descendre ils ont trop peu de jour,
    Fais qu'une foi solide et ferme
En croie aveuglément l'excès de ton amour.

Car enfin c'est lui seul qui met en évidence
Ce miracle impossible à tout l'effort humain,
C'est ton saint institut, c'est l'œuvre de ta main,
Qui passe de bien loin toute notre prudence.
Il n'est point de mortel qui puisse concevoir
    Ce qui n'est pas même au pouvoir
De la subtilité que tu dépars à l'Ange;
Et je serais coupable autant comme indiscret,
    Moi, qui ne suis que terre et fange,
D'attenter à comprendre un si profond secret.

J'approche donc, Seigneur, puisque tu me l'ordonnes,
Mais avec un cœur simple, une sincère foi,
Et mon respect y perd un vertueux effroi
Qui n'intimide point l'espoir que tu me donnes.
Je crois, et je suis prêt de signer de mon sang
    Que sous ce rond, que sous ce blanc,
Véritable Homme-Dieu, tu caches ta présence,
Et que ce que les yeux jugent encor du pain
    N'en conserve que l'apparence,
Qui voile à tous nos sens ton être souverain.

Je vais te recevoir, tu le veux, tu commandes
Que mon cœur à ton cœur s'unisse en charité;
Porte donc jusqu'à toi son imbécillité
Par un don spécial et des Grâces plus grandes,
Qu'au feu d'un saint amour ce cœur liquéfié

Trouve en un Dieu crucifié
L'océan où sans cesse il s'écoule et s'abîme;
Et que tout autre attrait, effacé par le tien,
    Me laisse abhorrer comme un crime
Les vains chatouillements de tout autre entretien.

Quels souhaits dans nos maux peut former la pensée
Que ne puisse remplir un si grand sacrement?
D'où pouvons-nous attendre un tel soulagement
Ou pour le corps malade, ou pour l'âme oppressée?
Quelles vives douleurs, quelles afflictions,
    Bravent ses consolations?
Quels imprévus revers triomphent de son aide?
Ne relève-t-il pas l'abattement des cœurs?
    Et n'est-il pas le vrai remède
Pour ce que leur faiblesse enfante de langueurs?

Par lui la convoitise au fond de l'âme éteinte
Voit mettre sous le frein toutes les passions,
Et l'empire qu'il prend sur les tentations,
Ou les dompte, ou du moins en affaiblit l'atteinte :
C'est par lui que la Grâce avance à gros torrents,
    Et que sur les vices mourants
S'affermit la vertu que lui-même il fait naître;
C'est par lui que la Foi plus fortement agit,
    Que l'Espérance a de quoi croître,
Et que la Charité s'enflamme et s'élargit.

Puissant réparateur des misères humaines,
Protecteur de mon âme, espoir de tous ses vœux,
Qui dans l'intérieur verses, quand tu le veux,
Tout ce qui nous console et soulage nos peines,
Tu fais des biens sans nombre, et souvent tu les fais
    A ces dévots, à ces parfaits,
Qui savent dignement approcher de ta table;
Et tu mêles par là dans leurs divers travaux
    Une douceur inépuisable
Qui dissipe aisément l'aigreur de tous leurs maux.

C'est ce qui du néant de leur propre bassesse
Les élève à l'espoir de ta protection,
Et prête un nouveau jour à leur dévotion,
Que la Grâce accompagne, et que suit l'allégresse.
Ainsi ceux dont l'esprit triste, aride, inquiet,
    Avant cet amoureux banquet,
Gémissait sous un trouble au vrai repos funeste,
Sitôt qu'ils sont repus de ce mets tout divin,
    De ce breuvage tout céleste,
En pleins ravissements changent tout leur chagrin.

Tu leur fais de la sorte éprouver que d'eux-mêmes
Leur force est peu de chose, ou plutôt moins que rien,
Que s'ils ont quelque Grâce, ou s'ils font quelque bien,
Ils en doivent la cause à tes bontés suprêmes :
Que les plus beaux talents de leur infirmité
    Ne sont que glace et dureté,
Qu'angoisse, que langueur, que vague incertitude :
Mais qu'alors que sur eux tu répands ta faveur,
    Ils ont zèle, ils ont promptitude,
Ils ont calme, ils ont joie, ils ont stable ferveur.

78. Le saint évêque de Césarée (IVe siècle) est surtout connu comme Docteur de l'Église grecque. Mais comme maître de l'ascétisme, il a tout à fait sa place ici.

Aussi lorsqu'en douceurs une source est féconde,
Peut-on s'en approcher qu'on n'en remporte un peu?
Peut-on sans s'échauffer être auprès d'un grand feu?
Peut-on l'avoir au sein que la glace n'y fonde?
N'es-tu pas, ô mon Dieu, cette source de biens
    Toujours ouverte aux vrais chrétiens,
Toujours vive, toujours pleine et surabondante?
Et n'es-tu pas ce feu toujours pur, toujours saint,
    Dont la flamme toujours ardente
Se nourrit d'elle-même, et jamais ne s'éteint?

Si mon indignité ne peut monter encore
Au haut de cette source, et puiser en pleine eau,
Si je ne puis en boire à même le ruisseau
Jusqu'à rassasier la soif qui me dévore,
Je collerai ma bouche au canal précieux
    Que tu fais descendre des cieux,
Afin que dans mon cœur une goutte en distille,
Que ma soif s'en apaise, et que l'aridité,
    Qui rend mon âme si stérile,
Ne la dessèche pas jusqu'à l'extrémité.

Si d'ailleurs de ma glace un invincible reste
M'empêche d'égaler l'ardeur des Séraphins,
Si je ne puis encor, comme les Chérubins,
Pour m'unir tout à toi, devenir tout céleste,
J'attacherai du moins ce que j'ai de vigueur
    A si bien préparer mon cœur
Par un effort d'amour qui toujours renouvelle,
Que sur mes humbles vœux ce divin sacrement
    Fera voler quelque étincelle
Du feu vivifiant de cet embrasement.

Tu vois ce qui me manque, ô Sauveur adorable!
Doux Jésus, bonté seule, en qui j'ose espérer;
Supplée à mes défauts, et daigne réparer
Ce que détruit en moi la langueur qui m'accable:
Tu t'en es fait toi-même une amoureuse loi,
    Quand, nous appelant tous à toi,
Ta bouche toute sainte a bien voulu nous dire:
« Accourez tous à moi, vous dont sous les travaux
    Le cœur incessamment soupire,
Et je soulagerai la grandeur de vos maux. »

D'une sueur épaisse ils couvrent mon visage,
Mon cœur outré d'ennuis en est presque aux abois,
Mille et mille péchés me courbent sous leur poids,
Mille tentations me troublent le courage:
Je ne fais que gémir sous les oppressions
    Des insolentes passions,
Dont je trouve en tous lieux l'embarras qui m'obsède;
Et dans tous ces malheurs où je me vois blanchir,
    Dénué de support et d'aide,
Je n'ai que toi, Seigneur, qui m'en puisse affranchir.

Aussi je te remets tout ce qui me regarde,
Je me remets entier à ton soin paternel,
Daigne, ô Dieu, me conduire au salut éternel,
Et durant le chemin reçois-moi sous ta garde;
Fais que puisse mon âme à jamais t'honorer,

Toi qui m'as daigné préparer
Ton corps sacré pour viande, et ton sang pour breu-
Fais enfin que mon zèle augmente chaque jour   [vage:
    Par le fréquent et saint usage
De ce divin mystère où brille tant d'amour.

5. DE LA DIGNITÉ DU SACREMENT, ET DE L'ÉTAT DU SACERDOCE.

Corps ou sujet de l'emblème: *Saint Malachie* [79], *après avoir dit la messe pour sa sœur, la voit entrer au ciel.* Ame ou sentence: *Defunctis requiem præstat.* (Str. 18.)

D'un Ange dans les cieux atteins la pureté,
D'un Baptiste au désert joins-y la sainteté,
Mais pur à leur égal, mais saint à son exemple,
Ne crois pas l'être assez pour pouvoir dignement
Et tenir en tes mains et m'offrir en mon temple
    Un si grand sacrement.

Conçois, si tu le peux, quelle est cette faveur
De tenir en tes mains le corps de ton Sauveur,
Le consacrer toi-même, et le prendre pour viande;
Et tu connaîtras lors qu'il n'est mérite humain
A qui doive l'effet d'une bonté si grande
    L'Arbitre souverain.

Ce mystère est bien grand, puisque du haut des cieux
Il fait descendre un Dieu jusques en ces bas lieux,
Et le met en état qu'on le touche et le mange:
Du sacerdoce aussi grande est la dignité,
Puisqu'on reçoit par là ce que jamais de l'Ange
    N'obtint la pureté.

Prêtres, c'est à vous seuls, que sans vous le devoir,
Ma main par mon Église accorde ce pouvoir,
Cette émanation de ma vertu céleste:
A vous seuls appartient de consacrer mon corps
D'en faire un sacrifice, et départir au reste
    Ce qu'il a de trésors.

En prononçant les mots que je vous ai dictés,
Suivant mon institut, suivant mes volontés,
Vous opérez l'effet de votre ministère;
Un invisible agent concourt d'un pas égal,
Et tout Dieu que je suis, soudain j'y coopère
    Comme auteur principal.

Ma voix toute-puissante à qui tout est soumis
Moi-même me soumet à ce que j'ai promis,
M'assujettit aux lois de mon ordre suprême:
Et ma Divinité ne croit point se trahir
A descendre du ciel pour donner elle-même
    L'exemple d'obéir.

79. Le plus populaire des saints irlandais (1094-1148) qui mourut à Clairvaux entre les bras de saint Bernard.

Crois-en donc plus ton Dieu que tes aveugles sens,
Crois-en plus de sa voix les termes tout-puissants.
Que le rapport trompeur d'aucun signe visible;
Et sans que ces dehors te rendent rien suspect,
Porte à cette action tout ce qui t'est possible
    D'amour et de respect.

Pense à toi, prends-y garde, aime, respecte, crains,
Vois de quel ministère, en t'imposant les mains,
L'évêque t'a commis le divin exercice :
Il t'a consacré prêtre, et c'est à toi d'offrir
Ce doux mémorial de tout l'affreux supplice
    Qu'il m'a plu de souffrir.

Songe à t'en acquitter avec fidélité,
Avec dévotion, avec humilité,
N'offre point qu'avec foi, n'offre point qu'avec zèle :
Songe à régler ta vie, et la règle si bien,
Qu'elle soit sans reproche, et serve de modèle
    Aux devoirs d'un chrétien.

Ton rang, loin d'alléger le poids de ton fardeau,
En redouble la charge, et jusques au tombeau
Il te met sous le joug d'une loi plus sévère :
Il te prescrit à suivre un chemin plus étroit,
Et la perfection que doit ton caractère
    Veut qu'on marche plus droit.

Oui, tu dois un exemple au reste des mortels,
Qui fasse rejaillir du pied de mes autels
Jusqu'au fond de leurs cœurs une clarté solide,
Et toutes les vertus qui brillent ici-bas
Doivent former d'un prêtre un infaillible guide
    Pour qui va sur ses pas.

Loin de suivre le train des hommes du commun,
Un prêtre doit en fuir le commerce importun,
De peur d'être souillé de leurs honteux mélanges;
Et dans tout ce qu'il fait un vigilant souci
Lui doit pour entretien choisir au ciel les Anges,
    Et les parfaits ici.

Des ornements sacrés lorsqu'il est revêtu
Il a de Jésus-Christ l'image et la vertu,
Ainsi que son ministre il agit en sa place :
Et ce n'est qu'en son nom que les vœux qu'il conçoit
Pour le peuple et pour lui montent devant la face
    D'un Dieu qui les reçoit.

Ces habits sont aussi comme l'expression
Des plus âpres tourments par qui ma Passion
Pour le salut humain termina ma carrière;
La Croix sur eux empreinte en fait le souvenir,
Et le prêtre la porte et devant et derrière,
    Pour mieux le retenir.

Il la porte devant, afin que son regard
S'arrêtant fixement sur ce digne étendard,
Ses ardeurs à le suivre en deviennent plus promptes;
Il la porte derrière, afin qu'en ses malheurs

Il souffre sans ennuis les travaux et les hontes
    Qui lui viennent d'ailleurs.

Il la porte devant pour pleurer ses forfaits;
Derrière, afin que ceux que son prochain a faits
De sa compassion tirent aussi des larmes;
Et que, comme il agit au nom du Rédempteur,
Entre le peuple et Dieu, qui tient en main les armes,
    Il soit médiateur.

C'est par cette raison qu'il s'y doit attacher,
Et que sa fermeté ne doit rien relâcher
Ni de ses vœux fervents, ni de ses sacrifices,
Tant qu'il obtienne grâce, et que du souverain
Il se rende à l'autel les bontés si propices,
    Qu'il désarme sa main.

Enfin quand il célèbre, il m'honore, il me sert,
Tout le ciel applaudit par un sacré concert,
Tout l'enfer est confus, l'Église édifiée;
Il secourt les vivants, des morts il fait la paix.
Et son âme devient l'heureuse associée
    Des bons et des parfaits.

6. PRÉPARATION A S'EXERCER AVANT LA COMMUNION.

Corps ou sujet de l'emblème : *Udo* [80], évêque de Madge-bourg, pour avoir célébré indignement, est décapité par les anges dans sa cathédrale. Ame ou sentence : *Si indigne me ingressero, offensam incurro.* (Str. 2.)

Quand je contemple ta grandeur,
Quand j'y compare ma bassesse,
Je tremble, et toute mon ardeur
Résiste à peine à ma faiblesse;
Tant la confusion qui saisit tous mes sens
    Balance mes vœux languissants!

N'approcher point du sacrement,
C'est fuir la source de la vie;
En approcher indignement,
C'est offenser qui m'y convie,
Et, par une honteuse et lâche trahison,
    Changer le remède en poison.

Daigne donc, Seigneur, m'éclairer
Touchant ce qu'il faut que je fasse,
Toi qui ne me vois espérer
Qu'en l'heureux appui de ta Grâce,
Et de qui seul j'attends en un trouble pareil
    Et le secours et le conseil.

Dissipe ma vieille langueur,
Inspire-moi quelque exercice
Par qui je prépare mon cœur
A cet amoureux sacrifice,

80. Udo : Exemple familier des auteurs médiévaux.

Et par le droit sentier conduis-moi sur tes pas
    A ce doux et sacré repas.

    Fais-moi, Seigneur, fais-moi savoir
    Avec quel zèle et révérence
    Un Dieu, pour le bien recevoir,
    Veut que je m'apprête et m'avance,
Et comment pour t'offrir des mystères si saints
    Je dois purifier mes mains.

7. DE L'EXAMEN DE SA CONSCIENCE. ET DU PROPOS DE S'AMENDER.

Corps ou sujet de l'emblème. Saint Étienne, pape, reçoit la couronne du martyre en achevant la messe. Ame ou sentence : *Offer te ipsum.* (Str. 8.)

Prêtre, qui que tu sois, qui vas sur mon autel
Offrir un Dieu vivant à son Père immortel,
Et tenir en tes mains et recevoir toi-même
De mon amour pour toi le mystère suprême,
Approche, mais surtout prépare dans ton sein
Une humilité forte, un respect souverain,
Une foi pleine et ferme, une intention pure
D'honorer, de bénir l'Auteur de la nature ;
Sur ton intérieur jette l'œil avec soin,
En juge incorruptible, en fidèle témoin ;
Et si de mon honneur un vrai souci te touche,
Fais que le cœur contrit et l'humble aveu de bouche
Sachent si bien purger le désordre caché,
Que rien par le remords ne te soit reproché,
Que rien plus ne te pèse, et que rien que tu saches
N'empêche un libre accès par ses honteuses taches.
    Porte empreint sur ce cœur un regret général
Pour tout ce que jamais il a commis de mal,
Joins à ce déplaisir des douleurs singulières
Pour les infirmités qui te sont journalières ;
Et si l'heure le souffre, en secret devant Dieu,
Repasses-en le nombre, et le temps, et le lieu ;
Et, de tous les défauts où ton âme s'engage,
Étends devant ses yeux la pitoyable image.
    Gémis, soupire, pleure aux pieds de l'Éternel,
D'être encor si mondain, d'être encor si charnel,
D'avoir des passions si peu mortifiées,
Des inclinations si mal purifiées,
Que les mauvais désirs demeurent tout-puissants
Sur qui veille si mal à la garde des sens.
    Gémis d'en voir souvent les approches saisies
Par les vains embarras de tant de fantaisies,
D'avoir pour le dehors tant de soupirs ardents,
Et si peu de retour aux choses du dedans ;
De souffrir que ton âme à toute heure n'aspire
Qu'à ce qui divertit, qu'à ce qui te fait rire,
Tandis que pour les pleurs et la componction
Ton endurcissement a tant d'aversion ;
De te voir tant de pente à vivre plus au large,
Dans l'aise et les plaisirs d'une chair qui te charge,
Cependant que ton cœur a tant de lâcheté

Pour la ferveur du zèle et pour l'austérité ;
D'être si curieux d'entendre des nouvelles,
De voir des raretés surprenantes et belles,
Et si lent à choisir de ces emplois abjets
Que prend l'humilité pour ses plus doux objets.
    Gémis de tant d'ardeur pour amasser et prendre,
Et de tant de réserve à départir ou rendre,
Qu'on a raison de croire et de te reprocher
Que ce que tient ta main ne s'en peut détacher.
    Pleure ton peu de soin à régler tes paroles,
Ton silence rempli d'égarements frivoles,
Le peu d'ordre en tes mœurs, le peu de jugement
Que dans tes actions fait voir chaque moment.
Gémis d'avoir aimé les plaisirs de la table,
Et fait la sourde oreille à ma voix adorable,
D'avoir pris pour vrai bien la molle oisiveté,
D'avoir pris le travail pour infélicité ;
Pour des contes en l'air ou vigilance entière,
Long assoupissement pour la sainte prière,
Hâte d'être à la fin, et l'esprit vagabond
Vers ce qu'il ne fait pas ou que les autres font.
    Pleure ta nonchalance à rendre ton office,
Gémis de ta tiédeur pendant ton sacrifice,
De tant d'aridité dans tes communions,
De tant de complaisance en tes distractions,
D'avoir si rarement l'âme bien recueillie,
De faire hors de toi toujours quelque saillie,
Prompt à te courroucer, prompt à fâcher autrui,
Sévère à le reprendre, et juger mal de lui,
Pleure l'emportement de tes humeurs diverses
Qu'enflent les bons succès, qu'abattent les traverses ;
Pleure enfin ta misère, et l'ouvrage imparfait
De tant de bons desseins que suit si peu d'effet.
    Ces défauts déplorés, et tout ce qu'i t'en reste,
Avec un vif regret d'un cœur qui les déteste,
Avec de ta faiblesse un aveu douloureux,
D'où naisse un déplaisir cuisant, mais amoureux,
Passe au ferme propos de corriger ta vie,
D'avancer aux vertus où ma voix te convie,
D'élever tes désirs sans plus les ravaler,
D'aller de mieux en mieux sans jamais reculer ;
Puis d'une volonté fortement résignée,
Qui tienne sous tes pas la terre dédaignée,
Offre-toi tout entier toi-même en mon honneur
Pour holocauste pur sur l'autel de ton cœur.
Remets entre mes mains et ton corps et ton âme,
Afin que tout rempli d'une céleste flamme,
Tu sois en digne état par cet humble devoir
De consacrer mon corps et de le recevoir.
    Car, si tu ne le sais, pour plaire au Dieu qui t'aime,
L'offrande la plus digne est celle de toi-même,
C'est elle qu'il faut joindre à celle de mon corps
Par d'amoureux élans, par de sacrés transports,
Qui puissent jusqu'à moi les élever unies
Et quand tu dis la messe, et quand tu communies.
Rien ne t'affranchit mieux de ce qu'a mérité
Ou ta noire malice, ou ta fragilité,
Et rien n'efface mieux les taches de tes crimes
Que la sainte union qu'ont lors ces deux victimes.
    Quand le pécheur a fait autant qu'il est en lui

Qu'une douleur sensible, un véritable ennui,
Un profond repentir le prosterne à ma face
Pour obtenir pardon et me demander grâce;
Je suis le Dieu vivant qui ne veux point sa mort,
Mais qu'à se convertir il fasse un digne effort,
Qu'il vive en mon amour pour revivre en ma gloire,
Et de tous ses péchés je perdrai la mémoire;
Tous lui seront par moi si pleinement remis,
Qu'il aura place au rang de mes plus chers amis.

8. DE L'OBLATION DE JÉSUS-CHRIST
EN LA CROIX,
ET DE LA PROPRE RÉSIGNATION.

Corps ou sujet de l'emblème : *Jésus-Christ mourant.*
Ame ou sentence : *Ego me totum obtuli pro te.* (Str. 5.)

Vois comme tout nu sur la Croix,
Victime pure et volontaire,
Les deux bras étendus sur cet infâme bois,
Jadis pour tes péchés je m'offris à mon Père :
Y réservai-je rien de ce qui fut en moi,
Qu'afin de te sauver et de lui satisfaire
Mon amour n'immolât pour toi?

Tel tu dois de tout ton pouvoir
M'offrir chaque jour en la messe
Toute l'affection que tu peux concevoir,
Avec toute sa force et toute sa tendresse :
Tel tu me dois, mon fils, immoler à ton tour
Un cœur qui tout entier pour moi seul s'intéresse,
Et me rende amour pour amour.

Ainsi tu sauras me gagner,
Et ce que plus je te demande,
C'est que tu prennes soin de te bien résigner,
De faire de toi-même une sincère offrande.
Tous autres dons pour moi ne sont point suffisants,
Je ne regarde point si leur valeur est grande,
Je te cherche, et non tes présents.

Comme il ne te suffirait pas
D'avoir sans moi mille avantages,
Ainsi n'espère point que je fasse aucun cas
De tout ce que sans toi m'offriront tes hommages :
Offre-toi tout entier, et de tes volontés,
En te donnant à moi, ne fais aucuns partages,
Et tes dons seront acceptés.

Tu vois que je me suis offert
Pour toi tout entier à mon Père,
Tu vois que je te donne, après avoir souffert,
Tout mon corps et mon sang en ce divin mystère;
Ce don que je te fais, pour être tout à toi,
Te sert d'un grand exemple, et t'apprend pour me
Que tu dois être tout à moi.   [plaire

Si dans toi ton propre intérêt

Se peut réserver quelque chose,
Si tu ne t'offres pas à tout ce qui me plaît,
Si tu n'es point d'accord que moi seul j'en dispose,
Tu ne me feras point d'entière oblation,
Et l'art de nous unir qu'ici je te propose
N'aura point sa perfection.

Cette oblation de ton cœur,
Quelques actions que tu fasses,
Doit précéder entière avec pleine vigueur,
Doit se faire à toute heure et sans que tu t'en lasses.
Aime ce digne joug de ma captivité,
Et n'attends que de lui l'abondance des grâces
Et la parfaite liberté.

D'où crois-tu qu'on voit ici-bas
Si peu d'âmes illuminées,
Si peu dont le dedans soit purgé d'embarras,
Si peu dont les ferveurs ne se trouvent bornées?
C'est qu'à se dépouiller peu savent consentir,
Qui par le propre amour vers elles ramenées,
Ne penchent qu'à se revêtir.

Souviens-toi que j'ai prononcé
Cette irrévocable parole :
« Quiconque pour me suivre à tout n'a renoncé
N'est point un vrai disciple instruit en mon école. »
Si tu le veux donc être en ce mortel séjour,
Donne-toi tout à moi, sans souffrir qu'on me vole
La moindre part en ton amour.

9. QU'IL FAUT NOUS OFFRIR A DIEU
AVEC TOUT CE QUI EST EN NOUS,
ET PRIER POUR TOUT LE MONDE.

Corps ou sujet de l'emblème : *La présentation de la Vierge.* Ame ou sentence : *Offero me tibi hodie.* (Str. 2.)

Et le ciel, et la terre, et tout ce qu'ils contiennent,
Leurs effets, leurs vertus à jamais t'appartiennent;
Tout est à toi, Seigneur, tout marche sous ta loi,
Et je m'y viens offrir en volontaire hostie,
Moi qui de ce grand Tout fais la moindre partie,
Pour être par cette offre encor mieux tout à toi.

Dans la simplicité d'un cœur qui te réclame
Je t'offre tout entiers et mon corps et mon âme,
J'en fais un saint hommage à tes commandements :
J'offre à tes volontés un serviteur fidèle
En sacrifice pur de louange immortelle,
Et réunis en toi tous mes attachements.

Daigne avoir, ô mon Dieu, la victime agréable,
A cette oblation de ton corps adorable
Mon amour aujourd'hui l'ajoute pour tribut :
Je t'offre l'un et l'autre en présence des Anges,
Reçois cet holocauste, et fais de ces louanges
Pour moi, pour tout le peuple, un œuvre de salut.

Ces bienheureux esprits, témoins de tant d'offenses
Par qui j'ai tant de fois mérité tes vengeances,
Seront aussi témoins des vœux que je te fais ;
Et tout ce qu'à leurs yeux j'ai fait de punissable
Depuis le premier jour qui m'en a vu capable,
Je te l'offre à leurs yeux sur cet autel de paix.

Lance de ton amour une vive étincelle,
Qui, m'allumant au sein une ferveur nouvelle,
Y brûle pour jamais cet amas de péché ;
Fais que ce feu divin en consume l'ordure,
Et que l'embrasement d'une flamme si pure
Efface tout l'impur dont tu me vois taché.

Qu'un pardon général, par sa pleine efficace
Abolissant mon crime et me rendant ta Grâce,
Sous l'ordre de tes lois range tout mon vouloir :
Entre mon âme et toi rétablis la concorde,
Et par ce haut effet de ta miséricorde
Au saint baiser de paix daigne me recevoir.

Après tant de péchés que ferais-je autre chose ?
Je vois que leur excès à ta rigueur m'expose,
Qu'il arme contre moi ta juste inimitié :
Que puis-je donc, ô Dieu, pour t'arracher les armes,
Que t'avouer ma faute, et fondant tout en larmes,
Implorer à genoux l'excès de ta pitié ?

Exauce, exauce-moi, Seigneur, je t'en conjure,
Exauce cette indigne et vile créature
Que prosterne à tes pieds un humble repentir :
Mon péché me déplaît, et la plus douce idée
Que m'ose présenter son image fardée
Ne m'ôtera jamais l'horreur d'y consentir.

Je pleure, et veux pleurer tout le temps de ma vie
Sa route jusqu'ici honteusement suivie,
Je veux à mes forfaits égaler mes ennuis,
Et, si pour t'obéir j'eus trop peu de constance,
J'en accepte, ô mon Dieu, j'en fais la pénitence,
Et veux te satisfaire autant que je le puis.

Pardonne, encore un coup, pardonne par ta gloire,
Pour l'amour de ton nom bannis de ta mémoire
Tout ce que mes désirs ont eu de vicieux ;
Et, pour sauver mon âme à les croire emportée,
Souviens-toi seulement que tu l'as rachetée
Par la profusion de ton sang précieux.

Je sais, Seigneur, je sais, pour grand que soit mon
Que ta miséricorde est un profond abîme ;   [crime,
Je me résigne entier à son immensité :
N'agis que suivant elle, et lorsque ta justice
Pressera ton courroux de hâter mon supplice,
Laisse-lui fermer l'œil sur mon iniquité.

J'ose te faire encore en ce divin mystère
L'offre de tout le bien que jamais j'ai pu faire,
Quoique tout imparfait et de peu de valeur,
Quoique ces actions soient en si petit nombre,

Qu'à peine du vrai bien elles font voir une ombre
Dont les informes traits n'ont aucune couleur.

Donne-leur ce qui manque à leur faible teinture,
Corrige, sanctifie, agrée, achève, épure,
Fais-les de jour en jour aller de mieux en mieux :
Comble-les d'une Grâce en vertus si fertile,
Que cet homme chétif, paresseux, inutile,
Trouve une heureuse fin qui le conduise aux cieux.

Je t'offre tous les vœux de ces dévotes âmes
Qui ne conçoivent plus que de célestes flammes,
De mes plus chers parents je t'offre les besoins,
Ceux de tous les amis que tu m'as fait connoître,
Des frères et des sœurs que m'a donnés le cloître,
Et de tous ceux enfin qui méritent mes soins.

Pourrais-je oublier ceux dont le cœur charitable
A mes nécessités se montre favorable,
Ou qui pour ton amour à d'autres font du bien ?
Pourrais-je oublier ceux dont les saints artifices
Ou de mes oraisons ou de mes sacrifices
Empruntent le secours pour obtenir le tien ?

Je t'offre pour eux tous, soit qu'ils vivent encore,
Soit qu'en ton purgatoire un juste feu dévore
Les péchés qu'en ce monde ils ont mal su purger ;
Fais-leur sentir la force et l'appui de ta Grâce,
Console, soutiens-les dans ce tourment qui passe,
Et dans tous leurs périls daigne les protéger.

Abrège en leur faveur la peine méritée,
Avance à tous leurs maux cette fin souhaitée,
Qui change l'amertume en doux ravissements,
Afin qu'en liberté leur sainte gratitude
Fasse avec allégresse et hors d'inquiétude
Retentir tout le ciel de leurs remercîments.

J'offre ces mêmes vœux et ces mêmes hosties
Pour ceux dont la malice ou les antipathies
M'ont rendu déplaisir, m'ont nui, m'ont offensé ;
Pour ceux qui m'ont causé quelques désavantages,
Procuré quelque perte, ou fait quelques outrages,
Contredit à ma vue, ou sous main traversé.

Je te les offre encor d'une ferveur égale
Pour ceux à qui j'ai fait ou dépit ou scandale,
Pour ceux que j'ai fâchés, même sans le savoir ;
Je t'offre pour eux tous, pour eux tous je t'invoque,
Pardonne-nous à tous la froideur réciproque,
Et remets-nous ensemble au chemin du devoir.

Arrache de nos cœurs cette indigne semence
D'envie et de soupçon, de colère et d'offense,
Tout ce qui peut nourrir la contestation,
Tout ce qui peut blesser l'amitié fraternelle,
Et par une chaleur à tes ordres rebelle
Éteindre le beau feu de la dilection.

[dent,
Prends, Seigneur, prends pitié de ceux qui la deman-

Fais un don de ta Grâce aux pécheurs qui l'attendent,
Dans nos pressants besoins laisse-nous l'obtenir;
Et rends-nous tels enfin que notre âme ravie
En puisse dignement jouir durant la vie,
Et dans le Ciel un jour à jamais t'en bénir.

10. QU'IL NE FAUT PAS AISÉMENT QUITTER LA SAINTE COMMUNION.

Corps ou sujet de l'emblème : Un ange réveille le prophète Elie, et lui présente un pain cuit sous la cendre, qui le fortifie. Ame ou sentence : A praesenti gravitate te excutias. (Str. 9.)

Tu dois avoir souvent recours
A la source de Grâce et de miséricorde,
Cette fontaine pure, où se forme le cours
D'un torrent de bonté qui sur toi se déborde;
          Ainsi tu sauras t'affranchir
          De tout ce qui te fait gauchir
          Vers les passions et les vices;
Ainsi plus vigoureux, ainsi plus vigilant,
Des attaques du diable et de ses artifices
Tu braveras la ruse et l'effort insolent.

Ce fier Ennemi des mortels
De la communion sait quel bonheur procède,
Et combien on reçoit au pied de mes autels,
En ce festin sacré, de fruit et de remède :
          Il ne perd point d'occasions
          De semer ses illusions
          Pour en détourner les fidèles;
Il en fait son grand œuvre, et met tout son pouvoir
A ne laisser en l'âme aucunes étincelles
Qui puissent rallumer l'ardeur de ce devoir.

Plus il te voit t'y préparer
Avec une ferveur d'un saint espoir guidée,
Plus les fantômes noirs qu'il te vient figurer
Font un épais nuage et brouillent ton idée.
          Tu lis dans Job en plus d'un lieu
          Que parmi les enfants de Dieu
          Cet esprit ténébreux se coule :
C'est contre eux qu'il s'efforce, et sa malignité
Prend mille objets impurs que devant eux il roule
Pour les remplir de crainte ou de perplexité.

Il tâche par mille embarras
De vaincre ou d'affaiblir le zèle qui t'enflamme,
Et de se rendre maître à force de combats
De cette aveugle foi qui t'illumine l'âme :
          Il ne néglige aucun secret
          Pour t'éloigner de ce banquet,
          Ou t'en faire approcher plus tiède,
Mais il est en ta main de le rendre impuissant,
Son plus heureux effort n'abat que qui lui cède,
Et ne peut t'ébranler, si ton cœur n'y consent.

Quelques horribles saletés
Dont contre toi sa rage excite la tempête,
Tu n'as qu'à te moquer de leurs impuretés,
Et tu renverseras leurs foudres sur sa tête :
          Tu n'as qu'à traiter de mépris
          Ce roi des malheureux esprits,
          Pour le dépouiller de sa force.
Ris donc de son insulte, et quelque émotion
Dont il ose à tes yeux jeter l'indigne amorce,
Ne te relâche point de la communion.

Souvent à force d'y penser
Le soin d'être dévot trop longtemps inquiète,
Souvent l'anxiété de se bien confesser
Enveloppe l'esprit d'une langueur secrète :
          Fais choix alors de confidents
          Qui soient éclairés et prudents,
          Et bannis tout le vain scrupule;
Il empêche ma Grâce, et la précaution
Que lui fait apporter son effroi ridicule
Éteint le plus beau feu de la dévotion.

Faut-il pour un trouble léger,
Pour un amusement qu'un vain objet excite,
Pour une pesanteur qui te vient assiéger,
Que ta communion se diffère ou se quitte?
          Porte tout à ce tribunal,
          Où par un bonheur sans égal
          Qui s'accuse aussitôt s'épure :
Pardonne à qui t'offense, et cours aux pieds d'autrui
Lui demander pardon, si tu lui fis injure;
Tu l'obtiendras de moi, si tu le veux de lui.

Que peut avoir d'utilité
De la confession cette folle remise?
De quoi te peut servir cette facilité
A reculer un bien que t'offre mon Église?
          Vomis tout ce maudit poison,
          Et pour en purger ta raison
          Cours en hâte à ce grand remède :
Tu t'en trouveras mieux, et tu dois redouter
Qu'à l'obstacle présent quelque autre ne succède
Plus fâcheux à souffrir et plus fort à dompter.

Remettre ainsi de jour en jour
Pour te mieux préparer à ce bonheur insigne,
C'est te priver longtemps de ce gage d'amour,
Et peut-être à la fin t'en rendre plus indigne.
          Romps, le plus tôt que tu pourras,
          Les chaînes de ces embarras
          Dont ta propre lenteur t'accable :
Nourrir l'inquiétude apporte peu de fruit,
Et l'on s'avance mal quand on refuit ma table
Pour des empêchements que chaque jour produit.

Sais-tu que l'assoupissement
Où te laisse plonger ta langueur insensible
T'achemine à grands pas à l'endurcissement,
Et qu'à force de temps il devient invincible?
          Qu'il est de lâches, qu'il en est

Dont la tépidité s'y plaît
Jusqu'à le rendre volontaire,
Et dont la nonchalance aime à prendre aux cheveux
La moindre occasion d'éloigner un mystère
Qui les obligerait d'avoir mieux l'œil sur eux!

O que faible est leur Charité!
Que leur dévotion est traînante et débile!
Et que ce zèle est faux dont l'imbécillité
A quitter un tel bien se trouve si facile!
    Heureux l'homme qui tous les jours
    Pour recevoir un tel secours
    Épure assez sa conscience,
Et n'en passerait point sans un si grand appui,
Si de ses directeurs il en avait licence,
Ou qu'il ne craignît point qu'on parlât trop de lui.

Quand par un humble sentiment
Le respect en conseille une sainte abstinence,
Ou qu'on y voit d'ailleurs un juste empêchement,
Un homme est à louer de cette révérence:
    Mais lorsque parmi ce conseil
    Il se glisse un morne sommeil,
    On se doit exciter soi-même,
Faire tout ce que peut l'humaine infirmité :
Mon secours est tout prêt, et ma bonté suprême
Considère surtout la bonne volonté.

Alors que ta dévotion
A pour s'en abstenir des causes légitimes,
Ton désir vertueux, ta bonne intention,
Te peuvent en donner les fruits les plus sublimes.
    Quiconque a Dieu devant les yeux
    Peut en tout temps, peut en tous lieux
    Goûter en esprit ce mystère;
Il n'est obstacle aucun qui l'en puisse empêcher,
Et c'est toujours pour l'âme un repas salutaire
Quand, au défaut du corps, elle en sait approcher.

Non que cette communion,
Qu'il peut faire en tout temps toute spirituelle,
Doive monter si haut en son opinion
Que son esprit content néglige l'actuelle :
    Il faut que souvent sa ferveur
    De la bouche comme du cœur
    Reçoive ce vrai pain des Anges,
Qu'il ait des temps réglés pour un si digne effet,
Et s'y donne pour but ma gloire et mes louanges,
Plus que ce qui le flatte et qui le satisfait.

Attendant ces jours bienheureux,   [homme,
Contemple dans la crèche un Dieu qui s'est fait
Repasse en ton esprit mon trépas douloureux,
Vois l'œuvre du salut qu'en la Croix je consomme :
    Autant de fois qu'un saint transport
    Dans ma naissance ou dans ma mort
    Prendra de quoi croître ta flamme,
Ton zèle autant de fois saura mystiquement
D'une invisible main communier ton âme,
Et recevra le fruit de ce grand sacrement.

Qui ne daigne s'y préparer
Qu'alors qu'il est pressé par cette grande fête,
Et que le jour pour lui semble le désirer,
Y portera souvent une âme fort mal prête.
    Heureux qui du plus digne apprêt,
    Sans attache au propre intérêt,
    Fait son ordinaire exercice,
Et s'offre en holocauste à son Père immortel,
Quand pour le sacrement ou pour le sacrifice
Il se met à ma table, ou monte à mon autel!

Observe pour dernier avis
De n'être ni trop long, ni trop court en ta messe,
Contente ainsi que toi ceux avec qui tu vis,
Et garde un train commun en qui rien ne les blesse.
    Un prêtre n'est bon que pour lui,
    S'il gêne le zèle d'autrui,
    Faute de suivre la coutume;
Et tu dois regarder ce qui profite à tous
Plus que toute l'ardeur qui dans ton cœur s'allume,
Et que tous ces élans qui te semblent si doux.

11. QUE LE CORPS DE JÉSUS-CHRIST ET LA SAINTE ÉCRITURE SONT ENTIÈREMENT NÉCESSAIRES A L'AME FIDÈLE.

Corps ou sujet de l'emblème : Saint Paul, après avoir été trois jours sans voir ni manger, recouvre la vue par le moyen d'Ananias, qui le baptise et le communie. Ame ou sentence : Duobus me indigere fateor, cibo et lumine. (Str. 15.)

O que ta douceur infinie
Répand de charmantes faveurs,
Sauveur bénin, sur les ferveurs
De qui dignement communie!
Ce grand banquet où tu l'admets
N'a point pour lui de moindres mets
Que son bien-aimé, son unique;
Que toi, dis-je, seul à choisir,
Et seul à qui son cœur s'applique
Par-dessus tout autre désir.

Que j'en verrais croître les charmes,
Si d'un amoureux sentiment
Le tendre et long épanchement
M'y donnait un torrent de larmes!
Que tous mes vœux seraient contents
D'en baigner tes pieds en tout temps
Avec la sainte Pécheresse!
Mais où sont ces vives ardeurs?
Où cette amoureuse tendresse?
Où cet épanchement de pleurs?

En présence d'un tel Monarque,
A l'aspect de toute sa cour,
Un transport de joie et d'amour

En devrait porter cette marque;
Mon cœur par mille ardents soupirs
Devrait pousser mille désirs
Jusques à la voûte étoilée,
Et dans cet avant-goût des cieux
Ma joie en larmes distillée
Couler à grands flots de mes yeux.

En cet adorable mystère,
Je te vois présent en effet,
Dieu véritable, homme parfait,
Sous une apparence étrangère;
Tu me caches cette splendeur
Dont ta souveraine grandeur
Avant les temps est revêtue :
Seigneur, que je te dois bénir
D'épargner à ma faible vue
Ce qu'elle n'eût pu soutenir!

Les yeux même de tout un monde
En un seul regard assemblés,
De tant de lumière aveuglés,
Rentreraient sous la nuit profonde;
Ils ne pourraient pas subsister
S'ils attentaient à supporter
Des clartés si hors de mesure;
Et l'éclat de ta Majesté,
Quand elle emprunte une figure
Fait grâce à notre infirmité.

Sous ces dehors où tu te ranges
Je te vois tel qu'au firmament;
Je t'adore en ce sacrement
Tel que là t'adorent les Anges.
La différence entre eux et moi,
C'est que les seuls yeux de la foi
M'y font voir ce que j'y révère
Et qu'en ce lumineux pourpris [81]
Une vision pleine et claire
Te montre à ces heureux esprits.

Mais il faut que je me contente
D'avoir pour guide ce flambeau,
En attendant qu'un jour plus beau
Remplisse toute mon attente;
C'est ce jour de l'éternité
Dont la brillante immensité
Dissipera toutes les ombres,
Et de la pointe de ses traits
Détruira tous ces voiles sombres
Qui couvrent tes divins attraits.

La parfaite béatitude,
Éclairant nos entendements,
Fera cesser les sacrements
Dans son heureuse plénitude;
Ce glorieux prix des travaux,

Qui nous met au-dessus des maux,
Ote le besoin du remède;
Face à face tu t'y fais voir;
Sans fin, sans trouble, on t'y possède :
On t'y contemple sans miroir.

L'esprit, de lumière en lumière
Montant dans ton infinité,
S'y transforme en ta Déité,
Qu'il embrasse et voit tout entière;
Cet esprit tout illuminé
Y goûte le Verbe incarné;
Toi-même à ses yeux tu l'exposes,
Tel que dans ces vastes palais
Il était avant toutes choses,
Et tel qu'il demeure à jamais.

Le souvenir de ces merveilles
Fait qu'ici tout m'est ennuyeux,
Que tout y déplaît à mes yeux,
Tout importune mes oreilles;
Le goût même spirituel
M'est un chagrin continuel
Près de cette douce mémoire;
Et quoi qu'il m'arrive de bien,
Tant que je ne vois point ta gloire,
Tout m'est à charge, tout n'est rien.

Tu le sais, ô Dieu de ma vie,
Qu'ici-bas il n'est point d'objet
Où se termine mon projet,
Où se repose mon envie :
A te contempler fixement,
Sans fin et sans empêchement
Je mets ma gloire souveraine;
Mais avant que de voir finir
La mortalité que je traîne,
Ce bonheur ne peut s'obtenir.

Je dois donc avec patience
Te soumettre tous mes désirs,
Ne chercher point d'autres plaisirs,
N'avoir point d'autre confiance.
Les saints qui règnent avec toi
Vécurent au monde avec foi,
Avec patience y languirent,
Et leur cœur en toi satisfait
De ce que leurs vœux se promirent
Attendit constamment l'effet.

J'ai la même foi qu'ils ont eue,
J'ai le même espoir qu'ils ont eu,
Et croyant tout ce qu'ils ont cru,
J'aspire comme eux à ta vue.
Avec ta grâce et pareils vœux
J'espère d'arriver comme eux
A tes promesses les plus amples,
Et jusqu'à cette fin sans fin
Ma foi, qu'appuieront leurs exemples,
Suivra sous toi le vrai chemin.

81. « Clôture de quelque lieu seigneurial, château ou maison noble, ou de l'église... On la dit aussi poétiquement » (Furetière, 1690).

J'aurai de plus pour ma conduite
Les livres saints, dont le secours
A toute heure adoucit le cours
Des maux où mon âme est réduite :
Je trouve en leurs instructions
Des miroirs pour mes actions,
Sur qui je les règle et me juge ;
Et par-dessus tous leurs trésors,
J'ai pour remède et pour refuge
Le banquet de ton sacré corps.

Cet accablement de misères
Qui m'environne incessamment
Pour le supporter doucement
Me rend deux choses nécessaires :
J'ai besoin en toutes saisons
De deux choses dans ces prisons
Où me renferme la nature ;
Et manque de l'une des deux,
De lumière, ou de nourriture,
Mon séjour n'y peut être heureux.

Seigneur, ta bonté singulière,
Pour m'aider à suivre tes pas,
M'y donne ton corps pour repas,
Et ta parole pour lumière.
Dans ces misérables vallons
Sans l'un et l'autre de ces dons
Ta route serait mal suivie ;
Car l'un est l'immuable jour,
Et l'autre le vrai pain de vie
Qui nourrit l'âme en ton amour.

L'âme de ton amour éprise
Peut regarder ces deux soutiens
Comme deux tables que tu tiens
Dans le trésor de ton Église :
L'une est celle de ton autel,
Où se prend ton corps immortel
Pour nourriture et médecine ;
Et l'autre, celle de ta Loi,
Qui nous instruit de ta doctrine,
Et nous affermit en la Foi.

C'est elle qui du sanctuaire
Tirant pour nous le voile épais,
Jusqu'en ses plus profonds secrets
Nous introduit et nous éclaire :
C'était pour nous la préparer
Qu'il te plut jadis inspirer
Les prophètes et les apôtres ;
Et tes augustes vérités
Chaque jour encor par mille autres
Répandent sur nous leurs clartés.

Créateur et Sauveur des hommes,
Qu'on te doit de remercîments
D'avoir fait ces banquets charmants
Pour des malheureux que nous sommes !
Tu nous les tiens à tous ouverts

Pour montrer à tout l'univers
Cette charité magnifique
Qui, déployant tous ses trésors,
N'y donne plus l'Agneau mystique,
Mais ton vrai sang et ton vrai corps.

Là sans cesse tous les fidèles,
Des traits de ton amour navrés,
Et de ton calice enivrés,
Goûtent quelques douceurs nouvelles ;
Toutes les délices des cieux
Font un raccourci précieux
Dans ce calice salutaire ;
L'ange les y goûte avec nous ;
Mais comme sa vue est plus claire
Ses plaisirs sont aussi plus doux.

Prêtres, qu'illustre est votre office !
Que haute est cette dignité
Dont vous tenez l'autorité
De faire ce grand sacrifice !
Deux mots sacrés et souverains
Font descendre un Dieu dans vos mains,
Vous le prenez dans votre bouche ;
Et dans ces festins solennels
Cette même main qui le touche
Le donne au reste des mortels.

Que ces mains doivent être pures,
Que cette bouche, que ce lieu
Où loge si souvent un Dieu
Doit être bien purgé d'ordures !
O prêtres, que tout votre corps
Doit avoir dedans et dehors
Une intégrité consommée ;
Et qu'il faut voir de sainteté
Dans cette demeure animée
De l'auteur de la pureté !

Une bouche si souvent prête
A recevoir le sacrement
Doit prendre garde exactement
Qu'il n'en sorte rien que d'honnête.
Loin tous inutiles discours
D'un organe qui tous les jours
A Jésus-Christ sert de passage ;
Point, point d'entretien que fervent ;
Point d'œil que simple, chaste, et sage,
En qui l'approche si souvent.

Vos mains, qui touchent à toute heure
L'Auteur de la terre et des cieux,
Doivent accompagner vos yeux
A s'élever vers sa demeure.
Songez bien surtout que sa loi
Vous demande un sévère emploi
Qui réponde au grand nom de prêtre ;
Et que, lorsqu'il y dit à tous,
« Soyez saints comme votre Maître, »
Il parle aux autres moins qu'à vous.

Seigneur, qui de ce caractère
Nous as daigné favoriser,
Ne nous laisse pas abuser
De son auguste ministère;
Aide-nous, fais-nous dignement
Former un dévot sentiment
Par l'assistance de tes grâces,
Afin qu'en toute pureté
Nous puissions marcher sur tes traces,
Et mieux servir ta Majesté.

Que si de l'humaine impuissance
L'insensible et commun pouvoir
Relâche trop notre devoir
De ce qu'il lui faut d'innocence :
Fais que de sincères douleurs
Effacent à force de pleurs
Tout ce qui s'y coule de vice;
Et que, ravis de ta bonté,
Nous attachions à ton service
Une humble et ferme volonté.

12. QU'IL FAUT SE PRÉPARER AVEC GRAND SOIN A LA COMMUNION.

Corps ou sujet de l'emblème : *Jésus-Christ appelle Zachée, et lui commande de le recevoir en sa maison.*
Ame ou sentence : *Veni et suscipe me.* (Str. 6.)

J'aime la pureté par-dessus toute chose,
Je cherche le cœur net, c'est là que je repose,
C'est moi qui donne ici toute la sainteté,
Et j'en fais bonne part à cette pureté.
Je l'ai dit autrefois, et je te le répète :
« Prépare en ta maison une salle bien nette,
Et nous viendrons soudain, mes disciples et moi,
Y célébrer la Pâque, et la faire avec toi. »
Si tu veux que j'y vienne établir ma demeure,
Purge ce vieux levain qui s'enfle d'heure en heure
Et par l'austérité d'une sainte rigueur
Sache purifier le séjour de ton cœur :
Des vanités du monde exclus-en les tumultes;
Des folles passions bannis-en les insultes;
Tiens-y toi solitaire, et tel qu'un passereau
Qui d'un arbre écarté s'est choisi le coupeau [82],
Repasse en ton esprit avec mille amertumes
Et tes honteux défauts et tes lâches coutumes.
Quiconque pour un autre a quelque affection
Prépare un digne lieu pour sa réception,
Et le soin qu'il en prend est d'autant plus extrême
Que par là cet ami juge à quel point on l'aime.
Mais ne présume pas qu'il soit en ton pouvoir
Par ta propre vertu de me bien recevoir,
Ni que ton plus grand soin ait en soi le mérite
De m'apprêter un lieu digne que je l'habite.
Quand durant tout le temps qu'à tes jours j'ai prescrit
Il ne te passerait autre chose en l'esprit,

82. « Coupe au sommet d'une montagne » (Nicot).

Tu verrais que l'esprit qu'une vie y dispose,
Si je n'y mets la main, ne fait que peu de chose.
   Ma bonté qui t'invite à ce divin repas
T'y permet un accès qu'elle ne te doit pas,
Et comme à cette table elle seule t'appelle,
Lorsque je t'y reçois je ne regarde qu'elle.
Viens-y, mais seulement en me remerciant,
Tel qu'à celle d'un roi se sied un mendiant,
Qui n'ayant rien d'égal à de si hautes grâces,
S'humilie à ses pieds, en adore les traces,
Et lui fait ce qu'il peut de rétributions
Par ses remercîments et ses submissions.   [contrainte,
   Viens-y, non par coutume, ou par quelque
Mais avec du respect, mais avec de la crainte,
Mais avec de l'amour, mais avec de la foi,
Fais avec diligence autant qu'il est en toi,
Viens ainsi, prends ainsi le corps d'un Dieu qui t'aime,
Et que tu dois aimer au delà de toi-même.
Il veut loger en toi, lui qui remplit les cieux,
Il descend jusqu'à toi pour t'encourager mieux,
Lui-même il te convie à ce banquet céleste,
Lui-même il te l'ordonne, et suppléera le reste;
Si tes défauts sont grands, plus grand est son pouvoir;
Approche en confiance, et viens le recevoir.
   Si tu sens qu'un beau feu fonde ta vieille glace,
Rends grâces à ce Dieu qui te fait cette Grâce,
Non qu'il t'ait pu devoir une telle amitié,
Mais parce que son œil te regarde en pitié.
Si ton zèle au contraire impuissant ou languide
De moment en moment te laisse plus aride,
Redouble ta prière et tes gémissements
Pour arracher de lui de meilleurs sentiments :
Persévère, importune, obstine-toi de sorte
A pleurer à ses pieds, à frapper à sa porte,
Qu'il t'ouvre, ou que du moins de ce bien souverain
Il laisse distiller quelque goutte en ton sein.
   Cette importunité n'est jamais incivile,
Je te suis nécessaire et tu m'es inutile;
Tu ne viens pas à moi pour me sanctifier,
Mais je m'abaisse à toi pour te justifier,
Pour te combler de biens, pour te donner la voie
De croître ton bonheur et d'affermir ta joie.
Tu viens à mon banquet pour en sortir plus saint,
Pour rallumer en toi la ferveur qui s'éteint,
Pour mieux t'unir à moi d'une chaîne éternelle,
Pour recevoir d'en-haut une Grâce nouvelle,
Et pour voir naître en toi de son épanchement
De plus pressants désirs pour ton amendement.
Garde de négliger une faveur si grande,
Tiens-lui ton cœur ouvert, fais-m'en entière offrande,
Et m'ayant dignement préparé ce séjour,
Introduis-y l'objet de ton céleste amour.
   Mais ce n'est pas assez d'y préparer ton âme
Avec toute l'ardeur d'une céleste flamme,
Si pour l'y disposer il faut beaucoup de soins,
Le sacrement reçu n'en demande pas moins,
Et le recueillement après ce grand remède
Doit égaler du moins l'ardeur qui le précède :
Oui, la retraite sainte après le sacrement
Est un sublime apprêt pour le redoublement,

Et la communion où la ferveur abonde
A de plus grands effets prépare la seconde.
    Qui trop tôt s'y relâche en perd soudain le fruit,
Et se dispose mal à celle qui la suit :
Tiens-toi dans le silence, et rentre dans toi-même,
Pour jouir en secret de ce bonheur suprême;
Si tu sais une fois l'art de le conserver,
Le monde tout entier ne t'en saurait priver.
Mais il faut qu'à moi seul ton cœur entier se donne,
Pour vivre plus en moi qu'en ta propre personne,
Sans que tout l'univers sous aucunes couleurs
T'inquiète l'esprit pour ce qui vient d'ailleurs.

13. QUE L'AME DÉVOTE DOIT S'EFFORCER
DE TOUT SON CŒUR A S'UNIR
A JÉSUS-CHRIST DANS LE SACREMENT.

Corps ou sujet de l'emblème : Saints Faustin et Jovite [83],
*martyrs, ayant baptisé dans la prison un soldat qui les
gardait, une colombe leur apporte la sainte hostie pour
le communier. Ame ou sentence :* Quis mihi det ut inveniam
te? *(Str. 1.)*

Qui me la donnera, Seigneur,
    Cette joie où mon âme aspire,
De pouvoir seul à seul te montrer tout mon cœur,
Et de jouir de toi comme je le désire?

Que je rirai lors des mépris
    Qu'auront pour moi les créatures!
Qu'il m'importera peu si leurs faibles esprits
Me comblent de faveurs, ou m'accablent d'injures!

Je te dirai tout mon secret,
    Tu me diras le tien de même,
Tel qu'un ami s'explique avec l'ami discret,
Tel qu'un amant fidèle entretient ce qu'il aime.

C'est là, Seigneur, tout mon désir,
    C'est tout ce dont je te conjure,
Qu'une sainte union à ton seul bon plaisir
Arrache de mon cœur toute la créature;

Qu'à force de communions,
    D'offrandes et de sacrifices,
Élevant jusqu'au ciel toutes mes passions
J'apprenne à ne goûter que ses pures délices.

Quand viendra-t-il cet heureux jour,
    Ce moment tout beau, tout céleste,
Qu'absorbé tout en toi par un parfait amour
Je m'oublîrai moi-même et fuirai tout le reste?

Viens en moi, tiens-toi tout en moi;
    Souffre à tes bontés adorables
De nous faire à tous deux cette immuable loi
Qu'à jamais cet amour nous rende inséparables.

83. Martyrs romains sous Dioclétien, en 302.

N'es-tu pas ce cher bien-aimé,
    Cet époux choisi d'entre mille
A qui veut s'attacher mon cœur tout enflammé,
Tant qu'il respirera dedans ce tronc mobile?

N'es-tu pas seul toute ma paix,
    Paix véritable et souveraine,
Hors de qui les travaux ne finissent jamais,
Hors de qui tout plaisir n'est que trouble et que peine?

N'es-tu pas cette Déité
    Ineffable, incompréhensible,
Qui, fuyant tout commerce avec l'impiété,   [sible?
Au cœur simple, au cœur humble est toujours acces-

Seigneur, que ton esprit est doux!
    Que pour tes enfants il est tendre!
Et que c'est les aimer que de les nourrir tous
De ce pain que du ciel tu fais pour eux descendre!

Est-il une autre nation
    Si grande, si favorisée,
Qui possède ses dieux avec telle union,
Qui trouve leur approche également aisée?

Chaque jour, pour nous soulager,
    Pour nous porter au bien suprême,
Tu nous offres à tous ton vrai corps à manger,
Tu nous donnes à tous à jouir de toi-même.

Quel climat est si précieux
    Sur qui nous n'ayons l'avantage?
Et quelle créature obtint jamais des cieux
Rien d'égal à ce don qui fait notre partage?

Un Dieu venir jusqu'en nos cœurs!
    De sa chair propre nous repaître!
O Grâce inexplicable! ô célestes faveurs!
Par quels dignes présents puis-je les reconnaître?

Que te rendrai-je, ô Dieu tout bon,
    Après ce trait d'amour immense?
Où pourrai-je trouver de quoi te faire un don
Qui puisse tenir lieu d'une reconnaissance?

Je l'ai, mon Dieu, j'ai ce de quoi
    Te faire une agréable offrande;
Je n'ai qu'à me donner de tout mon cœur à toi,
Et je te rendrai tout ce qu'il faut qu'on te rende.

Oui, c'est là tout ce que tu veux
    Pour cette faveur infinie;
Seigneur, que d'allégresse animera mes vœux.
Quand je verrai mon âme avec toi bien unie!

D'un ton amoureux et divin
    Tu me diras lors à toute heure :
« Si tu veux avec moi vivre jusqu'à la fin,
Avec toi jusqu'au bout je ferai ma demeure. »

Et je te répondrai soudain :
« Si tu m'en veux faire la grâce,
Seigneur, c'est de ma part mon unique dessein,
Fais que d'un si beau nœud jamais je ne me lasse. »

14. DE L'ARDENT DÉSIR DE QUELQUES DÉVOTS POUR LE SACRÉ CORPS DE JÉSUS-CHRIST.

Corps ou sujet de l'emblème : *Les pèlerins d'Emmaüs reconnaissent Jésus-Christ à la fraction du pain.* Ame ou sentence : *Isti veraciter agnoscunt Dominum in fractione panis.* (Str. 9.)

Que de charmes, Seigneur, ta bonté juste et sainte
Réserve pour les cœurs qui vivent sous ta crainte!
      Qu'immense en est l'excès!
   Et qu'il porte une douce atteinte
Dans l'âme qui par là s'ouvre chez toi l'accès!

Quand j'ai devant les yeux ce zèle inépuisable
Dont tant de vrais dévots s'approchent de ta table,
      J'en deviens tout confus,
   Et sous la honte qui m'accable,
A force d'en rougir, je ne me connais plus.

Soit que j'aille à l'autel, soit que je me présente
A ce banquet sacré dont ton amour ardente
      Daigne nous régaler,
   J'y vais l'âme si languissante
Que je ne trouve point par où m'en consoler.

J'y porte une tiédeur qui dégénère en glace,
Mes élans les plus doux y font aussitôt place
      A mon aridité,
   Et me laissent devant ta face
Stupide aux saints attraits de ta bénignité.

Je n'y sens point comme eux ces ardeurs empressées,
Je n'y vois point régner sur toutes mes pensées
      Ces divines chaleurs,
   Dont leurs âmes comme forcées
Distillent leur tendresse en des torrents de pleurs.

De la bouche et du cœur je les vois tous avides,
Tous, gros des bons désirs qui leur servent de guides,
      Courir à ces appas,
   Et voler à ces mets solides
Que ta main leur prodigue en ces divins repas.
                                    [breuvage,
S'ils n'ont ton corps pour viande et ton sang pour
Leur faim en ces bas lieux n'a rien qui la soulage,
      Qui puisse l'assouvir;
   Et de ton amour ce saint gage
A seul de quoi leur plaire et de quoi les ravir.

Que leurs ravissements, que leur impatience,

Que leurs ardents transports marquent bien ta pré-
      Et que leur vive foi   [sence!
   Fait une pleine expérience
Des célestes douceurs qu'on ne goûte qu'en toi!

Ces disciples aimés font hautement paraître
La véritable ardeur qu'ils sentent pour leur Maître
      Durant tout le chemin,
   Et comme ils savent le connaître
A cette fraction de ce pain tout divin.

C'est ce qui me confond alors que je compare
Aux sublimes ferveurs d'une vertu si rare
      Mon lâche égarement,
   Et la froideur dont je prépare
Mon âme vagabonde à ce grand sacrement.

Daigne, Sauveur bénin, daigne m'être propice,
Fais que souvent je sente en ce grand sacrifice
      Un peu de cet amour;
   Fais que souvent il me ravisse,
Que souvent il m'éclaire, et m'embrase à mon tour.

Fais que par là ma foi d'autant mieux s'illumine,
Que par là mon espoir d'autant mieux s'enracine
      En ta haute bonté,
   Et que cette manne divine
Fortifie en mon cœur l'esprit de charité.

Que cette charité vivement allumée
Ne s'éteigne jamais, jamais sous la fumée
      Ne se laisse étouffer,
   Jamais par le temps désarmée
Ne cède aux vanités que suggère l'Enfer.

Tu peux bien, ô mon Dieu, me faire cette grâce,
Tu peux m'en accorder l'abondante efficace
      Que cherche mon désir :
   Ta pitié jamais ne se lasse,
Et pour prendre ton temps tu n'as qu'à le choisir.

En ces bienheureux jours dont je te sollicite
Tu sauras abaisser vers mon peu de mérite
      Ton immense grandeur,
   Et par une douce visite
M'inspirer cet esprit d'union et d'ardeur.

Si je n'ai pas encor cette ferveur puissante
Que de tes grands dévots l'âme reconnaissante
      Mêle dans tous ses vœux,
   La mienne, quoique languissante,
Du moins, Seigneur, aspire à de semblables feux.

Fais que je participe à toutes leurs extases,
Et rends si digne enfin l'ardeur dont tu m'embrases
      D'avoir place en leur rang,
   Qu'appuyé sur les mêmes bases
J'atteigne aussi bien qu'eux au vrai prix de ton sang.

15. QUE LA GRACE DE LA DÉVOTION S'ACQUIERT PAR L'HUMILITÉ, ET PAR L'ABNÉGATION DE SOI-MÊME.

Corps ou sujet de l'emblème : Sainte Mathilde [84], *mère de l'empereur Othon, passe les nuits en prière devant le Saint-Sacrement. Ame ou sentence : Oportet devotionis gratiam instanter quaerere.* (Str. 1.)

Pour devenir dévot, prends de la confiance,
Recherche cette Grâce avec attachement,
Sache la demander avec empressement,
Attends-la sans chagrin et sans impatience :
D'un cœur reconnaissant tu dois la recevoir,
Conserver ses trésors sous un humble devoir.
Appliquer toute l'âme à leur plus digne usage,
Et remettre avec joie au grand dispensateur
Le temps et la façon d'avancer un ouvrage
Qui n'a que lui pour but, et que lui pour auteur.

Quand le zèle te manque, ou qu'il n'a que faiblesse,
Trouve à t'humilier dans ton peu de vertu ;
Mais garde que ton cœur n'en soit trop abattu,
Et ne t'en laisse pas accabler de tristesse.
Dieu souvent est prodigue après de longs refus
Le bonheur qu'il diffère en devient plus diffus ;
Les faveurs qu'il recule en sont plus singulières ;
Il se plaît à surprendre, il choisit son moment,
Et souvent il accorde à la fin des prières
La Grâce qu'il dénie à leur commencement.

S'il en faisait le don sitôt qu'on le demande,
L'homme ne saurait pas ce que vaut un tel bien,
Tant il oublierait tôt sa faiblesse et son rien !
Tant il voudrait peu voir que sa misère est grande !
Le prix en décroîtrait par la facilité.
Attends donc cette Grâce avec humilité,
Avec un ferme espoir armé de patience ;
Et si tu ne l'obtiens, ou s'il te veut l'ôter,
N'en cherche la raison que dans ta conscience,
C'est à tes seuls péchés que tu dois l'imputer.

Peu de chose souvent à mes faveurs s'oppose,
Peu de chose repousse ou restreint leur pouvoir,
Si l'on peut toutefois ou dire ou concevoir
Que ce qui le restreint ne soit que peu de chose :
L'obstacle est toujours grand de qui l'amusement
A de pareils bonheurs forme un empêchement,
Mais soit grand, soit léger, apprends à t'en défaire ;
Triomphe pleinement de ce qui le produit,
Et sans peur craindre alors qu'un tel bien se diffère
De tes plus doux souhaits tu recevras le fruit.

Aussitôt qu'une entière et fidèle retraite
En Dieu de tout ton cœur t'aura su résigner,

---

84. Comtesse alémanique (890-968). Elle épousa Henri l'Oiseleur. Par sa fille Edvige, elle est la grand-mère d'Hugues Capet. Elle mourut au monastère de Kedlimburg (Saxe).

Et que ton propre choix s'y verra dédaigner
Jusqu'à tenir égal quoi qu'il aime ou rejette,
En de si bonnes mains ce cœur vraiment remis
Dans l'heureuse union de ton esprit soumis
D'un repos assuré trouvera l'abondance ;
Et rien ne touchera ton goût ni ton désir
Comme l'ordre éternel de cette Providence,
Dont tu rechercheras partout le bon plaisir.

Quiconque, le cœur simple et l'intention pure,
Me donne tous ses soins avec sincérité,
Quiconque sait porter cette simplicité
Au-dessus de soi-même et de la créature :
Au moment qu'il bannit ces folles passions,
Et le dérèglement de ces aversions
Que souvent l'amour-propre inspire aux âmes basses,
Il mérite aussitôt de recevoir des cieux
Les pleins écoulements du torrent de mes Grâces,
Et l'ardeur qui rend l'homme agréable à mes yeux.

Ma libéralité, féconde en biens solides,
Ne peut voir de mélange où je viens m'établir ;
Je veux remplir moi seul ce que je veux remplir,
Et ne verse mes dons que dans des vaisseaux vides.
Plus un homme renonce aux choses d'ici-bas,
Plus un parfait mépris de tous leurs vains appas
L'avance en l'art sacré de mourir à soi-même,
D'autant plus tôt ma Grâce anime sa langueur,
D'autant plus de ses dons l'affluence est extrême,
Et porte haut en lui la liberté du cœur.

En cet heureux état avec pleine tendresse
Il saura s'abîmer dans mes doux entretiens,
Et lui-même admirant ces abîmes de biens
Il verra tout son cœur dilaté d'allégresse ;
Moi-même, prenant soin de conduire ses pas,
Je lui ferai partout goûter les saints appas
Que je verse dans l'âme où je fais ma demeure ;
Et, comme dans ma main tout entier il s'est mis,
Ma main toute-puissante, en tous lieux, à toute heure,
Lui servira d'appui contre tous ennemis.

Ainsi sera béni l'homme qui ne s'enflamme
Que des saintes ardeurs de ne chercher que moi,
L'homme qui, ne voulant que mon vouloir pour loi,
N'a pas en vain reçu l'empire de son âme :
Il n'approchera point de la communion
Sans emporter en soi l'amoureuse union
Qui doit être le fruit de ce divin mystère ;
Et j'épandrai sur lui cet excès de bonheur,
Pour avoir moins cherché par où se satisfaire
Que par où soutenir ma gloire et mon honneur.

16. QUE NOUS DEVONS DÉCOUVRIR TOUTES NOS NÉCESSITÉS A JÉSUS-CHRIST.

Corps ou sujet de l'emblème : Les Sarrasins voulant piller le monastère de Sainte-Claire, elle leur en empêche

l'entrée en leur montrant le saint ciboire [85]. Ame ou
sentence. *Tu solus potes me adjuvare.* (Str. 6.)

Source de tous les biens où nous devons prétendre,
    Aimable et doux Sauveur,
Qu'en cet heureux moment je souhaite de prendre
    Avec pleine ferveur,

De toutes mes langueurs, de toutes mes faiblesses
    Tes yeux sont les témoins,
Et du plus haut du ciel, d'où tu fais tes largesses
    Tu vois tous mes besoins.

Tu connais mieux que moi tous mes maux, tous mes
    Toutes mes passions,   [vices,
Et n'ignores aucun des plus secrets supplices
    De mes tentations.

Le trouble qui m'offusque et le poids qui m'accable
    Sont présents devant toi :
Tu vois quelle souillure en mon âme coupable
    Imprime un juste effroi.

Je cherche en toi, Seigneur, le souverain remède
    De toutes mes douleurs,
Et le consolateur qui me prête son aide
    Contre tant de malheurs.

Je parle à qui sait tout, à qui dans mon courage
    Voit tout à découvert,
Et peut seul adoucir les fureurs de l'orage
    Qui m'entraîne et me perd.

Tu sais quels biens surtout sont les plus nécessaires
    A mon cœur abattu,
Et combien dans l'excès de toutes mes misères
    Je suis pauvre en vertu.

Je me tiens à tes pieds, chétif, nu, misérable,
    J'implore ta pitié,
Et j'attends, quoique indigne, un effort adorable
    De ta sainte amitié.

Daigne, daigne repaître un cœur qui te mendie
    Un morceau de ton pain,
De ce pain tout céleste, et qui seul remédie
    Aux rigueurs de sa faim.

Dissipe mes glaçons par cette heureuse flamme
    Qu'allume ton amour,
Et sur l'aveuglement qui règne dans mon âme
    Répands un nouveau jour.

De la terre pour moi rends les douceurs amères,
    Quoi qu'on m'y puisse offrir,
Mêle aux sujets d'ennuis, mêle aux succès contraires
    Les plaisirs de souffrir.

85. Sainte Claire (1193-1253). Épisode fameux du siège
d'Assise, raconté par son premier biographe, récemment
remis en lumière par les Bollandistes.

Fais qu'en dépit du monde et de ses impostures
    Mon esprit ennobli
Regarde avec mépris toutes les créatures,
    Ou les traite d'oubli.

Élève tout mon cœur au-dessus du tonnerre,
    Fixe-le dans les cieux,
Et ne le laisse plus divaguer sur la terre
    Vers ce qui brille aux yeux.

Sois l'unique douceur, sois l'unique avantage
    Qui puisse l'arrêter,
Sois seul toute la viande et seul tout le breuvage
    Qu'il se plaise à goûter.

Deviens tout son amour, toute son allégresse,
    Tout son bien, tout son but,
Deviens toute sa gloire et toute sa tendresse,
    Comme tout son salut.

Fais-y naître un beau feu par ta bonté suprême,
    Et si bien l'enflammer,
Qu'il l'embrase, consume, et transforme en toi-même
    A force de t'aimer.

Que par cette union avec toi je devienne
    Un seul et même esprit,
Et qu'un parfait amour à jamais y soutienne
    Ce que tu m'as prescrit.

Ne souffre pas, Seigneur, que de ta sainte table,
    Où tu m'as invité,
Je sorte avec la faim et la soif déplorable
    De mon aridité.

Par ta miséricorde inspire, avance, opère,
    Achève tout en moi,
Ainsi que dans tes saints on t'a vu souvent faire
    En faveur de leur foi.

Serait-ce une merveille, ô Dieu, si ta clémence
    Me mettait tout en feu,
Sans qu'en moi de moi-même en ta sainte présence
    Il restât tant soit peu ?

N'es-tu pas ce brasier, cette flamme divine
    Qui ne s'éteint jamais,
Et dont le vif rayon purifie, illumine
    Et l'âme et ses souhaits ?

17. DU DÉSIR ARDENT
DE RECEVOIR JÉSUS-CHRIST.

Corps ou sujet de l'emblème : *L'Annonciation.* Ame ou
sentence : *Cum tali fide, spe et caritate sicut beata
Maria.* (Str. 5.)

Avec tous les transports dont est capable une âme,
Avec toute l'ardeur d'une céleste flamme,

Avec tous les élans d'un zèle affectueux,
Et les humbles devoirs d'un cœur respectueux,
Je souhaite approcher de ta divine table,
J'y souhaite porter cet amour véritable,
Cette ferveur sincère et ces fermes propos
Qu'y portèrent jadis tant d'illustres dévots,
Tant d'élus, tant de saints, dont la vie exemplaire
Sut le mieux pratiquer le grand art de te plaire.

Oui, mon Dieu, mon seul bien, mon amour éternel,
Tout chétif que je suis, tout lâche et criminel,
Je veux te recevoir avec autant de zèle
Que jamais de tes saints ait eu le plus fidèle,
Et je souhaiterais qu'il fût en mon pouvoir
D'en avoir encor plus qu'il n'en put concevoir.

Je sais qu'à ces désirs en vain mon cœur s'excite;
Ils passent de trop loin sa force et son mérite :
Mais tu vois sa portée, il va jusques au bout;
Il t'offre ce qu'il a, comme s'il avait tout,
Comme s'il avait seul en sa pleine puissance
Ces grands efforts d'amour et de reconnaissance
Comme s'il avait seul tous les pieux désirs
Qui d'une âme épurée enflamment les soupirs,
Comme s'il avait seul toute l'ardeur secrète,
Tous les profonds respects d'une vertu parfaite.

Si ce qu'il t'offre est peu, du moins c'est tout son
C'est te donner beaucoup que ne réserver rien : [bien,
Qui de tout ce qu'il a te fait un plein hommage
T'offrirait beaucoup plus s'il pouvait davantage.
Je m'offre donc entier, et tout ce que je puis,
Sans rien garder pour moi de tout ce que je suis,
Je m'immole moi-même, et pour toute ma vie,
Au pied de tes autels, en volontaire hostie.

Que ne puis-je, ô mon Dieu, suppléer mon défaut
Par tout ce qu'après toi le ciel a de plus haut!
Et pour mieux exprimer tout ce que je désire,
(Mais, ô mon Rédempteur, t'oserai-je le dire?
Si je te fais l'aveu de ma témérité,
Lui pardonneras-tu d'avoir tant souhaité?)
Je souhaite aujourd'hui recevoir ce mystère
Ainsi que te reçut ta glorieuse Mère,
Lorsqu'aux avis qu'un ange exprès lui vint donner
Du choix que faisait d'elle un Dieu pour s'incarner,
Elle lui répondit confuse et constante :
« Je ne suis du Seigneur que l'indigne servante;
Qu'il fasse agir sur moi son pouvoir absolu
Comme tu me le dis et qu'il l'a résolu. »
Tout ce qu'elle eut alors pour toi de révérence,
De louanges, d'amour, et de reconnaissance,
Tout ce qu'elle eut de foi, d'espoir, de pureté,
Durant ce digne effort de son humilité,
Je voudrais tout porter à cette sainte table
Où tu repais les tiens de ton corps adorable.

Que ne puis-je du moins par un céleste feu
A ton grand précurseur ressembler tant soit peu,
A cet illustre saint, dont la haute excellence
Semble sur tout le reste emporter la balance!
Que n'ai-je les élans dont il fut animé
Lorsqu'aux flancs maternels encor tout enfermé,

Impatient déjà de préparer ta voie,
Il sentit ta présence, et tressaillit de joie,
Mais d'une sainte joie et d'un tressaillement
Dont le Saint Esprit seul formait le mouvement!
Lorsqu'il te vit ensuite être ce que nous sommes,
Converser, enseigner, vivre parmi les hommes,
Tout enflammé d'ardeur, « Quiconque aime l'époux,
Cria-t-il [86], de sa voix trouve l'accent si doux,
Que de ses tons charmeurs l'amoureuse tendresse,
Sitôt qu'il les entend, le comble d'allégresse. »
Que n'ai-je ainsi que lui ces hauts ravissements,
Ces désirs embrasés, et ces grands sentiments,
Afin que tout mon cœur dans un transport sublime
T'offre une plus entière et plus noble victime?

J'ajoute donc au peu qu'il m'est permis d'avoir
Tout ce que tes dévots en peuvent concevoir,
Ces entretiens ardents, ces ferveurs extatiques
Où seul à seul toi-même avec eux tu t'expliques,
Ces lumières d'en-haut qui leur ouvrent les cieux,
Ces claires visions pour qui l'âme a des yeux,
Ces amas de vertus, ces concerts de louanges,
Que les hommes sur terre, et qu'au ciel tous les anges,
Que toute créature enfin pour tes bienfaits
Et te rend chaque jour, et te rendra jamais;
J'offre tous ces désirs, ces ardeurs, ces lumières,
Pour moi, pour les pécheurs commis à mes prières,
Pour nous unir ensemble et nous sacrifier
A te louer sans cesse et te glorifier.

Reçois de moi ces vœux d'allégresse infinie,
Ces désirs que partout ta bonté soit bénie;
Ces vœux justement dus à ton infinité,
Ces désirs que tout doit à ton immensité.
Je te les rends, Seigneur, et je te les veux rendre
Tant que de mon exil le cours pourra s'étendre, [lieux:
Chaque jour, chaque instant, devant tous, en tous
Puisse tout ce qu'il est d'esprits saints dans les cieux,
Puisse tout ce qu'il est en terre de fidèles,
Te rendre ainsi que moi des grâces éternelles,
Te bénir avec moi de l'excès de tes biens,
Et joindre avec ferveur tous leurs encens aux miens!

Que des peuples divers les différents langages
Ne fassent qu'une voix pour t'offrir leurs hommages!
Que tous mettent leur gloire et leur ambition
A louer à l'envi les grandeurs de ton nom!

Fais, Seigneur, que tous ceux qu'un zèle véritable
Anime à célébrer ton mystère adorable,
Que tous ceux dont l'amour te reçoit avec foi
Obtiennent pour eux grâce et t'invoquent pour moi.
Quand la sainte union où leurs souhaits aspirent
Les aura tous remplis des douceurs qu'ils désirent,
Qu'ils sentiront en eux ces consolations
Que versent à grands flots tes bénédictions,
Qu'ils sortiront ravis de ta céleste table,
Fais qu'ils prennent souci d'aider un misérable,
Et que leurs saints transports, avant que de finir,
D'un pécheur comme moi daignent se souvenir.

86. *Jean*, III, 29.

18. QUE L'HOMME NE DOIT POINT APPROFONDIR LE MYSTÈRE DU SAINT SACREMENT AVEC CURIOSITÉ, MAIS SOUMETTRE SES SENS A LA FOI.

Corps ou sujet de l'emblème : *L'institution du Saint-Sacrement*. Ame ou sentence : *Plus valet Deus operari, quam homo intelligere.* (Str. 1.)

Toi qui suis de tes sens les dangereuses routes,
Et veux tout pénétrer par ton raisonnement,
Sache qu'approfondir un si grand sacrement,
C'est te plonger toi-même en l'abîme des doutes.
Quiconque ose d'un Dieu sonder la Majesté,
Dans ce vaste océan de son immensité,
Opprimé de sa gloire, aisément fait naufrage;
Et tu voudrais en vain comprendre son pouvoir,
Puisqu'un mot de sa bouche opère davantage
Que tout l'esprit humain ne saurait concevoir.

Je ne te défends pas la recherche pieuse
Des saintes vérités dont tu dois être instruit,
Leur pleine connaissance est toujours de grand fruit,
Pourvu qu'elle soit humble et non point curieuse;
Que des Pères surtout les fidèles avis
Avec soumission soient reçus et suivis :
Tu te rendras heureux, si tu te rends docile,
Mais plus heureuse encor est la simplicité
Qui fuit des questions le sentier difficile,
Et sous les lois de Dieu marche avec fermeté.

Que le monde en a vu dont l'indiscrète audace
A force de chercher est tombée en défaut,
Et pour avoir porté ses lumières trop haut,
De la dévotion a repoussé la Grâce!
Ton Dieu sait ta faiblesse et n'exige de toi
Que la sincérité d'une solide Foi,
Qu'une vie obstinée à la haine du crime,
Et non pas ces clartés qu'un haut savoir produit,
Ni cette intelligence et profonde et sublime
Qui du mystère obscur perce toute la nuit.

Si ce que tu peux voir au-dessous de toi-même
Se laisse mal comprendre à ton esprit confus,
Comment comprendras-tu ce qu'a mis au-dessus,
Ce que s'est réservé le Monarque suprême.
Rabats de cet esprit l'essor tumultueux,
A ces rébellions des sens présomptueux
Impose de la Foi l'aimable tyrannie;
Soumets-toi tout entier, remets-moi tout le soin
De répandre sur toi ma science infinie
Et j'en mesurerai le don à ton besoin.

Souvent touchant la foi d'un si profond mystère
Plusieurs et fortement, sont tentés de douter :
Mais ces tentations ne doivent s'imputer
Qu'à la suggestion du commun Adversaire.
Ne t'en mets point en peine, évite l'embarras
Où jetteraient ton cœur ces périlleux débats,

Quoi qu'il t'ose objecter, dédaigne d'y répondre,
Crois-moi, crois ma parole et celle de mes saints;
Cet unique secret suffit pour le confondre
Et fera par la suite avorter ses desseins.

S'il revient à l'attaque et la fait plus pressée,
Soutiens-en tout l'effort sans en être troublé,
Et souviens-toi qu'enfin cet assaut redoublé
Est la marque d'une âme aux vertus avancées.
Ces méchants endurcis, ces pécheurs déplorés,
Comme il les tient pour lui déjà tous assurés,
A les inquiéter jamais il ne s'amuse.
C'est aux bons qu'il s'attache, et c'est contre leur Foi
Qu'il déploie à toute heure et sa force et sa ruse,
Pour m'enlever s'il peut ce qu'il voit tout à moi.

Viens et n'apporte point une foi chancelante
Que la raison conseille et qui tient tout suspect;
Je la veux simple et ferme, avec l'humble respect
Qu'à ce grand sacrement doit ta sainte épouvante.
Viens donc et pour garant en ce divin repas,
De tout ce que tu crois et que tu n'entends pas,
Ne prends que mon vouloir et ma toute-puissance.
Je ne déçois jamais, et ne puis décevoir,
Mais quiconque en soi-même a trop de confiance
Se trompe et ne sait rien de ce qu'il croit savoir.

Je marche avec le simple et ne fais ouverture   [secrets,
Qu'aux vrais humbles de cœur de mes plus hauts
Aux vrais pauvres d'esprit j'aplanis mes décrets,
Et dessille les yeux où je vois l'âme pure.
La curiosité qu'un vain orgueil conduit
Se fait de ses faux jours une plus sombre nuit,
Qui cache d'autant plus mes clartés à sa vue :
Plus la raison s'efforce, et moins elle comprend;
Aussi comme elle est faible, elle est souvent déçue,
Mais la solide Foi jamais ne se méprend.

Tous ces discernements que la nature inspire,
Toute cette recherche où le sens peut guider,
Doivent suivre la Foi qu'ils veulent précéder,
Doivent la soutenir, et non pas la détruire.
C'est la Foi, c'est l'Amour, qui tous deux triomphants,
Dans ce festin que Dieu présente à ses enfants
Marchent d'un pas égal, ont des forces pareilles,
Et leur sainte union par d'inconnus ressorts
Fait tout ce grand ouvrage et toutes ces merveilles,
Qui du raisonnement passent tous ces efforts.

Le pouvoir souverain de cet absolu Maître,
Que ne peuvent borner ni les temps ni les lieux,
Opère mille effets sur terre et dans les cieux
Que l'homme voit, admire et ne saurait connaître.
Plus l'esprit s'y travaille, et plus il s'y confond,
Plus il les sonde avant, moins il en voit le fond,
Ils sont toujours obscurs et toujours admirables :
Et si par la raison ils étaient entendus,
Le nom de merveilleux et celui d'ineffables
Quelque haut qu'on les vît, ne leur seraient pas dus.

LOUANGES DE LA SAINTE VIERGE

On ignore tout des circonstances de la composition de cette autre longue traduction, qui vit le jour en 1665 et n'eut qu'une édition du vivant de Corneille. Il est probable toutefois que le milieu ecclésiastique, les génovéfains peut-être, ont joué un rôle déterminant pour la diffusion du culte particulier de la Vierge. Corneille, tout en notant sa réussite occasionnelle de traducteur, ne manifeste pas autrement d'estime pour ce texte, au rythme populaire,

si éloigné de la belle prose cadencée et surtout du souffle inspiré de Thomas a Kempis.

Comme en 1663, Corneille a pris parti dans la querelle du théâtre contre le « parti dévot ». Cette traduction n'est en rien une compensation, mais simplement, en regard de la dévotion au Saint-Sacrement chère à l'Imitation, dont on pouvait faire usage dans des sens très divers, une réaction vers le culte plus populaire et plus humain de la Vierge.

AU LECTEUR

Cette pièce se trouve imprimée sous le nom de saint Bonaventure, à la fin de ses Œuvres [1]. Plusieurs doutent si elle est de lui, et je ne suis pas assez savant pour en juger. Elle n'a pas l'élévation d'un docteur de l'Église, mais elle a la simplicité d'un saint, et sent assez le zèle de son siècle, où dans les hymnes, proses, et autres compositions pieuses que l'on faisait en latin, on recherchait davantage les heureuses cadences de la rime que la justesse de la pensée. L'auteur de celle-ci a voulu trouver l'image de la Vierge en beaucoup de figures du vieil et du nouveau Testament : les applications qu'il en a faites sont quelquefois un peu forcées; et quelque aide que j'aie tâché de lui prêter, la figure n'a pas toujours un entier rapport à la chose. Je me suis réglé à rendre chacun de ses huitains par un dizain; mais je ne me suis pas assujetti à les faire tous de la même mesure : j'y ai mêlé des vers longs et courts, selon que les expressions en ont eu besoin, pour avoir plus de conformité avec l'original, que j'ai tâché de suivre fidèlement. Vous y en trouverez d'assez passables, quand l'occasion s'en est offerte; mais elle ne s'est pas offerte si souvent que je l'aurais souhaité pour votre satisfaction. Si ce coup d'essai ne déplaît pas, il m'enhardira à donner de temps en temps au public des ouvrages de cette nature, pour satisfaire en quelque sorte à l'obligation que nous avons tous d'employer à la gloire de Dieu du moins une partie des talents que nous en avons reçus. Il ne faut pas toutefois attendre de moi, dans ces sortes de matières, autre chose que des traductions ou des paraphrases. Je suis si peu versé dans la théologie et dans la dévotion, que je n'ose me fier à moi-même quand il en faut parler : je les regarde comme des routes inconnues où je m'égarerais aisément, si je ne m'assurais de bons guides; et ce n'est pas sans beaucoup de confusion que je me sens un esprit si fécond pour les choses du monde, et si stérile pour celles de Dieu. Peut-être l'a-t-il ainsi voulu pour me donner d'autant plus de quoi m'humilier devant lui, et rabattre cette vanité si naturelle à ceux qui se mêlent d'écrire, quand ils ont eu quelque succès avantageux. En attendant qu'il lui plaise m'inspirer et m'attirer plus fortement, je vous fais cet aveu sincère de ma faiblesse, et ne me hasarderai à vous rien dire de lui que je n'emprunte de ceux qu'il a mieux éclairés.

1. Saint Bonaventure (1221-1274) n'est sans doute pas l'auteur de cet *Office*. Il n'en avait pas moins été joint à la dernière édition monumentale de ses *Œuvres complètes* : sept in-folios, Rome, 1588-1596.

Accepte notre hommage, et souffre nos louanges,
  Lis tout céleste en pureté,
  Rose d'immortelle beauté,
Vierge, mère de l'humble et maîtresse des anges,
Tabernacle vivant du Dieu de l'univers,
Contre le dur assaut de tant de maux divers
Donne-nous de la force, et prête-nous ton aide;
  Et jusqu'en ce vallon de pleurs
Fais-en du haut du ciel descendre le remède,
Toi qui sais excuser les fautes des pécheurs.

O Vierge sans pareille, et de qui la réponse
Mérita de porter et conçut Jésus-Christ,
Sitôt que Gabriel t'eut fait l'heureuse annonce
Qu'en un souffle sacré suivit le Saint-Esprit;
Vierge devant ta couche, et Vierge après ta couche,
Montre en notre faveur que la pitié te touche,
Qu'aucun refuge à toi ne se peut égaler;
Et comme notre vie, en disgrâces fertile,
Durant son triste cours incessamment vacille,
Incessamment aussi daigne nous consoler.

L'esprit humain se trouble au nom de Vierge Mère,
L'orgueil de la raison en demeure ébloui;
De la vertu en haut ce chef-d'œuvre inouï
Pour leurs vaines clartés est toujours un mystère :
La foi, dont l'humble vol perce au delà des cieux,
Pour cette vérité trouve seule des yeux,
Seule, en dépit des sens, la connaît, la confesse;
Et le cœur, éclairé par cette aveugle foi,
Voit avec certitude, et soutient sans faiblesse,
Qu'un Dieu pour nous sauver voulut naître de toi.

Prodige qui renverse et confond la nature!
Le père de sa fille met le fils à son tour :
Une étoile ici-bas met le soleil au jour,
Le Créateur de tout naît d'une créature,
La source part ainsi de son propre ruisseau,
L'ouvrier est produit par le même vaisseau
  Que sa main a formé de terre :
Et toujours Vierge et Mère, un accord éternel
De ces deux noms en toi, qui partout sont en guerre,
Fait grâce, et rend la vie à l'homme criminel!

  Que pures étaient les entrailles
Où s'enferma ce fils qui tient tout en sa main,
Et que de sainteté régnait au chaste sein
  Que suça ce Dieu des batailles!
Que ce lait qu'il en prit fut doux et savoureux,
  Et que serait heureux
Un cœur qui s'en verrait arrosé d'une goutte!
O Mère qui peux tout, prends soin de notre sort,

Guide nos pas tremblants jusqu'au bout de leur route,
Et sauve-nous des maux de l'éternelle mort.

Rose sans flétrissure et sans aucune épine,
   Rose incomparable en fraîcheur,
   Rose salutaire au pécheur,
Rose enfin toute belle, et tout à fait divine;
La Grâce, dont jadis la prodigalité
Versa tous ses trésors sur la fécondité,
N'a fait et ne fera jamais rien de semblable :
Par elle on te voit Reine et des cieux et des saints;
Par elle sers ici de remède au coupable,
Et seconde l'effort de nos meilleurs desseins.

   Que d'énigmes en l'Écriture
   T'offrent sous un voile à nos yeux!
L'esprit qui la dicta s'y plut en mille lieux
A nous tracer lui-même et cacher ta peinture.
   Le vieil et nouveau Testament
Tous deux, comme à l'envi, te nomment hautement
   La première d'entre les femmes;
Et cette préférence acquise à tes vertus,
Comme elle a mis ton âme au-dessus de nos âmes,
De nos périls aussi t'a su mettre au-dessus.

Avant que du Seigneur la sagesse profonde
Sur la terre et les cieux daignât se déployer,
Avant que du néant sa voix tirât le monde,
Qu'à ce même néant sa voix doit renvoyer,
De toute éternité sa prudence adorable
Te destina pour Mère à son Verbe ineffable,
A ses Anges pour Reine, aux hommes pour appui;
Et sa bonté dès lors élut ton ministère
Pour nous tirer du gouffre où notre premier père
Nous a d'un seul péché plongés tous avec lui.

Ouvre donc, Mère-Vierge, ouvre l'âme à la joie
D'avoir remis en grâce et nous et nos aïeux;
Toi-même applaudis-toi d'avoir ouvert les cieux;
D'en avoir aplani, d'en avoir fait la voie.
Les hôtes bienheureux de ces brillants palais
T'offrent et t'offriront tous ensemble à jamais
Des hymnes d'allégresse et de reconnaissance;
Et nous, que tu défends des ruses de l'enfer,
Nous y joindrons l'effort de l'humaine impuissance,
Pour obtenir comme eux le don d'en triompher.

I [2]

Telle que s'élevait du milieu des abîmes,
Au point de la naissance et du monde et du temps,
Cette source abondante en flots toujours montants,
Qui des plus hauts rochers arrosèrent les cimes,

2. Le texte latin comporte quatre-vingt trois huitains qui commencent chacun par une des lettres de l'*Ave Maria*, ainsi reproduit en acrostiche : Corneille n'en a pas tenu compte dans sa traduction. Après une invocation de neuf strophes, les autres sont précédées d'une brève explication des dix-neuf allégories que l'auteur applique à la Vierge : Fontaine, Bois, Arche, Echelle de Jacob. Les six premières sont tirées de la *Genèse*, deux viennent de l'*Exode*, deux des *Nombres*, deux des *Juges*, une des *Rois*, une de *Judith*, une d'*Esther* ; les quatre dernières ne suivent pas l'ordre du texte biblique et rassemblent les quatre figures les plus populaires : la colombe pacifique de l'Arche, le serpent foulé, la porte de l'Orient, la femme lumineuse de l'Apocalypse sur un croissant de lune. Seule, donc, cette dernière image est tirée du Nouveau Testament. Pour permettre de suivre la composition du poème, nous reproduisons, en tête de la traduction, le chiffre romain qui accompagne dans le texte latin l'énoncé de l'allégorie.

Telle en toi, du milieu de notre impureté,
D'un saint enfantement l'heureuse nouveauté
Élève de la Grâce une source féconde;
Son cours s'enfle avec gloire et ses flots qu'en tout lieu
Répand la charité dont regorge son onde
Font en se débordant croître l'amour de Dieu.

II

Durant ces premiers jours qu'admirait la nature,
La vie avait son arbre, et ses fruits précieux,
Remplissant tout l'Éden d'un air délicieux,
A nos premiers parents s'offraient pour nourriture.
Ainsi le digne fruit que tes flancs ont porté
Remplit tout l'univers de sainte volupté,
Et s'offre chaque jour pour nourriture aux âmes;
Il n'est point d'arbre égal, et jamais il n'en fut,
Et jamais ne sera de plantes ni de femmes
Qui portent de tels fruits pour le commun salut.

III

Un fleuve qui sortait du séjour des délices
Arrosait de plaisirs ce Paradis naissant,
   Et sur l'homme encore innocent
Roulait avec ses flots l'ignorance des vices :
Vierge, ce même fleuve en ton cœur s'épandit,
Quand, pour nous affranchir de ce qui nous perdit,
Ton corps du fils de Dieu fut l'auguste demeure;
La terre au grand Auteur en rendit plus de fruit,
La nature en reçut une face meilleure,
Et triompha dès lors du vieux péché détruit.

Ce fils, comme son père, arbitre du tonnerre,
Ce maître, comme lui, des hommes et des dieux
Ayant pour son palais un Paradis aux cieux,
Voulut pour sa demeure un Paradis en terre :
Ce père tout-puissant l'y forma de ton corps,
Qu'il commit à garder ce trésor des trésors,
Dès qu'il te vit de l'ange agréer la visite :
Ainsi se commença notre Rédemption;
Ainsi tu donnas place au souverain mérite
Qui nous dégage tous de la corruption.

IV

Noé bâtit une arche avant que le déluge
Fît de toute la terre un vaste lit des eaux;
Il fait d'un bois poli ce premier des vaisseaux
Où sa famille trouve un assuré refuge.
Cette arche est ton portrait : son bois poli nous peint
Des parents dont tu sors le choix heureux et saint;
Dieu s'en fait un vaisseau comme un patriarche,
Mais on voit en autre ordre au mystère caché :
Pour se sauver des eaux Noé monte en son arche,
Dieu pour descendre en toi te sauve du péché.

V

L'onde enfin se retire en ses vastes abîmes,
La terre se revêt des plus vives couleurs,
Et la pitié du ciel s'épand sur nos malheurs,
Ainsi que sa colère avait fait sur nos crimes.
Si la tempête encore ose nous menacer,
Sa fureur a sa borne et ne la peut forcer;
Un grand arc sur la nue en marque l'assurance
Et Dieu l'y fait briller pour signal qu'à jamais
Sa bonté maintiendra l'amoureuse alliance
Qui du côté des eaux nous a promis la paix.

Que se crève à grand bruit le plus épais nuage,
Qu'il verse à gros torrents ce qu'il a de plus noir,

L'arc témoin de ce pacte à peine se fait voir,
Qu'il dissipe la crainte et nous rend le courage :
La joie avec l'espoir rentre au cœur des pécheurs,
    Qui l'œil battu de pleurs,
Avec sincérité détestent leurs faiblesses;
Et quoi que sur leur tête ils entendent rouler,
Le souvenir d'un Dieu fidèle en ses promesses
Leur donne à cet aspect de quoi se consoler.

Vois, ô Reine du ciel, vois comme il te figure,
Comme de tes vertus ses couleurs sont les traits!
Son azur, dont l'éclat n'a que de purs attraits,
De ta virginité fait l'aimable peinture;
Par le feu, dont le rouge est si bien animé,
Ton zèle ardent pour Dieu voit le sien exprimé,
Ta charité vers nous y trouve son image,
Et de l'humilité, qui par un prompt effet
Du choix du Tout-Puissant mérita l'avantage,
Ce blanc tout lumineux est le tableau parfait.

Telle donc que cet arc la terre te contemple :
Tu fais pleuvoir du ciel cent lumières sur nous,
Ta brillante splendeur sème de là pour tous
Des plus parfaites mœurs un glorieux exemple.
Par toi chaque hérésie a son cours terminé,
En vain de ses enfants le courage obstiné
De ses fausses clartés s'attache aux impostures,
Il suffit de te voir unir en Jésus-Christ
Par ta submission deux contraires natures,
Pour briser tout l'orgueil dont s'enfle leur esprit.

    Arc invincible, arc tout aimable,
    Qui guéris en blessant au cœur,
    Arc en pouvoir comme en douceur
    Également incomparable,
    Arc qui fais la porte des cieux,
    Vierge sainte, enfin, qu'en tous lieux
    Un respect sincère doit suivre,
Quand de notre destin l'inévitable loi
    Nous aura fait cesser de vivre,
Fais-nous part de ta gloire et revivre avec toi.

VI

Le sommeil de Jacob lui fait voir des miracles,
L'échelle, qu'il lui montre en lui fermant les yeux,
    De la terre atteint jusqu'aux cieux;
Dieu s'appuie au-dessus pour rendre ses oracles,
Les Anges, dont soudain un luisant escadron
De célestes clartés couvre chaque échelon,
S'en servent sans relâche à monter et descendre,
Et d'un songe si beau les claires visions
L'assurent de la terre où son sang doit prétendre,
Et de ce qu'a le ciel de bénédictions.

Marie est cette échelle, elle l'est, et la passe,
Par elle on reçoit plus que Dieu n'avait promis.
Aussi pour lui parler l'Ange qu'il a commis
La nomme dès l'abord toute pleine de grâce.
Elle nous donne un fils, mais un fils Homme-Dieu;
Et quand son corps sacré quitte ce triste lieu,
Pour le porter au ciel elle a des milliers d'Anges :
De ce brillant séjour elle rompt tous nos fers,
De tous nos maux en biens elle fait des échanges,
Et nous prête son nom pour braver les Enfers.

VII

Moïse est tout surpris quand, pour lui toucher l'âme,
    Dieu se revêt de flamme;

Celle que sur l'Oreb il voit étinceler
Pare un buisson ardent, au lieu de le brûler,
Et s'en fait comme un trône où plus elle s'allume,
    Et moins elle consume.
    Ton adorable intégrité,
O Vierge-Mère, ainsi ne souffre aucune atteinte,
Lorsqu'en tes chastes flancs se fait l'union sainte
De l'essence divine à notre humanité.

VIII

Que la manne au désert est d'étrange nature!
Son goût, le premier jour, se conforme au souhait,
Et quand pour d'autres jours la réserve s'en fait,
Elle souille le vase et tourne en pourriture :
Ce peu seul qui dans l'Arche en tient le souvenir
S'y garde incorruptible aux siècles à venir,
Sans que souillure aucune à son vaisseau s'attache :
    Ainsi tu conçois Jésus-Christ,
Et ta virginité demeure ainsi sans tache
En nous donnant ce fils, conçu du Saint-Esprit.

Comme tombait du ciel cette manne mystique
Qui du peuple de Dieu faisait tout le soutien,
Ainsi du sein du Père est descendue au tien
Celle qui des enfants est le seul viatique.
La manne merveilleuse, et que nous figurait
Celle qu'en la cueillant tout ce peuple admirait,
Par une autre merveille ainsi nous est donnée :
Ainsi nous pouvons prendre, ainsi nous est offert
Plus que ne recevait cette troupe étonnée
Qui durant quarante ans s'en nourrit au désert.

Ta grâce par l'effet avilit la figure,
Elle en ternit l'éclat, elle en sème l'oubli,
Et par sa nouveauté l'univers ennobli
N'a plus d'amour ni d'yeux pour la vieille peinture.
Les nouvelles clartés de la nouvelle loi
    Que Dieu fait commencer par toi
Ne laissent rien d'obscur pour ces nouveaux fidèles,
    Et ce qui jadis éblouit,
Sitôt que tu répands ces lumières nouvelles,
    Ou s'épure ou s'évanouit.

    Ce grand auteur de toutes choses,
Ce Dieu qui fait d'un mot, quoi qu'il ait résolu,
Te regarda toujours comme un vase impollu
    Où ses grâces seraient encloses :
Vase noble, admirable, et charmant à l'aspect,
Digne d'un saint hommage et d'un sacré respect,
Digne enfin du trésor qu'en toi sa main enferme :
C'est par toi qu'il voulut qu'on goûtât en ces lieux,
Pour arrhes d'un bonheur et sans borne et sans terme,
    Ce pain des habitants des cieux.

    Tu nous donnes ce pain des Anges
    Que tes entrailles ont produit,
Ce pain des voyageurs, ce pain qui nous conduit
Jusqu'où ces purs esprits entonnent ses louanges :
C'est ce pain des enfants, ce comble de tous biens,
    Qu'il ne faut pas donner aux chiens,
A ces hommes charnels qui ne vivent qu'en brutes;
Il n'est que pour les cœurs d'un saint amour épris,
Et comme il les guérit des plus mortelles chutes,
Sur tous les autres pains ils lui doivent le prix.

    C'est en lui que sont renfermées
    Les plus salutaires douceurs
    Que puissent aimer de tels cœurs,

Et les plus dignes d'être aimées;
Il est plein d'un suc ravissant,
D'un suc si gracieux, d'un suc si nourrissant,
Qu'il fait seul un banquet où toute chose abonde;
Il est pain, il est viande, il est tout autre mets;
Il rend seul une table en délices féconde,
Et doit être pour nous le banquet des banquets.

Ce mets nous rétablit, ce mets nous régénère,
Il ramène la joie et fait cesser l'ennui,
Ton fils, qui par ce mets attire l'âme à lui,
La guide par ce mets, et l'allie à son Père.
Ce mets de tous les biens est l'accomplissement,
Il est de tous les maux l'anéantissement :
Pour nous il vainc, il règne, il étend son empire,
Il soutient, il fait croître en sainte ambition,
Et pour dire en un mot tout ce qu'on en peut dire
Il élève tout l'homme à sa perfection.

Il est le pain vivant et qui seul vivifie,
Il est ensemble et vie, et voie, et vérité,
Lui-même il nous départ une immortelle vie
Par les épanchements d'une immense bonté.
L'Église avec ce pain reçoit tant de lumière,
Que la nouvelle épouse efface la première
Par les vives splendeurs qui font briller sa foi :
La synagogue tombe, et périt auprès d'elle,
Et l'ombre de la vieille Loi
Fait place au jour de la nouvelle.

La manne a donc tari, le ciel n'en verse plus;
La figure cède à la chose,
Et le pain que Dieu nous propose,
D'un ciel encor plus haut descend pour ses élus.
Si la manne eut cet avantage
Que des fils d'Israël elle fut le partage,
Ce pain est celui du chrétien.
O chrétien, pour qui seul est fait ce pain mystique,
Viens, mange, et puisque enfin c'est un pain angélique,
Fais comme un ange, et montre un zèle égal au sien.

IX

Passons de miracle en miracle.
Moïse met, au nom des tribus d'Israël,
Pour faire un prêtre à l'Éternel,
Douze verges au tabernacle,
Aaron y joint la sienne, elle seule y produit
Des feuilles, des fleurs et du fruit;
Par là du sacerdoce il emporte le titre :
Tout ce peuple n'a qu'une voix,
Et de ce même Dieu qu'il en a fait l'arbitre
Il accepte à grands cris et bénit l'heureux choix.

Quelle nouveauté surprenante!
La fleur sort de l'aridité,
Le fruit de la stérilité,
Un bois sec reverdit; il germe, éclôt, enfante.
Où sont tes lois, nature, où devient ton cours
Dans ces miraculeux retours
Qui rendent, malgré toi, l'impuissance fertile?
Et quel est le pouvoir qui ne prend qu'une nuit
Pour tirer d'une branche et séchée et stérile
Ces feuilles, ces fleurs, et ce fruit?

Ce fruit, et ces fleurs, et ces feuilles,
Pour étaler aux yeux un si nouvel effet,
N'attendent point que tu le veuilles;
Dieu le veut, il suffit, le miracle se fait;

Il est son pur ouvrage, et comme ce grand Maître,
Sans prendre ton avis toi-même t'a fait naître,
Sans prendre ton avis il renverse tes lois :
Un bois sec rend du fruit par son ordre suprême;
Par son ordre suprême, ô Vierge, tu conçois,
Et ta virginité dans ta couche est la même.

Elle est toujours la même, et ce grand Souverain
En conserve les fleurs toujours immaculées
Alors qu'il fait germer dans ton pudique sein
La fleur de la campagne, et le lis des vallées.
Ta prompte obéissance attire sa faveur
Qui te fait de la terre enfanter le Sauveur,
Sans que ta pureté demeure moins entière;
Et cette obéissance, enflant ta charité,
D'un amour tout divin fait comme une rivière
Qui s'épanche à grands flots sur notre aridité.

X

Un prophète promet une nouvelle étoile,
Du milieu de Jacob cet astre doit sortir,
Une verge nouvelle en doit aussi partir :
L'une et l'autre a paru, l'une et l'autre est ton voile.
La verge d'Israël dont Moab est battu
Est un portrait de ta vertu
Qui de tous ennemis t'assure la défaite;
Et la fleur qu'elle porte est ton fils Jésus-Christ,
En qui d'étonnement la nature muette
Voit ce qu'elle attendait et jamais ne comprit.

L'étoile garde encor sa chaleur tout entière,
Bien qu'un rayon en sorte et brille sans égal;
La pureté de sa lumière
Fait toujours même honte à celle du cristal :
Ce rayon qui la laisse ainsi brillante et pure
De ton fils et de toi nous offre la figure;
De ce fils qui conserve en toi la pureté,
De toi qui le conçois dans sa souillure et sans tache,
Et qui gardes encor la même intégrité
Quand même de tes flancs pour naître il se détache.

Verge mystique d'Israël,
Par les prophètes tant promise,
Verge que le Père éternel
Sur toutes autres favorise,
De la racine de Jessé,
Comme ils nous l'avaient annoncé,
Nous te voyons sortir exempte de faiblesse :
Tu conçois par miracle, et ton merveilleux fruit
Rend pour toi compatible avecque la grossesse
Cette virginité que tout autre détruit.

N'es-tu pas cette étoile ensemble et cette verge,
Verge que de la grâce arrose un clair ruisseau,
Étoile en qui Dieu fait un paradis nouveau,
Vierge et Mère à la fois, et Mère toujours Vierge?
L'étoile a son rayon, et la verge a sa fleur :
Ton fils est l'un et l'autre, et de ce cher Sauveur
La fleur et le rayon nous présentent l'image;
Fleur céleste qui porte un miel tombé des cieux,
Et rayon dont l'éclat dissipe tout l'orage
Qui fit trembler la terre et gémir nos aïeux.

O verge dont aucune plante
N'égale la fertilité,
Étoile de qui la clarté
Sur toutes autres est brillante,
Tes paroles, tes actions

Ont toutes des perfections
Au-dessus de la créature,
Et l'homme accablé de malheurs
Ne saurait où choisir protection plus sûre,
Ni se faire un repos moins troublé de douleurs.

XI

Gédéon voit couvrir la toison de rosée,
En presse les flocons, et remplit un vaisseau
De cette miraculeuse eau
Qu'au reste de son champ le ciel a refusée.
O Marie, ô vaisseau plein de grâces d'en haut,
Que Dieu pour te former sans tache et sans défaut
Réserva pour toi seule et fit inépuisables!
Daigne, pour consoler notre calamité,
En verser quelque goutte aux pécheurs misérables
Que tu vois ici-bas languir d'aridité.

O que cette rosée était vraiment céleste
Qui tomba dans ton chaste sein,
Lorsque de nous sauver un Dieu prit le dessein,
Et que la grâce en toi devint si manifeste!
Le Soleil de justice alors qui te remplit
Fit qu'en toi s'accomplit
Le mystère où ce Dieu devait s'unir à l'homme :
Il est homme, il est Dieu dans ton flanc virginal,
En commençant dès là ce que sa croix consomme.
Il t'honore à jamais d'un titre sans égal.

XII

Sa grâce te remplit sitôt qu'à son message
Ton humble obéissance eut donné son aveu,
Et que son messager y vit un digne feu
Te consacrer entière à ce divin ouvrage.
Telle, dès le moment qu'acheva Salomon
De consacrer un temple aux grandeurs de son nom,
La gloire du Seigneur en remplit tout l'espace;
D'un miracle pareil il couronne ta foi,
Et joint dès ici-bas tant de gloire à ta grâce,
Que la grâce et la gloire est même chose en toi.

Salomon, ce roi pacifique,
Éleva dans ce temple un trône au Dieu des dieux,
Et le Dieu de la paix, le monarque des cieux,
S'en fait un dans ton sein pudique.
Il vient y prendre place et finir notre ennui;
Un messager céleste envoyé devant lui
En ce pudique sein lui prépare la voie :
Mais, bien que de tout temps ce Dieu l'eût résolu,
Bien que l'Ange à toi-même en eût porté la joie,
Ce Dieu n'aurait rien fait si tu n'avais voulu.

Mère Vierge, Mère de grâce,
Palais de la Divinité,
Torrent d'amour et de bonté
Dont le cours jamais ne se lasse,
Illustre original de tant d'heureux crayons,
Mère du Soleil de justice,
Fais-en jusque sur nous descendre les rayons,
Porte-lui jusqu'au ciel nos vœux en sacrifice,
Et prête à nos besoins un secours si propice,
Que nous puissions enfin voir ce que nous croyons.

XIII

Créatures inanimées,
Qui formez jusqu'ici ce merveilleux portrait,
Souffrez que le beau sexe en rehausse le trait,
Et montre ses vertus encor mieux exprimées.

Laissez-nous admirer l'illustre Abigaïl,
Laissez-nous voir sa grâce et son discours civil
Arrêter un torrent de fureurs légitimes;
Elle n'épargne dons, ni prières, ni pleurs,
Et force ainsi David à pardonner des crimes
Qui s'attiraient déjà le dernier des malheurs.

Son arrogant époux, en festins si prodigue
Pour tous ceux qu'il assemble à tondre ses troupeaux,
Qui de ces jours d'excès fait ses jours les plus beaux,
Et pour de vains honneurs lâchement se fatigue,
Ce Nabal, dont l'orgueil, enflé de tant de biens,
Passe jusqu'au mépris de David et des siens,
Du pécheur insolent est une affreuse image;
Il brave comme lui le maître de son sort,
A ses vrais serviteurs comme lui fait outrage,
Et comme lui s'attire une infaillible mort.

D'ailleurs ce David tout aimable,
Qu'à se venger on voit si prompt,
Flexible à la prière, et sensible à l'affront,
En clémence, en rigueur à nul autre semblable;
Ce guerrier si bénin, qui devient sans pitié
Au mépris et des siens et de son amitié,
Forme de Jésus-Christ l'adorable peinture :
Bien qu'il soit Dieu de paix, le foudre est en ses mains;
Et tout bon qu'il veut être, il sait venger l'injure
Et qu'on fait à sa gloire et qu'on fait à ses saints.

A force de présents, à force de prières,
La belle Abigaïl arrête ce grand cœur,
Et désarme elle seule une juste fureur
Qu'allumaient de Nabal les réponses trop fières;
Elle fait alliance entre David et lui.
O Vierge, notre unique appui,
Pour nous près de ton fils tu fais la même chose,
Et ce lait virginal de quoi tu le nourris,
Sitôt que ta prière à sa fureur s'oppose,
D'infâmes criminels nous rend ses favoris.

De ce même David, race vraiment royale,
Digne sang des plus dignes rois,
Mère et fille d'un Dieu qui te laisse à ton choix
Dispenser les trésors de sa main libérale,
Ce Dieu, qui près de lui te donne un si haut rang,
Par la nouvelle loi qu'il scella de son sang,
Nous a tous faits tes fils : montre-toi notre mère,
Sois de cette loi même et la joie et l'honneur,
Et contre tous les traits d'une juste colère
Sers-nous de bouclier, et fais notre bonheur.

En toi seule aujourd'hui se fonde l'espérance
De tout le genre humain :
Toi seule as dans ta main
De quoi du vieil Adam purger toute l'offense,
Par toi le port de vie aux pécheurs est ouvert,
Par toi le salut est offert
A qui te peut offrir tout son cœur en victime,
Et quoi que les Enfers osent nous suggérer,
Quiconque te sait honorer
Ne sait plus ce que c'est que crime.

Il fait donc bon te rendre un sincère respect,
En faire sa plus noble étude,
Se tenir en tous lieux comme à ton saint aspect,
Mettre toute sa gloire à cette servitude :
Car enfin les sentiers que tu laisses battus
Sont partout semés de vertus

Qui de tes serviteurs font l'entière assurance;
Ils guident sans péril à l'éternelle paix,
Et ce qu'on a pour toi de sainte déférence
Avec toi dans le ciel fait revivre à jamais.

XIV

Après Abigaïl, aussi sage que belle,
Judith montre un courage égal à sa beauté
Quand des Assyriens le monarque irrité
   Traite Béthulie en rebelle :
Pour venger le mépris qu'on y fait de ses lois,
Ce roi, qui voit sous lui trembler tant d'autres rois,
Envoie à l'assiéger une effroyable armée;
Holoferne préside à ce barbare effort,
Et de la multitude en ses murs enfermée
Aucun ne saurait fuir ou les fers ou la mort.

Que résous-tu, Judith? qu'oppose pour remède
L'amour de ta patrie à de si grands malheurs?
Et que doit ce grand peuple accablé de douleurs
Contre tant d'ennemis espérer de ton aide?
Tu portes dans leur camp le doux art de charmer,
Tu vois leur Holoferne, et tu t'en fais aimer;
Sa joie est sans pareille, et son amour extrême;
Il croit par un festin te le témoigner mieux,
Il s'enivre, il s'endort, et son poignard même
Tu lui perces le cœur qu'avaient percé tes yeux.

   Cette Béthulie assiégée
   Des bataillons assyriens,
   Et prête à s'en voir saccagée
   Par la division des siens,
   C'est, ô Vierge qu'un Dieu révère,
L'épouse de ton fils, l'Église, notre mère,
Qu'assiège l'hérésie, et qu'attaque l'enfer :
Forte de ton secours, elle en brave l'audace,
Et tant que pour appui ses murs auront ta grâce,
   Elle est sûre d'en triompher.

Belle et forte Judith, qui sauves d'Holoferne
Ta chère Béthulie et tous ses habitants,
Puisque par ton esprit l'Église se gouverne,
Ses triomphes iront aussi loin que le temps :
Tu combats, tu convaincs, tu confonds l'hérésie;
Et quoi qu'ose sa frénésie,
Elle tremble à te voir les armes à la main,
Tandis que les rayons dont ta couronne brille,
   Sur nous, qui sommes ta famille,
Répandent du salut l'espoir le plus certain.

Ils n'y répandent pas cette seule espérance,
Ils y joignent l'esprit qui mène à son effet,
Un esprit de douceur, qu'en Dieu tout satisfait,
Un esprit de clarté, de conseil, de science :
La sagesse à la force en nous s'unit par eux,
La crainte filiale au respect amoureux,
Qui donne un vol sublime aux âmes les plus basses;
Tous ces trésors sur nous par toi sont épanchés,
Et Dieu t'a départi toute sorte de grâces
Pour faire en ta faveur grâce à tous nos péchés.

XV

   La charmante Esther vient ensuite;
Assuérus l'épouse et la fait couronner,
Et la part qu'en son lit on le voit lui donner
Montre l'heureux succès d'une sage conduite;
La superbe Vasthi, que son orgueil déçoit,
Rejette avec mépris l'ordre qu'elle en reçoit,

Et son propre festin par sa perte s'achève.
Quelle vicissitude en ce grand changement!
L'arrogance fait choir, l'humilité relève;
L'une y trouve son prix, l'autre son châtiment.

O que ces deux beautés ont peu de ressemblance!
En l'une on voit un cœur à la vertu formé,
Un cœur humble, un cœur doux, et digne d'être aimé,
Mais qui ne sait aimer qu'avec obéissance;
En l'autre, une fierté qui ne veut point de loi,
Qui croit faire la reine en dédaignant son roi,
Et que l'orgueil du trône a rendue indocile :
Cet orgueil obstiné ne sert qu'à la trahir,
Et prépare à sa chute une pente facile
Par l'horreur que lui fait la honte d'obéir.

   Sainte Vierge, est-il rien au monde
Ou plus humble, ou plus doux, ou plus charmant que toi?
Est-il rien sous les cieux qui fasse mieux la loi
   Aux schismes dont la terre abonde?
   Non, il n'est rien si gracieux,
   Rien si beau, rien si précieux,
   Si nous en croyons l'Écriture;
   Et même sous l'obscurité
L'énigme y fait trop voir qu'aucune créature
   N'approche de ta pureté.

Tu veux donc bien qu'Esther ait place en ton image,
Que ses traits les plus beaux servent d'ombres aux tiens,
Toi dont les actions, toi dont les entretiens
Ont tant d'humilité, tant d'amour en partage.
Parmi tout ce qu'envoie aux siècles à venir
   La lecture ou le souvenir,
Ta bonté, ta douceur, ne trouvent point d'égales;
Elles charment Dieu même aussi bien que nos yeux,
   Et plus ici tu te ravales,
Plus il t'élève haut dans l'empire des cieux.

Mêmes vertus en elle ébauchaient ton mérite,
Et son pouvoir au tien n'a pas moins de rapport :
Aman en fait l'épreuve, et son perfide effort
Voit retomber sur lui l'orage qu'il excite.
Un Juif voit tant d'orgueil sans fléchir les genoux;
Pour ce mépris d'un seul il veut les perdre tous,
Il en fait même au roi signer l'ordre barbare :
L'affligé Mardochée à sa nièce en écrit.
Ne tremblez plus, ô Juifs, une beauté si rare
Veut périr ou sauver son peuple qu'on proscrit.

Esther, tendre et sensible au mal qui le menace,
Y hasarde sa vie, et se présente au Roi;
Le Roi, pour l'affranchir des rigueurs de sa loi,
Vers des appas si doux tend le signal de grâce :
Esther avec respect le convie au festin,
Lui peint d'elle et des siens le malheureux destin,
Et de son favori l'insolence et les crimes :
Ce lâche tout surpris demeure sans parler,
Et les siens avec lui sont livrés pour victimes
A ce peuple innocent qu'il voulait s'immoler.

   Ce que fait Esther pour ses frères,
   Tu le fais pour tes serviteurs,
   Tu fais retomber nos misères
   Sur la tête de leurs auteurs;
   Quoi qu'attente leur perfidie,
La grâce, qui te donne un Dieu pour ton époux,
   En un moment y remédie,
   Et pour rudes que soient leurs coups,

Ta pitié, par elle enhardie,
Ose tout et peut tout pour nous.

L'implacable ennemi de l'homme
Sous l'orgueilleux Aman dépeint,
C'est l'Ange en qui jamais cet orgueil ne s'éteint,
Le serpent déguisé qui fit mordre la pomme :
Chassé du Paradis, il nous le veut fermer;
Banni dans les enfers, il y veut abîmer
Ceux dont sa place au ciel doit être la conquête.
Mais, quoi qu'ose sa haine à toute heure, en tout lieu,
Vierge, ton pied l'écrase, et lui brisant la tête,
Tu fais d'un seul regard notre paix avec Dieu.

Tu te plais à garder tes serviteurs fidèles
Comme la prunelle des yeux,
Ta main pour avant-goût des cieux
Leur fait un nouveau siècle et des douceurs nouvelles;
Tu leur sers de refuge, et pour les consoler
Sur eux tu laisses découler
Mille et mille faveurs du Monarque suprême :
Tu puises comme épouse en ses divins trésors,
Vrai livre de la loi que fait sa bonté même,
Et sacré tabernacle où reposa son corps.

Vive fleur du printemps, candeur que rien n'efface,
Honneur des vierges, fleur des fleurs,
Fontaine de secours, dont les saintes liqueurs
Conservent toute notre race,
L'odeur de ton mérite ici-bas sans pareil
Attire l'Ange du conseil,
Le Souverain des Rois, le Seigneur des armées :
Et tu fais que du firmament
Les portes si longtemps fermées
S'ouvrent pour terminer notre bannissement.

XVI

Noé flottait encor sur les eaux du déluge,
Et troublé qu'il était d'avoir vu tout périr,
Il doutait si lui-même aurait où recourir,
S'il aurait hors de l'arche enfin quelque refuge;
Il lâche la colombe, et les monts découverts
Lui présentent des rameaux verts
Que jusque dans cette arche en son bec elle apporte.
Ce retour le ravit, et ses enfants et lui
Reprennent une joie aussi pleine, aussi forte
Que l'étaient jusque-là leur trouble et leur ennui.

XVII

Les Hébreux au désert par l'ordre de Moïse
Élèvent un serpent d'airain;
Sa vue est un remède et facile et soudain
Qui leur rend la santé promise :
Les vipères et les serpents
Qu'en ce vaste désert ce peuple voit rampants
N'ont plus de morsures funestes;
Cet aspect salutaire en fait la guérison,
Et contre eux leur figure a des vertus célestes
Plus fortes que tout leur poison.

Plus simple que n'est la colombe,
Tu nous rends plus de joie et plus de sûreté,
Et protèges si bien la vraie humilité
Que jamais elle ne succombe.
Un Dieu qui sort de toi te laisse des vertus
A relever un pécheur, à vaincre le vice abattus;
Quel qu'en soit le poison, ta force le surmonte,
Et cet heureux remède à nos péchés offert

Passe le serpent du désert,
Et fait la guérison plus prompte.

XVIII

Cette porte fermée, et qui n'ouvrait jamais,
Que vit Ézéchiel à l'orient tournée,
Par ce même orient de ses splendeurs ornée,
Est encore un de tes portraits;
Aucun n'entre ni sort par elle
Que cette sagesse éternelle
Qui doit de notre chair un jour se revêtir;
Mais soit qu'elle entre ou sorte, on voit même clôture,
Et Dieu n'y fait point d'ouverture
Ni pour entrer ni pour sortir.

Ta virginité sainte est la porte sacrée
Dont ce Dieu fit le digne choix
Pour faire au monde son entrée,
Comme pour en sortir il le fit de la Croix.
Il entre dans tes flancs, il en sort sans brisure;
Avec ce privilège il y descend des cieux :
Sans que ta pureté souffre de flétrissure
Il prend un corps en toi pour se montrer aux yeux;
Et n'est pas moins assis au-dessus du tonnerre,
Bien qu'en ce corps fragile il marche sur la terre.

Tel qu'au travers d'un astre on voit que le soleil
Trouve une impénétrable voie,
Sa lumière en descend avec éclat pareil,
Et ne brise ni rompt l'astre qui nous l'envoie;
Ce canal transparent, toujours en son entier,
Peint l'inviolable sentier
Par où le vrai Soleil passe sans ouverture :
Telle en ta pureté, Vierge, tu le conçois;
Mais l'astre suit ainsi l'ordre de la nature,
Et tu conçois ton fils en dépit de ses lois.

XIX

Son bien-aimé disciple à qui ce digne Maître
Te donna pour mère en mourant,
Lui que le tendre amour de ce fils expirant
Fit ton fils en sa place, et qui se plut à l'être,
Cet apôtre prophète à Pathmos exilé
Y voit plus que n'a révélé
D'aucun de ses pareils l'énigmatique histoire;
Il voit un signe au ciel si merveilleux en soi,
Il y voit un crayon si parfait de ta gloire,
Qu'il doute s'il y voit ou ta figure ou toi.

Il y voit une femme en beauté singulière,
Le soleil la revêt de ses propres rayons,
La lune est sous ses pieds avec même lumière
Qu'en son plus grand éclat d'ici nous lui voyons;
Douze astres forment sa couronne,
Et si tant de splendeur au dehors l'environne,
Ce que le dedans cache est encor plus exquis :
Elle est pleine d'un fils qu'à peine l'on voit naître
Qu'aussitôt le souverain Maître
Lui fait place en son trône, et le reçoit pour fils.

Est-elle autre que toi, cette femme admirable?
Et son lumineux appareil
D'astres, de lune et de soleil,
N'est-il pas de ta couche un apprêt adorable?
Est-ce une autre que toi que de tous ses trésors
Et remplit au dedans et revêt au dehors
Le brillant Soleil de justice;
Et fait-il commencer par une autre en ces lieux

Ce royaume de Dieu si doux et si propice
    Qui réunit la terre aux cieux?

La milice du ciel qui sous tes loix se range
    Comme la lune sous tes pieds,
Y fait incessamment résonner ta louange,
Et sert d'illustre base au trône où tu te sieds;
De tes plus saints aïeux la troupe glorieuse
    Fait la couronne précieuse
    Des astres qui ceignent ton front;
Le nombre en est égal à celui des Apôtres,
Et nous donne l'exemple et des uns et des autres
Pour être un jour par toi près de Dieu ce qu'ils sont.

    Cette plénitude étonnante
Des grâces que sa main sur toi seule épandit,
Joint à tant de vertus, joint à tant de crédit,
La gloire de la voir toujours surabondante.
Vierge par excellence, et Mère du Très-Haut,
    Toujours sans tache et sans défaut,
Lumière que jamais n'offusque aucun nuage,
De tant de plénitude épands quelque ruisseau,
Et de tant de splendeurs dont brille ton visage,
Laisse jusque sur nous tomber un jour nouveau.

    En toi toutes les prophéties
    Qui de toi jamais ont parlé,
    Par le plein effet éclaircies,
Font voir ce que leur ombre a si longtemps voilé :
    Les énigmes de l'Écriture,
    Dont s'enveloppe ta figure,
    Ont perdu leur obscurité,
    Et ce que t'annoncent les Anges,
    Ce qu'ils te donnent de louanges
    Est rempli par la vérité.

Refuge tout-puissant de la faiblesse humaine,
Incomparable Vierge, étoile de la mer,
Calme-nous-en les flots prêts à nous abîmer;

De nos vieux ennemis dompte pour nous la haine,
Purge en nous tout l'impur, tout le terrestre amour.
Toi qui conçois ton Dieu, toi qui le mets au jour.
    Sans en être un moment moins pure,
Toi, la pierre angulaire, en qui l'on voit s'unir
    Les vérités à la figure,
Ou plutôt la figure en vérités finir.

Les figures ont peint l'excès de ta puissance :
    Fais-nous-en ressentir l'effet;
    Parle, prie, et Dieu satisfait
Laissera désarmer sa plus juste vengeance.
Tu te sieds à sa dextre à côté de ton fils,
La tienne de ce trône où lui-même est assis
Peut aux plus lâches cœurs rendre une sainte audace :
De là de tous les tiens tu secours les besoins,
Et comme ta prière obtient pour eux sa grâce,
L'œuvre de leur salut est l'œuvre de tes soins.

Cette adorable chair qu'il forma de la tienne,
    Ce sang qu'il tira de ton sang,
Quelque haut rang au ciel que l'un et l'autre tienne,
    T'ont cru devoir le même rang :
    Et comme sans cesse il considère
Qu'il prit et l'un et l'autre en ton pudique flanc,
Sans cesse il te chérit, sans cesse il te révère,
Et comme il est ton Fils aussi bien que ton Dieu,
L'amour et le respect qu'il garde au nom de Mère
Ne t'auraient pu jamais souffrir en plus bas lieu.

Ce Fils t'élève ainsi sur toute créature,
Te fait ainsi jouir de la société
    De cette immense Trinité
Qui donne à tes vertus un pouvoir sans mesure.
Fais-nous-en quelque part pour monter jusqu'à toi,
Donne-nous cet amour, cet espoir, cette foi,
    Qui doivent et servir d'échelle,
    Et d'un séjour si dangereux
Tire-nous à celui de la gloire éternelle
    Qui fait le prix des bienheureux.

TRADUCTIONS DU BRÉVIAIRE ROMAIN

En 1670, cinq ans après les Louanges, Corneille publie une longue traduction fort différente des précédentes : il s'agit là, pour des raisons qui nous échappent, de la reprise d'une vieille tentative pour permettre aux fidèles de pénétrer complètement le sens de la liturgie, par des traductions en langue vulgaire. Un siècle et demi plus tôt, Lefèvre d'Étaples l'avait tenté, mais s'était heurté à une opposition de l'orthodoxie, qui appuya au contraire la tentative cinquante ans plus tard, quand les protestants eurent donné l'exemple. Le nom de Desportes domine cette période. Godeau (1605-1672), évêque de Vence, familier de l'hôtel de Rambouillet, encouragea ce genre de travaux et donna lui-même l'exemple, à l'époque. On a vu (page 905) que Corneille avait pu utiliser pour l'Office la traduction de Desmarets.

Pour les sept Psaumes de la pénitence (VI, XXXI, XXXVII, L, CI, CXXIX, CXLII), il n'avait que l'embarras du choix. Ce fut le texte le plus traduit au
XVIᵉ siècle, et les traductions de Baïf ou de Bl. de Vigenère sont particulièrement fameuses.

Quant aux Vêpres et Complies du dimanche, offices délaissés des fidèles, il était plus naturel encore d'y songer qu'à l'office de la Sainte Vierge.

En y joignant les principales hymnes qui rythment l'année liturgique, Corneille donnait ainsi un manuel où rien d'essentiel ne manquait, en dehors des textes propres à la messe. On sait que Racine refit partiellement la traduction des Hymnes du bréviaire, publiées en 1688 après sa mort. Le texte n'est accompagné que de douze gravures, œuvre, en partie du moins, de Pierre Mariette. Encore certaines sont-elles reprises d'ouvrages antérieurs, puisque les deux signatures de Matheus et de Jacques Granthomme appartiennent au début du XVIIᵉ siècle.

Nous avons placé, en tête de cette section, l'ensemble des Psaumes traduits par Corneille [1], selon leur ordre numérique ; ensuite les différents Offices avec renvoi aux Psaumes qu'ils comportent.

PSAUMES

PSAUME IV
Cum invocarem, exaudivit me Deus.

Sitôt que j'invoquai le Dieu de ma justice,
Il exauça mes vœux, il prit pitié de moi,
Dans mes afflictions sa main me fut propice,
Et dilata mon cœur qu'avait serré l'effroi.

Montrez pour moi, Seigneur, une pitié noùvelle,
Vous voyez sur mes bras de nouveaux ennemis,
Dissipez leurs conseils, ramenez mon rebelle,
Exaucez ma prière, et me rendez mon fils.

Lâches, dont le complot en ces ennuis me plonge,
Jusqu'où porterez-vous des cœurs durs et pesants?
Jusqu'où prendrez-vous soin d'appuyer le mensonge,
Jusqu'où d'un vain orgueil serez-vous partisans?

Avez-vous oublié par combien de miracles
Dieu m'a mis dans le trône et soutenu son choix?
Le croyez-vous moins fort à briser tous obstacles
Aussitôt que vers lui j'élèverai ma voix?

Prenez contre le crime une digne colère,
Connaissez votre faute, et cessez de faillir,
Et faites dans vos lits un examen sévère
De ce que votre cœur espère en recueillir.

Qu'un juste repentir offre vos sacrifices,
Mettez-vous en état d'espérer au Seigneur,
Venez, et laissez dire aux esclaves des vices :
« Qu'on nous offre du bien, on aura notre cœur. »

Sa lumière divine a mis sur mon visage
De ses vives clartés la sainte impression,
Et sa parfaite joie a mis dans mon courage
De quoi me soutenir contre l'oppression.

Avant cette fureur de la guerre civile,
A-t-on vu des sujets plus heureux que les miens?
L'abondance du vin, du froment et de l'huile,
En augmentait le nombre en augmentant leurs biens.

Je reverrai, Seigneur, encor la même chose
Dès qu'il vous aura plu me redonner la paix;
C'est sur ce doux espoir que mon cœur se repose,
C'est à ce doux effet qu'il borne ses souhaits.

Ces grâces, ô mon Dieu, passeraient les premières :
Mais sur votre bonté j'ose m'en assurer,
Et vous m'avez tant fait de faveurs singulières,
Que j'espère aisément plus qu'on n'ose espérer.

Gloire au Père éternel, la première des causes,
Gloire au Verbe incarné, gloire à l'Esprit divin!
Et telle qu'elle était avant toutes les choses,
Telle soit-elle encor maintenant et sans fin.

PSAUME VI
Domine, ne in furore tuo arguas me.

Je l'avouerai, Seigneur, votre juste colère
Ne peut avoir pour moi trop de sévérité,
    Mais ne me corrigez qu'en père,
    Et non pas en maître irrité.

Avec compassion regardez ma faiblesse,
Je souffre sans relâche, et languis sans repos;
    Guérissez-moi, le mal me presse,
    Et passe jusque dans mes os.

Mon âme en est troublée, et ne sait plus qu'attendre,
Tant chaque jour l'accable et de crainte et d'horreur;
    Jusques où voulez-vous étendre
    Les marques de votre fureur?

[1]. Corneille se trouve avoir ainsi traduit cinquante psaumes, juste un tiers de l'ensemble du *Psautier.*

Détournez-en le cours qui sur moi se déborde,
Du torrent qui bondit venez me préserver :
    C'est à votre miséricorde
    Qu'il appartient de me sauver.

L'empire de la mort, sous qui mon corps succombe,
Nous laisse-t-il de vous le moindre souvenir,
    Et le silence de la tombe
    Nous apprend-il à vous bénir?

Abattu de tristesse et travaillé d'alarmes,
Soupirer et gémir, c'est tout ce que je puis,
    Et baigner mon lit de mes larmes,
    Ce sont mes plus heureuses nuits.

Mon œil épouvanté de toutes parts n'envoie
Que des regards troublés d'un si cuisant malheur,
    Et mes ennemis ont la joie
    De me voir blanchir de douleur.

Sortez d'auprès de moi, noirs ouvriers du crime,
Qu'on voyait si ravis de me voir aux abois;
    Du Seigneur la bonté sublime
    Daigne entendre ma triste voix.

Mes larmes ont monté jusque devant sa face;
Il a reçu mes vœux, mes soupirs l'ont touché,
    Mes cris en ont obtenu grâce,
    Il n'a plus d'yeux pour mon péché.

Allez, qu'à votre tour la misère vous trouble;
Rougissez tous de honte en cette occasion,
    Et que chaque moment redouble
    Cette prompte confusion.

PSAUME VIII
Domine, Dominus noster.

Dieu, notre souverain, tout-puissant et tout bon,
Auteur de la nature, et maître du tonnerre,
    Que la gloire de ton saint nom
S'est rendue admirable aux deux bouts de la terre!

L'œil qui d'un seul regard contemple ces bas lieux
Voit ta magnificence aux plus bas lieux gravée,
    Et sitôt qu'il s'élève aux cieux,
Par-dessus tous les cieux il la voit élevée.

Ton plus parfait éloge, exprès tu l'as commis
Aux accents imparfaits que hasarde l'enfance,
    Pour confondre tes ennemis,
Et détruire l'esprit de haine et de vengeance.

Lorsque je vois des cieux le brillant appareil,
De ta savante main je ne vois que l'ouvrage;
    Et lune, étoiles, ni soleil,
N'ont aucunes splendeurs qu'elle ne leur partage.

Parmi ces grands effets qui te font admirer,
Seigneur, qu'est-ce que l'homme, et quel est son mérite?
    Et qui t'oblige à l'honorer
D'un tendre souvenir, d'un douce visite?

Un peu moindre que l'Ange il t'a plu le former,
De gloire et de grandeurs tu comblas sa naissance,
    Et ce qu'il te plut d'animer
Fut aussitôt par toi soumis à sa puissance.

A peine la nature avait rempli ta voix,
Que ta voix sous nos pieds rangea ces nouveaux êtres,
    Les hôtes des champs et des bois,
Tout nous sert aujourd'hui, tout servit nos ancêtres.

Les oiseaux dans les airs, les poissons dans les eaux,
De ton image en nous reconnaissent l'empire,
    Et sous ces liquides tombeaux
Tout ce qui nage ou vit, c'est pour nous qu'il respire.

Dieu, notre souverain, tout-puissant et tout bon,
Auteur de la nature, et maître du tonnerre,
    Que la gloire de ton saint nom
S'est rendue admirable aux deux bouts de la terre!

Gloire au Père Éternel, Gloire au Verbe incarné
Gloire à l'Esprit Divin, ainsi qu'eux ineffable
    Telle qu'avant que tout fut né
Telle soit-elle encore, à jamais perdurable.

PSAUME XVIII
Cœli enarrant gloriam Dei.

Des célestes lambris la pompeuse étendue
    Fait l'éloge du Souverain,
Et tout le firmament ne présente à la vue
    Que des ouvrages de sa main.

Le jour prend soin d'apprendre au jour qui lui succède
    Ce que sa parole a produit;
Et la nuit qui l'a su de la nuit qui lui cède
    L'enseigne à celle qui la suit.

Aux quatre coins du monde ils parlent un langage
    Qu'entendent toutes nations,
Et des plus noirs climats l'hôte le plus sauvage
    En comprend les instructions.

Ils servent de tableaux ainsi que de trompettes,
    Ce qu'ils disent ils le font voir,
Et des grandeurs de Dieu s'ils sont les interprètes,
    Ils en sont aussi le miroir.

Le soleil, qui lui sert de trône incorruptible,
    Les étale aux regards de tous,
Et ce visible agent d'un monarque invisible
    En est paré comme un époux.

Il part tel qu'un géant, armé d'une lumière,
    Ceint d'un feu qui nous enrichit,
Et du sommet des cieux il s'ouvre une carrière
    Dont jamais il ne s'affranchit.

Chaque jour pour finir et reprendre sa course,
    Il remonte au même sommet,
Et sa chaleur partout verse l'heureuse source
    Des biens que son maître promet.

La loi du même Dieu n'est pas moins salutaire;
    Elle touche, elle convertit,
Et pour les yeux du corps que le soleil éclaire,
    Elle éclaire ceux de l'esprit.

Sa parole est fidèle, et répand la sagesse
    Dans les cœurs les plus ravalés,
Sa justice est exacte, et répand l'allégresse
    Dans les cœurs les plus désolés.

C'est la sainte frayeur de ses ordres suprêmes
    Qui fait vivre à l'éternité :
Ils sont tous en tous lieux justifiés d'eux-mêmes,
    Tous sont la même vérité.

L'or, la perle, et l'éclat des pierres précieuses,
    Sont beaucoup moins à souhaiter;
Et les douceurs du miel les plus délicieuses
    Sont bien moins douces à goûter.

Aussi ton serviteur avec soin les observe :
    Tu le sais, ô Dieu, tu le vois.
O que grand est le prix que ta bonté réserve
    Aux âmes qui gardent tes lois!

Mais qui connaît, Seigneur, les péchés d'ignorance?
    Épure-m'en dès aujourd'hui :
Pardonne ceux d'orgueil, de propre suffisance,
    Et défends-moi de ceux d'autrui.

Si je pouvais sur moi leur ôter tout empire,
    Si je m'en voyais bien purgé,
Des crimes les plus grands que tout l'Enfer inspire
    Je m'estimerais dégagé.

Il ne sortirait lors aucun mot de ma bouche
    Qui ne plût au grand Roi des cieux;
Je ne m'entretiendrais que de ce qui le touche,
    Je l'aurais seul devant les yeux.

Seigneur, qui de tous maux êtes le seul remède,
    Et de tous biens l'unique auteur,
En ces pressants besoins prodiguez-moi votre aide,
    Et soyez mon libérateur.

Gloire au Père éternel, la première des causes
    Gloire au Fils, à l'Esprit divin
Et telle qu'elle était avant toutes les choses
    Telle soit-elle encore sans fin.

PSAUME XIX
Exaudiat te Dominus in die tribulationis.

En ces jours dont l'issue est souvent si fatale,
Daigne ouïr le Seigneur les vœux que tu lui fais,
Et du Dieu de Jacob la vertu sans égale
Par sa protection répondre à tes souhaits!

Des célestes lambris de sa sainte demeure
Daigne son bras puissant t'envoyer du secours,
Et du haut de Sion renverser à toute heure
Sur l'orgueil ennemi les périls que tu cours!

Puisse ton cœur soumis, puisse ton sacrifice
S'offrir à sa mémoire en tous temps, en tous lieux!
Puisse ton holocauste offert à sa justice
Élever une flamme agréable à ses yeux!

Qu'un bonheur surprenant, une faveur solide
Porte plus loin ton nom que n'ose ton désir!
Que dans tous tes conseils son Esprit saint préside,
Et leur donne l'effet que tu voudras choisir!

De tes prospérités nous aurons pleine joie,
Nous bénirons ce Dieu qui t'en fait l'heureux don;

Nous vanterons partout son bras qui les déploie,
Nous nous glorifierons nous-mêmes en son nom.

Qu'il ne se lasse point de remplir tes demandes,
Lui qui t'a couronné pour régner sous sa loi,
Et que par des bontés de jour en jour plus grandes
Il fasse encor mieux voir l'amour qu'il a pour toi.

Des lumineux palais de sa demeure sainte
Il entendra tes vœux, défendra tes États,
Montrera qu'il est digne et d'amour et de crainte,
Et qu'il tient en sa main le sort des potentats.

Ceux qui nous attaquaient ont mis leur confiance,
Les uns en leurs chevaux, les autres en leurs chars;
Nous autres, mieux instruits par notre expérience,
Nous l'avons mise au Dieu qui règle les hasards.

Ceux-là sont demeurés ou morts, ou dans nos chaînes,
Leurs chars et leurs chevaux les ont embarrassés;
Et ceux qui nous voyaient trébucher sous leurs haines
Nous ont vus par leur chute aussitôt redressés.

Sauvez notre grand Roi, bénissez-en la race,
Embrasez-le, Seigneur, de vos célestes feux;
Nous demandons pour lui chaque jour votre grâce,
Donnez un plein effet à de si justes vœux.

PSAUME XXIII
Domini est terra, et plenitudo ejus.

La terre est au Seigneur, et toute son enceinte :
Il la forma lui-même en commençant les temps,
Et son globe appartient à sa Majesté sainte,
    Ainsi que tous ses habitants.

Tout à l'entour des mers c'est lui qui l'a posée,
C'est lui qui l'affermit au-dessus de tant d'eau,
C'est lui qui des courants dont elle est arrosée
    L'élève sur tous les ruisseaux.

Mais comment s'élever, et quel chemin se faire
A la sainte montagne où brille son palais?
Et qui s'établira dans son grand sanctuaire
    Pour y demeurer à jamais?

L'homme au cœur pur et droit, à l'innocente vie,
Qui n'a point de son Dieu reçu son âme en vain,
Qui par aucun serment, fourbe, ni calomnie,
    N'a fait injure à son prochain.

Le Seigneur à jamais bénira sa conduite,
Le Seigneur, dont il prend la gloire pour seul but :
Oui, Dieu lui fera grâce, et ses bontés ensuite
    L'admettront au port de salut.

C'est là ce qu'il réserve à cette heureuse race
Qui ne cherche ici-bas que le Maître du ciel,
Et qui marche en tous lieux comme devant la face
    De l'unique Dieu d'Israël.

Ouvrez, Princes, ouvrez vos portes éternelles,
Portes du grand palais, laissez-vous pénétrer,
Laissez-en l'accès libre aux escadrons fidèles :
    Le Roi de gloire y veut entrer.

Quel est ce Roi de gloire? à quoi peut-on connaître
Où s'étend son empire et ce que peut son bras?
C'est un Roi le plus fort qu'on ait encor vu naître,
    C'est un Roi puissant aux combats.

Ouvrez, encore un coup, Princes, ouvrez vos portes,
Portes du grand palais, laissez-vous pénétrer,
Laissez-en l'accès libre aux fidèles cohortes :
    Le Roi de gloire y veut entrer.

Dites-nous donc enfin quel est ce Roi de gloire,
Quels peuples, quels climats sont rangés sous sa loi?
C'est le Roi tout-puissant, le Roi de la victoire,
    C'est Dieu qui lui-même est ce Roi.

PSAUME XXX [2]
In te, Domine, speravi, non confundar in æternum.

    J'ai mis en vous mon espérance;
    Sera-ce à ma confusion,
Seigneur, et votre bras est-il dans l'impuissance
De me faire justice en cette occasion?

    Déployez-le, l'ennemi presse,
    Prêtez l'oreille à mes clameurs
Venez, et hâtez-vous d'appuyer ma faiblesse,
Pour peu que vous tardiez, tout me manque, et je meurs.

    Je n'ai plus ni vivres, ni places,
    Je n'ai ni troupes, ni vigueur,
Et si votre secours n'arrête mes disgrâces,
Je succombe à la force, ou tombe de langueur.

    Mais vous serez ma citadelle,
    Vous suppléerez à mes besoins;
J'aurai pour ma conduite une grâce nouvelle,
J'aurai pour subsistance un effet de vos soins.

    C'est en vain qu'on me dresse un piège,
    C'est en vain qu'on veut m'assiéger;
Vous romprez les filets, vous confondrez le siège,
Un seul de vos regards saura me protéger.

    Souffrez qu'en vos mains je remette
    Une âme réduite aux abois :
O Dieu de vérité, servez-moi de retraite,
Vous qui m'avez déjà racheté tant de fois.

PSAUME XXXI
Beati quorum remissæ sunt iniquitates.

Heureux sont les mortels dont les saints artifices
Ont lavé les péchés par des pleurs assidus,
Et par le rude choix de leurs justes supplices
Les ont si bien couverts que Dieu ne les voit plus!

Plus heureux l'homme encor dont l'innocente vie
N'a rien que Dieu lui veuille imputer à forfait,
L'homme en qui jamais fourbe ni jamais calomnie
N'infecte ce qu'il dit, n'empeste ce qu'il fait!

Mon crime s'est longtemps caché sous le silence,
Mes maux en sont accrus, mon visage envieilli,

2. Des vingt-cinq versets de ce Psaume, Corneille ne traduit
que les six premiers chantés à *Complies.*

Et les cris que m'arrache enfin leur violence
Sont le fruit douloureux que j'en ai recueilli.

Mon âme en a senti ta main appesantie,
Dont le fardeau secret m'accable nuit et jour;
Mon corps en a senti sa vigueur amortie,
Et l'angoisse a plus fait sur moi que ton amour.

C'est elle qui me force à ne te plus rien taire,
Je veux t'avouer tout, Seigneur, et hautement :
Me dire un assassin, un traître, un adultère,
En accepter la honte, aimer le châtiment.

En vain, mon âme, en vain cet aveu t'effarouche,
Il faut servir à Dieu de témoin contre nous;
Vois que ces mots à peine ont sorti de ma bouche,
Qu'ils m'ont rendu sa grâce et fléchi son courroux.

C'est comme en doit user une âme qui n'aspire
Qu'à rentrer au vrai calme où met la sainteté;
Il faut qu'elle s'accuse, il faut qu'elle soupire
Tandis qu'elle a le temps d'implorer sa bonté.

Que la fureur des eaux par un nouveau déluge
Sur les plus hauts rochers ose encor s'élever;
Quand l'homme t'a choisi, Seigneur, pour son refuge,
Ces eaux jusques à lui ne sauraient arriver.

J'ai mis en toi le mien contre l'affreux ravage
Des tribulations où tu m'as vu plongé;
J'ai mis en toi ma joie : achève et me dégage
De toutes les fureurs dont je suis assiégé.

« Oui, je te donnerai, me dis-tu, la prudence,
Pour servir à tes pas de règle et de flambeau,
Je t'instruirai moi-même en ma haute science,
Et j'aurai l'œil sur toi jusque dans le tombeau. »

Vous donc, si vous voulez éviter les tempêtes
Que son juste courroux roule à chaque moment,
Mortels, ne soyez pas semblables à des bêtes
Qui manquent de raison et de discernement.

Domptez avec le mors, domptez avec la bride,
Ces esprits durs et fiers, ces naturels brutaux
Qui refusent, Seigneur, de vous prendre pour guide,
Hommes, mais après tout moins hommes que chevaux.

Il est mille fléaux pour le pécheur rebelle
Qui ne veut suivre ici que son propre vouloir,
Mais la miséricorde est un rempart fidèle
Pour quiconque à vous seul attache son espoir.

Faites-en éclater une pleine allégresse,
Justes, sans crainte aucune ou de trouble ou d'ennui;
Et vous, cœurs purs et droits, glorifiez sans cesse
L'auteur de votre joie, et vous-mêmes en lui.

PSAUME XXXVII
Domine, ne in furore tuo arguas me.

Seigneur, quand tu voudras convaincre ma faiblesse,
Mets à part la fureur de tes ressentiments,
Et ne consulte point ton ire vengeresse
    Sur le choix de mes châtiments.

Les flèches que sur moi ton bras a décochées
De leurs pointes d'acier hérissent tout mon cœur,

Et ta main enfonçant leurs atteintes cachées
S'est affermie en sa rigueur.

Je ne vois sur ma chair que blessures mortelles,
Qu'ulcères qu'à toute heure ouvrent de nouveaux traits;
Mes crimes ont pour moi des pointes éternelles
Qui de mes os chassent la paix.

Ces crimes entassés élèvent sur ma tête
Des eaux de ta colère un fier débordement,
Et d'un fardeau si lourd la pesanteur m'apprête
Un long et triste accablement.

Ma folie a longtemps négligé ma blessure,
Elle en a vu sans soin la plaie et les tumeurs,
Et voit honteusement tourner en pourriture
La corruption des humeurs.

La misère m'accable et la douleur me presse,
J'en marche tout courbé, j'en vis tout abattu,
Et partout où je vais l'excès de ma tristesse
M'y traîne faible et sans vertu.

Ce n'est qu'illusion que l'éclat de ma vie,
Qu'un vieux songe qui flatte, et qu'on rappelle en vain;
Il fait place à l'horreur de cette chair pourrie,
Et d'un corps qui n'a rien de sain.

Dans ces afflictions et ces gênes cruelles,
Quand je crois ne pousser que des gémissements,
Je sens de nouveaux maux, et des rigueurs nouvelles
Les tourner en rugissements.

Seigneur, jetez les yeux sur ma douleur profonde :
Vous savez mes désirs, vous les connaissez tous,
Et j'ai beau déguiser ces maux à tout le monde,
Ils n'ont rien de caché pour vous.

Mon cœur est plein de trouble, et ma vigueur entière
M'abandonne et m'expose à des âmes sans foi,
Et celui qui servait à mes yeux de lumière
Lui-même n'est plus avec moi.

Son exemple a séduit mes amis et mes proches;
Ils ont vu ma misère, et s'en sont écartés,
Et ces lâches esprits reviennent aux approches
Sous l'étendard des révoltés.

Les plus attachés même à chercher ma présence
M'ont regardé de loin sans m'offrir de secours,
Et laissé sans obstacle agir la violence
Qui cherchait à trancher mes jours;

De ceux qui m'ont haï les langues mensongères
Par des contes en l'air chaque jour m'ont noirci,
Et leurs fourbes sans cesse ont forgé des chimères
Par qui mon nom fut obscurci.

J'ai fait la sourde oreille et refusé d'entendre
Ce que de l'imposture osait l'indigne cours,
Et ma bouche muette a dédaigné de rendre
Réponse aucune à leurs discours.

J'ai mieux aimé passer pour un homme incapable
Et de rien écouter, et de rien démentir,
Ou plutôt pour un homme ou stupide, ou coupable,
Qui n'a point de quoi repartir.

Vous répondrez pour moi, Seigneur, et je l'espère,
Moi qui n'ai jamais eu d'espérance qu'en vous :
Vous saurez, et bientôt, exaucer la prière
Que je vous en fais à genoux.

Vous ne permettrez point qu'une pleine victoire
Mette au-dessus de moi ces esprits insolents,
Eux qui n'ont déjà pris que trop de vaine gloire
D'avoir vu mes pas chancelants.

S'il faut souffrir encore un coup de fouet plus rude,
Je suis prêt, déployez votre sévérité :
Ma peine est au-dessous de mon ingratitude,
Et mon crime a tout mérité.

Je l'avouerai tout haut, pour rendre mieux connue
L'infâme énormité de tout ce que j'ai fait,
J'y pense nuit et jour, et n'ai devant la vue
Que l'image de mon forfait.

Mais faut-il cependant que mes ennemis vivent,
Avec tant d'avantage affermis contre moi,
Et que le nombre accru de ceux qui me poursuivent
A jamais me fasse la loi?

Vous voyez à quel point enflent leur médisance
Ceux dont l'injuste aigreur rend le mal pour le bien,
A quel point ma bonté, réduite à l'impuissance,
Les porte à ne douter de rien.

Ne m'abandonnez pas à toute ma disgrâce,
Autre que vous, Seigneur, ne peut me relever;
Ne vous éloignez pas que ce torrent ne passe,
Vous qui seul m'en pouvez sauver.

Venez, venez, mon Dieu, venez tôt à mon aide,
Contre tant de malheurs qui m'ont choisi pour but,
Vous qui de tous mes maux êtes le seul remède,
Et l'espoir seul de mon salut.

PSAUME XLIV
Eructavit cor meum verbum bonum.

Je me sens tout le cœur plein de grandes idées,
Je les sens à l'envi s'en échapper sans moi,
Je les sens vers le Roi d'elles-mêmes guidées,
Dédions-les toutes au Roi.

Ma langue, qui s'empresse à chanter son mérite,
Suit plus rapidement l'effort de mon esprit
Que ne court une plume en la main la plus vite
Qui puisse tracer un écrit.

Sa beauté sans égale entre les fils des hommes
Mêle une grâce infuse à ses moindres discours,
Et Dieu, qui l'a béni sur tous tant que nous sommes
L'appuie, et l'appuira toujours.

Grand Monarque, dont l'âme est sans cesse occupée
A bien remplir ce rang où le ciel vous a mis,
Vous n'avez qu'à paraître et ceindre votre épée
Pour confondre vos ennemis.

Vos attraits sont si forts, vos actions si belles,
Tant de gloire et d'amour les sait accompagner,
Que chacun se déclare et pour eux et pour elles,
Et vous faire voir, c'est régner.

La justice en votre âme et la mansuétude
Avec la vérité font un accord si doux,
Que de tant de vertus la sainte plénitude
    Fait partout miracle pour vous.

D'un acier pénétrant la pointe de vos flèches
Percera tous les cœurs rebelles à leur Roi;
Et, voyant ruisseler leur sang par tant de brèches,
    Les peuples tomberont d'effroi.

Comme votre grandeur s'est toujours mesurée
Sur la droiture même et la même équité,
Votre règne n'aura pour borne à sa durée
    Que celle de l'éternité.

La haine des forfaits, l'amour de la justice,
Font de tous vos desseins les sacrés appareils,
Et Dieu répand sur vous une onction propice
    Plus qu'il ne fait sur vos pareils.

De riches vêtements au jour de votre gloire,
D'ambre, aloès et myrrhe embaumés à la fois,
Seront tirés pour vous des cabinets d'ivoire
    Par les filles des plus grands Rois.

La Reine votre épouse, à votre droite assise,
Brillera d'une auguste et douce majesté,
Ses habits feront voir dans leur dorure exquise
    Une exquise diversité.

Mais écoute, ma fille, écoute et considère
Combien en sa personne éclatent de trésors;
Oublie auprès de lui la maison de ton père,
    Et ce cher peuple d'où tu sors.

Plus son amour pour toi se fera voir extrême,
Plus tes soumissions le doivent honorer,
Car enfin c'est ton Roi, ton Seigneur, ton Dieu même,
    Qu'on fera gloire d'adorer.

Les princesses de Tyr te rendront leur hommage
Avec même respect qu'on t'aura vu pour lui :
Le riche avec ses dons briguera ton suffrage
    Et réclamera ton appui.

Mais si l'âme au dedans n'est encor mieux ornée,
Reine, ce sera peu que l'ornement du corps,
Bien que la frange d'or en fleuron contournée
    Y borne cent divers trésors.

De cent filles d'honneur tu te verras suivie
Quand il faudra paraître aux yeux d'un si grand Roi,
Et tes plus proches même y verront sans envie
    Qu'on les y présente après toi.

Toutes en montreront une allégresse entière,
Toutes y borneront leurs plus ardents souhaits,
Toutes estimeront à faveur singulière
    Le droit d'entrer en son palais.

Pour récompense enfin d'avoir quitté tes pères,
Il te naîtra des fils plus grands, plus braves qu'eux,
Qui feront recevoir tes lois les plus sévères
    Aux peuples les plus belliqueux.

La terre, qu'on verra trembler devant leur face,
Conservera sous eux ton digne souvenir,

Et l'on respectera ton nom de race en race
    Dans tous les siècles à venir.

Toutes les nations en ta faveur unies
De ce nom à l'envi publieront la grandeur;
Et les temps jusqu'au bout de leurs courses finies
    En verront briller la splendeur.

PSAUME XLV
Deus noster refugium et virtus.

Que Dieu nous est propice à tous!
Il est seul notre force, il est notre refuge,
Il est notre soutien contre le noir déluge
    Des malheurs qui fondent sur nous.

La terre aura beau se troubler :
Quand nous verrions partout les roches ébranlées,
Et jusqu'au fond des mers les montagnes croulées,
    Nous n'aurions point lieu de trembler.

Que les eaux roulent à grand bruit,
Que leur fureur éclate à l'égal du tonnerre,
Que les champs soient noyés, les campagnes par terre,
    Que l'univers en soit détruit;

Leur fière impétuosité,
Qui comble tout d'horreur, comble Sion de joie,
Et ne fait qu'arroser, alors que tout se noie,
    Les murs de la sainte Cité.

Dieu fait sa demeure au milieu,
Dieu lui donne un plein calme en dépit des orages,
Et dès le point du jour, contre tous leurs ravages,
    Elle a le secours de son Dieu.

On a vu les peuples troublés,
Les trônes chancelants pencher vers leur ruine :
Dieu n'a fait que parler, et de sa voix divine
    Ils ont paru tous accablés.

Invincible Dieu des vertus,
Que ta protection est un grand privilège!
Quels que soient les malheurs dont l'amas nous assiège,
    Nous n'en serons point abattus.

Venez, peuples, venez bénir
Les prodiges qu'il fait sur la terre et sur l'onde :
La guerre désolait les quatre coins du monde,
    Et ce Dieu l'en vient de bannir.

Il a brisé les arcs d'acier,
Tous les dards, tous les traits, tous les chars des gen-
Et jeté dans le feu, pour finir vos alarmes,   [darmes,
    Et l'épée et le bouclier.

Calmez vos appréhensions,
Voyez bien qu'il est Dieu, qu'il est l'unique Maître
Et que malgré l'Enfer sa gloire va paraître
    Parmi toutes les nations.

Encore un coup, Dieu des vertus,
Que ta protection est un grand privilège!
Quels que soient les malheurs dont l'amas nous assiège,
    Nous n'en serons point abattus.

Gloire aux Trois dont l'être est divin,
Soit en tous lieux à leur unique essence!
Et telle qu'elle était lorsque tout prit naissance
Telle soit-elle encor sans fin.

PSAUME L
Miserere mei, Deus, secundum magnam
misericordiam tuam.

Prenez pitié de moi, Seigneur,
Suivant ce qu'a d'excès votre miséricorde;
Souffrez qu'en ma faveur son torrent se déborde
Et désarme votre rigueur.

Au lieu de ces punitions
Que doit votre justice à mon ingratitude,
Jetez sur mon péché toute la multitude
De vos saintes compassions.

Daignez de plus en plus laver
De mes iniquités les infâmes souillures :
Vous avez commencé de guérir mes blessures;
Hâtez-vous, Seigneur, d'achever.

Je ne me trouve en aucuns lieux
Où d'un si noir forfait l'image ne me tue,
Et de quelque côté que je porte la vue,
Elle frappe aussitôt mes yeux.

Je n'ai péché que contre vous,
Mais aussi j'ai péché, Seigneur, à votre face :
Ainsi vous serez juste, et si vous faites grâce,
Et si vous jugez en courroux.

Que puis-je après tout que pécher,
Si c'est par le péché que j'ai vu la lumière,
Et si c'est en péché que m'a conçu ma mère,
Par où puis-je m'en détacher?

C'est par cette seule bonté,
Qui tire du pécheur l'aveu de sa faiblesse,
Et qui m'a révélé ce que votre sagesse
A de plus sainte obscurité.

Jusqu'en mon sein faites couler
Ces eaux qui de blanchir ont le grand privilège;
Quand j'en serai lavé, la blancheur de la neige
N'aura point de quoi m'égaler.

Parlez, et me faites ouïr
De si justes sujets de véritable joie,
Que jusque dans mes os mon oreille renvoie
De quoi toujours se réjouir.

Mais pour cela, Seigneur, il faut
Détourner vos regards de mes fautes passées,
En rendre au dernier point les taches effacées,
Et purger le moindre défaut.

Ce n'est pas tout : il faut en moi
Créer un cœur si pur, qu'il tienne l'âme pure,
Renouveler en moi cet esprit de droiture
Qui n'agit que sous votre loi.

Lorsque vous m'aurez pardonné,
Ne me rejetez pas de devant votre face;
Et ne retirez pas l'esprit de votre grâce
Après me l'avoir redonné.

Rendez-moi ce divin transport
Où s'élevait ma joie en votre salutaire,
Cet esprit tout de feu, qui s'efforce à vous plaire,
Et dont vous bénissez l'effort.

J'enseignerai ces vérités
Qui ramènent l'injuste à suivre la justice,
Et je veux qu'à son tour mon exemple guérisse
Ceux que mon exemple a gâtés.

Surtout préservez-moi, Seigneur,
De plus faire verser le sang de l'innocence,
Et je dirai partout quelle est votre clémence
A justifier un pécheur.

Ouvrez mes lèvres, ô mon Dieu!
Que je puisse mêler ma voix aux voix des Anges,
Et je ferai, comme eux, de vos saintes louanges
Mon plus doux objet en tout lieu.

Sur des autels fumants pour vous,
Si vous l'aviez voulu, j'aurais mis des victimes :
Mais l'holocauste enfin n'efface pas mes crimes
N'éteint pas tout votre courroux.

Le sacrifice qui vous plaît,
C'est un esprit touché, des yeux fondus en larmes;
Le cœur humble et contrit vous arrache les armes,
Vous fait révoquer votre arrêt.

Que mes crimes n'empêchent pas
Que pour votre Sion votre bonté n'éclate;
Relevez-en les murs, s'il faut qu'on les abatte,
Protégez-la dans les combats.

Vous daignerez lors accepter
Des taureaux immolés le juste sacrifice
Et l'holocauste offert à votre amour propice
Ne s'en verra point rebuter.

PSAUME LIII
Deus, in nomine tuo salvum me fac.

Si vous ne voulez pas, Seigneur, que je périsse,
En votre nom faites ma sûreté,
Montrez votre puissance à me rendre justice,
Et déployez votre bonté.

Il m'en faut, Roi des rois, une assistance entière,
Daignez ouïr la voix d'un malheureux,
Il ose jusqu'à vous élever sa prière,
Ne rejetez pas d'humbles vœux.

D'un perfide étranger l'impitoyable envie
Me va réduire à périr en ces lieux,
Un puissant ennemi cherche à m'ôter la vie
Sans vous avoir devant les yeux.

Mais le cœur me le dit, leur rage forcenée
Succombera sous de plus justes coups,
Et cette âme, Seigneur, que vous m'avez donnée
Verra son défenseur en vous.

Renversez leurs fureurs sur leurs coupables têtes,
Exterminez ces lâches ennemis,
Écrasez leur orgueil sous leurs propres tempêtes
Suivant que vous l'avez promis.

J'oserai vous offrir alors un sacrifice,
  Et ferai voir à tout notre avenir
Combien sert votre nom à qui lui rend service,
  Et combien on le doit bénir.

Je dirai hautement : « De toutes mes misères
  Le Tout-Puissant m'a si bien garanti,
Que j'ai vu trébucher les haines les plus fières
  De tout le contraire parti. »

PSAUME LXII
Deus, Deus meus, ad te de luce vigilo.

Dieu, que je reconnais pour l'auteur de mon être,
  De qui dépend mon avenir,
Sitôt que la lumière a commencé de naître,
  Je m'éveille pour te bénir.

Pour apaiser l'ardeur qui dessèche mon âme,
  Sa soif n'a de recours qu'à toi;
Et ma chair que dévore une pareille flamme
  Se fait une pareille loi.

Dans un climat sans eaux, sans habitants, sans voie,
  Devant toi je me suis offert,
Pour mieux voir les vertus que ta bonté déploie,
  Et ta gloire dans ce désert.

Cette bonté, Seigneur, vaut mieux que mille vies,
  Que mille empires à la fois :
Nous t'en devons louer, et nos âmes ravies
  Y vont unir toutes nos voix.

Puissé-je de mes jours n'employer ce qui reste
  Qu'aux éloges d'un Dieu si bon,
Et n'élever les mains vers la voûte céleste
  Que pour en exalter le nom !

Se puisse ainsi mon âme enivrer de ta grâce
  Et s'enrichir de tes présents,
Que ma joie à ma langue en confîra l'audace
  Jusques à la fin de mes ans!

Au milieu de la nuit, dans le fond de ma couche,
  J'en veux prendre un soin amoureux,
Et dès le point du jour mon esprit et ma bouche
  Béniront ton secours heureux.

En l'appui de ton bras, sous l'ombre de tes ailes,
  J'ai mis mon bonheur souverain,
Et mon âme, attachée à tes lois éternelles,
  A reçu l'aide de ta main.

Mes ennemis ont vu dissiper leur poursuite,
  Leur sang coulera sous l'acier,
Dans le sein de la terre ils cacheront leur fuite,
  Ainsi que renards au terrier.

Mon trône est raffermi, ma joie est ranimée,
  Et tes humbles adorateurs
Feront gloire de voir la bouche ainsi fermée
  Aux lâches calomniateurs.

PSAUME LXVI
Deus misereatur nostri.

Jette un œil de pitié sur toute notre race,
Seigneur, pour la bénir, désarme ton courroux,
Laisse briller sur elle un rayon de ta face,
  Et fais-nous grâce à tous,

Afin que nous puissions connaître ici ta voie,
Qu'elle puisse y régler nos pas, nos actions,
Et que ton salutaire y répande la joie
  En toutes nations.

Que des peuples unis l'humble reconnaissance
Fasse voir en tous lieux ton saint nom applaudi;
Du levant au couchant qu'aucun ne s'en dispense,
  Ni du nord au midi.

Qu'en ces peuples divers règne même allégresse
Qu'à l'envi sous tes lois ils courent se ranger,
Tes lois dont l'équité les juge avec tendresse,
  Et les sait diriger.

Une seconde fois, que leur reconnaissance
Fasse éclater ta gloire en tous lieux à grand bruit;
Une terre stérile a produit l'abondance,
  Et nous donne son fruit.

Qu'en tous lieux à jamais ce grand Dieu nous bénisse
Qu'en tous lieux à jamais il nous protège en Dieu,
Qu'en tous lieux à jamais sa gloire retentisse,
  Qu'on le craigne en tout lieu.

PSAUME LXIX
Deus, in adjutorium meum intende.

Des méchants à qui tout succède
  Cherchent à me faire périr :
Seigneur, accourez à mon aide,
  Hâtez-vous de me secourir.

Que leur haine contre ma vie
  S'épuise en efforts superflus,
Que leur rage mal assouvie
  Les laisse tremblants et confus.

Que leur détestable conduite,
  Qui me rend le mal pour le bien,
Cherche leur salut en leur fuite,
  Et me voie assuré du mien.

Que sans tarder ils en rougissent,
  Pleins d'épouvante et de douleur,
Ces lâches qui se réjouissent
  Du noir excès de mon malheur.

Remplissez de tant d'allégresse
  Quiconque en vous s'est confié,
Qu'il ait lieu de dire sans cesse :
  « Le Seigneur soit magnifié! »

Moi qui ne suis qu'un misérable,
  Accablé de maux et d'ennui,
Qui, sans votre main secourable,
  Vais trébucher faute d'appui :

Seigneur, je succombe, je cède,
Mes ennemis me font périr :
Hâtez, mon Dieu, hâtez votre aide,
Il est temps de me secourir.

Gloire au Père, cause des causes,
Gloire au Fils, à l'Esprit divin!
Et telle qu'avant toutes choses,
Telle soit-elle encor sans fin.

PSAUME LXXXIV
Benedixisti, Domine, terram tuam.

Il vous a plu, Seigneur, bénir votre contrée,
Ce cher et doux climat choisi sur l'univers,
Et par tant de soupirs votre âme pénétrée
    A tiré Jacob de ses fers.

Vous avez répandu les bontés d'un vrai Père
Sur ce que votre peuple a commis de péchés,
Et pour ne les plus voir d'un regard de colère,
    Votre amour vous les a cachés.

Toute cette colère enfin s'est adoucie,
Vous avez détourné les traits de sa fureur,
Et de tous les excès dont nous l'avons grossie
    Vous avez pardonné l'erreur.

Changez si bien nos cœurs qu'elle se puisse éteindre,
Qu'elle ne trouve point de quoi se rallumer;
La plus faible étincelle est toujours trop à craindre
    A qui ne veut que vous aimer.

Pourriez-vous, Dieu tout bon, pourriez-vous sur nos têtes
Tenir le bras levé durant tout l'avenir,
Et ne quitter jamais ces foudres toujours prêtes
    A vous venger et nous punir?

Non, non, ce vieux courroux fait place à la clémence,
Il s'est évanoui pour lui laisser son tour :
Vous allez rendre à tous la joie et l'assurance
    De voir régner tout votre amour.

Hâtez-vous de montrer en prince débonnaire
Cet effet de pitié si longtemps attendu,
Faites-nous le grand don de votre salutaire:
    Vous l'avez promis, il est dû.

Peuples, faites silence à cette voix secrète
Par qui le Tout-Puissant s'en explique avec moi,
Et je vais vous apprendre, en fidèle interprète,
    Quelle paix suivra votre foi.

Ce sera cette paix dont sa bonté suprême
De ses vrais serviteurs remplit la sainteté,
Et que possède un cœur qui rentrant en soi-même
    En chasse toute vanité.

Ce divin salutaire est bien près de paraître,
De se rendre visible aux yeux de qui le craint;
Oui, sa gloire est bien près de se faire connaître
    A ce que la terre a de saint.

La rencontre s'est faite, après tant de colère,
De la miséricorde avec la vérité;
La justice et la paix, par un baiser sincère,
    Marquent notre félicité.

Je vois naître déjà d'une terre sans vice
La même vérité pour qui nous soupirons,
Et du plus haut du ciel cette même justice
    Descendre sur nos environs.

Je ne m'en dédis point, le grand Maître du monde
Fait briller tout l'éclat de sa bénignité;
La terre, par lui seul et pour lui seul féconde,
    Va donner le fruit souhaité.

La justice en tous lieux lui servira de guide,
Elle lui tracera ses routes ici-bas,
Et mettra dans la voie où le vrai bien réside
    Quiconque s'attache à ses pas.

PSAUME LXXXVI
Fundamenta ejus in montibus sanctis.

Le Seigneur a fondé sur les saintes montagnes
Ce temple et ce palais qui s'élèvent aux cieux,
Et tout ce qu'Israël a peuplé de campagnes
    N'a rien de si cher à ses yeux.

Cité du Dieu vivant, Cité pleine de gloire,
Sion, où l'Éternel daigne dicter sa loi,
Oui, pour faire à jamais honorer ta mémoire,
    On dit partout du bien de toi.

On y vient de Rahab, on vient de Babylone
Apprendre dans tes murs quelles sont ses bontés,
Et les Rois quitteront les douceurs de leur trône
    Pour mieux y voir ses vérités.

Elles y sont aussi toutes comme en leur source,
Et des bords étrangers, et du milieu de Tyr,
Et de l'Éthiopie, où le Nil prend sa course,
    Ils y viennent se convertir.

Sion, qui les voit tous s'habituer chez elle,
Et comme nés chez elle aime à les regarder,
Fait de son peuple et d'eux une cité fidèle
    Qu'au Très-Haut il plaît de fonder.

Dieu les écrira tous en son livre de vie,
Ils ne mourront ici que pour revivre mieux,
Et cette heureuse loi qu'en terre ils ont suivie
    Les réunira dans les cieux.

Du Seigneur cependant attachés à la voie,
Dans les glorieux murs de la sainte Cité,
Tous marquent à l'envi, par l'excès de leur joie,
    Celui de leur félicité.

PSAUME XC
Qui habitat in adjutorio Altissimi.

Sous l'appui du Très-Haut quiconque se retire,
    Et de tout se confie en lui,
Sous sa protection jusqu'au bout il respire,
    Et n'a point besoin d'autre appui.

Il dira hautement : « Vous êtes mon refuge,
    Seigneur, vous me tendez la main :
C'est en vous que j'espère, et je n'aurai pour juge
    Que mon protecteur souverain.

« Sous un bras si puissant je suis en assurance
    Contre les pièges des chasseurs,
Et le plus noir venin de l'âpre médisance
    Ne m'imprime aucunes noirceurs. »

Espérez tous en lui : l'ombre de ses épaules
    Vous tiendra partout à couvert,
Et son vol étendu jusque sous les deux pôles
    Vous servira d'asile ouvert.

En cet heureux état, sa vérité suprême
    Vous fait partout un bouclier,
Et dans l'obscurité la frayeur elle-même
    N'a point de quoi vous effrayer.

L'attentat en plein jour, les négoces infâmes
    Qui ne se traitent que de nuit,
Du démon du midi les pestilentes flammes,
    De tout cela rien ne vous nuit.

Un million de traits, un million de flèches,
    Tomberont à vos deux côtés,
Sans que flèches ni traits fassent aucunes brèches
    Sur ce que gardent ses bontés.

Considérez d'ailleurs comme agit sa colère
    Sur qui se plaît à l'offenser;
Vous verrez les pécheurs recevoir leur salaire
    Et les foudres les terrasser.

Espérez tous en lui, j'aime à vous le redire
    Et ne puis vous le dire assez :
C'est prendre un haut refuge, et le plus vaste empire
    N'a point de forts si bien placés.

L'asile que nous font sa grâce et sa justice
    Est inaccessible à tous maux,
Et sous quelque fléau que la terre gémisse,
    Vous n'en craindrez point les assauts.

Ses Anges par son ordre auront soin de vos routes
    Quelque part qu'il vous faille aller,
Et tout autour de vous ils seront aux écoutes
    Dès qu'il vous faudra sommeiller.

Dans ces âpres sentiers qu'à peine ouvre la terre
    Ils vous porteront en leurs mains,
De peur que votre pied heurtant contre la pierre
    Ne fasse avorter vos desseins.

Des plus hideux serpents l'affreuse barbarie
    Vous laissera marcher sur eux,
Vous foulerez aux pieds le lion en furie,
    Le dragon le plus monstrueux.

« C'est en moi qu'il a mis toute son espérance,
    Dira de vous ce Dieu tout bon,
Et je protégerai partout son innocence,
    Puisqu'il a reconnu mon nom.

« Il n'aura qu'à parler, j'entendrai sa prière,
    Je prendrai part à ses douleurs,
Je ferai succéder ma gloire à sa misère,
    Et mon bonheur à ses malheurs.

« A la longueur du temps que je veux qu'il me serve
    Je joindrai mon grand avenir,

Et je lui ferai voir quel bonheur je réserve
    A ceux qui savent me bénir. »

PSAUME XCII
Dominus regnavit, decorem indutus est.

Le Seigneur pour régner s'est voulu rendre aimable,
    Il s'est revêtu de beauté,
Il s'est armé de force, en prince redoutable,
    Ceint de gloire et de Majesté.

Ses ordres sur un point ont affermi la terre
    Pour y répandre son pouvoir,
Et s'il veut qu'elle tremble à l'éclat du tonnerre,
    Il lui défend de se mouvoir.

Il prépara pour siège à sa grandeur suprême
    Dès lors ces globes éclatants,
D'où, comme avant le temps il régnait en lui-même,
    Il voulut régner dans le temps.

Tous les fleuves dès lors lui rendirent hommage,
    Ils élevèrent tous la voix,
Tous les fleuves dès lors, par un commun suffrage,
    Aceptèrent toutes ses lois.

Pour le voir de plus près de leurs grottes profondes
    Tous surent élever leur flots,
Tous surent applaudir par le bruit de leurs ondes
    A qui les tirait du chaos.

Les enflures des mers sont autant de miracles
    Qu'enfante leur sein orgueilleux,
Et ce Maître de tout dans ses hauts tabernacles
    Se montre encor plus merveilleux.

Tes paroles, Seigneur, n'en sont que trop croyables,
    Et tant que dureront les jours,
La sainteté doit luire en ces lieux vénérables
    Où nous implorons ton secours.

PSAUME XCIV
Venite, exsultemus Domino.

Venez, peuple, venez : il est honteux de taire
    Les merveilles du Roi des rois,
Élevons avec joie et nos cœurs et nos voix
    Au vrai Dieu, notre salutaire;
    Que la louange de son nom
Puisse en notre faveur préoccuper sa face,
    Nos concerts mériter sa grâce,
    Nos larmes obtenir pardon!

Il est le Dieu des dieux, il en est le grand Maître
    Aussi fort, aussi bon que grand;
Il ne dédaigne point l'hommage qu'on lui rend,
    Il conserve ce qu'il fait naître,
    Il est de tout l'unique auteur,
Il enferme en sa main les deux bouts de la terre,
    Des monts plus hauts que le tonnerre,
    D'un coup d'œil, il voit la hauteur.

Du vaste sein des mers les eaux les plus profondes
    Sont à lui, prennent loi de lui,
Il est seul de la terre et l'auteur et l'appui,
    Il la soutient contre tant d'ondes.
    Venez, pleurons à ses genoux :

Il nous a faits son peuple, il aime ses ouvrages,
   Et dans ses heureux pâturages
Il n'admet de troupeaux que nous.

Oyez, oyez sa voix qui répond à vos larmes,
   Mais n'endurcissez pas vos cœurs,
Comme alors qu'au désert contre vos conducteurs
   Il s'élevait tant de vacarmes.
Vos pères y voulurent voir
Jusques où s'étendait le pouvoir d'un tel Maître,
   Et l'épreuve leur fit connaître
Par leurs yeux même ce pouvoir.

« Quarante ans, vous dit-il, j'ai conduit cette race,
   Quarante ans j'ai sondé leurs cœurs,
Sans y voir que murmure, et qu'orgueil, et qu'erreurs,
   Sans y trouver pour moi que glace :
Ces vieux ingrats à tous propos
Ne voulaient plus savoir les chemins de me plaire,
   Et je jurai, dans ma colère,
De leur refuser mon repos. »

PSAUME XCV
Cantate Domino canticum novum.

Qu'on fasse résonner dans un nouveau cantique
   Les éloges du Roi des rois :
Formez, terre, à sa gloire un concert magnifique,
   Unissez-y toutes vos voix.

Exaltez son grand nom, vantez ce qu'il opère,
   Faites-le bénir hautement;
Annoncez chaque jour son digne salutaire,
   Annoncez-le chaque moment.

Que toutes nations apprennent de vos bouches
   Ses merveilles et ses grandeurs,
Qu'il ne soit cœurs si durs, ni peuples si farouches
   Qui n'en admirent les splendeurs.

A sa juste louange aucun ne peut atteindre,
   Aucun la porter assez haut :
Par-dessus tous les Dieux il est lui seul à craindre,
   Seul tout-puissant, seul sans défaut.

Ce ne sont que Démons que les gentils adorent
   Sous un titre usurpé de dieux,
Et c'est l'unique Dieu que nos besoins implorent
   Qui d'un mot a fait tous les cieux.

La gloire et la beauté qui suivent sa présence
   Couronnent ses perfections;
La sainteté suprême et la magnificence
   Parent toutes ses actions.

Portez donc au Seigneur, gentils, portez vous-mêmes
   De quoi lui rendre un plein honneur :
Exaltez son grand nom par des respects suprêmes,
   Portez-y la bouche et le cœur.

Entrez dedans son temple, et prenez des victimes,
   Pour les immoler au vrai Dieu :
Adorez avec nous de ses grandeurs sublimes
   Le saint éclat en ce saint lieu.

Que la terre s'émeuve à l'aspect de sa face
   De l'un jusques à l'autre bout,

Et qu'elle fasse dire à toute votre race
   Que le Seigneur règne partout.

Le monde qu'il corrige et remet dans la voie
   N'aura plus d'instabilité,
Et quelques jugements que sur tous il déploie,
   Ils n'auront que de l'équité.

Qu'une allégresse entière en tous lieux épandue
   Remplisse la terre et les mers,
Que tout le ciel l'étale en sa vaste étendue,
   Que tous les champs en soient couverts!

Des bois mêmes, des bois l'écorce et les feuillages
   Marqueront leurs ravissements,
Comme s'ils avaient part à ces hauts avantages
   Qui naissent de ses jugements.

Aussi jugera-t-il les vertus et les vices
   Selon la suprême équité;
Et pas un ne doit craindre aucunes injustices
   Des règles de sa vérité.

PSAUME XCVI
Dominus regnavit, exsultet terra.

Enfin le Seigneur règne, enfin il a fait voir
   Son absolu pouvoir :
Terre, fais voir ta joie en tes cantons fertiles,
   Et toi, mer, en tes îles.

Quelque nuage épais qui de sa Majesté
   Couvre l'immensité,
L'heureux prix des vertus et la peine du vice
   Font briller sa justice.

Le feu qui le précède et partout lui fait jour
   Se répand tout autour,
Et de ses ennemis, qu'enveloppe sa flamme,
   Il brûle jusqu'à l'âme.

Ses foudres éclatants ont semé l'univers
   De prodiges divers;
On les vit sur la terre, on en vit ébranlées
   Montagnes et vallées.

Les rochers les plus hauts fondirent devant Dieu
   Comme la cire au feu,
Et virent sous le bras qui lançait le tonnerre
   Trembler toute la terre.

Le ciel annonça lors à tous les éléments
   Ses justes jugements,
Et les peuples, voyant ce qu'ils n'auraient pu croire,
   Reconnurent sa gloire.

Soient confus à jamais les vains adorateurs
   Du travail des sculpteurs,
Et cet impie orgueil qui rend de vrais hommages
   A de fausses images!

Anges, que dans le ciel vous vous faites d'honneur
   D'adorer le Seigneur!
Sion, que de douceurs sitôt que ses merveilles
   Frappèrent tes oreilles!

Les filles de Juda dans toutes leurs cités
    Bénirent ses bontés,
Et tous ses jugements à leurs âmes ravies
    Semblèrent d'autres vies.

Aussi, Seigneur, aussi vous êtes le Très-Haut,
    Et le seul sans défaut :
Tous les Dieux près de vous sont dieux aussi frivoles
    Que leurs froides idoles.

Vous qui de son amour portez un cœur touché,
    Haïssez le péché;
Dieu qui hait les pécheurs, garantit l'âme sainte
    De leur plus rude atteinte.

Sa bonté pour le juste aime à se déclarer,
    Elle aime à l'éclairer,
Et sur l'homme au cœur droit les grâces qu'il déploie
    Ne répandent que joie.

Justes, prenez en lui, prenez incessamment
    Un plein ravissement,
Et de sa sainteté consacrez la mémoire
    Par des chants à sa gloire.

Gloire au Père éternel, au Fils, à l'Esprit Saint
    Que tout adore et craint.
Et telle qu'elle.était avant l'Ange rebelle
    Telle à jamais soit-elle!

PSAUME XCVII
Cantate Domino canticum novum, quia mirabilia fecit.

Sion, encore un coup, par un nouveau cantique
Des bontés du Seigneur bénis les hauts effets :
Fais régner dans tes murs l'allégresse publique
    Pour les miracles qu'il a faits.

Rien n'a pu te sauver que sa dextre adorable,
Qui t'a fait un triomphe après tant de combats :
Et tu n'en dois enfin l'ouvrage incomparable
    Qu'à la sainteté de son bras.

Son divin salutaire a paru dans le monde,
Et dégagé la foi des révélations :
Lui-même a dévoilé sa justice profonde
    A la face des nations.

Il n'a point oublié quelle miséricorde
Aux enfants d'Israël promit sa vérité :
L'effet à sa promesse heureusement s'accorde;
    On voit ce qu'on a souhaité.

Oui, tout ce qu'a de bon l'un et l'autre hémisphère,
Ceux où règne le jour, ceux où règne la nuit,
Tout a vu du grand Dieu le sacré salutaire,
    Et les merveilles qu'il produit.

Chantez, peuple, chantez, et par toute la terre
Exaltez la vertu de son bras tout-puissant :
Montrez par votre joie au Maître du tonnerre
    L'effort d'un cœur reconnaissant.

N'épargnez point les luths à votre psalmodie,
De la plus douce harpe ajoutez-y les tons,
Joignez-y l'éclatante et forte mélodie
    Des trompettes et des clairons.

A l'aspect du Seigneur éclatez d'allégresse :
Que la mer en résonne en tout son vaste enclos,
Et que la terre entière avec chaleur s'empresse
    A mieux retentir que ses flots!

Les fleuves suspendront leurs courses vagabondes
Pour applaudir au Roi qui nous vient protéger,
Les montagnes suivront l'exemple de tant d'ondes,
    Voyant comme il vient tout juger.

Aussi jugera-t-il les vertus et le vice
Sur la justice même et la même équité,
Sans faire soupçonner de la moindre injustice
    Sa plus haute sévérité.

PSAUME XCIX
Jubilate Deo, omnis terra.

Terre, que ton enclos tout entier retentisse
    Des louanges de ton Seigneur :
    Ne songe à lui rendre service
Que l'hymne dans la bouche, et l'allégresse au cœur.

Paraître en le servant chagrin devant sa face,
    C'est ne le servir qu'à regret :
    Entrons, et que la joie efface
Ce qu'attire d'ennuis le mal le plus secret.

Vous, son peuple, apprenez qu'il est Roi, qu'il est Maître,
    Que tout empire est sous le sien,
    Que sa parole a tout fait naître,
Et que sa main sans nous nous a formés de rien.

Nous sommes ses brebis, à qui ses pâturages
    En tous lieux sont toujours ouverts.
    Portons chez lui de saints hommages,
Et courons dans son temple entonner nos concerts.

Adorons tous son nom, sa douceur adorée
    Fait revivre à l'éternité;
    Et telle sera la durée
De sa miséricorde et de sa vérité.

Gloire au Père éternel, gloire au Verbe ineffable!
    Gloire à l'Esprit leur pur amour.
    Telle à tout jamais perdurable
Qu'elle était en tous trois avant le premier jour.

PSAUME CI
Domine, exaudi orationem meam.

    Seigneur, écoutez ma prière,
Laissez-lui désarmer votre juste courroux,
Et permettez aux cris que pousse ma misère
De pénétrer le ciel pour aller jusqu'à vous.

    Ne détournez plus votre face
Des mortelles douleurs qui m'ont percé le sein,
Et dès le premier coup, dès leur moindre menace,
Penchez vers moi l'oreille, et retirez la main.

    A quelque heure que ma souffrance
Implore votre appui, réclame votre nom,
Ne regardez mes fers que pour ma délivrance,
Ne regardez mes maux que pour leur guérison.

Mes jours ne sont que la fumée
D'un tronc que vos fureurs viennent de foudroyer;
Ils vont s'évanouir, et ma chair consumée
Couvre à peine des os aussi secs qu'un foyer.

Le foin sur qui le soleil frappe
A moins d'aridité que le fond de mon cœur;
Ma languissante vie à toute heure m'échappe,
Et faute de manger je nourris ma langueur.

En vain je pleure et me tourmente,
Ce n'est que me hâter de courir au tombeau :
A force de gémir mon supplice s'augmente,
Et mes os décharnés s'attachent à ma peau.

Le pélican est moins sauvage
Au fond de son désert que moi dedans ma cour;
Et comme si le jour me faisait un outrage,
Je fuis comme un hibou les hommes et le jour.

Tel qu'un passereau solitaire,
J'ai peine à supporter mon ombre qui me suit,
Et tout le long du jour si je ne puis me taire,
Je repose encor moins tout le long de la nuit.

Mais ce qui plus enfin me touche,
C'est que mes ennemis déclament contre moi,
Et que ceux qui n'avaient que ma gloire à la bouche
Conspirent avec eux pour me faire la loi.

Tandis qu'ils apprêtent leurs armes,
La cendre en mes repas se mêle avec mon pain,
Et comme mon breuvage est trempé dans mes larmes,
L'amertume rebute et ma soif et ma faim.

Votre colère est légitime,
Vos bontés m'ont fait Roi, j'en ai trop abusé :
Mais ne m'éleviez-vous qu'à dessein que mon crime
Me fît choir de si haut que j'en fusse écrasé?

L'ombre, plus elle devient grande,
Se perd d'autant plus tôt dans celle de la nuit,
C'est là de mes grandeurs ce qu'il faut que j'attende,
Mon crime est leur ouvrage, et ma perte est leur fruit.

Vous êtes seul que rien n'efface,
Toute une éternité ne change rien en vous,
Et vous vous souviendrez, Seigneur, de race en race,
Que vous nous devez grâce après tant de courroux.

Votre serment nous l'a promise,
Hâtez-vous, par pitié, de secourir Sion;
Seigneur, il en est temps, le mal est à sa crise,
Il est temps d'exercer votre compassion.

De ses murailles fracassées
Le débris est si cher à vos vrais serviteurs,
Que sa poussière allume en leurs âmes pressées
L'ardeur d'en voir les maux tourner sur leurs auteurs.

Par tous les climats de la terre
Les peuples aussitôt trembleraient sous vos lois,
Et ce coup merveilleux servirait de tonnerre
A jeter l'épouvante au cœur des plus grands rois.

Ce qu'ils ont refusé de croire,
Ils le verraient alors, et diraient hautement :

« Le Seigneur dans Sion a rétabli sa gloire,
Et rebâti ses murs jusqu'à leur fondement. »

Nous leur dirions pour repartie :
« C'est ainsi que de l'humble il écoute les cris,
Et que, jetant les yeux sur l'âme convertie,
Il en reçoit l'hommage et les vœux sans mépris. »

Qu'à toute la race future
On laisse par écrit qu'il est et juste et bon :
Les peuples qu'après nous produira la nature
Feront dès le berceau l'éloge de son nom.

Surtout que l'histoire leur marque
Comme assis dans son trône il voit de toutes parts,
Et que du haut du ciel ce tout-puissant Monarque
Daigne jusque sur terre abaisser ses regards.

C'est de là qu'il entend la plainte,
Que des tristes captifs il descend au secours
Pour retirer des fers la race heureuse et sainte
De ceux qui pour sa gloire ont prodigué leurs jours.

Il veut qu'après leur esclavage
Ils courent annoncer cette gloire en tous lieux,
Et qu'en Jérusalem un plus entier hommage
Le respecte, l'exalte et le connaisse mieux.

Leurs âmes, de ses biens comblées,
A de sacrés transports se laisseront ravir;
Les peuples en son nom feront des assemblées,
Et les rois s'uniront exprès pour le servir.

Mais cependant que je m'emporte
A prévoir les chemins que tiendra sa vertu,
Dis-moi ce qui me reste à vivre de la sorte,
Et combien doit languir mon esprit abattu.

Ne borne point sitôt ma course,
Recule encore un peu le dernier de mes jours :
Les tiens ont de la vie une immortelle source;
Tu peux m'en faire part sans qu'ils en soient plus courts.

Au moment que tout prit naissance,
Tu préparas la terre en faveur des humains,
Et ces vastes miroirs de ta toute-puissance,
Les cieux furent, Seigneur, l'ouvrage de tes mains.

Tandis que tu vivras sans cesse,
Ils céderont au feu qui les doit embraser;
Comme ce qui respire, ils auront leur vieillesse,
Et comme un vêtement on les verra s'user.

Cette brillante couverture
N'attend que ton vouloir à perdre son éclat :
Toi seul n'es point sujet à changer de nature,
Et tout le cours des ans te voit en même état.

Mais dans notre peu de durée,
Du moins tes serviteurs revivent en leurs fils;
Ils habitent par eux la terre désirée,
Et passent dans leur race aux siècles infinis.

PSAUME CIX
Dixit Dominus Domino meo.

Le Seigneur vient de dire à son Verbe ineffable,
Qui n'est pas moins que lui mon souverain Seigneur :

« Viens te seoir à ma dextre, rends-toi redoutable
  Par ce dernier comble d'honneur.

« Cependant mon courroux aura soin de descendre
Sur ceux qui t'accablaient de leurs inimitiés;
J'en confondrai l'audace, et je saurai les rendre
  Tel qu'un escabeau sous tes pieds.

« Je ferai de Sion partir l'éclat suprême
Du sceptre universel qu'à tes mains j'ai promis :
Comme je règne au ciel, tu régneras de même
  Au milieu de tes ennemis.

« Au jour de ta vertu tu leur feras connaître,
Par les saintes splendeurs de tes droits éclatants,
Que mes regards féconds de mon sein t'ont fait naître
  Avant la naissance des temps.

« Je te l'ai trop juré pour m'en vouloir dédire,
Selon Melchisédech tu sera prêtre et Roi;
Et je joindrai moi-même un éternel empire
  Au sacrifice offert par toi. »

Oui, Seigneur, oui, grand Dieu, ce divin salutaire
Qui se sied à ta dextre et nous donne tes lois,
Viendra briser lui-même, au jour de sa colère,
  Les plus fermes trônes des rois.

Parmi les nations ses lois autorisées
Feront tant de ruine et de tels châtiments,
Qu'en mille et mille lieux les têtes écrasées
  Publîront ses ressentiments.

L'eau trouble du torrent lui servit de breuvage
Tant qu'il lui plut traîner son exil ici-bas,
Et sa gloire en reçoit d'autant plus d'avantage
  Que rudes furent ses combats.

PSAUME CX
Confitebor tibi, Domine.

J'aurai, Seigneur, toute ma vie
Votre éloge à la bouche, et votre amour au cœur,
Et les plus gens de bien auront l'âme ravie
D'unir à mes efforts leur plus sainte vigueur.

  Dans la grandeur de vos ouvrages
Je vois l'impression de toutes vos bontés,
Et dans ce qu'ont d'éclat leurs plus hauts avantages
Le prompt et plein effet qu'ont eu vos volontés.

  La gloire et la magnificence
Sont des trésors brillants qu'un mot seul a produits,
Et de votre justice on verra l'abondance
Tant qu'on verra les jours fuir et suivre les nuits.

  Le souvenir de vos merveilles
S'affermit à jamais par cet illustre don
Que fit votre pitié de viandes sans pareilles
A ce peuple choisi pour craindre votre nom.

  Cette mémoire invariable
Du grand pacte qu'ont fait vos bontés avec nous
Vous fera déployer votre bras secourable,
Et pour un si cher peuple en montrer les grands coups.

  Par eux vous le rendrez le maître
Des plus riches terroirs de tant de nations,
Et tous vos jugements lui feront reconnaître
Ce qu'ont de sainteté toutes vos actions.

  Vous avez des ordres fidèles
De qui la fermeté jamais ne se dément;
Ils ont tous pour appui des règles éternelles,
Et la vérité même en est le fondement.

  Peuple, adore son bras propice
Qui nous envoie à tous de quoi nous racheter,
Mais sache qu'en revanche il veut que sa justice
A toute éternité se fasse respecter.

  Son nom est saint, il est terrible;
S'il le faut adorer, il le faut craindre aussi;
Et des routes du ciel la science infaillible
Ne saurait commencer que par sa crainte ici.

  Leur plus parfaite intelligence
N'est utile qu'autant qu'on observe ses lois,
Et la louange due à sa magnificence
Durant tout l'avenir doit occuper nos voix.

PSAUME CXI
Beatus vir qui timet Dominum.

Heureux qui dans son âme a fortement gravée
    La crainte du Seigneur;
    Sa loi sans chagrin observée
Tourne en plaisirs pour lui ce qu'elle a de rigueur.

De sa postérité, tant qu'elle suit ses traces,
    Le nom devient puissant,
    Et tout ce qu'il obtient de grâces
Passe de père en fils en son sang innocent.

Il voit en sa maison la gloire et la richesse
    Fondre de toutes parts,
    Et sa justice fait sans cesse
Un amas de trésors au-dessus des hasards.

Il voit pour les cœurs droits une vive lumière
    Naître en l'obscurité,
    Et de Dieu la faveur entière
A sa miséricorde enchaîner l'équité.

Il prend à son exemple une âme pitoyable,
    Prête au pauvre, et s'y plaît,
    Se prépare au jour effroyable,
Et se juge trop bien pour craindre un dur arrêt.

La mémoire du juste éclatante et bénie
    Percera l'avenir,
    Sans que jamais la calomnie
Dans sa plus noire audace ait de quoi la ternir.

Son cœur est prêt à tout, en Dieu seul il espère
    Dans ses calamités,
    Et se tient ferme en sa misère,
Jusqu'à ce qu'il ait vu ses ennemis domptés.

Aux pauvres cependant il départ, il prodigue
    Son bien sans s'émouvoir,
    Et le ciel, que par eux il brigue,
Le comble à tout jamais de gloire et de pouvoir.

Le pécheur le verra dans ce haut avantage,
    Et séchera d'ennui;
Son cœur en frémira de rage,
Et ses désirs jaloux périront avec lui.

Gloire à ton Fils et toi, Père, cause des causes
    Gloire à l'Esprit divin!
Telle qu'avant toutes choses
Telle soit-elle encor, maintenant et sans fin!

PSAUME CXII
Laudate, pueri, Dominum.

Enfants, de qui les voix à peine encor formées
    Ne font que bégayer,
C'est à louer le nom du Seigneur des armées
    Qu'il les faut essayer.

Que ce nom soit béni dans toute l'étendue
    Que les siècles auront!
Que la gloire en soit même au delà répandue
    De ce qu'ils dureront!

De climat en climat, ainsi que d'âge en âge,
    Il est à respecter,
Et du nord au midi, de l'Inde jusqu'au Tage,
    Il le faut exalter.

Sa gloire, qui s'élève au-dessus des monarques,
    Est seule sans défaut :
Et bien qu'on voie au ciel en briller mille marques,
    Elle est encor plus haut.

Quel Roi fait sa demeure au-dessus du tonnerre,
    Comme ce Dieu des dieux,
Qui voit de haut en bas, et tout ce qu'a la terre,
    Et tout ce qu'ont les cieux?

Il dégage le pauvre, et la pauvreté même,
    Du plus épais bourbier,
Et tire le plus vil, par son pouvoir suprême,
    Du plus sale fumier.

Il les place lui-même à côté de leurs Princes,
    Parmi les potentats;
Il leur donne lui-même à régir leurs provinces
    Et régler leurs États.

Il fait plus, il répand sur la femme stérile
    La joie et le bonheur,
Et faisant de sa couche une terre fertile,
    Il la met en honneur.

PSAUME CXIII
In exitu Israël de Ægypto.

Du fidèle Abraham race heureuse et chérie,
Quand de tes premiers fers ton Dieu te garantit,
Que du fond de l'Égypte, et de sa barbarie,
    La maison de Jacob sortit,

Il voulut en Judée étaler l'abondance
De sa miséricorde et de sa sainteté,
Et choisit Israël pour siège à sa puissance,
    Et pour objet à sa bonté.

De ce peuple fuyant, loin d'arrêter sa course,
La mer fuit devant lui sitôt qu'elle le vit,
Et les eaux du Jourdain, rebroussant vers leur source,
    Lui cédèrent leur propre lit.

Soudain les plus hauts monts de joie en tressaillirent,
Comme un troupeau sur l'herbe au son des chalumeaux;
Soudain tout à l'entour les collines bondirent,
    Comme bondissent les agneaux.

O mer, qui t'obligeait à prendre ainsi la fuite?
Indomptable élément, quel bras t'a déplacé?
Par quel ordre, Jourdain, et sous quelle conduite
    Tes eaux ont-elles rebroussé?

Qui vous fait tressaillir, orgueilleuses montagnes,
Comme au son du pipeau tressaillent les troupeaux?
Collines, qui servez de ceinture aux campagnes,
    Qui vous fit bondir comme agneaux?

Qui l'eût pu que ce Dieu qui fait trembler la terre,
Qui n'a qu'à le vouloir, et tout change de lieu,
Qui nous gouverne en paix, qui nous couronne en guerre,
    Qui de Jacob est le seul Dieu?

C'est lui qui convertit les rochers en fontaines,
Qui de leurs flancs pierreux tire des torrents d'eaux,
Qui des vastes déserts en arrose les plaines,
    Qui les y sépare en ruisseaux.

Ce n'est point aux mortels à prendre aucune gloire,
Le cœur qu'elle surprend la doit désavouer,
C'est ton nom qui fait seul plus qu'on n'eût osé croire,
    C'est lui, Seigneur, qu'il faut louer.

Fais de tes vérités briller si bien l'empire,
Et rends de ta pitié le pouvoir si connu,
Qu'entre les nations on ne puisse nous dire :
    « Votre Dieu, qu'est-il devenu? »

Aveugles mal guidés qui courez vers la chute,
Sachez que pour séjour c'est le ciel qui lui plaît,
Que son moindre vouloir hautement s'exécute,
    Que tout est par lui ce qu'il est.

Vos dieux n'ont point de bras à lancer le tonnerre,
Gentils, ils ne sont tous que simulacres vains;
C'est de l'or, de l'argent, du bois, et de la pierre,
    Qui tient sa forme de vos mains.

Vous leur faites des yeux, vous leur faites des bouches,
Qui ne savent que c'est de voir ni de parler,
Et leurs plus vifs regards sont bénins ou farouches,
    Comme il vous plaît les ciseler.

Les oreilles chez eux sont de si peu d'usage,
Qu'autour d'elles le son frappe inutilement,
Et le nez que votre art plante sur leur visage
    Ne leur y sert que d'ornement.

Enfin ils n'ont des mains que pour faire figure,
Leurs pieds, s'il faut marcher, n'y sauraient consentir,
Et s'ils ont un gosier, il n'a point d'ouverture
    Par où leur voix daigne sortir.

Deviennent tous pareils à ces vaines idoles
Ceux qui leur donnent l'être et les font adorer!

Devienne tout semblable à tous ces dieux frivoles
    Quiconque en eux veut espérer!

La maison d'Israël a mis son espérance
Aux suprêmes bontés du souverain Auteur,
Et son bras tout-puissant l'a mise en assurance :
    Il s'en est fait le protecteur.

La famille d'Aaron y met son espérance,
Elle n'attend secours ni faveur que de lui,
Et son bras tout-puissant la met en assurance :
    Il lui sert d'invincible appui.

Tous ceux qui craignent Dieu mettent leur espérance
Au suprême pouvoir de son bras souverain,
Et ce Dieu juste et bon les met en assurance,
    Et pour appui leur tend la main.

Il nous tient à tel point gravés dans sa mémoire,
Qu'il ne peut oublier nos bonnes actions,
Et nous comble ici-bas, en attendant sa gloire,
    De mille bénédictions.

Aux enfants d'Israël il prodigue ses grâces,
Il entend leur prière, il bénit leurs ferveurs,
Et sur les fils d'Aaron, qui marchent sur ses traces,
    Il verse les mêmes faveurs.

Il en est libéral par toutes nos provinces
A ceux dont l'âme sainte exalte et craint son nom :
Aux petits comme aux grands, aux bergers comme aux
    Il départ ce précieux don.   [princes,

Puisse de jour en jour sa bonté souveraine,
Qui vous attache à lui par des liens si doux,
Et redoubler ce don, et l'épandre à main pleine
    Sur vos fils ainsi que sur vous!

Entre les nations dont il peuple le monde
Il lui plut vous bénir comme ses bien-aimés,
Et quand il a formé le ciel, la terre, et l'onde,
    C'est pour vous qu'il les a formés.

Ce Créateur de tout, ce Maître du tonnerre,
S'est réservé là-haut le ciel pour habiter;
Mais se le réservant, il vous donne la terre,
    C'est de là qu'il y faut monter.

Cependant chez les morts il n'est aucune flamme
Qui ranime, Seigneur, ton sacré souvenir,
Et sous un froid tombeau qui couvre un corps sans âme
    On n'apprend point à te bénir.

C'est à nous qui vivons à te rendre un hommage
De louange et de gloire aussi bien que d'encens,
C'est à ceux qui vivront à t'offrir d'âge en âge
    Un tribut de vœux innocents.

PSAUME CXVI
Laudate Dominum, omnes gentes.

Nations qui peuplez le reste de la terre,
    Bénissez toutes le Seigneur;
Peuples que la Judée en ses cantons resserre,
    Louez comme elles sa grandeur.

Vous voyez, nations, sa grâce descendue,
    Et vous, peuples, sa vérité;
Toutes deux sont pour nous d'une égale étendue,
    Et durent à l'éternité.

PSAUME CXIX
Ad Dominum, cum tribularer, clamavi.

Dans les ennuis qui m'ont pressé
J'ai toujours au Seigneur élevé ma prière,
Et n'ai point réclamé son aide en ma misère
    Qu'il ne m'ait exaucé.

De lâches calomniateurs
Font que tout de nouveau, Seigneur, je le réclame :
Daigne m'en garantir, et délivre mon âme
    Des perfides flatteurs.

Il n'est point de contre-poisons
Contre le noir venin des langues médisantes,
Et ce sont tout autant de blessures cuisantes
    Que toutes leurs raisons.

Les traits que lance un bras puissant
Portent bien moins de morts que ceux de leur parole,
Et les pointes d'un feu qui ravage et désole
    N'ont rien de si perçant.

Que mon exil me fait d'horreur!
J'y vis comme en Cédar je vivais sous des tentes,
Et ne vois que brutaux, dont les mœurs insolentes
    N'étalent que fureur.

Plus j'ose leur parler de paix,
Plus j'aigris contre moi leur haine et leur colère,
Et la vaine douceur de nuire et de mal faire
    Forme tous leurs souhaits.

PSAUME CXX
Levavi oculos meos in montes.

Près d'être accablé de misère,
Jusqu'au plus haut des cieux j'ai levé mes regards,
    Et recherché de toutes parts
D'où pourrait me venir le secours nécessaire.

Mais dans une si rude guerre,
Je n'ai vu que mon Dieu qui pût me secourir;
    C'est à lui qu'il faut recourir,
A ce Dieu qui de rien fit le ciel et la terre.

Ne craignons ni faux pas ni chute,
Puisque ce Dieu des dieux s'abaisse à nous garder :
    C'est un crime d'appréhender
Qu'un œil si vigilant se ferme ou se rebute.

Il veille, Israël, il te veille :
Il voit tous les périls qui s'ouvrent sous tes pas;
    Marche sans trouble, et ne crains pas
Que jamais il s'endorme, ou même qu'il sommeille.

Il est ta garde en tes alarmes,
Il te guide et protège en ta calamité,
    Et puisqu'il marche à ton côté,
Ta main pour te couvrir n'a point à chercher d'armes.

Le soleil qui commence à luire
Ne te brûlera point dans la chaleur du jour,
   Et quand la lune aura son tour,
Ses rais les plus malins ne pourront plus te nuire.

   Contre le fer, contre la flamme,
Contre tous les assauts du malheur qui te suit,
   Il te gardera jour et nuit;
Il fera plus encore, il gardera ton âme.

   Daigne en la mort comme en la vie
L'excès de sa bonté répondre à tes souhaits,
   Et de tes desseins à jamais
Favoriser l'entrée et bénir la sortie!

   Gloire au Père, cause des causes,
Gloire au Verbe incarné, gloire à l'Esprit divin,
   Telle maintenant et sans fin
Qu'elle était en tous trois avant toutes les choses!

PSAUME CXXI
Lætatus sum in his quæ dicta sunt mihi.

   O l'heureuse nouvelle,
Le grand mot qu'on m'a dit! nous irons, peuple aimé,
   Nous rentrerons, troupe fidèle,
Dans la maison du Dieu qui seul a tout formé.

   Nous reverrons encore
Les murs, les sacrés murs de la sainte Sion,
   Où le Dieu qu'Israël adore
Fait briller tant d'effets de sa protection.

   Cette reine des villes,
Qu'il doit faire durer même au delà des temps,
   Ne craint point de guerres civiles,
Tant l'union est forte entre ses habitants.

   Ces nombreuses lignées
Qui du sang d'Israël portent si haut l'honneur,
   Des terres les plus éloignées
Y viennent rendre hommage au grand nom du Seigneur.

   Dans ses tours les plus fortes
La pudeur, l'équité, le saint amour revit,
   Et la justice entre ses portes
Tient le haut tribunal des enfants de David.

   Montrez-lui votre zèle,
Peuple, à vœux redoublés souhaitez-lui la paix :
   Ce que vous obtiendrez pour elle
Entretiendra chez vous l'abondance à jamais.

   Qu'à jamais ta puissance,
Sion, à cette paix force tes ennemis,
   Et qu'à jamais cette abondance
Du sommet de tes tours coule chez tes amis!

   J'ai chez toi tant de frères,
Mes proches avec toi m'ont fait de si doux nœuds,
   Que tant de liaisons si chères
Pour ce bienheureux calme unissent tous mes vœux.

   Ce temple où Dieu lui-même
Fait éclater souvent toute sa Majesté
   Surtout oblige un cœur qui t'aime
A des vœux assidus pour ta prospérité.

Père, cause des causes,
Gloire à ton Fils et toi, gloire à l'Esprit divin,
   Telle qu'avant toutes les choses
Telle soit-elle encor maintenant et sans fin!

PSAUME CXXII
Ad te levavi oculos meos, qui habitas in cælis.

Auteur de l'univers, qui choisis pour demeure
   Les immenses palais des cieux,
   A toute rencontre, à toute heure,
Jusque-là, jusqu'à toi j'ose élever mes yeux.

Ainsi le serviteur sur la main de son maître
   A tous moments porte les siens,
   Lorsqu'il tremble, et veut reconnaître
Ce qu'il doit en attendre ou de maux ou de biens.

La servante inquiète aux mains de sa maîtresse
   N'attache pas mieux ses regards
   Que ma douloureuse tendresse
Ramène à toi, Seigneur, les miens de toutes parts.

Jette un œil de pitié sur mon âme accablée
   Et d'opprobres et de mépris;
   La honte dont elle est comblée
De ses plus durs travaux chaque jour est le prix.

Le riche me dédaigne, et l'orgueilleux m'affronte,
   Mais enfin jette ce coup d'œil;
   Le riche recevra la honte,
Et tu renverseras l'opprobre sur l'orgueil.

PSAUME CXXIII
Nisi quia Dominus erat in nobis.

Si le Dieu d'Israël ne m'avait garanti
De l'insolente audace et de la perfidie,
   Qu'Israël lui-même le die,
Si le Seigneur n'eût pris notre parti,

Des ennemis couverts les pièges décevants,
Des ennemis connus le bras fait au carnage,
   Auraient si bien uni leur rage,
Qu'elle nous eût engloutis tout vivants.

Le barbare complot de tant de conjurés
Qui s'enivrent de sang, et se gorgent de crimes,
   Nous eût plongés en des abîmes
Où leur fureur nous aurait dévorés.

De leurs plus fiers torrents les orgueilleux ruisseaux
N'ont fait en dépit d'eux que bondir sur nos têtes,
   Où sans lui mille autres tempêtes
Auraient roulé d'insupportables eaux.

Béni soit le Seigneur, béni soit le secours
Que sa faveur départ, que sa bonté déploie!
   Il leur vient d'arracher leur proie,
Et de leurs dents il a sauvé nos jours.

Ils nous avaient poussés sur les bords du tombeau,
Ils y tenaient déjà notre âme enveloppée,
   Mais elle s'en est échappée,
A l'oiseleur comme échappe un oiseau.

On a brisé les lacs qu'ils nous avaient tendus,
De notre liberté nous recouvrons l'usage,
    Et nous triomphons de leur rage
    Dans le moment qu'on nous croyait perdus.

Peuple, n'en doute point, c'est le Seigneur, c'est lui,
Dont le bras invincible a pris notre défense,
    Et son adorable puissance
    A qui le sert aime à servir d'appui.

Gloire au Père éternel, gloire au Verbe incarné,
Gloire à l'Esprit divin, ainsi qu'eux adorable!
    Telle à tout jamais perdurable
    Qu'elle éclatait avant que tout fût né.

PSAUME CXXIV
Qui confidunt in Domino.

Quiconque met en Dieu toute sa confiance
A même fermeté que le mont de Sion,
Rien ne peut l'ébranler, et dans sa patience,
Il est assez armé contre l'oppression.

Si pour Jérusalem l'enceinte des montagnes
Forme des bastions qu'on a peine à forcer,
Ce Dieu, qui d'un coup d'œil les réduit en campagnes,
Sert aux siens d'un rempart qu'on ne peut renverser.

Non, il ne souffre point aux méchants un empire
Sous qui l'homme de bien soit longtemps abattu,
De peur qu'à cette amorce une âme qui soupire
Ne prenne goût au crime, et quitte la vertu.

Hâtez-vous donc, Seigneur, hâtez-vous de répandre
Sur qui s'attache à vous quelques prospérités,
Versez-y des faveurs qui nous fassent comprendre
Quels biens suivent un cœur qui suit vos vérités.

Quant à ceux qui ne sont que détours et que ruses,
Rangez-les avec ceux qui ne sont que forfaits,
Ne faites point de grâce à leurs folles excuses,
Et par là d'Israël établissez la paix.

PSAUME CXXV
In convertendo Dominus captivitatem Sion.

Dès qu'il plut au Seigneur mettre fin à nos peines,
    Sitôt qu'il eut brisé nos fers,
Nous traitâmes de songe et de chimères vaines
    Les maux que nous avions soufferts.

Un plein ravissement de tout notre visage
    Bannit les marques du passé,
Et jusqu'au souvenir d'un si dur esclavage,
    Tout cessa, tout fut effacé.

Toutes les nations qui voyaient notre joie
    Se disaient d'un air sourcilleux :
« Il faut que le bonheur où leur Dieu les renvoie
    Soit bien grand et bien merveilleux! »

« Oui, leur répondions-nous, c'est le Dieu des merveilles,
    C'est lui qui nous tire d'ici,
Et comme ses bontés sont pour nous sans pareilles,
    Notre allégresse l'est aussi. »

Favorisez, Seigneur, des mêmes privilèges
    Ces restes pour qui nous tremblons;
Comme vent du midi faites fondre les neiges
    Qui fertilisent leurs sablons.

Finissez leur exil ainsi que nos alarmes
    Exaucez leur juste désir,
Vous qui nous avez dit que qui semait des larmes
    Moissonnerait avec plaisir.

Ils ont semé leurs blés, mais sous des lois sévères
    Que leur imposaient leurs malheurs;
Leur douleur égalait l'excès de leurs misères,
    Autant de pas, autant de pleurs.

Mais s'ils les ont semés avec pleine tristesse,
    Accablés d'ennuis et de maux,
Ils reviendront, Seigneur, avec pleine allégresse
    Chargés du fruit de leurs travaux.

PSAUME CXXVI
Nisi Dominus ædificaverit domum.

    Que sert tout le pouvoir humain?
A bâtir un palais qu'en sert tout l'artifice?
    Hommes, vous travaillez en vain,
A moins que le Seigneur avec vous ne bâtisse.

    Des soldats les plus courageux
Qui veillent jour et nuit à garder une ville,
    Si Dieu ne la garde avec eux,
Toute la vigilance est pour elle inutile.

    C'est en vain que pour amasser
Un avare inquiet se lève avant l'aurore;
    Il ne fait que se harasser
Pour du pain de douleur qu'à regret il dévore.

    Dieu joint pour ses enfants chéris
Un paisible sommeil à la sainte abondance;
    Pour siens il adopte leurs fils,
Et leurs moindres travaux portent leur récompense.

    Tels que des guerriers généreux
Qui s'arment en faveur d'un pouvoir légitime,
    Ces fils, qu'il donne aux moins heureux,
Soutiennent puissamment un père qu'on opprime.

    Heureux qui les voit bien agir,
Qui trouve en leur secours un assuré refuge!
    Il n'a jamais lieu de rougir
Quand il lui faut répondre au tribunal d'un juge.

PSAUME CXXVII
Beati omnes qui timent Dominum.

O que votre bonheur vous doit remplir de joie,
    Vous tous qui craignez le Seigneur,
    Qui ne marchez que dans sa voie
    Et lui donnez tout votre cœur!

Des travaux de vos mains il fait la nourriture
    Nécessaire à votre soutien;
    Point pour vous de bien qui ne dure,
    Point de mal qui ne tourne en bien.

Vos femmes, tout ainsi que ces fécondes vignes
    Qui des maisons parent le tour,
    Vous rendront les fruits les plus dignes
    Que promette un parfait amour.

Vos fils se rangeront autour de votre table
    Comme des jeunes oliviers,
    Et leur concorde inviolable
    Suivra vos plus heureux sentiers.

Voilà comme ce Dieu bénira par avance
    Un cœur pour lui vraiment atteint,
    Et ce qu'aura pour récompense
    Dès ici l'homme qui le craint.

Que du haut de Sion ses bontés vous bénissent,
    Et n'étalent dans sa cité,
    Jusqu'à ce que vos jours finissent,
    A vos yeux que félicité!

Qu'elles vous fassent voir prospérer votre race
    Dans les enfants de vos enfants,
    Israël toujours sans disgrâce,
    Et tous ses peuples triomphants!

PSAUME CXXVIII
Sæpe expugnaverunt me à juventute mea.

Dès mes plus jeunes ans les pécheurs ont sans cesse
Par d'injustes complots attaqué ma faiblesse;
Jacob, qu'ils ont poussé longtemps si vivement,
    A droit de dire hautement :

Dès mes plus jeunes ans les pécheurs ont sans cesse
Par d'injustes complots attaqué ma faiblesse;
Ils ont voulu me perdre et me faire la loi,
    Mais ils n'ont pu rien contre moi.

Ces méchants ont forgé sur mon dos plus de crimes
Qu'au désert tous les ans n'en portent nos victimes,
Et n'ont fait, pour tout fruit de leur méchanceté,
    Qu'augmenter leur iniquité.

Le Seigneur a sur eux renversé leurs tempêtes,
Son bras, juste vengeur, a foudroyé leurs têtes :
Ainsi soient terrassés à leur confusion
    Tous les ennemis de Sion!

Qu'ils deviennent pareils à ce foin inutile
Qui sur le haut des toits pousse un tuyau débile,
Et ne se montre aux yeux que pour le voir sécher
    Avant qu'on l'en puisse arracher!

Qu'ils deviennent pareils à ces méchantes herbes
Dont jamais moissonneur n'a ramassé de gerbes,
Que tient le glaneur même indignes de sa main,
    Et n'en daigne remplir son sein!

Les passants qui sauront quelle est leur injustice
Ne leur diront jamais : « Le Seigneur vous bénisse,
Le Seigneur vous appuie, ainsi que notre cœur
    Vous bénit au nom du Seigneur! »

PSAUME CXXIX
De profundis clamavi.

Des abîmes profonds où mon péché me plonge,
    Jusqu'à toi j'ai poussé mes cris,
Tu vois mon repentir et l'ennui qui me ronge :
Seigneur, ne reçois pas mes vœux avec mépris.

Prête à mes longs soupirs cette oreille attentive
    Qui n'entend point sans secourir;
Jette sur les élans d'une douleur si vive
Cet œil qui ne peut voir de maux sans les guérir.

Pour grands que soient les miens, je le dis à ma honte,
    Seigneur, je les ai mérités;
Mais qui subsistera, si tu demandes conte
De tout l'emportement de nos iniquités?

Auprès de ta justice il est une clémence
    Que souvent tu choisis pour loi;
Elle est inépuisable, et c'est son indulgence
Qui m'a fait jusqu'ici subsister devant toi.

Je me suis soutenu, Seigneur, sur ta parole
    Dans ce que je n'ai su parer.
Un Dieu n'afflige point qu'ensuite il ne console
C'est ce que tes bontés m'ordonnent d'espérer.

Espère, ainsi que moi, peuple de la Judée,
    Fils de Jacob, espérez tous,
Et du matin au soir gardez la sainte idée
D'espérer en sa grâce en craignant son courroux.

A sa miséricorde il n'est point de limites,
    Il en a des trésors cachés,
Et prépare lui-même un excès de mérites
A racheter bientôt l'excès de nos péchés.

Attends donc, Israël, attends avec courage
    L'effet de ce qu'il a promis;
Il paîra ta rançon, rompra ton esclavage,
Et brisera les fers où ton péché t'a mis.

PSAUME CXXX
Domine, non est exaltatum cor meum.

Je n'ai point soupiré pour cette indépendance
Où veut monter l'orgueil par des droits usurpés,
Vers elle aucuns regards ne me sont échappés,
    Non pas même par imprudence.

Vous le savez, Seigneur, ma plus vaste pensée
Ne m'a jamais enflé d'aucune ambition,
Ni recherché l'éclat d'une illustre action,
    Pour voir ma fortune haussée.

Si j'ai manqué d'avoir ce mépris de moi-même,
Cet humble sentiment que vous m'avez prescrit,
Si j'ai jamais laissé surprendre mon esprit
    A la splendeur du diadème,

Puisse votre rebut se rendre aussi sévère,
Aussi rude à mon cœur mortellement navré,
Qu'est sensible à l'enfant nouvellement sevré
    Le refus du lait de sa mère!

Porte, porte au Seigneur ta pleine confiance,
Israël, peuple élu qu'il a daigné bénir,
Et depuis ce moment jusqu'à tout l'avenir
    Dédaigne toute autre espérance.

PSAUME CXXXIII
Ecce nunc benedicite Dominum.

Ministres du Seigneur, bénissez à l'envi
    Sa main toute-puissante :
    Qu'aucun ne s'en exempte,
Montrez tous le grand cœur dont vous l'avez servi.

C'est vous, qui demeurez dans sa sainte maison,
    Que ce devoir regarde,
    Vous qui l'avez en garde,
Et qui pour tout le peuple offrez votre oraison.

Quand ce peuple accablé de travaux et d'ennui
    Paisiblement sommeille,
    Qu'autre que vous ne veille,
Levant les mains au ciel, bénissez-le pour lui.

Dites sur Israël : « Que le grand Dieu des Dieux
    Par sa bonté propice,
    A jamais vous bénisse,
Lui qui créa d'un mot et la terre et les cieux! »

Gloire au Père éternel, à son Verbe incarné
    A l'Esprit adorable.
    Telle à jamais durable
Qu'elle était en tous trois avant que tout fût né!

PSAUME CXLII
Domine, exaudi orationem meam.

Exauce-moi, Seigneur, suivant ta vérité,
    Il est temps que ta fureur cesse;
Exerce ta justice à remplir ta promesse,
Ou ta justice aura trop de sévérité.

Ne demande point compte, ou souffre à ta pitié
    Que ce soit elle qui l'entende :
S'il faut qu'à la rigueur chacun de nous le rende,
Qui pourra devant toi se voir justifié?

Ne te suffit-il point qu'un ennemi cruel
    Persécute ma triste vie,
Que l'opprobre en tout lieu me suive et m'humilie
Que je sois du mépris l'objet continuel?

Cette obscure demeure où je me tiens caché
    Comme si j'étais mort au monde,
Ma noire inquiétude et ma douleur profonde,
Mes troubles, mes sanglots, ne t'ont-ils point touché?

Je rappelle en mon cœur le souvenir des jours
    Où tu faisais tant de merveilles :
Je rappelle à mes yeux tant d'œuvres sans pareilles,
Tant de soins amoureux, et tant de prompts secours.

J'élève à tous moments mes faibles mains vers toi,
    Et jamais la campagne aride
Ne fut des eaux du ciel si justement avide
Que l'est tout mon esprit des bontés de mon Roi.

Hâtez-vous, ô mon Dieu, hâtez-vous, Roi des Rois :
    Je suis sur le bord de la tombe;
Pour peu que vous tardiez, c'en est fait, je succombe,
Et l'haleine me manque aussi bien que la voix.

De mes jours presque éteints rallumez le flambeau,
    Chassez la mort qui les menace;
En l'état où je suis détourner votre face,
C'est achever ma perte, et m'ouvrir le tombeau.

Montrez dès ce moment comme votre courroux
    Cède à votre miséricorde;
Montrez comme au besoin votre bonté l'accorde
Aux âmes dont l'espoir ne s'attache qu'à vous.

Daignez faire encor plus, montrez-moi le sentier
    Qu'à me rétablir je dois suivre :
C'est de vous que j'attends la force de revivre,
Moi qui dans tout mon corps ne vois plus rien d'entier.

Arrachez-moi des mains qui m'ont persécuté,
    J'ai mis en vous tout mon refuge :
Vous êtes mon Dieu seul, et serez mon seul Juge,
Réglez mes actions sur votre volonté.

Vous porterez plus loin vos célestes faveurs,
    Votre Esprit saint sera mon guide,
Et me rendant ce trône où votre nom préside,
Vous y ranimerez mes premières ferveurs.

Vous passerez l'effet que je me suis promis,
    Et m'ayant tiré de misère,
Vous la renverserez sur le parti contraire,
Et vos bontés pour moi perdront mes ennemis.

Oui, vous dispserserez tous mes persécuteurs,
    Vous vous en montrerez le maître,
Et leur ferez à tous hautement reconnaître
A quel point votre bras soutient vos serviteurs.

Gloire au Père éternel, à son Verbe incarné!
    A l'Esprit, comme eux adorable !
Telle encor maintenant à jamais perdurable,
Qu'elle était à tous trois avant que tout fût né.

PSAUME CXLVII
Lauda, Jerusalem, Dominum.

Louez, Jérusalem, louez votre Seigneur;
Montagne de Sion, exaltez votre maître,
Honorez-le de bouche, adorez-le de cœur :
    C'est de lui que vous tenez l'être.

De vos portes c'est lui qui soutient les verrous
C'est lui qui dans vos murs tient tout en assurance;
Il y bénit vos fils, il les y comble tous
    De richesses et d'abondance.

Par lui de tant de vœux la paix est le doux fruit,
Par lui de vos confins elle s'est ressaisie,
Du blé le mieux nourri que la terre ait produit
    C'est lui seul qui vous rassasie.

Pour se faire obéir dans les plus grands États,
Il n'a du haut des cieux qu'à dire une parole,
Ses ordres sont portés aux plus lointains climats
    Plus vite qu'un oiseau ne vole.

C'est lui seul qui répand la neige à pleines mains;
Comme flocons de laine, il l'oblige à descendre;
La bruine à son choix s'épart sur les humains
    Comme s'épartirait la cendre.

En perles de cristal que lui-même endurcit,
Il sème la froidure et laisse choir la glace,
Et quand cette froidure une fois s'épaissit,
    Qui peut tenir devant sa face?

D'un seul mot qu'il prononce il la résout en eaux,
A peine il a parlé qu'elle devient liquide,
Et d'un souffle il la fait couler à gros ruisseaux
    A travers la campagne humide.

Il choisit Israël pour lui donner sa loi,
Il lui daigne lui-même annoncer ses justices;
C'est de lui qu'il se plaît à se dire le Roi,
    Et recevoir les sacrifices.

Il n'en fait pas de même à toutes nations;
Non, ce n'est pas ainsi qu'avec tous il en use,
Et de ses jugements les saintes notions
    Sont des grâces qu'il leur refuse.

Gloire au Père, à son Verbe, à l'Esprit tout divin,
Gloire soit en tous lieux à leur unique essence!
Telle encor maintenant et telle encor sans fin.
    Qu'avant que tout eût pris naissance.

PSAUME CXLVIII
Laudate Dominum de cœlis.

Louez, pures intelligences,
Le Dieu qui vous commet à gouverner les cieux,
Et du plus haut séjour de ses magnificences,
    Donnez l'exemple à ces bas lieux.

Louez-le tous, esprits célestes,
Ministres éternels de ses commandements :
Puissances qui rendez ses vertus manifestes,
    N'y refusez aucuns moments.

Soleil, à toi seul comparable,
Lune, à qui chaque nuit fait changer de splendeur,
Astres étincelants, lumière inépuisable,
    Louez à l'envi sa grandeur.

Vastes cieux, prisons éclatantes,
Qui renfermez les airs, et la terre, et les eaux;
Réservoirs suspendus, mers sur le ciel flottantes,
    Imitez ces brillants flambeaux.

Quand il lui plut vous donner l'être,
Le rien fut sa matière, et l'ouvrier sa voix;
Il ne fit que parler, et ce grand tout pour naître,
    N'en attendit point d'autres lois.

Il égala votre durée
A celle que dès lors il choisit pour le temps;
Il prescrivit à tous une borne assurée,
    Il vous fit des ordres constants.

Louez-le du fond de la terre,
Abîmes dans son centre à jamais enfoncés;
Exaltez ainsi qu'eux ce Maître du tonnerre,
    Fiers dragons, et le bénissez.

Bénissez-le, foudres, orages,
Frimas, neiges, glaçons, grêles, vents indomptés,
Qui ne mutinez l'air et n'ouvrez les nuages
    Que pour faire ses volontés.

Vous, montagnes inaccessibles,
Vous, gracieux coteaux qui parez les vallons,
Arbres qui portez fruit, cèdres incorruptibles,
    Qui bravez tous les aquilons;

Vous, monstres, vous, bêtes sauvages,
Serpents qui vous cachez aux lieux les plus couverts,
Animaux qui peuplez nos champs et nos bocages,
    Volages habitants des airs;

Peuples et rois, soldats et princes,
Citadins, gouverneurs, souverains, et sujets,
Juges qui maintenez les lois dans vos provinces,
    Louez Dieu dans tous ses projets.

Louez, tous sexes et tous âges,
Louez ce Dieu vivant, réclamez son appui,
Et sachez qu'aucun Dieu ne mérite d'hommages,
    Ni de vœux, ni d'encens, que lui.

Suppléez aux bouches muettes,
L'air, la terre, les eaux, les cieux même en sont pleins;
Soyez, fils de Jacob, soyez les interprètes
    De tant d'ouvrages de ses mains.

Il vous a donné la victoire,
Vos tyrans sont défaits et vos malheurs finis:
Il a pris soin de vous, prenez soin de sa gloire,
    Vous qu'à sa gloire il tient unis.

PSAUME CXLIX
Cantate Domino canticum novum, laus ejus
in ecclesia sanctorum.

Ames des dons du ciel comblées,
Par un nouveau cantique exaltez le Seigneur;
Que de son peuple aimé les saintes assemblées
    Y portent la voix et le cœur.

Que tous les cœurs s'épanouissent,
Qu'au Dieu qui les a faits ils fassent d'humbles vœux,
Que les fils de Sion en lui se réjouissent
    Du Roi qu'il a choisi pour eux.

Que le plein chœur de leur musique
Exalte son grand nom, adore son secours,
Et marie aux accords de ce nouveau cantique
    Ceux des harpes et des tambours.

Sur le penchant de la ruine,
Il aime à relever son peuple favori;
Plus il le voit soumis, plus sa bonté divine
    Protège ce qu'il a chéri.

Elle appuie, elle glorifie
Ceux qui font pour sa gloire un ferme et saint propos,
Et qu'il soit jour ou nuit, l'homme qui s'y confie
    Veille en joie, ou dort en repos.

Ses saints n'ont que lui dans la bouche,
Sa louange est l'objet qui remplit tous leurs chants,
Et leurs mains, pour dompter l'orgueil le plus farouche.
    Auront un glaive à deux tranchants.

C'est ainsi qu'ils prendront vengeance
De tant de nations qui les ont opprimés,
Et leur reprocheront la barbare insolence
Dont les peuples se sont armés.

Nous verrons leurs rois dans nos chaînes,
Ces rois dont la fureur étonnait l'univers,
Et tout ce qui sous eux servit le mieux leurs haines
Tombera comme eux dans nos fers.

Telle est l'éclatante justice
Qu'a résolu ce Dieu d'en faire par nos mains,
Et le triomphe heureux que sa bonté propice
Dès ici prépare à ses saints.

PSAUME CL
Laudate Dominum in sanctis ejus.

Louez l'inconcevable essence,
La majesté d'un Maître admirable en ses saints,

Louez l'auguste éclat de sa magnificence,
Louez-le dans tous ses desseins.

Louez-le de tant de merveilles
Qu'en faveur des mortels prodigue sa bonté,
Louez incessamment ses grandeurs sans pareilles,
Louez leur vaste immensité.

N'épargnez hautbois ni trompettes
Pour lui faire à l'envi des concerts plus charmants;
Employez-y clairons, harpes, luths, épinettes,
N'oubliez aucuns instruments.

Unissez en votre musique
La flûte à la viole, et la lyre aux tambours;
Que l'orgue à tant de sons mêle un son magnifique,
Prête un harmonieux secours.

Joignez-y celui des cymbales,
Et de ces tons divers formez un tel accord
Que pour vanter son nom, leurs forces inégales
Ne semblent qu'un égal effort.

L'OFFICE DE LA SAINTE VIERGE

A LA REINE [3]

Madame,

Ce n'est pas sans quelque sorte de confiance que j'ose présenter cet *Office* de la Reine du ciel à la première reine de la terre; et si mes forces avaient pu répondre à la dignité de la matière et au zèle de Votre Majesté, je me tiendrais très assuré de lui faire un présent tout à fait selon son cœur. Cette infatigable piété qui ajoute à sa couronne un brillant si extraordinaire, lui fait prendre une joie bien plus sensible à rendre ses devoirs à Dieu qu'à recevoir ceux des hommes; et comme elle a sans cesse devant les yeux qu'il est infiniment plus au-dessus d'elle qu'elle n'est au-dessus du moindre de ses sujets, dans la hauteur de ce rang qui a mérité les adorations des peuples elle se trouve une gloire plus solide à se regarder comme sa servante que comme reine. En attendant les récompenses éternelles qu'il lui en réserve en l'autre vie, il en fait éclater d'illustres et d'étonnantes dès celle-ci dans les prospérités continuelles qu'il prodigue au Roi, et dans les belles naissances des princes qu'il donne par elle à la France. Il ne suffit pas de cette florissante et inébranlable tranquillité dont il nous fait jouir sous les ordres de cet invincible monarque; ce ne lui est pas assez de faire trembler au seul nom de cet illustre conquérant tous les ennemis de son État : il promet les mêmes avantages à ceux qui naîtront après nous, par les rares qualités qu'il fait admirer de jour en jour en Monsei-

gneur le Dauphin [4]. Il ne s'arrêtera pas là, Madame; et pour comble de bénédictions et de grâces, il fera de tous vos exemples autant d'inépuisables sources, qui répandront sur tout le royaume les vertus qui font leur asile de votre cabinet. Nous avons droit d'en espérer ses pleins effets, après les puissantes impressions que nous leur voyons faire sur les âmes de ces généreuses filles [5] qui ont l'honneur d'être nourries auprès de Votre Majesté et attachées au service de sa personne : elles n'en sortent que pour se consacrer à celui de Dieu; votre balustre [6] leur inspire le mépris des vanités et le dégoût du monde; elles y apprennent à renoncer à leurs volontés, à dompter leurs sentiments, à triompher de tout l'amour-propre; elles y conçoivent ces courageuses résolutions de s'enfermer dans les cloîtres les plus austères, pour s'appliquer incessamment, dans le bienheureux calme de ces retraites toutes saintes, à ce qu'elles ont vu pratiquer à Votre Majesté parmi les tumultes des grandeurs [7]. Dieu ne laisse point ses ouvrages imparfaits : il achèvera celui-ci, Madame, et portera la force de ces miraculeux exemples aussi loin que les bornes de cet empire, pour qui Votre Majesté en a obtenu ce prodigieux enchaînement de félicités. Ce sont les vœux de tous les véritables Français, et ceux que fait avec le plus de passion, Madame, De Votre Majesté le très humble, très obéissant et très fidèle serviteur et sujet,

P. CORNEILLE.

---

3. Cette dédicace a une valeur de discrète prise de position. La pieuse Marie-Thérèse est délaissée de son royal époux, malgré les trois enfants nés à cette date. Le premier enfant de la Montespan est né au printemps de 1669, recueilli par la future Mme de Maintenon qui réussira à adoucir les dernières années de la reine (1680-1683) avant de régner pieusement sur la Cour du grand roi vieilli.
4. Le dauphin Louis a un peu plus de huit ans.

5. Allusion à Mlle d'Ardenne, qui fit profession aux Carmélites en 1666, mais la reine pouvait évoquer plus fâcheusement Mlle de La Vallière.
6. Au sens propre, clôture qui sépare les alcôves princières. Corneille l'emploie évidemment ici au figuré.
7. Éloge qui n'a rien d'outré : le Père de Soria, l'abbé Anselme et Fléchier s'accordent sur ce point.

PRIÈRES POUR LE ROI [8]

Psaume XIX : *En ces jours dont l'issue...*, ... p. 1057

ORAISON POUR LE ROI : *Quæsumus, omnipotens Deus...*
Nous vous supplions, Dieu tout-puissant, de faire que
Louis, votre serviteur et notre roi, qui par votre grâce
a pris en sa main le gouvernail de ce royaume, augmente
incessamment en vertus, par le moyen desquelles il
puisse éviter les monstres des vices, triompher de ses
ennemis, et arriver heureusement à vous, qui êtes la voie,
la vérité, et la vie. Nous vous en conjurons par Jésus-
Christ Notre Seigneur. Ainsi soit-il.

ORAISON POUR LA REINE : *Deus, omnium regnorum
auctor et rector...* Dieu, qui avez fait les royaumes
et les régissez, nous vous prions de répandre sur notre
reine, votre servante, Marie-Thérèse, l'esprit de votre
grâce salutaire, et de la favoriser d'une bénédiction perpétuelle, afin que toutes ses actions et ses pensées n'aient
rien qui ne soit véritablement conforme à votre bon
plaisir. Nous vous en conjurons par Jésus-Christ Notre
Seigneur. Ainsi soit-il.

ORAISON POUR MONSEIGNEUR LE DAUPHIN : *Omnipotens
sempiterne Deus...* Dieu éternel et tout-puissant, regardez
avec une amoureuse miséricorde votre serviteur, Louis,
Dauphin de France, et conduisez-le par votre clémence
en la voie du salut éternel, afin que par votre grâce, il
ne souhaite que ce qui vous est agréable, et se porte de
tout son cœur à le pratiquer en sa perfection. Nous vous
en conjurons par Jésus-Christ Notre Seigneur. Ainsi
soit-il.

OFFICE DE LA SAINTE VIERGE

A MATINES

Domine, labia mea aperies...

Ouvrez mes lèvres, roi des Anges,
Que je réponde à leurs concerts,
Et ma bouche de vos louanges
Fera retentir l'univers.

O grand Dieu, de qui tout procède,
Qui faites et vivre et mourir,
Ne me refusez pas votre aide,
Hâtez-vous de me secourir.

Psaume XCIV : *Venez, peuple, venez*....... p. 1064

HYMNE
Quem terra, pontus, æthera...

Celui que la machine ronde
Adore et loue à pleines voix,
Qui gouverne et remplit le ciel, la terre, et l'onde,
Marie en soi l'enferme, et l'y porte neuf mois.

Ce grand Roi, que de la nature
Servent l'un et l'autre flambeau,
D'un flanc que de la grâce un doux torrent épure
Devient l'enflure sainte et le sacré fardeau.

O mère en bonheur sans égale,
De qui l'artisan souverain

8. Les textes qui suivent sont ajoutés par Corneille : ils ne
font pas partie de l'*Office*.

Daigne souffrir neuf mois la prison virginale,
Lui qui tient l'univers tout entier en sa main;

Qu'heureuse te rend ce message
Que suivent tes soumissions,
Par qui le Saint-Esprit forme en toi ce cher gage,
Ce fils, ce désiré de tant de nations!

Gloire à toi, merveille suprême,
Dieu par une vierge enfanté!
Même gloire à ton Père, au Saint-Esprit la même,
Et durant tous les temps et dans l'éternité!

LEÇON I : (Eccles. XXIV) *In omnibus requiem...* J'ai
cherché le repos partout, et résolu d'arrêter ma demeure
en l'héritage du Seigneur. Alors le créateur de tous m'a
honorée de ses commandements et de son entretien, et
celui-là même qui m'a créée s'est reposé en mon tabernacle, et m'a dit : « Habitez au-dedans de Jacob, prenez
votre partage héréditaire en Israël, et enracinez-vous
parmi ceux que j'ai choisis. » Quant à vous, Seigneur,
ayez pitié de nous.

LEÇON II : *Et sic in Sion...* C'est ainsi que je me suis
affermie en Sion, et c'est en cette manière que j'ai pris
mon repos dans la ville sanctifiée, que ma puissance est en
Jérusalem, et que j'ai pris racine chez un peuple comblé
d'honneur; son héritage est du partage de mon Dieu,
et ma demeure est en la plénitude des saints. Quant à
vous, Seigneur, ayez pitié de nous. R. Rendons grâces à
Dieu.

LEÇON III : *Quasi cedrus exaltata sum...* J'ai crû aussi
haut qu'un cèdre au Liban, et qu'un cyprès en la montagne de Sion. J'ai crû comme un palmier en Cadès,
et comme un plant de roses en Hiérico. J'ai crû comme
les plus beaux oliviers en la campagne, et comme un
plane [9] sur le bord des eaux. Dans les places publiques
j'ai rendu une odeur pareille à celle de la cannelle et du
baume aromatique, et répandu une senteur aussi agréable
que celle de la myrrhe choisie. Quant à vous, Seigneur,
ayez pitié de nous. R. Rendons grâces à Dieu.

HYMNE DE SAINT AMBROISE
ET DE SAINT AUGUSTIN
Te Deum laudamus

Nous te louons, Seigneur, nous t'avouons pour Maître
La terre en fait autant de l'un à l'autre bout,
T'adore comme auteur et soutien de son être,
Comme Père éternel, et créateur de tout.

9. Platane.

Les amoureux concerts de la troupe angélique,
Les Puissances des cieux ne chantent que ce mot,
Chérubins, Séraphins n'ont que cette musique :
« Saint, saint, et trois fois saint le Dieu de Sabaoth! »

Ta gloire ainsi sur terre et dans le ciel résonne.
Apôtres et martyrs, qu'en revêt un rayon,
Prophètes, confesseurs, que ta main en couronne,
Tout bénit à l'envi, tout exalte ton nom.

Ton Église ici-bas, une, sainte, infaillible,
Et du Père, et du Fils, et de l'Esprit divin
Vante l'immensité, l'essence indivisible,
Le pouvoir sans limite, et le règne sans fin.

O Jésus, Roi de gloire et Rédempteur du monde,
Fils avant tous les temps de ce Père éternel,
Qui t'enfermas au sein d'une vierge féconde,
Pour rendre l'innocence à l'homme criminel;

L'aiguillon de la mort brisé par ta victoire
T'a laissé nous ouvrir les royaumes des cieux.
A la dextre du Père on t'y voit dans ta gloire,
D'où tu viendras un jour juger tous ces bas lieux.

Daigne donc secourir ces faibles créatures,
Qu'il t'a plu sur la Croix racheter de ton sang,
Et dans le clair séjour de tes lumières pures
Fais-leur parmi tes saints mériter quelque rang.

Sauveur, sauve ton peuple, et sur ton héritage
Verse à larges torrents tes bénédictions;
Gouverne, guide, élève à l'éternel partage
Nos pensers, nos discours, nos vœux, nos actions.

Chaque jour nous t'offrons un tribut de louanges :
C'est pour les entonner qu'on nous voit nous unir,
C'est pour bénir ton nom : souffre qu'avec tes Anges
A toute éternité nous puissions le bénir.

Surtout, dùrant le cours de toute la journée,
Préserve-nous de tache, et tiens-nous sans péché.
Prends pitié des malheurs dont notre âme est gênée,
Prends pitié des périls où l'homme est attaché.

Fais que cette pitié réponde à l'espérance
Qu'a mise en tes bontés notre esprit éperdu :
Seigneur, j'y mets encor toute mon assurance,
Et quiconque l'y met n'est jamais confondu.

A LAUDES

CANTIQUE DES TROIS ENFANTS
Benedicite omnia opera Domini.

Ouvrages du Très-Haut, effets de sa parole,
Bénissez le Seigneur;
Et jusqu'au bout des temps, de l'un à l'autre pôle
Exaltez sa grandeur.

Anges, qui le voyez dans sa splendeur entière,
Bénissez le Seigneur;

Cieux qu'il a peints d'azur et revêt de lumière,
Exaltez sa grandeur.

Eaux sur le firmament par sa main suspendues,
Bénissez le Seigneur;
Vertus par sa clémence en tous lieux répandues,
Exaltez sa grandeur.

Soleil qui fais le jour, lune qui perces l'ombre,
Bénissez le Seigneur;
Étoiles, dont mortel n'a jamais su le nombre,
Exaltez sa grandeur.

Féconds épanchements de pluie et de rosée,
Bénissez le Seigneur;
Vents, à qui la nature est sans cesse exposée,
Exaltez sa grandeur.

Feux dont la douce ardeur ouvre et pare la terre,
Bénissez le Seigneur;
Froids dont l'âpre rigueur la ravage et resserre,
Exaltez sa grandeur.

Incommodes brouillards, importunes bruines,
Bénissez le Seigneur;
Frimas, triste gelée, effroyables ravines,
Exaltez sa grandeur.

Admirables trésors de neiges et de glaces,
Bénissez le Seigneur;
Jour qui fais la couleur, et toi, nuit qui l'effaces,
Exaltez sa grandeur.

Ténèbres et clarté, leurs éternels partages,
Bénissez le Seigneur;
Armes de la colère, éclairs, foudres, orages,
Exaltez sa grandeur.

Terre, que son vouloir enrichit ou désole,
Bénissez le Seigneur;
Et jusqu'au bout des temps, de l'un à l'autre pôle
Exaltez sa grandeur.

Monts sourcilleux et fiers, agréables collines,
Bénissez le Seigneur;
Doux présents de la terre, herbes, fruits, et racines
Exaltez sa grandeur.

Délicieux ruisseaux, inépuisables sources,
Bénissez le Seigneur;
Fleuves et vastes mers qui terminez leurs courses,
Exaltez sa grandeur.

Poissons, qui sillonnez la campagne liquide,
Bénissez le Seigneur;
Hôtes vagues des airs, qui découpez leur vide,
Exaltez sa grandeur.

Animaux que son ordre a mis sous notre empire,
Bénissez le Seigneur;
Hommes qu'il a faits rois de tout ce qui respire
Exaltez sa grandeur.

Israël, qu'il choisit pour unique héritage,
Bénissez le Seigneur;
Et d'un climat à l'autre, ainsi que d'âge en âge,
Exaltez sa grandeur.

Prêtres, de ses secrets sacrés dépositaires,
    Bénissez le Seigneur;
Du Monarque éternel serviteurs exemplaires,
    Exaltez sa grandeur.

Ames justes, esprits en qui la grâce abonde,
    Bénissez le Seigneur;
Humbles, qu'un saint orgueil fait dédaigner le monde,
    Exaltez sa grandeur.

Mais sur tous, Misaël, Ananie, Azarie,
    Bénissez le Seigneur;
Et tant qu'il lui plaira vous conserver la vie,
    Exaltez sa grandeur.

Bénissons tous le Père, et le Fils ineffable,
    Avec l'Esprit divin,
Rendons honneur et gloire à leur être immuable,
    Exaltons-les sans fin.

On te bénit au ciel, Dieu, qui nous fis l'image
    De ton être divin,
On te doit en tous lieux louange, gloire, hommage,
    On te les doit sans fin.

HYMNE
O gloriosa domina.

Reine glorieuse et sacrée,
    Qui te sieds au-dessus des cieux,
Et pour nourrir sur terre un Dieu qui t'a créée,
Lui donnas de ton sein le nectar précieux;

Ce qu'Eve fit perdre à sa race,
    Par ta race tu nous le rends :
Par toi notre faiblesse au ciel trouve enfin place,
Par toi sa porte s'ouvre aux fidèles mourants.

Porte du monarque céleste,
    Porte des immenses clartés,
C'est par toi que la vie éteint la mort funeste,
Applaudissez en foule, ô peuples rachetés.

Gloire à toi, merveille suprême,
    Dieu par une Vierge enfanté!
Même gloire à ton Père, au Saint Esprit la même,
Et durant tous les temps et dans l'éternité!

CANTIQUE DE ZACHARIE
Benedictus Dominus Deus Israël.

Qu'à jamais soit béni le Maître du tonnerre,
Le Souverain des Rois, le grand Dieu de Sion,
Qui, pour nous visiter, descend du ciel en terre,
Et commence à nos yeux notre Rédemption!

Pour relever nos cœurs d'une chute mortelle,
Avec notre bassesse il unit sa hauteur,
Et du sang de David, son serviteur fidèle,
Du salut tant promis il a formé l'auteur.

Ainsi l'avaient prédit les célestes oracles
Qu'on vit de siècle en siècle illuminer les temps,
Il en vient dégager la foi par ses miracles,
Et changer la promesse en effets éclatants.

Ils nous ont de sa part laissé pleine assurance
Que tous nos ennemis par lui seraient domptés,
Qu'il réduirait pour nous leur haine à l'impuissance,
Et guérirait les coups qu'ils nous auraient portés.

Ils avaient répondu de sa grâce à nos pères,
Qu'il en serait prodigue et pour eux et pour nous,
Et qu'ils se souviendrait au fort de nos misères
Du pacte qu'il posa pour borne à son courroux.

Tout ce qu'ils en ont dit, il l'a juré lui-même :
Abraham en reçut un solennel serment,
Que la haute faveur de sa bonté suprême
Pour descendre sur nous choisirait son moment.

Il promit de nous mettre au-dessus de l'atteinte
De la fureur jalouse et des fers ennemis,
De nous mettre en état de la servir sans crainte,
Et vient de nous donner ce qu'il avait promis.

Nous lui rendrons hommage avec cette justice,
Avec la sainteté qui le sait épurer;
Et nous ferons durer ce zèle à son service,
Autant qu'auront nos jours ici-bas à durer.

Et toi qu'ont vu nos yeux en tressaillir de joie,
Enfant, qui l'as connu du ventre maternel,
Tu seras son prophète à préparer sa voie,
Et l'annoncer à tous pour monarque éternel.

Son peuple aura par toi l'heureuse connaissance
Qu'il lui vient aplanir les routes du salut,
Remettre ses péchés, et rendre l'espérance
A ceux qui choisiront sa gloire pour seul but.

C'est par cette pitié qui règne en ses entrailles
Que va le Saint des saints sanctifier ces lieux,
C'est avec ces bontés que le Dieu des batailles
Pour nous rendre visite est descendu des cieux.

Ceux qu'arrête la mort dans ses fatales ombres
Le verront par lui-même éclairés à jamais :
Leurs pas démêleront les détours les plus sombres,
Et l'auront pour leur guide aux sentiers de la paix.

Gloire au Père éternel, la première des causes!
Gloire au Verbe incarné, gloire à l'Esprit divin!
Et telle qu'elle était avant toutes les choses,
Telle soit-elle encore maintenant et sans fin!

ORAISON : *Deus, qui de beatae Mariae virginis...* O Dieu, qui avez voulu que votre Verbe prit chair des entrailles de la bienheureuse Vierge Marie, suivant que l'ange le venait d'annoncer, accordez à nos humbles supplications que nous qui la croyons véritablement mère de Dieu, nous soyons aidés auprès de vous par son intercession. Nous vous en conjurons par le même Jésus-Christ notre Seigneur.

ORAISON : *Protege, Domine, populum tuum...* Seigneur, protégez votre peuple, qui se confie en l'intercession de saint Pierre et de saint Paul, et de vos autres apôtres, et conservez-le par une défense perpétuelle.

Nous vous supplions, Seigneur, que tous vos saints nous assistent partout, afin que cependant que nous renouvelons ici-bas la mémoire de leurs mérites, nous ressentions les effets de leur protection auprès de vous. Accordez la paix à nos jours, repoussez de votre Église toute sorte de méchanceté : disposez notre démarche, nos actions, nos volontés, et celle de tous vos serviteurs, dans la prospérité du salut qui vient de vous; donnez des biens éternels pour rétribution à nos bienfaiteurs; et accordez le repos éternel à tous les fidèles défunts. Nous vous en conjurons par Jésus-Christ notre Seigneur.

A PRIME

HYMNE
Memento, salutis auctor...

Bénin sauveur de la nature,
Souviens-toi que d'un criminel
Tu pris la forme au sein d'une Vierge très pure,
Et daignas comme nous naître enfant et mortel.

O mère de grâce, ô Marie,
Qui n'es que douceur et qu'amour,
Contre nos ennemis protège notre vie,
Et rends-toi notre asile au grand et dernier jour.

Gloire à toi, merveille suprême,
Dieu, par une Vierge enfanté!
Même gloire à ton Père, au Saint-Esprit la même,
Et durant tous les temps et dans l'éternité!

Psaume LIII : *Si vous ne voulez pas, Seigneur.* p. 1061
Psaume LXXXIV : *Il vous a plu, Seigneur .* . p. 1063
Psaume CXVI : *Nations, qui peuplez......* p. 1070

CHAPITRE : (*Cantique des Cantiques, VI*). Qui est celle qui s'avance comme une aurore qui se lève, belle comme le soleil, terrible comme une armée rangée en bataille?
ORAISON : *Deus, qui virginalem aulam beatae Mariae virginis...* Seigneur, qui avez daigné choisir le palais virginal de la bienheureuse Vierge Marie, pour y faire votre demeure, nous vous supplions de faire qu'étant fortifiés par sa défense, nous puissions assister avec joie à la solennité qui se fait en sa mémoire : nous vous en conjurons, véritable Dieu, qui vivez et régnez dans tous les siècles des siècles.

A TIERCE

Hymne : *Bénin sauveur de la nature......* p. 1080
Psaume CXIX : *Dans les ennuis..........* p. 1070
Psaume CXX : *Près d'être accablé.......* p. 1070
Psaume CXXI : *O l'heureuse nouvelle....* p. 1071

CHAPITRE : (*Ecclés. XXIV.*) C'est ainsi que je me suis affermie en Sion, et c'est en cette manière que j'ai pris mon repos en la ville sanctifiée, et que ma puissance est en Jérusalem.
ORAISON : *Deus, qui salutis aeternae...* O Dieu, qui par la féconde virginité de la bienheureuse Marie avez accordé au genre humain les prix du salut éternel, nous vous supplions de nous faire ressentir les effets de l'intercession de cette même Vierge, par laquelle nous avons mérité de recevoir l'auteur de la vie, notre Seigneur Jésus-Christ.

A SEXTE

Hymne : *Bénin sauveur de la nature........* p. 1080
Psaume CXXII : *Auteur de l'univers......* p. 1071
Psaume CXXIII : *Si le Dieu d'Israël......* p. 1071
Psaume CXXIV : *Quiconque met en Dieu..* p. 1072

CHAPITRE : (*Ecclés. XXIV.*) J'ai pris racine chez un peuple comblé d'honneur, et son héritage est du partage de mon Dieu, et ma demeure est en la plénitude des saints.
ORAISON : *Concede, misericors Deus...* Dieu tout miséricordieux, accordez un appui à notre fragilité, afin que nous qui célébrons la mémoire de la sainte Mère de Dieu, nous nous relevions de nos iniquités par son intercession. Nous vous en conjurons par le même Jésus-Christ notre Seigneur.

A NONE

Hymne : *Bénin sauveur de la nature........* p. 1080
Psaume CXXV : *Dès qu'il plut au Seigneur.* p. 1072
Psaume CXXVI : *Que sert tout le pouvoir.* p. 1072
Psaume CXXVII : *O que votre bonheur.....* p. 1072

CHAPITRE : (*Ecclés. XXIV.*) Dans les places, j'ai rendu une odeur pareille à celle de la cannelle et du baume aromatique, et répandu une senteur aussi agréable que celle de la myrrhe choisie.
ORAISON : *Famulorum tuorum, quæsumus, Domine...* Nous vous supplions, Seigneur, de faire grâce aux péchés de vos serviteurs, afin que nous qui n'avons pas de quoi vous plaire par nos actions, nous puissions être sauvés par l'intercession de la Mère de votre Fils, notre Seigneur. Nous vous en conjurons par le même Jésus-Christ notre Seigneur. R. Ainsi soit-il.

A VÊPRES

Psaume CIX : *Le Seigneur vient de dire....* p. 1067
Psaume CXII : *Enfants, de qui les voix....* p. 1069
Psaume CXXI : *O l'heureuse nouvelle!....* p. 1071
Psaume CXXVI : *Que sert tout le pouvoir..* p. 1072
Psaume CXLVII : *Louez, Jérusalem......* p. 1074

HYMNE
Ave, maris stella...

Étoile de la mer, mère du Tout-Puissant,
Toujours Vierge, toujours étoile sans nuage,
Porte du ciel ouverte au pécheur gémissant,
Reçois notre humble hommage.

De nous, comme de l'ange, accepte ce salut;
Et dans une paix sainte affermissant notre âme,
Change l'impression que notre sang reçut
De la première femme.

Des captifs du péché romps les tristes liens,
Aux esprits aveuglés rends de vives lumières,
Chasse loin tous les maux, obtiens-nous tous les biens,
Vierge, par tes prières.

Montre de pleins effets du pouvoir maternel :
Fais qu'à remplir nos vœux cet Homme-Dieu s'applique,

Qui pour rendre la vie à l'homme criminel
    Naquit ton fils unique.

O Vierge sans pareille en clémence, en bonté,
Fais-lui de tous nos cœurs d'agréables victimes,
Verses-y ta douceur, joins-y ta chasteté,
    Et lave tous nos crimes.

Épure notre vie, enflamme notre esprit,
Du ciel par ton suffrage assure-nous la voie,
Et fais-nous-y goûter près de ton Jésus-Christ
    Une éternelle joie.

Gloire, louange, honneur et puissance au Très-Haut!
Gloire, honneur et louange à sa parfaite image!
Gloire à l'Esprit divin, ainsi qu'eux sans défaut!
    A tous trois même hommage!

CANTIQUE DE LA SAINTE VIERGE
Magnificat anima mea Dominum.

    Après un si haut privilège
Dont il plaît au Seigneur de me gratifier,
Je me dois toute entière à le magnifier,
    Et mon silence ingrat serait un sacrilège.

    Quand même je voudrais me taire,
Un doux emportement parlerait malgré moi,
Et cet excès d'honneur m'est une forte loi
    D'épanouir mon âme en Dieu, mon salutaire.

    Il a regardé ma bassesse
Il a du haut des cieux daigné s'en souvenir,
Et depuis ce moment tout le siècle à venir
    Publîra mon bonheur par des chants d'allégresse.

    La merveille tant attendue
De son pouvoir en moi fait voir l'immensité,
Et je dois de son nom bénir la sainteté
    Dont la vive splendeur sur moi s'est répandue.

    De sa miséricorde sainte
L'effort de race en race enfin tombe sur nous;
Il en fait part à ceux qui craignent son courroux,
    Et je porte le prix d'une si digne crainte.

    Son bras a montré sa puissance,
Les projets les plus vains, il les a dispersés,
Les desseins les plus fiers, il les a renversés,
    Et du plus haut orgueil abattu l'insolence.

    Les plus invincibles monarques
Se sont vus par sa main de leur trône arrachés,
Et ceux que la poussière avait tenus cachés
    Ont reçu de son choix les glorieuses marques.

    Par des faveurs vraiment solides
Il a rempli de biens ceux que pressait la faim;
Et ceux qui puisaient l'or chez eux à pleine main,
    Sa juste défaveur les a renvoyés vides.

    C'est ce qui nous donne assurance
Qu'il a pris Israël en sa protection,
Et n'a point oublié la grâce dont Sion
    Avait droit de flatter son illustre espérance.

Il la promit avec tendresse,
Abraham et ses fils en eurent son serment;
Tout ce qu'il leur jura paraît en ce moment,
    Et ce miracle enfin dégage sa promesse.

    Gloire au Père, cause des causes,
Gloire au Verbe incarné, gloire à l'Esprit divin,
Telle soit maintenant, et telle encor sans fin,
    Qu'elle était en tous trois avant toutes les choses.

ORAISON : *Concede nos famulos tuos...* Seigneur, nous vous prions d'accorder à vos serviteurs une santé perpétuelle de l'esprit et du corps, et que par la glorieuse intercession de la bienheureuse Marie toujours Vierge, ils soient délivrés de la tristesse présente, et jouissent un jour de l'allégresse éternelle. Par Jésus-Christ notre Seigneur.

ORAISON : *Protege, Domine, populum tuum...* Seigneur, protégez votre peuple, qui se confie en l'intercession de saint Pierre et de saint Paul, et de vos autres Apôtres, et conservez-le par une défense perpétuelle.

Nous vous supplions, Seigneur, que tous vos saints nous assistent partout, afin que cependant que nous renouvelons ici-bas la mémoire de leurs mérites, nous ressentons les effets de leur protection auprès de vous. Accordez la paix à nos jours, repoussez de votre Église toutes sortes de méchanceté : disposez notre démarche, nos actions, nos volontés, et celle de tous vos serviteurs, dans la prospérité du salut qui vient de vous, donnez des biens éternels pour rétribution à nos bienfaiteurs, et accordez le repos éternel à tous les fidèles défunts. Nous vous en conjurons par Jésus-Christ notre Seigneur.

A COMPLIES

Psaume CXXVIII : *Dès mes plus jeunes ans.* p. 1073
Psaume CXXIX : *Des abîmes profonds....* p. 1073
Psaume CXXX : *Je n'ai point soupiré...* p. 1073
Hymne : *Bénin sauveur de la nature......* p. 1080

CHAPITRE : (*Ecclés.* XXIV) : Je suis la mère de la belle dilection, et de la crainte, et de la sainte espérance.

CANTIQUE DE SIMEON
Nunc dimittis servum tuum...

    Enfin, suivant votre parole,
    Vous me laissez aller en paix,
    Seigneur, et mon âme s'envole
    Au sein d'Abraham pour jamais.

    Vous avez daigné satisfaire
    De mes yeux le plus doux souci :
    Ils ont vu votre salutaire,
    Et n'ont plus rien à voir ici,

    C'est le salutaire suprême,
    Que vos saintes prénotions
    Vous ont fait préparer vous-même
    Devant toutes les nations.

    Par cette lumière adorable
    Les gentils seront éclairés,
    Et d'une gloire incomparable
    Vos peuples seront honorés.

Gloire au Père, cause des causes!
Gloire au Fils, à l'Esprit divin!
Et telle qu'avant toutes choses,
Telle soit-elle encor sans fin!

ORAISON : *Beatae et gloriosae...* Nous vous demandons,

Seigneur, que la glorieuse intercession de la bienheureuse Marie toujours vierge nous protège et nous conduise à la vie éternelle. Par Jésus-Christ notre Seigneur, votre Fils, qui étant Dieu comme vous, vit et règne avec vous, en l'unité du Saint Esprit, dans tous les siècles des siècles.

LES SEPT PSAUMES PÉNITENTIAUX

ORAISONS

Mon Dieu, qui avez cela de propre que vous êtes toujours prêt de faire grâce et de pardonner, recevez notre humble prière, et faites que tous ceux qui comme nous sont détenus esclaves dans les chaînes du péché, en soient bénignement détachés avec nous par la commisération de votre pitié.

Exaucez, Seigneur, les prières de vos humbles suppliants, afin que pardonnant les péchés à ceux qui vous les confessent, nous recevions notre rémission et votre paix.

Montrez-nous, Seigneur, avec bénignité votre ineffable miséricorde, afin que tout ensemble vous nous dépouilliez de nos péchés, et nous garantissiez des peines que nous avons méritées en les commettant.

Dieu, que le péché offense, et que la pénitence apaise, écoutez favorablement les prières de votre peuple qui se prosterne devant vous; et détournez de nous les fléaux de votre colère, que nos péchés nous ont fait mériter.

Dieu tout-puissant et éternel, ayez pitié de votre serviteur, notre pontife N., et conduisez-le par votre clémence dans la voie du salut éternel; donnez-lui la grâce de ne désirer que ce qui vous plaît, et de se porter de toute sa force à l'accomplir.

Dieu, de qui partent les saints désirs, les bons desseins, et les œuvres de justice, donnez à vos serviteurs cette paix que le monde ne peut donner, afin qu'appliquant nos cœurs à l'observation de vos commandements, et n'ayant à craindre aucun ennemi, nous passions nos jours dans une parfaite tranquillité sous votre sainte protection.

Seigneur, brûlez nos reins et nos cœurs avec le feu du Saint-Esprit, afin que nous portions à votre service des corps chastes, et que nous vous devenions agréables par la pureté du dedans.

Dieu, qui êtes l'auteur et le rédempteur de tous les fidèles, accordez aux âmes de vos serviteurs et servantes la rémission de tous leurs péchés, et souffrez qu'elles obtiennent par la pieuse ferveur de nos prières le pardon qu'elles ont toujours désiré.

Nous vous supplions, Seigneur, de prévenir toutes nos actions par votre inspiration, et de nous favoriser de votre assistance pour les achever, afin que toutes nos prières et nos œuvres commencent et finissent par vous.

Dieu tout-puissant et éternel, qui êtes le maître absolu des vivants et des morts, et faites miséricorde à tous ceux que vous prévoyez devoir être de vos serviteurs par leur foi et par leurs œuvres, nous vous supplions humblement que ceux pour qui nous nous sommes proposé de vous offrir des prières, soit que ce monde les retienne encore dans leur chair mortelle, soit qu'ils soient déjà passés dans l'autre après avoir quitté la dépouille de leurs corps, obtiennent de votre clémence, par l'intercession de tous vos saints, le pardon de tous leurs péchés. Nous vous en conjurons par notre Seigneur Jésus-Christ, votre fils, qui, véritable Dieu comme vous, vit et règne avec vous en l'unité du Saint Esprit, par tous les siècles des siècles. R. Ainsi soit-il.

VÊPRES DES DIMANCHES ET COMPLIES

A VÊPRES

CHAPITRE : (*II Corinth.*) Béni soit Dieu, père de notre Seigneur Jésus-Christ, père des miséricordes, et Dieu

d'entière consolation, qui nous console dans toutes nos tribulations.

HYMNE
Lucis creator optime...

Père et maître de la lumière,
Qui de tes seuls trésors tires celle des jours,
Qui commenças par elle à déployer leurs cours,
Et préparer du monde et l'ordre et la matière,

Qui donnes le nom de journée
Au doux enchaînement du matin et du soir :
Le chaos de la nuit répand son voile noir,
Écoute les soupirs de notre âme étonnée.

Empêche que le poids des crimes
L'exile du vrai jour qui seul fait vivre en toi,
Empêche que l'oubli de ta divine loi
L'enfonce du péché dans les plus noirs abîmes.

Fais monter au ciel sa prière,
Fais qu'après ses combats la vie en soit le prix;
De tout ce qui t'offense épure nos esprits,
De tout ce qui peut nuire affranchis leur carrière.

Accordez-nous cette victoire,
Père incompréhensible, Homme-Dieu Jésus-Christ,
Qui régnez à jamais avec le Saint-Esprit
Au bienheureux séjour de lumière et de gloire.

Cantique de la sainte Vierge : *Après un si haut privilège* .... p. 1081

A COMPLIES

Psaume IV : *Sitôt que j'invoquai.* .... p. 1055
Psaume XXX : *J'ai mis en vous.* .... p. 1058
Psaume XC : *Sous l'appui du Très-Haut.* ... p. 1063
Psaume CXXXIII : *Ministres du Seigneur.* . p. 1074

HYMNE
Te lucis ante terminum...

En ces derniers moments du jour qui nous éclaire,
Auteur de l'univers, nous t'osons demander
Qu'avec ta clémence ordinaire
Jusques à son retour tu daignes nous garder.

Repousse loin de nous l'insolence des songes,
Les fantômes impurs que le démon produit :
Retiens ce père des mensonges,
Qu'aucune indignité ne souille notre nuit.

Fais-nous, Père éternel, fais à tous cette grâce,
Nous t'en prions au nom de ton fils Jésus-Christ,
Qui règne en cet immense espace
Où tu règnes toi-même avec le Saint-Esprit.

CHAPITRE : (*Jérémie, XIV.*) Quant à vous, Seigneur,
vous êtes en nous, et votre saint nom est invoqué sur
nous : ne nous délaissez pas, vous qui êtes notre Seigneur
et notre Dieu.

Cantique de Siméon : *Enfin, suivant votre parole* p. 1081

ORAISON : *Visita, quaesumus, Domine...* Nous vous
prions, Seigneur, de visiter cette demeure, et d'en
repousser bien loin les embûches de l'ennemi; que vos
saints anges y habitent, qu'ils nous y conservent en
paix, et que votre bénédiction soit toujours sur nous.
Nous vous en supplions par notre Seigneur Jésus-Christ,
votre fils, qui, véritable Dieu comme vous, vit et règne
avec vous en l'unité du Saint-Esprit, dans tous les siècles
des siècles. R. Ainsi soit-il.

ANTIENNE DE LA SAINTE VIERGE : *Salve, Regina...*
Nous vous saluons, Reine, et mère de miséricorde.
Nous vous saluons comme étant notre vie, notre douceur, et notre espérance. Nous élevons nos cris vers
vous, malheureux exilés et enfants d'Ève que nous
sommes. Nous poussons nos soupirs vers vous dans
cette vallée de larmes, où nous ne faisons que gémir
et pleurer. Soyez donc notre avocate, tournez vers nous
ces yeux qui ne sont que miséricorde, et montrez-nous
au sortir de notre bannissement le bienheureux fruit
de vos entrailles, Jésus-Christ. Nous vous en conjurons,
ô Marie, Vierge pleine de clémence, de compassion, et
de douceur!

ORAISON : *Omnipotens sempiterne Deus...* Dieu tout-
puissant et éternel, qui par la coopération du Saint-
Esprit avez si bien préparé le corps et l'âme de la bienheureuse vierge Marie, qu'elle a mérité que vous
en fissiez un logement digne de votre fils, accordez
à nos prières que par la pieuse intercession de cette
même Vierge, dont nous célébrons la mémoire avec
joie, nous puissions nous voir préservés des malheurs
qui sont prêts à fondre sur nous, et de la mort éternelle.
Nous vous en supplions par le même Jésus-Chsist,
notre Seigneur.

HYMNES DU BRÉVIAIRE ROMAIN

I. POUR CHAQUE JOUR DE LA SEMAINE

POUR LES DIMANCHES
*Depuis l'octave de l'Épiphanie
jusques au Carême, et depuis le mois
d'octobre jusques à l'Avent.*

A MATINES
Primo dierum omnium

En ce jour, le premier qu'ait vu briller la terre
Ce jour où du néant Dieu tira l'univers,
Ce grand jour que choisit ce Maître du tonnerre
Pour terrasser la mort et briser tous nos fers,

Aux langueurs du sommeil dérobons nos paupières,
Développons du lit nos membres engourdis,
Et cherchant dans la nuit la source des lumières,
Suivons ce qu'un prophète a pratiqué jadis.

Prions ce Créateur de toute la nature
Qu'il écoute nos vœux, qu'il nous tende la main,
Et qu'ayant épuré nos cœurs de toute ordure,
Cette main nous élève au bonheur souverain;

Que quiconque amoureux de sa gloire divine
L'exalte en ces moments les plus sacrés du jour,
Quiconque y donne un temps qu'au repos on destine,
En ait pour digne prix les dons de son amour.

Nous t'en conjurons tous, vive clarté du Père,
Écarte de nos cœurs ce qui les peut blesser,
Bannis de nos désirs ce qui peut te déplaire,
Et de nos actions ce qui peut t'offenser.

Que jamais rien d'impur, que jamais rien de sale
Ne tache le dehors, ne souille le dedans,
Et que jamais l'ardeur d'une flamme brutale
N'ait de quoi nous livrer à des feux plus ardents.

Daigne, Sauveur bénin, effacer de nos âmes
Tout ce qui fait rougir le front des vrais chrétiens,
Et sur les traits biffés de ces marques infâmes
Grave tout ce qui mène au séjour des vrais biens.

Que dégagés ainsi des passions charnelles,
Reçus de ton empire au sacré célibat,
Comme osent l'espérer tes serviteurs fidèles,
De ta gloire à jamais nous bénissions l'éclat.

Accordez cette grâce à nos humbles prières,
Père incompréhensible, Homme-Dieu Jésus-Christ,
Qui régnez l'un et l'autre au séjour des lumières,
Où sans fin avec vous règne le Saint-Esprit.

A LAUDES
Æterne rerum conditor.

De ce vaste univers Créateur immuable,
Qui gouvernez la course et des jours et des nuits,
Et variez leurs temps par l'ordre invariable
Dont la diversité soulage nos ennuis.

Le messager du jour commence votre éloge :
Ce vigilant oiseau par ses chants nous instruit,
Sa voix aux voyageurs dans l'ombre sert d'horloge,
Et sépare à grands cris la nuit d'avec la nuit.

Il prend un soin exact d'éveiller le Phosphore[10]
Il l'invite à chasser les ténèbres des cieux,
Menace le voleur du retour de l'aurore,
Lui fait cacher sa proie et redouter nos yeux.

Du nocher à ses cris la vigueur se rappelle,
Les vagues de la mer roulent moins fièrement,
Pierre se reconnaît pour disciple infidèle,
Et par des pleurs amers lave son reniement.

Levons-nous sans tarder, entendons sans remise
Ce qu'il nous dit si haut dès son premier réveil,
Sa voix a convaincu le prince de l'Église,
Sa voix aux paresseux reproche le sommeil.

Nous sentons à ses chants renaître l'espérance,
Le malade en reçoit un rayon de santé,
Le glaive du brigand nous laisse en assurance,
La foi vive succède à l'infidélité.

Que par toi de nos cœurs la guérison s'achève,
De tes yeux, doux Sauveur, il n'y faut qu'un seul trait,
Regarde le pécheur, sa chute se relève :
Fais-lui verser des pleurs, il n'a plus de forfait.

Éclaire tous nos sens de ta propre lumière,
Dissipe le sommeil dont ils sont accablés,

10. L'étoile du matin.

Qu'en nos concerts ta gloire à jamais la première
Puisse acquitter des vœux tant de fois redoublés !

Gloire au Père éternel, gloire au Fils ineffable,
Gloire toute pareille à l'Esprit tout divin !
Gloire à leur unité, dont l'essence adorable
Règne sans borne aucune, et régnera sans fin !

POUR LES DIMANCHES
*Depuis l'octave du Saint Sacrement
jusqu'au mois d'octobre.*

A MATINES
Nocte surgentes vigilemus omnes.

Levons-nous dans la nuit, coupons-la par nos veilles,
Faisons-la résonner de nos plus doux accords,
Et pour chanter d'un Dieu les plus hautes merveilles,
    Unissons nos efforts.

Joignons aux voix des saints une sainte harmonie,
Qui mérite une entrée en ces brillants palais
Où l'on goûte avec eux le bonheur d'une vie
    Qui ne finit jamais.

Daigne nous l'accorder la sagesse profonde
De cette essence unique en trois divins suppôts[11],
Dont la gloire remplit de l'un et l'autre monde
    Les plus vastes enclos.

A LAUDES
Ecce jam noctis tenuatur umbra.

Des ombres de la nuit l'épaisseur affaiblie
Va céder de l'aurore à l'éclat renaissant :
Il est temps que des corps la vigueur rétablie
    Se voue au Tout-Puissant.

Supplions sa pitié d'accepter notre hommage,
D'écarter la langueur, d'affermir la santé,
Et qu'un Dieu, pour nous rendre au céleste héritage,
    D'un père ait la bonté.

Daigne nous l'accorder la sagesse profonde
De cette essence unique en trois divins suppôts,
Dont la gloire remplit de l'un et l'autre monde
    Les plus vastes enclos.

A PRIME
Jam lucis orto sidere.

Les astres et la nuit à l'aurore ont fait place :
    Supplions un Dieu tout-puissant
Que durant tout le cours du soleil qui les chasse,
Nous ne portions nos mains à rien que d'innocent,

Qu'il tienne à notre langue une bride sévère,
    Qu'il lui fasse horreur des débats,
Qu'il daigne ouvrir nos yeux à sa sainte lumière,
Qu'il daigne les fermer à tous les vains appas.

Que le fond de nos cœurs, sans tache et sans ordure,
    Repousse tous les faux plaisirs,

11. Supports.

Que la sobriété dompte de la nature
Le plus rebelle orgueil et les plus fiers désirs.

Qu'il nous mette en état qu'au bout de la journée,
Quand la nuit reprendra son tour,
Dans cette pureté qu'il nous aura donnée,
Nous chantions à sa gloire un cantique d'amour.

Gloire au Père éternel, gloire au Fils ineffable,
Gloire à l'Esprit saint et divin!
Gloire à leur unité, dont l'essence immuable
Règne sans borne aucune, et régnera sans fin!

A TIERCE
Nunc sancte nobis Spiritus.

Pur amour, Esprit saint, qui n'êtes qu'une essence
Avecque le Père et le Fils,
Daignez par une prompte et bénigne influence
Verser du haut du ciel vos dons dans nos esprits.

Que nos bouches, nos cœurs, et nos sens, et nos forces,
Rendent gloire à leur souverain;
Que de la charité les brillantes amorces
Par un ardent exemple embrasent le prochain.

Que le Père et le Fils accordent cette grâce
A l'humble ferveur de nos vœux,
Eux qui règnent sans fin dans cet immense espace
Que remplit l'Esprit saint, qui n'est qu'un avec eux.

A SEXTE
Rector potens, verax Deus.

Gouverneur tout-puissant de cette masse entière,
Dieu par qui chaque heure a son tour,
Qui dépars au matin l'éclat de la lumière,
Et gardes la chaleur pour le plus haut du jour,

Éteins ces feux trop vifs d'où naissent les querelles,
Chasse toute nuisible ardeur,
Donne au corps la santé, l'effet aux vœux fidèles,
La sainte joie à l'âme, et le vrai calme au cœur.

Que le Père et le Fils accordent cette grâce
A l'humble ferveur de nos vœux,
Eux qui règnent sans fin dans cet immense espace
Que remplit l'Esprit saint, qui n'est qu'un avec eux.

A NONE
Rerum Deus tenax vigor.

Immuable vigueur qui soutiens toutes choses,
Qu'à toutes on voit présider,
Qui de tous les moments absolument disposes,
Les fais s'entre-produire et s'entre-succéder,

Donne un soir éclairé, qui fermant notre vie
Nous ouvre un tranquille avenir,
Où pour prix d'une course heureusement finie
Nous trouvions une gloire à ne jamais finir.

Que le Père et le Fils accordent cette grâce
A l'humble ferveur de nos vœux,
Eux qui règnent sans fin dans cet immense espace
Que remplit l'Esprit saint, qui n'est qu'un avec eux.

POUR LE LUNDI [12]

A MATINES
Somno refectis artubus.

Seigneur, par le sommeil nos forces réparées
Du lit dédaignent les douceurs :
Entends des voûtes azurées
Et le concert des voix, et le zèle des cœurs.

Que ton nom le premier sorte de notre bouche,
Que notre ardeur n'aille qu'à toi,
Qu'aucun autre objet ne la touche :
Sois son premier souci, sois son dernier emploi.

Qu'aux naissantes clartés l'ombre s'évanouisse,
Que la nuit se cache à son tour,
Que les désordres qu'elle glisse
Se dissipent comme elle aux approches du jour.

Épure nos esprits, efface tous nos crimes,
Que dégagés de tous forfaits
Nous chantions tes bontés sublimes,
Ici durant la vie, au ciel à tout jamais.

Daignez, Père éternel, nous faire cette grâce,
Et vous, Homme-Dieu Jésus-Christ,
Qui régnez dans l'immense espace
Où comme vous et lui règne le Saint-Esprit.

A LAUDES
Splendor paternæ gloriæ.

Splendeur de la gloire du Père,
Dont tu tires l'éclat que tu rends à ton tour,
Clarté de la clarté, source de la lumière,
Jour de qui les rayons illuminent le jour,

Vrai soleil, répands dans nos âmes
De cet éclat divin les rayons tout-puissants,
Verse du Saint-Esprit les plus brillantes flammes
Sur les gouffres obscurs où s'abîment nos sens.

Nous réclamons aussi ton aide,
Père de qui la gloire est sans borne et sans fin,
Père de qui la grâce est le puissant remède
Qui seul de tous nos maux dissipe le venin.

Père éternel, Père ineffable,
Affermis nos vertus, confonds nos envieux,
Change en prospérité tout ce qui nous accable,
Guide nos actions dans la route des cieux.

---

12. Les seize hymnes qui suivent ont été également traduites par Racine, publiées en 1684 et condamnées. Corneille est la preuve qu'aucun interdit ne pesait sur ce genre de traductions. Que la traduction de Racine ait eu une coloration janséniste, les corrections apportées par son fils en sont la preuve. Du point de vue esthétique, la comparaison des traductions est intéressante : Corneille, plus textuel et plus réaliste, ne fuit pas les images bibliques; Racine vise à l'élégance et à l'harmonie. Voici à titre d'exemple, la première strophe de cette hymne chez Racine :

Tandis que le sommeil, réparant la nature
Tient enchaînés le travail et le bruit
Nous rompons ses liens, ô clarté toujours pure,
Pour te louer dans la profonde nuit.

Préside à toutes nos pensées,
Forme en nous un corps chaste et fidèle à son Dieu,
Fais que de notre foi les ardeurs empressées
A la fraude jamais ne laissent aucun lieu.

Que la foi soit notre breuvage,
Que pour viande en tous lieux nous ayons Jésus-Christ :
Qu'une sincère joie y goûte l'avantage
De cette sobre ivresse où s'épure l'esprit.

Que ce jour ne soit qu'allégresse,
Qu'il ait pour son matin une sainte pudeur,
Pour midi cette foi qui t'adore sans cesse,
Et dont aucun couchant n'ensevelit l'ardeur.

L'aurore déjà nous éclaire !
Puissent avec l'aurore éclairer nos esprits,
Et le Fils qui se voit tout entier en son Père,
Et le Père qui vit tout entier en son fils!

Gloire à ce Père inconcevable,
Gloire au Verbe incarné, gloire à l'Esprit divin,
Gloire à leur unité, dont l'essence immuable
Règne sans borne aucune, et régnera sans fin!

A VÊPRES
Immense cœli conditor.

Immense auteur du ciel, qui pour te mieux répondre
Des êtres où tu fis entrer chaque élément,
En divisant les eaux qui pouvaient les confondre,
Entre elles pour barrière as mis le firmament;

Qui là-haut affermis un fond aux mers célestes,
Et rangeas par ruisseaux les nôtres au-dessous,
De crainte que du feu les ravages funestes
Ne pussent dissiper un séjour fait pour nous.

Verse dans tous nos cœurs une grâce fidèle,
Dont le secours propice ait toujours à durer,
Empêche que l'effet d'une fraude nouvelle
Sous une vieille erreur ne nous puisse atterrer.

Fais que la foi nous donne une lumière sainte,
Et nous imprime en l'âme à tel point sa clarté,
Que jamais vain appas n'y porte aucune atteinte,
Jamais ne l'embarrasse aucune fausseté.

Accordez cette grâce à nos humbles prières,
Père incompréhensible, Homme-Dieu Jésus-Christ,
Qui régnez l'un et l'autre au séjour des lumières,
Où sans fin avec vous règne le Saint-Esprit.

POUR LE MARDI

A MATINES
Consors paterni luminis.

Lumière qui n'es qu'une avec celle du Père,
Jour du jour, clarté des clartés,
Nos chants rompent la nuit par une humble prière :
Assiste-nous par tes bontés.

Écarte loin de nous les ténèbres coupables,
Chasse les troupes de l'Enfer,
Et ce que le sommeil a de langueurs capables
D'abattre un cœur, d'en triompher.

Prends, Seigneur, prends pour nous une telle indulgence,
Rends-toi si propice aux croyants,
Qu'ils puissent obtenir de ta magnificence
Les dons que demandent leurs chants.

Que le Père et le Fils accordent cette grâce
A l'humble ferveur de nos vœux,
Eux qui règnent sans fin dans cet immense espace
Où l'Esprit saint règne avec eux.

A LAUDES
Ales diei nuntius.

Le messager du jour au réveil nous convie :
Sur notre âme Jésus fait un pareil effort,
Et l'arrachant lui-même au frère de la mort,
La rappelle à la vie.

« Quittez, quittez ces lits où règne la paresse
(C'est ce qu'au fond des cœurs il crie à haute voix);
Veillez, tenez ces cœurs chastes, sobres et droits :
J'approche, et le temps presse. »

Répondons à sa voix avec une foi vive,
Avec des pleurs, des vœux, de la sobriété,
Faisons que le sommeil cède à la pureté
D'une ardeur attentive.

Dissipes-en, Seigneur, les vapeurs infidèles,
Romps ces honteux liens dont nous charge la nuit,
Et répands sur l'horreur du vieux péché détruit
Des lumières nouvelles.

Gloire au Père éternel, tout bon, tout saint, tout sage!
Gloire au Verbe incarné, gloire à l'Esprit divin,
Qui procédant des deux règne avec eux sans fin,
Et veut pareil hommage!

A VÊPRES
Telluris ingens conditor.

Toi qui créas la terre, et qui l'as enrichie
Par l'ordre fécond de ta voix,
Des eaux qui la couvraient toi qui l'as affranchie,
Pour la rendre immobile et ferme sur son poids;

Toi qui lui fis tirer du sein de la nature
Le germe des fleurs et des fruits,
Et nous daignas ensuite offrir pour nourriture
Les herbes et les grains de ce germe produits :

Daigne guérir, Seigneur, ce qu'une indigne flamme
Forme d'ulcères en nos cœurs,
Fais renaître ta grâce au milieu de notre âme,
Pour noyer nos péchés dans un torrent de pleurs.

Que cette âme avec joie à tes lois obéisse,
Sans s'échapper vers rien de mal,
Qu'elle-même par toi de tous biens se remplisse,
Et n'y mêle jamais aucun poison fatal.

Que le Père et le Fils accordent cette grâce
A l'humble ferveur de nos vœux,
Eux qui règnent sans fin en cet immense espace
Où règne l'Esprit saint, qui n'est qu'un avec eux.

POUR LE MERCREDI

A MATINES
Rerum Creator optime.

Dieu tout bon, Créateur sublime,
Sur ceux que tu régis jette un œil paternel,
Vois dans quelles langueurs le sommeil les abîme,
Et ne les abandonne à rien de criminel.

Nous t'en conjurons, Roi des Anges,
Bannis ce qui peut nuire, et lave ce qui nuit :
Nous nous levons exprès pour chanter tes louanges,
Et rompons en ton nom les chaînes de la nuit.

Nous élevons les mains et l'âme,
Suivant qu'un roi prophète a su nous l'ordonner :
C'est ce que chaque nuit doit une sainte flamme,
C'est l'exemple que Paul a pris soin de donner.

Tu vois ce qui fait nos alarmes,
Nous t'ouvrons de nos cœurs les plus secrets replis,
Ils poussent des sanglots, nos yeux fondent en larmes :
Grâce, grâce au péché dont tu nous vois remplis!

Daignez exaucer nos prières,
Père incompréhensible, Homme-Dieu Jésus-Christ,
Qui régnez l'un et l'autre au séjour des lumieres,
Où sans fin avec vous règne le Saint-Esprit.

A LAUDES
Nox et tenebræ et nubila.

Nuit, ténèbres, vapeurs, noir et trouble nuage,
Faites place à des temps plus doux,
L'aurore à l'univers fait changer de visage,
Jésus-Christ vient, retirez-vous.

L'ombre dont l'épaisseur enveloppait le monde
Cède aux premiers traits du soleil,
Et la couleur revient sur cette masse ronde,
Qu'il dore et peint à son réveil.

Qu'il commence et finisse à son gré sa carrière :
Notre unique soleil, c'est toi,
Seigneur, toute notre âme adore ta lumière,
Nos pleurs et nos chants en font foi.

Le monde sous le fard nous déguise cent choses,
Dont tes clartés percent l'abus;
Astre toujours naissant, dévoiles-en les causes,
Et détrompe nos sens confus.

Louange à tout jamais au Père inconcevable,
Louange à son Verbe en tout lieu!
Louange au Saint-Esprit, ainsi qu'eux ineffable,
Qui n'est avec eux qu'un seul Dieu!

A VÊPRES
Cœli Deus sanctissime.

Dieu tout bon, tout saint et tout sage,
Qui d'un feu blanchissant peignis le tour des cieux,
Et par un plus parfait ouvrage
Les ornas d'un éclat à briller encor mieux,

Qui dans leurs plaines azurées
Fis rouler le soleil au quatrième jour,
Et par des courses mesurées
Fis avancer la lune, et divaguer sa cour;

Qui par ces clartés différentes,
Du jour et de la nuit séparant les emplois,
Donnas à leurs splendeurs errantes
Le droit de commencer et de finir les mois :

Illumine le cœur des hommes,
Bannis-en de la chair les criminels appas,
Brise les liens où nous sommes,
Et détruis du péché le plus horrible amas.

Daignez nous faire cette grâce,
Père incompréhensible, Homme-Dieu Jésus-Christ,
Qui régnez dans l'immense espace
Où sans fin avec vous règne le Saint-Esprit.

POUR LE JEUDI

A MATINES
Nox atra rerum contegit.

L'épaisseur de la nuit dessous un voile sombre
De toute la nature a caché les couleurs :
Pour exalter ton nom, nos voix en percent l'ombre,
Juste juge des cœurs.

Bannis de nos désirs ce vain charme qui passe,
Laves-en la souillure, et nous dépars à tous
La force d'écarter par l'effet de ta grâce
Le péché loin de nous.

Notre âme, qui languit dans la noirceur du crime,
Voudrait jusqu'à tes pieds en porter le remords,
Et pour monter à toi de cet obscur abîme,
Réunit ses efforts.

Que peuvent-ils, Seigneur, si ta bonté n'efface
L'épaisse et triste nuit qui lui couvre les yeux,
Et comment sans ton aide espérer une place
A te voir dans les cieux?

Ne la refusez pas à nos humbles prières,
Père et Fils que jamais le monde ne comprit,
Et qui régnez sans fin au séjour des lumières
Avec le Saint-Esprit.

A LAUDES
Lux ecce surgit aurea.

Le soleil renaissant redore la nature :
Laissons évanoüir l'indigne aveuglement
Qui nous précipita dans l'erreur et l'ordure
D'un long et sale égarement.

D'un visage serein recevons sa lumière,
Que son éclat nous rende un esprit net et pur,
Que la fraude aux discours n'offre plus de matière,
Ni la malice rien d'obscur.

Que jamais de la bouche un mensonge ne sorte,
Que la main fuie et l'air et l'ombre du péché,
Qu'à rien de criminel le regard ne se porte,
Qu'en rien le corps ne soit taché.

Songeons qu'il est là-haut un arbitre sévère,
Qui voit tout ce qu'on fait, entend tout ce qu'on dit;
Du matin jusqu'au soir que sa justice opère,
    Que jusque dans l'âme elle lit.

Gloire soit à jamais au Père inconcevable,
Gloire au Verbe incarné, gloire à l'Esprit divin,
Gloire à leur unité, dont l'essence immuable
    Règne sans bornes et sans fin!

A VÊPRES
Magnæ Deus potentiæ.

Seigneur, dont la puissance au vouloir assortie,
De ce qu'elle tira du vaste sein des mers,
A leurs gouffres profonds rendit une partie,
Et destina le reste à sillonner les airs :

Tu laissas aux poissons leurs ondes pour demeure,
Les escadrons ailés s'élevèrent aux cieux,
Et d'une même source engendrés à même heure,
Ils surent par ton ordre occuper divers lieux.

Donne à tes serviteurs que tes bontés sublimes
De ton sang adorable ont lavés dans les flots,
Que leurs âmes jamais ne tombent par leurs crimes
En l'éternel ennui d'une mort sans repos,

Qu'aucun pour ses péchés abattu de faiblesse,
Ou fier de ses vertus jusques à s'en vanter,
Ne demeure écrasé sous le joug qui le presse,
Ou tombe au précipice en voulant s'exalter.

Accordez cette grâce à nos humbles prières,
Père incompréhensible, Homme-Dieu Jésus-Christ,
Qui régnez l'un et l'autre au séjour des lumières,
Où sans fin avec vous règne le Saint-Esprit.

POUR LE VENDREDI

A MATINES
Tu Trinitatis unitas...

Sainte unité de trois, dont la toute-puissance
    Régit tout l'univers,
Des nuits pour te louer nous rompons le silence :
    Écoute nos concerts.

Aux heures du repos, pour réclamer ton aide,
    Nous sortons de nos lits :
Accorde à nos clameurs un souverain remède
    Dont nos maux soient guéris.

Tout ce que du démon a coulé l'artifice
    Dans nos cœurs de plus noir,
Qu'il demeure effacé par le secours propice
    De ton divin pouvoir.

Qu'aucune ordure aux corps, aucune glace en l'âme
    N'imprime sa froideur,
Qu'aucun honteux commerce à notre sainte flamme
    N'attache de tiédeur.

Remplis, Sauveur bénin, remplis-nous, et sans cesse,
    De ton plus vif éclat,

Et tout le long du jour sauve notre faiblesse
    De tout ce qui l'abat.

Faites-nous ces faveurs, Père incompréhensible,
    Et vous, ô Jésus-Christ,
Qui remplissez ensemble un trône indivisible
    Avec le Saint-Esprit.

A LAUDES
Æterna cœli gloria...

Éternelle gloire des cieux,
Doux espoir des mortels qui soutiens leur misère,
Seul fils du Tout-Puissant, qui naquis en ces lieux
    Le seul fils d'une Vierge Mère,

Donne-nous la main au réveil,
Jusqu'à toi de notre âme élève l'impuissance,
Que sa ferveur te rende au sortir du sommeil
    Une juste reconnaissance.

Du jour la naissante splendeur
Répand sur la nature une admirable teinte,
La nuit tombe : répands sur notre vive ardeur
    Les rais de ta lumière sainte.

Éclaires-en tous nos projets,
Chasse la nuit du siècle à renaître obstinée,
Et nous conserve à tous des esprits purs et nets,
    Jusqu'au bout de chaque journée.

Fais en premier lieu que la foi
S'enracine en nos sens par un don de ta grâce,
Qu'ensuite l'espérance avec joie aille à toi,
    Et que la charité les passe.

Gloire sans bornes et sans fin
A la bonté du Père, à son Verbe ineffable,
Gloire toute pareille à l'Esprit tout divin,
    Gloire à leur essence adorable!

A VÊPRES
Plasmator hominis, Deus.

Seigneur, qui de ta main fis l'homme à ton image,
Et voulus que la terre, à ton dernier « Je veux, »
    Répondît par le prompt ouvrage
De la bête farouche et du reptile affreux,

Qui soumis d'un seul mot les masses les plus fières,
Les plus énormes corps qu'eût animés ta voix,
    Leurs fureurs les plus carnassières,
A vivre sous notre ordre et recevoir nos lois :

Délivre-nous, ô Dieu, par ta bonté céleste
De tout ce qu'ici-bas l'impureté des cœurs,
    Par un épanchement funeste,
Ou mêle aux actions, ou coule dans les mœurs.

Fais un don de ta joie aux âmes des fidèles,
Par celui de ta grâce affermis tes bienfaits,
    Romps l'attachement aux querelles,
Et redouble les nœuds d'une éternelle paix.

Accordez ces faveurs à nos humbles prières,
Père incompréhensible, Homme-Dieu Jésus-Christ,

Qui dans le séjour des lumières
Régnez tous deux sans fin avec le Saint-Esprit.

POUR LE SAMEDI

A MATINES
Summæ Deus clementiæ.

Dieu de souveraine clémence,
Qui tiras du néant ce tout par ta bonté,
Unique en ton pouvoir, unique en ta substance,
Et trine en personnalité,

Reçois nos pleurs avec tendresse,
Accepte de nos voix l'heureux et saint emploi,
Et nous purge si bien d'ordure et faiblesse,
Que nous jouissions mieux de toi.

Brûle au dedans notre poitrine
Avec le feu du zèle et de la charité,
Ceins au dehors nos reins de cette ardeur divine
Qui repousse l'impureté.

Que tous ceux à qui tes louanges
Font rompre en ces bas lieux le repos de la nuit,
Là-haut dans la patrie unis aux chœurs des Anges,
A jamais en goûtent le fruit.

Daignent accorder cette grâce
Et le Père et le Fils à l'ardeur de nos vœux,
Eux qui règnent sans fin dans cet immense espace
Où l'Esprit saint règne avec eux.

A LAUDES
Aurora jam spargit polum.

La splendeur de l'aurore éparse dans les cieux
Laisse choir le jour sur la terre,
Sa pointe avec éclat rejaillit de ces lieux :
Loin, fantômes impurs qui nous faisiez la guerre !

Cédez à la clarté, noirs enfants de la nuit,
Qui cherchez à souiller notre âme,
Que tout ce que d'horreurs votre insulte a produit
Se dissipe aux rayons d'une céleste flamme.

Que ce dernier matin qu'en ce triste séjour
Aucun sans frémir n'envisage,
Serve à nous introduire à l'immuable jour
Où nous puissions sans cesse entonner cet hommage :

Gloire à l'inconcevable et sainte Trinité,
Gloire au Père, au Verbe ineffable,
A l'Esprit tout divin, à leur immensité,
Qui ne fait de tous trois qu'une essence adorable !

A VÊPRES
O Lux beata, Trinitas.

O Trinité, sainte lumière,
De trois divins suppôts adorable unité,
Le soleil finit sa carrière :
Dans le fond de nos cœurs verse une autre clarté.

Que la plus longue matinée,
Que le soir le plus lent s'emploie à te louer,
Que la gloire de la journée
Soit à faire des vœux qu'il te plaise avouer.

Gloire au Père, au Verbe ineffable,
Gloire toute pareille à l'Esprit tout divin,
Gloire à leur essence adorable,
Qui règne et régnera sans bornes et sans fin !

II. PROPRE DU TEMPS

POUR L'AVENT

A VÊPRES
Conditor alme siderum.

De tous les feux du ciel seul Auteur et seul Maître,
Vive lumière des croyants,
Rédempteur qui pour tous sur terre as voulu naître,
Daigne exaucer tes suppliants.

Ta pitié, qui voyait périr tes créatures
Après d'inutiles travaux,
Ranime nos langueurs, et ferme nos blessures
Par un remède à tous nos maux.

Sur le couchant du monde, et vers l'heure fatale
Dont le menaçait ton courroux,
Tu sors d'une clôture et sainte et virginale
Avec tout l'amour d'un époux.

Tous les êtres du ciel, tout ce qu'en a la terre,
Courbent le genou devant toi,
Et sans avoir besoin d'éclairs ni de tonnerre,
Un coup d'œil les tient sous ta loi.

Saint des saints, qu'on verra du trône de ton père
Descendre encor pour nous juger,
Contre un fier ennemi, durant cette misère,
Prends le soin de nous protéger.

Louange à tout jamais au Père inconcevable,
Louange à son Verbe en tout lieu,
Louange à l'Esprit saint, ainsi qu'eux ineffable,
Qui n'est avec eux qu'un seul Dieu !

A MATINES
Verbum supernum prodiens.

Verbe du Tout-Puissant, qui du sein de ton Père
Viens descendre au secours du monde infortuné
Et naître d'une Vierge Mère,
Pour mourir dans le temps par toi-même ordonné :

Illumine nos cœurs pour chanter tes louanges,
Embrase-les si bien de tes saintes ardeurs,
Qu'instruits par le concert des Anges,
Ces cœurs purs et sans tache exaltent tes grandeurs.

Qu'alors que tu viendras en ton lit de justice
Dévoiler le secret de nos intentions,
Séparer la vertu du vice,
Et donner la couronne aux bonnes actions,

Au lieu d'être livrés aux carreaux [13] que foudroie
Suivant l'excès du crime un juge rigoureux,
Nous goûtons l'éternelle joie
Du sacré célibat avec tes bienheureux.

Gloire soit à jamais au Père inconcevable,
Gloire au Verbe incarné, gloire à l'Esprit divin,
Gloire à leur essence immuable,
Qui règne dans les cieux et sans borne et sans fin !

A LAUDES
Vox clara ecce intonat.

Un saint éclat de voix à nos oreilles tonne,
Il dissipe la nuit qui nous couvrait les yeux :
Va, sommeil, et nous abandonne,
Jésus prêt à partir brille du haut des cieux.

Apprends, âme endormie, apprends à te soustraire
Aux fantômes impurs dont tu te sens blesser :
Le nouvel astre qui t'éclaire
Ne lance aucun rayon que pour les terrasser.

L'incomparable Agneau que du ciel on envoie
Vient payer de son sang ce que chacun lui doit :
Que les pleurs et les cris de joie
S'efforcent de répondre aux biens qu'on en reçoit,

Afin que, quand son bras choisira ses victimes,
Qu'on verra l'univers environné d'horreur,
Loin de nous punir de nos crimes,
Ce même bras nous cache à sa juste fureur.

Gloire soit à jamais au Père inconcevable,
Gloire au Verbe incarné, gloire à l'Esprit divin
Gloire à leur essence ineffable,
Qui règne dans les cieux et sans borne et sans fin !

POUR LE JOUR DE NOËL

A VÊPRES ET A MATINES
Christe, redemptor omnium.

Christ, Rédempteur de tous, fils unique du Père,
Seul qu'avant tout commencement,
Engendrant en soi-même et produisant sans mère,
Il fit naître ineffablement :

Adorable splendeur des clartés paternelles,
Espoir immuable de tous,
Daigne écouter, Seigneur, les vœux que tes fidèles
En tous lieux t'offrent comme nous.

Souviens-toi qu'autrefois, pour réparer l'injure
Que te fit l'homme criminel,
Tu pris chair dans les flancs d'une Vierge très-pure,
Et voulus naître homme et mortel.

Vois comme tous les ans ce grand jour fait entendre,
Par l'hommage de nos concerts,
Que du sein paternel il te plut de descendre
Pour le salut de l'univers.

C'est ce jour que le ciel, que la terre, que l'onde,

Que tout ce qui respire en eux,
Bénit cent et cent fois d'avoir sauvé le monde
Par ton avènement heureux.

Nous y joignons nos voix, nous que par ta clémence
Ton sang retira du tombeau,
Et pour renouveler le jour de ta naissance,
Nous chantons un hymne nouveau.

Gloire à toi, sacré Verbe, et merveille suprême,
Dieu par une Vierge enfanté !
Même gloire à ton Père, au Saint-Esprit la même,
Durant toute l'éternité !

A LAUDES
A solis ortus cardine.

Du point où le soleil prend le dessus des airs,
Jusqu'aux bouts de la terre où languit la nature,
Qu'on chante Jésus-Christ, ce Roi de l'univers,
Ce Dieu, ce Créateur né d'une créature.

Esclave dans un corps que la misère suit,
Lui qui du monde entier est l'arbitre suprême,
Pour ne détruire point ce qu'il avait produit,
En faveur de la chair il se fait chair lui-même.

La grâce à gros torrents tombe du haut des cieux
Dans les flancs d'une Vierge où s'enferme leur maître :
Ces flancs purs et féconds enflent devant nos yeux,
Et portent des secrets qu'elle n'a pu connaître.

L'immaculé palais de son pudique sein
Devient du Dieu vivant l'inviolable temple,
Et conçoit sans exemple et sans commerce humain,
Par la force d'un mot, un enfant sans exemple.

Elle accouche d'un fils que prédit Gabriel
Quand il la salua par les ordres du Père,
Et qu'avait reconnu pour le Maître du ciel
Un prophète captif au ventre de sa mère.

Il ne dédaigne point la crèche pour berceau,
On l'y met sur la paille, avec joie il l'endure,
Et ce Dieu, dont le soin nourrit le moindre oiseau,
De deux gouttes de lait tire sa nourriture.

L'allégresse remplit tous les célestes chœurs,
Les Anges à l'envi répandent leur musique,
Et leurs sacrés accords font connaître aux pasteurs
Le Créateur de tous, et le Pasteur unique.

Gloire au Verbe incarné, qui d'un sein virginal
Pour vivre parmi nous daigna prendre origine,
Gloire au Père éternel, à l'Esprit leur égal,
Gloire à l'immensité de leur gloire divine !

POUR LES SAINTS INNOCENTS

A VÊPRES ET A LAUDES
Salvete, flores martyrum.

Du troupeau des martyrs prémices innocentes,
Qui payez pour un Dieu qui vient payer pour tous,
A peine vous vivez, qu'un tyran fond sur vous,
Ainsi qu'un tourbillon sur des roses naissantes.

13. *Carreaux* : Nom poétique des traits de la foudre.

De ce Dieu nouveau-né victimes les plus prêtes,
Tendre escadron mourant aussitôt que mortel,
Vous vous jouez ensemble, aux marches de l'autel,
De ces mêmes lauriers qui couronnent vos têtes.

Chantez ainsi que nous : « Gloire à cette naissance
Que le Verbe incarné prit d'un sein virginal
Gloire au Père éternel, à l'Esprit leur égal,
Gloire à l'immensité de leur divine essence! »

A MATINES
Audit tyrannus anxius.

Un tyran inquiet et fier
Apprend d'un bruit confus la naissance d'un Prince
Qui de David juste héritier,
Doit régir toute sa province.

A ces nouvelles forcené :
« On nous chasse, dit-il; mais prévenons ce Maître,
Et pour perdre ce nouveau-né,
Perdons tout ce qui vient de naître. »

Que te sert d'avoir tout proscrit?
Hérode, que te sert qu'on déchire, qu'on frappe?
Tu n'en veux qu'au seul Jésus-Christ,
Et Jésus-Christ lui seul t'échappe.

Gloire à toi, Rédempteur bénin,
Qui du sein d'une Vierge as tiré ta naissance,
Gloire au Père, à l'Esprit divin,
Gloire à leur immortelle essence!

POUR L'ÉPIPHANIE

A VÊPRES ET A MATINES
Hostis Herodes impie.

Lâche Hérode, à quoi bon l'effroi que tu te donnes?
Qui te fait de Jésus craindre l'avènement?
Lui qui donne là-haut d'éternelles couronnes,
Envierait-il ici des règnes d'un moment?

D'un astre fait exprès la nouvelle carrière
Sert de guide à trois rois, et leur montre le lieu :
La lumière leur fait connaître la lumière,
Et par divers présents reconnaître leur Dieu.

L'Agneau saint et céleste entre dans une eau pure,
Reçoit la pénitence en un corps sans péché,
Cette onde en le lavant emporte notre ordure,
Et blanchit des noirceurs dont il n'est point taché.

O surprenant effet de puissance divine!
Une autre eau dans la cruche à sa voix obéit,
Pour se tourner en vin dément son origine,
Et change de nature aussitôt qu'il l'a dit.

Gloire au divin auteur d'une telle merveille,
Qui choisit ce grand jour pour se montrer aux yeux,
Au Père, au Saint-Esprit, gloire toute pareille,
Gloire à tous trois ensemble, en tout temps, en tous lieux!

A LAUDES
O sola magnarum urbium.

O Bethléem, illustre entre toutes les villes,
Vante-toi, tu le peux, d'avoir donné le jour
A ce Roi qui du ciel rend les chemins faciles,
Et qui prend notre chair par un excès d'amour.

C'est lui qui nous annonce une étoile inconnue,
Qui passe du soleil l'éclat et la beauté,
Et fait voir en ces lieux un Dieu dont la venue
Unit notre faiblesse à sa Divinité.

Cet astre jusqu'à lui guide à peine les Mages,
Qu'aucun des trois pour lui n'épargne son trésor :
Chacun d'eux prosterné lui rend d'humbles hommages,
Chacun lui fait présent d'encens, de myrrhe, ou d'or.

Un haut mystère éclate en tout ce qu'on lui donne,
L'encens dit qu'il est Dieu, qu'il lui faut un autel,
L'or montre qu'il est Roi, qu'il veut une couronne,
Et la myrrhe avertit qu'il est homme et mortel.

Gloire au divin auteur d'une telle merveille,
Qui choisit ce grand jour pour se montrer aux yeux,
Au Père, au Saint-Esprit, gloire toute pareille,
Gloire à tous trois ensemble, en tout temps, en tous lieux!

POUR LE CARÊME

A VÊPRES
Audi, benigne conditor.

Toi dont le seul vouloir règle nos destinées,
Seigneur, reçois nos vœux, écoute nos soupirs,
Jusqu'à toi par le jeûne élève nos désirs,
Durant ces quarante journées.

Tu lis au fond des cœurs, tu vois ce qui s'y passe,
Tu connais notre faible, et nos manques de foi,
Pardonne à des pécheurs qui recourent à toi,
Ne leur refuse pas ta Grâce.

A force de pécher notre âme est toute noire,
Mais laisse à ta bonté désarmer tes rigueurs,
Si nous te demandons remède à nos langueurs,
Ce n'est que pour chanter ta gloire.

Si du jeûne au dehors la sévère abstinence
Abat notre vigueur, défigure nos traits,
Fais qu'au dedans de l'âme un jeûne de forfaits
Ramène la convalescence.

Immense Trinité qu'aucun ne peut comprendre,
Glorieuse Unité par qui tout est produit,
A tes adorateurs daigne accorder le fruit
Que des jeûnes on doit attendre.

A MATINES
Ex more docti mystico.

Instruits par un usage aussi saint que mystique,
Si nous voulons du ciel attirer le secours,
Exerçons-nous au jeûne, et que chacun s'applique
A lui faire un tribut de quatre fois dix jours.

La loi mit en avant ce digne et saint usage,
Les prophètes depuis s'en sont fait une loi,
Jésus-Christ à la suivre après eux nous engage,
Lui qui de tous les temps est l'Auteur et le Roi.

Servons-nous donc en tout de plus de retenue,
Ne mangeons, ne buvons que pour le seul besoin,
Que le jeu, le dormir, le parler diminue,
Et que de se garder on prenne plus de soin.

Retranchons nos plaisirs, traitons d'ignominie
Ceux qui troublent l'esprit, qui le font s'égarer;
Que le rusé Démon la fière tyrannie
D'aucune entrée au cœur ne se puisse emparer.

Apaisons le courroux de ce Juge sévère,
Pleurons devant les yeux de ce maître des Rois;
Montrons-lui tous à part quelle est notre misère,
Et crions tous ensemble, en élevant la voix :

Bien que notre injustice épuise ta clémence,
Bien que son noir excès malgré toi t'ait lassé,
Pour peu que ton bonté conservent d'indulgence,
D'un seul de tes regards tout peut être effacé.

Le plus parfait de nous n'est qu'un vaisseau fragile,
Mais de ta propre main tu daignas nous former :
Ne souffre pas qu'un autre ait droit sur cette argile
Que pour ta seule gloire il t'a plu d'animer.

Oublie et nos péchés et ta juste colère,
Mets par de nouveaux dons un comble à tes bienfaits,
Et verse dans nos cœurs les secrets de te plaire,
Ici durant la vie, au ciel à tout jamais.

Immense Trinité, qu'aucun ne peut comprendre,
Glorieuse Unité, par qui tout est produit,
Des jeûnes qu'en ton nom tu nous vois entreprendre
A tes adorateurs daigne accorder le fruit.

A LAUDES
Jam Christe, sol justitiae.

Jésus, vrai soleil de justice,
De l'âme ténébreuse éclaire enfin les yeux,
Et fais que des vertus la lumière propice
Y rentre en même temps que le jour en ces lieux.

Nous donnant ces jours favorables,
Imprime au fond des cœurs un sacré repentir :
Ta pitié trop longtemps les a soufferts coupables,
Par ta bénignité daigne les convertir.

Fais-nous par quelque pénitence
Obtenir le pardon des plus affreux péchés :
Plus elle sera rude, et plus de ta clémence
Nous bénirons la force et les trésors cachés.

Ce jour vient, ce jour salutaire
Où par tout l'univers tu fais tout refleurir :
Ramène en ce grand jour au chemin de te plaire
Ceux qu'à toi ce grand jour oblige à recourir.

Qu'en tous lieux t'adore un vrai zèle,
Grand Dieu, dont la bonté nous tire du tombeau,
Tandis que renaissants par ta grâce nouvelle,
Nous chantons à ta gloire un cantique nouveau.

POUR LE TEMPS DE LA PASSION

A VÊPRES
Vexilla Regis prodeunt.

L'étendard du grand Roi des Rois,
La Croix, fait éclater son mystère suprême,
Où l'auteur de la chair s'étant fait chair lui-même,
Daigne mourir pour nous sur un infâme bois.

Le fer d'une lance enfoncé
Dans le flanc amoureux de la sainte victime
En fait sortir une eau qui lave notre crime,
Et ruisseler un sang dont il est effacé.

David, ton oracle est rempli,
Et quand tu prédisais du maître du tonnerre
Que d'un trône de bois il régnerait sur terre,
Ta voix était fidèle, et l'ordre est accompli.

Arbre noble et resplendissant,
Que pare d'un tel Roi la pourpre glorieuse,
Qu'on te prit d'une tige et digne et précieuse,
Pour toucher de si près à ce corps innocent!

Arbre heureux, dont les bras ouverts
Ont porté le rachat, le prix de tout le monde,
Balance, où s'est pesé plus que la terre et l'onde,
Que tu ravis de proie au tyran des enfers!

Unique espoir des nations,
En ce temps qui d'un Dieu retrace le supplice,
Croix sainte, aux gens de bien augmente leur justice,
Et pardonne aux méchants leurs noires actions.

Inconcevable Trinité,
Que tout esprit te rende une gloire parfaite,
Sauve par tes bontés ceux que la Croix rachète,
Et guide-les toi-même à ton éternité.

A MATINES
Pange, lingua, gloriosi.

Sers de pinceau, ma langue, et peins avec éclat
    Ce noble et glorieux combat
Par qui la Croix s'élève un trophée adorable :
Peins comme le sauveur de ce vaste univers,
    Par un amour incomparable
Se laissant immoler, triompha des Enfers.

Peins comme la bonté de son père éternel,
    Dès que l'homme devint mortel,
Eut pitié de le voir perdu par une pomme;
Fais voir comme dès lors son amoureux décret
    Voulut que par un nouvel homme
Un arbre réparât ce qu'un arbre avoit fait.

Il cacha son dessein, et pour rusé que fût
    L'Ennemi de notre salut,
Ce trompeur fut trompé par la ruse céleste,
Et quelques yeux qu'ouvrît ce lion infernal,
    Sans que rien lui fût manifeste,
Le remède partit d'où procédait le mal.

A peine est arrivé par le retour des ans
    L'heureux moment du sacré temps,
Qu'un Créateur de tout lui-même est créature,

Et que Dieu fait sortir ce Fils, ce bien-aimé,
De la virginale clôture
Où pour se faire chair il s'était enfermé.

Sur une vile crèche il pleure comme enfant,
Et son corps déjà triomphant
Se laisse envelopper à cette Vierge Mère :
Sous des langes chétifs on lui serre les bras,
Et pour finir notre misère,
De la misère même il se fait des appas.

Gloire, puissance, honneur et louange au Très-Haut,
Au Fils, comme lui sans défaut,
A l'Esprit tout divin, ainsi qu'eux ineffable!
Gloire, honneur et louange à leur sainte unité,
A leur essence incomparable,
Et durant tous les temps et dans l'éternité!

A LAUDES
Lustris sex qui jam peractis.

De la terre et du ciel ce monarque absolu,
Né parce qu'il l'avait voulu,
Pour mourir en souffrant et payer notre crime,
Après qu'il eut laissé six lustres s'écouler,
Innocente et pure victime,
Permit qu'à sa justice on l'osât immoler.

Le vinaigre, le fiel, le roseau, les crachats
Joignirent l'insulte au trépas,
Un fer fit dans son flanc une large ouverture,
Il en sortit du sang, il en sortit de l'eau,
Et l'air, le ciel et la nature
Se trouvèrent lavés par ce fleuve nouveau.

Arbre noble entre tous, quelle forêt produit
Pareilles feuilles, fleurs ou fruit?
Croix fidèle, à jamais digne de nos hommages,
Qu'a de charmes ton bois, que bénis sont les clous,
Que de douceurs ont les branchages
Qui pour notre salut portent un poids si doux!

Arbre heureux, arbre saint, abaisse tes rameaux,
Relâche en dépit des bourreaux
L'inflexibilité qui t'est si naturelle,
Et souffre que les bras du Roi du firmament,
Qui souffre et meurt pour un rebelle,
Demeurent étendus un peu plus doucement.

Tu portes, par le choix des ordres éternels,
Le rachat de tous les mortels,
Et prépares un port à leur commun naufrage :
Ils t'en firent seul digne, et le sang de l'Agneau
Laisse à ton bois un sacré gage
D'un triomphe aussi grand que ton destin est beau.

Gloire, puissance, honneur et louange au Très-Haut,
Au Fils, comme lui sans défaut,
A leur Esprit divin, ainsi qu'eux ineffable,
Gloire, louange, honneur à leur sainte Unité,
A leur essence inconcevable,
Et durant tous les temps et dans l'éternité!

A VÊPRES
Ad cœnam Agni, providi.

Au banquet de l'Agneau courons des bouts du monde,
Et vêtus d'habits nuptiaux,
Comme de la mer Rouge ayant traversé l'onde,
Chantons à Jésus-Christ des cantiques nouveaux.

Le vin qu'on nous y sert est son sang adorable,
Son corps sacré le mets divin,
Et pour nous faire seoir et revivre à sa table,
Son amour sur la Croix fait l'apprêt du festin.

Par la Pâque en ce soir notre âme protégée
Contre l'Ange exterminateur,
Du joug de Pharaon se trouve dégagée,
Sort d'un si dur empire, et suit son protecteur.

Lui-même est notre Pâque, et l'Agneau sans souillure
Pour tous nos crimes immolé,
Et cette chair azyme est la victime pure
Qui satisfait pour tous à l'ordre violé.

Victime à jamais digne et d'amour et de gloire,
Par toi tout l'Enfer est dompté,
Par toi les vieux captifs ont part à la victoire,
Et la vie est rendue à l'homme racheté.

Après l'Enfer vaincu Jésus sort de la tombe,
Il revient paraître à nos yeux,
Et laissant dans les fers un tyran qui succombe,
Il nous ouvre l'entrée au royaume des cieux.

Sauveur de tout le monde, en cette pleine joie
Dont la Pâque remplit nos cœurs,
Daigne si bien guider ton peuple dans la voie,
Que d'une mort funeste il échappe aux rigueurs.

Gloire à toi, Rédempteur et Monarque suprême,
Par toi-même ressuscité!
Même gloire à ton Père, au Saint-Esprit la même,
Et durant tous les temps et dans l'éternité!

A MATINES
Rex sempiterne, Domine.

Éternel, qui régis l'un et l'autre hémisphère,
De tous deux l'auteur et l'appui,
Qui devant tous les temps règnes avec ton père,
Même Roi, même essence et même Dieu que lui,

Sitôt que le néant eut enfanté le monde
Par le son fécond de ta voix,
Tu fis Adam son maître, et la machine ronde,
Le voyant ton image, en accepta les lois.

Le Diable le déçut, et ce triste esclavage
Eût perdu l'homme pour jamais,
Si toi, qui l'avais fait toi-même à ton image,
Tu n'eusses à ton tour pris sa forme et ses traits.

Par là tu retiras de cette infâme chaîne
Ce digne ouvrage de ta main,
Et ta nature unie à la nature humaine
Rejoignit l'homme à Dieu, l'esclave au souverain.

Tu naquis d'une Vierge, et c'est une naissance
  Qui nous étonne et nous ravit,
Et nous croyons qu'un jour par la même puissance
Tous nos corps revivront, comme le tien revit.

C'est ce même pouvoir qui nous donne au baptême
  Le pardon de tous nos péchés,
C'est par ce trait divin de ta bonté suprême
Que de leur triste joug nos cœurs sont détachés.

Ton amour sur la Croix fait encor davantage,
  Il t'y laisse percer le flanc,
Par ta mort à la vie il nous fait un passage,
Et pour notre salut il prodigue ton sang.

Sauveur de tout le monde, en cette pleine joie [14]...

A LAUDES
Aurora lucis rutilat.

L'aurore a du vrai ramené la lumière,
  Le ciel fait des concerts charmants,
Le monde par les siens marque une joie entière,
Et l'Enfer n'y répond que par des hurlements.

Aussi c'est en ce jour que l'auteur de leur être,
  Brisant les chaînes de la mort,
Foulant aux pieds l'Averne et son orgueilleux maître,
Change des malheureux le déplorable sort.

Ce corps d'un froid tombeau renfermé sous la pierre,
  Ce mort gardé par des soldats,
En pompe triomphante est revenu sur terre,
Réparateur du siècle, et vainqueur du trépas.

Qu'on cesse de gémir, il n'est plus de misères,
  Leur triste cours est arrêté :
De la prison du limbe un mort tire nos pères,
Et l'Ange nous annonce un Dieu ressuscité.

POUR L'ASCENSION

A VÊPRES ET A LAUDES
Jesu, nostra redemptio.

Sauveur, qui nous as tous rachetés de ton sang,
  Seul désir d'une flamme pure,
Vrai Dieu, vrai Créateur de toute la nature,
Qui dans la fin des temps d'un homme as pris le rang :

Quel excès de bonté, quel amoureux effort
  Te charge de tout notre crime,
D'un cruel attentat volontaire victime,
Qui meurs pour affranchir nos âmes de la mort ?

Il t'a plu de descendre aux prisons de l'Enfer,
  Pour en retirer des esclaves,
Et vainqueur du Démon qu'en son trône tu braves,
A la dextre du Père on t'en voit triompher.

Que la même bonté par un heureux pardon
  Triomphe aussi de nos faiblesses,
Remplis les vœux ardents que forment nos tendresses,
Et fais-nous de ta vue un immuable don.

14. Les deux dernières strophes sont celles qu'on chante
à *Vêpres* (page 1093).

Sois notre joie ici, pour être au ciel un jour
  Le doux prix de notre victoire,
Fais que nos cœurs en toi réunissent leur gloire
Et dans ces sombres lieux et dans ce clair séjour.

A MATINES
Æterne rex, Altissime.

Éternel et Très-Haut, Roi des célestes plaines,
  Des fidèles doux Rédempteur,
Qui détruisant la mort, brisant toutes ses chaînes,
Fais triompher la Grâce, et régner son auteur,

Tu montes dans ton trône à la dextre du Père,
  Et reçois là ce plein pouvoir
Que pour prix de ta mort sur tous il te défère,
Et que mortel ici tu n'en pus recevoir.

C'est par ce haut pouvoir que la triple machine,
  La terre et tous ses habitants,
Ceux qui règnent au ciel, ceux que l'Enfer domine,
Tout fléchit devant toi le genou en tout temps.

L'Ange admire en tremblant ce changement de face
  Qui se fait au sort des mortels :
La chair fit le péché, la même chair l'efface,
Et la même chair monte aux trônes éternels.

Fais, grand Moteur de tout, fais seul notre allégresse,
  Toi qui dans le ciel tiens ta cour,
Et dont le moindre attrait, la plus simple caresse,
Passe tous les plaisirs de ce mortel séjour.

C'est de ces tristes lieux que notre humble prière,
  Pour nombreux que soient nos péchés,
Demande que ta main par une grâce entière
Élève à toi nos cœurs à la terre attachés ;

Qu'en ce jour redoutable, où du haut de la nue
  L'arrêt dernier sera rendu,
Nous ayant dès ici remis la peine due,
Tu nous rendes le bien que nous avons perdu.

Gloire à ton sacré nom, ô Monarque suprême,
  Qui montes au-dessus des cieux,
Même gloire à ton père, au Saint-Esprit la même,
Louange à tous les trois, en tous temps, en tous lieux !

POUR LE JOUR DE LA PENTECOTE

A VÊPRES
Veni, creator Spiritus.

Viens, Esprit créateur qui nous as donné l'être,
Descends du haut du ciel dans les esprits des tiens,
  Et comme tu les as fait naître,
  Remplis-les du plus grand des biens.

Soit que de Paraclet le sacré nom te suive,
Sois qu'ici du Très-Haut nous t'appelions le don,
  Feu, charité, fontaine vive,
  Et spirituelle onction,

Ta grâce au fond des cœurs par sept présents opère,
Doigt de Dieu, qui suffis à les épurer tous,
  Effet des promesses du Père,
  Et langue qui parles en nous.

Illumine les sens par tes saintes largesses,
Verse un parfait amour dans le cœur abattu,
Rends des forces à nos faiblesses
Par une immuable vertu.

Mets de notre Ennemi toute l'audace en fuite,
D'une sincère paix assure-nous le fruit,
Fais enfin que sous ta conduite
L'âme évite tout ce qui nuit.

Apprends-nous à connaître et le Fils et le Père,
A te croire l'Esprit à tous les deux commun,
Et cet ineffable mystère
De trois suppôts qui ne sont qu'un.

Gloire soit à jamais au Père inconcevable,
Gloire pareille au Fils qui s'est ressuscité,
Gloire au Paraclet adorable,
Durant toute l'éternité !

A MATINES
Jam Christus astra ascenderat.

Jésus-Christ remonté sur la voûte céleste,
Dont à descendre ici l'amour l'avait contraint,
Des promesses du Père accomplissant le reste,
Devait envoyer l'Esprit saint.

De ce temps solennel l'heureuse plénitude
Se voyait toute prête à terminer son cours,
Et du char du soleil l'aveugle exactitude
Avait roulé sept fois sept jours,

Lorsqu'à l'heure de tierce un éclat de tonnerre,
Aux Apôtres, qu'il trouve assemblés en son nom,
Apprend que cet Esprit est descendu sur terre,
Et que Dieu leur en fait le don.

Ce feu pur et brillant des splendeurs éternelles
Sur le troupeau choisi se plaît à s'épancher,
Et Jésus-Christ par lui verse au cœur des fidèles
La vive ardeur de le prêcher.

Ravis, et sans rien craindre avec ces avantages,
Pleins de ce divin souffle ils sortent de ce lieu,
Et leur impatience, en différents langages,
Annonce les grandeurs de Dieu.

Ils parlent, et les Grecs, les Latins, les Barbares
Reçoivent à l'envi la parole à genoux,
Tous étonnés de voir des hommes si peu rares
Parler le langage de tous.

Parmi tant de croyants les seuls Juifs incrédules,
Possédés d'un esprit envieux et malin,
Traitent ces hauts discours de contes ridicules
Que forment des gens pleins de vin.

Mais Pierre a des vertus, Pierre fait des miracles
Qui gravent dans les cœurs les saintes vérités,
Et de Joël sur l'heure expliquant les oracles,
Confond toutes les faussetés.

Gloire soit à jamais au Père inconcevable,
Pareille gloire au Fils qui s'est ressuscité,
Pareille au Paraclet, ainsi qu'eux adorable,
Durant toute l'éternité !

A LAUDES
Beata nobis gaudia.

L'invariable tour qui règle chaque année
Nous retrace un mystère où chacun applaudit,
En nous ramenant la journée
Où sur le saint troupeau l'Esprit saint descendit.

En feu vif et perçant sur leurs têtes il vole,
Sur leurs têtes à tous en langues il s'épart,
Et la ferveur et la parole
Sont des dons où par lui chacun d'eux a sa part.

De toutes nations ils parlent le langage :
Le gentil s'en étonne, admire, tremble, croit,
Tandis que le Juif plein de rage
Impute aux vins fumeux ce qu'il entend et voit.

Pareil nombre de jours sépare ce mystère
De la Pâque où revit le sacré Rédempteur,
Qu'il faut d'ans à la loi sévère
Pour remettre à jamais la dette au débiteur.

Dieu puissant et tout bon, qu'aucun ne peut comprendre,
Devant ta Majesté nous abaissons les yeux :
Sur nos âmes daigne répandre
Ces dons du Saint-Esprit que tu verses des cieux.

Toi qui fis inonder les torrents de ta Grâce
Sur ce troupeau choisi qu'il te plut de bénir,
Pardonne à notre impure masse,
Et nous assure à tous un tranquille avenir.

Gloire soit à jamais au Père inconcevable,
Pareille gloire au Fils qui s'est ressuscité,
Pareille à l'Esprit ineffable,
Et durant tous les temps et dans l'éternité !

POUR LE JOUR DE
LA TRÈS SAINTE TRINITÉ

A MATINES
Summæ Deus clementiæ.

Dieu, souverain Amour et suprême clémence,
Qui tiras du néant ce tout par ta bonté,
Qui n'es qu'un en pouvoir, qui n'es qu'un en substance,
Et trine en personnalité,

Prête à notre réveil ta main toute-puissante :
Que l'âme avec le cœur s'élève jusqu'à toi,
Et que de nos concerts l'ardeur reconnaissante
Ait ta gloire pour seul emploi.

Gloire soit à jamais au Père inconcevable,
Gloire au Verbe incarné, gloire à l'Esprit divin,
Gloire à leur unité, dont l'essence immuable
Règne sans bornes et sans fin !

A LAUDES
Tu Trinitatis unitas.

Sainte unité de trois, dont la toute-puissance
Régit tout l'univers,
Des nuits pour te louer nous rompons le silence :
Écoute nos concerts.

L'astre que suit le jour répand sur la nature
    Sa naissante splendeur;
La nuit tombe, répands une lumière pure
    Sur notre vive ardeur.

Gloire au Père éternel, gloire au Verbe ineffable,
    Gloire à l'Esprit divin,
Gloire à leur unité, dont le règne adorable
    Est sans borne et sans fin!

POUR LA FÊTE DU SAINT SACREMENT

A VÊPRES
Pange, lingua, gloriosi.

Chantons du Corps sacré l'adorable mystère,
    Et celui du Sang précieux
Qui fut du monde entier le rachat glorieux,
    Qui d'un Dieu fléchit la colère,
Et que le fruit d'un ventre issu de tant de rois,
Le Roi des nations, répandit sur la Croix.

D'une Vierge pour nous il prend son origine,
    Son Père nous le donne à tous;
Avec nous il converse, et semant parmi nous
    Sa parole toute divine,
Il forme son exil en ce triste séjour
Par un ordre étonnant de puissance et d'amour.

A table, dans la nuit de sa dernière Cène,
    Avec ses douze autour de soi,
En pain, herbes et viande, ayant fait de la Loi
    Une observance exacte et pleine,
Pour dernier mets lui-même à ce troupeau si cher
Il donne de sa main et son Sang et sa Chair.

Ce Verbe-Chair, d'un mot, par sa toute-puissance,
    Change un pain en son Corps divin;
Du vin il fait son Sang, et ce pain et ce vin
    Laissent détruire leur substance,
Tout notre sens résiste à ce qu'il nous en dit,
Mais au cœur pur et droit la Foi seule suffit.

Nous qui d'un tel amour recevons un tel gage,
    Adorons ce grand Sacrement,
Faisons céder la nuit du vieil enseignement
    Aux clartés du nouvel usage,
Et si nous n'avons pas des yeux assez perçants,
Que notre Foi supplée au défaut de nos sens.

Que de la Trinité l'auguste et saint mystère
    A jamais partout soit béni :
Rendons au Père immense un respect infini,
    Pareille gloire au Fils qu'au Père,
Pareille à cet Esprit qui procède des deux,
Éternel, ineffable et tout-puissant comme eux.

A MATINES
Sacris solemniis juncta sint gaudia.

L'allégresse aujourd'hui doit être solennelle :
Poussons jusques au ciel l'éloge du Seigneur.
Vieil usage, cessez, que tout se renouvelle,
    Les œuvres, les chants et le cœur.

Nous célébrons la nuit de la Cène dernière,
Où Jésus départit l'Agneau pascal aux siens,
Donna le pain azyme en la même manière
    Que le donnaient nos anciens.

Ce Verbe du Très-Haut, devant qui le ciel tremble,
Ensuite se repaît de son Corps précieux,
Le donne tout entier à tous les douze ensemble,
    Et tout entier à chacun d'eux.

Aux faibles il départ une chair soutenante,
Il rend aux affligés la joie avec son sang.
« Prenez tous, leur dit-il, ce que je vous présente;
    Mangez, buvez à votre rang. »

C'est ainsi qu'il ordonne un si grand sacrifice,
Il en commet le soin aux prêtres parmi nous,
Et dans leurs seules mains laisse en dépôt l'office
    De le prendre et donner à tous.

Ainsi le pain du ciel devient le pain des hommes,
Il termine et remplit la figure et la loi.
O banquet merveilleux! esclaves que nous sommes,
    Nous y mangeons notre vrai Roi.

Sainte unité de trois, écoute nos prières,
Comme nous t'adorons, daigne nous visiter,
Conduis-nous par ta voie au séjour des lumières,
    Que tu créas pour l'habiter.

A LAUDES
Verbum supernum prodiens.

Le Verbe du Très-Haut, sorti du sein du Père
    Sans le quitter un seul moment,
Achève son ouvrage, et touche à l'heure amère
    Qui le doit mettre au monument.

Prêt à se voir livrer à la mortelle envie
    De ses plus cruels ennemis,
Lui-même auparavant il se fait pain de vie,
    Pour se livrer à ses amis.

De son Sang, de sa Chair il enferme l'essence
    Sous ce qui paraît vin et pain,
Afin que l'homme entier d'une double substance
    Apaise sa soif et sa faim.

Il se fait notre frère alors qu'il prend naissance,
    Notre viande dans son festin,
Notre prix quand il meurt, et notre récompense
    Quand il règne là-haut sans fin.

O salutaire Hostie, adorable victime,
    Qui nous ouvres le ciel à tous,
D'un puissant ennemi l'insulte nous opprime :
    Sois notre force, et défends-nous.

Gloire soit à jamais à l'être inconcevable
    De la sainte unité des trois,
Dont la bonté nous donne un règne interminable
    En la patrie où tous sont rois!

III. PROPRE DES SAINTS

POUR TOUTES LES FÊTES
DE LA SAINTE VIERGE

A VÊPRES

A MATINES

A LAUDES

POUR LE PETIT OFFICE DE LA VIERGE

A PRIME, TIERCE, SEXTE, NONE ET COMPLIES

POUR LA NATIVITÉ
DE SAINT JEAN-BAPTISTE
24 *juin.*

A VÊPRES
Ut queant laxis resonare fibris.

Redonne l'innocence à nos lèvres coupables,
    Et nous inspire des ardeurs,
Digne et saint précurseur, qui nous rendent capables
    De chanter tes grandeurs.

Un Ange tout exprès envoyé vers ton père,
    Du ciel en ta faveur ouvert,
Lui prescrivit ton nom, prédit ton ministère,
    Et ta vie au désert.

Lui qui n'osa donner une entière croyance
    Aux promesses du Roi des Rois,
En demeura muet jusques à ta naissance,
    Qui lui rendit la voix.

Prisonnier dans un flanc, tu reconnus ton maître
    Enfermé dans un autre flanc,
Et le fis tout caché, hautement reconnaître
    Aux auteurs de ton sang.

Gloire soit à jamais au Père inconcevable,
    Gloire au Verbe-chair en tout lieu,
Gloire à leur Esprit saint, ainsi qu'eux ineffable,
    Avec eux un seul Dieu!

A MATINES
Antra deserti teneris sub annis.

Tu portes au désert tes plus tendres années,
    Et tu fuis tout commerce humain,
Tant tu trembles de voir tes vertus profanées
    Par le moindre mot dit en vain.

Ceint d'un cuir de brebis, ton corps pour couverture
    Prend un rude poil de chameau,
La langouste [15] et le miel pour toute nourriture,
    Et pour tout breuvage un peu d'eau.

Vous n'avez que prévu, que prédit le Messie,
    Prophètes, en termes couverts :
Lui seul montre du doigt la figure éclaircie
    Dans le Sauveur de l'univers.

Aussi d'aucune femme on n'a jamais vu naître
    De mérites plus achevés,
Et le ciel le choisit pour baptiser son Maître,
    Et laver qui nous a lavés.

Gloire soit à jamais au Père inconcevable,
    Gloire au Verbe-chair en tout lieu,
Gloire à leur Esprit saint, ainsi qu'eux ineffable,
    Qui n'est avec eux qu'un seul Dieu!

A LAUDES
O nimis felix, meritique celsi.

O trop et trop heureux, toi qui vécus sans tache!
    Que ton haut mérite surprend,
Martyr, qu'à ton désert ton innocence attache,
    Toi, des prophètes le plus grand!

Les uns de trente fleurs parent une couronne
    Qui les empêche de vieillir,
D'autres en ont le double, et la tienne te donne
    Jusqu'à cent fruits à recueillir.

Amollis donc, grand Saint, de nos cœurs indociles
    La dureté par des vertus,
Aplanis les sentiers âpres et difficiles,
    Redresse les chemins tortus.

Purge si bien nos cœurs de toute indigne envie,
    Que l'auteur, le Sauveur de tous,
Quand il voudra jeter les yeux sur notre vie,
    Aime à descendre et vivre en nous.

O grand Dieu, qui n'entends au ciel que des louanges
    A la gloire de ton saint Nom,
Si nous joignons d'ici nos voix aux voix des Anges,
    C'est pour te demander pardon.

POUR LA FÊTE DE SAINT PIERRE
ET DE SAINT PAUL
29 *de juin.*

A VÊPRES ET A MATINES
Aurea luce et decore roseo.

Que de clartés, ô Dieu, tu versas dans nos cœurs!
Quels ornements tu mis en ton céleste empire,
Quand de Pierre et de Paul le glorieux martyre
Par un trépas injuste obtint grâce aux pécheurs!

Juges de l'univers par tous deux éclairé,
L'un meurt la tête en bas, et l'autre l'a coupée,
L'un sur la Croix triomphe, et l'autre sous l'épée,
Et tous deux vont remplir un trône préparé.

15. *Locusta :* Sauterelle.

Quel que soit ton bonheur, c'est de là qu'il te vient,
Rome, que d'un tel sang empourpre la teinture :
Leur mérite pour toi fait plus que ta structure,
Et dans ce haut pouvoir c'est lui qui te maintient.

Louange, gloire, honneur à votre immensité,
Père, Fils, Esprit saint, qui n'êtes qu'une essence,
Et qui gardez tous trois une égale puissance,
Et durant tous les temps et dans l'éternité !

A LAUDES
Jam bone pastor, Petre, clemens accipe.

Fidèle et bon pasteur, à qui Jésus-Christ même
Laissa sur nos péchés tout pouvoir en ces lieux,
Romps-en tous les liens par ce pouvoir suprême
Qui d'un seul mot nous ouvre ou nous ferme les cieux.

Grand docteur des gentils, forme-nous à l'étude
De la route du ciel par la règle des mœurs,
Jusqu'à ce que du bien l'heureuse plénitude
De la faiblesse humaine ait épuré nos cœurs.

Père, Fils, Esprit saint, qui n'êtes qu'une essence,
Gloire, louange, honneur à votre immensité,
Qui soutient en tous trois une égale puissance,
Et durant tous les temps et dans l'éternité !

POUR LA CHAIRE SAINT-PIERRE
A Rome le 18 de janvier, et à Antioche le 22 de février.

A VÊPRES ET A MATINES
Quodcumque vinclis super terram strinxeris,

Le ciel, qui t'a commis à dispenser sa loi,
T'autorise à lier et délier sur terre :
Tous les nœuds que tu romps, il les rompt comme toi,
   Ceux que tu serres, il les serre,
Et de juge au grand jour il te garde l'emploi.

Père, Fils, Esprit saint, qui n'êtes qu'une essence,
Gloire, louange, honneur à votre immensité !
Hommage indivisible à la sainte Unité
   Qui vous tient égaux en puissance,
Et durant tous les temps et dans l'éternité !

POUR LE JOUR DE
SAINT PIERRE AUX LIENS
1 d'août.

A VÊPRES
Petrus beatus catenarum laqueos.

Par miracle aujourd'hui brisant tous ses liens,
Pierre d'un fier tyran évite la furie,
Et Dieu l'en tire exprès pour enseigner les siens,
   Pour conduire sa bergerie,
Et pour sauver des loups le troupeau des chrétiens.

Père, Fils, Esprit saint, qui n'êtes qu'une essence,
Gloire, louange, honneur à votre immensité !
Hommage indivisible à la sainte Unité
   Qui vous tient égaux en puissance,
Et durant tous les temps et dans l'éternité !

POUR LE JOUR DE
SAINTE MARIE-MADELAINE
22 juillet.

A VÊPRES
Pater superni luminis.

Père des célestes clartés,
A peine tes regards tournent sur Madelaine,
Que les traits d'une flamme et divine et soudaine
Des glaces de son cœur fondent les duretés.

L'amour qui vient de l'embraser
Sur les pieds du Sauveur verse une sainte pluie,
Les parfume d'odeurs, et de sa tresse essuie
Ce que sa bouche en feu ne peut assez baiser.

Sans crainte elle l'embrasse mort,
Du tombeau sans frayeur elle assiège la pierre,
Elle y voit, sans trembler, et Juifs et gens de guerre :
La peur n'a point de place où l'amour est si fort.

O Jésus, véritable amour,
Fais que par tes bontés notre crime s'efface,
Remplis nos cœurs ici de ta céleste grâce,
Et sois leur récompense en l'éternel séjour.

Gloire à l'immense Trinité !
Gloire au Père éternel, gloire au Verbe ineffable !
Gloire à leur Esprit saint, ainsi qu'eux adorable,
Et durant tous les temps et dans l'éternité !

A MATINES
Nardo Maria pistico.

Madelaine embauma d'un onguent précieux
Les pieds du saint objet de toute sa tendresse,
Les baigna d'un ruisseau qui coulait de ses yeux,
Et les essuya de sa tresse.

Gloire, louange, honneur et sans borne et sans fin
Au Père tout-puissant, à son Verbe ineffable !
Gloire toute pareille à l'Esprit tout divin !
Gloire à leur essence adorable !

A LAUDES
Æterni Patris unice.

Du Père éternel fils unique,
Prends pitié des tourments qu'on souffre en ces bas lieux,
Aujourd'hui qu'un excès de bonté magnifique
Appelle Madelaine à régner dans les cieux.

Aujourd'hui que la drachme perdue
Dans ton sacré trésor rentre tout de nouveau ;
La perle précieuse au vrai jour est rendue,
Et du fond du bourbier tire un éclat plus beau.

Doux refuge à notre tristesse,
Jésus, unique espoir des cœurs vraiment touchés,
Par le mérite heureux de cette pécheresse,
Remets la peine due à nos plus noirs péchés.

Et vous, son humble et digne Mère,
Qui ne voyez que trop notre fragilité,

Parmi les tristes flots de cette vie amère
Daignez servir de guide à notre infirmité.

Gloire à tes bontés souveraines,
Dieu, qui rends le courage aux esprits abattus,
Qui fais grâce aux péchés, qui nous remets leurs peines,
Et couronnes au ciel les solides vertus !

POUR LA TRANSFIGURATION DE JÉSUS-CHRIST
6 d'août.

A VÊPRES ET A MATINES
Quicumque Christum quæritis.

Vous qui cherchez Jésus jusque dans sa retraite,
Voyez sur le Thabor ce qu'il est dans les cieux :
Voyez-y, pour crayon d'une gloire parfaite,
La neige en ses habits, le soleil dans ses yeux.

Vous verrez un objet illustre, grand, sublime,
Incapable de terme, incapable de fin ;
Un être indépendant, et dont le saint abîme
Du ciel et du chaos devança le destin.

C'est ce que vous cherchez, c'est ce Roi de la terre,
Ce Prince si longtemps attendu d'Israël,
Qu'en faveur d'Abraham le maître du tonnerre
Promit à ses enfants pour monarque éternel.

Ce Père tout-puissant nous le donne avec joie,
Deux prophètes en sont les fidèles témoins,
Mais il veut qu'on l'écoute, il entend qu'on le croie,
Il nous ordonne à tous de lui donner nos soins.

Gloire au céleste objet de la haute merveille
Qui se daigne aujourd'hui révéler à nos yeux !
Au Père, à l'Esprit saint, gloire toute pareille !
Gloire à tous trois ensemble, en tout temps, en tous lieux !

A LAUDES
Amor Jesu dulcissime.

Jésus, très pur amour, dès que tu nous visites,
   Dès que tu descends dans nos cœurs,
Les ombres de leur nuit, qu'en chassent tes mérites,
Cèdent à la clarté qu'y versent tes douceurs.

Adorable soleil de la sainte patrie,
   Lumière impénétrable aux sens,
Fils à ton père égal, vérité, voie et vie,
Que de bonheur alors ont ces cœurs innocents !

Ineffable splendeur de la gloire du Père,
   Incompréhensible bonté,
Donne par ta présence à notre foi sincère
L'inépuisable amour que veut ta charité.

Gloire au céleste objet de la haute merveille
   Qui se manifeste à nos yeux !
Au Père, au Saint-Esprit, gloire toute pareille !
Gloire à tous trois ensemble, en tout temps, en tous lieux !

POUR L'APPARITION DE SAINT MICHEL
8 *de mai, et pour sa dédicace,* 29 *de septembre.*

A VÊPRES ET A MATINES
Tibi, Christe, splendor Patris.

Prête, Sauveur bénin, l'oreille à tes louanges :
Vive splendeur du Père, âme et vertu des cœurs,
   Nous les chantons à doubles chœurs,
Nous t'offrons leurs concerts à la face des Anges,
   Et pour seconder leurs emplois,
Nos vœux jusqu'à ton ciel font résonner nos voix.

Nous honorons, Seigneur, leur céleste milice,
Toujours prête là-haut à tes commandements ;
   Surtout de leurs saints régiments
Nous conjurons le chef de nous être propice,
   Lui dont l'immortelle vertu
Tient écrasé sous lui le dragon abattu.

Souffre que jusqu'au bout nous soyons en sa garde :
Toi sans qui nos efforts ne sont que vains efforts,
   Épure nos cœurs et nos corps,
Repousse tous les traits que l'ennemi nous darde,
   Et malgré ses complots maudits,
Par ta seule bonté rends-nous ton paradis.

Gloire soit à jamais au Père inconcevable,
Gloire toute pareille à son fils Jésus-Christ,
   Pareille gloire au Saint-Esprit,
Tout-puissant ainsi qu'eux, ainsi qu'eux ineffable,
   Gloire à l'immense Trinité,
Et durant tous les temps et dans l'éternité !

A LAUDES
Christe, sanctorum decus angelorum.

Jésus, seule beauté, seule gloire des Anges,
Auteur et directeur de ce mortel séjour,
Fais monter jusqu'aux cieux nos voix et nos louanges,
Fais-nous jusqu'à ton ciel monter à notre tour.

Que l'Ange de la paix, ce guerrier intrépide
Qui dans le noir abîme enfonça le dragon,
Nous prête par ton ordre un appui si solide,
Que de prospérités il nous comble en ton nom.

Que de ton Gabriel la force inépuisable
De ce vieil ennemi repousse les assauts,
Et qu'à chaque moment sa dextre secourable
Du temple de nos cœurs répare les défauts.

Fais partir de là-haut le médecin céleste,
Raphaël, qui nous rende à tous pleine santé :
Qu'il écarte nos pas de la route funeste,
Et nous guide à l'heureuse et sainte éternité.

Que tous leurs escadrons, que la Vierge, leur Reine,
Que tous les Saints pour nous unissent leurs faveurs,
Et par une assistance et prompte et souveraine
Assurent la couronne à nos humbles ferveurs.

Accordez cette grâce à l'humaine impuissance,
Vous sans qui toute ardeur, tout zèle s'amortit,
Sainte Unité de trois, inconcevable essence,
Dont par tout l'univers la gloire retentit.

POUR LA FÊTE DES SAINTS ANGES GARDIENS,
qui se célèbre le 1er d'octobre, non occupé d'une autre fête.

A VÊPRES ET A MATINES
Custodes hominum psallimus angelos.

Nous chantons ces esprits qu'à veiller sur les hommes,
Qu'à les guider partout Dieu même a préposés,
De peur que les Démons, plus forts que nous ne sommes,
Ne remportent sur nous des triomphes aisés;

Car enfin le dépit de ces Anges rebelles,
Dont l'orgueil aux Enfers fut soudain abattu,
Arme leur jalousie à perdre les fidèles,
Dont Dieu veut en leur place élever la vertu.

Viens donc, Ange du ciel, et de toute l'enceinte
Que confie à tes soins ce grand Maître des temps,
Détourne tous les maux dont l'âme sent l'atteinte,
Et qui ne laissent point en paix ses habitants.

Exaltons la puissance et la bonté divine
Des trois qui ne sont qu'un dans leur immensité,
Et qui gouvernant seuls cette triple machine,
Règnent et régneront toute l'éternité.

A LAUDES
Orbis patrator optime.

Grand Dieu, qui déploya ta suprême puissance
A tirer du néant tout ce vaste univers,
Et qui ne te sers pas de moins de Providence
A régir tant d'êtres divers,

Vois d'un œil de pitié nos âmes criminelles,
Qui d'une voix commune implorent tes bontés,
Et comme l'aube ici rend des clartés nouvelles,
Rends-leur de nouvelles clartés.

Que ce garde choisi, que tout l'Enfer redoute,
L'Ange qui par ton ordre accompagne nos pas,
Empêche que le crime infecte notre route
De ses contagieux appas.

De l'envieux dragon qu'il dompte la malice,
Qu'il en rompe l'effort, qu'il en brise les traits,
Et ne permette pas que son noir artifice
Nous enveloppe en ses filets.

Qu'aux fureurs de la guerre il ferme nos contrées,
Qu'il écarte de nous ce qu'elle a de rigueurs,
Que la peste en nos murs ne trouve point d'entrées,
Ni la discorde dans nos cœurs.

Gloire au Père éternel, qui garde par ses Anges
Tout ce qu'a racheté le sang de Jésus-Christ,
Et qui par eux anime à chanter ses louanges
Tout ce qu'a rempli son Esprit!

POUR LA FÊTE DE SAINTE THÉRÈSE
15 *octobre.*

A VÊPRES
Regis superni nuntia.

Par un départ secret des tiens tu te sépares,
Pour annoncer un Dieu qui règne seul en toi,

Thérèse, et pour répandre en des climats barbares,
Ou ton propre sang, ou la foi.

Mais ce Dieu te réserve une mort plus charmante,
Un martyre plus beau clora ton dernier jour :
Tu ne devras le ciel qu'à cette pointe ardente
Dont te va navrer son amour.

O d'un amour si saint noble et sainte victime,
Verse en nos cœurs ce feu qu'allume au tien son dard,
Et préserve de ceux où nous mène le crime
Tout ce qui suit ton étendard.

Gloire au Père éternel, sous qui l'univers tremble,
Gloire au Verbe incarné, qu'on ne peut trop bénir,
Gloire à leur Esprit saint, gloire à tous trois ensemble,
Dans tous les siècles à venir !

A MATINES
Hæc est dies qua, candidæ.

Telle qu'une blanche colombe
Qui vole à tire-d'aile, et se dérobe aux yeux,
De Thérèse aujourd'hui l'âme remonte aux cieux,
Quand le corps descend sous la tombe.

Son divin Époux la rappelle :
« Viens, ma sœur, lui dit-il, viens du haut du Carmel,
Viens de l'Agneau mystique au festin éternel,
Viens à la couronne éternelle. »

Chaste Époux des vierges sans tache,
T'adorent à jamais les esprits bienheureux!
Et qu'à bénir sans fin tes desseins amoureux
Leur sainte éternité s'attache.

POUR LA FÊTE DE TOUS LES SAINTS
1 *novembre.*

A VÊPRES ET A MATINES
Christe, redemptor omnium.

Secourez-nous dans nos misères,
Unique Rédempteur de tous,
Et souffrez que la Vierge, à force de prières,
Pour de pauvres pécheurs calme votre courroux.

Saints escadrons d'esprits célestes,
Qui nous montrez à le bénir,
Guérissez, repoussez, chassez les maux funestes :
Purgez-en le passé, le présent, l'avenir.

Prophètes du souverain Juge,
Apôtres chéris du Sauveur,
Notre fragilité met en vous son refuge :
Remplissez-en l'espoir, parlez en sa faveur.

Martyrs, dont nous implorons l'aide,
Et vous, confesseurs éclairés,
De tout ce qui nous tue obtenez le remède,
Et faites-nous revivre aux palais azurés.

Heureux troupeau de vierges pures,
Corps sacré de religieux,
Comme les autres saints guérissez nos blessures,
Et nous ouvrez l'entrée au royaume des cieux.

Chassez la nation perfide
  Loin des fidèles au vrai Dieu :
Que nous puissions lui rendre avec amour solide
Les grâces qu'en tout temps on lui doit en tout lieu.

  Gloire au Père, à son Fils unique,
  Même gloire à l'Esprit divin,
Gloire à tout ce qu'aux saints leur bonté communique!
Gloire à leur unité sans mesure et sans fin!

A LAUDES
Jesu, Salvator sæculi.

  Jésus, Sauveur de tout le monde,
Protège des pécheurs par ton sang rachetés,
  Et toi, Vierge et Mère féconde,
Demande pour eux grâce à ses hautes bontés.

  Anges dont le respect l'admire,
Patriarches bénis à qui Dieu le promit,
  Et vous qui le sûtes prédire,
Prophètes, déployez pour nous votre crédit.

  Précurseur qui mieux que tous autres
Connûtes ce Messie avant que d'être né,
  Portier du ciel, dignes apôtres,
Brisez les fers honteux d'un peuple infortuné.

  Que par une faveur égale,
Le pur sang des martyrs, la foi des confesseurs,
  Et la chasteté virginale,
Des taches du péché daignent purger nos cœurs.

  Que les rigides solitaires,
Que tous les habitants du céleste palais,
  A nos vœux joignent leurs prières,
Pour nous faire avec eux y revivre à jamais.

  Louange au Père inconcevable,
Honneur au Verbe-chair, gloire à l'Esprit divin,
  Hommage à leur être adorable,
A leur Unité sainte, à leur règne sans fin!

IV. COMMUN DES SAINTS

POUR LES APOTRES ET LES ÉVANGÉLISTES,
hors du temps de Pâques.

A VÊPRES ET A LAUDES
Exultet cœlum laudibus.

Aux célestes concerts mêlons d'ici les nôtres,
Que la terre avec joie en puisse retentir :
L'Ange célèbre au ciel la gloire des Apôtres,
  C'est à nos voix d'y repartir.

Juges de l'univers, véritables lumières
Dont le monde éclairé bénit les sacrés feux,
C'est à vous que nos cœurs adressent leurs prières :
  Recevez-en les humbles vœux.

Les clefs du paradis sont en votre puissance,
Par vous sa porte s'ouvre, et se ferme par vous,

D'un seul mot aux pécheurs vous rendez l'innocence,
  Parlez, et nous sommes absous.

Sous quelque infirmité que les hommes languissent,
Votre ordre les guérit ou les laisse abattus :
Rendez aux bonnes mœurs qui dans nous s'affaiblissent,
  La sainte vigueur des vertus,

Afin que quand Dieu même en son lit de justice
Décidera du monde, et finira les temps,
Il prononce pour nous un arrêt si propice,
  Qu'il nous laisse à jamais contents.

Gloire au Père éternel, gloire au Fils ineffable,
Gloire toute pareille à l'Esprit tout divin,
Qui procédant des deux, et comme eux immuable,
  Avec tous deux règne sans fin!

A MATINES
Æterna Christi munera.

  Que les dons éternels du monarque des Anges,
    Saints apôtres, ses favoris,
  Occupent notre bouche à de justes louanges
    Pour vous qu'il a le plus chéris.

  Son grand choix vous a faits princes de nos églises,
    Chefs des plus triomphants combats,
  De ce vaste univers les lumières exquises,
    Et du vrai Dieu les vrais soldats.

  En vous on voit des saints la foi dévote et nette,
    Des croyants l'invincible espoir,
  En vous de Jésus-Christ la charité parfaite
    Du monde brave le pouvoir.

  En vous le Père voit la splendeur de sa gloire,
    Le Saint-Esprit, sa volonté,
  Le Fils y voit briller l'éclat de sa victoire,
    Dieu tout entier est exalté.

  Adorable Jésus, dont la gloire infinie
    Remplit tous les célestes chœurs,
  Daigne nous à jamais joindre à leur compagnie,
    Quoique inutiles serviteurs.

POUR LES APOTRES ET LES ÉVANGÉLISTES
au temps de Pâques.

A VÊPRES ET A MATINES
Tristes erant apostoli.

Les Apôtres en pleurs, et comblés de tristesse,
Regrettaient ce maître adoré,
Que l'impie attentat d'une race traîtresse
Par un cruel trépas avait défiguré.

Un Ange en consola de vertueuses dames :
  « Quittez, leur dit-il, ce tombeau;
Allez en Galilée, et ce Roi de vos âmes
Y frappera vos yeux par un éclat nouveau. »

Aux apôtres soudain elles courent le dire
  Avec un saint empressement,
Et rencontrent ce Dieu pour qui leur cœur soupire,
Comme il l'avait promis, sorti du monument.

Ses disciples à peine en ont la connaissance,
　　Qu'ils vont en hâte au même lieu,
Voir ce dernier effet de la toute-puissance,
Qui ranime le corps de l'unique Homme-Dieu.

Sauveur de tout le monde, en cette pleine joie
　　Dont la Pâque remplit nos cœurs,
Daigne si bien guider ton peuple dans ta voie,
Que d'une mort funeste il échappe aux rigueurs.

Gloire à toi, Rédempteur, et Monarque suprême,
　　Par toi-même ressuscité !
Même gloire à ton Père, au Saint-Esprit la même,
Et durant tous les temps et dans l'éternité !

A LAUDES
Claro paschali gaudio.

Pâques semble au soleil en faveur des Apôtres
　　Prêter de nouvelles splendeurs :
Avec les yeux du corps, faibles comme les nôtres,
D'un maître revivant ils ont vu les grandeurs.

Ils ont vu dans sa chair l'ouverture des plaies,
　　Ils l'ont sondée avec les doigts,
Son trépas était vrai, ces merveilles sont vraies :
C'est ce que chacun d'eux publie à haute voix.

Saisis-toi de nos cœurs, Roi qui n'es que clémence,
　　Et qui pour nous te fis mortel,
Afin que notre zèle à ta haute puissance
Rende avec allégresse un hommage éternel.

Sauveur de tout le monde, en cette pleine joie
　　Dont la Pâque remplit nos cœurs,
Daigne si bien guider ton peuple dans ta voie,
Que d'une mort funeste il échappe aux rigueurs.

Gloire à toi, Rédempteur, et Monarque suprême,
　　Par toi-même ressuscité !
Même gloire à ton Père, au Saint-Esprit la même,
Et durant tous les temps et dans l'éternité !

POUR UN MARTYR

A VÊPRES ET A MATINES
Deus tuorum militum.

Dieu, qui de tes soldats couronnes la victoire
　　Et sers de prix à leurs hauts faits,
En faveur du martyr dont nous chantons la gloire,
Dégage-nous de nos forfaits.

Il renonça du siècle aux honneurs périssables,
　　Les regarda comme pollus,
Et goûte dans le ciel ces biens inépuisables
　　Que tu dépars à tes élus.

Il brava des tourments l'horreur la plus cruelle,
　　Les souffrit avec un grand cœur,
Et son sang répandu pour ta gloire immortelle
　　Lui gagne un immortel honneur.

Écoute, ô Dieu bénin, notre cœur qui soupire !
　　Et favorable à nos clameurs,

Aujourd'hui qu'un martyr triomphe en ton empire,
　　Pardonne à de pauvres pécheurs.

Gloire au Père éternel, gloire au Fils ineffable
　　Gloire à l'Esprit saint et divin,
Gloire à leur Unité, dont l'essence immuable
　　Règne sans bornes et sans fin !

A LAUDES
Martyr Dei, qui unicum.

Martyr, qui du grand Dieu suivant le Fils unique,
　　Et son vrai disciple en ces lieux,
Domptas tout ce qu'osa la fureur tyrannique
　　Dont tu triomphes dans les cieux,

Contre tous nos péchés daigne de tes prières
　　Nous prêter le céleste appui ;
De tout ce qui nous souille affranchis nos misères,
　　Et soulage tout notre ennui.

Détaché des liens de la terrestre masse,
　　Tu vis dans l'éternel séjour,
Détache-nous du siècle, et nous obtiens la grâce
　　De mettre en Dieu tout notre amour.

Gloire au Père éternel, gloire au Fils ineffable,
　　Gloire à l'Esprit saint et divin,
Gloire à leur Unité, dont l'essence immuable
　　Règne sans bornes et sans fin !

POUR PLUSIEURS MARTYRS

A VÊPRES
Sanctorum meritis inclyta gaudia.

Chantons des saints martyrs les mérites sur terre,
La valeur aux combats, les triomphes aux cieux :
C'est de tous les vainqueurs qu'ennoblisse la guerre
　　Le genre le plus glorieux.

Le monde avec horreur a regardé leur vie,
Comme ils ont regardé le monde avec mépris,
Et ta route, ô grand Dieu, jusqu'à ton ciel suivie,
　　De ton royaume a fait leur prix.

Leur courage a bravé les gênes préparées,
Leur force a mis à bout la rage des tyrans,
L'ongle de fer leur cède, et leurs chairs déchirées
　　Raniment le cœur des mourants.

Comme innocents agneaux, ils souffrent tout sans plainte,
On les brise, on les hache, ils n'en murmurent point,
Leur cœur s'en applaudit, et porte à chaque atteinte
　　La patience au dernier point.

Quelle plume, Seigneur, quelle voix peut décrire
Ce que ta main apprête à ces dignes guerriers ?
La pourpre de leur sang leur assure un empire,
　　Et leur mort, d'immortels lauriers.

Unique Déité, daigne effacer nos crimes,
Laver leur moindre tache, et nous donner ta paix,
Afin qu'associés à ces pures victimes
　　Nous t'en rendions gloire à jamais.

A MATINES
Æterna Christi munera.

Que les dons éternels du Monarque des Anges,
  Les victoires de ses martyrs,
Occupant notre bouche à de justes louanges,
  Épanouissent nos désirs.

Le mépris des terreurs qu'épand la tyrannie,
  Et celui des gênes du corps,
Les ont fait arriver à l'immortelle vie
  Par la plus heureuse des morts.

Ils sont livrés aux dents des bêtes carnassières,
  On les abîme dans les feux,
Des plus cruels bourreaux les rages les plus fières
  Fondent et se lassent sur eux.

On déchire leurs flancs, on sème leurs entrailles,
  Et quand leur sang est répandu,
Leur esprit en repos attend de ces batailles
  Le prix qu'il sait leur être dû.

Adorable Jésus, dont la gloire infinie
  Remplit tous les célestes chœurs,
Daigne nous à jamais joindre à leur compagnie,
  Quoique inutiles serviteurs.

A LAUDES
Rex gloriose martyrum.

Toi qui mets tes martyrs au-dessus du tonnerre,
  Et couronnes tes confesseurs,
Toi qui pour le mépris des faux biens de la terre
  Rends d'inépuisables douceurs,

Prête à nos voix, Seigneur, des oreilles propices,
  Donne à nos vœux de prompts effets,
Nous chantons des martyrs les triomphants supplices,
  Pardonne à nos plus noirs forfaits.

Tu vaincs en ces martyrs, et ta bonté fait grâce
  A ceux qui confessent ton nom,
Tu vois de nos péchés quelle est l'impure masse,
  Triomphes-en par le pardon.

Gloire au Père éternel, gloire au Fils ineffable,
  Gloire à l'Esprit saint et divin,
Gloire à leur Unité, dont l'essence immuable
  Règne sans bornes et sans fin!

POUR UN CONFESSEUR

A VÊPRES ET A MATINES
Iste confessor Domini sacratus.

Ce digne confesseur, dont le peuple en ces lieux
Honore la mémoire et célèbre la fête,
D'un empire aujourd'hui fit la sainte conquête,
  Et prit sa place dans les cieux.

Tant qu'il vécut sur terre, on vit sa piété
Par un divin accord s'unir à la prudence,
Sa pudeur conspirer avec la tempérance,
  Son calme avec l'humilité.

Autour de son tombeau les malades rangés
Reçoivent chaque jour des guérisons soudaines,
Et les maux les plus grands qui ravagent leurs veines
  Sont d'autant plus tôt soulagés.

C'est donc avec raison que nos chœurs aujourd'hui
Font résonner un hymne et des vœux à sa gloire,
Afin que son mérite aide à notre victoire
  A monter au ciel après lui.

Gloire à l'unique auteur de ce vaste univers!
Gloire, honneur et louange à sa bonté divine,
Dont l'absolu vouloir gouverne la machine
  Du ciel, de la terre et des mers!

POUR UN CONFESSEUR PONTIFE

A LAUDES
Jesu, redemptor omnium.

  Doux rédempteur de tout le monde,
    Sainte couronne des prélats,
  Daigne, par ta clémence en miracles féconde,
  Favoriser des vœux qu'on t'offre d'ici-bas.

  C'est en cette heureuse journée,
    Dont nous célébrons le retour,
  Qu'un prélat tout à toi vit sa course bornée
  Par le prix éternel qu'en reçut son amour.

  Pour avoir des biens périssables
    Rejeté les flatteurs attraits,
  Il en goûte aujourd'hui qui sont inexprimables,
  Et dont l'épanchement ne tarira jamais.

  Fais-nous, Seigneur, suivre ses traces,
    Imprimer nos pas sur les siens,
  Afin qu'à sa prière obtenant mêmes grâces,
  Nous puissions dans le ciel jouir des mêmes biens.

  Puissions-nous, ô Roi débonnaire,
    Te rendre une gloire sans fin,
  Pareille et même gloire à ton céleste Père,
  Pareille et même gloire à l'Esprit tout divin!

POUR UN CONFESSEUR NON PONTIFE

A LAUDES
Jesu, corona celsior.

Jésus, de notre foi la plus riche couronne
  Et la plus haute vérité,
Qui pour prix des travaux qu'en t'aimant on se donne,
  Rends une heureuse éternité,

Accorde en Rédempteur aux vœux de l'assemblée,
  Par les mérites de ce Saint,
La grâce des péchés dont elle est accablée,
  Et brise les fers qu'elle craint.

Ce jour que tous les ans sa fête renouvelle,
  Ce grand, ce digne jour nous luit,
Où quittant de son corps la dépouille mortelle,
  Il monta dans un jour sans nuit.

Pour avoir dédaigné tout ce que la nature
    Étale d'attrayant aux yeux,
Et traité ses trésors et de fange et d'ordure,
    Il règne à jamais dans les cieux.

A force d'adorer ta main qui nous gouverne,
    A force d'exalter ton nom,
Il dompta hautement tout l'orgueil de l'Averne,
    Et les ministres du Démon.

Ce qu'il eut de vertu, ce qu'il eut de foi vive,
    Dans le rang de tes confesseurs,
Pour fruit d'une abstinence heureusement craintive,
    Goûte d'éternelles douceurs.

Daigne donc, ô grand Dieu, dont les bontés sublimes
    L'ont mis au nombre des élus,
Remettre en sa faveur à l'excès de nos crimes
    Les châtiments qui leur sont dus.

Louange à tout jamais au Père inconcevable,
    Louange à son Verbe en tout lieu,
Louange à l'Esprit saint, ainsi qu'eux ineffable,
    Qui n'est avec eux qu'un seul Dieu!

POUR LES VIERGES

A VÊPRES ET A LAUDES
Jesu, corona virginum.

Jésus, des Vierges la couronne,
Que dans ses flancs sacrés une Mère porta
Qui Vierge te conçut, et Vierge t'enfanta,
Reçois les humbles vœux dont notre cœur résonne.

Parmi les lis que tu fais naître,
Les vierges à l'envi te vont faire leur cour;
En époux glorieux tu les remplis d'amour,
Et ton céleste amour les récompense en maître.

Partout elles suivent tes traces,
Et la sainte candeur de leurs feux innocents
Offre à ta gloire immense un éternel encens,
A ton immense amour d'inépuisables grâces.

Fais-nous par des faveurs nouvelles
Épurer à tel point notre fragilité,
Qu'élevés au-dessus de notre infirmité,
Nous soyons à tes yeux chastes et saints comme elles.

Honneur, vertu, gloire et louange
Au Père, au Fils unique, à l'Esprit tout divin,
Qui ne sont qu'une essence, et qui tous trois sans fin,
Règnent dans un séjour où jamais rien ne change!

A MATINES
Virginis proles, opifexque matris.

Fils d'une Vierge pure, auteur de cette Mère
Qui Vierge te conçut, Vierge te mit au jour,
Nous chantons d'une vierge et la mort et l'amour :
Donne à nos chants de quoi te plaire.

Elle fut, cette vierge, en deux façons heureuse :
Son sexe était fragile, elle sut résister;

Son siècle était cruel, elle sut le dompter,
    Toujours forte et victorieuse.

Elle voyait aussi le trépas sans le craindre,
Les tyrans sans frémir, les bourreaux sans horreur,
Et les flots de son sang que versa leur fureur
    Jusqu'au ciel la firent atteindre.

Au nom de cette vierge exauce nos prières,
Pardonne à nos péchés, purge ce qui vient d'eux,
Afin qu'à tes autels notre zèle et nos vœux
    Te portent des âmes entières.

Gloire au Père éternel, tout bon, tout saint, tout sage,
Gloire au Verbe incréé, gloire à l'Esprit divin,
Qui procédant des deux, règne avec eux sans fin,
    Et veut de nous pareil hommage!

POUR UNE SAINTE QUI N'EST NI VIERGE NI MARTYRE

A VÊPRES ET A LAUDES
Fortem virili pectore.

Exaltons d'une femme forte
Le courage viril, l'heureuse fermeté,
    Les victoires qu'elle remporte,
Et qui font en tous lieux briller sa sainteté.

De l'amour de son Dieu navrée,
Elle prit en horreur le monde et ses plaisirs,
    Et par une route sacrée
Elle parvint au ciel, où tendaient ses désirs.

Les veilles furent ses délices,
La fervente oraison fit ses plus doux festins,
    La charité ses exercices,
Et ses jeûnes là-haut goûtent des mets divins.

Grand Dieu, vertu des fortes âmes,
Qui seul en celle-ci fis de si grands effets,
    Inspire-nous les mêmes flammes,
Écoute nos soupirs, et lave nos forfaits.

Gloire au Père, au Verbe ineffable,
A l'Esprit tout divin, à leur sainte unité,
    A leur essence inconcevable,
Et durant tous les temps et dans l'éternité!

A MATINES
Hujus obtentu, Deus alme, nostris.

Au nom de cette sainte exauce nos prières,
Pardonne à nos péchés, purge ce qui vient d'eux,
Afin qu'à tes autels notre zèle et nos vœux
    Te portent des âmes entières.

Gloire au Père éternel, tout bon, tout saint, tout sage,
Gloire au Verbe incréé, gloire à l'Esprit divin,
Qui procédant des deux, règne avec eux sans fin,
    Et veut de nous pareil hommage!

POUR LA DÉDICACE D'UNE ÉGLISE

A VÊPRES ET A MATINES
Urbs Jerusalem beata.

Sainte Jérusalem, ville heureuse à jamais,
    Charmante vision de paix,
Qui n'es bâtie au ciel que de pierres vivantes,
Les Anges, l'un de l'autre en ta faveur jaloux,
    Te font des couronnes brillantes,
Et telles que l'Épouse en attend de l'Époux.

Aussi le digne éclat que tu reçois des cieux
    T'offre si pompeuse à ses yeux,
Qu'il te voit en épouse à son lit destinée :
Tes places et tes murs sont d'un or épuré,
    Et toute leur structure ornée
Des plus riches splendeurs dont son chef soit paré.

Tes gonds et tes verrous de perles sont couverts,
    Tes portes à battants ouverts
Au vrai mérite seul en permettent l'entrée :
C'est là qu'il introduit quiconque en ces bas lieux,
    En cette infidèle contrée,
Endure pour le nom d'un Dieu, le Dieu des Dieux.

Ces pierres qu'ici-bas polissent les tourments,
    Les gênes, les accablements,
Prennent là des clartés à jamais perdurables :
Le céleste ouvrier met chacune en son lieu,
    Et par des chaînes adorables
Attache l'une à l'autre, et les unit en Dieu.

Gloire, puissance, honneur et louange au Très-Haut,
    Au Fils, comme lui sans défaut,
A l'Esprit tout divin, ainsi qu'eux ineffable!
Gloire, honneur et louange à leur sainte Unité,
    A leur essence inconcevable,
Et durant tous les temps et dans l'éternité!

A LAUDES
Angularis fundamentum.

Bienheureuse cité, le monarque éternel,
    Qui sauva l'homme criminel,
Te sert de fondement et de pierre angulaire :
De tes murs rayonnants il est la liaison,
    Et se fait le digne salaire
De la foi qui sur terre enchaîne ta raison.

Cette ville chérie, et toujours en faveur,
    Infatigable en sa ferveur,
Résonne incessamment d'une musique sainte,
Et l'amoureux concert que font toutes ses voix
    Exalte en toute son enceinte
Ces trois qui ne sont qu'un, et cet unique en trois.

Ce temple la figure en portrait raccourci :
    Seigneur, daigne y loger aussi,
Accorde cette grâce à nos humbles prières,
Verse à grands flots sur nous ta bénédiction,
    Et par des faveurs singulières
Rends-nous dignes un jour de ta sainte Sion.

Qu'en ce temple chacun obtienne de ses vœux
    L'effet cent et cent fois heureux
Qu'ont ici de tes saints mérité les souffrances :
Admets-nous avec eux en ton divin séjour,
    Et fais-nous part des récompenses
Qu'à leurs travaux finis prodigue ton amour.

Gloire, puissance, honneur et louange au Très-Haut,
    Au Fils, comme lui sans défaut,
A l'Esprit tout divin ainsi qu'eux ineffable,
Gloire, honneur et louange à leur sainte Unité,
    A leur essence inconcevable,
Et durant tous les temps et dans l'éternité.

HYMNES DE SAINT VICTOR

Le poète J.-B. Santeul, dont on a déjà vu Corneille se faire le traducteur, publia en 1680 un recueil complet de ses Hymni sacri et novi. *On ignore où, quand et sur quel texte latin Corneille traduisit ces trois hymnes, destinées à être chantées au propre de la fête de saint Victor[1]. L'une d'entre elles a été traduite aussi par ce Fr. Charpentier, protégé de Colbert, partisan des inscriptions françaises (cf.* Chronologie, *année 1675).*

On ne sait à quelle fin Corneille fit cette traduction, dont le style est particulièrement souple, imagé et rythmé :

il y a grande vraisemblance que ce fut pour un renouvellement des recueils de cantiques, entreprise dont, un peu plus tard, le bienheureux Grignon de Montfort laissa un exemple célèbre.

La traduction de Corneille parut en une brochure anonyme de quatre pages sans lieu ni date. Cette traduction n'est authentifiée que par la présence de ces textes, avec la signature P. Corneille, dans un recueil postérieur des œuvres de Santeul.

A MATINES
Vos, o Christiadum fortia pectora...

Chantons, peuple, chantons ce guerrier dont Marseille
Vit le sang insulter au démon étonné,
Produire, en s'épanchant, merveille sur merveille,
Et teindre les lauriers dont il fut couronné.

Victor quitte les rangs, et dédaigne la paie,
Pour suivre, pauvre et nu, l'étendard de la Croix ;
Et du camp des Césars, où sa valeur s'essaie,
Il passe, heureux transfuge, au camp du Roi des rois.

On le charge de fers, on lui choisit des peines,
Au fond d'un noir cachot on le tient garrotté ;
Il est libre au milieu des prisons et des chaînes,
Et remplit le cachot de sa propre clarté.

Ses gardes, effrayés par ce double miracle,
Conçoivent des faux dieux une invincible horreur,
Prennent le saint pour guide, et sa voix pour oracle,
Et dans un bain sacré lavent leur vieille erreur.

Gloire au Père éternel, gloire au Fils ineffable,
Gloire toute pareille à l'Esprit tout divin ;
Gloire à leur unité dont l'essence adorable
Règne sans borne aucune, et régnera sans fin.

A LAUDES
I nunc, sancte pugil, quo pia prœlia...

Entre, heureux champion, la carrière est ouverte ;
Dieu te voit, et t'appelle au trône préparé :
Entre, et vois les tyrans animés à ta perte,
De l'œil dont tu verrais un trophée assuré.

Quand d'un cheval farouche à la queue on te lie,
S'il déchire ta chair, elle en éclate mieux ;
Et s'il brise ton corps, ton âme recueillie
Par un vol avancé va s'emparer des cieux.

Ton sang, en quelque lieu que sa fougue t'emporte,
Laisse empreinte à longs traits la gloire de ton nom,
Et c'est une semence illustre, vive et forte,
Qui de nouveaux martyrs germe une ample moisson.

Les verges sur la croix te font un long supplice,
Tu jouis en secret de toute sa lenteur,
Et ton zèle applaudit à la fureur propice
Qui fait l'image en toi de ton saint Rédempteur.

Tu braves Jupiter, tu ris de sa statue,
Tu la jettes par terre au lieu de l'encenser,
Et ne redoutes point ce foudre qui ne tue,
Qui n'agit qu'en peinture, et ne se peut lancer.

On venge sur ton pied ce noble sacrilège,
Tu n'en cours pas moins vite où t'appelle ton Dieu,
Ton Dieu, dont il reçoit ce digne privilège,
Qui sans corruption le garde en ce saint lieu.

A VÊPRES
Templa solemnem resonent triumphum.

Que d'un chant solennel tout le temple résonne :
Ce grand jour du martyr paie enfin les travaux,
Le ciel en est le prix, et Dieu qui le couronne
Change en biens éternels ce qu'il souffrit de maux.

Ses membres écrasés sous la meule palpitent,
Il offre à Dieu le sang qu'il en fait ruisseler ;
Et plein d'un feu nouveau que ces gênes excitent,
Sur cet autel sanglant il aime à s'immoler.

La machine brisée à grands coups de tonnerre
Sur le peuple tremblant roule, et brise à son tour ;
Victor seul, intrépide, et las de vaincre en terre,
Tend le col aux bourreaux pour changer de séjour.

La tête cède au fer qui du corps la détache,
L'âme vole en triomphe au-dessus du soleil,
Et l'on voit chaînes, fouets, et meule, et croix, et hache,
En former à l'envi le pompeux appareil.

Rends-nous plus courageux, grand Saint, par ton exemple,
Obtiens-nous des lauriers qui s'unissent aux tiens,
Et fais de tous les vœux qu'on t'offre dans ce temple
Des armes pour dompter l'ennemi des chrétiens.

---

1. Saint Victor, soldat romain sous l'empereur Maximien, a sa fête le 21 juillet, anniversaire de son martyre en 303.

HYMNES DE SAINTE GENEVIÈVE

Cette traduction, publiée seulement en 1847, dormait manuscrite à la Bibliothèque Sainte-Geneviève. C'est le plus long autographe connu de Corneille. Les relations personnelles du poète avec les Génovéfains nous sont déjà connues par les lettres échangées avec le Père Boulart, au moment de la traduction de l'Imitation. Le texte latin suivi par Corneille est celui d'une édition de 1665, date à

laquelle ce Père devint Supérieur général. Sans qu'on puisse savoir si Corneille a traduit spontanément ces hymnes, son travail prouve qu'il avait conservé des relations avec les Génovéfains au-delà de cette date. Ici encore la langue est simple, le rythme clair, la césure fortement marquée.

POUR LE JOUR DE SA FÊTE
le 3 janvier.

A VÊPRES
Laude plena, Genovefae.

Que de toutes nos voix un plein concert s'élève
    A la gloire de Geneviève!
Terre, applaudis au ciel; lui-même il t'applaudit,
Il t'en daigne lui-même apprendre la naissance.
    Écoute un ange qui te dit
Qu'il vient de naître en elle un appui pour la France.

Un saint prélat [2], qui voit dans une si jeune âme
    Briller tant de céleste flamme,
« Vierge heureuse, dit-il, qu'heureux sont tes parents! »
Soudain qu'elle l'entend, la vierge à Dieu se voue,
    Et quitte enfin et prés et champs
Pour montrer à la cour comme il faut qu'on le loue.

Les miracles partout suivent son grand courage,
    Ils passent et le sexe et l'âge;
Dans la chair qui l'enferme elle est hors de la chair,
Et dans sa pauvreté riche plus que tous autres.
    Quiconque la peut approcher
Croit sa vertu pareille à celle des apôtres.

Honneur de ta patrie et de la terre entière,
    Vierge, des vierges la lumière,
Notre patronne à tous, entends nos humbles vœux;
Et du ciel, où tu vois ta couronne assurée,
    Fais qu'en terre de chastes feux
Puissent toujours régner dans notre âme épurée.

A la Trinité sainte éternelle puissance,
    Éternelle reconnaissance!
Qu'on la serve en tout temps, qu'on l'honore en tous
Exaltons-en la gloire en sa vierge fidèle,   [lieux.
Si nous voulons un jour aux cieux
Etre assis dans un trône et couronnés comme elle.

A MATINES
Nox festiva sacrum praeveniens diem.

Voici l'heureuse nuit qui précède la fête :
Par des feux redoublés elle imite le jour,
Et le temple éclairé veut que chacun s'apprête
A tromper le sommeil par des chants tous d'amour.

La sainte qui préside et qu'on sert dans ce temple,
Ainsi des saints martyrs veillait sur les tombeaux,
Joignait la nuit au jour, et par un haut exemple
Portait les cœurs sans cesse à des efforts nouveaux.

2. Saint Germain, évêque d'Auxerre.

Vierges, vous le savez, elle allait la première :
La lumière à la main, elle y guidait vos pas;
Et quoi qu'osât l'Enfer contre cette lumière,
Sa clarté triomphante en prenait plus d'appas.

Ainsi la vive foi, par des sacrés prodiges,
Ainsi le zèle ardent luit dans l'obscurité;
Ainsi du Diable même il confond les prestiges,
Et fléchissant le ciel, rend à tous la santé.

Toi, dont l'éclat plus vif que celui des étoiles
Brille parmi les saints au céleste lambris,
Vierge, en faveur des tiens romps ces funestes voiles
Dont l'indigne épaisseur offusque tant d'esprits.

Fais que les faux honneurs ni les soins de la terre
De leurs ombres jamais n'embarrassent nos sens,
Que jamais les plaisirs par leur flatteuse guerre
N'affaiblissent la foi dans les cœurs innocents.

Nous espérons de vous ce don par sa prière,
Père incompréhensible, Homme-Dieu comme nous,
Qui règnez au séjour de gloire et de lumière
Avec cet Esprit saint qui n'est qu'un avec vous.

A LAUDES
Christo salutis vindici.

Chante, ville, reine des villes,
Chante un hymne de gloire à ton divin Sauveur,
A son épouse vierge, et sur tes murs fragiles
Attires-en la grâce, et fixe la faveur.

Quoi qu'osent la fièvre et la peste,
Elle en brise le trait le plus envenimé,
Et des soudaines morts le ravage funeste
Par ses regards bénins est soudain réprimé.

Dans les langueurs elle encourage,
Elle rend aux mourants la force et la santé;
De la langue captive elle rompt l'esclavage,
Elle obtient pour l'aveugle une pleine clarté.

Les miracles que fit sa vie
Ne sont point épuisés par son retour aux cieux;
Et plus par un vrai zèle en terre elle est servie,
Plus sa haute vertu s'épand sur ces bas lieux.

Vierge, que notre chœur réclame,
Qui dissipes ainsi les plus dangereux maux,
Quand tu prends soin du corps, prends-en aussi de l'âme,
Et donne pour tous deux des remèdes égaux.

Fais que purgés de tous nos crimes,
Jésus-Christ de sa grâce honore notre foi,
Et que nous dégageant de ces mortels abîmes,
A la sainte patrie il nous rende avec toi.

Gloire à toi, Verbe inconcevable,
Sauveur, par une vierge ici-bas enfanté !
Gloire au Père éternel, à l'Esprit ineffable,
Et durant tous les temps et dans l'éternité !

POUR SA TRANSLATION
28 *octobre*

A VÊPRES
Dum sævus miseræ regna Lutetiæ.

Quand des lions du nord [3] la barbare furie
Saccage la province et fait trembler Paris,
Tout son peuple ne craint ni pour ses toits chéris,
Ni pour ses doux amas, ni pour sa propre vie ;

Mais pour le saint dépôt d'une Vierge sacrée,
De ses murs alarmés le plus digne trésor,
Qu'enferme qu'il était dans une châsse d'or,
Il porte en sûreté dans une autre contrée.

Ce peuple ne fait rien qu'elle n'aime à lui rendre ;
Et du plus haut des cieux déployant son secours,
De tant de barbarie elle arrête le cours,
Et conserve à son tour ceux qui sauvent sa cendre.

Veille à notre défense, ô sainte protectrice !
Un plus fier ennemi nous livre un dur assaut :
Il est fort, il est fourbe, et sans l'appui d'en haut
Rien n'en dompte la rage, ou détruit l'artifice.

Daignez en nos besoins écouter sa prière,
Père et Fils éternels, Esprit saint et divin,
Qui n'êtes qu'une essence, et qui tous trois sans fin
Régnez dans le séjour de gloire et de lumière.

A MATINES
Nobilis regni Genovefa præses.

Toi qu'on croit présider à cette illustre empire,
Aux peuples affligés toi qui prêtes la main,
Qui conserves nos lis et tout ce qui respire
    Sous leur grand souverain,

Tu vois en cet exil notre peu de mérite,
Tu le vois chanceler en tout temps, en tous lieux,
Que notre perte est sûre, et qu'aucun ne l'évite
    Sans le secours des cieux.

Daigne en prendre pitié : tu t'en vois conjurée
Par le nouveau cercueil où reposent tes os,
Par les soins dont jadis ta châsse transférée
    Sauva tes saints dépôts.

La fureur semait lors nos champs de funérailles,
Les flammes et le fer désolaient nos cités :
Seule tu garantis nos tremblantes murailles
    De tant de cruautés.

Dans une sainte paix affermis une ville
Qu'un zèle singulier voue à ton sacré corps ;
Que ta main à l'État ne soit pas moins utile
    Qu'elle l'était alors.

Immense Trinité, souffre-le pour ta gloire,
Toi de qui cette vierge a reçu tous ces dons,
Qui font régner son culte et chérir sa mémoire
    En tous nos environs.

A LAUDES
Debitas, virgo Genovefa, laudes.

Pour te rendre un tribut d'une louange dûe,
Vierge, tu vois nos cœurs devant toi prosternés :
Puisse en être par toi la prière entendue,
    Et les vœux couronnés !

Tu ne dédaignas point d'en exaucer le zèle
Quand les fureurs du nord menaçaient nos remparts,
Et que l'affreuse horreur d'une guerre cruelle
    Roulait de toutes parts.

Tant qu'ont duré tes jours, jamais ni la famine,
Ni d'un air empesté les tourbillons impurs,
Ni surprenants éclats de vengeance divine,
    N'ont désolé nos murs.

Tu vois sous tes faveurs ta maison ennoblie
Reprendre l'heureux joug de ses premières lois,
Et leur sainte vigueur dans l'ordre rétablie
    Rentrer en ses vieux droits.

Fais que sa pureté de plus en plus s'attache
Aux célestes sentiers que tu lui fais tenir,
Que sa ferveur redouble, et passe enfin sans tache
    Aux siècles à venir.

Immense Trinité, souffre-le pour ta gloire,
Toi de qui cette vierge a reçu tous ces dons,
Qui font régner son culte et chérir sa mémoire
    En tous nos environs.

POUR LE MIRACLE DES ARDENTS [5]
26 *novembre.*

A VÊPRES
Ardent immodicis æstibus impia.

La main d'un Dieu vengeur, par d'invisibles flammes,
D'un peuple ardent au vice éteint l'impie ardeur :

---

3. *Lions du nord* : les invasions normandes du IXᵉ siècle, au cours desquelles on transféra les reliques à la campagne. La translation de ces reliques ne se fit qu'en 1242, sous saint Louis. Corneille commet une erreur au vers 7 : ce n'est pas quand on l'emporta, mais à leur retour, qu'elles furent mises dans une châsse d'or.

4. Les chanoines de Sainte-Geneviève adoptèrent au XIIᵉ siècle la règle de ceux de Saint-Victor. Le cardinal de La Rochefoucauld, abbé sous Louis XIII, entreprit de restaurer la règle qui s'était relâchée. En 1634, le Père Faure nommé Supérieur général de la congrégation paracheva la réforme.

5. Une épidémie (de choléra sans doute) dévasta Paris en 1129. La châsse de la sainte, transportée en une procession solennelle, arrêta le fléau en quelques heures ; le pape Innocent II institua l'année suivante une fête spéciale, le 26 novembre, pour commémorer ce miracle.

Ce feu s'attache au corps pour en chasser les âmes,
Et le sang qu'il tarit lui fait passage au cœur.

En vain des médecins cette fameuse ville
Implore le secours, applique les secrets :
Le ravage en augmente, et tout l'art inutile
Enfonce d'autant plus de si funestes traits.

Elle a recours, ô Vierge, à tes reliques saintes :
A peine tu parais, que cette peste fuit;
Et ses tristes ardeurs dans les os même empreintes
Y laissent triompher la santé qui te suit.

Bannis de nos esprits ces flammes criminelles
Qui n'y peuvent souffrir aucuns célestes feux,
Et sème de ta main au cœur de tes fidèles
La précieuse ardeur qui les peut rendre heureux.

Nous espérons de vous ce don par sa prière,
Père incompréhensible, Homme-Dieu mort pour tous,
Qui règnez au séjour de gloire et de lumière,
Avec cet Esprit saint qui n'est qu'un avec vous.

A MATINES
Urbis afflictæ Genovea præses.

Infatigable appui de la ville affligée,
Vierge, toujours présente à tes sacrés autels,
Écoute les frayeurs d'une troupe plongée
En des ennuis mortels.

Un feu contagieux, digne loyer du vice,
Fait voir l'ire du ciel sur les membres pourris,
Et jusque dans les os imprime la justice
Qu'il se fait de Paris.

Plus il coule de pleurs des paupières troublées,
Plus cette vive ardeur fait creuser de tombeaux;
Tout brûle et l'on ne boit que flammes redoublées
Par la fraîcheur des eaux.

Enfin, Vierge, ce peuple a recours à ta cendre,
Ce trésor qu'ont nos rois enfermé de trésors;

Et des sacrés piliers un prélat fait descendre
Les restes de ton corps.

On soupire, on gémit devant ta sainte châsse,
On t'invoque; et ces feux se laissent étouffer,
Ces feux qui ne faisaient que préparer la place
Aux flammes de l'Enfer.

Souverain médecin et des corps et des âmes,
Dieu, que nous bénissons des maux qu'elle finit,
Éteins les feux impurs, et sauve-nous des flammes
Dont l'Enfer les punit.

A LAUDES
Jam diu totam cruciabat urbem.

Ces flammes qui servaient la colère divine
Par un ravage affreux semaient partout la mort,
Et contre leur venin toute la médecine
N'était qu'un impuissant effort.

Cette ardeur pestilente au-dedans répandue
Fermait soudain la porte à toute guérison,
Pulvérisait les os, et leur moelle fondue
Devenait un nouveau poison.

Ta châsse, Vierge sainte, est le remède unique
Par qui, sont tant de maux heureusement bornés,
Et ta vertu céleste, aussitôt qu'on l'applique,
Bannit ces feux empoisonnés.

Ce tombeau portatif épouvante la peste,
Ranime la langueur, met en fuite le mal,
Et d'un si chaste corps l'ombre même est funeste
A ce qui nous était fatal.

Merveille! ces horreurs de la nature humaine
D'une simple bergère ont la châsse en horreur,
Et de l'or qui l'enferme un rayon brille à peine,
Qu'il éteint toute leur fureur.

Souverain médecin et des corps et des âmes,
Dieu, que nous bénissons des maux qu'elle finit,
Éteins les feux impurs, et sauve-nous des flammes
Dont l'Enfer vengeur les punit.

VERS CÉLÈBRES

LE CID

Pour grands que soient les rois, ils sont ce que nous
(*Don Gomès, acte I, scène III, page 223, vers 157.*) [sommes.

... va, cours, vole, et nous venge.
(*Don Diègue, acte I, scène V, page 224, vers 290.*)

Tout l'État périra, s'il faut que je périsse.
(*Don Gomès, acte II, scène I, page 225, vers 378.*)

Je suis jeune, il est vrai, mais aux âmes bien nées
La valeur n'attend point le nombre des années.
(*Don Rodrigue, acte II, scène II, page 226, vers 405 et 406.*)

Mes pareils à deux fois ne se font point connaître
Et pour leurs coups d'essai veulent des coups de maître.
(*Don Rodrigue, acte II, scène II, page 226, vers 409 et 410.*)

Va, je ne te hais point.
(*Chimène, acte III, scène IV, page 232, vers 963.*)

Le flux les apporta, le reflux les remporte.
(*Don Rodrigue, acte IV, scène III, page 236, vers 1318.*)

Et le combat cessa faute de combattants.
(*Don Rodrigue, acte IV, scène III, page 236, vers 1328.*)

HORACE

Qui veut mourir ou vaincre est vaincu rarement.
(*Horace, acte II, scène I, page 253, vers 385.*)

Le sort qui de l'honneur nous ouvre la barrière
Offre à notre constance une illustre matière;
Il épuise sa force à former un malheur
Pour mieux se mesurer avec notre valeur,
Et comme il voit en nous des âmes peu communes,
Hors de l'ordre commun il nous fait des fortunes.
(*Horace, acte II, scène III, page 254, vers 431 à 436.*)

Si vous n'êtes Romain, soyez digne de l'être,
Et si vous m'égalez, faites-le mieux paraître.
(*Horace, acte II, scène III, page 254, vers 483 et 484.*)

Horace :
Albe vous a nommé, je ne vous connais plus.
Curiace :
Je vous connais encore, et c'est ce qui me tue.
(*Acte II, scène III, page 255, vers 502 et 503.*)

Faites votre devoir, et laissez faire aux Dieux.
(*Le vieil Horace, acte II, scène VIII, page 257, vers 710.*)

Fortune, quelques maux que ta rigueur m'envoie,
J'ai trouvé les moyens d'en tirer de la joie.
(*Sabine, acte III, scène II, page 257, vers 735 et 736.*)

Ils descendent bien moins dans de si bas étages
Que dans l'âme des rois, leurs vivantes images,
De qui l'indépendante et sainte autorité
Est un rayon secret de leur divinité.
(*Camille, acte III, scène III, page 258, vers 843 à 846.*)

Julie :
Que vouliez-vous qu'il fît contre trois?

Le vieil Horace :
                                              Qu'il mourût.
(*Acte III, scène VI, page 260, vers 1021.*)

Rome, l'unique objet de mon ressentiment!...

Puissé-je de mes yeux y voir tomber ce foudre,
Voir ses maisons en cendre et tes lauriers en poudre,
Voir le dernier Romain à son dernier soupir,
Moi seule en être cause, et mourir de plaisir!
(*Camille, acte IV, scène V, p. 263, vers 1301 et 1315 à 1318.*)

C'est trop, ma patience à la raison fait place,
Va dedans les enfers plaindre ton Curiace!
(*Horace, acte IV, scène V, page 263, vers 1319 et 1320.*)

CINNA

Et monté sur le faîte, il aspire à descendre.
(*Auguste, acte II, scène I, page 273, vers 370.*)

Rentre en toi-même, Octave, et cesse de te plaindre.
Quoi! tu veux qu'on t'épargne, et n'as rien épargné!
(*Auguste, acte IV, scène II, page 281, vers 1130 et 1131.*)

Mais quoi? toujours du sang, et toujours des supplices!
(*Auguste, acte IV, scène II, page 281, vers 1162.*)

Le reste ne vaut pas l'honneur d'être nommé.
(*Auguste, acte V, scène I, page 285, vers 1492.*)

Je suis maître de moi comme de l'univers,
Je le suis, je veux l'être. O siècles, ô mémoire,
Conservez à jamais ma dernière victoire!
(*Auguste, acte V, scène III, page 287, vers 1696 à 1698.*)

Ma haine va mourir, que j'ai crue immortelle.
(*Émilie, acte V, scène III, page 287, vers 1725.*)

POLYEUCTE

Mais vous ne savez pas ce que c'est qu'une femme,
Vous ignorez quels droits elle a sur toute l'âme,
Quand, après un long temps qu'elle a su nous charmer,
Les flambeaux de l'hymen viennent de s'allumer.
(*Polyeucte, acte I, scène I, page 293, vers 9 à 12.*)

Nous pouvons tout aimer : il le souffre, il l'ordonne.
Mais, à vous dire tout, ce Seigneur des seigneurs
Veut le premier amour et les premiers honneurs.
(*Néarque, acte I, scène I, page 293, vers 70 à 72.*)

Ma raison, il est vrai, dompte mes sentiments,
Mais quelque autorité que sur eux elle ait prise,
Elle n'y règne pas, elle les tyrannise,
Et quoique le dehors soit sans émotion,
Le dedans n'est que trouble et que sédition.
Un je ne sais quel charme encor vers vous m'emporte,
Votre mérite est grand, si ma raison est forte.
(*Pauline, acte II, scène II, page 298, vers 500 à 506.*)

Source délicieuse en misères féconde,
Que voulez-vous de moi, flatteuses voluptés?
Honteux attachements de la chair et du monde,
Que ne me quittez-vous quand je vous ai quittés?
(*Polyeucte, acte IV, scène II, page 306, vers 1105 à 1108.*)

Et comme elle a l'éclat du verre
Elle en a la fragilité.
(*Polyeucte, acte IV, scène II, page 306, vers 1113 et 1114.*)

Si mourir pour son prince est un illustre sort,
Quand on meurt pour son Dieu, quelle sera la mort!
(*Polyeucte, acte IV, scène III, page 307, vers 1213 et 1214*)

Elle a trop de vertus pour n'être pas chrétienne.
(*Polyeucte, acte IV, scène III, page 307, vers 1268.*)

Pauline :
Au nom de cet amour, ne m'abandonnez pas.

Polyeucte :
Au nom de cet amour, daignez suivre mes pas.

Pauline :
C'est peu de me quitter, tu veux donc me séduire?

Polyeucte :
C'est peu d'aller au ciel, je vous y veux conduire.

Pauline :
Imaginations!

Polyeucte :
      Célestes vérités!

Pauline :
Étrange aveuglement!

Polyeucte :
      Éternelles clartés!
(*Acte IV, scène III, page 307, vers 1281 à 1286.*)

Je ne hais point la vie et j'en aime l'usage.
(*Polyeucte, acte V, scène II, page 310, vers 1515.*)

Je le ferais encor si j'avais à le faire.
(*Polyeucte, acte V, scène III, page 312, vers 1671.*)

Pauline :
Où le conduisez-vous?

Félix :
      A la mort.

Polyeucte :
      A la gloire.
(*Acte V, scène III, page 312, vers 1679.*)

Je vois, je sais, je crois, je suis désabusée.
(*Pauline, acte V, scène V, page 312, vers 1727.*)

POMPÉE

Les princes ont cela de leur haute naissance :
Leur âme dans leur rang prend des impressions
Qui dessous leur vertu rangent leurs passions.
Leur générosité soumet tout à leur gloire,
Tout est illustre en eux quand ils daignent se croire.
(*Cléopâtre, acte II, scène I, page 321, vers 370 à 374.*)

Sa vertu tout entière à la mort le conduit.
(*Achorée, acte II, scène II, page 322, vers 491.*)

Votre chute eût valu la plus haute victoire.
(*César, acte III, scène II, page 325, vers 822.*)

O ciel, que de vertus vous me faites haïr.
(*Cornélie, acte III, scène IV, page 327, vers 1072.*)

Un cœur né pour servir sait mal comme on commande.
(*Cléopâtre, acte IV, scène II, page 329, vers 1197.*)

La vengeance éloignée est à demi perdue,
Et quand il faut l'attendre, elle est trop cher vendue.
(*Cornélie, acte IV, scène IV, page 331, vers 1397 et 1398.*)

LE MENTEUR

La façon de donner vaut mieux que ce qu'on donne.
(*Cliton, acte I, scène I, page 339, vers 90.*)

Puisque c'est un cocher, il aime à discourir.
(*Cliton, acte I, scène I, page 339, vers 104.*)

Monsieur, quand une femme a le don de se taire,
Elle a des qualités au-dessus du vulgaire.
(*Cliton, acte I, scène IV, page 341, vers 209 et 210.*)

Oh! le beau compliment à charmer une dame,
De lui dire d'abord : « J'apporte à vos beautés
Un cœur nouveau venu des universités... »
(*Dorante, acte I, scène VI, page 343, vers 322 à 325.*)

Les visages souvent sont de doux imposteurs;
Que de défauts d'esprits se couvrent de leurs grâces,
Et que de beaux semblants cachent des âmes basses!
(*Clarice, acte II, scène II, page 344, vers 408 à 411.*)

Cette chaîne, qui dure autant que notre vie,
Et qui devrait donner plus de peur que d'envie,
Si l'on n'y prend bien garde, attache assez souvent
Le contraire au contraire et le mort au vivant.
(*Clarice, acte II, scène II, page 344, vers 417 à 420.*)

Les gens que vous tuez se portent assez bien.
(*Cliton, acte IV, scène IV, page 353, vers 1164.*)

Il faut bonne mémoire après qu'on a menti.
(*Cliton, acte IV, scène V, page 354, vers 1260.*)

SUITE DU MENTEUR

L'amour est un grand maître, il instruit tout d'un coup.
(*Mélisse, acte II, scène III, page 373, vers 586.*)

Et l'air du monde change en bonnes qualités
Ces teintures qu'on prend aux universités.
(*Dorante, acte II, scène IV, page 373, vers 621 et 622.*)

Qui donne le portrait promet l'original.
(*Cléandre, acte IV, scène II, page 382, vers 1299.*)

RODOGUNE

Il est des nœuds secrets, il est des sympathies
Dont par le doux rapport les âmes assorties
S'attachent l'une à l'autre et se laissent piquer
Par ce je ne sais quoi qu'on ne peut expliquer.
(*Rodogune, acte I, scène V, page 422, vers 359 à 362.*)

Ce n'est qu'en m'imitant que l'on me justifie.
(*Cléopâtre, acte II, scène III, page 425, vers 668.*)

Nous n'avons point de cœur pour aimer ni haïr,
Toutes nos passions ne savent qu'obéir.
(*Rodogune, acte III, scène III, page 427, vers 869 et 870.*)

Le ciel par les travaux veut qu'on monte à la gloire,
Pour gagner un triomphe il faut une victoire.
(*Antiochus, acte III, scène V, page 429, vers 1067 et 1068.*)

La nature et l'amour ont leurs droits séparés :
L'un n'ôte point à l'autre une âme qu'il possède.
(*Antiochus, acte IV, scène III, page 431, vers 1326 et 1327.*)

Vous n'aimeriez pas tant si vous n'étiez aimé.
(*Cléopâtre, acte IV, scène III, page 432, vers 1370.*)

Sors de mon cœur, nature, ou fais qu'ils m'obéissent.
(*Cléopâtre, acte IV, scène VII, page 433, vers 1491.*)

Tombe sur moi le ciel, pourvu que je me venge !
(*Cléopâtre, acte V, scène I, page 434, vers 1532.*)

HÉRACLIUS

La violence est juste où la douceur est vaine.
(*Crispe, acte I, scène I, page 442, vers 89.*)

Il ne faut craindre rien quand on a tout à craindre.
(*Pulchérie, acte I, scène IV, page 445, vers 382.*)

Devine, si tu peux, et choisis, si tu l'oses.
(*Léontine, acte IV, scène IV, page 456, vers 1408.*)

ANDROMÈDE

Phinée :
Quelle est cette justice, et quelles sont ces lois
Dont l'aveugle rigueur s'étend jusques aux rois?
Céphée :
Celles que font les Dieux, qui, tous rois que nous sommes,
Punissent nos forfaits ainsi que ceux des hommes,
Et qui ne nous font part de leur sacré pouvoir
Que pour le mesurer aux règles du devoir.
(*Acte I, scène II, page 476, vers 294 à 299.*)

Un cœur digne d'aimer court à l'objet aimable,
Sans penser au succès dont sa flamme est capable;
Il s'abandonne entier et n'examine rien :
Aimer est tout son but, aimer est tout son bien.
(*Persée, acte I, scène V, page 478, vers 414 à 418.*)

Votre perte n'est rien au prix de ma misère :
Vous n'êtes qu'amoureux, Phinée, et je suis père.
(*Céphée, acte II, scène IV, page 481, vers 714 et 715.*)

C'est aux courages bas, c'est aux amants vulgaires,
A faire agir pour eux l'autorité des pères.
(*Persée, acte IV, scène I, page 486, vers 1074 et 1075.*)

Un amant véritable espère jusqu'au bout,
Tant qu'il voit un moment qui peut lui rendre tout.
(*Phinée, acte V, scène I, page 490, vers 1449 et 1450.*)

Le ciel, qui mieux que nous connaît ce que nous sommes,
Mesure ses faveurs au mérite des hommes.
(*Cassiope, acte V, scène II, page 491, vers 1539 et 1540.*)

DON SANCHE D'ARAGON

Se pare qui voudra des noms de ses aïeux :
Moi, je ne veux porter que moi-même en tous lieux,
Je ne veux rien devoir à ceux qui m'ont fait naître,
Et suis assez connu sans les faire connaître.
Mais pour en quelque sorte obéir à vos lois,
Seigneur, pour mes parents je nomme mes exploits :
Ma valeur est ma race, et mon bras est mon père.
(*Carlos, acte I, scène III, page 502, vers 247 à 253.*)

Les rois de leurs faveurs ne sont jamais comptables,
Ils font comme il leur plaît, et défont nos semblables.
(*Don Alvar, acte I, scène V, page 503, vers 345 et 346.*)

Car ce n'est point l'amour qui fait l'hymen des rois :
Les raisons de l'État règlent toujours leur choix.
(*Carlos, acte IV, scène V, page 513, vers 1431 et 1432.*)

NICOMÈDE

Aussitôt qu'un sujet s'est rendu trop puissant,
Encor qu'il soit sans crime, il n'est pas innocent.
(*Araspe, acte II, scène I, page 526, vers 433 et 434.*)

Ah! ne me brouillez point avec la République.
(*Prusias, acte II, scène III, page 527, vers 564.*)

                    … n'avoir en tous lieux
Pour souverains que moi, la raison, et les Dieux.
(*Laodice, acte III, scène I, page 530, vers 773 et 774.*)

Je perdrai mes États et garderai mon rang,
Et ces vastes malheurs où mon orgueil me jette
Me feront votre esclave et non votre sujette :
Ma vie est en vos mains, mais non ma dignité.
(*Laodice, acte III, scène I, page 530, vers 786 à 789.*)

La fourbe n'est le jeu que des petites âmes,
Et c'est là proprement le partage des femmes.
(*Nicomède, acte IV, scène V, page 535, vers 1255 et 1256.*)

PERTHARITE

Le véritable amour jamais n'est mercenaire.
(*Eduige, acte II, scène I, page 550, vers 483.*)

N'attendez point de moi de soupirs ni de pleurs,
Ce sont amusements de légères douleurs.
(*Rodélinde, acte IV, scène V, page 560, vers 1409 et 1410.*)

Un Roi, quoique vaincu, garde son caractère.
(*Grimoald, acte V, scène II, page 562, vers 1591.*)

ŒDIPE

Nous ne savons pas bien comme agit l'autre monde,
Il n'est point d'œil perçant dans cette nuit profonde,
Et quand les Dieux vengeurs laissent tomber leur bras,
Il tombe assez souvent sur qui n'y pense pas.
(*Mégare, acte II, scène II, page 574, vers 561 à 565.*)

VERS CÉLÈBRES

L'âme est donc toute esclave : une loi souveraine
Vers le bien ou le mal incessamment l'entraîne,
Et nous ne recevons ni crainte ni désir
De cette liberté qui n'a rien à choisir.
(Thésée, acte III, scène V, page 580, vers 1153 à 1156.)

D'un tel aveuglement daignez me dispenser.
(Thésée, acte III, scène V, page 580, vers 1167.)

LA TOISON D'OR

L'État est florissant, mais les peuples gémissent,
Leurs membres décharnés courbent sous mes hauts faits,
Et la gloire du trône accable les sujets.
(La France, Prologue, scène I, page 593, vers 30 à 32.)

Je te haïrais peu, si je ne t'aimais pas.
(Médée, acte II, scène II, page 602, vers 771.)

Ah! que tu connais mal jusqu'à quelle manie
D'un amour déréglé passe la tyrannie!
Il n'est rang, ni pays, ni père, ni pudeur,
Qu'épargne de ses feux l'impérieuse ardeur.
(Aaete, acte V, scène II, page 614, vers 1962 à 1965.)

SERTORIUS

Le temps est un grand maître, il règle bien des choses.
(Viriate, acte II, scène IV, page 628, vers 717.)

Rome n'est plus dans Rome, elle est toute où je suis.
(Sertorius, acte III, scène I, page 630, vers 936.)

Protéger hautement les vertus malheureuses,
C'est le moindre devoir des âmes généreuses.
(Sertorius, acte III, scène I, page 631, vers 977 et 978.)

Ah! pour être Romain, je n'en suis pas moins homme.
(Sertorius, acte IV, scène I, page 633, vers 1194.)

Ce n'est pas obéir qu'obéir lentement.
(Viriate, acte IV, scène II, page 633, vers 1228.)

SOPHONISBE

Je tiens tout fort douteux tant qu'il dépend des hommes.
(Eryxe, acte II, scène II, page 650, vers 548.)

L'esclavage aux grands cœurs n'est point à redouter.
(Sophonisbe, acte II, scène V, page 652, vers 721.)

Je vis pour vous punir de trop aimer à vivre.
(Sophonisbe, acte III, scène IV, page 655, vers 1094.)

Nous aimons nos amis, et même en dépit d'eux.
(Lélius, acte IV, scène III, page 658, vers 1299.)

Je vous l'ai pris vaillant, généreux, plein d'honneur,
Et je vous le rends lâche, ingrat, empoisonneur;
Je l'ai pris magnanime, et vous le rends perfide,
Je vous le rends sans cœur, et l'ai pris intrépide,
Je l'ai pris le plus grand des princes africains,
Et le rends, pour tout dire, esclave des Romains.
(Sophonisbe, acte V, scène IV, page 661, vers 1661 à 1666.)

OTHON

Il est un autre amour dont les vœux innocents
S'élèvent au-dessus du commerce des sens.
Plus la flamme en est pure et plus elle est durable,
Il rend de son objet le cœur inséparable,
Il a de vrais plaisirs dont ce cœur est charmé,
Et n'aspire qu'au bien d'aimer et d'être aimé.
(Plautine, acte I, scène IV, page 668, vers 311 à 316.)

Aux unes on se donne, aux autres on se vend.
(Plautine, acte IV, scène IV, page 680, vers 1376.)

TITE ET BÉRÉNICE

L'amour propre est la source en nous de tous les autres :
C'en est le sentiment qui forme tous les nôtres.
Lui seul allume, éteint, ou change nos désirs :
Les objets de nos vœux le sont de nos plaisirs.
(Albin, acte I, scène III, page 736, vers 279 à 282.)

Quoi? vous ne pouvez pas ce que peut une femme?
(Domitie, acte V, scène II, page 749, vers 1508.)

PSYCHÉ

Psyché :
Des tendresses du sang peut-on être jaloux?
L'Amour :
Je le suis, ma Psyché, de toute la nature :
Les rayons du soleil vous baisent trop souvent,
Vos cheveux souffrent trop les caresses du vent,
      Dès qu'il les flatte, j'en murmure :
      L'air même que vous respirez
Avec trop de plaisir passe par votre bouche :
      Votre habit de trop près vous touche,
      Et sitôt que vous soupirez
      Je ne sais quoi qui m'effarouche
Craint parmi vos soupirs des soupirs égarés.
(Acte III, scène III, page 766, vers 1188 à 1198.)

SURÉNA

Amour, sur ma vertu prends un peu moins d'empire!
(Eurydice, acte I, scène II, page 802, vers 238.)

Que tout meure avec moi, Madame, que m'importe
Qui foule après ma mort la terre qui me porte?
Sentiront-ils percer par un éclat nouveau,
Ces illustres aïeux, la nuit de leur tombeau?
Respireront-ils l'air où les feront revivre
Ces neveux qui peut-être auront peine à les suivre,
Peut-être ne feront que les déshonorer,
Et n'en auront le sang que pour dégénérer?
Quand nous avons perdu le jour qui nous éclaire,
Cette sorte de vie est un bien imaginaire,
Et le moindre moment d'un bonheur souhaité
Vaut mieux qu'une si froide et vaine éternité.
(Suréna, acte I, scène III, page 803, vers 301 à 312.)

J'ai vécu pour ma gloire autant qu'il fallait vivre,
Et laisse un grand exemple à qui pourra me suivre.
(Suréna, acte IV, scène IV, page 814, vers 1357 et 1358.)

PERSONNAGES DU THÉATRE

Aaete, roi de Colchos (*la Toison d'or*).

Absyrte, fils d'Aaete (*la Toison d'or*).

Achillas, lieutenant général des armées du roi d'Égypte (*Pompée*).

Achorée, écuyer de Cléopâtre (*Pompée*).

Adraste, amoureux d'Isabelle (*l'Illusion comique*).

Ægée, roi d'Athènes (*Médée*).

Agénor, prince, amant de Psyché (*Psyché*).

Agésilas, roi de Sparte (*Agésilas*).

Aglante, nymphe d'Andromède (*Andromède*).

Aglatide, fille de Lysander (*Agésilas*).

Aglaure, sœur de Psyché (*Psyché*).

Albiane, dame d'honneur de Camille (*Othon*).

Albin, confident de Félix (*Polyeucte*); centenier romain (*Sophonisbe*); ami d'Othon (*Othon*); confident de Domitian (*Tite et Bérénice*).

Alcandre, roi d'Écosse (*Clitandre*); magicien (*l'Illusion comique*).

Alcidon, ami de Philiste, amant de Doris (*la Veuve*).

Alcippe, ami de Dorante (*le Menteur*).

Alidor, principal personnage de *la Place Royale*.

Alonse (Don), gentilhomme castillan (*le Cid*).

Amarante, suivante de Daphnis (*la Suivante*).

Ammon (*Andromède*).

Amour (L') (*Psyché*).

Amyntas (*Théodore*); ami d'Exupère (*Héraclius*).

Andromède, fille de Céphée et de Cassiope (*Andromède*).

Angélique, principal personnage féminin de *la Place Royale*.

Antiochus, fils de Démétrius Nicanor et de Cléopâtre (*Rodogune*).

Antoine, Marc Antoine (*Pompée*).

Araspe, capitaine des gardes de Prusias (*Nicomède*).

Arbaze (*la Comédie des Tuileries*).

Arcas, frère d'Aristie (*Sertorius*).

Ardaric, roi des Gépides (*Attila*).

Arias (Don), gentilhomme castillan (*le Cid*).

Aristie, femme de Pompée (*Sertorius*).

Aronte, écuyer de Lysandre (*la Galerie du Palais*).

Arsinoé, seconde femme de Prusias (*Nicomède*).

Asphalte (*la Comédie des Tuileries*).

Attale, fils de Prusias et d'Arsinoé (*Nicomède*).

Atticus, soldat romain (*Othon*).

Attila, roi des Huns (*Attila*).

Auguste, l'empereur (*Cinna*).

Barcée, dame d'honneur d'Éryxe (*Sophonisbe*).

Bérénice, reine de Judée (*Tite et Bérénice*).

Blanche, dame d'honneur de la reine de Castille (*don Sanche d'Aragon*).

Bocchar, lieutenant de Syphax (*Sophonisbe*).

Calaïs, un des argonautes (*la Toison d'or*).

Caliste (*Clitandre*).

Camille, sœur d'Horace (*Horace*); nièce de Galba (*Othon*).

Carlos, nom supposé de celui qui se révélera être *don Sanche d'Aragon*.

Cassiope, reine d'Éthiopie (*Andromède*).

Célidan, amoureux de Doris (*la Veuve*).

Célidée, fille de Pleirante, amie et voisine de Hippolyte (*la Galerie du Palais*).

Célie, voisine et confidente de Géraste (*la Suivante*).

Céphalie, nymphe d'Andromède (*Andromède*).

Céphée, roi d'Éthiopie (*Andromède*).

César (*Pompée*).

Chalciope, fille d'Aaete, veuve de Phryxus (*la Toison d'or*).

Charmion, dame d'honneur de Cléopâtre (*Pompée*).

Chimène, fille de don Gormas, amante de Rodrigue (*le Cid*).

Chrysante, mère de Doris (*la Veuve*); mère d'Hippolyte (*la Galerie du Palais*).

Cinna, chef de la conjuration contre Auguste (*Cinna*).

Clarice, principal personnage féminin de *la Veuve*; une des deux femmes courtisées par Dorante (*le Menteur*).

Clarimond, amoureux de Daphnis (*la Suivante*).

Clarine, suivante de la pièce jouée au Ve acte de *l'Illusion comique*, rôle tenu par Lyse.

Cléandre (*la Place Royale*); gentilhomme de Lyon (*Suite du Menteur*).

Cléante, écuyer de Dorimant (*la Galerie du Palais*); confident d'Œdipe (*Œdipe*).

Cléobule (*Théodore*).

Cléomène, prince, amant de Psyché (*Psyché*).

Cléon, gentilhomme de la Cour (*Clitandre*); domestique de Damon (*la Suivante*); domestique de Félix (*Polyeucte*).

Cléone, gouvernante de Créuse (*Médée*); confidente d'Arsinoé (*Nicomède*).

Cléonice (*la Comédie des Tuileries*).

Cléopâtre, sœur de Ptolomée, roi d'Égypte (*Pompée*); reine de Syrie, veuve de Démétrius Nicanor (*Rodogune*).

Clindor, principal personnage de *l'Illusion comique*.

Clitandre, favori du prince Floridan (*Clitandre*).

Cliton, voisin de Mélite (*Mélite*); valet du *Menteur* dans cette pièce et sa *Suite*.

Cloris, sœur de Tircis (*Mélite*).

Cotys, roi de Paphlagonie (*Agésilas*).

Créon, roi de Corinthe et père de Créuse (*Médée*).

Créuse, rivale de Médée à Corinthe (*Médée*).

Crispe, gendre de l'empereur Phocas (*Héraclius*).

Curiace, champion d'Albe, frère de Sabine et amant de Camille (*Horace*).

Cydippe, néréide (*Andromède*); sœur de Psyché (*Psyché*).

Cymodoce, néréide (*Andromède*).

Damon, ami impartial des rivaux Florame et Théante (*la Suivante*).

Daphnis, maîtresse de Florame, courtisée par Clarimond et Théante (*la Suivante*).

Didyme, chrétien qui sauve Théodore de l'infamie (*Théodore*).

Diègue (Don), père de Rodrigue (*le Cid*).

Discorde (La), allégorie du prologue de *la Toison d'or*.

Domitian, frère de Tite et amant de Domitie (*Tite et Bérénice*).

Domitie, fille de Corbulon (*Tite et Bérénice*).

Dorante, ami de Pridamant (*l'Illusion comique*); principal personnage du *Menteur* et de sa *Suite*.

Doraste, un des domestiques de Clarice (*la Veuve*); amoureux d'Angélique (*la Place Royale*).

Dorimant, amoureux d'Hippolyte (*la Galerie du Palais*).

Doris, sœur de Philiste et amie de Clarice (*la Veuve*).

Dorise, amoureuse de Pymante, déguisée en homme, traîtresse par amour (*Clitandre*).

Dymas, confident d'Œdipe (*Œdipe*).

Edüige, sœur de Pertharite (*Pertharite*).

Elpinice, fille de Lysander (*Agésilas*).

Elvire, gouvernante de Chimène (*le Cid*); princesse d'Aragon (*don Sanche d'Aragon*).

Émilie, fille de Toranius, victime d'Auguste (*Cinna*).

Envie (L'), allégorie du prologue de *la Toison d'or*.

Éole (prologue d'*Andromède*).

Éphyre, néréide (*Andromède*).

Éraste, principal personnage masculin de *Mélite*; personnage du V° acte de l'*Illusion comique*.

Eryxe, reine de Gétulie (*Sophonisbe*).

Eudoxe, fille de Léontine (*Héraclius*); mère de Pulchérie (*Pulchérie*).

Euphorbe, affranchi de Maxime (*Cinna*).

Eurydice, fille d'Artabase, roi d'Arménie, principal personnage féminin de *Suréna*.

Évandre, affranchi de Cinna (*Cinna*).

Exupère, patricien de Constantinople (*Héraclius*).

Fabian, domestique de Sévère (*Polyeucte*).

Félix, gouverneur d'Arménie (*Polyeucte*).

Fernand (Don), premier roi de Castille (*le Cid*).

Flaminius, ambassadeur de Rome en Bithynie (*Nicomède*).

Flavian, soldat de l'armée d'Albe (*Horace*); confident de Tite (*Tite et Bérénice*).

Flavie, amie de Plautine (*Othon*); dame d'honneur d'Honorie (*Attila*).

Florame, amant de Daphnis (*la Suivante*).

Florice, suivante d'Hippolyte (*la Galerie du Palais*).

Floridan, fils du roi d'Écosse (*Clitandre*).

Florine (*la Comédie des Tuileries*).

France (La), allégorie du prologue de *la Toison d'or*.

Fulvie, confidente d'Émilie (*Cinna*).

Galba, empereur de Rome (*Othon*).

Garibalde, duc de Turin (*Pertharite*).

Géraste, père de Daphnis (*la Suivante*).

Geôlier (*Clitandre*, l'*Illusion comique*).

Géron, agent de Florange (*la Veuve*).

Géronte, écuyer de Clitandre (*Clitandre*); père d'Isabelle (*l'Illusion comique*); père de Dorante (*le Menteur*).

Glauque, dieu marin (*la Toison d'or*).

Gomès (Don), comte de Gormas (*le Cid*).

Grimoald, comte de Bénévent, usurpateur (*Pertharite*).

Gusman (don Lope de), grand de Castille (*don Sanche d'Aragon*).

Héraclius, fils de l'empereur Maurice (*Héraclius*).

Herminie, dame d'honneur de la Reine (*Sophonisbe*).

Hippolyte, principal personnage féminin de *la Galerie du Palais*; rôle de la pièce joué au V° acte de l'*Illusion comique*.

Honorie, sœur de l'empereur Valentinian (*Attila*).

Horace, personnage principal de la pièce du même nom.

Le vieil Horace, père du précédent.

Hyménée (L'), allégorie du prologue de *la Toison d'or*.

Hypsipyle, reine de Lemnos (*la Toison d'or*).

Ildione, sœur de Méroüée, roi de France (*Attila*).

Infante (L'), voir dona Urraque.

Iphicrate, vieillard de Corinthe (*Œdipe*).

Iphite, argonaute (*la Toison d'or*).

Irène, sœur de Léon (*Pulchérie*).

Iris (*la Toison d'or*).

Isabelle, reine de Castille (*don Sanche d'Aragon*); suivante de Clarice (*le Menteur*); fille de Géronte (*l'Illusion comique*).

Jason, chef des argonautes (*la Toison d'or*); époux de Médée (*Médée*).

Junon (*Andromède*, *la Toison d'or*).

Jupiter (*Andromède*, *la Toison d'or*, *Psyché*).

Justine, fille de Martian (*Pulchérie*).

Lacus, préfet du prétoire (*Othon*).

Laodice, reine d'Arménie (*Nicomède*).

Laonice, confidente de Cléopâtre (*Rodogune*).

Lare (don Manrique de) (*don Sanche*).

Lélius, lieutenant de Scipion, consul de Rome (*Sophonisbe*).

Léon, amant de Pulchérie (*Pulchérie*).

Léonce, nom supposé de Martian (*Héraclius*).

Léonor, gouvernante de l'Infante (*le Cid*); reine d'Aragon (*don Sanche d'Aragon*).

Léontine, dame de Constantinople, qui sauve la famille royale en Martian (*Héraclius*).

Lépide, un des triumvirs (*Pompée*); tribun romain (*Sophonisbe*).

Libraire du Palais (*la Galerie du Palais*).

Lingère du Palais (*la Galerie du Palais*).

Liriope, nymphe d'Andromède (*Andromède*).

Lisis, ami de Tircis (*Mélite*).

Listor, domestique de Clarice (*la Veuve*).

Livie, impératrice (*Cinna*).

Lucrèce, amie et rivale de Clarice (*le Menteur*).

Lune, don Alvare de (*don Sanche d'Aragon*).

Lycante, domestique de Doraste (*la Place Royale*); capitaine d'une cohorte romaine (*Théodore*).

Lycas, domestique de Philiste (*la Veuve*); valet d'Alcippe (*le Menteur*).

Lycaste, page de Clitandre (*Clitandre*).

Lysander, capitaine de Sparte (*Agésilas*).

Lysandre, amant de Célidée (*la Galerie du Palais*).

Lysarque, écuyer de Rosidor (*Clitandre*).

Lyse, servante d'Isabelle (*l'Illusion comique*); femme de chambre de Mélisse (*Suite du Menteur*).

Lysis, amoureux de Phylis (*la Place Royale*).

Marcelle, femme de Valens (*Théodore*).

Mars (prologue de *la Toison d'or*).

Martian, fils de l'empereur Phocas (*Héraclius*); affranchi de Galba (*Othon*); ministre sous Théodose le Jeune (*Pulchérie*).

Massinisse, roi de Numidie, amant de Sophonisbe (*Sophonisbe*).

Matamore, capitaine de *l'Illusion Comique*.

Maxime, ami de Cinna, conjuré contre Auguste (*Cinna*).

Médée, fille d'Aaete, femme de Jason (*Médée*); la même, non encore mariée (*la Toison d'or*).

Mégare, dame d'honneur de Dircé (*Œdipe*).

Mélisse, sœur de Cléandre (*la Suite du Menteur*).

Mélite, personnage principal de la comédie du même nom.

Melpomène (prologue d'*Andromède*).

Mercier du Palais (*Galerie du Palais*).

Mercure (prologue d'*Andromède*).

Mézétulle, lieutenant de Massinisse (*Sophonisbe*).

Moncade (don Raymond de) (*don Sanche d'Aragon*).

Montagne (Sieur de la), nom de guerre de Clindor comédien (*l'Illusion comique*).

Néarque, seigneur arménien, ami de Polyeucte (*Polyeucte*).

Neptune (prologue d'*Andromède*).

Néréides (*Andromède*).

Nérine, suivante de Médée (*Médée*); dame d'honneur de Jocaste (*Œdipe*).

Nicomède, fils aîné de Prusias (*Nicomède*).

Nourrice : celle de Mélite (*Mélite*) et celle de Clarice (*la Veuve*).

Octar, capitaine des gardes d'Attila (*Attila*).

Octavian (*Héraclius*).

Œdipe, fils et époux de Jocaste (*Œdipe*).

Ormène, dame d'honneur d'Eurydice (*Suréna*).

Orode, roi des Parthes (*Suréna*).

Oronte, ambassadeur de Phraates, roi des Parthes (*Rodogune*).

Orphée, argonaute (*la Toison d'or*).

Orphise (*la Comédie des Tuileries*).

Othon, empereur romain (*Othon*).

Pacorus, fils d'Orode (*Suréna*).

Paix (La), personnage du prologue de *la Toison d'or*.

Pallas (*la Toison d'or*).

Palmis, sœur de Suréna (*Suréna*).

Paulin (*Théodore*).

Pauline, fille du gouverneur Félix, femme de Polyeucte (*Polyeucte*).

Pélée, argonaute (*la Toison d'or*).

Perpenna, lieutenant de Sertorius en Espagne (*Sertorius*).

Persée (*Andromède*).

Pertharite, roi des Lombards (*Pertharite*).

Philandre, amant de Cloris (*Mélite*).

Philippe, affranchi de Pompée (*Pompée*).

Philiste, amant de Clarice (*la Veuve*); ami de Dorante et d'Alcippe (*le Menteur*); ami de Dorante, amoureux de Mélisse (*Suite du Menteur*).

Philon, ministre, confident de Bérénice (*Tite et Bérénice*).

Phinée, prince d'Éthiopie, amoureux d'Andromède (*Andromède*).

Phocas, empereur d'Orient (*Héraclius*).

Phorbas (*Andromède*); vieillard thébain (*Œdipe*).

Photin, eunuque, chef du conseil d'Égypte (*Pompée*).

Phylis, sœur de Doraste (*la Place Royale*).

Placide, fils du gouverneur d'Antioche (*Théodore*).

Plautine, fille de Vinius (*Othon*); confidente de Domitie (*Tite et Bérénice*).

Pleirante, père de Célidée (*la Galerie du Palais*).

Polémon, oncle de Clarimond (*la Suivante*).

Polimas, un des domestiques de Clarice (*la Veuve*).

Pollux, argonaute (*la Toison d'Or*).

Polyclète, affranchi d'Auguste (*Cinna*).

Polyeucte, seigneur arménien, gendre de Félix (*Polyeucte*).

Polymas, domestique d'Alidor (*la Place Royale*).

Pompée, principal personnage qui ne paraît pas dans la pièce (*Pompée*); personnage de *Sertorius*.

Pridamant, père de Clindor, en quête de son fils (*l'Illusion comique*).

Procule, soldat de l'armée de Rome (*Horace*).

Prusias, roi de Bithynie (*Nicomède*).

Psyché (*Psyché*).

Ptolomée XII, fils de Ptolomée Aulétès, roi d'Égypte (*Pompée*).

Pulchérie, fille de l'empereur Maurice (*Héraclius*); impératrice d'Orient (*Pulchérie*).

Pymante (*Clitandre*).

Rodélinde, femme de Pertharite (*Pertharite*).

Rodogune, sœur de Phraates, roi des Parthes (*Rodogune*).

Rodrigue (Don), fils de don Diègue (*le Cid*).

Rosidor, favori du roi (*Clitandre*).

Rutile, soldat romain (*Othon*).

Sabine, femme d'Horace et sœur de Curiace (*Horace*) ; femme de chambre de Lucrèce (*le Menteur*).

Don Sanche, rival de Rodrigue (*le Cid*) ; héritier du trône d'Aragon, élevé sous le nom de Carlos (*don Sanche d'Aragon*).

Séleucus, fils de Démétrius Nicanor et de Cléopâtre (*Rodogune*).

Septime, tribun romain à la solde du roi d'Égypte (*Pompée*).

Sertorius, général du parti de Marius en Espagne (*Sertorius*).

Sévère, chevalier romain, favori de l'empereur Décie (*Polyeucte*).

Sillace, lieutenant d'Orode (*Suréna*).

Sirènes (*la Toison d'or*).

Soleil (Le) (prologue d'*Andromède*).

Sophonisbe, fille d'Asdrubal et reine de Numidie (*Sophonisbe*).

Spitridate, grand seigneur persan (*Agésilas*).

Stéphanie, confidente de Marcelle (*Théodore*).

Stratonice, confidente de Pauline (*Polyeucte*).

Suréna, général des Parthes sous le règne d'Orode (*Suréna*).

Syphax, roi de Numidie, époux de Sophonisbe (*Sophonisbe*).

Thamire, dame d'honneur de Viriate (*Sertorius*).

Théagène, roi de la pièce jouée au Ve acte de *l'Illusion comique*.

Théante, un des trois amoureux de Daphnis (*la Suivante*).

Théodore, princesse d'Antioche (*Théodore*).

Thésée, prince d'Athènes, amant de Dircé (*Médée*).

Timagène (*Rodogune*).

Tircis, amant de Mélite (*Mélite*).

Tite, l'empereur Titus, amant de Bérénice (*Tite et Bérénice*).

Tritons (*la Toison d'or*).

Tulle, Tullus Hostilius, roi de Rome (*Horace*).

PERSONNAGES DU THÉATRE

Unulphe, seigneur lombard (*Pertharite*).
Urraque (Dona), infante de Castille (*le Cid*).

Valamir, roi des Ostrogoths (*Attila*).
Valens, gouverneur d'Antioche (*Théodore*).
Valère, chevalier romain, rival de Curiace auprès de Camille (*Horace*).
Veneurs de la suite du Prince (*Clitandre*).

Vents (prologues d'*Andromède* et de *la Toison d'or*).
Vénus (prologue d'*Andromède*, *Psyché*).
Viriate, reine de Lusitanie (*Sertorius*).

Xénoclès, lieutenant d'Agésilas (*Agésilas*).

Zéphire (*Psyché*).

INDEX DES PERSONNES

DALE'S
FOOD MART #20
VAN NUYS

APR 17 -76 002 2008

AGRTI	*001.09
APR	*000.69
APR	*000.34
APR	*000.60
AMT	*002.09
ATX	*000.07
S A	*004.88
TENDA	*010.00
CHNGA	*005.12

THANK YOU
CALL AGAIN

TABLE

COLLECTIONS MICROCOSME
ÉCRIVAINS DE TOUJOURS

Ce n'est pas seulement le profil d'une œuvre éclairée par l'homme et son époque que cherche à esquisser cette collection, mais un dialogue toujours vivant entre les écrivains de toujours et les hommes d'aujourd'hui. Chacun des volumes, bien que d'un prix modique, est abondamment illustré.

Achevé d'imprimer en 1970 par l'Imprimerie Georges Lang à Paris.
Dépôt légal : 3e trimestre 1963. No 1495.4.

Printed in France.